産婦人科の画像診断

第2版

田中優美子●著
がん研究会有明病院画像診断部

金原出版株式会社

Diagnostic Imaging in Obstetrics and Gynecology
Second Edition
by Yumiko Oishi TANAKA, M.D.
Diagnostic Imaging Department, Cancer Institute Hospital of
Japanese Foundation for Cancer Research

©2014, 2025
KANEHARA & Co., LTD., Tokyo JAPAN
All rights reserved.
ISBN 978-4-307-07135-2

Printed in Japan

第二版の序

　AI（artificial intelligence，人工知能）が世の中を席巻している。
　ChatGPTに代表されるlarge language model（LLM）は人々の日々の暮らしに浸透し，毎日の献立から庭に咲き誇る花々の育て方まで様々な情報を瞬時に与えてくれる。その恩恵に浴するのは我々画像診断医も例外ではなく，「〇〇腫瘍のMRI所見は？」と問えば瞬時に答えが返ってくる。果たしてこのような時代に成書は必要なのであろうか？　初版の出版から5年が経過した頃から，金原出版の前担当である栗原良平氏より改訂の進捗状況をたずねられるたびに，そのようなことを逡巡しながら，1字も書けないまま数年が過ぎた。しかし，AIにhallucinationはつきものだし，特に，画像は典型例が示されるわけでもない。そして何より，がん研究会に移ってからというもの，自分自身に，特にoncologic imagingにおける学びがあった。やはりその成果をひとり占めにすることなく，放射線科や産婦人科の先生方にお伝えするのは私の責務ではないかと考え，2023年暮れから本格的に改訂に着手した。
　初版から十年あまり。この間，evidence-based medicineが浸透し，各種ガイドラインが充実し，WHOの腫瘍組織型分類は遺伝子解析の成果を反映して二度改訂され，本邦の取扱い規約の改訂速度も速まった。そこで，今回はスピード感を重視するとともに最新の分類，取扱い規約，文献を反映させることに重きをおいて，集中的に執筆した。これにより読者は最新の知見を反映した画像を目にすることができるはずである。
　紆余曲折はあったが，第二版の出版にあたり，日々，私の診療研究を支えてくださったすべての皆様に心から感謝申し上げたい。がん研究会有明病院画像診断部の診療放射線技師の皆様には，限られた時間内で私の無理難題に応え，すばらしい画像を撮像していただいた。竹島信宏前部長，金尾祐之現部長をはじめ婦人科の先生方の輝かしい診療実績により，全国津々浦々から多数の患者さまががん研究会に集い，また卓越した技術により腫瘍を摘除していただき，radiologic-pathologic correlationの基盤を整備していただいた。病理部の外岡暁子先生，高澤豊前部長，千葉知宏細胞診断部長には豊富な知識に裏打ちされた適切な病理診断をいただいたうえに，数々の病理組織写真をご提供いただいた。さらに，昭和医科大学名誉教授　後閑武彦先生のご厚意により，昭和医科大学江東豊洲病院では放射線診断科　長谷川真教授，産婦人科　大槻克文教授，東京医科大学茨城医療センターにおいては放射線科　菅原信二教授，産婦人科　藤村正樹前教授，二神真行教授，病理診断科　森下由紀雄教授のご指導のもと，がん研究会では経験することの少ない産科疾患や婦人科救急疾患についても研鑽することができた。そして一向に進まない改訂作業を温かく見守るとともに，初版原稿を整理していただいた金原出版の栗原良平氏，誤字・脱字も多い拙稿を成書にまとめあげてくださった吉田真美子氏，長谷川三男氏なくしては本書が世に出ることはなかったことを付記しておきたい。

　猛暑に見舞われた2025年盛夏

がん研究会有明病院　画像診断部
田中　優美子

初版の序

　『臨床放射線』の編集委員である黒崎喜久先生より，「単著の産婦人科画像の教科書を書いてみないか」とのお話をいただいてから，かれこれ6年になる。黒崎先生といえば私が駆け出しの頃からCTやMRIはもちろん，単純X線写真，腹部超音波までご教授いただいた大恩師である。当時は私のレポートがあまりに拙く，ほとんど原型を残すことなく添削していただいたにもかかわらず，そんな不肖の弟子にご依頼いただいたことがことのほかに嬉しかったのを良く覚えている。加えて筑波大学にはありとあらゆる産婦人科疾患の患者さんが茨城県のみならず関東一円の病院から紹介されてきた。これは開学以来，故・岩崎寛和先生，久保武士先生，吉川裕之先生と歴代の産婦人科教授が先頭に立って診療実績を積み重ねて来られたことに尽きる。そんな環境にあって産婦人科疾患に興味を持ち，研修が義務化されるよりも遙か前に，西田正人先生はじめ当時の産婦人科の先生方のご厚意で婦人科を研修させていただく機会を得，以来一貫して故・板井悠二先生の温かい叱咤・激励のもと，産婦人科画像を研究テーマとして研鑽を続けてきた。幸い放射線科・産婦人科双方の学会で成果を発表させていただく機会にも恵まれてきたが，披露しきれないほど数多くの症例を抱え，いつかこれを世に出すのが私の責務であると肝に銘じてきた。今回，千載一遇のチャンスをいただき，書くからにはFraser & Pare（胸部放射線診断学の網羅的な大著）を目指そうと意気込んで取り組ませていただいた。

　執筆に際しては以下の点に留意した。まず産婦人科の教科書として通用するよう，最低限の臨床的事項（疫学・症候・治療）を記載すること。次に画像に反映されている病態・病理所見を明らかにすること。そしてできる限り原著論文を引用すること。また画像は美しい，典型例を採用すること。項目によっては私の力不足のため原著にあたりきれない，あるいは必ずしもchampion imageを用意できなかったものもあるが，おおむね当初の目標はクリアできたものと自負している。

　手術はもちろん，画像診断もひとりでできるものではなく，本学附属病院放射線部の診療放射線技師，看護師，クラークのみなさま，放射線診断および婦人周産期診療グループの先生方には大変なご尽力をいただいた。また野口雅之先生はじめ本学診断病理の先生方，産婦人科医ながら病理診断に造詣の深い西田先生，角田肇先生，岡田智志先生には多大なご指導をいただいた。更に岡田先生，吉川先生には内容のご高閲もいただいた。そして金原出版の滝沢浩利雑誌部部長には原稿を気長にお待ちいただいた上に，時間的余裕がない中，編集に携わった皆様ともども大変なご迷惑をおかけした。出版に際し，これらすべてのみなさまに心より感謝申し上げる次第である。特に岡田智志先生には本書に掲載した病理組織写真の大部分を撮影していただき，彼の存在なくして本書は成り立たなかったことを明記しておきたい。

　最後に本書が産婦人科診療に携わるすべてのみなさまに役立つことを願ってやまない。

2014年早春

筑波大学　医学医療系臨床医学域　放射線医学

田中　優美子

Contents ● 目次

第1章　婦人科画像診断の基本と実際　　1

Ⅰ　MRIの適応と検査の実際　　3
1. MRI実施上の注意点　　3
2. MRIの適応と撮像法　　8
3. 婦人科疾患の診断に有用なMRIの技術　　12
4. 悪性腫瘍の転移検索としてのMRIの有用性　　26

Ⅱ　CTの適応と検査の実際　　34
1. CT検査実施上の注意点　　34
2. CT検査の適応と撮像法　　35
3. CTの進歩　　39

Ⅲ　FDG-PETの適応と検査の実際　　41
1. PET検査実施上の注意点　　42
2. 婦人科腫瘍におけるPET検査の適応　　42

Ⅳ　妊娠中の画像検査　　45

第2章　婦人科画像解剖　　55

Ⅰ　正常画像解剖　　56

Ⅱ　内分泌環境による変化　　63
1. 月経周期による変化　　63
2. 年齢による変化　　65
3. 内因性・外因性ホルモンによる変化　　67
4. 子宮の収縮と蠕動　　69
5. 妊娠・産褥期の変化　　69

第3章　先天異常と遺伝性疾患　　77

Ⅰ　先天異常　　78
1. 外性器の奇形　　78
2. ミュラー管分化異常による子宮奇形　　79
3. 卵巣の奇形　　93

Ⅱ　性分化疾患と原発性無月経　　95
1. 性分化疾患 disorders of sex development（DSD）　　95

  2．性分化疾患や性器の奇形に起因しない原発性無月経 ････････････････････ 107
  附．性分化疾患にかかわる用語 ･･ 109

Ⅲ　遺伝性腫瘍 ･･ 111

 1．遺伝性乳癌卵巣癌 hereditary breast and ovarian cancer（HBOC）･･････････ 111
 2．HBOC 以外の遺伝性婦人科腫瘍 ･･ 115
  1）Cowden 症候群（PTEN 過誤腫症候群）････････････････････････････････ 115
  2）Lynch 症候群［hereditary non-polyposis colorectal cancer（HNPCC）］ ････ 115
  3）Peutz-Jeghers 症候群 ･･ 119
  4）DICER1 症候群 ･･ 121
  5）Gorlin-Goltz 症候群［基底細胞母斑症候群（basal cell nevus syndrome）］ ････ 121
  6）遺伝性平滑筋腫症・腎細胞癌症候群（HLRCC），
    FH 腫瘍易罹患性症候群 FH tumor predisposition syndrome ･･････････ 123

第 4 章　子宮筋腫とその関連疾患　　127

Ⅰ　局在による分類と典型像および鑑別診断 ･･････････････････････････････････ 129

Ⅱ　変性と変異型 ･･･ 137

Ⅲ　治療法の選択に際し留意すべき画像所見 ･･････････････････････････････････ 152

第 5 章　子宮内膜症と子宮腺筋症　　157

Ⅰ　子宮内膜症とその関連疾患 endometriosis and related diseases ･･････････ 158

 1．臨床的事項 ･･ 158
 2．画像所見 ･･ 163
  1）卵巣内膜症性囊胞 ovarian endometriotic cyst ･････････････････････････ 163
   （1）病態と画像所見 ･･ 163
   （2）鑑別診断 ･･ 170
   （3）腫瘍の合併 neoplasms arising from endometriosis ･･････････････････ 171
   （4）腫瘍の合併と鑑別すべき病態 ･･････････････････････････････････････ 177
   （5）合併症 ･･ 184
  2）深部内膜症 deep endometriosis ････････････････････････････････････ 186
  3）稀少部位子宮内膜症 less common site and rare site endometriosis ････ 186

Ⅱ　子宮腺筋症 adenomyosis ･･ 198

 1．臨床的事項 ･･ 198
 2．画像所見 ･･ 199
  1）典型像と variant ･･ 199

2）分類と特殊型 ·· 205
　　　　(1) 病因，特に子宮内膜症との関連に基づく分類 ··· 205
　　　　(2) 嚢性腺筋症 cystic adenomyosis/adenomyotic cyst ·· 207

第6章　婦人科腫瘍（子宮）　　　　　　　　　　　**215**

Ⅰ 子宮頸部の腫瘍 tumors of the uterine cervix ·· 216
1. 子宮頸癌の組織型，疫学，臨床的事項 ·· 216
2. 子宮頸癌の画像所見 ··· 223
　　1）発育様式，組織型 ·· 223
　　2）ステージング ··· 225
　　3）治療後の変化と再発所見および治療に伴う合併症 ··· 243
3. 特殊な組織型の頸部腫瘍および腫瘍様病変 ··· 252
　　1）上皮性腫瘍および腫瘍様病変 epithelial tumors and tumor-like lesions ················· 252
　　　　(1) 扁平上皮癌の組織亜型 ··· 252
　　　　(2) 分葉状頸管腺過形成 lobular endocervical glandular hyperplasia (LEGH) と
　　　　　　胃型腺癌 adenocarcinoma, HPV-independent, gastric type ································ 252
　　　　(3) 腺癌の組織亜型 ·· 259
　　　　(4) その他の上皮性腫瘍 other epithelial tumors ······································ 266
　　2）上皮性・間葉性混合腫瘍 mixed epithelial and mesenchymal tumors ··············· 269
　　3）胚細胞腫瘍 germ cell tumors ·· 272
　　4）神経内分泌腫瘍 neuroendocrine tumors（NET）··· 272
　　5）間葉性腫瘍および腫瘍様病変 mesenchymal tumors and tumor-like lesions ········ 272
　　6）メラノサイト腫瘍 melanocytic tumors ·· 276
　　7）リンパ性および骨髄性腫瘍 lymphoid and myeloid tumors ·· 276

Ⅱ 子宮体部の腫瘍および腫瘍様病変
tumors of the uterine body and tumor-like lesions ································· 282
1. 主として内膜腔を占める疾患（上皮性および上皮性・間葉性混合腫瘍）
tumors occupying the endometrial cavity ·· 284
　　1）子宮内膜癌の組織型，疫学，臨床的事項 ··· 284
　　2）子宮内膜腔病変の画像診断の適応と進め方 ··· 289
　　3）組織分類と画像所見 ·· 293
　　　　(1) 子宮内膜癌の前駆病変 precursors
　　　　　　［子宮内膜増殖症と子宮内膜ポリープ（タモキシフェン関連を含む）］················ 293
　　　　(2) 子宮内膜癌 endometrial cancer
　　　　　　（上皮性腫瘍 epithelial tumors, 神経内分泌腫瘍 neuroendocrine neoplasia）············ 299
　　　　(3) 上皮性・間葉性混合腫瘍 mixed epithelial and mesenchymal tumors ············· 331
2. 主として子宮筋層を占める疾患（間葉性腫瘍）tumors occupying the myometrium ··· 346
　　1）筋腫と肉腫の鑑別：総論 ··· 346
　　2）組織分類と画像所見 ·· 349
　　　　(1) 間葉性腫瘍（平滑筋腫を除く）mesenchymal tumors ······································· 349

(2) その他の腫瘍 miscellaneous tumors ································ 365

第7章　婦人科腫瘍（卵巣・卵管・腹膜）　387

Ⅰ 「卵巣腫瘍」から「卵巣・卵管・腹膜腫瘍」へ ················ 388
1. 卵巣・卵管・腹膜癌の組織分類 ································ 390
2. 骨盤内腫瘤性病変の画像診断の適応と進め方 ·················· 390
　　1) 卵巣か卵巣外か ··· 390
　　2) 卵巣腫瘤性病変の鑑別診断とマネジメントのストラテジー ······ 393
3. 卵巣・卵管・腹膜癌の疫学，臨床的事項 ······················ 399
4. 卵巣・卵管・腹膜癌のステージング ·························· 408
　　1) 腹腔内播種の画像診断法 ····································· 408
　　2) 腹腔内播種の画像所見 ······································· 410
　　3) 腹腔内播種の鑑別診断 ······································· 417
　　4) Ⅳ期となる病変：悪性胸水と心横隔膜角リンパ節転移 ·········· 419
5. 卵巣腫瘍の再発とその診断 ··································· 421

Ⅱ 卵巣腫瘍 ovarian tumors ······································ 427
1. 上皮性腫瘍と上皮性・間葉性混合腫瘍 ························ 427
A. 上皮性腫瘍 epithelial tumors ······························ 427
　　1) 漿液性腫瘍 serous tumors ································· 430
　　　(1) 良性 benign ·· 431
　　　(2) 境界悪性 borderline ···································· 431
　　　(3) 悪性 malignant ··· 436
　　2) 粘液性腫瘍 mucinous tumors ······························ 451
　　　(1) 組織発生・分類と臨床的事項 ····························· 451
　　　(2) 画像所見 ··· 452
　　　附1. 腹膜偽粘液腫 pseudomyxoma peritoneii ················ 460
　　　附2. synchronous mucinous metaplasia and neoplasia in female genital tract
　　　　　（SMMN-FGT） ·· 463
　　3) 類内膜腫瘍 endometrioid tumors ··························· 466
　　　(1) 組織発生・分類と臨床的事項 ····························· 466
　　　(2) 画像所見 ··· 467
　　4) 明細胞腫瘍 clear cell tumors ······························ 467
　　　(1) 組織発生・分類と臨床的事項 ····························· 469
　　　(2) 画像所見 ··· 472
　　5) 漿液粘液性腫瘍 seromucinous tumors ······················ 474
　　　(1) 組織発生・分類と臨床的事項 ····························· 475
　　　(2) 画像所見 ··· 480
　　6) ブレンナー腫瘍 Brenner tumors ··························· 481
　　　(1) 組織発生・分類と臨床的事項 ····························· 481
　　　(2) 画像所見 ··· 488

7）その他の癌 other epithelial tumors·· 489
　　（1）中腎様腺癌 ovarian mesonephric-like adenocarcinoma（OMLC）············· 489
　　（2）未分化癌 undifferentiated carcinoma および脱分化癌 dedifferentiated carcinoma ········ 491
　　（3）癌肉腫 carcinosarcoma ·· 491
　　（4）混合癌 mixed carcinoma·· 492
　　附．扁平上皮癌 squamous cell carcinoma ·· 493
B. 間葉性腫瘍 mesenchymal tumors·· 494
C. 上皮性・間葉性混合腫瘍 mixed epithelial and mesenchymal tumors ··············· 495
　1）腺肉腫 adenosarcoma ·· 495
2. 性索間質性腫瘍 sex cord-stromal tumors ··· 503
　A. 純粋型間質性腫瘍 pure stromal tumors ·· 503
　　1）線維腫 fibroma, 莢膜細胞腫 thecoma ·· 503
　　2）硬化性腹膜炎を伴う黄体化莢膜細胞腫 luteinized thecoma associated with
　　　sclerosing peritonitis ·· 511
　　3）硬化性間質性腫瘍 sclerosing stromal tumor ·· 513
　　4）微小嚢胞間質性腫瘍 microcystic stromal tumor ·· 516
　　5）印環細胞間質性腫瘍 signet-ring stromal tumor ·· 516
　　6）ライディッヒ細胞腫 Leydig cell tumor ·· 516
　　7）ステロイド細胞腫瘍 steroid cell tumor ·· 517
　　8）線維肉腫 fibrosarcoma ·· 518
　B. 純粋型性索腫瘍 pure sex cord tumors ·· 519
　　1）成人型顆粒膜細胞腫 adult granulosa cell tumor ······································ 519
　　2）若年型顆粒膜細胞腫 juvenile granulosa cell tumor ·································· 519
　　3）セルトリ細胞腫 Sertoli cell tumor ·· 522
　　4）輪状細管を伴う性索腫瘍 sex cord tumor with annular tubules（SCTAT）······ 522
　C. 混合型性索間質性腫瘍 mixed sex cord-stromal tumors ······························ 525
　　1）セルトリ・ライディッヒ細胞腫 Sertoli-Leydig cell tumor·························· 525
　　2）その他の性索間質性腫瘍 sex cord-stromal tumor NOS ···························· 530
　　3）ギナンドロブラストーマ gynandroblastoma ·· 530
3. 胚細胞腫瘍 germ cell tumors··· 533
　　1）奇形腫 teratoma ·· 533
　　　（1）成熟奇形腫 mature teratoma ·· 533
　　　（2）未熟奇形腫 immature teratoma··· 538
　　2）未分化胚細胞腫 dysgerminoma ·· 543
　　3）卵黄嚢腫瘍 yolk sac tumor ·· 548
　　4）胎芽性癌 embryonal carcinoma ·· 557
　　5）非妊娠性絨毛癌 non-gestational choriocarcinoma ···································· 557
　　6）混合型胚細胞腫瘍 mixed germ cell tumor ·· 557
　　7）単胚葉性奇形腫 monodermal teratoma および奇形腫から発生する体細胞型腫瘍
　　　somatic neoplasms arising from teratoma ·· 557
　　　（1）卵巣甲状腺腫 struma ovarii ··· 559
　　　（2）カルチノイド carcinoid··· 562
　　　（3）他の単胚葉性奇形腫 other rare monodermal teratomas ······················ 564

　　　　(4) 奇形腫から発生する粘液性腫瘍 mucinous tumors arising from teratomas ……………… 564
　　　　(5) 奇形腫から発生する悪性腫瘍 malignant tumors arising from teratomas ……………… 567
　　　　(6) その他の腫瘍 other tumors……………………………………………………………… 569
　　8) 胚細胞・性索間質性腫瘍 germ cell-sex cord-stromal tumors ……………………………… 569
　　　　(1) 性腺芽腫 gonadoblastoma ………………………………………………………………… 569
　　　　(2) 分類不能な混合型胚細胞・性索間質性腫瘍 mixed germ cell-sex cord-stromal
　　　　　　tumors ……………………………………………………………………………………… 572
　4. その他の腫瘍 miscellaneous tumors 　　　　　　　　　　　　　　　　　　　　574
　　1) ウォルフ管腫瘍 Wolffian tumor ……………………………………………………………… 574
　　2) 高カルシウム血症型小細胞癌 small cell carcinoma, hypercalcemic type ………… 575
　　3) 充実性偽乳頭状腫瘍 solid pseudopapillary neoplasm ……………………………………576
　　4) その他の腫瘍 miscellaneous tumors ………………………………………………………… 577
　　　　(1) 卵巣網の腫瘍 tumors of rete ovarii ……………………………………………………… 577
　　　　(2) ウィルムス腫瘍 Wilms tumor（腎芽腫 nephroblastoma）………………………… 578
　　　　(3) 神経内分泌癌 neuroendocrine carcinoma ……………………………………………… 580
　　　　(4) リンパ性・骨髄性腫瘍 lymphoid and myeloid tumors…………………………… 580
　　　　附. 軟部腫瘍 soft tissue tumors ……………………………………………………………… 580
　5. 腫瘍様病変 tumor-like lesions 　　　　　　　　　　　　　　　　　　　　　　592
　　1) 子宮内膜症性嚢胞 endometriotic cyst ………………………………………………………… 592
　　2) 卵胞嚢胞 follicle cyst…………………………………………………………………………… 592
　　3) 黄体嚢胞 corpus luteum cyst ………………………………………………………………… 593
　　4) 大型孤在性黄体化卵胞嚢胞 large solitary luteinized follicle cyst……………………… 595
　　5) 黄体化過剰反応 hyperreactio luteinalis ……………………………………………………… 595
　　6) 妊娠黄体腫 pregnancy luteoma ……………………………………………………………… 596
　　7) 間質過形成 stromal hyperplasia および
　　　　間質莢膜細胞過形成 stromal hyperthecosis……………………………………………… 598
　　8) 線維腫症 fibromatosis ………………………………………………………………………… 598
　　9) 広汎性浮腫 massive edema …………………………………………………………………… 598
　　10) ライディッヒ細胞過形成 Leydig cell hyperplasia
　　　　（門細胞過形成 hilar cell hyperplasia）…………………………………………………… 598
　　11) その他 others…………………………………………………………………………………… 601
　　　　附. 多嚢胞性卵巣症候群 polycystic ovary syndrome（PCOS）……………………… 601
　6. 転移性腫瘍 metastatic tumors ……………………………………………………………… 604

Ⅲ 卵管腫瘍 tumors of the fallopian tubes …………………………………… 616

　1. 卵管腫瘍の組織型，疫学，臨床的事項 ……………………………………………………… 616
　2. 卵管腫瘍の画像所見 …………………………………………………………………………… 617
　3. その他の卵管病変 ……………………………………………………………………………… 624

Ⅳ 腹膜腫瘍 peritoneal tumors …………………………………………………………… 629

　1. 中皮腫瘍 mesothelial tumors ……………………………………………………………… 631
　　1) アデノマトイド腫瘍 adenomatoid tumor ………………………………………………… 631
　　2) 高分化型乳頭状中皮性腫瘍 well-differentiated papillary mesothelial tumor …… 631

3）中皮腫 mesothelioma ……………………………………………………… 633
　2. 腹膜に特有な間葉性腫瘍 mesenchymal tumors specific to peritoneum ……… 633
　　A. 平滑筋腫瘍 smooth muscle tumors ……………………………………… 633
　　　1）播種性腹膜平滑筋腫症 leiomyomatosis peritonealis disseminata
　　　　（びまん性腹膜平滑筋腫症 diffuse peritoneal leiomyomatosis） ……… 633
　　B. その他の腫瘍 other mesenchymal tumors ……………………………… 637
　　　1）腹部線維腫症 abdominal fibromatosis（デスモイド腫瘍 desmoid tumor） ……… 637
　　　2）消化管外間質腫瘍 extragastrointestinal stromal tumor（EGIST） ……… 637
　　　3）孤立性線維性腫瘍 solitary fibrous tumor（SFT） ……………………… 642
　　　4）線維形成性小型円形細胞腫瘍 desmoplastic small round cell tumor（DSRCT） …… 642
　　　5）その他 others ……………………………………………………………… 644
　3. ミュラー管型上皮性腫瘍 primary epithelial tumors of the Müllerian type …… 644
　4. 腫瘍様病変 tumor-like lesions ……………………………………………… 648
　　　1）腹膜封入嚢胞 peritoneal inclusion cyst ………………………………… 648
　　　2）脾症 splenosis …………………………………………………………… 649
　5. 転移性腫瘍 metastatic tumors ……………………………………………… 649
　　　1）癌および肉腫 carcinomas and sarcomas ……………………………… 649
　　　2）腹膜偽粘液腫 pseudomyxoma peritonei（PMP） …………………… 649
　　　3）膠腫症 gliomatosis ……………………………………………………… 652
　　　4）その他 others …………………………………………………………… 654
　6. 腹膜腫瘍と鑑別すべき病変 ………………………………………………… 655

第8章　婦人科腫瘍（腟・外陰）　　661

Ⅰ 腟の腫瘍と腫瘍様病変 tumors of the vagina and tumor-like lesions …… 662

　1. 腟腫瘍の組織型，疫学，臨床的事項 ………………………………………… 662
　2. 腟腫瘍・腫瘍様病変（画像所見と各論） …………………………………… 664
　　　1）腟癌の画像所見 …………………………………………………………… 664
　　　2）扁平上皮癌以外の腟腫瘍 ……………………………………………… 667
　　　3）続発性悪性腟腫瘍 ……………………………………………………… 669
　　　4）腟の良性腫瘍および腫瘍様病変 ……………………………………… 669

Ⅱ 外陰の腫瘍と腫瘍様病変 tumors of the vulva and tumor-like lesions …… 680

　1. 外陰腫瘍の組織型，疫学，臨床的事項 ……………………………………… 680
　2. 外陰腫瘍・腫瘍様病変（画像所見と各論） ………………………………… 684
　　　1）外陰癌の画像所見 ……………………………………………………… 684
　　　2）特殊な組織型の外陰悪性腫瘍 ………………………………………… 684
　　　3）外陰の良性腫瘍 ………………………………………………………… 690
　　　4）外陰の腫瘍様病変 ……………………………………………………… 694

第 9 章　絨毛性疾患　　705

　1. 組織分類と画像所見 ……………………………………………………………… 708

第 10 章　婦人科腫瘍に伴う合併症　　721

Ⅰ　子宮腫瘍に伴う合併症 …………………………………………………………… 722

　1. 子宮捻転 uterine torsion …………………………………………………… 722
　2. 子宮内反 uterine inversion ………………………………………………… 722
　3. 子宮動脈塞栓術に伴う子宮梗塞 …………………………………………… 723

Ⅱ　卵巣腫瘍に伴う合併症 …………………………………………………………… 728

　1. 茎捻転 torsion ……………………………………………………………… 728
　2. 破裂 rupture ………………………………………………………………… 738

Ⅲ　婦人科腫瘍の薬物療法に伴う合併症 …………………………………………… 741

　1. 細胞障害性化学療法に伴う合併症 ………………………………………… 741
　2. 分子標的薬投与に伴う合併症 ……………………………………………… 745
　3. 免疫関連有害事象 immune-related adverse events（irAE）…………… 747
　4. ホルモン療法に伴う合併症 ………………………………………………… 753
　5. 顆粒球コロニー刺激因子 granulocyte-colony
　　 stimulating factor（G-CSF）投与に伴う合併症 ………………………… 755

第 11 章　炎症・血管障害・雑　　757

Ⅰ　炎症性疾患 ………………………………………………………………………… 758

　1. 骨盤内炎症性疾患 pelvic inflammatory disease（PID）………………… 758
　　　1）臨床的事項（起炎菌，感染経路，治療法）………………………… 758
　　　2）画像所見 ………………………………………………………………… 759
　2. 特殊な病原体による女性性器感染症 ……………………………………… 767
　3. 他疾患の合併症・医原性疾患としての女性性器感染症 ………………… 776
　4. 隣接臓器からの炎症の波及（PID の鑑別診断）…………………………… 780

Ⅱ　血管障害 …………………………………………………………………………… 786

　1. 血栓塞栓症と Trousseau 症候群 …………………………………………… 786
　2. 骨盤うっ血症候群 …………………………………………………………… 790

Ⅲ　内分泌の異常 ……………………………………………………………………… 794

　1. 視床下部・下垂体の異常 …………………………………………………… 794
　2. 多嚢胞性卵巣症候群 polycystic ovary syndrome（PCOS）……………… 804

3. ホルモン産生腫瘍 806
Ⅳ　骨盤臓器脱 pelvic organ prolapse 811

第 12 章　妊娠に関連した母体の異常　　817

Ⅰ　異所性妊娠 ectopic pregnancy 818
　1. 臨床的事項 818
　2. 画像所見 819
Ⅱ　産科合併症 830
　1. 妊娠中・周産期の産科合併症 830
　　1）子宮の異常 831
　　2）胎盤の異常 831
　　3）臍帯の異常 843
　2. 産褥期の産科合併症 844
Ⅲ　妊娠中の母体合併症 855
　1. 子宮付属器疾患 855
　2. 妊婦の急性腹症 862
　3. 妊娠中の循環動態の変化に起因する疾患 866
　　1）妊娠高血圧症候群 hypertensive disorders of pregnancy（HDP）................. 866
　　2）妊娠中の血管障害 869

● Column
❖ Stewart-Trevis 症候群 54
❖ 腺筋腫 adenomyoma と腺筋症 adenomyosis 76
❖ Bridging vascular sign のピットフォール 126
❖ ACUM って奇形それとも腺筋症？ 213
❖ 抗 NMDA（*N*-methyl-D-aspartate）受容体脳炎 386
❖ Meigs 症候群と pseudo-Meigs 症候群 660
❖ 頸部腺癌，それとも内膜癌の頸部浸潤？ 703
❖ Trousseau 先生の数奇な生涯 793
❖ Gossypiboma 816

第1章

婦人科画像診断の基本と実際

Summary

- 子宮・付属器病変とも質的診断には超音波検査（US）に引き続きMRIを選択するのが基本であり，悪性腫瘍であることが確認された場合，造影CTで進行期診断を行う。
- MRIの絶対禁忌はMR不適合の体内磁性体（人工内耳やペースメーカーなど）装着例，相対禁忌は長時間の安静を保てない症例（意識障害，閉所恐怖症など）である。
- 造影剤は対象疾患によっては必要不可欠であるが，これによる有害事象にはヨード造影剤，ガドリニウム造影剤各々に急性，遅発性のものがあり，これらの症候や禁忌に精通する必要がある。腎障害患者では造影後急性腎障害，腎性全身性線維症にも留意すべきである。
- 造影CTはリンパ節・遠隔転移，腹腔内播種の検索に加え，肺血栓塞栓症の検索においても第一に選択されるべきモダリティである。
- 悪性腫瘍の病期診断において，CT，MRIで結論を得られない場合や造影検査を行えない場合には，FDG-PET/CT（PET/CT）の追加は検討に値する。
- 悪性腫瘍の治療後の経過観察において，PET/CTの他検査に比べた優位性は確立しており，検査可能ならば施行を検討すべきである。
- 妊娠中の画像検査はCT，MRIとも必要不可欠な場合に限り，最小の被曝，最短の高磁場環境への曝露に留めるよう留意して行わなければならない。

　本書の対象とする疾患群は主として子宮・卵巣を冒す病態である。また多くの場合，患者も産婦人科を最初に受診することから，画像的検索としてはまず経腟（時に経腹）超音波検査（US）が行われることが多い。USにおいても，近年はドプラはもちろん，3D表示や造影剤の使用といった進歩がみられ，極めて多くの情報を得られるようになってきた[1]。これに対してMRIは縦緩和（T1），横緩和（T2）といったオーソドックスなコントラストに加え，拡散強調像がほぼルーチンに追加されるようになってきており，特に病理組織学的に多種多様な腫瘍の発生しうる卵巣腫瘤性病変の鑑別診断において，病変の構成組織の推論に威力を発揮する[2,3]。また骨盤底の子宮頸部から腟，外陰といった軟部組織を良好なコントラストで描出できるモダリティはMRIだけといっても過言ではない。さらに，造影剤の投与も病変のvascularityについて有用な情報をもたらす。一方，コントラスト分解能ではMRIに劣るが，短時間に広範囲をスキャンできるCTは，転移の検索や急性腹症の原因検索をはじめとする他臓器病変も含めた精査に優れたモダリティである[2,4,5]。腹部においては腸管蠕動や呼吸運動といった動き，消化管内の空気の存在はMRIの撮像において克服しなければならない不利な条件であるが，CTでは画質がこれらに左右されることが少なく，特に卵巣癌の主たる転移経路である腹腔内播種の同定に威力を発揮する。さらにFDG-PET/CT（PET/CT）は最も普及したmolecular imagingの1つであり，細胞の糖代謝の亢進を可視化することにより，悪性腫瘍の転移巣の拾い上げを容易にする。

　以上の特性を踏まえ，おおむね付属器病変や間葉性子宮腫瘍の質的診断，子宮頸癌[6]・子宮内膜癌[7]の局所進展度はMRI，悪性腫瘍の総合的ステージング[4,5,8]や治療後の経過観察（再発の早期発見）はCTやPET[9,10]といった使い分けが一般的であるといえる[2]。

I. MRIの適応と検査の実際

1. MRI実施上の注意点

　MRIは人体を高磁場環境にさらしRFパルス（ラジオ波：radio frequency pulse）を照射する検査であり，これらから発生しうる有害事象には十分留意しなければならない[11)12)]。また，前世紀まで臨床に用いられるMRI装置の静磁場強度は最大で1.5テスラ（1.5T）であったが，近年，3T装置の普及が急速に進んでおり，体内・体外の磁性体に対するより厳密な配慮が求められている[12-14)]。

　撮影中以外でも強力な磁場を発生しているMRI検査室に体外磁性体を装着したまま入室することはできない。入室前にチェックすべき項目を表1に示す[12)]。外来患者には図1に示すボタンのない上下分離した術衣に着替えてもらうことで，私服ポケット内の磁性体取り忘れや汗ばんだ大腿など皮膚同士が接触して誘導電流を生じ熱傷を発症する[11)]のを防ぐことができる。化粧品にも顔料として常磁性体ないし強磁性体である金属を含むので，理想的には化粧はせずに来院してもらうことが望ましく，少なくとも濃厚なマスカラ（図2）などは禁忌である[15)16)]。パーマネントアイラインも含め刺青も顔料に磁性体を含み，熱傷の原因となる[17)18)]ことから禁忌としている施設もあるが，筆者の施設では意識障害のない患者ではリスクを説明したうえで，注意深く観察しながら検査している。

　体内に埋め込まれる医療機器は米国食品医薬品局（Food and Drug Administration：FDA）

表1　MRI検査室入室前に取り外すべき体外磁性体

患者移動用具	ストレッチャー，車いすなど
医療機器	点滴台，シリンジポンプ，心電図電極など各種モニター，酸素ボンベ 金属の付いたカテーテル・バッグ類，基剤にアルミニウムを含むパッチ製剤（ニコチネル，ニトロダームなど）など
患者所持品	眼鏡，義歯，義肢，財布（現金），磁気カード，携帯電話，アクセサリー，ジッパーや金属ボタン，カラーコンタクトレンズ，化粧

図1　MRI被検者の術衣
上下分離で金属製の部分のないパジャマ型の術衣。着替えさせることでポケット内の体外磁性体の外し忘れ防止にもつながる。

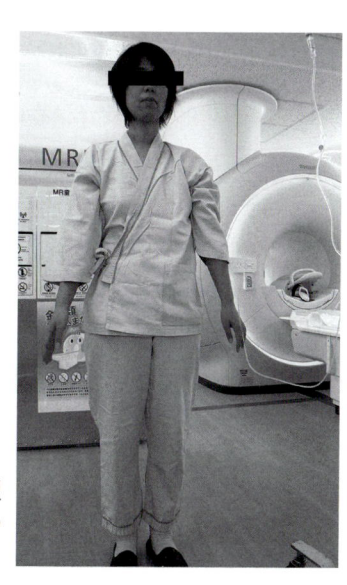

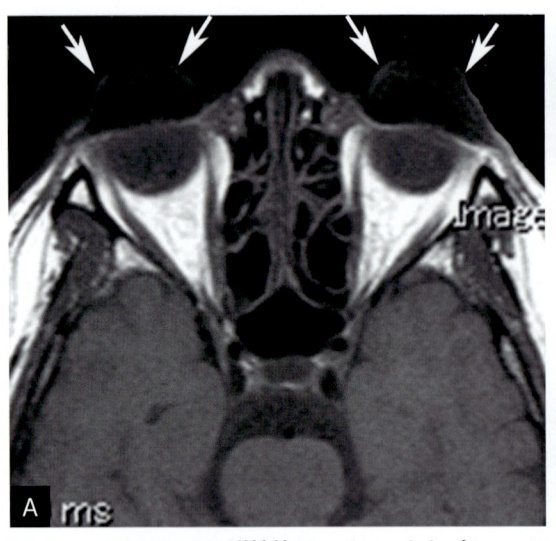

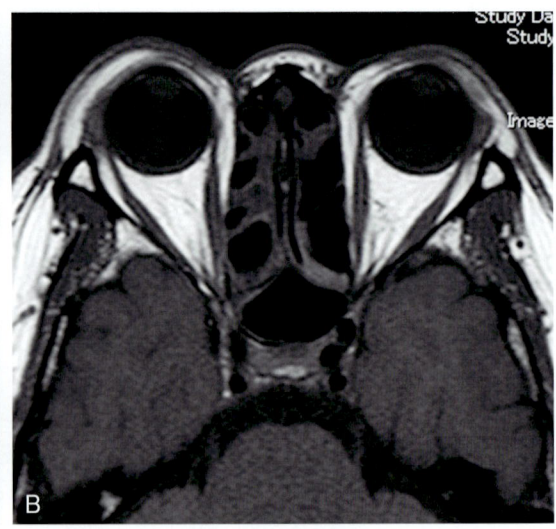

図2　マスカラによる磁性体アーチファクト（A：マスカラ装用時，B：マスカラ非装用時）
A，B：T1 強調横断像
涙腺炎の精査のため来院したが，マスカラやアイライナーの顔料は磁性体を含むので，ここから生じるアーチファクト（A →）のため，病変部の評価が難しいばかりでなく，熱傷のリスクがある。後日，化粧を落として再検したところ，良好な結果を得た（B）。

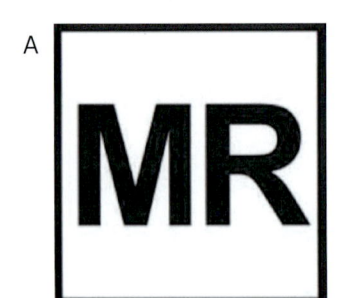

図3　医療器具のMRI 適合性
米国食品医薬品局（Food and Drug Administration）は，医療機器をいかなる条件でも MRI 装置内で装着可能な MR safe（A），一定の比吸収率（specific absorption rate：SAR），傾斜磁場強度（slew rate）の範囲内でのみ装着可能な MR conditional（B），MRI 装置内では装着不可能な MR unsafe（C）に分類し，上のようなロゴマークの使用を推奨している。

により，MR safe（安全），MR conditional（条件付き安全），MR unsafe（安全でない）に分類されている[12)13)]（図3）。脳動脈クリップをはじめとする体内磁性体は最近 40 年間ほどに装着されたものに関してはその多くが MRI 対応の素材（チタンなど）により製造されており，多くが MR conditional となりおおむね入室可能である。これら MRI 装置のガントリー内に入る蓋然性の高い医療機器については，MRI 検査に関する安全性評価の添付文書への記載を厚生労働省が義務付けており[19)]，まずは当該デバイスの添付文書を確認する必要がある。また，添付文書が入手できないもしくは添付文書に記載のない場合には「医療機器のMR 適合性検索システム」というウェブサイトが商業ベースで提供されており，古いもの，疑義あるものについては，型番が判明していればこのウェブサイトで MRI 対応か否かを調べてから検査を行うのが安全である[20)]。

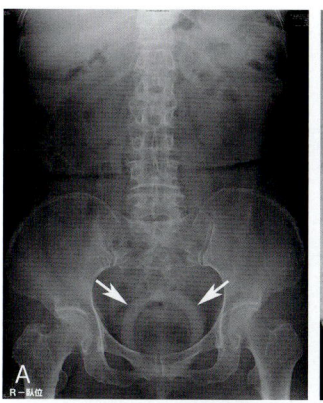

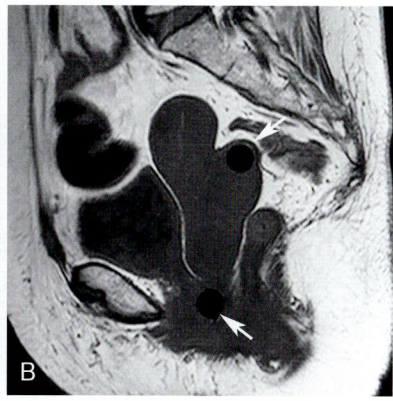

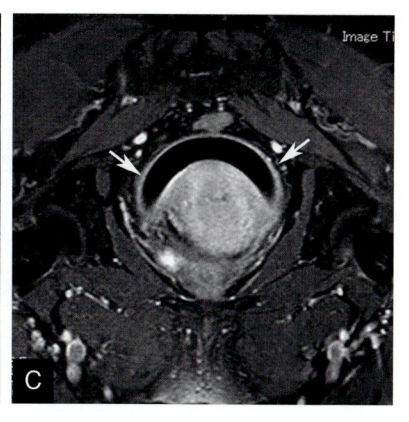

図4　63歳　子宮脱防止用ペッサリー
A：腹部単純X線写真正面像，B：T1強調矢状断像，C：造影脂肪抑制T1強調冠状断像
腹部単純X線写真上，ペッサリーは円型のやや高吸収の異物として描出される（A→）。MRIではペッサリーの形そのものは信号欠損となるが，磁性体を含まないのでアーチファクトは生じない（B，C→）。

　以前はMR unsafeとされていた心臓ペースメーカー，植え込み型除細動器（implantable cardioverter defibrillator：ICD），人工内耳といった精密機器についても，徐々にMR conditionalなものが発売されつつある。心臓植え込みデバイス本体と接続されている経静脈リードが同一企業の製品であれば，該当患者にはMRIカードが発行されており，施設基準など高度に制限された条件下でMRIを施行することが可能である[21]。さらに，近年，MR conditionalでないペースメーカーやICDの装着患者にMRI検査を行っても重篤な合併症は生じない[22]との知見が蓄積され，本邦でも非常に厳密に制限された条件下での検査が容認されることとなった[21]。

　婦人科領域では子宮脱に対するペッサリーやIUD（intrauterine contraceptive device）が問題になることがある。前者は通常ポリ塩化ビニル製で，MRIでは信号欠損になるだけでアーチファクトは発生しない（図4）。IUDの多くはナイロンやポリエチレン製であり，一部の銅を含むIUDも銅製の部分が一部に留まることから，1.5T以下の磁場強度の装置では診断に支障を生じるほどのアーチファクトを発生することはない（図5）[23]。しかし，中華人民共和国では一人っ子政策のために安価なステンレススチール製のIUDが広く用いられていた[24]とされ，強磁性体であるために広範なアーチファクトを生じ，診断的画像は得られない（図6）。

　女性生殖器領域の検査で，現時点で使用可能な造影剤は細胞外液性造影剤としてのガドリニウム造影剤のみである。血行動態はヨード造影剤とほぼ同等で，血管内から細胞外液腔に移行した後，再び血管内に取り込まれ，腎臓で濾過排泄される。ヨード造影剤同様，投与に伴う有害事象が起こりうる。症状は嘔気・嘔吐が多く，頭痛・めまい・発疹などが報告されている（表2）。多くが投与後30分以内，90％以上が24時間以内に発症する。有害事象のリスクが高く，慎重投与すべき合併症を表3に示す[25-28]。またハイリスク患者に対して，代替検査を考慮すること（造影CTの代わりにPET/CT，造影MRIの代わりに造影CT，USなど），リスクの大小にかかわらず，救急カートの配備やすぐに挿管などの救急処置を依頼できる体制を整えて検査を行うことが肝要である。以前はリスク低減のために検査前のステロイド投与が推奨されていたが，エビデンスが確立されず，現在では推奨されない。ガドリニウム造影剤は腎から排泄されるものの，本

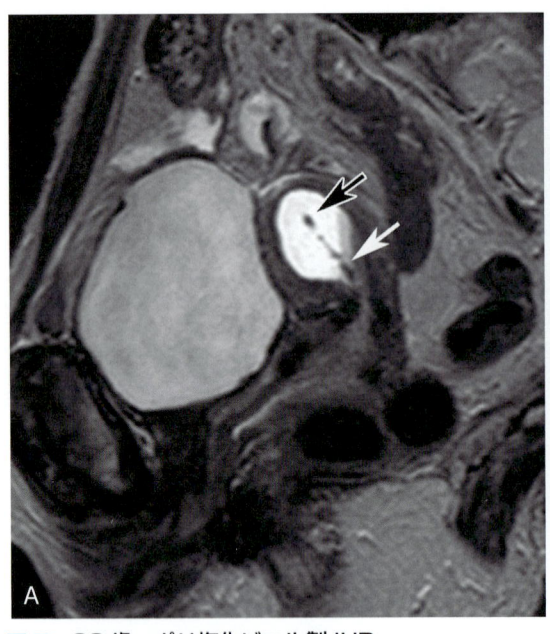

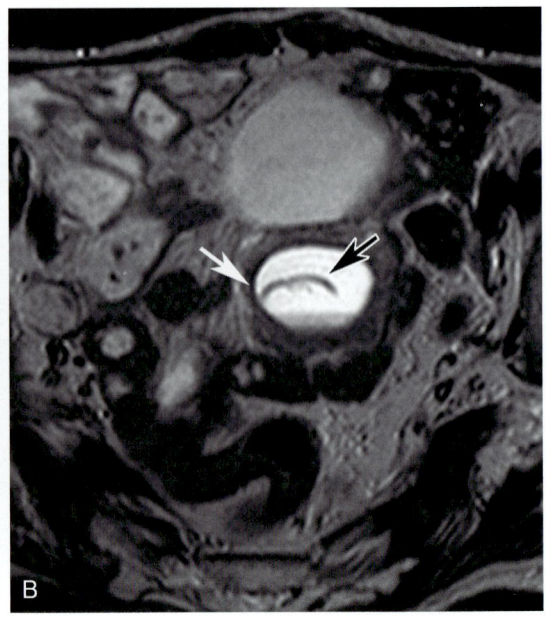

図5 83歳 ポリ塩化ビニル製IUD
A：T2強調矢状断像，B：T2強調横断像
子宮頸癌の術前検査でMRIを撮像したところ，子宮留膿症により拡大した子宮内膜腔に浮かぶようにIUDがみられる（A，B→）。材質は不明だが，ポリ塩化ビニル製と推定される。

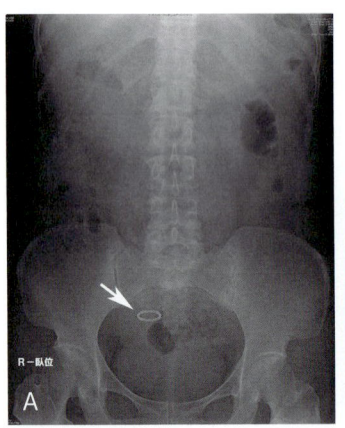

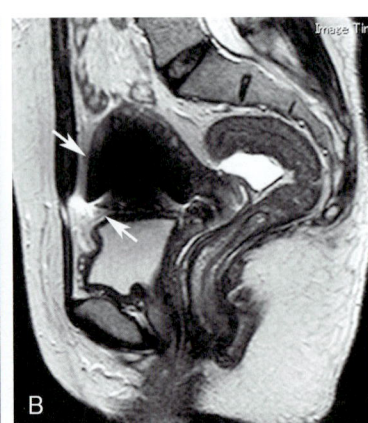

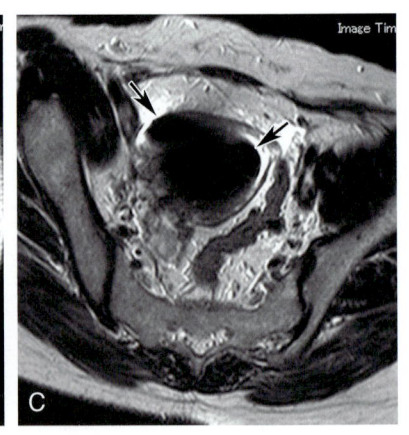

図6 41歳 ステンレススチール製IUD
A：腹部単純X線写真，B：T2強調矢状断像，C：T2強調横断像
在日中国人で，IUDは第1子出産後，本国で半強制的に入れられたという。腹部単純X線写真上，明らかに金属濃度のリング状構造が認められ（A→），MRIでは，材質が強磁性体らしく，その周囲の子宮体部が広範な信号欠損になっている（B，C→）。

1. MRI実施上の注意点

表2　造影剤投与による急性有害事象（ガドリニウム造影剤，ヨード造影剤共通）[28]

	過敏性/アレルギー様	Grade （Ring and Messmer 分類）	化学毒性
軽度	軽症の蕁麻疹 軽度の掻痒感 紅斑	Grade 1 Grade 1 Grade 1	悪心/軽度の嘔吐 熱感/悪寒 不安感 自然軽快する血管迷走神経反射
中等度	重症の蕁麻疹 軽度の気管支攣縮 顔面/喉頭浮腫	Grade 1 Grade 2 Grade 2	血管迷走神経反射
重度	低血圧性ショック 呼吸停止 心停止	Grade 3 Grade 4 Grade 4	不整脈 痙攣

表3　造影剤投与による急性有害事象の危険因子（ガドリニウム造影剤，ヨード造影剤共通）

患者関連	以下の既往を有する者 ・造影剤による中等度以上の有害事象の既往 ・治療を要する気管支喘息 ・治療を要するアトピー性皮膚炎
造影剤関連	a）ヨード造影剤 ・高浸透圧性造影剤のみが他剤に比べてハイリスクとなる ・非イオン性低・等浸透圧性造影剤では各造影剤間で急性有害事象の頻度に差はない b）ガドリニウム造影剤 ・有害事象のリスクは造影剤の浸透圧とは相関しない ・各細胞外液性造影剤間で急性有害事象の頻度に差はない

剤投与による腎不全の発現はほとんど報告されていない[25]が，重篤な腎障害のある患者へのガドリニウム造影剤使用に関連して，腎性全身性線維症（nephrogenic systemic fibrosis：NSF）の発症が報告されている。NSFは全身の皮膚が硬化する全身性強皮症（systemic sclerosis：SSc）に類似した病態で，進行すると四肢関節の拘縮を生じ，死亡例も報告されている[29]。現時点での確立された治療法はなく，予防に努める以外にない。ガドリニウム造影剤には，化学構造が線形キレート型と環状キレート型のものがあり（図7），NSFのリスクは線形キレート型に有意に高いことから，細胞外液性の線形キレート型造影剤（マグネビスト®，オムニスキャン®）はすでに市場から撤退している。現在，本邦で流通している細胞外液性ガドリニウム造影剤は環状キレート型のみであり，NSFのリスクは低いが，推算糸球体濾過量（estimated glomerular filtration rate：eGFR）が30 mL/min/1.73 m² 未満の患者に対しては注意して使用し，投与間隔は7日以上空けることとされている。ただし，肝細胞特異性造影剤は環状キレート型製剤が存在しないことから，NSFの中等度リスクとされているGd-EOB-DTPA（EOB・プリモビスト®）が流通している。後述する転移性肝腫瘍の検索には肝細胞特異性造影剤が第一選択ではある[30]が，既知のeGFRが30 mL/min/1.73 m² 未満の慢性腎不全患者に対する肝腫瘍の精査には網内系造影剤［超常磁性体鉄粒子（super paramagnetic iron oxide：SPIO）］を用いたMRIが推奨されている[30]。

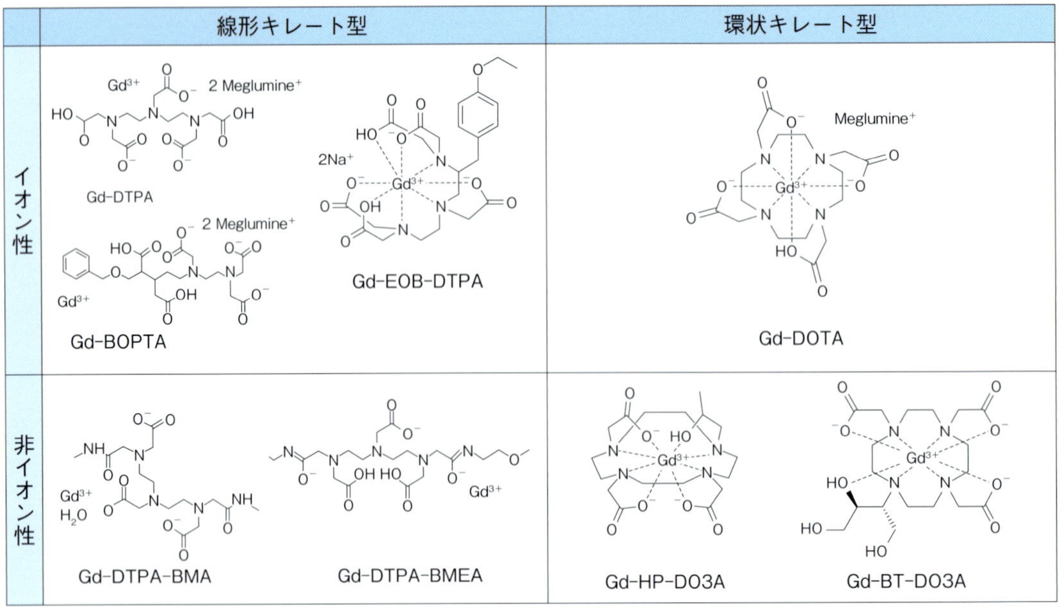

図7 ガドリニウム造影剤の構造分類
線形キレート型ガドリニウム造影剤は腎性全身性線維症（nephrogenic systemic fibrosis：NSF）のリスクが高いことから，現在は肝細胞特異性造影剤のGd-EOB-DTPA（EOB・プリモビスト®）のみが販売されている。

2. MRIの適応と撮像法

　婦人科疾患におけるMRIの適応は，質的診断と広がり診断に大きく分けられる。MRIの主な適応疾患とその検査目的，診断に必要な撮像シーケンスを表4に示す。MRIを撮像する場合には子宮疾患はもちろん，付属器腫瘍であっても，子宮との位置関係を把握するため，矢状断は子宮の長軸と平行に，横断はこれと垂直にスキャンするのが基本である。また上腹部と異なり，撮像中の息止めをしなくても呼吸運動の影響はさほど受けないため，信号雑音比（signal to noise ratio：S/N）や組織コントラストのよいシーケンスを撮像することが多く，自ずと1シーケンスの撮像時間が長くなる。このため腸管蠕動の抑制が必須で，通常は副交感神経遮断剤としてブチルスコポラミン臭化物を用いる[31)32)]（図8）。しかし本剤は，虚血性心疾患や緑内障の患者には用いることができないことから，代替措置としてグルカゴンを用いることもある[33)]。両剤とも以前は筋肉内投与としていたが，近年，静脈内投与でも作用持続時間に差がないことが報告されている[34)]ことから，筆者の施設では経静脈性造影剤の投与が予定されている患者に関しては静脈内投与，造影の予定のない患者には筋肉内投与としている。

　子宮筋腫は細胞密度の多寡（腫瘍内浮腫の程度），種々の変性により極めて多彩なUS像を呈することから，肉腫との鑑別に迷った場合はMRIが有用である。近年，薬物療法の進歩や子宮動脈塞栓術の普及により子宮温存療法が選択される機会が増えており，このような症例では適応決定（肉腫の否定，筋腫核の局在，vascularityなど）に必須の検査となっている。またUSでは，

表4 主な婦人科疾患と診断に必要な MRI シーケンス

	検査目的	必須のシーケンス	オプション	スライス厚[b]
子宮筋腫 子宮腺筋症	診断確定 治療前後の評価	T2 強調像*（矢状断および横断） T1 強調像（矢状断および横断） 拡散強調像（矢状断または横断）	脂肪抑制 T1 強調像 （矢状断または横断） 造影脂肪抑制 T1 強調像 （矢状断または横断） DCE*[a]（矢状断または横断）	3〜6 mm （病変の大きさによる）
	肉腫との鑑別	上記およびオプションのすべて		
子宮内膜症	診断確定 治療前後の評価	T2 強調像*（矢状断および横断） T1 強調像（横断） 脂肪抑制 T1 強調像（横断） 拡散強調像（横断）	DCE*[a] サブトラクション （矢状断または横断） 造影脂肪抑制 T1 強調像 （矢状断および横断）	3〜6 mm （病変の大きさによる）
	悪性腫瘍合併の有無	上記およびオプションのすべて		
子宮頸癌	局所進展度の評価	T2 強調像（矢状断および横断） T1 強調像（矢状断または横断） 拡散強調像（横断）	T2 強調像（冠状断） 拡散強調像（矢状断または冠状断） 造影脂肪抑制 T1 強調像 （矢状断および横断） DCE*[a]（矢状断および横断）	3〜4 mm
	リンパ節転移 （造影 CT の代用）	T2 強調像（横断）： 腎門部から骨盤底		5〜6 mm
子宮内膜癌	進行期分類	T2 強調像（矢状断および横断） T1 強調像（矢状断または横断） 拡散強調像（横断） DCE*[a]（矢状断および横断） 造影脂肪抑制 T1 強調像* （矢状断および横断）	T2 強調像（冠状断） 拡散強調像（矢状断または冠状断）	3〜4 mm
付属器腫瘍[c][d]	質的診断	T2 強調像（矢状断および横断） T1 強調像（矢状断または横断） 拡散強調像（矢状断または横断） 脂肪抑制 T1 強調像 （矢状断または横断）	DCE*[a]（矢状断または横断） 造影脂肪抑制 T1 強調像 （矢状断および横断）	3〜6 mm （病変の大きさによる）
絨毛性疾患 遺残胎盤	子宮内腫瘍量 vascularity	T2 強調像（矢状断および横断） T1 強調像（矢状断および横断） 拡散強調像（矢状断および横断） 脂肪抑制 T1 強調像 （矢状断または横断） DCE*[a] サブトラクション （矢状断または横断） 造影脂肪抑制 T1 強調像 （矢状断および横断）	T2 強調像（冠状断） 拡散強調像（矢状断または冠状断）	3〜6 mm （病変の大きさによる）

いずれも矢状断は子宮（子宮頸癌は子宮頸部，それ以外は子宮体部）の長軸と平行に，横断はこれと垂直にスキャンする。

* 3D 撮像で代替可能なシーケンス

a) DCE：dynamic contrast enhancement ＝ダイナミック MRI
　子宮肉腫の診断，絨毛性疾患では 10〜15 秒の高い時間分解能，子宮内膜癌の筋層浸潤では時間分解能は 30 秒程度でも高い信号雑音比が優先される。

b) 3 mm 厚は 3 T 装置で撮像の場合のみ。1.5 T 以下の静磁場強度の装置では原則として 4 mm 以上のスライス厚でスキャンする。ギャップ（スライス間隔）は原則として最小値。

c) 付属器腫瘍における造影検査は造影前に機能性嚢胞や成熟奇形腫であることが確実となった場合以外は必須。

d) 付属器腫瘍や子宮筋腫/肉腫の診断では，微量の脂肪の検出のため，T1 強調像のうち一方向は Dixon 法で撮像することを推奨する。

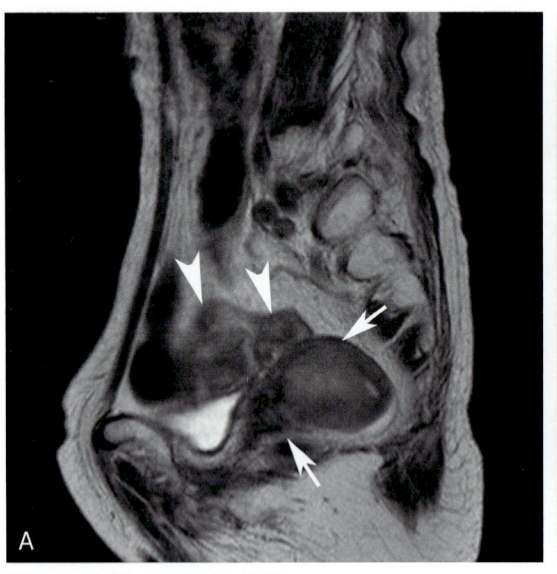

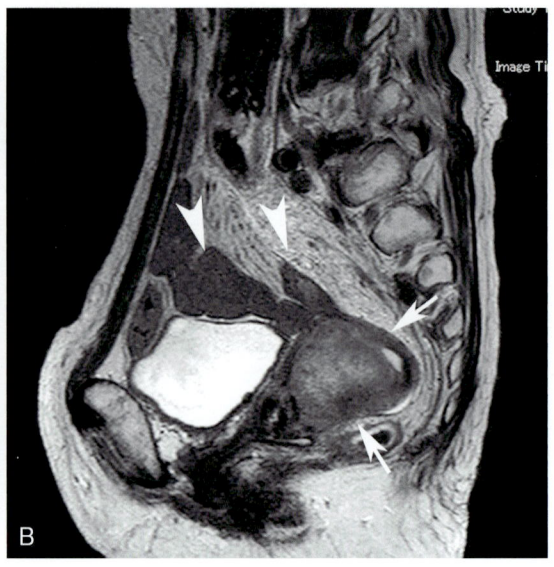

図8 80歳 鎮痙剤の効用
A：前医 T2強調矢状断像，B：当院 T2強調矢状断像
前医で撮像されたMRIでは，腸管（▲）蠕動のアーチファクトが子宮体部（→）にかかり，子宮内膜癌の進展範囲の診断が困難となっている（A）。当院での再検時にはブチルスコポラミン臭化物投与下に検査を行い，良好な結果を得た（B）。

しばしば区別の難しい子宮腺筋症との鑑別にも有用である。核出術が検討され，内膜腔との位置関係を評価するなど，筋腫の局在，大きさの診断のみであれば，通常のT1，T2強調像のみでも十分である。浸潤性に発育する腫瘍や，肉腫のhallmarkである出血壊死の検出においてコントラスト分解能に優るMRIはCT，USに対し圧倒的な優位性をもつ。後述するように，子宮肉腫の診断はMRIをもってしても困難なことも多いが，細胞分裂の活発さは細胞密度の増加として拡散強調像で認識しうるため，本法の追加が必須である。さらに，囊胞/水腫様変性や間質の浮腫と細胞密度の増加によるT2延長（高信号化）の鑑別には造影検査が有用で，可能であれば時間分解能を優先したダイナミックMRIを行うべきである。ダイナミックMRIは病変の増強パターンから血管新生を予測するために行う場合と，病変と健常部とのコントラストが最も良好なタイミングを逃さないために行う場合の2種類があるが，前者を目的とする場合には空間分解能よりも時間分解能が優先され[35-37]，15秒以下の短い時間間隔での撮像が必要となる（図9，10，表5）。

　子宮癌の診断ではまず視診，組織診が行われ，癌であることが確認された症例のみに対し，病期診断のためにMRIが行われる。子宮内膜癌においては，子宮頸癌と異なり視診や細胞診で進行期を推定することが難しいことから，組織学的に悪性腫瘍であることが確認された症例全例においてMRIの適応がある。子宮内膜癌の病期診断に重要な要素の1つである筋層浸潤については，近年，拡散強調像の有用性が数多く報告され，従来のダイナミックMRIを含めた造影検査とほぼ同等の正診率が示されている[38)39)]。しかし，詳細は各論に譲るが，内向性進展を示す子宮内膜癌にはT2強調像と拡散強調像のみでは診断に苦慮する症例が少数ながら存在し，（特に画像診断医が検査に立ち会えない検査環境では）ダイナミックMRIを含めた造影検査もルーチンに加

2. MRI の適応と撮像法

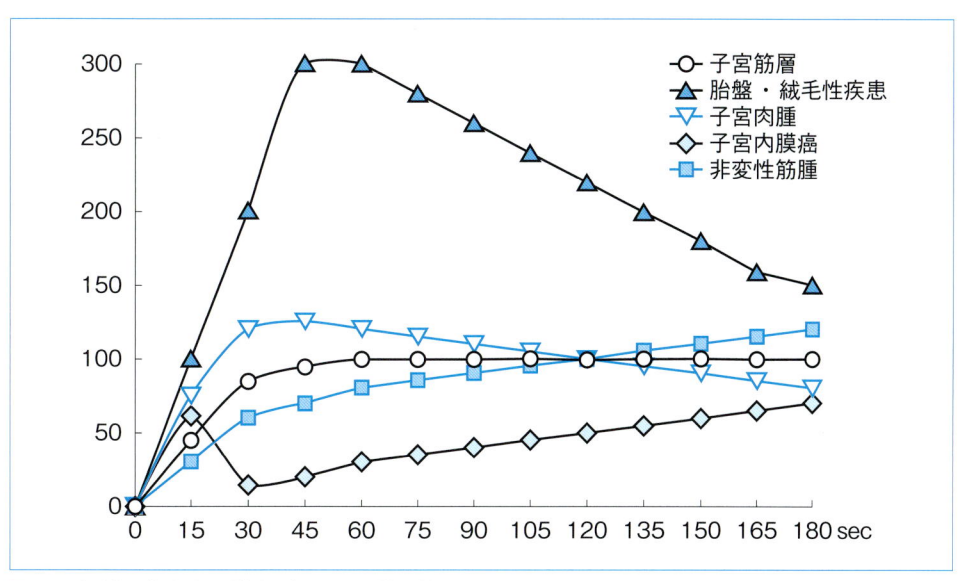

図9 各種子宮疾患の増強パターン（概略）
遺残胎盤や絨毛性疾患では造影早期の急速濃染が viable な絨毛組織の存在証明となること，多くの子宮内膜癌では経時的に正常筋層との信号強度差が低下することから，造影直後の信号評価のため，ダイナミック MRI の施行を推奨する。ただし，子宮肉腫についてはすべてがこのような time intensity curve となるわけではない。

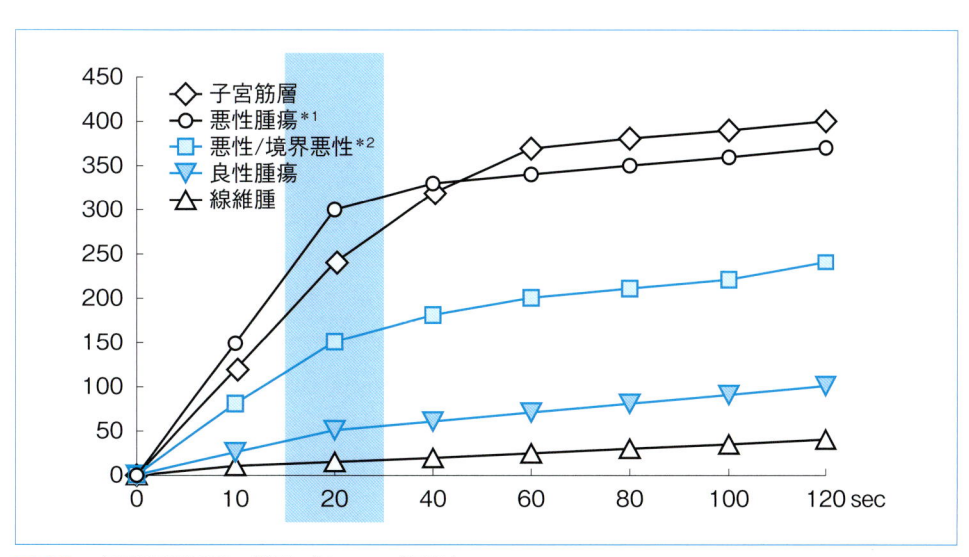

図10 各種卵巣腫瘍の増強パターン（概略）
＊1，＊2 悪性腫瘍では造影早期に，一過性に正常子宮筋層よりも濃染する時期があり，O-RADS＊3 では high risk pattern（O-RADS 5：90％以上の確率で境界悪性以上）とし，一貫して子宮筋層よりも信号強度が低いままのものは intermediate risk pattern（O-RADS 4：50％以上の確率で境界悪性以上）としているが，筆者の経験では浸潤癌の多くが intermediate risk pattern を呈すること，50％，90％という確率にエビデンスがほとんどないことから，time intensity curve 単独でのリスク階層化は難しいと考えている。
＊3 Ovarian-Adnexal Reporting and Data System（O-RADS™）。詳細は第7章-I「『卵巣腫瘍』から『卵巣・卵管・腹膜腫瘍』へ」参照（p400）。

表5　婦人科疾患におけるダイナミックMRIの目的

```
血管新生の程度　病変の質的診断
　　極めてhypervascularな疾患　時間≫空間
　　　絨毛性疾患，癒着/遺残胎盤
　　　子宮筋腫と肉腫（平滑筋肉腫）の鑑別
　　悪性度によって増強効果の異なる疾患　時間＞空間
　　　卵巣腫瘍　腺腫─境界悪性腫瘍─腺癌
　　　線維腫と線維を含む悪性腫瘍（転移性腫瘍，癌線維腫など）の鑑別
病変の進展範囲　時間＜空間
　　子宮内膜癌の筋層浸潤
増強効果の有無　時間≪空間（サブトラクションを正確に行うことが目的）
　　T1強調像で高信号を呈する病変
　　　子宮内膜症の癌化（壁在結節の増強効果の有無）
　　　卵巣腫瘍茎捻転（囊胞壁の阻血による増強効果の欠除）
```

えることが望ましいと考えている（p304参照）。

　一方，子宮頸癌においては基本的に浸潤のみがMRIの適応である。後述するように子宮頸癌において検査の中核をなすのはT2強調像であるが，ダイナミックMRI[40)41)]（p225図8参照）や経腟コイル[42)]を用いることにより微小浸潤癌も描出可能なことが報告されている。しかし，特にポリープ状に外向性に発育する腫瘍では腫瘍径が浸潤の程度を反映しないこと，浸潤の程度は病理組織学的に決定されるべき（すなわち疑義のある症例に対しては診断的円錐切除が行われるべき）であることから，その臨床的意義には疑義が残り，子宮頸癌の検査において造影は必ずしも必須ではない。

　付属器腫瘍の質的診断において，MRIはいまや必要欠くべからざるツールとなっている。特にcommon diseaseである子宮内膜症，成熟奇形腫は，USでは内部エコーの存在からしばしば悪性腫瘍との鑑別に苦慮するが，いずれもMRIでは特徴的な所見を呈することからその診断能は卓越しており，良性疾患ではあるがルーチンに行われてよい検査である。ほかに良性疾患では骨盤内感染症や線維腫をはじめとする一部の良性腫瘍においても特徴的な所見が知られており，目的とする疾患に応じたシーケンスを選択することにより，疾患特異的な診断が可能となる。卵巣・卵管・腹膜癌の多くは発見されたときにはⅢ，Ⅳ期の進行癌であることが多く，転移による付随所見により悪性腫瘍であることが認識されることも少なくない。また卵巣・卵管・腹膜癌（なかでも最も頻度の高い高異型度漿液性癌）の主な転移経路は腹腔内播種であることから，進行期の決定には空間分解能に優り，横隔膜下まで瞬時に撮像可能なCTの果たす役割が大きい。

3. 婦人科疾患の診断に有用なMRIの技術

　前項でも述べたが，近年，静磁場強度が3TであるMRI装置が急速に普及し，女性骨盤を含めた体幹部領域でも3T MRI装置がほとんどルーチンに用いられるようになってきた。これは3T装置のもつ弱点（表6），すなわち磁場が不均一になりやすいこと（図11），呼吸や消化管蠕動による動きに弱いこと，プロトンをもたないことから局所の磁場不均一化を招く空気（消

3. 婦人科疾患の診断に有用なMRIの技術

表6　3T MRI装置の特徴と画像への影響

| 【信号雑音比（S/N）の向上】
　○　より薄いスライス厚の選択
【ラジオ波均一性の低下（B0/B1 inhomogeneity）】
　▲　誘電効果の増加
【磁場均一性の低下】
　▲　周波数選択的脂肪抑制法
　▲　steady-state free precession（SSFP）
【磁化率効果の増大】
　○　susceptibility-weighted imaging（SWI）
　○　functional imaging（BOLD効果の増加）
　○　perfusion study | 【SARの増大】
　▲　シーケンスの制限
【緩和時間の変化】
　▲　T1延長→T1コントラスト低下
　○　造影剤のT1緩和効果は不変→
　　　　造影後はコントラスト向上
　▲　組織によるT2値の変動
【共鳴周波数の増加】
　○　chemical shift imaging
　○　MR spectroscopy（MRS） |

○：恩恵にあずかるシーケンス，▲：不利益を受けるシーケンス

化管ガス）が随所に存在すること（図12），また1.5T装置と同等のシーケンスで撮像しようとすると，RFパルスによる発熱が増加し比吸収率（specific absorption rate：SAR）が厚生労働省の定める上限を超えてしまうといった問題点[43)44)]を各メーカーが克服しつつあることによる。一般にMRI装置では静磁場強度が2倍になるとS/Nが2倍となることが期待され，スライス厚を薄くしても高い組織コントラストの画像を得ることができる（図13）。婦人科領域では磁場上昇に伴う各組織のT2緩和時間の変動から，子宮のzonal anatomy（内膜，junctional zone，漿膜側筋層の信号強度差）が不明瞭化することが懸念されたが，おおむね1.5T装置と遜色ないことが確認されている[45)]。このため，子宮頸癌，内膜癌のステージングではmm単位の腫瘍径の変化が進行期に影響を与えることから，近年，3T装置を用いて3mmスライス厚で検査することが一般的となっている（図14）。また3T装置では造影剤による増強効果（contrast to noise ratio：CNR）も向上するので，高いコントラストで造影検査を行うことができる[46)]（図15）。さらに磁化率効果が増強される[47)]ので，内膜症性嚢胞壁でのヘモジデリン沈着が増強されるなどの効果もあり，これを逆手にとって診断に役立てることもできる（図16）。

一方，婦人科領域においても，近年，3D撮像法が用いられるようになっている。これは次項で述べるCTが多列化し，isotropic imaging（p35参照）が一般化したことに伴い，MRIにもその試みが波及したことに起因する。General Electric（GE）社のcube（＝3D-FSE XETA：fast spin echo extended echo-train acquisition），Philips社のVISTA（volume isotropic T2 acquisition），Siemens社のSPACE（sampling perfection with application-optimized contrast with different flip-angle evolutions）などが，T2コントラストの3D撮像法である。CT同様，薄いスライスの画像を大量に撮像することにより，Z軸方向の空間分解の改善を図り，撮像後にワークステーション上で，別方向からの再構成を行うことができる（図17）。これにより2DでT2強調像を多方向から撮像する必要がなくなり，かつ事後に自由な断層面を選択可能なことから子宮筋腫と内膜との位置関係の同定[48)]や子宮奇形の精査[49)]などに向いている。ただし組織コントラストはスピンエコー法（spin echo）で撮像した2D T2強調像に比べると若干見劣りすることが多く，筆者は子宮頸癌，子宮内膜癌の局所進展の診断には単独ではまだ不十分と考えている。

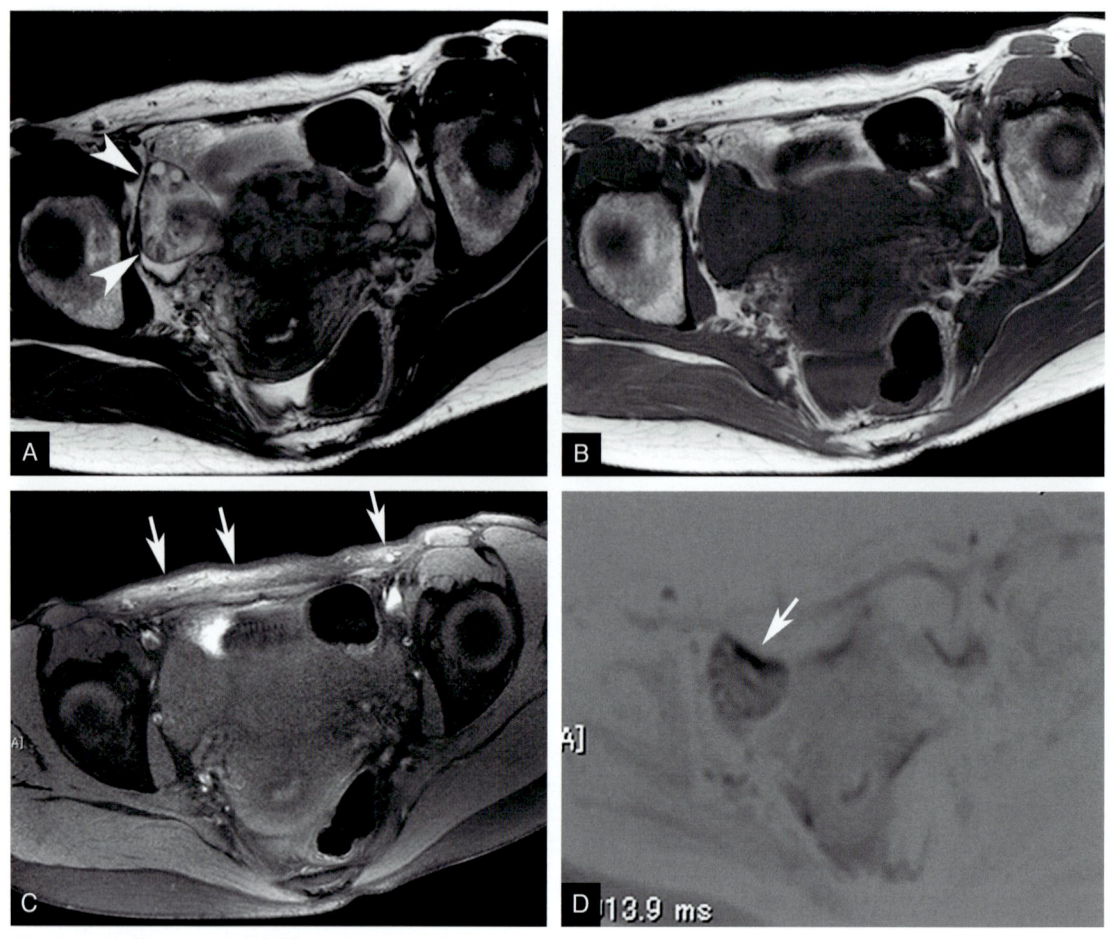

図11　33歳　3Tの分解能とアーチファクト
A：T2強調横断像，B：T1強調横断像，C：脂肪抑制T1強調横断像，D：拡散強調横断像（b＝1,000 s/mm², 以下拡散強調像のb値はいずれも同様）
T2強調像では右卵巣の皮質領域には多数の卵胞が配列し（A▲），排卵のあとと推定される小さなヘモジデリン沈着域も低信号域として確認され，3 mmスライス厚，3 T装置使用の有用性が実感できる。しかし，T2強調像（A）およびT1強調像（B）ではあまり目立たないが，磁場の均一性がより厳密に求められる脂肪抑制T1強調像では体表の脂肪が一部抑制されずに残り（C→），拡散強調像では消化管内の空気に近い領域が信号欠損となっている（D→）。

　日常診療で頻度の高い付属器腫瘤として脂肪に富む成熟奇形腫と血液成分を含む子宮内膜症性嚢胞があり，どちらもT1短縮を伴うことから，脂肪抑制画像，とりわけT1強調像での脂肪抑制技術は婦人科MRIを専門とする者にとっては古くから大きな関心事であった。またT1強調像で高信号を示す脂肪組織内の造影剤による増強効果の有無をみる（主として腹腔内播種や腹膜外脂肪層への腫瘍浸潤の評価）ためには，背景信号を抑制する必要がある。脂肪の信号抑制にはいくつかの方法（表7）があるが，婦人科領域では主としてCHESS法（chemical shift selective saturation）とDixon法が使われている。CHESS法は脂肪と水の共鳴周波数の違いに着目して，脂肪の共鳴周波数のみに選択的なpre-saturation pulseを印加して脂肪からの信号の発生を抑制している[50-52]（図18, 19）。多くの成熟奇形腫は嚢胞内に豊富な皮脂を擁することから，

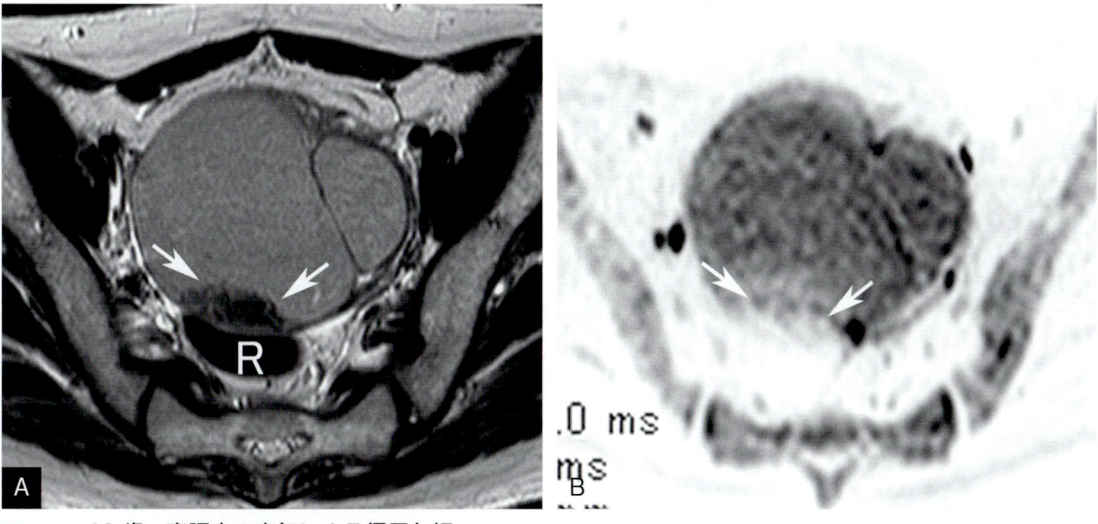

図12 40歳 直腸内の空気による信号欠損
A：T2強調横断像，B：拡散強調横断像
子宮内膜症性嚢胞の後壁にみられる低信号域（A→）の拡散強調像での信号強度は，この腫瘤が悪性腫瘍を合併しているか否かにとって最も重要な事項であるが，後方に位置する直腸（R）内の空気から発生するアーチファクトのためにまったく評価できない（B）。

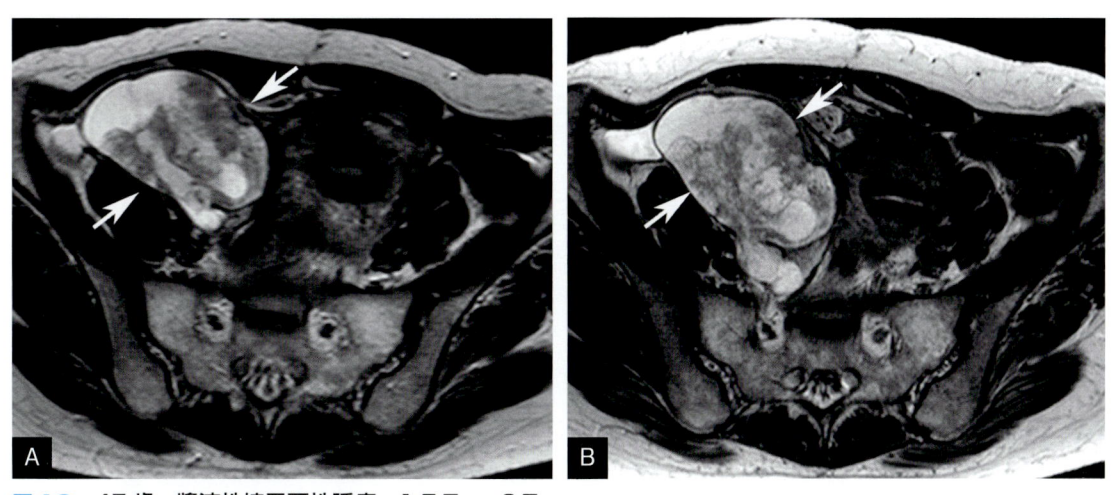

図13 45歳 漿液性境界悪性腫瘍，1.5T vs 3T
A, B：T2強調横断像
悪性卵巣腫瘍疑いにて紹介されたが，手術までの待機期間が長引いてしまったので，6週間の間隔で1.5T装置（A）と3T装置（B）の双方で検査。スライス厚は1.5Tが4mm，3Tが3mmだが，3Tではスライス厚を薄くしても信号雑音比の低下がなく，腫瘍の内部構造（→）をより詳細に描出できている。

子宮内膜症性嚢胞や粘液性腫瘍との鑑別には本法が向いている。また造影後T1強調像の撮像時にも本法で行うと腹膜の増強効果などがわかりやすい。Dixon法は脂肪と水の位相のずれを利用した撮像法で，両者の位相が同一方向となるエコー時間（in phase）と反対方向となるエコー時間（out of phase または opposed phase）で二度，グラジエントエコー法（gradient echo）でT1

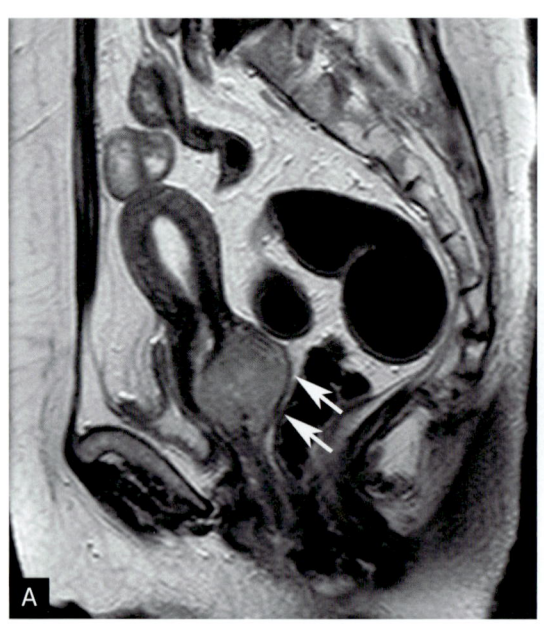

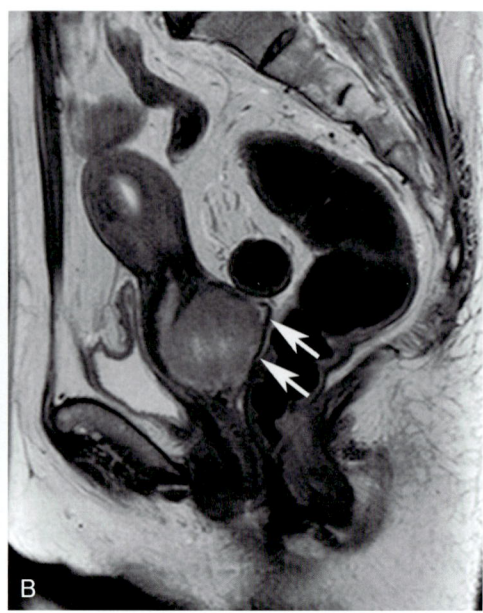

図14 66歳 子宮頸癌ⅠB2期，3T装置の分解能
A，B：T2強調矢状断像
子宮腟部後唇より後腟円蓋に向かって突出する腫瘍であるが，1.5T装置では見えない後腟円蓋の粘膜と筋層の分離（A→）が3T装置では鮮明である（B→）。

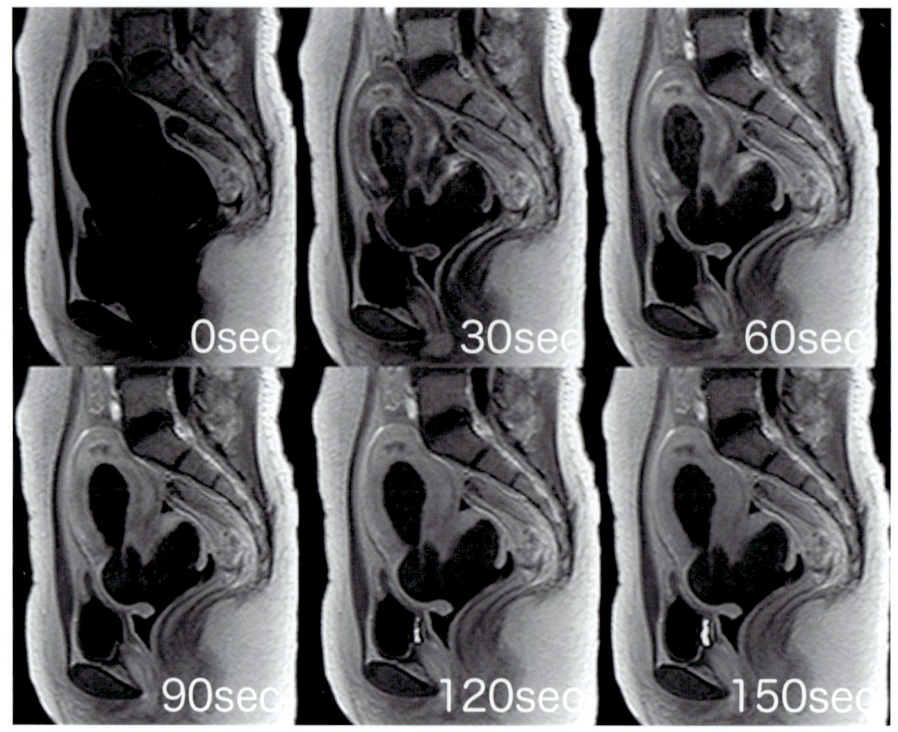

図15 44歳 頸管浸潤を伴う子宮内膜癌の3T装置を使用したダイナミックMRI
3T装置でのダイナミックMRIで，腫瘍と非担癌部の筋層とのコントラストが抜群に良い。

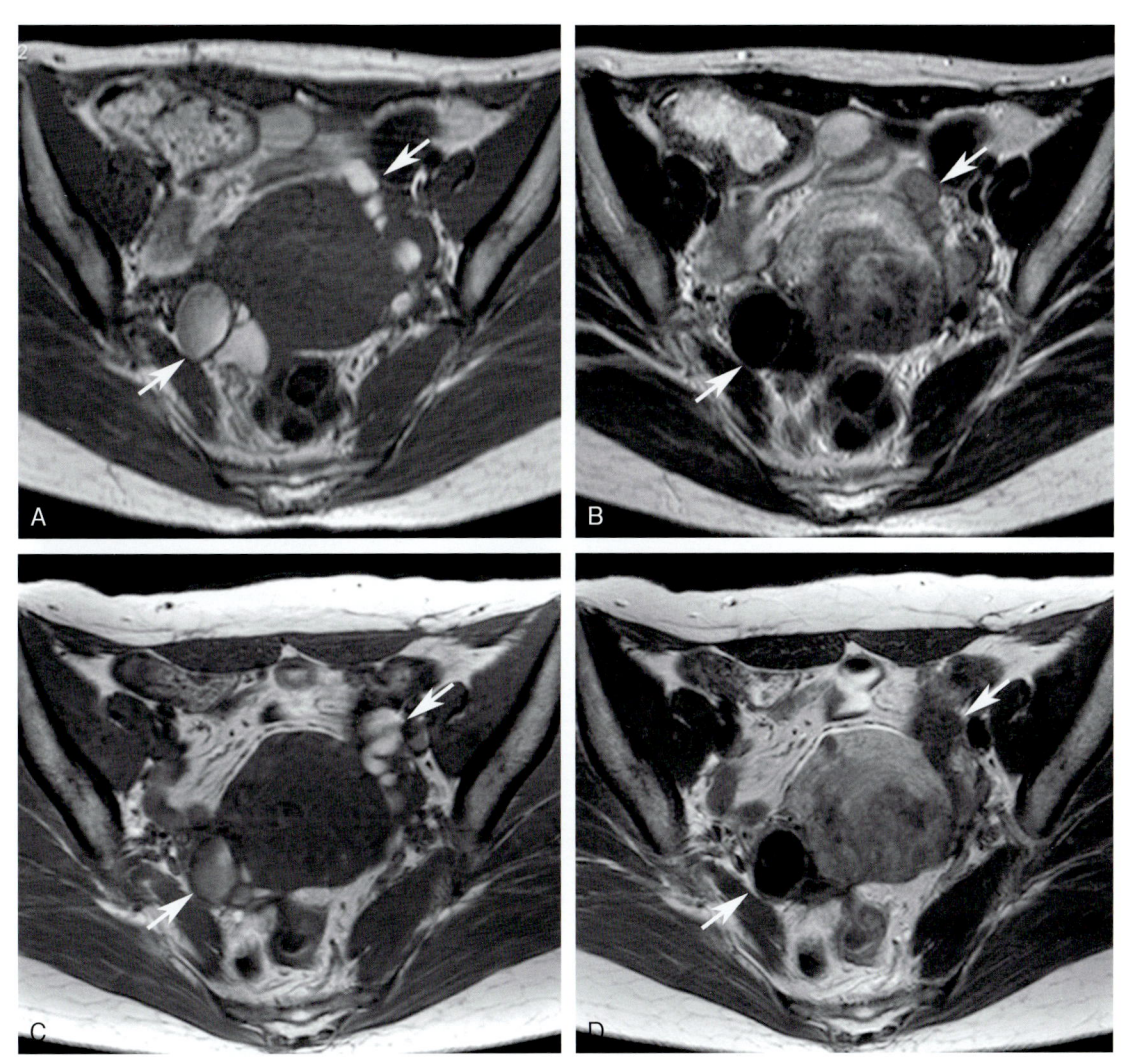

図16 45歳 子宮内膜症，3Tのより強い磁化率アーチファクト
右卵巣の内膜症性嚢胞と左卵管留血症（→）。低用量ピルを投与しながら定期的に経過観察している。1年前の1.5T装置の画像（A，B）に比べ3T装置の画像（C，D）では，T1強調横断像（A，C）で病変の辺縁，T2強調横断像（B，D）では病変全体の，特に左卵管内のヘモジデリン沈着による磁化率アーチファクトにより信号低下が顕著で，内容物が血性であることがより明瞭となっている。

強調像を撮像する[53-55]（図19, 20A）。同一ボクセル内に脂肪と水が半々ずつ存在する環境下ではout of phaseで水分子内のプロトンと脂肪分子内のプロトンの位相が逆向きになるので両者の信号が打ち消し合い，信号が低下する（図20B）。本法は微量の脂肪成分の検出に向くが，大量に脂肪の存在するボクセルの信号は低下しない。したがって細胞内に脂質成分を蓄えた副腎腺腫や脂肪肝の診断に向くが，多くの卵巣奇形腫ではあまり役立たない。しかし少数ながら微量の脂肪が嚢胞内容物に懸濁して存在する奇形腫[53)56)]（図21）や，性索間質性腫瘍には細胞内に脂質を含むものがあり，婦人科腫瘍においても有用性はある。またin phaseとout of phaseを足して水画像を，in phaseからout of phaseを差分して脂肪画像を作成すると，水画像は実質的に脂肪

図17　66歳　子宮頸癌ⅠB2期，3D撮像と再構成画像
T2強調横断像（A）を1.2 mmスライス厚で140枚撮像後，子宮の長軸に平行に再構成（B）。撮像後に自由に断層面を選択可能なことから，種々の方向から腟壁や傍組織浸潤を観察できるが，組織間コントラストは2D撮像（C，破線は3D画像の撮像範囲）に比べやや劣る。

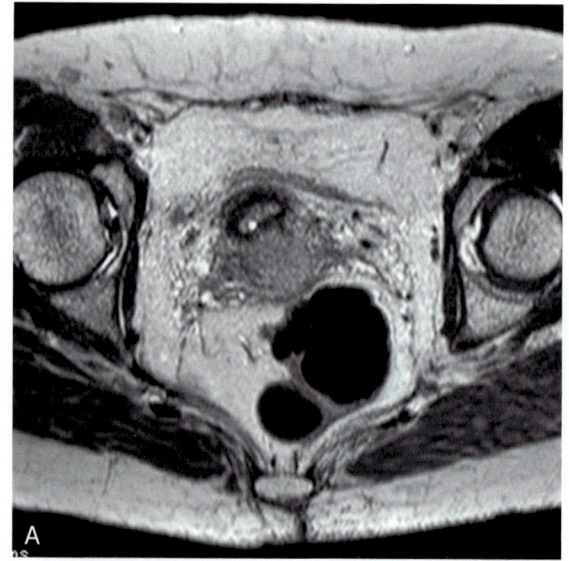

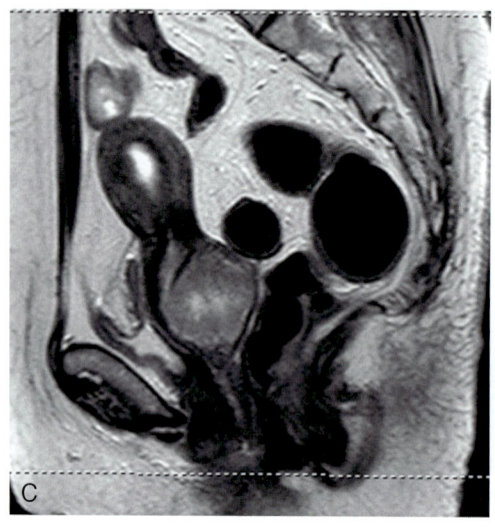

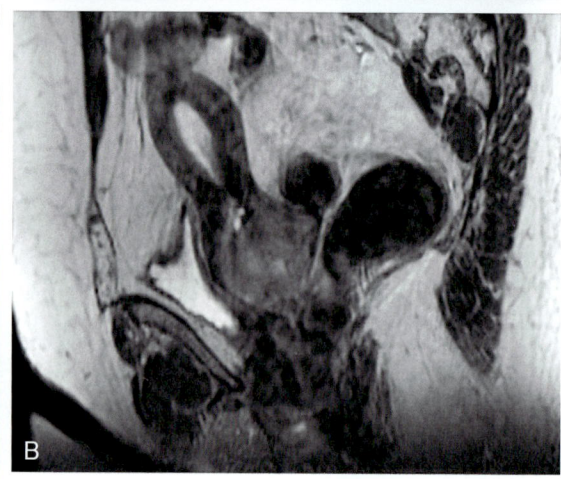

抑制画像となる。したがって一度の撮像で微量の脂肪の検出と多量の脂肪の検出とを同時に行える利点がある。本法はDixonの原案ではin phaseとout of phaseの2点をとって水画像，脂肪画像を作成していたが，現在では3点のデータセットを用い，1つを補正用に用いて計算画像を作成する3 point Dixon法またはmodified Dixon法が汎用されている[50)54)]（図22〜24）。ほかの脂肪抑制法としては二項励起パルス法，spectral pre-saturation with inversion recovery（SPIR），magnetization transfer contrast（MTC）などがあるが，婦人科領域ではあまり用いられないので成書を参照されたい。

　前項で述べたように，骨盤内は呼吸運動による影響を受けることが比較的少ない領域であることから，比較的撮像時間の長い通常の高速スピンエコー法（fast spin echo：FSE）によるT2強調像でも上腹部に比べて画像の劣化は少ない。しかし臍上部に達するような大きな腫瘍では，呼吸運動や腸管蠕動によるアーチファクトが問題となることがあり，そのような場合はsingle shot

3. 婦人科疾患の診断に有用な MRI の技術

表7 主な脂肪抑制法とその使用目的

使用原理	撮像法 名称 略称または通称または商標名	撮像法 名称 正式名称	脂肪と血液の分離	微量の脂肪の検出	背景信号の抑制	備考
縦緩和の差	STIR	Short τ Inversion Recovery	×	×	◎	低磁場でも安定した脂肪抑制 脂肪と同等のT1値をもつ組織も一様に抑制
共鳴周波数の差	CHESS 法 / CHESS 法	CHemical Shift Selective Saturation 法	◎	×	◎	
共鳴周波数の差	Dixon 法	In phase-Out of phase, chemical shift imaging	×	◎	×	同一 voxel 内に水と脂肪が共存する場合有効
共鳴周波数の差	3 point Dixon 法 / IDEAL（GE）	Iterative decomposition of water and fat with echo asymmetry and least-squares estimation	○	◎	○	同一 voxel 内に水と脂肪が共存する場合有効
共鳴周波数の差	3 point Dixon 法 / mDixon（Philips）	modified Dixon				
共鳴周波数の差	二項励起パルス法 Spectral-Spatial Imaging / ProSet	Principle of Selective excitation technique	○	×	○	水を選択的に励起
共鳴周波数の差	二項励起パルス法 Spectral-Spatial Imaging / WATS	WATer Selective excitation				
縦緩和と共鳴周波数の差の両方を利用	SPIR	Spectral Presaturation with Inversion Recovery	○	×	○	B1 不均一性に脆弱
縦緩和と共鳴周波数の差の両方を利用	SPAIR	Spectral Presaturation Attenuated Inversion Recovery	○	×	○	B1 不均一性に SPIR より安定

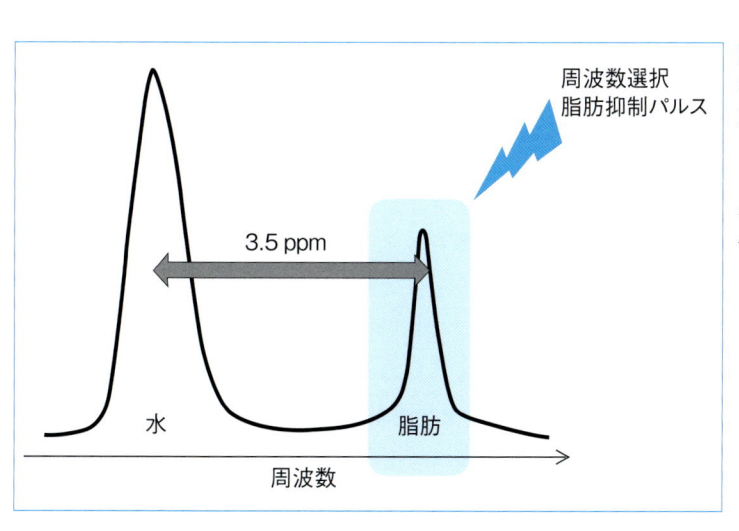

図 18 CHESS 法（chemical shift selective saturation）の原理[50]
水分子内のプロトンと脂肪分子内のプロトンとでは共鳴周波数が異なる（1.5 T 装置では 3.5 ppm）ことから，後者に pre-saturation pulse をかけて信号を抑制する。

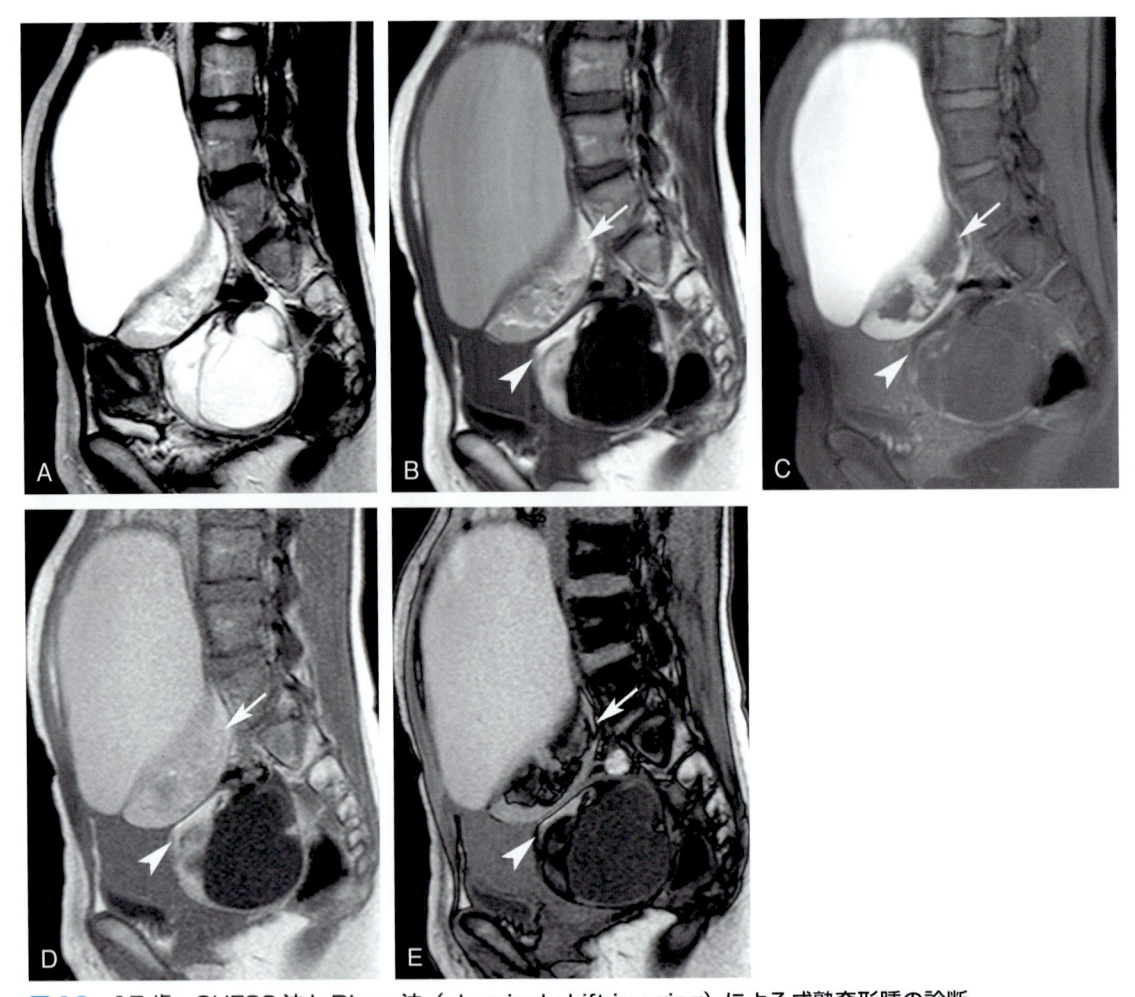

図 19　15歳　CHESS 法と Dixon 法（chemical shift imaging）による成熟奇形腫の診断
A：T2 強調矢状断像，B：T1 強調矢状断像，C：脂肪抑制 T1 強調矢状断像，D：T1 強調矢状断像 in phase，
E：T1 強調矢状断像 out of phase
T2 強調像で両側卵巣腫瘍が頭尾方向に配列している（A，上が右卵巣，下が左卵巣）。左卵巣腫瘍の上縁にみられる脂肪（▲）は塊として存在するので，T1 強調像（B）で高信号で，CHESS 法による脂肪抑制 T1 強調像（C）で信号抑制を受ける。右卵巣腫瘍の尾側の房内には CHESS 法で信号抑制される脂肪成分と抑制されない非脂肪成分が不規則に分布する（B，C→）。この部分では同一ピクセル内に脂肪と水が混在するので Dixon 法では in phase（D）に比べ out of phase（E）で辺縁部が縁取られたような信号低下域を生じている（D，E→）。しかし左卵巣腫瘍の上縁部分は脂肪成分のみからなるので，Dixon 法では信号は低下しない（D，E▲）。

fast spin echo（SSFSE）での撮像が有用である。高速スピンエコー法は通常のスピンエコー法ではｋ空間（k space）を１列ずつ順次埋めていくようにデータ収集を行うのに対し，何本ものエコートレイン（echo train）を同時に走らせることで撮像時間の短縮を図る技法で，通常，骨盤の MRI を撮像する場合にはスピンエコー法ではなくこの方法をとる（図 25）[50]。これに対し half-Fourier single shot turbo spin-echo（HASTE）や SSFSE では一度の 180°パルスですべてのエコートレインを走らせてしまう（図 26）[57]。通常，高速スピンエコー法ではエコートレインの数が多くなると，それにつれて画像のぼけ（blurring）が強くなるので，通常の高速スピン

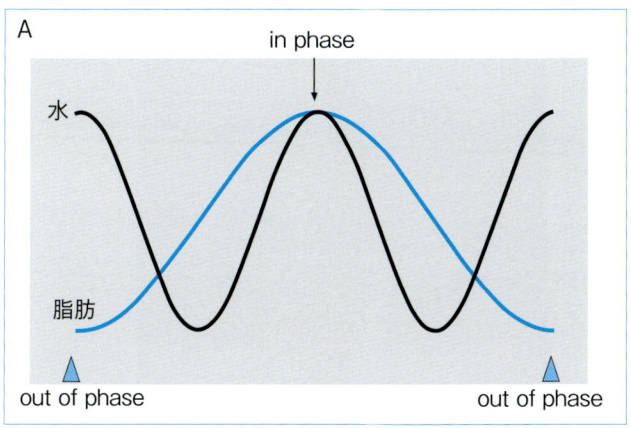

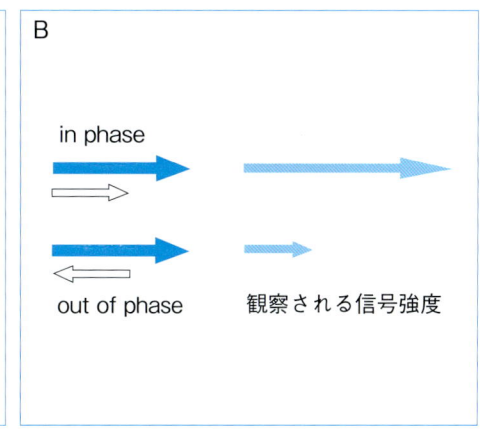

図20 Dixon法（chemical shift imaging）の原理[54)55)]
周波数の異なる水と脂肪は位相方向が同一になるin phaseと反対方向になるout of phaseを周期的に繰り返している（A）。in phaseでは水と脂肪のプロトンの信号は相加的に働くが，out of phaseでは互いの信号を打ち消し合う方向に働くために，同一ボクセル内に水と脂肪が同程度の量で存在する環境下では信号が低下する（B）。

エコー法では画質を低下させない程度までにエコートレインの数を増やすに留めている。しかしSSFSE，HASTEでは画質より撮像時間の短縮が優先されるので，動きによるアーチファクト（motion artifact）が減少してシャープな画像が得られる[58)59)]反面，コントラストが低下する[60)]（図27）。これは子宮のzonal anatomyが診断に極めて重要な女性骨盤領域では極めて大きな不利益であることから，本法をルーチンに用いることは行わない。

表4に示した通り，拡散強調像（diffusion-weighted images：DWI）は近年，どのような疾患に対しても付加する意義のある撮像法と捉えられている。ボクセル内のインコヒーレントな動き（intravoxel incoherent motion：IVIM）すなわち生体内の水分子の拡散（diffusion）と毛細血管内の血流［灌流（perfusion）］を画像化する試みは古くから行われてきた[61)62)]。拡散強調像の臨床応用[63)]は，まずは脳梗塞の早期診断[64)]に，後に中枢神経系腫瘍の質的診断に[65-67)]，さらに体幹部の腫瘍全般に応用され[68)]，悪性腫瘍の治療効果判定におけるバイオマーカーとしての役割も果たしている[69)70)]。基本的には，悪性腫瘍は正常組織よりも細胞密度が高いために水分子の自由な拡散が制限されること（図28）[68)]，治療により腫瘍壊死を生じると細胞外液腔が拡大して再び拡散が亢進するという理論に基づいている。またこの水分子の拡散の自由度を見かけの拡散係数（apparent diffusion coefficient：ADC）として数値化することも可能で，治療効果を定量的に評価する試みもさかんになされている（図29）[71)]。

一方，灌流画像（MR perfusion）のほうはもっぱら造影剤を使用した方法が用いられている。経静脈的に投与された造影剤は，最終的には腎糸球体で濾過されて体外に排泄されるが，その間に血管内から腫瘍の細胞外液腔へと一定の速度で漏出し，再び血管内に還流する。このときの細胞外液腔の造影剤濃度は図30に示す式で近似される。これをTofts modelという[72-74)]。具体的には時間分解能を短縮したダイナミックMRIを連続的に撮像し，造影前後の病変の信号強度から各パラメータをワークステーション上で計算させる（図31）。通常の造影検査でみている増強効果は血管内から流入する造影剤と血管内へと還流する造影剤の平衡状態（K^{trans}/K^{ep}）をみて

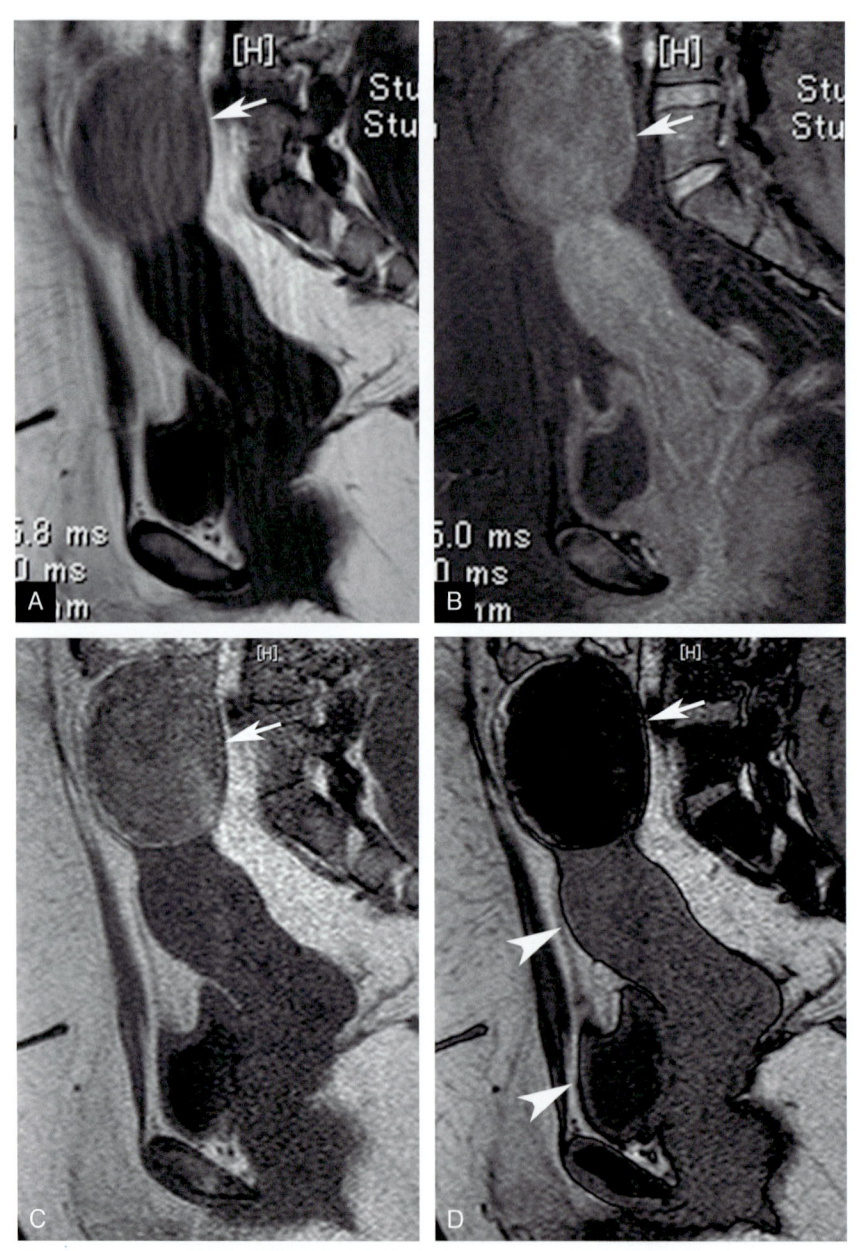

図21　39歳　微量の脂肪を含む成熟奇形腫
A：T1強調矢状断像，B：脂肪抑制T1強調矢状断像，C：T1強調矢状断像in phase，
D：T1強調矢状断像out of phase
T1強調像で弱い高信号を示す腫瘤（A→）が子宮の上方にみられるが，CHESS法による脂肪抑制T1強調像（B）では信号低下はほとんどみられない。これに対し，in phase（C）とout of phase（D）を比較すると明らかに信号が低下しており，囊胞内には水と脂肪が同程度含まれることが示唆される。out of phaseでは子宮や膀胱など水との境目にも縁取りのような低信号域が出ている（D▲）のに注目。

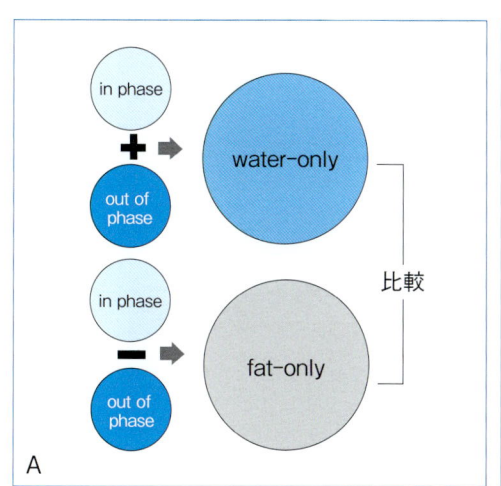

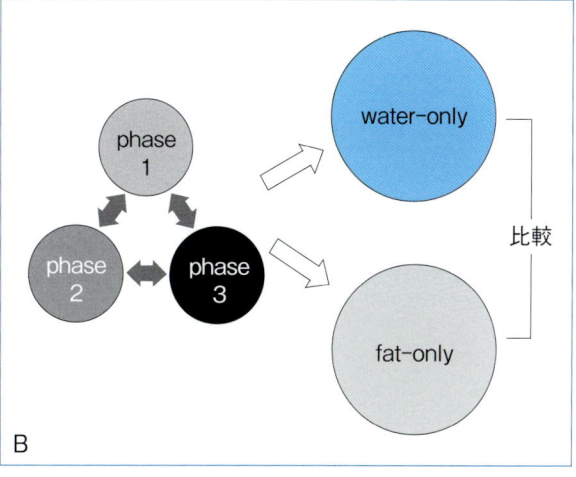

3. 婦人科疾患の診断に有用な MRI の技術

図22 3 point Dixon 法または modified Dixon 法の原理[54]
Dixon 法の原法では in phase と out of phase を加算して水画像（結果的に脂肪抑制画像となる）を，差分して脂肪画像を得る（A）が，3 point Dixon 法ではもう1点，別の位相でもデータ収集して信号の補正をしてから，脂肪画像，水画像を作成する（B）。

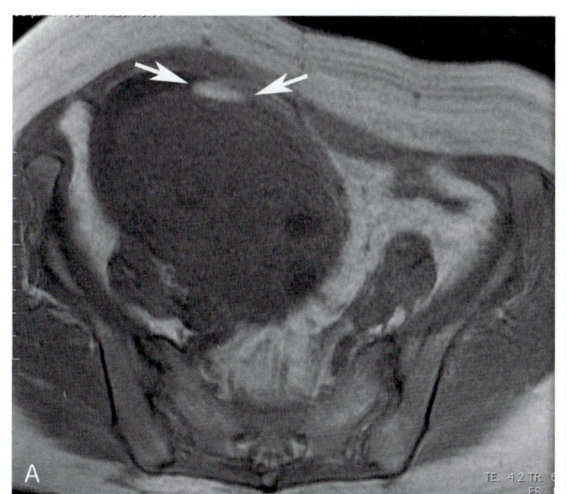

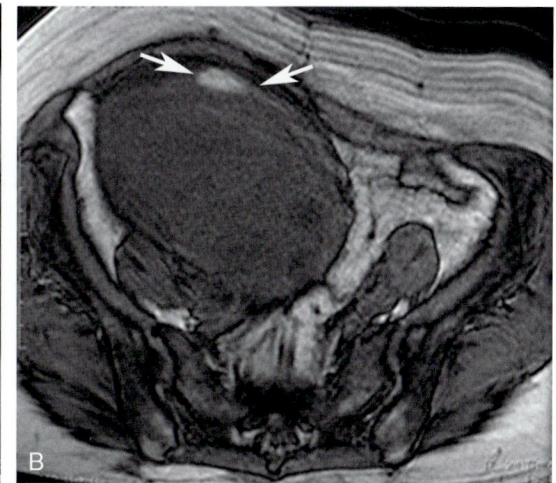

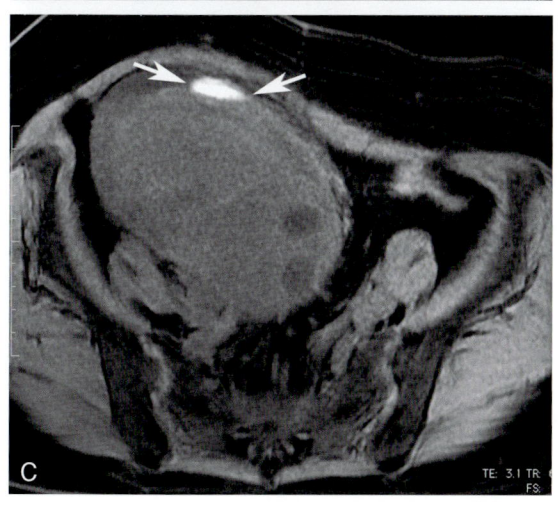

図23 51歳　転移性卵巣腫瘍，3 point Dixon 法による脂肪の検索
A：T1 強調横断像 in phase，B：T1 強調横断像 out of phase，C：水画像（脂肪抑制 T1 強調横断像）
T1 強調像で信号強度の低い腫瘤の前縁には in phase（A），out of phase（B）のいずれでも高信号を示す部分（→）があり，塊状の脂肪か出血かが問題となるが，水画像（C）でも高信号に留まるので，出血であることがわかる。

23

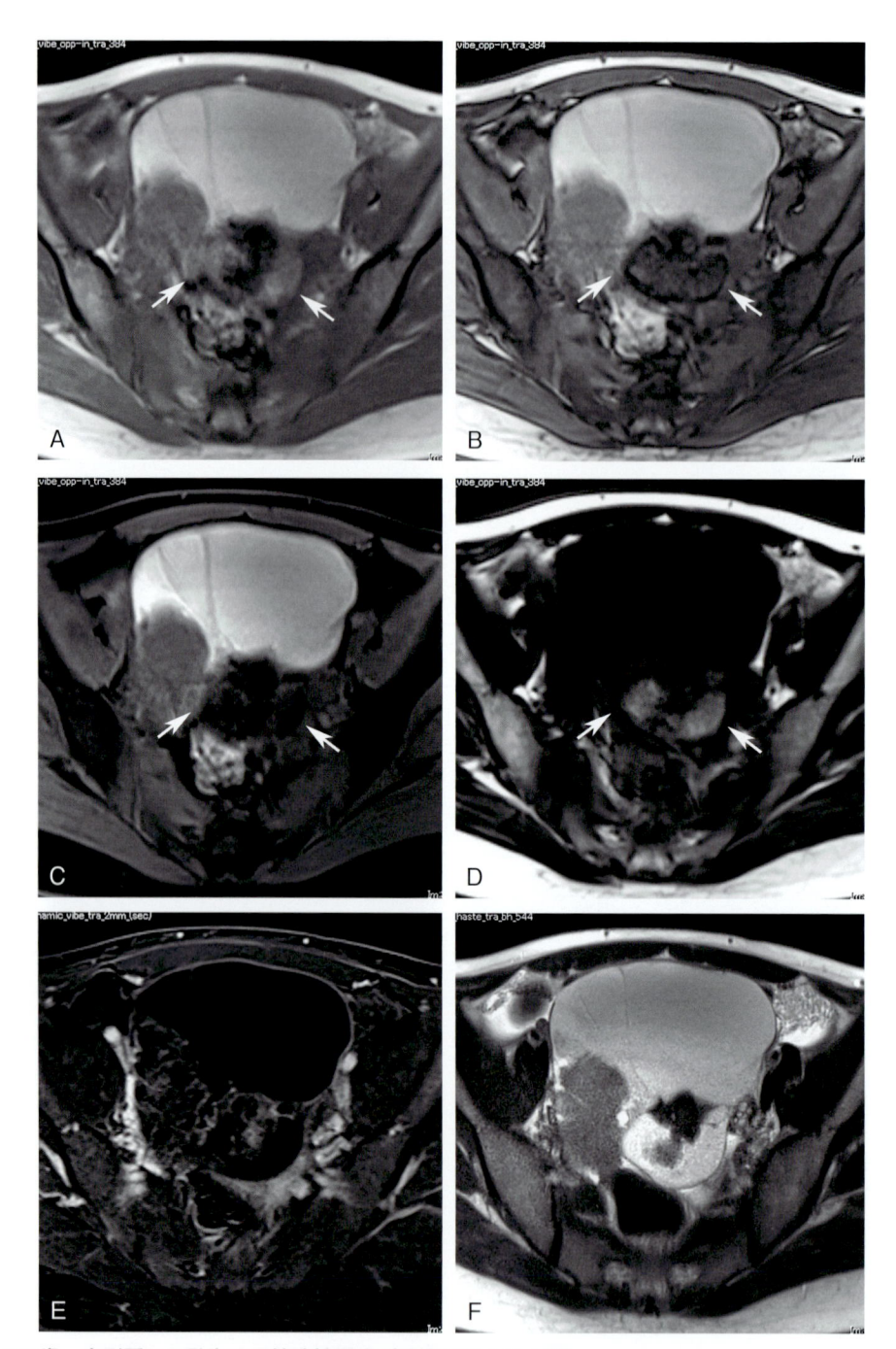

図24 30歳 奇形腫から発生する粘液性腫瘍（粘液性癌ⅠC3期）
A：T1強調横断像 in phase，B：T1強調横断像 out of phase，C：水画像（脂肪抑制T1強調横断像），D：脂肪画像（水抑制T1強調横断像），E：造影脂肪抑制T1強調横断像，F：T2強調横断像
3 point Dixon法によるT1強調横断像。多彩な信号を示す腫瘤内に in phase で高信号を示す領域があり（A→），out of phase（B），水画像（C）では低信号化し，脂肪画像（D）では高信号を示すことから脂肪成分を含むことがわかる。造影後，この腫瘤は被膜隔壁のみが増強される多房性囊胞性腫瘤であることが明らかであるが（E），T2強調横断像ではステンドグラス腫瘍を呈し（F），脂肪がなければ上皮性腫瘍である粘液癌に類似する。このように脂肪を含有する卵巣腫瘍の代表格である奇形腫からも粘液性腫瘍が発生することは知っておく必要がある（p564参照）。

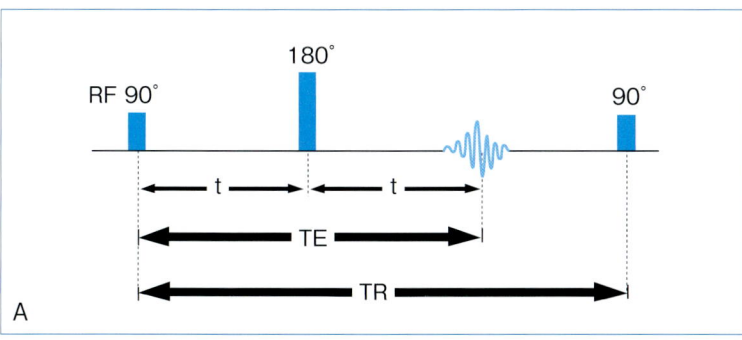

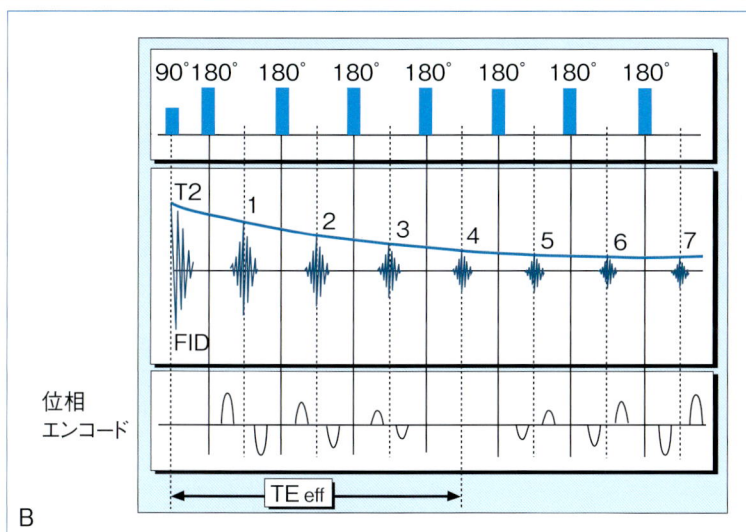

図25 スピンエコー法（SE）と高速スピンエコー法（FSE）の原理[50]

スピンエコー法では90°パルスと180°パルスを順次照射し，一組の照射毎に発生するエコーを収集して画像を作成している（A）のに対し，高速スピンエコー法では一度の90°パルスの後に複数回の180°パルスを照射して信号を得ている（B）ので，結果的に短時間での撮像が可能となる。

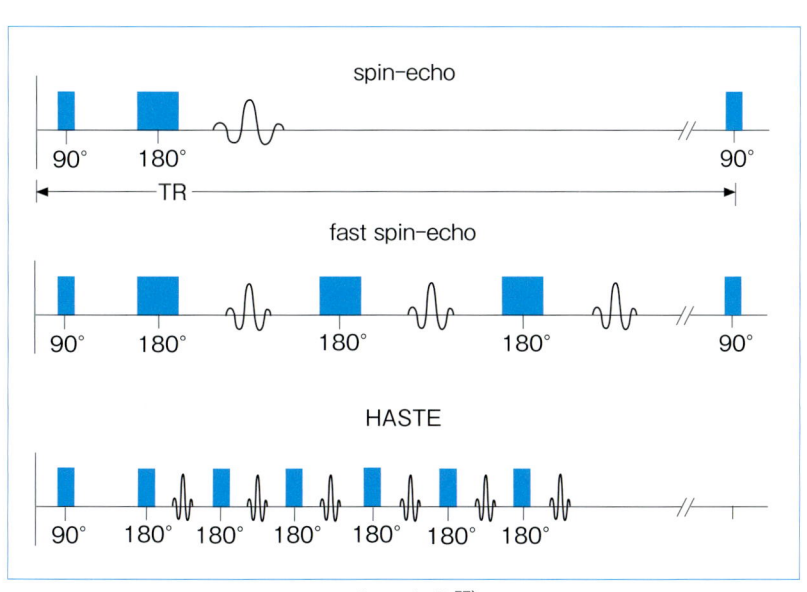

図26 single shot imaging のデータ収集[57]

single-shot fast spin echo (SSFSE) や half-Fourier single shot turbo spin-echo (HASTE) では位相エンコードを多数の180°パルスで一度に行うので，撮像時間は高速スピンエコー法と比べてもさらに短時間で撮像できる。

25

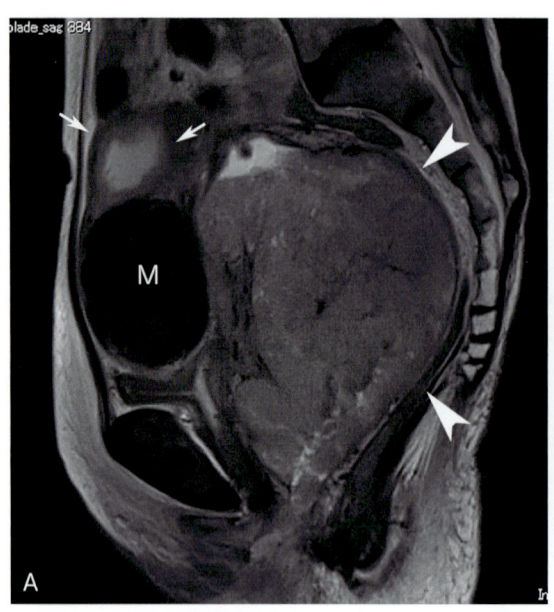

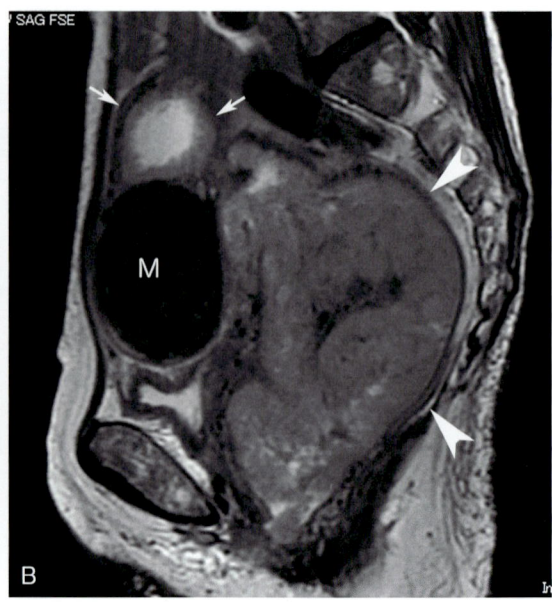

図27　71歳　子宮頸癌ⅢC1期，HASTEと高速スピンエコー法（FSE）
A：HASTE，B：FSE
子宮頸癌の進行期診断のために行われたMRI。T2強調矢状断像の代わりに前医ではHASTEが撮像されている（A）。FSEで撮像されたT2強調矢状断像（B）に比べ，HASTEではmotion artifactは目立たないものの，腟壁に浸潤した原発巣と腟壁のコントラスト（A，B▲），内腔に液体貯留して拡大した内膜腔を取り囲む子宮内膜と筋層のコントラスト（A，B→）はFSEのほうが明瞭なことがわかる。Mは子宮筋腫。

いるにすぎないが，MR perfusionで求めたK^{trans}やamplitude, initial area under the gadolinium concentration curve（IAUGC）などは血管新生（angiogenesis）を反映したパラメータと考えられており，治療が奏効すれば低下する[75)76)]。しかしK^{trans}をはじめとするMR perfusionのパラメータを求めるには，極めて短い時間分解能で撮像したダイナミックMRIとこれを解析するためのワークステーションを必要とすることから，拡散強調像ほどには普及していない。

4. 悪性腫瘍の転移検索としてのMRIの有用性

　冒頭で述べた通り，子宮頸癌・内膜癌，卵巣・卵管・腹膜癌の質的診断や局所進展度はMRI，転移の検索はCTで行うのが原則である。しかし，MRIの卓越したコントラスト分解能ゆえに，一部の転移性腫瘍においてはMRIの優位性が確立している。

　転移性脳腫瘍の検出においては造影MRIの優位性が確立している[77)78)]（図32）。造影MRIにおいて，検出能に影響を与える因子としては造影剤量，撮像タイミング，磁場強度，撮像法が挙げられ，通常量投与に比べ3倍量投与のほうが感度が高いとの報告がある。しかし本邦では，通常量投与では病変の描出が不良である場合に限り，Gd-DOTA（プロハンス®）の2倍までの追加投与が保険診療として認められており，総投与量には制約がある。撮像タイミングは造影剤投与から一定程度時間が経過したほうが検出能が高く（造影剤倍量投与で7～10分後のスキャンで

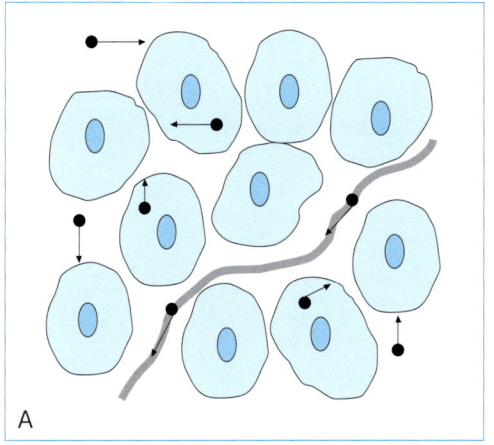

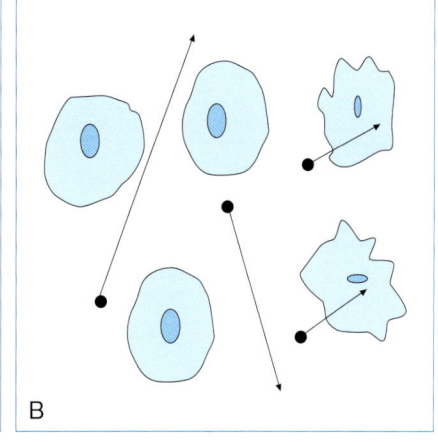

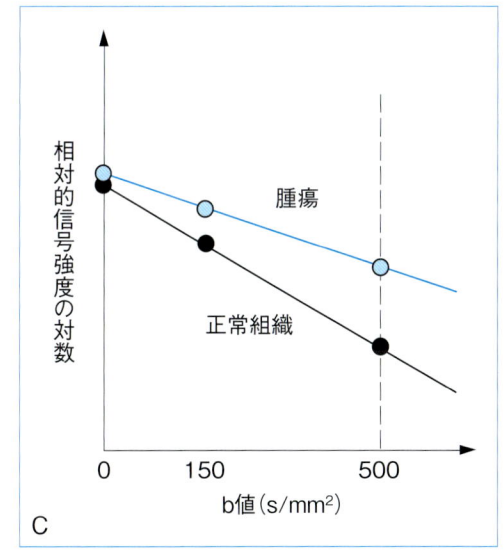

図28　拡散強調像の原理[68]

細胞密度の増加した悪性腫瘍の組織内では細胞外液腔が狭く，水分子の拡散運動は制限されている（悪性腫瘍モデル）。また虚血により細胞膜の能動輸送が障害された細胞では細胞内液が増加して細胞が膨化し，細胞内の水の拡散運動が制限される（脳梗塞モデル）（A）。悪性腫瘍において治療により一部の細胞が死滅すると細胞外液腔は再び拡大して水分子の拡散が亢進する（B）。これらの変化は拡散強調像の信号強度として描出されるほか，見かけの拡散係数（apparent diffusion coefficient：ADC）としても計測できる（C）。

検出能の向上が報告されているが，現実的には3～5分の待機もしくは造影前T1強調像の撮像は省略して，検査室に入室前にあらかじめ造影剤を投与しておくなどの方法が現実的対応であろう），1.5Tよりは3T装置，前述の3D撮像法の有用性が報告されている[78]。

一般的なMRIのシーケンスで骨は皮質が無信号となることもあり，骨転移の診断において一般的にはCT，多発病変の検出には ^{99m}Tc-MDPを用いた骨シンチグラムの使用が推奨されるが，転移の好発部位である脊椎では，骨外腫瘤が脊柱管内や椎間孔へ浸潤すれば神経症状の発現，QOLの低下に直結することから，その早期診断が重要である。造影CTでは骨外腫瘤がよく増強される腫瘍として描出されることが多く，骨外腫瘤が存在すれば診断は容易だが，骨内に限局した，骨破壊を伴わない骨髄に浸透性に進展する病変の診断はしばしば困難（図33）で，メタアナリシスでもMRIの優位性が証明されている[79]。また全身の骨転移の検索には骨シンチグラムが有用だが，近年，SPECTと併用可能な施設が増加しており，可能な場合には併用すべきである（表8）[79]。

I MRIの適応と検査の実際

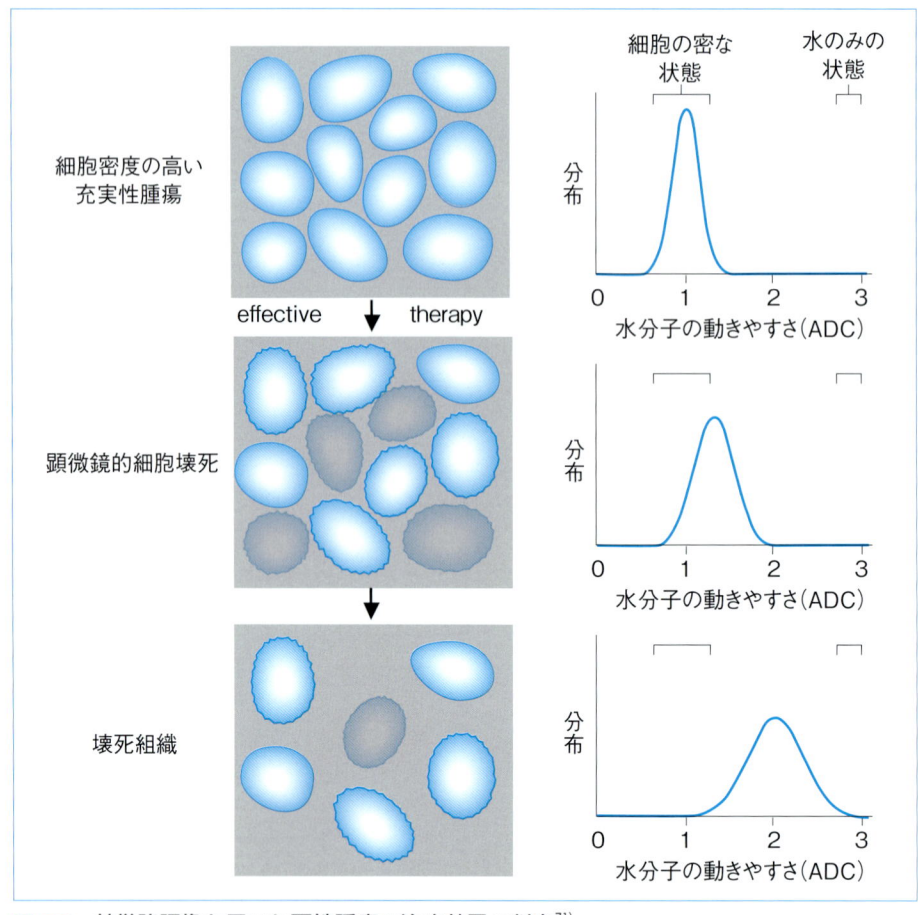

図29 拡散強調像を用いた悪性腫瘍の治療効果の判定[71]
治療に伴うADC値の低下が腫瘍径より正確に治療効果を反映することが期待されている。

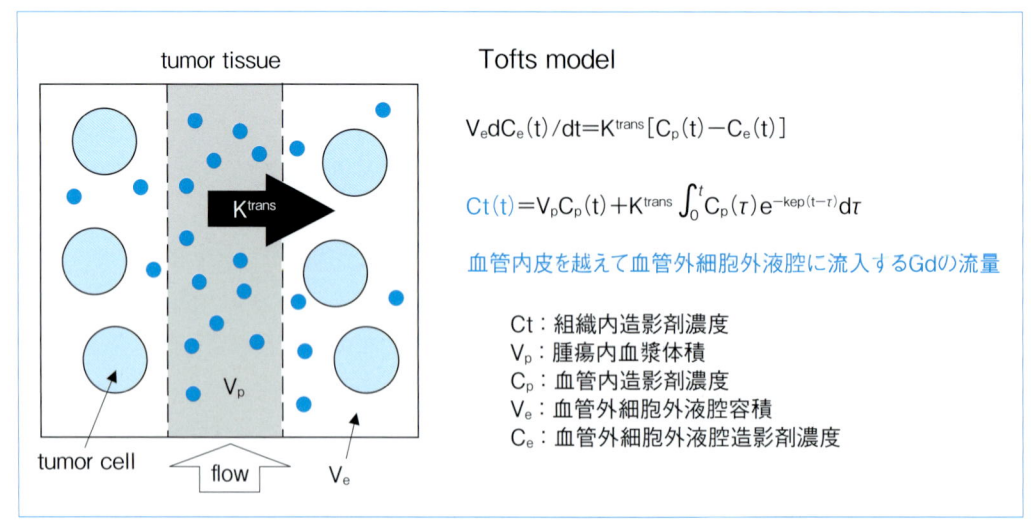

Tofts model

$$V_e dC_e(t)/dt = K^{trans}[C_p(t) - C_e(t)]$$

$$Ct(t) = V_p C_p(t) + K^{trans} \int_0^t C_p(\tau) e^{-kep(t-\tau)} d\tau$$

血管内皮を越えて血管外細胞外液腔に流入するGdの流量

Ct：組織内造影剤濃度
V_p：腫瘍内血漿体積
C_p：血管内造影剤濃度
V_e：血管外細胞外液腔容積
C_e：血管外細胞外液腔造影剤濃度

図30 MR perfusionの基本的考え方：各パラメータの意味

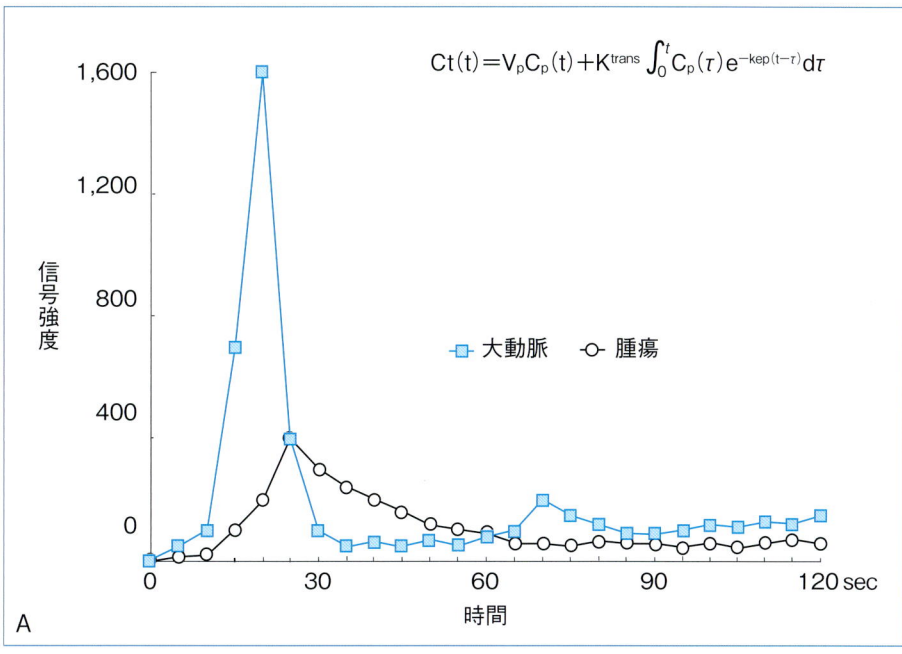

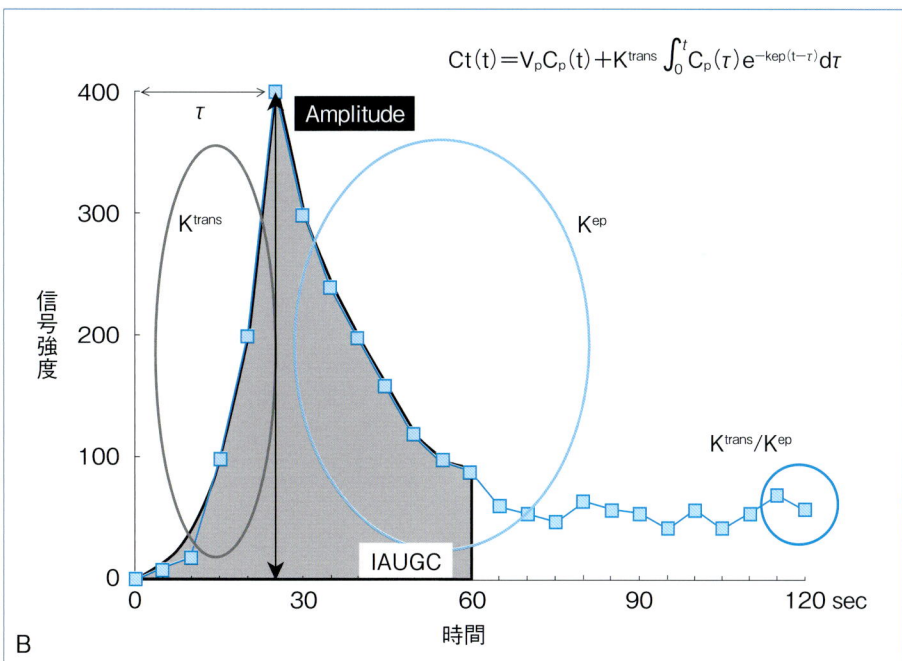

図31 MR perfusion における造影剤濃度-時間曲線
A：造影剤濃度の時間経過，B：各パラメータの意味

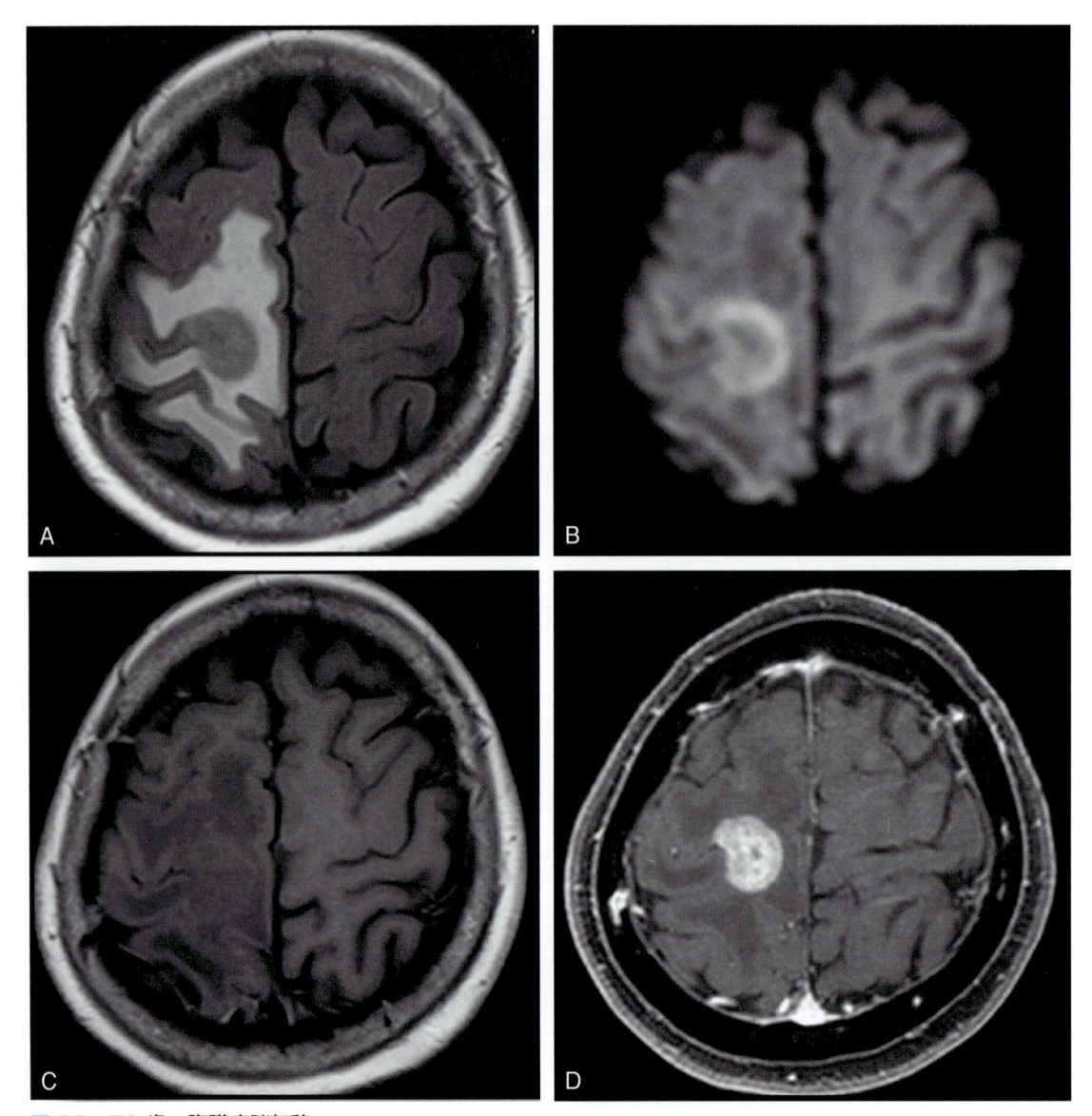

図32　71歳　腹膜癌脳転移
A：FLAIR 横断像，B：拡散強調横断像，C：T1 強調横断像，D：造影 T1 強調横断像
右前頭葉皮質下に FLAIR で脳実質より高信号（A），拡散強調像では辺縁が高信号を示す腫瘤を認める（B）。T1 強調像では灰白質より低信号を示す（C）。本例では白質浮腫により単純 MRI でも腫瘤の境界が明瞭化しているが，浮腫がなければ，腫瘤がよく増強されて高信号化した造影 T1 強調像で最も同定しやすいことがわかる（D）。

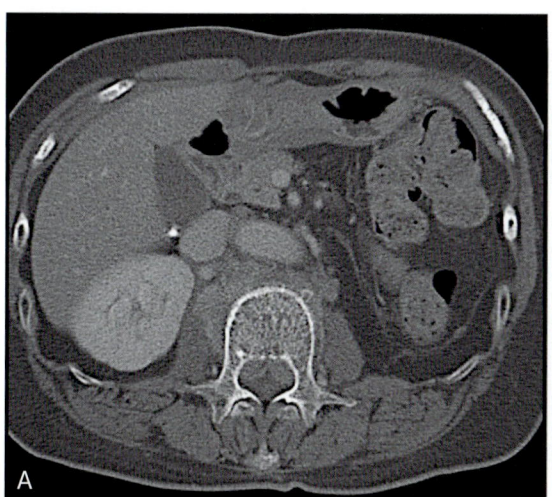

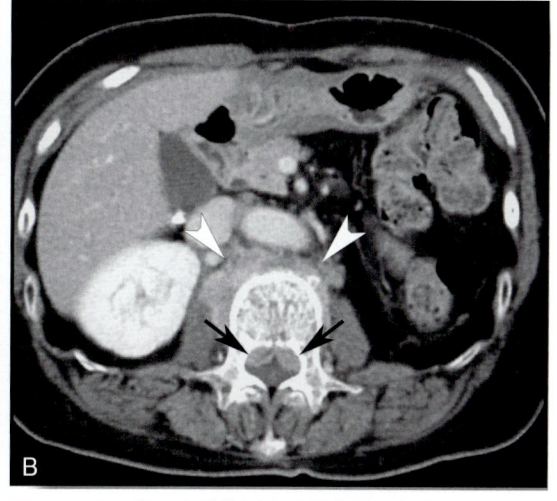

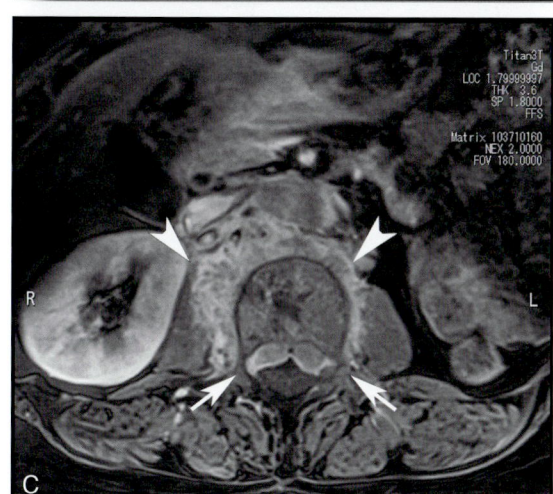

4. 悪性腫瘍の転移検索としてのMRIの有用性

図33 69歳　未分化子宮肉腫多発骨転移
A：造影CT（骨条件），B：造影CT（軟部条件），C：造影脂肪抑制T1強調横断像，D：造影CT矢状断MPR像，E：T1強調矢状断像，F：T2強調矢状断像，骨シンチグラム（プラナー像）

CTの骨条件では骨破壊のほとんどみられない骨転移である（A）。造影CTでは骨外腫瘤が良好に描出される（B，D▲）が，椎体が腫瘍に置換されている様子はわかりにくい。しかしMRIではT1強調矢状断像（E），T2強調矢状断像（F）ともに，脂肪髄（この年代では脊椎の骨髄は多くが脂肪に置換されているので高信号を示す）に比べ，明瞭な低信号を示す，骨内外に連続した腫瘤として描出され，造影脂肪抑制T1強調像では，よく増強される骨外腫瘤も明瞭である（C▲。→は椎弓を含む骨内腫瘤）。骨シンチグラムでは脊椎に複数の集積が確認される（G）。

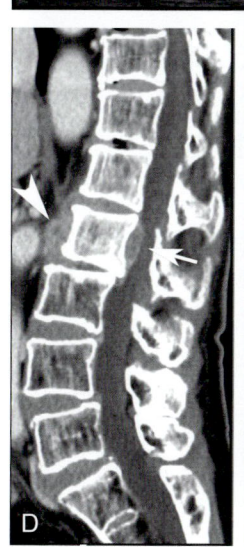

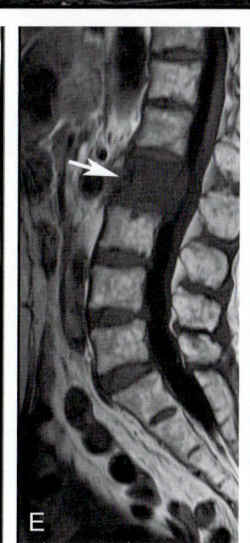

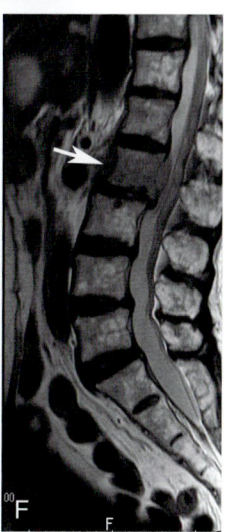

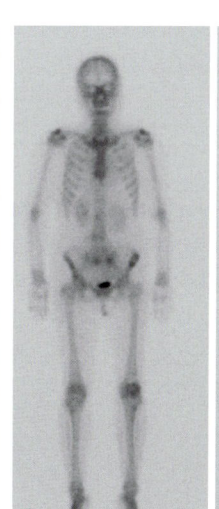

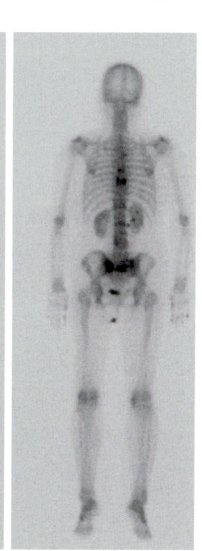

第1章　婦人科画像診断の基本と実際

表8 モダリティ毎の脊椎への骨転移診断能

モダリティ	感度 患者毎	感度 病変毎	特異度 患者毎	特異度 病変毎	診断オッズ比 患者毎	診断オッズ比 病変毎
MRI	94.1 (85.7～100.0)[a]	90.1 (41.8～98.5)[a]	94.2 (80.5～100.0)[a]	96.9 (80.5～100.0)	151.7 (33.0～1183.4)[a]	286.1 (13.4～76,095)[a]
CT	79.2 (74.5～86.7)[b]	66.7 (65.9～68.2)[b]	92.3 (50.0～100.0)[a]	95.4 (56.0～99.3)[a]	19.3 (2.9～135.4)[b]	24.2 (2.7～283.6)
PET/CT	89.8 (76.0～97.9)[a]	88.7 (72.1～96.3)[a]	63.3 (50.0～80.0)[b]	70.9 (71.9～82.8)[b]	12.5 (9.58～46.0)[b]	19.3 (2.9～135.4)
骨シンチグラム (SPECT併用)	90.3 (86.4～92.9)[a]	92.3 (86.5～95.9)[a]	86.0 (55.8～92.9)	72.0 (55.2～93.5)[b]	57.2 (15.8～161.2)	43.4 (17.8～145.0)
骨シンチグラム (単体)	80.0 (66.7～93.8)[b]	80.2 (73.9～83.6)	92.8 (25.0～95.3)[a]	73.5 (20.6～93.5)[b]	36.4 (5.0～68.3)	8.6 (1.3～66.3)[b]

a：最高感度・特異度もしくは診断オッズ比，b：最低感度・特異度もしくは診断オッズ比
メタアナリシスに用いた元データにばらつきがあるがMRIの感度，特異度は十分に高く，疑わしい部位に撮像範囲を絞れば，高い確率で診断に資することがわかる。
（文献79より改変引用）

　肝転移の検出には肝細胞特異性造影剤（Gd-EOB-DTPA）を用いたMRI（以下EOB-MRI）が強く推奨されており，さらに拡散強調像を追加することで1cm未満の肝転移の描出能が向上するとされている（図34)[30]。Gd-EOB-DTPAはその基本骨格が細胞外液性造影剤（Gd-DTPA）であることから，dynamic phaseでは通常の細胞外液性造影剤と同等の造影効果を示し，肝細胞相（造影剤投与後10分後の撮像が推奨されており，造影効果は2時間持続するとされている）では正常肝細胞に取り込まれ，転移を含む悪性腫瘍の多くは周囲組織に比べ低信号に描出される。

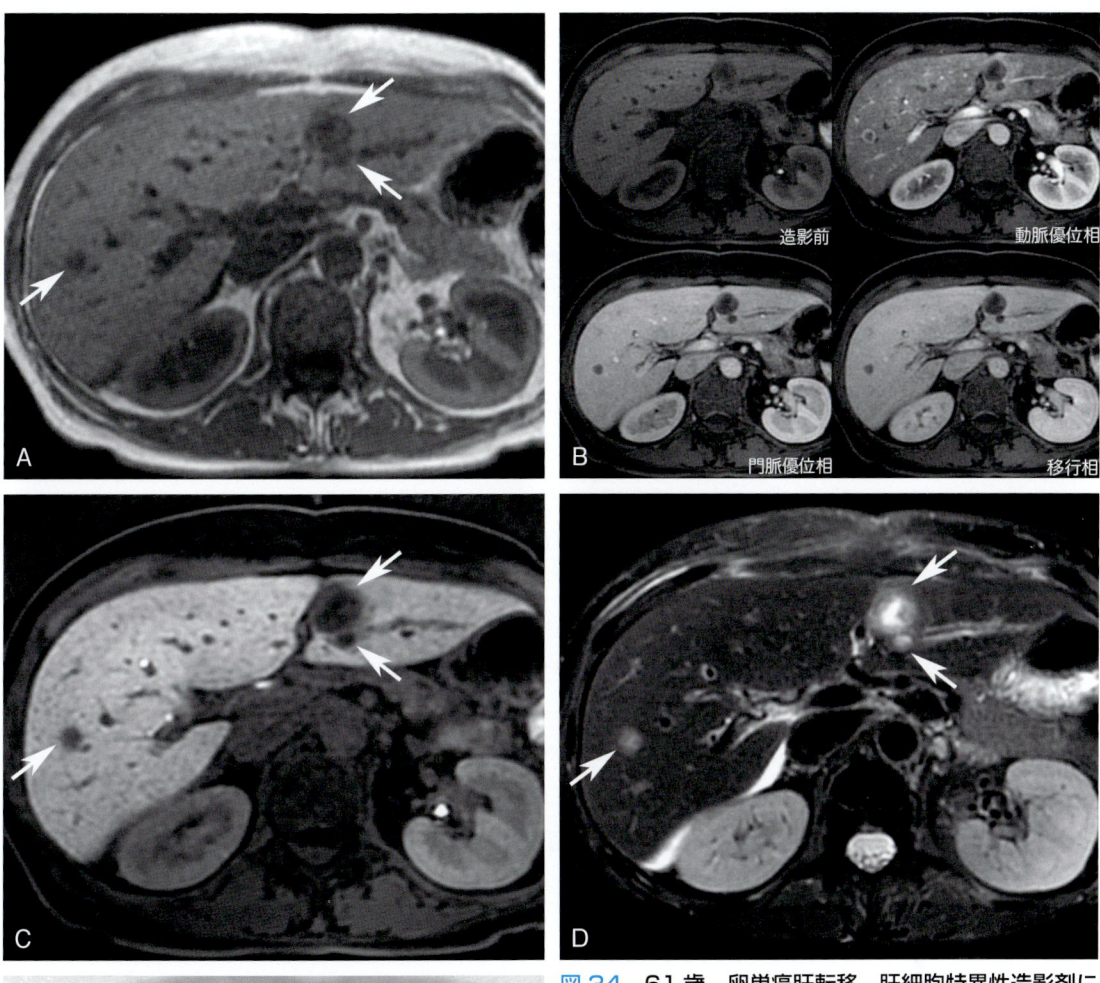

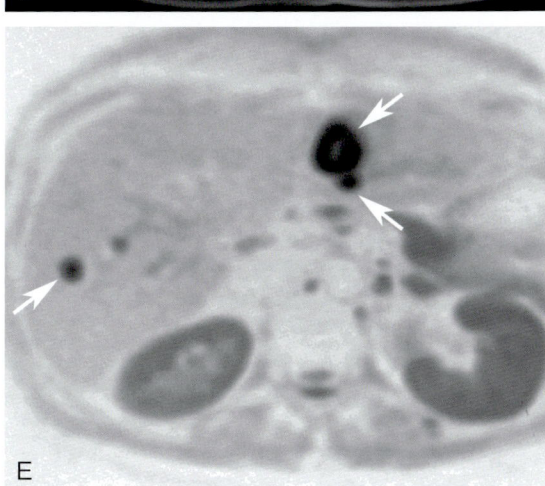

4. 悪性腫瘍の転移検索としてのMRIの有用性

図34 61歳 卵巣癌肝転移，肝細胞特異性造影剤による検索
A：T1強調横断像，B：造影T1強調横断像（dynamic phase），C：造影T1強調横断像（肝細胞相），D：T2強調横断像，E：拡散強調横断像
T1強調像では3個の低信号結節が認められる（A →）。Gd-EOB-DTPAはdynamic phaseでは細胞外液性造影剤として振る舞うので，結節は動脈優位相で辺縁部がよく増強され，中心部は増強効果をもたない結節として描出される（B）。肝細胞相ではGd-EOB-DTPAは正常肝細胞相に取り込まれて，背景肝が高信号化し，転移性腫瘍は相対的に低信号を呈する（C）。本例ではT2強調像（D）や拡散強調像（E）でもすべての結節が描出されているが，小さな転移性腫瘍は肝細胞相でのみ描出されることも多い。

II CTの適応と検査の実際

1. CT検査実施上の注意点

　X線CTは電離放射線を用いた診断装置であり，実施には放射線被曝を伴う。したがって妊婦や小児では極力代替手段（USやMRI）で診断することが優先されるが，USで診断に至らなかった急性腹症の原因診断（虫垂炎，絞扼性イレウスなど）や悪性腫瘍の進行期分類（特に卵巣・卵管，腹膜癌の腹腔内播種）では診断能においてMRIを凌駕する。

　婦人科領域におけるCTの主たる適応は前述の急性腹症の鑑別診断と悪性腫瘍のステージング，さらに昨今，悪性腫瘍との合併が注目されている肺塞栓症の診断である。いずれも原則的に経静脈性造影剤の投与を要する検査である。MRIのガドリニウム造影剤同様，有害事象の既往のある患者，喘息などアレルギー素因のある患者では造影剤投与のリスクが高く（表3），投与の可否を十分に検討する必要がある。ヨード造影剤により発症しうる有害事象（表2）のうち，経静脈的に投与した場合に重篤なもの（治療を要する呼吸困難，急激な血圧低下，心停止，意識消失）を発症するリスクは0.04〜0.004％と報告されている[80)81)]。

　またヨード造影剤は大量投与により造影剤腎症（contrast-induced nephropathy：CIN）を発症するリスクがあり，投与前の腎機能検査が必須である。造影剤腎症は，ヨード造影剤投与後72時間以内に血清クレアチニン値が前値より0.5 mg/dL以上または25％以上増加した場合と定義されてきた[82)]。しかしCINは急性腎障害（acute kidney injury：AKI）の1つでもあるので，その診断基準に準じ，ヨード造影剤投与後，48時間以内に血清クレアチニン値が前値より0.3 mg/dL以上または基準値より1.5倍以上増加した場合，もしくは尿量が6時間にわたって0.5 mL/kg/h未満に低下した場合とすべきとの意見もあり，ガイドラインには両論併記されている。多くは一過性で可逆性の腎障害で，造影CTにおける頻度は6.4％と報告されている。慢性腎疾患（chronic kidney disease：CKD）はリスクファクター（表9）として重視されており，MRIのガドリニウム造影剤同様，eGFRが30 mL/min/1.73 m^{2}未満の患者ではリスクと利益を勘案し，必要な場合は十分な補液下に行う必要がある[82)]。また，後述するように，CTの技術的進歩に伴い低管電圧撮影が可能となっており，ヨード造影剤の造影効果は通常の120 kV撮影と比べ

表9　造影剤腎症のリスクファクター[82)]

- 慢性腎疾患（chronic kidney disease：CKD）
- 高齢
- CKDを伴う糖尿病
- 非ステロイド系抗炎症薬の使用
- ビグアナイド系糖尿病薬の使用

て100 kVで25％程度，80 kVで約70％程度上昇する．つまり，100 kVで20％程度，80 kVで40％程度の造影剤を減量して撮影を行っても，通常の120 kVと同等の造影効果を得ることができる[83]（図35）．ただし，低管電圧撮影では照射X線量の低下に伴い画質も劣化するので，これを代償する管電流の上昇や画像再構成技術の活用などでこれを代償する必要があり，ファントムを用いた事前のシミュレーションが不可欠である[82]．

ヨード造影剤使用時の併用薬として注意すべきものにビグアナイド系糖尿病薬（メトホルミン塩酸塩，ブホルミン塩酸塩など）がある．本剤はヨード造影剤と併用すると致死的な乳酸アシドーシス（lactic acidosis）を発症するおそれがあり[84]，ヨード造影剤投与前後の休薬が推奨されている．しかし欧米では，本剤投与患者であっても腎機能障害のない症例では本症のリスクはほとんどないので，投与を続けてよいという考え方が主流である[26]．ただし，本邦ではビグアナイド系糖尿病薬の添付文書の「重要な基本的注意」②に，「ヨード造影剤を用いて検査を行う患者においては，本剤の併用により乳酸アシドーシスを起こすことがあるので，検査前は本剤の投与を一時的に中止する」との記載があり，ガイドラインでは一時的な休薬を推奨し，eGFRが30 mL/min/1.73 m² 未満の患者では造影剤投与は禁忌とされている[82]．

2. CT検査の適応と撮像法

現在，筆者が推奨している婦人科腫瘍の画像検査のフローチャートを示す（図36）[85]．あらかじめ婦人科医により行われているUSで明らかに良性の卵巣腫瘍性病変は対象から除外されている．図36から明らかなように，卵巣腫瘍の質的診断および子宮癌の局所浸潤（子宮頸癌の子宮傍組織浸潤，子宮内膜癌の筋層および頸管浸潤）の評価はほぼMRIに委ねられている．逆にCTに求められているのはMRIのスキャン範囲を越える，おおむね総腸骨レベルより遠位のリンパ節転移と播種性転移，遠隔転移の検索である．子宮頸癌では生検により浸潤癌か非浸潤癌か診断されてから画像診断が行われるので，リンパ節転移の頻度の低いIA期以下は病理組織学的に特殊な予後不良例でない限りCTの適応から除外している．逆に閉経後の不正出血で臨床的に子宮内膜癌の疑われる例では，組織学的に癌が検出されなくても，MRI上，腫瘍が描出された症例に対しては積極的にCTを行っている．

実際のCTのスキャン範囲を表10に示す．multi detector row CT（MDCT）の普及により，昨今はisotropic imagingの活用が進んでいる．isotropic imagingとは，スライス厚/間隔を薄くすることにより，Z軸（体軸）方向の空間分解能を向上させ，ワークステーション上で事後に自由な再構成（multi-planar reconstruction：MPR）（図37）を行って診断能を高める技法である．これにより以前はMRIの専売特許であった「自由な断層面」はむしろCTでより容易に得られるようになり，造影剤投与後のスキャンタイミングを選べば，CT angiography（CTA）やCT urography（図38）も容易に得ることができる．

CT用経口造影剤としては陽性造影剤または陰性造影剤が用いられる．経口投与用に販売されているヨード造影剤（ガストログラフイン®）は370 mgI/mLと濃度が高いので60～70倍に希釈して用いる．またCT用に1.5％に希釈されたバリウムも販売されている．一方，消化管疾患で

Ⅱ CTの適応と検査の実際

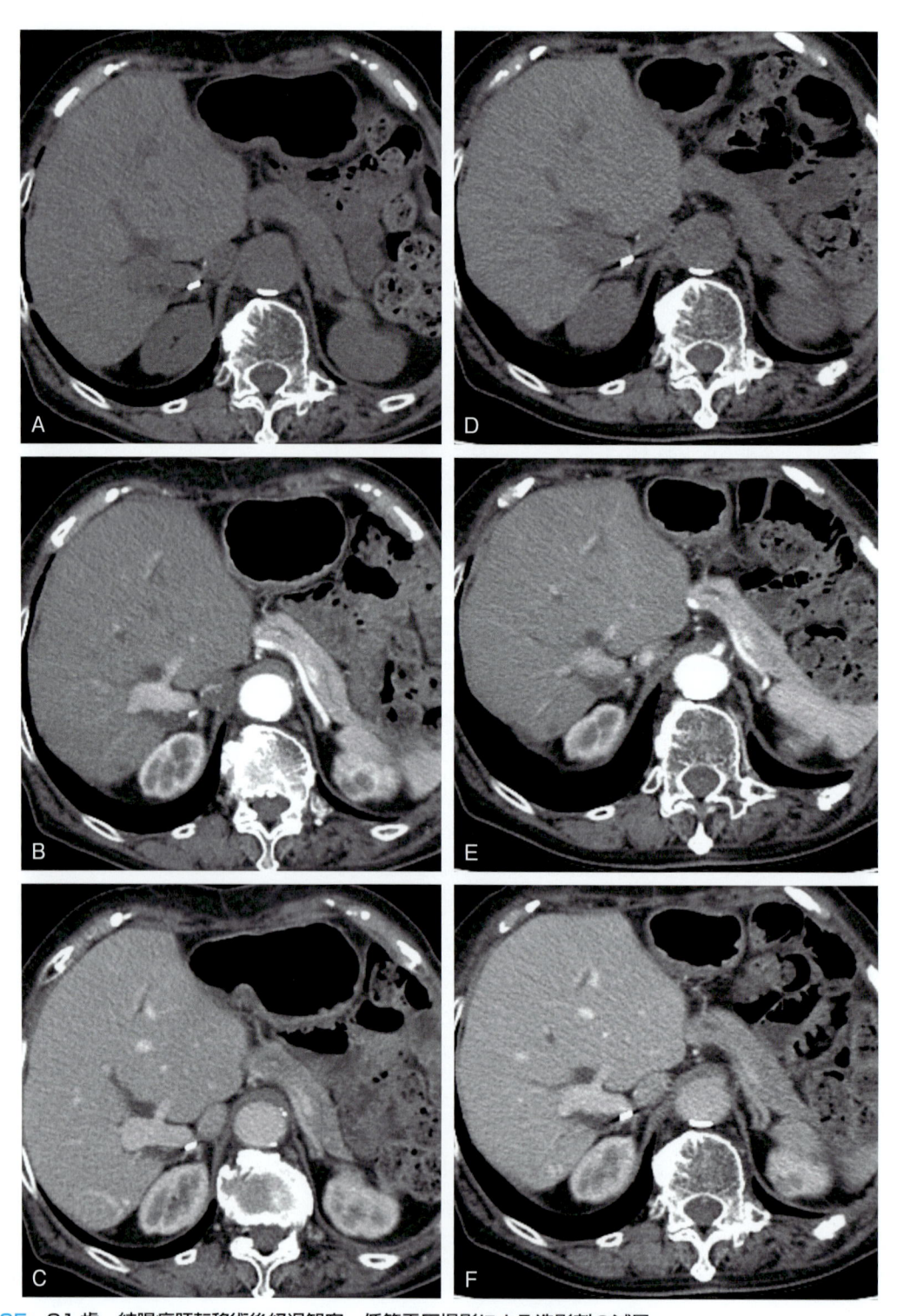

図35 81歳 結腸癌肝転移術後経過観察，低管電圧撮影による造影剤の減量
結腸癌肝転移にて右半結腸切除，拡大肝右葉切除術後。2年前の検査では腎機能は保たれていたので，造影剤は通常量投与（60 mgI/kg）で120 kVで造影できた（A：単純，B：動脈優位相，C：平衡相）が，今回はeGFR 30を下回ったので，半量投与，80 kV撮影での肝ダイナミックCT（D：単純，E：動脈優位相，F：平衡相）となった。前回よりnoiseが目立つが，十分に診断可能な肝実質内のコントラストが得られている。

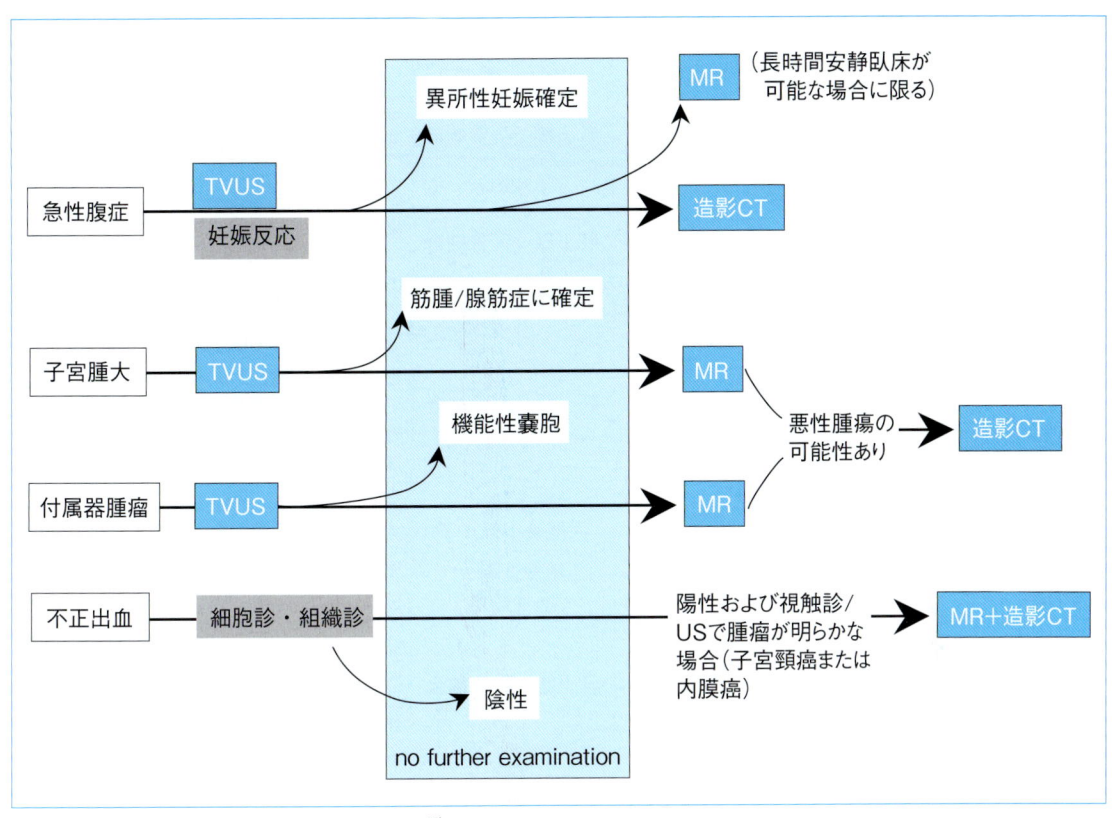

図36 症候別画像診断のフローチャート[85]

　は粘膜面の増強効果を評価するため陰性造影剤として水道水やマンニトールを投与する場合もある。いずれにしろ経口造影剤投与の最大の目的は虚脱した，あるいは水よりややX線吸収値の高い内容液を含む腸管を腹腔内播種をはじめとする転移巣と区別することにある。したがって小腸がその全長にわたって造影剤で filling されていることが肝要で，そのためには多量の希釈造影剤をスキャン開始のかなり前に投与する必要がある。筆者らは希釈したヨード造影剤を検査の1時間以上前と10～15分前の2回に分け計800 mL投与して検査を行うことを推奨している。文献的にも初期の報告では700～800 mL投与とされている[86]が，最近ではMRIの場合も含め1,000 mL以上の投与が多い[87]。日本人の体格が小さいことを考慮しても，800 mL程度の投与は必須と考える。最近の報告では腹部外傷のスクリーニングでは経口造影剤の投与は必ずしも必須ではないとの報告もある[88]が，陽性造影剤により腸管を filling すると，播種の同定が容易となるので卵巣癌や子宮内膜癌の症例では推奨される（図39）。しかし，絞扼性イレウスや消化管出血の検索においては，内腔を陽性造影剤で filling すると粘膜の増強効果や造影剤の血管外漏出がわかりにくくなるので，陰性造影剤（本邦ではあまり用いられていないがマンニトールなど）が推奨されている[89)90)]。婦人科悪性腫瘍においても，漿液性乳頭状腺癌の砂粒体など微細な石灰化の評価には陰性経口造影剤が適している。
　CTが1スライススキャンするのに数秒かかっていた時代には腸管蠕動抑制のため鎮痙剤の投与は必須であった。MDCTで腹部全体を数秒でスキャンできるようになった昨今，鎮痙剤は必

表10　婦人科疾患のCTスキャンの実際

疾患/症候	経静脈造影剤	撮影相	スキャン範囲	備　考
子宮頸癌	造影のみ	門脈優位相	肝上縁〜恥骨結合	進行例では鎖骨上窩〜恥骨結合 水腎症を伴うときCT urography追加
子宮内膜癌 子宮肉腫	単純		子宮のみ	
	造影	門脈優位相	肝上縁〜恥骨結合	進行例および明らかな肉腫では鎖骨上窩〜恥骨結合
卵巣腫瘍	単純		腫瘍部分のみ	
	造影	門脈優位相	肝上縁〜恥骨結合	血流の多寡が鑑別に有用なときや術前に血管解剖の精査を要する場合は 　動脈優位相追加 進行例および明らかな悪性例では鎖骨上窩〜恥骨結合
外陰/腟 悪性腫瘍	造影のみ	門脈優位相	肝上縁〜 大腿骨小転子下	悪性黒色腫では鎖骨上窩〜 大腿骨小転子下
治療後の フォローアップ	造影のみ	門脈優位相	鎖骨上窩〜 恥骨結合	再発リスクの低い若年者では可能な限りUS/MRIで代用
急性腹症	造影のみ	門脈優位相	肝上縁〜恥骨結合	USで腫瘤の存在が既知の場合は単純CT追加 血流障害疑いのとき単純CTと動脈優位相追加
深部静脈血栓症 肺血栓塞栓症	造影のみ	肺動脈CTA	全肺	腫瘍関連の場合は上記に付加して行う
		下肢静脈CTV	横隔膜〜下腿	

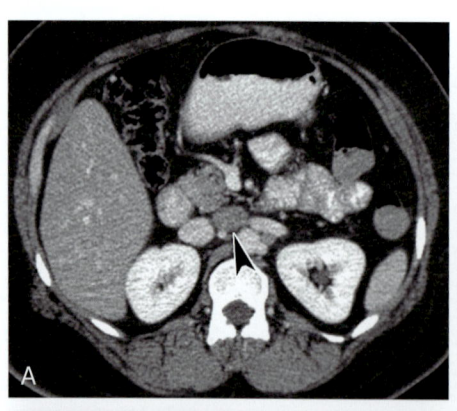

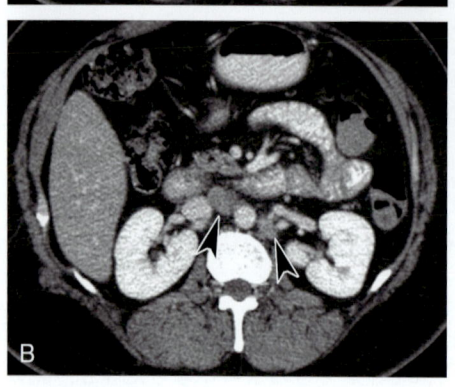

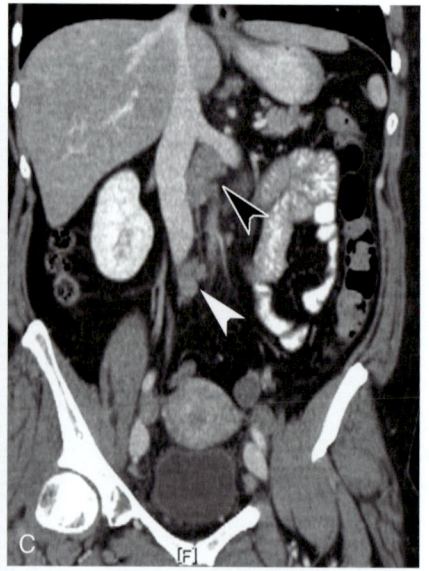

図37　39歳　子宮頸癌ⅣB期 MPR
傍大動脈リンパ節（▲）に多発転移を伴う子宮頸癌症例であるが，横断像（A，B：造影CT，→）から再構成した冠状断像（C）で転移の広がりがよりわかりやすい。こうしたMPR画像はワークステーションを用いれば瞬時に作成される。

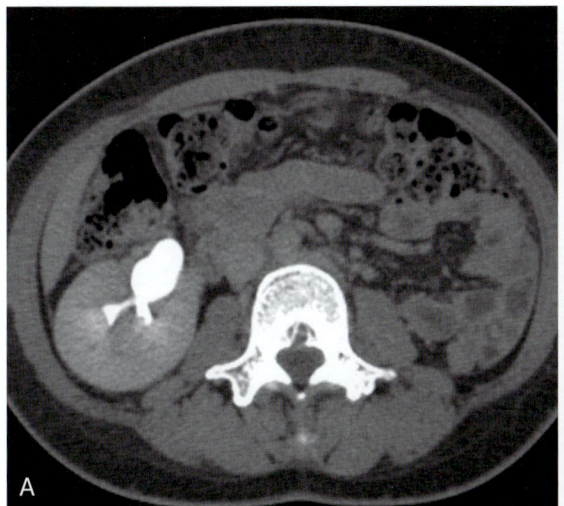

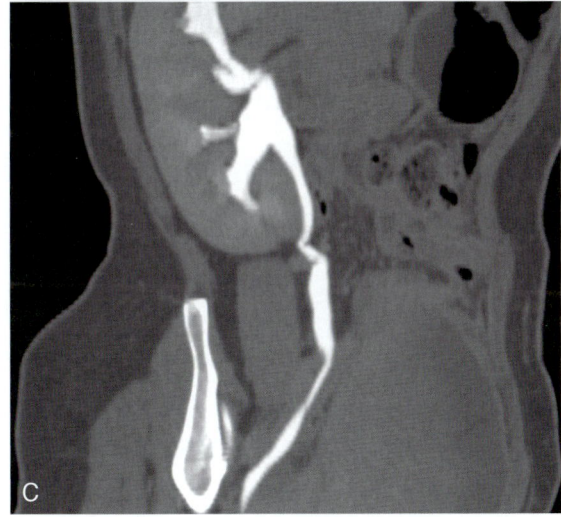

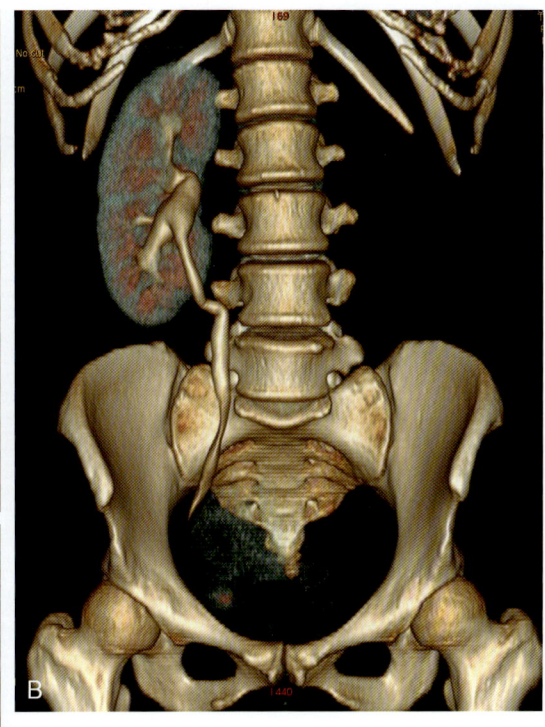

図38 片腎患者のCT urography
A：造影CT排泄相，B：造影CT volume rendering，C：造影CT curved MPR
卵巣腫瘍の術前検査。尿路奇形のため左腎は幼少期に摘出され片腎のため，排泄相（造影剤注入5分後）に尿路をスキャンし（A），volume rendering（B）とcurved MPR（C）で尿路を表示。これにより腎盂腎杯の形態，尿管の走行が明瞭になる（B，C）。

須ではない。しかし腸管が蠕動により収縮した状態でスキャンされると，全周性に消化管壁肥厚があるように見え，原発性結腸癌や播種性転移との鑑別が難しいことも多く，子宮内膜癌，卵巣癌のほか，消化管悪性腫瘍の場合も投与しておいたほうが読影時に迷わず診断できる。

3. CTの進歩

　MRIの臨床応用が開始されてから，女性生殖器の画像診断においてはMRIが主役となったが，CTもこの間，第3世代CTからヘリカルCTへ，さらにMDCT[91]へと進化し，スキャン時間の短縮とスライス厚の細小化，さらにこれを再構成した3D画像化が進んだ。現在ではarea detectorとよばれる，検知器を256列もしくは320列有するMDCTも多数稼働しており，頭部[92]や冠動脈[93]のCTAをテーブル移動させることなく撮影することもできるようになった。一

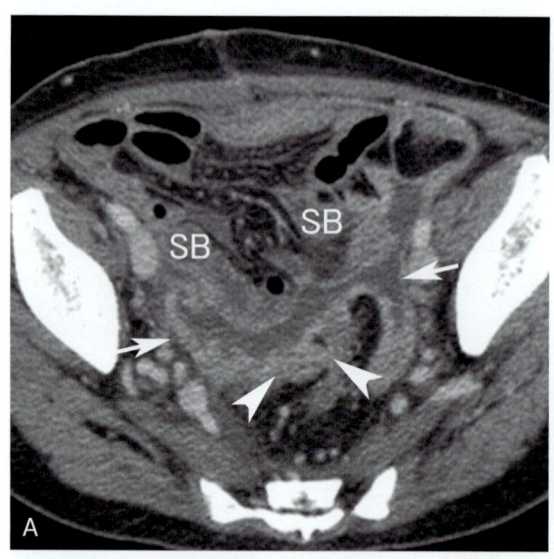

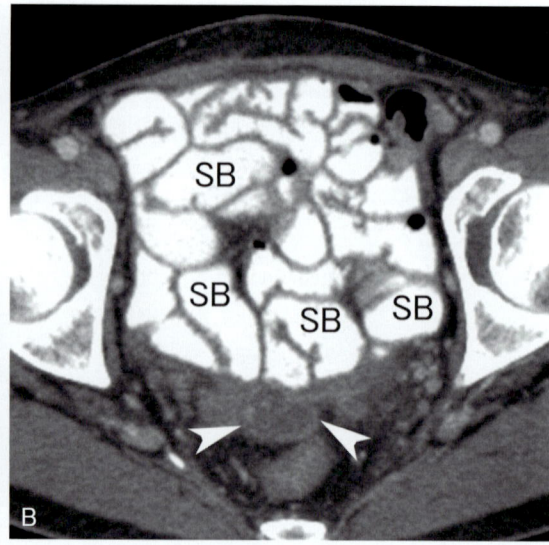

図39 55歳　卵巣癌再発，経口造影剤の有用性
再発を指摘された前医のCT（A）では経口造影剤を投与されていないので小腸（SB），腹水（→）とDouglas窩の再発巣（▲）の区別が難しいが，小腸が陽性経口造影剤で満たされたCT（B）では診断が容易である。

方でdual energy CTといった別の進化の方向もあり，同一被写体を複数の電圧で撮影することにより，CT値が同一である物質の弁別やコントラスト分解能の向上，beam hardening artifactの軽減に役立てられている[94)95)]。またCTの被曝線量の低減に関心が払われるようになり，現在は従来法［フィルタ補正逆投影法（filtered-back projection：FBP）］より少ない線量で，従来と同等の画質を得ることのできる逐次近似再構成法（iterative reconstruction）[96)97)]に加え，人工知能（artificial intelligence：AI）を用いた画像再構成法が各社のCT装置に搭載されるようになり[98)99)]，若年者の悪性腫瘍の進行期診断や頻回の経過観察にも，より気軽にCTを用いやすくなっている。さらに，まだ十分に普及はしていないが，従来の固体シンチレーション検出器に比べ，X線のフォトンを直接電気信号に変換することにより線量利用効率と空間分解能の向上したフォトンカウンティング検出器を用いたCT装置も臨床応用され，さらなる被曝低減が図られている[100)]。

III FDG-PET の適応と検査の実際

　Positron emission tomography（PET）は ^{18}F，^{13}N，^{15}O，^{11}C などのポジトロン放出核種で標識された分子を画像化した断層画像である．現在では PET/CT 複合機により CT と同時に検査が行われ，PET と CT の融合画像で診断されるのが通常となっている．また，国内でも少数ながら PET/MRI 複合機も稼働している．

　腫瘍イメージング核種としての ^{18}F-fluorodeoxyglucose（FDG）はブドウ糖（グルコース）と同様に細胞膜上のグルコーストランスポーターを介して細胞質内に取り込まれるが，ブドウ糖が細胞内でクエン酸回路や解糖系により代謝されるのに対し，FDG は代謝されずに留まることから，細胞のグルコース代謝活性をみるのに用いられる（図 40, 41）[101-103]．経静脈投与された FDG と組織内に蓄積された FDG の比は standardized uptake value（SUV）として数値化されて対比することができる．正常組織の SUV はおおむね 0.5〜2.5 であるのに対し，悪性腫瘍ではおおむね 2.5〜3.0 以上となることから，病変の良悪性の鑑別や病期診断，再発診断に広く用いられている[104]．2024 年現在，早期胃癌を除くすべての悪性腫瘍に対し保険適用となっているが，「他の検査，画像診断により病期診断，転移，再発の診断が確定できない患者」に限定され，良悪性の鑑別は保険適用外である[105]．

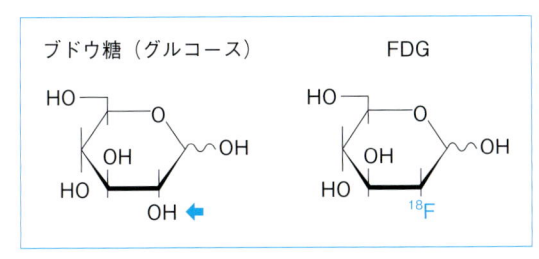

図 40　ブドウ糖（グルコース）と ^{18}F-FDG
FDG はブドウ糖（グルコース）の二位の水酸基をフッ素で置換した化学構造である．

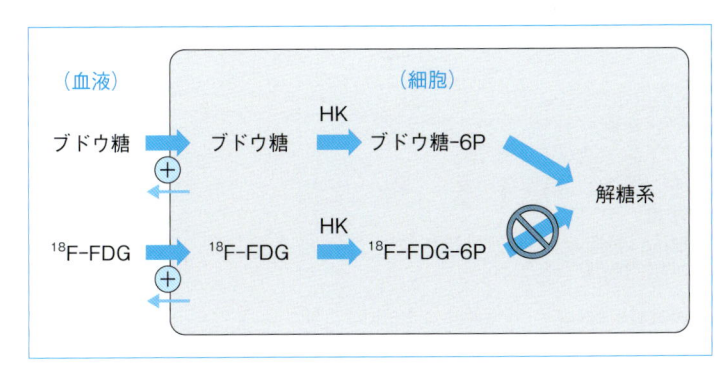

図 41　細胞内でのブドウ糖と ^{18}F-FDG の代謝
ブドウ糖も ^{18}F-FDG もグルコーストランスポーターにより細胞内に取り込まれ，ヘキソキナーゼ（HK）でリン酸化されるが，その後，ブドウ糖が解糖系で分解されるのに対し，FDG は細胞内に蓄積されるので，糖代謝の亢進した腫瘍組織内に FDG が集積する．

1. PET 検査実施上の注意点

　FDG はブドウ糖と競合して細胞内に取り込まれることから，正常組織のグルコース代謝を高めないよう，検査前 4〜6 時間は絶食である．また検査時の血糖値は 150 mg/dL 以下である必要がある．インスリンは筋肉内へのグルコースの取り込みを促進するので，インスリン治療中の糖尿病患者ではインスリン投与を中断する必要がある．さらに検査前に筋肉に負荷をかけないよう過度の運動は抑制する必要があり，FDG 投与後は話すことも極力控える必要がある[101]．

　FDG には生理的に取り込みの強い臓器・組織が知られており（表11）[106)107]，性成熟期の女性において月経期早期の子宮内膜（図42）や排卵前後の卵巣（図43）に生理的集積が高頻度に起こることが知られている[108)109]．したがって PET 健診などで性成熟期の女性生殖器に FDG の集積がみられても，US や内膜組織診で悪性腫瘍を示唆する所見がなければ問題にする必要はない．また，近年は新型コロナワクチンやインフルエンザワクチンの接種後，接種部位のみならず，同側の腋窩や鎖骨上窩リンパ節への集積が高頻度に観察され，偽陽性病変として問題となっている[110)111]．

2. 婦人科腫瘍における PET 検査の適応

　子宮頸癌，内膜癌，卵巣癌の診療において，再発診断における PET/CT の優位性は確立しており[112-114]，再発疑い例においては，造影 CT に PET/CT を追加することが弱く推奨されている[2]．一方，卵巣腫瘍の良悪性の鑑別における PET の診断能は必ずしも高くなく，治療前の子宮頸癌

表11　^{18}F-FDG の生理的集積

```
ほぼ必発
    強い集積のみられる臓器・組織
        脳
        尿路
        口腔（咽頭扁桃）
    弱い集積のみられる臓器・組織
        肝
        骨・骨髄（赤色髄，G-CSF 投与時には亢進）

条件によるが高頻度でみられるもの
    心筋（特に左室）
    消化管（下痢・便秘で集積増加）
    褐色脂肪（寒冷時，若年者や女性に多い）
    子宮・卵巣
        子宮内膜：月経期最初の 3 日間
        卵巣：排卵前後
```

G-CSF（granulocyte colony stimulating factor）：顆粒球コロニー形成刺激因子

2. 婦人科腫瘍における PET 検査の適応

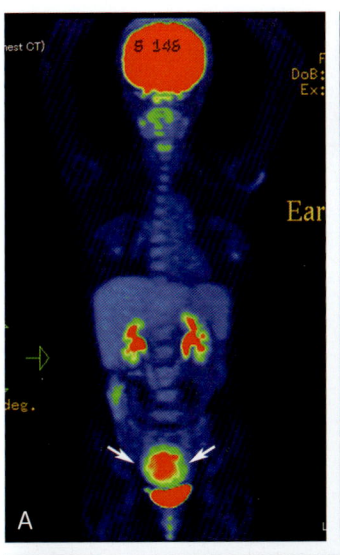

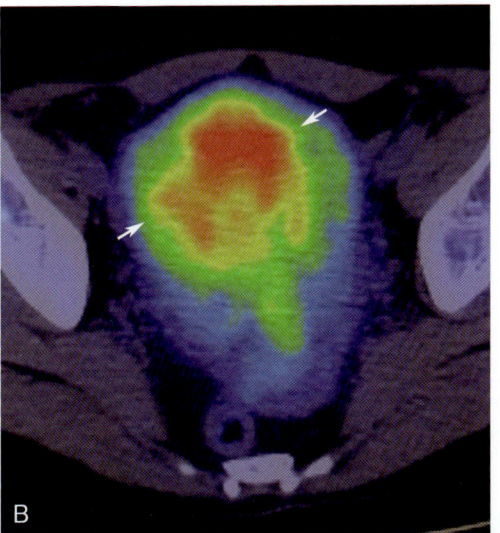

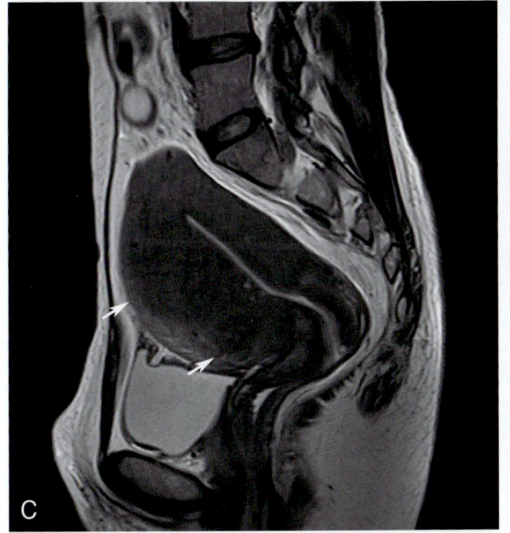

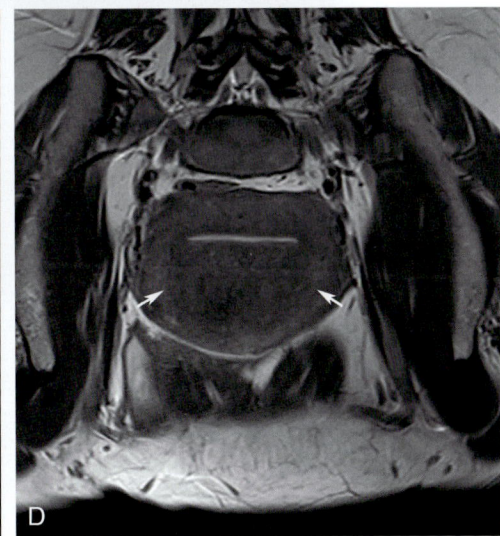

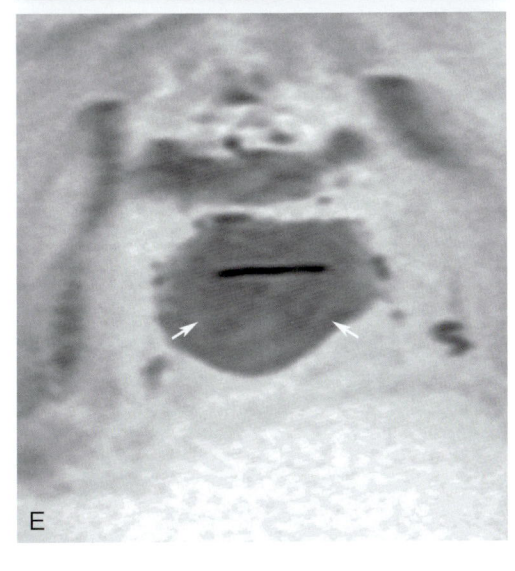

図42　49歳　¹⁸F-FDGの生理的集積（子宮内膜）
A：PET/CT fusion 冠状断像，B：PET/CT fusion 横断像，C：T2 強調矢状断像，D：T2 強調冠状断像，E：拡散強調冠状断像

健診目的に撮影した PET/CT で子宮に FDG の集積を認め（A，B →），子宮肉腫を疑われ，MRI を撮像した。T2 強調像（C，D）では子宮内膜に肥厚はなく，junctional zone と連続した境界不明瞭な低信号域（C，D →）に異所性内膜と考えられる点状高信号域を散見する（E →）が，いずれの領域にも拡散制限はなく，腺筋症のみと診断できる。

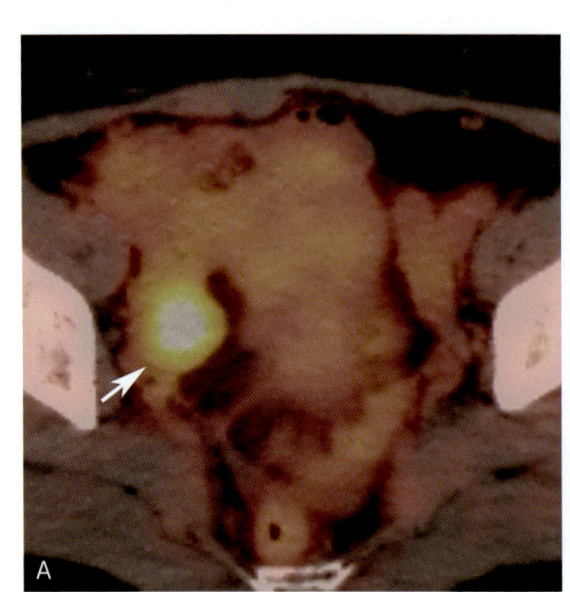

図43 42歳 ^{18}F-FDG の生理的集積（卵巣）
A：PET/CT，B：T2 強調横断像，C：T2 強調矢状断像

腹膜外軟部腫瘍（solitary fibrous tumor）術後，経過観察目的で撮影された PET/CT で右卵巣に集積を認め（A →），MRI で精査されたが右卵巣はまったく正常（B，C →）で，生理的集積と考えられた。

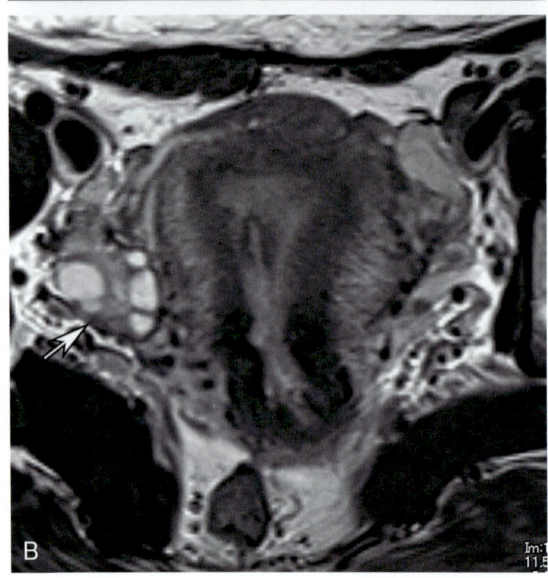

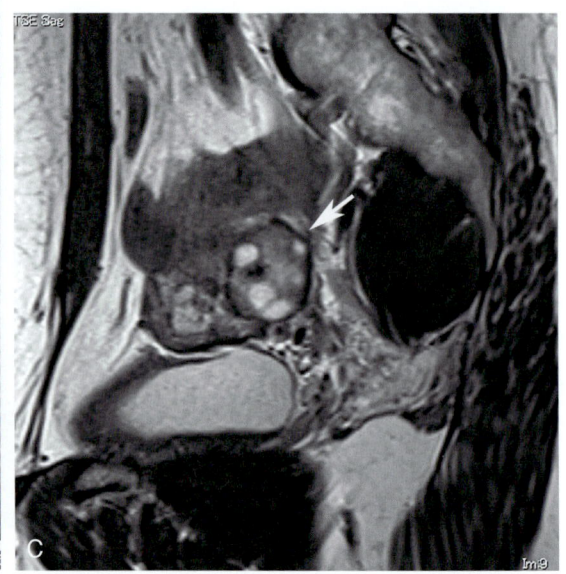

においては 4 cm 以下の病巣に対する集積は乏しい。しかし，初回進行期分類に関しても，腹腔内播種やリンパ節転移の診断能において，近年，PET/CT の造影 CT に対する優位性の報告が相次いでいる[2]。したがって各国のガイドラインでも，PET/CT の使用はいずれの婦人科がんにおいても進行例でのみ推奨されており[4)6)7)115]，PET/CT の使用は予後不良な組織型，MRI で局所進行例，播種やリンパ節転移が明らかな症例に限るべきである。

IV 妊娠中の画像検査

　多量の放射線被曝は胎児/胚に悪影響を及ぼす．成人と同様，その影響は確定的なものと確率的なものに分けられ，前者には小頭症や精神発達遅滞，後者には出生後の発癌リスクなどがある（図44）．確定的影響には広島・長崎での原爆被害に基づく多くの研究がある[116]が，確率的影響に閾値はないので，妊娠中は被曝を伴う検査は避けるに越したことはない．確率的影響の代表的なものは小児がんで，最も頻度が高いのは白血病である．では，妊娠の診断前に行われた被曝を伴う検査の胚への影響はどうであろうか．妊娠初期の胚に影響を与える被曝線量は50～100 mGy以上と考えられている．一方，通常の診断手技ではこの線量には達しない（表12）[117]．したがって妊娠診断前に被曝を伴う検査を受けた妊婦から相談を受けた場合には，人口妊娠中絶を勧める必要はない[117]．妊娠中に被曝を伴う検査が必要となった場合には，放射線科医へコンサルテーションのうえ，検査の適応を十分に吟味し，適応がある場合には十分な被曝線量の評価，被曝低減への努力（CTでは逐次近似再構成法などの使用や多相撮影を避ける[118]など）を行ったうえで施行すべきである．一般に妊娠4～17週では100 mGy以下，18週以降では200 mGy以下の胎児被曝では奇形や子宮内胎児発育遅延を発症するリスクは極めて低い[119]とされており，これらを恐れるあまり，妊婦の重篤な病態の診断を遅らせてはならない．またヨード造影剤は胎盤を通過するので，妊娠中の母体に大量のヨード造影剤を投与することは児の甲状腺機能低下を招く潜在的リスクがある．1960年代の血管撮影や羊水造影で有害事象はなかったとの知見[120]から，妊婦へのヨード造影剤の投与は広く行われてはいるが，妊娠中にヨード造影剤を投与した場合には，生後1週間以内の新生児甲状腺機能のチェックが推奨されている[120]．なお，ヨード造影剤は

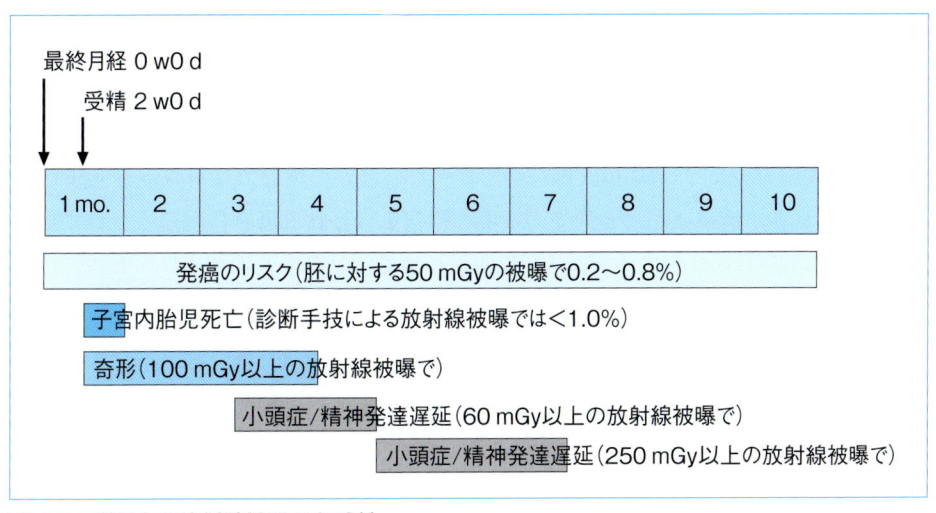

図44　妊娠中の放射線被曝の危険性

表12 主な画像検査における胎児/胚被曝線量[117]

検査名	部位		胎児/胚 線量（mGy）
単純X線撮影	頸椎（正面，側面）		＜0.001
	四肢		＜0.001
	胸部（正面，側面）		0.002
	胸椎（正面，側面）		0.003
	腹部（正面）	患者体幹の厚み33 cm	1
		患者体幹の厚み21 cm	3
	腰椎（正面，側面）		1
造影検査	排泄性尿路造影（減量）*1		6
	小腸追跡*2		7
	注腸造影（二重造影）*3		7
CT	頭部	標準	0
	胸部	ルーチン標準	0.2
		肺塞栓標準	0.2
		冠動脈CTA標準	0.1
	上腹部	ルーチン標準	4
	上腹部～骨盤	ルーチン標準	25
	上腹部～骨盤	尿路結石用減量	10
	大動脈CTA（胸部～骨盤）	標準	34
核医学		第1三半期初期	第1三半期後期
	骨	5	4
	甲状腺	0.2	0.1
	PET	15	10

*1 患者体幹の厚み21 cm，撮影4回
*2 透視時間6分，スポット撮影20回
*3 透視時間4分，スポット撮影12回

乳汁中にも排泄されるが，極めて微量であること，断乳による種々のデメリットもあることから検査後の断乳は推奨されていない[121]。

一方，妊娠中のMRIの適応はX線被曝を伴わないほかの検査では情報が不十分で，X線被曝を伴う検査（CT，透視など）と同等の重要な情報を得られる場合に限るとされている[12)122]。さらに，米国放射線科医会のガイダンスでは書面によるインフォームド・コンセントの取得を推奨している。これはヒトでは明らかな有害事象は報告されていない[123)124]が，静磁場強度の高い環境やラジオ波照射の胎児への影響が不明であることに起因している。このため，胎児の器官形成期にあたる第1三半期（first trimester）での検査は避けるべきとの視点から，多くの施設がしているように[125]筆者の施設でもできる限り第2三半期（second trimester）まで待って検査を行っているが，米国放射線科医会のガイダンスでは第1三半期を特に禁忌とはしていない[126]。高磁場装置での検査に関しても，商業的に用いられている1.5 T，3 Tのいずれの装置も胎児に有害で

あるとの結論は得られていないことから，特に3T装置での検査を禁じてはいない[126]。p12で述べた通り，3T装置での検査ではよりS/Nの高い画像が得られることから，そのデメリット（磁場の均一性を保ちにくいことや，多量の羊水や胎児自身の動きによるアーチファクトが出やすいことなど）を抑制しつつ，その利点を活かして，胎児の高分解能MRIを撮る方法を論じた論文も出版されている[127]。しかし3T装置では1.5T装置に比べ，SARが高く，検査時間が長く，検査中の騒音が大きくなりがちである[128]ことから，筆者はより低磁場の装置で検査できる環境では1.5T以下の装置で行うのがより安全であると考えている。

妊娠中はガドリニウム造影剤の投与は行わないことが望ましいとされている[126]。これはガドリニウム造影剤が胎盤を通過し，胎児腎を介して尿として羊水中に排泄されると，ガドリニウム造影剤が長期間羊水中に留まり，キレートが外れてガドリニウムの遊離体を生成する確率が高くなり，遊離ガドリニウムイオンが胎児に及ぼす影響は不明であるとの事実に基づいている[126]。しかしこれについては動物実験で羊水中のガドリニウムのクリアランスはさほど遅くない（マウスで投与48時間後には胎仔中から検出されず）とする報告もなされており[129]，禁忌ではなく，造影剤を投与することにより得られるメリットとデメリットを十分に考慮し，インフォームド・コンセントを得て行われるべきである。

妊娠中に行われるMRIのうち，子宮や付属器の腫瘤性病変に対する質的診断は，一部高速撮像法に置換する場合もあるが，原則的に非妊娠時と同等のシーケンスを用いる。胎児MRIにおいては定常状態自由歳差運動（steady state free precession：SSFP）を利用した高速撮像法が汎用されている。グラジエントエコー法では組織のT2値よりも短い間隔でRFパルスを連続的に照射し続けるとやがて残留横磁化と縦磁化が併存して安定した状態が現れ，これを定常状態自由歳差運動とよぶ。この状態ではstimulated echoと自由誘導減衰（free induction decay：FID）の2つの信号が連続的に発生し，これらを2つとも用いることにより短い時間でS/Nのよい，特に水と軟部組織のコントラストの良好な画像を得ることができる[50,130,131]（図45）。Philips社のbalanced FFE（balanced fast field echo），Siemens社のTrue-FISP（true fast imaging with steady-state precession），GE社のFIESTA（fast imaging employing steady state acquisition），東芝（現キヤノンメディカルシステムズ）のTrue-SSFP（true steady state free precession）などがこれに相当する。SSFP法での画像コントラストはT2/T1になるが，T1値に比べT2値が十分に長いので，T2強調像に類似した画像になる。本法では心大血管がsignal voidにならないのが特徴である。これに対しHASTEやSSFSEによるT2強調像では心大血管がsignal voidになるので，腸管や尿路，脳室との区別が容易なことに加え，T2コントラストが良好なので腫瘤性病変の診断でも時にSSFPに優る（図46）[132]。しかし，前項で述べた通りsingle shot sequence特有の画像のぼけがあるので，これらを目的に応じて使い分ける必要がある（図47）。また胎児診断においても，頭部では頭蓋内出血の否定のため，腹部では小腸と大腸を区別するためにT1コントラストの画像は必要である。筆者の経験では頭部はグラジエントエコー法，体幹部は3D T1強調像（Philips社のeTHRIVE：T1 High Resolution Isotropic Volume Excitation，Siemens社のVIBE：Volume Interpolated Breathhold Examinationなど）で撮像したほうが，コントラストのよい画像が得られる（図48）。胎児MRIの適応となる主たる疾患の検査法を表13に示す。

Ⅳ 妊娠中の画像検査

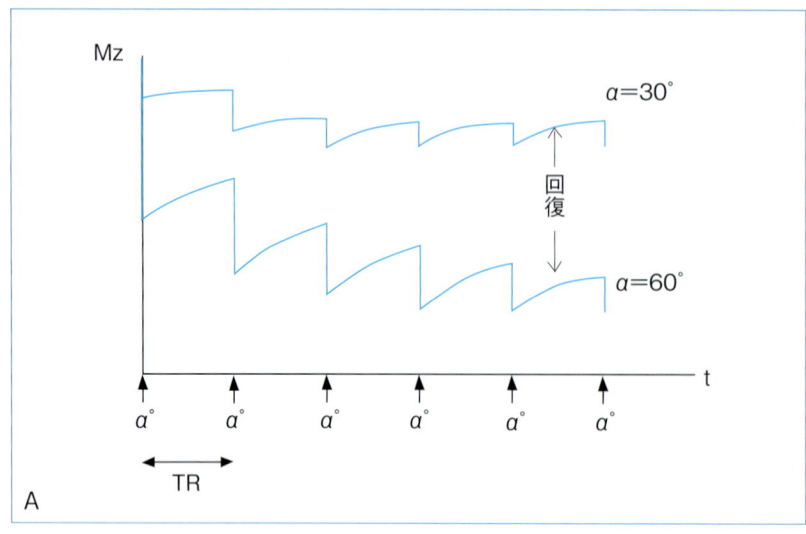

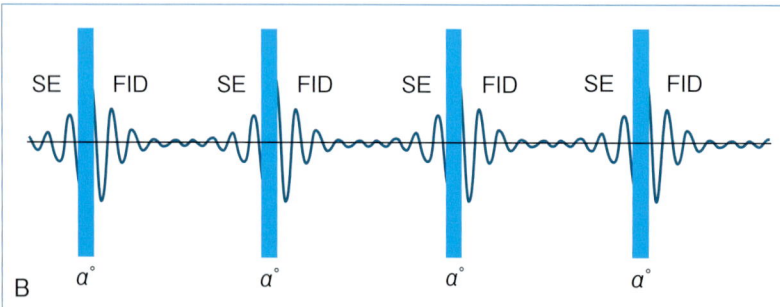

図45 定常状態自由歳差運動（SSFP）[50]
短い間隔で RF パルスを連続的に照射し続けると，やがて残留横磁化と縦磁化が併存して安定した状態が現れる（A）。この定常状態自由歳差運動下では stimulated echo（SE）と FID の2つの信号が連続的に発生し（B），これらを2つとも用いることにより短い時間で S/N の良い画像を得ることができる。

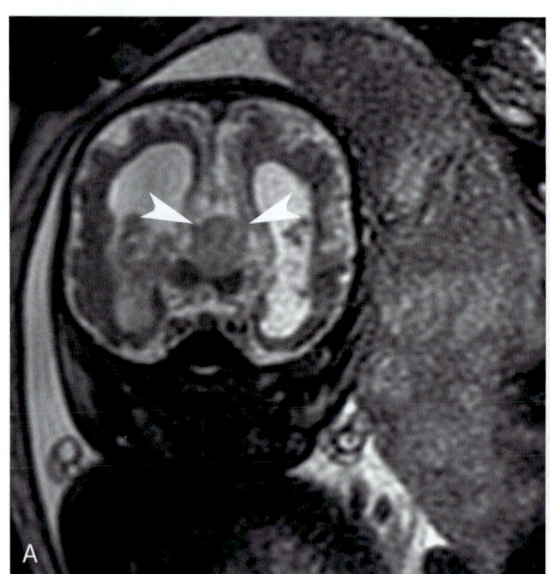

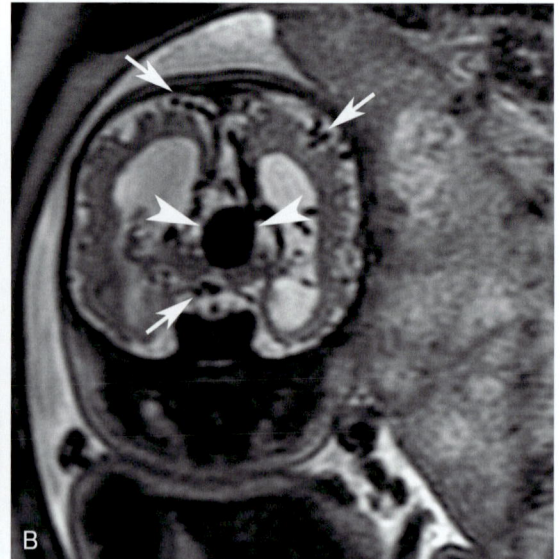

図46 妊娠36週，胎児ガレン大静脈奇形，SSFP と SSFSE の比較[132]
A：SSFP 冠状断像，B：SSFSE による T2 強調冠状断像
SSFP では脳実質と脳室/脳槽とのコントラストは良好だが血管が flow void にならないので，拡張したガレン大静脈があたかも腫瘤様にみえる（A▲）。これに対し，SSFSE による T2 強調像では，ガレン大静脈に加え，これに流入する皮質静脈や髄質静脈も flow void になる（B▲，→）ので病態を捉えやすい。

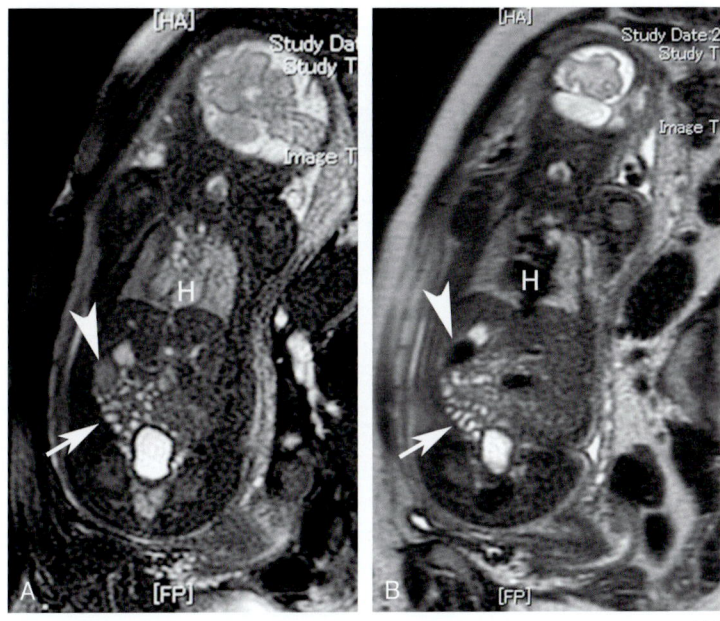

図47 妊娠 34 週,胎児先天性肺気道奇形疑い,SSFP と SSFSE の比較
A:SSFP 冠状断像,B:SSFSE による T2 強調冠状断像
SSFP(A)では臍帯静脈(▲)が flow void にならないので腸管と区別できないが,SSFSE(B)に比べ消化管壁(→)と腸液との境界をはじめ画像の輪郭が先鋭で,心臓(H)では心室中隔も明瞭に描出されている。

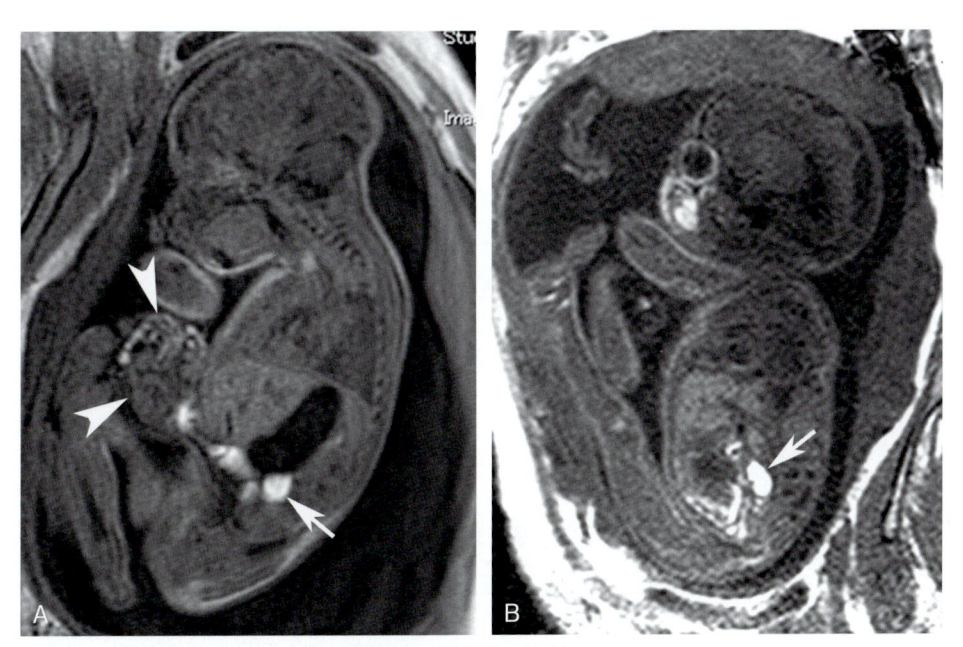

図48 グラジエントエコー法と高速 3D 撮像法の比較
A は妊娠 34 週臍ヘルニア(▲)症例でグラジエントエコー法(fast field echo:FFE)で撮像,B は妊娠 34 週染色体異常症例で高速 3D 撮像法(eTHRIVE)で各々撮像された T1 強調矢状断像。いずれのシーケンスでも大腸は胎便のために高信号を示し(→),胃や小腸とは区別される。体幹部のコントラストは A で良好だが,頭部の灰白質・白質のコントラストは B のほうが良好である。

表13 主な胎児異常の診断に有用なパルスシーケンス

		T1 コントラストを重視した撮像法[*1]		T2 コントラストを重視した撮像法[*1]		拡散強調像
		T1-FFE	eTHRIVE/VIBE	SSFP	HASTE/SSFSE	
頭部	水頭症[*2]	◎	○	◎	○	
	中枢神経系奇形	◎	○	◎	○	
	破壊性水頭症	◎	○	◎	○	○
	脳血管障害	◎	○	◎	○	◎
	感 染	◎	○	◎	○	○
胸部	横隔膜ヘルニア	○	◎	◎	○	
	先天性肺気道奇形	○	◎	○	◎	
腹部	腹壁破裂/尿道下裂	○	◎	○	○	
	水腎症	○	◎	○	○	
多臓器	骨系統疾患[*3]	◎		◎	○	
	腫瘤性病変		◎	○	◎	◎
	動静脈奇形		◎	○	◎	

[*1] ○と◎はどちらかが必須で◎がより推奨される。
[*2] Chiari 奇形II型（脊髄髄膜瘤の合併）が疑われる場合は体幹部を含めた矢状断像が必須。
[*3] 例外的に胎児 CT の施行も考慮すべきである。

文 献

1) 日本産科婦人科学会 編：産婦人科専門医のための必修知識 2022年度版．杏林社，東京，2022
2) 日本医学放射線学会ガイドライン産婦人科領域小委員会：産婦人科：日本医学放射線学会 編；画像診断ガイドライン 2021 年版．p326-375，金原出版，東京，2021
3) Sadowski EA et al：O-RADS MRI risk stratification system：guide for assessing adnexal lesions from the ACR O-RADS Committee. Radiology 303：35-47, 2022
4) Expert Panel on Women's Imaging et al：ACR Appropriateness Criteria® Staging and Follow-up of Ovarian Cancer.
https://acsearch.acr.org/docs/69378/Narrative/（accessed 2024.05.04.）
5) Expert Panel on GYN and OB Imaging et al：ACR Appropriateness Criteria® Clinically Suspected Adnexal Mass, No Acute Symptoms.
https://acsearch.acr.org/docs/69466/Narrative/（accessed 2024.05.04.）
6) Manganaro L et al：Staging, recurrence and follow-up of uterine cervical cancer using MRI：updated guidelines of the European Society of Urogenital Radiology after revised FIGO staging 2018. Eur Radiol 31：7802-7816, 2021
7) Nougaret S et al：Endometrial cancer MRI staging：updated guidelines of the European Society of Urogenital Radiology. Eur Radiol 29：792-805, 2019
8) Forstner R et al：ESUR guidelines：ovarian cancer staging and follow-up. Eur Radiol 20：2773-2780, 2010
9) Fulham MJ et al：The impact of PET-CT in suspected recurrent ovarian cancer：a prospective multi-centre study as part of the Australian PET Data Collection Project. Gynecol Oncol 112：462-468, 2009
10) Sala E et al：Recurrent ovarian cancer：use of contrast-enhanced CT and PET/CT to accurately localize tumor recurrence and to predict patients' survival. Radiology 257：125-134, 2010
11) Price RR；Radiological Society of North America：The AAPM/RSNA physics tutorial for residents：MR imaging safety considerations. Radiographics 19：1641-1651, 1999
12) ACR Committee on MR Safety；Greenberg TD et al：ACR guidance document on MR safe practices：updates and critical information 2019. J Magn Reson Imaging 51：331-338, 2020
13) 川光秀昭ほか：3T-MR 装置の安全性．日本放射線技術学会雑誌 64：1575-1599, 2008
14) Shellock FG et al：MRI safety update 2008：part 2, screening patients for MRI. AJR Am J Roentgenol 191：1140-1149, 2008
15) Sacco DC et al：Artifacts caused by cosmetics in MR imaging of the head. AJR Am J Roentgenol 148：1001-1004, 1987
16) Smith FW et al：Mascara：an unsuspected cause of magnetic resonance imaging artifact. Magn Reson Imaging 3：287-289, 1985
17) Tope WD et al：Magnetic resonance imaging and permanent cosmetics (tattoos)：survey of complications

and adverse events. J Magn Reson Imaging 15：180-184, 2002
18) Carr JJ：Danger in performing MR imaging on women who have tattooed eyeliner or similar types of permanent cosmetic injections. AJR Am J Roentgenol 165：1546-1547, 1995
19) 薬生機審発0801第1号．植込み型医療機器等のMR安全性にかかる対応について．https://www.pmda.go.jp/files/000230872.pdf（accessed 2024.05.04.）
20) 関口麻衣子：医療機器のMR安全性情報データベースの最新動向．日磁気共鳴医会誌 41：54-60, 2021
21) 日本医学放射線学会ほか：条件付きMRI対応心臓植込みデバイス患者（MRIカード保有者）のMRI検査の施設基準・実施条件の改訂，運用指針，同意文書．安全に関する情報．2024
22) Russo RJ et al：Assessing the risks associated with MRI in patients with a pacemaker or defibrillator. N Engl J Med 376：755-764, 2017
23) Shellock FG：New metallic implant used for permanent contraception in women：evaluation of MR safety. AJR Am J Roentgenol 178：1513-1516, 2002
24) Kaufman J：The cost of IUD failure in China. Stud Fam Plann 24：194-196, 1993
25) Nelson KL et al：Clinical safety of gadopentetate dimeglumine. Radiology 196：439-443, 1995
26) Morcos SK et al：Prevention of generalized reactions to contrast media：a consensus report and guidelines. Eur Radiol 11：1720-1728, 2001
27) Morcos SK：Review article：acute serious and fatal reactions to contrast media：our current understanding. Br J Radiol 78：686-693, 2005
28) Contrast Media Safety Committee of the European Society of Urogenital Radiology：ESUR Guidelines on Contrast Agents. 2018
29) Girardi M et al：Nephrogenic systemic fibrosis：clinico-pathological definition and workup recommendations. J Am Acad Dermatol 65：1095-1106. e7, 2011
30) 日本医学放射線学会ガイドライン消化器領域小委員会：消化器：日本医学放射線学会 編：画像診断ガイドライン2021年版．p209-334, 金原出版, 東京, 2021
31) Dosdá R et al：Effect of subcutaneous butylscopolamine administration in the reduction of peristaltic artifacts in 1.5-T MR fast abdominal examinations. Eur Radiol 13：294-298, 2003
32) Martí-Bonmatí L et al：Reduction of peristaltic artifacts on magnetic resonance imaging of the abdomen：a comparative evaluation of three drugs. Abdom Imaging 21：309-313, 1996
33) Froehlich JM et al：Aperistaltic effect of hyoscine N-butylbromide versus glucagon on the small bowel assessed by magnetic resonance imaging. Eur Radiol 19：1387-1393, 2009
34) Gutzeit A et al：Evaluation of the anti-peristaltic effect of glucagon and hyoscine on the small bowel：comparison of intravenous and intramuscular drug administration. Eur Radiol 22：1186-1194, 2012
35) Park BK et al：Differentiation of the various lesions causing an abnormality of the endometrial cavity using MR imaging：emphasis on enhancement patterns on dynamic studies and late contrast-enhanced T1-weighted images. Eur Radiol 16：1591-1598, 2006
36) Thomassin-Naggara I et al：Epithelial ovarian tumors：value of dynamic contrast-enhanced MR imaging and correlation with tumor angiogenesis. Radiology 248：148-159, 2008
37) Tanaka YO et al：Solid non-invasive ovarian masses on MR：histopathology and a diagnostic approach. Eur J Radiol 80：e91-97, 2011
38) Beddy P et al：Evaluation of depth of myometrial invasion and overall staging in endometrial cancer：comparison of diffusion-weighted and dynamic contrast-enhanced MR imaging. Radiology 262：530-537, 2012
39) Andreano A et al：MR diffusion imaging for preoperative staging of myometrial invasion in patients with endometrial cancer：a systematic review and meta-analysis. Eur Radiol 24：1327-1338, 2014
40) Fujiwara K et al：Role of magnetic resonance imaging（MRI）in early cervical cancer. Gan To Kagaku Ryoho 27：576-581, 2000
41) Fujiwara K et al：Negative MRI findings with invasive cervical biopsy may indicate stage ⅠA cervical carcinoma. Gynecol Oncol 79：451-456, 2000
42) Charles-Edwards EM et al：Diffusion-weighted imaging in cervical cancer with an endovaginal technique：potential value for improving tumor detection in stage Ⅰa and Ⅰb1 disease. Radiology 249：541-550, 2008
43) Kuhl CK et al：Whole-body high-field-strength（3.0-T）MR imaging in clinical practice：Part Ⅰ. Technical considerations and clinical applications. Radiology 246：675-696, 2008
44) Kuhl CK et al：Whole-body high-field-strength（3.0-T）MR imaging in clinical practice：Part Ⅱ. Technical considerations and clinical applications. Radiology 247：16-35, 2008
45) Kataoka M et al：MRI of the female pelvis at 3T compared to 1.5T：evaluation on high-resolution T2-weighted and HASTE images. J Magn Reson Imaging 25：527-534, 2007
46) Chang KJ et al：3.0-T MR imaging of the abdomen：comparison with 1.5 T. Radiographics 28：1983-1998, 2008
47) Bernstein MA et al：Imaging artifacts at 3.0T. J Magn Reson Imaging 24：735-746, 2006
48) Proscia N et al：MRI of the pelvis in women：3D versus 2D T2-weighted technique. AJR Am J Roentgenol 195：254-259, 2010
49) Agrawal G et al：Evaluation of uterine anomalies：3D FRFSE cube versus standard 2D FRFSE. AJR Am J Roentgenol 193：W558-562, 2009
50) 山下康行 編著：新版 これで完璧MRI．臨放54巻別冊．2009
51) Haase A et al：1H NMR chemical shift selective（CHESS）imaging. Phys Med Biol 30：341-344, 1985
52) Stevens SK et al：Teratomas versus cystic hemorrhagic adnexal lesions：differentiation with proton-selective fat-saturation MR imaging. Radiology 186：481-488, 1993
53) Yamashita Y et al：Value of phase-shift gradient-echo MR imaging in the differentiation of pelvic lesions with high signal intensity at T1-weighted imaging. Radiology 191：759-764, 1994
54) Pokharel SS et al：Current MR imaging lipid detection techniques for diagnosis of lesions in the abdomen and pelvis. Radiographics 33：681-702, 2013
55) Bley TA et al：Fat and water magnetic resonance imaging. JMRI 31：4-18, 2010
56) Yamashita Y et al：Mature cystic teratomas of the ovary

without fat in the cystic cavity : MR features in 12 cases. AJR Am J Roentgenol 163 : 613-616, 1994
57) Patel MR et al : Half-fourier acquisition single-shot turbo spin-echo (HASTE) MR : comparison with fast spin-echo MR in diseases of the brain. AJNR Am J Neuroradiol 18 : 1635-1640, 1997
58) Sugimura H et al : Comparison of conventional fast spin echo, single-shot two-dimensional and three-dimensional half-fourier RARE for T2-weighted female pelvic imaging. J Magn Reson Imaging 19 : 349-355, 2004
59) Yamashita Y et al : Comparison of ultrafast half-Fourier single-shot turbo spin-echo sequence with turbo spin-echo sequences for T2-weighted imaging of the female pelvis. J Magn Reson Imaging 8 : 1207-1212, 1998
60) Ascher SM et al : T2-weighted MRI of the uterus : fast spin echo vs. breath-hold fast spin echo. J Magn Reson Imaging 9 : 384-390, 1999
61) Le Bihan D et al : MR imaging of intravoxel incoherent motions : application to diffusion and perfusion in neurologic disorders. Radiology 161 : 401-407, 1986
62) Le Bihan D et al : Imaging of diffusion and microcirculation with gradient sensitization : design, strategy, and significance. J Magn Reson Imaging 1 : 7-28, 1991
63) Bammer R : Basic principles of diffusion-weighted imaging. Eur J Radiol 45 : 169-184, 2003
64) Norris DG et al : Health and infarcted brain tissues studied at short diffusion times : the origins of apparent restriction and the reduction in apparent diffusion coefficient. NMR Biomed 7 : 304-310, 1994
65) Sugahara T et al : Usefulness of diffusion-weighted MRI with echo-planar technique in the evaluation of cellularity in gliomas. J Magn Reson Imaging 9 : 53-60, 1999
66) Lyng H et al : Measurement of cell density and necrotic fraction in human melanoma xenografts by diffusion weighted magnetic resonance imaging. Magn Reson Med 43 : 828-836, 2000
67) Guo AC et al : Lymphomas and high-grade astrocytomas : comparison of water diffusibility and histologic characteristics. Radiology 224 : 177-183, 2002
68) Koh DM et al : Diffusion-weighted MRI in the body : applications and challenges in oncology. AJR Am J Roentgenol 188 : 1622-1635, 2007
69) Harry VN et al : Use of new imaging techniques to predict tumour response to therapy. Lancet Oncol 11 : 92-102, 2010
70) Padhani AR et al : Whole-body diffusion-weighted MR imaging in cancer : current status and research directions. Radiology 261 : 700-718, 2011
71) Hamstra DA et al : Diffusion magnetic resonance imaging : a biomarker for treatment response in oncology. J Clin Oncol 25 : 4104-4109, 2007
72) Tofts PS et al : Measurement of the blood-brain barrier permeability and leakage space using dynamic MR imaging : 1. Fundamental concepts. Magn Reson Med 17 : 357-367, 1991
73) Tofts PS : Modeling tracer kinetics in dynamic Gd-DTPA MR imaging. J Magn Reson Imaging 7 : 91-101, 1997
74) Tofts PS et al : Estimating kinetic parameters from dynamic contrast-enhanced T(1)-weighted MRI of a diffusable tracer : standardized quantities and symbols. J Magn Reson Imaging 10 : 223-232, 1999
75) Hylton N : Dynamic contrast-enhanced magnetic resonance imaging as an imaging biomarker. J Clin Oncol 24 : 3293-3298, 2006
76) Zweifel M et al : Perfusion MRI in the early clinical development of antivascular drugs : decorations or decision making tools? Eur J Nucl Med Mol Imaging 37 (suppl 1) : S164-182, 2010
77) Sze G et al : Intraparenchymal brain metastases : MR imaging versus contrast-enhanced CT. Radiology 168 : 187-194, 1988
78) 日本医学放射線学会ガイドライン脳神経領域小委員会：脳神経，日本医学放射線学会 編；画像診断ガイドライン2021年版．p37-68，金原出版，東京，2021
79) Liu T et al : Detection of vertebral metastases : a meta-analysis comparing MRI, CT, PET, BS and BS with SPECT. J Cancer Res Clin Oncol 143 : 457-465, 2017
80) Katayama H et al : Adverse reactions to ionic and nonionic contrast media : a report from the Japanese Committee on the Safety of Contrast Media. Radiology 175 : 621-628, 1990
81) 鳴海善文ほか：非イオン性ヨード造影剤およびガドリニウム造影剤の重症副作用および死亡例の頻度調査．日本医放会誌，65：300-301，2005
82) 日本腎臓学会ほか：腎障害患者におけるヨード造影剤使用に関するガイドライン2018．日腎会誌 61：933-1081，2019
83) Nakaura T et al : Abdominal dynamic CT in patients with renal dysfunction : contrast agent dose reduction with low tube voltage and high tube current-time product settings at 256-detector row CT. Radiology 261 : 467-476, 2011
84) Safadi R et al : Metformin-induced lactic acidosis associated with acute renal failure. Am J Nephrol 16 : 520-522, 1996
85) 田中優美子：MRIおよびCT読影の基本．産婦の実際55（別冊）：349-354，2006
86) Thoeni RF et al : Abdominal and pelvic CT : use of oral metoclopramide to enhance bowel opacification. Radiology 169 : 391-393, 1988
87) Low RN et al : MR imaging of the gastrointestinal tract with i.v., gadolinium and diluted barium oral contrast media compared with unenhanced MR imaging and CT. AJR Am J Roentgenol 169 : 1051-1059, 1997
88) Lee CH et al : Use of positive oral contrast agents in abdominopelvic computed tomography for blunt abdominal injury : meta-analysis and systematic review. Eur Radiol 23 : 2513-2521, 2013
89) Naeger DM et al : Neutral vs positive oral contrast in diagnosing acute appendicitis with contrast-enhanced CT : sensitivity, specificity, reader confidence and interpretation time. Br J Radiol 84 : 418-426, 2011
90) Berther R et al : Comparison of neutral oral contrast versus positive oral contrast medium in abdominal multidetector CT. Eur Radiol 18 : 1902-1909, 2008
91) Hu H : Multi-slice helical CT : scan and reconstruction. Med Phys 26 : 5-18, 1999
92) San Millán Ruía D et al : 320-multidetector row whole-head dynamic subtracted CT angiography and whole-brain CT perfusion before and after carotid artery stenting : technical note. Eur J Radiol 74 : 413-419, 2010
93) Rybicki FJ et al : Initial evaluation of coronary images from 320-detector row computed tomography. Int J Cardiovasc Imaging 24 : 535-546, 2008

94) Dilmanian FA : Computed tomography with monochromatic x rays. Am J Physiol Imaging 7 : 175-193, 1992
95) Alvarez RE et al : Energy-selective reconstructions in X-ray computerized tomography. Phys Med Biol 21 : 733-744, 1976
96) Xu J et al : Is iterative reconstruction ready for MDCT? J Am Coll Radiol 6 : 274-276, 2009
97) Silva AC et al : Innovations in CT dose reduction strategy : application of the adaptive statistical iterative reconstruction algorithm. AJR Am J Roentgenol 194 : 191-199, 2010
98) Willemink M et al : The evolution of image reconstruction for CT : from filtered back projection to artificial intelligence. Eur Radiol 29 : 2185-2195, 2019
99) McCollough CH et al : Use of artificial intelligence in computed tomography dose optimisation. Ann ICRP 49 (1_suppl) : 113-125, 2020
100) Willemink MJ et al : Photon-counting CT : technical principles and clinical prospects. Radiology 289 : 293-312, 2018
101) Kapoor V et al : An introduction to PET-CT imaging. Radiographics 24 : 523-543, 2004
102) Wahl RL : Targeting glucose transporters for tumor imaging : "sweet" idea, "sour" result. J Nucl Med 37 : 1038-1041, 1996
103) Kostakoglu L et al : Clinical role of FDG PET in evaluation of cancer patients. Radiographics 23 : 315-340 ; quiz 533, 2003
104) Hamberg LM et al : The dose uptake ratio as an index of glucose metabolism : useful parameter or oversimplification? J Nucl Med 35 : 1308-1312, 1994
105) 日本核医学会：FDG PET，PET/CT 診療ガイドライン 2020，https://jsnm.org/archives/4372/（accessed 2024.05.18.）
106) Culverwell AD et al : False-positive uptake on 2-[18F]-fluoro-2-deoxy-D-glucose (FDG) positron-emission tomography/computed tomography (PET/CT) in oncological imaging. Clin Radiol 66 : 366-382, 2011
107) 横山邦彦ほか：腫瘍 PET，絹谷清剛ほか 編；新 核医学テキスト 2 版．p273-352，中外医学社，東京，2023
108) Kim SK et al : Incidental ovarian 18F-FDG accumulation on PET : correlation with the menstrual cycle. Eur J Nucl Med Mol Imaging 32 : 757-763, 2005
109) Nishizawa S et al : Physiological 18F-FDG uptake in the ovaries and uterus of healthy female volunteers. Eur J Nucl Med Mol Imaging 32 : 549-556, 2005
110) Mortazavi S : COVID-19 vaccination-associated axillary adenopathy : imaging findings and follow-up recommendations in 23 women. AJR Am J Roentgenol 217 : 857-858, 2021
111) Özütemiz C et al : Lymphadenopathy in COVID-19 vaccine recipients : diagnostic dilemma in oncologic patients. Radiology 300 : E296-E300, 2021
112) Gu P et al : CA 125, PET alone, PET-CT, CT and MRI in diagnosing recurrent ovarian carcinoma : a systematic review and meta-analysis. Eur J Radiol 71 : 164-174, 2009
113) Elit L et al : Follow-up for women after treatment for cervical cancer : a systematic review. Gynecol Oncol 114 : 528-535, 2009
114) Ozcan Kara P et al : The value of FDG-PET/CT in the post-treatment evaluation of endometrial carcinoma : a comparison of PET/CT findings with conventional imaging and CA 125 as a tumour marker. Rev Esp Med Nucl Imagen Mol 31 : 257-260, 2012
115) Expert Panel on GYN and OB Imaging et al : ACR Appropriateness Criteria® Pretreatment Evaluation and Follow-up of Invasive Cancer of the Cervix. https://acsearch.acr.org/docs/69461/Narrative/（accessed 2024.05.19.）
116) Otake M et al : Radiation-related brain damage and growth retardation among the prenatally exposed atomic bomb survivors. Int J Radiat Biol 74 : 159-171, 1998
117) McCollough CH et al : Radiation exposure and pregnancy : when should we be concerned? Radiographics 27 : 909-917, 2007
118) Goldberg-Stein S et al : Body CT during pregnancy : utilization trends, examination indications, and fetal radiation doses. AJR Am J Roentgenol 196 : 146-151, 2011
119) The American College of Radiology A et al : ACR-SPR PRACTICE PARAMETER FOR IMAGING PREGNANT OR POTENTIALLY PREGNANT PATIENTS WITH IONIZING RADIATION. 2023 https://www.acr.org/-/media/ACR/Files/Practice-Parameters/Pregnant-Pts.pdf（accessed 2024.05.19.）
120) Webb JA et al : The use of iodinated and gadolinium contrast media during pregnancy and lactation. Eur Radiol 15 : 1234-1240, 2005
121) 日本医学放射線学会造影剤安全性委員会：授乳中の女性に対する造影剤投与後の授乳の可否に関する提言．2019 https://www.radiology.jp/member_info/safty/20190627_01.html（accessed 2024.05.19.）
122) Shellock FG et al : SMRI Safety Committee : Policies, guidelines, and recommendations for MR imaging safety and patient management. J Magn Reson Imaging 1 : 97-101, 1991
123) Baker PN et al : A three-year follow-up of children imaged in utero with echo-planar magnetic resonance. Am J Obstet Gynecol 170 : 32-33, 1994
124) Clements H et al : Infants exposed to MRI in utero have a normal paediatric assessment at 9 months of age. Br J Radiol 73 : 190-194, 2000
125) Levine D : Obstetric MRI. J Magn Reson Imaging 24 : 1-15, 2006
126) The American College of Radiology et al. ACR-SPR PRACTICE PARAMETER FOR THE SAFE AND OPTIMAL PERFORMANCE OF FETAL MAGNETIC RESONANCE IMAGING (MRI). 2020, https://www.acr.org/-/media/ACR/Files/Practice-Parameters/MR-Fetal.pdf（accessed 2024.05.19.）
127) Machado-Rivas F et al : Fetal MRI at 3 T : principles to optimize success. Radiographics 43 : e220141, 2023
128) Weisstanner C et al : Fetal MRI at 3T : ready for routine use? Br J Radiol 90 : 20160362, 2017
129) Mühler MR et al : Maternofetal pharmacokinetics of a gadolinium chelate contrast agent in mice. Radiology 258 : 455-460, 2011
130) Scheffler K et al : Principles and applications of balanced SSFP techniques. Eur Radiol 13 : 2409-2418, 2003
131) Bieri O et al : Fundamentals of balanced steady state free precession MRI. J Magn Reson Imaging 38 : 2-11, 2013
132) 日本医療機能評価機構医療事故防止事業部：MRI 検査時の高周波電流のループによる熱傷．医療事故情報収集等事業 医療安全情報 56：2011

Column

❖ Stewart-Treves 症候群

　骨盤内リンパ節郭清後のリンパ浮腫は子宮頸癌のみならず，婦人科悪性腫瘍の一般的な術後合併症の1つである．コスメティックな問題もさることながら，この慢性的なリンパ浮腫が二次発癌の母地となることが知られている．

　1948年，StewartとTrevesは乳癌によるリンパ節郭清後，浮腫に陥った上肢皮膚に生じた血管肉腫の6例を発表した[1]．以来，他の悪性腫瘍のリンパ節郭清後や外傷性，先天性のリンパ浮腫病巣内での血管肉腫の発表が相次ぐこととなるが，頻度は乳癌術後の上肢発生が最も多く，おおよそ乳癌症例の0.45％に，乳房切除術から平均8年程度で発症する．血管肉腫は予後の悪い軟部悪性腫瘍で生存率は10～30％とされる．皮膚に赤紫色の隆起性病変を形成するが，しばしば周囲に衛星病巣を伴い，これらが癒合して巨大化する．放射線治療や化学療法に抵抗性で予後不良である[2,3]．下肢での発症は乳癌術後の上肢に比べ頻度的には少ないが，報告されている[4-6]．画像的にはT1強調像，T2強調像ともに低信号の病変で，よく増強されることが特徴であるとされる（図）[7-9]．

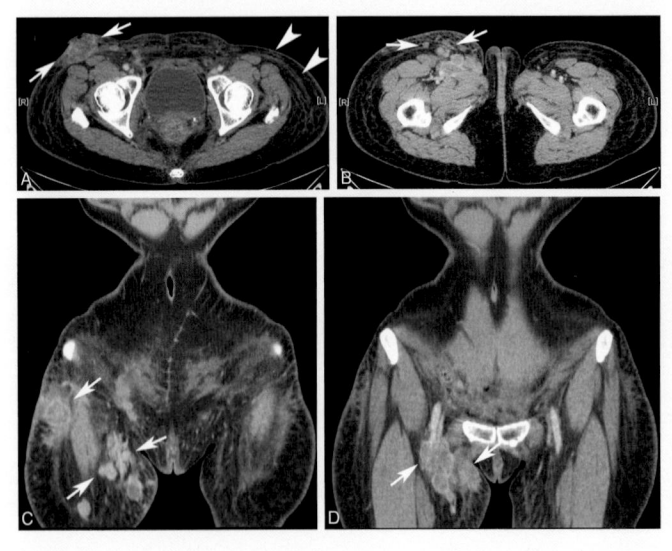

図　44歳　Stewart-Treves症候群
12年前子宮頸癌に対し，広汎子宮全摘，骨盤内リンパ節郭清に加え，60 Gyの全骨盤照射を受け，再発なく経過していた．3週間前より急速に拡大する皮膚の硬結を認めたため，造影CT（A，B：横断像，C，D：冠状断MPR像）で精査したところ，右大腿の皮膚に一部潰瘍を伴って自壊した腫瘤を多発性に認め（→），生検の結果，血管肉腫と診断された．腫瘍のない左下肢でも浮腫のため皮下脂肪織に線状の軟部組織濃度を認める（A▲）ことに注目．

【文　献】
1) Stewart FW, Treves N：Lymphangiosarcoma in postmastectomy lymphedema：a report of six cases in elephantiasis chirurgica. Cancer 1：64-81, 1948
2) Schiffman S, Berger A：Stewart-Treves syndrome. J Am Coll Surg 204：328, 2007
3) Pincus LB, Fox LP：Images in clinical medicine：the Stewart-Treves syndrome. N Engl J Med 359：950, 2008
4) McHaffie DR et al：Stewart-Treves syndrome of the lower extremity. J Clin Oncol 28：e351-352, 2010
5) Yamane H et al：Stewart-Treves syndrome after cervical cancer. Intern Med 51：513, 2012
6) Lee JH et al：Clinical experience of Stewart-Treves syndrome in the lower leg. Arch Plast Surg 40：275-277, 2013
7) Nakazono T et al：Angiosarcoma associated with chronic lymphedema (Stewart-Treves syndrome) of the leg：MR imaging. Skeletal Radiol 29, 413-416, 2000
8) Schindera ST et al：Stewart-Treves syndrome：MR imaging of a postmastectomy upper-limb chronic lymphedema with angiosarcoma. Skeletal Radiol 34：156-160, 2005
9) Chopra S et al：MRI of angiosarcoma associated with chronic lymphoedema：Stewart Treves syndrome. Br J Radiol 80：e310-313, 2007

第2章

婦人科画像解剖

Summary

- 性成熟期の子宮は T2 強調像で高信号を呈する内膜，低信号を示しこの直下の筋層である junctional zone，両者の中間的な信号を示す漿膜側筋層が明瞭な三層構造をなすのが基本である。
- 子宮内膜は増殖期から分泌期にかけて徐々に肥厚し，子宮筋層の信号強度も分泌期のほうが高い傾向にある。
- 前思春期の子宮は小さく，頸部が相対的に大きい。閉経後は子宮は再び小さくなり，内膜は菲薄化し筋層は低信号化する。
- 分娩後の子宮は急激に収縮するが，体部の zonal anatomy が全例で回復するのは 6 カ月後となる。
- 卵巣は卵胞を含む外層の皮質領域と中心部の髄質に分かれる。前思春期の卵巣は小さく，同程度の大きさの卵胞を複数含む。性成熟期になると主席卵胞や黄体の存在のため，大きさの異なる囊胞を含むようになる。閉経後は索状物に変化し，卵胞は認められなくなる。

人体の種々の臓器が加齢とともに形態を変化させる。加齢とともに退縮する胸腺などがその代表格であるが，月経周期など内分泌環境によって短期間に形を変化させる子宮・卵巣は極めて「動的」でユニークな臓器である。本項では，これらの変化にも着目しながら正常解剖について MRI を中心に概説する。

I 正常画像解剖

子宮（uterus）は膀胱と直腸の間に位置する洋梨を逆さにしたような形態の腹膜外臓器で（図1），底部（fundus），体部（corpus），頸部（cervix）の3つに分かれる。底部は体部の一部で，両側卵管開口部よりも上方を指す。頸部は腟円蓋の付着部より上方の腟上部（supravaginal）と腟部（portio vaginalis uteri）に分かれる。子宮は組織学的には筋層と粘膜からなり，体部の粘膜は子宮内膜（endometrium）（腺上皮）から，頸部の粘膜は扁平上皮からなる（図2）。子宮の大きさは性成熟期には 6～9 cm（頸部が 2.5～3.2 cm，体部が 4～6 cm）とされる[1-3]。単純 CT や MRI の T1 強調像では子宮筋層と粘膜を区別して描出することはできず，均一な低吸収，低信号を呈する。一方，T2 強調像では子宮内膜・内腔の液体が高信号，junctional zone が低信号，漿膜側筋層（outer myometrium）が中間信号を呈し，特徴的な三層構造が明瞭に描出される[1,3,4]（図3）。このうち junctional zone は筋層全体の約 1/3～1/2 を占める筋層の内層部分に相当する。

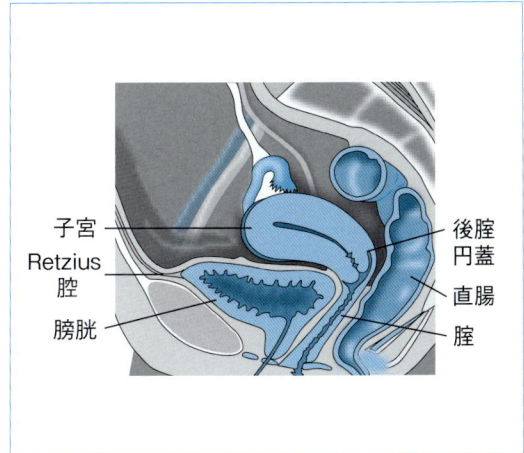

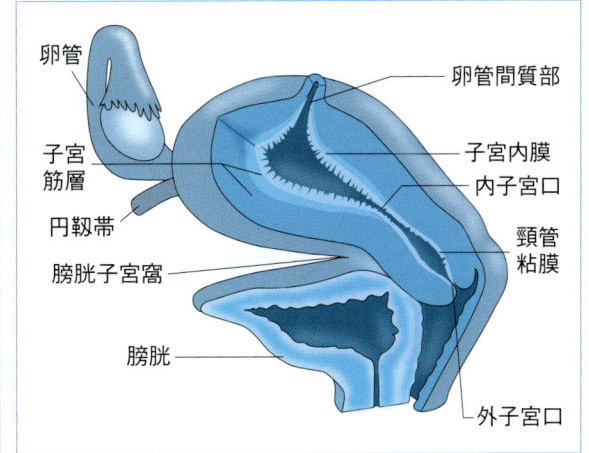

図1　子宮と周囲構造

図2　子宮の内部構造

　この部分が漿膜側筋層に比べ低信号を示す理由としては，組織の水分含量，細胞核の大きさや数，細胞密度，ホルモンや血流の影響などが挙げられている[5-7]。子宮筋層内で起こる蠕動運動（さざ波運動）がMRIを反復して撮像することで観察可能なことはNakaiら[8]やMasuiら[9]によって指摘されているが，Nakaiらはjunctional zoneの成因はこのさざ波運動に起因するのではないかと推論している[8]。また頸部間質は体部に比べ線維成分に富むことから，junctional zone/outer myometriumのコントラストが不明瞭で，一様な低信号を示すことが多い。頸部粘膜は扁平上皮，体部粘膜すなわち子宮内膜は円柱上皮からなるが両者の間に信号強度の差はなく，体部と頸部の境界を正確に決定することは困難で，子宮の輪郭のくびれをもって内子宮口と判断せざるを得ない場合が多い。ガドリニウム造影剤投与後の平衡相では，内膜と筋層は強く造影されるのに対し，junctional zoneの増強効果は弱いことからほぼT2強調像と同様のコントラストを示す（図4）[4)5)]。

　図5に，MRI T2強調横断像（図5A，骨盤底のみ）と造影CT（図5B，上腹部を含む）における正常画像解剖アトラスを示す。造影CTにおいて，子宮頸部は体部と増強効果が異なる場合があり，解剖学的位置関係からも腫瘍と誤認される場合があり，注意が必要である[10]。

　子宮と膀胱，尿道との間には比較的粗な結合組織が介在するのみであるが，直腸との間にはDenonvillier's fasciaと呼ばれる厚い間膜が存在する。子宮の表面は膀胱側，直腸側ともに腹膜に覆われ，子宮の外側では子宮広間膜（broad ligament）の前葉と後葉をなす（図6）。基靱帯（cardinal ligament）は広間膜の下端を占め両側骨盤壁に向かって伸び，仙骨子宮靱帯（sacro-uterine ligament）は頸部から外側後方へ向かって走行する[11]。円靱帯（round ligament）は子宮底部外側角から鼠径管を通り抜けて大陰唇（labia major）に付着する[11]。これらの支持組織は正常で軟部組織として認められることはなく，腫瘍浸潤により肥厚して初めて可視化できることが多い。基靱帯を含む子宮傍組織は脂肪組織の内部に豊富な静脈叢を含むことから，内部に多数のflow voidやT2強調像で高信号の索状構造（流速が遅いためにflow voidにならない血管構造）が描出される（図5A）[4]。

Ⅰ 正常画像解剖

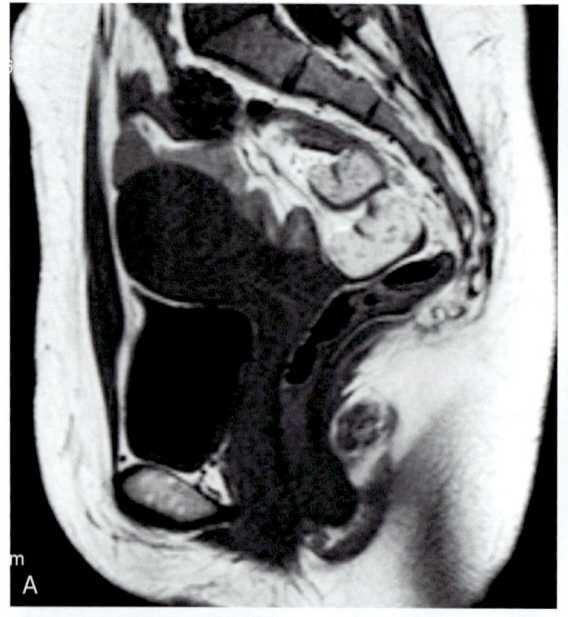

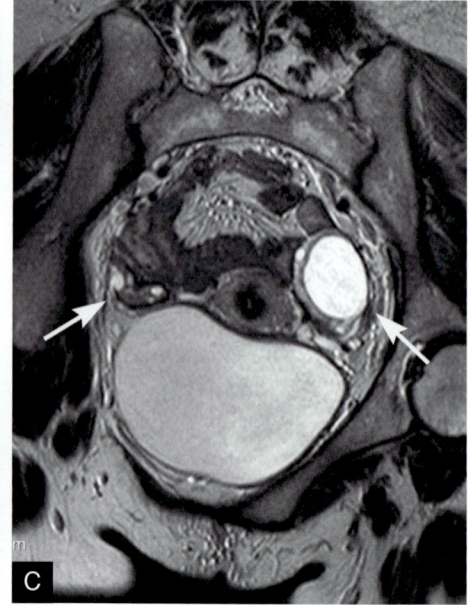

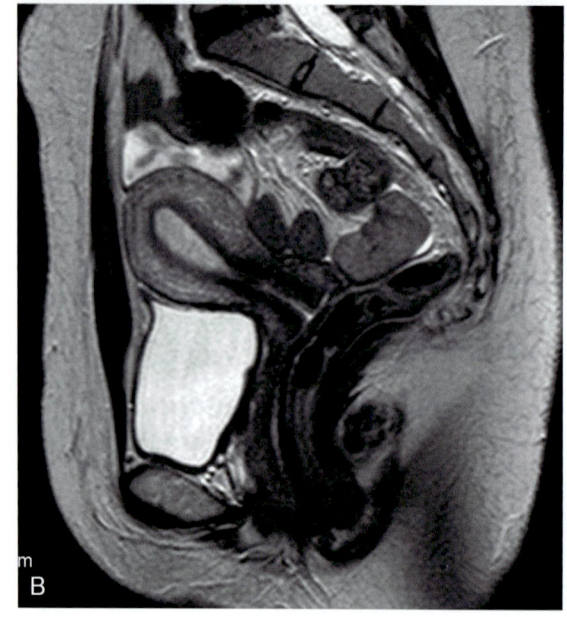

図3 正常成熟経産婦の子宮・卵巣
A：T1強調矢状断像，B：T2強調矢状断像，
C：T2強調冠状断像
T1強調像では子宮は均一な低信号で輪郭は把握できるが内部構造は不明である（A）。これに対しT2強調像では高信号の内膜，低信号のjunctional zone，中間信号の漿膜側筋層に明瞭に分離される（B）。T2強調像で観察される卵巣には辺縁の皮質領域に多数の卵胞がみられ，左卵巣には径2cm近いものも認められる（C→）。

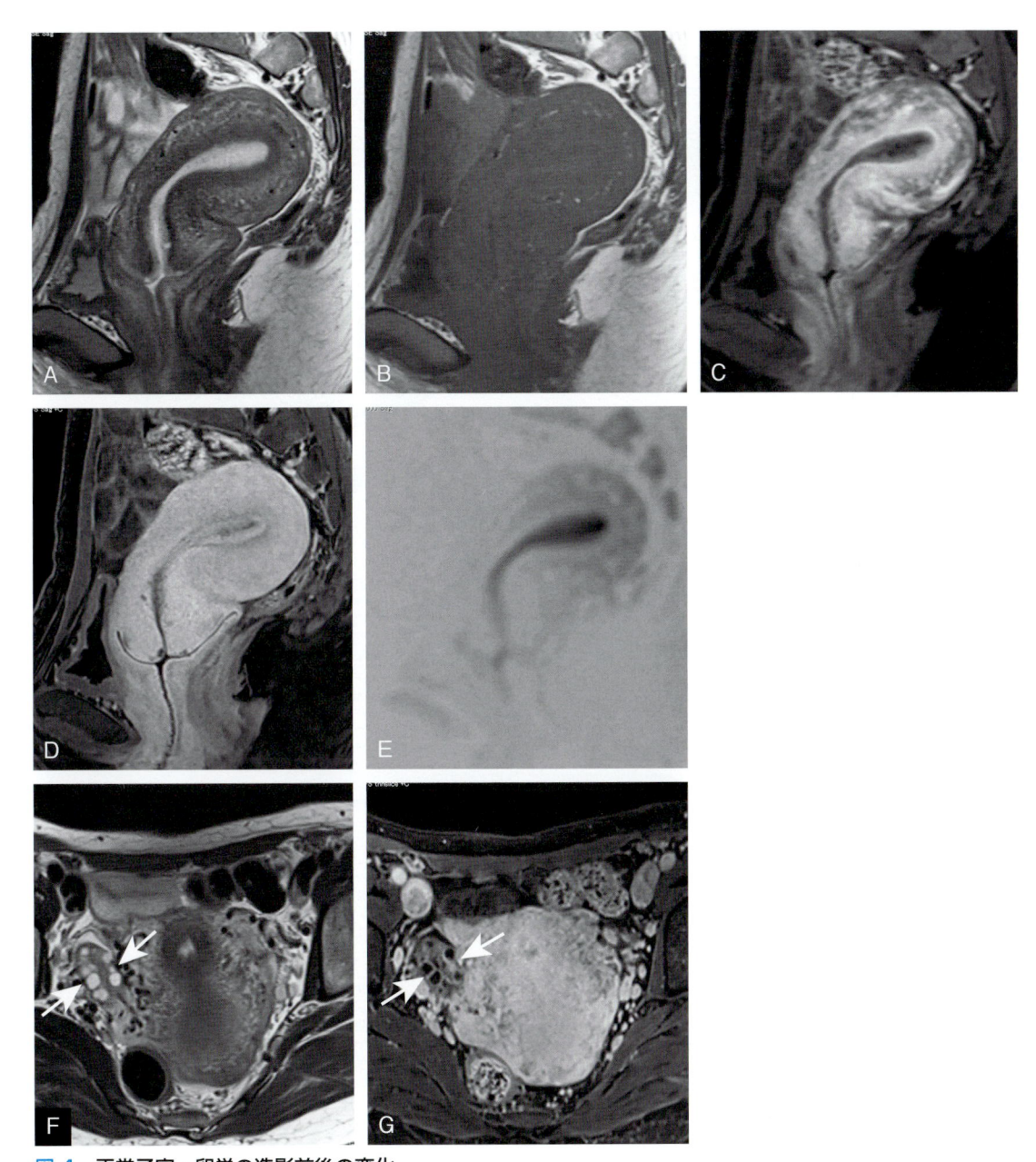

図4　正常子宮・卵巣の造影前後の変化

A：T2強調矢状断像，B：T1強調矢状断像，C：ダイナミックMRI（造影剤投与30秒後），D：造影脂肪抑制T1強調矢状断像，E：拡散強調矢状断像，F：T2強調横断像，G：造影脂肪抑制T1強調横断像

T2強調像では三層構造が明瞭に描出されるが（A），T1強調像では子宮は均一な低信号で輪郭は把握できるものの内部構造は不明である（B）。造影後，早期には内膜の増強効果は不良だが（C），平衡相では漿膜側筋層と同程度に増強される（D）。内膜は生理的に拡散強調像で異常信号を示すので（E），内膜病変（子宮内膜異型増殖症など）との視覚による鑑別は難しい。卵巣はT2強調像で高信号を示す卵胞を多数含み（F），造影後は個々の卵胞壁が周囲に比べよく増強される（G）。

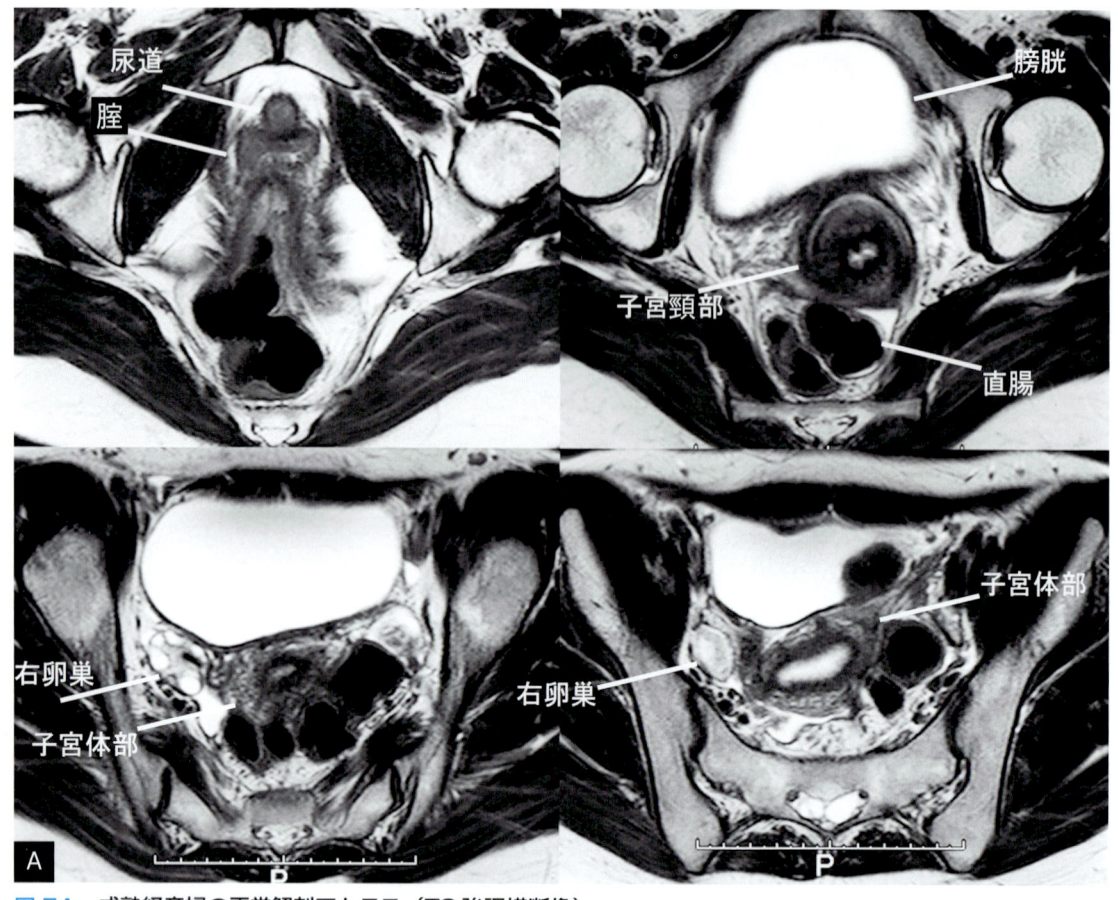

図 5A　成熟経産婦の正常解剖アトラス（T2 強調横断像）

　腟（vagina）は重層扁平上皮で覆われた線維筋性の管腔臓器で，小陰唇から子宮頸部まで連続する。特に上縁の子宮腟部を取り囲む深い折り返しの部分は腟円蓋（vaginal fornix）とよばれる。MRI では T2 強調横断像で粘膜が高信号，これを取り囲む筋層が低信号の H 字型の管腔臓器として，標的状を呈する尿道の背側に描出される（図 3, 6）[4]。

　卵巣（ovary）は肉眼解剖的には外層の皮質（cortex），内層の髄質（medulla），卵巣門（hillus）からなり，主として皮質に様々な発育段階の卵胞（follicle）（図 3C）およびその排卵後の形態である黄体（corpus luteum）を含む（図 7）。大きさは卵胞の状態に左右されるが生殖可能年齢で 3.0〜5.0×1.5〜3.0×0.6〜1.5 cm，重量 5〜8 g といわれる[12]。T1 強調像では子宮同様低信号の構造としてみられるのみだが，T2 強調像では低信号の間質の辺縁部（皮質領域）に小さな囊胞構造として卵胞や黄体の描出される特徴的な像を呈する。Outwater らは卵胞を取り巻く皮質領域が髄質や卵巣門よりも低信号を示すと報告している（図 8）[13]が，三者の分離は肉眼所見上も不明瞭であることが多い。正常卵巣は性成熟期では 87〜95％の症例で描出されるといわれる[14)15]。

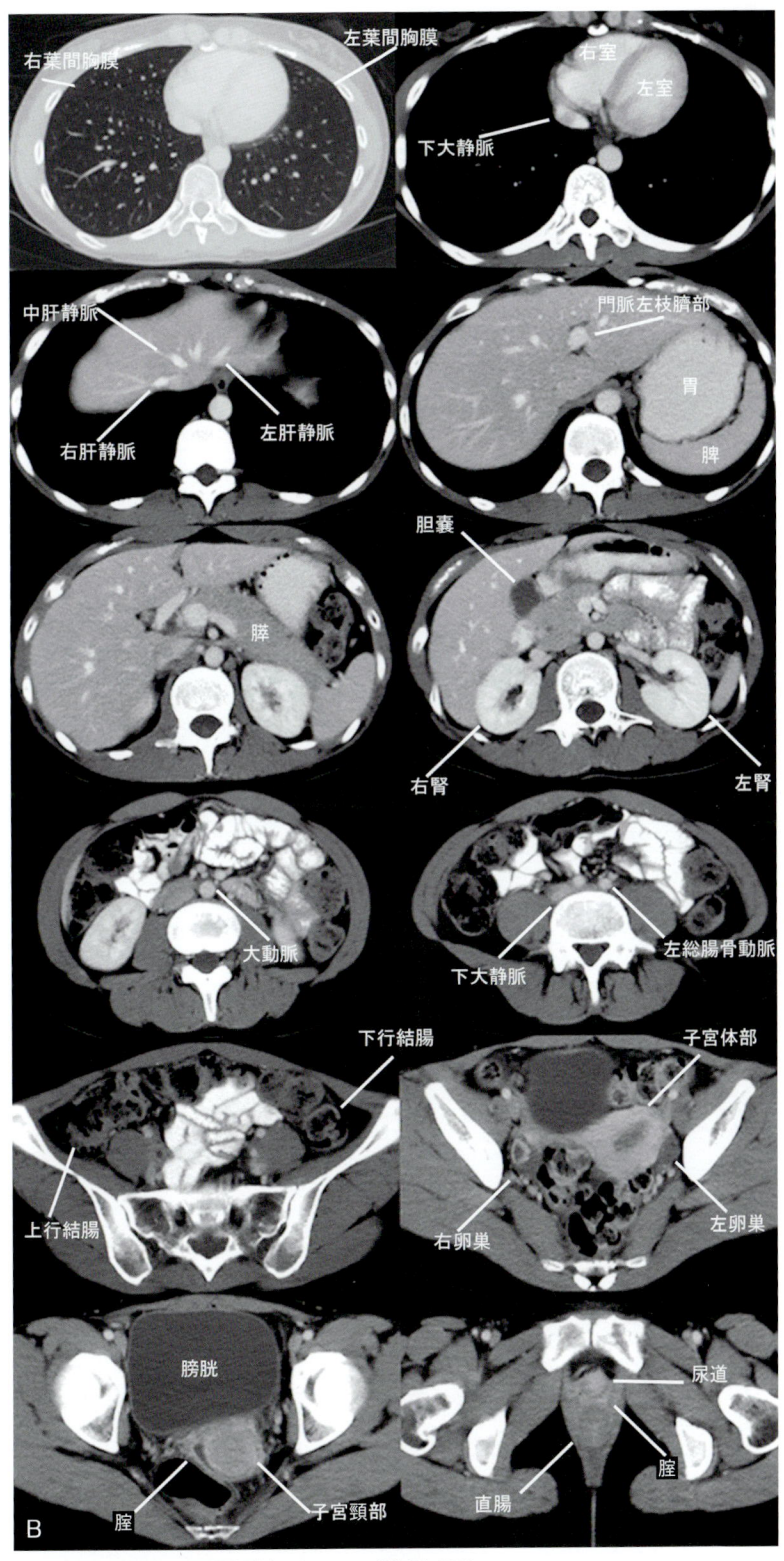

図5B　成熟経産婦の正常解剖アトラス（造影CT）
胃・小腸は経口陽性造影剤で内腔を充満させている。左上は右上と同レベルの肺条件。

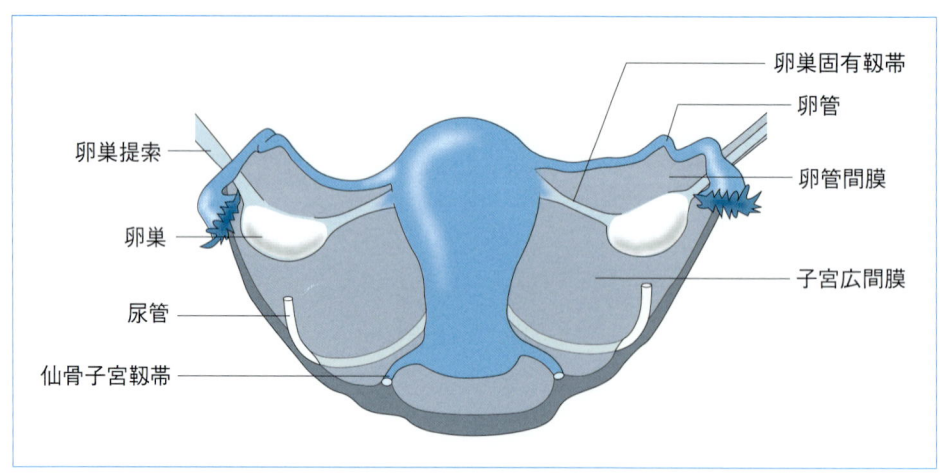

図6 子宮・卵巣周囲の間膜

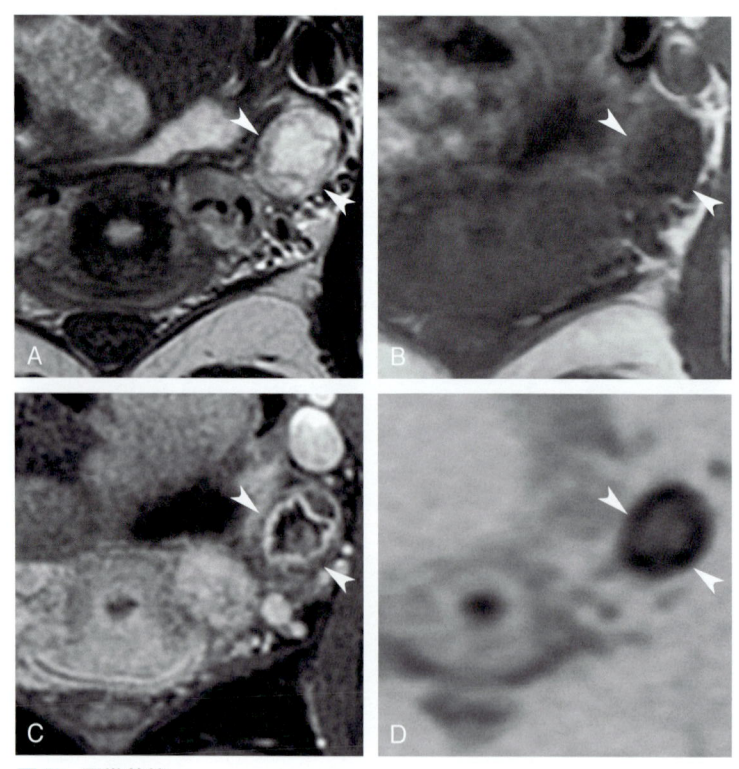

図7 正常黄体
A：T2強調横断像，B：T1強調横断像，C：造影脂肪抑制T1強調横断像，D：拡散強調横断像
T2強調像で黄体は厚い王冠状の被膜で囲まれたやや大きな囊胞として描出され（A▲），本例ではT1強調像で内容液は低信号だが（B▲），出血を反映して高信号を示すことも多い。造影後は被膜の最内層が強く増強され（C▲），莢膜細胞層・顆粒膜細胞層が密に配列して細胞密度が高いことから拡散制限を示す（D▲）。

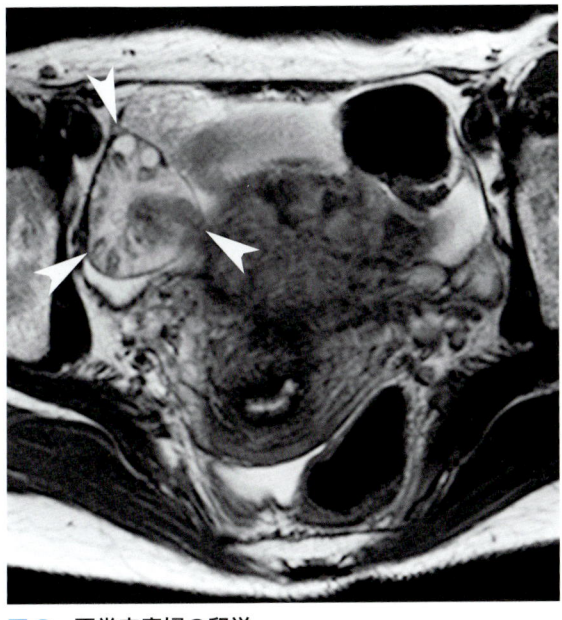

図8　正常未産婦の卵巣
T2強調横断像では右卵巣（▲）の辺縁部には小さな嚢胞が配列し，その周囲は中心部よりやや信号強度が低く，卵巣皮質に相当する。

II 内分泌環境による変化

1. 月経周期による変化

　性成熟期の女性では，間脳-下垂体-卵巣系のホルモンの働きにより子宮・卵巣の形態は経時的に変化する（図9）。すなわち月経直後には厚さ1～3mmであった子宮内膜は増殖期から分泌期にかけて徐々に厚みを増し，分泌末期には3～7mmになる。これに伴い筋層も徐々に厚みとT2強調像での信号強度を増す（図10）[16)17)]。子宮筋層の厚みは，異論もあるが，増殖期よりも分泌期に厚く信号強度も高い[17)]。Junctional zoneの性周期による変化も報告により異なる[17)18)]が，筆者の経験では排卵日前後に最も明瞭化し，漿膜側筋層とのコントラストが上昇し，zonal anatomyが明瞭化する症例が多いようである。一方，卵巣では，卵胞期より一側の卵巣に発育卵胞が出現し，排卵日に向かって徐々に増大し，排卵後は黄体となって残存する。黄体は鋸歯状の厚い壁を有する嚢胞を形成し，ドプラUSでは"ring of fire"にたとえられるように血流が豊

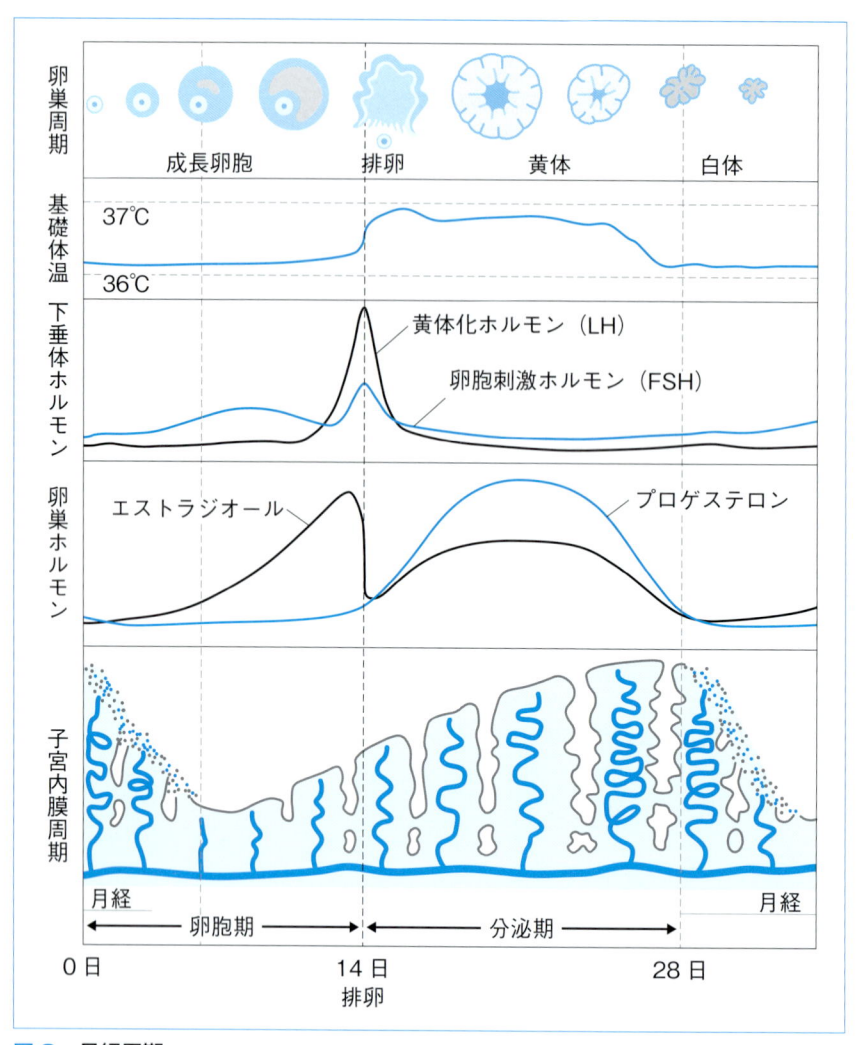

図9　月経周期

　富である．これを反映して，CT や MRI ではよく増強される[19]（図7）．内容液がしばしば血性で，US では内部エコーがあることから，充実性腫瘍と誤認されることも少なくない．MRI では血性の内容物をもった壁の厚い囊胞であることから，内膜症性囊胞や異所性妊娠の胎囊との鑑別が問題となる[19]．成熟卵胞や黄体はしばしば2cmを超える大きな囊胞を形成し（図3C），黄体内にはしばしば出血もみられるが，『画像診断ガイドライン』では生殖可能年齢の単純性囊胞は10 cm 未満，出血を伴うものでも5 cm 未満であれば[20]，O-RADS[*1] では3 cm 未満であれば，各々生理的変化として経過観察不要としている[21]．ただし，出血を伴うものでは1回限りの観察では腫瘍性病変や卵巣内膜症性囊胞と鑑別できないことも多く，より非侵襲的，かつ安価な US で6週間（月経周期が必ず1周するのに必要な期間）後に再検するのが現実的対応であろう．

---

*1　Ovarian-Adnexal Reporting and Data System（O-RADS[TM]）．詳細は第7章-Ⅰ「『卵巣腫瘍』から『卵巣・卵管・腹膜腫瘍』へ」参照（p400）．

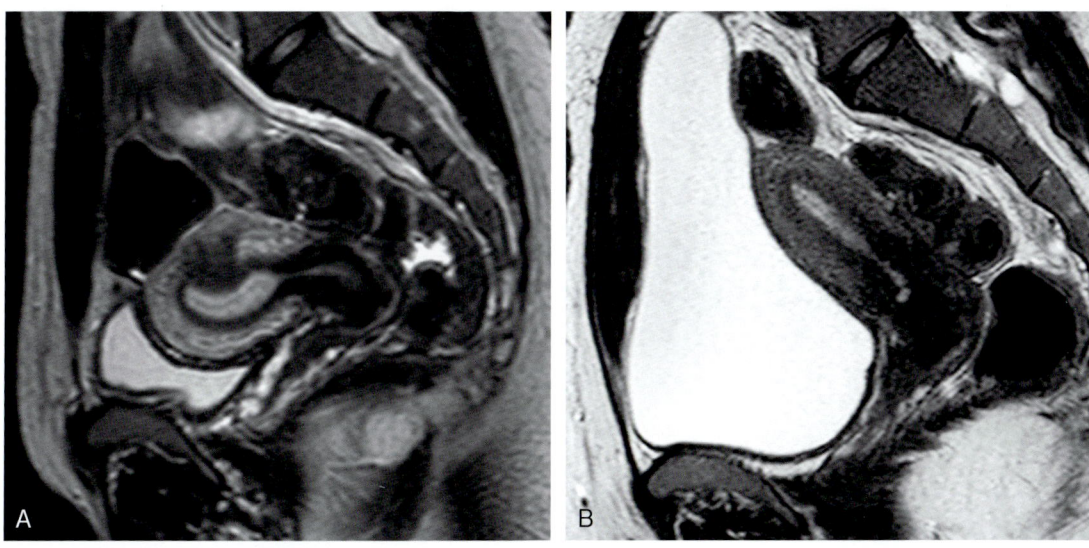

図10 性成熟期の子宮の性周期による変化（T2強調矢状断像）
A：26歳時，B：32歳時
卵巣悪性腫瘍に対し妊孕性温存術後，経過観察のための検査。26歳時には分泌期での撮像で子宮は大きく，漿膜側筋層の信号強度も高い（A）。32歳時の撮像は増殖期の撮像で，子宮は小さく，筋層の信号強度は全体に低い（B）。

2. 年齢による変化

　新生児の子宮は成人子宮と同等の構造を有するが，長さ2.5〜3.5cm，重量2〜4gと小さい。しかし母体由来のエストロゲン効果により明瞭なzonal anatomyを呈し（図11A），生後5〜6日で出血（新生児月経）のみられることもある。この時期を過ぎると子宮は未成熟で小さく，体部と頸部の割合は1：1程度で，相対的に頸部が大きい（図11B）。その後体部が徐々に発育して5〜6歳で出生時の大きさに戻り（図11D），思春期以後は体部が徐々に増大し成熟女性の形態に近づく（図12A）[22]。逆に閉経後は内膜・筋層ともに低信号化し，再び萎縮する[4]。閉経後は腟粘膜も萎縮し，T2強調像で筋層の中心部に粘膜の高信号を確認しにくくなる（図12C）。

　新生児の卵巣は索状で，直径1cm，重量300mg程度とされる。幼児期まで卵胞は発育はするが排卵に至らず閉鎖するため，成熟卵胞が形成する大きな囊胞構造を含まないので卵巣内にみられる囊胞構造の大きさは均一であることが多い（図13A, B）。この間，卵巣は閉鎖卵胞の結合織化により重量を増し，6〜7歳で3g程度になる。思春期になると卵胞が発育するようになり，徐々に排卵周期が確立される[22,23]。卵巣の大きさは30代でピークを迎えるが，卵胞の大きさは40代で最も大きくなる。卵胞の数は20〜40代で最も多い（図4F, G, 8, 13C）[24]。一方，閉経後の卵巣は萎縮し，髄質は白体（corpus albicans）で置換される。T2強調像では性成熟期に比べ均一な低信号を呈する[25]（図13D）。卵胞や黄体が描出されることは少なく，時に描出される囊胞の多くは3mm以下の大きさである[25]とされる。BoosらはCTで偶然発見された単純性囊胞（壁の薄い，内部エコーのな

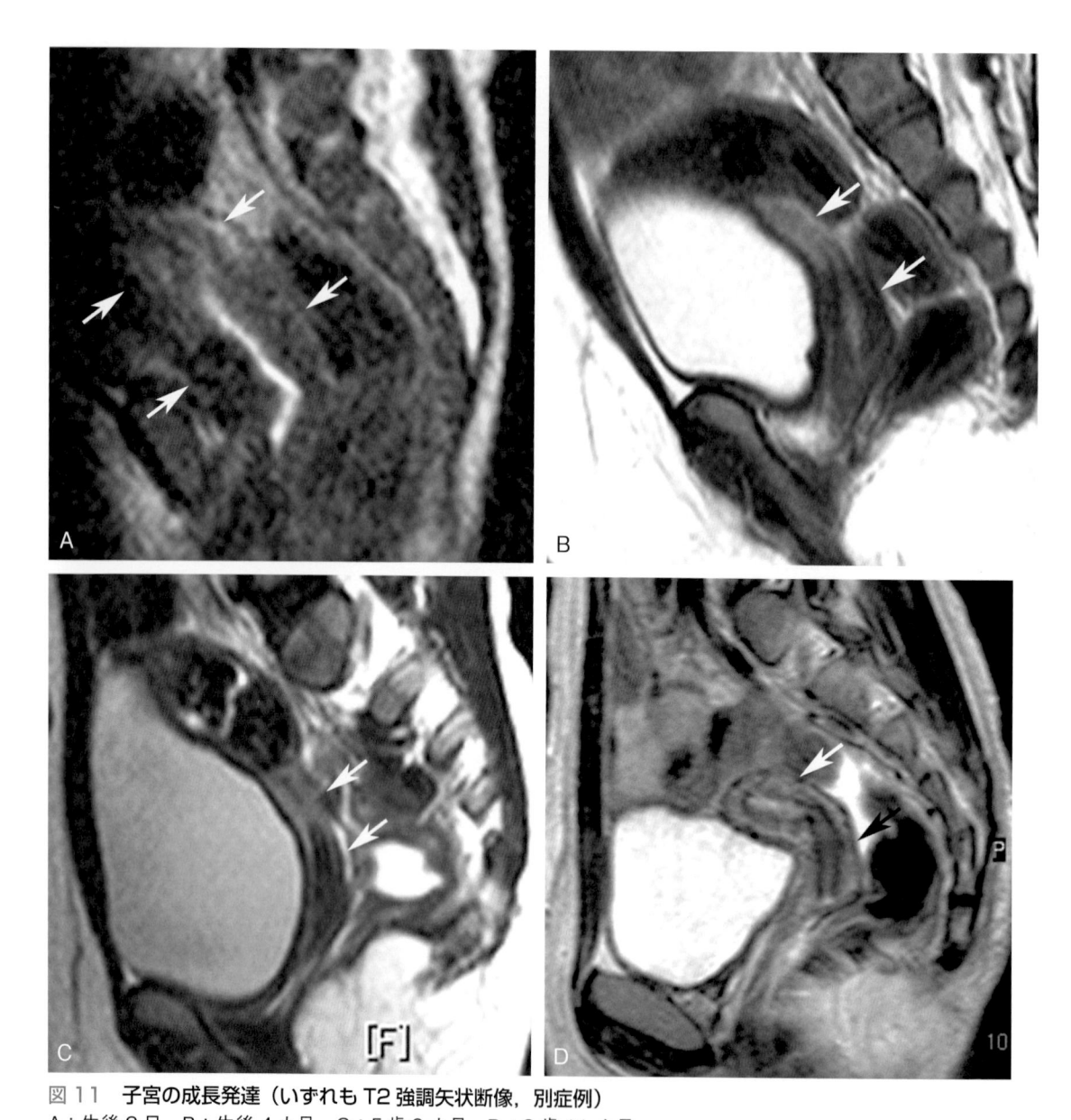

図11 子宮の成長発達（いずれもT2強調矢状断像，別症例）
A：生後2日，B：生後4カ月，C：5歳9カ月，D：8歳11カ月
新生児期には子宮は頸部に比べ体部が大きく性成熟期類似の形態を呈する（A）が，母体由来のエストロゲンの血中濃度の低下とともに急速に退縮する（B）。その後徐々に大きさを増し，幼児期には新生児期と同等レベルの大きさに復するが，体部が頸部に比べ相対的に小さい（C）。初経発来前にはエストロゲンの血中濃度の増加を受けて急速に増大し，性成熟期の形態に近づく（D，白→：子宮体部，黒→：子宮頸部）。

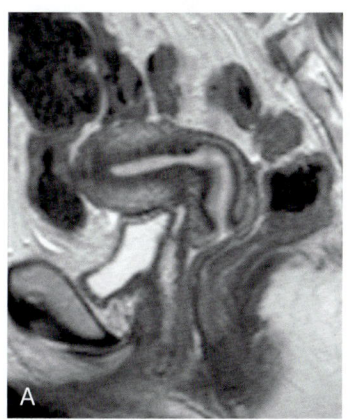

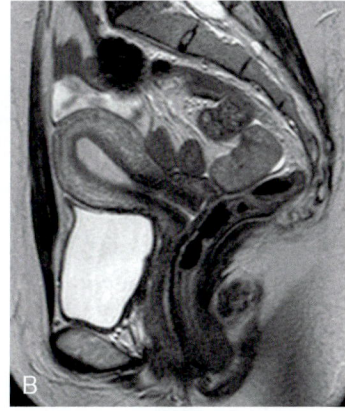

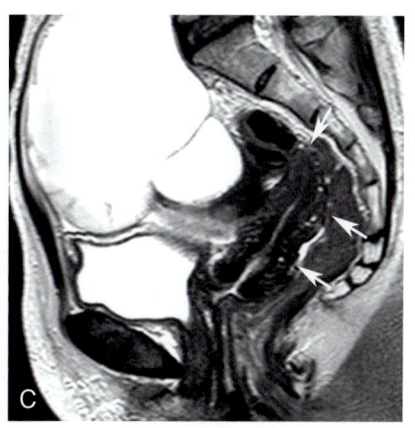

図12　加齢による子宮の形態変化（いずれもT2強調矢状断像，別症例）
A：31歳，不妊症例，B：34歳，C：68歳
特に排卵性周期の確立していない未産婦では子宮体部に比べ頸部が大きい（A）。経産婦では体部のほうが大きく，zonal anatomyも明瞭である（B）。閉経後は子宮は萎縮し，内膜は菲薄化，zonal anatomyは不明瞭化する（C→）。

い単房性嚢胞性腫瘍）は閉経の前後にかかわらず，全例が良性であったと報告し[26]，Valentinらも TVUSで単純性嚢胞と診断されたが悪性腫瘍であった11例中7例では肉眼病理学的に充実部が確認されたとしている[27]。よって，充実部の有無について，造影MRIを含めて十分に精査された5 cm未満の単純性嚢胞であれば，閉経後であっても，経過観察をも省略しうる。

3. 内因性・外因性ホルモンによる変化

　子宮は前述のごとく内因性ホルモンの影響を受けてその形態を経時的に変化させるが，外因性ホルモンの投与によってもその影響を受ける。低用量経口避妊薬（oral contraceptives：OC）投与例では性周期による内膜の厚さの増減が消失し常に萎縮・菲薄化した状態となり，筋層は逆に浮腫により信号強度が上昇する[3]（図14）。子宮内膜症や子宮筋腫の治療に用いられるgonadotropin releasing hormone agonist（GnRHa）やGnRH antagonistは，血中のエストロゲン濃度を低下させるので，投与すると子宮は内膜の萎縮・筋層の信号低下など更年期に似た変化をきたす。さらに，乳癌のホルモン療法に用いられるタモキシフェンは，乳腺組織に対しては抗エストロゲン作用を示すが，閉経後の子宮内膜に対しては微弱なエストロゲン作用をもち，子宮内膜ポリープや過形成を誘発する（p293参照）。これは病理組織学的に内膜が大きな管腔形成を伴って過形成性に増殖するものであり，画像的には多数の嚢胞が子宮内腔を充満する特異な像を示す[28]。

　子宮の形態に変化を及ぼすのは外因性のホルモン製剤ばかりではない。性索間質性腫瘍に属する腫瘍群のうち，莢膜細胞腫と顆粒膜細胞腫はエストロゲン産生腫瘍であり，若年型の前者を除き閉経後に好発する。これらの腫瘍をもつ症例では閉経後にもかかわらず子宮のzonal anatomyが明瞭に描出されたり，内膜が異常に肥厚しているのが描出されることがあり，これらの二次所見が卵巣腫瘍の質的診断の決め手になることもある（p503, 519参照）[29-31]。性索間質性腫瘍群以外も含めたホルモン産生卵巣腫瘍の詳細は第11章-Ⅲ「内分泌の異常」の項で詳述した（p806参照）。

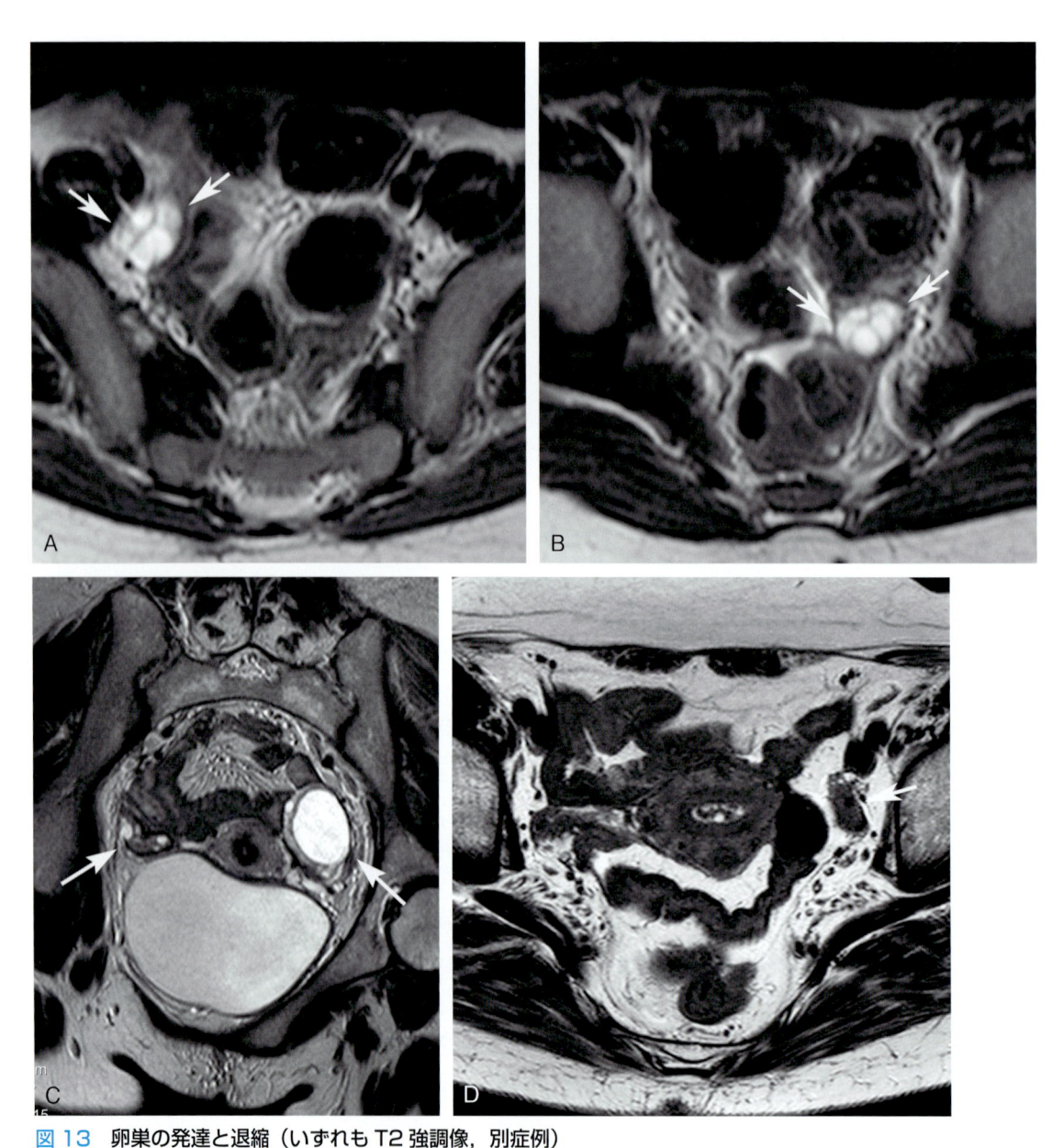

II 内分泌環境による変化

図 13 卵巣の発達と退縮（いずれも T2 強調像，別症例）
3歳児では右卵巣（A →）にも左卵巣（B →）にも大きさのそろった卵胞が多数みられるが，これらは排卵せずに閉鎖する。一方，成人（34歳）の卵巣では大きさの異なる卵胞がみられ，左卵巣では主席卵胞と推定される，2 cm 近い囊胞構造が認められる（C →）。閉経後（68歳），卵巣は萎縮して T2 強調像で低信号の索状物になる（D →）。

4. 子宮の収縮と蠕動

　妊娠中に無痛性，非協調性の子宮収縮（uterine contraction）が絶えず起こっていることは産科医の間で広く知られている。この現象は非妊娠時にも存在し，収縮による筋層の一過性限局性の変形は，収縮部の血管内血液量の減少を反映してT2強調像で低信号を呈する[31]ため，筋腫や限局性腺筋症と鑑別困難なことがある[32)33]。形態的には子宮筋層内にできた力こぶのような膨隆を呈し，この収縮により内膜面の子宮の輪郭は変化するが，漿膜面はスムーズなままに留まるのが特徴である。真の病変との鑑別点は経時的に位置が変化することで，同一検査中の撮像時刻の異なる2つのシーケンスを比較することなどが鑑別に役立つ（図15）。前項で述べたように，子宮内膜下筋層にはより細かな子宮蠕動（uterine peristalsis, さざ波運動）も存在し，リアルタイムでの観察能に優るUSではMRIの高速撮像法の発達以前から観察され，その性周期に応じた出現率や運動方向の変化も報告されている[34)35]。MRIでは高速撮像法で子宮を経時的に撮像し，cine画像として早送りすることで子宮蠕動を観察可能である[8)9]。子宮蠕動は排卵前期に最も高頻度に頸部から底部に向かって観察され受精を促進し，分泌期にはおそらく妊卵を保持するために観察頻度が低下する[34-36]。また，前述の子宮収縮も排卵期には減少するとされている[37]。子宮蠕動の観察される領域とjunctional zoneにはオーバーラップがあることから，子宮蠕動はjunctional zoneそのものの成因やその内分泌環境による変化の原因として注目されている[36]。

5. 妊娠・産褥期の変化

　高磁場環境やRFパルスが胎児に及ぼす影響が詳細にはわかっていないこと，胎動によるmotion artifactを抑制する必要性から，妊娠中のMRI検査にはSSFPやHASTEといった高速シーケンスが使われることが多い[38)39]。一般的にこれらの高速撮像法では胎動の影響を受けにくい反面，blurringのためzonal anatomyは通常のT2強調像に比べ不明瞭になりがちである（図16, 17）。よってこれらT2系のシーケンスでは必ずしも従来のT2強調像と同一のコントラストを示すわけではないことに留意が必要である。さらに，妊娠中はT2強調像で子宮筋層の信号強度が上昇し，子宮内容量の増加に伴い筋層が相対的に菲薄化することもあり，zonal anatomyは不明瞭化する[1]。一方，Kimらは1.5 T装置[40]，MasselliらはよT装置[41]のHASTEで子宮筋層は内腔側から低，高，低の三層構造に分かれるとも報告しており，この所見は後述する癒着胎盤の診断に役立つ（p839参照）。

　胎盤（placenta）は妊娠8週頃，絨毛膜羊膜分離（chorioamniotic separation）が起こると絨毛膜から形成される。第1三半期から24週頃までは，胎盤は2～2.5 cmと薄く，比較的均一な信号（子宮筋層と比べた信号強度は使用シーケンスにより様々）を示す[41)42]（図16）が，徐々に床脱落膜（decidua basalis）からくびれた構造が絨毛幹の間に入り込んで胎盤隔壁を形成し，胎盤分葉（cotyledon）が明瞭化する。完成した胎盤は3～4 cmと厚みを増し，T1強調像では低信号，T2強調像では極めて高信号であるが，胎盤隔壁がより低信号の構造として観察できること

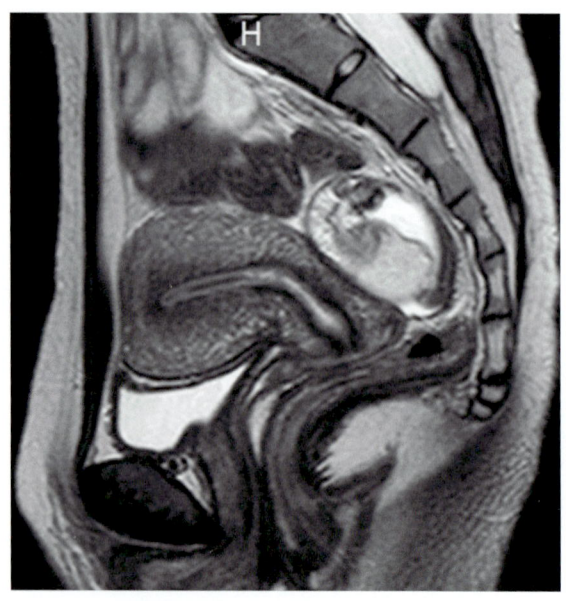

図14 低用量経口避妊薬内服中の子宮（22歳）
T2強調矢状断像で内膜，junctional zoneは薄く，漿膜側筋層の信号強度が高い。

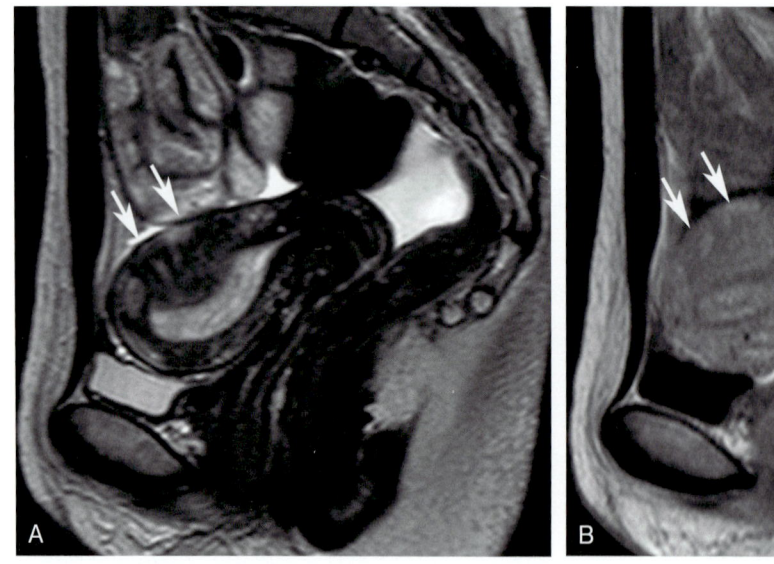

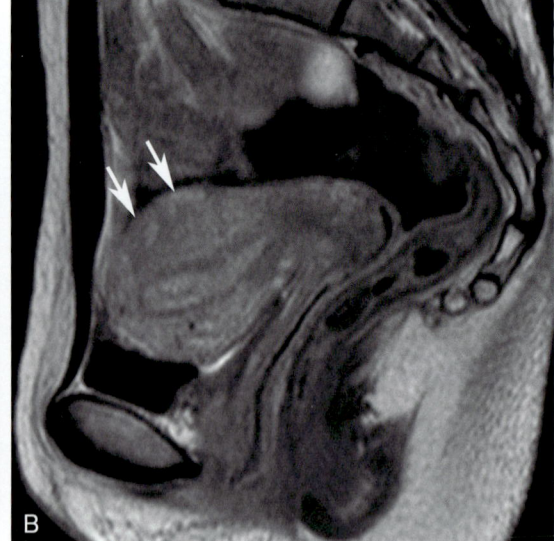

図15 子宮収縮（27歳）
A：T2強調矢状断像，B：造影脂肪抑制T1強調矢状断像
卵巣腫瘍の精査のため撮像したT2強調像では子宮後壁の筋層が限局性に肥厚して内腔に向かって突出するが（A→），約10分後に撮像した造影脂肪抑制T1強調像では消失している（B→）。T2強調像だけみると同部が境界明瞭な低信号を呈し，あたかも筋腫が存在するようにみえるが，偽病変である。鑑別点としては子宮漿膜側の輪郭に影響を与えていないことが挙げられる。

5. 妊娠・産褥期の変化

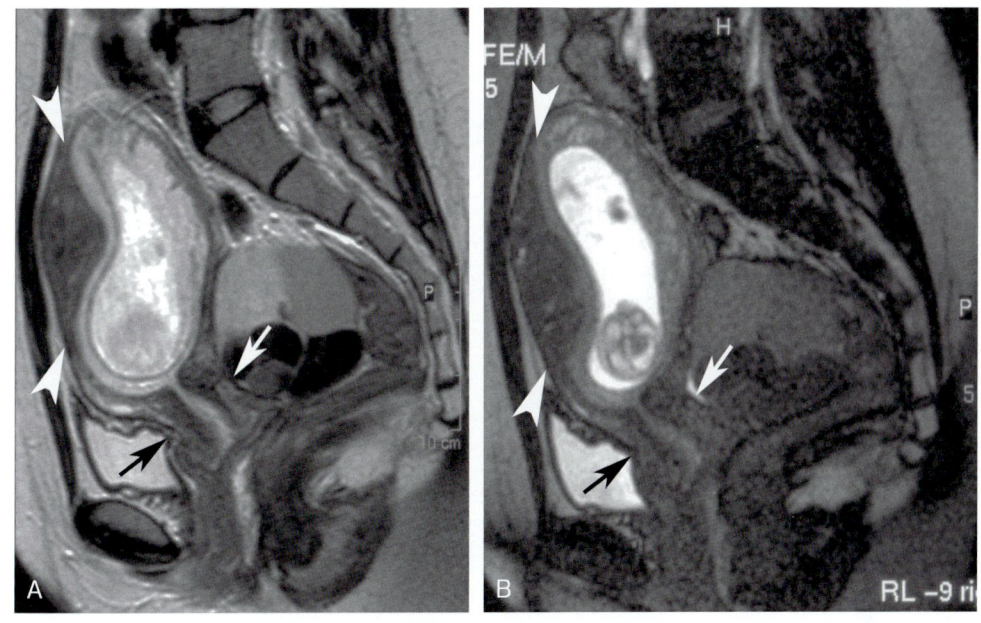

図16 妊娠第2三半期前期の子宮と発達途上の胎盤，T2強調像とSSFPによるコントラストの違い
A：T2強調矢状断像，B：SSFP矢状断像
T2強調像（A）に比べSSFP（B）では，胎児のmotion artifactは目立たない反面，頸部のzonal anatomyが不明瞭化している（A，B→）。胎盤はいずれのシーケンスでも均一な信号を示すが，SSFPではより信号強度が低く筋層とのコントラストは不良である。なお，体部筋層の低信号域（▲）は両者で厚みが変化しており，子宮収縮であることが明らかである。

が多い[41]（図17）。正常な胎盤の下縁は内子宮口より2cm以上上方にあるとされる[43]。時間分解能のよい（10〜15秒ごとに撮像した）ダイナミックMRIでは，造影早期に各胎盤分葉の絨毛間腔がまず造影され，胎盤隔壁や床脱落膜は遅れて造影される[44]ことから，胎盤が床脱落膜を介さずに直接子宮筋層に付着する狭義の癒着胎盤（placenta accreta vera）の診断に役立つ[45]（p839；p841図9参照）。胎盤はまた細胞密度も高いことから，拡散強調像でかなり強い異常信号を示し（図17），筋層とのコントラストが良好であり，広義の癒着胎盤，すなわち嵌入胎盤（placenta increta），穿通胎盤（placenta percreta）の診断に有用である[43)46]。

妊娠中に多用されるHASTEやSSFPは，胎動に負けない空間分解能を有し，水とそれ以外の軟部組織とのコントラストが良好なことから，くも膜下腔や脳室内の脳脊髄液に囲まれた脳実質の形態評価や，羊水で満たされた消化管の分布については比較的評価が容易である（図18）。T1強調像では胎便のT1短縮効果により，羊水を含む小腸と胎便を含む結腸との区別も容易となる（妊娠32週で左半結腸はT1強調像で100％高信号を示す[47)48]。また，肺では肺胞の成熟とともに羊水を容れる肺胞腔の容積を増すことから，HASTEやSSFPで撮像された胎児肺の信号強度は肺の成熟度を反映する[49]。

産褥期（puerperium）の子宮は急速に収縮して復古する。これは主として個々の子宮平滑筋

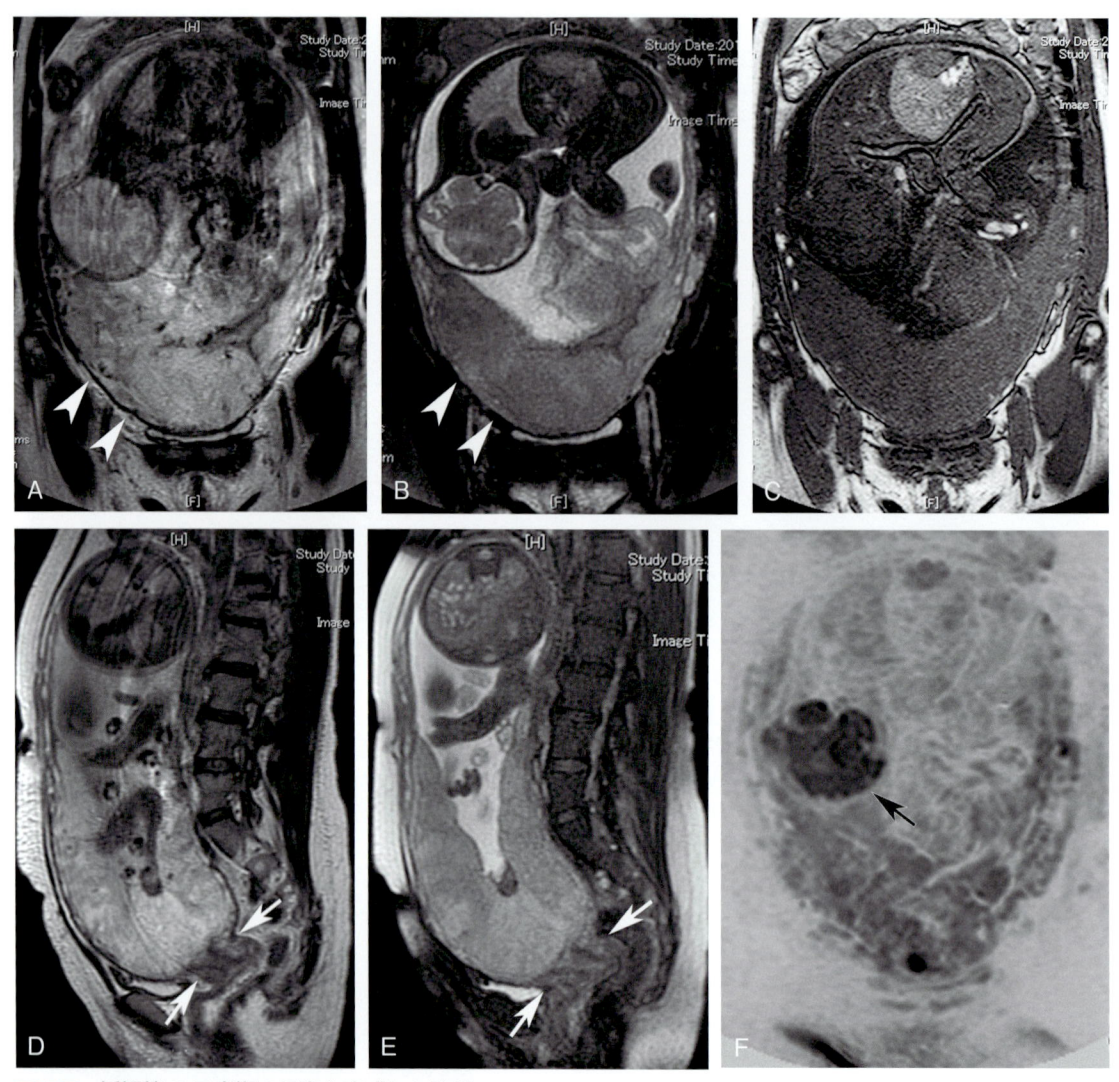

図17 妊娠第3三半期の子宮と完成した胎盤

A：T2強調冠状断像，B：SSFP冠状断像，C：T1強調冠状断像，D：T2強調矢状断像，E：SSFP矢状断像，F：拡散強調冠状断像

33週の全前置胎盤症例。通常のT2強調像（A, D）ではSSFP（B, E）に比べ胎盤と筋層のコントラスト（▲）や子宮頸部のzonal anatomy（→）は明瞭であるが，胎動によるmotion artifactが目立つ。いずれのシーケンスでも胎盤には若干の分葉状の構造がみられ，胎盤分葉に相当すると考えられる。T1強調像では胎盤は子宮とほぼ等信号でコントラストはつかない（C）。拡散強調像では，胎盤は胎児脳（F→）ほどではないが，強い拡散制限を示す（F）。

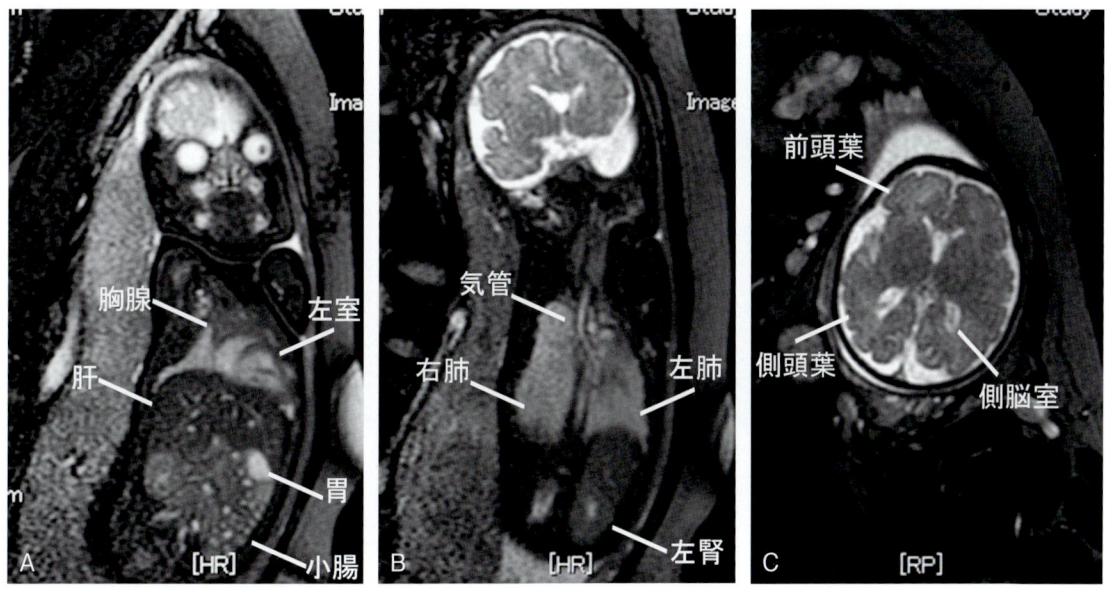

図18　SSFPによる出生直前の正常胎児
体幹部冠状断像（A，B）と頭部横断像（C）。この高速撮像法では水とそれ以外の軟部組織のコントラストは良好だが，軟部組織間のコントラストには限界がある。

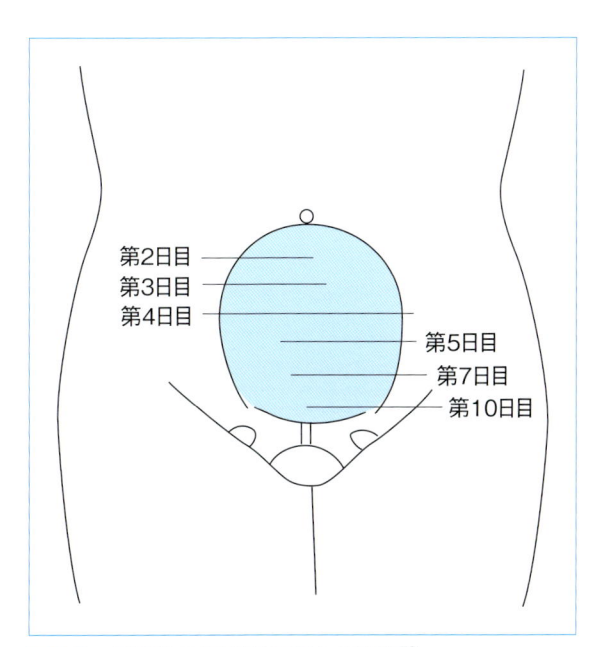

図19　出産後の子宮底の高さの推移[50]

細胞のサイズの縮小や筋線維・結合織の萎縮や変性によると考えられている。図19[50]に産褥期の子宮底の高さを示す。分娩直後に一度臍下2～3横指まで低下した子宮底は，その後再び上昇し，約12時間後にはほぼ臍高に達する。その後子宮底は徐々に下降し，産褥9～13日目には腹壁上からは触れなくなるとされる。MRIでも分娩30時間以内には子宮体部の長さは13.8 cm，子宮

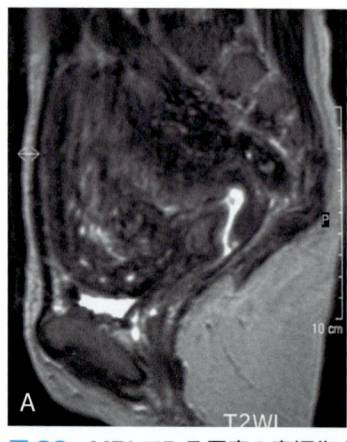

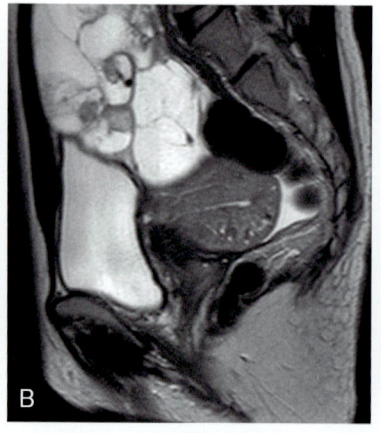

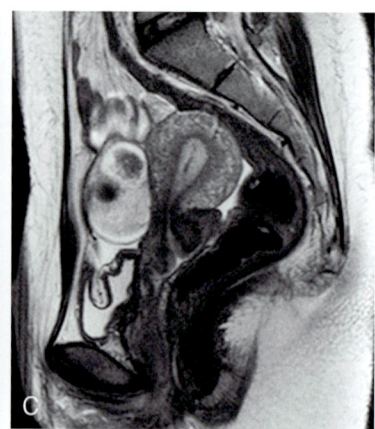

図20　MRIでみる子宮の産褥復古（いずれもT2強調矢状断像，別症例）
A：産褥6日，B：産褥40日，C：産褥4カ月
産褥6日の子宮は妊娠前より少し大きい程度まで収縮しているが，体部，頸部ともzonal anatomyが不明瞭で筋層が厚い（A）。産褥40日ではさらに収縮し，大きさは非妊娠時に復しているが，zonal anatomyの回復はまだみられない（B）。産褥4カ月では，zonal anatomyも明瞭化している（C）。

頸部は5.6 cmであったが，6カ月後には各々5.0 cm，2.9 cmになったとの報告がある。また，分娩直後には子宮頸部はT2強調像で著しい高信号を呈するが，その後急激に信号が低下するのに対し，子宮体部のjunctional zoneは2週間以内には全例で同定できないが，6カ月後には正常に復するとされている（図20）[51]。

文献

1) Hricak H et al : Magnetic resonance imaging of the female pelvis : initial experience. AJR Am J Roentgenol 141 : 1119-1128, 1983
2) Lee JK et al : The uterus : in vitro MR-anatomic correlation of normal and abnormal specimens. Radiology 157 : 175-179, 1985
3) McCarthy S et al : Female pelvic anatomy : MR assessment of variations during the menstrual cycle and with use of oral contraceptives. Radiology 160 : 119-123, 1986
4) Hricak H et al : The uterus and vagina, Higgins CB et al eds ; Magnetic resonance imaging of the body. 2nd ed. p817-864, Raven Press, New York, 1992
5) McCarthy S et al : Uterine junctional zone : MR study of water content and relaxation properties. Radiology 171 : 241-243, 1989
6) Brown HK et al : Uterine junctional zone : correlation between histologic findings and MR imaging. Radiology 179 : 409-413, 1991
7) Scoutt LM et al : Junctional zone of the uterus : correlation of MR imaging and histologic examination of hysterectomy specimens. Radiology 179 : 403-407, 1991
8) Nakai A et al : Uterine peristalsis shown on cine MR imaging using ultrafast sequence. J Magn Reson Imaging 18 : 726-733, 2003
9) Masui T et al : Changes in myometrial and junctional zone thickness and signal intensity : demonstration with kinematic T2-weighted MR imaging. Radiology 221 : 75-85, 2001
10) Yitta S et al : Normal or abnormal? : demystifying uterine and cervical contrast enhancement at multidetector CT. Radiographics 31 : 647-661, 2011
11) Anderson JR et al : Anatomy and embryology, Berek JS et al eds ; Novak's Gynecology. 12th ed. p71-122, Williams and Wilkins, Baltimore, 1996
12) Irving JA : Nonneo plastic lesions of the ovary, Kurman RJ et al eds ; Blaustein's Pathology of the Female Genital Tract. 6th ed. p579-624, Springer, New York, 2011
13) Outwater EK et al : Imaging of the ovary and adnexa : clinical issues and applications of MR imaging. Radiology 194 : 1-18, 1995
14) Dooms GC et al : Adnexal structures : MR imaging. Radiology 158 : 639-646, 1986
15) Stevens SK : The adnexa, Higgins CB et al eds ; Magnetic resonance imaging of the body. 2nd ed. p865-889, Raven Press, New York, 1992
16) Demas BE et al : Uterine MR imaging : effects of hormonal stimulation. Radiology 159 : 123-126, 1986
17) Haynor DR et al : Changing appearance of the normal uterus during the menstrual cycle : MR studies. Radiology 161 :

459-462, 1986
18) Janus CL et al : Magnetic resonance imaging of the menstrual cycle. Magn Reson Imaging 6 : 669-674, 1988
19) Bonde AA et al : Radiological appearances of corpus luteum cysts and their imaging mimics. Abdom Radiol 41 : 2270-2282, 2016
20) 日本医学放射線学会ガイドライン産婦人科領域小委員会：産婦人科，日本医学放射線学会 編：画像診断ガイドライン2021年版．p326-375，金原出版，東京，2021
21) Sadowski EA et al : O-RADS MRI risk stratification system : guide for assessing adnexal lesions from the ACR O-RADS Committee. Radiology 303 : 35-47, 2022
22) 渡辺員支ほか：器官・機能別にみた加齢変化 X：泌尿生殖系，相良祐輔 編；新女性医学大系 3．エージングと身体機能．p291-305，中山書店，東京，2001
23) 荒木重雄：内分泌系の発育 B 卵巣，矢内原 巧 編；新女性医学大系 18 思春期医学．p108-117，中山書店，東京，2000
24) Hauth EA et al : Magnetic resonance imaging of the ovaries of healthy women : determination of normal values. Acta Radiol 47 : 986-992, 2006
25) Outwater EK et al : Normal adnexa uteri specimens : anatomic basis of MR imaging features. Radiology 201 : 751-755, 1996
26) Boos J et al : Ovarian cancer : prevalence in incidental simple adnexal cysts initially identified in CT examinations of the abdomen and pelvis. Radiology 286 : 196-204, 2018
27) Valentin L et al : Risk of malignancy in unilocular cysts : a study of 1148 adnexal masses classified as unilocular cysts at transvaginal ultrasound and review of the literature. Ultrasound Obstet Gynecol 41 : 80-89, 2013
28) Ascher SM et al : MR imaging appearance of the uterus in postmenopausal women receiving tamoxifen therapy for breast cancer : histopathologic correlation. Radiology 200 : 105-110, 1996
29) Outwater EK et al : Sex cord-stromal and steroid cell tumors of the ovary. Radiographics 18 : 1523-1546, 1998
30) Tanaka YO et al : Functioning ovarian tumors : direct and indirect findings at MR imaging. Radiographics 24 (suppl 1) : S147-166, 2004
31) Tanaka YO et al : MR findings of ovarian tumors with hormonal activity, with emphasis on tumors other than sex cord-stromal tumors. Eur J Radiol 62 : 317-327, 2007
32) Togashi K et al : Sustained uterine contractions : a cause of hypointense myometrial bulging. Radiology 187 : 707-710, 1993
33) Togashi K et al : Uterine contractions : possible diagnostic pitfall at MR imaging. J Magn Reson Imaging 3 : 889-893, 1993
34) Kunz G et al : The dynamics of rapid sperm transport through the female genital tract : evidence from vaginal sonography of uterine peristalsis and hysterosalpingoscintigraphy. Hum Reprod 11 : 627-632, 1996
35) Brosens JJ et al : Uterine junctional zone : function and disease. Lancet 346 : 558-560, 1995
36) Togashi K : Uterine contractility evaluated on cine magnetic resonance imaging. Ann N Y Acad Sci 1101 : 62-71, 2007
37) Kido A et al : Investigation of uterine peristalsis diurnal variation. Magn Reson Imaging 24 : 1149-1155, 2006
38) Yamashita Y et al : MR imaging of the fetus by a HASTE sequence. AJR Am J Roentgenol 168 : 513-519, 1997
39) Levine D et al : Obstetric MR imaging. Radiology 211 : 609-617, 1999
40) Kim JA et al : Magnetic resonance imaging with true fast imaging with steady-state precession and half-Fourier acquisition single-shot turbo spin-echo sequences in cases of suspected placenta accreta. Acta Radiol 45 : 692-698, 2004
41) Masselli G et al : MR imaging of the placenta : what a radiologist should know. Abdom Imaging 38 : 573-587, 2013
42) Meyers ML et al : Placental magnetic resonance imaging Part I : the normal placenta. Pediatr Radiol 50 : 264-274, 2020
43) Elsayes KM et al : Imaging of the placenta : a multimodality pictorial review. Radiographics 29 : 1371-1391, 2009
44) Tanaka YO et al : High temporal resolution dynamic contrast MRI in a high risk group for placenta accreta. Magn Reson Imaging 19 : 635-642, 2001
45) Millischer AE et al : Dynamic contrast enhanced MRI of the placenta : a tool for prenatal diagnosis of placenta accreta? Placenta 53 : 40-47, 2017
46) Morita S et al : Feasibility of diffusion-weighted MRI for defining placental invasion. J Magn Reson Imaging 30 : 666-671, 2009
47) Saguintaah M et al : MRI of the fetal gastrointestinal tract. Pediatr Radiol 32 : 395-404, 2002
48) Zizka J et al : Liver, meconium, haemorrhage : the value of T1-weighted images in fetal MRI. Pediatr Radiol 36 : 792-801, 2006
49) Kuwashima S et al : Low-intensity fetal lungs on MRI may suggest the diagnosis of pulmonary hypoplasia. Pediatr Radiol 31 : 669-672, 2001
50) 牧野田 知，富澤英樹：産褥異常の管理と治療．日産婦会誌 61：N-632-636，2009
51) Willms AB et al : Anatomic changes in the pelvis after uncomplicated vaginal delivery : evaluation with serial MR imaging. Radiology 195 : 91-94, 1995

Column

❖ 腺筋腫 adenomyoma と腺筋症 adenomyosis

　第 5 章-Ⅱ「子宮腺筋症」および第 6 章-Ⅱ「子宮体部の腫瘍」で述べる通り，腺筋症（adenomyosis）は子宮内膜が間質の増生を伴って子宮筋層内で増殖する病態（p198 参照），腺筋腫（adenomyoma）は上皮成分，間葉性成分ともに良性腫瘍からなる上皮性・間葉性混合腫瘍（p331；p339～341 図 48～50 参照）であり，まったく別の疾患概念である．しかし，この 2 つの用語はしばしば混同して使用される．どうやらその起源は腺筋症の病態解明の歴史的経緯にさかのぼるようである．

　子宮筋層内に内膜腺が認められる病態は 1860 年に Carl von Rokitansky により初めて報告されたが，彼は腫瘍性変化と考えていたらしく，"cystosarcoma adenoids uterinum" の名称が使用されている[1]．一方，Thomas Stephen Cullen は 1896 年に出版された彼の著書ですでに筋層内にみられる組織が子宮の上皮で，子宮壁の肥厚が筋層様の組織であることに気付いており，筋層の "裂け目" から，内膜が筋層に浸潤しうることを指摘していた[1]．そして 1908 年には Cullen のこれらの知見の集大成が "Adenomyoma of the Uterus" の書名で W. B. Saunders から出版された[1,2]．このような症例は 20 世紀前半までに "adenomyoma/adenomyomata（複数形）" の名称で多数報告されたが，1925 年に Oskar Frankl が筋層への粘膜の浸潤を初めて adenomyosis uteri と名付けた[1,3]．Adenomyosis に対し「筋層の肥厚を伴う，子宮内膜と間質の非腫瘍性，良性の筋層内への浸潤」との現在の定義がなされたのは 1972 年になってからである[1,4]．

　したがって，歴史的には現在 adenomyosis とされている病態に対し，adenomyoma/adenomyomata の呼称が使用されていた期間が長く，文献検索の際にこの名称の論文が抽出されることはやむを得ないが，21 世紀を生きる我々は adenomyoma との誤用は避けたいものである．

【文　献】
1) Benagiano G, Brosens I：History of adenomyosis. Best Pract Res Clin Obstet Gynaecol 20：449-463, 2006
2) Cullen TS：Adenomyoma of the uterus. JAMA 50：107-115, 1908
3) Frankl O：Adenomyosis uteri. Am J Obstet Gynecol 10：680-684, 1925
4) Bird CC et al：The elusive adenomyosis of the uterus：revisited. Am J Obstet Gynecol 112：583-593, 1972

第3章

先天異常と遺伝性疾患

婦人科領域で画像診断が重要となる先天異常は2つに大別される。1つは性器の発生異常で，もう1つは原発性無月経として発症する性分化異常である。外性器の奇形は視診により診断されることが多く，画像の果たす役割は限られるが，ミュラー管（傍中腎管）の発生異常に起因する子宮の形態異常の評価には，画像が大きな役割を果たす。本項ではまずミュラー管の発生異常について詳細な画像を示しながら解説するとともに，主として尿路系に生じることの多いその合併症についても概説する。もう一方の性分化異常については，アンドロゲン不応症候群と純型性腺形成異常症を中心に，これらの先天異常と鑑別すべき疾患の画像所見についても概説する。また近年，遺伝子異常に起因する婦人科腫瘍の重要性が高まっていることから，この章の最後に簡潔に解説する。

I 先天異常

Summary
- 子宮・卵管・上部腟の原基であるミュラー管（傍中腎管）の発生異常は種々の子宮奇形の原因となる。このうち不妊・不育の原因として重要なのは中隔子宮である。
- ミュラー管奇形は尿路の異常（特に一側腎の無形成）を合併するほか，Currarino症候群など複合奇形の異常の1つとして発症することもあり，合併奇形の検索も重要である。

1．外性器の奇形

　腟の奇形のなかでは最も軽症に属するものに処女膜閉鎖（imperforate hymen）に伴う月経モリミナがあり（図1），思春期に発症する下腹部痛の原因疾患として重要である。腟中隔には横中隔（transverse vaginal septum）と縦中隔（longitudinal vaginal septum）があり，前者は尿生殖洞とミュラー管（傍中腎管）の癒合障害に起因することから腟の上部1/3に好発する。後者は左右のミュラー管の癒合障害に合併する[1,2]。いずれも後述する重複子宮や双角子宮に合併することから次項で述べる。ミュラー管形成不全では，程度により腟の上部1/3から子宮・卵管までのすべてもしくは一部が欠損しうるが，機能性子宮をもつ腟欠損（vaginal agenesis）（図2）はまれで，次項で詳述するように子宮も欠損する症例のほうが多い[3,4]。MRIは閉塞箇所の特定や経血の貯留の程度の評価に有用である（図1, 2）。

2. ミュラー管分化異常による子宮奇形

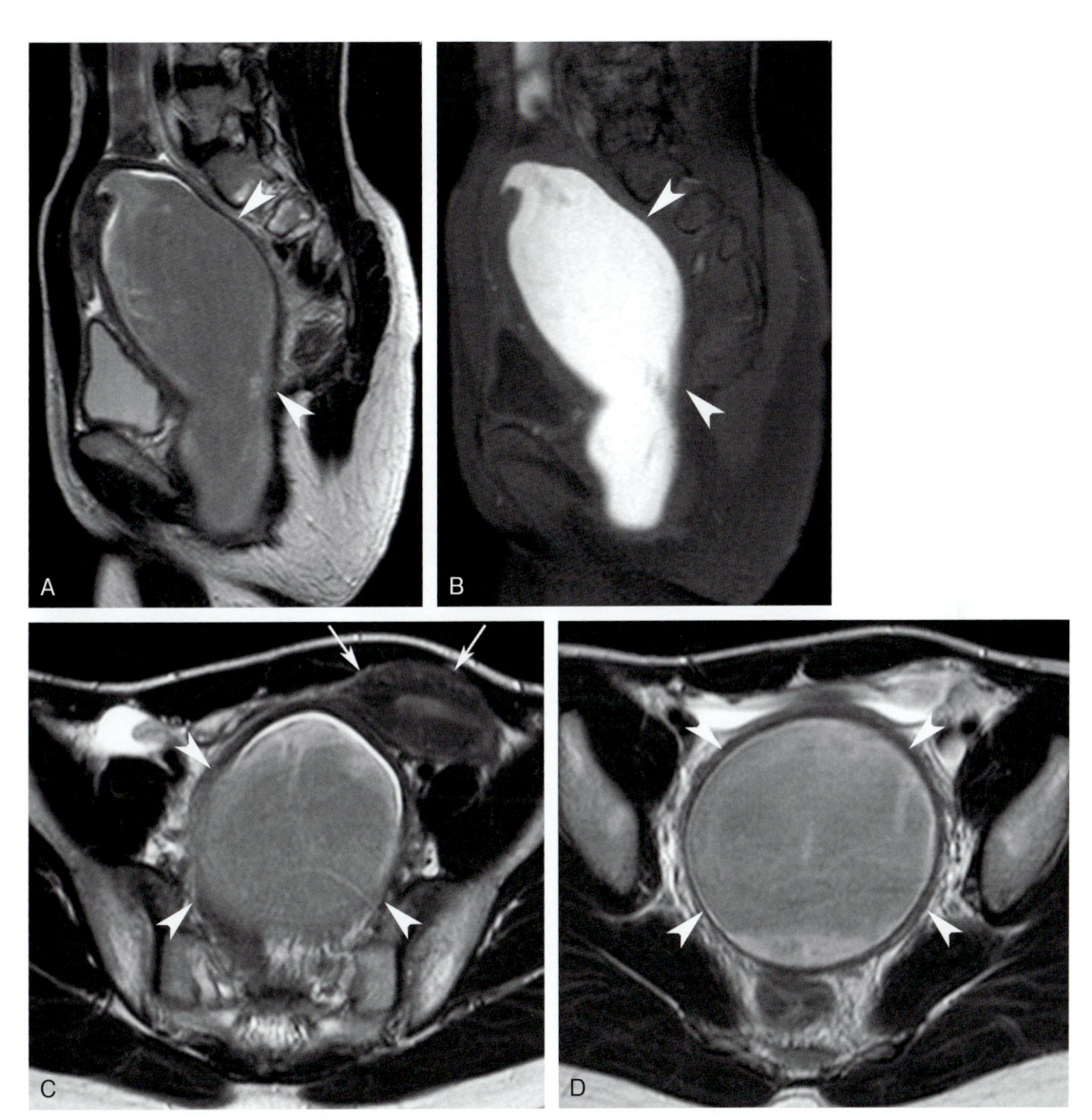

図1　13歳　処女膜閉鎖と月経モリミナ
A：T2強調矢状断像，B：脂肪抑制T1強調矢状断像，C，D：T2強調横断像
下腹痛で受診。腟には全長にわたって著明な留血症を認める（A〜D▲）が子宮（C→）に異常はない。

2. ミュラー管分化異常による子宮奇形

　在胎6週頃よりウォルフ管（中腎管）の外側で下行を開始したミュラー管は，9週頃左右が癒合して子宮・卵管・腟上部1/3の原基となる。さらに10〜11週以降にその下端が洞腔球を形成して泌尿生殖洞と癒合し，この腟板が管腔化し左右ミュラー管癒合部の隔壁が吸収されて子宮・腟が完成する[4]。このミュラー管の発達異常は多彩な奇形をもたらすことから子宮のMüllerian

Ⅰ 先天異常

図2　13歳　機能性子宮を伴う腟欠損
A：T2強調矢状断像，B：脂肪抑制T1強調矢状断像，C，D：T2強調横断像
子宮は体部（A，B，D →），頸部（A，B，D ▲）ともに内腔が血性の液体で占められて拡張している。本来，腟が存在すべき尿道（U）と直腸（R）の間には脂肪織を認めるのみで，腟は欠損している（C）。子宮留血症であり，腟留血症である図1との違いに注目。

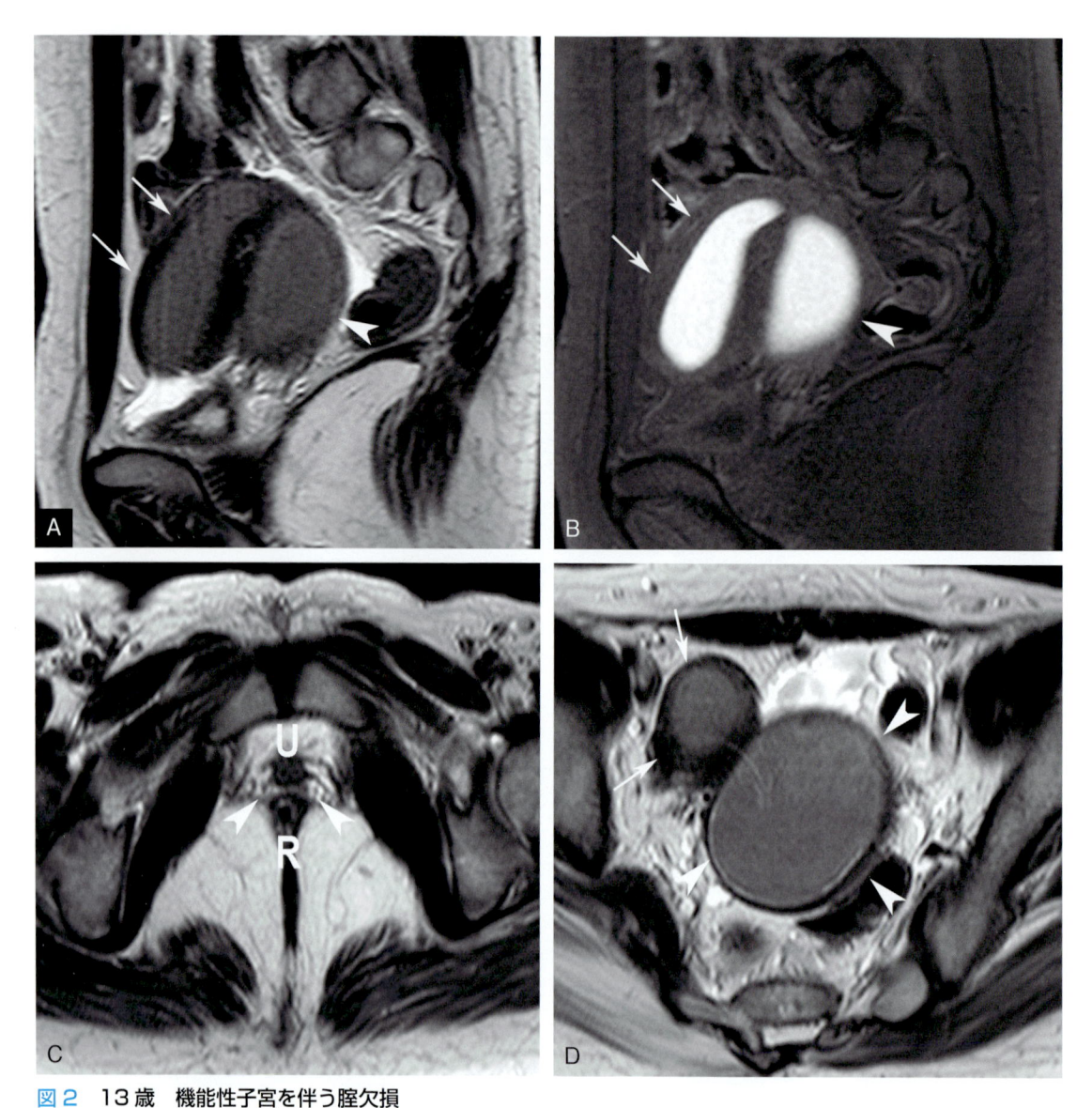

duct anomaly（MDA）として American Society of Reproductive Medicine（ASRM，以前は American Fertility Society の名称で知られる）により分類されていた[5]が，欧州でまずミュラー管を起源とする内性器全体を包括的に評価する基準として ESHRE/ESGE classification（表1）[6]が提唱され，ASRMも2021年にこれに準じて包括的な分類へと改訂された（表2）[7]。MDA全体の正確な頻度は調査が難しく，産科的異常を主訴とせずに行われるUSではその頻度は低く，不妊・不育を主訴として行われる子宮卵管造影（hysterosalpingography：HSG）では高く報告

表1 The ESHRE/ESGE consensus on the classification of female genital tract congenital anomalies

	Uterine anomaly		Cervical/Vaginal anomaly	
	Main class	Sub-class	Co-existent class	
U0	Normal uterus		C0	Normal cervix
U1	Dysmorphic uterus	a. T-shaped b. Infantilis c. Others	C1	Septate cervix
			C2	Double "normal" cervix
U2	Septate uterus	a. Partial b. Complete	C3	Unilateral cervical aplasia
			C4	Cervical aplasia
U3	Bicorporeal uterus	a. Partial b. Complete c. Bicorporeal septate		
			V0	Normal vagina
U4	Hemi-uterus	a. With rudimentary cavity 　（communicating or not horn) b. Without rudimentary cavity 　（horn without cavity/no horn）	V1	Longitudinal non-obstructing vaginal septum
			V2	Longitudinal obstructing vaginal septum
U5	Aplastic	a. With rudimentary cavity 　（bi-or unilateral horn） b. Without rudimentary cavity 　（bi-or unilateral uterine remnants/ 　aplasia）	V3	Transverse vaginal septum and/or imperforate hymen
			V4	Vaginal aplasia
U6	Unclassified malformations			
Drawing of main class anomaly				

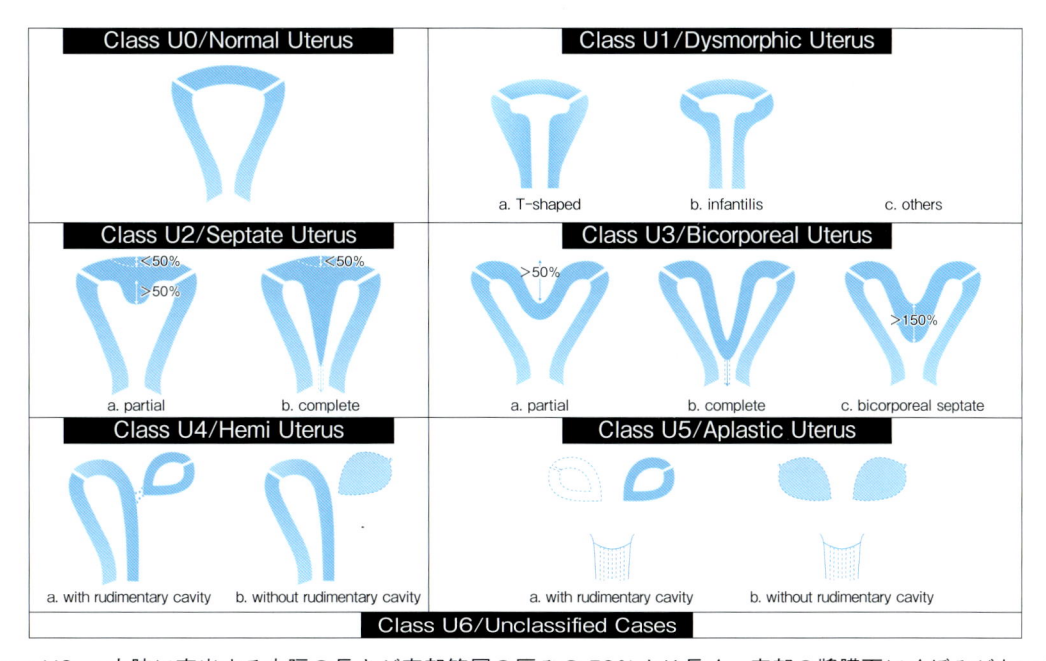

Class U2 ：内腔に突出する中隔の長さが底部筋層の厚みの50％より長く，底部の漿膜面にくぼみがないか，あっても底部筋層の厚みの50％に満たないもの．
Class U3 ：底部漿膜面のくぼみが筋層の厚みの50％を超えるもの．
Class U3b：底部正中でくぼみと連続する中隔の長さが底部筋層の150％を超えるもの．
（文献6より改変引用）

I 先天異常

表2 ASRM Müllerian anomalies classification 2021

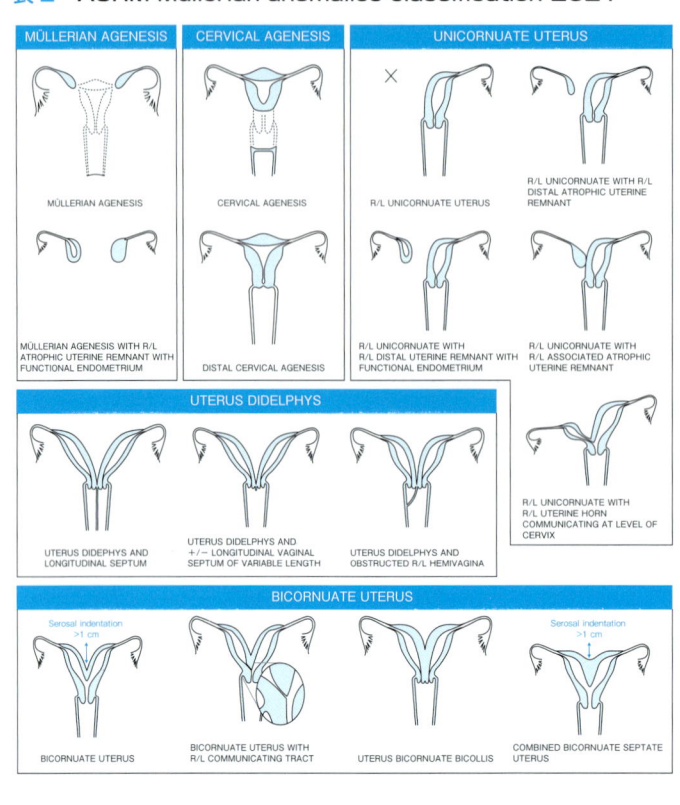

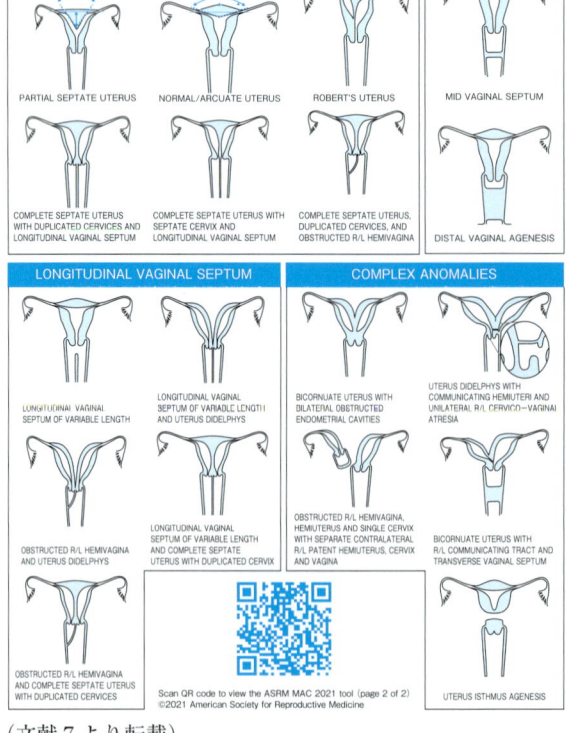

(文献7より転載)

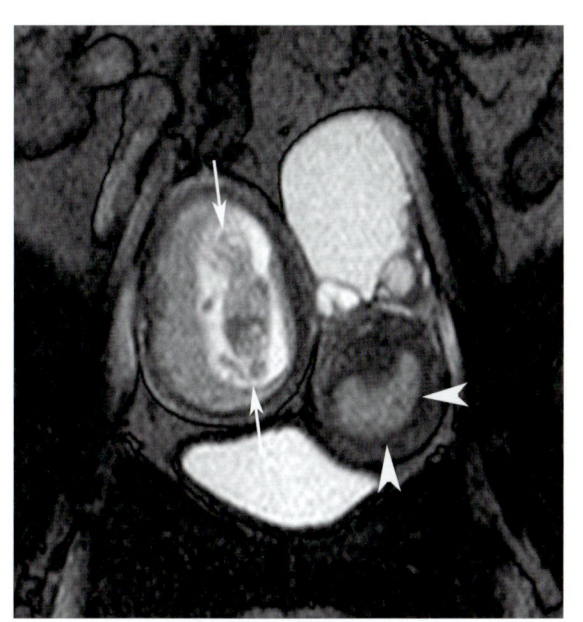

図3　34歳　双角子宮合併妊娠
妊娠12週。付属器腫瘍疑いでMRI（SSFP冠状断像）を施行したところ，左卵巣の多房性嚢胞性腫瘤とともに，双角子宮の右側（→は胎児）に妊娠していることが判明した。左側の子宮も妊娠により内膜が脱落膜化して肥厚している（▲）。

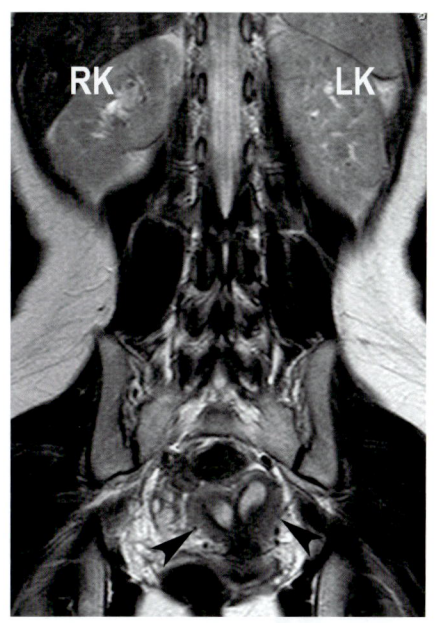

図4　26歳　双角子宮例における腎尿路の検索
TAUSで充実性卵巣腫瘍を疑われたためMRI（T2強調冠状断像）を施行したところ，双角子宮（▲）であることが判明した。腎機能障害合併例であったこともあり，腎尿路の奇形も検索したが，本例では両腎とも正常であった（RK：右腎，LK：左腎）。通常より撮像範囲を広げて上腹部まで含めている点に注目。

される傾向にあり，生殖可能年齢の女性の0.16～10％と対象によりばらつきがある[2)8)9)]。ただしMDAそれ自体が不妊・不育などの産科的障害の原因となる頻度は25％程度にすぎない（図3）[10-13)]。またMDAにはミュラー管の下端から形成される洞腔球の発生不全により腟中隔や一側の腟閉鎖を合併することがあり[1)14-19)]，その場合，経血逆流により子宮内膜症を合併し産科的予後をさらに悪化させることから早期診断・治療が重要である[19)]。さらに，ミュラー管の発達過程はウォルフ管に誘導されると考えられており，前者の発達が障害されれば後者も影響を受けるのでMDAには高率に泌尿器系の奇形を合併する。頻度的には一側腎の無形成が多い[4)19)20)]。

　HSGは子宮内腔の形態を明瞭に描出する[21)]が，不妊を主訴とする患者にX線被曝させるという不条理がある。診断的にもHSGは子宮の輪郭を描出しないこと，重複腔の合併に気づかず一側の子宮のみ造影して重複子宮を単角子宮と誤診するといったピットフォールもあり，必ずしも正診率は高くない[22)]。USでは内腔だけでなく子宮の輪郭も評価可能であるが，経腹走査では術者の技量や被検者の体格に左右されること，高周波プローブの使用可能な経腟走査は思春期の患者には行えないことから，これも診断能に限界がある（正診率90～92％）[22)]。ただし従来の2D法に比べると3D USではより高い正診率をもって子宮奇形を診断できることが報告されてい

I 先天異常

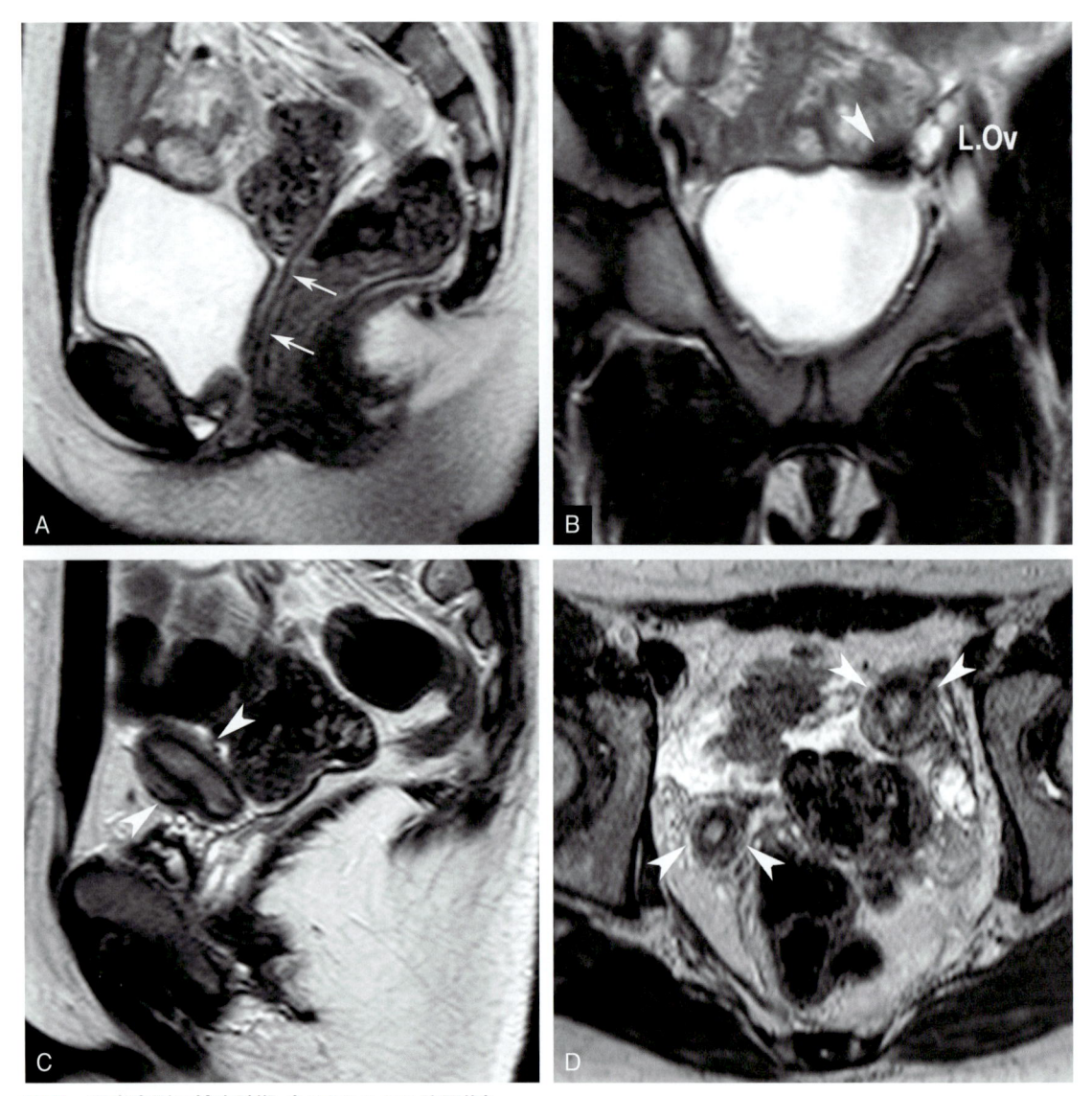

図5 子宮奇形の検査時期（いずれもT2強調像）
A：8歳時（矢状断像），B：8歳時（冠状断像），C：12歳時（矢状断像），D：12歳時（横断像）
8歳時，尿失禁で受診。TAUSで右腎が欠損していたため，子宮奇形を疑われて精査。8歳時，T2強調像（A）で子宮は確認できず，腟（A→）は盲端に終わるように見え，子宮欠損と判定した。しかし振り返ってみると左卵巣（L.Ov）に接して低信号の腫瘤様構造があり，内膜は確認できないが子宮を見ていたと考えられる（B）。初経が発来したため，再度12歳時に精査したところ重複子宮であることが判明した（C，D▲）。Cで長軸が描出されているのは左側の子宮でzonal anatomyにも異常のないことが確認できる。

る[23]。これに対しMRIはX線被曝を伴わず内膜腔の形態のみならず筋層漿膜面の輪郭を明瞭に描出可能である。子宮奇形の鑑別診断にはもはやMRIが第一選択であり，HSGはMRIを行うことのできない施設・症例においてのみ適応があるといってよい。上述のごとく，泌尿器系の奇形の合併も多いことから，筆者はMRIでMDAと診断された症例にはルチーンに腎臓まで含めた冠状断像を追加し，腎奇形の有無を確認している（図4）[19)24]。一方，合併する尿路系の異常

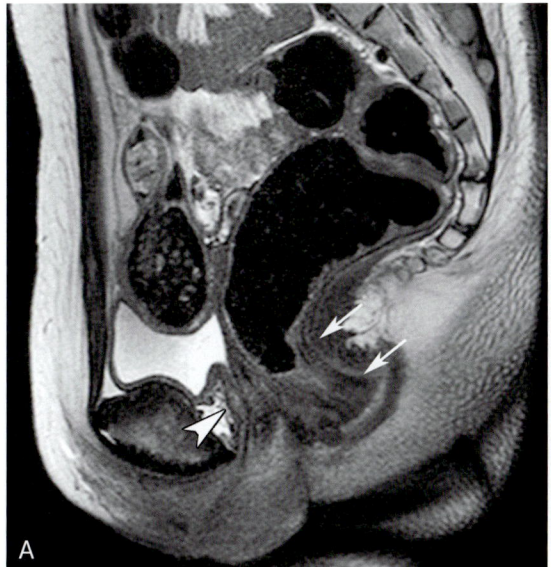

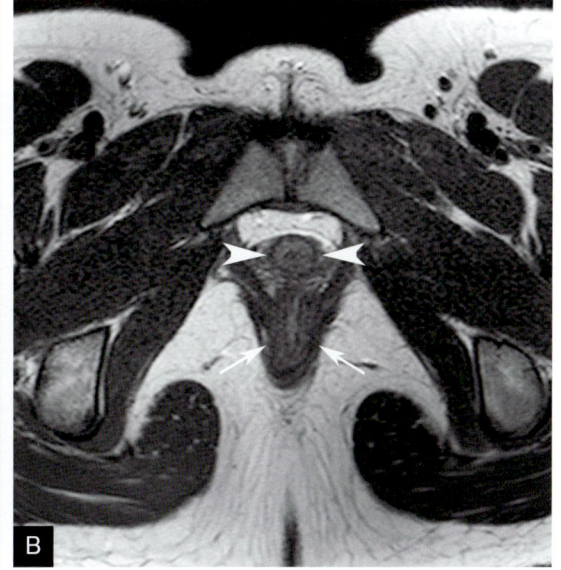

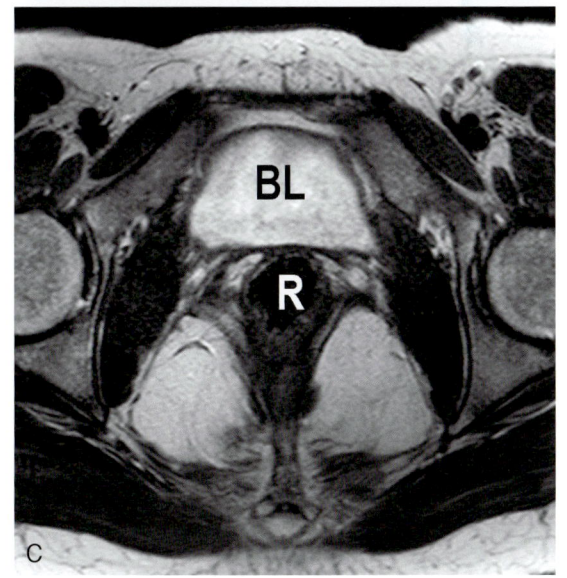

図6　15歳　Mayer-Rokitansky-Küster-Hauser (MRKH) syndrome
A：T2強調矢状断像，B，C：T2強調横断像
原発性無月経にて紹介。直腸・肛門（A，B→），尿道（A，B▲）はみられるが，腟のあるべき領域には脂肪織しかなく，子宮も認められず膀胱（C，BL）と直腸（C，R）が直接接している。

を主訴として受診することの多い小児例ではMRIの施行時期が問題となる。すなわち幼児期には子宮は正常でも小さく，その内部構造はもとより存在診断すら難しいことがある。このため尿路の奇形を有する女児の内性器の画像評価は思春期以後に行うことが推奨されている[25]（図5）。また後述するように，産科的予後の異なる双角子宮と中隔子宮の区別は重要で，底部漿膜面の形態や2腔を境する構造の詳細な評価が必要であり，データ収集後に自由な切断面に再構成可能な3D T2強調像はMDAの評価に有用である[26]。

ミュラー管無形成（Müllerian agenesis）では通常，腟の上部2/3と子宮，卵管を欠除する。Mayer-Rokitansky-Küster-Hauser syndrome（MRKH）は正常女性核型と正常の二次性徴を示すミュラー管無形成に相当する（図6）[27)28]。画像的に卵巣が正常で子宮・腟を確認できない場

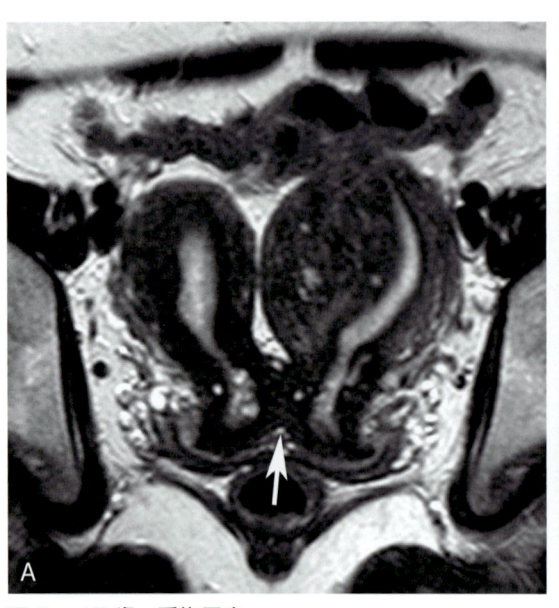

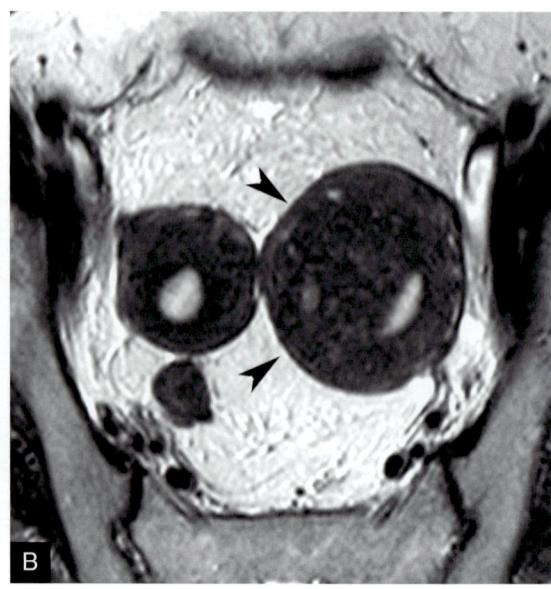

図7　47歳　重複子宮
A：T2 強調冠状断像，B：T2 強調横断像
妊娠分娩時に子宮奇形を指摘されていた。月経痛の精査のために撮像した MRI にて完全に内腔の分離した子宮が 2 つ認められ，頸部で筋層のみが連続している（A →）。なお，左側の子宮では筋層が肥厚して junctional zone と連続した低信号を呈しており（B▲），本例の月経痛の原因は腺筋症と考えられる。

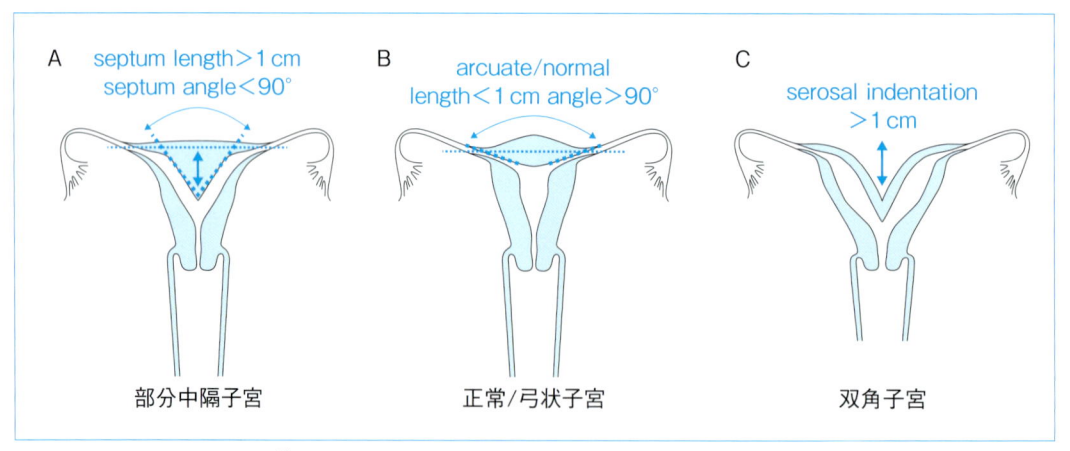

図8　双角子宮と中隔子宮[7]
US では子宮底部の漿膜面に，頸部側に向かう深さ 1 cm を超えるくびれ（fundal notch）を有するものを双角子宮（C）とよび，子宮底部の内膜面のみが頸部側に突出する（すなわち fundal notch がない）ものは中隔子宮とするが（A），左右の卵管開口部を結んだ線から中隔の下端までの距離が 1 cm 未満で，3 点のなす角度が 90°を超えるものは，弓状子宮もしくは正常範囲とみなされる（B）。

合は本症を疑う。また，MRKH では癒合して子宮を形成しなかったミュラー管の遺残構造が，骨盤底の索状物として高率に発見されることが指摘されている[29-31]。なお MRKH では MDA Class I 単独のものを type I，尿路（一側腎欠損，異所性腎，馬蹄腎など）や骨格，特に脊椎

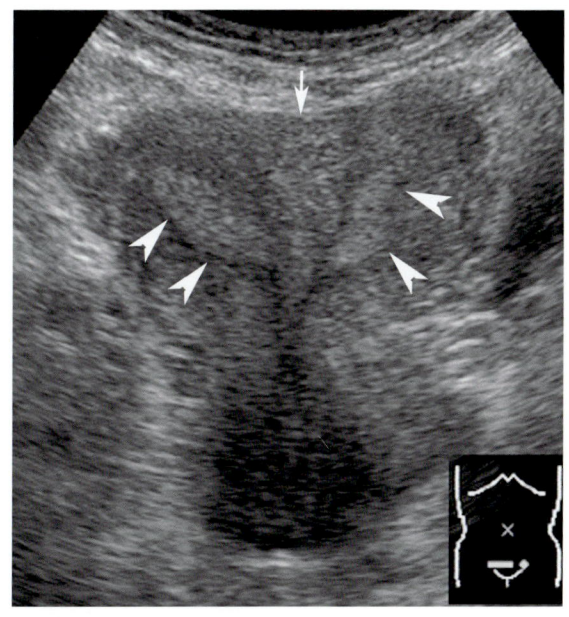

図9 37歳 部分中隔子宮
右下腹部痛の精査のため行ったTAUSにて，子宮内膜腔（▲）が2腔に分かれているのを偶然発見した．図8の基準では子宮底部正中の漿膜面（→）は両側卵管開口部を結んだ線より頸部側にある（fundal notchがある）ものの，その深さは1cmを超えないので中隔子宮となる．ただし，中隔は子宮頸部までは連続しないので，完全ではなく部分中隔子宮である．

の奇形（Klippel-Feil 症候群，癒合椎），難聴，心奇形などを合併したものを type Ⅱ に分類することがある[32]．一側のミュラー管の発達が障害された場合は単角子宮（unicornuate uterus）となるが，大小の副角をもつものも含める（表2）．重複子宮（uterus didelphus/didelphys）では両側ミュラー管の癒合障害により子宮体部・頸部ともに完全に分離して2個認められ（図7），しばしば重複腟を伴う．双角子宮（bicornuate/bicorporeal uterus）もミュラー管の癒合障害によるもので，卵管開口部を含む子宮底部は内膜・筋層ともに左右が分離しているが，子宮体部・頸部は様々な程度で癒合しているものを指す．ASRM分類では2腔を境界する子宮底部中央の漿膜面が左右の卵管開口部を結んだ線よりも1cm以上頸部側にある（すなわち底部中央が頸部に向かってくぼんでいる＝fundal cleftを有する）ものを双角子宮と定義している[7)22)]（図8〜10）．左右のミュラー管癒合後，両者の隔壁の吸収が行われなかった病態が中隔子宮（septate uterus）である．中隔子宮では底部漿膜面の外観は正常子宮と変わらないが，重複，双角子宮のように両側の内腔が離れて存在することはない．ただし，ASRM分類では中隔の長さが1cmより長く，中隔の先端と左右の卵管開口部を結んだ線のなす角度が90度より狭いもののみを中隔子宮とし（図11），これより中隔が短い，あるいは三点が広角をなすものは弓状子宮（arcuate uterus）もしくは正常範囲内とされる[7)]．この中隔子宮がMDA中最も不妊になる率が高く，妊娠が成立しても血流の乏しい中隔部に着床した場合には流早産の確率が高いといわれている[33)]．したがって中隔子宮の予後はほかに比べ不良であり，これを双角子宮と区別する子宮底部漿膜面の形態評

I 先天異常

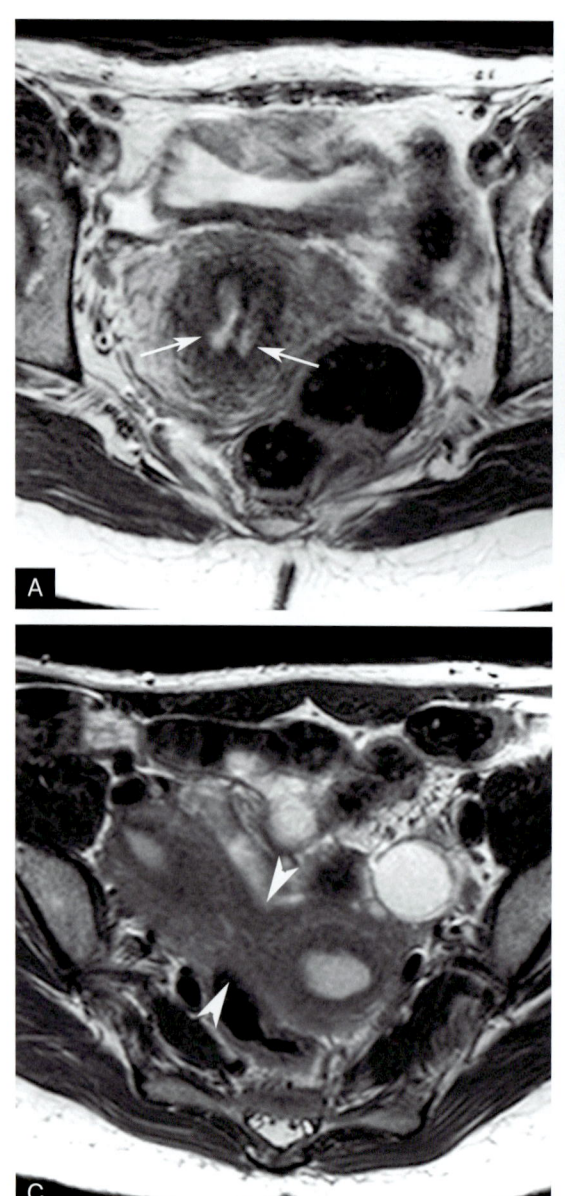

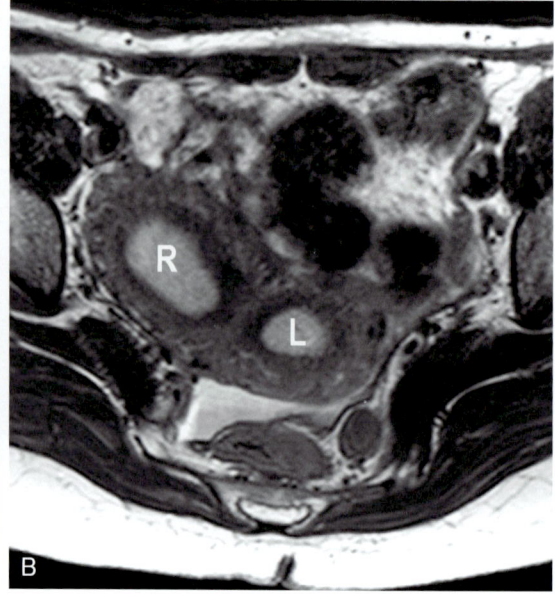

図10 35歳 双角子宮
A〜C：T2強調横断像
子宮頸癌の術前検査として行ったMRIで偶然発見されたMDA症例。子宮頸部でも（A→），体部でも（B）子宮が2腔に分かれている（R：右子宮，L：左子宮）ことが明らかとなった。冠状断でないので不正確ではあるが，底部（C）には2腔の間にくびれがあり（▲），中隔子宮ではなく双角子宮と診断される。

価はMDAの診断に極めて重要である[2)24)]。また治療方針の決定に際し，2腔の中隔がT2強調像で低信号を呈する線維性のものであれば子宮鏡下に切除可能だが，中間信号の筋層を含む組織からなると開腹手術が必要といわれており，MRIの提供する情報は術式の選択にも役立つ[2)33)]。弓状子宮（arcuate uterus）では子宮底部中央の筋層が限局的に突出し，HSGで内膜腔が頸部側に凸の弓状の形態を呈する（図12）。発生学的には双角子宮の最軽症型とも中隔子宮の不全型ともいわれるが，産科的予後については議論があり，くびれの厚みが横幅の10％を超えるものは流早産の頻度が高くなるといわれる[2)]。

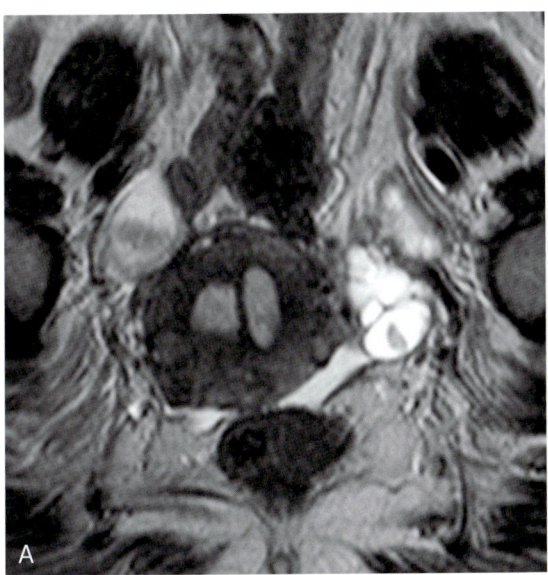

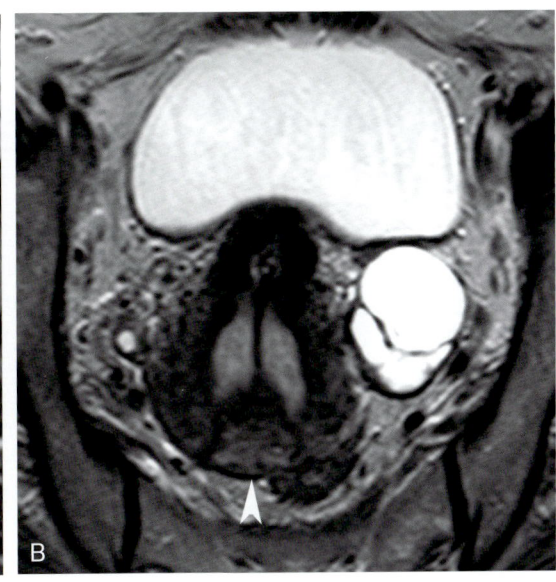

2. ミュラー管分化異常による子宮奇形

図11　42歳　中隔子宮
A：T2強調冠状断像，B：T2強調横断像
卵巣腫瘍を疑われて行ったMRIにて，子宮の内腔は信号強度の低い線維性の隔壁で境されて2腔に分かれており底部の輪郭にはくびれがない（B▲）ので中隔子宮と診断される。

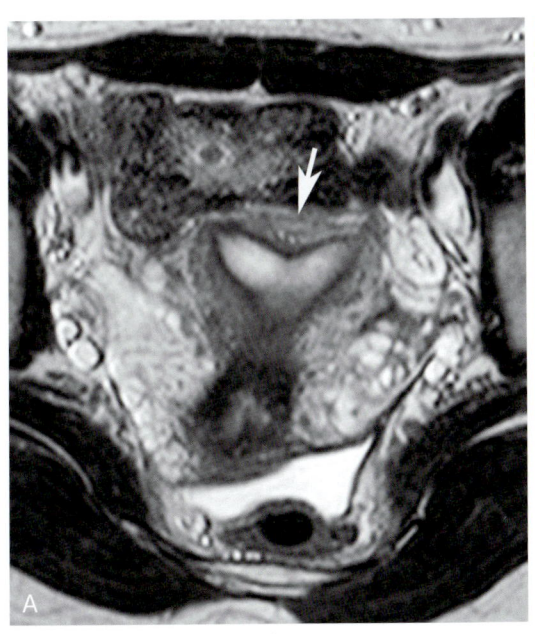

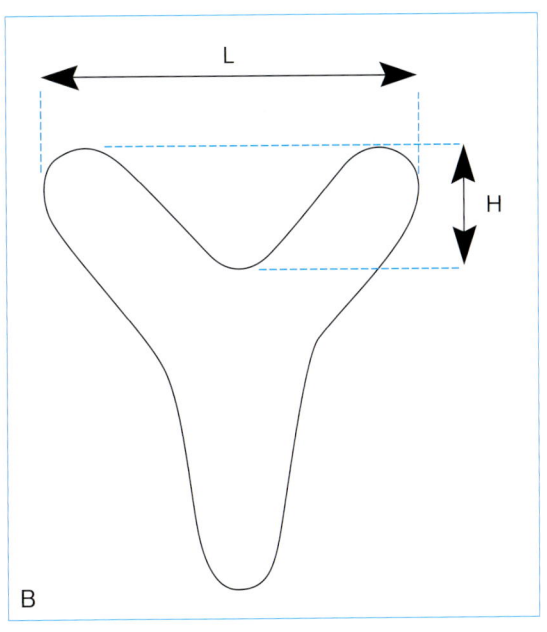

図12　29歳　弓状子宮[2)]
卵巣腫瘍の術前検査として行ったMRI T2強調横断像で子宮底部正中で筋層の一部が内腔に向かって突出するが，2腔のなす角度が90°を超えるので，弓状子宮と診断される（A）。本症では子宮底部の輪郭にくびれはない（A→）。また，従来，弓状部の厚み（B：H）が横幅（B：L）の10%を超えるものは流早産の頻度が高くなるとされていたが，そのような症例は，ASRMの新基準では部分中隔子宮に分類されるかもしれない。

I 先天異常

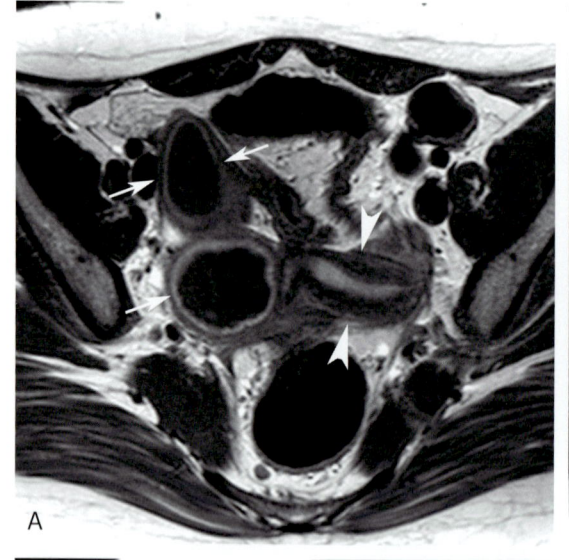

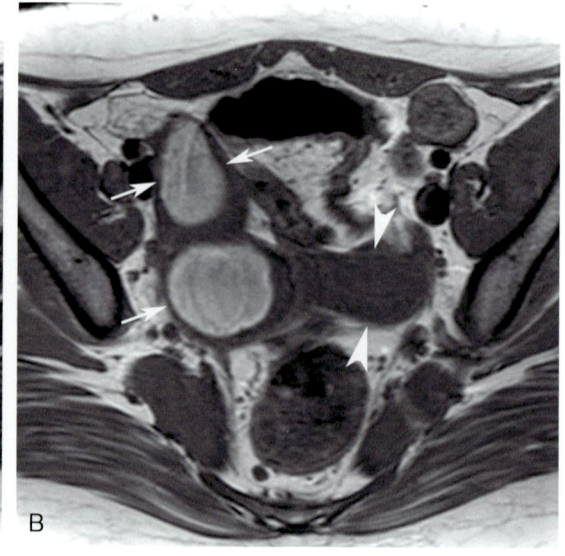

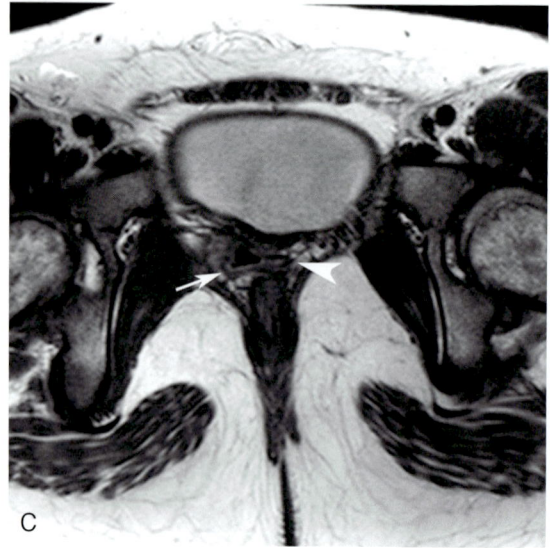

図13 9歳 重複子宮・腟, 右側腟閉鎖, 同側腎欠損
A, C：T2強調横断像, B：T1強調横断像
もともと片腎を指摘されていたが2カ月前に初経発来し，今回の月経で腹痛増強のために受診。子宮は頸部の筋層が癒合しているが，体部は筋層も含めて完全に2腔に分離している（A→：右子宮，▲：左子宮）。右側の子宮・腟では内腔が拡張し，T1強調像（B）で高信号，T2強調像（A）で低信号の内容物により占められ，子宮留血症を呈する。腟も2腔に分かれ（C），右側は下端付近で閉塞しているために血腫で占められている（→：右腟腔，▲：左腟腔）。

　前項で述べたように重複子宮や双角子宮をはじめとするMDAには腟中隔（特に縦中隔）を伴うことがあり，しばしば一側の腟閉鎖と同側の腎奇形を合併する[14-16)18)19)]（図13）。これは一側のウォルフ管が欠損すると同側のミュラー管が外側に偏位して対側と癒合できなくなるためと考えられている[34)]。腎奇形は同側腎の無形成が最も多い（図14）が，尿管の異所性開口や多嚢胞性異形成腎（multicystic dysplastic kidney）などの報告もある。同側腎の無形成を伴う一連の奇形はHerlyn-Werner-Wunderlich症候群（Herlyn-Werner-Wunderlich syndrome）[35-37)]，最近ではOHVIRA（Obstructed hemivagina and ipsilateral renal agenesis）症候群[38)39)]の名で呼ばれることもある。MRIでは一側腟閉鎖に伴う子宮・腟留血症や子宮内膜症の合併も容易に評価可能である。
　Currarino症候群（Currarino syndrome）はcaudal regression syndrome, すなわち仙骨，時には腰椎をも含めた脊柱管下端部分の発育不全に起因する，二分脊椎を含む複合奇形の1つであ

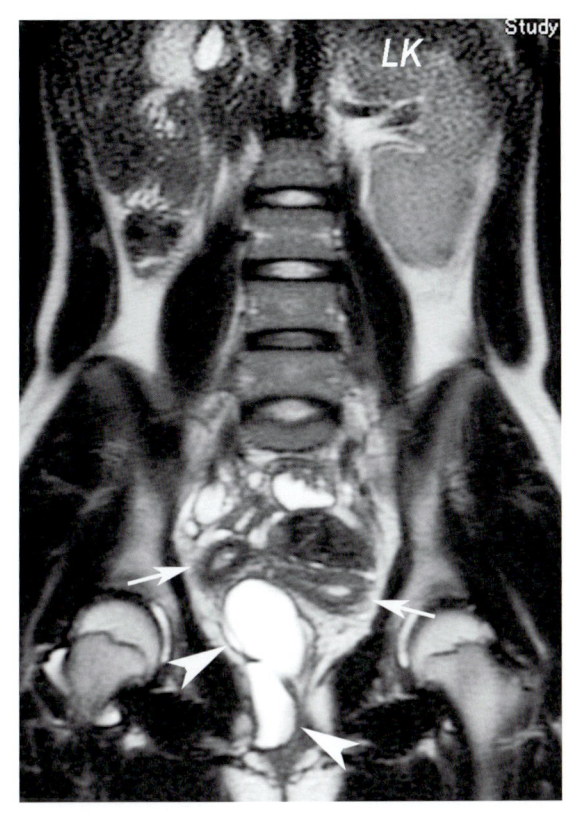

図14 11歳 重複子宮・腟，右側腟閉鎖，同側腎欠損（OHVIRA症候群）
右腎欠損が既知である女児が月経モリミナ様の症状をきたしたため受診。T2強調冠状断像で子宮（→）・腟（▲）は重複しているが，留血症は右側の腟のみに留まる。上腹部まで含めた撮像を行っているが，右腎は認められず，左腎（LK）が代償性に腫大している。

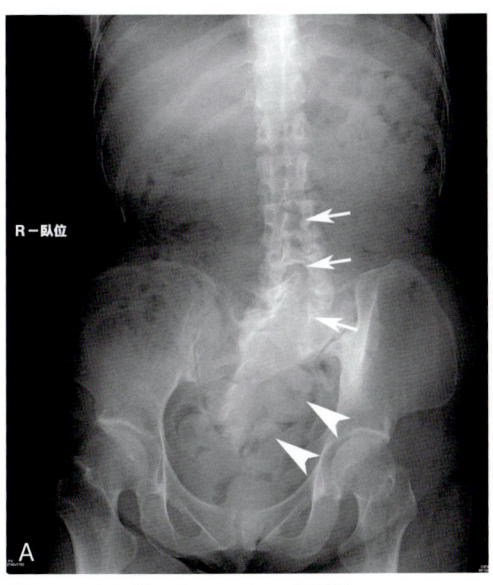

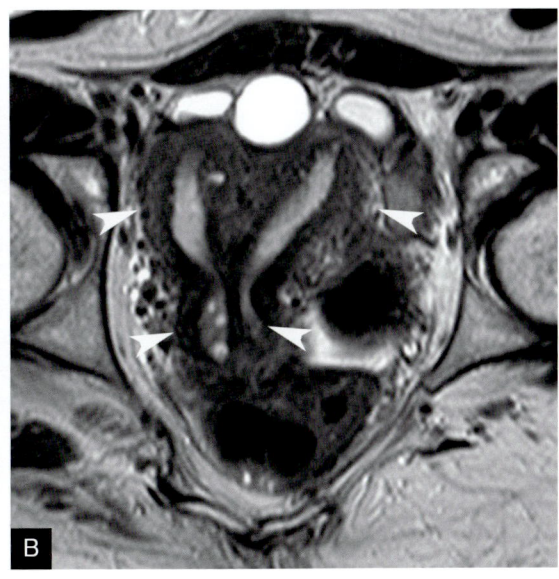

図15 36歳 Currarino症候群
A：腹部単純X線写真，B：T2強調横断像
神経因性膀胱に伴う腎不全にて経過観察中，不正性器出血にて受診。腹部単純X線写真上，仙骨は左下端が欠損しており（A▲），潜在性二分脊椎を伴う（A→）。T2強調像では双角子宮（B▲）の合併が明らかである。

I 先天異常

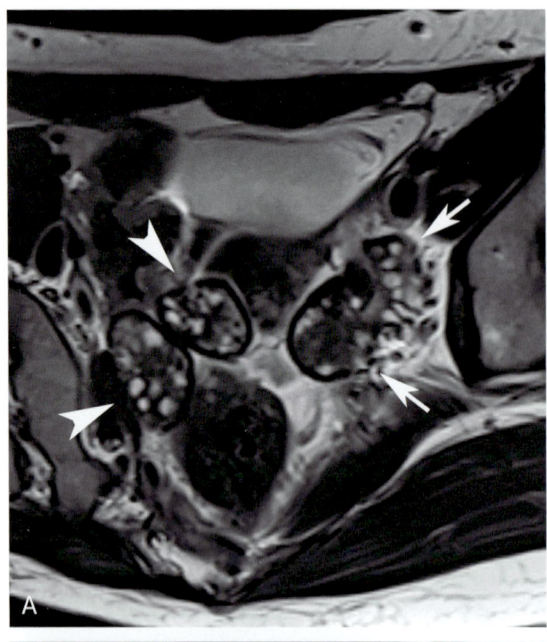

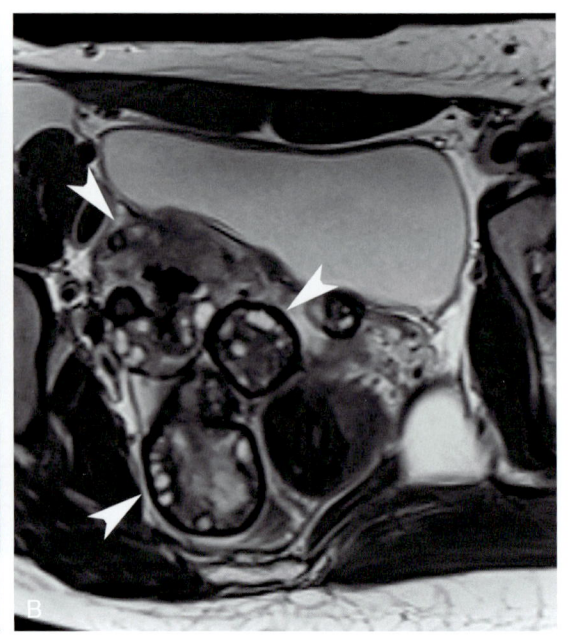

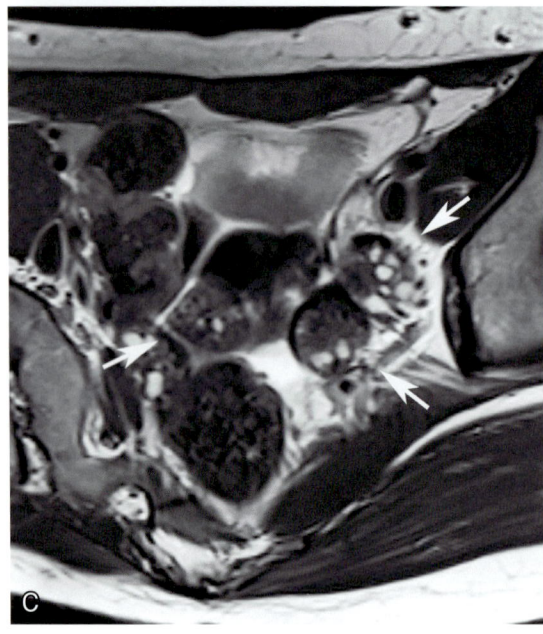

図16 22歳 分葉状卵巣
A〜C：T2強調横断像
低用量経口避妊薬処方目的に近医を受診した際に偶発的に卵巣腫大を指摘され，腫瘍を疑われて来院。両側とも卵巣には不規則なくびれがあり，分葉状を呈して，通常より腫大してみえる。個々の分葉内の辺縁部に多数の小さな卵胞様の囊胞が配列し，多囊胞性卵巣症候群様でもある（A〜C▲：右卵巣，→：左卵巣）。半年間の経過観察で変化がないことから腫瘍は否定され，上記診断に至った。

る。Caudal regression syndrome では発生途上で胚尾側端の細胞塊が神経管のみならず，消化管や泌尿生殖系も含めて広範に冒されるので，下部腰椎から下肢にかけて様々な異常を生じる[40-42]。Currarino 症候群では仙骨欠損に加え前方脊髄髄膜瘤（anterior meningocele），仙尾部奇形腫，種々の重症度の下肢の変形，鎖肛をはじめとする直腸肛門奇形に加え，MDA を合併する（図15）。7番染色体長腕に異常を有する常染色体顕性遺伝性疾患とされている[41]。

3. 卵巣の奇形

　卵巣の奇形には卵巣無形成（ovarian aplasia），卵巣下降不全（ovarian maldescent），定数外卵巣（supernumerary ovary），副卵巣（accessory ovary），分葉状卵巣（lobulated ovary）などがある。卵巣無形成は96％が片側性で，発症頻度に左右差はない。無形成の原因に定まった説はないが，同側の卵管欠損を81％，子宮奇形を20％，腎奇形を20％で合併することからミュラー管やウォルフ管の発生異常が胚発生に影響を与えうると考えられているほか，発生途上での血流障害，機械的圧迫などが疑われている[43]。卵巣下降不全もまれな病態で，時に MDA を合併し，骨盤外に位置する卵巣の上極に引き延ばされた骨盤漏斗靱帯や卵管采が認められることから，その発生に MDA の関与が疑われている[44]。定数外卵巣は両側の卵巣とは独立し，一定の距離をもって観察される3つめの卵巣をいう。これに対して副卵巣は両側卵巣に近接してみられるものを指す[45]。分葉状卵巣は1つ以上の裂隙により卵巣が2つ以上にくくれた状態をいう[46]（図16）。これら，卵巣の形態的異常にもミュラー管奇形を合併することがある。また分葉状卵巣では個々の卵巣に多嚢胞性卵巣症候群に類似した異常が認められることがある[47]。

文献

1) Blask AR et al：Obstructed uterovaginal anomalies：demonstration with sonography：Part II. Teenagers. Radiology 179：84-88, 1991
2) Troiano RN, McCarthy SM：Mullerian duct anomalies：imaging and clinical issues. Radiology 233：19-34, 2004
3) Nelson AI, Gambone JC：Benign conditions and congenital anomalies of the vulva and vagina, Hacker & Moore's Essentials of Obstetrics and Gynecology, 6th ed. p236-247, Elsevir, Philadelphia, 2016
4) Moore KL：The urogenital system：the development of the genital system. The developing human：clinically oriented embryology, 6th ed. p303, Saunders, Philadelphia, 1998
5) The American Fertility Society：The American Fertility Society classifications of adnexal adhesions, distal tubal occlusion, tubal occlusion secondary to tubal ligation, tubal pregnancies, müllerian anomalies and intrauterine adhesions. Fertil Steril 49：944-955, 1988
6) Grimbizis GF et al：The ESHRE/ESGE consensus on the classification of female genital tract congenital anomalies. Hum Reprod 28：2032-2044, 2013
7) Pfeifer SM：ASRM müllerian anomalies classification 2021. Fertil Steril 116：1238-1252, 2021
8) Ashton D et al：The incidence of asymptomatic uterine anomalies in women undergoing transcervical tubal sterilization. Obstet Gynecol 72：28-30, 1988
9) Byrne J et al：Prevalence of Müllerian duct anomalies detected at ultrasound. Am J Med Genet 94：9-12, 2000
10) Buttram VC Jr, Gibbons WE：Müllerian anomalies：a proposed classification (an analysis of 144 cases). Fertil Steril 32：40-46, 1979
11) Heinonen PK, Pystynen PP：Primary infertility and uterine anomalies. Fertil Steril 40：311-316, 1983
12) Golan A et al：Congenital anomalies of the müllerian system. Fertil Steril 51：747-755, 1989
13) Acién P：Incidence of Müllerian defects in fertile and infertile women. Hum Reprod 12：1372-1376, 1997
14) Beekhuis JR, Hage JC：The double uterus associated with an obstructed hemivagina and ipsilateral renal agenesis. Eur J Obstet Gynecol Reprod Biol 16：47-52, 1983
15) Miyazaki Y et al：Uterus didelphys with unilateral imperforate vagina and ipsilateral renal agenesis. J Urol 135：107-109, 1986
16) Tridenti G et al：Uterus didelphys with an obstructed hemivagina and ipsilateral renal agenesis in teenagers：report of three cases. Am J Obstet Gynecol 159：882-883, 1988

17) Lin CC et al : Double uterus with an obstructed hemivagina and ipsilateral renal agenesis : report of 5 cases and a review of the literature. J Formos Med Assoc 90 : 195-201, 1991
18) Stassart JP et al : Uterus didelphys, obstructed hemivagina, and ipsilateral renal agenesis : the University of Minnesota experience. Fertil Steril 57 : 756-761, 1992
19) Tanaka YO et al : Uterus didelphys associated with obstructed hemivagina and ipsilateral renal agenesis : MR findings in seven cases. Abdom Imaging 23 : 437-441, 1998
20) Fedele L et al : Urinary tract anomalies associated with unicornuate uterus. J Urol 155 : 847-848, 1996
21) Zanetti E et al : Classification and radiographic features of uterine malformations : hysterosalpingographic study. Br J Radiol 51 : 161-170, 1978
22) Pellerito JS et al : Diagnosis of uterine anomalies : relative accuracy of MR imaging, endovaginal sonography, and hysterosalpingography. Radiology 183 : 795-800, 1992
23) Wu MH et al : Detection of congenital müllerian duct anomalies using three-dimensional ultrasound. J Clin Ultrasound 25 : 487-492, 1997
24) O'Neill MJ et al : Imaging evaluation and classification of developmental anomalies of the female reproductive system with an emphasis on MR imaging. AJR Am J Roentgenol 173 : 407-416, 1999
25) Michala L et al : The clandestine uterus : or how the uterus escapes detection prior to puberty. BJOG 117 : 212-215, 2010
26) Agrawal G et al : Evaluation of uterine anomalies : 3D FRFSE cube versus standard 2D FRFSE. AJR Am J Roentgenol 193 : W558-562, 2009
27) Griffin JE et al : Congenital absence of the vagina : the Mayer-Rokitansky-Kuster-Hauser syndrome. Ann Intern Med 85 : 224-236, 1976
28) Fedele L et al : Magnetic resonance imaging in Mayer-Rokitansky-Küster-Hauser syndrome. Obstet Gynecol 76 : 593-596, 1990
29) Hall-Craggs MA et al : Mayer-Rokitansky-Kuster-Hauser syndrome : diagnosis with MR imaging. Radiology 269 : 787-792, 2013
30) Yoo RE et al : Magnetic resonance evaluation of Müllerian remnants in Mayer-Rokitansky-Küster-Hauser syndrome. Korean J Radiol 14 : 233-239, 2013
31) Wang Y et al : Evaluation of Mayer-Rokitansky-Küster-Hauser syndrome with magnetic resonance imaging : three patterns of uterine remnants and related anatomical features and clinical settings. Eur Radiol 27 : 5215-5224, 2017
32) Morcel K et al : Mayer-Rokitansky-Küster-Hauser (MRKH) syndrome. Orphanet J Rare Dis 2 : 13, 2007
33) Homer HA et al : The septate uterus : a review of management and reproductive outcome. Fertil Steril 73 : 1-14, 2000
34) Acién P : Embryological observations on the female genital tract. Hum Reprod 7 : 437-445, 1992
35) Herlyn U, Werner H : [Simultaneous occurrence of an open Gartner-duct cyst, a homolateral aplasia of the kidney and a double uterus as a typical syndrome of abnormalities]. Geburtshilfe Frauenheilkd 31 : 340-347, 1971
36) Wunderlich M : [Unusual form of genital malformation with aplasia of the right kidney]. Zentralbl Gynakol 98 : 559-562, 1976
37) Orazi C et al : Herlyn-Werner-Wunderlich syndrome : uterus didelphys, blind hemivagina and ipsilateral renal agenesis : sonographic and MR findings in 11 cases. Pediatr Radiol 37 : 657-665, 2007
38) Moufawad G et al : Obstructed hemivagina and ipsilateral renal anomaly syndrome : a systematic review about diagnosis and surgical management. Gynecol Minim Invasive Ther 12 : 123-129, 2023
39) Borges AL et al : Herlyn-Werner-Wunderlich syndrome also known as obstructed hemivagina and ipsilateral renal anomaly : a case report and a comprehensive review of literature. Radiol Case Rep 18 : 2771-2784, 2023
40) Adra A et al : Caudal regression syndrome : etiopathogenesis, prenatal diagnosis, and perinatal management. Obstet Gynecol Surv 49 : 508-516, 1994
41) Lynch SA et al : Autosomal dominant sacral agenesis : Currarino syndrome. J Med Genet 37 : 561-566, 2000
42) Diel J et al : The sacrum : pathologic spectrum, multimodality imaging, and subspecialty approach. Radiographics 21 : 83-104, 2001
43) Chen H et al : 86. Unilateral ovarian agenesis : a systematic review of the literature and report of two cases. J Pediatr Adolesc Gynecol 34 : 273-274, 2021
44) Verkauf BS, Bernhisel MA : Ovarian maldescent. Fertil Steril 65 : 189-192, 1996
45) Wharton LR : Two cases of supernumerary ovary and one of accessory ovary, with an analysis of previously reported cases. Am J Obstet Gynecol 78 : 1101-1119, 1959
46) Irving JA CPB : Nonneoplastic Lesions of the Ovary, Kurman R et al eds ; Blaustein's Pathology of the Female Genital Tract. p715-770, Springer, Cham, Switzerland, 2019
47) Tanaka YO, Kanao H : Lobulated ovary as a rare congenital anomaly : MR findings. Radiol Case Rep 17 : 894-897, 2022

II 性分化疾患と原発性無月経

Summary
- 原発性無月経の原因として性分化疾患があり，男性核型の本症のなかで頻度の高い純型性腺形成不全（Swyer 症候群，子宮あり，痕跡性腺）とアンドロゲン不応症候群（子宮なし，精巣）の鑑別に際してはMRIによる内性器の検索が鍵となる。
- Turner 症候群（典型的には 45XO）は低身長と原発性無月経を主徴とする純型性腺形成不全であるが，染色体異常のパターンも表現型も多彩である。
- 先天性副腎過形成のうち，古典型 21 水酸化酵素欠損症の女児は，外性器の男性化で生下時に発見されるが，非古典型は思春期以降の男性化で発見される。

1. 性分化疾患 disorders of sex development(DSD)

　すべての胚は女性型の性器から Y 染色体短腕上にある性決定部位(sex-determining region Y：SRY) と，これを補佐する様々な遺伝子の働きにより男性に"分化"する[1)2)]（図 1）。したがってこれらの遺伝子の異常は性分化における最初の段階が障害されることから，染色体が 46XX でないにもかかわらず外性器が女性型に近く女児として育てられ，思春期に初経が発来しないために初めて診断されることが多い。男性器の発達段階において，子宮・卵管の原基となるミュラー管の発達は抑制される必要があり，原始精巣のセルトリ細胞がミュラー管抑制因子 (anti-Müllerian hormone：AMH) を産生しないと子宮卵管は正常に形成される。一方，精巣の下行や外性器の発達には原始精巣の産生する多量のテストステロンが不可欠であり，テストステロンの産生にかかわる各種の酵素欠損やその受容体の異常も性分化異常の原因となりうる[1-3)]（図 2）。

　性分化疾患の代表的疾患とその特徴を表 1[4)] に示す。

　純型性腺形成不全（pure gonadal dysgenesis）の原因となる染色体異常を表 2 に示す。このうち男性型の核型（46XY）を有し，最も頻度の高い Y 染色体短腕上の *SRY* に起因する疾患は Swyer 症候群（Swyer syndrome）として知られている。本症では図 2 に示す通り，男性器の発生が全過程で障害されるため，AMH によるミュラー管の抑制が起こらず，発達の程度は症例によるが，子宮は発生し，発生期のテストステロンの不足のために外性器は女性型を呈する[5)6)]。性腺は痕跡性腺（streak gonad）であるが，長じるにつれ内部に性腺芽腫（gonadblastoma）を発症して腫大する。痕跡性腺の産生するテストステロンは芳香化によりエストロゲンに変換され

II 性分化疾患と原発性無月経

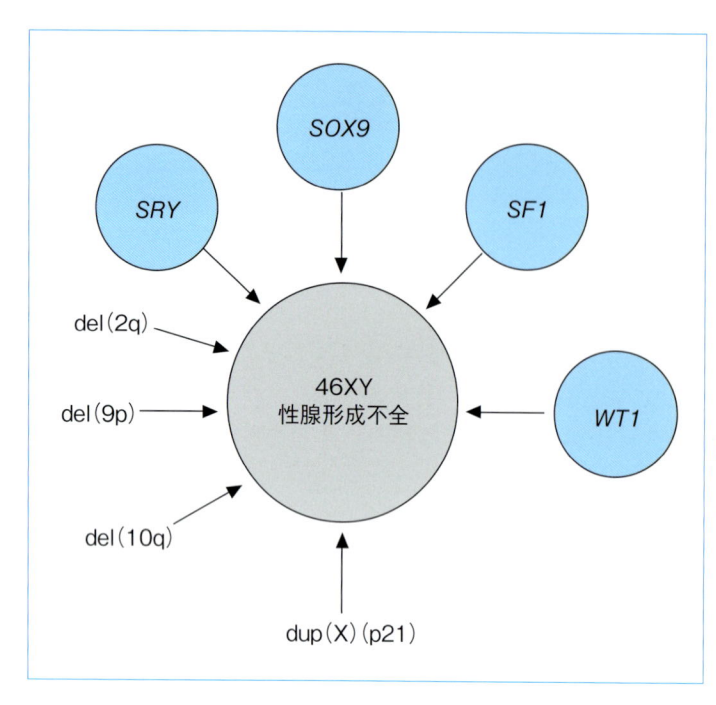

図1 性分化の決定にかかわる遺伝子
Y染色体短腕上の *SRY*（sex-determining region Y）は精巣分化を開始させる男性器発生の根幹となる遺伝子であるが，*WT1*，*SOX9* など種々の遺伝子が *SRY* の働きを補助してはじめて正常な男性器の分化発達がなされる。
（文献6より改変引用）

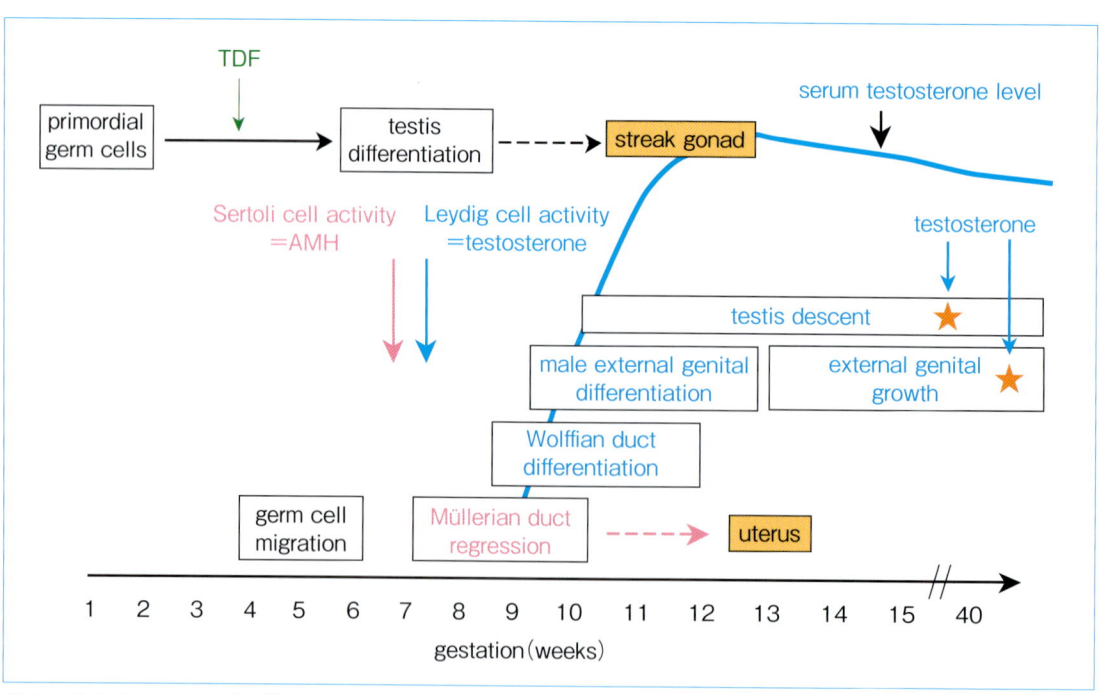

図2 性分化のメカニズム[1]
精巣の発生は主として testis-determining factor（TDF）により制御されるが，発生途上の精巣が産生する anti-Müllerian hormone（AMH）による子宮・卵管の発生抑制，テストステロンによる外性器の分化や精巣の下行もまた性分化に重要な役割を果たしている。

1. 性分化疾患 disorders of sex development（DSD）

表1 主な性分化異常の特徴[4)]

	半陰陽*			性腺形成不全		
	女性仮性半陰陽	真性半陰陽	男性仮性半陰陽	混合型性腺形成不全	純型性腺形成不全	
核型	46XX	variable（46XX in 60〜70%）	46XY	46XY/45XOなど	46XY	45XO 45XO/46XXなど
性腺	卵巣	卵巣と精巣（ovotestis）	精巣	一側性精巣と対側痕跡性腺	痕跡性腺	発達不全を伴う卵巣
表現型	曖昧な外性器をもつ男性	様々	女性（不全型では陰核肥大あり）	様々	女性	女性
原因	酵素欠損（21-hydroxylsなど）	染色体異常	アンドロゲン不応	染色体異常	精巣決定因子（TDF）の異常	染色体異常
頻度の高い疾患	先天性副腎皮質過形成	—（まれ）	アンドロゲン不応症（精巣性女性化症）	—（まれ）	Swyer症候群（abnormal SRY）	Turner症候群
発症時期臨床所見	新生児期 男性化（陰核肥大）色素沈着	外性器の曖昧さの程度による	青年期 原発性無月経	外性器の曖昧さの程度による	青年期 原発性無月経	青年期 原発性無月経 低身長 翼状頸 外反肘
性腺外の画像所見	両側副腎過形成	—	停留精巣	—	—	心大血管奇形（大動脈縮窄症など）

＊「半陰陽」は使用すべきでない用語であるが，分類の都合上，ここではあえて使用している。

表2 46XY 純型性腺形成不全

Y染色体連鎖型：Swyer症候群
　・異常な SRY（sex-determining region Y，欠失，変異），最も高頻度
常染色体連鎖型：
　・WT1（Wilms' tumor suppressor）を含む11番染色体短腕の欠失
　　・Denys-Drash症候群：びまん性メサンギウム硬化症，両側Wilms腫瘍
　　・Frasier症候群：巣状/分節状糸球体硬化症，Wilms腫瘍は伴わない
　・SOX9（17番染色体上）の異常
　　・campomelic dysplasia（CD）：骨系統疾患の1つ
　　・SF1（steroidogenic factor 1）の変異：原発性副腎不全
　　・2q, 9p, 10q の欠失
X染色体連鎖型：
　・X染色体短腕21の重複
　　・dosage sensitive sex reversal（DSS）：testicular regression with intact SRY
　・ATRX の異常：α-thalassemia，精神発達遅滞

るので思春期の乳房発達は認められ，染色体検査を行うまで男性核型であることに気づかない[7]。画像的には子宮は低形成ながら認められる一方，性腺は卵巣も停留精巣も認められず，性腺芽腫を合併しない限り同定することが難しい（図3）。本症では若年で（性腺芽腫発症の最年少例は9カ月児）15〜35％に性腺芽腫または未分化胚細胞腫を合併する[7]（図4）ことから，痕跡性腺は同定でき次第摘除するのが管理の原則である。小さな胚細胞腫瘍を合併した痕跡性腺の検索には3D撮像によりスライス厚の薄いT2強調像を撮像することや，腫瘍化により細胞密度が増していることから拡散強調像の併用が有用である（図3）[8]。本症ではエストロゲンを補充することで，低形成である子宮を正常女性並みまで育てることが可能で（図5），海外では胚移植による妊娠分娩例の報告もある[7,9]。

　Turner症候群（Turner syndrome）も純型性腺形成不全に分類され，女性の性染色体異常において最も頻度の高い疾患で，表現型が女性として生まれてくる新生児の2,000〜5,000例に1例とされる。一方のX染色体のすべて，もしくは一部の欠失と定義されるが，核型は45XOのほか同腕染色体，環状染色体，末端部欠失，45XO/46XYモザイク症例など多彩である[10-12]。低身長と二次性徴の欠除，原発性無月経を特徴とするが，性腺形成不全の程度は症例により様々で，16％の症例で初経発来がみられるとされる（図6）。また身体的特徴として短頸，翼状頸（webbed neck），高口蓋（high arched palate），心大血管奇形（特に大動脈縮窄症），甲状腺機能低下症，馬蹄腎などの合併が知られる[10]。45XO/46XYモザイクの場合には7.9％の症例で25歳までに性腺芽腫を合併する[13]といわれており，注意が必要である。

　アンドロゲン不応症候群（androgen insensitivity syndrome：AIS）はアンドロゲン受容体機能の欠損のために，核型が46XYでテストステロンが正常に産生されているにもかかわらず，男性化しない性分化異常であり，以前は精巣性女性化症（testicular feminization）とよばれていた疾患である。アンドロゲン受容体にかかわる遺伝子はX染色体上にあることから常に伴性遺伝性疾患である。臨床的には，表現型が女性であるが陰毛の発達が不良で原発性無月経を呈する場合に強く疑う[14]。アンドロゲン不応の程度が軽症の症例は不全型（partial AIS：PAIS）とされ，完全型（complete AIS：CAIS）と区別される。表現型が女性で陰核肥大を伴うものから表現型が男性で不妊を呈するものまでその程度は様々とされる。また女児の鼠径ヘルニア例の0.8〜2.4％で完全型アンドロゲン不応症候群を合併しているとされ，小児外科領域では鼠径ヘルニア根治術時の腟の検索が推奨されている[15,16]。本症ではミュラー管抑制因子が正常に機能するため子宮は形成されず，性腺は精巣であり[17]，画像的にはこれがSwyer症候群との重要な鑑別点となる[18]（図7, 8）[19]。アンドロゲン不応のため陰嚢が形成されないので停留精巣となり，その80％は鼠径部に存在することから，USやMRIによる精巣の検索に際しては鼠径管の近傍を注意深く観察することが重要である[17]。本症の5.5％の停留精巣に胚細胞腫瘍を合併するが，Swyer症候群に比べ発症時期は遅く，思春期以前に顕在化することはまれである。本症では精巣で産生されたテストステロンがエストロゲンに変換されて乳房発達を促進することもあり，性腺摘除は思春期以降に行うことが推奨されている[18,20]。

　図2で示したように発生過程での男性化には多量のテストステロンへの曝露を要するが，ステロイドホルモンの産生にかかわる酵素欠損症では，その障害部位により副腎不全に加え種々の性分化異常をきたすこととなる（図9）。21-水酸化酵素欠損症［21-hydroxylase（CYP21）

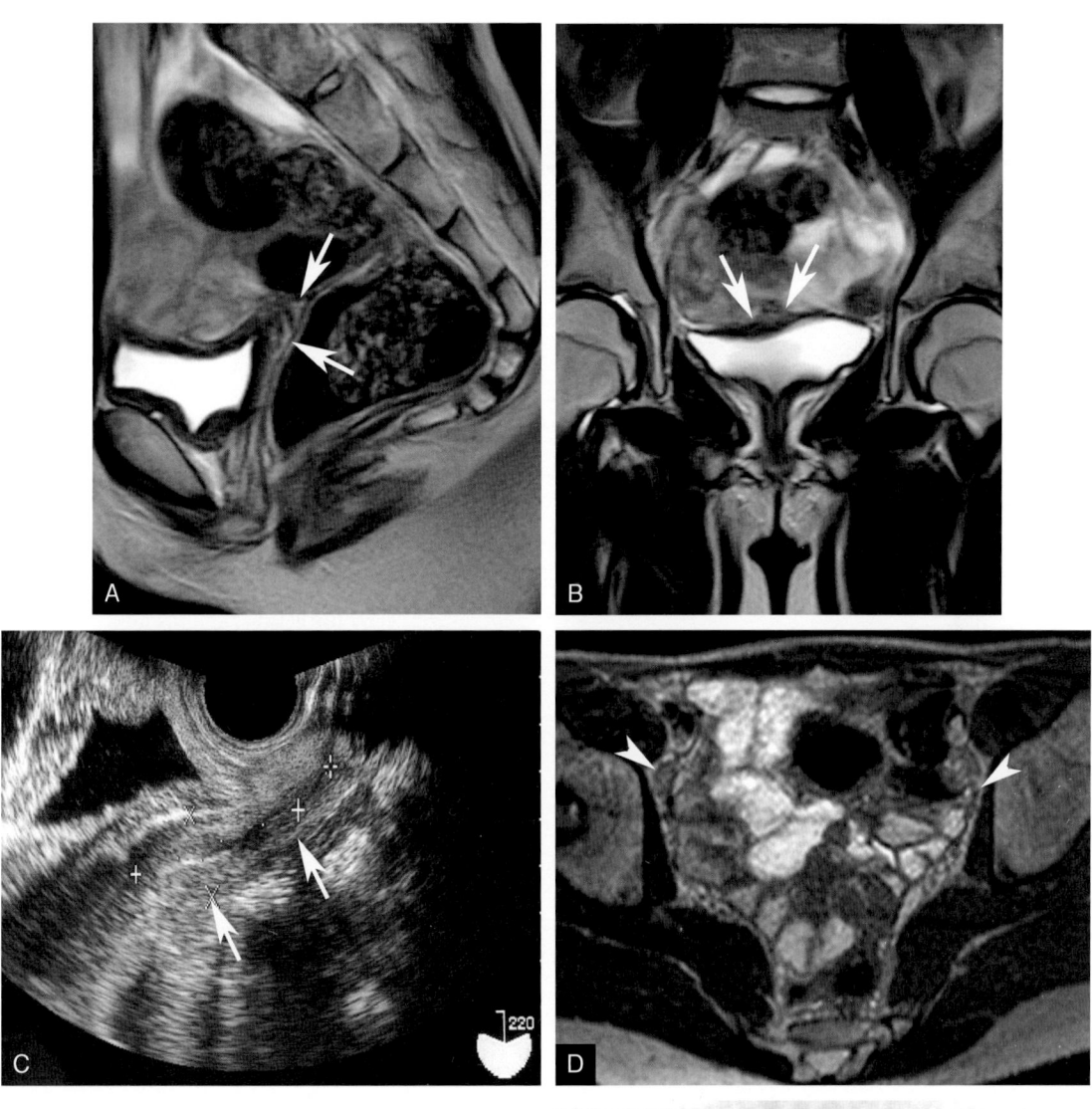

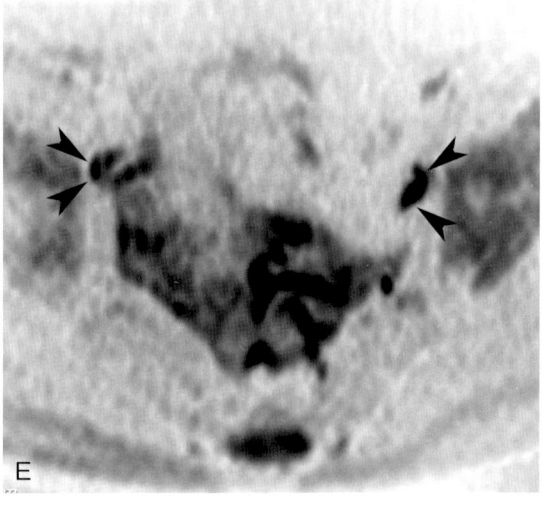

1. 性分化疾患 disorders of sex development（DSD）

図3　14歳　Swyer症候群
A：T2強調矢状断像，B：T2強調冠状断像，C：経直腸US，D：T2強調横断像，E：拡散強調横断像
原発性無月経で受診。内性器の検索のため施行したT2強調像で思春期にしては小さめの子宮（A，B→）が認められる。子宮は経直腸USでも同定可能である（C→）。しかし卵巣と考えられる構造はなく，鼠径管内にリンパ節より少し大きめで卵胞を含まない小結節として性腺が認められる（D，E▲）。

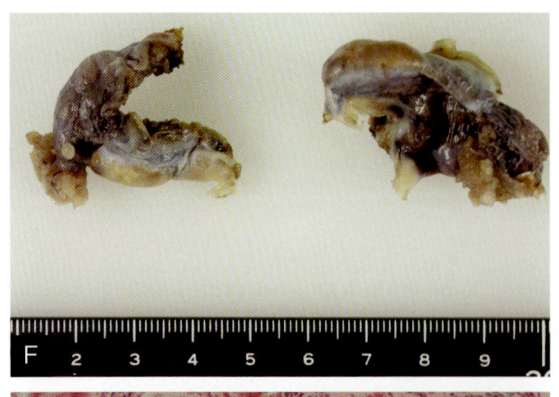

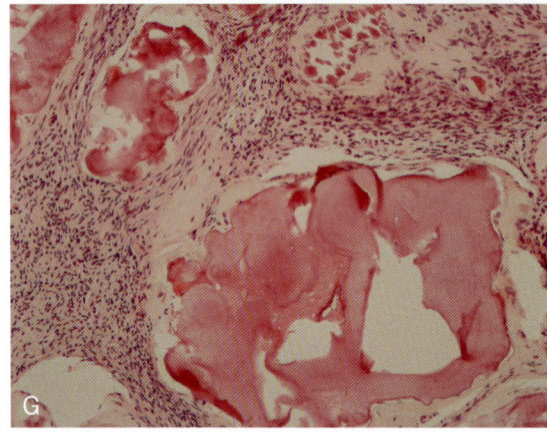

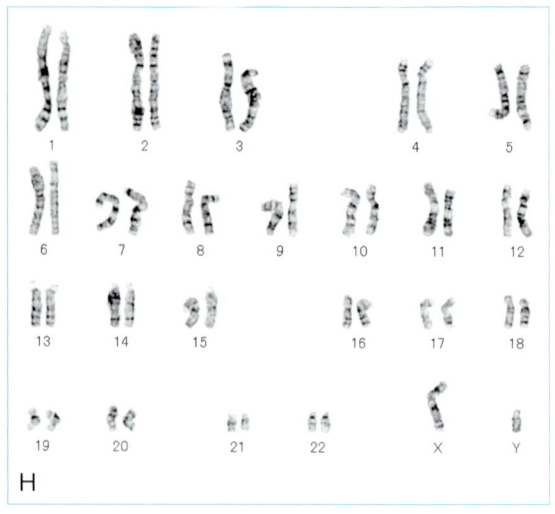

図3 つづき（Swyer症候群）
F：摘出標本肉眼像，G：HE染色（弱拡大），H：染色体検査
摘除された性腺（F）では石灰化を伴ってセルトリ細胞類似の細胞が増殖しており性腺芽腫と診断される（G）。染色体検査では男性核型（46XY）であることが確認される（H）。

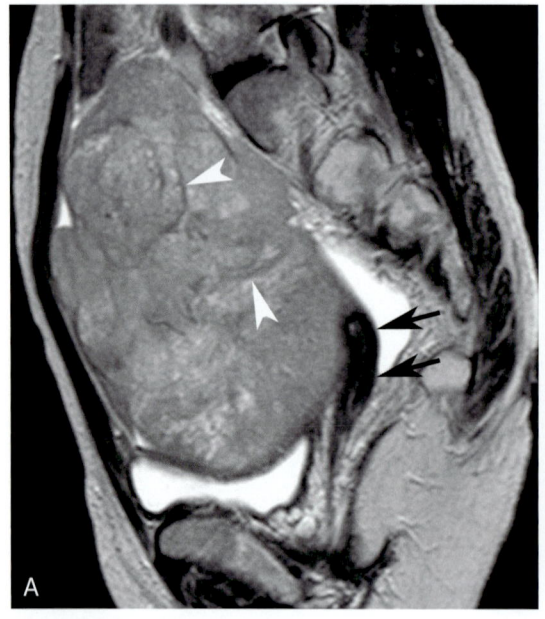

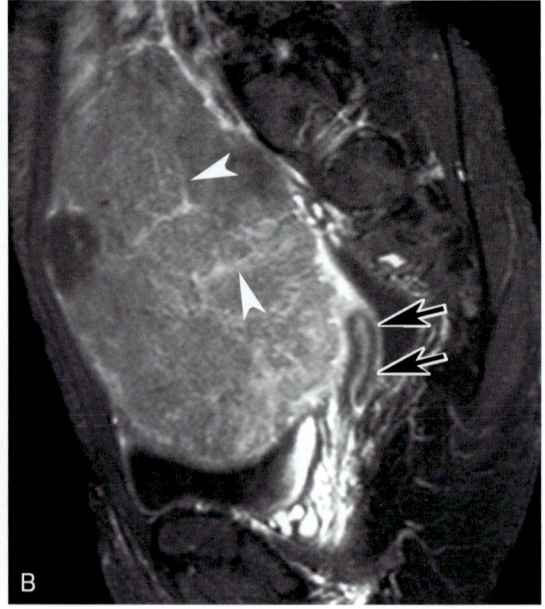

図4 39歳 Swyer症候群
A：T2強調矢状断像，B：造影脂肪抑制T1強調矢状断像
思春期に診断されたものの性腺除去術は拒否してホルモン補充療法を受けていたが中断。不正性器出血で受診。思春期のホルモン補充療法により正常女性並みとなった子宮（A→）に充実性腫瘍が浸潤している。腫瘍はT2強調像で低信号（A▲），造影剤によりよく増強される隔壁（B▲）に境された充実性の腫瘍で，未分化胚細胞腫の特徴を有する。

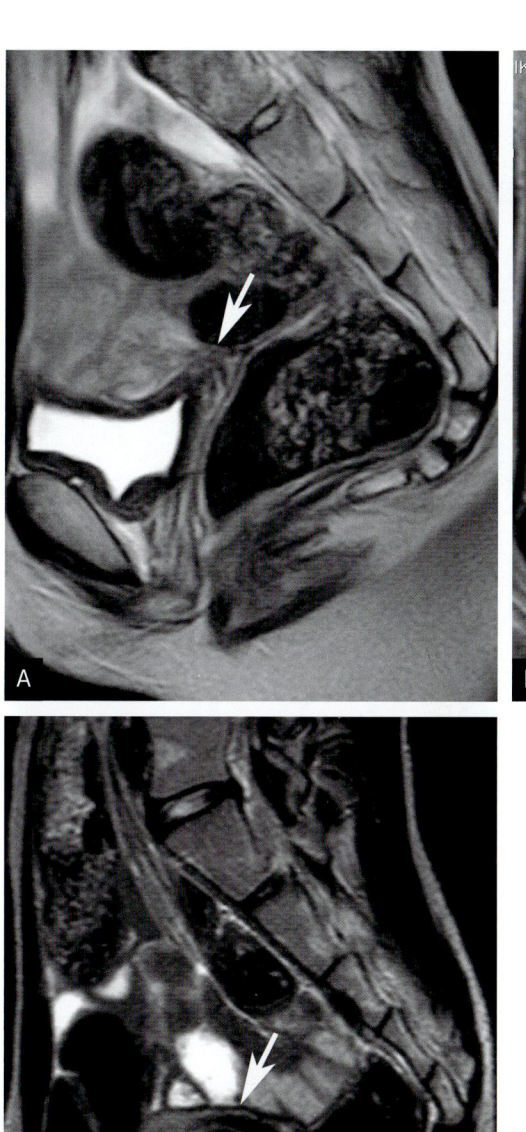

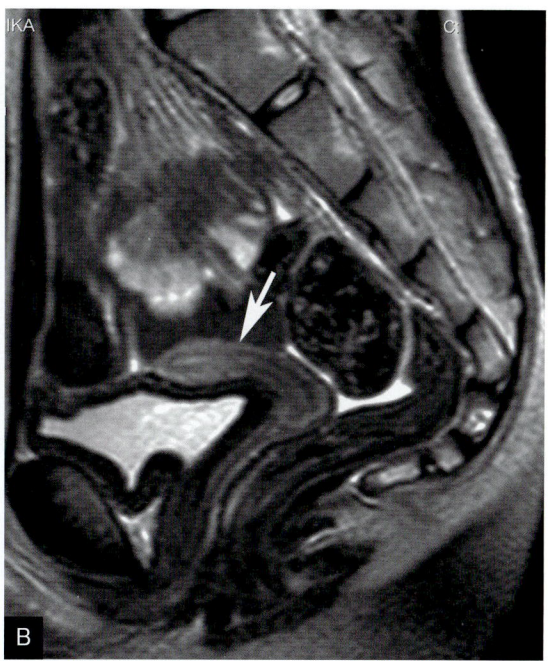

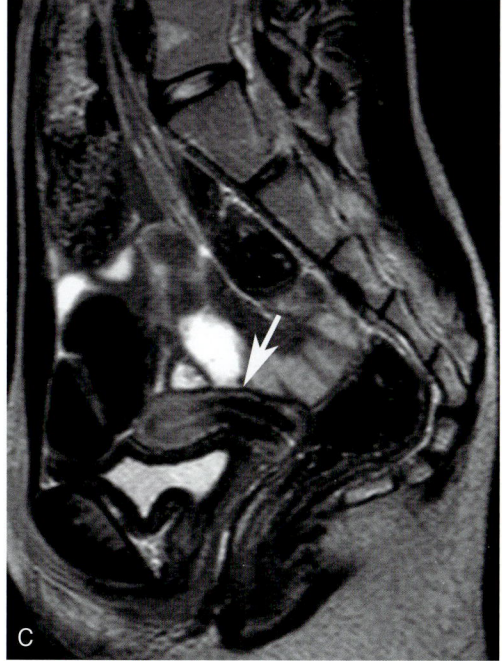

1. 性分化疾患 disorders of sex development（DSD）

図5 エストロゲン補充療法による子宮の発達（Swyer症候群）
A：T2強調矢状断像（14歳2カ月），B：T2強調矢状断像（14歳4カ月時），C：T2強調矢状断像（15歳11カ月時）
図3と同一症例。継続的なホルモン補充療法が行われ，低形成であった子宮（A～C →）が次第に正常大に近づいていくのがわかる。

deficiency］は最も頻度の高い先天性副腎過形成（congenital adrenal hyperplasia：CAH）であり，プロゲステロンからコルチゾールへの変換が障害されて中間産物からテストステロンの合成が亢進するため，副腎不全と性分化異常をきたす。古典型には塩喪失型（salt-wasting）と単純男性化型（simple-virilizing）があり，古典型の女児では生下時に外性器が曖昧な男性型を示すので，かつて女性仮性半陰陽（female pseudohermaphroditism）と称されていた疾患群の代表格とな

101

Ⅱ 性分化疾患と原発性無月経

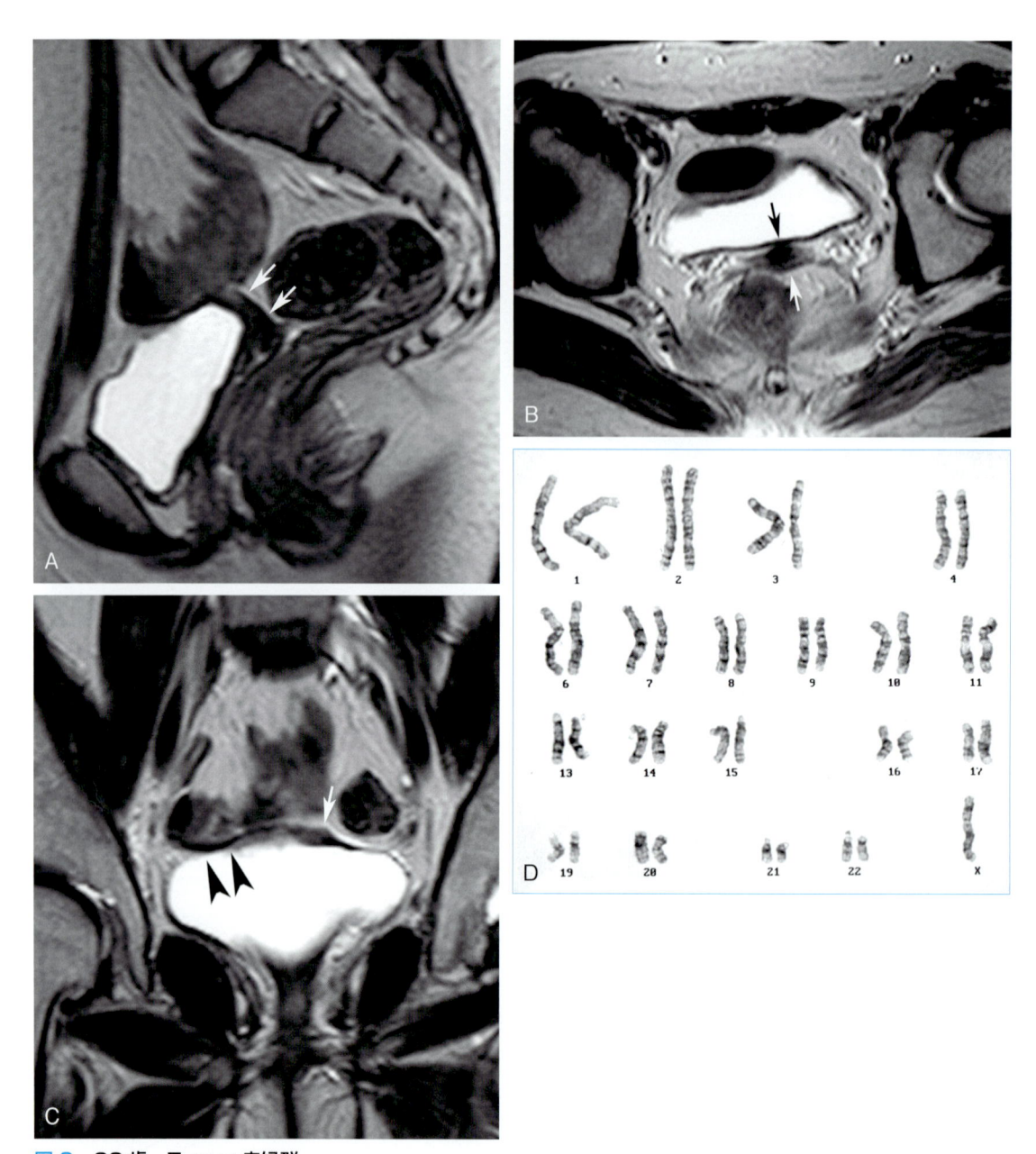

図6　22歳　Turner症候群
A：T2強調矢状断像，B：T2強調横断像，C：T2強調冠状断像，D：染色体検査
46X idic（X）（p11.2）/45XOのTurner症候群のモザイク症例。低身長と原発性無月経の原因検索のため行ったMRIで子宮（A～C→）は小さいものの確認されたが卵巣は明らかとならず，子宮広間膜と接する索状物（C▲）が性腺と推定される。染色体検査（D）は45XOのセットを示す。

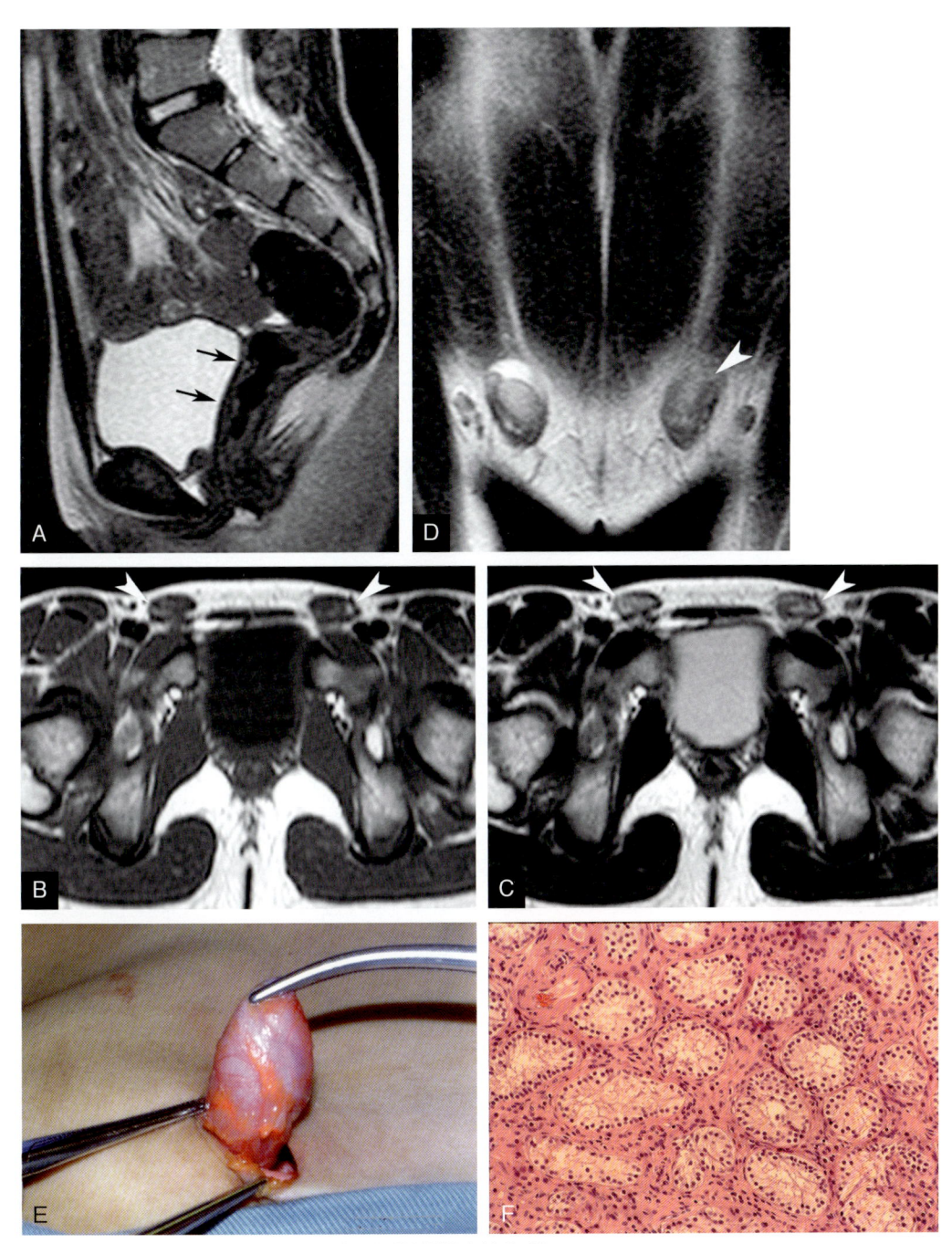

1. 性分化疾患 disorders of sex development（DSD）

図7 11歳 アンドロゲン不応症候群（精巣性女性化症）
A：T2強調矢状断像，B：T1強調横断像，C：T2強調横断像，D：T2強調冠状断像，E：術中鼠径部から引き上げられた性腺，F：HE染色（強拡大）

幼少時に母親が腟のないことに気づいていたが，思春期近くになり受診。内性器の検索のため行ったMRIで腟は同定されず膀胱と直腸が直接接しており（A→），鼠径部に左右対称にT1強調像（B）で低信号，T2強調像（C，D）でやや高信号の卵円型の腫瘤（B～D▲）を認め，精巣と類似した形態を示す。後に染色体が男性核型（46XY）を示すことが確認され，摘除された性腺（E）は未熟な精細管からなる停留精巣（F）であることが確認された。
（A，Cは文献19より転載）

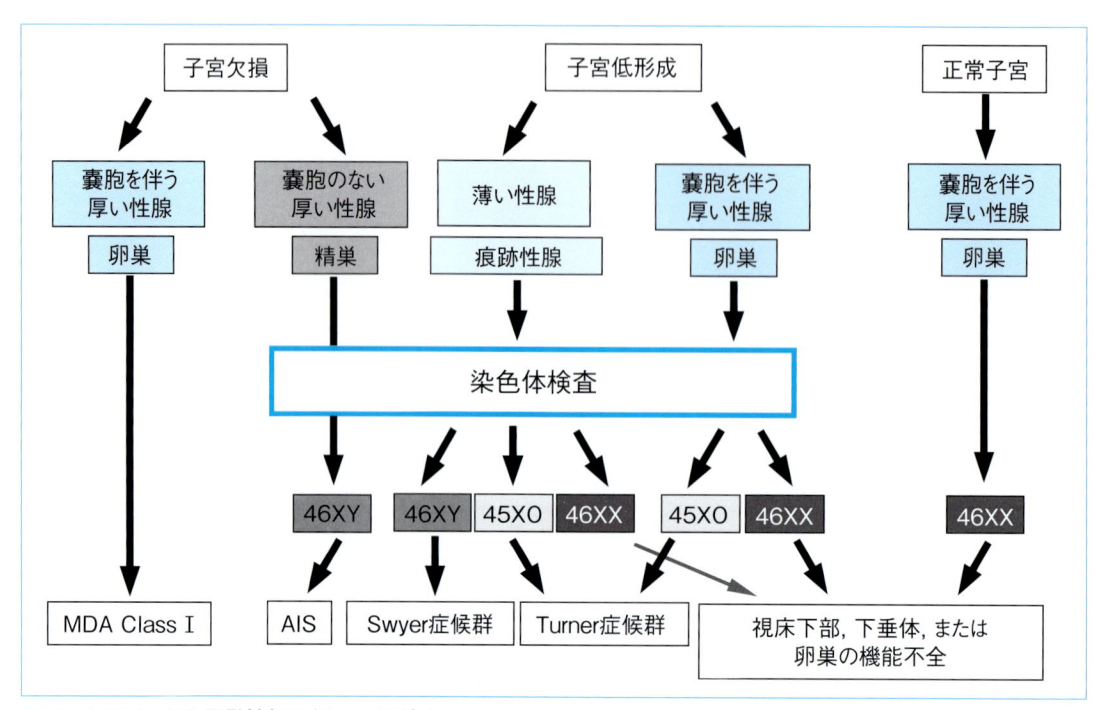

図8 MRIによる原発性無月経の原因検索

る[21)22)]（表1）。本症には遅発性の非古典型が存在し，コルチゾールやアルドステロンは症状発現に至るほどの不足を示さないが，テストステロンは若干過剰であり，早発思春期，面皰に加え女児では思春期以降の男性化により発見される[21-23)]。無治療の先天性副腎過形成では両側副腎が脂肪濃度を呈しながら著しく腫大するのが特徴であり（図10, 11）[24-27)]，21-水酸化酵素欠損症の女児では外性器の男性化に伴い，尿道周囲に前立腺様の組織が観察されることもある[28)]。男性例では精巣に副腎静止（遺残）腫瘍（adrenal rest tumor）を合併（80％は両側性）することが知られる（図10）[29-31)]が，女児の卵巣ではまれである[32)]。これは性腺内に遺残する副腎組織が女児では発生過程で退縮する一次性腺に存在するためと考えられている[31)]。一方，17α-水酸化酵素欠損症（17α-hydroxylase deficiency）ではコルチゾールに加えテストステロンの合成経路も障害されるため，発生過程における男性化が不十分で外性器が女性型を示し停留精巣となる[33)34)]（図11）。したがってSwyer症候群，アンドロゲン不応症候群と並んで男性仮性半陰陽（male pseudohermaphroditism）とよばれていた疾患群に属し，同じ先天性副腎過形成でも性分化疾患の態様はまったく異なる。21-水酸化酵素欠損症が16,000人に1人とされるのに対し，本症はさらにまれである。

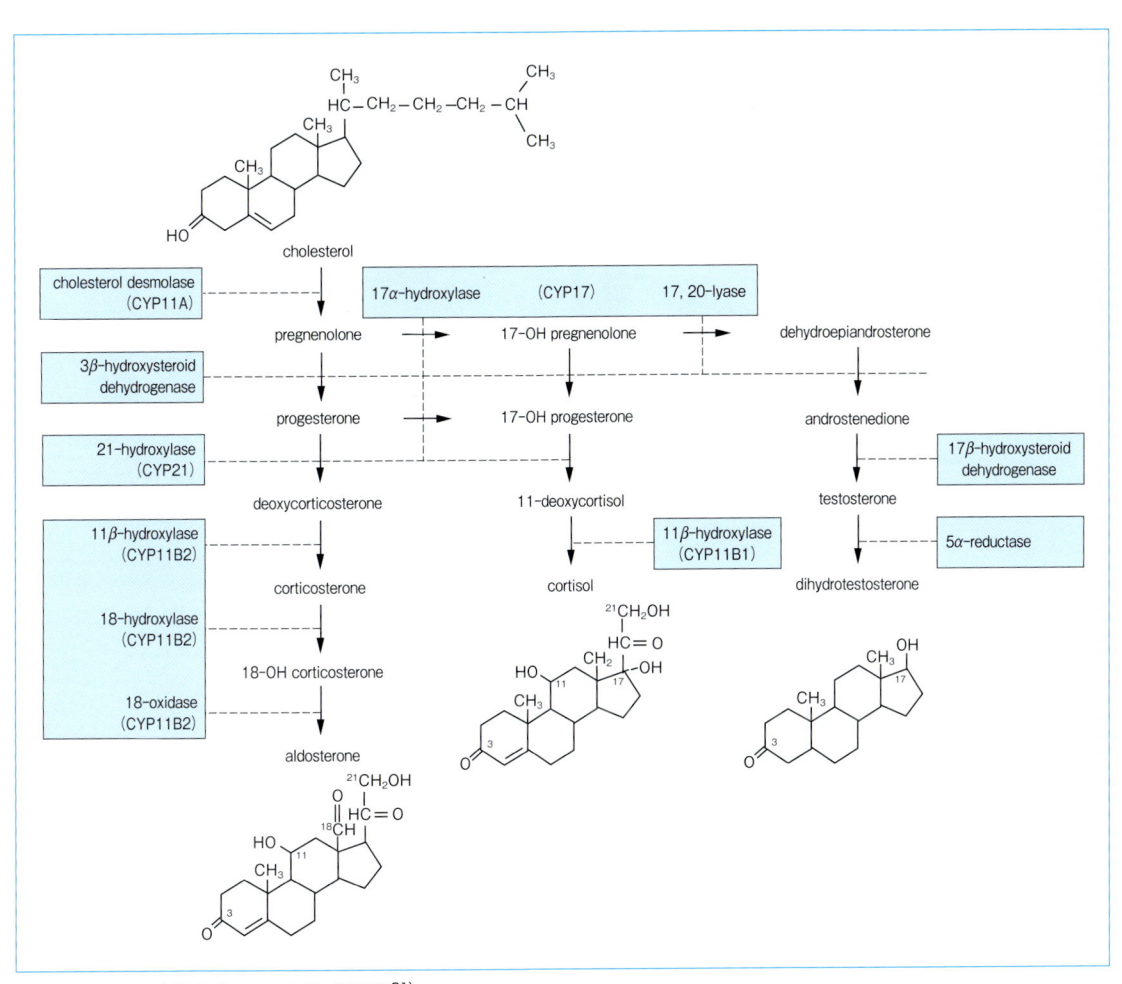

図9 ステロイドホルモンの合成経路[21]
欠損する酵素の種類によりテストステロンは過剰にも不足にもなりうる。また男児と女児とでも表現型が異なってくるので，ステロイドホルモン合成にかかわる酵素の欠損は多彩な性分化異常を発症しうる。

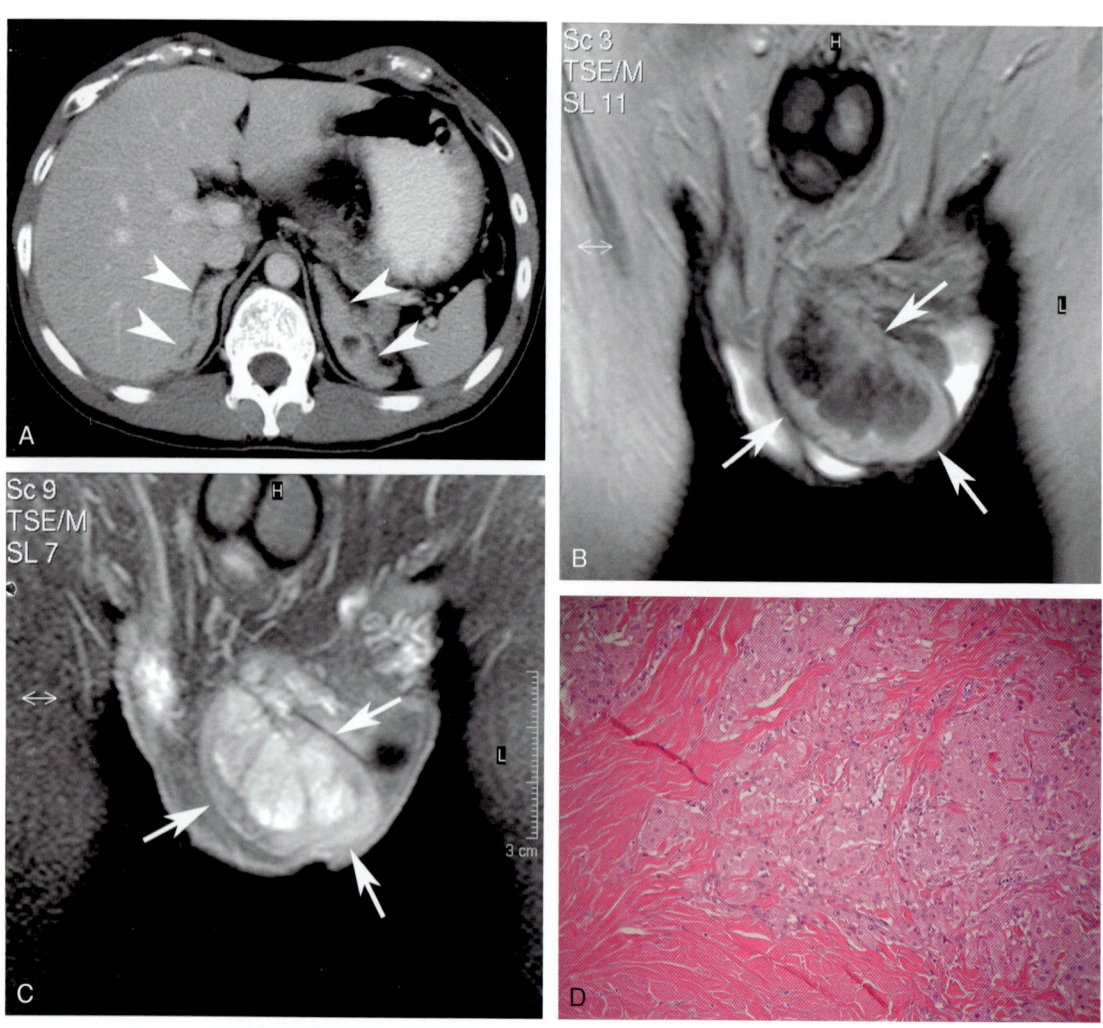

図10 32歳 21-水酸化酵素欠損症（男性例）

A：造影CT，B：T2強調冠状断像，C：造影脂肪抑制T1強調冠状断像，D：HE染色（強拡大）

早発思春期，低身長に加え3年ほど前より陰嚢腫大が出現したため受診。造影CTで両側副腎はその正常のY字型の形態を保ったまま著しく腫大している（A▲）。精巣にはT2強調像で精巣より低信号（B→），造影後は強く増強される（C→）分葉状の腫瘤を認める（図は左精巣腫瘍だが実際には両側性）。摘出標本では病理組織学的にReinke顆粒をもたないセルトリ細胞に類似した腫瘍が精巣網の間を分け入るように進展しており（D），副腎静止（遺残）腫瘍と考えられる。

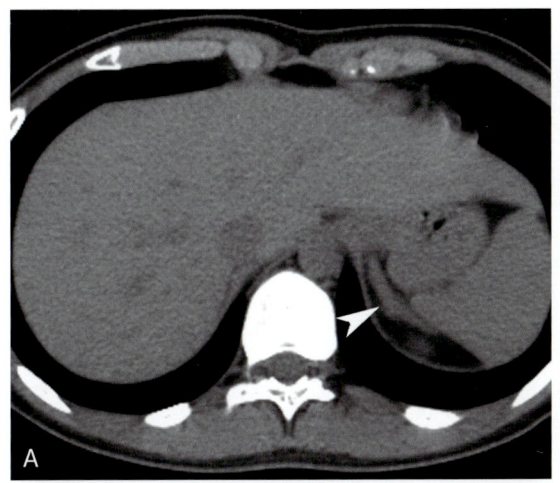

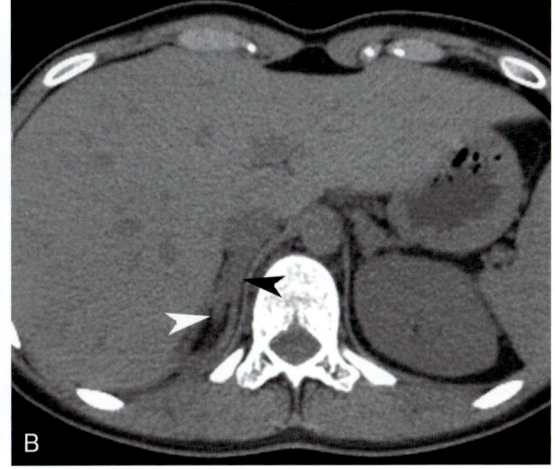

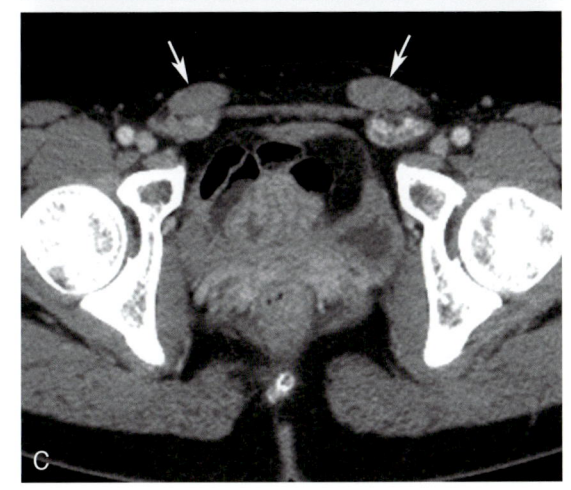

図11 19歳 17α-水酸化酵素欠損症
A, B：単純CT, C：造影CT
若年性高血圧にて受診し内分泌学的に上記が疑われた。副腎の形態評価のために行われた単純CTで両側副腎はその正常のY字型の形態を保ったまま腫大している（A, B▲）。子宮は形成されておらず，鼠径管内に精巣と考えられる分葉状の腫瘤を認める（C→）。

2. 性分化疾患や性器の奇形に起因しない原発性無月経

　前項では原発性無月経で発見されることの多い性分化異常について述べた。これらが解剖学的異常に起因する無月経であるのに対し，視床下部-下垂体-卵巣につながる内分泌系の異常（表3）[35]もまた無月経の原因として重要である。Reindollarらによると原発性無月経の原因別頻度としては染色体異常や性分化異常が50％，視床下部性が20％，MDAを含む内性器の異常が15％，腟中隔や処女膜閉鎖が5％，下垂体疾患が5％を占めるという[36]。内分泌学的異常の詳細については第11章-Ⅲ「内分泌の異常」で概説する。

表3 視床下部-下垂体-卵巣系の異常による原発性無月経[35]

障害部位	原　　因
視床下部	先天性 GnRH 欠損 機能性視床下部性無月経 　・体重減少，摂食障害 　・過度の運動 　・ストレス 　・重篤なまたは長期疾病 　・遺伝子変異：*FGFR1*，*PROKR2*，*KAL1* 炎症性疾患 脳腫瘍：頭蓋咽頭腫など 頭部への放射線照射 頭部外傷 その他：Prader-Willi 症候群，Laurence-Moon-Biedl 症候群
下垂体	プロラクチン産生下垂体腺腫 その他の下垂体腺腫：末端肥大症，Cushing 症候群 その他の腫瘍：髄膜腫，胚細胞腫瘍，神経膠腫 遺伝性下垂体機能低下症 トルコ鞍空洞症候群（empty sella syndrome） 下垂体卒中
卵巣	多嚢胞性卵巣症候群 卵巣機能不全 　・手術 　・自己免疫性，遺伝性，中毒性，原発性
その他	甲状腺機能亢進症 甲状腺機能低下症 糖尿病 外因性アンドロゲン

附．性分化疾患にかかわる用語

　現在，性染色体，外性器，性腺の異常に対しては disorders of sex development（DSD）という用語が用いられ，さらに日本小児内分泌学会はこれらの病態に対し異常や障害という言葉を使うべきではないとして，本症の訳語に「性分化疾患」を当てている[37]。Swyer 症候群や AIH は核型が 46XY で表現型が女性型であることから，かつては男性仮性半陰陽とよばれた病態の範疇であった。逆に 21-水酸化酵素欠損症のように核型が 46XX であるが外陰の表現型が男性型となる病態は女性仮性半陰陽（female pseudohermaphroditism）とよばれていた。これらの仮性半陰陽，真性半陰陽（true hermaphroditism），雌雄反転（sex reversal），インターセックス（intersex）といった用語は患者に対して蔑視的な意味を含むとされ[38]，近年は使われない方向にある。これらの呼称の変更は，日本小児内分泌学会などが参加して 2006 年に開かれた性分化疾患にかかわる国際会議において示された[39]。同学会はこれに基づき日本における管理指針と留意事項を発表している[40]。現在，推奨されている命名法と歴史的用語の対照は表 4 の通りである。これらの名称はまだ一般的に浸透しておらず，本書では読者の理解を助けるため，一部歴史的用語を残してあるが，性分化疾患患者を差別する意図はまったくないことを明記しておきたい。

表4　性分化疾患に関する用語の変遷

旧命名法	新命名法
Intersex	DSD
Male pseudohermaphrodite undervirilization of an XY male undermasculinization of an XY male	46, XY DSD
Female pseudohermaphrodite overvirilization of an XX female masculinization of an XX female	46, XX DSD
True hermaphrodite	Ovotesticular DSD
XX male or XX sex reversal	46, XX testicular DSD
XY sex reversal	46, XY complete gonadal dysgenesis

DSD：disorders of sex development

文献

1) Hughes IA : Minireview : sex differentiation. Endocrinology 142 : 3281-3287, 2001
2) Wilhelm D et al : Sex determination and gonadal development in mammals. Physiol Rev 87 : 1-28, 2007
3) Rey R : Anti-Mullerian hormone in disorders of sex determination and differentiation. Arq Bras Endocrinol Metabol 49 : 26-36, 2005
4) Chavhan GB et al : Imaging of ambiguous genitalia : classification and diagnostic approach. Radiographics 28 : 1891-1904, 2008
5) Swyer GI : Male pseudohermaphroditism : a hitherto undescribed form. Br Med J 2 : 709-712, 1955
6) Sarafoglou K, Ostrer H : Clinical review 111 : familial sex reversal : a review. J Clin Endocrinol Metab 85 : 483-493, 2000
7) Michala L et al : Swyer syndrome : presentation and outcomes. BJOG 115 : 737-741, 2008
8) Umeoka S et al : Ectopically located gonads in a patient with mixed gonadal dysgenesis : detection by diffusion-weighted MRI. Abdom Imaging 30 : 637-640, 2005
9) Hétu V et al : Hypoplastic uterus and clitoris enlargement in Swyer syndrome. J Pediatr Adolesc Gynecol 23 : e43-45, 2010
10) Saenger P : Turner's syndrome. N Engl J Med 335 : 1749-1754, 1996
11) Sybert VP, McCauley E : Turner's syndrome. N Engl J Med 351 : 1227-1238, 2004
12) Telvi L et al : 45,X/46,XY mosaicism : report of 27 cases. Pediatrics 104 : 304-308, 1999
13) Schoemaker MJ et al : Cancer incidence in women with Turner syndrome in Great Britain : a national cohort study. Lancet Oncol 9 : 239-246, 2008
14) Oakes MB et al : Complete androgen insensitivity syndrome : a review. J Pediatr Adolesc Gynecol 21 : 305-310, 2008
15) German J et al : Testicular feminisation and inguinal hernia. Lancet 1 : 891, 1973
16) Sarpel U et al : The incidence of complete androgen insensitivity in girls with inguinal hernias and assessment of screening by vaginal length measurement. J Pediatr Surg 40 : 133-136 ; discussion 136-137, 2005
17) Tanaka YO et al : Testicular feminization : role of MRI in diagnosing this rare male pseudohermaphroditism. J Comput Assist Tomogr 22 : 884-888, 1998
18) Jorgensen PB et al : Care of women with XY karyotype : a clinical practice guideline. Fertil Steril 94 : 105-113, 2010
19) 田中優美子ほか : 産婦人科領域のMR診断―鑑別を中心に : 正常とそのバリエーション. 画像診断 20 : 618-627, 2000
20) Purves JT et al : Complete androgen insensitivity : the role of the surgeon. J Urol 180 : 1716-1719, 2008
21) White PC et al : Congenital adrenal hyperplasia due to 21-hydroxylase deficiency. Endocr Rev 21 : 245-291, 2000
22) Speiser PW, White PC : Congenital adrenal hyperplasia. N Engl J Med 349 : 776-788, 2003
23) Azziz R et al : Clinical review 56 : nonclassic adrenal hyperplasia : current concepts. J Clin Endocrinol Metab 78 : 810-815, 1994
24) Falke TH et al : Computed tomography in untreated adults with virilizing congenital adrenal cortical hyperplasia. Clin Radiol 37 : 155-160, 1986
25) Ogata T et al : Computed tomography in the early detection of congenital lipoid adrenal hyperplasia. Pediatr Radiol 18 : 360-361, 1988
26) Harinarayana CV et al : Computed tomography in untreated congenital adrenal hyperplasia. Pediatr Radiol 21 : 103-105, 1991
27) Abo K et al : 21-Hydroxylase deficiency presenting as massive bilateral adrenal masses in the seventh decade of life. Endocr J 46 : 817-823, 1999
28) Klessen C et al : Complex genital malformation in a female with congenital adrenal hyperplasia : evaluation with magnetic resonance imaging. Acta Radiol 46 : 891-894, 2005
29) Avila NA et al : Testicular adrenal rest tissue in congenital adrenal hyperplasia : comparison of MR imaging and sonographic findings. AJR Am J Roentgenol 172 : 1003-1006, 1999
30) Stikkelbroeck NM et al : Testicular adrenal rest tumours in postpubertal males with congenital adrenal hyperplasia : sonographic and MR features. Eur Radiol 13 : 1597-1603, 2003
31) Claahsen-van der Grinten HL et al : Testicular adrenal rest tumours in congenital adrenal hyperplasia. Best Pract Res Clin Endocrinol Metab 23 : 209-220, 2009
32) Stikkelbroeck NM et al : Prevalence of ovarian adrenal rest tumours and polycystic ovaries in females with congenital adrenal hyperplasia : results of ultrasonography and MR imaging. Eur Radiol 14 : 1802-1806, 2004
33) Yanase E et al : A case of male pseudohermaphroditism due to 17 alpha-hydroxylase deficiency. Jpn J Med 21 : 128-134, 1982
34) Wang W et al : Rare hypertension as a result of 17alpha-hydroxylase deficiency. J Pediatr Endocrinol Metab 24 : 333-337, 2011
35) Welt C, Barbieri R : Etiology, diagnosis, and treatment of primary amenorrhea. UpToDate, Wolters Kluwer, Alphen aan den Rijn, 2011, 2012
36) Reindollar RH et al : Delayed sexual development : a study of 252 patients. Am J Obstet Gynecol 140 : 371-380, 1981
37) 日本小児内分泌学会性分化委員会 : 性分化疾患初期対応の手引き. 2011
https://jspe.umin.jp/medical/files/seibunkamanual_2011.1.pdf (accessed 2019.12.12)
38) Consortium on the Management of Disorders of Sex Development : Clinical guidelines for the management of disorders of sex development in childhood. 2006
https://dsdguidelines.org/htdocs/clinical/ (accessed 2019.12.12)
39) Lee PA et al : Consensus statement on management of intersex disorders : International Consensus Conference on Intersex. Pediatrics 118 : e488-500, 2006
40) 日本小児内分泌学会性分化委員会 : 性分化異常症の管理に関する合意見解. 日小児会誌 112 : 565-578, 2008

III 遺伝性腫瘍

Summary

- 遺伝性乳癌卵巣癌（hereditary breast and ovarian cancer：HBOC）では高率に卵巣癌（特に高異型度漿液性癌）を発症するが，サーベイランスでの早期発見はほぼ不可能で，適切な時期にリスク低減卵巣卵管切除術が行われる。
- Lynch 症候群では結腸癌の発症に先立って子宮内膜癌を発症することが多く，子宮体部下部に主座を有する浸潤性腫瘍であることが多い。
- Peutz-Jeghers 症候群では卵巣に輪状細管を伴う性索腫瘍を高率に合併するが，微小なので画像による指摘は困難であり，子宮頸部の分葉状頸管腺過形成（lobular endocervical glandular hyperplasia：LEGH）や胃型腺癌の合併に留意する。
- セルトリ・ライディッヒ腫瘍の症例では高率に DICER1 症候群を合併するので，甲状腺癌の合併に注意する。
- Gorlin-Goltz 症候群に合併する卵巣線維腫は両側性，石灰化を伴うことが多い。
- FH 腫瘍易罹患性症候群では腎細胞癌に先立って若年で子宮筋腫を発症し，巨大な非典型的筋腫（T2 強調像で高信号など）であることが多い。

近年の遺伝子解析の進歩には目を見張るものがあり，種々の腫瘍について遺伝子変異とのかかわりが明らかにされてきた（表1）[1,2]。*BRCA1/2* 病的バリアント保持者を患者として抱える婦人科領域では遺伝子診療の比重が他科にも増して重みを増している。本項では，遺伝性乳癌卵巣癌（HBOC）を中心に婦人科領域でみられる遺伝性腫瘍について画像所見を中心に概説する。

1. 遺伝性乳癌卵巣癌 hereditary breast and ovarian cancer（HBOC）

HBOC は広義では乳癌・卵巣癌などの易罹患性にかかわるすべての遺伝子を含む場合もあるが，一般的には *BRCA1* あるいは *BRCA2* の生殖細胞系列の病的バリアントに起因する乳癌，卵巣癌，さらには前立腺癌，膵癌などの易罹患性症候群である[3]。*BRCA* 遺伝子は DNA 二重鎖切断に対する相同組換え修復にかかわる遺伝子で，その病的変異型である *BRCA1/2* の一般人口における頻度は 0.1〜0.2％[4]，乳癌の生涯リスクは *BRCA1* で 55〜72％，卵巣癌の生涯リスクは *BRCA1* で 39〜44％，*BRCA2* では各々 45〜69％，11〜17％とされる[5]（表2）。その悪性腫瘍の

111

表1 婦人科腫瘍の合併が報告されている主な遺伝性症候群

病的変異遺伝子	関連する症候群	合併する悪性腫瘍	合併する良性腫瘍および非腫瘍性変化
BRCA1	遺伝性乳癌卵巣癌（HBOC）	乳癌, **卵巣・卵管・腹膜癌**, 前立腺癌	―
BRCA2	遺伝性乳癌卵巣癌（HBOC）	乳癌, **卵巣・卵管・腹膜癌**, 前立腺癌, 膵癌, 悪性黒色腫	―
PTEN	Cowden症候群（PTEN過誤腫症候群）	乳癌, **子宮内膜癌**, 結腸癌, 腎細胞癌	Lhermitte-Duclos病（dysplastic cerebellar gangliocytoma）消化管過誤腫, 精巣脂肪腫症 口唇・粘膜の乳頭腫, 手掌の角化性丘疹, 巨頭症
ミスマッチ修復遺伝子（MSH2, MLH1, MSH6, PMS2, EPCAM）	Lynch症候群	結腸癌, **子宮内膜癌, 卵巣癌**, 乳癌, 尿路上皮癌, 胃癌	―
STK11	Peutz-Jeghers症候群	**子宮頸部：胃型腺癌** 乳癌, 結腸癌, 膵癌, 胃癌	**子宮頸部：分葉状頸管腺過形成（LEGH）卵巣：輪状細管を伴う性索腫瘍, セルトリ細胞腫, 粘液性腫瘍** 過誤腫性消化管ポリープ, 特徴的な粘膜の色素沈着
SMARCB1, SMARCA4	ラブドイド腫瘍素因症候群	**卵巣：高カルシウム血症型小細胞癌**	中枢神経系もしくは腎のラブドイド腫瘍, 神経鞘腫
DICER1	DICER1症候群	小児胸膜肺芽腫, 胎児性横紋筋肉腫	**卵巣：セルトリ・ライディッヒ細胞腫** 腎混合性上皮間質性腫瘍（囊胞性腎腫）
VHL	von Hippel Lindau症候群	淡明細胞型腎細胞癌, 褐色細胞腫, 膵神経内分泌腫瘍	**卵巣：ステロイド細胞腫, 広間膜乳頭状囊胞腺腫**, 中枢神経系と網膜の血管芽腫, 内リンパ囊腫瘍
PTCH1, SUFU	Gorlin-Goltz症候群（基底細胞母斑症候群）	基底細胞癌, 小児髄芽腫	髄膜腫, 心線維腫, **卵巣線維腫**, 歯原性角化囊胞
フマル酸ヒドラターゼ（FH）遺伝子	遺伝性平滑筋腫症・腎細胞癌症候群（HLRCC）FH腫瘍易罹患性症候群（FH tumor predisposition症候群）	FH欠損腎細胞癌	**皮膚・子宮平滑筋腫瘍**

高い生涯リスクから, 濃厚な家族歴を有する者に対しては遺伝子検査の施行が推奨されている。遺伝子検査により同定された BRCA1/2 病的バリアント保持者に対し, 検診で卵巣癌を早期発見することは, 一般人口における腫瘍マーカー CA125 と TVUS による卵巣がん検診が死亡率を低下させない[6]のと同様に, 不可能と考えられ[7], 各国のガイドラインで検診はリスク低減卵巣卵管切除術（risk-reducing salpingo-oophorectomy＝RRSO）を行うまでのつなぎにすぎないと

1. 遺伝性乳癌卵巣癌 hereditary breast and ovarian cancer（HBOC）

表2 遺伝性乳癌卵巣癌（HBOC）における変異型の頻度と悪性腫瘍の生涯リスク

変異型の頻度	
一般人口における変異型の頻度	0.1〜0.2%
乳癌症例における変異型の頻度	2〜3%

悪性腫瘍の生涯リスク			
	一般人口	*BRCA1*	*BRCA2*
乳癌の生涯リスク	12%	55〜72%（70歳まで）	45〜69%
卵巣癌の生涯リスク	1〜2%	39〜44%	11〜17%

（文献4,5をもとに作成）

表3 高リスク患者および *BRCA1/2* 病的バリアント保持者に対する卵巣癌のスクリーニング方針

スクリーニング項目		ACR (2017, 2018)	ACS (2017)	ACOG (2017)	NCCN (2017)	ASCO (2018)
TVUS	推奨度	高リスク例では考慮される（強い科学的根拠なし）	実施してもよい	高リスク例でRRSOまでの短期間の"つなぎ"としては許容される	同左	定期的
	開始時期	—	—	30〜35歳（条件付き）	30〜35歳（条件付き）	30〜35歳
	終了時期	—	—	RRSOが行われるまで	RRSOが行われるまで	—
	間隔	—	—	6ヵ月毎	6ヵ月毎	—
血清 CA-125	推奨度	上記と同じ	上記と同じ	上記と同じ	上記と同じ	上記と同じ

RRSO（risk-reducing salpingo-oophorectomy）：リスク低減卵管卵巣切除術
（文献8より改変引用）

されている[8]。本邦のガイドラインは未発症の *BRCA1/2* 病的バリアント保持者に対する検査方針を明示していない[3]が，各国のガイドラインでは30〜35歳以上で半年ごとのTVUSと血清CA125の計測をサーベイランスとして推奨している（表3）。

卵巣癌の各組織型における *BRCA* 遺伝子変異の頻度は漿液性癌が最も高く，類内膜癌がこれに次ぐ[9]。したがって，第7章に述べる通り（p437参照），HBOC症例でみられる卵巣腫瘍の多くが高異型度漿液性癌の画像的特徴を示す。すなわち，両側性の比較的小さな充実性腫瘍でT2強調像で高信号，強い拡散制限を示し[10]，発見時には広範な腹腔内播種を伴っていることが多い（図1）。*BRCA1/2* 病的バリアント保持者とそれ以外の高異型度漿液性癌の画像的差異としては，

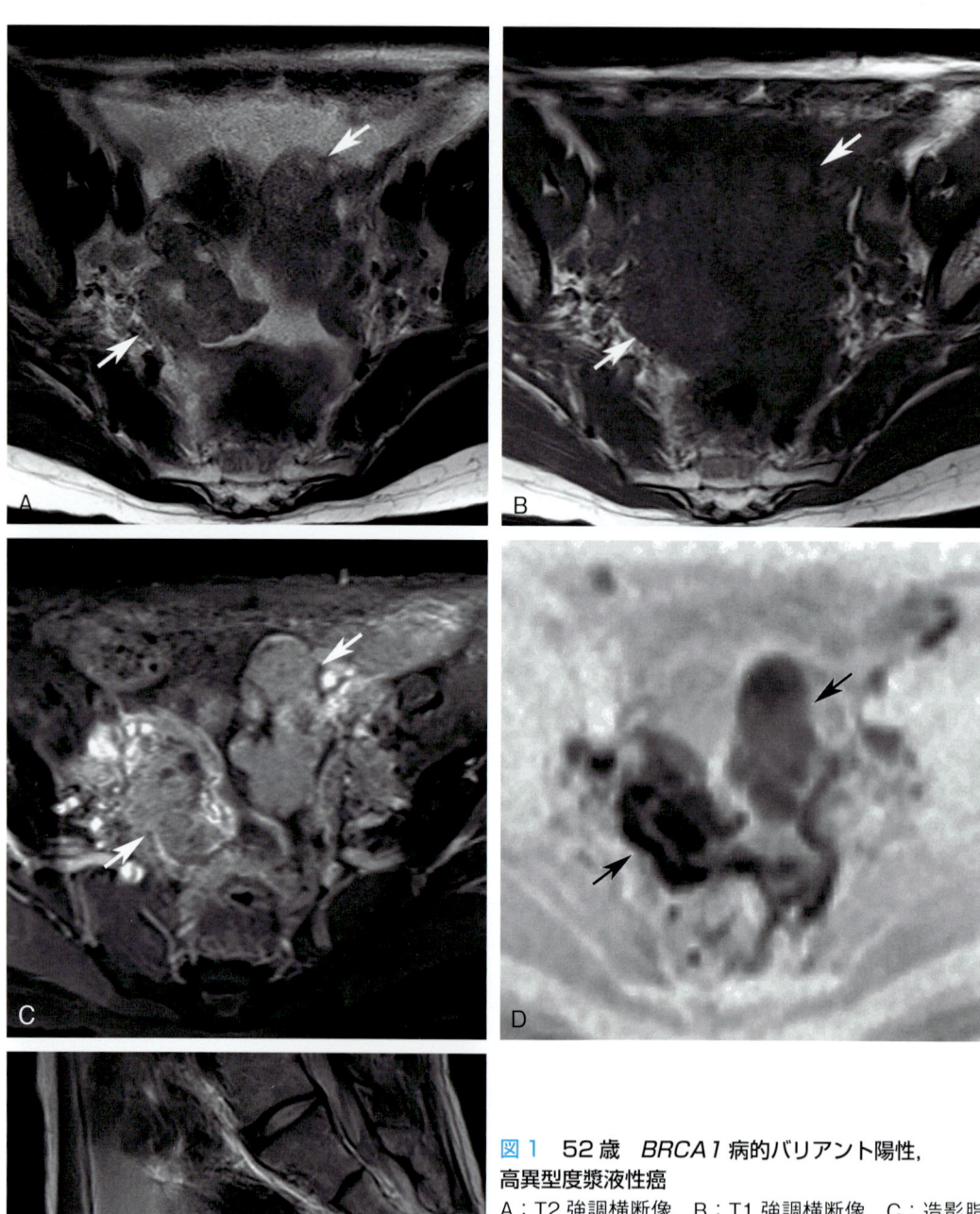

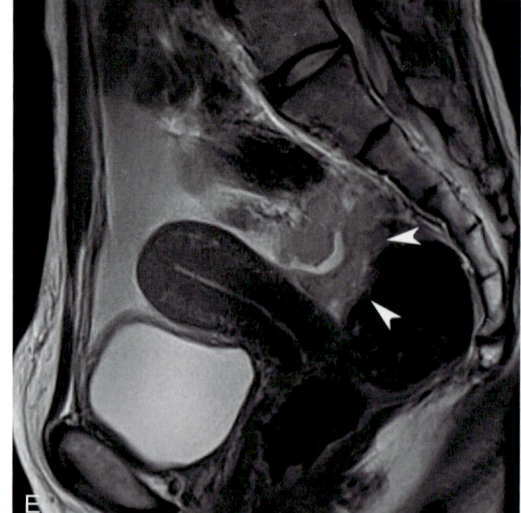

Ⅲ 遺伝性腫瘍

図1 52歳 BRCA1 病的バリアント陽性, 高異型度漿液性癌

A：T2強調横断像, B：T1強調横断像, C：造影脂肪抑制T1強調横断像,
D：拡散強調横断像, E：T2強調矢状断像
両側付属器にT2強調像（A）で高信号, よく増強され（B, C）, 拡散制限の強い（D）, ほぼ全体が充実性の, 比較的小型の腫瘤を認め（A～D →）, Douglas窩腹膜を裏打ちするような播種を認め（E ▲）, 典型的な高異型度漿液性癌である。CTで鎖骨上窩, 縦隔にもリンパ節転移を認め, 術前化学療法が選択された。同時に濃厚な家族歴から遺伝性乳癌卵巣癌（HBOC）を疑われ, 遺伝子検査で *BRCA1* 病的バリアントが確定した。

腫瘍径が大きく，増強効果が強い[11]，腹腔内播種が浸潤傾向に乏しく結節状である[12]など，いくつか報告はあるものの，画像所見から遺伝子変異の存在を予測できるほど確固たる違いはない。また BRCA1 と BRCA2 では病理組織学的には腫瘍内のリンパ球浸潤や壊死が後者に比べ前者で目立つとする報告もある[13]が，これを反映した画像的な差異は報告されていない（図2）。

高異型度漿液性癌の多くが卵管上皮内癌を発生母地とすることは広く知られている[14]。そこで前述の RRSO までのつなぎに行われるサーベイランスでは卵管上皮内癌（serous tubal intraepithelial carcinoma：STIC）もしくは STIC の増殖により発生した浸潤癌を，播種・転移をきたす前に画像的に検出する必要がある。しかし現時点では，造影 MRI をもってしても STIC あるいはこれに近い早期癌の早期発見は不可能に近い（図3, 4）[15]。

一方，多くの BRCA1/2 病的バリアント保持者において，乳癌が卵巣癌に先行する。そこで乳癌既往例に付属器腫瘍を認めた場合，それが転移性か原発性かを鑑別することは重要である。転移性卵巣腫瘍については第7章に詳述したが（p604 参照），乳癌の卵巣転移は胃癌の転移と類似して，皮質領域を中心に T2 強調像で信号強度の低い充実部を有する境界明瞭な非浸潤性の腫瘍であることが多い。臨床像，病理組織像と併せた両者の鑑別点を表4に示す[1]。

2. HBOC 以外の遺伝性婦人科腫瘍

1）Cowden 症候群（PTEN 過誤腫症候群）

Cowden 症候群（CS）は，PTEN 遺伝子の変異に関連して表1に示すような多彩な症候を示す遺伝性疾患であり，その診断基準のうち major criteria に甲状腺癌と乳癌，minor criteria に腎細胞癌が含まれる。CS における子宮内膜癌の生涯発症リスクは 5～19％ であり，一般人口のそれ（2.6％）より高い[16)17]。よって 30～35 歳以降での毎年の内膜生検，閉経後は TVUS と疑わしい領域の生検を行うことが推奨されている。特段の病理組織学的あるいは画像的特徴は報告されていない[16)17]。

2）Lynch 症候群 [hereditary non-polyposis colorectal cancer（HNPCC）]

Lynch 症候群（LS）は 1971 年に Henry Lynch により提唱された常染色体顕性の遺伝性がん症候群である[18]。LS の本態は DNA ミスマッチ修復（mismatch repair：MMR）遺伝子である MLH1，MSH2，MSH6，PMS2，または EPCAM の生殖細胞系列の病的バリアントの存在である。特に MLH1 変異は大腸癌のリスクが最も高く，MSH2 変異は他の癌のリスクが高いとされている。本症に発生する悪性腫瘍の特徴として，①若年発症が多い，②同一臓器に多発することが多い，③重複癌が多いことが知られている。本症に好発する悪性腫瘍としては大腸癌［生涯リスク（以下同じ）で 70～85％］に次いで子宮内膜癌（21～71％），卵巣癌（4～15％）の頻度が高い[2)18]。他臓器では胃，小腸，膵，胆道，上部尿路，脳（Turcot 症候群＝Lynch 症候群の亜型）と多岐にわたる[18]。LS を含むミスマッチ修復機能欠損（deficient MMR：dMMR）を有する悪

III 遺伝性腫瘍

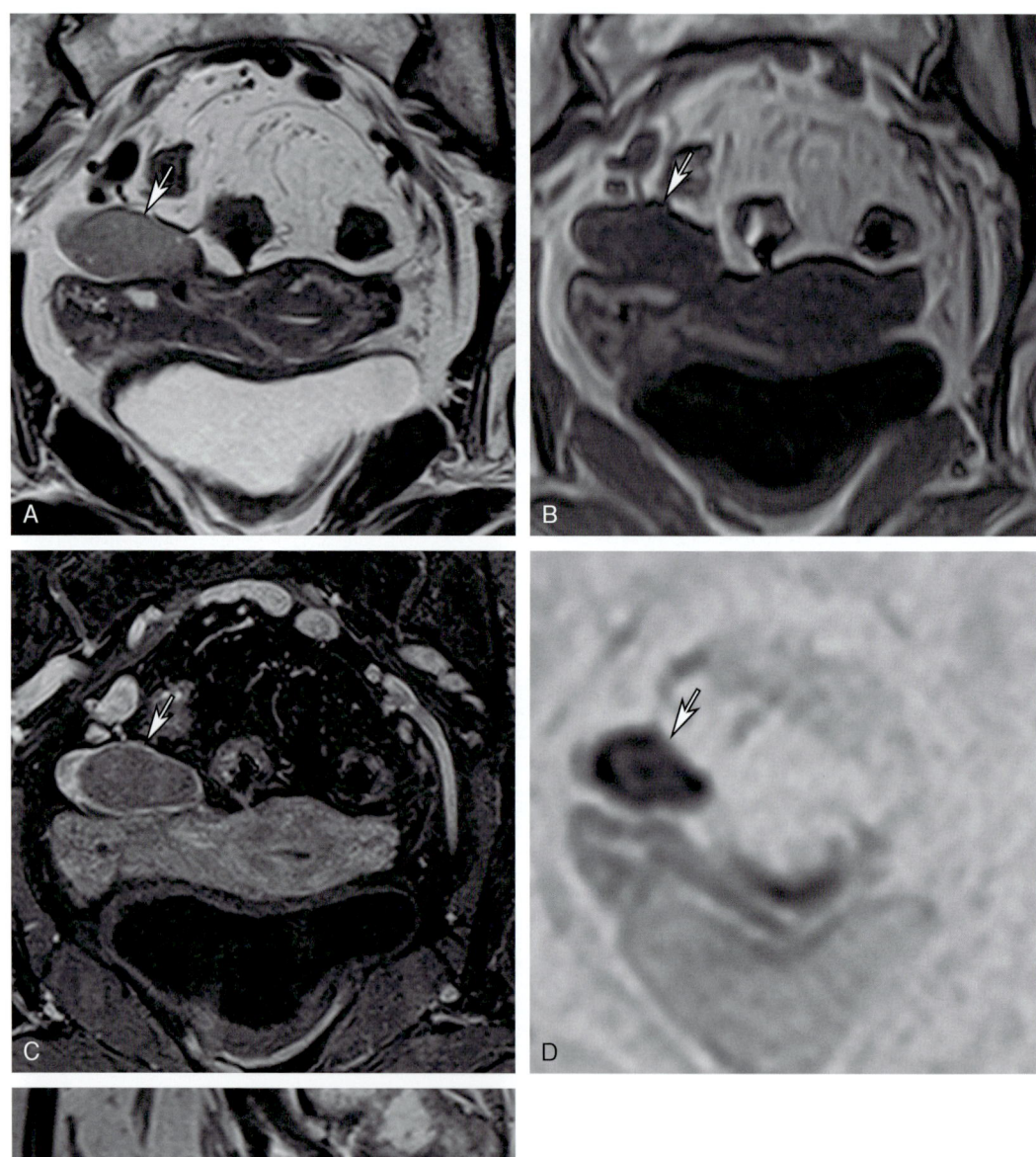

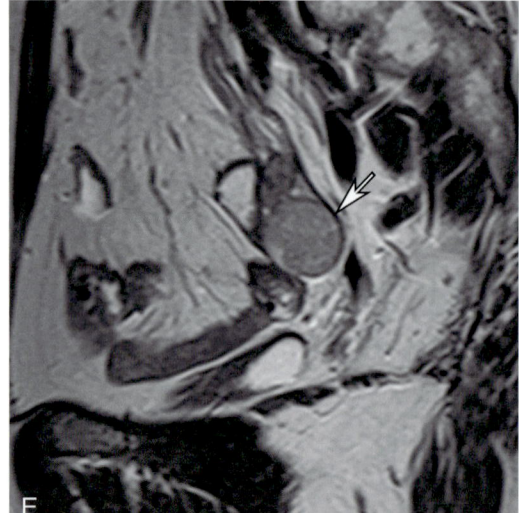

図2 58歳 BRCA2 病的バリアント陽性，高異型度漿液性癌IC期
A：T2強調冠状断像，B：T1強調冠状断像，C：造影脂肪抑制T1強調冠状断像，D：拡散強調冠状断像，E：T2強調矢状断像
右卵管内で鋳型状に発育するT2強調像で高信号（A），よく増強され（B，C），拡散制限の強い（D），ほぼ全体が充実性の小型の腫瘤を認める（A～D→）。図1と異なり，画像で同定可能な播種は認められないが（E），付属器腫瘤の形態は典型的な高異型度漿液性癌である。濃厚な家族歴から遺伝性乳癌卵巣癌を疑われ，遺伝子検査で BRCA2 病的バリアントが確定した。

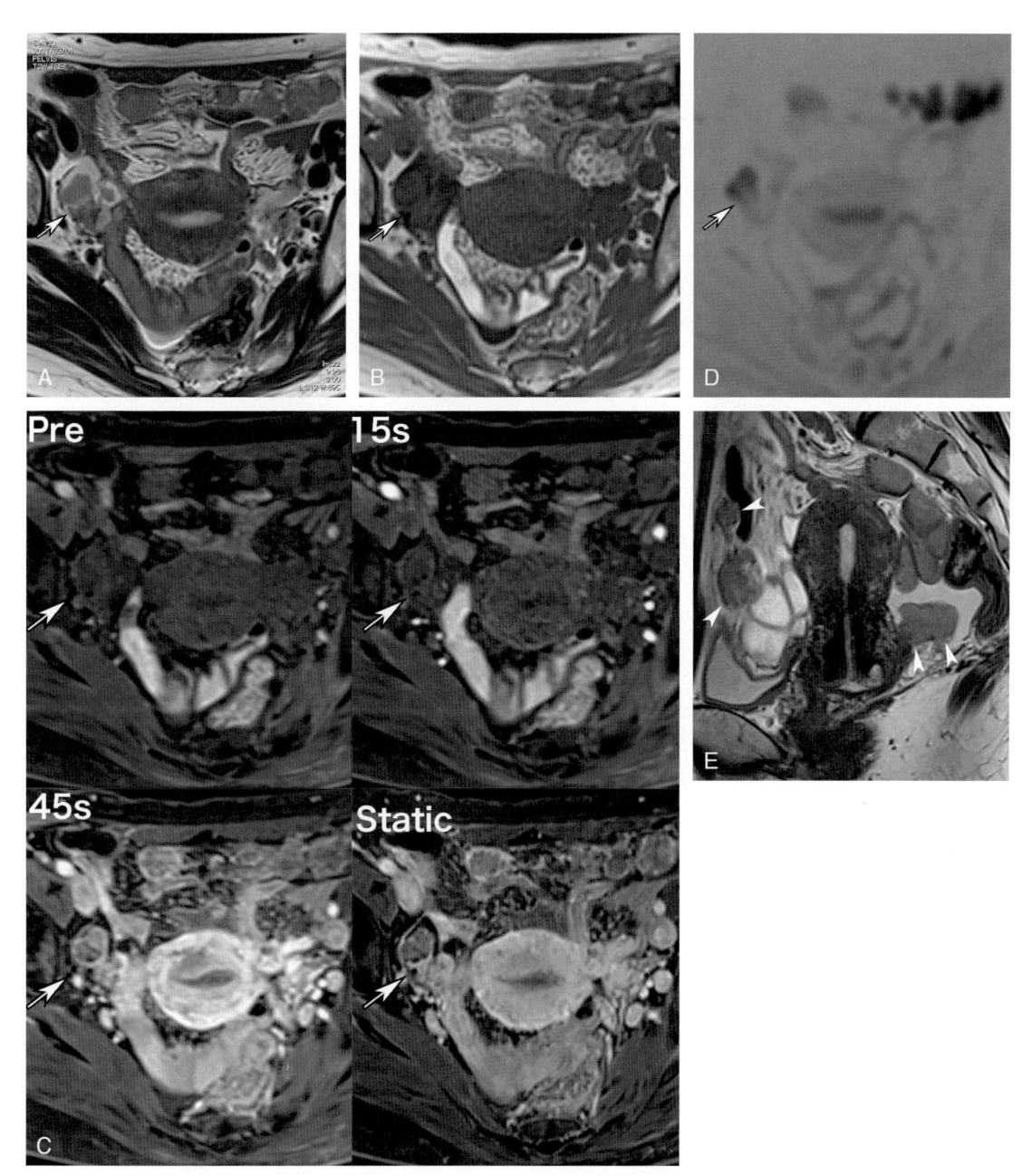

図3 50歳 乳癌既往，*BRCA1* 病的バリアント，高異型度漿液性癌ⅢC期
A：T2強調横断像，B：T1強調横断像，C：ダイナミックMRI，D：拡散強調横断像，E：T2強調矢状断像
右乳癌術後，*BRCA1* 遺伝子変異が判明し，リスク低減卵管卵巣摘出術前検査で，右付属器に小腫瘤を認め（A～D →），T2強調像で高信号（A），早期一過性に濃染し（B，C），強い拡散制限を示し（D），高異型度漿液性癌を疑う所見である。Douglas窩や大網に多数の播種巣を認め（E▲），進行期はすでにⅢC期で，リスク低減が間に合わなかった症例である。

Ⅲ 遺伝性腫瘍

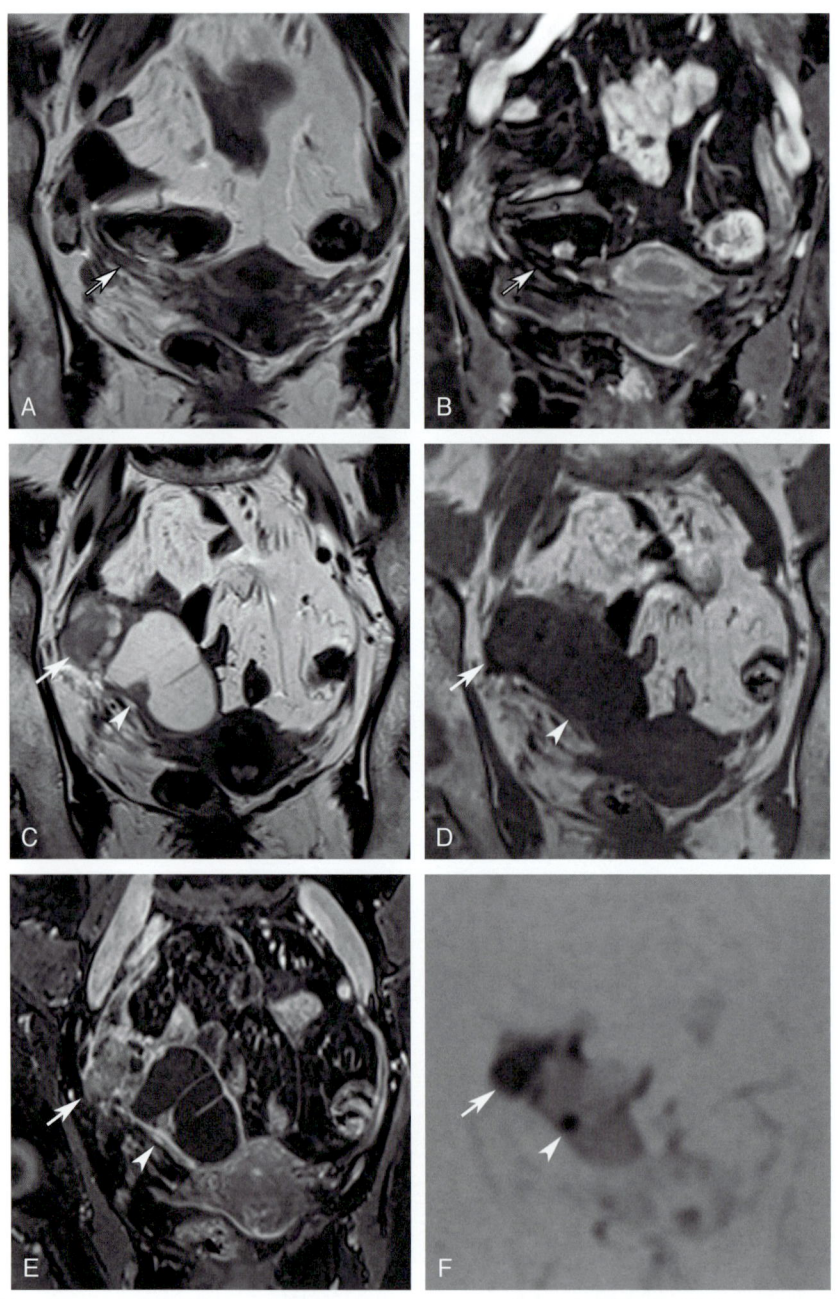

図4 62歳 *BRCA1* 病的バリアント陽性，サーベイランス中に高異型度漿液性癌ⅢB期を発症した症例
A：T2強調冠状断像（2年前），B：造影脂肪抑制T1強調冠状断像（2年前），C：T2強調冠状断像，D：T1強調冠状断像，E：造影脂肪抑制T1強調冠状断像，F：拡散強調冠状断像
両側乳癌術後，*BRCA1* 遺伝子変異が判明したのでTVUSとCA125計測でサーベイランスを行っていた症例。2年前のMRIで，右付属器は萎縮した索状物として認められるのみであった（A，B→）が，その後右付属器腫瘤が顕在化した。発見時，右付属器は7cm近い混合性腫瘤を形成しており（C～F），T2強調像で高信号（C），子宮と同程度によく増強され（E），強い拡散制限を示す充実部が豊富にみられ，高異型度漿液性癌を疑う所見である。別のスライスでは2cmを超えない播種巣も描出されており，進行期はすでにⅢB期である。
（文献15より転載）

表4 乳癌合併・既往例における卵巣腫瘍の鑑別点

	転移性卵巣癌をより強く疑う所見	原発性卵巣癌（特に高異型度漿液性癌）をより強く疑う所見
乳癌の進行期	進行乳癌	早期乳癌
BRCA 遺伝子変異	BRCA 遺伝子変異の可能性は低い	既知の BRCA 遺伝子変異，もしくは変異を有する可能性が高いHBOC の家族歴卵巣癌の家族歴
腫瘍マーカー	CA15-5	CA125
US 所見	多結節状，充実性卵巣皮質や表層を冒すことが多い	複雑性嚢胞，混合性腫瘤（充実部と嚢胞を含む）時に隔壁や内部エコーあり
MRI 所見	T2 強調像で充実部の信号が低い辺縁を中心とする中等度の拡散制限非浸潤性発育，境界明瞭	T2 強調像で充実部の信号が高いびまん性の強い拡散制限浸潤性発育
免疫組織化学染色	GCDFP-15	Mesothelin, CA125, PAX8, WT1

（文献1をもとに著者の知見を含めて作成）

性腫瘍症例では免疫チェックポイント阻害薬やワクチンを用いた新しい免疫療法が有効であることから，腫瘍組織のマイクロサテライト不安定性（microsatellite instability：MSI）検査やミスマッチ修復タンパク質の免疫組織化学的検査を用いた診断が推奨されている[2)18)]。

結腸癌の合併でよく知られる LS ではあるが，50～60％の LS 患者は婦人科癌を最初に発症する。これは，LS に合併する子宮内膜癌は非合併例に比べ15～20歳若年で発症することに起因する。病理組織学的には，非類内膜癌が多く，さらに組織学的グレードが高く，脈管侵襲も高頻度であることが知られている[19)]。反面，全生存率は80％以上と予後は良好である[2)20)]。また形態的には子宮体部下部に好発する[19)21)]（図5）。子宮体部下部に主座のある腺癌には頸部腺癌が混在する（p703, コラム参照）ことから注意が必要だが，初期の報告ではその29％が LS であったとの報告がある[21)]。

LS の中でも原因遺伝子により卵巣癌の合併頻度には濃淡があり，合併する卵巣癌の平均発症年齢は46歳，組織型は類内膜癌40％，高異型度漿液性癌25％，低異型度漿液性癌11％，明細胞癌6％と報告されている[22)]。類内膜癌の子宮内膜と卵巣での同時発生は22％との報告がある[23)]。画像所見に特段の特徴は報告されていない[20)]。

3）Peutz-Jeghers 症候群

Peutz-Jeghers 症候群（PJS）は消化管の過誤腫性ポリープと粘膜色素沈着を特徴とする常染色体顕性の遺伝性疾患である。PJS は STK11/LKB1 遺伝子の生殖細胞系列の変異によって引き起こされ，消化管全長にわたってポリープが多発し，しばしば腸重積を引き起こす（図6, 7）[24)]。同時に乳腺（生涯リスク 32～54％），結腸（39％），胃（29％），膵（11～36％）など種々の悪性腫瘍のリスクを上昇させることも知られている[25)]。

婦人科領域では輪状細管を伴う性索腫瘍（sex cord tumor with annular tubules：SCTAT）(p522 参照) の合併が広く知られ，小児から 40 代まで幅広い年齢に発症する[26)]。PJS 合併例に小

Ⅲ 遺伝性腫瘍

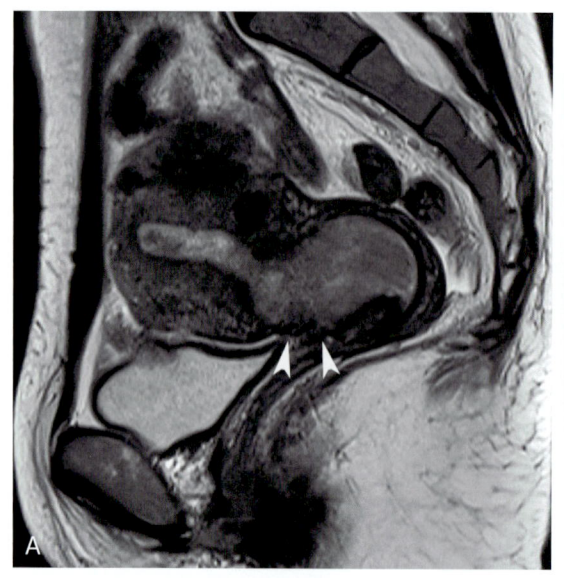

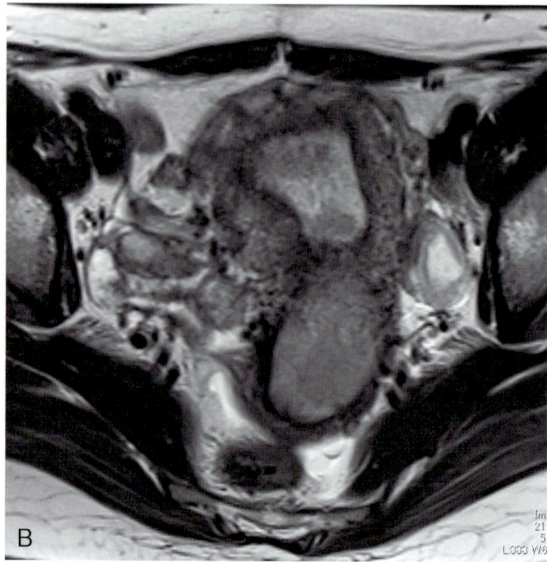

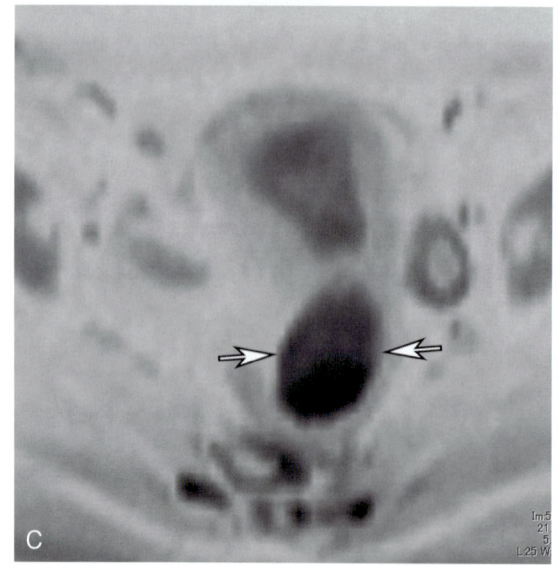

図5 44歳 Lynch症候群に合併した子宮内膜癌Ⅱ期（類内膜癌G2）
A：T2強調矢状断像，B：T2強調横断像，C：拡散強調横断像
子宮体部下部で主として外向性に発育するが前壁で筋層，頸部間質に深く浸潤する（A▲），T2強調像で高信号（B），拡散制限の強い腫瘍を認め（C→），子宮内膜癌Ⅱ期と診断できる。濃厚な家族歴から遺伝子検査が行われ，生殖細胞系列に*MLH1*の病的バリアントが認められ，Lynch症候群と診断された。術後，大腸癌の発症に留意しながら経過観察中である。

児を含む若年例が多いことから，本腫瘍の産生するエストロゲンがLEGHや胃型腺癌の発症の誘因との考察もなされている[24)26)27)]。本腫瘍は通常顕微鏡レベルから3cm以下と小さく，画像で描出するのは難しいと思われる（図6）。PJSに合併したSCTATは良性のコースをたどるが，非PJS症例では卵巣外に広がることもあるという。SCTAT以外ではセルトリ細胞腫（p522参照）合併の報告がある[27)]。

　前述の通り，胃型腺癌とその前駆病変であるLEGHもPJSで合併率の高いことが知られ，PJS症例の15〜30％が胃型腺癌を発症し，逆に胃型腺癌の10％未満はPJS症例であるという[26)]。LEGHと胃型腺癌の画像所見については第6章に詳述した（p252参照）（図7）。

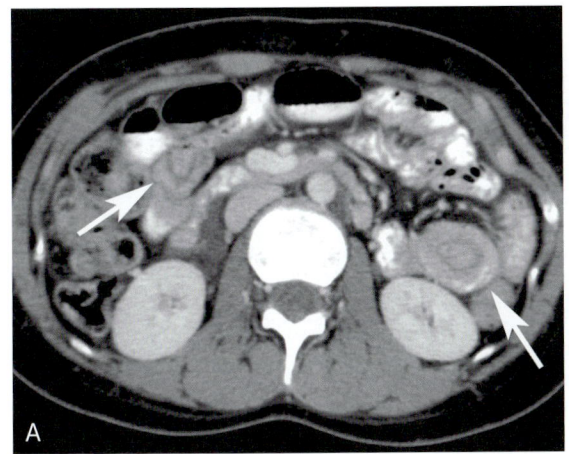

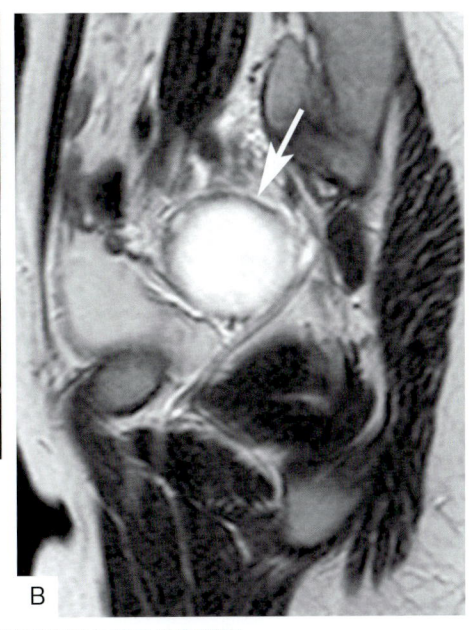

2. HBOC以外の遺伝性婦人科腫瘍

図6 21歳 Peutz-Jeghers症候群症例にみられた輪状細管を伴う性索腫瘍
A：造影CT，B：T2強調矢状断像
多発小腸ポリープによりこのスライスだけで2カ所に腸重積を起こしている（A→）。開腹時に両側卵巣生検が行われ，本腫瘍と病理組織学的に診断されたが，卵胞嚢胞の辺縁に圧排された右卵巣の組織に画像的に異常は指摘し得ない（B→）。

4）DICER1症候群

　DICER1症候群は，*DICER1*遺伝子のヘテロ接合性の生殖細胞系列の機能喪失変異によって引き起こされる，まれな常染色体顕性遺伝性疾患である[28]。胸膜肺芽腫，嚢胞性腎腫，卵巣の性索間質性腫瘍，多結節性甲状腺腫および甲状腺癌，松果体芽腫および下垂体芽腫を含む脳腫瘍の発症に関与する。DICER1症候群に伴う卵巣の性索間質性腫瘍は，セルトリ・ライディッヒ細胞腫の頻度が最も高く，まれに若年型顆粒膜細胞やギナンドロブラストーマがみられる。腹部腫瘤として発症，もしくはホルモン産生による症状がみられることもある。片側性で，10cmを超えた充実性腫瘍のことが多い[29]。胸膜肺芽腫は生後早期に，嚢胞性腎腫も幼児期に発生するので，性成熟期以降に卵巣腫瘍で婦人科を受診する症例は多くないと推定されるが，逆にセルトリ・ライディッヒ細胞腫症例の67〜88％が*DICER1*遺伝子の生殖細胞系列の異常を合併しており，本腫瘍と甲状腺癌を同一症例に合併した場合にはDICER1症候群を疑うべきとされている[28]。セルトリ・ライディッヒ細胞腫の画像所見は第7章に詳述した（p525；p528〜530 図20〜21参照）。

5）Gorlin-Goltz症候群［基底細胞母斑症候群（basal cell nevus syndrome）］

　Gorlin-Goltz症候群は基底細胞母斑症候群ともよばれ，多数の基底細胞癌，歯原性角化嚢胞と筋骨格系奇形を特徴とする，まれな常染色体顕性遺伝性疾患である[30]。Gorlin-Goltz症候群の責

Ⅲ 遺伝性腫瘍

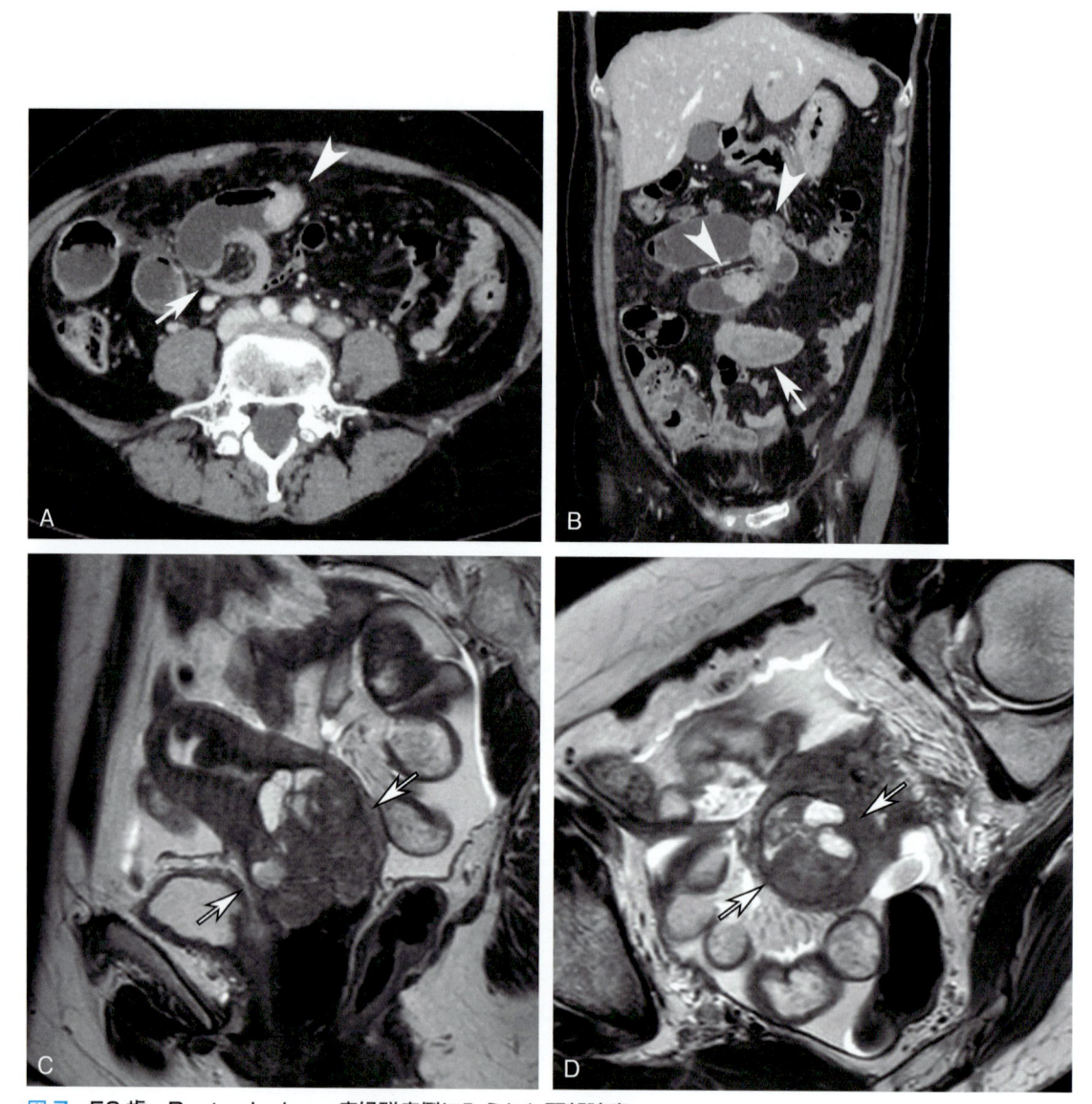

図7　56歳　Peutz-Jeghers症候群症例にみられた頸部腺癌
A：造影CT横断像，B：造影CT冠状断MPR像，C：T2強調矢状断像，D：T2強調横断像
多発小腸ポリープ（▲）により，複数箇所で腸重積（→）を起こしている（A，B）。子宮頸部では内子宮口付近を中心に，囊胞形成を伴う腫瘍が認められ（C，D→），腺癌と診断されている。Peutz-Jeghers症候群が既知であり，生検のみで詳細な組織型診断に至らなかったが，胃型腺癌が強く疑われる。中等量の腹水も伴っており，腹腔内播種も疑わしい。

責任遺伝子はがん抑制遺伝子に分類される*PTCH1*であり，加齢や紫外線，放射線照射などによる組織のloss of heterozygosity（LOH）により，基底細胞癌などの悪性腫瘍が発生する。また本症候群の女性患者の75％（最近の報告では14～24％ともされる）に卵巣線維腫を合併し，思春期前の小児にはまれだが，平均発症年齢は30歳と若い。両側性，石灰化の頻度が高いとされる[30]（図8）。卵巣線維腫の画像所見は第7章で述べた（p503参照）。

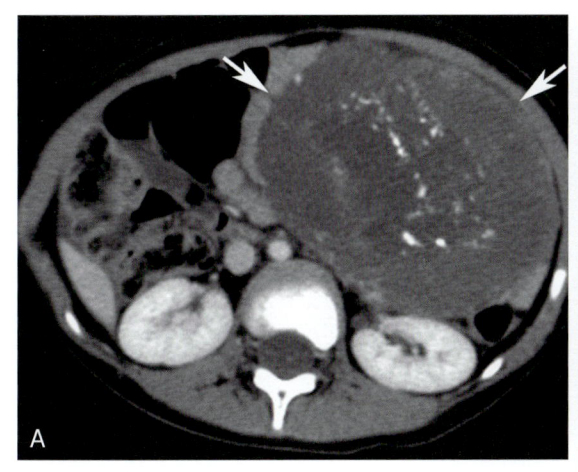

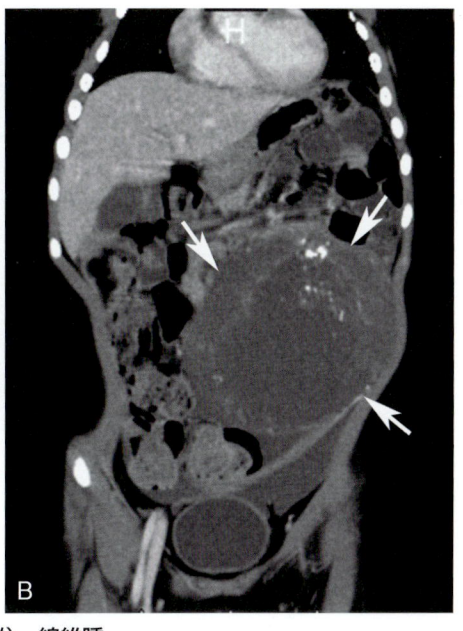

図8　7歳　Gorlin-Gortz症候群（基底細胞母斑症候群），線維腫
A：造影CT，B：造影CT冠状断MPR像
髄芽腫の術後，腹痛を訴えて受診したのでCTを撮影したところ，左卵巣に一致して造影剤による増強効果が不良で，粗大な石灰化を伴う腫瘤を認め（A，B→），手術の結果，線維腫であることが判明した。このエピソード以前には判明していなかったが，小脳髄芽腫と石灰化を伴う若年性線維腫の組み合わせから，Gorlin-Gortz症候群（基底細胞母斑症候群）と考えられる。

6) 遺伝性平滑筋腫症・腎細胞癌症候群（HLRCC），FH腫瘍易罹患性症候群 FH tumor predisposition syndrome

　FH腫瘍易罹患性症候群は，ミトコンドリアのクエン酸回路で働く酵素の1つであるフマル酸ヒドラターゼ（FH）の遺伝子の機能喪失に起因し，皮膚平滑筋腫，子宮平滑筋腫（子宮筋腫）や腎細胞癌を特徴とする常染色体顕性遺伝性疾患である。皮膚平滑筋腫は平均30歳で発症し，加齢とともにその大きさや数は増加する[31]。FH欠損腎細胞癌はWHO分類第5版から新たに定義された概念で，多彩な組織像を呈し，原発腫瘍が小さくても侵襲的で転移傾向があるため，予後不良とされる。画像的には腎洞部や尿路に浸潤性に発育する，T2強調像で不均一な信号を呈し，拡散制限，PET/CTでFDGの強い集積を伴う腫瘍と報告されている[32]が，特徴的所見には乏しいと思われる。子宮筋腫は若年発症（腎細胞癌発症前）で巨大化し，手術を要することが多い[33]とされる。病理組織的には奇怪核を伴う平滑筋腫が最も多く，悪性度不明な平滑筋腫瘍（smooth muscle tumours of uncertain malignant potential：STUMP）がこれに次ぎ，通常型の平滑筋腫は少ないとされる[34]。STUMPと診断された自験例も通常の筋腫に比べT2強調像で信号強度は高いが，漸増性の増強効果を示し，肉腫を疑わせる壊死や浸潤性発育はみられなかった（図9）。

III 遺伝性腫瘍

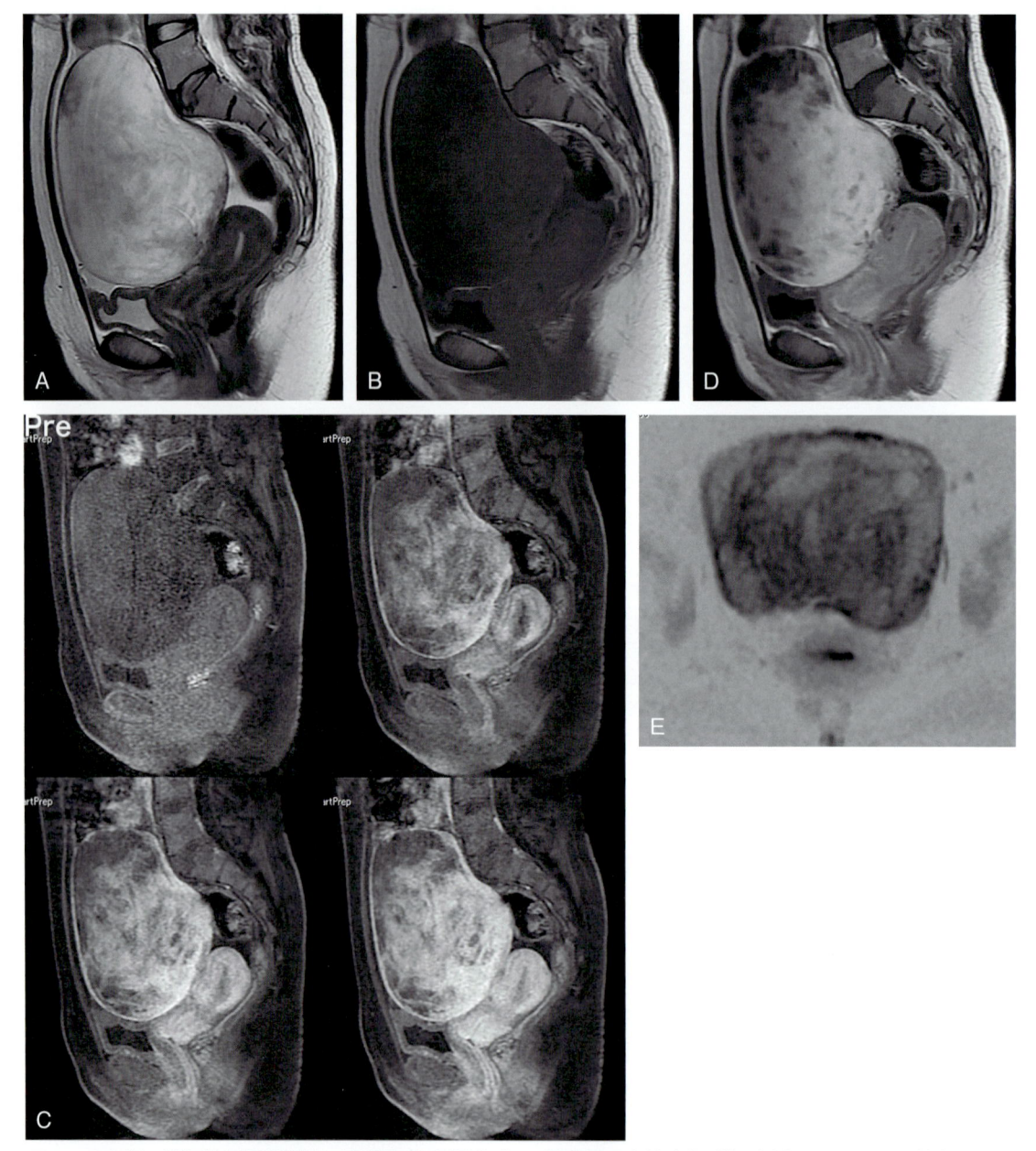

図9 26歳 遺伝性平滑筋腫症・腎細胞癌症候群（FH腫瘍易罹患性症候群）症例にみられた悪性度不明な子宮平滑筋腫瘍（STUMP）
A：T2強調矢状断像，B：T1強調矢状断像，C：ダイナミックMRI，D：造影脂肪抑制T1強調矢状断像，
E：拡散強調横断像
子宮体部前壁漿膜下から腹側に突出する境界明瞭な腫瘤を認め，通常の筋腫に比べT2強調像での信号が高い（A）。造影後は漸増性に増強される（B〜D）。拡散強調像では異常信号ではあるが（E），子宮内膜よりは軽度に留まる。生検で病理組織学的にはSTUMPと診断された。

文献

1) Reinert T et al：The challenge of evaluating adnexal masses in patients with breast cancer. Clin Breast Cancer 18：e587-594, 2018
2) Shanbhogue KP et al：Hereditary ovarian tumour syndromes：current update on genetics and imaging. Clin Radiol 76：313.e15-313.e26, 2021
3) 日本遺伝性乳癌卵巣癌総合診療制度機構 編：遺伝性乳癌卵巣癌〈HBOC〉診療ガイドライン2024年版．金原出版，東京，2024
4) Varol U et al：BRCA genes：BRCA 1 and BRCA 2. J BUON 23：862-866, 2018
5) Petrucelli N et al：BRCA1- and BRCA2-associated hereditary breast and ovarian cancer. geneReviews® [Internet] 1993-2019
https://www.ncbi.nlm.nih.gov/books/NBK1247/（accessed 2023.01.13）
6) Buys SS et al：Effect of screening on ovarian cancer mortality：the Prostate, Lung, Colorectal and Ovarian (PLCO) Cancer Screening Randomized Controlled Trial. JAMA 305：2295-2303, 2011
7) Oei AL et al：Surveillance of women at high risk for hereditary ovarian cancer is inefficient. Br J Cancer 94：814-819, 2006
8) Elezaby M et al：BRCA mutation carriers：breast and ovarian cancer screening guidelines and imaging considerations. Radiology 291：554-569, 2019
9) Enomoto T et al：The first Japanese nationwide multicenter study of BRCA mutation testing in ovarian cancer：CHARacterizing the cross-sectionaL approach to Ovarian cancer geneTic TEsting of BRCA (CHARLOTTE). Int J Gynecol Cancer 29：1043-1049, 2019
10) Tanaka YO et al：Differentiation of epithelial ovarian cancer subtypes by use of imaging and clinical data：a detailed analysis. Cancer Imaging 16：3, 2016
11) Saida T et al：Comparing characteristics of pelvic high-grade serous carcinomas with and without breast cancer gene variants on MR imaging. Magn Reson Med Sci 23：18-26 2022
12) Nougaret S et al：High-grade serous ovarian cancer：associations between BRCA mutation status, CT imaging phenotypes, and clinical outcomes. Radiology 285：472-481, 2017
13) Soslow RA et al：Morphologic patterns associated with BRCA1 and BRCA2 genotype in ovarian carcinoma. Mod Pathol 25：625-636, 2012
14) Kurman RJ et al：The origin and pathogenesis of epithelial ovarian cancer：a proposed unifying theory. Am J Surg Pathol 34：433-443, 2010
15) 田中優美子：遺伝性卵巣腫瘍の画像診断：HBOCを中心に．臨画像 39：164-171, 2023
16) Dragoo DD et al：PTEN hamartoma tumor syndrome/Cowden syndrome：genomics, oncogenesis, and imaging review for associated lesions and malignancy. Cancers 13：3120, 2021
17) Neto N, Cunha TM：Do hereditary syndrome-related gynecologic cancers have any specific features？ Insights Imaging 6：545-552, 2015
18) Lynch HT et al：Diagnosis and management of hereditary colorectal cancer syndromes：Lynch syndrome as a model. CMAJ 181：273-280, 2009
19) Carcangiu ML et al：Lynch syndrome：related endometrial carcinomas show a high frequency of nonendometrioid types and of high FIGO grade endometrioid types. Int J Surg Pathol 18：21-26, 2010
20) Cox VL et al：Lynch syndrome：genomics update and imaging review. Radiographics 38：483-499, 2018
21) Westin SN et al：Carcinoma of the lower uterine segment：a newly described association with Lynch syndrome. J Clin Oncol 26：5965-5971, 2008
22) Ran X et al：The clinical features and management of Lynch syndrome-associated ovarian cancer. J Obstet Gynaecol Res 48：1538-1545, 2022
23) Watson P et al：The clinical features of ovarian cancer in hereditary nonpolyposis colorectal cancer. Gynecol Oncol 82：223-228, 2001
24) Tomlinson IP, Houlston RS：Peutz-Jeghers syndrome. J Med Genet 34：1007-1011, 1997
25) Klimkowski S et al：Peutz-Jeghers syndrome and the role of imaging：pathophysiology, diagnosis, and associated cancers. Cancers 13：5121, 2021
26) Ishida H et al：Update on our investigation of malignant tumors associated with Peutz-Jeghers syndrome in Japan. Surg Today 46：1231-1242, 2016
27) Bhardwaj S, Kalir T：Gynecologic manifestations of Peutz-Jeghers syndrome. Int J Gynecol Cancer 33：640-642, 2023
28) Robertson JC et al：DICER1 syndrome：DICER1 mutations in rare cancers. Cancers 10：143, 2018
29) Schultz KA et al：Ovarian sex cord-stromal tumors, pleuropulmonary blastoma and DICER1 mutations：a report from the International Pleuropulmonary Blastoma Registry. Gynecol Oncol 122：246-250, 2011
30) Gorlin RJ：Nevoid basal-cell carcinoma syndrome. Medicine 66：98-113, 1987
31) Kamihara J et al. FH tumor predisposition syndrome. GeneReviews® [Internet] 1993-2025；2025
https://www.ncbi.nlm.nih.gov/books/NBK1252/（accessed 2025.01.14）
32) Nikolovski I et al：Imaging features of fumarate hydratase-deficient renal cell carcinomas：a retrospective study. Cancer Imaging 21：24, 2021
33) Harrison WJ et al：Fumarate Hydratase-deficient Uterine Leiomyomas Occur in Both the Syndromic and Sporadic Settings. Am J Surg Pathol 40：599-607, 2016
34) Li H et al：Clinicopathological and molecular characteristics of fumarate hydratase-deficient uterine smooth muscle tumors：a single-center study of 52 cases. Hum Pathol 126：136-145, 2022

Column

❖ Bridging vascular sign のピットフォール

　漿膜下筋腫はしばしば有茎性に発育して，画像診断上あたかも付属器腫瘍のようにみえることが少なくない。幸い子宮筋腫に最も類似した MRI 所見を呈する卵巣腫瘍は線維腫（p505 図 1 参照）であって，典型的には hypovascular tumor であり，hypervascular な子宮筋腫とはダイナミック MRI で区別できることが多い。造影を行わなかった場合，腫瘤と子宮との連続性が重視されるわけだが，狭い骨盤腔内で大きな腫瘤が子宮に接して存在する場合，両者の間には介在する脂肪が欠除してみえることが少なくない。その際にしばしば利用されるのが "bridging vascular sign" である。

　漿膜下筋腫の際に子宮動脈末梢枝が子宮筋層を貫いて腫瘤を栄養する事実は古くから卵巣腫瘍との鑑別点として着目されており[1)2)]，Kim らがこれを bridging vascular sign と名付けて[3)] から広くこの所見が知られるところとなった。2006 年には，当時 Radiology に resident が投稿する学習コーナーとして存在した "Signs in Imaging" にドプラ US 所見として掲載されてからさらに世界的に有名になった[4)]。しかし，ここで気をつけなければいけないことは，栄養血管が子宮筋層を貫いて腫瘤に向かう場合のみ，この所見が陽性であるということである。子宮動脈は基靱帯内を走行して子宮の側壁から筋層内に進入する。この途中で卵巣動脈と吻合するために，hypervascular な卵巣腫瘍にあっては拡張した子宮動脈により栄養されていることがまれではない。この場合，拡張した子宮動脈は子宮筋層を貫くことなく，基靱帯から広間膜を介して腫瘤に向かう。このような脇から腫瘤に向かう栄養血管がしばしば bridging vascular sign と誤認されているが，真の bridging vascular sign は第 4 章の図 5（p134 参照）のように正中矢状断でも flow void が認められる。

【文　献】
1) 田中優美子ほか：卵巣莢膜細胞腫・線維腫群腫瘍の MRI 鑑別診断のポイントとピットフォール．臨放 43：493-500, 1998
2) Torashima M et al：The value of detection of flow voids between the uterus and the leiomyoma with MRI. J Magn Reson Imaging 8：427-431, 1998
3) Kim JC et al："Bridging vascular sign" in the MR diagnosis of exophytic uterine leiomyoma. J Comput Assist Tomogr 24：57-60, 2000
4) Madan R：The bridging vascular sign. Radiology 238：371-372, 2006

第4章

子宮筋腫とその関連疾患

Summary

- 子宮筋腫はT2強調像で基本的に境界明瞭な低信号結節として描出される。
- 子宮筋腫は種々の変性・組織学的亜型により多彩な信号を呈する。最も一般的な間質の浮腫や囊胞変性はT2強調像で高信号、ヒアリン変性は低信号を示し、いずれも増強効果に乏しい。腫瘍内出血は妊娠時に好発する静脈閉塞による出血性梗塞である卒中性平滑筋腫の所見であるが、周閉経期以降ではむしろ平滑筋肉腫を疑うべきである（各種肉腫の画像的特徴については第6章-Ⅱ「子宮体部の腫瘍および腫瘍様病変」）参照（p346）。
- 子宮平滑筋腫瘍には特殊な発育形態を示すgrowth pattern variantが存在し、静脈内腫瘍栓（静脈内平滑筋腫症）や血行性転移（転移性平滑筋腫）がみられることがある。

　子宮筋腫と子宮腺筋症は子宮腫大の原因となる2大良性疾患である。どちらも生殖可能年齢の女性を高頻度に冒す疾患群で、両者の鑑別は治療法の選択の観点から重要であり、子宮内部のコントラスト分解能に優るMRIがその主役を担ってきた。

　子宮筋腫（平滑筋腫、leiomyomas of the uterus）は平滑筋細胞よりなる良性腫瘍で様々な量の線維性間質を伴うと定義される[1]。子宮筋腫の成因には女性ホルモンが密接に関与しており、思春期前に発生することはなく性成熟期の女性に高頻度に観察される子宮腫瘍である。正確な発症頻度の推定は難しいが、子宮全摘標本の77％にみられたとの報告がある[2]。しかし多くの筋腫は小さく無症状で、有症状例は全体の1/3程度に留まるといわれ、月経異常（過多月経とこれに起因する鉄欠乏性貧血、月経困難症）、腫瘤による圧排所見（頻尿、便秘、下腹部痛）が主たる症状であるが、時に不妊や産科合併症の原因となる[3]。症状発現は筋腫の局在や大きさと関連し、過多月経による貧血は粘膜下筋腫ではしばしばみられるのに対し、漿膜下筋腫ではまれである。

　International Federation of Gynecology and Obstetrics（FIGO）では不正器出血の原因とマネジメントに関するステートメントで、子宮筋腫を局在により図1のように分類している[4]。

　女性ホルモン、特にエストロゲンが筋腫の成長促成因子であることは広く知られており、逆にエストロゲン産生能の低下する閉経後には自然退縮する。また2/3の患者は複数の筋腫を有するといわれ、多発する傾向がある[5]。

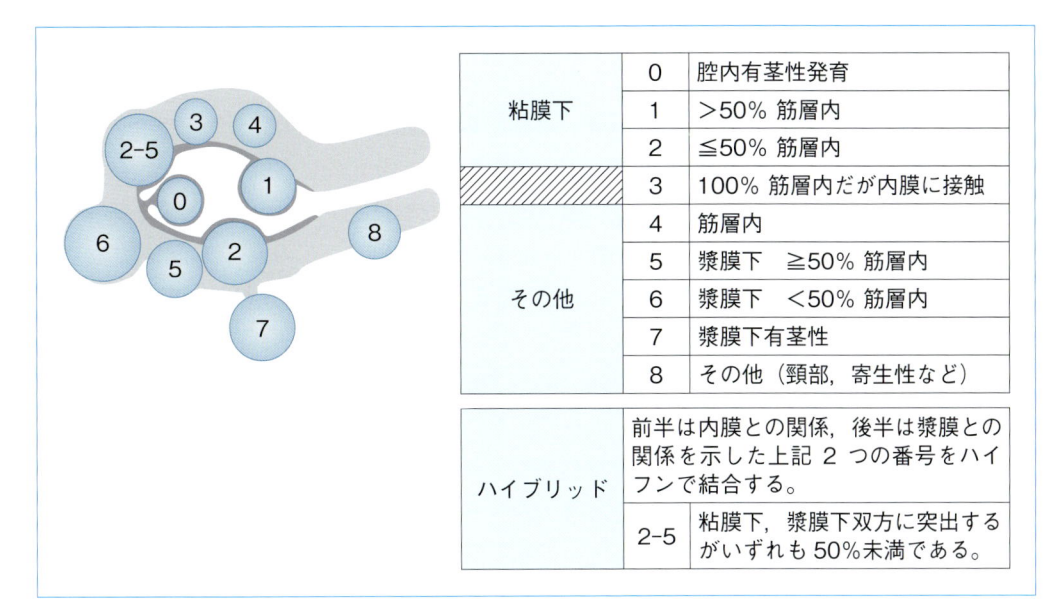

	0	腔内有茎性発育
粘膜下	1	＞50% 筋層内
	2	≦50% 筋層内
	3	100% 筋層内だが内膜に接触
その他	4	筋層内
	5	漿膜下 ≧50% 筋層内
	6	漿膜下 ＜50% 筋層内
	7	漿膜下有茎性
	8	その他（頸部，寄生性など）
ハイブリッド		前半は内膜との関係，後半は漿膜との関係を示した上記 2 つの番号をハイフンで結合する。
	2-5	粘膜下，漿膜下双方に突出するがいずれも 50% 未満である。

図1 子宮筋腫の局在による分類（FIGO2018）
（文献 4 より改変引用）

I 局在による分類と典型像および鑑別診断

　変性を伴わない子宮筋腫は US で境界明瞭な低エコー腫瘤[6]，造影 CT で筋層と同じかこれより増強効果の不良な腫瘤[7]，MRI では T1 強調像で子宮筋層と等信号，T2 強調像で低信号の境界明瞭な腫瘤[8-11]として描出される（図2）。拡散強調像では背景筋層と等信号からやや拡散が亢進し，造影後は漸増性によく増強される（図3）。

　漿膜下（subserosal）筋腫や粘膜下（submucosal）筋腫の一部は子宮本体との付着部が特に小さく有茎性（pedunculated）に発育することがあり，後者が外子宮口から逸脱した状態を筋腫分娩（prolapsed leiomyoma）とよぶ。

　漿膜下筋腫はしばしば卵巣をはじめとする子宮外の腫瘍との鑑別が問題となる。特に子宮筋腫と同様に T2 強調像で低信号を呈することの多い卵巣線維腫や消化管間質腫瘍（gastrointestinal stromal tumor：GIST）との鑑別が問題となる。卵巣線維腫は筋腫と同じく T2 強調像では低信号を示す境界明瞭な腫瘤[12]であるが，典型的には造影後 delayed weak enhancement を示す[13-15]（p503〜504 参照）ことから，増強効果の良好な筋腫とは鑑別可能なことが多い。性成熟期の症例では MRI で正常卵巣を高率に同定できることから，最も重要なのは腫瘍と子宮，卵巣との連

続性を方向を変えて十分に観察することである（図4A, B）。近年，3D volume data acquisitionが比較的容易に行えるようになったことから，本法の筋腫の局在診断における有用性が報告されている。すなわち極めてスライス厚の薄い画像を多数枚撮像し，そのデータを検査後にワークステーション上で自由な断層面から観察することによってより正確に内膜との関係や粘膜下筋腫の付着部の幅や位置を知ることができる（図4E）[16]。また変性が少なく大きな漿膜下筋腫では，そのvascularityの高さゆえに，子宮動脈から腫瘍に向かう栄養血管のflow voidが観察され[17][18]，bridging vascular signとして知られている（図5）[19][20]。充実性の卵巣腫瘍と並んで，漿膜下筋腫と誤認しやすい腫瘍の代表格であるGISTは免疫組織化学染色上，c-kit（CD117, tyrosine growth factor receptor）陽性，しばしばCD34（hematopoietic progenitor cell antigen）にも陽性で[21]，消化管自立運動のペースメーカーであるCajal介在細胞起源と考えられている腫瘍である[22]。本腫瘍は高悪性度であっても浸潤性発育を示すことがまれで[23][24]，消化管の筋層から発生して壁外に大きな腫瘤を形成することが多く[25][26]，消化管壁との関連が希薄となりがちで，骨盤内に発生した場合には子宮筋腫との鑑別が問題となる。画像的にはT2強調像では高信号を呈することが多く，5cm未満の小さな腫瘤は早期から遷延性に，大きな腫瘤は漸増性に増強され，大きなものでは囊胞を伴うことが多い[27]（図6）。

　一方，粘膜下筋腫は，筆者の経験上，筋層内筋腫に比べT2強調像での信号強度の高い傾向がある（図7, 8）。子宮動脈の血流は漿膜側から供血されることから粘膜下は阻血に陥りやすく，このことが浮腫や変性による信号上昇につながるのではないかと考えている。このため後述する悪性腫瘍（特に癌肉腫，p320参照）やポリープ状に発育する子宮内膜癌との鑑別が困難な例が少なくない。幸い，粘膜下に発育するものは経腟的な組織採取が容易なので，質的診断に疑義のあるもの，特に巨大な症例で視触診では腫瘤の全貌の把握が困難な場合，積極的な組織採取が推奨される。また，子宮腔内に留まる部分が細い茎を形成し，その内部に浮腫性の背景に残存する平滑筋線維を反映して縞状の低信号域がみられる様はbroccoli sign[28]とよばれ，筋腫分娩の診断に有用な所見である（図8）。

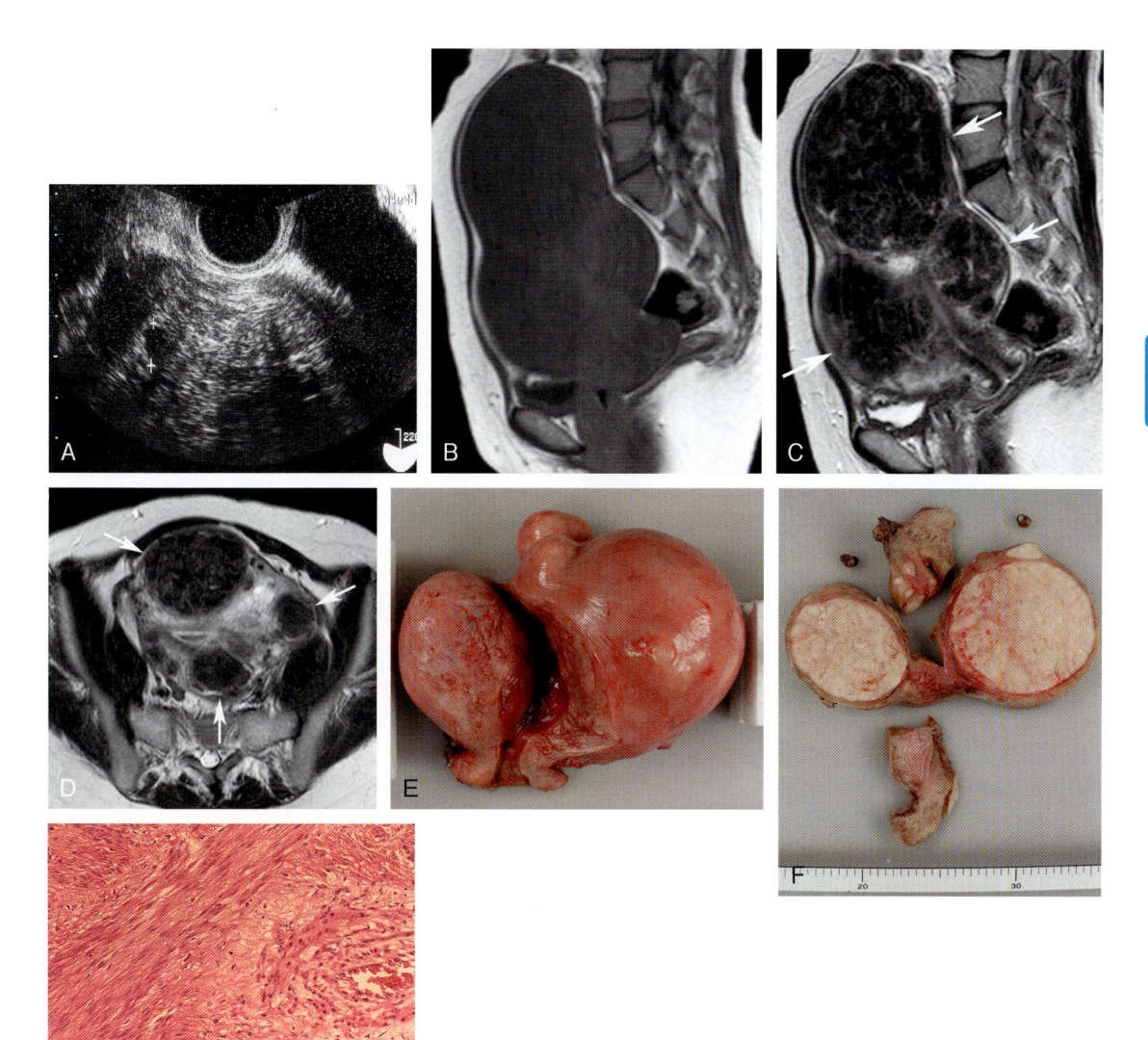

図2 42歳 子宮筋腫

A：US，B：T1強調矢状断像，C：T2強調矢状断像，D：T2強調横断像，E：摘出標本肉眼像，F：摘出標本割面，G：HE染色（弱拡大）

妊娠のため産婦人科を受診したところUSで筋腫を指摘された（A，カーソルは胎嚢）。自然流産後に行われたMRIで子宮は腫大し（B），肥厚した筋層内にはT2強調像で境界明瞭な低信号腫瘤が多発している（C，D→）。腫瘤内に線状，点状の高信号域が多発し（C，D），間質の浮腫や変性を示す。摘出標本では子宮体部筋層に限局性の腫大が散在し（E），割面では白色調，境界明瞭な結節として筋腫核が認められる（F）。病理組織学的には分化した平滑筋細胞が密に増殖し，間質には豊富な血管増生がみられる（G）。

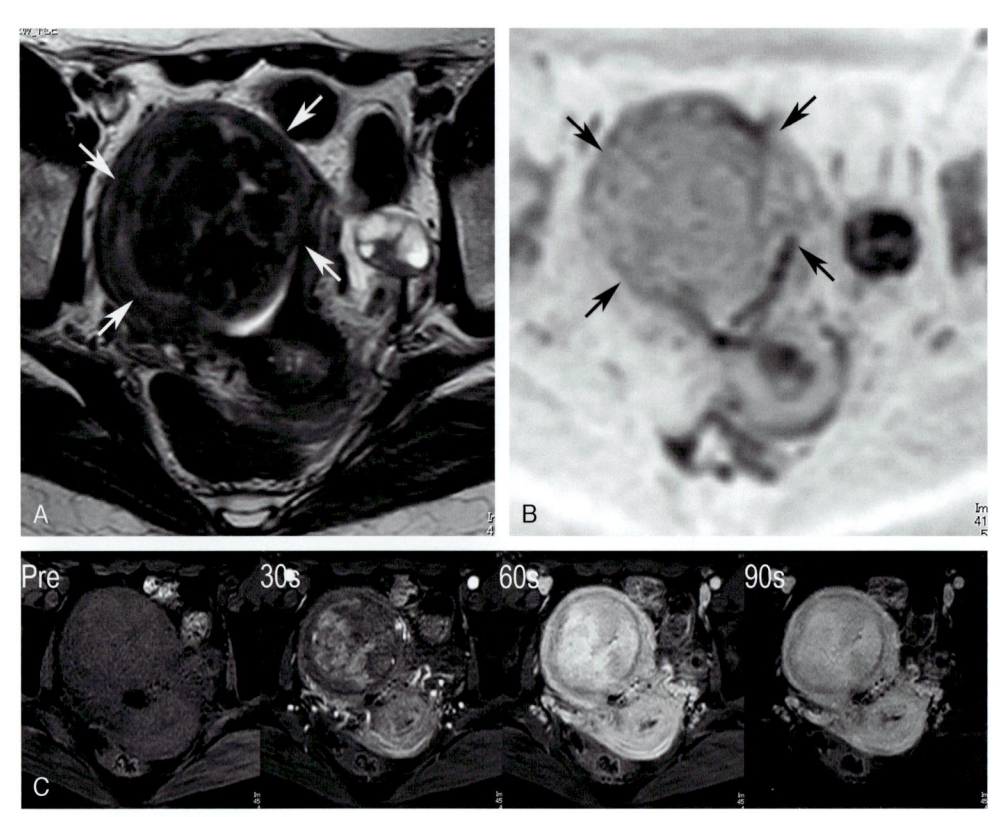

図3　48歳　子宮筋腫
A：T2強調横断像，B：拡散強調横断像，C：ダイナミックMRI横断像
健診にて子宮腫大を指摘され，撮像されたT2強調像で子宮底部に境界明瞭な低信号腫瘤がみられる（A→）。拡散強調像では背景筋層と同程度の信号である（B）。ダイナミックMRIで早期は漸増性に増強され，造影晩期には筋層と同程度か，それ以上に強く増強される（C）。変性に乏しい筋腫の典型像である。

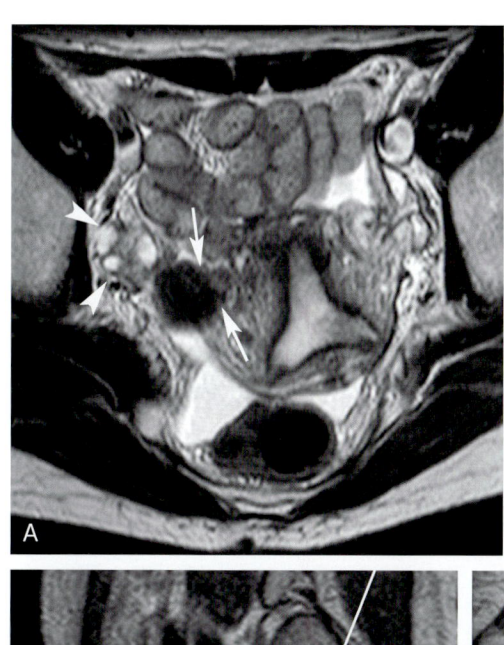

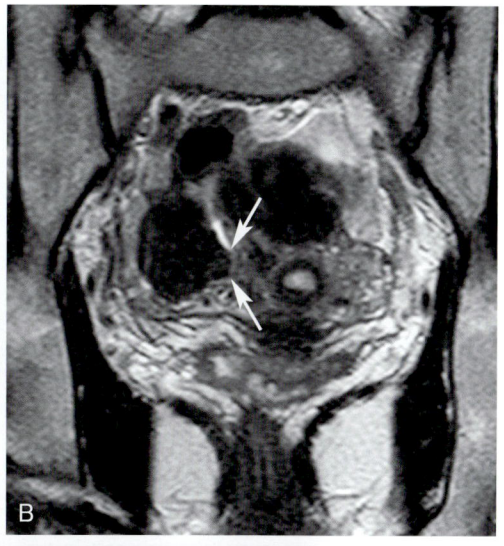

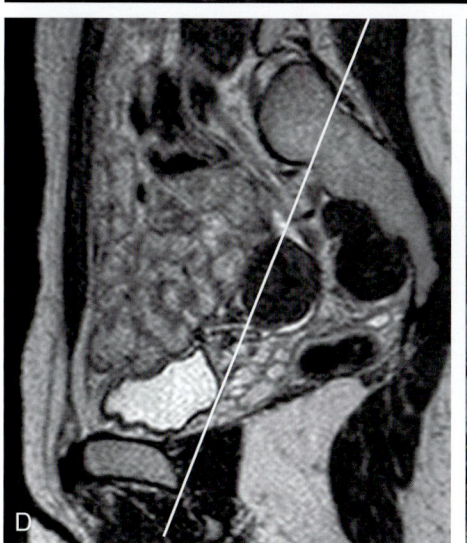

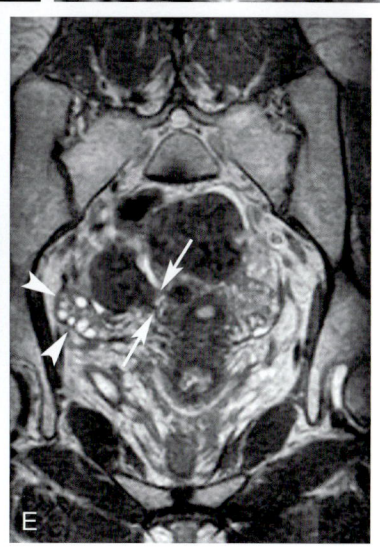

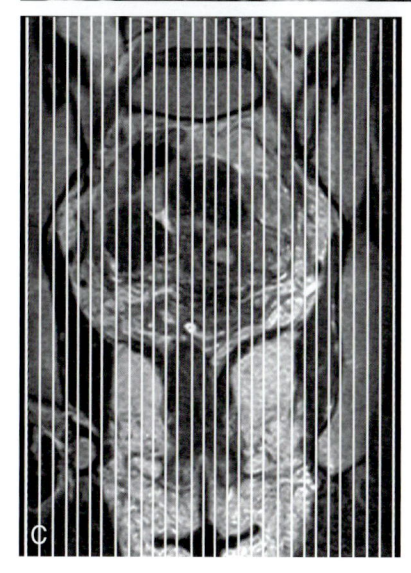

図4 34歳 有茎性漿膜下子宮筋腫，3D撮像法の有用性
A：T2強調横断像，B：T2強調冠状断像，C：3D T2強調像のスキャン範囲，D：T2強調矢状断像（3D元画像），E：T2強調斜冠状断像（3Dデータを用いて作成した再構成画像）
子宮の右側にT2強調像で均一な低信号を示す腫瘤がある。どちらから観察しても右卵巣（A▲）と腫瘍との連続性ははっきりしないのに対し，子宮とは一部連続してみえることから（A，B→）有茎性漿膜下筋腫と診断される。本例では3D volume data acquisitionを行い，自由な断像面を作成しての観察も行っている。すなわち，Cの範囲を1.2mm間隔で矢状断像を140枚撮像し，Dの実線に示した斜冠状断でMPRを作成したのがEである。Eでは卵巣（▲），子宮，腫瘤が同一断面で描出されており，腫瘤が子宮と細い茎（→）を介してつながるさまがよりわかりやすい。

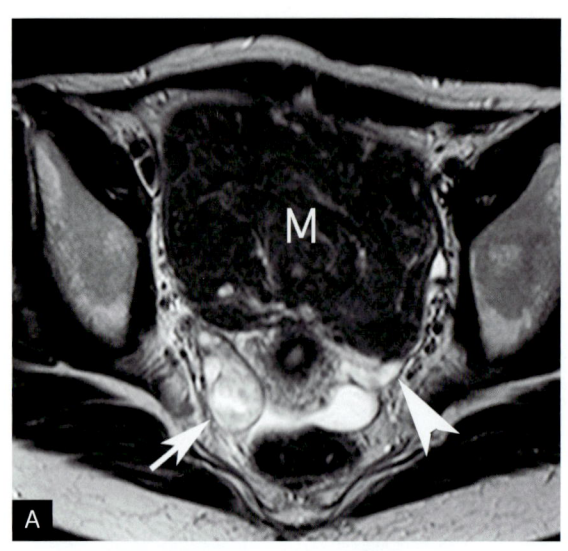

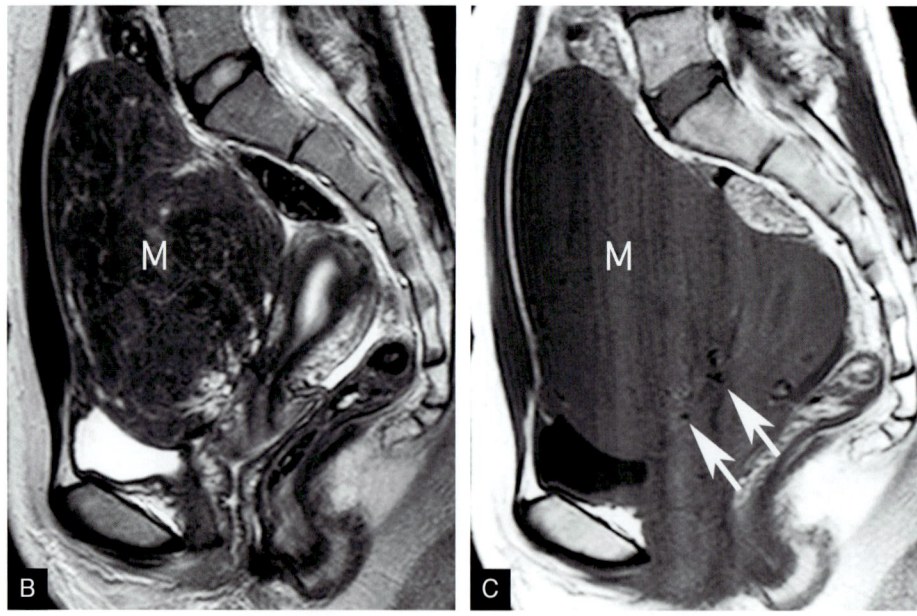

図5 32歳 有茎性漿膜下子宮筋腫
A：T2強調横断像，B：T2強調矢状断像，C：T1強調矢状断像
子宮の腹側にT2強調像で低信号を示す腫瘤（A，B：M）がある。腫瘤内には線状，点状の高信号域が多発し（A，B），間質の浮腫や変性を示す。横断像では右卵巣（A→）とは離れているが，左卵巣（A▲）とも子宮とも接していてどちら由来かわかりにくい。T1強調像では子宮と腫瘤との間に栄養血管のflow voidであるbridging vascular signが認められ（C→），子宮筋層を貫いて子宮動脈から栄養されていることから子宮由来の漿膜下筋腫であることがわかる。

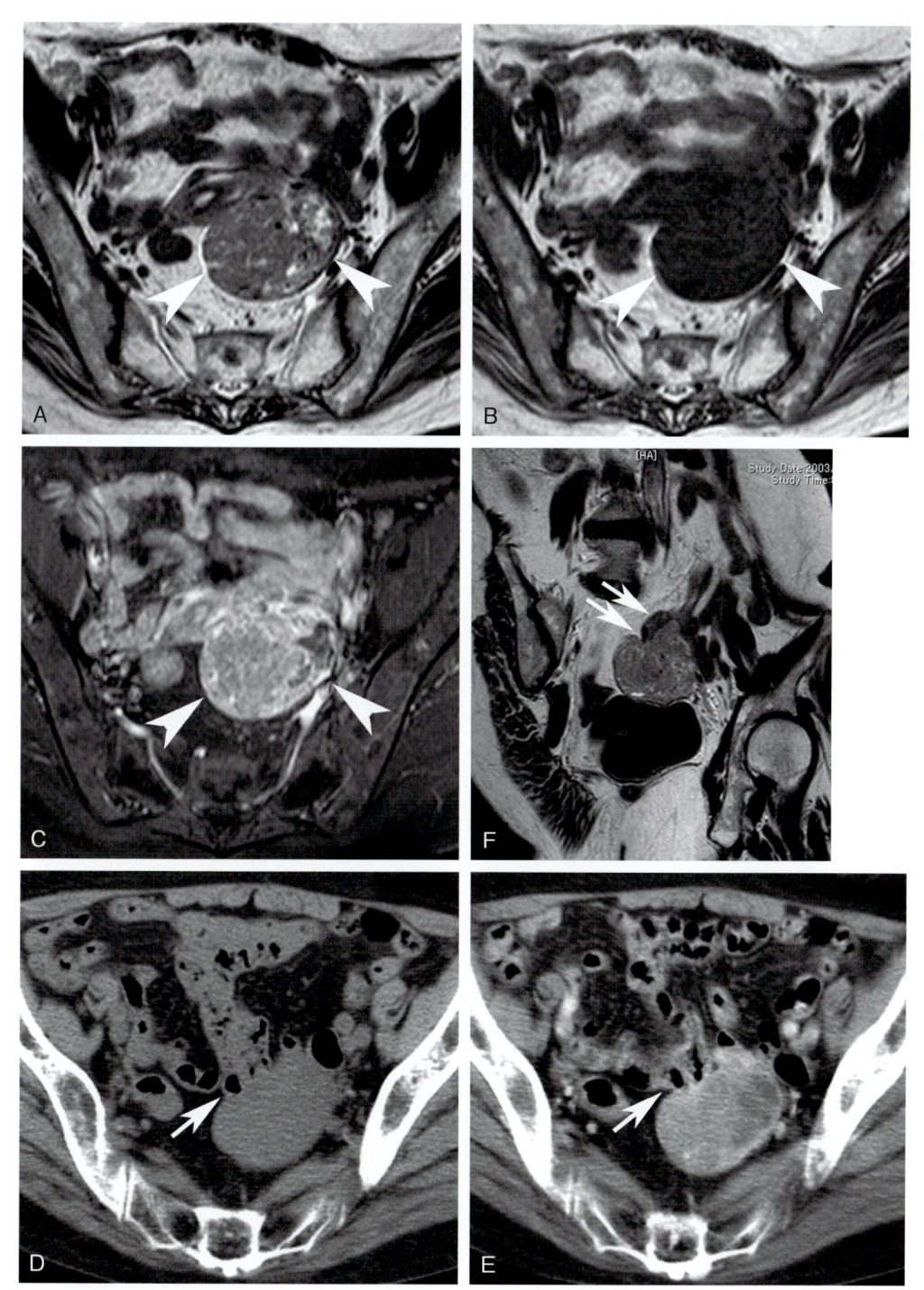

図6 76歳 空腸原発GIST
A：T2強調横断像，B：T1強調横断像，C：造影脂肪抑制T1強調横断像，D：単純CT，E：造影CT，F：T2強調冠状断像

子宮の左後壁に接してT2強調像で不均一な低信号（A▲），T1強調像で低信号（B▲）を示す腫瘤があり，造影後は強く均一に増強され（C），筋腫と類似の信号パターンを呈する。しかしCTではこの腫瘤は空腸壁（D，E→）から壁外に突出するように発育することが明らかとなり，空腸由来の腫瘍であることがわかる。MRIでも消化管（F→）との緊密な関係がうかがえる。病理組織学的にはGISTであった。

135

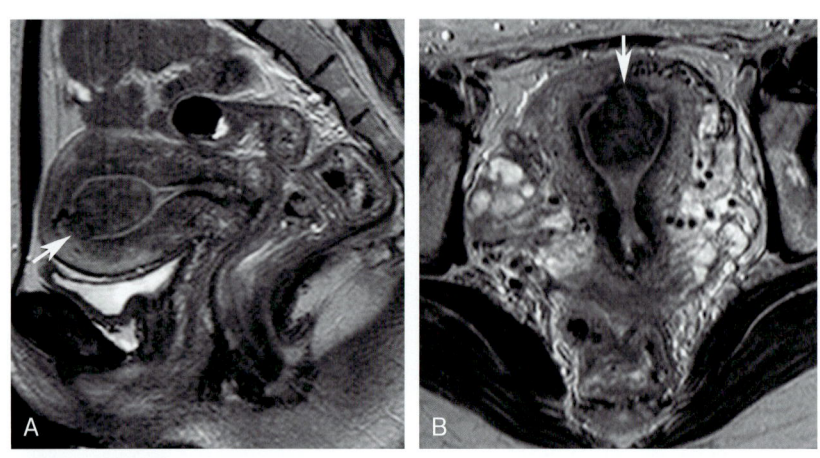

I 局在による分類と典型像および鑑別診断

図7　34歳　粘膜下子宮筋腫
A：T2強調矢状断像，B：T2強調横断像
子宮鏡下手術の術前検索としてMRIを施行した。腫瘤はT2強調矢状断像でもT2強調横断像でも底部に浅く付着するのみ（A, B →）であり，子宮鏡手術の良い適応であることがわかる。

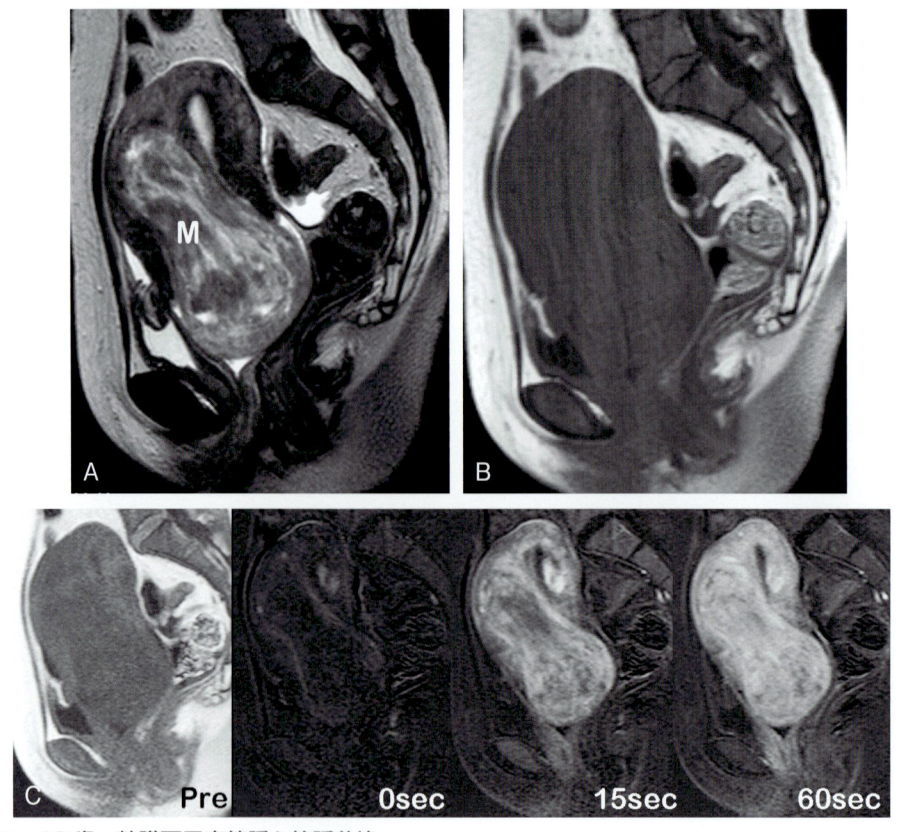

図8　43歳　粘膜下子宮筋腫と筋腫分娩
A：T2強調矢状断像，B：T1強調矢状断像，C：ダイナミックMRI矢状断像サブトラクション後
T2強調像で子宮体部前壁から内腔に突出し，頸管を経て腟腔に露出するだるま型の腫瘤（A：M）がある。腫瘤はT1強調像では筋層とほぼ同等の低信号で（B），T2強調像では通常の筋腫よりも信号強度が高いが（A），ダイナミックMRIでは造影早期から漸増性に増強され，筋腫の増強パターンである(C)。本例では腫瘤の下端が外子宮口を越えて腟腔に突出しており，筋腫分娩を伴っている。

Ⅱ 変性と変異型

　典型的な子宮筋腫はT2強調像で低信号の境界明瞭な結節を形成するが，しばしばその辺縁部に輪状の高信号域がみられ，これは拡張した静脈やリンパ管，間質の浮腫を反映したものとされている[29]。直径2cmを超える大きさの筋腫において変性はほぼ必発といわれ，その最も軽微なものは間質の浮腫であり，T2強調像で低信号を示す筋腫核の内部に網目状，ひび割れ状，星芒状の高信号域として表現される（図3, 4）[30]。これが高度になると囊胞変性（cystic degeneration）に陥り，T2強調像での高信号域は円型に近い形態をとるようになる。囊胞変性部は造影剤による増強効果をもたない（図9）。またヒアリン変性（hyalinized degeneration）も高頻度に認められ，T2強調像では変性を伴わない筋腫と同様に低信号である[30]が，T1強調像では健常筋層に比べ低信号となり，造影後の増強効果も不良である（図10）[30)31]。USではしばしば音響陰影を伴うが，これは必ずしも石灰化したために生じるのではなく，ヒアリン変性のみでもUSの透過性は著しく低下する[32]。ヒアリン変性をきたした筋腫が陳旧化すると内部にポップコーン状の石灰化を生じる（図11）。

　平滑筋肉腫と悪性度不明な平滑筋腫瘍（smooth muscle tumour with uncertain malignant potential：STUMP）については，第6章-Ⅱ「子宮体部の腫瘍および腫瘍様病変」（p349参照）の項にまとめてあるので，そちらを参考にされたい。これらを除いた良性平滑筋腫瘍のうち，WHO分類第5版，および『子宮体癌取扱い規約 病理編 第5版』では表1に示す病態を子宮筋腫（平滑筋腫）の変異型として挙げている。なお，平滑筋肉腫と平滑筋腫の鑑別には核分裂の数，細胞異型，壊死の有無の3要素が考慮されるが，表2に示した変異型のうち，富細胞性平滑筋腫，奇怪核を伴う平滑筋腫，活動性核分裂型平滑筋腫はこれらの要素の一部が平滑筋肉腫とオーバーラップし[1]，肉腫との鑑別が問題となる病態である。

　富細胞性平滑筋腫（cellular leiomyoma）は周辺の子宮筋層と比べて有意に細胞密度の高い平滑筋腫を指すが，異型や核分裂の増加は認めない[1]。しかし本腫瘍は細胞質の少ない小型の腫瘍細胞が密に増殖して構成されることから，病理組織学的にも内膜間質肉腫との鑑別が難しいことがあるとされている。細胞密度の高さは膠原線維の相対的減少を招来し，平滑筋肉腫と同様にT2強調像で高信号を示し，ダイナミックMRIでよく増強される腫瘤として認められる[33]。画像的にも典型的な肉腫と異なり壊死や出血は伴わないが，平滑筋肉腫や内膜間質肉腫とは所見にオーバーラップがあり[33]，時に鑑別に苦慮する[34]（図12）。

　奇怪核を伴う平滑筋腫（leiomyoma with bizarre nuclei）は多型性を示す核をもち，核分裂を示さない異型細胞が含まれる平滑筋腫で，従来，異型平滑筋腫（atypical leiomyoma），変形平滑筋腫（bizarre leiomyoma），合胞体平滑筋腫（symplastic leiomyoma），多形性平滑筋腫（pleomorphic leiomyoma）の名称が与えられてきた[1]。本腫瘍についても画像的所見の報告はほとんどないが，Oguchiらは富細胞性平滑筋腫と同様にT2強調像で高信号であったと報告して

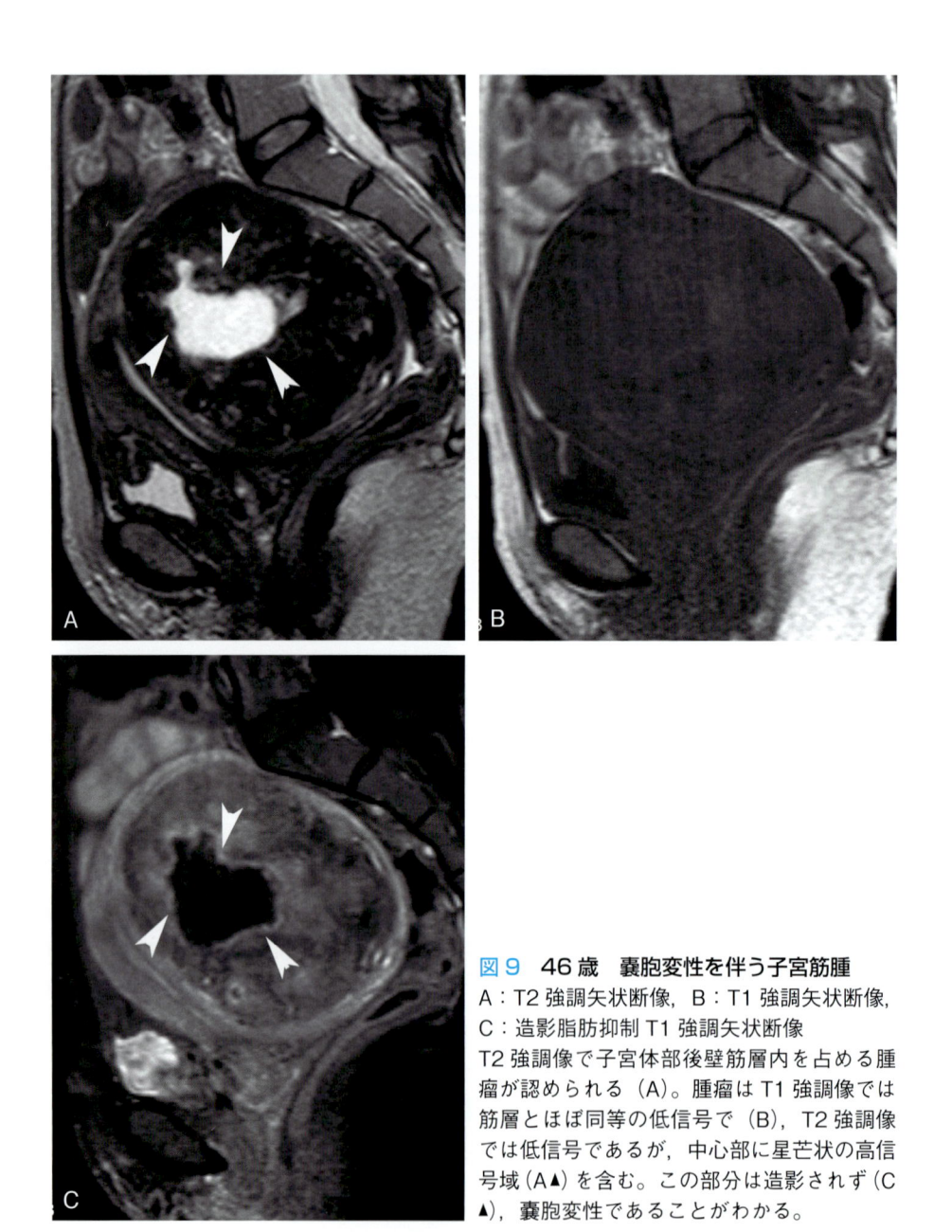

図9 46歳 囊胞変性を伴う子宮筋腫
A：T2強調矢状断像，B：T1強調矢状断像，
C：造影脂肪抑制T1強調矢状断像
T2強調像で子宮体部後壁筋層内を占める腫瘤が認められる（A）。腫瘤はT1強調像では筋層とほぼ同等の低信号で（B），T2強調像では低信号であるが，中心部に星芒状の高信号域（A▲）を含む。この部分は造影されず（C▲），囊胞変性であることがわかる。

いる[35]。活動性核分裂型平滑筋腫（mitotically active leiomyoma）では，病理組織学的に核分裂が目立つが異型に乏しく，凝固壊死はみられないとされる[1]。本変異型にも特異的な画像所見の報告はみられない。

WHO分類ではfumarate hydratase-deficient leiomyomaが変異型の1つとして挙げられている[36]。フマル酸ヒドラターゼ欠損は，皮膚平滑筋腫，子宮筋腫，腎細胞癌を三主徴とする常染色体顕性遺伝性疾患である[37,38]遺伝性平滑筋腫症・腎細胞癌症候群（HLRCC）/FH腫瘍易罹患性症候群の原因として知られ，報告者にちなんでReed症候群の別名をもつ。生殖細胞系列に本遺伝子変異を有する患者では腎細胞癌に先行し，若年にして手術を要する症候性の子宮筋腫を高率に

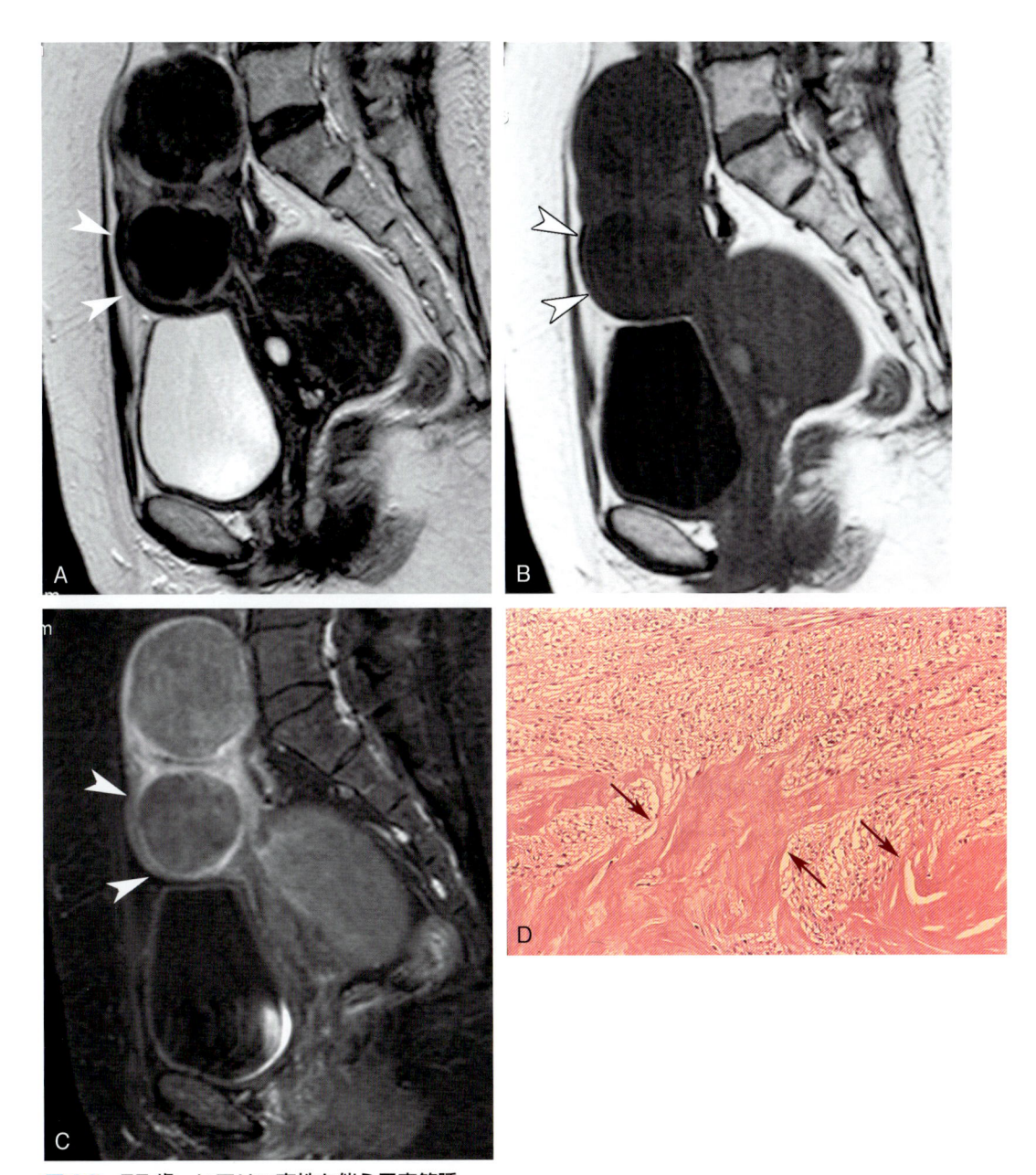

図10　55歳　ヒアリン変性を伴う子宮筋腫

A：T2強調矢状断像，B：T1強調矢状断像，C：造影脂肪抑制T1強調矢状断像，D：HE染色（弱拡大）
閉経後のため子宮筋層はT2強調像で全体に低信号であるが（A），これよりさらに信号の低い結節が3個認められる。中央の結節はT1強調像でも信号が低い（B▲）。いずれの結節も筋層に比べ増強効果が不良であるが，T1強調像で低信号であった結節の増強効果が特に不良で（C▲），最もヒアリン変性の進行した筋腫と推定される。病理組織学的に腫瘍細胞には空胞化が目立ち，一部はHE染色で均一に濃染する無構造な物質（硝子化）に置換されている（D→）。

Ⅱ 変性と変異型

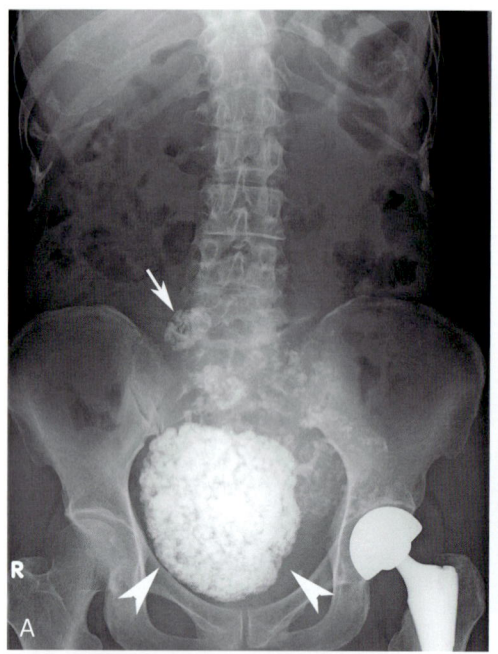

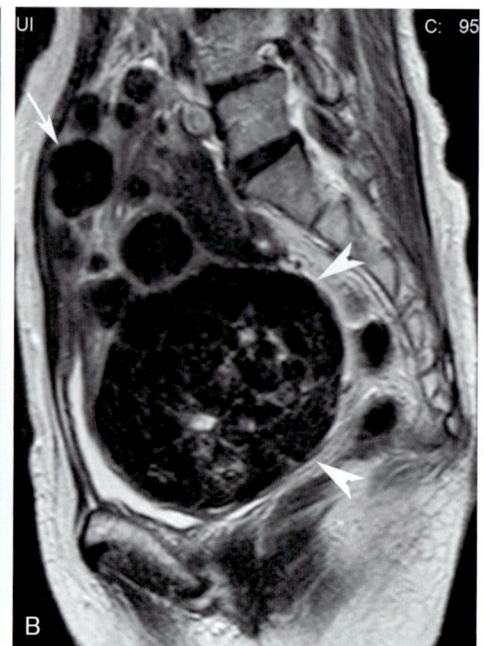

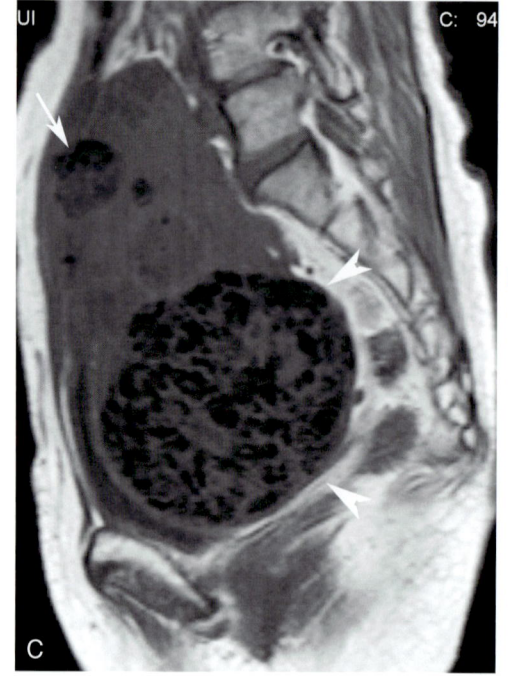

図11　67歳　石灰化を伴う変性子宮筋腫
A：腹部単純X線写真，B：T2強調矢状断像，
C：T1強調矢状断像
腹部単純X線写真にて骨盤腔内にポップコーン状の石灰化の集簇（A▲）を認め，より小さな石灰化（A→）が骨盤外まで散見される。これらの石灰化を含む腫瘤影が占拠しているので，骨盤内に腸管ガスはほとんどみられない。T2強調像では年齢に比して異常に大きな子宮の筋層内に境界明瞭な低信号結節（B→，▲）が多発し，筋腫と診断できる。石灰化はT1強調像でより明瞭なsignal void（C→，▲）として描出される。

表1　子宮筋腫の変異型『子宮体癌取扱い規約』[1]とWHO分類[36]

子宮体癌取扱い規約 病理編 第5版（2022）	WHO分類第5版（2020）
平滑筋腫	usual-type leiomyoma
富細胞性平滑筋腫	cellular leiomyoma
奇怪核を伴う平滑筋腫	leiomyoma with bizarre nuclei
―	fumarate hydratase-deficient leiomyoma
活動性核分裂型平滑筋腫	mitotically active leiomyoma
水腫状平滑筋腫	hydropic leiomyoma
卒中性平滑筋腫	apoplectic leiomyoma
脂肪平滑筋腫	lipoleiomyoma
類上皮平滑筋腫	epithelioid leiomyoma
類粘液平滑筋腫	myxoid leiomyoma
解離性（胎盤分葉状）平滑筋腫	cotyledonoid dissecting leiomyoma
平滑筋腫症	diffuse leiomyomatosis
静脈内平滑筋腫症	intravenous leiomyomatosis dissecting leiomyoma
転移性平滑筋腫	―

表2　子宮筋腫の各種変性/変異型と信号強度のまとめ

変性の種類	T2強調像	T1強調像	脂肪抑制T1強調像	増強効果
非変性筋腫	低	低	低	中等度
間質の浮腫	高	低	低	遅延造影（弱）
嚢胞変性	高	極めて低	低	なし
ヒアリン変性	低	極めて低	低	弱
富細胞性平滑筋腫	高	低	低	強
水腫状平滑筋腫	高	低	低	なし
卒中性平滑筋腫	高/辺縁に輪状低信号	高 低/辺縁に輪状高信号	高 低/辺縁に輪状高信号	なし
類粘液平滑筋腫	高	低	低	遅延造影（弱）
脂肪平滑筋腫	高	高	低	なし

発症することが知られている。本症における子宮筋腫には，鹿角状の栄養血管や奇怪核の散在など特徴的な病理所見がみられるとされたが，近年は否定的な報告も多い[36]。まとまった画像の報告はないが，臨床所見を反映して，びまん性平滑筋腫症に近い極めて多数の筋腫核を認める例や巨大筋腫の例が報告されている[39]（p123参照）。本腫瘍で重要なことは，合併する腎細胞癌が腫瘍径が小さいにもかかわらずリンパ節転移をきたすなど，他の遺伝性腎癌に比べ悪性度が高いことである[40]。

Ⅱ 変性と変異型

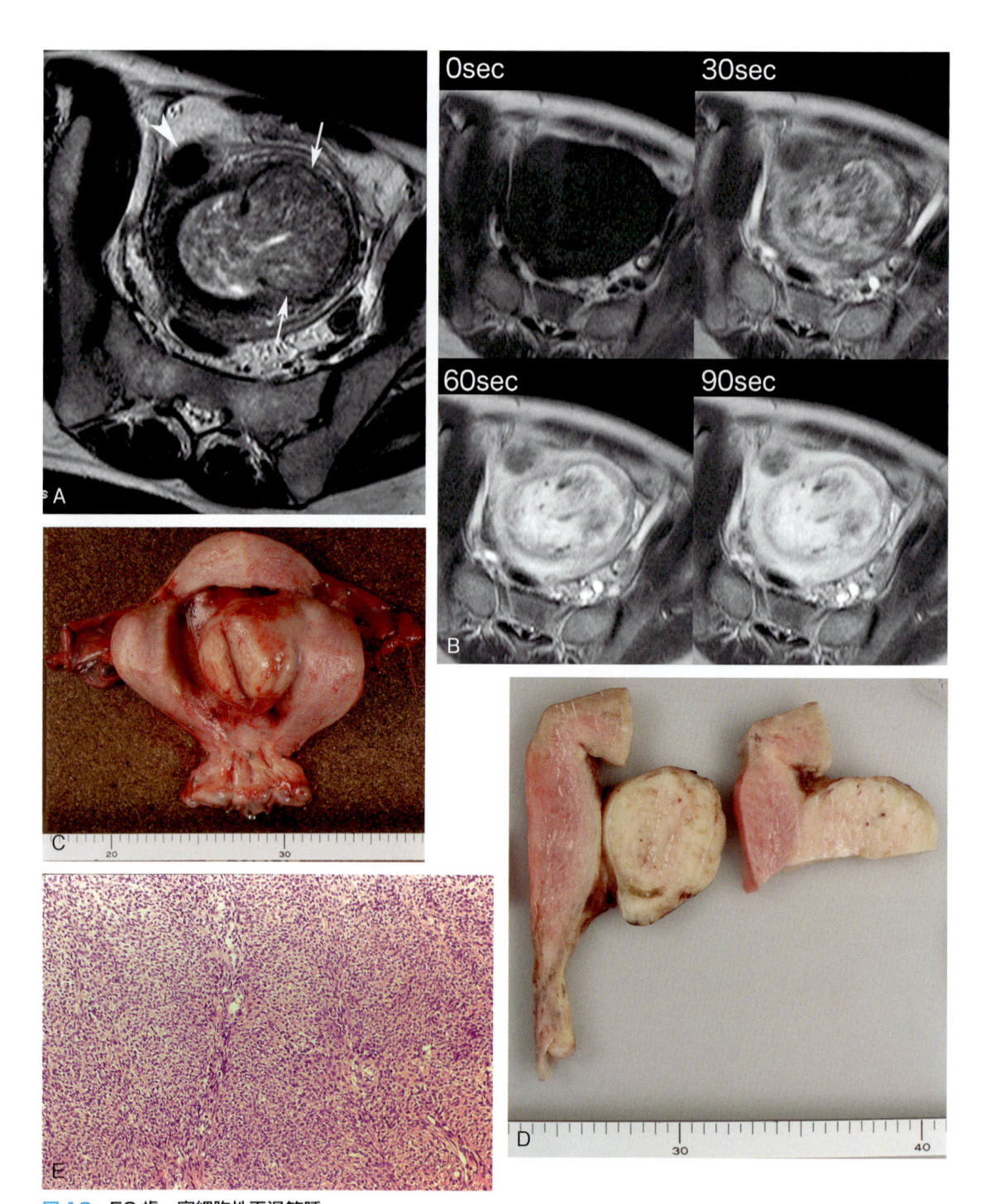

図12 50歳 富細胞性平滑筋腫

A：T2強調横断像，B：ダイナミックMRI横断像，C：摘出標本肉眼像，D：摘出標本割面，E：HE染色（弱拡大）
T2強調像で子宮体部左壁の内膜直下の浅い筋層から内膜腔に突出する腫瘤（A→）は，通常の筋腫（A▲）よりも明らかに信号強度が高く，ダイナミックMRIで早期から濃染する（B）。筋層を破壊して内膜に突出するようにもみえることから肉腫を疑ったが，富細胞性平滑筋腫であった。摘出標本では子宮内膜腔に突出する辺縁平滑な腫瘤がみられ（C），割面は通常の筋腫と同じく均一な白色調を呈している（D）。病理組織学的には通常の平滑筋腫（図2G）に比べ円型の細胞が高密度に増殖し，血管増生も目立つが（E），異型や細胞分裂はみられない。

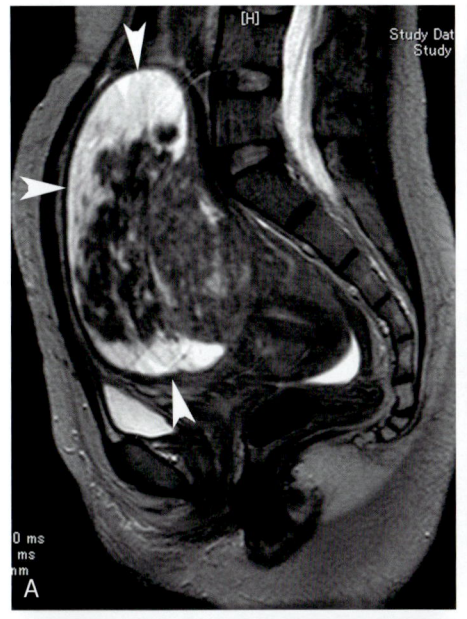

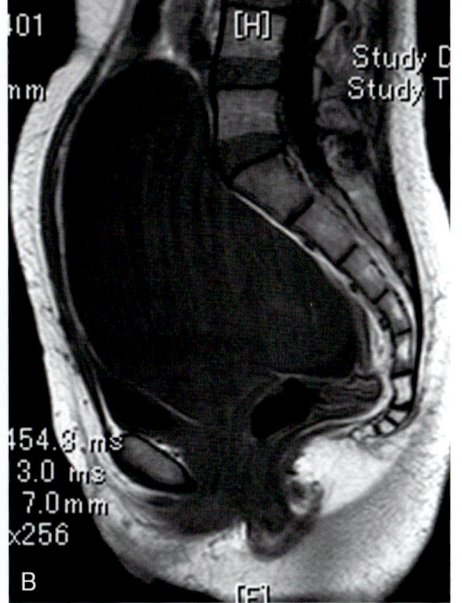

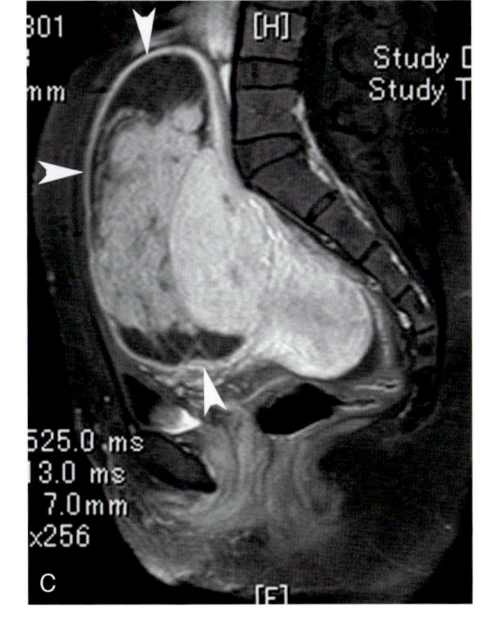

図13　45歳　水腫状平滑筋腫
A：T2強調矢状断像，B：T1強調矢状断像，C：造影脂肪抑制T1強調矢状断像
骨盤内腫瘤の精査のためMRIを施行。子宮体部前壁筋層内を占める腫瘤はT2強調像で低信号を示すが，その辺縁は極めて高信号（A▲）で，造影剤により増強されない（B, C▲）。子宮全摘が行われ，病理組織学的に浮腫，水腫状の変化が強く，水腫状平滑筋腫と診断された。

　水腫状平滑筋腫（hydropic leiomyoma）は領域をもった水腫様浮腫を特徴とし，細胞成分は繊細なコード状，索状に残存するとされ[1]，"split fiber" signの呼称が提唱されている[41]（図13）。子宮腫大により静脈導出路が障害されるため，妊娠中に多いとの報告がある[41]。

　卒中性平滑筋腫（apoplectic leiomyoma）は，以前は赤色変性（red degeneration）とよばれていた病態である。静脈閉塞による出血壊死であり，子宮が急速に増大する妊娠中に急性腹症として発症することが多いとされていた[42-44]が，近年の報告では筋腫の保存的治療のために用いられたプロゲステロン製剤に起因することが多いという[45]。病理組織学的には星芒状の出血壊死巣

を取り囲むように，細胞密度の高い腫瘍が取り囲むとされる[45]が，画像との対比を試みた報告では，出血を反映して脂肪抑制T1強調像で高信号を示し，T2強調像では通常の筋腫と異なり液状化を反映して高信号となり，その周囲を血栓閉塞した静脈に相当する低信号帯が輪状に取り囲む（図14）とする報告[46]，出血はむしろまれでT1短縮効果は凝固壊死に起因するとする報告がある[47]。しかし一般的に出血を伴う子宮の間葉性腫瘍は肉腫であることが多い（p346参照）ので，肉腫の否定のため必ず妊娠などのリスクファクターの存在を確認すべきであること，また肉腫では腫瘍の一部に出血が混在するのに対し，本症では筋腫核全体が出血壊死に陥るため，造影後はまったく増強されないことが多い（図14）点に留意して読影すべきである。

脂肪平滑筋腫（lipoleiomyoma）は成熟脂肪細胞を豊富に含むものと定義されている[1]。頻度は報告により異なるが，Wangらは手術された筋腫症例の2.1％としており，まれではなく，年齢の中央値は51～54歳としている[48]。自験例でも更年期から閉経後の症例が多い。画像的には子宮筋腫の特徴を示す腫瘍の一部に，CTで低吸収[49)50]，MRIではT1強調像で高信号かつ脂肪抑制T1強調像で信号抑制を示す成分を含む（図15）[50-53]ことで診断される。病理組織学的にも悪性腫瘍との鑑別が問題になることはほとんどなく，脂肪腫（lipoma）や血管筋脂肪腫（angiomyolipoma）が鑑別対象となるが，これらは極めてまれである。

類上皮平滑筋腫（epithelioid leiomyoma）では多角形（多辺形）の腫瘍細胞が辺と辺とで接しているため上皮細胞様にみえる[54]という。病理組織学的にもまれな腫瘍で，再発転移もまれとされている[54]が，筋層内に上皮様細胞がみられた場合，血管周囲類上皮細胞腫瘍（perivascular epithelioid cell tumor：PEComa）や転移性腫瘍など他腫瘍との鑑別のため，種々の免疫組織化学染色にて確認すべきとされている[34]。Kitaらは囊胞成分を伴った拡散制限の乏しい充実性腫瘤として報告している[55]が，画像所見の報告はほとんどみられない。

類粘液平滑筋腫（myxoid leiomyoma）は腫瘍細胞間に介在する豊富な粘液性物質（酸性ムコ多糖類）によって特徴付けられる。一方，肉眼的に類粘液平滑筋腫様にみえるものは病理組織学的には間質の高度の浮腫によるものがほとんどで，実際にPAS陰性，Alcian blue陽性の粘液が貯留しているものはまれといわれている[56]。類粘液平滑筋腫はほとんど核異型を示さないうえに，粘液性物質が介在することにより強拡大視野に含まれる腫瘍細胞の数自体が少ないので相対的に核分裂も少なく，悪性であっても一般的な肉腫の診断基準に合致しないことが多く，病理組織学的には分裂能が活発でなくとも軽度の異型や浸潤性増殖能のみで肉腫と診断すべきとされている[34)57]。MRIではT2強調像で高信号かつ増強効果をもたない粘液の貯留した腫瘍内に，隔壁状，筋雲状の低信号域（内部を走行する平滑筋組織）がみられる[58]（p350参照）。

『子宮体癌取扱い規約 第3版』では増殖パターンによる変異型として，転移性平滑筋腫（WHO分類では第3版までbenign metastatic leiomyomaと呼称されていたが，第4版以降"benign"が削除され，本邦でもこの名称となった），静脈内平滑筋腫症，びまん性平滑筋腫症（diffuse leiomyomatosis），解離性平滑筋腫を挙げていた。すなわち病理組織学的には異型のない平滑筋腫が子宮筋層の大部分を置換したり，子宮外に進展したりしたものを指す。さらにparasitic leiomyomaやdisseminated peritoneal leiomyomatosisもこの範疇の病態である[34]。WHO分類第5版[36]，『子宮体癌取扱い規約 病理編 第5版』[1]では，上記の解離性平滑筋腫に加え，平滑筋腫症（以前の呼称から「びまん性」が削除された），静脈内平滑筋腫症，転移性平滑筋腫を変異型に含め

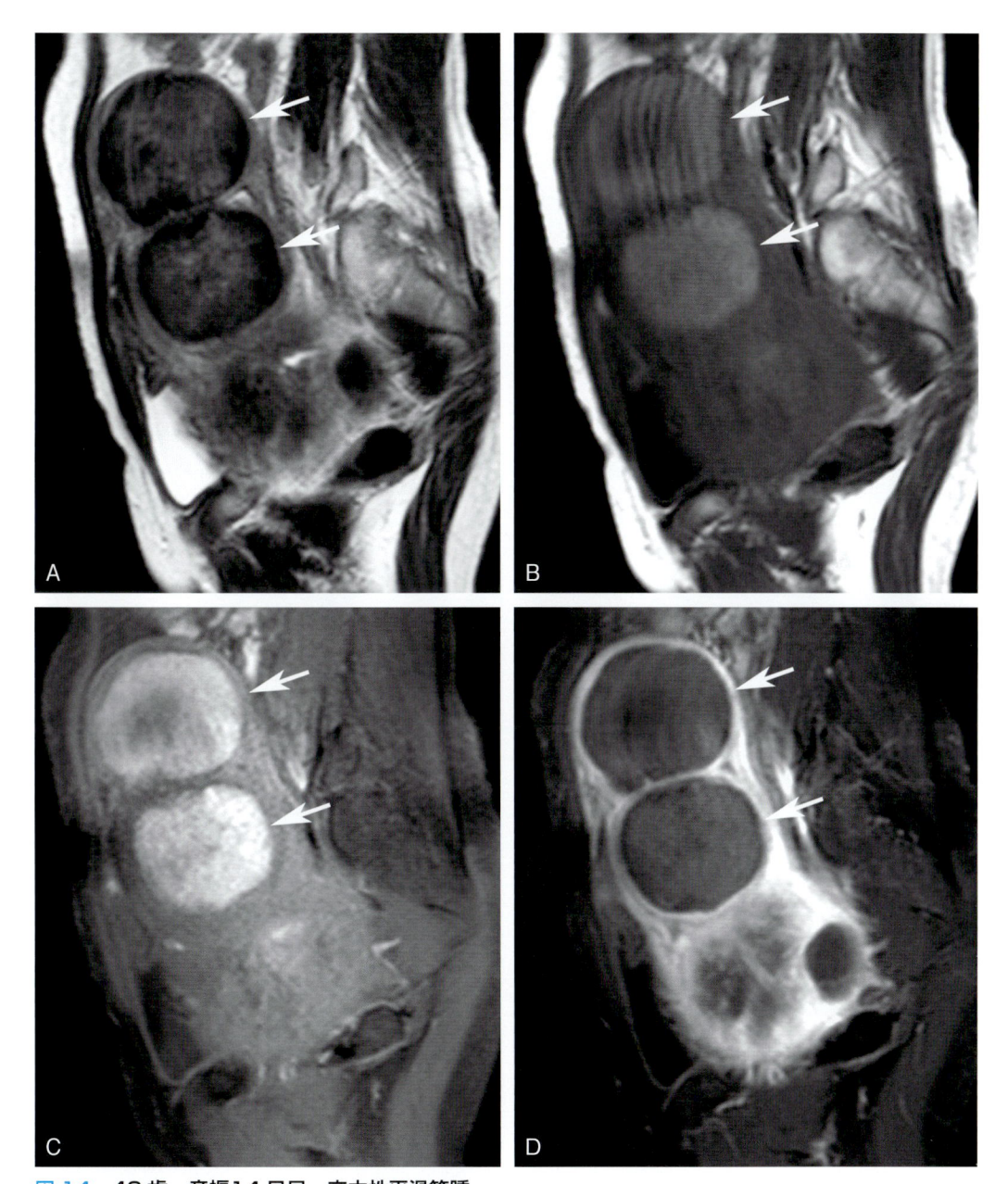

図14 40歳 産褥14日目,卒中性平滑筋腫
A:T2強調矢状断像,B:T1強調矢状断像,C:脂肪抑制T1強調矢状断像,D:造影脂肪抑制T1強調矢状断像

満期産にて帝王切開後10日目より発熱し,原因検索のためMRIを撮像した。妊娠前よりUSで確認されていた多発筋腫のうち前壁の筋層内筋腫がT2強調像で辺縁が低信号,中心が高信号を示し(A→),T1強調像,脂肪抑制T1強調像では一様な高信号を示し(B,C→),造影剤ではまったく増強されない(D→)。静脈閉塞による出血性梗塞は妊娠中から生じていたと考えられるが,卒中性平滑筋腫は急性腹症として発症することの多い妊娠合併症である。

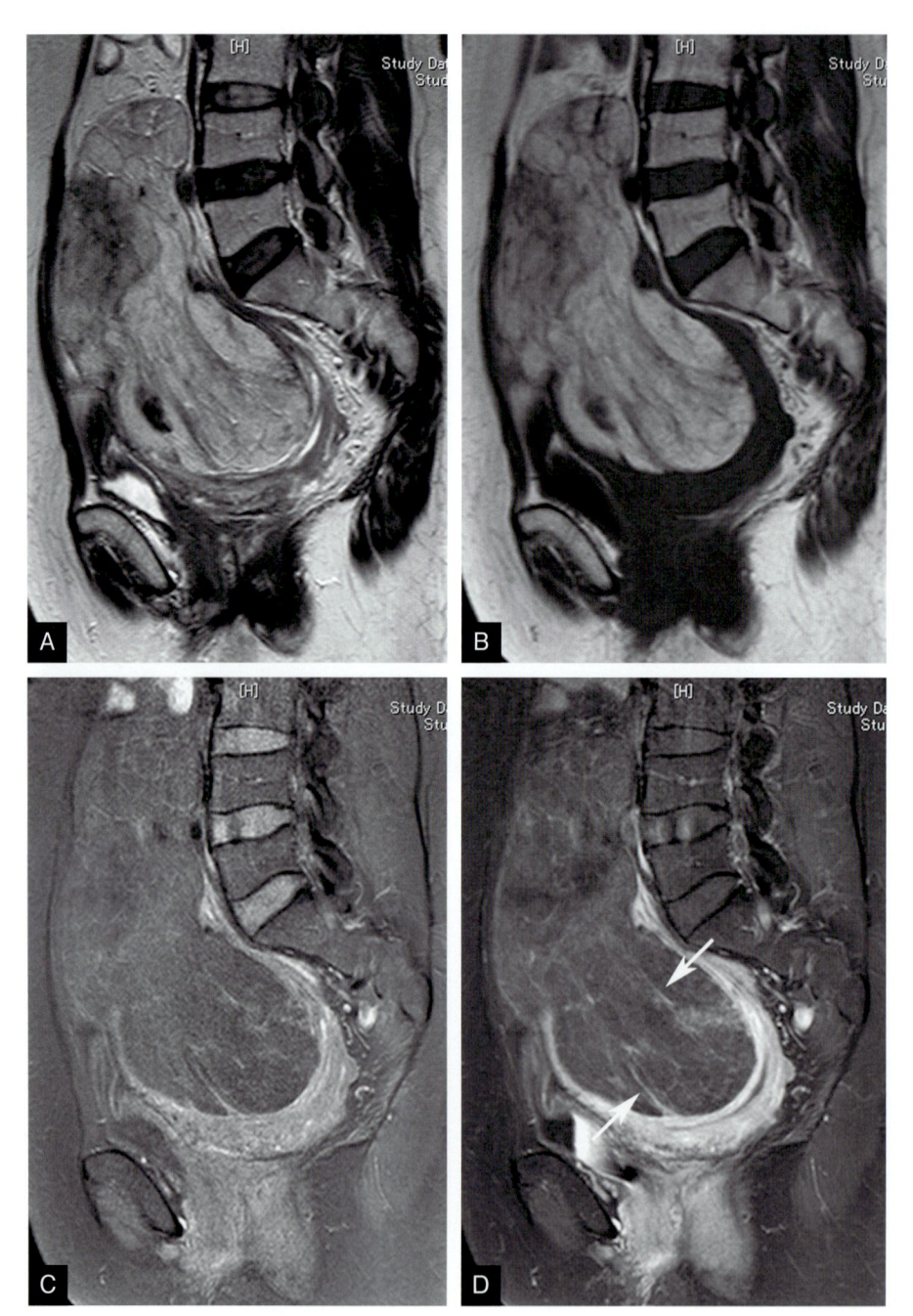

図15 65歳 脂肪平滑筋腫
A：T2強調像矢状断像，B：T1強調矢状断像，C：脂肪抑制T1強調矢状断像，D：造影脂肪抑制T1強調矢状断像
子宮体部前壁から右前方に突出する腫瘤はT2強調像で通常の筋腫に比べ明らかに信号強度が高いが（A，E），T1強調像でも信号強度が高く（B），脂肪抑制T1強調像では広範に信号抑制されている（C）。造影後は腫瘍内の隔壁様の部分のみしか増強されず（D→），ほとんどが脂肪組織からなることがわかる。

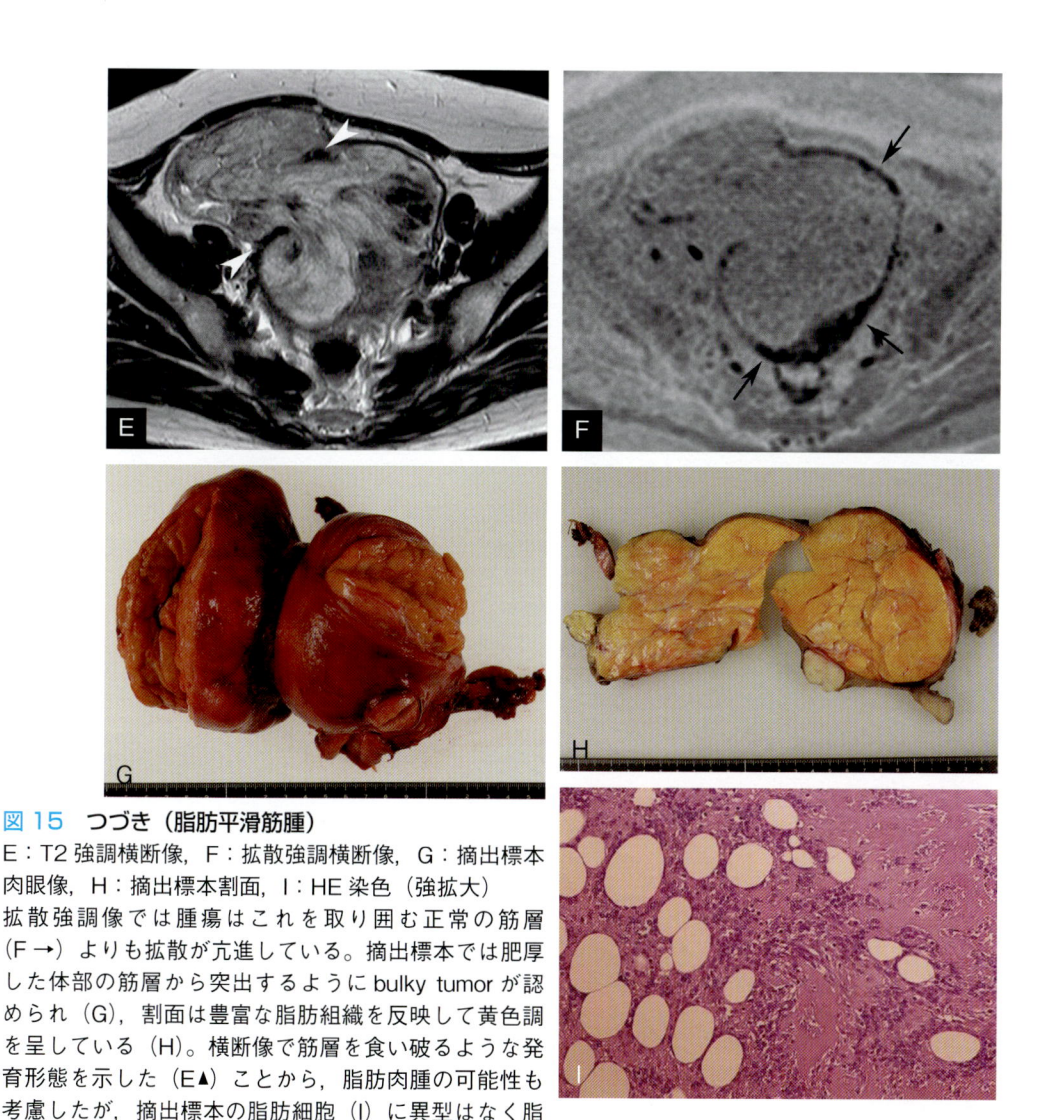

図15 つづき（脂肪平滑筋腫）
E：T2強調横断像，F：拡散強調横断像，G：摘出標本肉眼像，H：摘出標本割面，I：HE染色（強拡大）
拡散強調像では腫瘍はこれを取り囲む正常の筋層（F→）よりも拡散が亢進している。摘出標本では肥厚した体部の筋層から突出するようにbulky tumorが認められ（G），割面は豊富な脂肪組織を反映して黄色調を呈している（H）。横断像で筋層を食い破るような発育形態を示した（E▲）ことから，脂肪肉腫の可能性も考慮したが，摘出標本の脂肪細胞（I）に異型はなく脂肪平滑筋腫と診断された。

ている。
　解離性平滑筋腫（dissecting leiomyoma）は，病理組織学的には良性の平滑筋の増生からなる腫瘍が子宮内では周囲筋組織の間を分け入りながら舌状に圧排性に増殖して，時に広間膜内など子宮外にも発育する病態をいう[34]。子宮外に発育した腫瘍はしばしば広範なうっ血や浮腫を伴い，あたかも胎盤組織様にみえることからcotyledonoid dissecting leiomyomaとよばれ，第一報告者のひとりの名前をとってSternberg tumorともよばれる[59-62]。MRIはこの病理組織学的特徴をよく反映して，子宮漿膜直下に発生した，T2強調像で高信号の浮腫性の背景に，低信号の筋腫類似の結節を多数内包する腫瘤が著明な子宮外発育を呈することが報告されている[63]（図16）。本腫瘍は性成熟期に好発する良性腫瘍ではあるが，画像的には筋層内に分け入る所見や，時に静脈内を含む子宮外進展の著明なことから肉腫との鑑別に苦慮することもある。
　平滑筋腫症（leiomyomatosis）は無数の小さな平滑筋腫が癒合して子宮筋層の大部分を置換す

II 変性と変異型

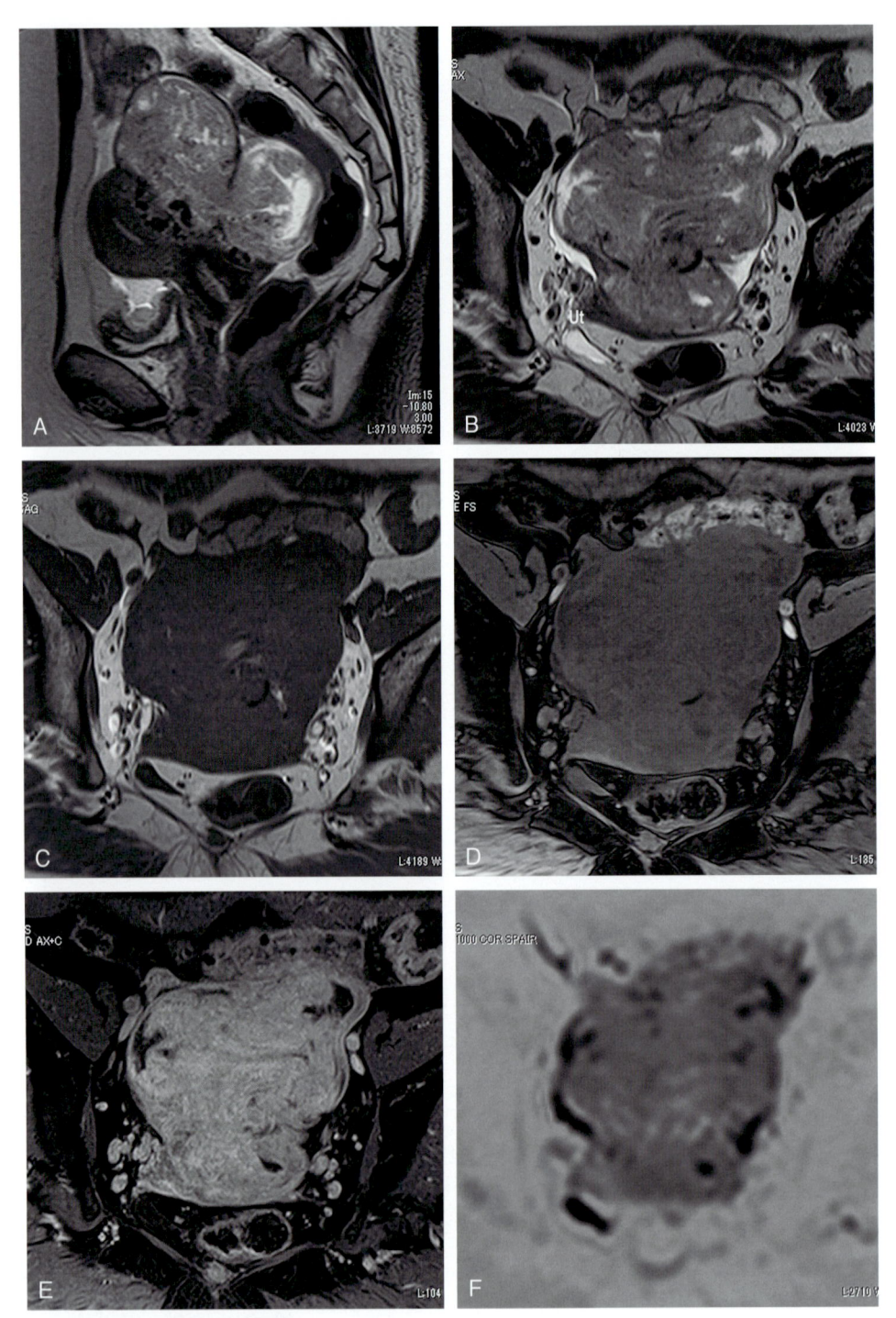

図16　54歳　解離性平滑筋腫
A：T2強調矢状断像，B：T2強調横断像，C：T1強調横断像，D：脂肪抑制T1強調横断像，
E：造影脂肪抑制T1強調横断像，F：拡散強調横断像
子宮体部左前壁漿膜下から突出する腫瘤はT2強調像で水に近い高信号の背景に，通常の筋腫に比べ明らかに信号強度が高い充実部がうねるように広間膜内に進展している（A，B，Ut：子宮）。T1強調像では低信号で（C，D），造影後は強く増強される（E）。拡散は亢進している（F）。病理組織学的に粘液腫様，硝子様変性の目立つ平滑筋腫が広間膜内に発育しているのが確認された。

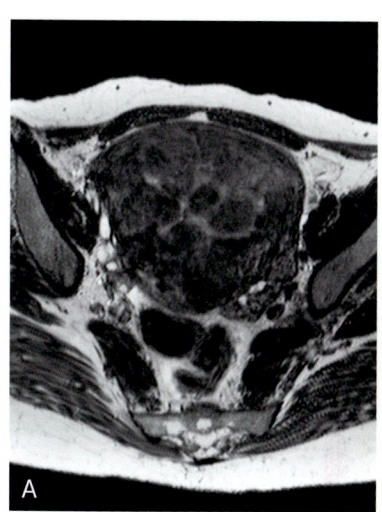

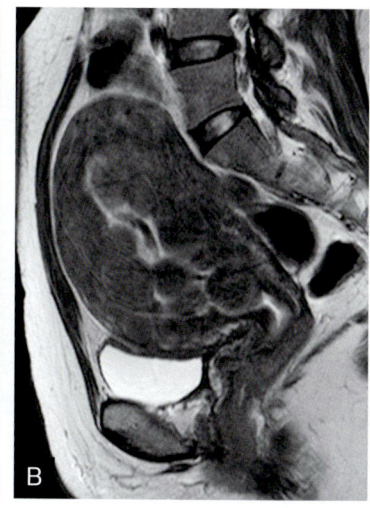

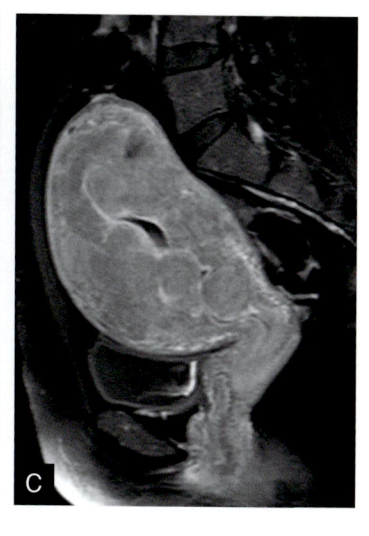

図17 37歳 平滑筋腫症
A：T2強調横断像，B：T2強調矢状断像，C：造影脂肪抑制T1強調矢状断像
T2強調像で正常のzonal anatomyは消失し，筋層内には低信号の結節が多発し，子宮体部全体がこれらの筋腫で置換されている（A，B）。造影後，これらの筋腫はよく増強され，変性に乏しい（C）。

る病態と定義される（図17）生殖年齢に多く，筋腫核出術は困難とされる[1]。

　静脈内平滑筋腫症（intravenous leiomyomatosis）は静脈内に浸潤する病理組織学的には良性の平滑筋腫と定義されている。子宮筋層は平滑筋により構成されるが，静脈壁にも平滑筋が存在するので，腫瘍の起源は静脈壁であるとも考えられている[1]。発症年齢は平均42歳（28～76歳）で子宮筋腫同様，性成熟期である。病理組織学的には血管内皮に裏打ちされたまま平滑筋腫瘍が静脈内を芋虫のように進展していくのが観察される[34,64]。腫瘍は子宮筋層内の末梢静脈のみならず，子宮静脈，内腸骨静脈を経て下大静脈に進展し，時に右房に至る[34]。したがって不正出血や下腹部腫瘤といった子宮腫瘍に関連した症状に加え，うっ血性心不全や肺塞栓による呼吸困難で発症することがあり，右房内腫瘍が三尖弁に嵌頓して突然死の原因にもなる[64,65]。画像的には造影CTではこれらの静脈内の陰影欠損として描出される[66]。MRIでは折れ曲がってもつれた棍棒状の腫瘤が脈管内を占拠する（図18）[67-69]。子宮筋層内に発生する平滑筋腫同様，腫瘍は通常は高血性であるが，ヒアリン変性をはじめとするあらゆる変性や脂肪平滑筋腫などの組織学的変異型が観察され，石灰化をきたした報告もある[70]。またエストロゲン依存性であるので，付属器切除が行われなかった症例では，腫瘍摘出後も残存腫瘍が増大することがある[34]。本症の鑑別診断としては，やはり悪性腫瘍が静脈内に進展する病態を考慮する必要がある。特に内膜間質肉腫はリンパ管内に好んで進展する[71]（p356；p365 図63参照）ことから，子宮内の腫瘤が筋腫に典型的な画像所見を呈さない場合には鑑別に苦慮する。

　転移性平滑筋腫（metastasizing leiomyoma）は，『子宮体癌取扱い規約 病理編 第5版』では子宮摘出後何年も経ってから子宮以外の部位に転移が発見される組織学的に良性にみえる平滑筋腫瘍と定義されている。しかしこれは典型的な経過であり，時間経過は問わず，子宮平滑筋腫瘍またはその既往を有する患者の他臓器に組織学的に良性の平滑筋腫を生じた場合を指してよいよ

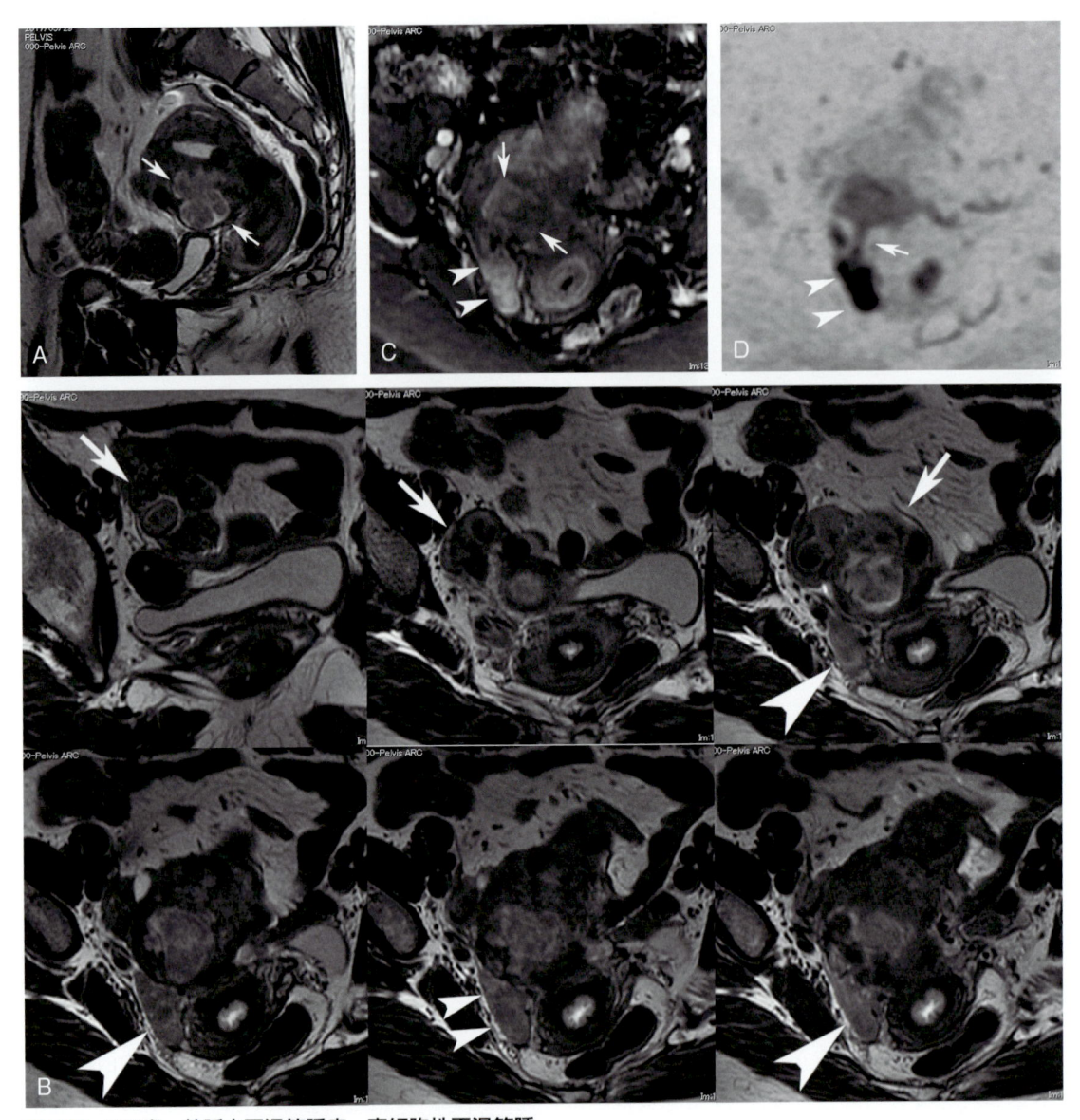

図18 53歳 静脈内平滑筋腫症・富細胞性平滑筋腫

A：T2強調矢状断像，B：T2強調横断像（連続断面），C：造影脂肪抑制T1強調横断像，D：拡散強調横断像
平滑筋肉腫疑いのため紹介受診。T2強調像で信号強度が高く（A, B），よく増強され（C），拡散制限を示す（D）腫瘤（A, C→）があり，脈管に沿って子宮外に進展して（D→），傍子宮静脈叢に鋳型状の腫瘤を形成している（B〜D▲）。一方，前方でも筋層を越えて数珠状に子宮外に進展した腫瘤は子宮静脈へと連続している（B→）。病理組織学的には，細胞密度の高い腫瘍が比較的大型の血管内に進展していたが，肉腫とするほどの異型や浸潤性増殖はなく，静脈内進展を示す富細胞性平滑筋腫と診断された。

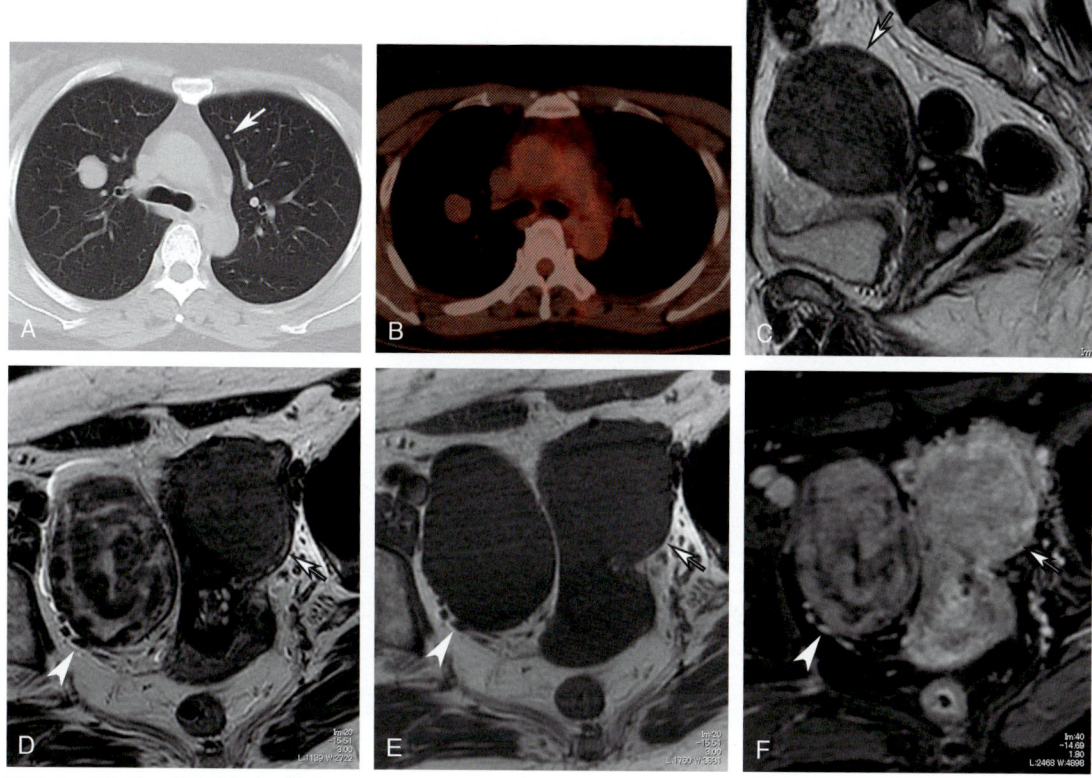

図19 51歳　転移性平滑筋腫
A：単純CT（肺条件），B：PET/CT，C：T2強調矢状断像，D：T2強調横断像，E：T1強調横断像，F：造影脂肪抑制T1強調横断像
健診発見の境界明瞭な円型で，多発する（A→：左肺腫瘍のうちの1つ），転移性肺腫瘍様だがFDG集積は伴わない（B）肺内結節を生検したところ，平滑筋腫であった。30歳時，45歳児に筋腫核出術の既往があるので子宮筋腫由来と推定され，骨盤内を検索したところ，T2強調像で通常の筋腫よりやや高信号（B，D）で，よく増強される（E，F）結節が子宮内（C〜F→）と閉鎖リンパ節に一致して（D〜F▲）認められ，後者も転移性平滑筋腫と考えられた。2年間経過観察したが，若干の拡散制限があり（画質不良のため非提示）増大傾向にあるため，子宮全摘とリンパ節切除が行われいずれも富細胞性平滑筋腫と確認された。

うである。成因については子宮筋腫の脈管侵襲の結果生じた転移と考える説と子宮筋腫の既往のある女性に偶発的に生じた腫瘍と考える説とがある[34]が，近年の遺伝子レベルでの研究では同一クローンであることが証明され，転移説が有力となっている[72]。画像的には肺に生じた場合，ほかの悪性腫瘍の血行性転移例と同じく境界明瞭，辺縁平滑な円型の腫瘤を形成し（図19）[73]，時に空洞を形成する[74]。しばしば多発し[72)73)]，微細な結節が粟粒結核類似の画像を呈することもある[75]。本腫瘍は子宮筋腫と同じくエストロゲン受容体をもち，高エストロゲン環境下で発育することから閉経後や付属器切除後の自然退縮も報告されている[74)76)]。また後述の静脈内平滑筋腫症との合併例の存在は多発性であることと並んで，子宮腫瘍の血行性転移説を支持する根拠となっている[73]。

III 治療法の選択に際し留意すべき画像所見

　子宮筋腫の治療選択枝は表3に示す通りだが，治療適応は年齢，重症度，挙児希望の有無に合わせて個別に決定される。『産婦人科診療ガイドライン』では妊孕性温存が必要なく，無症状で巨大でない場合は，原則，単純子宮全摘術が推奨されている（腟式や子宮鏡下の筋腫摘出術で対応できる場合を除く）[77]。表3に示すように単純子宮全摘術（total hysterectomy），筋腫核出術（myomectomy）の各々に開腹，腹腔鏡下の選択肢があり，経腟法や子宮鏡下といったオプションもある。腹腔鏡下筋腫核出術は熟練した術者が行えば開腹よりも出血，術後の癒着，入院期間とも少なくてすむ[78]ことから急速に普及している。しかし開腹よりも手術時間は延長することから，おおむね1つの筋腫の大きさが13cm以下，核出対象が4個以下であるものがよい適応とされている。手術療法のなかでは単純子宮全摘術と筋腫核出術とで短期的な成績には差がないが，筋腫の発生母地である子宮の温存される後者ではやはり再発率が高い[79]。

　粘膜下筋腫は過多過長月経の原因となりやすく，子宮鏡手術のよい適応である[80]。筋腫径が30mm以下，かつ子宮内腔への突出度が50%以上であれば，子宮鏡下子宮筋腫核出術の適応となる[77]（図7）。妊孕性温存希望の場合も無症状で長径5〜6cm以内の場合を除き，核出術が推

表3　子宮筋腫の治療法

保存的治療法	経過観察			
	薬物療法	対症療法（非ステロイド系抗炎症薬，経口鉄剤など）		
		内分泌療法（低用量経口避妊薬，GnRH agonist/antagonistなど）		
		代替療法（漢方薬など）		
観血的治療法	子宮動脈塞栓術			
	高強度集束超音波（high intensity focused ultrasound：HIFU）			
	手術	子宮全摘術	腹腔鏡	腹腔鏡下（腟式）単純子宮全摘術 total laparoscopic hysterectomy（TLH）
				腹腔鏡補助下腟式単純子宮全摘術 laparoscopy assisted vaginal hysterectomy（LAVH）
			従来法	腹式単純子宮全摘術（TAH）
				腟上部切断術
				腟式単純子宮全摘術（VH）
		筋腫核出術	腹腔鏡	腹腔鏡下筋腫核出術
			従来法	腹式筋腫核出術
				（腟式）子宮筋腫捻除術
			子宮鏡	子宮鏡下筋腫核出術

GnRH：gonadotropin releasing hormone

奨されている。これら手術療法には病理組織学的に肉腫の否定が確実に行えるとの利点もある[81]。逆に画像診断で肉腫の可能性を否定できれば治療の選択肢が拡大するともいえる。

　筋腫であることが確実な場合には経過観察や，保存的治療として対症療法や内分泌療法が選択されることが多く，後者にはGnRH agonist/antagonistと低用量経口避妊薬（oral contraceptives：OC）が広く用いられている。GnRH agonistは，投与後に偽閉経状態となることから疼痛などの症状の緩和に加え貧血の治療に有効である。しかし長期投与により骨粗鬆症などの合併症を生じることに加え，投与中止後の速やかなリバウンドもしばしば経験される[82]。また当初期待されたほど筋腫の縮小効果は大きくなく，むしろ非腫瘍部の子宮の体積が減少することが報告されている[83]。このため近年はGnRH agonistは術前処置として用いられることが多い。またnegative feedback機構により血中エストロゲン濃度を低下させるGnRH agonistに比べ，視床下部-下垂体系に直接作用するGnRH antagonistは投与開始早期から効果が得られる。GnRH agonistによる腫瘍縮小効果が最も期待されるのはT2強調像で通常の筋腫よりも信号強度の高い筋腫であり（図20），Oguchiらは信号強度と細胞密度・腫瘍増殖能に相関があるとしている[35]。ほかにも富細胞性平滑筋腫[33]，細胞外液成分の多い筋腫[84]においてGnRH agonistによる縮小効果が良好であることが報告されており，どちらもT2強調像での信号強度は高い傾向にある。また造影剤による増強効果も縮小効果に関連し[85]，近年は腫瘍の血管床密度を反映したR2* imagesが治療効果の予測に有用である[86]との報告もみられる。

　さらに近年，入院期間の短縮など，医療経済面での優位性から子宮動脈塞栓術（uterine arterial embolization：UAE）も考慮されるという[77]。本法は子宮動脈に選択的にカテーテルを挿入して塞栓物質を注入し，筋腫を梗塞に陥らせる治療法である。本邦では永久塞栓物質である球状塞栓物質（エンボスフィア®，trisacryl gelatin microsphere）のみが保険適用となっているが，一時的塞栓物質であるゼラチンスポンジ（gelatin sponge，スポンゼル®，など）も広く用いられている。両者の治療成績の差異の有無については定まった報告はない。UAEの適応としては症候性であること，薬物療法による症状のコントロールが困難なこと，閉経前であることに加え，併存症などから手術のよい適応とならない症例も挙げられている[87]。手術と異なり術後は徐々に腫瘍径が減少して症状緩和に至るため治療成績は長期的な患者満足度で示され，手術療法と遜色ないとされている。ただし大きな筋腫や子宮自体が著しく腫大したもの（おおむね臍下2〜4cm以上）に対しては効果が乏しく，しばしば複数回の治療を要する[88]。また治療後に梗塞に陥った筋腫核が腹腔内外で子宮と分離されることは好ましくないので，異論もあるが[89,90]粘膜下筋腫や漿膜下有茎性筋腫，広間膜内筋腫はよい適応ではない[91]とされている。したがってUAEに適した筋腫はvascularityの高い筋層内筋腫ということになる。塞栓術後の筋腫は前述の卒中性平滑筋腫（通常は静脈閉塞による出血性梗塞だが，UAE後は文字通り動脈閉塞による）（図14）と同様の所見を呈する。塞栓後の疼痛，発熱（塞栓後症候群）は程度の差はあるがほぼ必発であり，最大の合併症は塞栓後の筋腫核の感染と深部静脈血栓症である。治療後の感染はUAEの克服すべき最大の課題の1つである。感染した筋腫核が経腟的に排泄されることはmyoma sloughingとよばれ，時に外科的処置を要する重篤な合併症である。初期の報告では感染に起因する死亡例もみられた[92]が，肺塞栓も含めてUAEによる死亡率はおおむね1/10,000と見積もられている[91]。

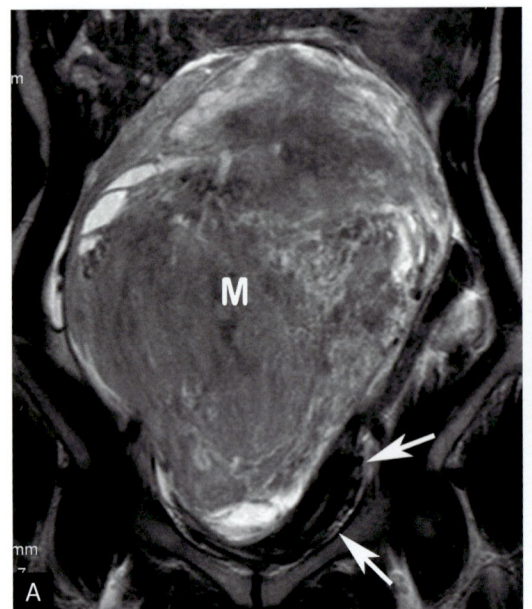

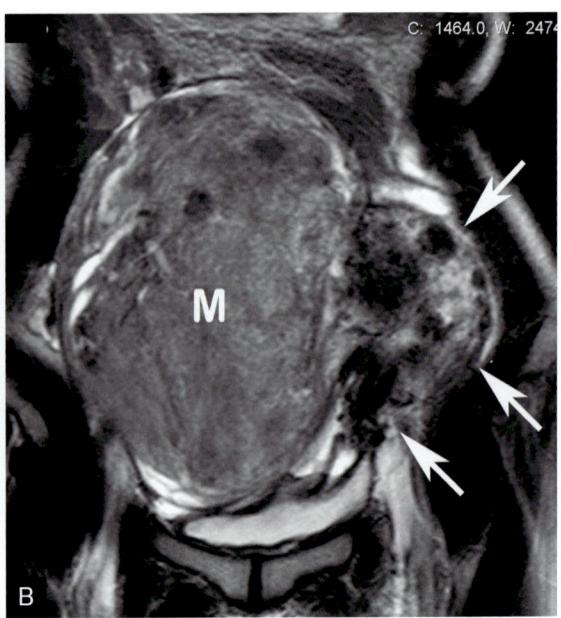

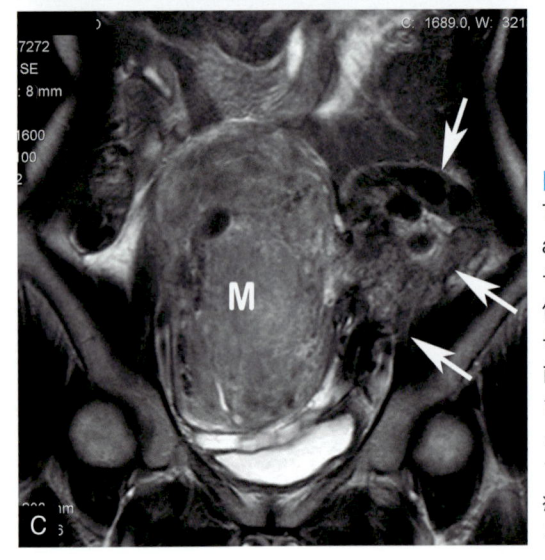

III 治療法の選択に際し留意すべき画像所見

図20 55歳 GnRHa 投与後の子宮筋腫の経時変化
T2 強調冠状断像，A：GnRH agonist 投与前，B：GnRH agonist 2 回投与後，C：GnRH agonist 4 回投与後
子宮体部右壁から突出する漿膜下筋腫（M）は T2 強調像（A～C，縮小率を同一に修正して提示）で全体に信号強度が高く，治療効果を期待できる形態である．投与前には筋腫の長径は 24 cm であったが，2 回投与後に 18 cm，4 回投与後に 15 cm と順調に縮小し，このあと子宮全摘術が行われた．主腫瘍の縮小により圧排されていた子宮（A～C →）の形態が徐々に明瞭になり，治療終了後は内部に多発する筋腫も詳細に描出されている．

文 献

1) 日本産科婦人科学会ほか：子宮体癌取扱い規約 病理編 第5版，金原出版，東京，2022
2) Cramer SF et al：The frequency of uterine leiomyomas. Am J Clin Pathol 94：435-438, 1990
3) Stewart EA et al：Uterine fibroids（leiomyomas）：epidemiology, clinical features, diagnosis and natural history. UpToDate 2024：2024
4) Munro MG et al：The two FIGO systems for normal and abnormal uterine bleeding symptoms and classification of causes of abnormal uterine bleeding in the reproductive years：2018 revisions. Int J Gynaecol Obstet 143：393-408, 2018
5) Kröncke TJ：Benign uterine lesions, Forstner R et al eds：MRI and CT of the female pelvis. p77-116, Springer, Berlin, 2019
6) Gross BH et al：Sonographic features of uterine leiomyomas：analysis of 41 proven cases. J Ultrasound Med 2：401-406, 1983
7) Casillas J et al：CT appearance of uterine leiomyomas. Radiographics 10：999-1007, 1990
8) Hamlin DJ et al：MR imaging of uterine leiomyomas and their complications. J Comput Assist Tomogr 9：902-907, 1985
9) Hricak H et al：Uterine leiomyomas：correlation of MR, histopathologic findings, and symptoms. Radiology 158：385-391, 1986
10) Mark AS et al：Adenomyosis and leiomyoma：differential

11) Togashi K et al : Enlarged uterus : differentiation between adenomyosis and leiomyoma with MR imaging. Radiology 171 : 531-534, 1989
12) Troiano RN et al : Fibroma and fibrothecoma of the ovary : MR imaging findings. Radiology 204 : 795-798, 1997
13) Schwartz RK et al : Ovarian fibroma : findings by contrast-enhanced MRI. Abdom Imaging 22 : 535-537, 1997
14) 森 墾ほか：ダイナミック MRI による漿膜下子宮筋腫と莢膜細胞腫・線維腫群腫瘍との鑑別. 臨放 45 : 393-401, 2000
15) Thomassin-Naggara I et al : Value of dynamic enhanced magnetic resonance imaging for distinguishing between ovarian fibroma and subserous uterine leiomyoma. J Comput Assist Tomogr 31 : 236-242, 2007
16) Proscia N et al : MRI of the pelvis in women : 3D versus 2D T2-weighted technique. AJR Am J Roentgenol 195 : 254-259, 2010
17) 田中優美子ほか：卵巣莢膜細胞腫・線維腫群腫瘍の MRI 鑑別診断のポイントとピットフォール. 臨放 43 : 493-500, 1998
18) Torashima M et al : The value of detection of flow voids between the uterus and the leiomyoma with MRI. J Magn Reson Imaging 8 : 427-431, 1998
19) Kim JC et al : "Bridging vascular sign" in the MR diagnosis of exophytic uterine leiomyoma. J Comput Assist Tomogr 24 : 57-60, 2000
20) Madan R : The bridging vascular sign. Radiology 238 : 371-372, 2006
21) Mazur MT et al : Gastric stromal tumors : reappraisal of histogenesis. Am J Surg Pathol 7 : 507-519, 1983
22) Kindblom LG et al : Gastrointestinal pacemaker cell tumor (GIPACT) : gastrointestinal stromal tumors show phenotypic characteristics of the interstitial cells of Cajal. Am J Pathol 152 : 1259-1269, 1998
23) Buckley JA et al : CT evaluation of small bowel neoplasms : spectrum of disease. Radiographics 18 : 379-392, 1998
24) van den Berg JC et al : Malignant stromal tumour of the rectum : findings at endorectal ultrasound and MRI. Br J Radiol 73 : 1010-1012, 2000
25) Hama Y et al : Gastrointestinal stromal tumor of the rectum. Eur Radiol 11 : 216-219, 2001
26) Levy AD et al : Anorectal gastrointestinal stromal tumors : CT and MR imaging features with clinical and pathologic correlation. AJR Am J Roentgenol 180 : 1607-1612, 2003
27) Yu MH et al : MRI features of gastrointestinal stromal tumors. AJR Am J Roentgenol 203 : 980-991, 2014
28) Kim JW et al : Spontaneous prolapse of pedunculated uterine submucosal leiomyoma : usefulness of broccoli sign on CT and MR imaging. Clin Imaging 32 : 233-235, 2008
29) Mittl RL Jr et al : High-signal-intensity rim surrounding uterine leiomyomas on MR images : pathologic correlation. Radiology 180 : 81-83, 1991
30) Okizuka H et al : MR detection of degenerating uterine leiomyomas. J Comput Assist Tomogr 17 : 760-766, 1993
31) Shimada K et al : Triple-phase dynamic MRI of intratumoral vessel density and hyalinization grade in uterine leiomyomas. AJR Am J Roentgenol 182 : 1043-1050, 2004
32) Kliewer MA et al : Acoustic shadowing from uterine leiomyomas : sonographic-pathologic correlation. Radiology 196 : 99-102, 1995
33) Yamashita Y et al : Hyperintense uterine leiomyoma at T2-weighted MR imaging : differentiation with dynamic enhanced MR imaging and clinical implications. Radiology 189 : 721-725, 1993
34) Oliva E et al : Mesenchymal tumors of the uterus, Kurman RJ et al eds : Blaustein's pathology of the female genital tract. 7th ed. Springer, Cham, New york, 2019
35) Oguchi O et al : Prediction of histopathologic features and proliferative activity of uterine leiomyoma by magnetic resonance imaging prior to GnRH analogue therapy : correlation between T2-weighted images and effect of GnRH analogue. J Obstet Gynaecol 21 : 107-117, 1995
36) WHO Classification of Tumors Editorial Board : Female Genital Tumours. 5th ed. International Agency for Research on Cancer, Lyon, 2020
37) Harrison WJ et al : Fumarate hydratase-deficient uterine leiomyomas occur in both the syndromic and sporadic settings. Am J Surg Pathol 40 : 599-607, 2016
38) 古屋充子ほか：遺伝性平滑筋腫症腎細胞癌（hereditary leiomyomatosis and renal cell cancer ; HLRCC）. 遺伝性腫瘍 21 : 1-6, 2021
39) Alkhrait S et al : Investigating fumarate hydratase-deficient uterine fibroids : a case series. J Clin Med 12 : 5436, 2023
40) Grubb RL 3rd et al : Hereditary leiomyomatosis and renal cell cancer : a syndrome associated with an aggressive form of inherited renal cancer. J Urol 177 : 2074-2079 ; discussion 2079-2080, 2007
41) Patil AR et al : Hydropic degeneration of leiomyoma in nongravid uterus : the "split fiber" sign on magnetic resonance imaging. Indian J Radiol Imaging 28 : 182-186, 2018
42) Cibelli LJ : Acute red degeneration of the uterine myoma complicating pregnancy. N Y State J Med 57 : 3147-3150, 1957
43) Makar AP et al : A case report of unusual complication of myomatous uterus in pregnancy : spontaneous perforation of myoma after red degeneration. Eur J Obstet Gynecol Reprod Biol 31 : 289-293, 1989
44) Hasan F et al : Uterine leiomyomata in pregnancy. Int J Gynaecol Obstet 34 : 45-48, 1991
45) Bennett JA et al : Apoplectic leiomyomas : a morphologic analysis of 100 cases highlighting unusual features. Am J Surg Pathol 40 : 563-568, 2016
46) Kawakami S et al : Red degeneration of uterine leiomyoma : MR appearance. J Comput Assist Tomogr 18 : 925-928, 1994
47) Nakai G et al : Pathological findings of uterine tumors preoperatively diagnosed as red degeneration of leiomyoma by MRI. Abdom Radiol 42 : 1825-1831, 2017
48) Wang X et al : Uterine lipoleiomyomas : a clinicopathologic study of 50 cases. Int J Gynecol Pathol 25 : 239-242, 2006
49) Houser LM et al : Lipomatous tumour of the uterus : radiographic and ultrasonic appearance. Br J Radiol 52 : 992-993, 1979
50) Dodd GD 3rd et al : Lipomatous tumors of the pelvis in women : spectrum of imaging findings. AJR Am J Roentgenol 155 : 317-322, 1990
51) Tsushima Y et al : Uterine lipoleiomyoma : MRI, CT and ultrasonographic findings. Br J Radiol 70 : 1068-1070, 1997
52) Ishigami K et al : Uterine lipoleiomyoma : MRI appearances. Abdom Imaging 23 : 214-216, 1998
53) Kitajima K et al : MRI findings of uterine lipoleiomyoma

correlated with pathologic findings. AJR Am J Roentgenol 189：W100-104, 2007
54) Prayson RA et al：Epithelioid smooth-muscle tumors of the uterus：a clinicopathologic study of 18 patients. Am J Surg Pathol 21：383-391, 1997
55) Kita A et al：Epithelioid leiomyoma of the uterus：a case report with magnetic resonance imaging findings. Case Rep Womens Health 34：e00386, 2022
56) 本山悌一：平滑筋腫瘍，石倉 浩ほか 編；子宮腫瘍病理アトラス．文光堂，東京，2007
57) Burch DM et al：Myxoid leiomyosarcoma of the uterus. Histopathology 59：1144-1155, 2011
58) Cruz M et al：Myxoid leiomyoma of the uterus：CT and MRI features. Abdom Imaging 26：98-101, 2001
59) Roth LM et al：Cotyledonoid dissecting leiomyoma of the uterus：the Sternberg tumor. Am J Surg Pathol 20：1455-1461, 1996
60) Stewart KA et al：Cotyledonoid dissecting leiomyoma. Pathology 35：177-179, 2003
61) Weissferdt A et al：Cotyledonoid dissecting leiomyoma of the uterus：a case report. Diagn Pathol 2：18, 2007
62) Driss M et al：Cotyledonoid dissecting leiomyoma of the uterus associated with endosalpingiosis. Arch Gynecol Obstet 280：1063-1065, 2009
63) Preda L et al：MRI features of cotyledonoid dissecting leiomyoma of the uterus. Tumori 95：532-534, 2009
64) Norris HJ et al：Mesenchymal tumors of the uterus. V. Intravenous leiomyomatosis：a clinical and pathologic study of 14 cases. Cancer 36：2164-2178, 1975
65) Grella L et al：Intravenous leiomyomatosis. J Vasc Surg 20：987-994, 1994
66) Gawne-Cain ML et al：Case report：intravenous leiomyomatosis, an unusual cause of intracardiac filling defect. Clin Radiol 50：123-125, 1995
67) Rotter AJ et al：MR of intravenous leiomyomatosis of the uterus extending into the inferior vena cava. J Comput Assist Tomogr 15：690-693, 1991
68) Kawakami S et al：Intravenous leiomyomatosis of uterus：MR appearance. J Comput Assist Tomogr 15：686-689, 1991
69) Hayasaka K et al：Intravenous leiomyomatosis. J Comput Assist Tomogr 24：83-85, 2000
70) Tanaka YO et al：Intravenous leiomyomatosis diagnosed by plain radiographs. Clin Radiol 57：1037-1040, 2002
71) Tabata T et al：Low-grade endometrial stromal sarcoma with cardiovascular involvement：a report of three cases. Gynecol Oncol 75：495-498, 1999
72) Patton KT et al：Benign metastasizing leiomyoma：clonality, telomere length and clinicopathologic analysis. Mod Pathol 19：130-140, 2006
73) Koh DM et al：Benign metastasizing leiomyoma with intracaval leiomyomatosis. Br J Radiol 73：435-437, 2000
74) Shin MS et al：Unusual computed tomographic manifestations of benign metastasizing leiomyomas as cavitary nodular lesions or interstitial lung disease. Clin Imaging 20：45-49, 1996
75) Lipton JH et al：Miliary pattern as presentation of leiomyomatosis of the lung. Chest 91：781-782, 1987
76) Arai T et al：Natural decrease of benign metastasizing leiomyoma. Chest 117：921-922, 2000
77) 日本産科婦人科学会ほか：産婦人科診療ガイドライン：婦人科外来編，2023年版．日本産科婦人科学会，2023
78) Hurst BS et al：Laparoscopic myomectomy for symptomatic uterine myomas. Fertil Steril 83：1-23, 2005
79) Fedele L et al：Recurrence of fibroids after myomectomy：a transvaginal ultrasonographic study. Hum Reprod 10：1795-1796, 1995
80) Cohen LS et al：Role of vaginal sonography and hysterosonography in the endoscopic treatment of uterine myomas. Fertil Steril 73：197-204, 2000
81) Parker WH：Uterine myomas：management. Fertil Steril 88：255-271, 2007
82) Friedman AJ et al：A randomized, double-blind trial of a gonadotropin releasing-hormone agonist (leuprolide) with or without medroxyprogesterone acetate in the treatment of leiomyomata uteri. Fertil Steril 49：404-409, 1988
83) Carr BR et al：An evaluation of the effect of gonadotropin-releasing hormone analogs and medroxyprogesterone acetate on uterine leiomyomata volume by magnetic resonance imaging：a prospective, randomized, double blind, placebo-controlled, crossover trial. J Clin Endocrinol Metab 76：1217-1223, 1993
84) Matsuno Y et al：Predicting the effect of gonadotropin-releasing hormone (GnRH) analogue treatment on uterine leiomyomas based on MR imaging. Acta Radiol 40：656-662, 1999
85) Takahashi K et al：Value of magnetic resonance imaging in predicting efficacy of GnRH analogue treatment for uterine leiomyoma. Hum Reprod 16：1989-1994, 2001
86) Okuda S et al：Semiquantitative assessment of MR imaging in prediction of efficacy of gonadotropin-releasing hormone agonist for volume reduction of uterine leiomyoma：initial experience. Radiology 248：917-924, 2008
87) 日本IVR学会 編：症候性子宮筋腫に対する子宮動脈塞栓術（UAE）ガイドライン2021．2021
https://www.jsir.or.jp/docs/guideline/uae2021.pdf (accessed 2024.04.07.)
88) Spies JB et al：The FIBROID Registry：symptom and quality-of-life status 1 year after therapy. Obstet Gynecol 106：1309-1318, 2005
89) Katsumori T et al：Uterine artery embolization for pedunculated subserosal fibroids. AJR Am J Roentgenol 184：399-402, 2005
90) Margau R et al：Outcomes after uterine artery embolization for pedunculated subserosal leiomyomas. J Vasc Interv Radiol 19：657-661, 2008
91) Goodwin SC et al：Uterine fibroid embolization. N Engl J Med 361：690-697, 2009
92) McLucas B et al：Fatal septicaemia after fibroid embolisation. Lancet 354：1730, 1999

第5章

子宮内膜症と子宮腺筋症

I 子宮内膜症とその関連疾患
endometriosis and related diseases

Summary
- 子宮内膜症（endometriosis）は子宮内膜およびその類似組織が子宮以外の臓器で増殖する疾患である。
- 子宮内膜症性嚢胞はT1強調像で高信号，T2強調像でshadingを示す多房性嚢胞であるが，壁が厚く周囲組織と癒着するのが最大の特徴である。
- 深部内膜症はDouglas窩や直腸・膀胱壁の，T2強調像で低信号を示し，増強効果をもつ軟部組織としてのみ観察される。卵巣内膜症性嚢胞を欠く有症状例では，常にその存在を念頭におく。
- 卵巣癌の合併は0.7％程度に認められ，閉経後の9cmを超える大きな病巣に多い。画像的には患側の嚢胞は対側に比べ極端に大きく，shadingを欠き，増強効果をもつ壁在結節を有する。
- 妊娠中には内膜症性嚢胞壁の異所性内膜も脱落膜化して肥厚するが，胎盤と等信号，拡散制限の弱い壁在結節であることが癌化との鑑別点となる。

『卵巣腫瘍・卵管癌・腹膜癌取扱い規約 病理編 第2版』では，子宮内膜症性嚢胞が腫瘍様病変に含まれている[1]。しかし子宮内膜症（endometriosis）の病態はバラエティに富み，病変は卵巣をはじめとする骨盤内臓器のみならず全身に発現しうること，近年，症状との強い相関性から深部内膜症が注目されていることに加え，子宮腺筋症の一部は子宮外の内膜症病変と連続した病態として観察されることから，本書では子宮内膜症と子宮腺筋症を一連の病態とし，独立した項目として取り扱うこととする。なお，内膜症性嚢胞あるいは卵巣外内膜症から発生する腫瘍についても触れる。

1. 臨床的事項

子宮内膜症（endometriosis）は子宮内膜およびその類似組織が子宮内膜層および体部筋層以外の骨盤内臓器で増殖する疾患と定義され[2]，以前は異所性内膜組織が体部筋層に限局するもの，すなわち子宮腺筋症を内性子宮内膜症，子宮外で増殖するものを外性子宮内膜症（狭義の子宮内膜症）と捉え両者を同じスペクトラムの疾患として論じていた。しかし子宮内膜の異所性増殖という類似点はあるが各々別の病因であるとの説が有力である[3]ことから，両者は別の病態であるとの認識が進み，別の疾患として取り扱われるようになっている。ところが近年，MRIの普及により子宮腺筋症がその局在により細分されるべきとの認識が広がり，漿膜側に分布する子宮腺筋症と子宮内膜症との関連性[4]が再び注目されている。

子宮内膜症の発生機序として種々の説が提唱されている。代表的なものとして，子宮内膜移植

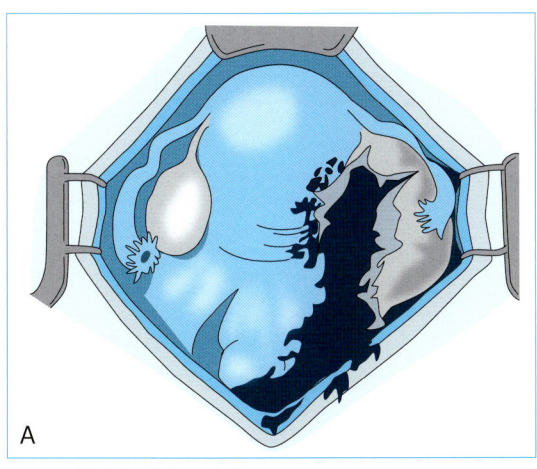

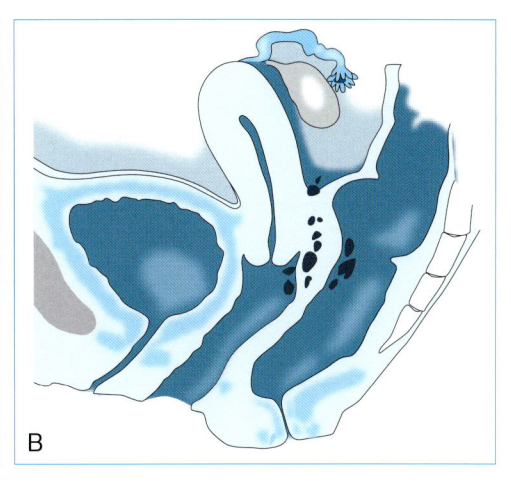

図1　子宮内膜症の病態
本症は卵巣などに生じた異所性の内膜組織が月経周期毎に出血を反復し，その際に生じる炎症，癒着，線維化が症状の原因となる（A）．しかし直腸腟中隔の病変に代表されるように，大きな血性の囊胞は造らずに線維化と癒着が主体となる症例もあり，「深部内膜症」として近年脚光を浴びている（B）．

説，体腔上皮化生説，胎性組織遺残説が挙げられる．子宮内膜移植説は，経血逆流などにより子宮内膜細胞が撒布され生着するというものである[5]．これに対し，Lauchlan の提唱する secondary Müllerian system[6)7]という概念に基づくのが体腔上皮化生説である．子宮内膜は胎性期に中胚葉由来の体腔上皮が嵌入して癒合することにより発生するミュラー管（傍中腎管）由来の組織であることから，体腔上皮および間質由来の組織はミュラー管型の組織へ分化する能力をもつとするのがその基本的概念で，子宮内膜症も卵巣や腹膜上皮が子宮内膜上皮に化生して生じるとの立場をとる[8]．さらに，胎性期ミュラー管の遺残組織が子宮内膜に変化するとしたのが胎性組織遺残説である．現在では子宮内膜症を単一の成因だけで説明するのは困難で，これらが臓器ごと，個体ごとに種々の割合で関与して複合的に作用して発症するものと考えられている[9]．

本症は骨盤内臓器，多くは卵巣の漿膜面に発生し，性ホルモンの影響下で出血を繰り返しながら徐々に進行していくと考えられている[2]．典型的には周期的出血のために種々の大きさの子宮内膜症性囊胞（endometriotic cyst，チョコレート囊胞＝新旧の血液成分からなる貯留囊胞）を形成し，周囲組織に組織球の集簇やヘモジデリン沈着を生じ，進行例では肉芽組織の形成や線維化もみられる（図1）．

子宮内膜症の正確な発生頻度は調査が難しいこともあり定説はないが，比較的対象数の多い報告で，不妊症例で21％，逆に避妊手術施行例では6％との報告がある[10]．年齢別では20代後半より増加し40代前半でピークに達し，その後は閉経により減少する[11]とされる（図2）．近年，罹患数の増加が指摘されることもあるが，メタアナリシスでは対象や統計手法にばらつきがあり，一概にはいえない[12]とされている．

本症の代表的な症状はよく知られているように種々の疼痛であり，月経前，月経中の下腹部痛はもちろん，非月経時も性交痛，排便痛などを訴えることが多い[13]．ほかには月経異常，不妊をはじめ病変部位に応じて下血や血尿といった消化器，排尿症状もみられることがある．これらの

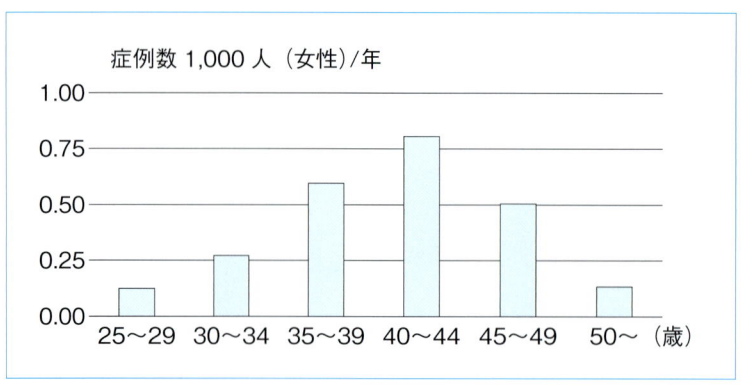

I 子宮内膜症とその関連疾患 endometriosis and related diseases

図2 子宮内膜症の頻度[11]
対象は "Family planning clinic" を受診した女性とされており，若干のバイアスがある。

　症状は内膜症が惹起する炎症，癒着，腫瘤による圧迫などにより生じる。診断に優れたバイオマーカーはないが，CA125，CA19-9が軽度上昇していることが多い[13]。したがって疼痛や不妊といった主訴に加え，Douglas窩の有痛性硬結や子宮の可動制限などの内診所見，CA125の軽度上昇から本症を疑い，USで内膜症性嚢胞の特徴をもった腫瘤を認めた場合にMRIによる精査を依頼されることが多い。ただし，後述するように卵巣内膜症性嚢胞を伴わず深部病変のみからなる症例もしばしば経験され，このような病変もMRIは容易に検出可能なので，筆者は臨床的に内膜症の疑わしい症例に対しては骨盤内腫瘤が存在しなくとも積極的に行ってよい検査法であると考えている。本症診断のgold standardは長らく腹腔鏡所見であったので，腹腔鏡所見に基づく米国生殖医学会（American Society for Reproductive Medicine：ASRM）の子宮内膜症重症度分類（表1）が国際的に汎用されてきた[14]。しかし前述のように，深部内膜症の臨床的意義の高まりとともに，これを含んだ重症度分類が種々提唱され，現在では#Enzian（Enzian分類の改訂版）が包括的な分類として広く知られている[15]（図3）。本分類ではUSやMRIも診断手段として認めているので，非侵襲的評価が可能な反面，評価項目が多岐にわたることから，煩雑性ゆえにいまだ全世界的に広く浸透するまでには至っていない。

　本症の治療は保存的治療と手術療法に大別され，前者には対症療法（非ステロイド性消炎鎮痛剤など）と内分泌療法［GnRH agonistや黄体ホルモン製剤，低用量経口避妊薬（oral contraceptives：OC）など］があり，間脳・視床下部－下垂体－卵巣系の様々な領域に作用し（図4），投与に伴う画像変化も種々報告されている[16-20]（表2）。後者には病巣切除を主体とする保存手術，子宮全摘・付属器合併切除に代表される根治手術のほか，症状と年齢，挙児希望の有無に応じて種々の術式が選択される。近年は腹腔鏡手術の発達に伴い，これらの手術の多くが腹腔鏡補助下に行われるようになっている。

表1　米国生殖医学会（ASRM）の子宮内膜症の重症度分類（r-ASRM 分類）[14]

Patient's Name _____ Date _____
State Ⅰ(Minimal)　- 1-5
State Ⅱ(Mild)　- 6-15
State Ⅲ(Moderate) - 16-40
State Ⅳ(Severe)　- >40
Total _____

Laparoscopy _____ Laparotomy _____ Photography _____
Recommended Treatment _____
_____
Prognosis _____

			<1 cm	1-3cm	>3cm
PERITONEUM	ENDOMETRIOSIS				
		Superficial	1	2	4
		Deep	2	4	6
OVARY	R	Superficial	1	2	4
		Deep	4	16	20
	L	Superficial	1	2	4
		Deep	4	16	20

	POSTERIOR CULDESAC OBLITERATION	Partial	Complete
		4	40

			<1/3 Enclosure	1/3-2/3 Enclosure	>2/3 Enclosure
	ADHESIONS				
OVARY	R	Filmy	1	2	4
		Dense	4	8	16
	L	Filmy	1	2	4
		Dense	4	8	16
TUBE	R	Filmy	1	2	4
		Dense	4*	8*	16
	L	Filmy	1	2	4
		Dense	4*	8*	16

*If the fimbriated end of the fallopian tube is completely enclosed, change the point assignment to 16.
Denote appearance of superficial implant types as red [(R), red-pink, flamelike, vesicular blobs, clear vesicles], white [(W), opacifications, peritoneal defects, yellow-brown], or black [(B)black, hemosiderin deposits, blue]. Denote percent of total described as R___%, W___% and B___%. Total should equal 100%.

Additional Endometriosis: _____
_____
_____

Associated Pathology: _____
_____
_____

To Be Used with Normal Tubes and Ovaries
L　　　　　　　　　　R

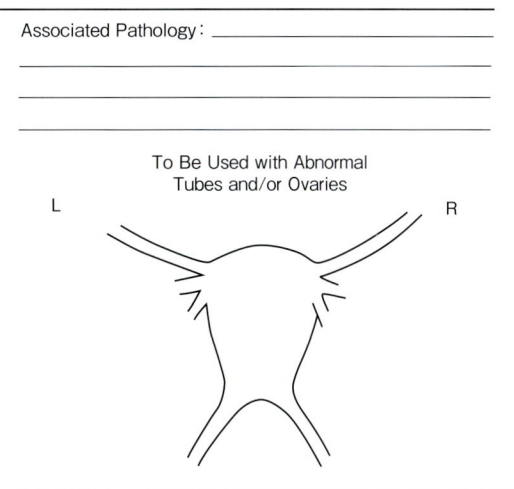

To Be Used with Abnormal Tubes and/or Ovaries
L　　　　　　　　　　R

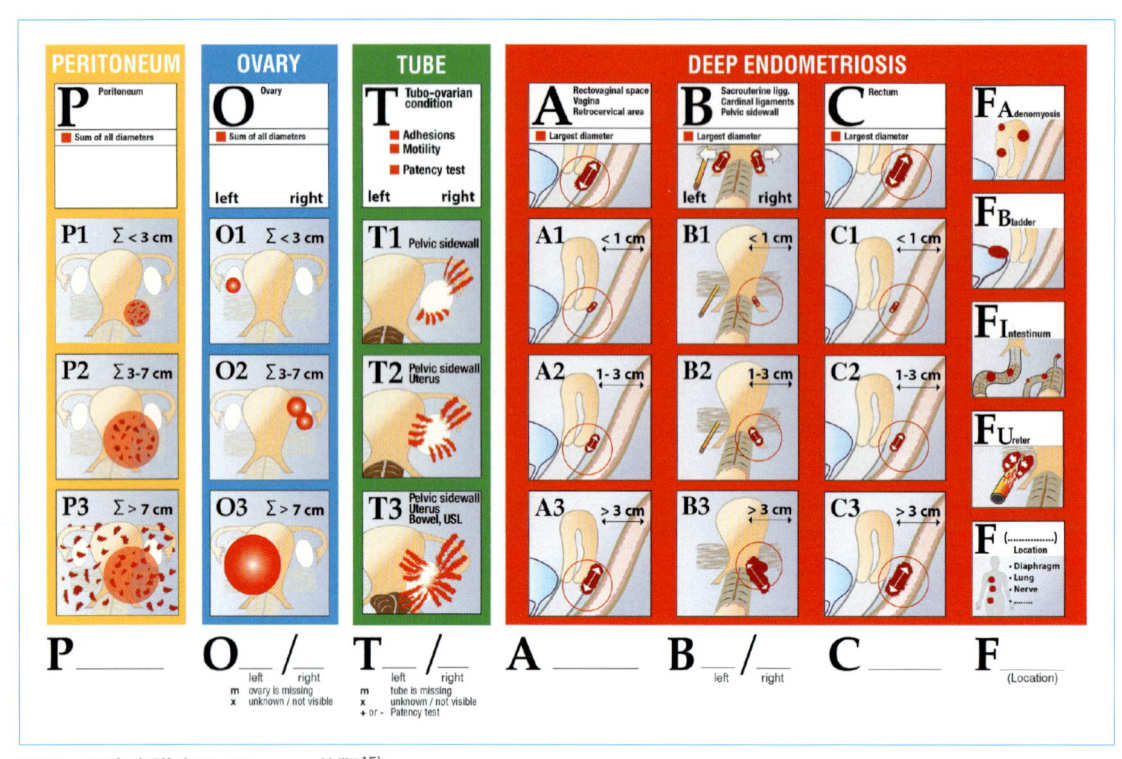

I 子宮内膜症とその関連疾患 endometriosis and related diseases

図3 子宮内膜症の #Enzian 分類[15]

表1のr-ASRM分類にはなかった深部内膜症の項目が，直腸腟中隔，仙骨子宮靱帯/基靱帯/骨盤壁，直腸壁について追加され，尿路内膜症や腺筋症についても，あれば記載することになっており，包括的な反面，煩雑ともいえる．

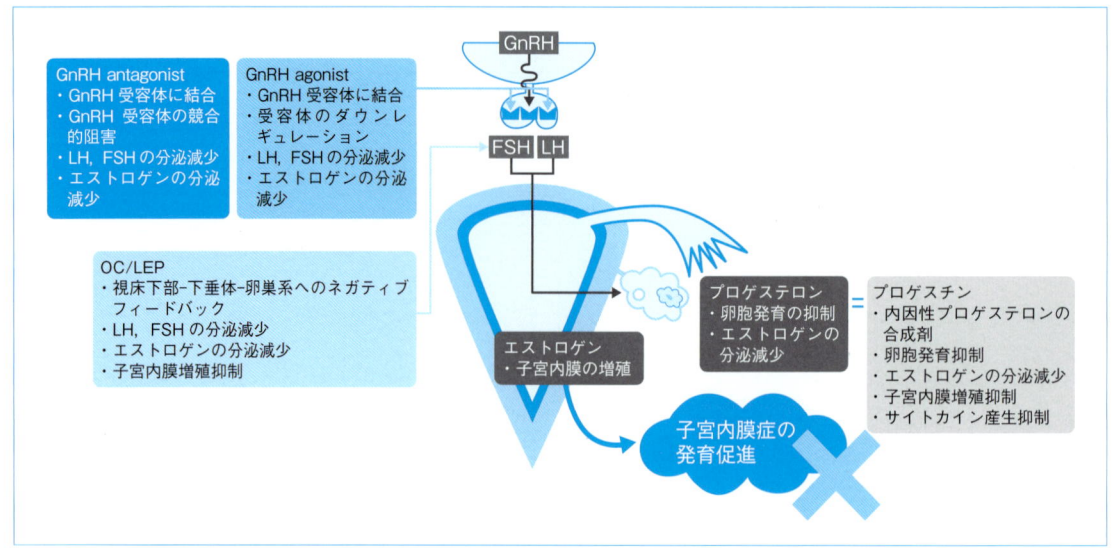

図4 子宮内膜症・子宮腺筋症に対する内分泌療法の作用機序

表2 子宮内膜症・子宮腺筋症に対する内分泌療法とMRI所見[16-20]

	OC/LEP	GnRH agonist	GnRH antagonist	プロゲスチン ジエノゲスト	プロゲスチン LNG-IUS	SPRM
連続投与	可	＜6カ月	＜6カ月	可	可	可
薬理学的特徴	―	・flare up（投与開始直後の急性増悪）	・flare upなし ・E2レベルの用量依存的低下	・合成型プロゲステロン		―
病理組織学的変化	―	・微小血管密度↓ ・アポトーシス指数 子宮内膜↑ 子宮筋層↑	―	―		・異所性内膜の囊胞状拡張による上皮組織の構築の乱れ ・異所性内膜の広範な囊胞形成
MRI所見 子宮	―	・子宮容積↓ ・JZ幅の減少 ・異所性腺管による点状高信号域の減少	―	・子宮体積の有意な減少なし ・JZ幅の軽度減少 ・異所性腺管による点状高信号域の減少		・短期的な進行 ・子宮腺筋症の出現
MRI所見 卵巣	―	・r-ASRMスコアの減少 ・子宮内膜症性囊胞の減少 ・子宮内膜症性囊胞の縮小	―	―	―	―

OC/LEP：低用量経口避妊薬，LNG-IUS：子宮内黄体ホルモン放出システム（ミレーナ®），SPRM：選択的プロゲステロン受容体修飾薬，JZ：junctional zone

2. 画像所見

1）卵巣内膜症性囊胞 ovarian endometriotic cyst

（1）病態と画像所見

　子宮内膜症の代表的な病巣は卵巣の内膜症性囊胞である．これは卵巣表層または卵巣実質内の異所性内膜が月経周期に応じて反復性の出血を引き起こし，これに付随する炎症，癒着，線維化が加わって形成される偽囊胞である．したがって囊胞内容物は新旧の出血成分からなり，囊胞壁はヘモジデリン沈着を伴い線維成分に富む．またしばしば周囲臓器との癒着を生じる．これらの病理組織学的特徴は画像に忠実に反映される．

　USでは壁の厚い囊胞性腫瘤で多房性であることが多く，貯留する血液の状態により内部エコーは無エコーから高エコーまで様々である[21-24]．典型的には輝度の低い点状エコーが腫瘤全体にびまん性にみられることが多い（図5）[13]．

　本症のCT所見としては定まった報告はないものの，前述の病理組織学的特徴を反映して，壁

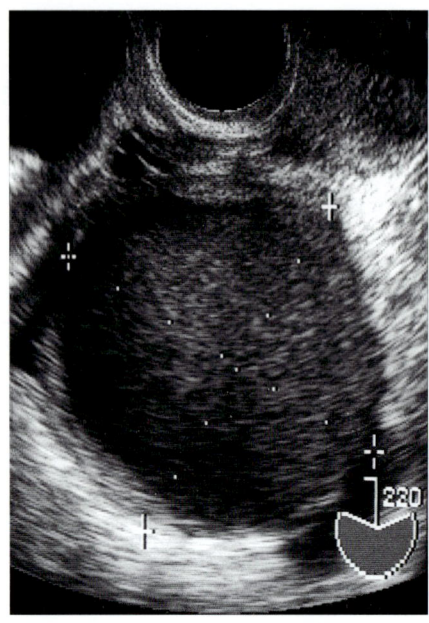

図5　38歳　卵巣内膜症性囊胞
US では後方エコーの増強から腫瘤が囊胞性であることが示唆されるが，囊胞内は輝度の低い点状エコーで占められる。壁は厚い。

の厚い，内容物の濃度の高い囊胞であることが多い[25)26)]。しかし，本症患者は若年者が多く，時に不妊を主訴としており，X線被曝は極力避けるべきである。

　MRIは磁場を用いた画像診断法であることから，鉄イオンを含む出血の同定に優れる。すなわちT1強調像では血管外に漏出したヘモグロビンは二価の鉄イオン（Fe^{2+}）を含む急性期（酸化型ヘモグロビンおよび還元型ヘモグロビンの状態）には周囲組織と等信号ないし低信号に留まるが，三価の鉄イオン（Fe^{3+}）を含むメトヘモグロビンになると，その常磁性のために高信号を呈する[27)28)]。内膜症性囊胞では病変内の慢性期血腫に由来する鉄のT1短縮効果によりT1強調像で高信号を示し，T2強調像では陳旧化した血腫内のヘモジデリンや非液性成分の線維化により，囊胞性腫瘤であるにもかかわらず内部が一部低信号となる，shadingと呼ばれる所見がみられる（図6）[29)-31)]。反復性の出血により腫瘤は多房性となる[30)]。T1強調像で高信号を示す組織としてはほかに脂肪成分が挙げられ，これを含む成熟奇形腫との鑑別には脂肪抑制T1強調像が有用である[32)]。脂肪抑制T1強調像では腹膜の微細な播種性病変も描出される[33)34)]ことから，重症度の判定にも役立つ[35)]。shadingの程度，すなわちT2強調像での信号強度は内容物の粘稠度により様々で，Diasらはshadingを6つのパターンに分類している[36)]（図7〜10）。このうち重力に従って背側，下方が低信号のグラデーションを示す古典的shading（図8）や，T2-dark spot（囊胞内に散在する極めて低信号を示す領域）を伴うもの（図11），線維化のために複雑な形態を示すもの（図8）については，内膜症性囊胞であることが多いが，全体が低信号であるもの（図6），背側が低信号のfluid levelを形成するもの（図9）は単回の出血のみでも起こりうる（p170参照）。Corwinらは，卵巣内膜症性囊胞におけるshadingの特異度は61.9%であったが，

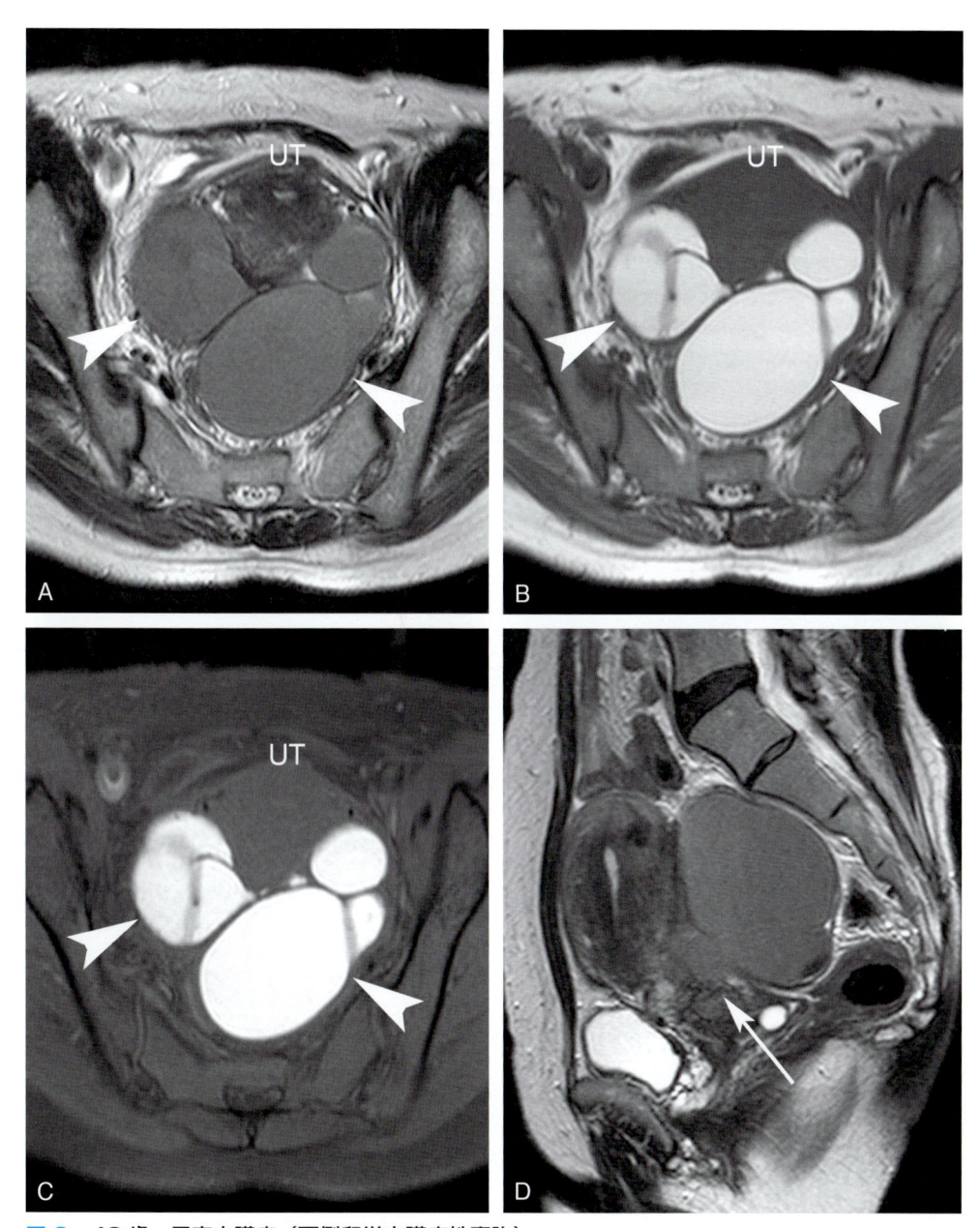

図6 48歳 子宮内膜症（両側卵巣内膜症性嚢胞）

A：T2強調横断像，B：T1強調横断像，C：脂肪抑制T1強調横断像，D：T2強調矢状断像

子宮（UT）の背側に2つの多房性嚢胞があり（A▲），内容物はT1強調像で高信号を示し（B▲），脂肪抑制T1強調像で信号抑制を受けない（C▲）。本例のshadingは図7Bで示す，T2強調像で全体が低信号化するタイプが多い。T1強調像で両側の嚢胞間，子宮と嚢胞の間はいずれも介在する脂肪織を示す高信号が消失しており，癒着を示唆する所見である（B）。子宮は後屈している（D→）。腫瘤が後屈した子宮の背側に局在するのも内膜症ではしばしばみられる所見である。

I 子宮内膜症とその関連疾患 endometriosis and related diseases

図7 shading のいろいろ

A の古典的 shading, D の T2 dark spot を伴う shading は卵巣内膜症性嚢胞にかなり特異的な所見だが, T2 強調像で全体が低信号化するもの (B) や背側が低信号の fluid level を形成するものは単回の出血でも観察しうる所見で, 出血黄体でのほうがより高頻度に観察される。E, F の壁, 隔壁の厚い多房性嚢胞の一部の loculus が T2 強調像で種々の程度に低信号化する complex mass は, 長期間にわたり出血による炎症と線維化を反復した, もしくは卵巣外の深部内膜症と一塊となったものにみられることが多い。

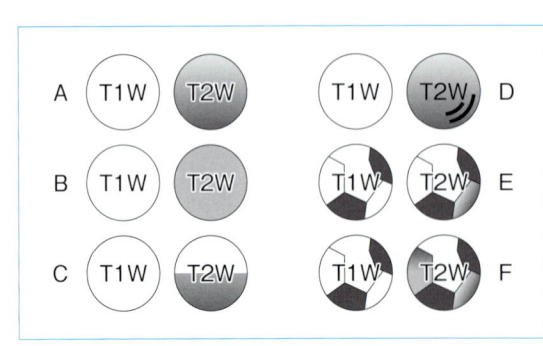

(文献 36 より改変引用)

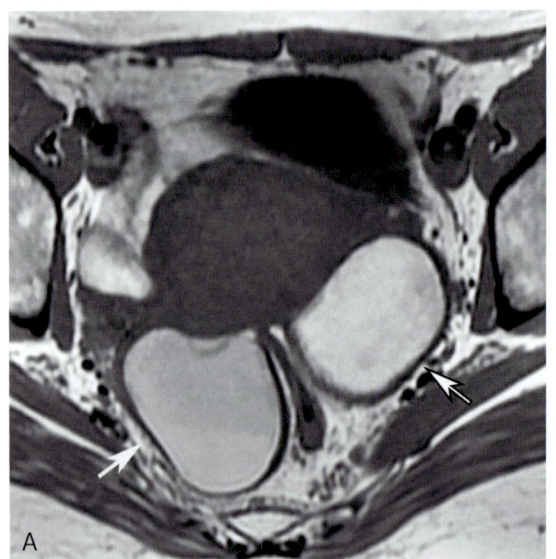

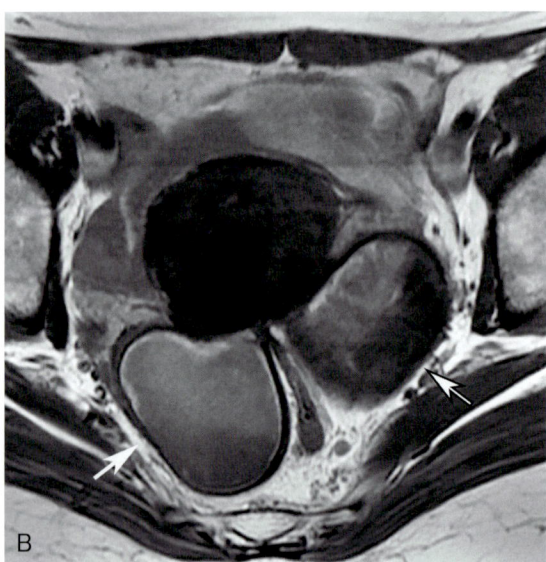

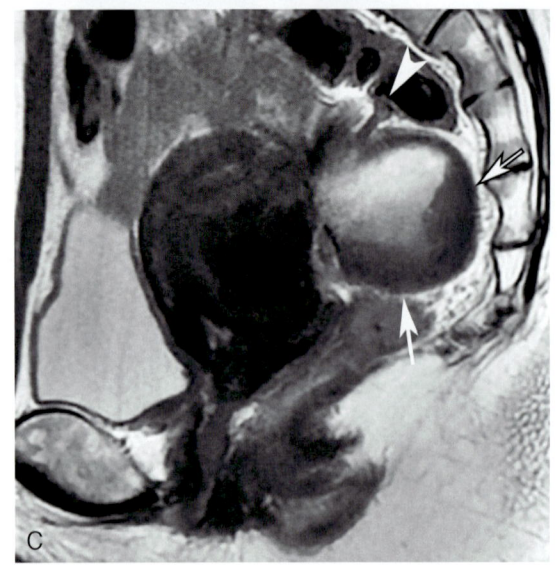

図8 48 歳　子宮内膜症（典型的 shading と強固な癒着）

A：T1 強調横断像, B：T2 強調横断像, C：T2 強調矢状断像

両側卵巣に T1 強調像で高信号の内容物を含む壁の厚い嚢胞（A〜C 白矢印：右卵巣病変, 黒枠矢印：左卵巣病変）を認め, T2 強調像では重力に沿うように尾側, 背側が低信号の不完全な fluid level（hematocrit effect に近い）を呈する (B, C)。後屈した子宮には深部内膜症と漿膜側腺筋症の混在, 直腸の癒着もあり, 典型的な子宮内膜症である。

166

2. 画像所見

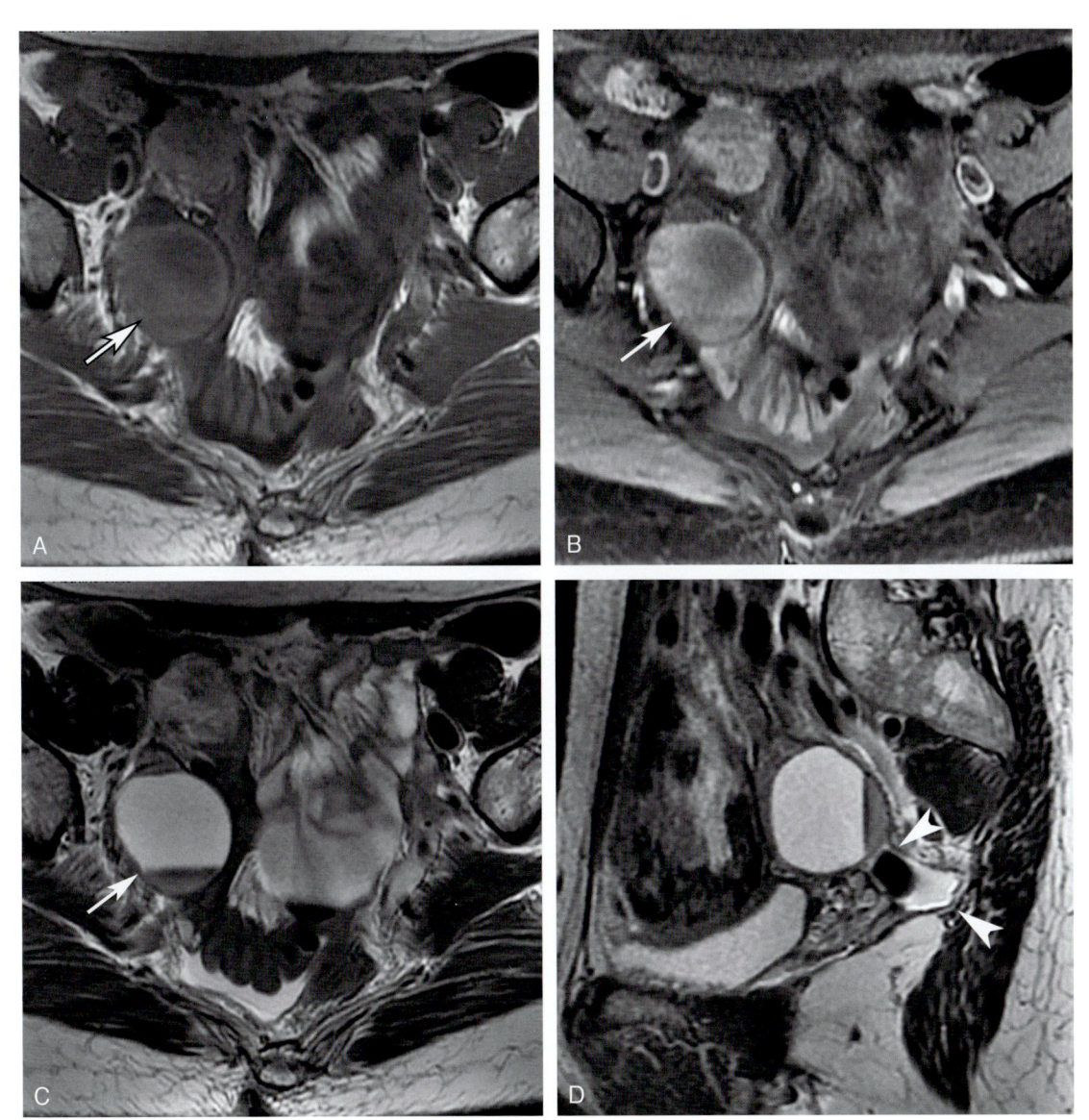

図9 49歳 hematocrit effect型のshading（出血黄体）
A：T1強調横断像，B：脂肪抑制T1強調横断像，C：T2強調横断像，D：T2強調矢状断像
右卵巣後縁の単房性嚢胞性腫瘤はやや壁が厚く，内容物はT1強調像で高信号だが（A, B→），T2強調像では背側が低信号のfluid levelを呈し（C, D→），S状結腸は圧排されるが癒着に乏しく，周囲には腹水も貯留している（D▲）。経過観察中に消失した出血黄体である。

T2-dark spot（図11）は100％であったと報告している[37]。しかし本症を特徴づける病態は反復性の出血により生じる癒着にある。卵管の癒着による閉鎖はしばしば卵管留血症の合併を招き，拡張蛇行した管状構造として描出される（図12）。子宮を含めた周囲組織との癒着はT1強調像で病変と臓器の間に介在する脂肪が消失していること，腹膜内外の脂肪層に線状影を伴うこと，牽引による臓器の偏位（子宮後屈，腟円蓋の挙上，S状結腸の不規則な走行など）として表現される[29)38)]。特に病変と正常臓器の間に介在する脂肪織の消失は重要な所見で，T1強調像で内膜

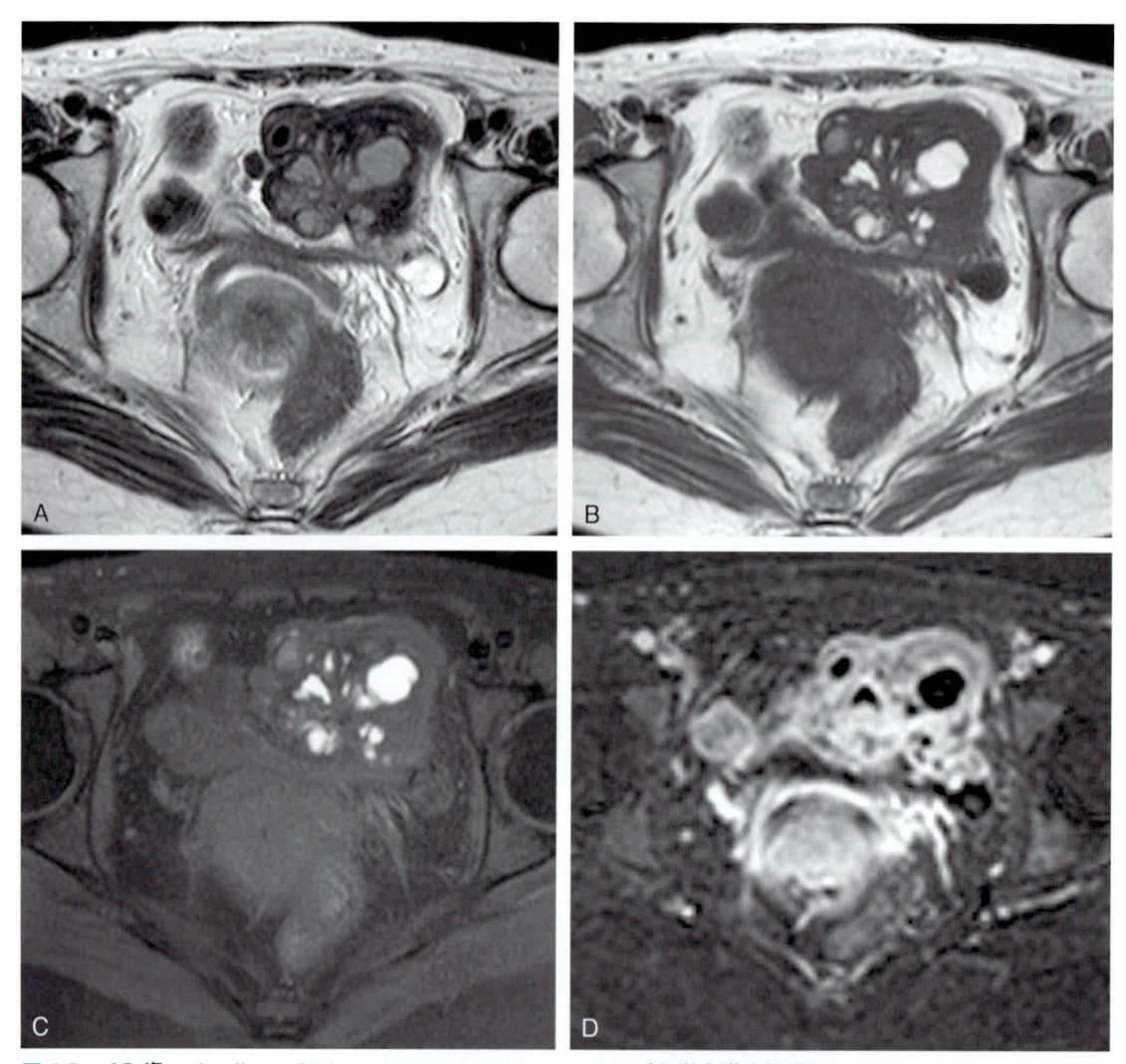

Ⅰ 子宮内膜症とその関連疾患 endometriosis and related diseases

図10 40歳 shading within a complex mass pattern（卵巣内膜症性嚢胞）
A：T2強調横断像，B：T1強調横断像，C：脂肪抑制T1強調横断像，D：ダイナミックMRI横断像サブトラクション後
左骨盤底の腫瘤は多房性で被膜隔壁が厚く（A），T1強調像，脂肪抑制T1強調像で高信号の血性と推定される内容物を含み（B，C），厚い被膜・隔壁は造影剤により強く増強される（D）。線維化により肥厚した壁・隔壁が豊富な充実部を形成し，図7E，Fのshadingに相当するタイプで，腫瘍を疑いがちだが，内腔に突出する壁在結節はなく，内膜症性嚢胞である。

症性嚢胞と骨盤壁や子宮，直腸との間に脂肪織を示す高信号が介在しているか否かを丁寧に評価する必要がある（図6，8，9）[35]。第1章で述べた通り，3D撮像法はFSE法によるT2強調像に比べコントラスト分解能に劣るので，質的診断には推奨できないが，内膜症による臓器組織のdistortionが目立つ既知の深部内膜症の癒着の広がり評価には有用である[39]。腟内にUS用ゼリーを注入しての癒着の評価[40]は直腸腟中隔やDouglas窩腹膜病変の評価に有用である（図13）[41]が，本症の診断に経験の乏しい読影者の診断能の向上には役立つものの，手技が煩雑となりMR検査の簡便性を損ねることになりかねないので，ESURのガイドラインではあくまでoptionであ

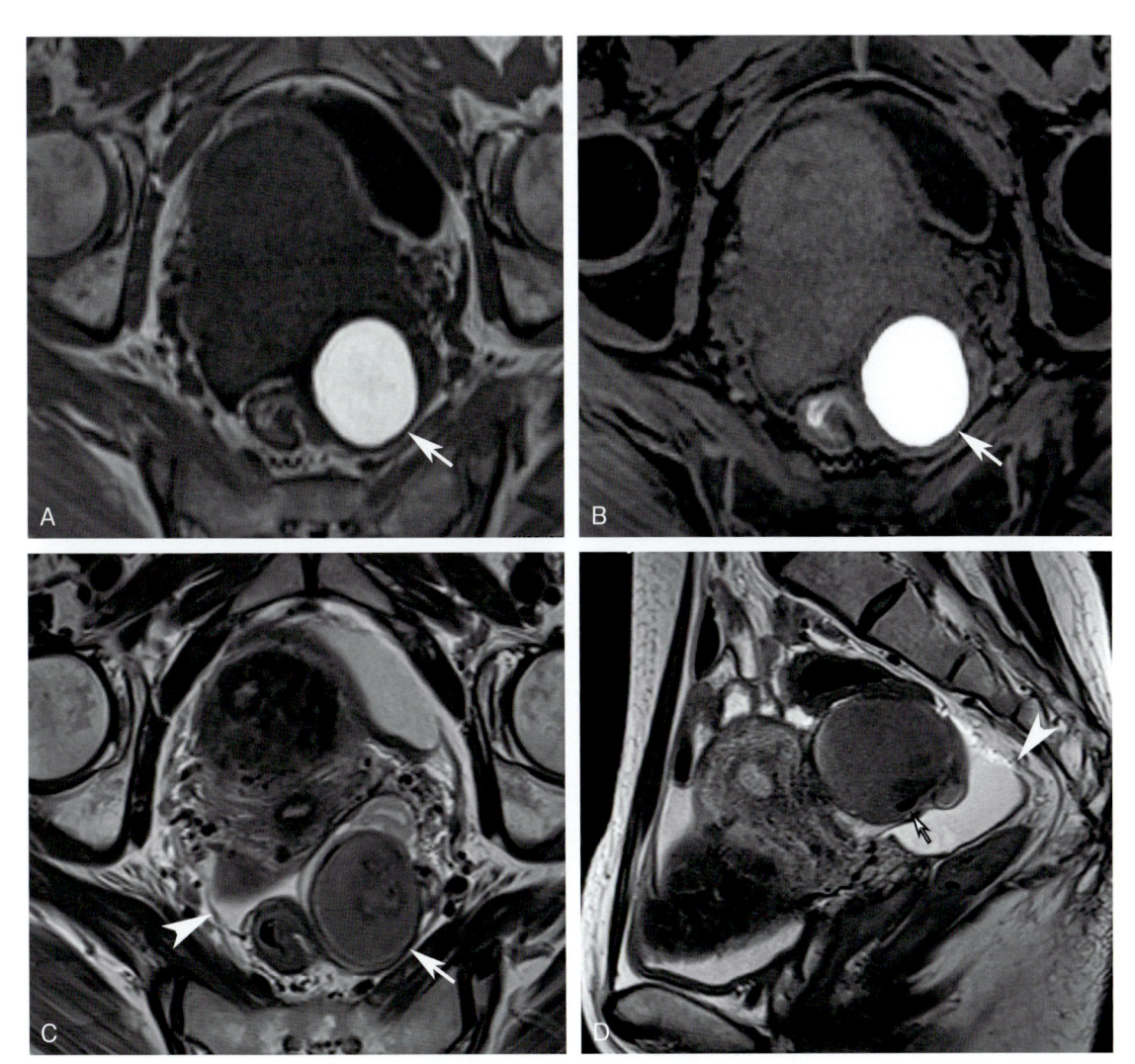

図 11　38 歳　T2-dark spot（左卵巣内膜症性嚢胞）
A：T1 強調横断像，B：脂肪抑制 T1 強調横断像，C：T2 強調横断像，D：T2 強調矢状断像
左卵巣に T1 強調像で高信号（A），脂肪抑制 T1 強調像で信号抑制されず（B），T2 強調像で全体が不均一な低信号の shading を伴う内容物を含む（C）嚢胞（A～C 白矢印）を認めるが，単房性で，周囲には腹水が貯留して（C，D▲）癒着に乏しく，出血黄体との鑑別に迷う病変だが，嚢胞内の一部に T2 強調像（D）でさらに信号強度の低い領域が T2-dark spot であり（D 黒枠矢印），内膜症性嚢胞と診断した（その後，GnRHa によるホルモン療法後に縮小を確認）。

るとしている[42]。さらに静的検査だけでは判定困難な腹腔内の癒着に対し，超高速撮像法の反復によるシネ撮像[43)44)]の有用性も報告されている。

　MRI は子宮内膜症の質的診断，ステージングのみならず内分泌療法の効果予測にも有用である。すなわち shading の著しい，T2 強調像で信号強度の低い内膜症性嚢胞は，嚢胞壁の線維化が広範であったり，血腫がより粘稠で吸収されにくいなどの理由で，形成された腫瘤の縮小効果は乏しい傾向にある（図 14）[17]。

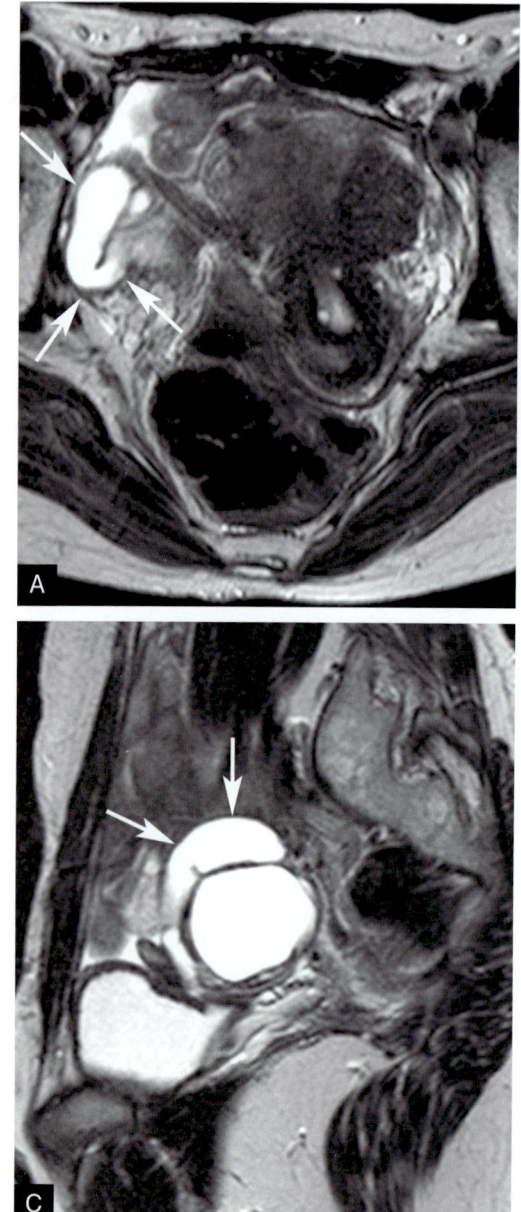

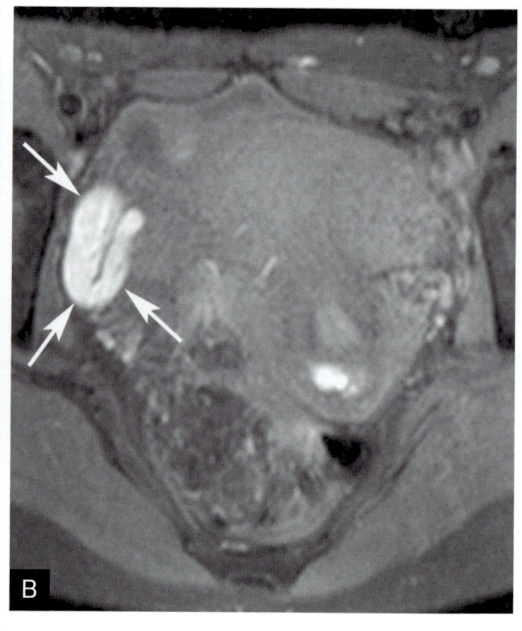

図12 33歳 子宮内膜症（卵管留血症）
A：T2強調横断像，B：脂肪抑制T1強調横断像，
C：T2強調矢状断像
子宮の右方にU字状の細長い管状構造があり
（A→），内容物は脂肪抑制T1強調像で高信号を示
し（B→），血性と推定される。T2強調像ではこの
管状構造が卵巣を取り巻くのが観察される（C→）。

（2）鑑別診断

　内容物が血性であっても反復性の出血による癒着などの特徴を欠除する場合には，他病変の可能性を考慮すべきである。すなわち反復性の出血を反映して多房性であること[30]や周囲組織との癒着を伴うことは，単発の卵巣出血（黄体出血）（図9, 15）との重要な鑑別点となる。さらに茎捻転に伴う静脈閉塞性梗塞は，組織型にかかわらずあらゆる卵巣腫瘍に腫瘍内出血を生じうる[45]（図16）し，上皮性卵巣癌や顆粒膜細胞腫[46]など腫瘍内出血を合併しやすい悪性腫瘍も内膜症と誤診しないことが重要である。近年，神経画像診断領域で微量のヘモジデリンによる磁場

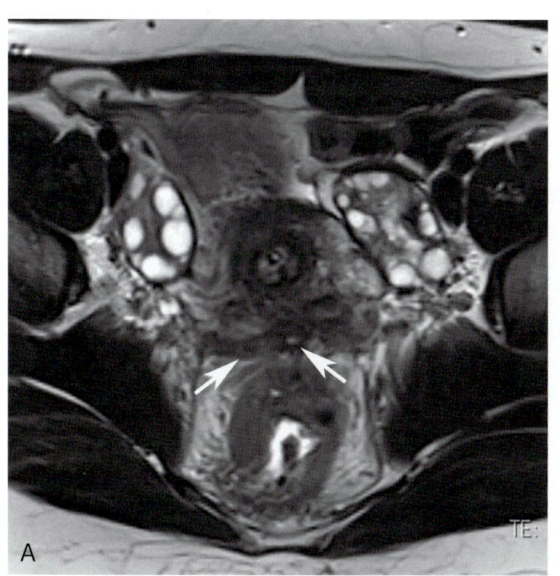

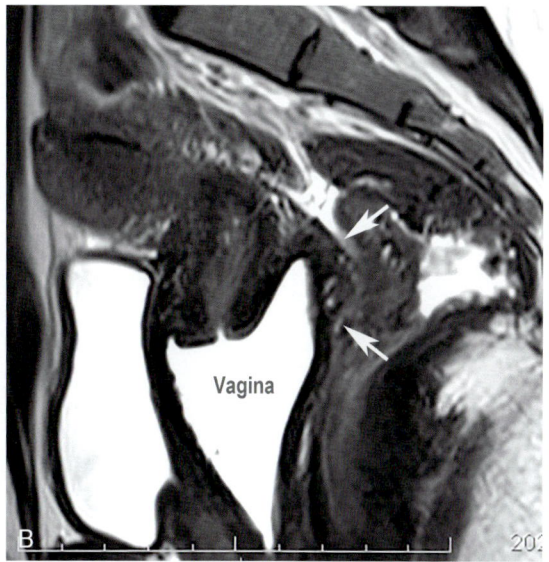

図 13　腟内ゼリーによる直腸腟中隔病変の視認性の向上
A：T2 強調横断像，B：T2 強調矢状断像
横断像で子宮の後面に境界不明瞭な低信号の軟部組織を認め，内部に高信号スポットを内包する（A→）ことから，深部内膜症の病変であることがわかる。矢状断像では，充填された US 用ゼリーにより腟（Vagina）が伸展され，直腸腟中隔での病変の広がりが明瞭となる（B）。

の不均一性を利用した susceptibility-weighted imaging による出血の検索がさかんで，本症への応用の試みもみられるが，出血成分の存在のみに頼った本症の診断は慎むべきである（図 16）。

(3) 腫瘍の合併 neoplasms arising from endometriosis

　子宮内膜症の疾患概念の提唱者のひとりである Sampson は，すでに 1925 年に内膜症病巣を構成する異所性内膜に起因する悪性腫瘍の存在を報告している[47]。近年，癌化のメカニズムについては種々の研究から，遺伝子異常，DNA のメチル化障害，酸化ストレス，内分泌学的異常，あるいは内膜症の惹起する炎症と免疫反応のインバランスなどが挙げられている[48]。合併する悪性腫瘍の組織型としては類内膜癌，明細胞癌の頻度が高いが，肉腫も含めて正所性の子宮内膜から発生する，あらゆる組織型の悪性腫瘍を合併しうる[49]。最近のメタアナリシスでは子宮内膜症の卵巣癌発症の相対リスクは全組織型で 1.93，明細胞癌で 3.44，類内膜癌で 2.33 と報告されている[50]。本邦での内膜症と癌の合併頻度は，0.7％程度[51,52]，逆に卵巣癌の側からみた子宮内膜症の合併頻度は 14.5％[53,54] と，欧米より高頻度である。これは本邦発生の卵巣癌の組織亜型分類で，欧米に比べ類内膜癌と明細胞癌の割合が多い理由（子宮内膜症に合併した卵巣癌の占める割合が多い）とされている[53,54]。臨床的には悪性腫瘍合併例は閉経後症例や直径 9 cm 以上の内膜症性嚢胞で高頻度であるとされる[52]。前述のごとく内膜症の主症状は痛みであるが，その突然の消失も悪性腫瘍合併の徴候として臨床的に重視されている。
　癌を合併した内膜症性嚢胞の画像所見として最も重要なのは増強効果をもつ壁在結節の存在で

Ⅰ 子宮内膜症とその関連疾患 endometriosis and related diseases

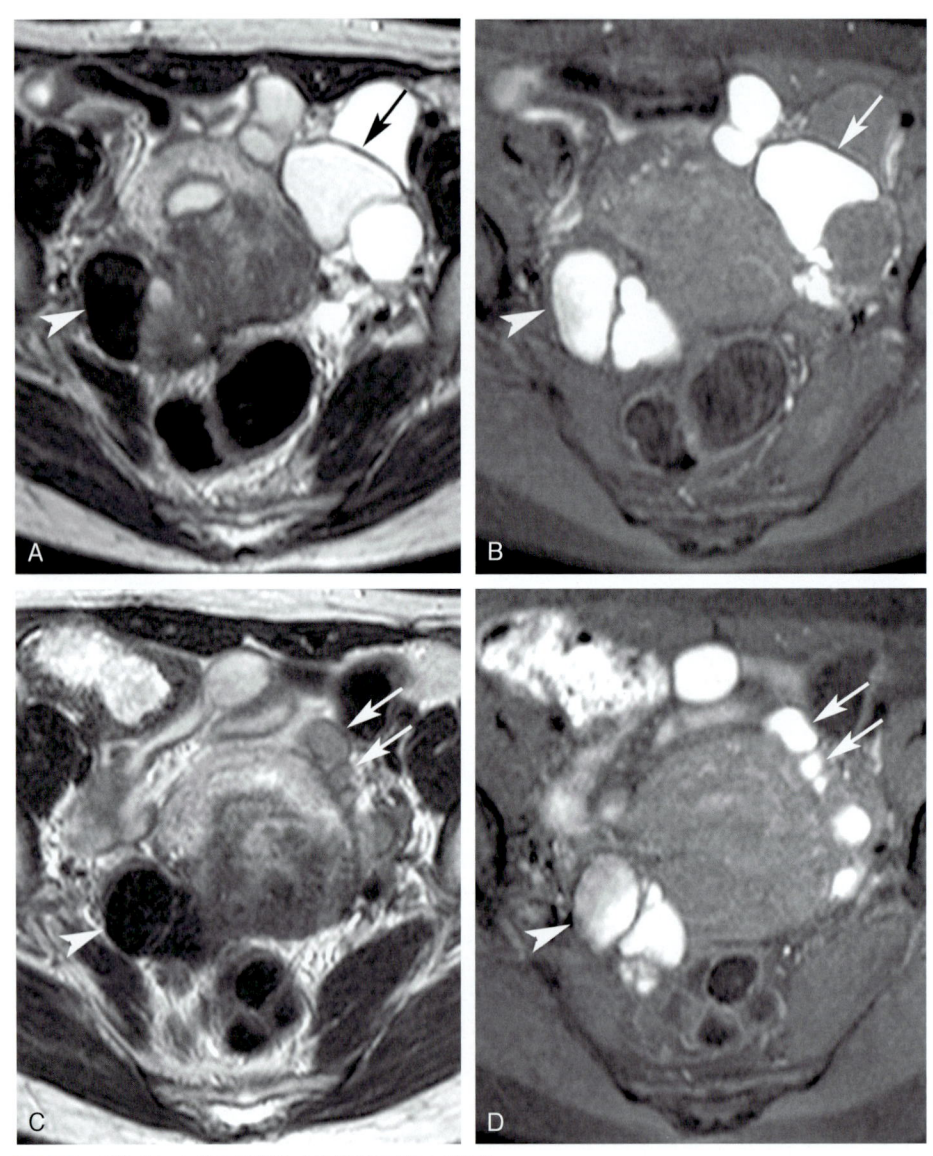

図14 36歳　子宮内膜症（内分泌療法の効果）
A：T2強調横断像（治療前），B：脂肪抑制T1強調横断像（治療前），C：T2強調横断像（治療後），D：脂肪抑制T1強調横断像（治療後）
子宮の両側壁に接して多房性嚢胞性腫瘤があり，いずれも脂肪抑制T1強調像では高信号の血性と推定される内容物を含むが（B），T2強調像では右は低信号（A▲），左は高信号である（A→）。OC投与6カ月後のT2強調像で低信号であった右の病巣はあまり縮小しない（C，D▲）が，左は著明に縮小している（C，D→）。

ある（図17,18）[55]。前述のごとく内膜症性嚢胞はT2強調像では不均一，多彩な信号を呈するので凝血塊や巣状の線維化巣が結節状に描出されることが珍しくない。しかしT1強調像で信号強度が低い場合には，内膜症性嚢胞の厚い壁，隔壁から突出する壁在結節が凝血塊である可能性は低く，悪性腫瘍の合併を考慮して精査する必要がある。腫瘍合併の重要な所見として壁在結節の造影剤による増強効果を証明する必要があるが，内膜症性嚢胞の内容物はT1強調像で高信号

2. 画像所見

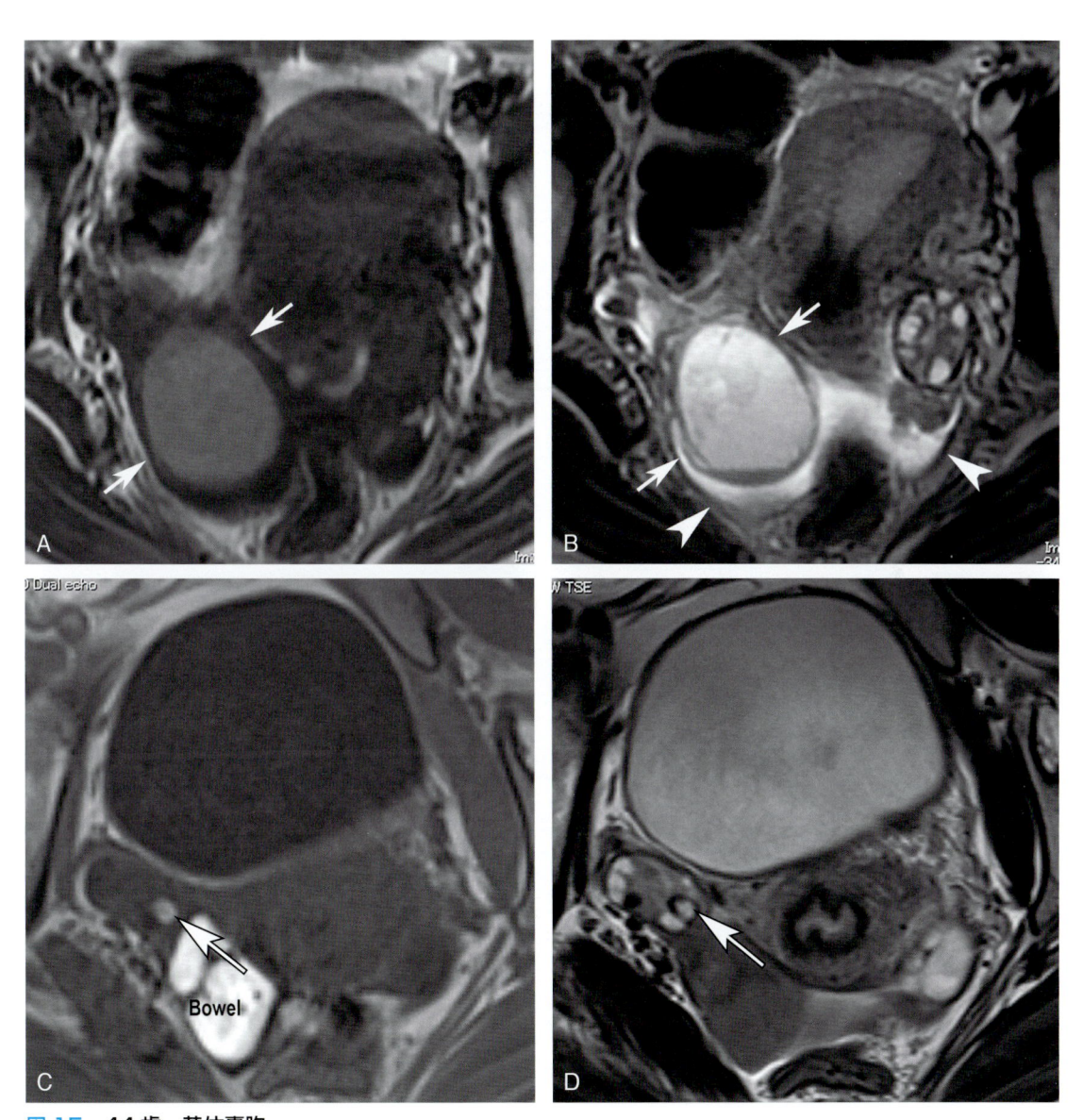

図 15　44 歳　黄体嚢胞
A：T1 強調横断像（初診時），B：T2 強調横断像（初診時），C：T1 強調横断像（経過観察後），D：T2 強調横断像（経過観察後）
T1 強調像で高信号を示す内容物を含む単房性嚢胞性腫瘤がある（A, B →）が，T2 強調像で右卵巣周囲には腹水（B ▲）がみられ，周囲との癒着はないことが明らかで，内膜症性嚢胞の特徴である癒着を欠くうえに，shading は hematocrit effect 型である．6 週間後，嚢胞は縮小した（C, D →，Bowel は卵巣後方を走行する小腸）．

であるので，視覚的に小さな壁在結節の信号上昇を評価することは，背景信号に幻惑されて思いのほか難しい．このため造影前後の画像を差分して真の増強効果の有無を評価することが望ましい[55]．壁在結節以外に悪性腫瘍の合併を疑わせる所見としては，片側性または対側に比べ極端に大きな内膜症性嚢胞や T2 強調像における shading の欠除が挙げられる（図 17）[55]．これは腫瘍細胞の産生する液性成分により既存の血腫が希釈されて粘度が低下するためと考えている．

173

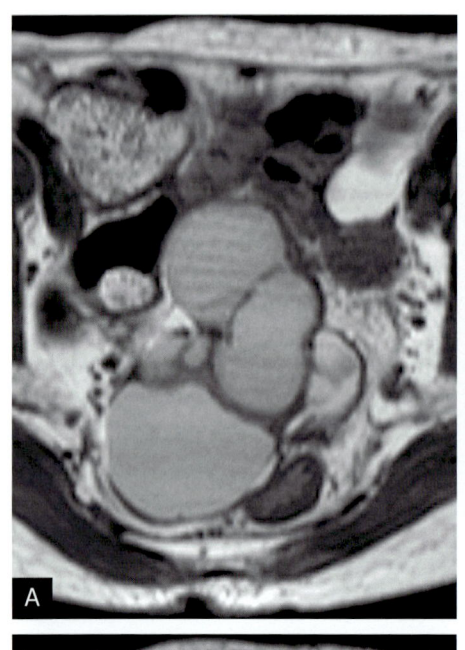

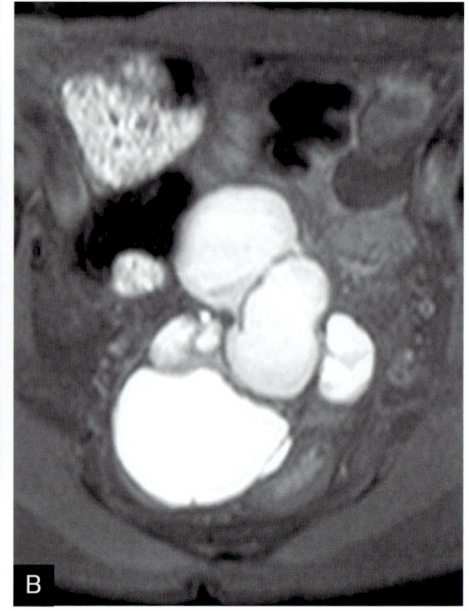

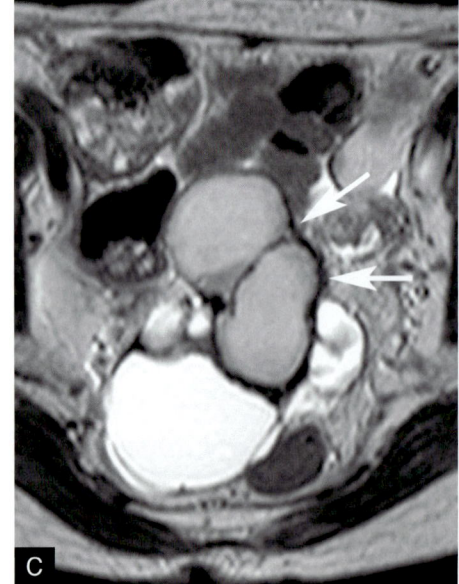

Ⅰ 子宮内膜症とその関連疾患 endometriosis and related diseases

図 16　69 歳　漿液性嚢胞腺腫

A：T1 強調横断像，B：脂肪抑制 T1 強調横断像，C：T2 強調横断像

T1 強調像で高信号（A），脂肪抑制 T1 強調像で信号抑制を受けない（B）内容物を含み，壁，隔壁の厚い多房性嚢胞性腫瘤を認める。T2 強調像では壁の一部にヘモジデリン沈着を思わせる無信号域を伴う（C →）。生殖可能年齢であれば内膜症性嚢胞を疑わせる性状であるが，閉経後 10 年以上を経て，この大きさの内膜症性嚢胞が残存するとは考えがたく，病理組織学的に漿液性嚢胞腺腫であることが証明された。

図 17　41 歳　卵巣内膜症性嚢胞に合併した明細胞癌（ⅢA1 期）

A：TVUS，B：T2 強調矢状断像，C：T2 強調横断像，D：T1 強調横断像，E：脂肪抑制 T1 強調横断像，F：造影脂肪抑制 T1 強調横断像，G：拡散強調横断像，H：単純 CT，I：造影 CT

TVUS でエコーレベルの高い充実部をもつ嚢胞性腫瘤を認め（A），T2 強調像で子宮（Ut）の背側に信号強度の高い多結節状の充実部を伴う嚢胞性腫瘤を認める（B，C）。この充実部は T1 強調像で低信号（D，E）で，造影後はよく増強され（F），種々の程度の拡散制限を示す（G）。子宮と腫瘤が脂肪織を介さずに接し，癒着を示唆すること，T1 強調像で高信号の房を含む（D～F →）ことから出血を合併し，背景に内膜症性嚢胞を疑わせる。この血性の内容物を含む房は T2 強調像で shading を示す（C →）が充実部を含む房では欠除することに注目。本例は壁在結節が大きいので，CT（H，I）でも充実部を確認できる。

2. 画像所見

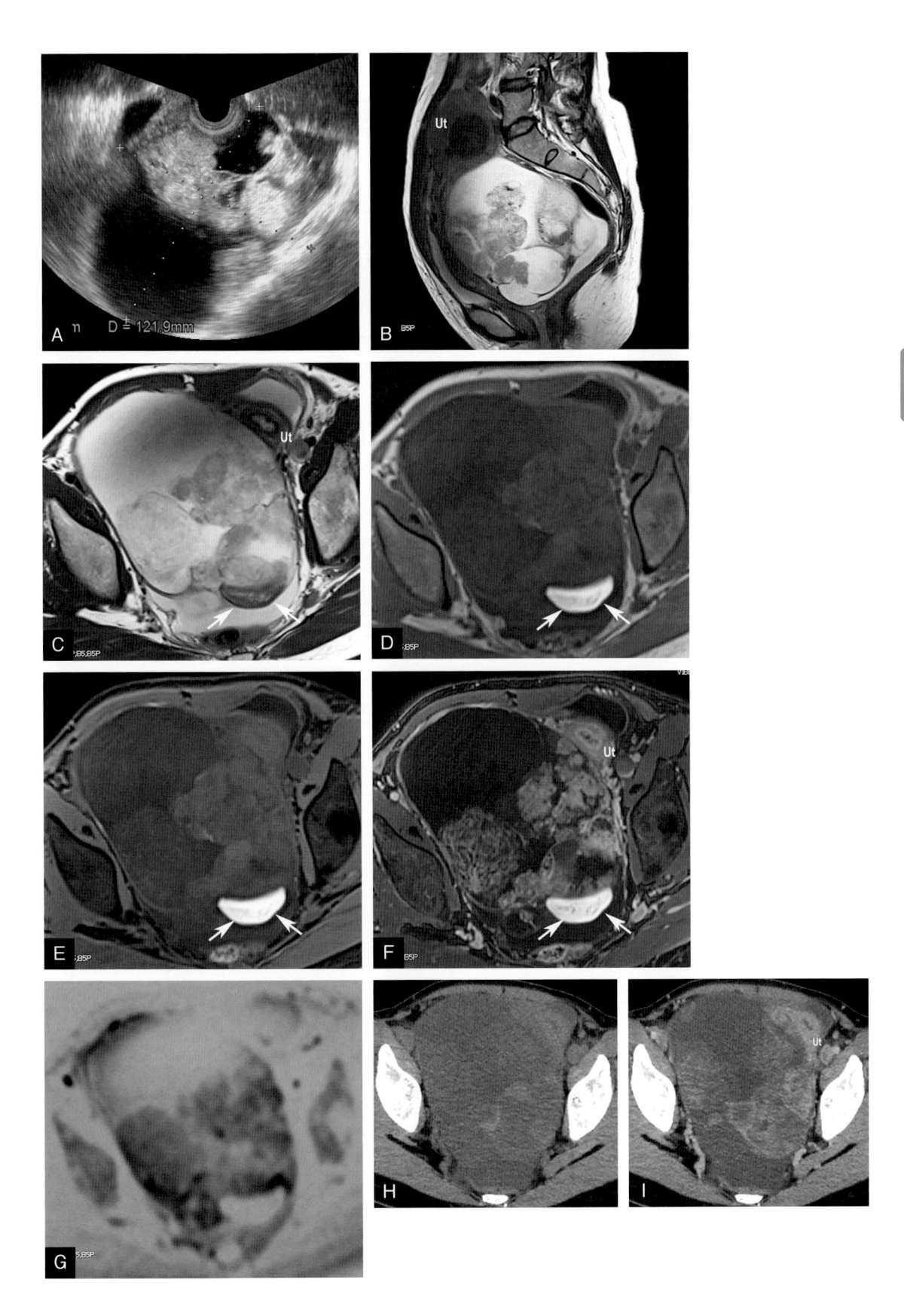

175

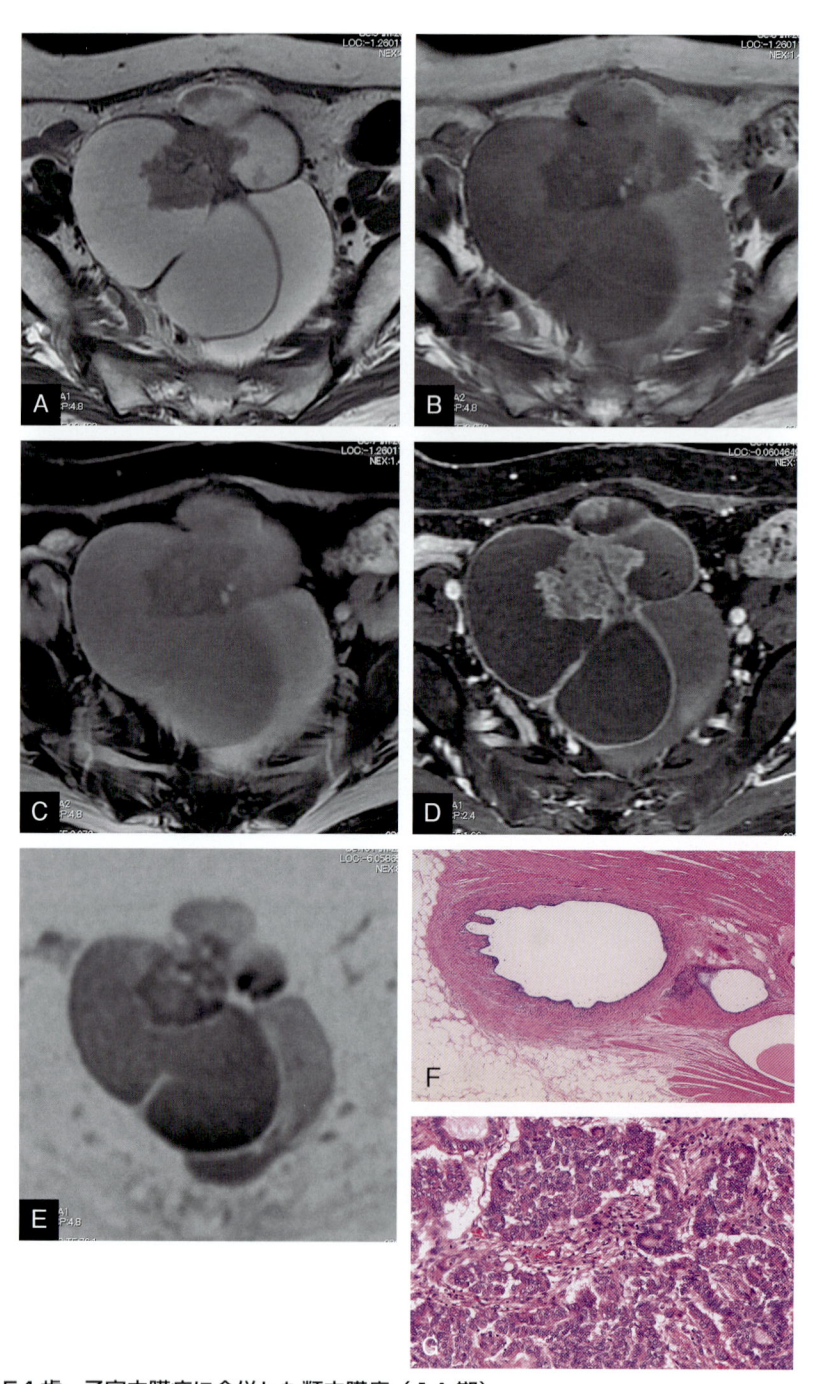

I 子宮内膜症とその関連疾患 endometriosis and related diseases

図18 54歳 子宮内膜症に合併した類内膜癌（ⅠA期）
A：T2強調横断像，B：T1強調横断像，C：脂肪抑制T1強調横断像，D：造影脂肪抑制T1強調横断像，E：拡散強調横断像，F：HE染色（弱拡大），G：HE染色（強拡大）
T2強調像で信号強度の高い多結節状の充実部を伴う多房性嚢胞性腫瘤を認める（A）。この充実部はT1強調像では内容物の多くが，程度の差はあるが高信号で血性であることを疑わせ（B, C），隔壁に沿って信号強度の低い不整型の充実部を含む。この充実部は造影後はよく増強され（D），軽度の拡散制限を示す（E）。20年前に子宮・両側卵巣は切除した（詳細不明）とされ，切除標本中に正常卵巣組織が見当たらなかったため，腹膜由来とされたが，内膜症病巣内に内膜腺に類似する環状構造をなして増殖する腫瘍を認め（F, G），子宮内膜症から生じた類内膜癌と診断された。

内膜症性嚢胞の壁在結節として生じる腫瘍は浸潤癌ばかりではない。漿液粘液性境界悪性腫瘍は旧分類の内頸部様粘液性境界悪性腫瘍（endocervical-like mucinous borderline tumor, Müllerian mucinous borderline tumor：MMBT）[56]と境界悪性混合上皮性乳頭状嚢胞性腫瘍（mixed-epithelial borderline tumor：MEBT）[57]を統合する上皮性卵巣腫瘍[58]として，2014年のWHO分類第4版に初めて収載された疾患概念であるが，その悪性型である漿液粘液性癌の分子病理学的特徴は類内膜癌と共通するところが多い[59]ことから，2020年のWHO分類第5版では早々に悪性型が削除され，腺腫と境界悪性腫瘍のみが残されることとなった腫瘍群で，両側性病変や子宮内膜症との合併頻度が高いことで知られる[60]。本腫瘍の画像的特徴としてはMMBT，MEBTと称されていた時代に，T1，T2強調像ともに信号強度の高い内容物を含む嚢胞の壁に，先端の乳頭状部分がT2強調像で極めて高信号，壁への付着部が低信号を示す壁在結節として報告されていた（図19, 20）[61)62)]。病理組織学的には漿液性腫瘍類似の乳頭状構造を有するが，少なくともその一部は粘液性腫瘍としての組織学的特徴を有するので，上皮細胞自体の細胞質内に粘液を含むことに加え，間質が浮腫性であることに起因する（図19G）。T2延長の主因と推定される間質の浮腫は，拡散強調像にも影響し，卵巣内膜症性嚢胞に合併した癌腫に比べ，有意にADC値が高いとの報告もある[63]。さらに，ほかの組織型も含め増強効果をもつ壁在結節でも結節径の小さいもの（おおむね5mm以下）は境界悪性や良性腫瘍であることも多く，時には肉芽組織のみで腫瘍成分を欠くこともあり[64]，一概に悪性腫瘍と断定できない。T2強調像で信号強度が低く，増強効果の乏しいもの，拡散制限の乏しいものは線維成分に富む組織と推定できるが，内腔に乳頭状に突出するものは特に悪性を否定することは難しく（図21），現状では全例に早期手術を勧めざるを得ないと考えている。

(4) 腫瘍の合併と鑑別すべき病態

a. ポリープ状子宮内膜症 polypoid endometriosis

近年，子宮内膜症の特殊な病態の1つでポリープ様の発育を示すポリープ状子宮内膜症（polypoid endometriosis）が脚光を浴びている。この病変は腟や直腸内腔，内膜症性嚢胞内に突出するポリープ状の腫瘤を形成し病理組織学的にも子宮内膜ポリープと似た形態を呈するといわれる[65]。臨床的には直腸に膨隆して排便障害の原因となるなど，大きさと局在によっては有症状化し，再発を繰り返し難治性とされる。画像的に，内膜症性嚢胞内部に造影効果を有する充実性成分として認められる場合には，卵巣癌の合併との鑑別に苦慮することがある（図22, 23）。病理組織学的な報告では内膜症性嚢胞内への発育は20%程度で，子宮漿膜面の深部内膜症病巣に連続してポリープ状の腫瘤を形成して子宮外の骨盤腔に発育する例が多いようである。画像的報告は少数例に留まるが，腫瘤の信号強度はT2強調像で子宮内の内膜に類似して高く[66)67)]，辺縁に低信号帯を有し[67)68)]，出血を反映してT1強調像で高信号域を含む。拡散強調像では高信号を示しても，実際のADC値は高くないとする報告がある[69]。これに加え，自験例ではPET/CTでFDGの強い集積は認めておらず（図23），鑑別の一助になると考えられる。

b. 脱落膜化

悪性腫瘍の合併と鑑別を要するもう1つの病態として妊娠中の異所性内膜の脱落膜化が挙げられる[70]。妊娠中，子宮内膜は妊娠黄体が産生するプロゲステロンをはじめとする各種ホルモンの

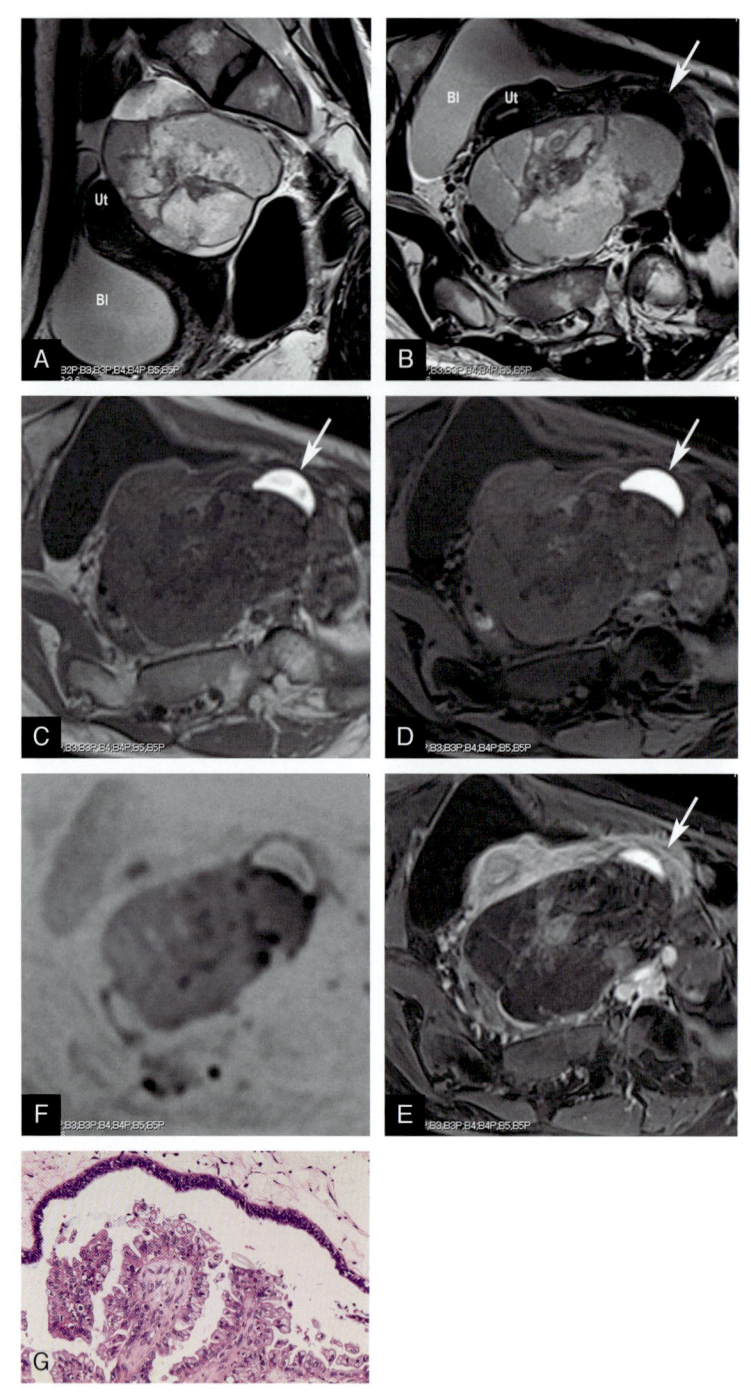

Ⅰ 子宮内膜症とその関連疾患 endometriosis and related diseases

図19　43歳　左卵巣内膜症性嚢胞から発生した漿液粘液性境界悪性腫瘍
A：T2強調矢状断像，B：T2強調横断像，C：T1強調横断像，D：脂肪抑制T1強調横断像，E：造影脂肪抑制T1強調横断像，F：拡散強調横断像，G：HE染色（強拡大）

T2強調像で子宮（Ut）の背側に癒着した多房性嚢胞性腫瘤には隔壁と連続して基部が低信号，先端が極めて高信号を示す大きな壁在結節があり（A，B），造影後は基部のT2強調像で低信号であった部分に比べ，先端の乳頭状部分は増強効果が不良（C〜E）で，拡散制限もほとんどない（F）。病変の辺縁部にはT1強調像で高信号，T2強調像で低信号（shading）を示す房があり（B〜E →），内膜症性嚢胞由来の病変であることがわかる。病理組織学的には，内膜症を背景に細胞内粘液を含む腫瘍細胞が乳頭状に増殖するが，間質も浮腫に富み，明るく描出されている（G）。

2. 画像所見

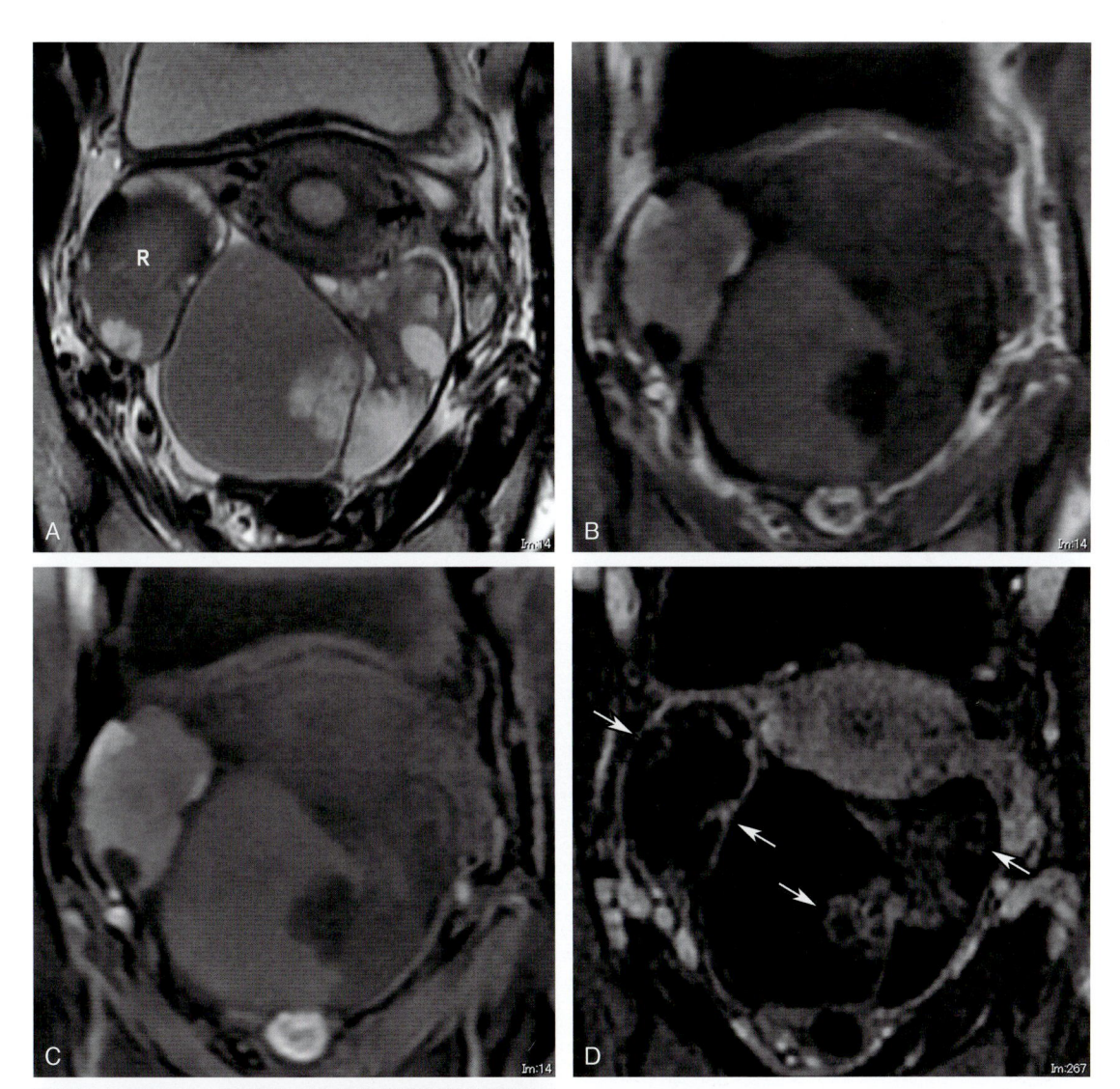

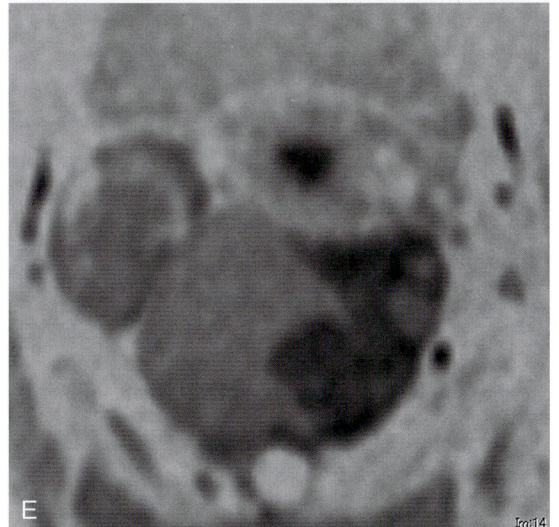

図20　26歳　両側卵巣内膜症性嚢胞に合併した漿液粘液性境界悪性腫瘍

A：T2強調横断像，B：T1強調横断像，C：脂肪抑制T1強調横断像，D：造影脂肪抑制T1強調横断像，E：拡散強調横断像

T2強調像にて両側卵巣（Rは右卵巣病変）に不均一な低信号を示す壁の厚い嚢胞性腫瘤があり，両側とも極めて信号強度の高い壁在結節を多数伴っている（A）。嚢胞内容物の多くがT1強調像で高信号（B）で，脂肪抑制T1強調像にて信号抑制されず（C），血性と推定され，内膜症性嚢胞に生じた腫瘍であるが，増強されるのは壁や隔壁に近い一部に留まり（D→），拡散制限も弱い（E）。本例では内容物のT2強調像による信号強度が低く，特に右病変では内膜症特有のshadingが保たれており（A），これも浸潤癌合併例との鑑別点である。

I 子宮内膜症とその関連疾患 endometriosis and related diseases

図21 25歳 両側卵巣内膜症性嚢胞（腫瘍非合併例）
A：T2強調横断像，B：T1強調横断像，C：造影脂肪抑制T1強調横断像サブトラクション後，D：HE染色（ルーペ像），E：HE染色（弱拡大）
左卵巣の多房性嚢胞性腫瘤は血性の内容物を含み，壁，隔壁の厚い多房性嚢胞性腫瘤で，内膜症性嚢胞の特徴を示すが，隔壁から内腔に突出する乳頭状隆起があり（A～C →），T2強調像での信号強度が低く（A），増強効果も弱い（C）。形態的には腫瘍合併を疑わせる。しかし病理組織学的には異型のない内膜上皮と線維化により形成された結節であった（D，E）。

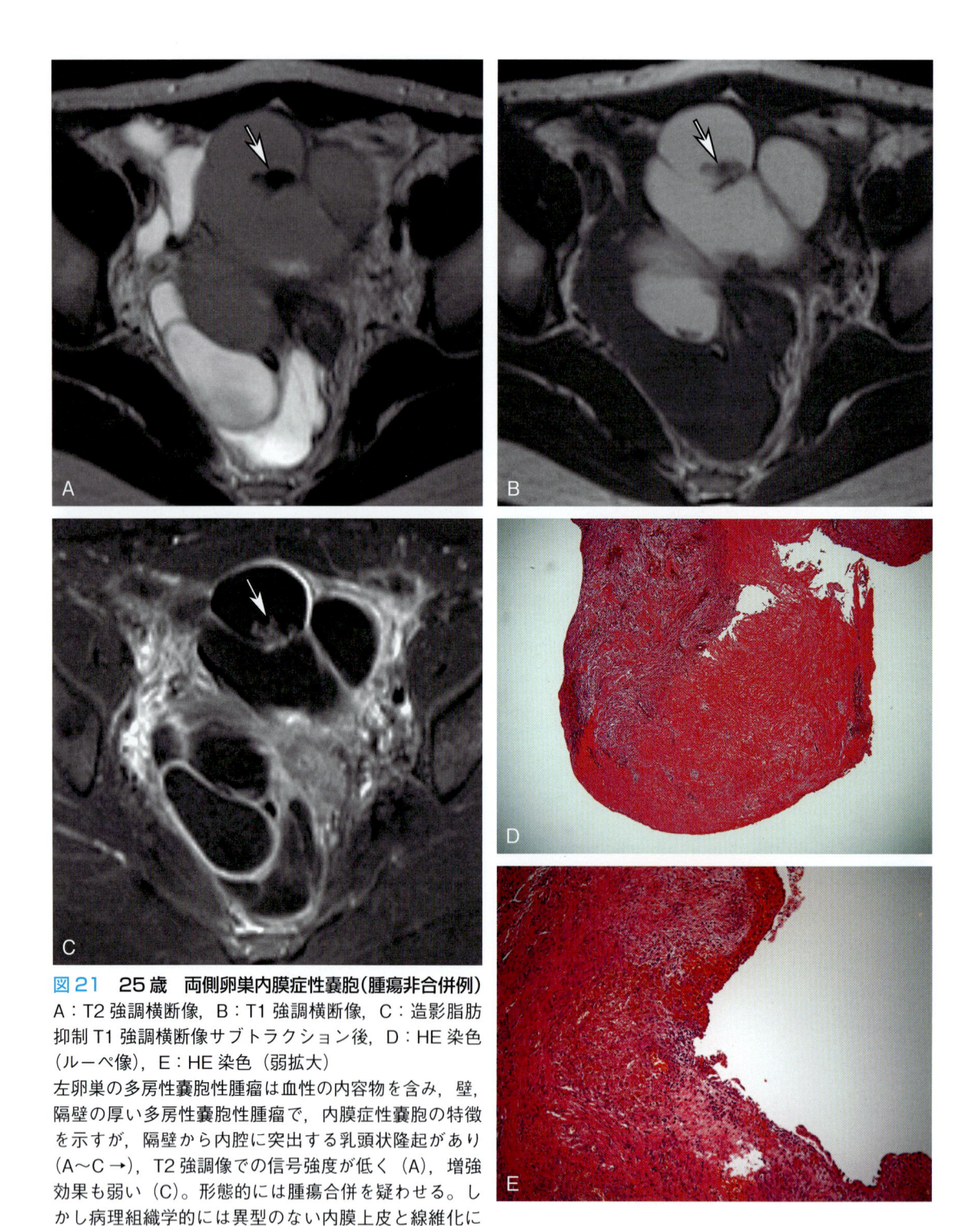

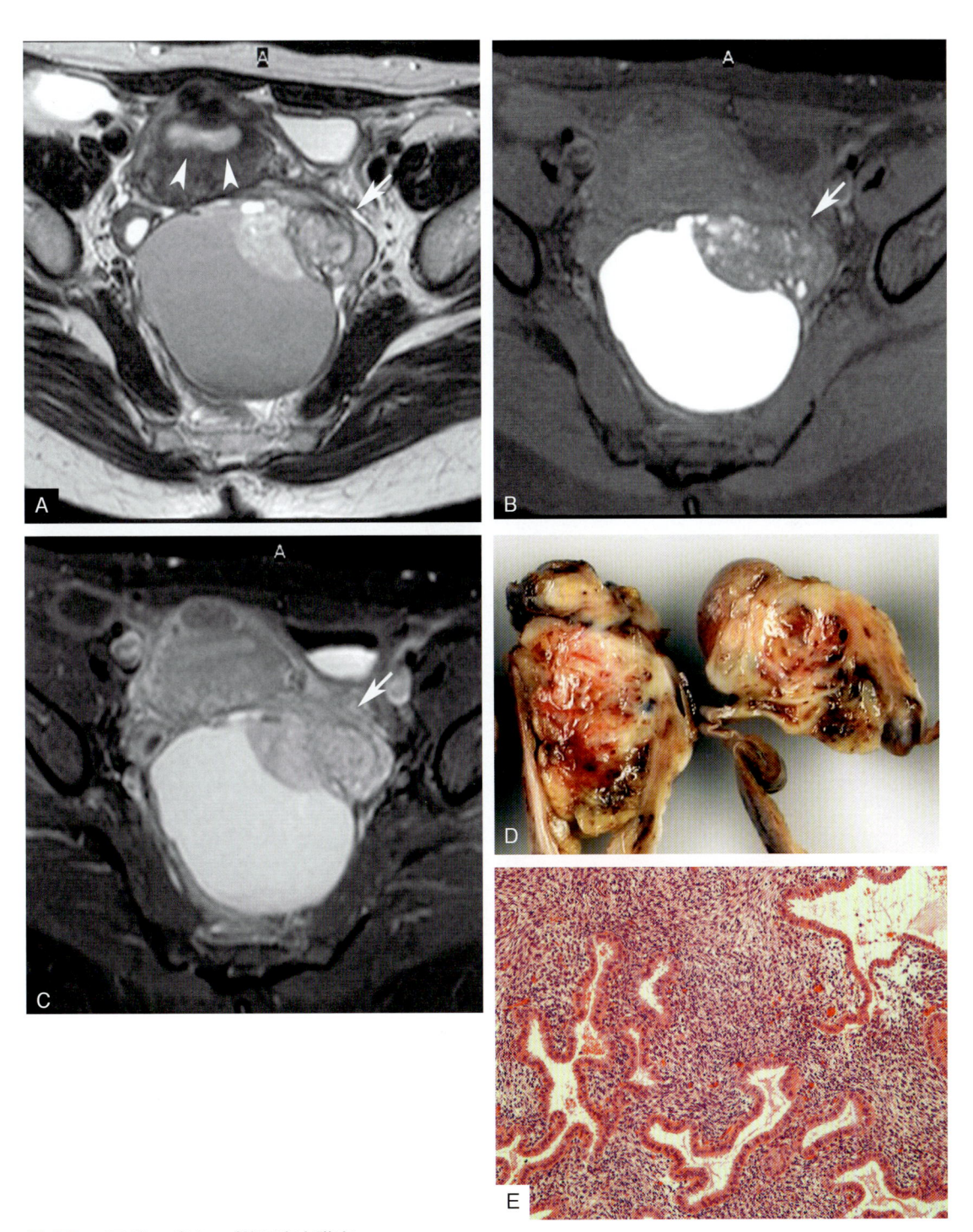

図22 45歳 ポリープ状子宮内膜症

A：T2強調横断像，B：脂肪抑制T1強調横断像，C：造影脂肪抑制T1強調横断像，D：摘出標本割面，E：HE染色（弱拡大）

T2強調像で左卵巣の嚢胞前壁から突出する不均一な信号強度の壁在結節を認める（A→）。多くは子宮内膜（A▲）と同程度の高信号で，辺縁に低信号域がみられる。脂肪抑制T1強調像では嚢胞内容物だけでなく，壁在結節内にも高信号域を内包し，出血を含む（B）。壁在結節は造影剤によりよく増強される（C）。充実部は異型のない腺管からなり，一部間質の出血も伴っていた（D, E）。

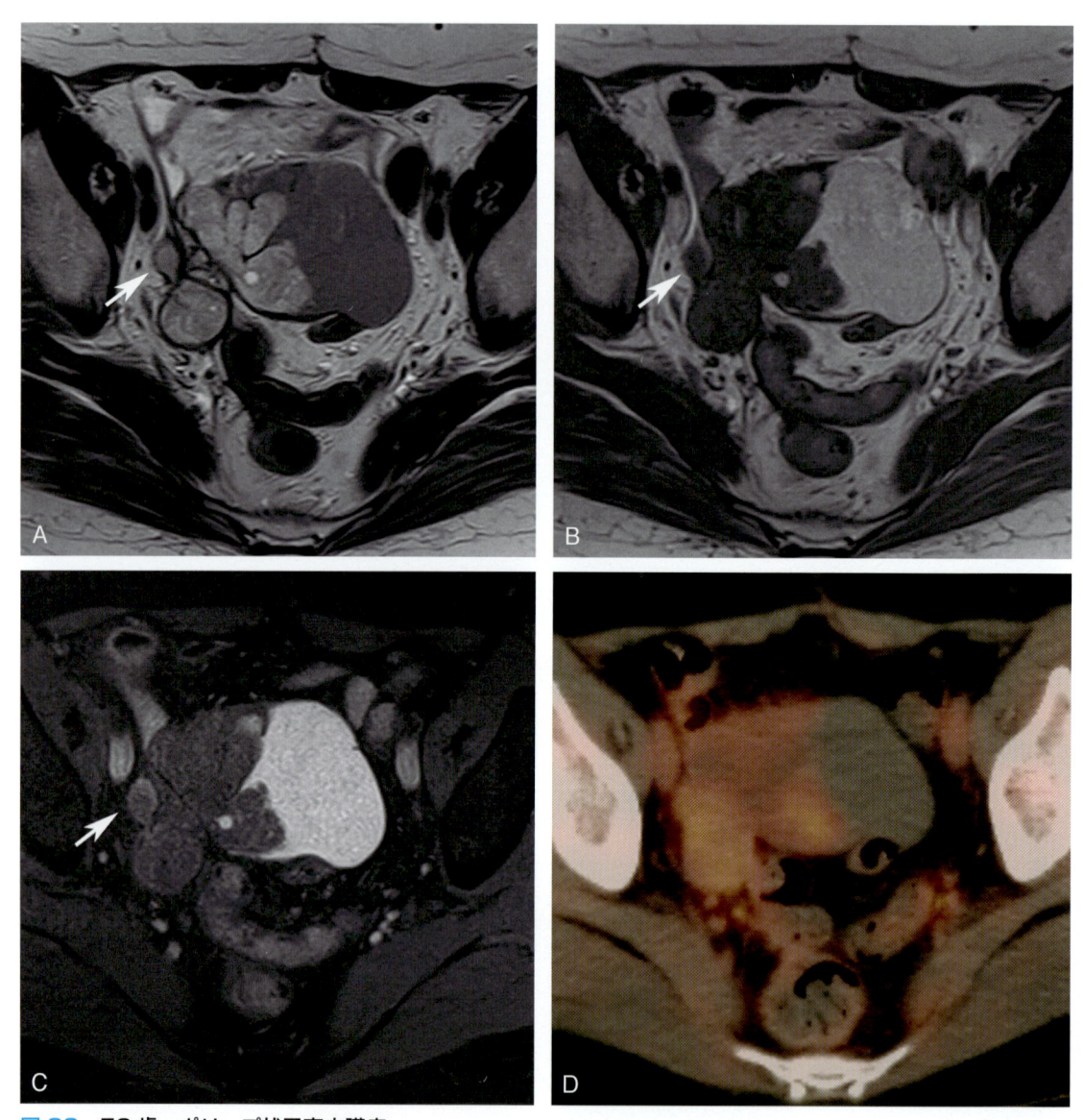

I 子宮内膜症とその関連疾患 endometriosis and related diseases

図23 50歳 ポリープ状子宮内膜症
A：T2強調横断像，B：T1強調横断像，C：脂肪抑制T1強調横断像，D：PET/CT
10年前に子宮内膜症，子宮腺筋症にて子宮全摘・左付属器切除後。卵巣癌疑いで紹介となった。T2強調像で，温存された右卵巣由来と推定される嚢胞性腫瘤の壁に壁外に進展しながら発育する，信号強度の高い，多結節状の充実部を認め，周囲を低信号帯で取り囲まれている（A）。T1強調像，脂肪抑制T1強調像では内部に出血を示唆する高信号を内包する（B，C）。前医で撮像されたMRIでは拡散強調像や造影検査が行われていなかったため，PET/CTを追加したところ，FDGの集積は弱く（D），摘除後，病理組織学的にpolypoid endometriosisと確認された。本例では閉鎖リンパ節（A～C →）も充実部と同様の信号を呈しており，こちらも内膜症であった。

2. 画像所見

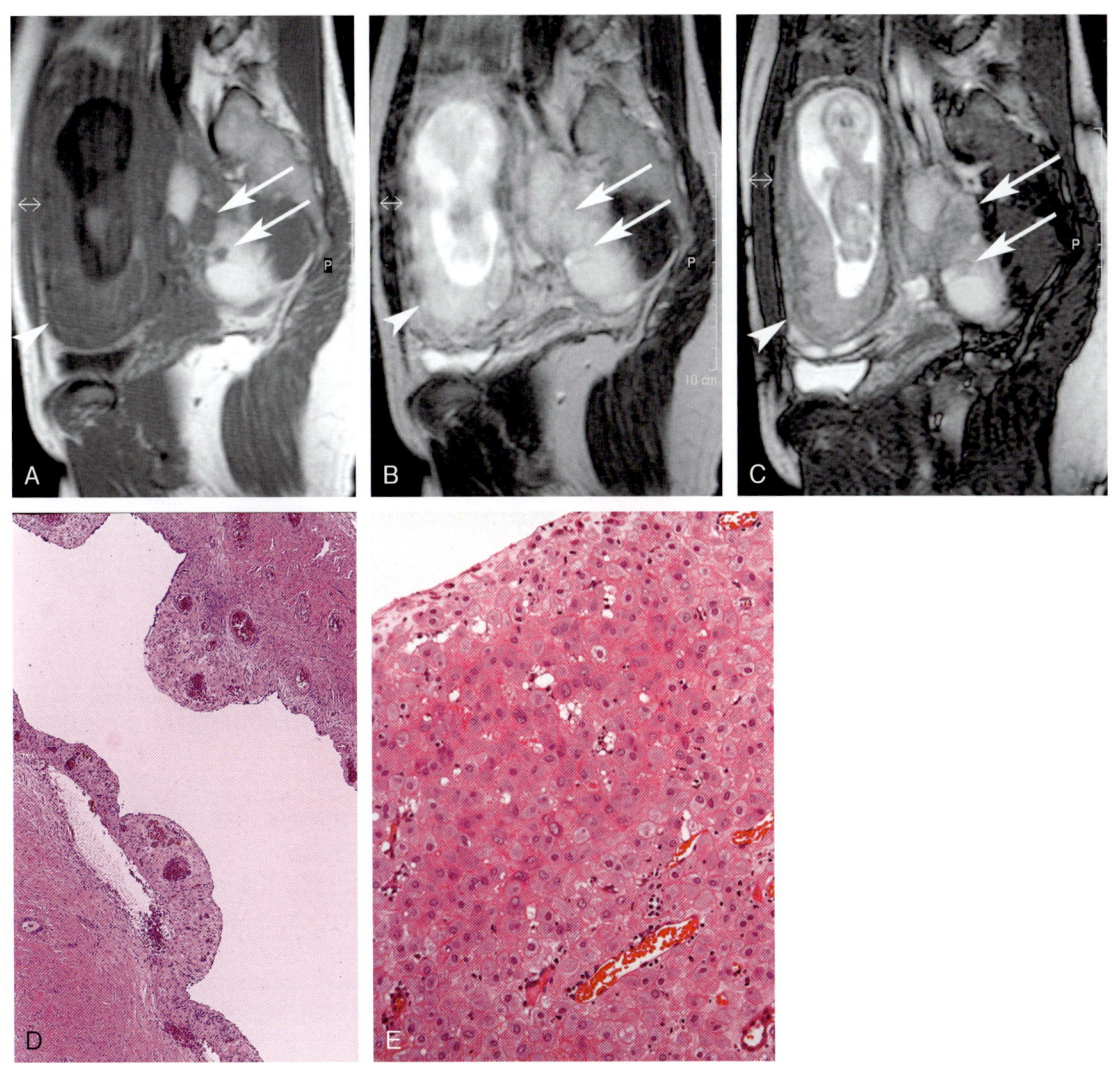

図24 27歳 内膜症性嚢胞の脱落膜化（妊娠12週）
A：T1強調矢状断像，B：T2強調矢状断像，C：SSFP矢状断像，D：HE染色（弱拡大），E：HE染色（強拡大）
T1強調像で，高信号の内容物を含む内膜症性嚢胞壁に低信号の壁在結節が多数みられる（A→）。壁在結節はT2強調像（B）でもSSFP（C）でも，子宮内の脱落膜ないし胎盤（A～C▲）と等信号を呈する（B，C）ことから組織の同等性が類推される。摘出標本の嚢胞壁にみられる壁在結節（D）は豊富な胞体をもつ内膜間質細胞からなり，脱落膜化した異型のない異所性内膜（E）であることがわかる。

影響を受けて脱落膜化する。脱落膜化した内膜は胎盤とともにT2強調像で極めて高信号を呈する[71)]。これは内膜間質細胞が豊富な胞体をもつからであると考えている（図24）。脱落膜化した異所性内膜により形成される壁在結節は悪性腫瘍合併例に比べ壁からの立ち上がりが鈍角であるという報告もあるが，筆者の経験では鋭角のものもあり一定しない。最大の鑑別点は妊娠中であるという臨床情報であるが，構成される組織成分の相同性からあらゆる撮像法で壁在結節が胎盤や脱落膜と等信号であることが診断の参考になる[71)72)]。筆者は両者の比較に，T2強調像に加え胎児に汎用される高速撮像法であるSSFPを用いている。T2強調像では胎盤や脱落膜は極め

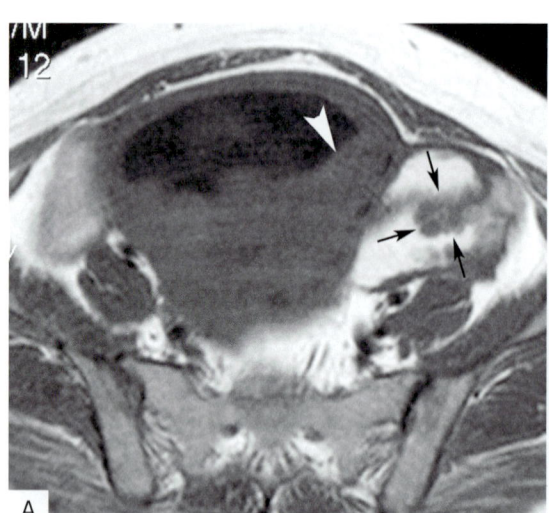

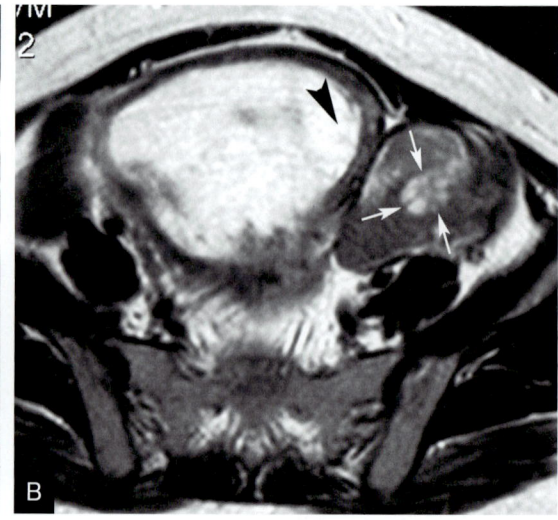

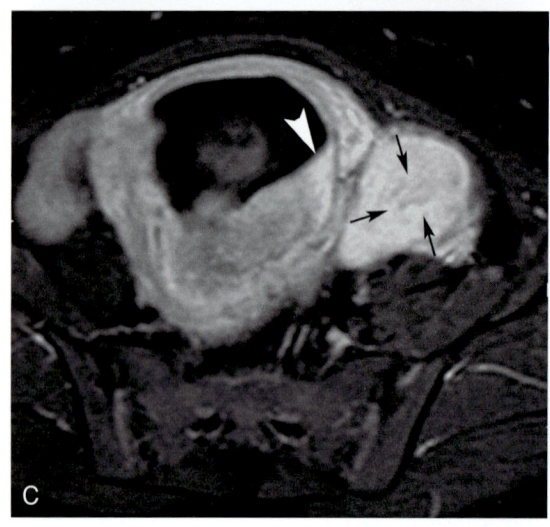

I 子宮内膜症とその関連疾患 endometriosis and related diseases

図25　38歳　内膜症性嚢胞の脱落膜化（妊娠15週）
A：T1強調横断像，B：T2強調横断像，C：造影脂肪抑制T1強調横断像
妊娠前から指摘されていた左卵巣内膜症性嚢胞の壁から内腔に突出するT1強調像で低信号の乳頭状構造を認める（A→）。T2強調像では，この乳頭状隆起は子宮内の脱落膜（B▲）と同じく高信号を呈する（B→）。本例では造影検査が行われ，乳頭状隆起は胎盤・脱落膜（C▲）と同じく濃染している（C→）。
（注）本例では前医で臨床的に悪性腫瘍と診断された後，妊娠の中断を前提に造影検査が行われたものであり，本来，妊娠第2三半期にガドリニウム造影剤の投与は推奨されない。

て高信号を呈し羊水との信号強度差が少ないが，SSFPでは自由水は極めて高信号に描出されるものの，それ以外のT2値の長い組織はさほど高信号とならないので比較に適すると考えている[71]。脱落膜化した異所性内膜には血流があるので，ドプラUSで血流信号を有し，造影剤による増強効果を呈する（図25）[73)74]ので，もとより妊娠中の造影剤投与は控えるべきであるのに加え悪性腫瘍合併との鑑別の役に立たない。また脱落膜化した異所性内膜は悪性腫瘍合併例に比べ拡散低下の程度が少なく[75]，特に高b値（b＝1,500 s/mm^2）を用いた拡散強調像で悪性腫瘍との鑑別に有用であるとの報告がある[76]。

(5) 合併症

a. 破裂

内膜症性嚢胞は時に破裂して急性腹症の原因となる[77)78]。腹腔内に漏出した陳旧性の血腫がしばしば内部エコーをもつことから充実性腫瘍と診断され，腹水自体が血性であること，腹膜刺激

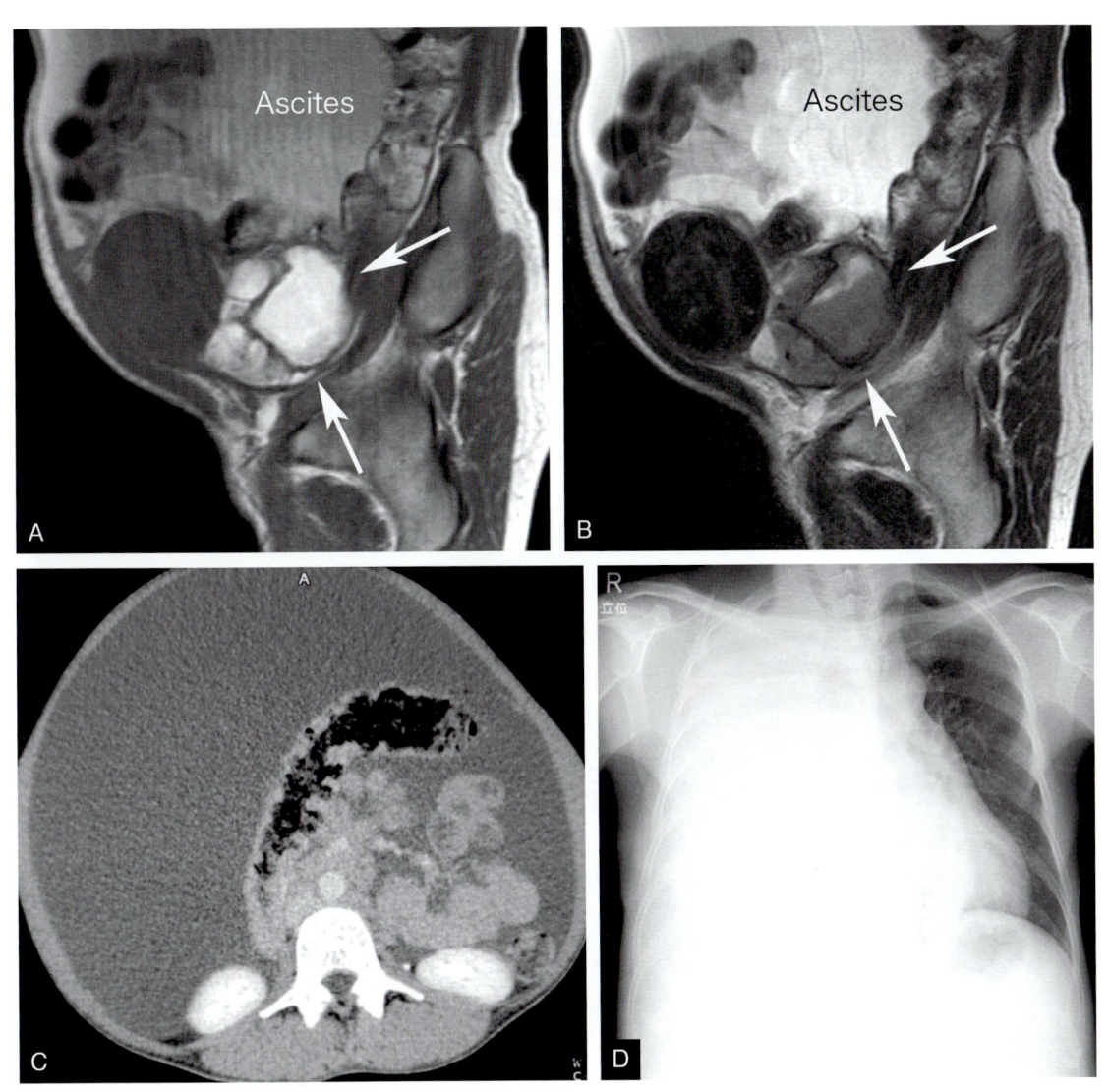

図26　46歳　内膜症性嚢胞破裂
A：T1強調矢状断像，B：T2強調矢状断像，C：造影CT，D：胸部単純X線写真
T1強調像で信号強度の高い腹水が大量に貯留しており（A，Ascites），骨盤腔内にはこれよりさらに高信号の内容物を含む多房性嚢胞性腫瘤がある（A →）。T2強調像ではshadingを伴い（B →），内膜症性嚢胞の破裂による大量の血性腹水貯留であることがわかる。本例では右に多量の胸水も合併し，porous diaphragm syndromeを呈している（D）。

によりCA125が異常高値を示すことから卵巣癌と診断されることが少なくない[79]。さらに血腫による腹膜刺激症状により大量腹水を生じ[77)80]，腹圧の上昇によりリンパ行性に，あるいは潜在的な横隔膜の欠損部を越えて胸腔内に達した異所性内膜や血腫により胸水を生じることもある（porous diaphragm syndrome，図26）[81]。前述の通り，USやMRIで内膜症性嚢胞と出血黄体の画像所見は類似しており，黄体出血（p170参照）も急性腹症の原因となることから，鑑別が問題となるが，黄体出血が分泌期に性交を契機に生じることが多いのに対し，内膜症性嚢胞の破裂は月経中に多いという[82]。

b. 感染

骨盤内感染症や卵管卵巣膿瘍は内膜症合併例で，被合併例よりも高頻度に生じるとされ，体外受精，IUD，内膜症性嚢胞破裂，糖尿病合併などがリスクファクターとなる[83]。まとまった画像的報告はないが，筆者の経験では内膜症非合併例の卵管卵巣膿瘍のMRI所見（嚢胞内容物の拡散制限，厚い被膜の最内層のT1短縮効果）に加え，既存の深部内膜症や内膜症性の癒着を確認できることが多い（図27）。嚢胞内容物のT1短縮効果は，血性の内容物を反映して内膜症非合併例に比べ強く，拡散制限は感染非合併例に比べて強い傾向にある。

2）深部内膜症 deep endometriosis

内膜症病巣がDouglas窩や仙骨子宮靱帯に深く浸潤する病巣を形成することは1990年代初頭から腹腔鏡所見として報告され[84-86]，KoninckxはⅠ病理組織学的に腹膜表層から5 mm以上深部に進展した内膜症性病変と定義した[85]。Chapronらは子宮内膜症を表在病変，卵巣内膜症性嚢胞，深部内膜症（deep endometriosis）に分類し，ASRM分類では軽視されていた深部内膜症が痛みと密接に関連することを指摘し，その分布を詳細に記述している[87]。画像的には1994年にSiegelmanらがこのような病変がT1強調像では点状の高信号を含む中間信号で，T2強調像では低信号を示し，増強効果をもつ充実性腫瘤として観察されることを報告した[88]。病理組織学的には少量の内膜腺と豊富な線維組織からなり，内膜症の主症状である痛みと密接な関係があって臨床的に重要な病変であるにもかかわらず，癒着のため，あるいはその局在が腹膜外にあることから腹腔鏡では見逃されることも多い。このため，MRIがその診断の主軸となり，その後も相次いで画像所見が報告されている（図28）[89-91]。以前は病変が腹膜表面から5 mmより深く浸潤する子宮内膜症と定義されていたが，最近ではDouglas窩，直腸腟中隔，仙骨子宮靱帯，膀胱子宮窩に加え，直腸内膜症や膀胱内膜症も病変の厚みにかかわらず，深部内膜症の一環として捉えられている[13)89)90]。画像的評価もより緻密に行われるようになり，冒頭で述べた#Enzian分類[15]に基づく評価の実施[92]に加え，gold standardである腹腔鏡所見との対比の兼ね合いから，近年は前方（膀胱周囲），中央（子宮頸部・腟），後方（直腸），さらにその各々を正中と側方に分けてのcompartment毎のMRによる評価も提唱されている[93]。このなかで，とりわけ頻度が高く重要なのはtorus uterinusと総称される，両側仙骨子宮靱帯を結ぶように横走する帯状の病変である（図29）[89)90]。また後述するように，Kishiらは子宮腺筋症をその局在によって分類し，漿膜側に偏在する子宮腺筋症が子宮内膜症との合併頻度が高いことを指摘し[4]，実臨床では深部内膜症による内膜症性プラークが腺筋症と連続した病変を形成し，両者の境界が判然としないことも多い。これらの知見をもとに，MRIにより評価された重症度は手術時間や在院期間とよく相関する[94]ことが報告されている。

3）稀少部位子宮内膜症 less common site and rare site endometriosis

子宮内膜症の発生部位を，その頻度によりcommon site, less site, rare siteの3つに分類した場合に，好発部位（common site）とされる「卵巣，子宮靱帯，Douglas窩，腹膜」以外の臓器，

2. 画像所見

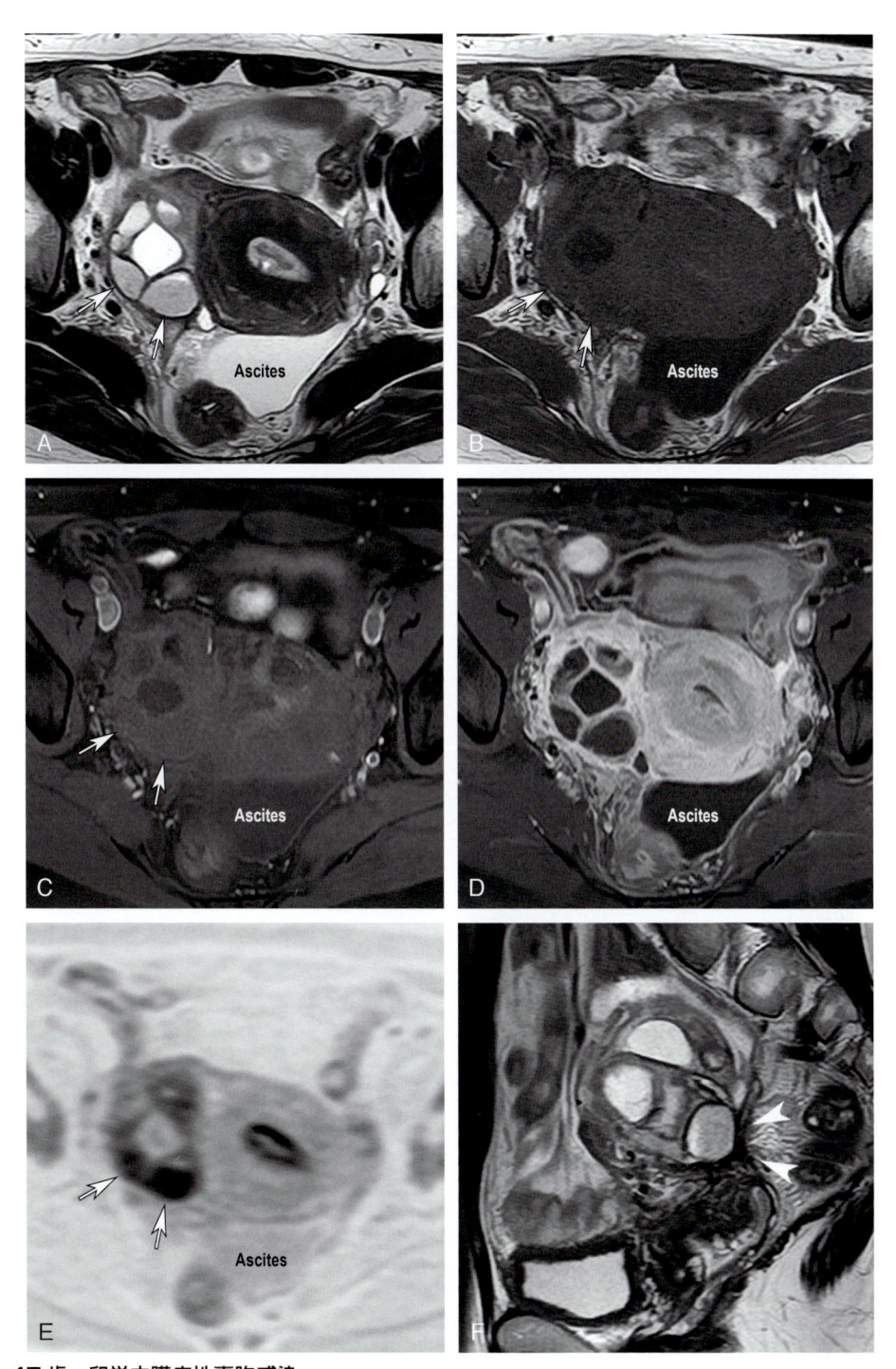

図27　47歳　卵巣内膜症性嚢胞感染
A：T2強調横断像，B：T1強調横断像，C：脂肪抑制T1強調横断像，D：造影脂肪抑制T1強調横断像，
E：拡散強調横断像，F：T2強調矢状断像
右卵巣は壁，隔壁の極めて厚い多房性嚢胞性腫瘤で占められ（A〜F），T1強調像で内容物の信号は大部分が腹水（A〜E, Ascites）より高い（B, C →）程度に留まるが，shading（A →）と強い拡散制限（E →）があり膿性である。矢状断像では子宮の後面に深部病変によるプラークがあり，直腸を索状物を介して牽引している（F▲）。

187

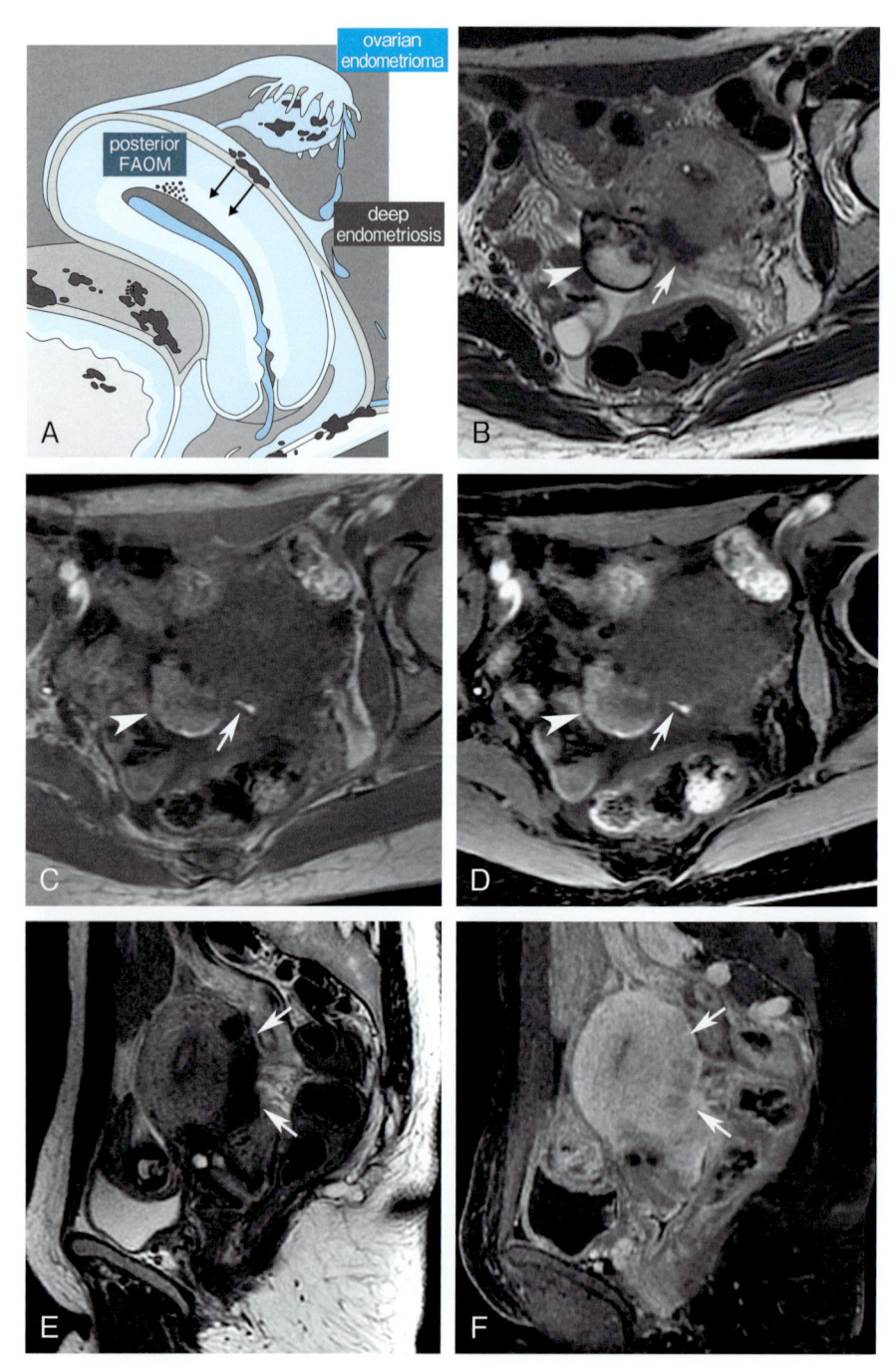

I 子宮内膜症とその関連疾患 endometriosis and related diseases

図28　36歳　深部内膜症
A：シェーマ，B：T2強調横断像，C：T1強調横断像，D：脂肪抑制T1強調横断像，E：T2強調矢状断像，F：造影脂肪抑制T1強調矢状断像
深部内膜症は卵巣外，特に子宮の後面で異所性内膜とそれが反復性の出血を起こすことで形成されるヘモジデリン沈着と線維化からなる病変で，しばしば漿膜面と連続した腺筋症（focal adenomyosis of located in the outer myometrium：FAOM）と一塊となっている（A）。この病変はしばしば卵巣内膜症性囊胞（B～D▲）と合併して，T2強調像で厚い板状の低信号域として認められ（B, E →），内部にT1強調像で高信号域の出血斑としてみられることが多い（C, D →）。造影後はよく増強される（F →）。反復性の出血は周囲との癒着を招来し，子宮と右卵巣内膜症性囊胞は強固に癒着し（B～D），後方の直腸を牽引している。

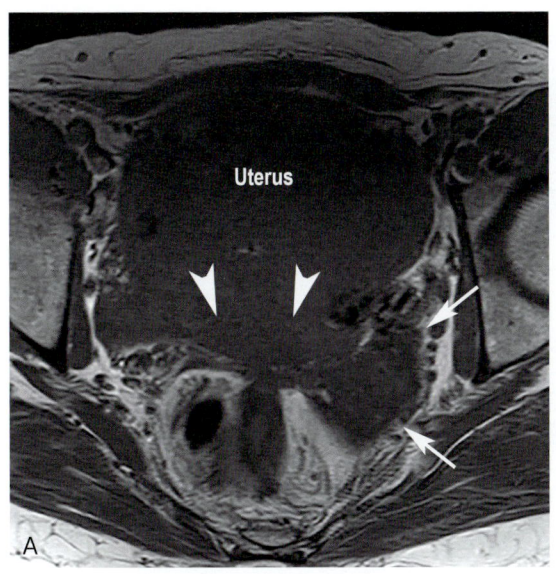

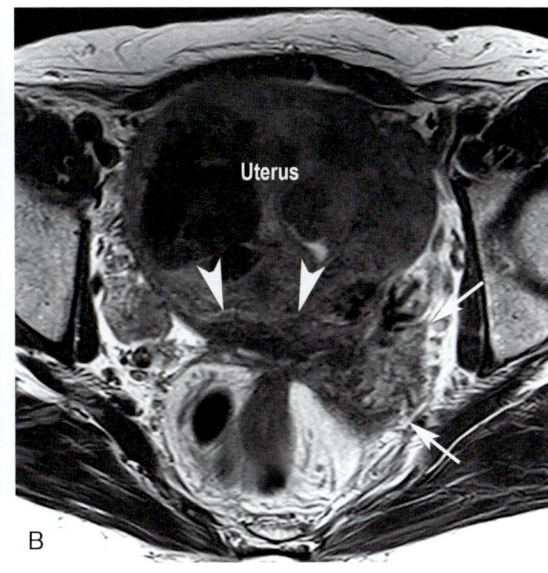

図29　49歳　深部内膜症 torus uterinus 病変
A：T1 強調横断像，B：T2 強調横断像
直腸腟中隔直上（▲）と両側仙骨子宮靱帯（→）の内膜症性プラークは torus uterinus 病変（A，B）とよばれ，臨床的に頻度が高く，症状との関連も深い。

　組織に発生する子宮内膜症を総称して稀少部位子宮内膜症（less common site and rare site endometriosis）とよぶ。具体的な発生部位としては腸管，腟，尿管，膀胱，鼠径部，臍部，胸腔などがある[95]。

　消化管病変は，注腸造影では収縮傾向を有する腸管壁の偏心性の硬化や敷石状配列（cobble-stone appearance），大きな内膜症性囊胞を合併する症例で癒着面の腸管壁に鋸歯状変形を伴う壁外性の圧迫として認められ[96,97]，MRI に先行して注腸造影が行われた場合には卵巣癌など悪性腫瘍の直接浸潤との鑑別に苦慮することが多い（図30, 31）。MRI で直腸病変は前壁の短縮を伴った偏心性の壁肥厚として認められ，病変部の固有筋層の肥厚と漿膜面の収縮により，特徴的な mushroom sign を呈する[98]（図31）。直腸だけでなく，より近位の消化管にもみられることがあり，CT-enteroclysis（陰性造影剤で消化管内腔を伸展させて CT を撮る方法）でも消化管壁に連続する増強効果をもった結節として高い感度（98.7％）で描出される[99,100]。

　尿路内膜症の85％は膀胱病変であり，三角部に好発し，頻尿，尿意切迫感，恥骨上部痛で発症する。尿管病変はこれに次いで9％とされ，多くは無症状であるが，水腎症の原因となる[95,101,102]。いずれも仙骨子宮靱帯など尿路外の深部内膜症の浸潤によるもの（外因性）と膀胱・尿管壁自体に生じるもの（内因性）に大別されるが，尿路外に病変のない内因性病変は術前診断が難しく，切除標本にて初めて内膜症と診断されることが少なくない。よって生殖可能年齢の女性に T1，T2 強調像ともに低信号を呈する結節状病変[103]による尿路閉塞を認めた場合には，鑑別診断の1つとして念頭におく必要がある（図32）。

　胸腔子宮内膜症では月経随伴性気胸（catamenial pneumothorax）がよく知られているが，気胸だけでなく，血胸，血痰，気縦隔の報告もある。右側に圧倒的に多く，気胸の発症時期は月経

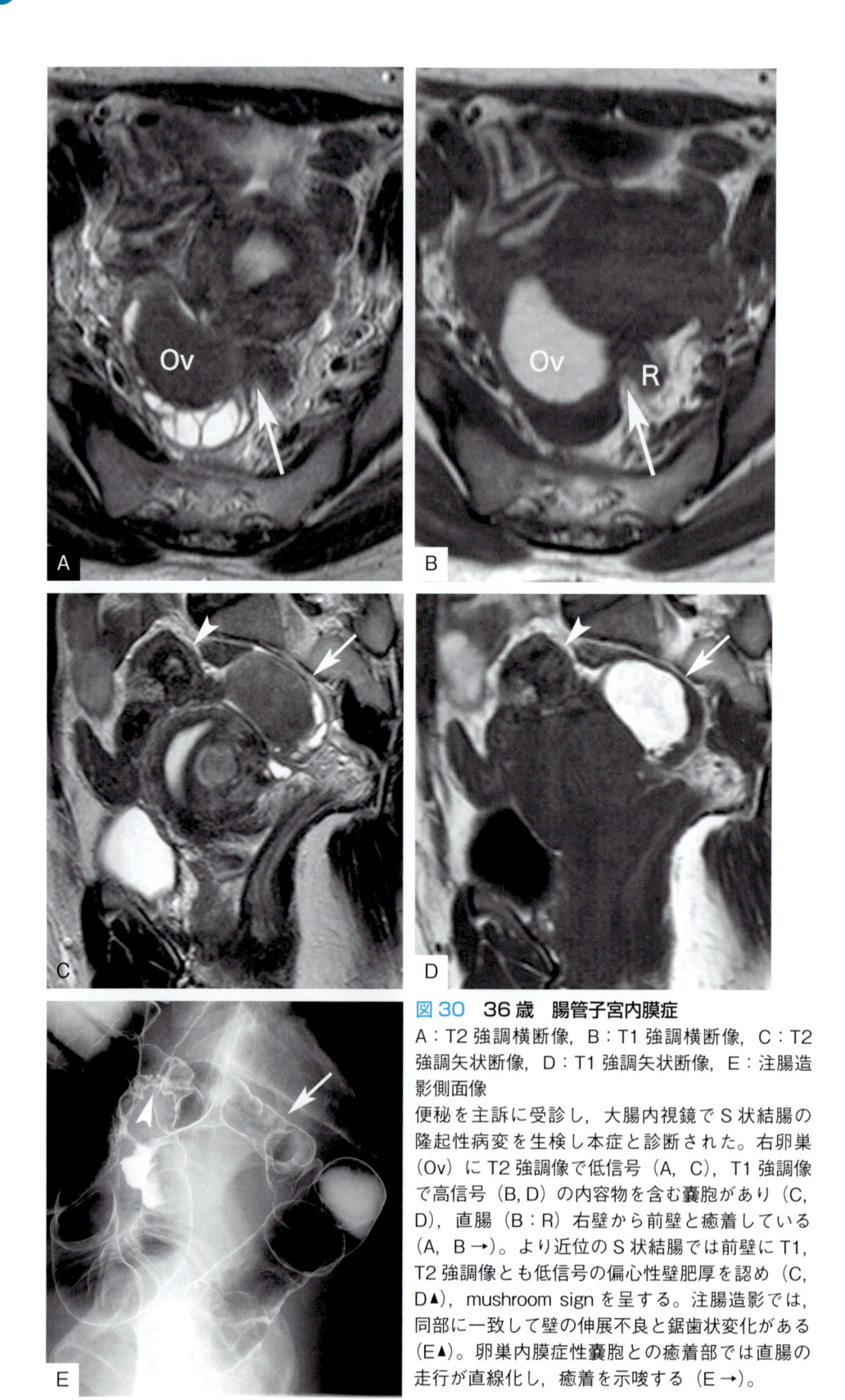

I 子宮内膜症とその関連疾患 endometriosis and related diseases

図30　36歳　腸管子宮内膜症
A：T2強調横断像，B：T1強調横断像，C：T2強調矢状断像，D：T1強調矢状断像，E：注腸造影側面像

便秘を主訴に受診し，大腸内視鏡でS状結腸の隆起性病変を生検し本症と診断された。右卵巣（Ov）にT2強調像で低信号（A, C），T1強調像で高信号（B, D）の内容物を含む囊胞があり（C, D），直腸（B：R）右壁から前壁と癒着している（A, B →）。より近位のS状結腸では前壁にT1, T2強調像とも低信号の偏心性壁肥厚を認め（C, D▲），mushroom signを呈する。注腸造影では，同部に一致して壁の伸展不良と鋸歯状変化がある（E▲）。卵巣内膜症性囊胞との癒着部では直腸の走行が直線化し，癒着を示唆する（E →）。

2. 画像所見

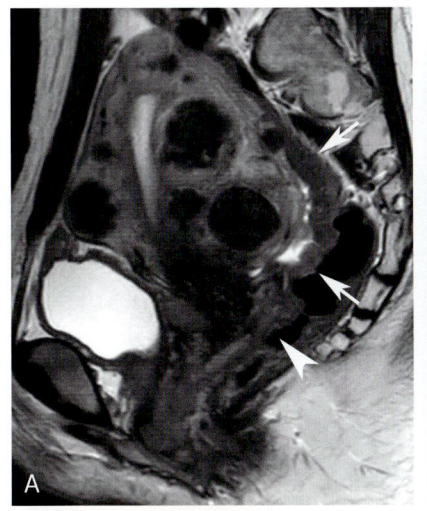

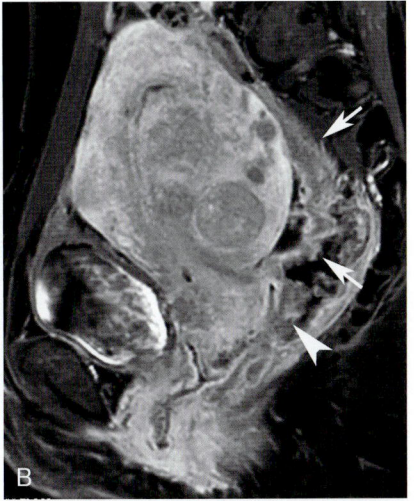

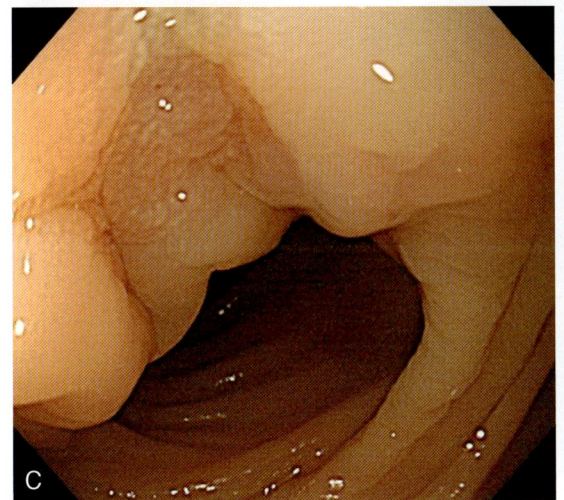

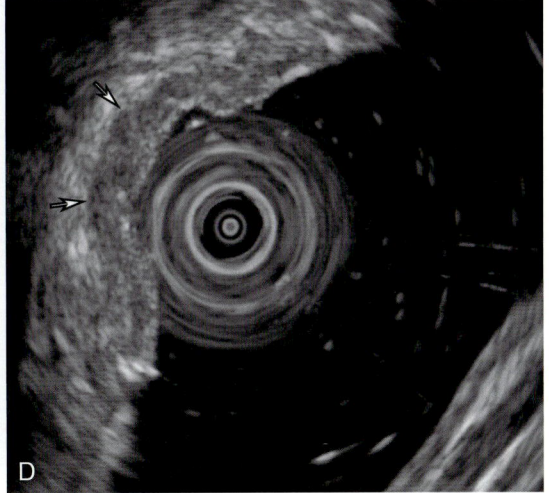

図31　49歳　腸管子宮内膜症
A：T2強調矢状断像，B：造影脂肪抑制T1強調矢状断像，C：下部消化管内視鏡，D：超音波内視鏡（EUS）
T2強調像で直腸RaからRSにかけて前壁に限局した偏心性の壁肥厚があり（A →），造影後はよく増強されている（B →）。Douglas窩腹膜から直腸腟中隔にも肥厚があり，後腟円蓋は挙上している（A，B▲）。消化管内視鏡では粘膜面が敷石状を呈して隆起性病変を形成し（C），EUSでは病変部で固有筋層の肥厚を伴う（D▲）。

中に限らない。CTで限局性の横隔膜肥厚[104)105)]，MRIではT2強調像で高信号，よく増強される限局性胸膜肥厚が認められたとの報告もある[105)]が，画像的に直接横隔膜や胸膜，肺実質病変を描出するのは難しく，気腫性囊胞を欠くにもかかわらず，性成熟期女性の反復する気胸症例で疑い，胸腔鏡で病変を検索するのが一般的流れである。

腹壁子宮内膜症は医原性と非医原性のものに大別され，インプラントセオリーに基づく後者は各種開腹手術後の創部に近接して形成され，帝王切開術後の発生頻度は0.03〜1.08％とされる[106)]。後者は他領域と同じく，多能性幹細胞の腹壁への迷入と内膜への分化によるとされる[107)]。月経周期に一致した痛みで発症するものもあるが，腹壁に腫瘤を触知するとの主訴のほうが多い[106)]。MRIではフィブリン沈着に起因してT2強調像で低信号を示す腫瘤の内部に異所性内膜が高信号

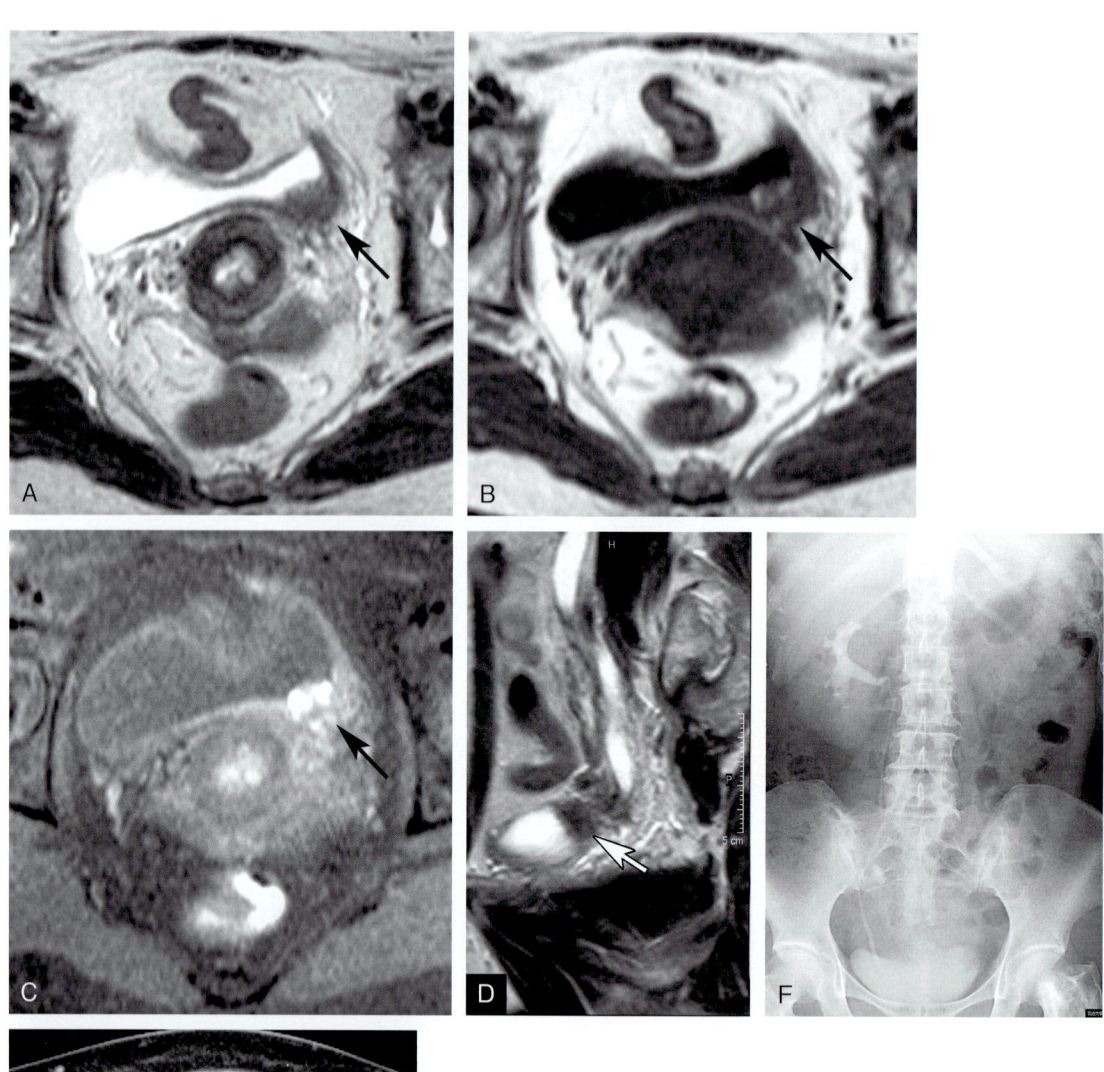

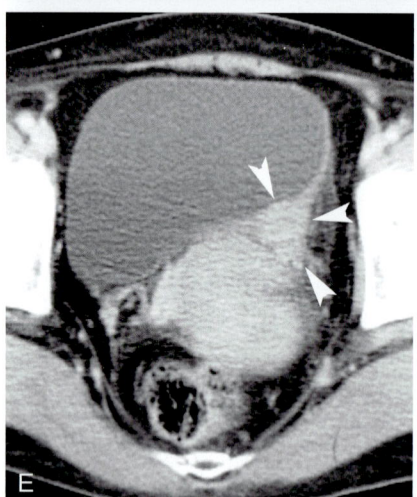

I 子宮内膜症とその関連疾患 endometriosis and related diseases

図32　47歳　膀胱子宮内膜症
A：T2強調横断像，B：T1強調横断像，C：脂肪抑制T1強調横断像，D：T2強調矢状断像，E：造影CT，F：排泄性尿路造影
左水腎症の原因検索のためMRIが行われた。左尿管開口部に近い膀胱壁にT2強調像で低信号（A），T1強調像で辺縁が低信号，中心部が高信号（B）の膀胱壁と連続する三角形の軟部腫瘤があり，脂肪抑制T1強調像では高信号部は信号抑制を受けない（C）。この腫瘤により尿管は閉塞して上部は拡張している（D→）。造影CTでこの軟部組織は子宮や膀胱筋層と同程度によく増強される（E▲）。排泄性尿路造影（F）ではすでに左腎には著しい造影剤の排泄遅延があり，左尿路は描出されない。

として描出される。筆者の経験では出血を示唆するT1短縮域は微小であることが多い（図33）。よって，所見が非特異的なために，特にデスモイドとの鑑別は難しく，確定診断は針生検による[108]。

2. 画像所見

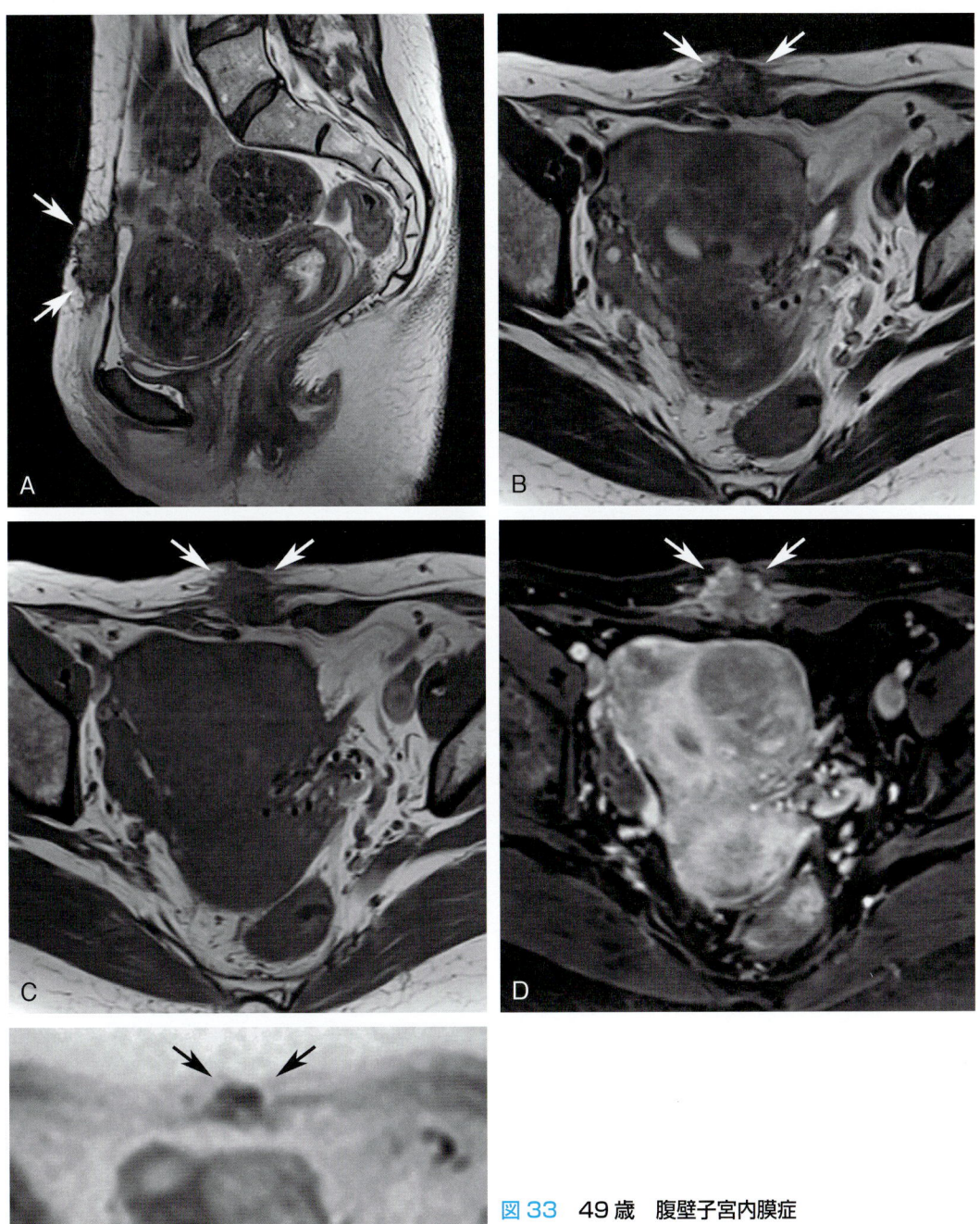

図33　49歳　腹壁子宮内膜症

A：T2強調矢状断像，B：T2強調横断像，C：T1強調横断像，D：造影脂肪抑制T1強調横断像，E：拡散強調横断像

健診で腫瘍マーカー高値により偶然発見された。開腹手術歴はない。T2強調像で腹壁の皮下脂肪織に紡錘状の低信号腫瘤が形成され，周囲にstrandingを伴う（A, B）。T1強調像では中心の一部が高信号だが，明瞭な出血斑はない（C）。造影後はよく増強され（D），拡散強調像では正所性の内膜よりも拡散制限は弱い（E）。

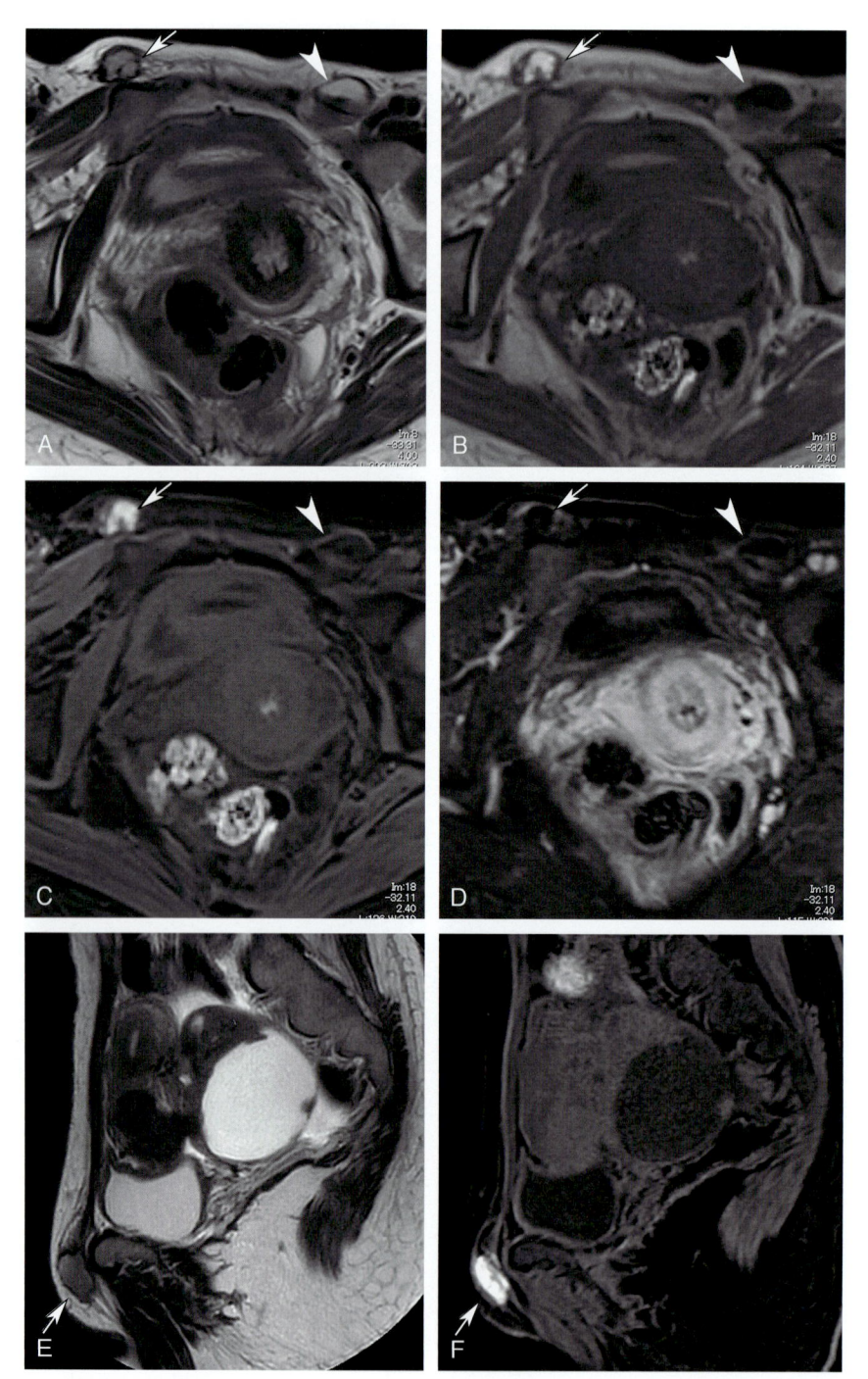

I 子宮内膜症とその関連疾患 endometriosis and related diseases

図34 46歳 鼠径部子宮内膜症
A：T2強調横断像，B：T1強調横断像，C：脂肪抑制T1強調横断像，D：造影脂肪抑制T1強調横断像，E：T2強調矢状断像，F：脂肪抑制T1強調矢状断像
7年前から右鼠径部膨隆感があり，5年前に手術にて鼠径部子宮内膜症と診断された（同時に両側卵巣内膜症性嚢胞焼灼）が，右鼠径部の痛みが増悪しホルモン療法中。右鼠径部にT2強調像で高信号（A, E），T1強調像で高信号の腫瘤を認める（B, C, F →）。増強されるのは辺縁のみで嚢胞性である（D）。術後なので所見が修飾されている可能性があるが，Nuck管水腫内の血性の液体貯留が主体である。対側にもT1短縮効果は乏しいが，同様の腫瘤がある（A〜D▲，外科的には未治療）。なお，子宮と連続する腫瘤は変性筋腫である。

鼠径部子宮内膜症は右側に好発し，①鼠径ヘルニアのヘルニア嚢内もしくは Nuck 管水腫に合併したもの，②円靱帯病変，③表層病変に大別され，①が最も多い。半数以上で種々の鼠径部病変の手術歴がある[109]。MRI では他領域と同じく T2 強調像で低信号の軟部組織に高信号域を伴うものが多く[109,110]，筆者の経験，文献に掲載された画像では，出血を示唆する T1 強調像での高信号域は腹壁病変よりは明瞭に観察されるものが多い[110]（図34）。

文献

1) 日本産科婦人科学会，日本病理学会 編：卵巣腫瘍・卵管癌・腹膜癌取扱い規約 病理編 第2版．金原出版，東京，2022
2) 日本産科婦人科学会 編：子宮内膜症取扱い規約 第1部 診断および進行度分類基準とカラーアトラス．金原出版，東京，1993
3) Cullen TS：The distribution of adenomyomata containing uterine mucosa. Arch Surg 1：215-283, 1920
4) Kishi Y et al：Four subtypes of adenomyosis assessed by magnetic resonance imaging and their specification. Am J Obstet Gynecol 207：114.e1-7, 2012
5) Sampson JA：Perforating hemorrhagic (chocolate) cysts of the ovary：their importance and especially their relation to pelvic adenomas of the endometrial type (adenomyoma of the uterus, rectovaginal septum, sigmoid, etc.). Arch Surg 3：245-323, 1921
6) Lauchlan SC：The secondary Müllerian system. Obstet Gynecol Surv 27：133-146, 1972
7) Fujii S：Secondary müllerian system and endometriosis. Am J Obstet Gynecol 165：219-225, 1991
8) Meyer R：Über den Stand der Frage der Adenomyositis und Adenomyome im Allgemeinen und insbesondere über Adenomyositis seroepithelialis und Adenomyometritis sarcomatosa. Zentralbl Gynäkol 36：745-750, 1919
9) Gordts S et al：Pathogenesis of deep endometriosis. Fertil Steril 108：872-885.e1, 2017
10) Mahmood TA, Templeton A：Prevalence and genesis of endometriosis. Hum Reprod 6：544-549, 1991
11) Vessey MP et al：Epidemiology of endometriosis in women attending family planning clinics. BMJ 306：182-184, 1993
12) Ghiasi M et al：Is Endometriosis more common and more severe than it was 30 years ago? J Minim Invasive Gynecol 27：452-461, 2020
13) 日本産科婦人科学会 編：子宮内膜症取扱い規約 第2部 診療編 第3版．金原出版，東京，2021
14) Revised American Society for Reproductive Medicine classification of endometriosis：1996. Fertil Steril 67：817-821, 1997
15) Keckstein J et al：The #Enzian classification：a comprehensive non-invasive and surgical description system for endometriosis. Acta Obstet Gynecol Scand 100：1165-1175, 2021
16) Zawin M, McCarthy S, Scoutt L et al.：Monitoring therapy with a gonadotropin-releasing hormone analog：utility of MR imaging. Radiology 175, 503-506, 1990
17) Sugimura K et al：MRI in predicting the response of ovarian endometriomas to hormone therapy. J Comput Assist Tomogr 20：145-150, 1996
18) Imaoka I et al：MR imaging of diffuse adenomyosis changes after GnRH analog therapy. J Magn Reson Imaging 15：285-290, 2002
19) Bragheto AM et al：Effectiveness of the levonorgestrel-releasing intrauterine system in the treatment of adenomyosis diagnosed and monitored by magnetic resonance imaging. Contraception 76：195-199, 2007
20) Donnez O, Donnez J：Gonadotropin-releasing hormone antagonist (linzagolix)：a new therapy for uterine adenomyosis. Fertil Steril 114：640-645, 2020
21) Sandler MA, Karo JJ：The spectrum of ultrasonic findings in endometriosis. Radiology 127：229-231, 1978
22) Walsh JW et al：Gray scale ultrasonography in the diagnosis of endometriosis and adenomyosis. AJR Am J Roentgenol 132：87-90, 1979
23) Coleman BG et al：Endometriosis：clinical and ultrasonic correlation. AJR Am J Roentgenol 132：747-749, 1979
24) Atri M et al：Role of endovaginal sonography in the diagnosis and management of ectopic pregnancy. Radiographics 16：755-774；discussion 775, 1996
25) Fishman EK et al：Computed tomography of endometriosis. J Comput Assist Tomogr 7：257-264, 1983
26) Buy JN et al：Focal hyperdense areas in endometriomas：a characteristic finding on CT. AJR Am J Roentgenol 159：769-771, 1992
27) Gomori JM et al.：Intracranial hematomas：imaging by high-field MR. Radiology 157：87-93, 1985
28) Bradley WG Jr：MR appearance of hemorrhage in the brain. Radiology 189：15-26, 1993
29) Nishimura K al：Endometrial cysts of the ovary：MR imaging. Radiology 162：315-318, 1987
30) Togashi K et al：Endometrial cysts：diagnosis with MR imaging. Radiology 180：73-78, 1991
31) Glastonbury CM：The shading sign. Radiology 224：199-201, 2002
32) Kier R et al：Value of lipid- and water-suppression MR images in distinguishing between blood and lipid within ovarian masses. AJR Am J Roentgenol 158：321-325, 1992
33) Takahashi K et al：Magnetic resonance imaging using "fat-saturation" technique is useful for diagnosing small endometrioma：a case report. Fertil Steril 58：1063-1064, 1992
34) Sugimura K et al：Pelvic endometriosis：detection and diagnosis with chemical shift MR imaging. Radiology 188：435-438, 1993
35) Tanaka YO et al：MR staging of pelvic endometriosis：role of fat-suppression T1-weighted images. Radiat Med 14：111-116, 1996
36) Dias JL et al：The shading sign：is it exclusive of endometriomas? Abdom Imaging 40：2566-2572, 2015
37) Corwin MT et al：Differentiation of ovarian endometriomas

37) from hemorrhagic cysts at MR imaging : utility of the T2 dark spot sign. Radiology 271 : 126-132, 2014
38) Kataoka ML et al : Posterior cul-de-sac obliteration associated with endometriosis : MR imaging evaluation. Radiology 234 : 815-823, 2005
39) Bazot M et al : Comparison of 3D and 2D FSE T2-weighted MRI in the diagnosis of deep pelvic endometriosis : preliminary results. Clin Radiol 68 : 47-54, 2013
40) Takeuchi H et al : A novel technique using magnetic resonance imaging jelly for evaluation of rectovaginal endometriosis. Fertil Steril 83 : 442-447, 2005
41) Fiaschetti V et al : Deeply infiltrating endometriosis : evaluation of retro-cervical space on MRI after vaginal opacification. Eur J Radiol 81 : 3638-3645, 2012
42) Bazot M et al : European society of urogenital radiology (ESUR) guidelines : MR imaging of pelvic endometriosis. Eur Radiol 27 : 2765-2775, 2017
43) 富樫かおり : 婦人科領域のMRI. 日医放会誌 62 : 7-16, 2002
44) Fan J et al : MRI sliding sign : using MRI to assess rectouterine mobility in pelvic endometriosis. J Med Imaging Radiat Oncol 66 : 54-59, 2022
45) Kawakami K et al : Hemorrhagic infarction of the diseased ovary : a common MR finding in two cases. Magn Reson Imaging 11 : 595-597, 1993
46) Morikawa K et al : Granulosa cell tumor of the ovary : MR findings. J Comput Assist Tomogr 21 : 1001-1004, 1997
47) Sampson JA : Endometrial carcinoma of the ovary, arising in endometrial tissue in that organ. Arch Surg 10 : 1-2, 1925
48) Chen B et al : New insights about endometriosis-associated ovarian cancer : pathogenesis, risk factors, prediction and diagnosis and treatment. Front Oncol 14 : 1329133, 2024
49) Heaps JM et al : Malignant neoplasms arising in endometriosis. Obstet Gynecol 75 : 1023-1028, 1990
50) Kvaskoff M et al : Endometriosis and cancer : a systematic review and meta-analysis. Hum Reprod Update 27 : 393-420, 2021
51) Nishida M et al : Malignant transformation of ovarian endometriosis. Gynecol Obstet Invest 50 (suppl 1) : 18-25, 2000
52) Kobayashi H et al : Ovarian endometrioma : risks factors of ovarian cancer development. Eur J Obstet Gynecol Reprod Biol 138 : 187-193, 2008
53) Jimbo H et al : Prevalence of ovarian endometriosis in epithelial ovarian cancer. Int J Gynaecol Obstet 59 : 245-250, 1997
54) Yoshikawa H et al : Prevalence of endometriosis in ovarian cancer. Gynecol Obstet Invest 50 (suppl 1) : 11-17, 2000
55) Tanaka YO et al : Ovarian carcinoma in patients with endometriosis : MR imaging findings. AJR Am J Roentgenol 175 : 1423-1430, 2000
56) Rutgers JL, Scully RE : Ovarian mullerian mucinous papillary cystadenomas of borderline malignancy : a clinicopathologic analysis. Cancer 61 : 340-348, 1988
57) Rutgers JL, Scully RE : Ovarian mixed-epithelial papillary cystadenomas of borderline malignancy of mullerian type : a clinicopathologic analysis. Cancer 61 : 546-554, 1988
58) Shappell HW et al : Diagnostic criteria and behavior of ovarian seromucinous (endocervical-type mucinous and mixed cell-type) tumors : atypical proliferative (borderline) tumors, intraepithelial, microinvasive, and invasive carcinomas. Am J Surg Pathol 26 : 1529-1541, 2002
59) Rambau PF et al : Morphologic reproducibility, genotyping, and immunohistochemical profiling do not support a category of seromucinous carcinoma of the ovary. Am J Surg Pathol 41 : 685-695, 2017
60) Kurman RJ, Shih IeM : Seromucinous tumors of the ovary : what's in a name? Int J Gynecol Pathol 35 : 78-81, 2016
61) Kataoka M et al : MR imaging of müllerian mucinous borderline tumors arising from endometriotic cysts. J Comput Assist Tomogr 26 : 532-537, 2002
62) Matsubayashi RN et al : Magnetic resonance imaging manifestations of ovarian mullerian mixed epithelial borderline tumors : imaging and histologic features in comparison with mullerian mucinous borderline tumors. J Comput Assist Tomogr 39 : 276-280, 2015
63) Kurata Y et al : Diagnostic performance of MR imaging findings and quantitative values in the differentiation of seromucinous borderline tumour from endometriosis-related malignant ovarian tumour. Eur Radiol 27 : 1695-1703, 2017
64) Tanaka YO et al : MRI of endometriotic cysts in association with ovarian carcinoma. AJR Am J Roentgenol 194 : 355-361, 2010
65) Parker RL et al : Polypoid endometriosis : a clinicopathologic analysis of 24 cases and a review of the literature. Am J Surg Pathol 28 : 285-297, 2004
66) Kraft JK, Hughes T : Polypoid endometriosis and other benign gynaecological complications associated with Tamoxifen therapy-a case to illustrate features on magnetic resonance imaging. Clin Radiol 61 : 198-201, 2006
67) Takeuchi M et al : A case of polypoid endometriosis : MR pathological correlation. Br J Radiol 81 : e118-119, 2008
68) Yamada Y et al : Polypoid endometriosis of the ovary mimicking ovarian carcinoma dissemination : a case report and literature review. J Obstet Gynaecol Res 40 : 1426-1430, 2014
69) Kozawa E : MR imaging of polypoid endometriosis of the ovary. Magn Reson Med Sci 11 201-204, 2012
70) Miyakoshi K et al : Decidualized ovarian endometriosis mimicking malignancy. AJR Am J Roentgenol 171 : 1625-1626, 1998
71) Tanaka YO et al : A decidualized endometrial cyst in a pregnant woman : a case observed with a steady-state free precession imaging sequence. Magn Reson Imaging 20 : 301-304, 2002
72) Poder L et al : Decidualized endometrioma during pregnancy : recognizing an imaging mimic of ovarian malignancy. J Comput Assist Tomogr 32 : 555-558, 2008
73) Tanaka YO et al : Ovarian Cancer Associated with Endometriosis : MR Findings Revisited. 93rd Scientific Assembly and Annual Meeting of the Radiological Society of North America. 2007 : 246
74) Iwamoto H et al : Case study of a pregnant woman with decidualized ovarian endometriosis whose preoperative findings suggested malignant transformation. Eur J Gynaecol Oncol 27 : 301-303, 2006
75) Takeuchi M et al : Magnetic resonance manifestations of decidualized endometriomas during pregnancy. J Comput Assist Tomogr 32 : 353-355, 2008
76) Takeuchi M et al : Computed diffusion-weighted imaging for differentiating decidualized endometrioma from ovarian

77) Dias CC et al：Hemorrhagic ascites associated with endometriosis：a case report. J Reprod Med 45：688-690, 2000
78) Donnez J, Jadoul P：Ascites and pelvic masses：an unusual case of endometriosis. Fertil Steril 83：195-197, 2005
79) Goumenou A et al：Endometriosis mimicking advanced ovarian cancer. Fertil Steril 86：219.e23-25, 2006
80) el-Newihi HM et al：Large bloody ascites in association with pelvic endometriosis：case report and literature review. Am J Gastroenterol 90：632-634, 1995
81) Ota K et al：Porous diaphragm syndrome presenting as hemothorax secondary to hemoperitoneum after laparoscopic myomectomy：a case report and literature review. J Obstet Gynaecol Res 48：1039-1045, 2022
82) Togami S et al：A very rare case of endometriosis presenting with massive hemoperitoneum. J Minim Invasive Gynecol 22：691-693, 2015
83) Gao Y et al：Risk factors for the development of tubo-ovarian abscesses in women with ovarian endometriosis：a retrospective matched case-control study. BMC Womens Health 21：43, 2021
84) Cornillie FJ et al：Deeply infiltrating pelvic endometriosis：histology and clinical significance. Fertil Steril 53：978-983, 1990
85) Koninckx PR et al：Suggestive evidence that pelvic endometriosis is a progressive disease, whereas deeply infiltrating endometriosis is associated with pelvic pain. Fertil Steril 55：759-765, 1991
86) Koninckx PR, Martin DC：Deep endometriosis：a consequence of infiltration or retraction or possibly adenomyosis externa？ Fertil Steril 58：924-928, 1992
87) Chapron C et al：Deeply infiltrating endometriosis：pathogenetic implications of the anatomical distribution. Hum Reprod 21：1839-1845, 2006
88) Siegelman ES et al：Solid pelvic masses caused by endometriosis：MR imaging features. AJR Am J Roentgenol 163：357-361, 1994
89) Kinkel K et al：Magnetic resonance imaging characteristics of deep endometriosis. Hum Reprod 14：1080-1086, 1999
90) Bazot M et al：Deep pelvic endometriosis：MR imaging for diagnosis and prediction of extension of disease. Radiology 232：379-389, 2004
91) Onbas O et al：Nodular endometriosis：dynamic MR imaging. Abdom Imaging 32：451-456, 2007
92) Fendal Tunca A et al：Predictive value of preoperative MRI using the #ENZIAN classification score in patients with deep infiltrating endometriosis. Arch Gynecol Obstet 307：215-220, 2023
93) Thomassin-Naggara I et al：Magnetic resonance imaging classification of deep pelvic endometriosis：description and impact on surgical management. Hum Reprod 35：1589-1600, 2020
94) Thomassin-Naggara I et al：Multicenter external validation of the deep pelvic endometriosis index magnetic resonance imaging score. JAMA Netw Open 6：e2311686, 2023
95) 「難治性稀少部位子宮内膜症の集学的治療のための分類・診断・治療ガイドライン作成」研究班 編：稀少部位子宮内膜症診療ガイドライン．診断と治療社，東京，2018
96) 吉江浩一郎ほか；腸管子宮内膜症の画像診断：組織学的に証明された13症例の検討．胃と腸 33：1329-1338, 1998
97) Faccioli N et al：Barium enema evaluation of colonic involvement in endometriosis. AJR Am J Roentgenol 190：1050-1054, 2008
98) Yoon JH et al：Deep rectosigmoid endometriosis："mushroom cap" sign on T2-weighted MR imaging. Abdom Imaging 35：726-731, 2010
99) Biscaldi E et al：Multislice CT enteroclysis in the diagnosis of bowel endometriosis. Eur Radiol 17：211-219, 2007
100) Biscaldi E et al：Bowel endometriosis：CT-enteroclysis. Abdom Imaging 32：441-450, 2007
101) Maccagnano C et al：Diagnosis and treatment of bladder endometriosis：state of the art. Urol Int 89：249-258, 2012
102) Maccagnano C et al：Ureteral endometriosis：proposal for a diagnostic and therapeutic algorithm with a review of the literature. Urol Int 91：1-9, 2013
103) Sillou S et al：Urinary endometriosis：MR imaging appearance with surgical and histological correlations. Diagn Interv Imaging 96：373-381, 2015
104) Johnson MM：Catamenial pneumothorax and other thoracic manifestations of endometriosis. Clin Chest Med 25：311-319, 2004
105) Cassina PC et al.：Catamenial hemoptysis：diagnosis with MRI. Chest 111：1447-1450, 1997
106) Rindos NB, Mansuria S：Diagnosis and management of abdominal wall endometriosis：a systematic review and clinical recommendations. Obstet Gynecol Surv 72：116-122, 2017
107) Grigore M et al：Abdominal wall endometriosis：an update in clinical, imagistic features, and management options. Med Ultrason 19：430-437, 2017
108) Bourgioti C et al：MR imaging of endometriosis：Spectrum of disease. Diagn Interv Imaging 98：751-767, 2017
109) Haghgoo A et al：Inguinal endometriosis：a case series and review of the literature. J Med Case Rep 18：83, 2024
110) Fujikawa H, Uehara Y：Inguinal endometriosis：an unusual cause of groin pain. Balkan Med J 37：291-292, 2020

II 子宮腺筋症 adenomyosis

Summary
- 子宮腺筋症（adenomyosis）は子宮筋層内に子宮内膜が間質を伴って存在し，周囲筋層が反応性の過形成を示す病態で，過多月経や月経困難症の原因となる。
- 類似の臨床症状を示す筋腫と同様にT2強調像で低信号を示す腫瘤様病変として描出されるが，境界不明瞭で，内部に異所性内膜を反映した高信号域を内包するのが特徴である。
- 主として漿膜下に局在する病態はextrinsic adenomyosis, focal adenomyosis located in the outer myometrium（FAOM）とよばれ，子宮内膜症との関連が注目されている。
- 子宮腺筋症では，通常筋層内の異所性腺管内に血腫を形成することはまれであるが，時に大きな血性の囊胞を形成し囊性腺筋症として知られ，若年者の月経困難症の原因疾患として重要である。

1. 臨床的事項

　子宮腺筋症（adenomyosis）は子宮筋層内に子宮内膜が間質を伴って存在し，周囲筋層が反応性の過形成を示す病態と定義される。そのトリガーは明らかでないが，エストロゲン過剰環境下で子宮内膜基底層が子宮筋層との境界を越えて筋層内に嵌入すると考えられている（図1）。ひとたび筋層内に異所性内膜からなる病巣が形成されると子宮全体に及ぶものが少なくなく，これをびまん性，子宮筋層の一部に留まるものを限局性という[1]。限局性の場合，ほかの領域に比べ後壁が冒されることが多い。臨床的には40〜50代の経産婦に好発し，頻度は摘出子宮標本の14〜66％とされる[1,2]。報告により頻度に差があるのは病理診断の基準の違いが大きいためという[1]。無症状例も多いが，重症例では過多月経や月経困難症を主訴とする。発症にエストロゲンが関与すると考えられていることからリスクファクターを同じくする子宮筋腫の合併率は高く，23％との報告がある[3]。妊娠との関連では，子癇や早産，産褥出血など多彩な合併症リスクの上昇が報告されている[4]。

　月経困難症や過多月経による貧血などが治療適応となり，対症療法に加え子宮内膜症に用いられるのとほぼ同様の内分泌療法，すなわちOC，GnRHa，ジエノゲスト，LNG-IUSなどが用いられる[5]。手術療法では，従来，筋腫と異なり病変は境界不明瞭であることから子宮全摘が基本とされ，原則的に病巣の核出はできないと考えられてきたが，核出術でも経血の減少と月経困難

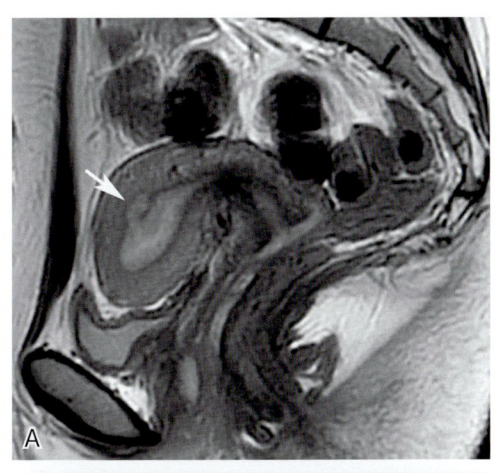

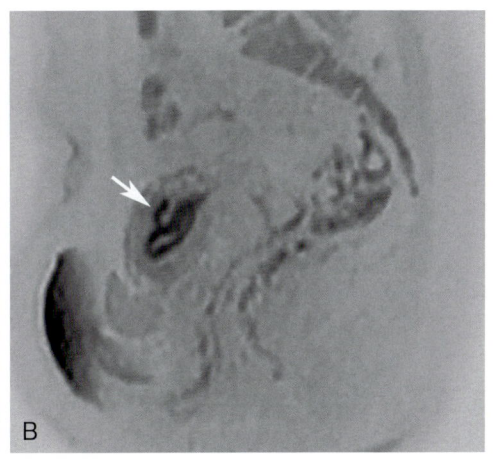

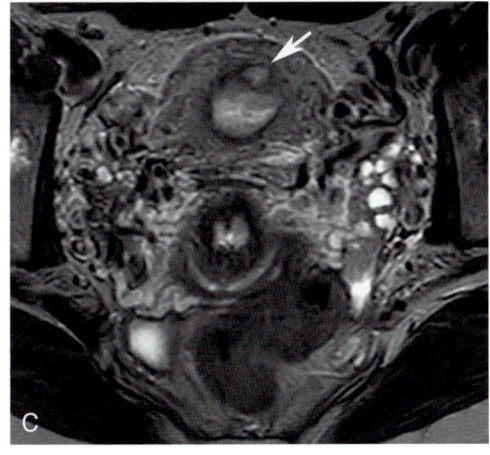

図1　24歳　子宮腺筋症の初期像
A：T2強調矢状断像，B：拡散強調矢状断像，
C：T2強調横断像
過多月経と月経困難症で受診。子宮体部後壁の筋層を食い破って内膜が筋層内に進展する（A〜C→）様子がよくわかる症例である。
（メディカルスキャニング症例）

症の改善を見込むことができ[6]，40歳未満であれば産科的予後も改善するとの報告も散見されるようになった[7]。さらに子宮動脈塞栓術も多くの施設で子宮腺筋症に対しても適用され，長期的には8割を超える症例で症状の改善効果を得ている[8]が，腫瘍径の大きなものでは核出術や高強度集束超音波（high intensity focused ultrasound：HIFU）に比べ，再発率が高いという[9]。HIFUは，その特性から腹壁直下の，すなわち前壁病変の治療により適しており，高い容積減少率と症状緩和効果が報告されている[10]。また近年では，LNG-IUSやGnRHaとHIFUを組み合わせて良好な成績を得たとの報告もある[11]。

2. 画像所見

1）典型像とvariant

　　子宮腺筋症は子宮全体を冒すこともあるが，子宮の一部に限局性に生じる場合もある。びまん性子宮腺筋症はT2強調像でjunctional zone（JZ）のびまん性の拡大として（図2），限局性子

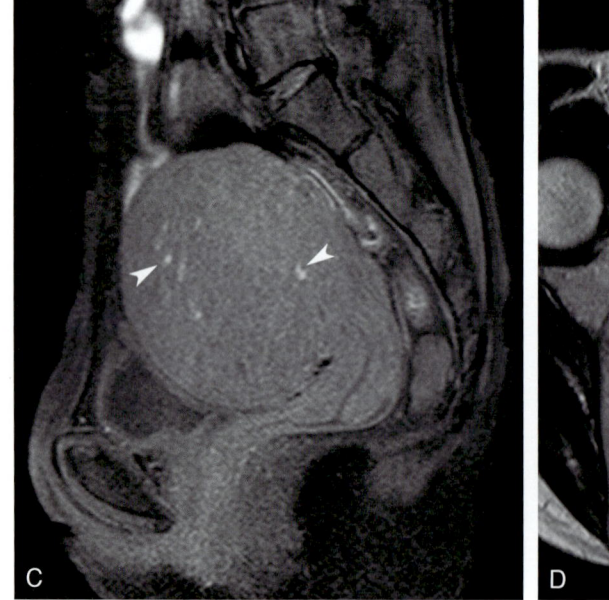

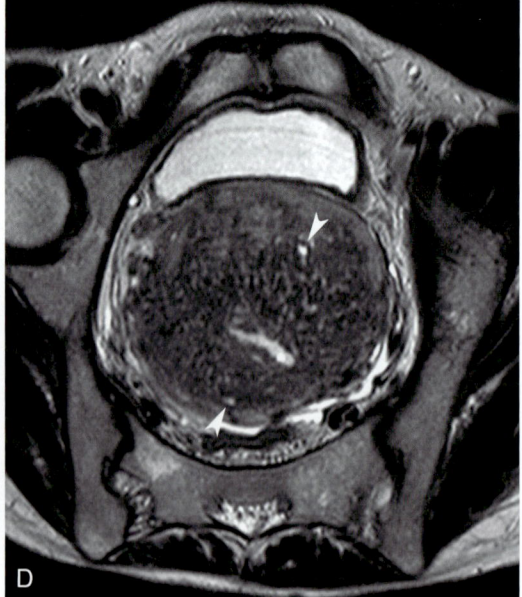

Ⅱ 子宮腺筋症 adenomyosis

図2　35歳　びまん性子宮腺筋症
A：T2強調矢状断像，B：T1強調矢状断像，C：脂肪抑制T1強調矢状断像，D：T2強調横断像
過多月経と月経困難症にて受診。内診上，子宮は著しく腫大しており，T2強調像ではJZと連続した低信号域が肥厚した子宮筋層内を占めている（A，D）ことがわかる。この低信号域の内部には微小な結節状の高信号域が多発（A，D▲）し，その一部はT1強調像でも高信号を示し（B▲），脂肪抑制T1強調像で信号抑制を受けない（C▲）。前者は病理組織学的に異所性の内膜に一致し，後者は内膜近傍に生じた出血を示す。

　子宮腺筋症は境界不明瞭なJZと連続する低信号域として描出され（図3)[12]，内部に点状の高信号を含む[13]。この高信号は病巣内の異所性内膜やこれに伴う出血，囊胞形成を反映しているといわれ，出血を伴う場合にはT1強調像でも高信号となる。しかし子宮腺筋症病巣を形成する内膜は

2. 画像所見

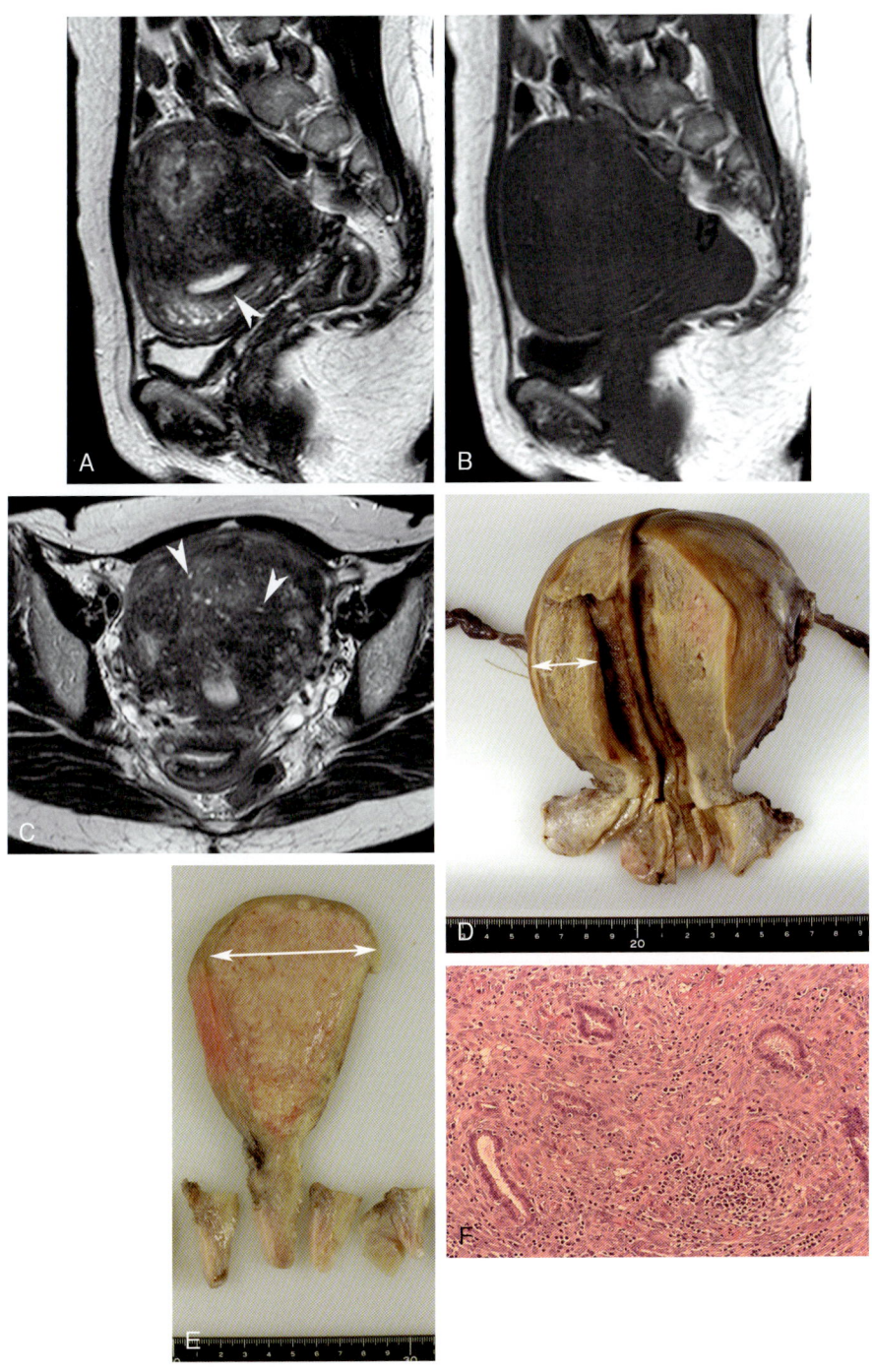

図3　42歳　限局性子宮腺筋症
A：T2強調矢状断像，B：T1強調矢状断像，C：T2強調横断像，D：摘出標本肉眼像，E：摘出標本割面，F：HE染色（弱拡大）
T2強調像（A）で，体部の筋層は前壁では薄く，JZが明瞭に描出されている（A▲）のに対し，後壁では筋層がびまん性に肥厚して（A，B）JZと連続した低信号域を形成し，内部には異所性内膜を示す高信号域も散見される（C▲）。摘出標本（D，E）では後壁の筋層の肥厚が極めて顕著で，病理組織学的には内膜腺管が異型を伴わずに筋層内で増生している（F）。

201

表1 各種 junctional zone（JZ）の形態変化による子宮腺筋症の正診率

MRI findings	sensitivity (%)	specificity (%)	reference
JZ max >12 mm	93	91	Reinhold C, 1996
JZ max >12 mm & JZ max/entire MM >40% & hyperintense spots	77.5	92.5	Bazot M, 2001
JZ max >12 mm & focal not well-demarcated areas present in MM	94.1	68.7	Stamatopoulos CP, 2012
irregular JZ	74	83	Tellum T, 2019
cysts and/or fingerlike indentations in the JZ	39	94	

MM：myometrium

　基底層の内膜であるといわれており，機能層内膜と異なり月経周期に応じて出血することは必ずしも多くなく，T1強調像で高信号を示すのは一部の異所性内膜にすぎない。T2強調像での点状高信号も性周期や年齢によっては不明瞭なことも多く，腺筋症症例の50％程度にしかみられないとする報告もある[14]。点状高信号がみられない場合には病変の境界が明瞭か不明瞭かが筋腫と限局性腺筋症との鑑別点となるが，漠然とした概念であり実際には鑑別の困難な例が少なくない。Reinholdらは正常なJZの厚さは12 mm未満であるとし，これを超えるものは腺筋症を合併していると考えるべきとしている[15]が，JZの厚さは腺筋症以外にも様々な要因で変化しうる[16]ことから，筋層全体の厚みに対するJZの割合[17]や辺縁の不整[18,19]，内部にみられる異所性内膜の存在[19]を重視した新たな診断基準も提案されている（表1）。さらに，MRIで観察されるJZはTVUSで内膜下の低エコー帯としてみられるJZより厚く，必ずしも同一のものを見ているとはいえず，TVUSではより薄く描出されるJZの迷入した内膜による断裂が明瞭に観察されることが多いのに対し，MRIではまれなこと（図1）から，そもそも病理組織学的定義の確立していないJZを腺筋症診断の基準にすべきではないとの意見もある[20]。

　妊娠中，卵巣内膜症性嚢胞中の異所性内膜が脱落膜化によりあたかも悪性腫瘍を合併したような所見を呈するのと同様に（p177；p183～184 図24～25 参照），腺筋症病巣も異所性内膜がT2強調像でより高信号化し，周囲の間質増生を伴って，妊娠初期に急速増大することがある[21,22]（図4）。この変化は妊娠中の内分泌環境の変化により生じており，分娩後は急速に縮小して妊娠前の状態に復す[22]（図4E）。急激な増大は時に悪性腫瘍との鑑別が難しく，厳重な経過観察を要することがあるが，性急な治療介入は慎むべきである。さらに，非妊娠時にもホルモンバランスの不調によるものか，内膜下の異所性内膜が著しく拡張して，あたかも内膜腔内を占める腫瘍様に見えることがあり，pseudowideningとよばれ[23]，筋層内に迷入して拡大した内膜を漁網の網目，真の内膜腔を網にかかった魚に見立て，Nakaiらはfish-in-a-net appearanceと命名している[24]（図5）。

　一方，閉経後，腺筋症病巣は緩徐に不明瞭化，子宮の大きさも縮小する（図6）。

　内分泌療法もこれと類似した効果を示すが，GnRH agonist/antagonistでは異所性内膜の信号低下に加え，子宮容積やJZの厚みも減少するのに対し[25,26]（図5），プロゲステロン製剤（ジエノゲスト，LNG-IUS）では子宮の容積減少効果は乏しい[27]（図7）とされる。

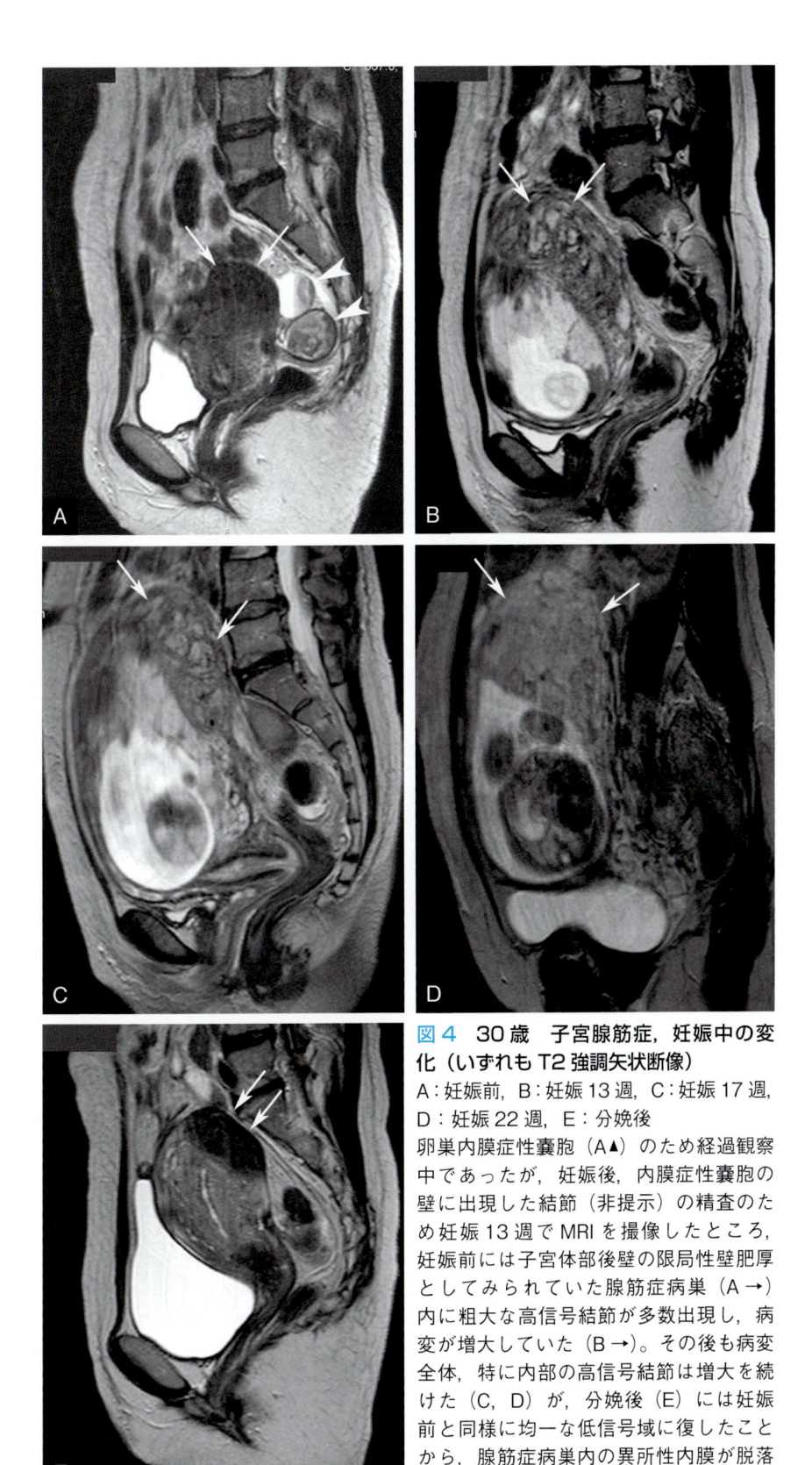

図4 30歳 子宮腺筋症，妊娠中の変化（いずれもT2強調矢状断像）

A：妊娠前，B：妊娠13週，C：妊娠17週，D：妊娠22週，E：分娩後

卵巣内膜症性囊胞（A▲）のため経過観察中であったが，妊娠後，内膜症性囊胞の壁に出現した結節（非提示）の精査のため妊娠13週でMRIを撮像したところ，妊娠前には子宮体部後壁の限局性壁肥厚としてみられていた腺筋症病巣（A→）内に粗大な高信号結節が多数出現し，病変が増大していた（B→）。その後も病変全体，特に内部の高信号結節は増大を続けた（C，D）が，分娩後（E）には妊娠前と同様に均一な低信号域に復したことから，腺筋症病巣内の異所性内膜が脱落膜化していたものと推定された。

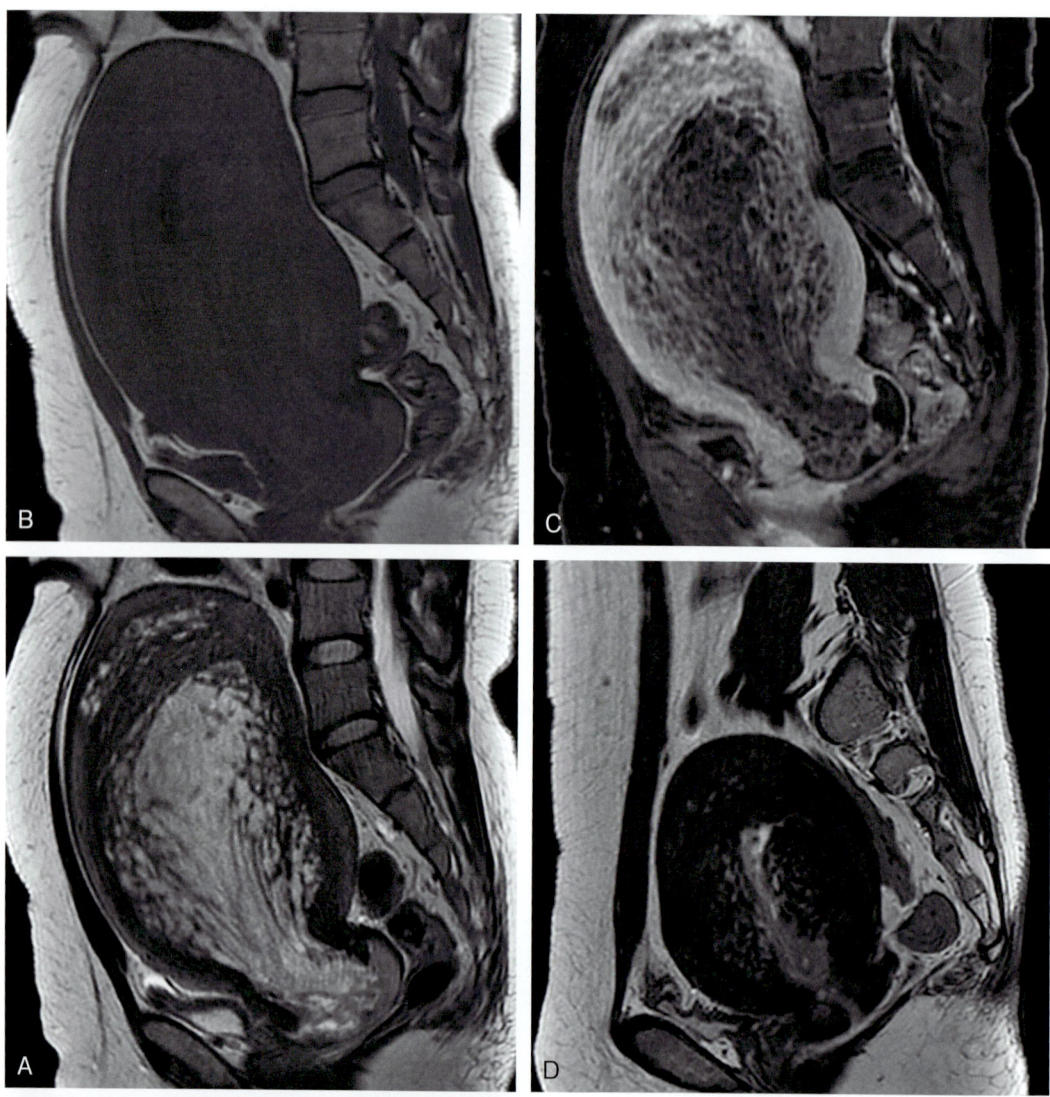

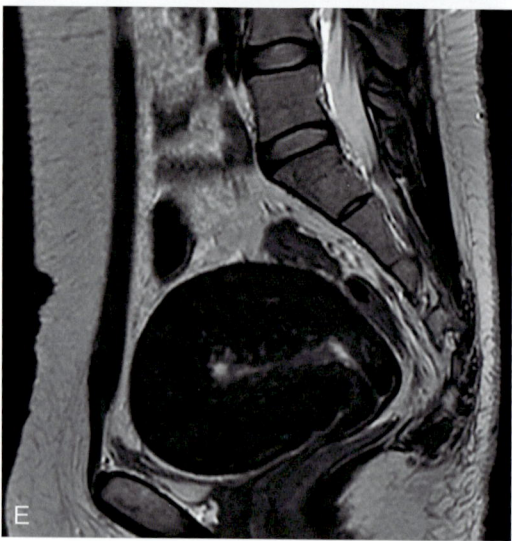

図5　31歳　子宮腺筋症 pseudowidening
A：T2強調矢状断像（治癒前），B：T1強調矢状断像（治癒前），C：造影脂肪抑制T1強調矢状断像（治癒前），D：T2強調矢状断像（治療開始2カ月後），E：T2強調矢状断像（治療開始6カ月後）

過多月経と貧血を主訴に受診。他院では内膜間質肉腫を疑われたが生検で悪性所見を認めず，子宮は腫大し，T2強調像で内膜と同様に高信号を呈する組織が筋層内に広く入り込んで網目状を呈し，内膜腔と筋層の境界が不明瞭化して pseudowidening を呈し，腺筋症と考えられた（A）。子宮はT1強調像では均一な低信号を示し（B），造影後，内膜と考えられる部分の増強効果は不良で，よく増強される筋層とコントラストをなしている（C）。GnRH antagonist 投与2カ月後のT2強調像で病変は急速に縮小し（D），6カ月後には筋層の肥厚は残るが異所性内膜はさらに不明瞭化している（E）。

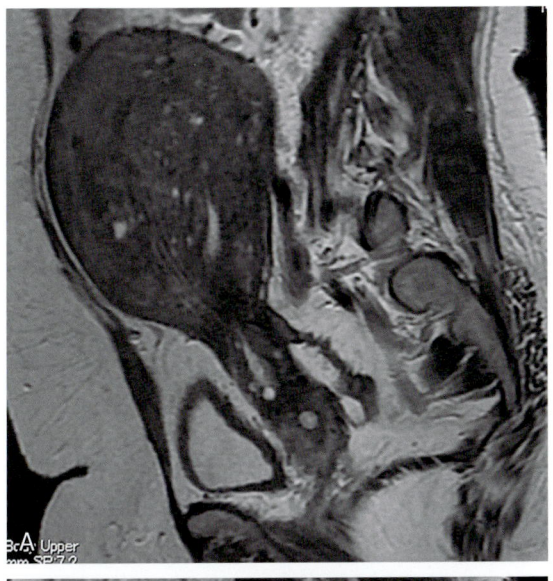

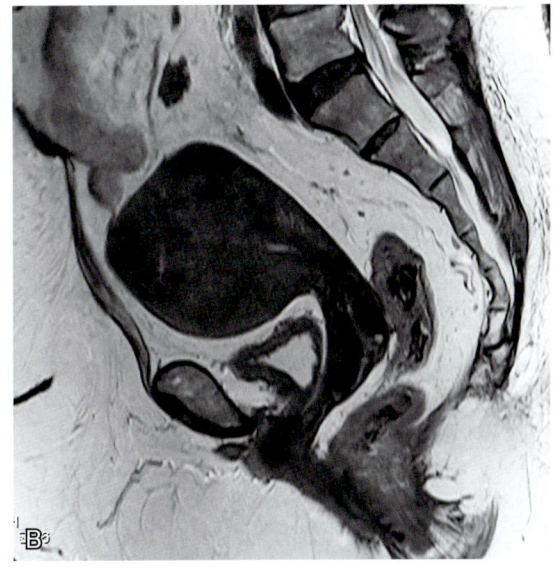

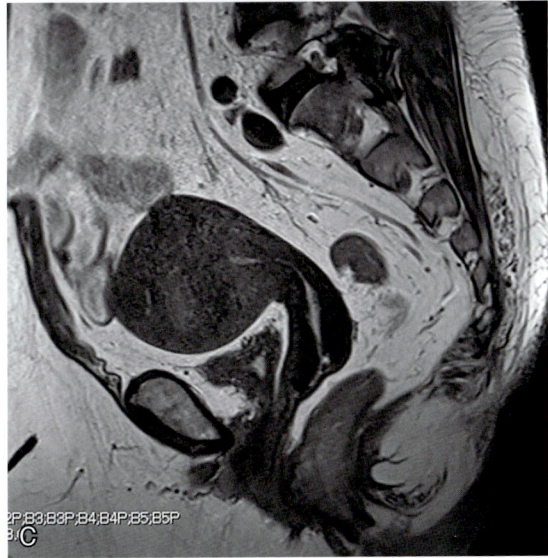

図6　子宮腺筋症，閉経後の変化
A～C：T2強調矢状断像
51歳時，子宮体部は筋層が前壁優位に著しく肥厚し，内部に異所性内膜が高信号域として多数描出されていた（A）が，閉経後，56歳時には子宮は著しく縮小し，異所性内膜は不明瞭化（B），61歳時にはさらに萎縮が進行している（C）。

2）分類と特殊型

　子宮腺筋症において，確立された分類法はない。Gordtsらは分類において考慮すべき視点として，罹患領域（筋層内層，外層），局在（前壁，後壁），広がり方（びまん性，限局性），形態（筋性，囊性），大きさ（1/3未満，1/3～2/3未満，2/3以上）を挙げている[28]。

（1）病因，特に子宮内膜症との関連に基づく分類

　子宮腺筋症の病因が子宮内膜組織の筋層への"迷入"であることから，多くの腺筋症がJZと連続して内膜下の筋層にみられるのに対し，深部内膜症病変と連続して漿膜下に偏在する腺筋症もしばしば認められる（p186参照）（図8, 9）[29-31]。後者は漿膜下の腺筋症が子宮内膜症（特に深

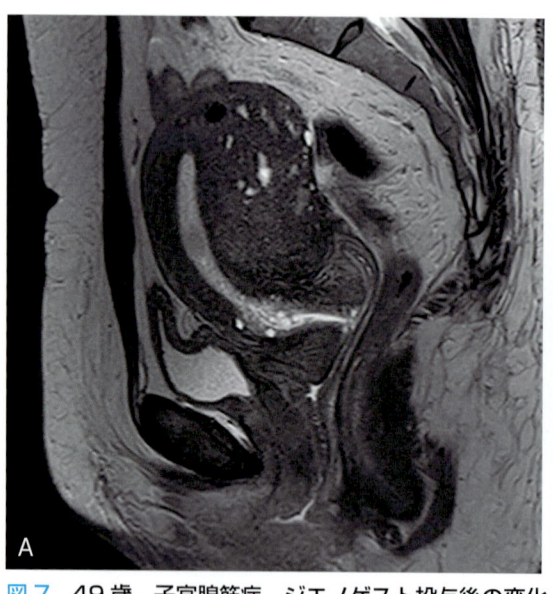

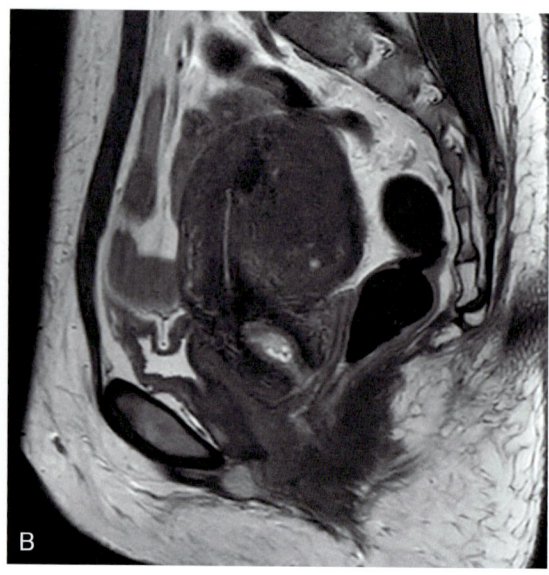

図7　49歳　子宮腺筋症，ジエノゲスト投与後の変化
A，B：T2強調矢状断像
治療前，子宮底部寄りの体部後壁筋層が偏心性に肥厚し，内部に異所性内膜が高信号域として多数描出されていた（A）が，ジエノゲスト投与40カ月後，異所性内膜は不明瞭化しているものの，肥厚した筋層の厚みはさほど減少していない（B）。

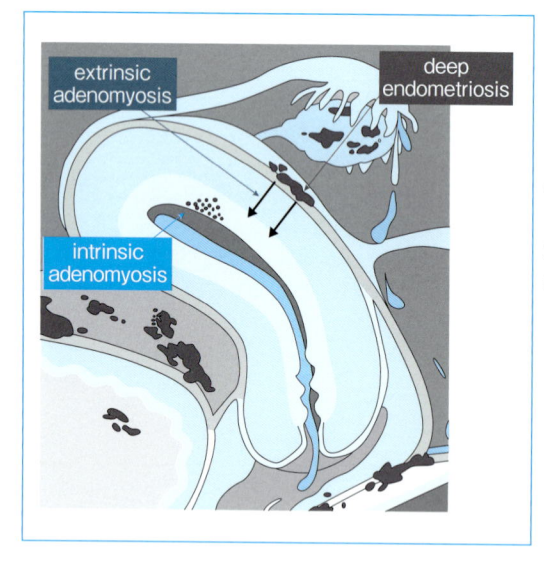

図8　子宮腺筋症の病巣の局在による分類
子宮腺筋症は子宮漿膜面の深部内膜症と連続して漿膜面にみられることがあり，extrinsic adenomyosis，あるいは focal adenomyosis located in the outer myometrium（FAOM）とよばれることがある。これに対応して junctional zone と連続して粘膜下の筋層にみられる腺筋症を intrinsic adenomyosis とよぶことがある。また，これに加えて内膜面とも漿膜面とも連続しないもの，貫壁性の病変の4型に分ける分類もある。

部内膜症）の子宮筋層への浸潤に起因することを示唆するもので，extrinsic adenomyosis[32] あるいは focal adenomyosis located in the outer myometrium（FAOM）[31] と命名されている。本症は卵巣内膜症性嚢胞との合併例も多く（図10）[31)32]，症状はむしろ腺筋症に起因することもあるので，子宮内膜症症例のMRI読影の際には子宮病変にも注意を払う必要がある。

2. 画像所見

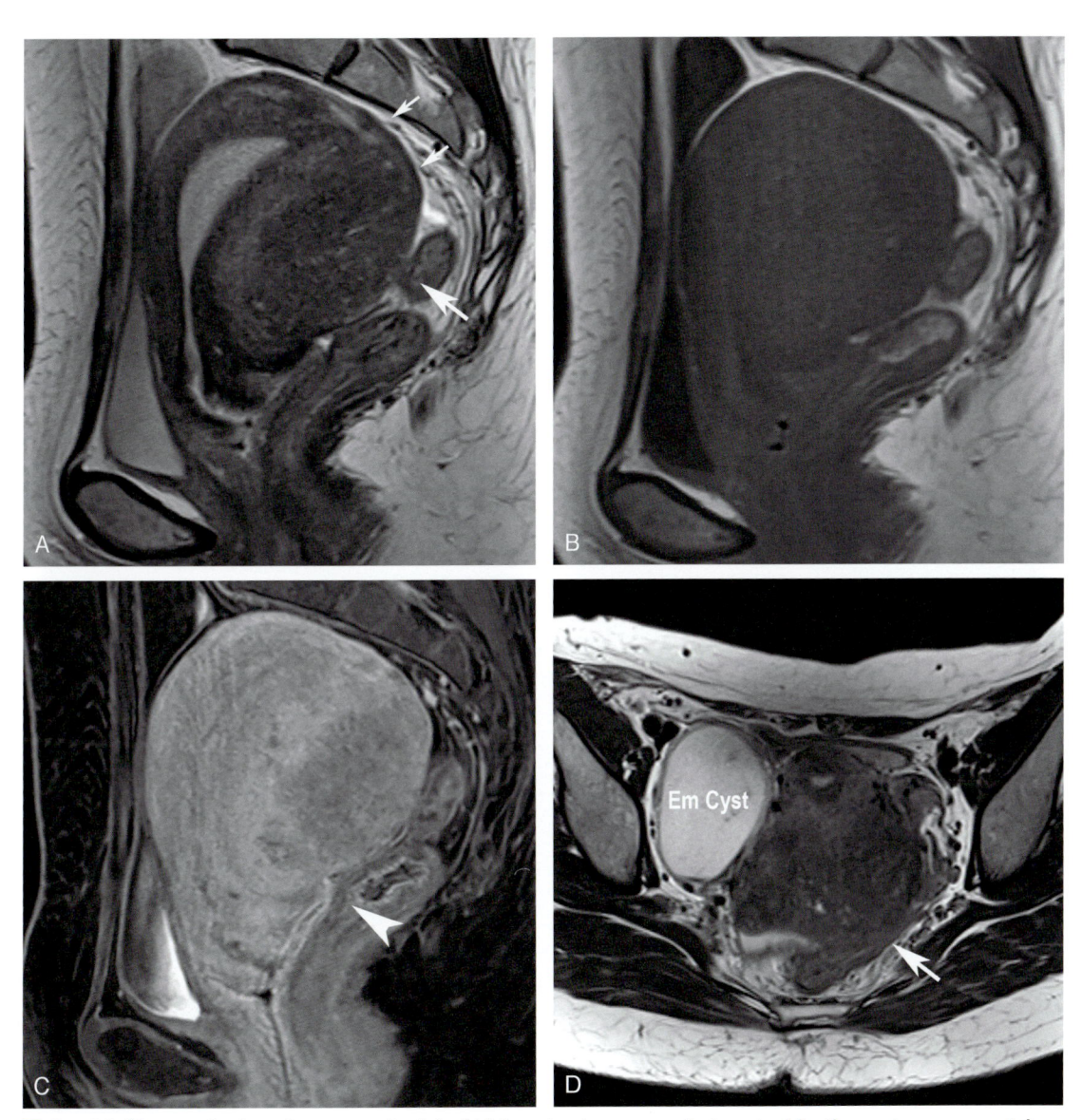

図9 43歳 extrinsic adenomyosis もしくは focal adenomyosis located in the outer myometrium (FAOM)
A：T2強調矢状断像，B：T1強調矢状断像，C：造影脂肪抑制T1強調矢状断像，D：T2強調横断像
子宮後壁漿膜面にT2強調像で極めて信号強度の低い板状の軟部組織が増生し（A小矢印），直腸と癒着している（A，D→）。深部内膜症病変である。これと連続するように肥厚した子宮体部後壁の筋層内には，これよりやや信号強度が低く，内部に高信号スポットを内包した腺筋症病巣が広範に広がる。T1強調像では両者はいずれも低信号でコントラストがつかない（B）。造影脂肪抑制T1強調像では，健常筋層に比べやや増強効果が不良な腺筋症病巣の下端で，深部内膜症に伴う癒着で生じた後腟円蓋の挙上が明瞭に描出されている（C▲）。本例には右卵巣内膜症性嚢胞の合併もみられる（D，Em Cyst）。

（2）嚢性腺筋症 cystic adenomyosis/adenomyotic cyst

　子宮腺筋症がまだ「腺筋腫（adenomyoma）」とよばれていた時代（コラム「腺筋腫と腺筋症」参照，p76）に，本症が内膜の筋層への浸潤であることをつきとめたCullenにより，内膜と筋層

Ⅱ 子宮腺筋症 adenomyosis

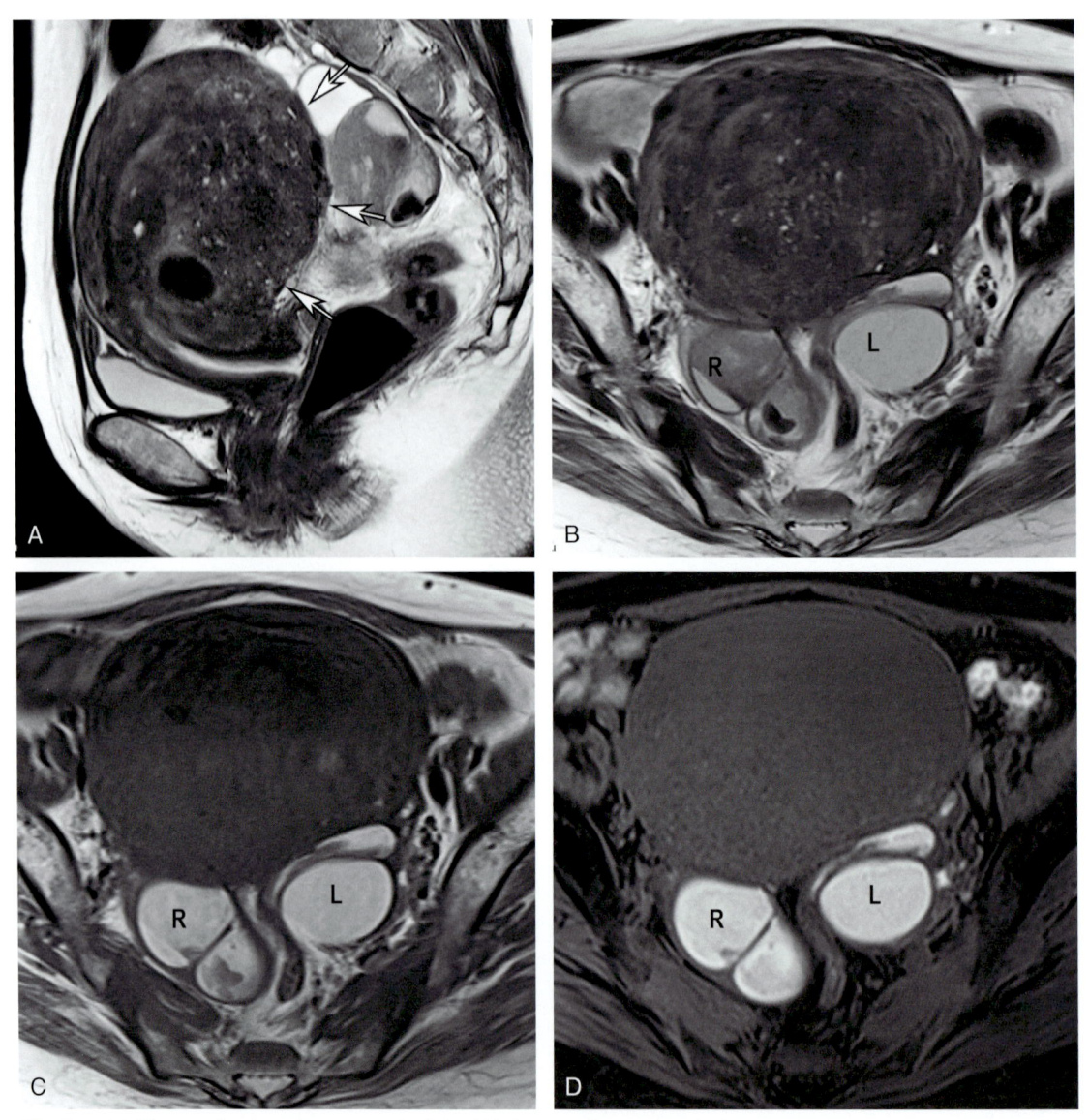

図10 41歳 extrinsic adenomyosis もしくは focal adenomyosis located in the outer myometrium (FAOM) と内膜症性嚢胞合併例
A：T2強調矢状断像，B：T2強調横断像，C：T1強調横断像，D：脂肪抑制T1強調横断像
T2強調像（A，B）で高信号スポットを多数伴う境界不明瞭な低信号域からなる腺筋症病巣は後壁漿膜下に偏在し（A→），extrinsic adenomyosis もしくは focal adenomyosis located in the outer myometrium（FAOM）である。子宮の後壁に癒着して壁の厚い嚢胞が癒着し（B～D，R：右卵巣病変，L：左卵巣病変）内容物は著明なT1短縮効果を示し（C，D），両側卵巣の内膜症性嚢胞を合併していることがわかる。

からなる被膜で囲まれた血性の内容物を含む嚢胞が，子宮粘膜下，筋層内，漿膜下に存在することは指摘されていた[33]。後述するようにその病態はある種の先天奇形と共通の病理組織所見を示すことから，多彩な病態を含む可能性があるものの，USやMRIの普及とともに子宮筋層内のT2強調像で低信号の輪状域に囲まれた血性の嚢胞が，嚢性腺筋症（cystic adenomyosis[34]）もしくは

2. 画像所見

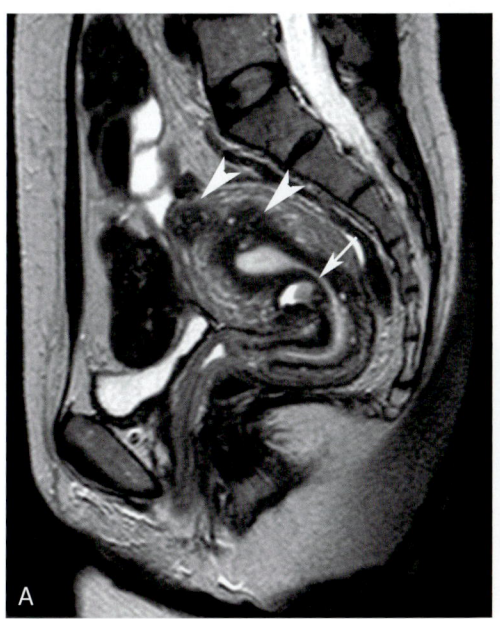

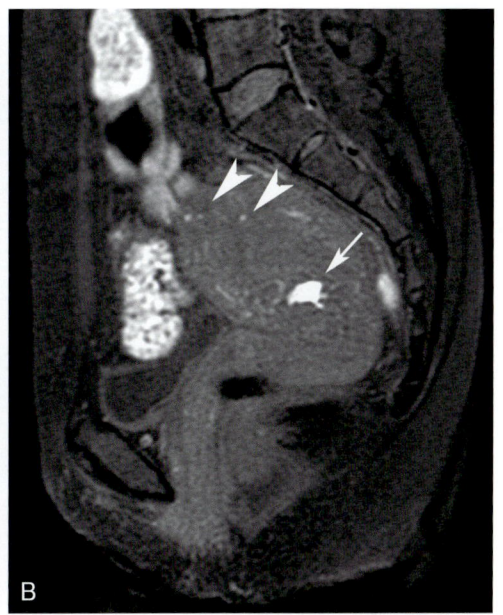

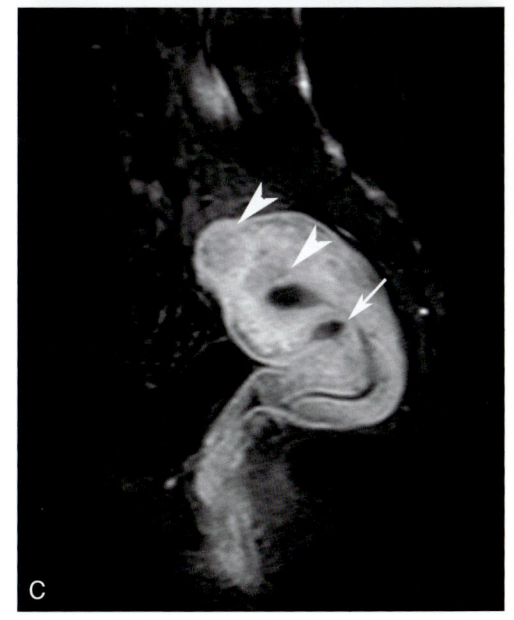

図11　49歳　嚢性腺筋症
A：T2強調矢状断像，B：脂肪抑制T1強調矢状断像，C：ダイナミックMRI後期相矢状断像サブトラクション後

不正性器出血にて受診。子宮底部にみられる限局性腺筋症はT2強調像にて低信号の結節内に少数の高信号結節を含み（A▲），脂肪抑制T1強調像でその中のさらに一部が高信号を呈し（B▲），造影剤により健常筋層よりは弱いがよく増強される（C▲）。一方，内子宮口直上の前壁筋層内にはT2強調像でfluid levelを有し（A→），脂肪抑制T1強調像では高信号（B→），造影剤により増強されない腫瘤がある（C→）。血性の内容物を含む壁の厚い嚢胞であり，一元的に嚢性腺筋症と考えられる。

adenomyotic cyst[35]）として多数報告されるに至っている。筋層内（図11），粘膜下（図12），漿膜下のいずれにも生じるが，多くは単房性の嚢胞で，多房性を呈することはまれとされる。漿膜下に発育すると子宮外の内膜症性嚢胞と鑑別困難なことがある（図13）[36]が，病変外に両側卵巣を確認することで誤認を回避できる。Troianoをはじめ画像所見を論じた文献では，その成因として，一般的に子宮腺筋症を形成する異所性内膜組織は基底層の内膜に相当し，プロゲステロンに対する反応は不良で月経周期に応じて出血することはまれであるが，なかには月経周期毎に出血を繰り返し，筋層内に大きな血腫を形成するものもあると説明されている[34]。

209

II 子宮腺筋症 adenomyosis

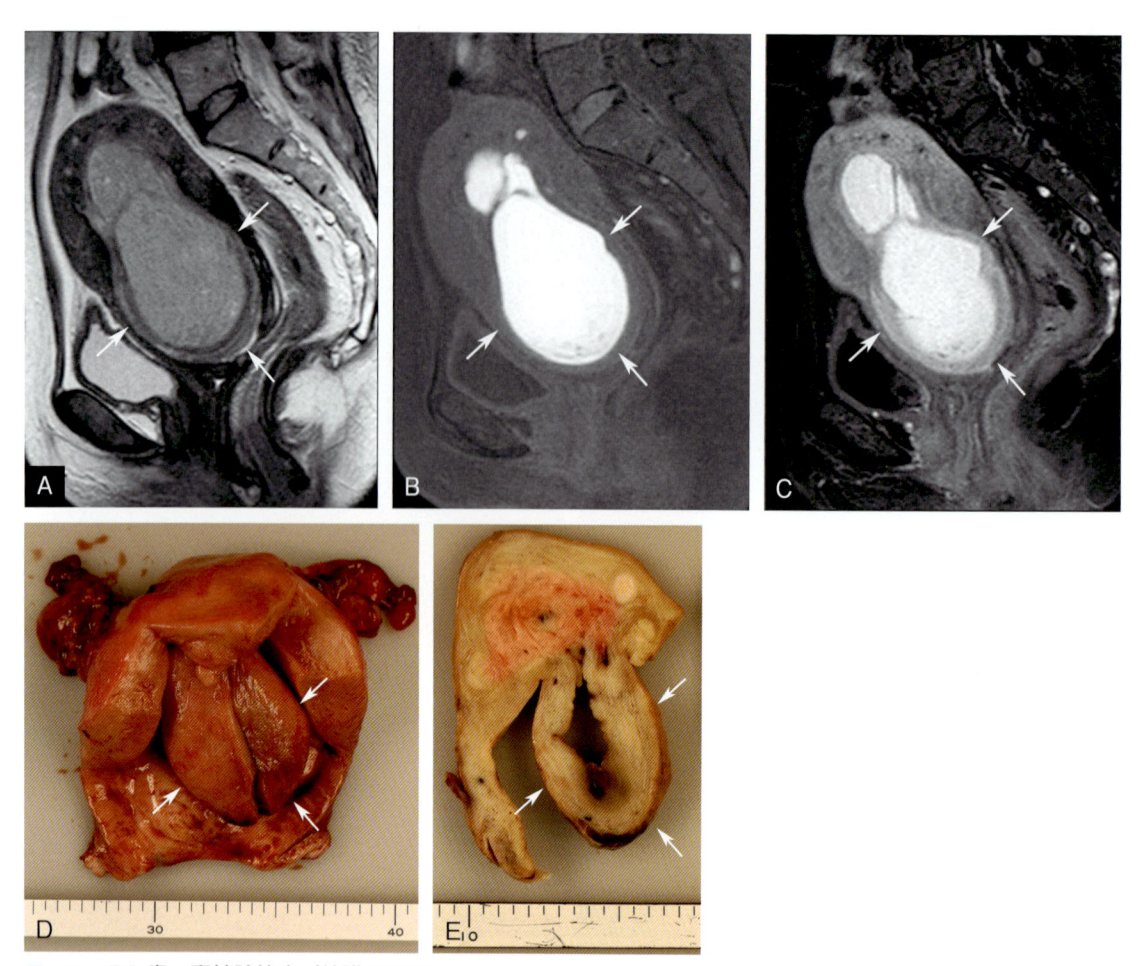

図12 53歳 囊性腺筋症（粘膜下発育）
A：T2強調矢状断像，B：脂肪抑制T1強調矢状断像，C：造影脂肪抑制T1強調矢状断像，D：摘出標本肉眼像，E：摘出標本割面

粘膜下筋腫疑いにて近医より紹介。子宮底部左壁から内腔に向かって突出するT2強調像で高信号（A→），脂肪抑制T1強調像でも高信号（B→），造影後は辺縁のみが強く増強される腫瘤がある（C→）。年齢的に筋腫の赤色変性は考えがたく，肉腫の可能性も考慮して手術が行われた。摘出標本では厚い壁をもつ囊胞性腫瘤が内腔に突出している（D, E→）様子がよくわかる。図11と比べ巨大な腫瘤を形成しているのに注目。

　一方，Tamuraらが15歳の囊性腺筋症例を若年性囊性腺筋症（juvenile cystic adenomyosis：JCA）として発表した[37]のを皮切りに，本邦を中心に若年性，治療抵抗性の月経困難症を呈する症例が，JCAのほかjuvenile cystic adenomyoma, juvenile adenomyotic cystの名称でも報告が相次ぎ[38]，性成熟期に発見される囊性腺筋症とは別の疾患概念が提唱されている。しかし，若年発症であるがゆえに，交通のない副角に経血の貯留を生じたミュラー管（傍中腎管）奇形の範疇であるとの反論もある。AcienらはJCAとして報告されたものの多くが，左右の円靱帯付着部に孤発性に局在することから，重複ミュラー管組織の遺残に導帯（gubernaculum）の機能不全が加わった奇形であるとの考察に立脚し，JCAのほかnon-communicating uterine cavities, isolated cystic adenomyoma，ある種のuterus-like massとの名称で報告されている症例の大部

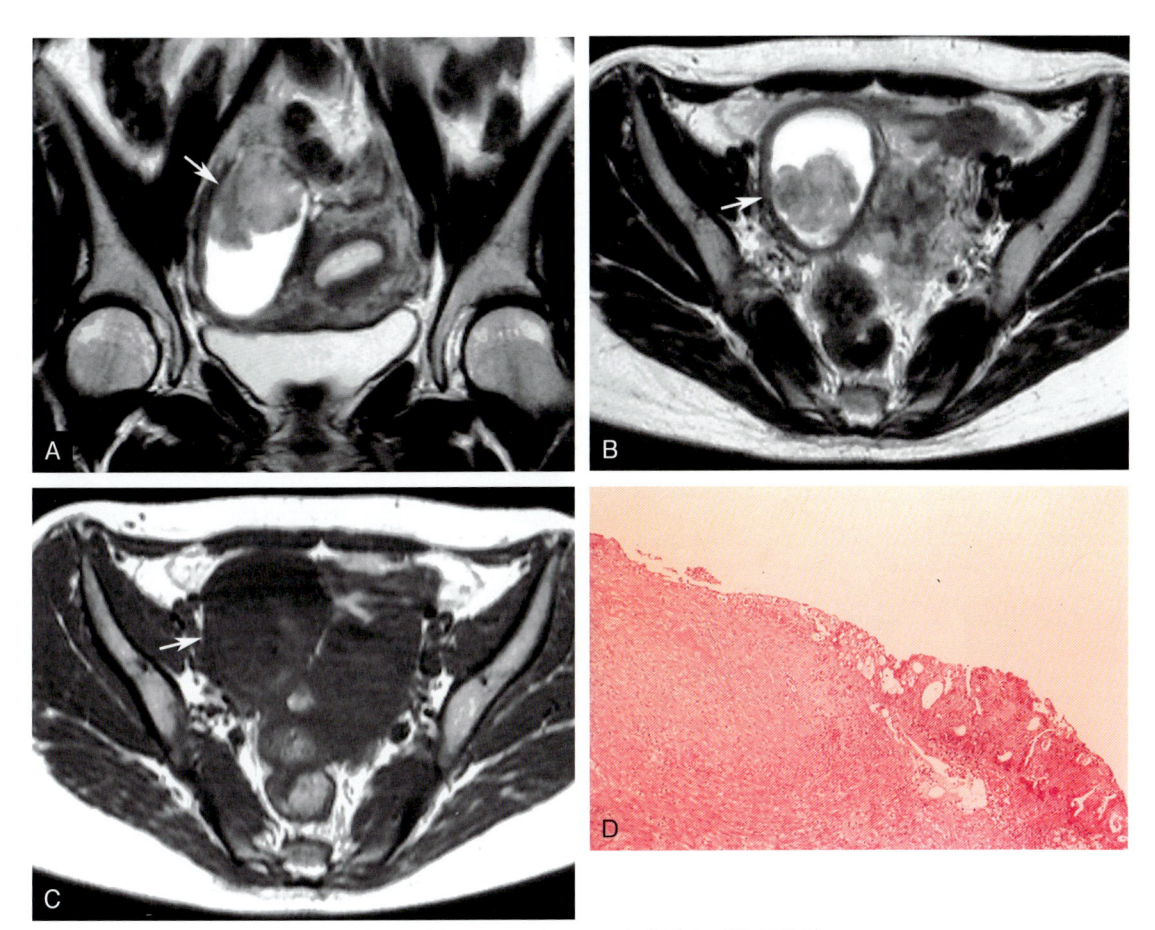

図13　36歳　囊性腺筋症（漿膜下発育）から発生した子宮内膜癌（類内膜癌）
A：T2強調冠状断像，B：T2強調横断像，C：T1強調横断像，D：HE染色（弱拡大）
妊娠中に発見された"卵巣"腫瘍。T2強調像（A，B）で子宮体部側壁の筋層と連続する壁の厚い囊胞を認め，内腔に突出する大きな壁在結節（→）を伴っている。壁の厚い，T1強調像（C）でやや信号強度の高い内容物を含む囊胞であり，右の正常卵巣が見つからなかったこともあり，卵巣内膜症性囊胞を疑ったが，漿膜下に発達した囊性腺筋症であった。なお，本例では囊胞壁に異型のない内膜腺から類内膜癌への移行像が認められ（D），壁在結節は悪性腫瘍の合併のために生じたことがわかる。
（文献36より転載）

分は，彼の提唱する accessory and cavitated uterine mass（ACUM）with a functional endometrium と同義であると主張している[39]。一側の卵管が子宮内膜腔と交通していない明らかな副角子宮はミュラー管奇形であると子宮卵管造影により証明することが可能であるが，ACUMでは両側卵管は正常に発達していることから，他領域に腺筋症病巣がまったく存在しない囊性腺筋症症例においては，ACUMとの命名が適切であるかもしれない。

文献

1) Bergeron C et al：Pathology and physiopathology of adenomyosis. Best Pract Res Clin Obstet Gynaecol 20：511-521, 2006
2) Seidman JD, Kjerulff KH：Pathologic findings from the Maryland Women's Health Study：practice patterns in the diagnosis of adenomyosis. Int J Gynecol Pathol 15：217-221, 1996
3) Vercellini P et al：Adenomyosis at hysterectomy：a study on frequency distribution and patient characteristics. Hum Reprod 10：1160-1162, 1995
4) Vercellini P et al：Association of endometriosis and adenomyosis with pregnancy and infertility. Fertil Steril 119：727-740, 2023
5) 日本産科婦人科学会ほか 編：産婦人科診療ガイドライン 婦人科外来編 2023年版．日本産科婦人科学会，2023
6) Nishida M et al：Conservative surgical management for diffuse uterine adenomyosis. Fertil Steril 94：715-719, 2010
7) Kishi Y et al：Who will benefit from uterus-sparing surgery in adenomyosis-associated subfertility? Fertil Steril 102：802-807.e1, 2014
8) de Bruijn AM et al：Uterine artery embolization for the treatment of adenomyosis：a systematic review and meta-analysis. J Vasc Interv Radiol 28：1629-1642.e1, 2017
9) Liu L et al：Risk of recurrence and reintervention after uterine-sparing interventions for symptomatic adenomyosis：a systematic review and meta-analysis. Obstet Gynecol 141：711-723, 2023
10) Marques ALS et al：Is high-intensity focused ultrasound effective for the treatment of adenomyosis?：a systematic review and meta-analysis. J Minim Invasive Gynecol 27：332-343, 2020
11) Li X et al：High-intensity focused ultrasound in the management of adenomyosis：long-term results from a single center. Int J Hyperthermia 38：241-247, 2021
12) Mark AS et al：Adenomyosis and leiomyoma：differential diagnosis with MR imaging. Radiology 163：527-529, 1987
13) Togashi K et al：Enlarged uterus：differentiation between adenomyosis and leiomyoma with MR imaging. Radiology 171：531-534, 1989
14) Reinhold C et al：Uterine adenomyosis：endovaginal US and MR imaging features with histopathologic correlation. Radiographics 19：S147-160, 1999
15) Reinhold C et al：Diffuse adenomyosis：comparison of endovaginal US and MR imaging with histopathologic correlation. Radiology 199：151-158, 1996
16) Tanaka YO et al：A thickened or indistinct junctional zone on T2-weighted MR images in patients with endometrial carcinoma：pathologic consideration based on microcirculation. Eur Radiol 13：2038-2045, 2003
17) Bazot M et al：Ultrasonography compared with magnetic resonance imaging for the diagnosis of adenomyosis：correlation with histopathology. Hum Reprod 16：2427-2433, 2001
18) Stamatopoulos CP et al：Value of magnetic resonance imaging in diagnosis of adenomyosis and myomas of the uterus. J Minim Invasive Gynecol 19：620-626, 2012
19) Tellum T et al：Diagnosing adenomyosis with MRI：a prospective study revisiting the junctional zone thickness cutoff of 12 mm as a diagnostic marker. Eur Radiol 29：6971-6981, 2019
20) Harmsen MJ et al：Uterine junctional zone and adenomyosis：comparison of MRI, transvaginal ultrasound and histology. Ultrasound Obstet Gynecol 62：42-60, 2023
21) Kim SH et al：Rapidly growing adenomyosis during the first trimester：magnetic resonance images. Fertil Steril 85：1057-1058, 2006
22) Shitano F et al：Decidualized adenomyosis during pregnancy and post delivery：three cases of magnetic resonance imaging findings. Abdom Imaging 38：851-857, 2013
23) Tamai K et al：MR imaging findings of adenomyosis：correlation with histopathologic features and diagnostic pitfalls. Radiographics 25：21-40, 2005
24) Nakai Y et al：Uterine adenomyosis with extensive glandular proliferation：case series of a rare imaging variant. Diagn Interv Radiol 26：153-159, 2020
25) Imaoka I et al：MR imaging of diffuse adenomyosis changes after GnRH analog therapy. J Magn Reson Imaging 15：285-290, 2002
26) Donnez O, Donnez J：Gonadotropin-releasing hormone antagonist（linzagolix）：a new therapy for uterine adenomyosis. Fertil Steril 114：640-645, 2020
27) Bragheto AM et al：Effectiveness of the levonorgestrel-releasing intrauterine system in the treatment of adenomyosis diagnosed and monitored by magnetic resonance imaging. Contraception 76：195-199, 2007
28) Gordts S et al：Symptoms and classification of uterine adenomyosis, including the place of hysteroscopy in diagnosis. Fertil Steril 109：380-388.e1, 2018
29) Sakamoto A：Subserosal adenomyosis：a possible variant of pelvic endometriosis. Am J Obstet Gynecol 165：198-201, 1991
30) Kishi Y et al：Four subtypes of adenomyosis assessed by magnetic resonance imaging and their specification. Am J Obstet Gynecol 207：114.e1-7, 2012
31) Chapron C et al：Relationship between the magnetic resonance imaging appearance of adenomyosis and endometriosis phenotypes. Hum Reprod 32：1393-1401, 2017
32) Khan KN et al：Biological differences between intrinsic and extrinsic adenomyosis with coexisting deep infiltrating endometriosis. Reprod Biomed Online 39：343-353, 2019
33) Cullen TS：Adenomyoma of the uterus. JAMA 50：107-115, 1908
34) Troiano RN et al：Cystic adenomyosis of the uterus：MRI. J Magn Reson Imaging 8：1198-1202, 1998
35) Kataoka ML et al：MRI of adenomyotic cyst of the uterus. J Comput Assist Tomogr 22：555-559, 1998
36) Tanaka YO et al：CT and MR findings of a case with endometrioid adenocarcinoma arisen from cystic adenomyosis. AJR Am J Roentgenol 171：e6, 1998
37) Tamura M et al：Juvenile adenomyotic cyst of the corpus uteri with dysmenorrhea. Tohoku J Exp Med 178：339-344, 1996
38) Takeuchi H et al：Diagnosis, laparoscopic management, and histopathologic findings of juvenile cystic adenomyoma：a review of nine cases. Fertil Steril 94：862-868, 2010
39) Acién P et al：New cases of accessory and cavitated uterine masses（ACUM）：a significant cause of severe dysmenorrhea and recurrent pelvic pain in young women. Hum Reprod 27：683-694, 2012

Column

❖ ACUMって奇形それとも腺筋症？

　Accessory and cavitated uterine mass（ACUM）は機能性子宮内膜に裏装され，子宮筋層と連続するが子宮腔とは独立した筋層をもつ腫瘤で，1998年にPotterとSchenkenにより，従来の分類には収まらないミュラー管奇形として報告され，その後，若年性あるいは孤発性腺筋症として報告されたものも含めてAciénらにより命名された[1]。Aciénらは本症の付着する子宮や卵巣・卵管に異常がないこと，ほぼ例外なく円靱帯付着部下方に局在することから，導帯機能不全により重複ないし遺残したミュラー管（傍中腎管）に起因するミュラー管奇形の1つと位置づけている[2]。一方，Takeuchiらは月経困難症を訴える30歳以下の症例において，長径1cm以上の囊胞腔を有する病理組織学的にはほぼ同じ病態を，若年性囊性腺筋症（juvenile cystic adenomyosis：JCA）として発表している[3]。つまり，極めて類似した病態に対し，奇形としての命名と腺筋症の亜型としての命名がなされている。両者が別の病態であるとする根拠としてはJCAでは囊胞周囲により密な腺筋症組織が存在するのに対し，ACUMでは導帯様構造は認められるものの，JCAほど明確な腺筋症の特徴は示さないとする報告もある[4]。しかし，これらの差異が本質的な病態の違いを示すものか，同一疾患の異なる段階や表現型を示すものかについては，決着がついていない。

　本症の診断にはMRIが有用で，子宮外側筋層内に位置する境界明瞭な円形腫瘤で，内部にはT1強調像，T2強調像ともに高信号を示す血性の内容物が含まれ，周囲を取り巻く，線維成分に富む子宮筋層様の軟部組織がT2強調像で低信号として描出される。この内腔の周囲には，T2強調像でしばしば腺筋症様の，点状の高信号域がみられる[5]。自験例では周囲の筋層様部分（→）が，正所性の筋層よりもT2強調像（図A〜C），拡散強調像（図D）ともに信号強度が高く，富細胞性平滑筋腫や悪性リンパ腫を疑われて来院したが，市販薬で制御不能な月経困難症を主訴とし，右円靱帯（▲）付着部直下に局在し（図C），内部に内膜腔と交通する囊胞腔を有すること（本例では内膜腔との交通が広いので，血性の内容物の貯留はほとんどないが）から本症を疑うことができる。

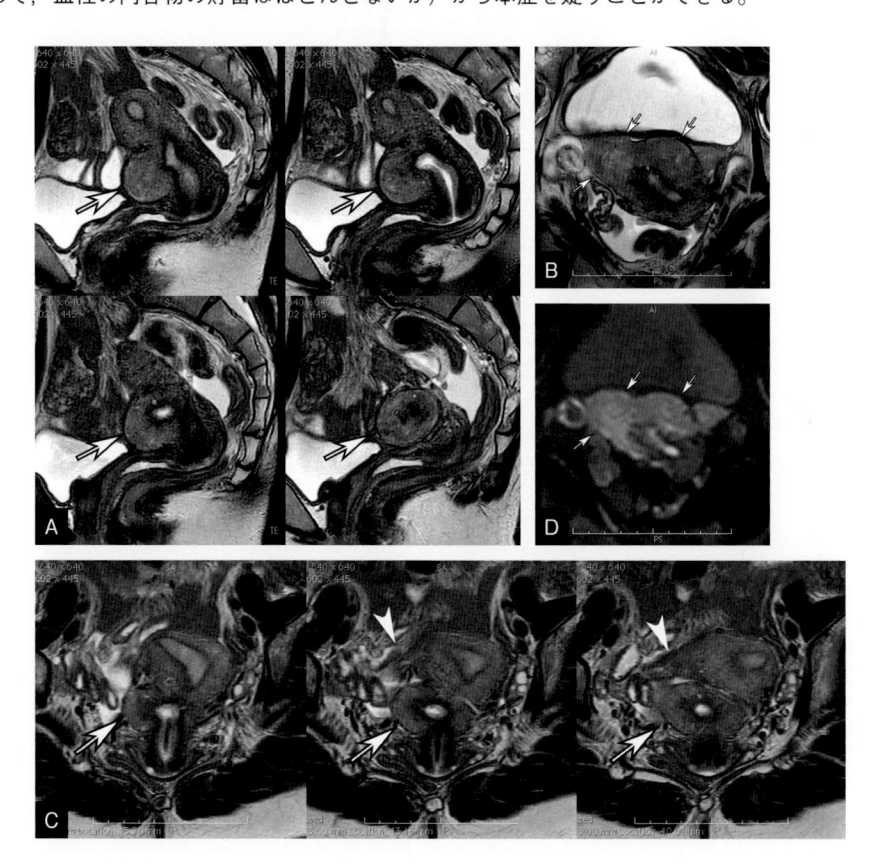

本症に対しては薬物療法は一時的な症状緩和効果しか期待できず，根治的治療には外科的摘出が必要とされ，腹腔鏡下での病変完全摘出が標準的治療法として確立されている[6]。まれな病態ではあるが，特徴的な画像所見から術前診断が可能で，治療法の選択に際し，画像診断医の果たす役割は大きいものと考えられる。

【文　献】

1) Acién P et al：The cavitated accessory uterine mass：a Müllerian anomaly in women with an otherwise normal uterus. Obstet Gynecol 116：1101-1109, 2010
2) Acién P et al：New cases of accessory and cavitated uterine masses（ACUM）：a significant cause of severe dysmenorrhea and recurrent pelvic pain in young women. Hum Reprod 27：683-694, 2012
3) Takeuchi H et al：Diagnosis, laparoscopic management, and histopathologic findings of juvenile cystic adenomyoma：a review of nine cases. Fertil Steril 94：862-868, 2010
4) Martin DC, Koninckx PR：Juvenile cystic adenomyomas：acquired adenomyosis variant or congenital Müllerian defects? F S Rep 2：145, 2021
5) Mollion M et al：Report of two cases of accessory cavitated uterine mass（ACUM）：diagnostic challenge for MRI. Radiol Case Rep 16：3465-3469, 2021
6) Dekkiche S et al：Accessory and cavitated uterine masses：a case series and review of the literature. Front Reprod Health 5：1197931, 2023

第6章

婦人科腫瘍（子宮）

I 子宮頸部の腫瘍
tumors of the uterine cervix

Summary
- 子宮頸癌の術前検査における画像の役割は主としてステージングにある。
- MRI T2 強調像は子宮頸癌を組織型にかかわらず高信号の腫瘤として描出し，腟壁，傍組織，膀胱直腸浸潤に対し高い正診率を誇る。
- 子宮頸癌は高率にリンパ節転移をきたす疾患であるが，その評価には CT/MRI のみでは限界があり，特異度の高い PET/CT の併用も推奨されている。
- 頸管内の多囊胞性腫瘤像は胃型腺癌の前駆病変とされる分葉状頸管腺過形成に特異的所見ではなく，局在，囊胞の大きさや集簇形態，内容物の信号強度，分布の疎密による鑑別診断が必要である。

1. 子宮頸癌の組織型，疫学，臨床的事項

　子宮頸部に発生する腫瘍は『子宮頸癌取扱い規約 病理編 第 5 版』に示されている（WHO 分類第 5 版に準拠）ように上皮性・非上皮性に大別され，極めて多岐にわたる（表 1）[1)2)]。しかし子宮頸部腫瘍の大部分を占めるのは上皮性腫瘍で，そのうち約 3/4 は扁平上皮癌だが，近年腺癌が増加傾向にあり 20％程度を占めるに至っている（図 1）[3)]。これら以外の特殊な組織型については一部次項で言及することとして，ここでは主として扁平上皮癌について述べる。

　子宮頸部を覆う上皮組織は扁平上皮と頸管腺円柱上皮の双方から構成される。この扁平上皮と円柱上皮の移行部は，squamocolumnar junction（SCJ）とよばれ，頸管腺円柱上皮の直下に出現する予備細胞とよばれる 1 層の未分化な細胞層に扁平上皮化生を生じて上層の円柱上皮を置換する。このため SCJ は加齢とともに内子宮口側に移動する（図 2）[4)5)]。多くの腫瘍はこの予備細胞層が扁平上皮化生を生じる過程のなかで発生するとされ，ヒトパピローマウイルス（human papillomavirus：HPV）の持続感染がこの過程で発がんを促進すると考えられている[6)7)]（図 3）。このことに鑑み，2020 年の WHO 分類の改訂で，扁平上皮癌と腺癌においては HPV-associated と HPV-independent が明確に組織型として区分され，両者の鑑別のために HPV $in\ situ$ hybridization（ISH）あるいは $p16^{INK4a}$ 染色が病理組織診断には努力義務として求められることとなった。

　また一方では HPV ワクチンの接種が子宮頸癌の有力な予防法と考えられるようになり，初交前年齢での公費接種も開始された。近年，若年者の子宮頸癌は増加傾向にあり（図 4）[3)]，HPV ワクチンによる予防効果が期待されている。一方，治療された子宮頸癌の臨床進行期をみると，

表1　子宮頸部腫瘍の組織学的分類およびICD-Oコード（日産婦2022）[2]

上皮性腫瘍 Epithelial tumors
　扁平上皮病変および前駆病変 Squamous cell lesions and precursors
　　扁平上皮内病変 Squamous intraepithelial lesions（SIL）/子宮頸部上皮内腫瘍 Cervical intraepithelial neoplasia（CIN）
　　8077/0　軽度扁平上皮内病変 Low-grade SIL（LSIL）/CIN 1
　　8077/2　高度扁平上皮内病変 High-grade SIL（HSIL）/CIN 2
　　8077/2　高度扁平上皮内病変 High-grade SIL（HSIL）/CIN 3
　　扁平上皮癌 Squamous cell carcinoma
　　8085/3　扁平上皮癌，HPV関連 Squamous cell carcinoma, HPV-associated
　　8086/3　扁平上皮癌，HPV非依存性 Squamous cell carcinoma, HPV-independent
　　8070/3　扁平上皮癌，特定不能 Squamous cell carcinoma NOS
　　良性扁平上皮病変 Benign squamous cell lesions
　　　　扁平上皮化生 Squamous metaplasia
　　　　萎縮 Atrophy
　　　　尖圭コンジローマ Condyloma acuminatum
　腺腫瘍および前駆病変 Glandular tumors and precursors
　　上皮内腺癌 Adenocarcinoma in situ（AIS）
　　8140/2　上皮内腺癌，特定不能 Adenocarcinoma in situ NOS
　　8483/2　上皮内腺癌，HPV関連 Adenocarcinoma in situ, HPV-associated
　　8484/2　上皮内腺癌，HPV非依存性 Adenocarcinoma in situ, HPV-independent
　　腺癌 Adenocarcinoma
　　8140/3　腺癌，特定不能 Adenocarcinoma NOS
　　8483/3　腺癌，HPV関連 Adenocarcinoma, HPV-associated
　　8482/3　腺癌，HPV非依存性，胃型 Adenocarcinoma, HPV-independent, gastric type
　　8310/3　腺癌，HPV非依存性，明細胞型 Adenocarcinoma, HPV-independent, clear cell type
　　9110/3　腺癌，HPV非依存性，中腎型 Adenocarcinoma, HPV-independent, mesonephric type
　　8484/3　腺癌，HPV非依存性，特定不能 Adenocarcinoma, HPV-independent NOS
　　8380/3　類内膜腺癌，特定不能 Endometrioid adenocarcinoma NOS
　良性腺腫瘍および腫瘍様病変 Benign glandular tumors and tumor-like lesions
　　　　頸管ポリープ Endocervical polyp
　　　　ミュラー管乳頭腫 Müllerian papilloma
　　　　ナボット嚢胞 Nabothian cyst
　　　　トンネル・クラスター Tunnel clusters
　　　　微小腺管過形成 Microglandular hyperplasia
　　　　分葉状頸管腺過形成 Lobular endocervical glandular hyperplasia（LEGH）
　　　　びまん性層状頸管過形成 Diffuse laminar endocervical hyperplasia
　　　　中腎遺残および過形成 Mesonephric remnants and hyperplasia
　　　　アリアス-ステラ反応 Arias-Stella reaction
　　　　頸管内膜症 Endocervicosis
　　　　子宮内膜症 Endometriosis
　　　　卵管類内膜化生 Tuboendometrioid metaplasia
　　　　異所性前立腺組織 Ectopic prostate tissue
　その他の上皮性腫瘍 Other epithelial tumors
　　8980/3　癌肉腫 Carcinosarcoma NOS
　　8560/3　腺扁平上皮癌 Adenosquamous carcinoma
　　8430/3　粘表皮癌 Mucoepidermoid carcinoma
　　8098/3　腺様基底細胞癌 Adenoid basal carcinoma
　　8020/3　未分化癌 Carcinoma, undifferentiated NOS

上皮性・間葉性混合腫瘍 Mixed epithelial and mesenchymal tumors
　8932/0　腺筋腫 Adenomyoma NOS
　　　　中腎型腺筋腫 Mesonephric-type adenomyoma
　　　　内頸部型腺筋腫 Endocervical-type adenomyoma
　8933/3　腺肉腫 Adenosarcoma

胚細胞腫瘍 Germ cell tumors
　9064/3　胚細胞腫瘍 Germ cell tumor NOS
　9080/0　成熟奇形腫 Mature teratoma NOS
　9084/0　皮様嚢腫 Dermoid cyst NOS
　9071/3　卵黄嚢腫瘍 Yolk sac tumor NOS（内胚葉洞腫瘍 Endodermal sinus tumor）
　9100/3　絨毛癌 Choriocarcinoma NOS

神経内分泌腫瘍 Neuroendocrine neoplasia
　神経内分泌腫瘍 Neuroendocrine tumor NOS
　　8240/3　神経内分泌腫瘍グレード1 Neuroendocrine tumor, grade 1
　　8249/3　神経内分泌腫瘍グレード2 Neuroendocrine tumor, grade 2

Ⅰ 子宮頸部の腫瘍 tumors of the uterine cervix

神経内分泌癌 Neuroendocrine carcinoma
8041/3　小細胞神経内分泌癌 Small cell neuroendocrine carcinoma
8013/3　大細胞神経内分泌癌 Large cell neuroendocrine carcinoma
神経内分泌癌が混在する癌 Carcinoma admixed with neuroendocrine carcinoma
8045/3　混合型小細胞神経内分泌癌 Combined small cell neuroendocrine carcinoma
8013/3　混合型大細胞神経内分泌癌 Combined large cell neuroendocrine carcinoma
間葉性腫瘍および腫瘍様病変 Mesenchymal tumors and tumor-like lesions
8890/0　平滑筋腫 Leiomyoma NOS
8905/0　生殖器横紋筋腫 Genital rhabdomyoma
8890/3　平滑筋肉腫 Leiomyosarcoma NOS
8900/3　横紋筋肉腫 Rhabdomyosarcoma NOS
8910/3　　胎児型横紋筋肉腫 Embryonal rhabdomyosarcoma NOS
8920/3　　胞巣型横紋筋肉腫 Alveolar rhabdomyosarcoma
9581/3　胞巣状軟部肉腫 Alveolar soft part sarcoma
9120/3　血管肉腫 Angiosarcoma
8850/3　脂肪肉腫 Liposarcoma NOS
9364/3　ユーイング肉腫 Ewing sarcoma
　　　　NTRK 遺伝子再構成紡錘形細胞腫瘍 NTRK-rearranged spindle cell neoplasm
　　　　腫瘍様病変 Tumor-like lesions
　　　　　術後性紡錘細胞結節 Postoperative spindle cell nodule
　　　　　高度反応性リンパ過形成 Florid reactive lymphoid hyperplasia

メラノサイト腫瘍 Melanocytic tumors
8780/0　青色母斑 Blue nevus NOS
8720/3　悪性黒色腫 Malignant melanoma NOS

リンパ性および骨髄性腫瘍 Lymphoid and myeloid tumors
　　　　リンパ腫 Lymphomas
　　　　骨髄性腫瘍 Myeloid neoplasms

「神経内分泌腫瘍」「間葉性腫瘍および腫瘍様病変」「メラノサイト腫瘍」「リンパ性および骨髄性腫瘍」はWHO分類第5版では各臓器組織毎には項目が設けられず，各々 WHO classification of XX of the lower genital tract としてまとめられたが，本邦の各種婦人科腫瘍取扱い規約のなかでは『子宮頸癌取扱い規約』においてのみ，これらが組織学的分類中に残されていることに注意。

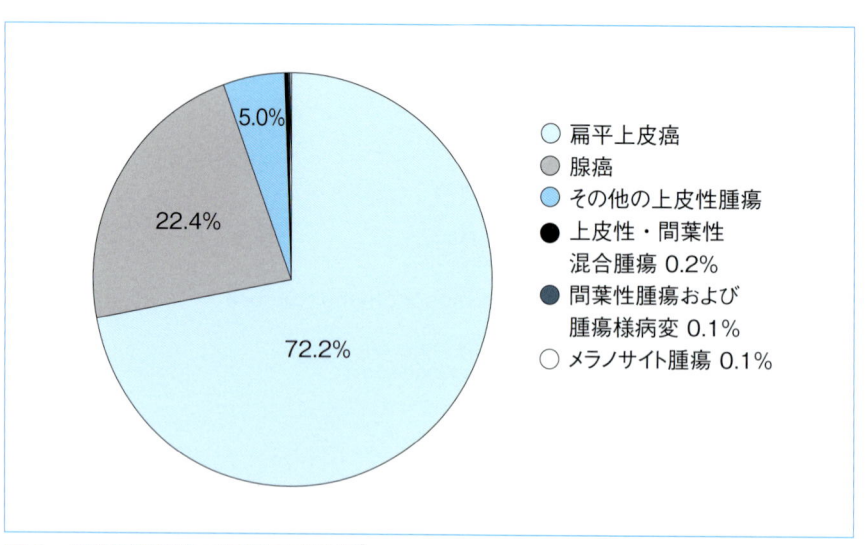

図1　子宮頸部腫瘍の組織型別頻度[3]
「その他」は腺扁平上皮癌，すりガラス細胞癌，腺様基底細胞癌，腺様嚢胞癌，未分化癌，神経内分泌癌，その他の上皮性腫瘍の合計。
（日本産科婦人科学会婦人科腫瘍委員会報告．2020年患者年報，2022より作成）

218

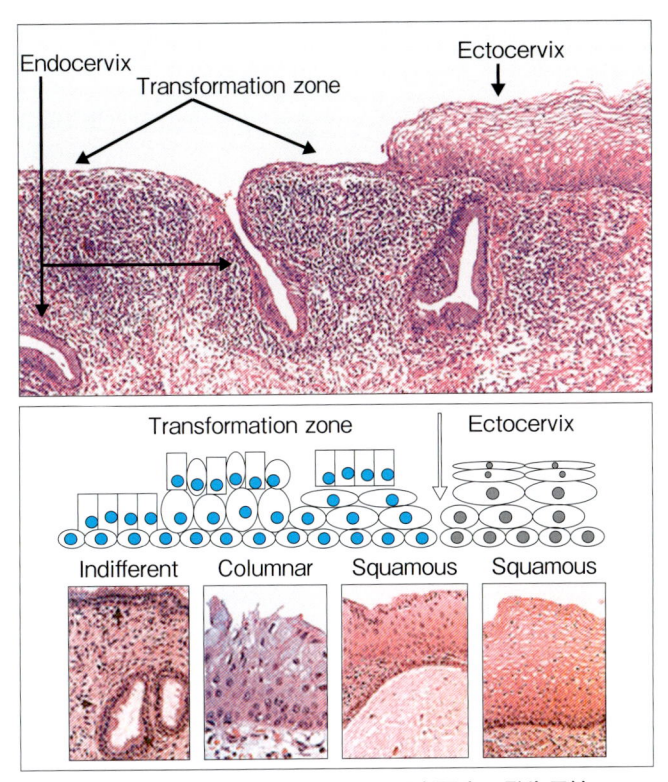

図2 Squamocolumnar junction と子宮頸癌の発生母地
（WHO Classification of Tumours. Pathology & Genetics of Tumours of the Breast and Female Genital Organs, 2003[5] より引用）

LGCIN：low grade intraepithelial neoplasia
HGCIN：high grade intraepithelial neoplasia

図3 ヒトパピローマウイルス感染症と子宮頸癌発がんの関係
（WHO Classification of Tumours. Pathology & Genetics of Tumours of the Breast and Female Genital Organs, 2003[5] より改変引用）

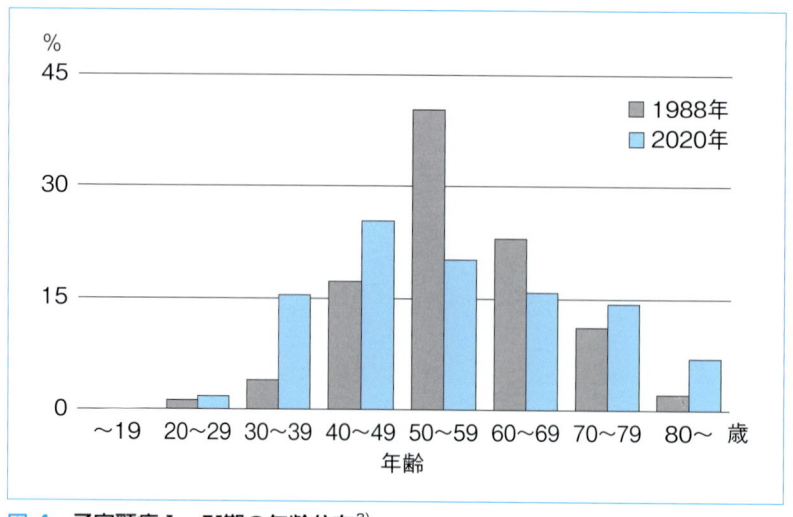

図4 子宮頸癌Ⅰ～Ⅳ期の年齢分布[3]
（日本産科婦人科学会婦人科腫瘍委員会報告，2020年患者年報，2022より作成）

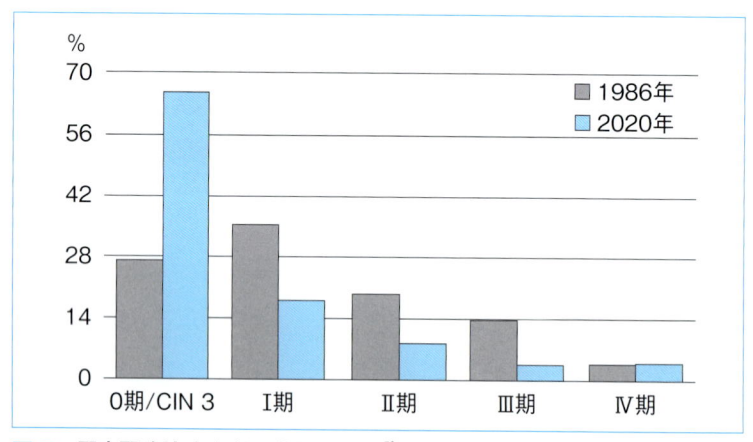

図5 子宮頸癌治療患者の進行期分布[3]
（日本産科婦人科学会婦人科腫瘍委員会報告，2020年患者年報，2022より作成）

0期（上皮内癌），Ⅰ期といった早期癌が増加し，進行癌は減少傾向にある（図5）[3]。これは検診の普及効果によるところが多いと考えられる。したがって子宮頸癌患者の多くが無症状のうちに発見され，不正性器出血で受診する患者は減少している。

『子宮頸癌取扱い規約 臨床編 第4版』[8]に記された進行期分類を表2に示す。この進行期分類はInternational Federation of Gynecology and Obstetrics（FIGO）による進行期分類（2018年版）[9]を踏襲している。第2版までは進行期決定にCT，MRIを加えることは認められておらず，第3版でも，その使用は腫瘍径の決定などに限局されていたが，この改訂では初めて画像所見を治療前診断に，手術後の病理組織診断を術後診断に加えて，総合的に判断して決定されることとなった。また，「肉眼的に明らかな病巣が認められるもの」はⅠB期とされていたが，今回の改

表2 子宮頸癌進行期分類（日産婦2020，FIGO2018）[8]

Ⅰ期：癌が子宮頸部に限局するもの（体部浸潤の有無は考慮しない）
　ⅠA期：病理学的にのみ診断できる浸潤癌のうち，間質浸潤が5mm以下のもの
　　　　浸潤がみられる部位の表層上皮の基底膜より計測して5mm以下のものとする。脈管（静脈またはリンパ管）侵襲があっても進行期は変更しない。
　　ⅠA1期：間質浸潤の深さが3mm以下のもの
　　ⅠA2期：間質浸潤の深さが3mmをこえるが，5mm以下のもの
　ⅠB期：子宮頸部に限局する浸潤癌のうち，浸潤の深さが5mmをこえるもの（ⅠA期をこえるもの）
　　ⅠB1期：腫瘍最大径が2cm以下のもの
　　ⅠB2期：腫瘍最大径が2cmをこえるが，4cm以下のもの
　　ⅠB3期：腫瘍最大径が4cmをこえるもの
Ⅱ期：癌が子宮頸部をこえて広がっているが，腟壁下1/3または骨盤壁には達していないもの
　ⅡA期：腟壁浸潤が腟壁上2/3に限局していて，子宮傍組織浸潤は認められないもの
　　ⅡA1期：腫瘍最大径が4cm以下のもの
　　ⅡA2期：腫瘍最大径が4cmをこえるもの
　ⅡB期：子宮傍組織浸潤が認められるが，骨盤壁までは達しないもの
Ⅲ期：癌浸潤が腟壁下1/3まで達するもの，ならびに/あるいは骨盤壁にまで達するもの，ならびに/あるいは水腎症や無機能腎の原因となっているもの，ならびに/あるいは骨盤リンパ節ならびに/あるいは傍大動脈リンパ節に転移が認められるもの
　ⅢA期：癌は腟壁下1/3に達するが，骨盤壁までは達していないもの
　ⅢB期：子宮傍組織浸潤が骨盤壁にまで達しているもの，ならびに/あるいは明らかな水腎症や無機能腎が認められるもの（癌浸潤以外の原因による場合を除く）
　ⅢC期：骨盤リンパ節ならびに/あるいは傍大動脈リンパ節に転移が認められるもの（rやpの注釈をつける）
　　ⅢC1期：骨盤リンパ節にのみ転移が認められるもの
　　ⅢC2期：傍大動脈リンパ節に転移が認められるもの
Ⅳ期：癌が膀胱粘膜または直腸粘膜に浸潤するか，小骨盤腔をこえて広がるもの
　ⅣA期：膀胱粘膜または直腸粘膜への浸潤があるもの
　ⅣB期：小骨盤腔をこえて広がるもの

訂では間質浸潤の深さによってⅠA1期からⅠB期までが厳密に規定されており，MRIで描出された腫瘍がすべてⅠB期というわけではなくなった。また旧分類では，ⅠB期は腫瘍径4cm以下と4cmを超えるものの2分類であったが，2cm以下のⅠB1，2～4cmのⅠB2期，4cmを超えるⅠB3期に細分類された。これは後述する妊孕性温存療法である広汎子宮頸部摘出術（radical trachelectomy）および腹腔鏡・ロボット手術の適応が腫瘍径2cm以下としていることと関連している。

　診断された子宮頸癌のうちCIN 3，AISに対しては，摘出標本で断端陰性であれば子宮頸部円錐切除術を最終治療とすることができる。ⅠA期のうちⅠA1期ではリンパ節転移の頻度が0～2％と低いので単純子宮全摘術が選択されるが，ⅠA2期では，その頻度が0～10％とされるので骨盤リンパ節郭清を含む準広汎子宮全摘術が推奨されている。ⅠBおよびⅡA期では広汎子宮全摘術と放射線治療の両者間の治療成績に差がない。ⅡB期で同時化学放射線療法（concurrent chemoradiotherapy：CCRT）が推奨されるが，手術療法を選択する場合には手技に習熟した婦人科腫瘍専門医によりなされるべきとされている。Ⅲ～ⅣA期はプラチナ製剤を含む同時化学放射線療法が主体である[10][11]が，ⅣB期ではperformance statusや合併症に応じて全身化学療法，緩和医療が選択される[12]。また近年，腹腔鏡・ロボット手術もⅠA1，ⅠA2，ⅠB1，ⅡA1期に

表3 広汎子宮頸部摘出術の適応

【ほぼコンセンサスの得られている事項】
①妊孕性の温存を強く希望している
②ⅠA2-ⅠB1期
③明らかなリンパ節転移がない
④予後不良な組織型（神経内分泌腫瘍など）でない

【議論のある事項】
①腫瘍径2cm以下
　2cmを超えると再発率が有意に悪化するとの報告もあるが異論あり
②ⅡA1期
③腫瘍から切除端までの距離（画像的には内子宮口から腫瘍上縁までの距離）
　産科的予後に直結。5～10mmが一般的だがコンセンサスはない

（文献10より改変引用）

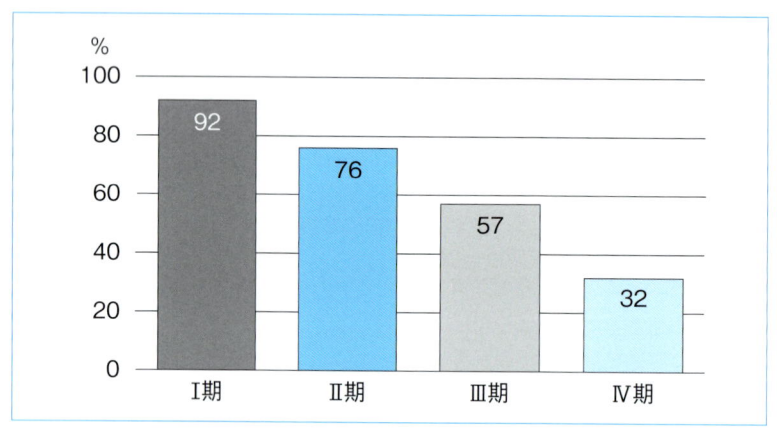

図6 子宮頸癌治療成績（2015年治療開始例の5年生存率）[13]
（日本産科婦人科学会婦人科腫瘍委員会報告, 第63回治療年報, 2022より作成）

限り，厳密な指針に沿って行うことが可能である[*1 13)14)]。さらに，若年頸癌症例が増加するにつれ妊孕性温存術式を選択する機会が増加し，広汎子宮頸部摘出術（子宮動脈を温存しつつ十分に基靭帯を含めて子宮頸部を切除する術式）もⅠA2期またはⅠB1期において提案可能とされている（表3）。

各臨床進行期別の5年生存率は直近でⅠ期92％，Ⅱ期76％，Ⅲ期57％，Ⅳ期で32％とされる（図6）[15]。各進行期において腺癌は扁平上皮癌よりも予後不良で，腫瘍径の大きなもの，リンパ節転移陽性例は予後不良とされる。

---

*1 この背景には，腹腔鏡およびロボット手術により3年生存率の低下が報告されたLACC試験[13]の結果を受け，適応や術者を厳しく規定することにより，低侵襲手術の非劣性を証明し，これを普及させたいとの日本産科婦人科学会の意図がある。

2. 子宮頸癌の画像所見

　子宮頸癌は T1 強調像では頸部間質よりやや高信号であることが多いが不明瞭で[16]，T2 強調像で高信号の腫瘍として描出され，低信号の頸部間質と明瞭なコントラストを構成する（図 7）[17-19]。造影剤投与後，腫瘍は周囲間質に比べ低信号の腫瘍として描出される。造影剤の投与は viable な腫瘍と壊死巣を区別するには有用だが，造影後は腫瘍に伴う浮腫や血流の増加により周囲間質や靱帯の増強効果が目立ち過大評価が多くなること[20]，造影後は腫瘍浸潤と脂肪織を区別するため脂肪抑制 T1 強調像が基本となるが，脂肪抑制を併用すると腸管内ガスの磁化率アーチファクトを受けやすくなる[21]などの理由で頸癌のステージングに際してはあまり推奨されていない。ダイナミック MRI では腫瘍は周囲間質や体部筋層に比べ早期濃染を示し（図 8），傍組織浸潤の診断率も向上した[22-26]とする報告もあるが，手技の煩雑さ，造影剤投与によるリスクの増加などの問題もあり，一般化していない。本法は腫瘍の血管新生をよく反映する[27]ことから，近年では放射線治療や化学療法の効果予測に使用される[28-31]ことが多い。MRI による局所進行期診断の適応となるのは，原則としてⅠB1 期以上の浸潤癌に限られる。ダイナミック MRI 早期相では濃染する腫瘍と非担癌部のコントラストが良好であることから微小浸潤癌の描出が可能との報告があるが[25)32]，異論もある[33]。細胞診・組織診の結果と臨床所見（視触診，コルポスコピー，TVUS）に齟齬がある症例については，早期病変の描出が可能な，ダイナミック MRI を含めた検査を考慮してもよい（図 8）。

　個々の画像所見については後述するが，一部の腺癌や悪性リンパ腫などにはある程度画像的特徴が認められるものの，子宮頸部に発生する多くの腫瘍は T2 強調像で高信号の腫瘍として描出されるので，これらを画像所見により質的に鑑別することは困難である。したがって画像診断の主たる役割はステージングであり，すでに述べた通り，『子宮頸癌取扱い規約 臨床編 第 4 版』で進行期分類に CT，MRI の使用が認められるようになったことからその重要性は増している。

1）発育様式，組織型

　前述のように，子宮頸癌は T2 強調像で頸部間質よりも高信号の腫瘍として描出されるが，若年者の頸癌と高齢者の頸癌はまったく異なる発育形式を示す。前項で述べたように頸癌の発生母地は SCJ が主であることからが外子宮口近傍で外翻している若年者の子宮頸癌は外向性発育を示し（図 9），SCJ が頸管内まで上行している高齢者では内向性発育（図 10）を示す。近年，頸部腺癌が増加傾向にあり，現在では頸癌の 20％を占める[3]。腺癌も，表 1 に示すように HPV 関連型と非依存性に大別される。扁平上皮癌に比べ放射線感受性が低く予後不良と考えられていたが，近年はその治療成績には大差ない（全進行期の 5 年生存率で，扁平上皮癌 79.4％，腺癌 77.6％）[15]。画像的には一部の特殊な組織型を除き，腺癌と扁平上皮癌を明瞭に区別しうる所見はない。

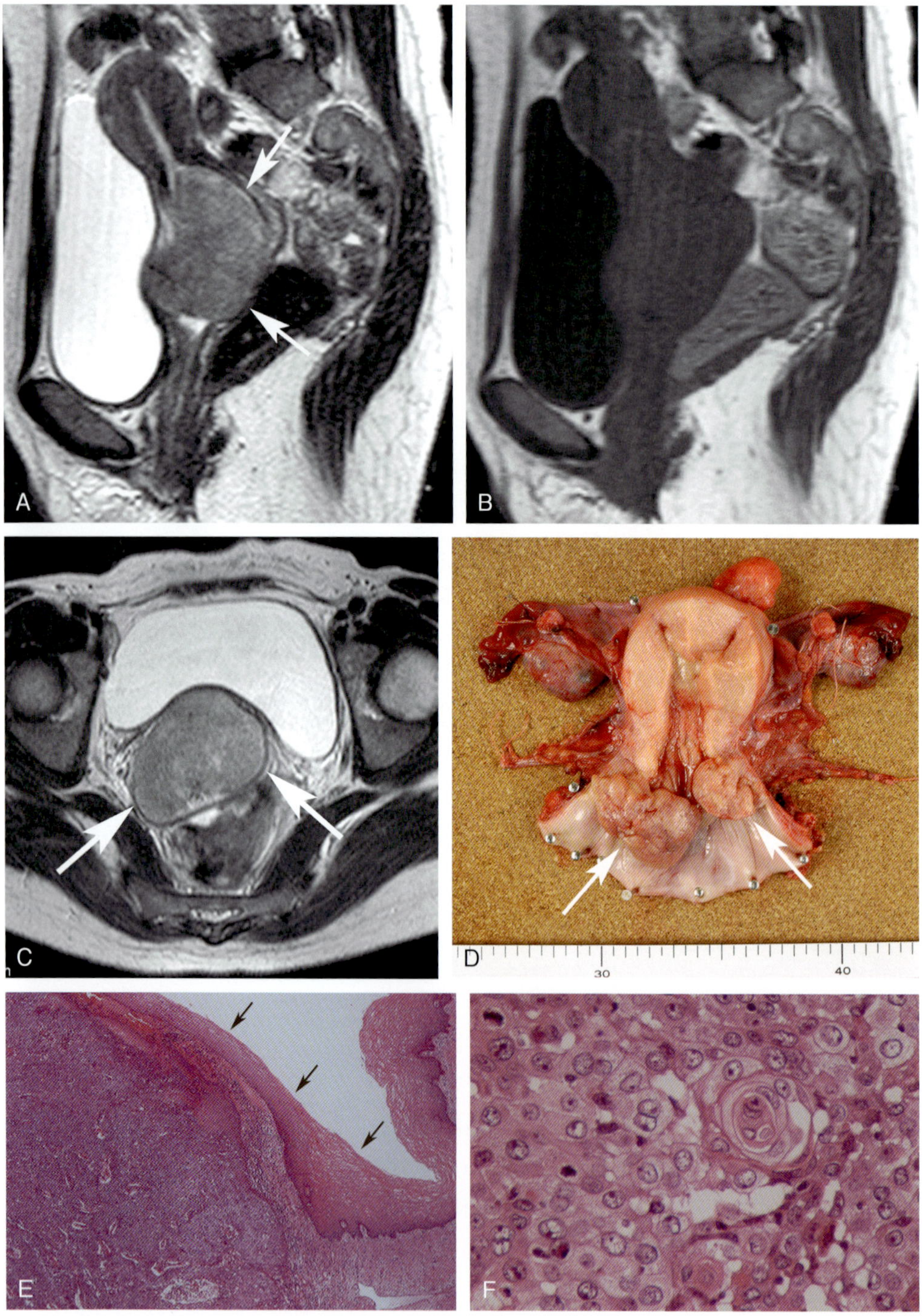

I 子宮頸部の腫瘍 tumors of the uterine cervix

図7 35歳 子宮頸癌ⅠB2期（扁平上皮癌）
A：T2強調矢状断像，B：T1強調矢状断像，C：T2強調横断像，D：摘出標本肉眼像，E：HE染色（弱拡大），F：HE染色（強拡大）
T2強調像にて，子宮腟部前唇から突出する信号強度の高い腫瘤（A→）としてみられる。T1強調像（B）では健常部とのコントラストがつかない。T2強調像では腫瘍は周囲との境界が明瞭，辺縁平滑で腟，子宮傍組織への浸潤を認めない（C）。摘出標本（D）でも腟腔に向かって外向性に発育する病変が明瞭に認められる。病理組織学的には角化（E→）を伴う扁平上皮癌（F）である。

224

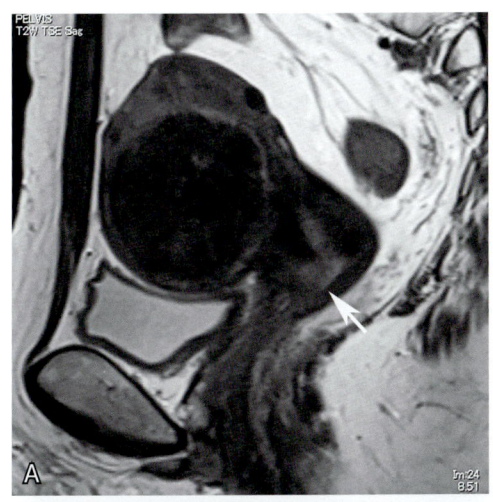

図8　58歳　子宮頸癌ⅠB1期

A：T2強調矢状断像，B：ダイナミックMRI（左から造影剤投与前，投与30，60，90秒後）

子宮頸部異形成として紹介され，組織診はCIN 3であった。T2強調断像では子宮腔部前唇に境界不明瞭な高信号域があるようにもみえるが判然としない（A→）。ダイナミックMRIでは同部に早期から濃染する明瞭な腫瘍描出があり（B→），最大で厚みが5 mmを超えることから浸潤癌（ⅠB1期）を疑った。円錐切除が行われ，浸潤の深さ8 mmの浸潤癌と診断された。

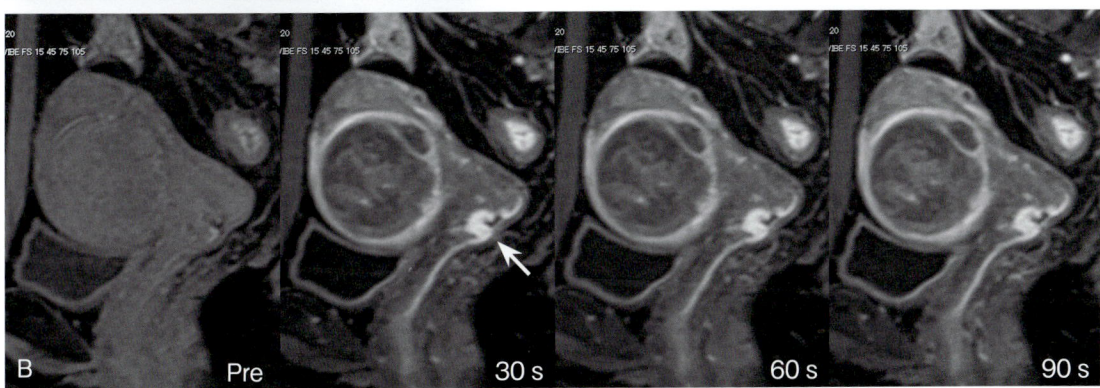

2）ステージング

　CTでは子宮の内部構造のコントラスト分解能が不良であること，傍子宮静脈叢と傍組織浸潤の区別がつきにくいことから，子宮頸癌の局所進行期診断に適しておらず，TVUSもMRIに劣らない局所診断能をもつとのメタアナリシスもあるが，本邦ではMRIがその主力となる[34)35)]。

　一般的に子宮頸癌の病巣はT2強調像で高信号の腫瘍として描出されることから，T2強調像で低信号～中間信号となる頸部間質とは明瞭なコントラストをなす（図9～17）[17)]。ⅠB期において，ⅠB1期からⅠB3期までの違いはもっぱら腫瘍径による（表2）[2)]。この高信号部の最大径と病理組織学的な腫瘍径とはよく一致し[17)19)]（図9）腫瘍径または間質浸潤の深さの正診率は70～77%とされる[16)18)]が，扁平上皮癌に比べ腫瘍が間質内を浸透性に発育することの多い腺癌では過小評価になりやすいとされる[36)]。子宮温存術式として広汎子宮頸部摘出術を考慮する場合にはⅠB2期以下であることはいうまでもないが，子宮体部を温存するために腫瘍の上縁から内子宮口までの距離が0.5～1 cmを超えてはならないとされ（表3）[12)]，その可否の診断にもMRIは優れている[37)38)]（図11, 12）。外向性の腫瘍はしばしば腟壁に浸潤してⅡA期となるが，T2強調像で，腫瘍により正常の腟粘膜を示す高信号が断裂している場合に陽性と考える（図13）。こ

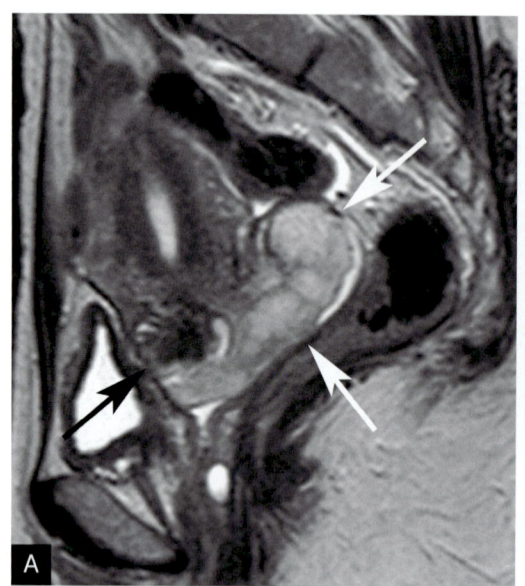

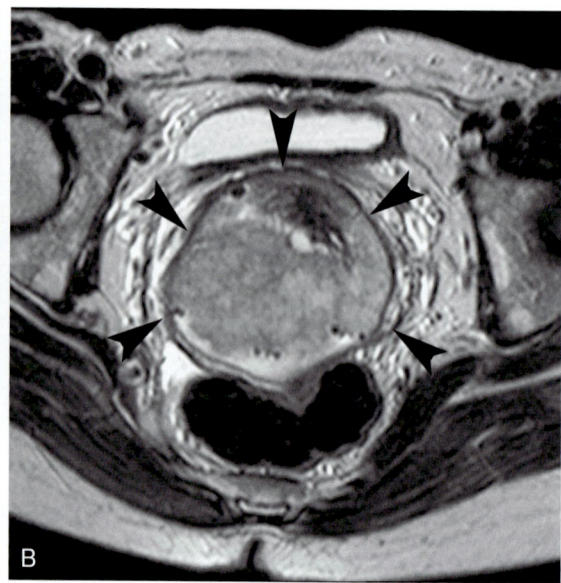

Ⅰ 子宮頸部の腫瘍 tumors of the uterine cervix

図9　43歳　子宮頸癌ⅠB2期（扁平上皮癌）
A：T2強調矢状断像，B：T2強調横断像
T2強調矢状断像で，子宮腟部後唇から後腟円蓋に向かってカリフラワー状に発育する外向型の腫瘤がみられる（A：白→，黒→は腫瘍浸潤から免れた前唇を示す）。腫瘤は腟に向かって下垂するので，T2強調横断像で，高信号の腫瘤は全周を腟の筋層（B▲）に取り囲まれて描出される。病理組織学的にも腟壁，傍組織浸潤はなく，MRI上の腫瘍径（69×65×23 mm）は病理標本上の腫瘍径（75×60×30 mm）とよく一致した。
（文献143より転載）

れが腟全長の上部2/3よりも尾側に至るとⅢA期となる。しかし腟壁浸潤の正診率は72〜87％に留まる[18)19)]。これは腟円蓋に突出した大きな腫瘍により腟壁が伸展され偽陽性を生じるためと，腟粘膜表層に限局した浸潤が少なくなく，MRIの空間分解能を超えていることによる。浸潤が側方で間質を越えて子宮傍組織に至るとⅡB期となる。

　画像的にはT2強調横断像で，癌腫を取り巻く低信号の頸部間質が完全に保たれている（"definitive"）（図7）[19)]か，断裂していても子宮傍組織に露出した腫瘍の輪郭が平滑な場合（"suggestive"）には子宮傍組織浸潤はないと考える（図10）。"definitive" ⅠB期での正診率は高く陰性反応適中率は100％となる[18)19)]が，"suggestive" ⅠB期（full stromal invasion）では50〜70％に顕微鏡的傍組織浸潤がみられ[18)19)]，特に腫瘍径の大きな症例でfull stromal invasionを認めた場合には傍組織浸潤のある確率が高い[39)]。他方，腫瘍から子宮傍組織に向かう線状構造は浸潤を示唆する所見だが，うっ血や浮腫による偽陽性例も少なくない[18)]。傍組織浸潤を評価する際には，子宮頸部に垂直な斜横断像による評価を行うことで正診率を上げることができる[40)41)]。また近年，3T MRI装置が躯幹部にも応用され，種々デメリットはあるものの（第1章参照），信号雑音比で1.5T装置に優ることなどから，これを凌駕する成績が報告されている[42)]。近年，婦人科腫瘍においても診断に汎用されている拡散強調像は，T2強調像に付加（T2強調像と拡散強調像の融合画像を作成）することで正診率が上昇するとされる[43)44)]。長年にわたる報告の蓄積

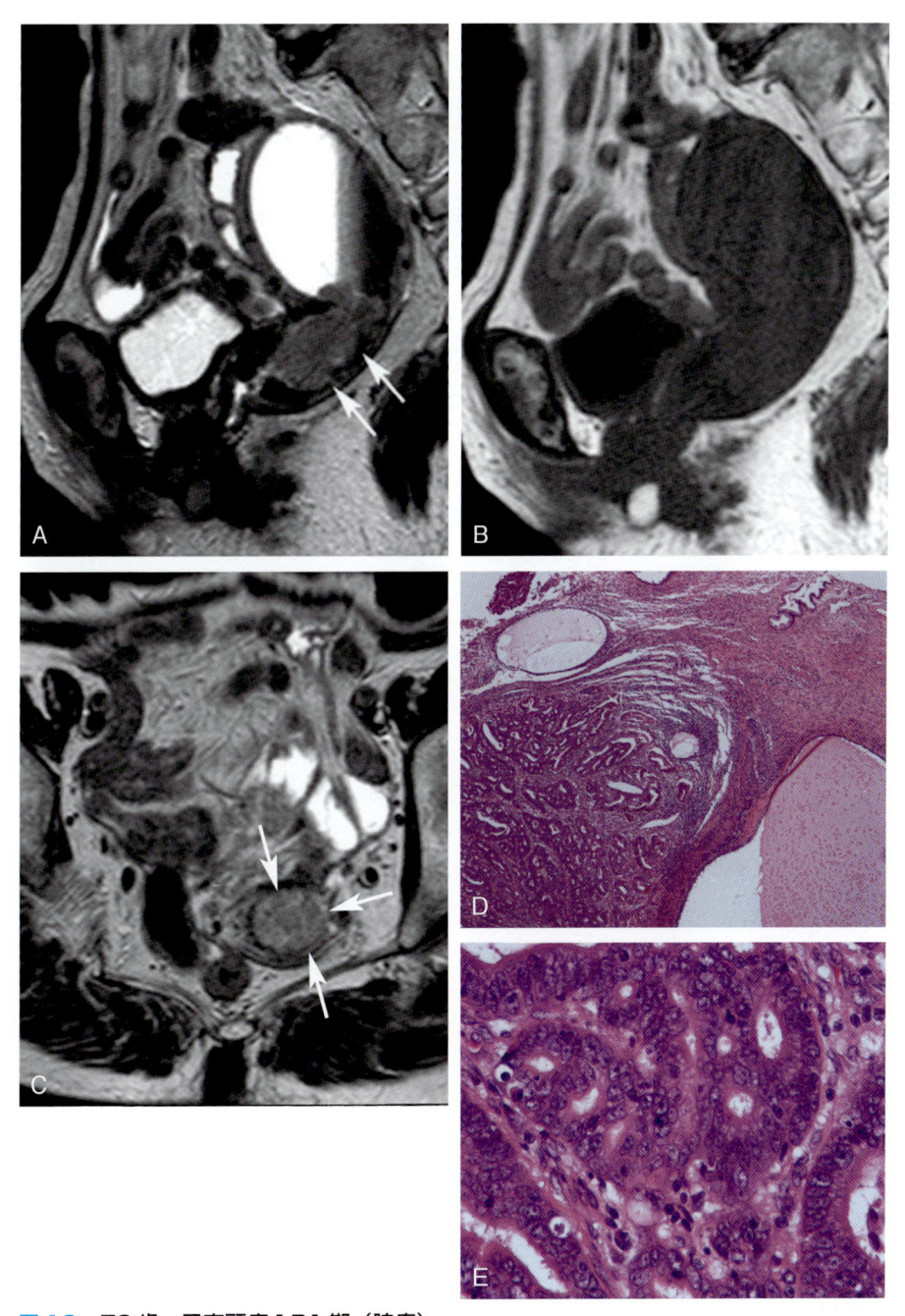

図10 78歳 子宮頸癌ⅠB1期（腺癌）

A：T2強調矢状断像，B：T1強調矢状断像，C：T2強調横断像，D：HE染色（弱拡大），E：HE染色（強拡大）

T2強調像で，頸管に沿って上行する境界明瞭な高信号腫瘍として描出される（A→）。腫瘍浸潤により頸管は閉塞しているので，子宮体部の内膜腔には液面形成を伴った液体貯留（子宮留膿症）の合併がみられる（A, B）。頸管内で腫瘍は間質に深く浸潤しており（C→），左側では傍組織に露出しているが辺縁は平滑で suggestive ⅠB期に相当する所見であり，病理組織学的にも浸潤はなかった。病理組織学的には立方状から高円柱状の腫瘍細胞が大小不整形な腺管を形成しながら篩状に増殖して境界明瞭な腫瘍を形成する（D）が，粘液産生はなく，頸部原発の腺癌と診断された（E）。

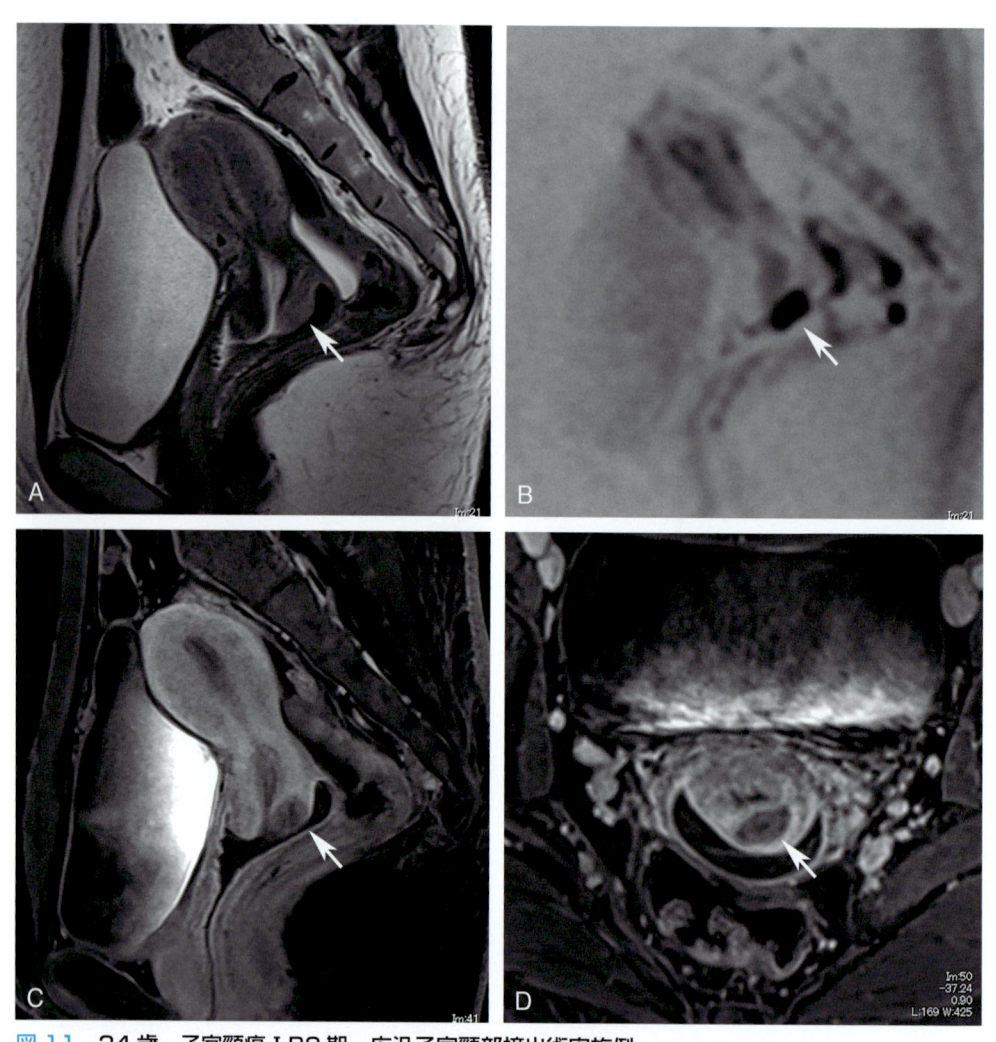

I 子宮頸部の腫瘍 tumors of the uterine cervix

図11　34歳　子宮頸癌ⅠB2期，広汎子宮頸部摘出術実施例
A：T2強調矢状断像，B：拡散強調矢状断像，C：造影脂肪抑制T1強調矢状断像，D：造影脂肪抑制T1強調横断像
子宮腟部後唇に限局した長径17 mmの腫瘤はT2強調像（A）では不明瞭だが，拡散強調像（B），造影脂肪抑制T1強調像（C，D）では増強不良域（→）として明瞭に描出されている。内子宮口からの距離も20 mmと広汎子宮頸部摘出術を行うに十分で，同手術が実施された。術後約2年，再発は認めていない。

であるため，種々の装置，撮像法の混在したメタアナリシスではあるが，MRIによる傍組織浸潤の正診率は統合感度が71〜76％，統合特異度が91〜94％とされている[35)45)]。実際の臨床現場では，個々の腫瘍の特性を見極めた診断が求められる。境界明瞭な圧排性発育を示す腫瘍ではfull stromal invasionであっても傍組織浸潤は陰性とする（図10）反面，浸潤性に発育する症例では，頸部間質の低信号が保たれていても頸部全層に浸透し傍組織に至る症例（図15）もあり，このような例ではわずかに肥厚した仙骨子宮靱帯や基靱帯を浸潤陽性と考える必要がある。
　子宮傍組織浸潤が骨盤壁に至ると，ⅢB期となる。本邦の『子宮頸癌取扱い規約 臨床編 第4版』では「内外腸骨血管の内側のラインに達する場合や腫瘍と骨盤壁の間に多数の索状構造が認めら

2. 子宮頸癌の画像所見

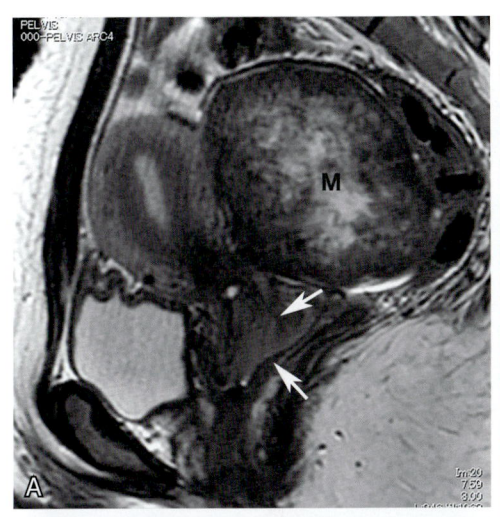

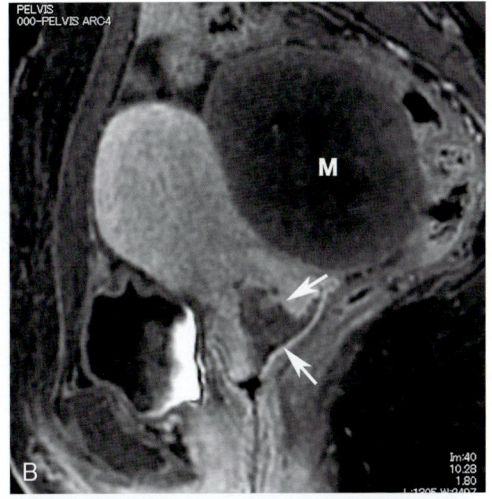

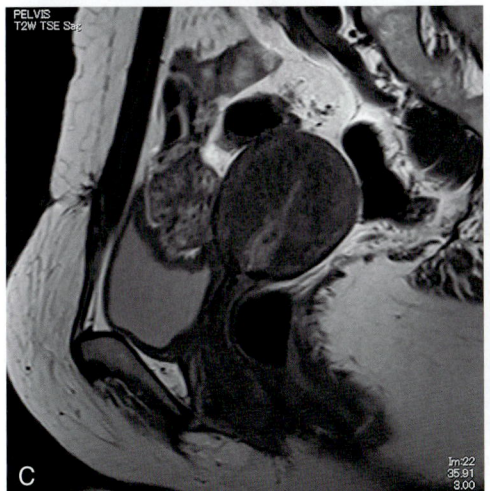

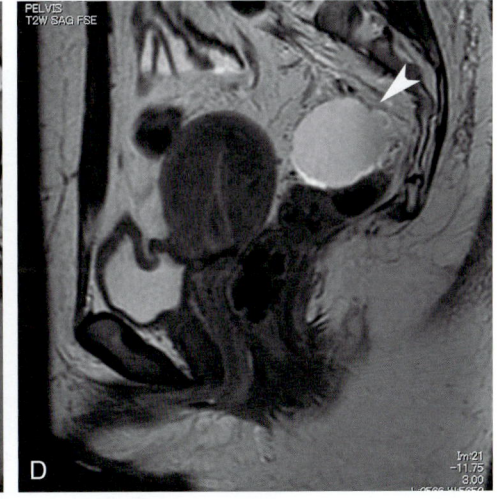

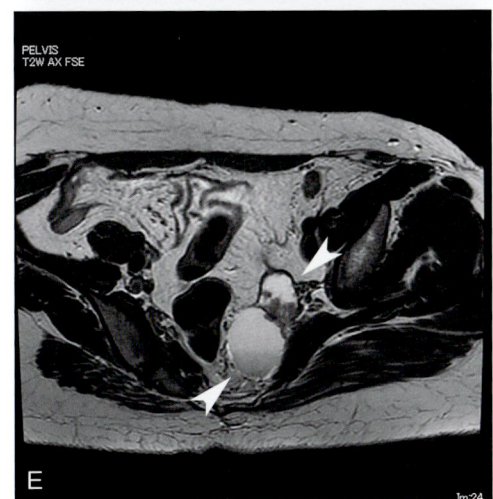

図12　32歳　子宮頸癌ⅢC1期，広汎子宮頸部摘出術後再発例

A：T2強調矢状断像（術前），B：造影脂肪抑制T1強調矢状断像（術前），C：T2強調矢状断像（術後9カ月），D：T2強調矢状断像（術後16カ月），E：T2強調横断像（術後16カ月）

外子宮口付近にT2強調像（A）で高信号，造影脂肪抑制T1強調像（B）で増強効果の不良な腫瘤を認めた（A，B→）。腫瘤径29 mm，内子宮口から腫瘤上縁まで数mmしかなく，広汎子宮頸部摘出術の適応外と考えられたが，本人の強い希望のため本手術を施行したところ，予期せぬリンパ節転移が病理組織学的に確認された。9カ月後（C），16カ月後（D）のMRIで局所再発は認めなかったが，16カ月後に内腸骨リンパ節転移（D，E▲）を生じた。M（A，B）は漿膜下筋腫で，同時に核出された。

229

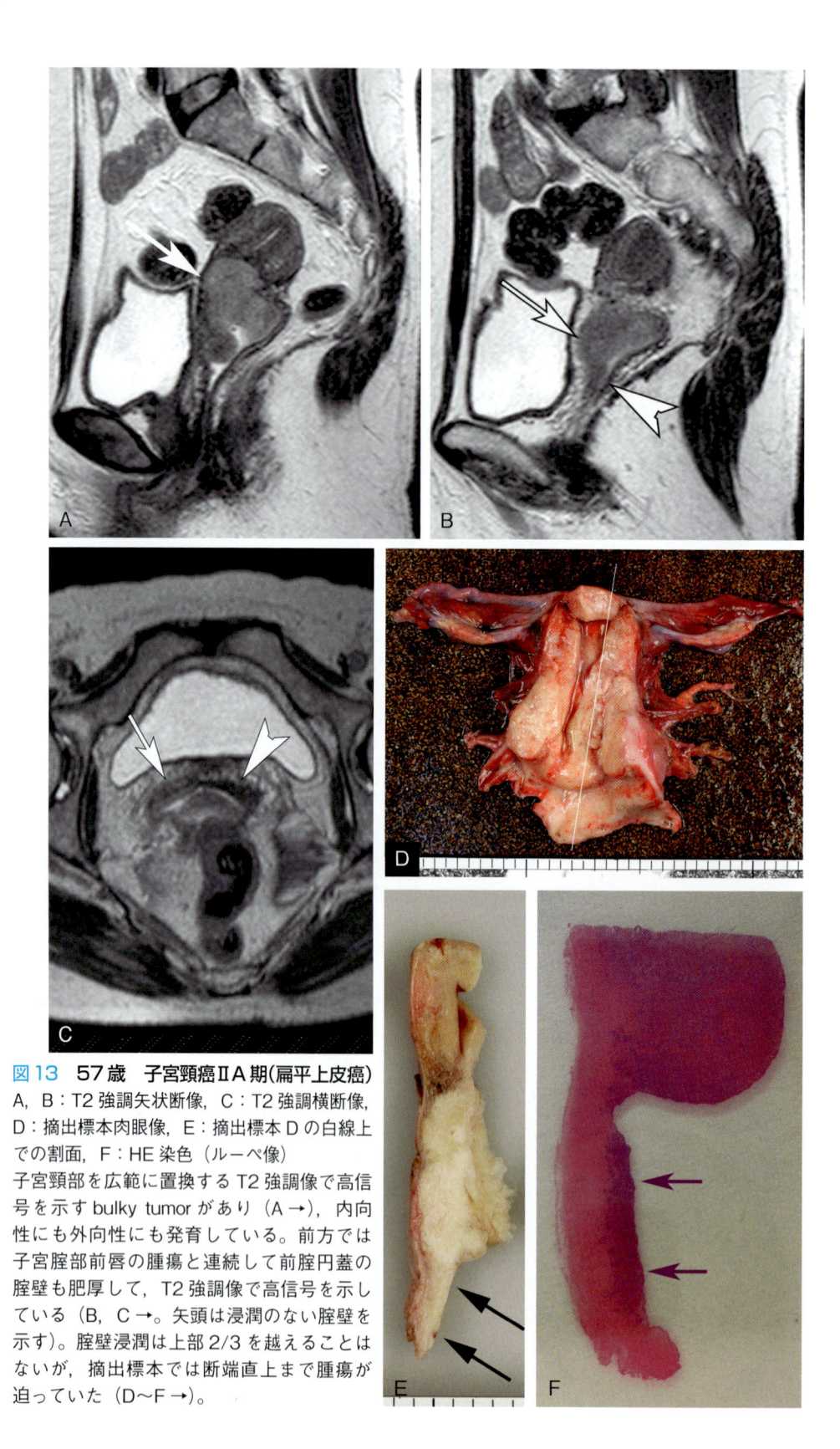

I 子宮頸部の腫瘍 tumors of the uterine cervix

図13　57歳　子宮頸癌ⅡA期（扁平上皮癌）
A，B：T2強調矢状断像，C：T2強調横断像，D：摘出標本肉眼像，E：摘出標本Dの白線上での割面，F：HE染色（ルーペ像）
子宮頸部を広範に置換するT2強調像で高信号を示すbulky tumorがあり（A→），内向性にも外向性にも発育している。前方では子宮腟部前唇の腫瘍と連続して前腟円蓋の腟壁も肥厚して，T2強調像で高信号を示している（B，C→。矢頭は浸潤のない腟壁を示す）。腟壁浸潤は上部2/3を越えることはないが，摘出標本では断端直上まで腫瘍が迫っていた（D～F→）。

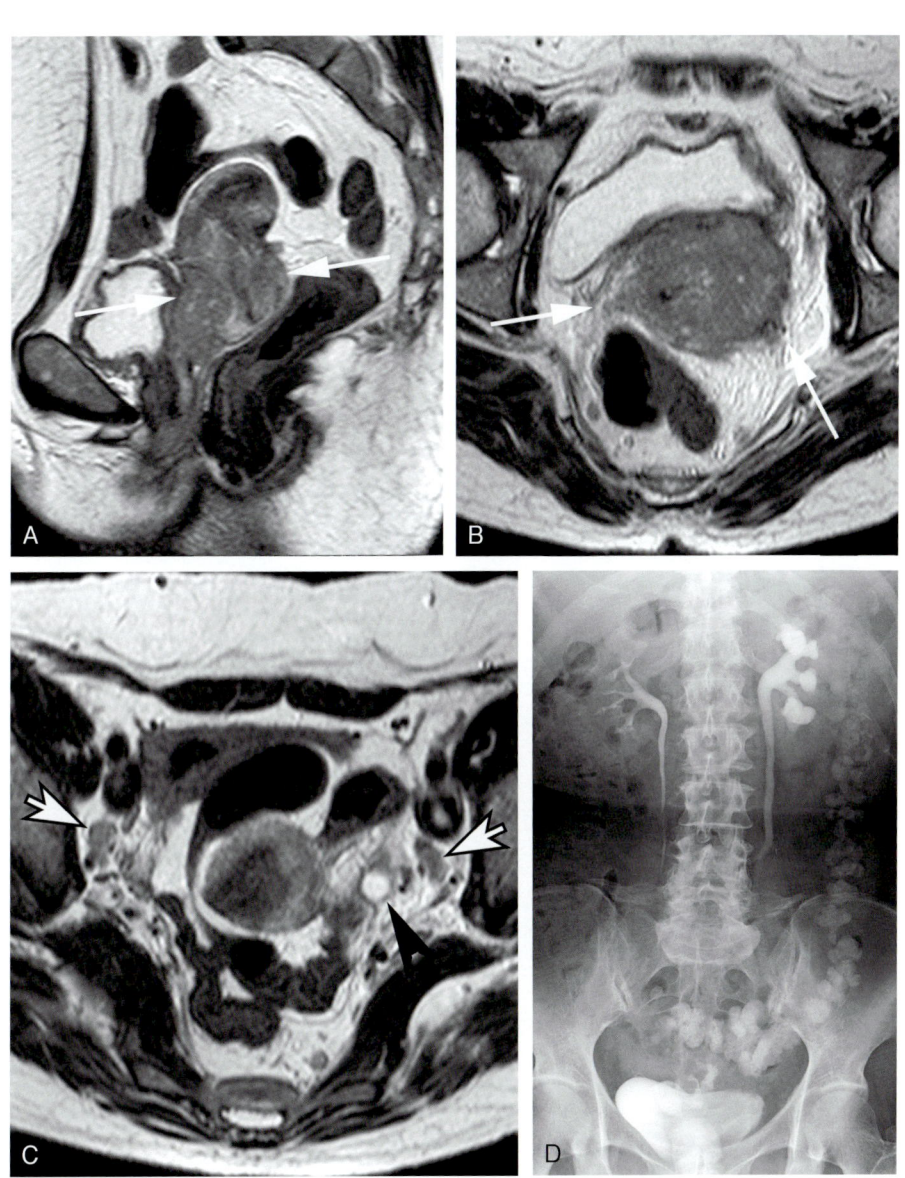

図14 49歳 子宮頸癌局所ⅢB期相当（扁平上皮癌）
A：T2強調矢状断像，B，C：T2強調横断像，D：排泄性尿路造影
子宮頸部を置換するT2強調像で高信号を示す腫瘍（A→）は両側で子宮傍組織に（B→），左側では尿管にも浸潤し，上部尿管の拡張を伴っている（C▲）。本例では腎機能が保たれているので，排泄性尿路造影（D）でも拡張した左の腎盂，尿管が明瞭に描出されている。本例では両側閉鎖節転移を伴っており（C→），病期はⅢC1r期となる。
（文献144より転載）

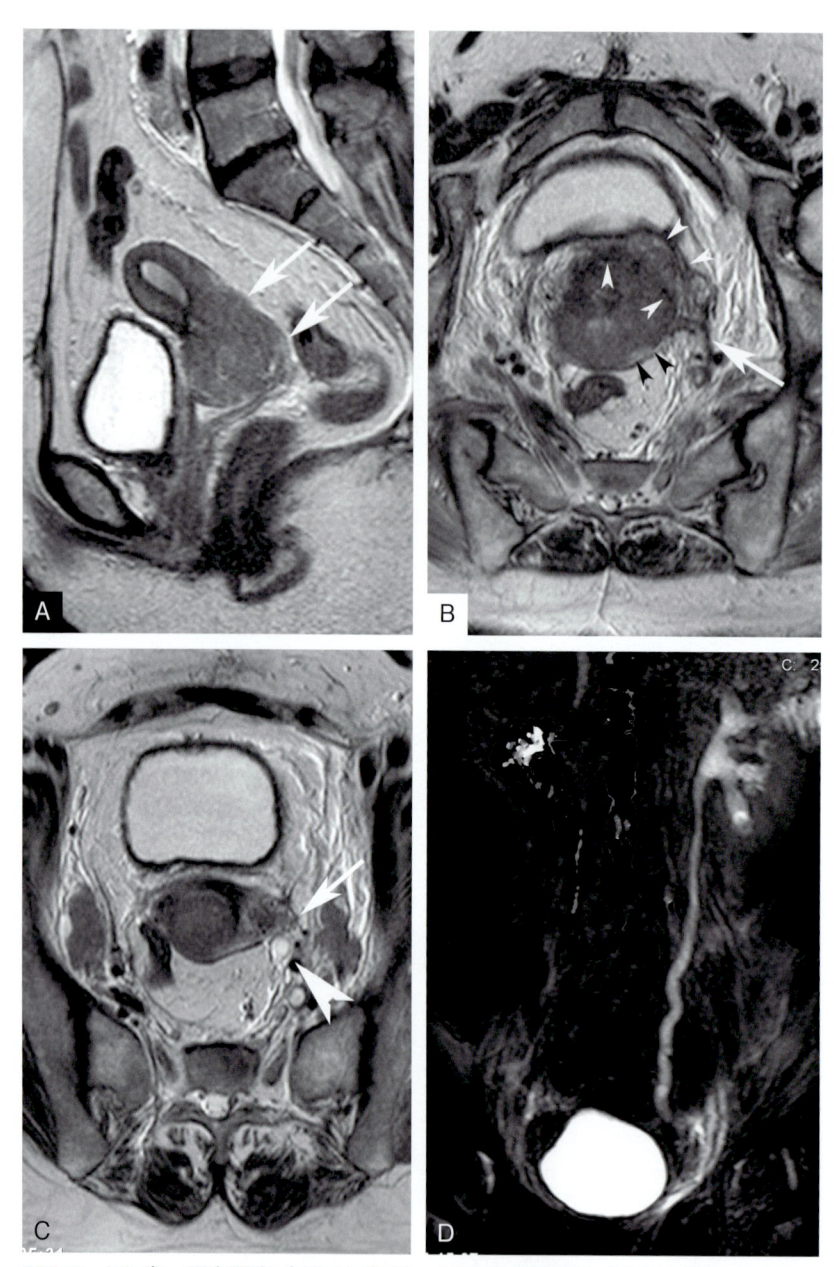

Ⅰ 子宮頸部の腫瘍 tumors of the uterine cervix

図15 53歳 子宮頸癌（扁平上皮癌），局所ⅢB期相当（ⅢC1r期）
A：T2強調矢状断像，B：T2強調横断像，C：T2強調横断像，D：MR urography
子宮頸部を置換するT2強調像で高信号を示す腫瘍（A →）がある。腫瘍を取り囲む頸部間質は右後壁で断裂し（B 黒▲）傍組織へ浸潤している。前壁では断続的に保たれてはいるものの，これに浸透して乗り越えるように子宮傍組織に浸潤し（B 白▲），わずかに肥厚した基靱帯（B →）は内腸骨動静脈近傍まで達する。このため左側では尿管に浸潤し（C →），上部尿管の拡張を伴っている（C▲）。MR urography（D）でも拡張した左の腎盂，尿管が明瞭に描出されている。極めて浸潤傾向の強い腫瘍の好例である。

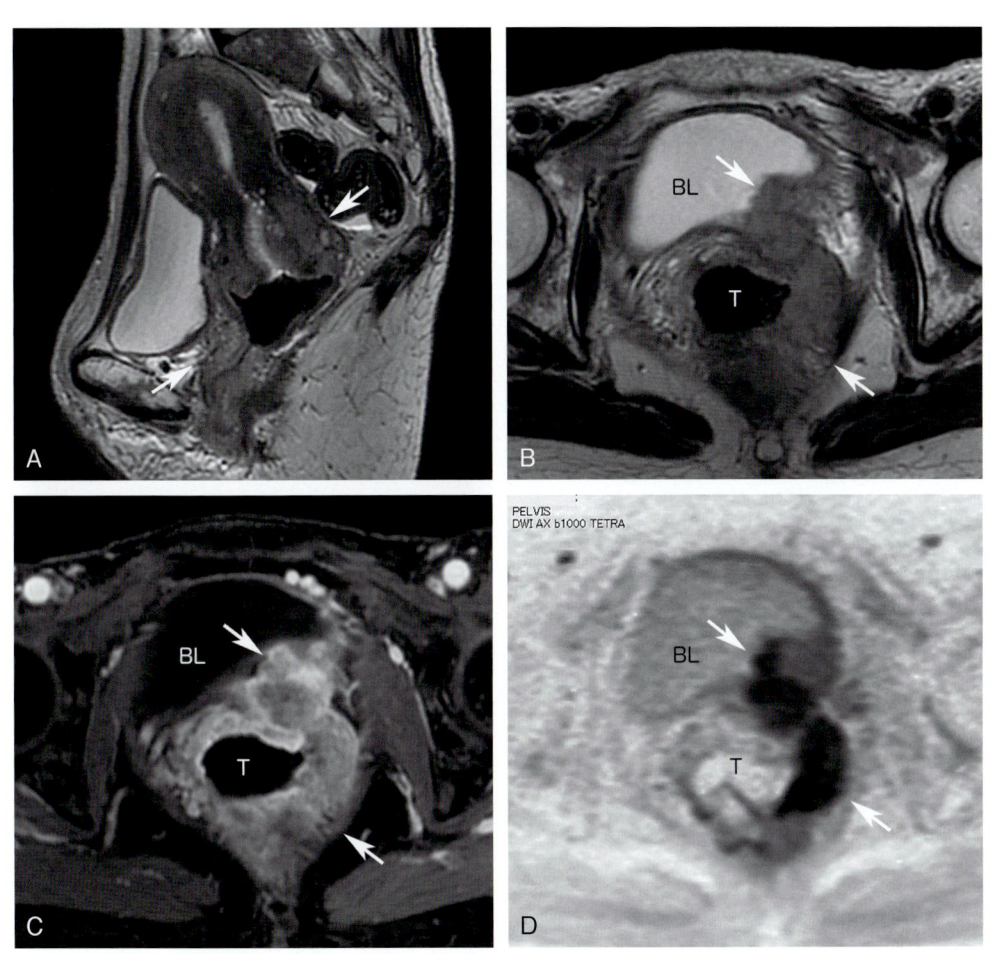

図16 47歳　子宮頸癌（扁平上皮癌），ⅣA期（膀胱粘膜浸潤）
A：T2強調矢状断像，B：T2強調横断像，C：造影脂肪抑制T1強調横断像，D：拡散強調横断像
T2強調像（A）で子宮頸部を置換する腫瘍は右傍組織に浸潤しながら腟壁（B〜D，Tはタンポンにより拡張した腟腔）に沿って下降し，膀胱（B〜D，BL）左後壁の筋層を越えて，粘膜面に露出している（B〜D→）。

れる場合」骨盤壁浸潤があると判断すると記載されている[8]ものの，FIGOの規約には明示されておらず，この「骨盤壁」の定義がしばしば問題となる。字義通りとれば骨性の骨盤壁やこれを裏打ちする梨状筋や内閉鎖筋ということになるが，今日，そのような進行癌を目にすることはほとんどない。本邦ではⅡB期までを手術適応としている施設の多い現状に鑑みると，広汎子宮全摘術で「断端陽性」にならずに腫瘍を取りきれる程度の浸潤がⅡB期の目安となると考えられる。広汎子宮全摘術では基靱帯，広間膜を十分に「骨盤壁」寄りで切離することから，これらの間膜構造の付着部である内外腸骨動脈領域に浸潤が達した時点で，ⅢB期と考えるのが妥当である。また，子宮傍組織浸潤に尿管が巻き込まれ，水腎症をきたした場合にもⅢB期となる（図14）。MRIではCTと異なり，腎が撮像範囲に含まれないことが多いので，浸潤部より頭側で拡張した尿管を見落とさないようにすることが肝要である。この尿管浸潤に関してはMR urography（MRU）も有用である。本法は極めて長い繰り返し時間・エコー時間を用いてT2値の長い水分

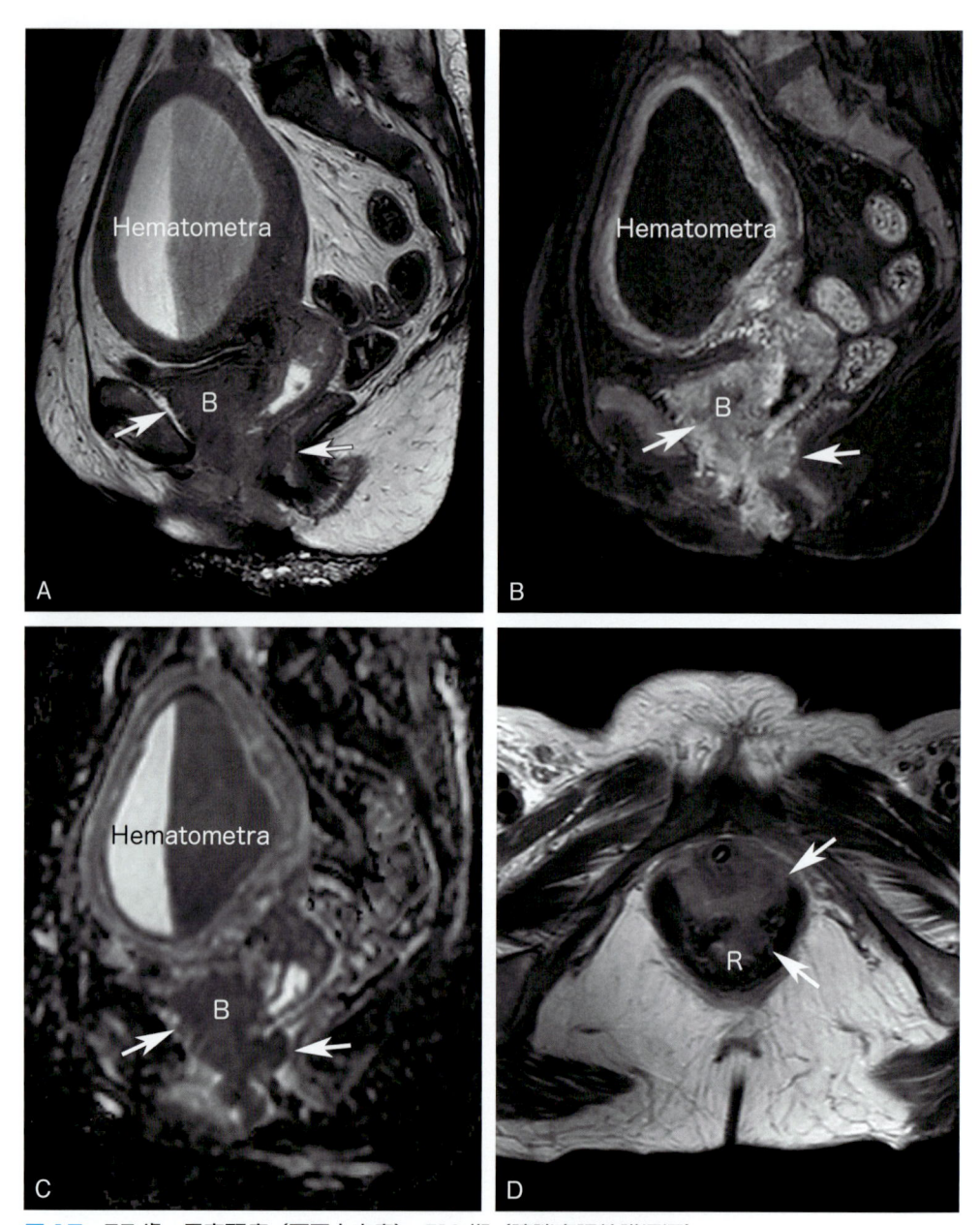

Ⅰ 子宮頸部の腫瘍 tumors of the uterine cervix

図17　55歳　子宮頸癌（扁平上皮癌），ⅣA期（膀胱直腸粘膜浸潤）
A：T2強調矢状断像，B：造影脂肪抑制T1強調矢状断像，C：ADC map，D：T2強調横断像
子宮頸部を置換する大きな腫瘍（A〜D→）により膀胱（A〜C，"B"）および直腸（D，"R"）前壁の粘膜が断裂している。腫瘍による内子宮口閉鎖のため，内膜腔には血液が貯留して，体部が腫大している（A〜C，Hematometra）。

のみを強調した撮像法[46)47)]で，膵胆道系のMR cholangiopancreatography（MRCP）や中枢神経系のMR cisternographyと同様にMR hydrographyに属する。本法の利点は拡張した尿管の描出が上流の腎機能に左右されない点にある。水腎症により腎後性腎不全をきたしているような進行例では，排泄性尿路造影（intravenous urography：IVU）では尿管が描出されないことが多く，

閉塞点の同定に本法が非常に有用である（図 15）．

　子宮の前方には膀胱，後方には直腸が存在するので，子宮傍組織浸潤が前後方向に激しくなると浸潤がこれらの臓器に達しⅣA 期となる．ただしこれは浸潤が粘膜に達した場合に限られており，注意が必要である．MRI では膀胱の筋層が T2 強調像で低信号を呈するので，これが高信号の腫瘍により完全に断裂し，不整な結節状になっている場合や明らかに腫瘍が膀胱内腔に突出する場合にはⅣA 期を疑い（図 16）[16]，正診率は 99％に至るとされる[48]が，腫瘍の粘膜下浸潤による水疱性浮腫や血管拡張のみでも筋層全層が高信号化するので over diagnosis になりやすく，筆者の実感では正診率はさほど高くない．したがって，MRI で膀胱粘膜浸潤が疑われた場合には膀胱鏡による精査を勧めるのが現実的対応であろう．

　一方，直腸と子宮の間には Denonvillier's fascia とよばれる強固な結合組織が存在し，膀胱に比べ直腸浸潤はきたしにくい．しかしこれを乗り越えて直腸，さらに S 状結腸に浸潤する例が時にみられる（図 17）．MRI では腫瘍と接する直腸壁が腫瘍により肥厚している場合には浸潤を疑うが，膀胱浸潤同様，粘膜に至るか否かの判断は難しいことも多く直腸鏡による確認が必要である．

　子宮頸癌はリンパ節転移頻度の高い腫瘍であり，ⅠB 期症例の 14～36％に骨盤内リンパ節，約 2％に傍大動脈リンパ節転移があるとされる[10,49,50]．昨今，主として健診目的に拡散強調像を中心とする全身 MRI も行われるようになっているが，十分な診断能を担保するため，骨盤内悪性腫瘍に対する MRI の撮像範囲は原則的に骨盤底部に限られる．この撮像範囲だと子宮頸癌の一次リンパ節である基靱帯節や閉鎖節・外腸骨節はスキャン範囲に含まれるが，総腸骨節や傍大動脈節がスキャン範囲外となることから，本邦ではリンパ節転移の評価には CT を併用するのが一般的である．したがって動静脈とリンパ節を区別するため，CT では経静脈性造影剤の投与が必須となる．過剰な放射線被曝を招かないよう症例を吟味する必要はあるが，予後不良な組織型や MRI でリンパ節転移の多発するもの，局所進行例では積極的に胸腹部の同時スキャンを考慮すべきである（図 18）．

　CT，MRI ともリンパ節転移の有無の判断基準は主として大きさであり，『子宮頸癌取扱い規約 臨床編 第 4 版』では「短径 10 mm 以上の腫大をもって転移と判断する」と明記されている．しかしその基準については種々のクライテリアが提唱されている[51-55]ものの，いずれも満足すべき結果は得られていない（表 4）[56]．実際にはこれより小さなものも原発巣の大きさや腫大リンパ節の集簇の度合いなどを加味して個別に判定されているのが現状であろう．前掲のメタアナリシスでは拡散強調像の正診率が高くなっているが，ADC 値を実測してカットオフ値を設けた検討が多く[57-59]，臨床現場で各リンパ節の ADC 値を逐一求めることは現実的でなく，拡散強調像の視覚的評価で転移と非転移リンパ節を評価することは難しい（図 19）．PET/CT は CT 単体や MRI よりも正診率が高い傾向にあり[56,60,61]，『子宮頸癌取扱い規約 臨床編 第 4 版』[8]においても『画像診断ガイドライン 2021 年版』[62]においても，進行例ではその活用が推奨されている（図 20）．

　ひとたび傍大動脈リンパ節に転移が起こると，乳び槽から胸管を経て大循環系への病巣の拡大，すなわち血行性転移のリスクが増す（図 21）．また鎖骨上窩リンパ節から逆行性に縦隔・肺門リンパ節へと転移し，時に癌性リンパ管症を発症する[63]．本症では肺門リンパ節から連続的に気

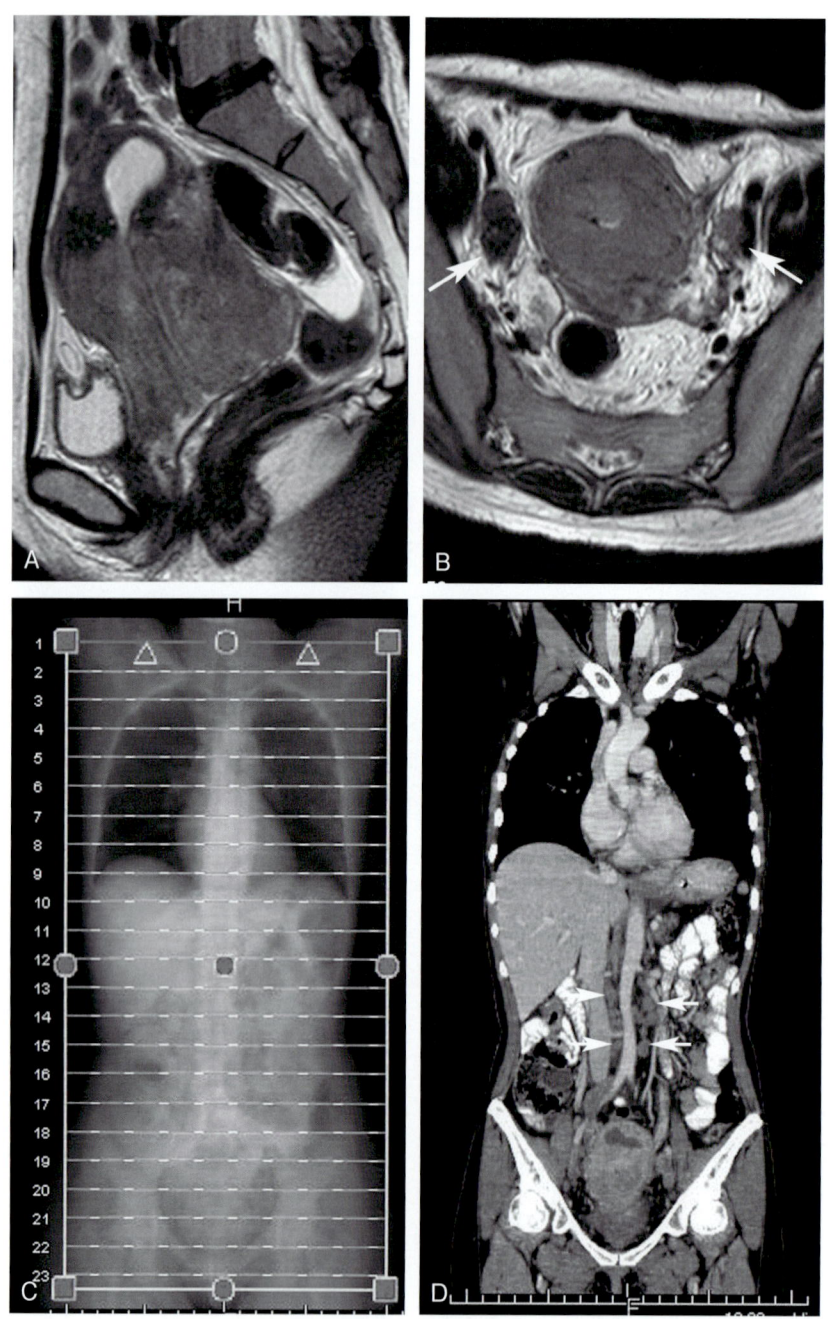

図18 42歳 子宮頸癌（扁平上皮癌），鎖骨上窩リンパ節転移（ⅣB期）
A：T2強調矢状断像，B：T2強調横断像，C：scout viewに投影されたスキャン範囲，
D：造影CT冠状断MPR像
子宮頸部にはT2強調像で高信号を示す巨大な腫瘍があり，両側閉鎖節（B→）をはじめ多数の骨盤内リンパ節腫大がみられる。このような進行癌に対してはCのように鎖骨上窩から骨盤底までを造影CTで一挙に検査することにより，閉鎖節（E→），総腸骨節（F→），傍大動脈節（D，G→），横隔膜脚後節（H→），鎖骨上窩節転移（I→）を同時に評価可能である。本例では鎖骨上窩リンパ節に近接する静脈角から腫瘍は大循環系に入り，すでに肺転移（J→）を生じている。

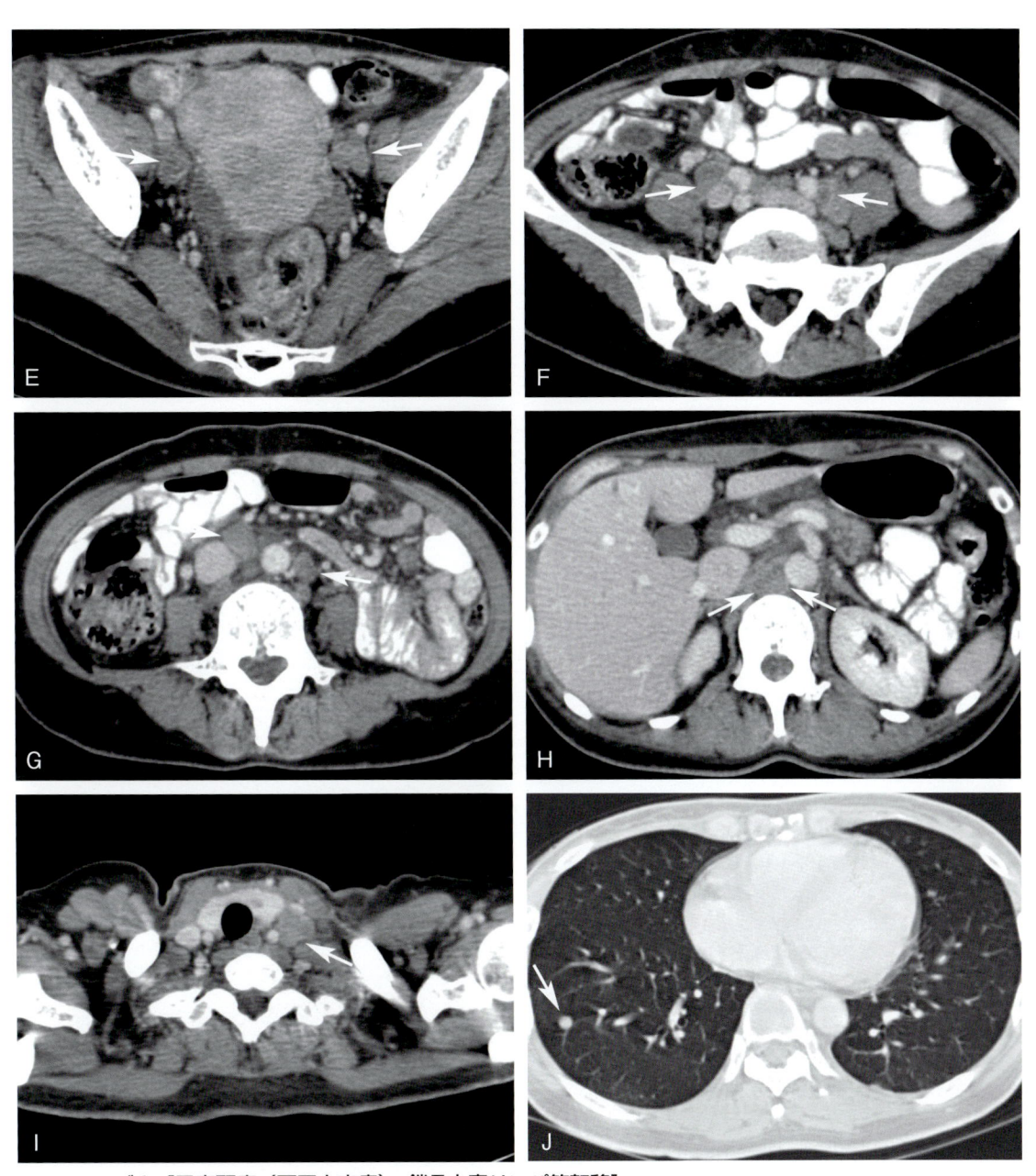

図 18 つづき ［子宮頸癌（扁平上皮癌），鎖骨上窩リンパ節転移］
E〜J：造影 CT

　管支血管束周囲のリンパ組織に癌浸潤が起こった結果，気管支血管束が拡大し，肺の間質にリンパ浮腫を生じて肺実質濃度の上昇や小葉間隔壁の肥厚をきたす（図 22）。この末梢気管支血管束や小葉間隔壁の肥厚にはしばしば癌腫による結節形成を伴い，特徴的な画像を呈する[64]。
　血行性転移は進行例では肺，肝，骨，脳などどこにでも生じうるが，肝・肺に関してはステージングのために造影 CT が行ってあれば，境界明瞭・辺縁平滑な多発結節として容易に発見でき

表4 子宮頸癌のリンパ節転移：CT vs PET/CT vs MRI（メタアナリシス）

	Studies, n	Sensitivity (95%CI)	Specificity (95%CI)	AUC area (95%CI)
CT	22	0.57（0.44-0.69）	0.91（0.88-0.94）	0.89（0.86-0.92）
PET or PET/CT	46	0.66（0.56-0.75）	0.97（0.95-0.98）	0.94（0.92-0.96）
MRI	42	0.54（0.46-0.61）	0.93（0.91-0.95）	0.85（0.81-0.87）
DWI-MRI (Mean ADC)	7	0.87（0.82-0.91）	0.83（0.78-0.88）	0.92（0.89-0.94）

（文献56より改変引用）

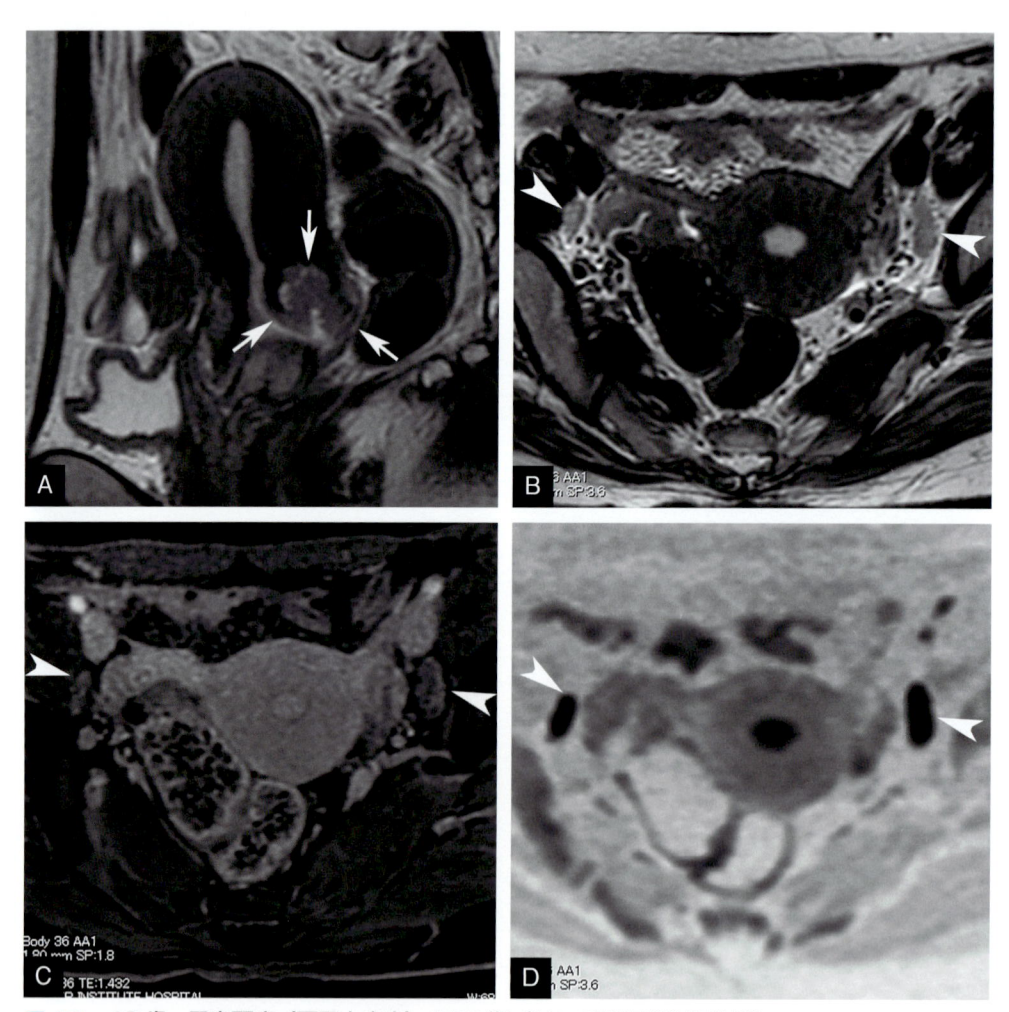

図19 42歳 子宮頸癌（扁平上皮癌）ⅠB2期（リンパ節転移偽陽性例）
A：T2強調矢状断像，B：T2強調横断像，C：造影脂肪抑制T1強調横断像，D：拡散強調横断像
子宮頸部後唇にT2強調像で高信号を示す巨大な腫瘍があり（A→），両側閉鎖節腫大（B～D▲）がみられる。右は短径9 mm，左は14 mmで，壊死を疑わせる増強不良域があり（C），ADC値も低い（右：0.95，左：0.74×10^{-3} mm^2/s）が，病理組織学的に転移はなかった。

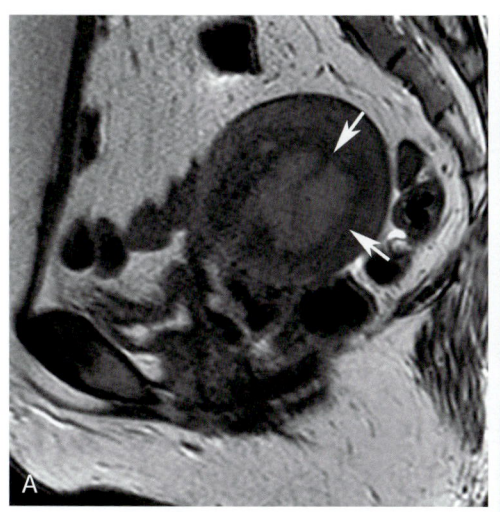

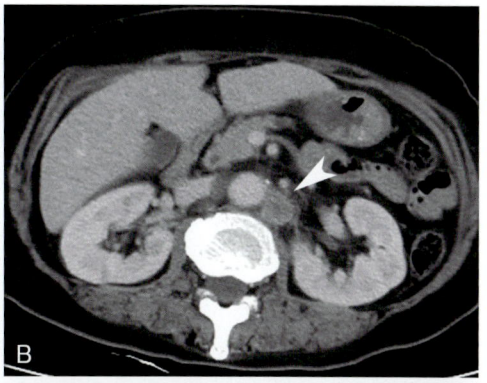

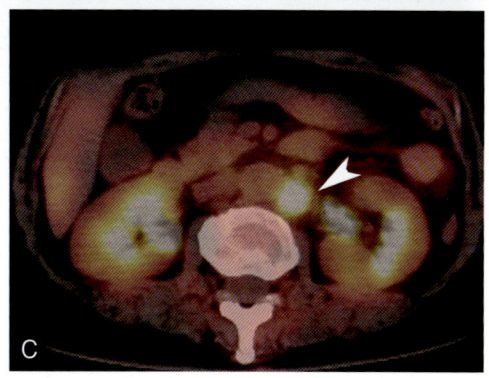

2. 子宮頸癌の画像所見

図20 61歳 傍大動脈リンパ節転移 PET/CT 施行例(子宮内膜癌症例)
A:T2強調矢状断像,B:造影CT,C:PET/CT
子宮体部後壁に内向性に進展するT2強調像で高信号を示す腫瘍があり(A→),傍大動脈リンパ節腫大(B▲)がみられる。PET/CTではFDGの強い集積があり(C▲),病理組織学的にも転移を認めた。

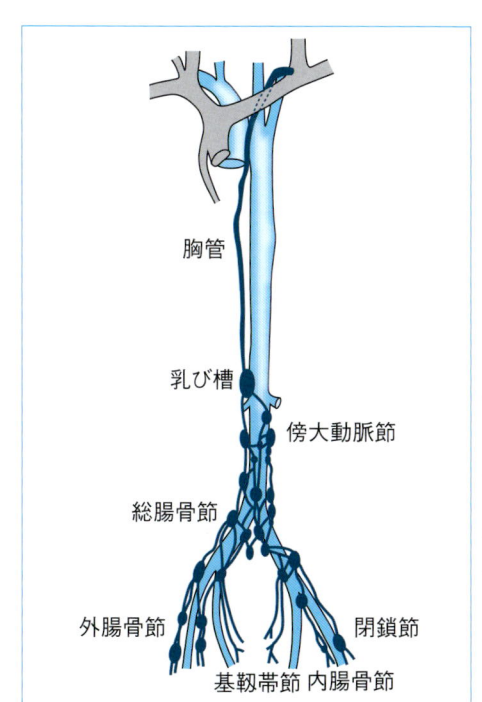

図21 子宮頸癌のリンパ節転移経路
子宮頸癌の一次リンパ節は原発巣に近接する基靱帯節,閉鎖節,外腸骨節である。これら一次リンパ節からリンパ流に沿って,外腸骨,傍大動脈節へと転移が進行するが,骨盤内臓器からのリンパ流は原則的に腎茎部レベルで乳び槽に流入し,ここから胸管を上行して静脈角で大循環系へと流入する。したがって腎茎部の傍大動脈リンパ節への転移がみられた場合,血行性転移を考慮する必要がある。

239

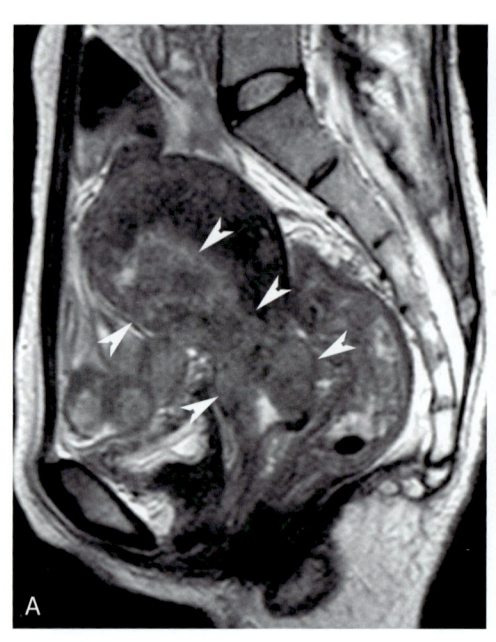

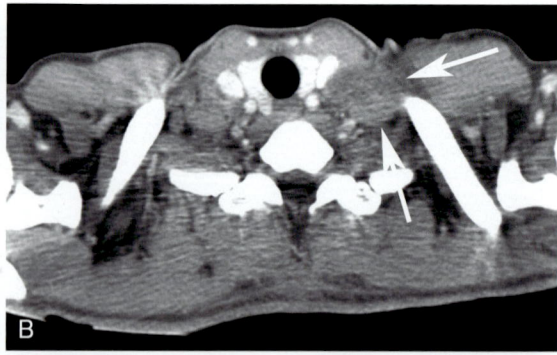

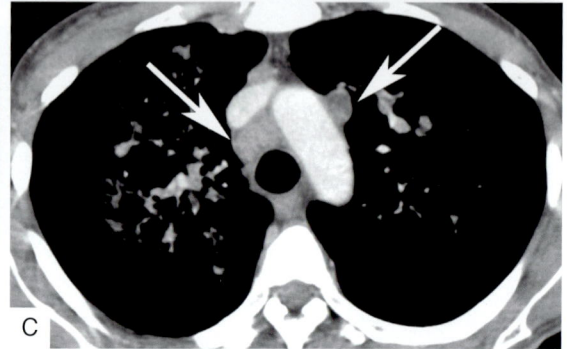

Ⅰ 子宮頸部の腫瘍 tumors of the uterine cervix

図22　49歳　子宮頸癌ⅣB期（扁平上皮癌，癌性リンパ管症）
A：T2強調矢状断像，B，C：造影CT，D：肺HRCT
原発巣は頸部から体部に浸潤する大きな腫瘤（A ▲）で，傍大動脈節を経て鎖骨上窩に至ったリンパ節転移（B →）は，逆行性に縦隔，肺門に至り，気管支血管束に沿って末梢肺に進展し（C，D →），小葉中心性に分布する小結節やびまん性のすりガラス状の濃度上昇をきたしている。典型的な癌性リンパ管症の所見である（D）。

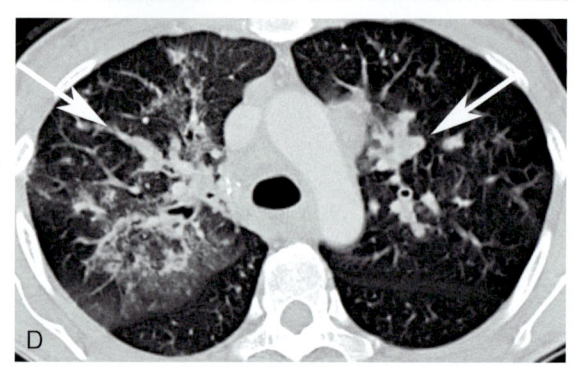

る（図23）。しかし結節が肺内単発の場合は形態的にも肺原発の扁平上皮癌との鑑別に苦慮することが少なくない（図24）。骨転移は全身性の血行性転移の一環としてみられる場合と骨盤底の静脈叢と傍脊椎静脈叢（Batson's venous plexus）との吻合を介し原発巣近傍に生じるものとがある[65]。後者では肺転移は必発ではないが，頻度的には肺転移を併発する例が多い[66]。好発部位は脊椎で，局所進展の評価のために撮像したMRIで仙骨や腰椎に骨転移が描出されていることがまれではない。ほかの固形腫瘍の骨転移と同様，好発部位は椎弓根である。多くの担癌患者では加齢に伴いすでに脊椎や骨盤骨の骨髄は脂肪髄に置換されてT1強調像で高信号となっていることが多いので，転移巣は骨髄内に低信号域として描出される（図25）。子宮頸癌の骨転移は溶骨性であることが多く，脊椎では骨外腫瘍の形成により脊柱管を狭窄させ脊髄を圧迫する。またCTやMRI，単純X線写真では撮像範囲・照射野が限られるため，骨転移を発見した場合には全身骨の検索のため骨シンチグラムを行うべきである[67]（p27参照）。肝転移[68]，脳転移[69]の

2. 子宮頸癌の画像所見

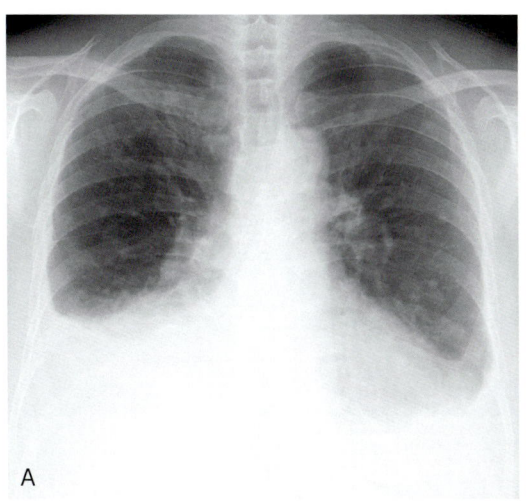

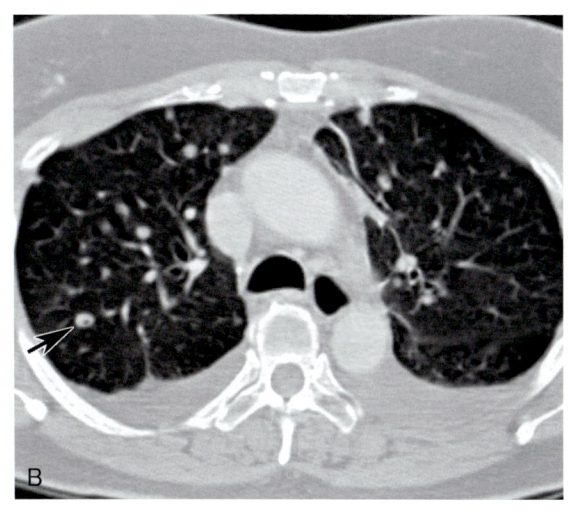

図23 55歳 子宮頸癌（術後多発血行性肺転移）
胸部単純X線写真(A)上，多量の両側胸水に加え両肺に境界明瞭，辺縁平滑な結節影が多発し，肺転移が疑われる。CT（B）では両肺にランダムに分布する円型の小結節を多数認め，一部は中心壊死を伴い，さらに壊死物質が経気道的に排泄されたために空洞形成（B→）を伴う。扁平上皮癌の病理組織学的特徴をよく表している。

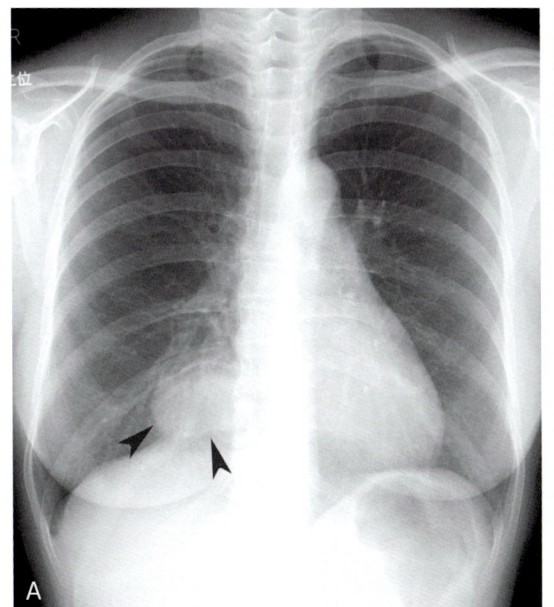

図24 51歳 子宮頸癌（術後単発血行性肺転移）
A：胸部単純X線写真，B：造影CT縦隔条件，C：肺HRCT
4年前，子宮頸癌ⅡB期に対し広汎子宮全摘術後。経過観察中の胸部単純X線写真で右下肺内側に大きな腫瘤（A▲）が出現した。造影CT上，右中下葉にまたがる分葉状の腫瘤で，増強効果の不良な壊死と考えられる領域を含み（B，C→），肺原発の扁平上皮癌との鑑別が問題となったが，摘除後，手術標本にて原発巣との病理組織学的類似性から子宮頸癌の転移と診断された。

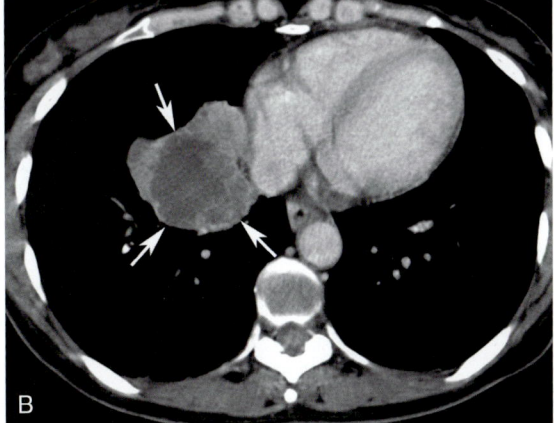

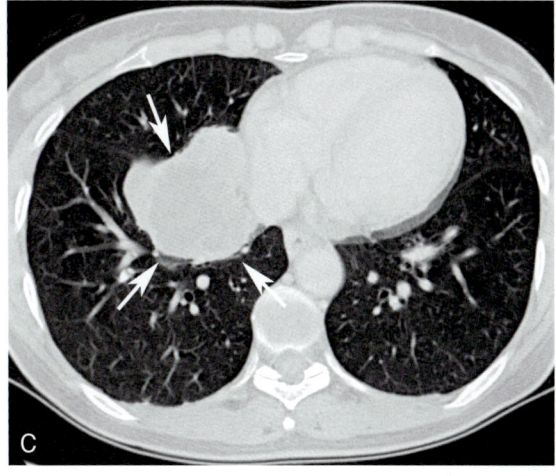

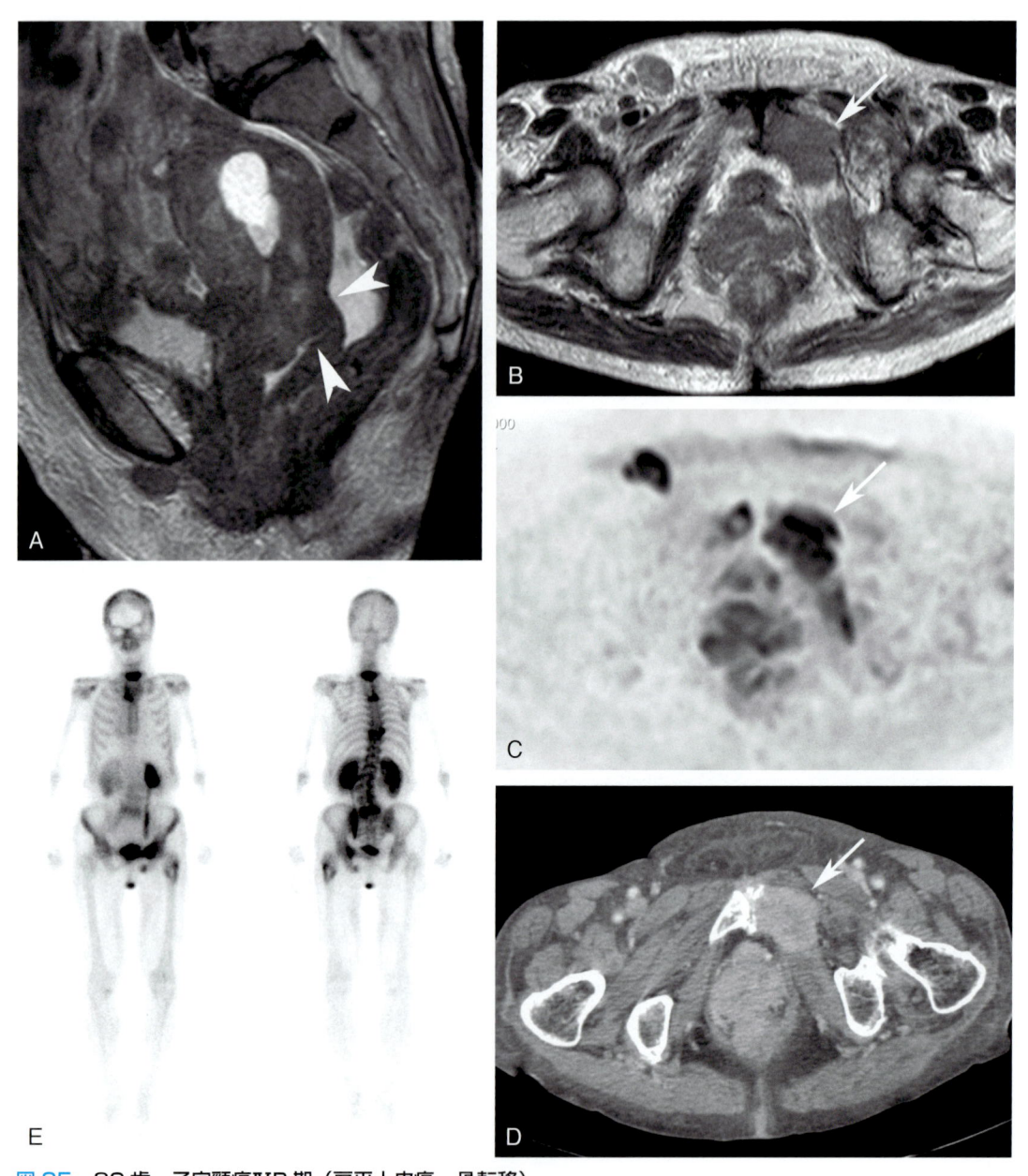

I 子宮頸部の腫瘍 tumors of the uterine cervix

図25　82歳　子宮頸癌ⅣB期（扁平上皮癌，骨転移）

A：T2強調矢状断像，B：T2強調横断像，C：拡散強調横断像，D：造影CT，E：骨シンチグラム

原発巣はT2強調矢状断像で信号強度が低く健常部との境界のわかりにくい腫瘤（A▲）である。T2強調横断像で恥骨結合左側に原発巣と等信号の腫瘤を認め（B→），拡散強調像でも著明な拡散制限を示している（C→）。造影CTでは骨を破壊してこれを置換するように発育する，よく増強される軟部腫瘤が認められる（D→）。骨シンチグラムでは恥骨の病変は膀胱と重なってわかりにくいが，ほかに左大腿骨頸部や左坐骨にも転移を示唆する集積がある（E）。

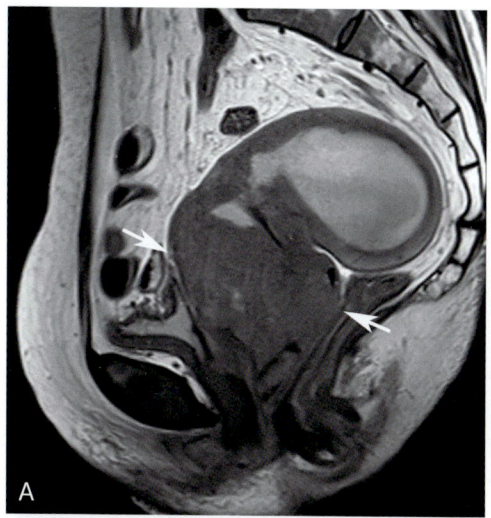

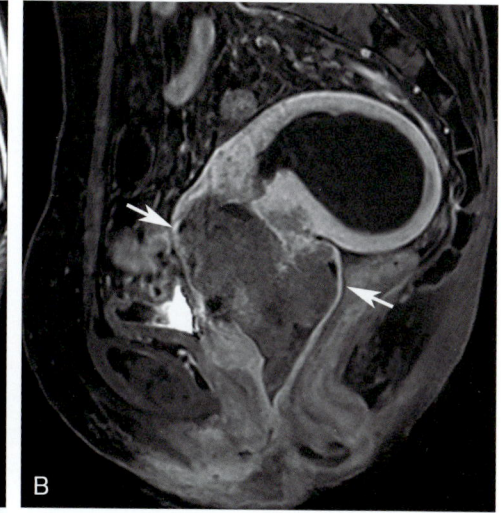

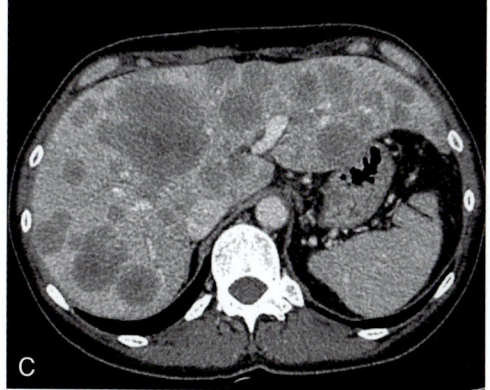

図26 58歳 子宮頸癌ⅣB期(小細胞神経内分泌癌,肝転移)
A:T2強調矢状断像,B:造影脂肪抑制T1強調矢状断像,C:造影CT
腫瘍による内子宮口閉鎖に伴う子宮留膿症を伴う進行子宮頸癌(A,B→)。腫瘍径が大きいにもかかわらず,壊死を伴わず,均一な腫瘤を形成しており,扁平上皮癌とは性状が異なる。初発時から肝内に造影CT(C)で多数の低吸収結節が描出されている。

頻度は低く,あれば予後不良とされる。また肝転移はほぼ例外なく局所制御不良例にみられる[68]とされる(図26)。

卵巣転移は扁平上皮癌で0.07〜1.3%,腺癌では1.7〜8.2%の頻度で認められる[70-74]とされ,腺癌で有意に多い(図27)。転移経路としてはリンパ行性と経卵管的撒布が挙げられている[75]。後者では子宮内膜癌や卵巣癌と同様,腹腔内播種を伴うことがある。近年,若年頸癌の増加に伴い卵巣温存術式が汎用され,温存卵巣に術後転移が発見されることがあり,特に頸部腺癌例では注意深い経過観察が必要である。

3) 治療後の変化と再発所見および治療に伴う合併症

前述のようにⅡ期以下の症例では広汎子宮全摘術が施行されることが多いが,Ⅲ期以上の症例に対しては放射線治療や化学療法が選択されることから,治療後の正常な反応と再発とは区別する必要がある。根治的放射線治療は全骨盤照射と腔内照射を組み合わせて行われるが,外照射開始より1ヵ月程度で非担癌部の子宮にも形態変化が出現する。すなわち体部の筋層は信号が低下し内膜が菲薄化する。これに対し,子宮頸部には照射の影響が少なく照射前と比べあまり変化し

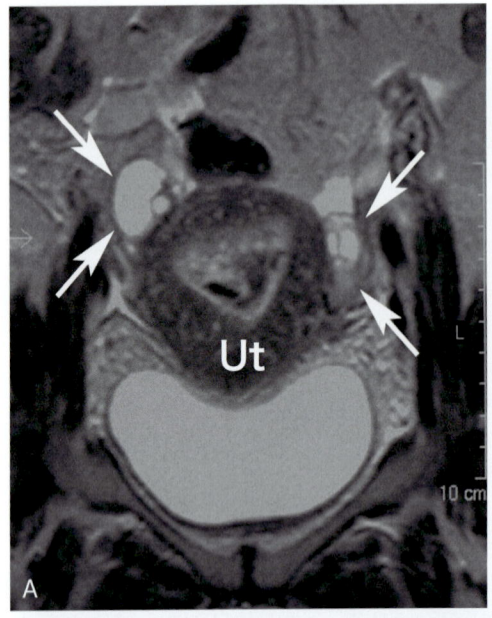

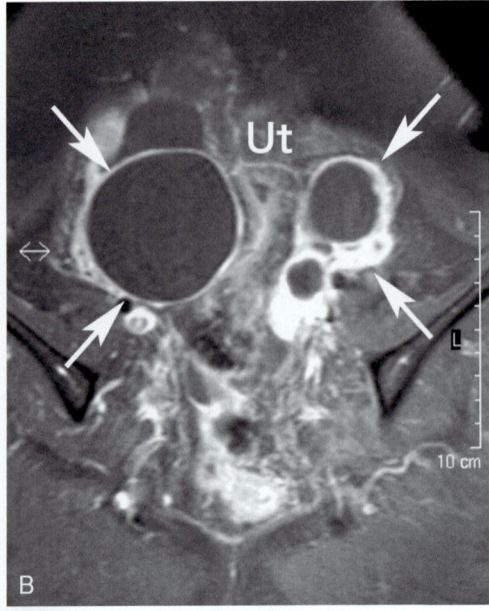

図27 34歳 子宮頸癌ⅣB期（腺癌）放射線治療後卵巣転移
A：治療前T2強調冠状断像，B：治療後造影脂肪抑制T1強調冠状断像，C：摘出標本肉眼像
治療前のT2強調像では生殖可能年齢としては正常大の両側卵巣が描出されていた（A→，Ut：子宮）が，照射終了後に増大して多房性嚢胞性腫瘤が形成されている（B→）。付属器切除が行われ，両側卵巣転移であることが確認され（C），腹腔内洗浄細胞診もClass Vであった。

ない[76)77)]ことから，照射後早期にはT2強調像で高信号に留まる腫瘍と健常部とのコントラストは保たれる（図28）。しかしその後は，照射後6カ月以内では腫瘍周囲の組織が炎症細胞浸潤を伴う肉芽組織や出血，浮腫，毛細血管の増生などによりT2強調像で高信号となるので，残存腫瘍の評価は難しい[78)]。照射後1年を過ぎると腫瘍内外ともこうした反応性変化は沈静化し線維化に置換されてT2強調像で低信号化するので，高信号を呈する残存・再発腫瘍の同定は容易になる（図29, 30）。

照射後は程度の差はあるが腟，直腸，膀胱の各粘膜・粘膜下層は急性期から亜急性期に肥厚，かつT2強調像で信号強度の上昇をきたし，慢性期には骨盤内脂肪織や腹膜も含めて線維化により低信号を示すようになる[76)]。放射線治療例では照射終了後も腹水貯留は高率にみられ，尿管拡張も一過性のものを含めると半数近くにみられる[79)]ので，これらの変化を再発と見誤らないよう注意する必要がある。

各進行期での選択術式については前項で述べたが，いずれの術式によらず子宮全摘後は肉芽組

2. 子宮頸癌の画像所見

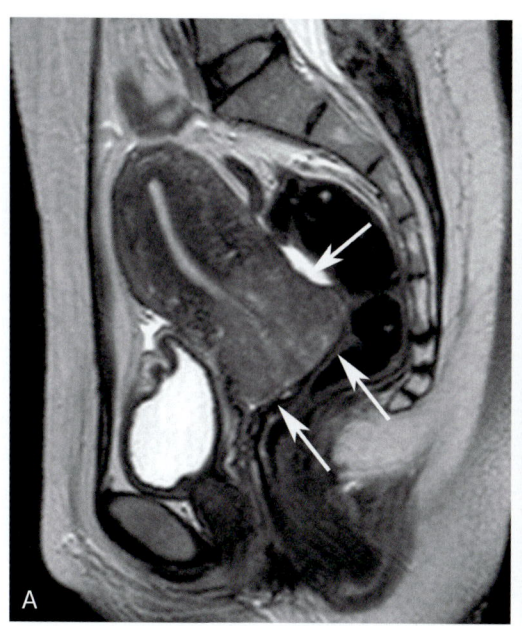

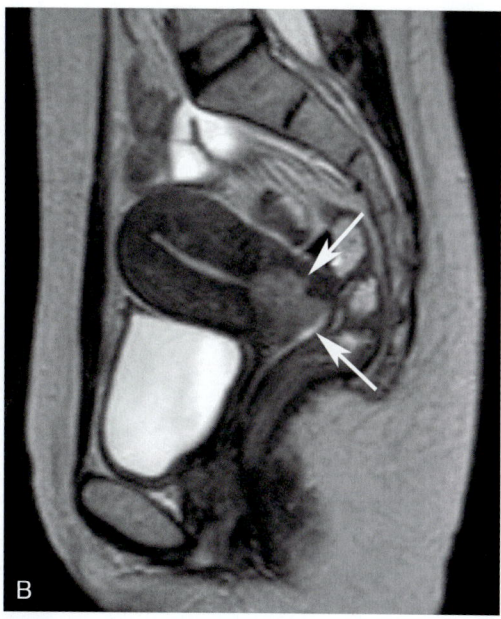

図28　40歳　子宮頸癌ⅢB期（放射線治療による変化）
A：T2強調矢状断像（照射前），B：T2強調矢状断像（外照射後）
頸部間質を置換し内向性に進展する腫瘍は（A→），外照射終了後に著しく縮小している（B→）。腫瘍は照射前後とも同程度の高信号を示すのに対し，子宮筋層の信号強度が低下したので，相対的に腫瘍の輪郭は明瞭化している。

織やその後の線維化により断端部にT2強調像で低信号の境界不鮮明な軟部組織が形成される[80)81)]（図31）。子宮全摘術の際には以前はほぼ全例で付属器切除が行われたが，近年は若年者でⅠB2期までの扁平上皮癌症例では温存が推奨されている。この場合，術後判明する病理進行期によっては，術後照射が行われる可能性があることから，卵巣の転位（transposition）が行われる。両側傍結腸溝や腸腰筋の前方が選ばれることが多い[82-85)]。このため，術後温存された卵巣が通常より高位に位置することになり，腫瘍と誤認しないよう注意が必要である（図32）。

　子宮頸癌の術後，放射線治療後の主な合併症としては表5のようなものが挙げられる[10)]。頸癌に限らず，婦人科手術の急性期合併症で最も注目され，報告も多いのが尿路損傷である。下部尿管は骨盤漏斗靱帯内で子宮動脈と交錯するように外側から内側へ走行して膀胱後壁に至ることから子宮動静脈の処理過程で容易に損傷を起こしうる。Gilmourらによれば婦人科手術時の尿管損傷の頻度は0.16%，膀胱損傷は0.26%で前者の2/3以上が術後初めて気づかれる[86)]。広汎子宮全摘術ではその頻度はさらに高く，膀胱・尿管損傷とも1.1%に生じるという[87)]。尿路損傷の画像所見としては尿溢流が直接描出されるような重篤な症例は少なく，尿管損傷部に閉塞点を有する水腎症として認識されることが多い（図33）。膀胱損傷の場合，膀胱腟瘻を形成することがあり，術後10～14日目頃に水様帯下で気づかれる。診断は経静脈的に投与されたインディゴカーミン液が腟内のタンポン（tampon）に漏出することで確認され，画像診断の果たす役割は大きくないが[88)]，瘻孔を直接描出するには造影脂肪抑制T1強調像が有用とされる[76)78)80)]。

245

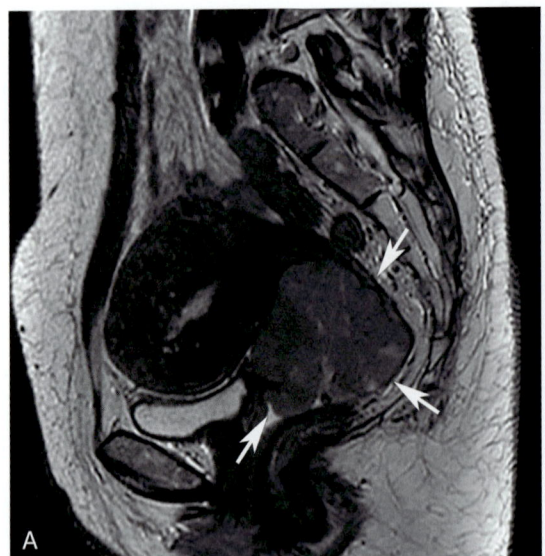

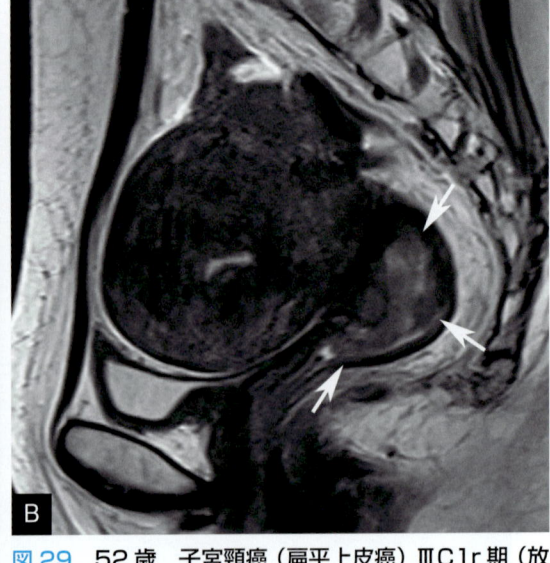

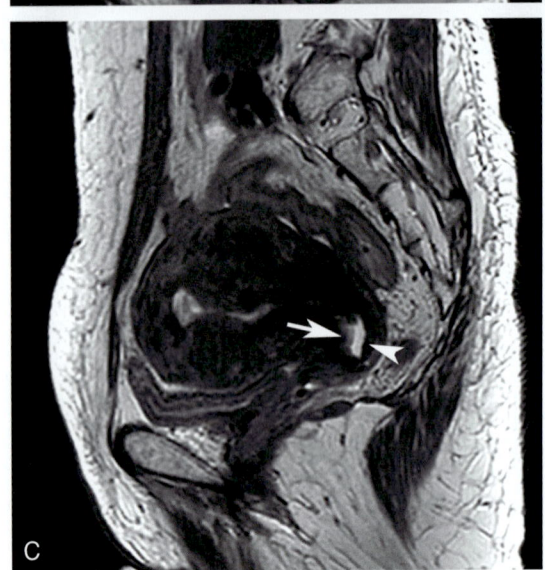

I 子宮頸部の腫瘍 tumors of the uterine cervix

図29 52歳 子宮頸癌（扁平上皮癌）ⅢC1r期（放射線治療による変化）
A：T2強調矢状断像（治療前），B：T2強調矢状断像（照射終了1カ月後），C：T2強調矢状断像（照射終了3カ月後）

治療開始前，頸部を広範に置換していたT2強調像で高信号を示す，境界明瞭な腫瘍（A→）はCCRT終了後1カ月ですでに著しく縮小しているが，明らかに残存している（B→）。非担癌部の子宮体部は照射前よりもむしろ腫大し，T2強調像で筋層の信号強度が不均一に上昇し，照射に伴う炎症や浮腫が強いようである。CCRT終了から3カ月経過すると，頸管内前壁側にはT2強調像で高信号を示す残存腫瘍がわずかに残存する（C→）が，壊死・組織脱落により頸管と交通した空洞を生じ，内腔に粘液が貯留している（C▲）。この頃になると浮腫により腫大していた子宮体部も萎縮に転じ，線維化の進行によりT2強調像で低信号化している。

リンパ節転移のリスクのあるIA期以上の症例では原則的に骨盤内リンパ節郭清が行われるので，下肢から上行するリンパ流が障害され，主として外腸骨領域にリンパ囊腫を生じる。骨盤内リンパ節郭清術後のリンパ囊腫の発生頻度は1〜58％と報告により差があるが，メタアナリシスでは無症候性のものも含め14％，症候性のものは3％とされる[89]。リンパ節郭清後，腹膜を縫合せずに開放したままにすることがリンパ囊腫の発症予防になるとする報告もあるが，反論もあり，評価は一定していない[90]。典型的には外腸骨動静脈に沿って形成された薄壁の囊胞で，膀胱内の尿よりもややタンパク濃度の高い液体を含む（図31, 34）。通常は無症状で経時的に自然消退するが，大きくなると静脈閉塞の原因となりドレナージを要する。また感染を合併すると発熱・痛みなどの炎症症状を引き起こし，画像的には壁の肥厚と強い増強効果がみられるようにな

2．子宮頸癌の画像所見

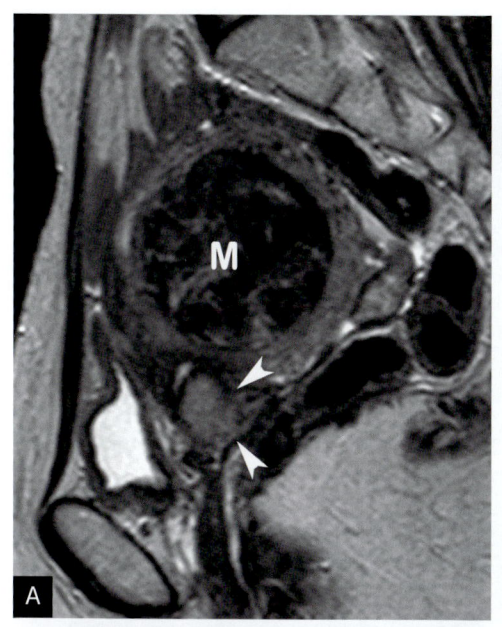

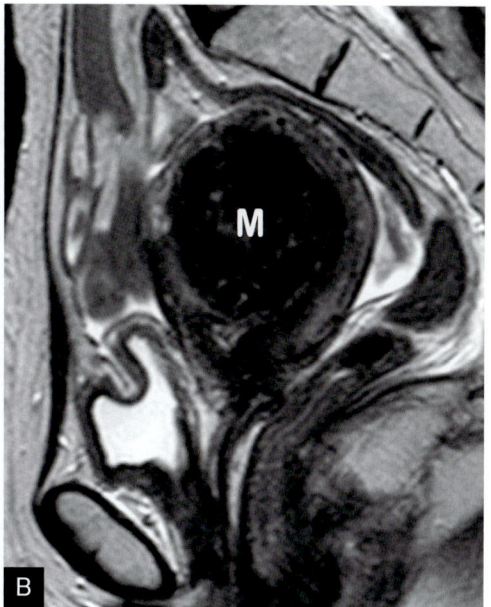

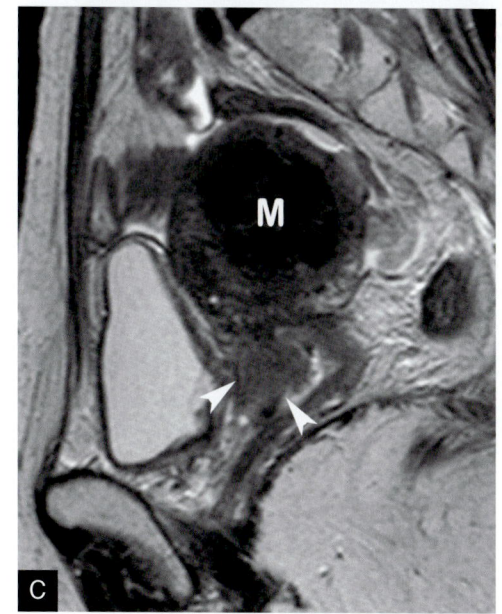

図30 35歳 子宮頸癌ⅢB期（放射線治療後，中心再発）
A：T2強調矢状断像（照射前），B：T2強調矢状断像（照射終了4カ月後），C：T2強調矢状断像（照射終了6カ月後）
子宮頸部後壁を中心にT2強調像で高信号を示す腫瘍（A▲，M：筋腫）は，CCRT終了後4カ月でほぼ消失している（B）。しかし治療終了後6カ月で再び子宮腟部前壁から膀胱子宮窩にかけてT2強調像で高信号を示す境界不明瞭な腫瘍が出現している（C▲）。典型的な中心再発である。

る（図35）。広汎子宮全摘後には骨盤神経叢膀胱枝の障害による神経因性膀胱はほぼ必発で，下部尿管の蠕動障害も加わり軽度の水腎症が高頻度にみられる（図31）。

　全骨盤照射による急性放射線障害による膀胱炎，腸炎（図36）は症例により程度の差はあるがほぼ必発の合併症である。放射線照射の晩期障害である血管炎や線維化にしばしば感染が加わって生じる下血や直腸狭窄，さらに重篤な直腸腟瘻（図37）や膀胱腟瘻は照射後数カ月から時には年余の後に発症する。瘻孔形成の頻度は1.4〜5.3％，下血や消化管・尿路の狭窄・閉塞は6.4〜8.1％と報告されている[10]。Insufficiency fractureは骨粗鬆症および骨の弾性低下のために，特

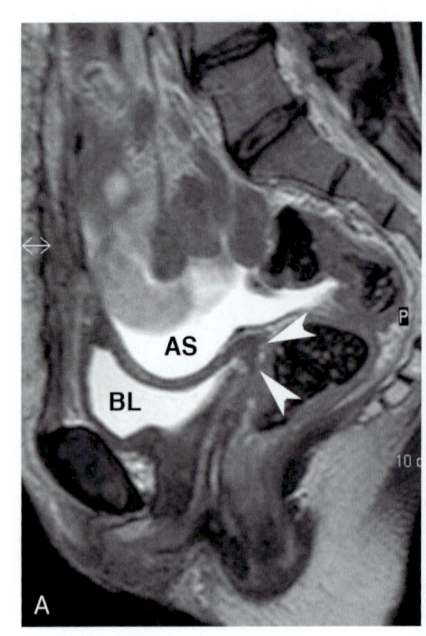

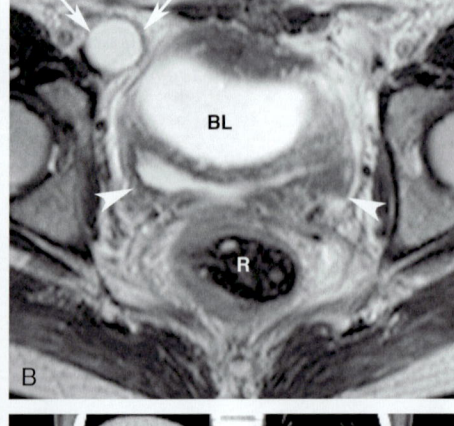

Ⅰ 子宮頸部の腫瘍 tumors of the uterine cervix

図31 44歳　広汎子宮全摘後および照射後の変化
A：T2強調矢状断像，B：T2強調横断像，C：造影CT冠状断MPR像
子宮頸癌（ⅡB期，扁平上皮癌）にて広汎子宮全摘後の腟断端にはT2強調像（A，B，BL：膀胱，R：直腸）で低信号の索状の軟部組織のみがみられる（A，B▲）。術後照射中であり，少量の腹水も照射に伴って高頻度にみられるものであり問題ない（A，AS：腹水）。右外腸骨領域にはリンパ節郭清後のリンパ囊腫もみられる（B→）。さらに，神経因性膀胱に伴い，腎盂にも軽い拡張がみられる（C）。

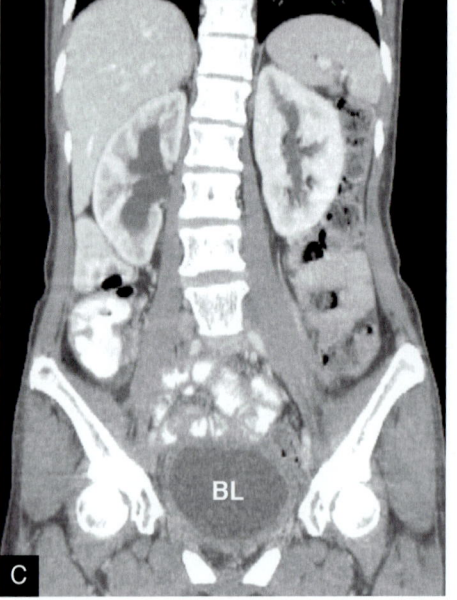

に大きな外力が加わらなくとも日常動作による軽微な負荷により生じる骨折で高齢者に好発する[91]。骨盤内照射がinsufficiency fractureのリスクファクターとなり[91)92)]，仙骨体・翼，腸骨内側部，臼蓋，恥骨上枝[92)]（図38）などに好発し，多発することが多い。単純X線写真で骨折線を同定することは難しい[92)]が，骨シンチグラムではよく集積し，仙骨と恥骨の集積巣が特徴的な"Honda sign"（アルファベットの大文字のHの形）を形成する。MRIでは病変部はT1強調像で低信号，T2強調像で高信号を示し，内部に線状の低信号域として骨折線がみえることもある[92)]。本疾患の特徴を知り，骨転移と見誤らないことが肝要である。

　近年，進行例や再発例には従来の細胞障害性化学療法薬に加え，分子標的薬や免疫チェックポイント阻害薬が併用される。これら新規薬剤特有の有害事象とその画像所見については第10章-Ⅲ「婦人科腫瘍の薬物療法に伴う合併症」の項を参照されたい（p741）。

　治療後の再発は，①局所［術後であれば断端（図39），化学放射線療法後では子宮頸部（図30）］

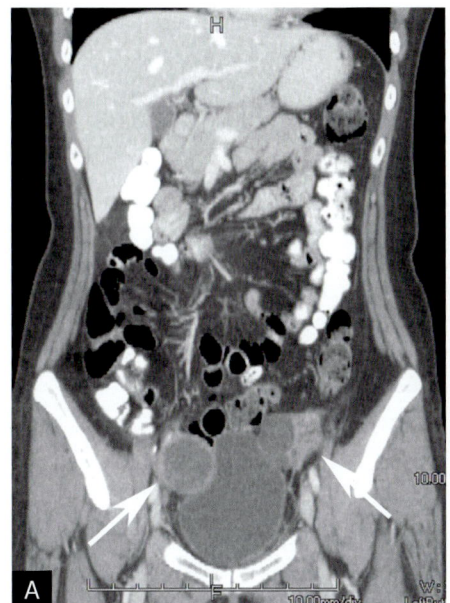

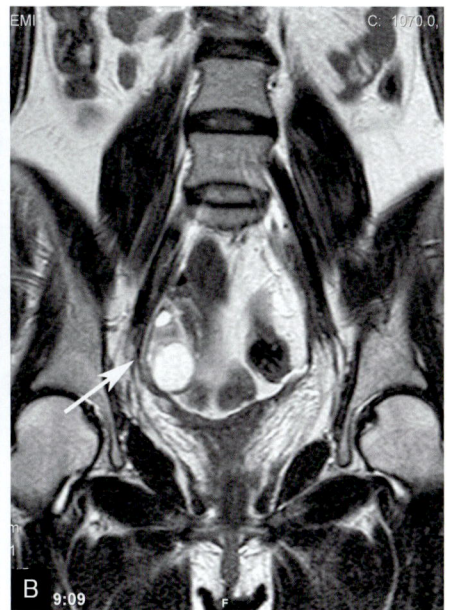

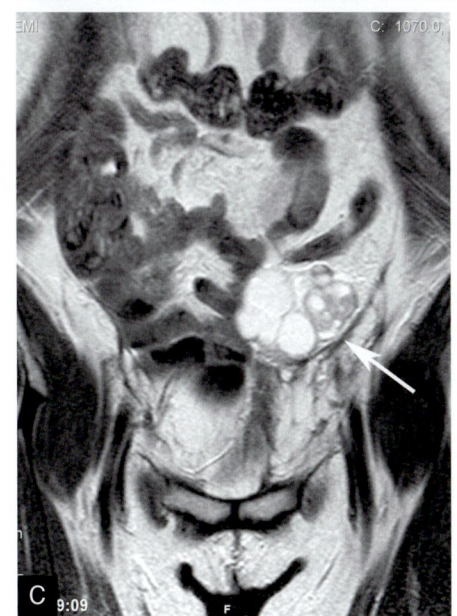

図32 41歳 両側卵巣温存単純子宮全摘術後卵巣転移
A：造影 CT 冠状断 MPR 像，B，C：T2 強調冠状断像

子宮頸部上皮内癌にて両側卵巣温存単純子宮全摘術後，腫瘍マーカー上昇の原因検索のため行われた造影 CT で骨盤入口部両側に囊胞と充実性の混在する腫瘤がみられる（A→）が，通常より高位に位置する。本例では術中卵巣の転位が行われたためである。1 カ月後の MRI で右側の囊胞は縮小した（B→）ので機能性囊胞と考えられるが，左側の腫瘤はさらに増大し（C→），摘除の結果，転移であることが確認された。

とその周辺臓器，②骨盤壁，③骨盤内・傍大動脈リンパ節転移，④遠隔転移に大別される[93]。骨盤内再発は CT，MRI のいずれでも良好に描出されるが，局所再発巣は骨盤底の筋群とのコントラストに優る MRI でより明瞭となる[94]。局所再発は内診や細胞診で診断されることが多いが，画像的には膀胱と直腸の間を占める腫瘤でしばしば不均一な増強効果や中心壊死を伴う[93)95]。T2 強調像では初発時と同じく高信号の腫瘤を形成することが多い（図30, 39）[78)81)96]。膀胱・直腸に直接浸潤し瘻孔を作ることもあり，瘻孔の描出には造影 MRI が有用である。化学放射線療法では，治療後 6 カ月以内には残存腫瘍と放射線障害による浮腫などとの区別が難しく再発巣の正

表5 子宮頸癌治療に伴う合併症

```
広汎子宮全摘術の合併症
    急性期合併症
        ・ 出血（平均 800 mL）
        ・ 尿管腟瘻（1〜2%）
        ・ 膀胱腟瘻（<1%）
        ・ 肺塞栓（1〜2%）
        ・ 小腸閉塞（1%）
        ・ 術後感染症（25〜50%）
            肺：10%，骨盤内蜂窩織炎：7%，尿路感染：6%
    亜急性期合併症
        ・ 膀胱機能障害
        ・ リンパ嚢腫
    慢性期合併症
        ・ 膀胱機能障害
        ・ 尿管狭窄
    放射線治療後の合併症
        ・ 放射線直腸炎・S 状結腸炎
        ・ 放射線膀胱炎
        ・ 直腸腟瘻・膀胱腟瘻
        ・ 小腸びらん，癒着
```

（文献 10 より改変引用）

診率は低い（69%）が，6 カ月以降では精度が上昇する（88%）[78]とされる。しかし照射終了時点の T2 強調像での高信号域が大きいものは再発リスクが高いとの報告もある[97]。骨盤壁再発は局所再発と連続してみられるものも独立してみられるものもある。画像的には骨盤壁を構成する筋群の肥厚，脂肪織の混濁，索状構造，収縮性変化などとして描出され（図40）[95]，子宮頸部外側のレベルに好発する[93]。骨盤壁再発もリンパ節，血行性転移と同様，腫瘍マーカーの上昇以外の臨床的徴候を欠き，定期経過観察のために行われた CT，MRI でその存在が明らかになることが多い[98]。治療後のリンパ節再発は晩期再発であることも多く，骨盤内のみならず，傍大動脈や鎖骨上窩リンパ節転移として発見されることが少なくない[99]。血行性転移は初発時同様，肺，骨への血行性転移の頻度が高く，非典型的な再発形態としては腹腔内播種などもみられる[98]。近年，再発巣の検出における ^{18}F-FDG-PET の有用性が相次いで報告されている。子宮頸癌の 80% は扁平上皮癌であることから，再発の指標として腫瘍マーカー SCC が計測されていることが多いが，無症候性の SCC 上昇例における再発部位の同定において PET/CT の有用性はほぼ確立している[100)101]（図40）。また PET/CT で発見された無症候性再発巣は症候性のものよりも治療による制御率の高いことも報告されており[102]，再発高リスク例では積極的に導入すべきであるが，本邦での保険適用は CT など従来のモダリティでは診断できない症例に限られる。

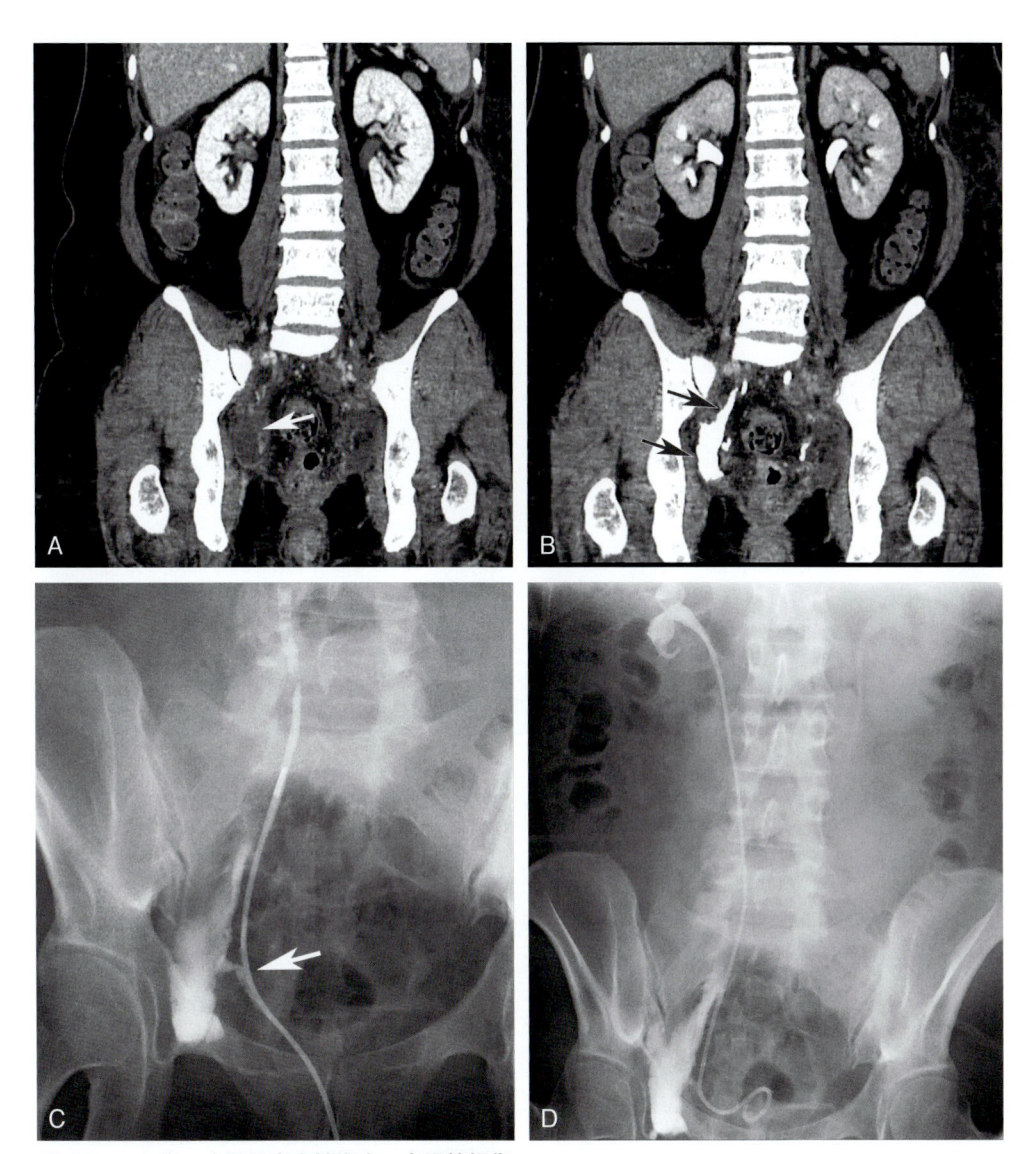

図33 43歳 広汎子宮全摘術中，右尿管損傷
A：造影CT平衡相冠状断MPR像，B：造影CT排泄相冠状断MPR像，C，D：逆行性尿路造影
子宮頸癌に対し広汎子宮全摘後，腹痛，嘔吐，血清クレアチニン上昇のため尿路損傷が疑われ，造影CTを施行。腎実質相で右骨盤壁に沿った細長い液体貯留を認め（A→），排泄相では内部に濃縮造影剤の流入を認めた（B→）。逆行性尿路造影では下部尿管からの造影剤の溢流が明らかとなり（C→），尿管ステントが挿入された（D）。

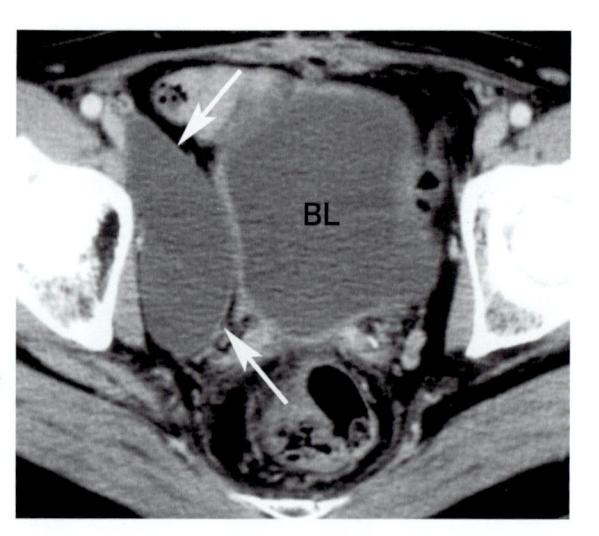

Ⅰ 子宮頸部の腫瘍 tumors of the uterine cervix

図34　61歳　子宮全摘後リンパ嚢腫（卵巣癌症例）
子宮全摘1カ月後の造影CTにて，外腸骨動静脈の後方で骨盤壁に沿って細長く壁の薄い単房性嚢胞がみられ（→，BL：膀胱），典型的なリンパ嚢腫である。
（文献145より転載）

3. 特殊な組織型の頸部腫瘍および腫瘍様病変

1）上皮性腫瘍および腫瘍様病変 epithelial tumors and tumor-like lesions

『子宮頸癌取扱い規約 病理編 第5版』[2]では2020年のWHO分類第5版[1]に倣い，扁平上皮癌および腺癌はHPV関連，HPV非依存性に大別され，両者の鑑別は多くの場合，病理組織学的にも形態的評価では困難で，p16[INK4a]免疫組織化学染色により行われる。画像的にも一部のHPV非依存性腺癌を除き，形態的差異は報告されていない。また扁平上皮癌ではその前駆病変として扁平上皮内病変（squamous intraepithelial lesion：SIL）/子宮頸部上皮内腫瘍（cervical intraepithelial neoplasia：CIN）が，腺癌では上皮内腺癌（adenocarcinoma *in situ*：AIS）が位置づけられ，その臨床的取り扱いは重要であるが，一部を除き画像で描出されることはないので，本項では割愛し，画像的特徴のあるもの，臨床的に重要な事項に限って記載することとする。

(1) 扁平上皮癌の組織亜型

『子宮頸癌取扱い規約 病理編 第4版』[103]で扁平上皮癌の特殊型として挙げられていた類基底細胞癌（basaloid carcinoma），疣状癌（verrucous carcinoma），コンジローマ様癌（condylomatous carcinoma），乳頭状扁平上皮癌（papillary squamous cell carcinoma），リンパ上皮腫様扁平上皮癌（lymphoepithelioma-like squamous cell carcinoma）は予後推定や治療選択に影響を与えないことから，第5版では形態的バリエーションとしての記載に留まった。

(2) 分葉状頸管腺過形成 lobular endocervical glandular hyperplasia（LEGH）と胃型腺癌 adenocarcinoma, HPV-independent, gastric type

『子宮頸癌取扱い規約 病理編 第5版』[2]では良性腺腫瘍および腫瘍様病変（benign glandular

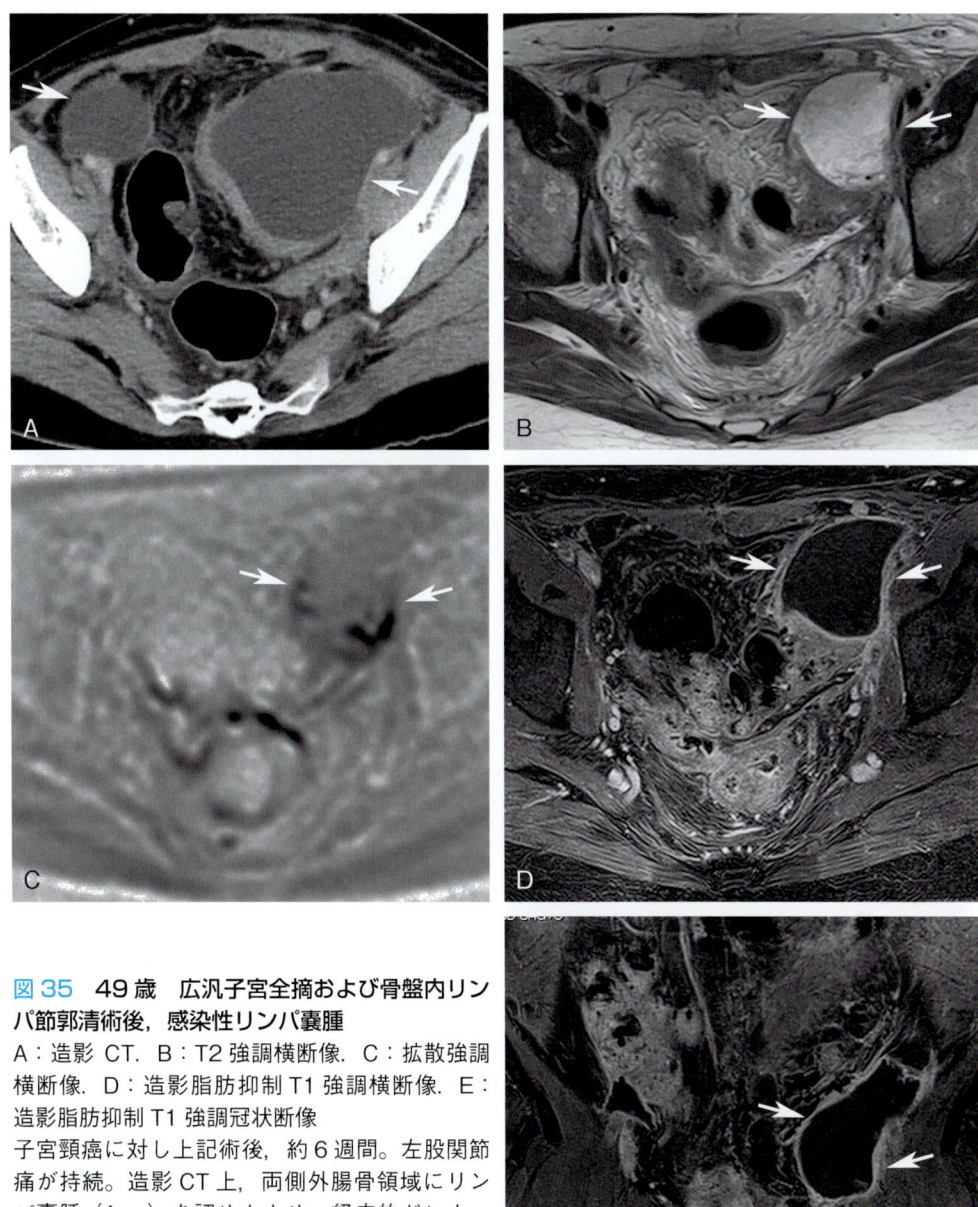

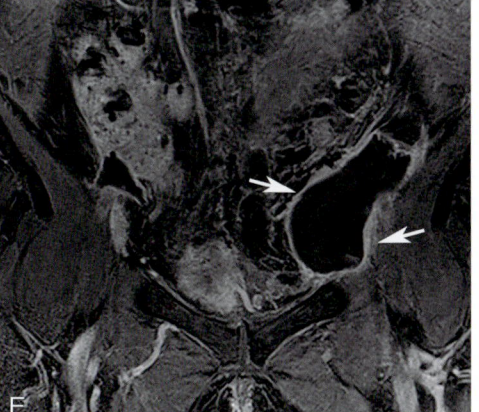

3. 特殊な組織型の頸部腫瘍および腫瘍様病変

図 35　49 歳　広汎子宮全摘および骨盤内リンパ節郭清術後，感染性リンパ嚢腫

A：造影 CT．B：T2 強調横断像．C：拡散強調横断像．D：造影脂肪抑制 T1 強調横断像．E：造影脂肪抑制 T1 強調冠状断像

子宮頸癌に対し上記術後，約 6 週間．左股関節痛が持続．造影 CT 上，両側外腸骨領域にリンパ嚢腫（A →）を認めたため，経皮的ドレナージが行われたが，感染徴候がみられたので MRI を施行．T2 強調像でリンパ嚢腫の壁は肥厚し（B →），内容物は弱く，被膜は強い拡散制限を示し（C →），強い増強効果を示す（D，E →）。

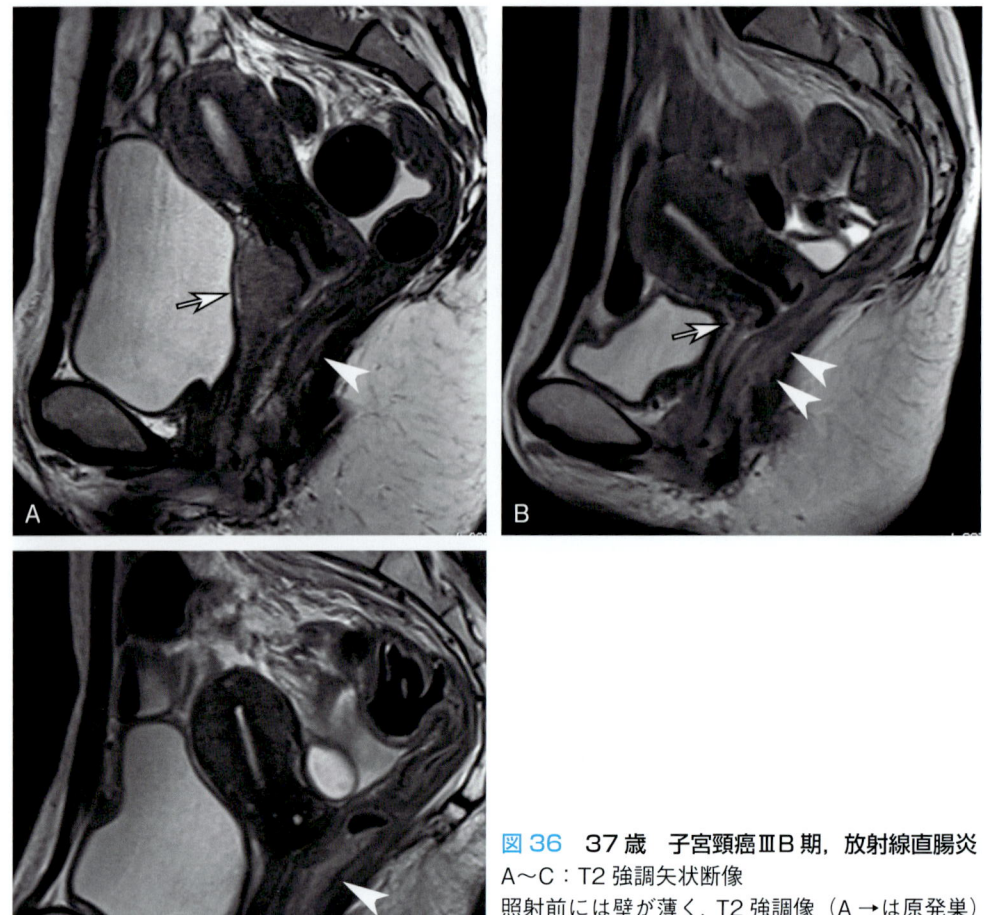

Ⅰ 子宮頸部の腫瘍 tumors of the uterine cervix

図36 37歳 子宮頸癌ⅢB期，放射線直腸炎
A～C：T2強調矢状断像
照射前には壁が薄く，T2強調像（A →は原発巣）で粘膜と筋層の分離が明瞭であった直腸壁（A▲）が，外照射終了時には不明瞭化し全体が高信号化している（B▲，→は縮小した原発巣）。照射終了3カ月後，直腸壁は肥厚してさらに高信号化している（C▲）。

tumors and tumor-like lesions）として表1に示す多彩な病変が挙げられているが，ここでは，近年，胃型HPV非依存性腺癌（adenocarcinoma, HPV independent, gastric type）（以下，胃型腺癌）の前駆病変として注目されている分葉状頸管腺過形成（lobular endocervical glandular hyperplasia：LEGH）[104]と胃型腺癌，および鑑別すべき病変について述べる。

　胃型腺癌は胃型分化を示す腺癌で，多くは胃幽門腺の形質を示す[2]。本腫瘍は古くは悪性腺腫（adenoma malignum）の別名で知られ，腫瘍全体が高度に分化した粘液性腺癌からなり，ほとんどの腺は組織学的に正常の頸管腺と区別できないとされ，『子宮頸癌取扱い規約 病理編 第4版』で粘液性腺癌の一亜型として設けられた最小偏倚型（minimal deviation type，字義通り考えれば組織型にかかわらず極めて異型の乏しい腺癌であり，ほかの亜組織型に対しても使用しうる表現であるが）は悪性腺腫のほぼ同義語として用いられていた[103]。しかし少数の腺は異常分枝および著しい核の異型を示し，通常の内膜腺領域を越えて深部に発育することが多く，破壊性間

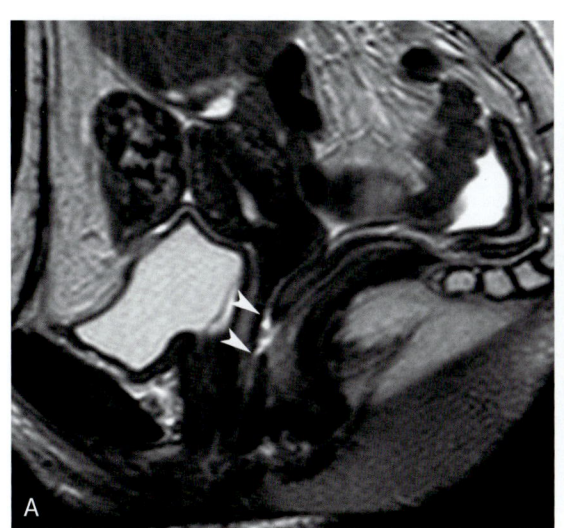

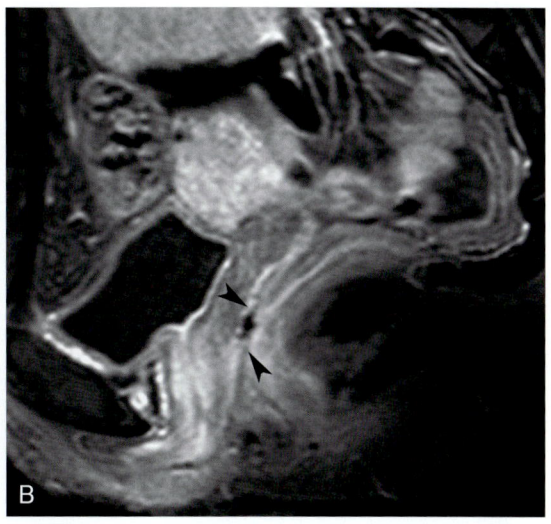

図37 40歳 子宮頸癌ⅢB期に対し放射線治療後，直腸腟瘻
A：T2強調矢状断像，B：造影脂肪抑制T1強調矢状断像
初回化学放射線療法後の局所再発に対しさらに追加照射後。T2強調像にて腟の後壁および直腸の前壁の筋層を示す低信号が消失し（A▲），造影脂肪抑制T1強調像では同部にまたがってair bubbleがみられる（B▲）。

質浸潤に伴う結合織反応が一部に認められる点で悪性腫瘍としての形態的特徴を有する。頻度は世界的には頸部腺癌の10〜15%だが，本邦では20〜25%と多く，臨床的には不正性器出血や水様帯下を主訴とすることが多い。消化管ポリポーシスで知られるPeutz-Jeghers症候群（*STK11*遺伝子の生殖細胞系列変異と関連）に本症が合併することはよく知られている（図41）[1)2)]。胃型腺癌は非常に侵襲性の高い腫瘍で，HPV関連腺癌に比べ予後不良である[1)]。

現在では極めて分化度の高い胃型腺癌の一亜型と推察されている悪性腺腫[2)]が，画像的には子宮頸部を占める小囊胞の集簇である（図42）という報告[105)106)]は各方面から大いに注目された。このため臨床現場では，MRIで偶然に発見された頸管内囊胞性病変が安易に「悪性腺腫疑い」と報告される傾向にあり混乱を招いている。しかし子宮頸部には腺癌と診断されやすい良性病変が多数存在し，病理組織学的にもしばしば診断に苦慮することを知るべきである（表6）[107)]。正常の頸管腺は一層の粘液産生性円柱上皮で覆われた粘膜が折り畳まれるようにして形成されており，頸管腺領域は表層から5mm程度までとされるが個人差も大きい。また腫瘍類似腺病変であるナボット囊胞（nabothian cyst）やトンネル・クラスター（tunnel cluster）が頸部間質深く観察されることも多い。ナボット囊胞は子宮頸部移行帯（transformation zone）で扁平上皮化生を生じた頸管粘膜が既存の腺管の開口部を閉塞させてできる貯留囊胞であり[4)]，頸管腺領域に沿った微小な囊胞性病変として描出され[108)]，内容物は粘液に富むためT1強調像で高信号を示すことが多い[109)]（図43）。しかし時に頸管腺領域深部に存在し（deep nabothian cyst）[110)]，集簇すると頸管腺の増殖や頸部腺癌との鑑別が難しい。トンネル・クラスターは移行帯近傍の頸部表層にみられる頸管腺の増生で，経産婦の閉経後にみられることが多い。いずれもほかの目的で撮像された画像検査で偶然みつかることの多い病変である。また良性の頸管腺過形成性病変には病変の起源となる腺上皮の種類（腸上皮型，胃型など）に応じて様々な名称が付与されている。この

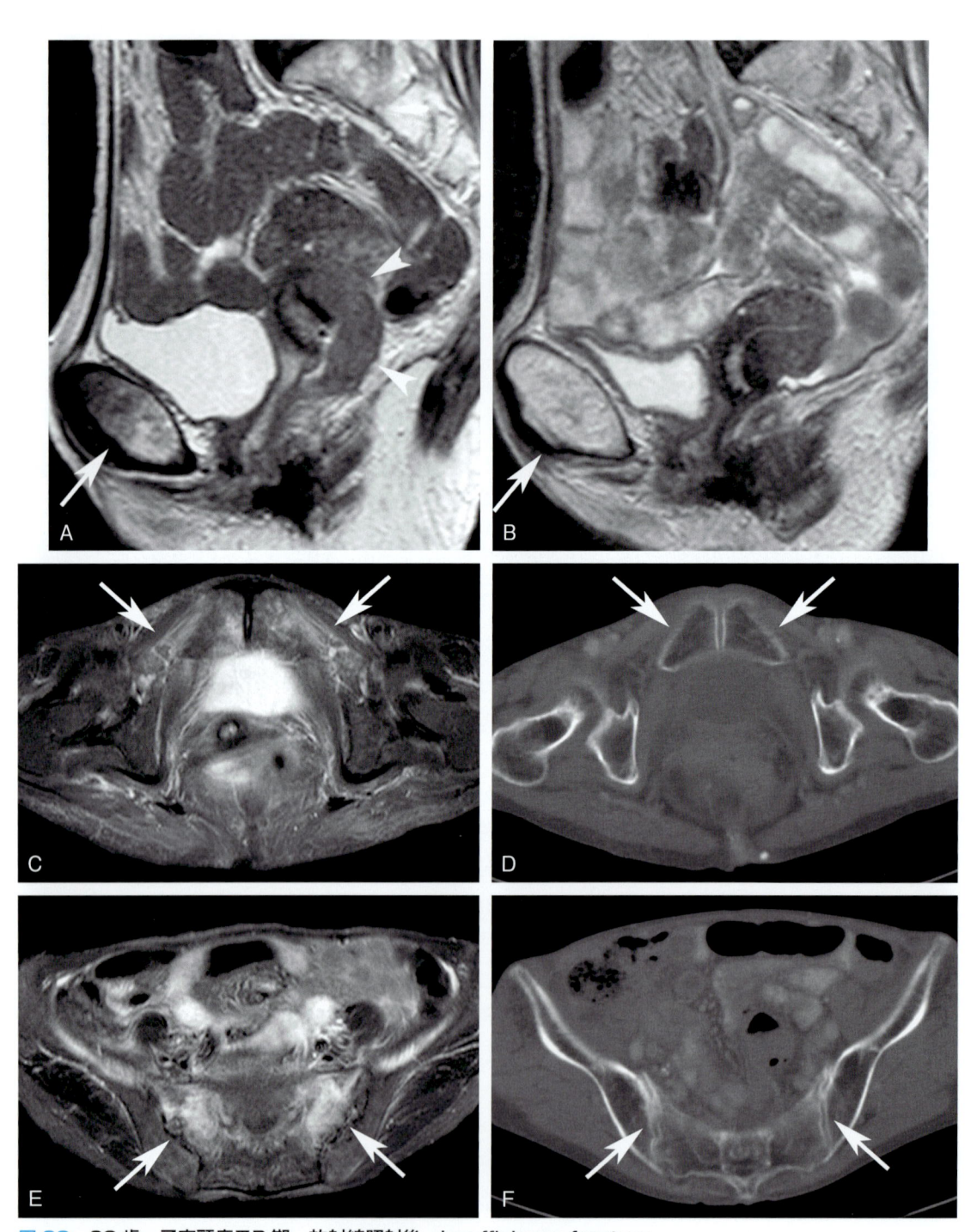

I 子宮頸部の腫瘍 tumors of the uterine cervix

図38 68歳 子宮頸癌ⅢB期，放射線照射後，insufficiency fracture
A，B：T2強調矢状断像，C，E：STIR横断像，D，F：CT骨条件
照射前には不均一な信号強度を示した恥骨骨髄（A→，▲は子宮腟部後唇から腟壁に広がる原発巣）が照射終了時には一様な高信号に変化し（B→），脂肪髄化が進行している．半年後，尾骨の痛みを訴えて来院．恥骨結合を挟んで両側恥骨，および仙骨に広範囲に short TI inversion recovery（STIR：ほぼ脂肪抑制T2強調像と考えてよい）にて高信号域が広汎に広がる（C，E→）が，CTでは骨破壊を伴う腫瘤形成も，骨折線もみられず（D，F→），典型的な insufficiency fracture である．

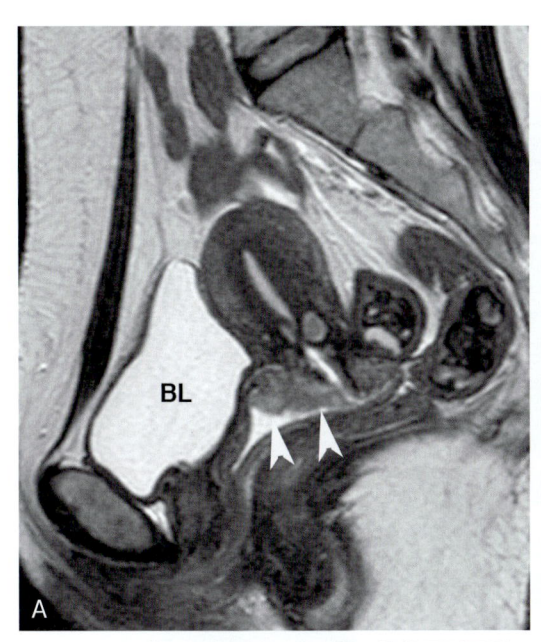

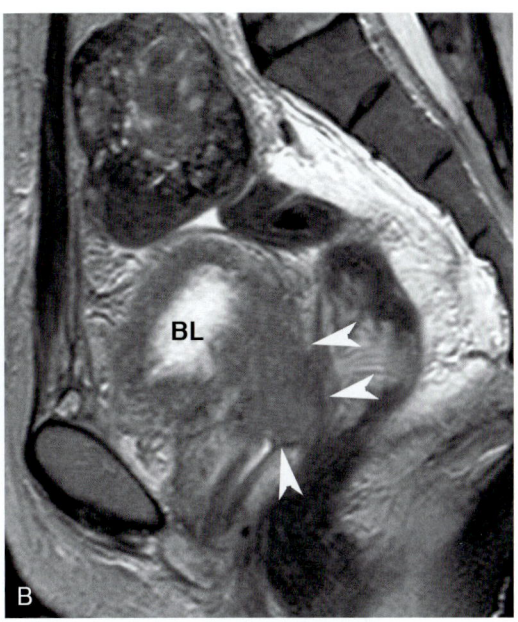

図39 33歳 子宮頸癌ⅠB2期，術後局所再発
A，B：T2強調矢状断像
術前にみられた境界明瞭な高信号腫瘤（A▲，BL：膀胱）を含めて子宮は全摘され，切除断端も陰性であったが，術後3カ月で早くも断端部に高信号の大きな腫瘤が形成されている（B▲，BL：膀胱）。

なかで近年，LEGH[111]が胃型腺癌の前駆病変として注目されている[104]。本症では粘液の豊富な高円柱上皮からなる腺管が分葉状に増生し，胃型腺癌と同様に幽門腺粘液に対する抗体HIK1083に染色される[112)113)]。これは当時の悪性腺腫がHIK1083に陽性反応を示す[114)115)]ことが明らかになって以降，定義にあるような異型の存在よりもHIK1083に対する染色性が悪性腺腫の診断に重視されがちになっていた病理診断に波紋を投げかける結果となった。その後，LEGH様の拡張した腺管に明らかな浸潤癌部分の混在するもののみを悪性腫瘍とすべきとされていた[116)]が，前述の通り，すでに『子宮頸癌取扱い規約 病理編 第5版』[2)]では組織分類からその名称は消失している。

　上述の頸部に多発する囊胞性病変の病理組織学的多彩性，いわゆる悪性腺腫，LEGH，胃型腺癌をめぐる病理組織学的知見の蓄積に伴い，これら，胃型粘液を含む病変とナボット囊胞やトンネル・クラスターとの画像的違いも明らかにされつつある。LEGHは内子宮口付近に好発し，頸管側により小さな囊胞が集簇し，深部側をより大きな囊胞が取り巻く「コスモスサイン」が画像的特徴とされている[117)]（図44）。これに対し，5mm以上の大きな囊胞，頸管全長に散在する囊胞，内容物がT1強調像で背景の頸部間質と等信号もしくは高信号である囊胞は胃型粘液を含まない，LEGHや胃型腺癌以外の病変の可能性が高いとされる[118)]。よって無症状で偶発に発見された頸部の多囊胞性病変については，特に内子宮口近傍に集簇しない，密度が疎な，比較的大きな囊胞ではまずナボット囊胞（図43）やトンネル・クラスターを疑い，特に細胞診で異常を認めない場合には，過度な治療的介入は慎むべきである[117)]。次にLEGHと胃型腺癌の鑑別であるが，T2強調像で囊胞の隔壁や囊胞周囲を取り囲む頸部間質に比べ信号強度の高い充実部がみられた場合

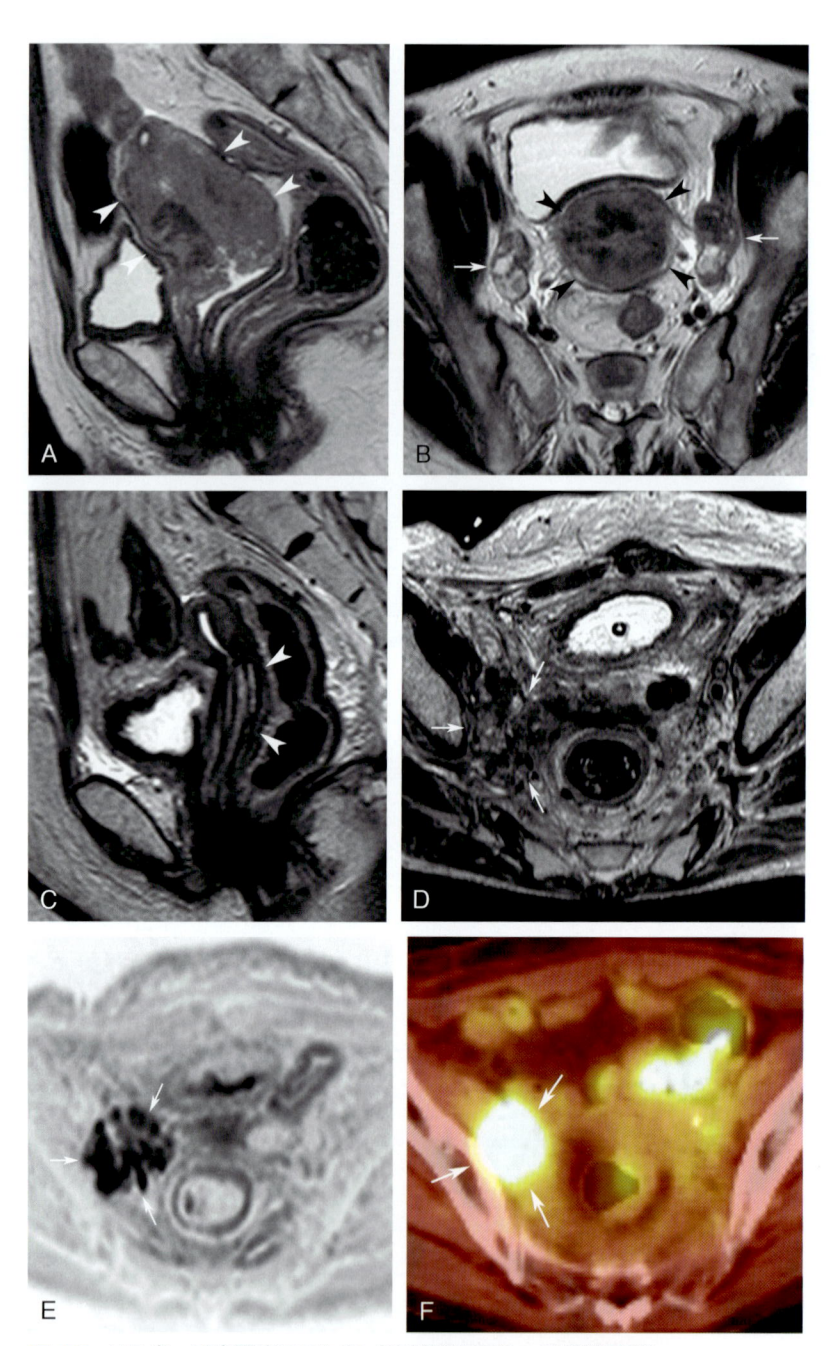

Ⅰ 子宮頸部の腫瘍 tumors of the uterine cervix

図40 58歳 子宮頸癌ⅢC1期（放射線治療後，骨盤壁再発）
A, C：T2強調矢状断像，B, D：T2強調横断像，E：拡散強調横断像，F：PET/CT横断像
子宮頸部を置換するT2強調像（A）で不均一な信号強度を呈する巨大な腫瘍（▲）があり，両側閉鎖節転移を伴っている（B→）。放射線治療にて完治したが2年4カ月後，原発巣は消失して萎縮したまま（C▲）だが，右骨盤壁にT2強調像で不均一な高信号を示す腫瘤形成があり（D→），拡散強調像でも異常信号を呈する（E→）。PET/CTでも同部にFDGの集積を認める（F→）。病理診断は得られていないがその後も治療に抵抗して増大を続けた経過から，再発が確実な症例である。

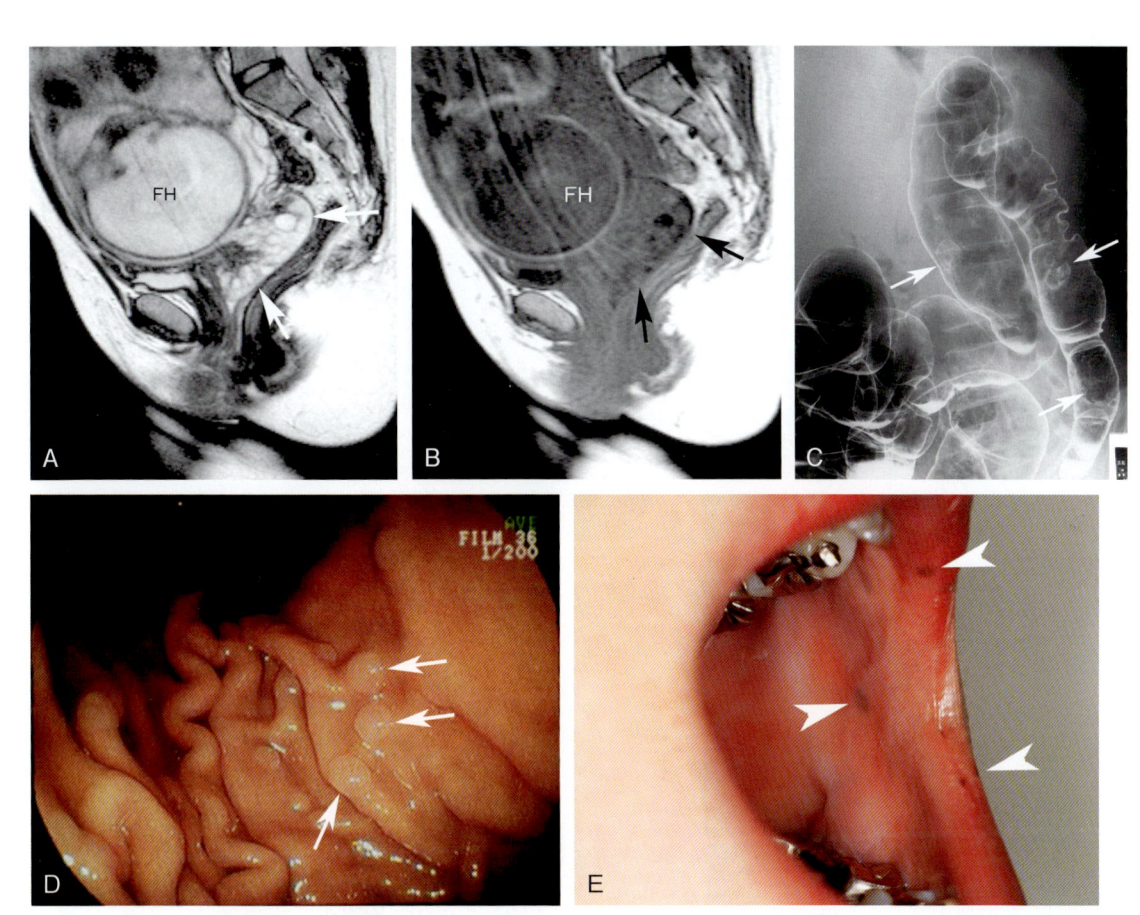

図41　30歳　胃型腺癌（『子宮頸癌取扱い規約』第2版では悪性腺腫，第3版では最小偏倚型粘液性腺癌に相当）合併 Peutz-Jeghers 症候群（妊娠35週）
A：T2強調矢状断像，B：T1強調矢状断像，C：注腸造影，D：上部消化管内視鏡，E：口唇・頬粘膜所見
T2強調像で子宮腔部は微小な囊胞が集簇したような病変に置換されている（A→，FH：児頭）。囊胞内容物はT1強調像で低信号であり粘度の低い液体である（B→）。本例は結腸（C→），胃（D→）の多発ポリープ，口腔内色素斑（E▲）により Peutz-Jeghers 症候群と診断されている。
（A, B は文献146より転載，C〜E は水戸済生会総合病院消化器内科・仁平武先生のご厚意による）

には，すでに癌化していると考えるべき[117)119)]（図45）だが，前述のように胃型腺癌は侵襲性が高く，癌化に気づいたときにはすでに子宮外に浸潤し，播種や転移を伴うことが少なくない（図46）。胃型腺癌と LEGH の肉眼所見を比較すると，胃型腺癌のほうが内包する囊胞の数も大きさも小さい傾向があるとされる[120)121)]ものの，オーバーラップも多く，今後の研究の発展が待たれる。また，胃型腺癌では他の頸部腺癌に比べ腫瘍内に囊胞形成の目立つ傾向があるとされるものの[121)]，頸管全長を置換する内向性の浸潤性腫瘍が胃型腺癌の特徴であるとの報告もあり[122)]（図47），LEGH を前駆病変としないものも含めると，画像的特徴には乏しいのかもしれない。

（3）腺癌の組織亜型

　頸部腺癌も扁平上皮癌と同様にHPV関連腺癌とHPV非依存性腺癌に大別され（表1），『子宮頸癌取扱い規約 病理編 第4版』[103)]で腺癌の亜型とされていた通常型内頸部腺癌，特定不能な

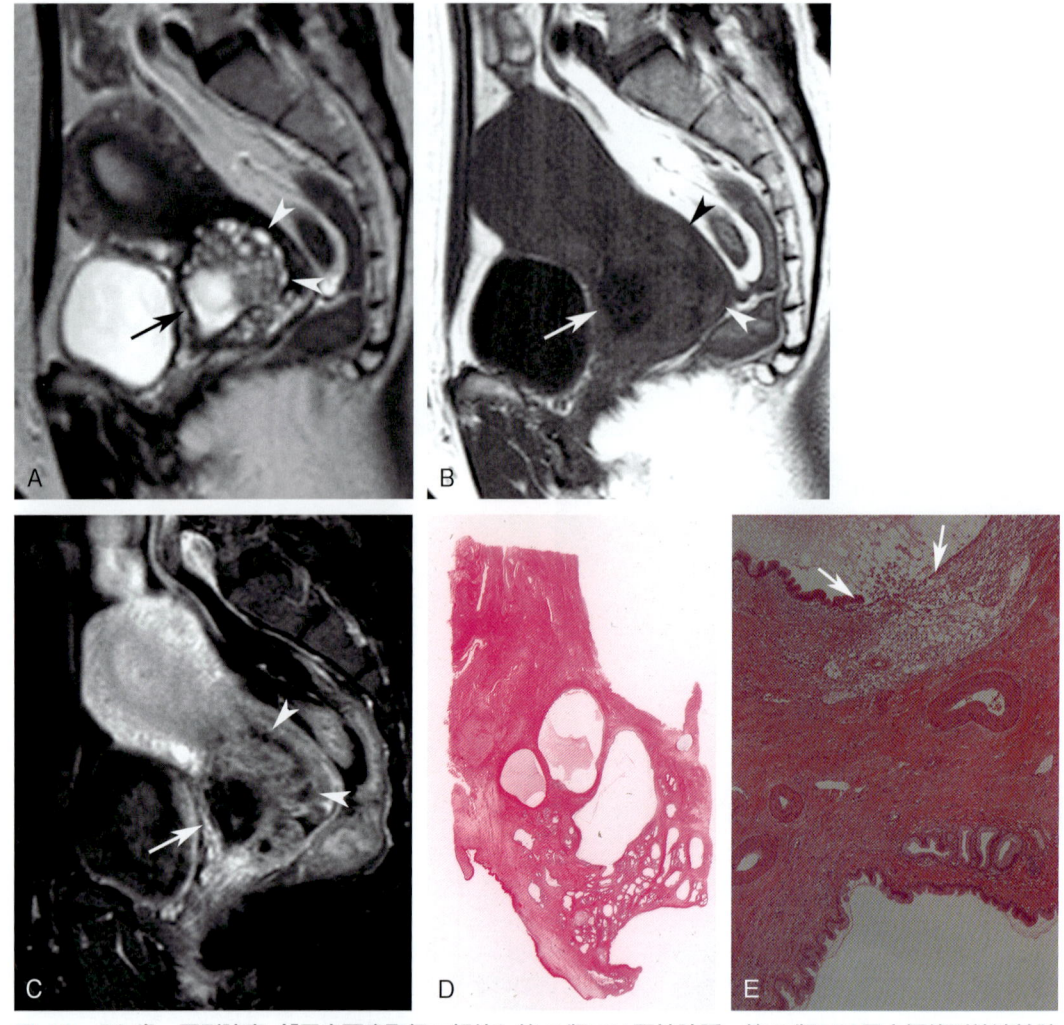

I 子宮頸部の腫瘍 tumors of the uterine cervix

図42 30歳　胃型腺癌（『子宮頸癌取扱い規約』第2版では悪性腺腫，第3版では最小偏倚型粘液性腺癌に相当）

A：T2強調矢状断像，B：T1強調矢状断像，C：造影脂肪抑制T1強調矢状断像，D：HE染色（ルーペ像），E：HE染色（弱拡大）

T2強調像で子宮頸部には微細な囊胞の集簇（A▲）に加え比較的大きな囊胞（A→）も含む病変がみられる。囊胞内容物はT1強調像で低信号を示し（B），典型的なナボット囊胞が高信号の内容物を含むのとは対照的である。T2強調像でも，造影脂肪抑制T1強調像（C）でも病変と周囲との境界は明瞭だが，囊胞間を介在する頸部間質のT2強調像での信号強度が高い。肉眼的にも大小の囊胞が間質に食い込むように多発し（D），ナボット囊胞やほかの頸管腺増殖性病変との鑑別は難しい（図43，44参照）が，病理組織学的には粘液の間質への破壊性浸潤がみられ（E→），胃型腺癌（診断時の取扱い規約では最小偏倚型粘液性腺癌）と診断された。

（Aは文献147より転載）

粘液性癌，腸型粘液性癌，印環細胞型粘液性癌，絨毛腺管癌は『子宮頸癌取扱い規約 病理編 第5版』[2]ではHPV関連腺癌の組織学的パターンとして位置づけられた。漿液性癌は，内膜に発生した漿液性癌，卵巣・卵管に発生した高異型度漿液性癌の転移・播種であり，真の子宮頸部漿液性癌の存在が疑問視されていることから，今回の分類からは削除された。

3. 特殊な組織型の頸部腫瘍および腫瘍様病変

表6　病理組織学的に腺癌との鑑別が問題となる良性病変

1. 微小腺管過形成 microglandular hyperplasia
2. 内頸部腺の位置異常と嚢胞化
   a. 深部腺 deep glands
   b. 深部ナボット嚢胞 deep nabothian cysts
3. 内頸部腺過形成 endocervical glandular hyperplasia
   a. トンネルクラスター tunnel clusters
   b. 分葉状内頸部腺過形成 lobular endocervical glandular hyperplasia
   c. びまん性層状内頸部腺過形成 diffuse laminar endocervical hyperplasia
   d. 非特異的内頸部腺過形成 endocervical glandular hyperplasia, not otherwise specified
4. 化生性変化および異所性上皮
   a. 卵管上皮化生 tubal metaplasia
   b. 体内膜上皮化生 endometrioid metaplasia
   c. 子宮内膜症 endometriosis
5. 腺筋腫（内頸部型）adenomyoma of endocervical type

（文献107 より引用：『子宮頸癌取扱い規約』では lobular endocervical glandular hyperplasia は分葉状頸管腺過形成と翻訳されている）

　HPV関連腺癌のなかで最も頻度の高い形態的バリエーションは通常型内頸部腺癌で，細胞質粘液に乏しい円柱細胞で構成される．粘液型は腫瘍細胞の50％以上が豊富な細胞質内粘液を含有する腺癌で（図48），特定不能な粘液性癌，腸型，印環細胞型，浸潤性重層性粘液産生癌，絨毛腺管癌を含む．

　HPV非依存性腺癌には前項で詳述した胃型のほか，明細胞型，中腎型，特定不能型，類内膜癌がある．明細胞型HPV非依存性腺癌（adenocarcinoma, HPV independent, clear cell type）は流産防止のために妊婦に投与されたジエチルスチルベストロール（diethylstilbestrol：DES）および関連した非ステロイド性エストロゲンに子宮内で曝露された女児では若年で発症することが知られている[123]が，1971年に使用中止となってから長年月が経過し，同剤曝露例は激減している[124]．肉眼的にはDESに関連するものは外頸部に発生することが多いのに対し，DES非関連の場合は頸管内に発生し，通常型内頸部腺癌と同様の症状を呈する[103]（図49）．病理組織学的には淡明細胞やホブネイル（鋲釘）細胞（hobnail cell）により特徴付けられる．なお，DESはミュラー管（傍中腎管）奇形の原因物質でもある（第3章-Ⅰ「先天異常」参照）．胎生期の中腎管（ウォルフ管）は子宮の発生とともに退縮するが，退縮せずに子宮体部下部〜頸部に遺残組織が観察されることがある（図50）[125]．中腎型HPV非依存性腺癌（adenocarcinoma, HPV-independent, mesonephric type）はこれを母地として発生する腫瘍である[126]．組織学的に腫瘍内またはその周囲に中腎管遺残が存在する必要があり，大きな腫瘍ではこれを見出すのが難しいこともあり，報告は少ない[125]．起源が頸部間質内にあり，二次的に被覆上皮に至ることから，内向性に発育した腫瘍のような肉眼形態をとり，組織学的には細胞質内粘液を欠く，立方状ないし円柱状の細胞が好酸性の硝子様分泌物を含有する管腔を形成して増殖する．なお，子宮内膜原発の本腫瘍と類似した形態を呈する腫瘍は，中腎様腺癌（mesonephric-like adenocarcinoma）として，本腫瘍とは区別される（本章Ⅱ「子宮体部の腫瘍および腫瘍様病変」参照）．頸部の中腎型HPV非依

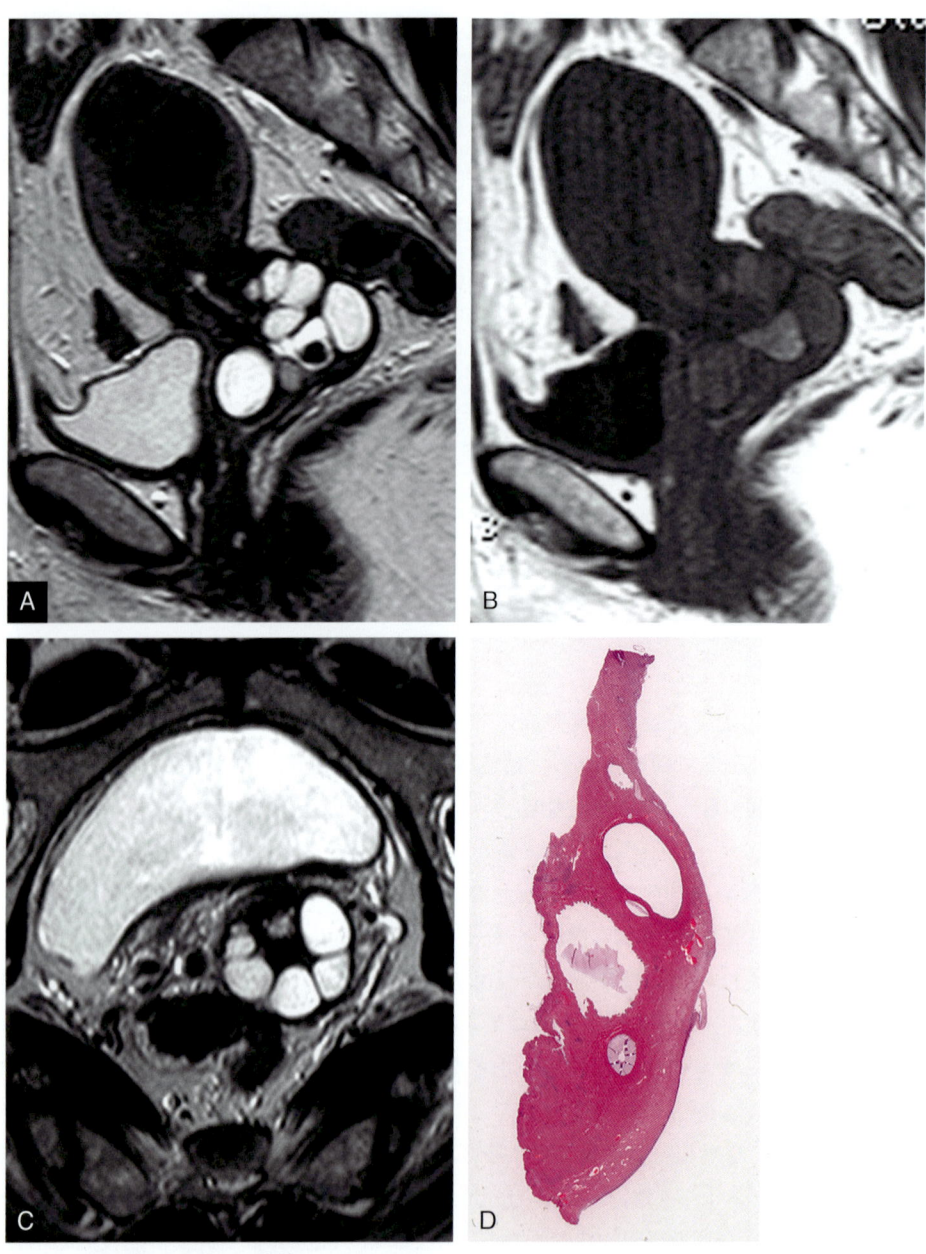

I 子宮頸部の腫瘍 tumors of the uterine cervix

図43 59歳 ナボット嚢胞
A：T2強調矢状断像，B：T1強調矢状断像，C：T2強調横断像，D：HE染色（ルーペ像）
T2強調像で子宮頸部には比較的大きな嚢胞が多発し（A，C），嚢胞内容物はT1強調像で高信号を示す（B）。円錐切除標本でも頸部間質に食い込む比較的大きな嚢胞の多発が確認できる（D）。
（Aは文献147より転載）

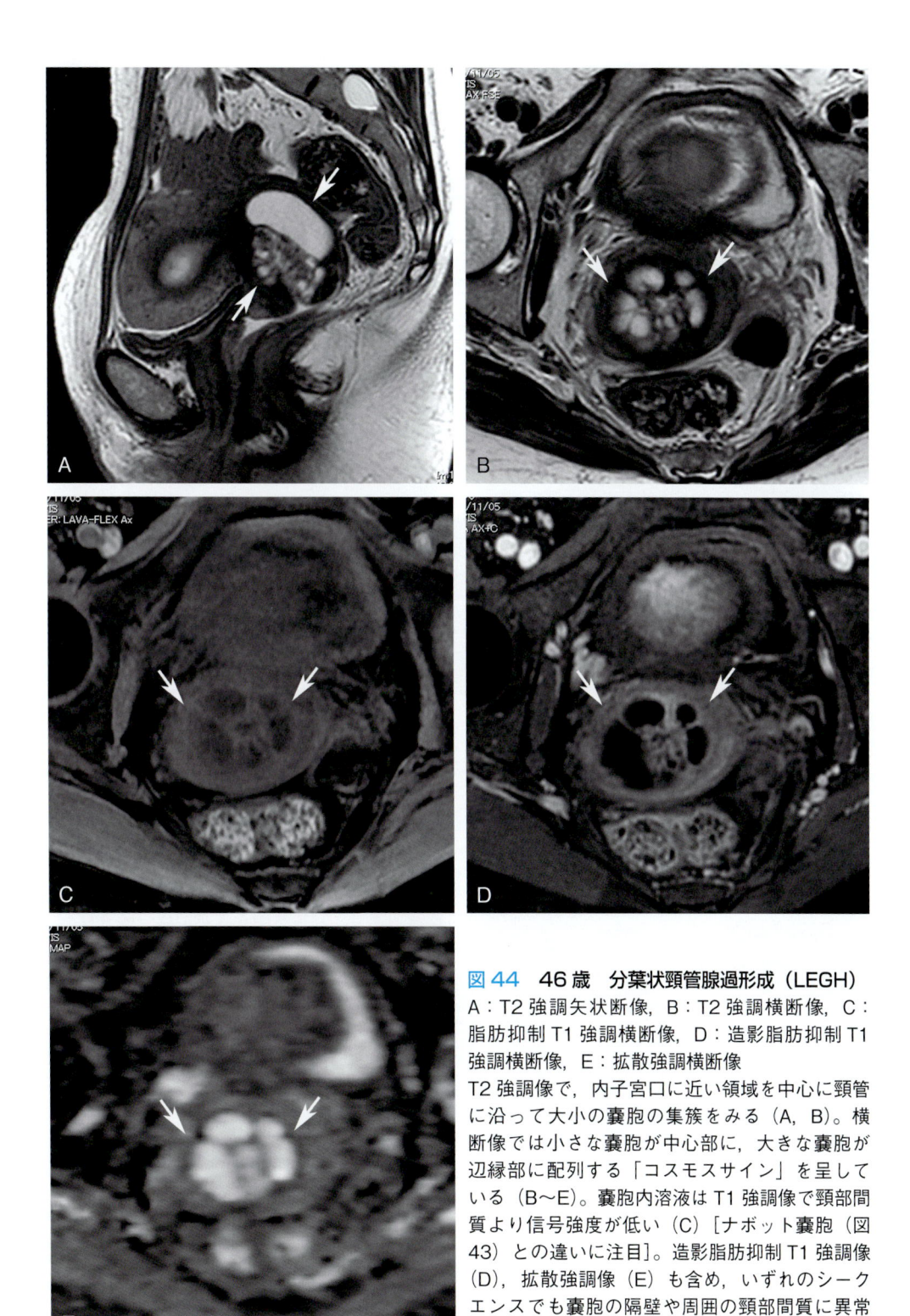

3. 特殊な組織型の頸部腫瘍および腫瘍様病変

図44　46歳　分葉状頸管腺過形成（LEGH）
A：T2強調矢状断像，B：T2強調横断像，C：脂肪抑制T1強調横断像，D：造影脂肪抑制T1強調横断像，E：拡散強調横断像

T2強調像で，内子宮口に近い領域を中心に頸管に沿って大小の囊胞の集簇をみる（A，B）。横断像では小さな囊胞が中心部に，大きな囊胞が辺縁部に配列する「コスモスサイン」を呈している（B〜E）。囊胞内溶液はT1強調像で頸部間質より信号強度が低い（C）［ナボット囊胞（図43）との違いに注目］。造影脂肪抑制T1強調像（D），拡散強調像（E）も含め，いずれのシークエンスでも囊胞の隔壁や周囲の頸部間質に異常信号は認めない。

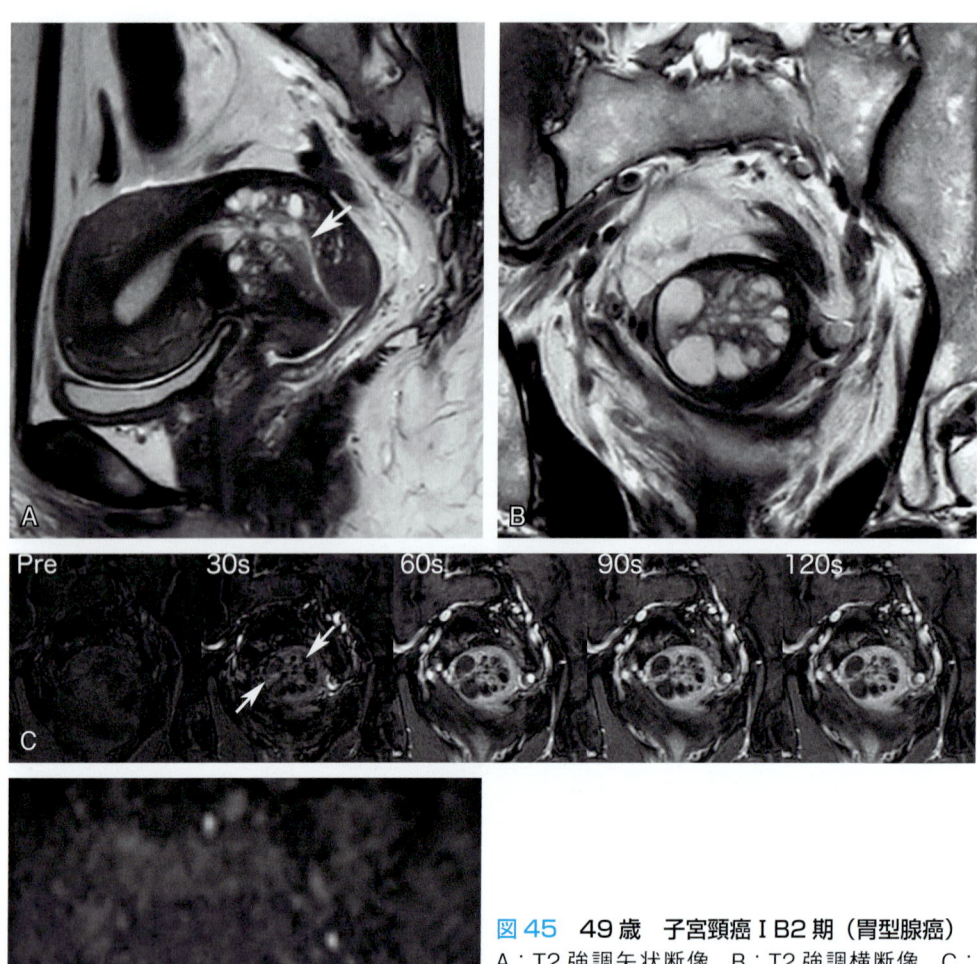

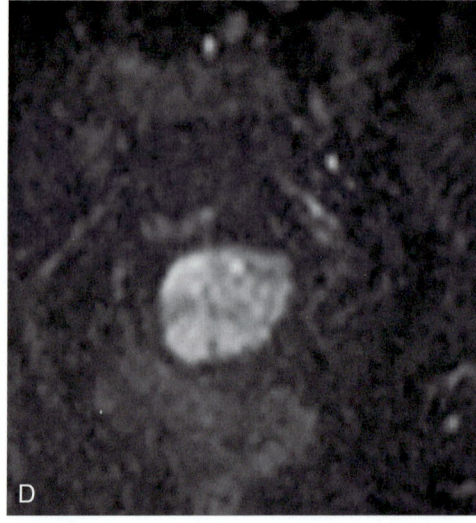

I 子宮頸部の腫瘍 tumors of the uterine cervix

図45 49歳 子宮頸癌ⅠB2期（胃型腺癌）
A：T2強調矢状断像，B：T2強調横断像，C：ダイナミックMRI横断像，D：拡散強調横断像
T2強調像で，分葉状頸管腺過形成（図44）と同様に内子宮口付近を中心に「コスモスサイン」を呈して大小の嚢胞が集簇しているが，嚢胞を介在する，あるいは周囲の頸部間質の信号強度がわずかに上昇しており（A，B），ダイナミックMRIでは，隔壁の一部が早期濃染している（C）。また，拡散強調像では隔壁の信号強度が高いために，個々の嚢胞の輪郭が不明瞭化している（D）。

存性腺癌も，内膜の中腎様腺癌も再発・転移が多く[126]，比較的まれではあるが，予後不良な組織型として重要である。類内膜癌（endometrioid carcinoma）は子宮内膜の類内膜癌と同様の組織型を呈するものをいう[127]。したがって内膜原発の類内膜癌の頸管浸潤と頸部原発との鑑別がしばしば問題となる。MRIでは腫瘍の主座を特定することでその鑑別に資するが，ちょうど内子宮口に中心を有する例（図51）や，既存構造の破壊が著しく内子宮口を特定できない例も少なくない。肉眼病理学的には子宮頸部を膨張させるように発育するのが子宮筋層の破壊を伴う内膜原

3. 特殊な組織型の頸部腫瘍および腫瘍様病変

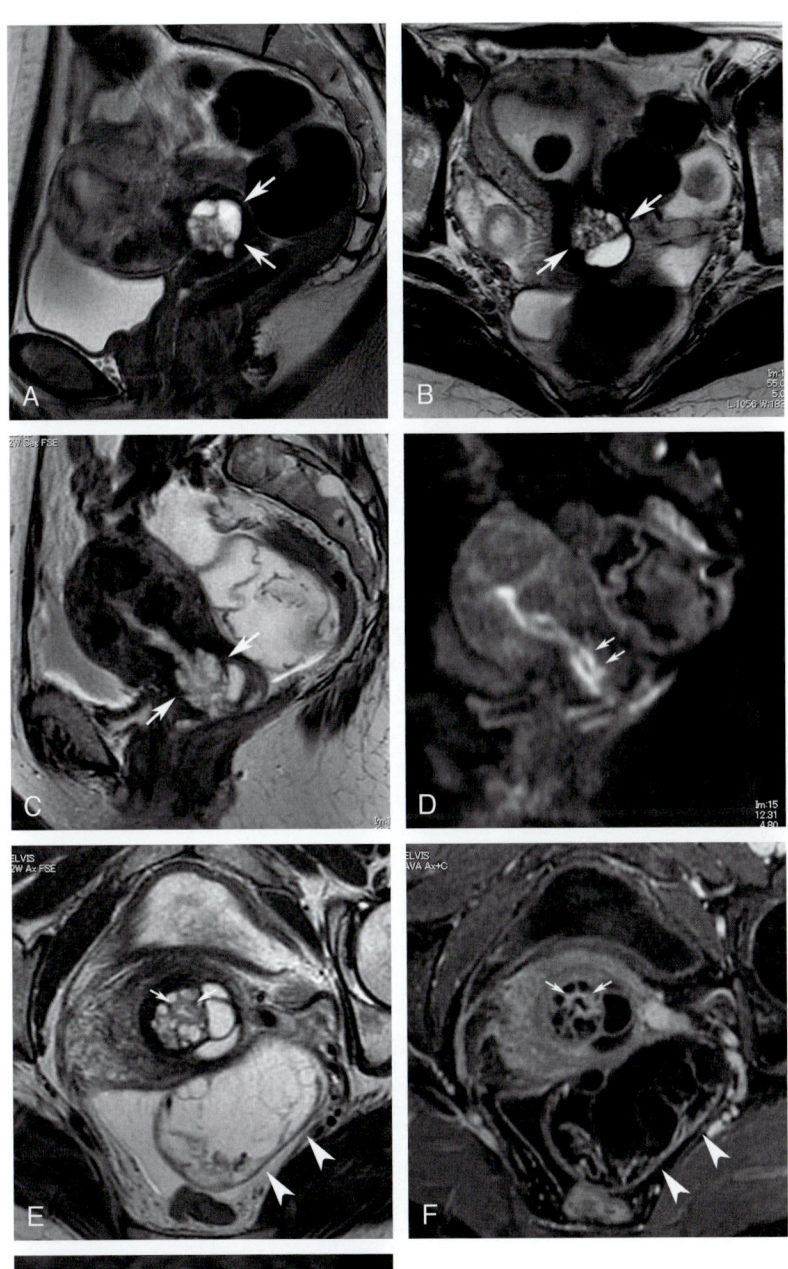

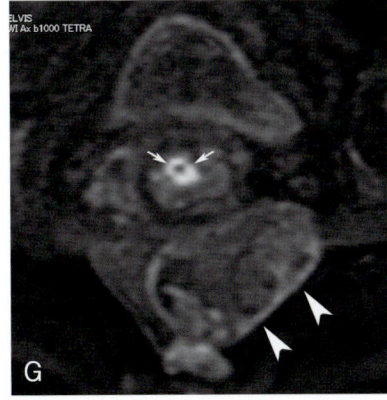

図46 48歳 子宮頸癌ⅣB期（胃型腺癌）
A：T2強調矢状断像（9年前），B：T2強調横断像（9年前），C：T2強調矢状断像，D：拡散強調矢状断像，E：T2強調横断像，F：造影脂肪抑制T1強調横断像，G：拡散強調横断像
9年前のT2強調像（A, B）では，内子宮口付近を中心に「コスモスサイン」を呈する病変（A, B→）を認め，分葉状頸管腺過形成と診断された。診断時，病変は増大するとともに，嚢胞を介在する隔壁が肥厚してT2強調像で信号強度が上昇しており（C, E→），拡散制限を示し（D, G→），造影後は強く増強されている（F→）が，卵巣転移（E～G▲）がなければ指摘することが難しい程度の変化である。

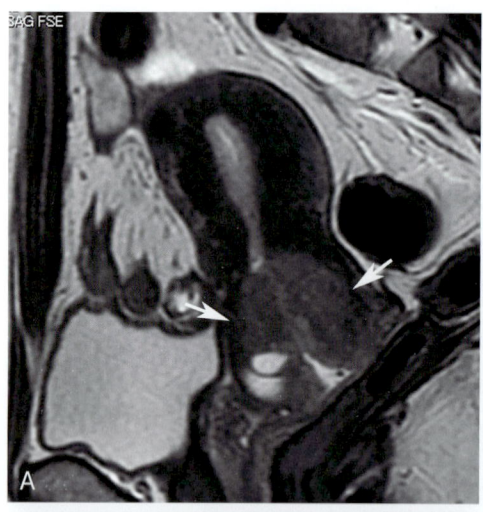

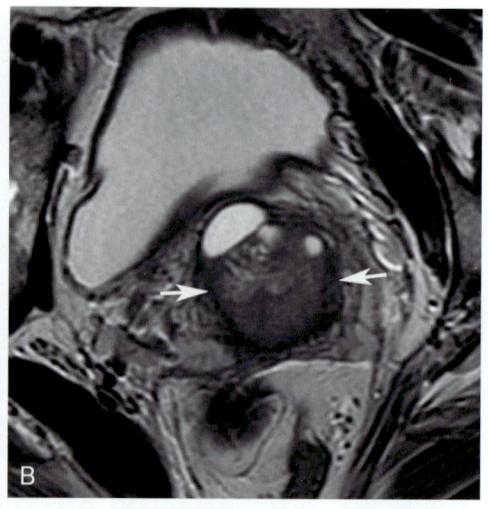

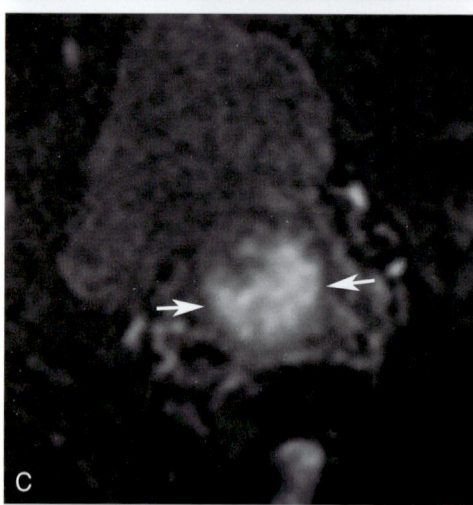

I 子宮頸部の腫瘍 tumors of the uterine cervix

図47 48歳 子宮頸癌ⅡB期（胃型腺癌）
A：T2強調矢状断像，B：T2強調横断像，C：拡散強調横断像，D：ダイナミックMRI横断像
T2強調像（A，B）では頸管を全長にわたって占拠する大きな腫瘤（A〜C →）であるが，周囲間質との境界は明瞭で（B，C），一見，傍組織浸潤はないようにみえるが，ダイナミックMRIでは傍組織が早期濃染し（D →），病理組織学的にも傍組織浸潤を伴う，浸潤傾向の強い腫瘍であった。

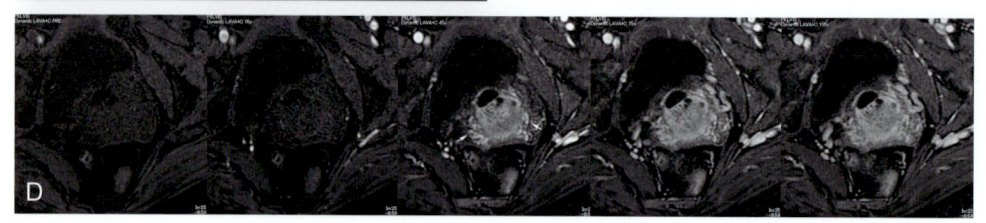

発との鑑別点とされる[6)7)]。病理組織学的には前駆病変の存在（背景に上皮内腺癌があれば頸部，内膜増殖症があれば内膜原発）[7)]や免疫組織化学染色により決定される（コラム「頸部腺癌，それとも内膜癌の頸部浸潤？」参照，p703）。

(4) その他の上皮性腫瘍 other epithelial tumors

扁平上皮癌，腺癌以外の上皮性腫瘍として，『子宮頸癌取扱い規約 病理編 第5版』では表1に示す腫瘍が挙げられている。

3. 特殊な組織型の頸部腫瘍および腫瘍様病変

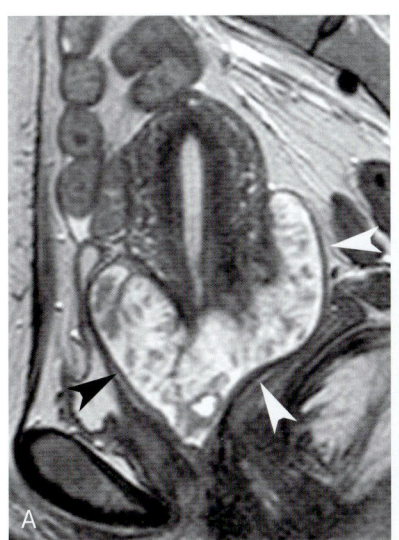

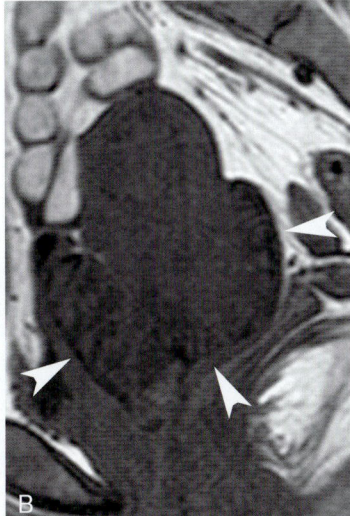

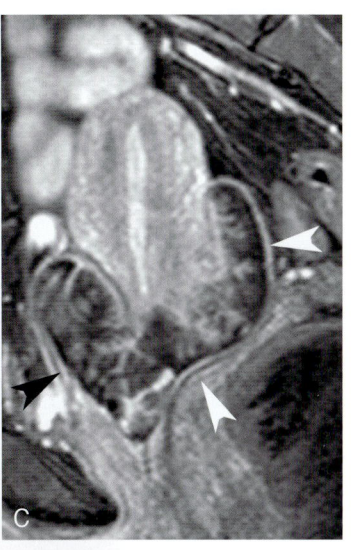

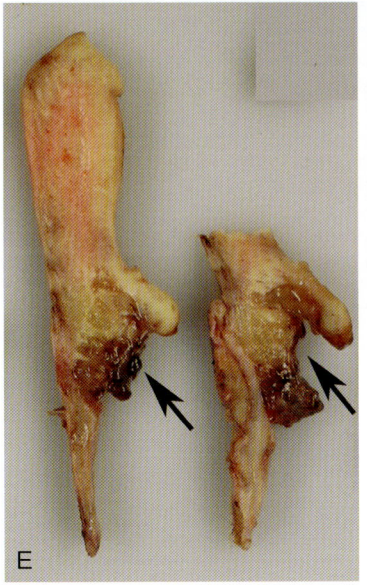

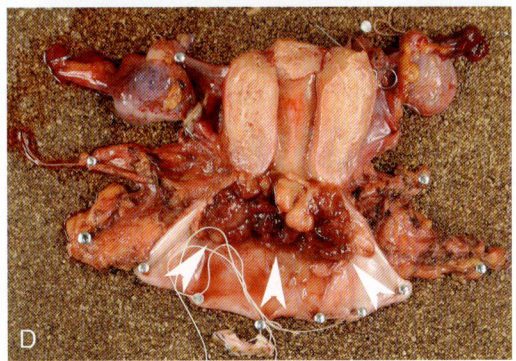

図48　46歳　子宮頸癌ⅡA期（HPV関連腺癌，粘液型）

A：T2強調矢状断像，B：T1強調矢状断像，C：造影脂肪抑制T1強調矢状断像，D：摘出新鮮標本肉眼像，E：摘出固定標本割面，F：HE染色（弱拡大），G：HE染色（強拡大）

外向性に発育する腫瘍はT2強調像で極めて信号強度が高く（A▲），増強効果をもたない液状成分を豊富に含む（B，C）。摘出標本では化学療法後のため少し緊満感を失っているが，みずみずしい粘液に富む乳頭状の腫瘍を形成している（D，E）。病理組織学的には高円柱状の腫瘍細胞が粘液を伴って，乳頭状に浸潤増殖している（F，G）。A，Cで腫瘍中心部にみられるシダ状の部分が腫瘍細胞の増殖部に相当し，周囲の増強されない部分が粘液塊からなることがわかる。

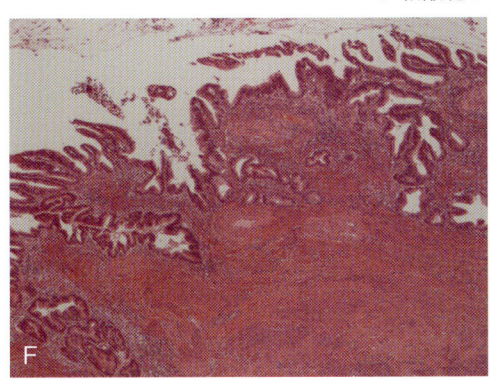

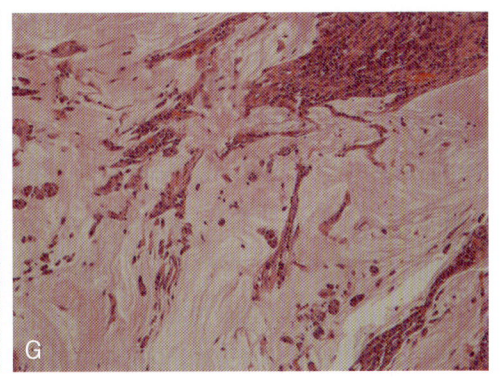

267

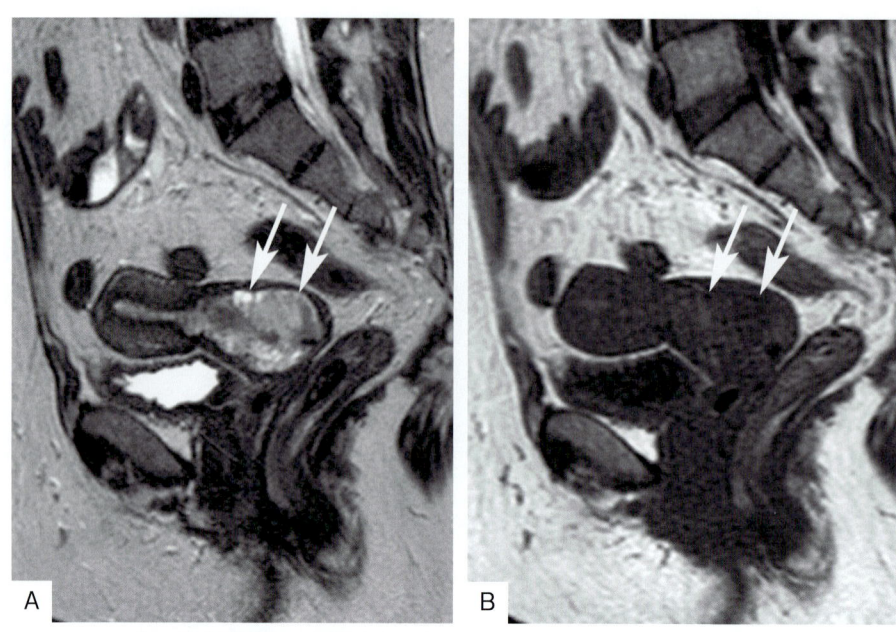

Ⅰ 子宮頸部の腫瘍 tumors of the uterine cervix

図49 59歳　子宮頸癌ⅠB2期（明細胞型HPV非依存性腺癌）
A：T2強調矢状断像，B：T1強調矢状断像
T2強調像（A）にて子宮頸管内を内向性に発育する高信号腫瘤（→）を認め，子宮の輪郭の明瞭なT1強調像（B）では頸部が膨隆したような形態を示す。本例にはDES投与歴はない。
（Aは文献146より転載）

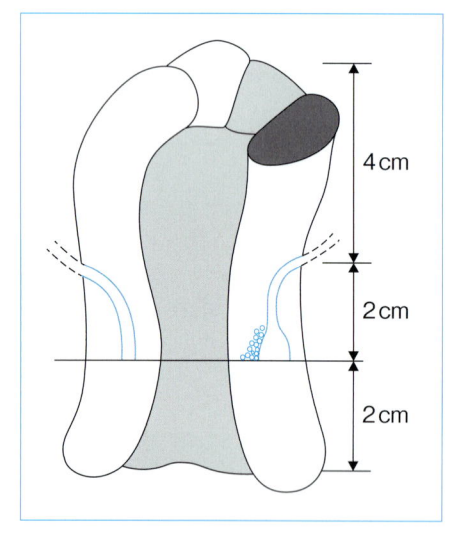

図50 子宮内における中腎管（ウォルフ管）の走行
ミュラー管が癒合して子宮が発生する過程で，ウォルフ管は図のように子宮体部下部および子宮頸部に巻き込まれ，時に遺残組織が手術検体に見出される。
（文献125より改変引用）

　癌肉腫（carcinosarcoma）は上皮成分と間葉成分で構成される二相性の悪性腫瘍で，閉経後に好発し，通常はポリポイドな腫瘍を形成するとされ，肉眼形態は内膜原発のカウンターパート（本章Ⅱ「子宮体部の腫瘍および腫瘍様病変」参照）に類似する。しかし頸部原発癌肉腫はHPV関連腫瘍である点が，内膜原発とは決定的に異なる（図52）。極めてまれな腫瘍であることから，

3. 特殊な組織型の頸部腫瘍および腫瘍様病変

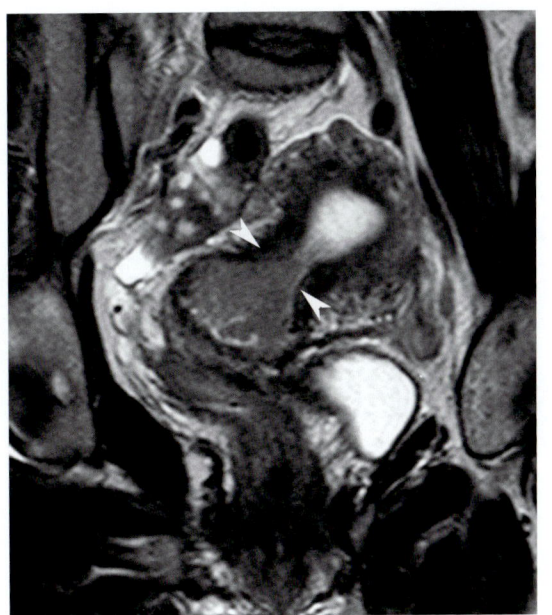

図51 41歳 子宮頸癌ⅠB2期（類内膜癌）
子宮体部が頸部に対し強く左に屈曲しているため，子宮の長軸は冠状断に近い。これに沿ってスキャンしたT2強調像で腫瘍は内子宮口（▲）より下方に主座があり，子宮内膜癌よりも頸部腺癌の可能性が高いと考えられ，病理学的にも腫瘍の局在，内膜過形成の合併がないことから頸部腺癌とみなされた。

確立した画像所見の報告はない。上皮性，間葉性の種々の成分の組み合わせがあるが，進行期のみが唯一の予後因子とされ，2年生存率が60%程度と予後不良であるものの内膜原発癌肉腫よりは良好とされている[128]。

腺扁平上皮癌（adenosquamous carcinoma）は腺癌と扁平上皮癌が移行・混在するものと定義され，ハイリスクHPVに関連する。すりガラス細胞癌（glassy cell carcinoma）は低分化型の腺扁平上皮癌の形態的バリエーションで，WHO分類第5版からは組織亜型としては削除された[2]。全頸癌の1%以下と頻度はまれだが進行が速く放射線抵抗性で予後が悪く，臨床的に最も恐れられている子宮頸癌の組織型の1つである[7]。淡明で豊富な細胞質をもつ病理組織学的な特徴からこの名がある[2]。肉眼的にポリープ状に内腔に突出することが多いとされるが，画像的には特徴に乏しい（図53）。扁平上皮細胞，粘液産生細胞，所謂中間型細胞で構成される腫瘍は粘表皮癌（mucoepidermoid carcinoma）とよばれる。唾液腺に発生する粘表皮癌と同様に*CRTC-MAML2*融合遺伝子が検出されることから，腺扁平上皮癌とはまったく異なる腫瘍であると考えられている[2]。

腺様基底細胞癌（adenoid basal carcinoma）は予備細胞（reserve cell）に由来すると考えられているまれな腫瘍で，患者の多くは50歳以上である。低異型度で転移することは少なく，予後良好とされる[2]。

未分化癌（undifferentiated carcinoma）はどの組織亜型にも分類できない，分化度が極めて低い悪性腫瘍をいい，2020年度の日本産科婦人科学会の統計では0.2%とまれである[3]。

2) 上皮性・間葉性混合腫瘍 mixed epithelial and mesenchymal tumors

頸管腺上皮と平滑筋の増生で構成される良性の腺筋腫（adenomyoma）と間葉性成分が低異型

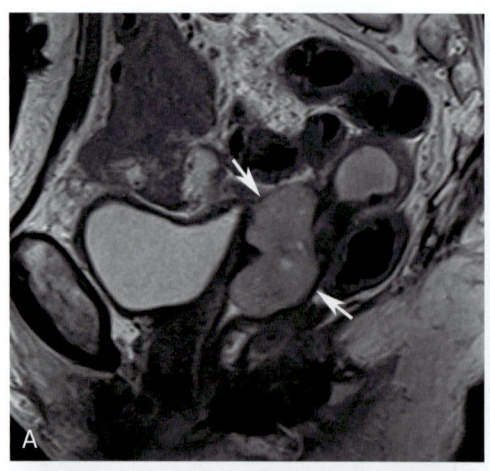

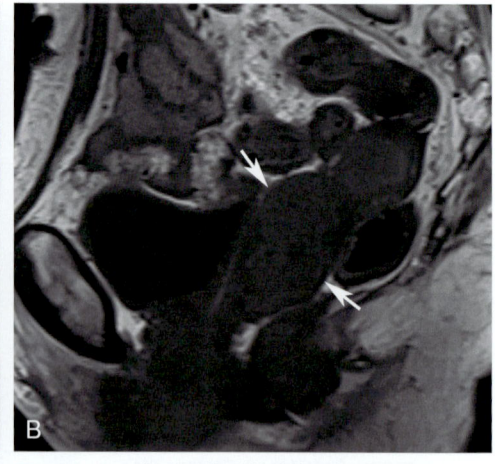

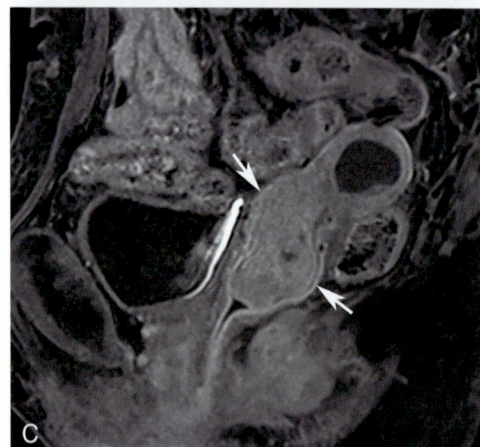

I 子宮頸部の腫瘍 tumors of the uterine cervix

図52 84歳 子宮頸部癌肉腫ⅡA2期
A：T2強調矢状断像，B：T1強調矢状断像，C：造影T1強調矢状断像，D：T2強調横断像，E：拡散強調横断像
T2強調像で頸管内を鋳型状に発育する信号強度の高い腫瘍で（A, D→），造影平衡相まで強い増強効果が持続し，内膜原発のカウンターパートに類似した形態を示す（B, C→）。拡散制限も強い（E→）。

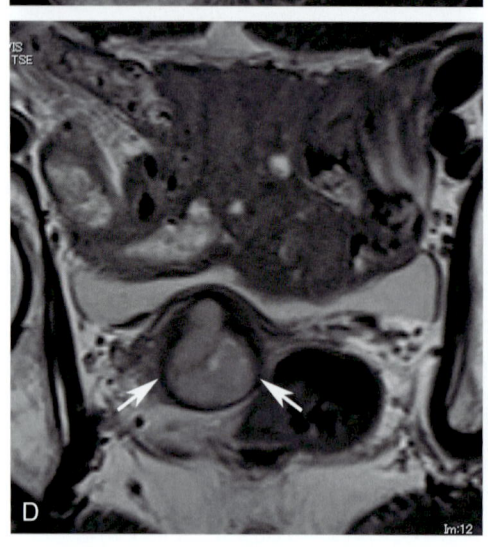

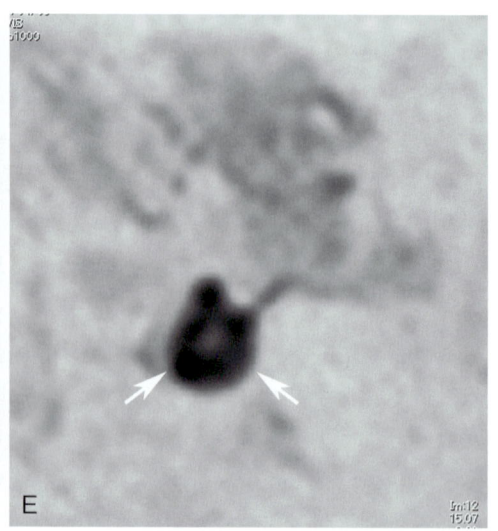

3. 特殊な組織型の頸部腫瘍および腫瘍様病変

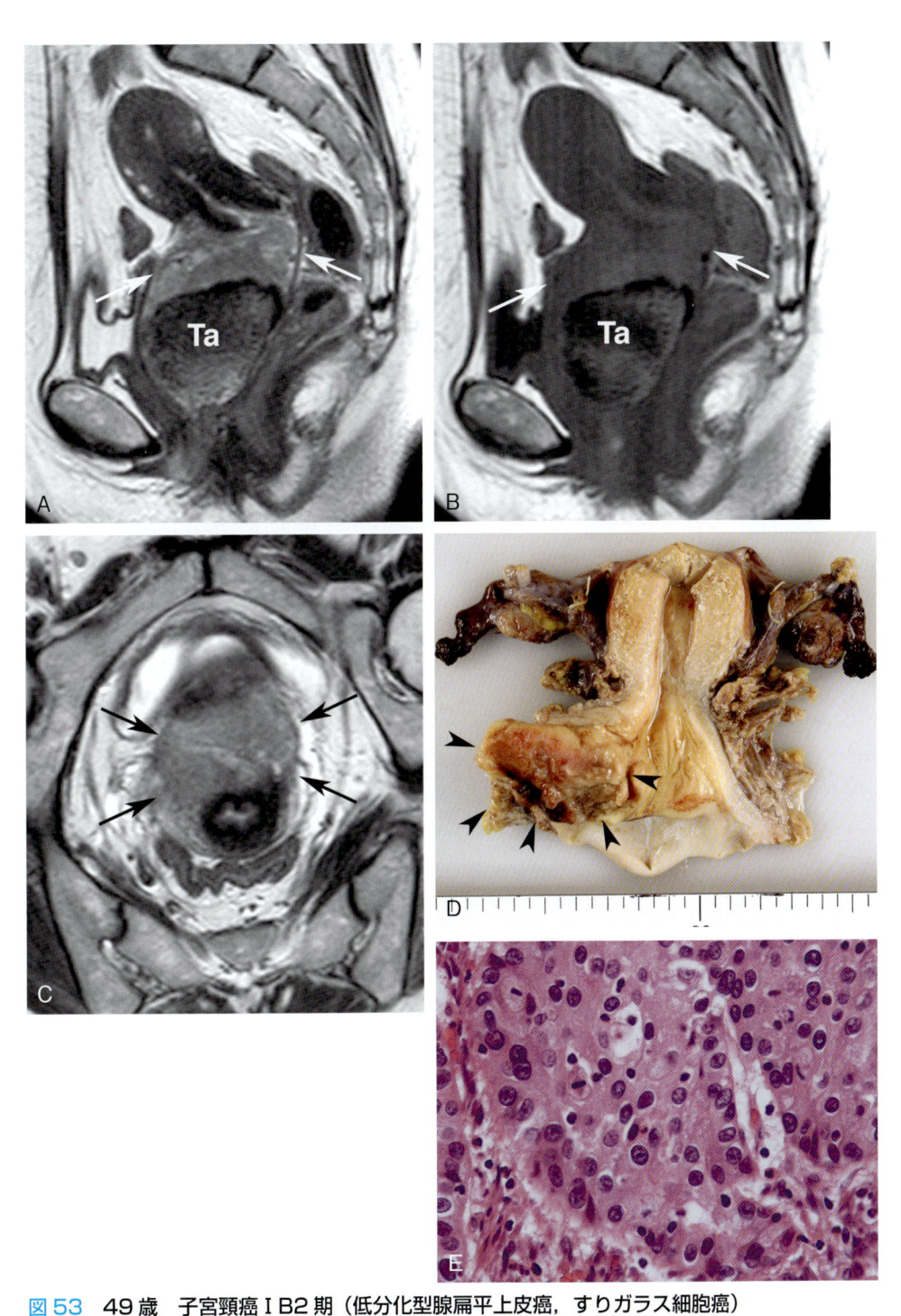

図53　49歳　子宮頸癌ⅠB2期（低分化型腺扁平上皮癌，すりガラス細胞癌）
A：T2強調矢状断像，B：T1強調矢状断像，C：T2強調横断像，D：摘出標本肉眼像，E：HE染色（強拡大）
子宮腟部から突出して腟腔を充満する，T2強調像で比較的高信号（A，C→，Ta：腟内に挿入されたタンポン），T1強調像でも筋層より信号強度の高い均一な腫瘤としてみられる（B→）。肉眼的にも腟に結節状に突出する腫瘍である（D▲）。病理組織学的には細胞境界が明瞭で明るいすりガラス状の細胞質を豊富に有する多辺形の細胞が周囲に炎症細胞浸潤を伴いながら島状に増殖しており（E），すりガラス細胞癌と診断される。

I 子宮頸部の腫瘍 tumors of the uterine cervix

度の肉腫からなる腺肉腫が含まれる。後者は子宮頸部ではまれで，女性生殖器に発生する腺肉腫の2％程度にすぎないとされる[2]。本腫瘍群については本章II「子宮体部の腫瘍および腫瘍様病変」の項で詳述する。

3) 胚細胞腫瘍 germ cell tumors

卵巣に発生する卵黄嚢腫瘍（yolk sac tumor）と同様の腫瘍が子宮頸部に発生し，下部女性生殖器では腟に次ぐ頻度でみられるとされるが，成人ではまれで，小児期に性器出血を契機として，腟に突出するポリープ状の腫瘤として発症するという。

4) 神経内分泌腫瘍 neuroendocrine tumors (NET)

子宮頸部にもまれに神経内分泌腫瘍（neuroendocrine tumors：NET）が発生する。最新のWHO分類および取扱い規約では神経内分泌腫瘍グレード1［neuroendocrine tumor grade 1：NET G1，カルチノイド腫瘍（carcinoid tumor）］，神経内分泌腫瘍グレード2［neuroendocrine tumor grade 2：NET G2，非定型的カルチノイド腫瘍（atypical carcinoid tumor）］，神経内分泌癌（neuroendocrine carcinoma：NEC），神経内分泌癌が混在する癌（carcinoma admixed with neuroendocrine carcinoma）に大別され，NECは小細胞神経内分泌癌（small cell neuroendocrine carcinoma：SCNEC），大細胞神経内分泌癌（large cell neuroendocrine carcinoma：LCNEC）に分類された[2]。いずれも神経内分泌分化を示す腫瘍であるが，頸部原発の腫瘍からはハイリスクHPVが検出される。子宮頸部ではNETの頻度は低く，他臓器発生例と同様にホルモン産生に伴う症状で発生することがあるとされるが，無症状例が多数を占める。内膜原発のNETが大きな腫瘍であることが多いのに対し，頸部では2cm以下のポリポイド腫瘍や部分的な硬結であるとされる（図54）[1]。小細胞神経内分泌癌は極めて異型の強い小型の腫瘍細胞が索状，胞巣状に発育するもので[129]，大細胞神経内分泌癌は好酸性で豊富な胞体を有する大型の細胞からなる。いずれも扁平上皮癌・腺癌に比べ若年発症が多く，極めて予後不良である（図26）。小細胞神経内分泌癌は傍腫瘍症候群としての高カルシウム血症（humoral hypercalcemia of malignancy：HHM）で発症することがあり，その一部は卵巣の高カルシウム血症型小細胞癌と同じく*SMARCA4*の発現が消失しているとされており[130]，両者の起源と合わせ，興味深い。神経内分泌腫瘍はどの臓器でもびまん性の細胞増殖を反映してT2強調像で均一な高信号を呈し，造影剤による強い増強効果を示す傾向があり[131-133]，子宮頸部でも同様の報告がある（図54）。また後述する悪性リンパ腫と同様に，均一な信号強度と低いADC値を示し，リンパ節転移を伴うとの報告もある[134]。

5) 間葉性腫瘍および腫瘍様病変 mesenchymal tumors and tumor-like lesions

子宮頸部に発生する間葉性腫瘍としては，平滑筋腫（leiomyoma），生殖器横紋筋腫（genital

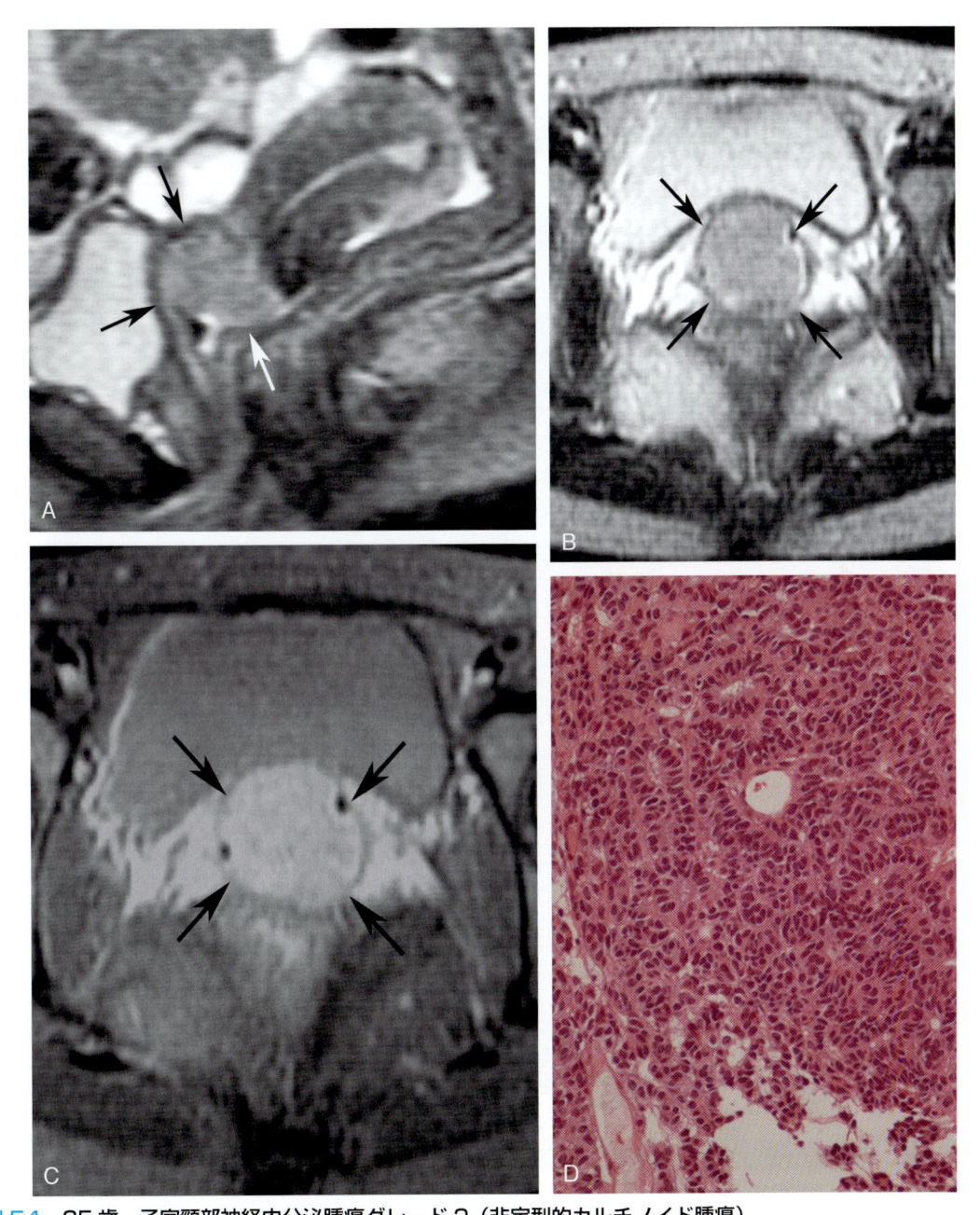

図54 35歳 子宮頸部神経内分泌腫瘍グレード2（非定型的カルチノイド腫瘍）
A：T2強調矢状断像，B：T2強調横断像，C：造影脂肪抑制T1強調横断像，D：HE染色（弱拡大）
子宮腟部前唇を占める，T2強調像で均一な高信号（A，B→），造影剤で均一によく増強される（C→）腫瘤である。病理組織学的には異型を伴う小型の腫瘍細胞が管腔構造を形成しながら密に増殖している（D）。境界明瞭な頸部に限局する腫瘍であるが，診断から約1年7カ月後に肺，脳転移により死亡した。

rhabdomyoma），平滑筋肉腫（leiomyosarcoma），横紋筋肉腫（rhabdomyosarcoma），胞巣状軟部肉腫（alveolar soft-part sarcoma），血管肉腫（angiosarcoma）が挙げられている。このうち横紋筋肉腫には胎児型（embryonal），胞巣型（alveolar），多形型（pleomorphic）などの亜型が

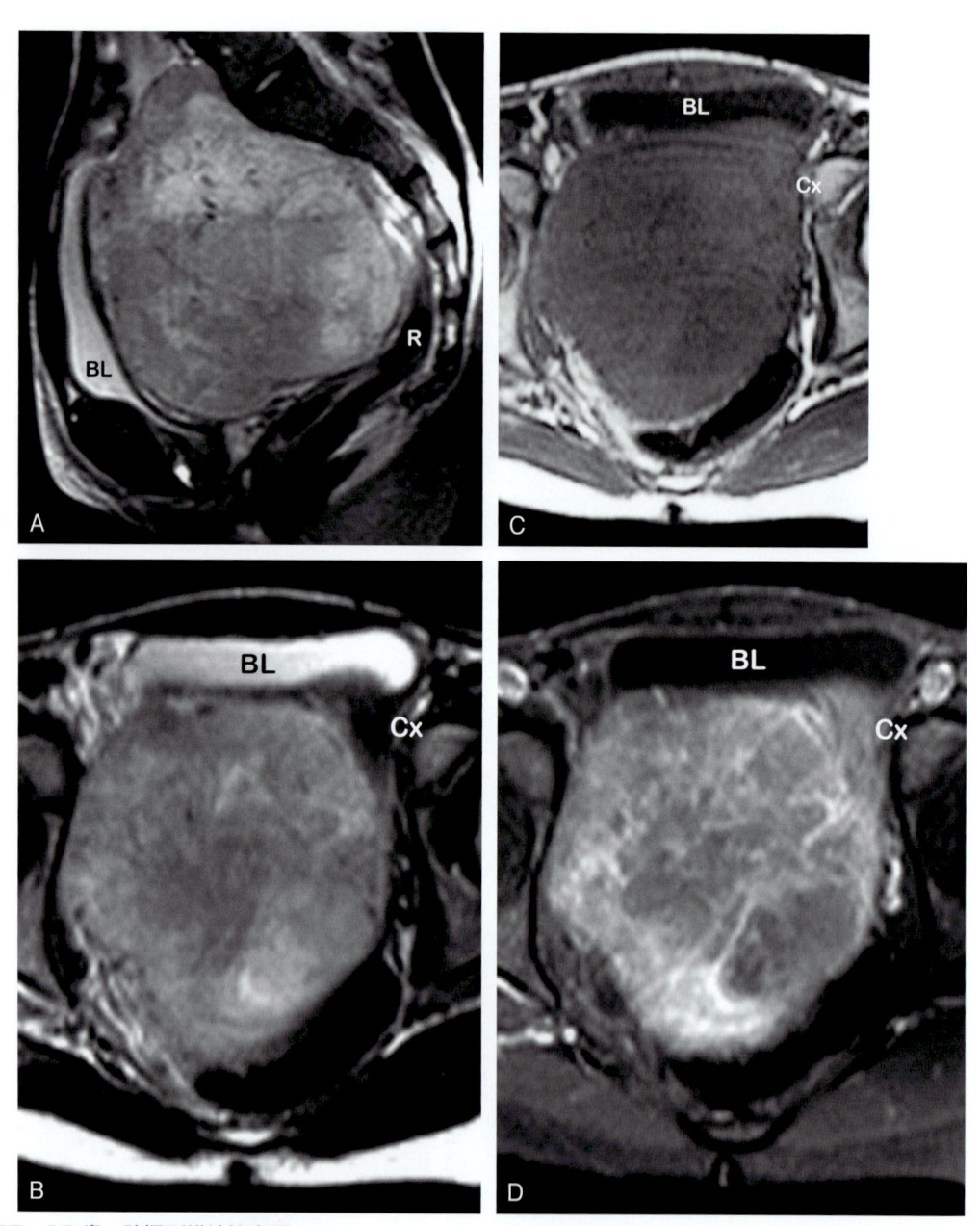

Ⅰ 子宮頸部の腫瘍 tumors of the uterine cervix

図55　10歳　胎児型横紋筋肉腫
A：T2強調矢状断像，B：T2強調横断像，C：T1強調横断像，D：造影脂肪抑制T1強調横断像
頸部から腟内に下垂する特徴的な形態を示さないのでブドウ状肉腫とはいえないが，T2強調像で子宮頸部（B，Cx）に近接する境界明瞭な低信号と高信号の混在する巨大な腫瘤で（A，B，BL：膀胱，R：直腸），造影後は不均一に増強される（C，D）。発症年齢と局在は胎児型横紋筋肉腫に典型的である。

あるが，胎児型横紋筋肉腫が大部分を占める。ブドウ状肉腫（sarcoma botryoides）は胎児型横紋筋肉腫の別名で，粘液腫様の基質がポリープ状に盛り上がってブドウの房状に発育することからその名がある。乳幼児では腟や膀胱に発生する例が多いのに対し，子宮頸部原発例は思春期に多い[135]。画像的にはT2強調像で高信号と低信号の混在する境界明瞭な腫瘤を形成する[136]といわれ，

3. 特殊な組織型の頸部腫瘍および腫瘍様病変

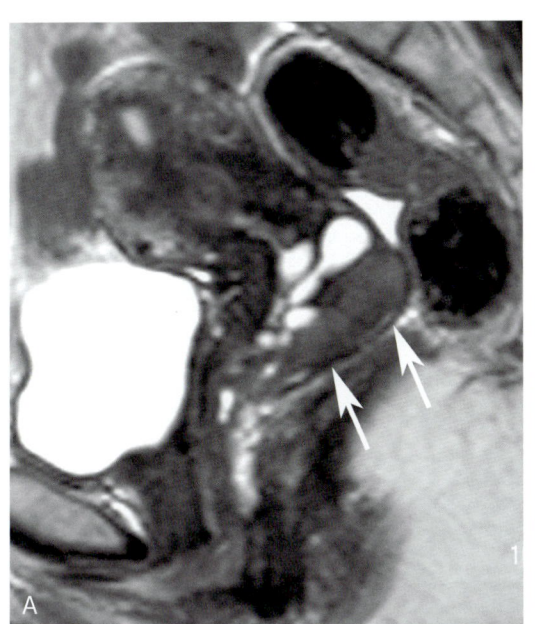

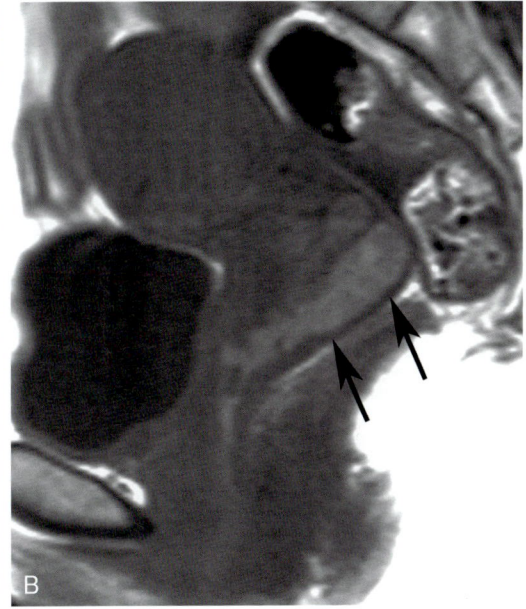

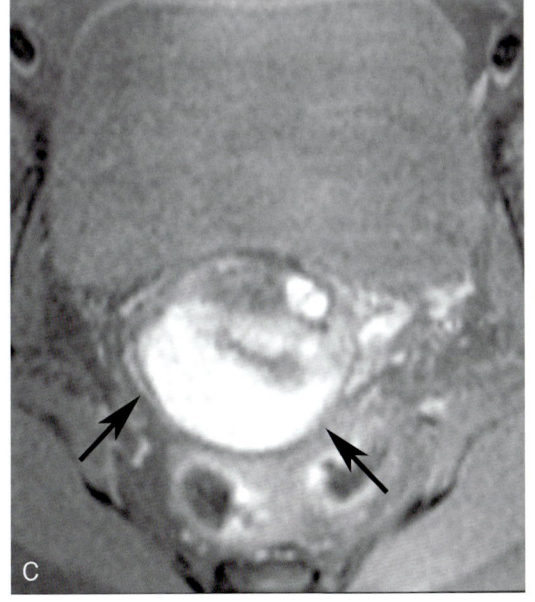

図56 45歳 悪性黒色腫
A：T2強調矢状断像，B：T1強調矢状断像，C：脂肪抑制T1強調横断像
子宮腟部後唇から腟壁にまたがる腫瘤があり，T2強調像で低信号（A），T1強調像（B），脂肪抑制T1強調像（C）で高信号の，メラニン含有細胞に特徴的な信号強度を呈する．本例は腟壁原発とされたが，腫瘍容積は子宮頸部側で大きく，厳密にはどちらかわかりにくい症例である．
（文献147より転載）

　前者は粘液腫状の部分を，後者は横紋筋芽細胞の増生部分を反映したものと思われる（図55）．
　ほかの肉腫に関しては子宮体部発生のものと差がないので，本章では割愛する．また腫瘍様病変として，取扱い規約には術後性紡錘細胞結節（postoperative spindle-cell nodule）と高度反応性リンパ過形成が挙げられているが，ここでは割愛する．

6）メラノサイト腫瘍 melanocytic tumors

　良性の青色母斑（blue nevus）と悪性黒色腫（malignant melanoma）がここに属する。女性生殖器の悪性黒色腫は50～70代の高齢者に好発し，局所再発が多く予後不良な疾患である。子宮頸部における本腫瘍の起源はいまだ明らかでないが，神経鞘内のメラニン含有細胞などが挙げられている[7]。頻度的にも外陰原発が最も多く，腟がこれに次ぎ，子宮頸部はまれである[137]。しかし臨床的には子宮頸部と腟壁にまたがる大きな腫瘍がしばしば経験される（図56）。他領域の腫瘍と同様にメラニンのT1短縮効果によりT1強調像で高信号を示す[138)139)]とされるが，信号強度はメラニンの多寡に依存することから，amelanotic melanomaでは特徴的な画像は呈さない。

7）リンパ性および骨髄性腫瘍 lymphoid and myeloid tumors

　悪性リンパ腫（malignant lymphoma）の女性生殖器病変の1/3は原発巣として，2/3は全身疾患の一部として発症するが，頸部が冒される頻度は卵巣や体部に比べまれである。組織学的にはびまん性大細胞リンパ腫が最も多い[140]。本腫瘍もびまん性に増殖する均一で大きな腫瘍を形成することが多い。リンパ腫は他臓器においても臓器本来の解剖学的構造を保ちながら進展することの多い疾患だが，子宮も例外ではなく内膜や頸管粘膜を保ちながらびまん性腫大をきたすことがある（図57）[141]。また隔壁により境された多結節状の形態が比較的特徴的である[142]。

文献

1) The WHO Classification of Tumors Editorial Board：Female Genital Tumours. 5th ed. International Agency for Research on Cancer, Lyon, France, 2020
2) 日本産科婦人科学会ほか 編：子宮頸癌取扱い規約 病理編 第5版. 金原出版，東京，2022
3) 日本産科婦人科学会婦人科腫瘍委員会：婦人科腫瘍委員会報告 2020年患者年報. 日産婦誌 74：2345-2402, 2022
4) Wright TC et al：Benign Diseases of the Cervix, (in)：Kurman RJ et al eds；Blaustein's Pathology of the Female Genital Tract. p193-237, Springer International Publishing, Cham, 2019
5) Wells M et al：Chapter 5 Tumours of the uterine cervix, Epithelial tumours, Tavassoli FA et al eds；World Health Organization Classification of Tumours. Pathology & Genetics of Tumours of the Breast and Female Genital Organs. p262-279, IARC, Lyon, 2003
6) Nucci MR et al：Tumors of the Cervix, Vagina, and Vulva. American Registry of Pathology, 2023
7) Pirog EC et al：Carcinoma and Other Tumors of the Cervix, (in)：Kurman RJ et al eds；Blaustein's Pathology of the Female Genital Tract. p315-374, Springer International Publishing, Cham, 2019
8) 日本産科婦人科学会ほか（編）：子宮頸癌取扱い規約 臨床編 第4版. 金原出版，東京，2020
9) Bhatla N et al：Cancer of the cervix uteri. Int J Gynaecol Obstet 143（suppl 2）：22-36, 2018
10) Hatch KD et al：Cervical and vaginal cancer, (in)：Beerek JS et al eds；Novak's Gynecology, 12th ed. p1111-1153, Williams and Willkins, Baltimore, 1996
11) Green JA et al：Survival and recurrence after concomitant chemotherapy and radiotherapy for cancer of the uterine cervix：a systematic review and meta-analysis. Lancet 358：781-786, 2001
12) 日本婦人科腫瘍学会（編）：子宮頸癌治療ガイドライン 2022年版. 金原出版，東京，2022
13) Ramirez PT et al：Minimally invasive versus abdominal radical hysterectomy for cervical cancer. N Engl J Med 379：1895-1904, 2018
14) 日本産科婦人科学会. 子宮頸癌に対する腹腔鏡下子宮悪性腫瘍手術（子宮頸がんに限る）についての指針. 2022 https://www.jsog.or.jp/medical/897/（accessed 2023.11.19.）
15) 日本産科婦人科学会婦人科腫瘍委員会：婦人科腫瘍委員会報告 第63回治療年報. 日産婦誌 74：2263-2343, 2022
16) Kim SH et al：Uterine cervical carcinoma：comparison of CT and MR findings. Radiology 175：45-51, 1990
17) Togashi K et al：Uterine cervical cancer：assessment with high-field MR imaging. Radiology 160：431-435, 1986
18) Hricak H et al：Invasive cervical carcinoma：comparison of MR imaging and surgical findings. Radiology 166：623-631, 1988
19) Togashi K et al：Carcinoma of the cervix：staging with MR imaging. Radiology 171：245-251, 1989
20) Hricak H et al：Carcinoma of the uterus：use of

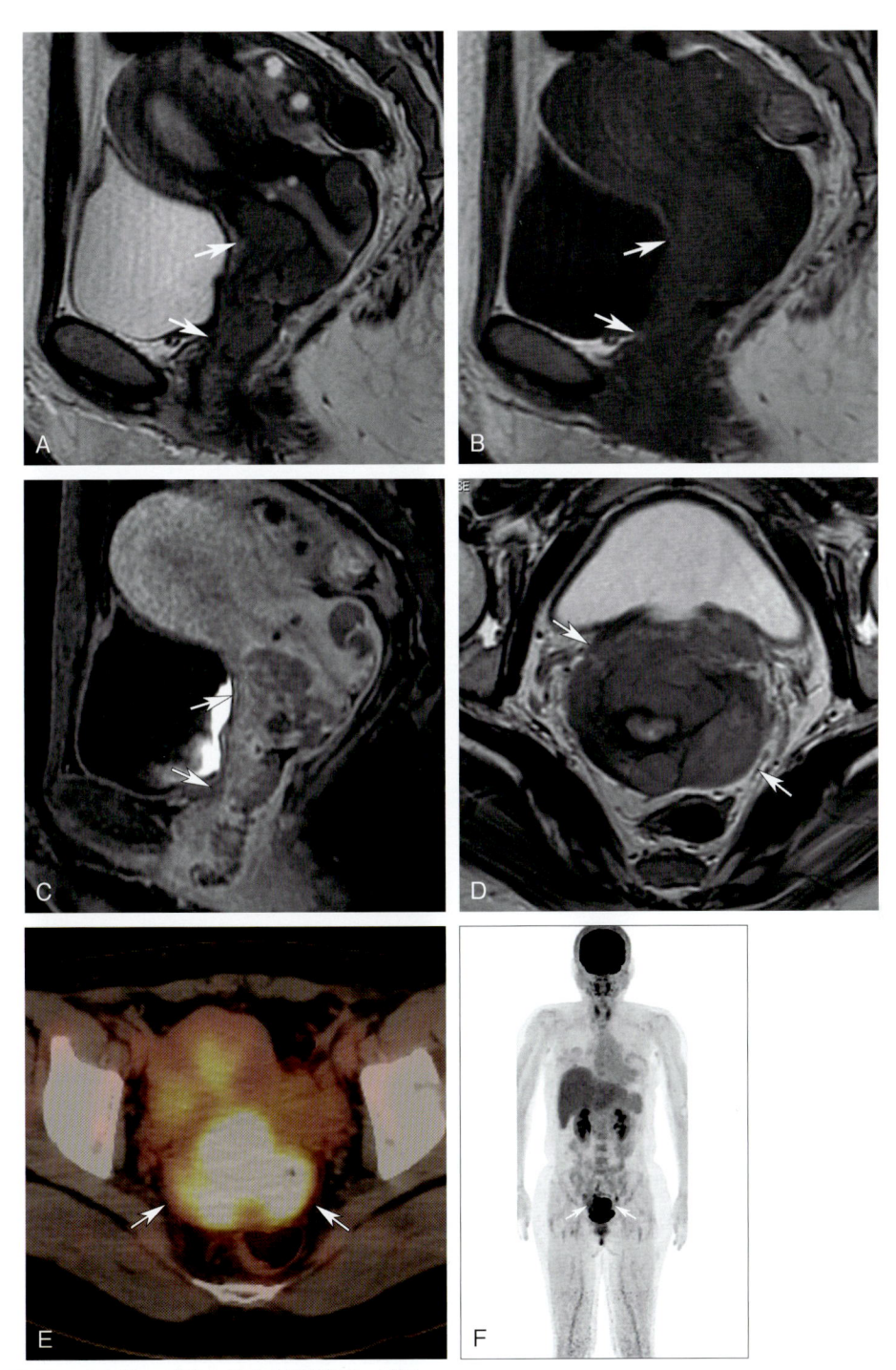

3. 特殊な組織型の頸部腫瘍および腫瘍様病変

図57 31歳 びまん性大細胞型リンパ腫
A：T2強調矢状断像，B：T1強調矢状断像，C：造影脂肪抑制T1強調矢状断像，D：T2強調横断像，E：PET/CT横断像，F：^{18}F-FDG-PETプラナー像
細胞診では腺癌が疑われていた。子宮腟部を前唇優位に占めるT2強調像（A，D）で高信号，T1強調像でやや高信号（B）の腫瘤があり，腟壁に広く浸潤している（A〜D→）が，子宮頸部ではその輪郭や内部構造を保ったまま浸潤している。造影後は不均一に増強され（C），PET/CTではFDGの強い集積がある（E→）。ほかにはFDGの集積はなく（F），子宮頸部原発と考えられる症例である。

277

20) gadopentetate dimeglumine in MR imaging. Radiology 181 : 95-106, 1991
21) Scheidler J et al : Parametrial invasion in cervical carcinoma : evaluation of detection at MR imaging with fat suppression. Radiology 206 : 125-129, 1998
22) Yamashita Y et al : Carcinoma of the cervix : dynamic MR imaging. Radiology 182 : 643-648, 1992
23) Asakawa T et al : Cervical carcinoma : dynamic MR imaging with a turbo-FLASH technique. Radiat Med 15 : 389-398, 1997
24) Ito K et al : High-resolution contrast-enhanced MRI of the uterus with a phased-array multicoil. J Comput Assist Tomogr 22 : 742-748, 1998
25) Abe Y et al : Carcinoma of the uterine cervix : high-resolution turbo spin-echo MR imaging with contrast-enhanced dynamic scanning and T2-weighting. Acta Radiol 39 : 322-326, 1998
26) Liu PF et al : MRI of the uterus, uterine cervix, and vagina : diagnostic performance of dynamic contrast-enhanced fast multiplanar gradient-echo imaging in comparison with fast spin-echo T2-weighted pulse imaging. Eur Radiol 8 : 1433-1440, 1998
27) Hawighorst H et al : Angiogenesis of uterine cervical carcinoma : characterization by pharmacokinetic magnetic resonance parameters and histological microvessel density with correlation to lymphatic involvement. Cancer Res 57 : 4777-4786, 1997
28) Gong QY et al : Contrast enhanced dynamic MRI of cervical carcinoma during radiotherapy : early prediction of tumour regression rate. Br J Radiol 72 : 1177-1184, 1999
29) Mayr NA et al : MR microcirculation assessment in cervical cancer : correlations with histomorphological tumor markers and clinical outcome. J Magn Reson Imaging 10 : 267-276, 1999
30) Yamashita Y et al : Dynamic contrast-enhanced MR imaging of uterine cervical cancer : pharmacokinetic analysis with histopathologic correlation and its importance in predicting the outcome of radiation therapy. Radiology 216 : 803-809, 2000
31) Loncaster JA et al : Prediction of radiotherapy outcome using dynamic contrast enhanced MRI of carcinoma of the cervix. Int J Radiat Oncol Biol Phys 54 : 759-767, 2002
32) Seki H et al : Stromal invasion by carcinoma of the cervix : assessment with dynamic MR imaging. AJR Am J Roentgenol 168 : 1579-1585, 1997
33) Fujiwara K et al : Negative MRI findings with invasive cervical biopsy may indicate stage ⅠA cervical carcinoma. Gynecol Oncol 79 : 451-456, 2000
34) Kinkel K : Pitfalls in staging uterine neoplasm with imaging : a review. Abdom Imaging 31 : 164-173, 2006
35) Woo S et al : Diagnostic performance of conventional and advanced imaging modalities for assessing newly diagnosed cervical cancer : systematic review and meta-analysis. Eur Radiol 30 : 5560-5577, 2020
36) Matsushita M et al : MR imaging underestimates stromal invasion in patients with adenocarcinoma of the uterine cervix. Eur J Gynaecol Oncol 22 : 201-203, 2001
37) Peppercorn PD et al : Role of MR imaging in the selection of patients with early cervical carcinoma for fertility-preserving surgery : initial experience. Radiology 212 : 395-399, 1999
38) Lakhman Y et al : Stage ⅠB1 cervical cancer : role of preoperative MR imaging in selection of patients for fertility-sparing radical trachelectomy. Radiology 269 : 149-158, 2013
39) Okuno K et al : Cervical carcinoma with full-thickness stromal invasion : relationship between tumor size on T2-weighted images and parametrial involvement. J Comput Assist Tomogr 26 : 119-125, 2002
40) Shiraiwa M et al : Cervical carcinoma : efficacy of thin-section oblique axial T2-weighted images for evaluating parametrial invasion. Abdom Imaging 24 : 514-519, 1999
41) Woo S et al : Diagnostic performance of MRI for assessing parametrial invasion in cervical cancer : a head-to-head comparison between oblique and true axial T2-weighted images. Korean J Radiol 20 : 378-384, 2019
42) Hori M et al : Uterine cervical carcinoma : preoperative staging with 3.0-T MR imaging : comparison with 1.5-T MR imaging. Radiology 251 : 96-104, 2009
43) Park JJ et al : Parametrial invasion in cervical cancer : fused T2-weighted imaging and high-b-value diffusion-weighted imaging with background body signal suppression at 3 T. Radiology 274 : 734-741, 2015
44) Qu JR et al : Predicting parametrial invasion in cervical carcinoma (stages ⅠB1, ⅠB2, and ⅡA) : diagnostic accuracy of T2-weighted imaging combined with DWI at 3 T. AJR Am J Roentgenol 210 : 677-684, 2018
45) Woo S et al : Magnetic resonance imaging for detection of parametrial invasion in cervical cancer : an updated systematic review and meta-analysis of the literature between 2012 and 2016. Eur Radiol 28 : 530-541, 2018
46) Friedburg HG et al : [RARE-MR urography : a fast nontomographic imaging procedure for demonstrating the efferent urinary pathways using nuclear magnetic resonance]. Radiologe 27 : 45-47, 1987
47) Nolte-Ernsting CC et al : MR urography : examination techniques and clinical applications. Eur Radiol 11 : 355-372, 2001
48) Kim SH, Han MC : Invasion of the urinary bladder by uterine cervical carcinoma : evaluation with MR imaging. AJR Am J Roentgenol 168 : 393-397, 1997
49) Sakuragi N et al : Incidence and distribution pattern of pelvic and paraaortic lymph node metastasis in patients with stages ⅠB, ⅡA, and ⅡB cervical carcinoma treated with radical hysterectomy. Cancer 85 : 1547-1554, 1999
50) Olthof EP et al : The role of lymph nodes in cervical cancer : incidence and identification of lymph node metastases : a literature review. Int J Clin Oncol 26 : 1600-1610, 2021
51) Kim SH et al : Uterine cervical carcinoma : evaluation of pelvic lymph node metastasis with MR imaging. Radiology 190 : 807-811, 1994
52) Roy C et al : Small pelvic lymph node metastases : evaluation with MR imaging. Clin Radiol 52 : 437-440, 1997
53) Jager GJ et al : Pelvic adenopathy in prostatic and urinary bladder carcinoma : MR imaging with a three-dimensional T1-weighted magnetization-prepared-rapid gradient-echo sequence. AJR Am J Roentgenol 167 : 1503-1507, 1996
54) Hawighorst H et al : Staging of invasive cervical carcinoma and of pelvic lymph nodes by high resolution MRI with a phased-array coil in comparison with pathological findings. J Comput Assist Tomogr 22 : 75-81, 1998

55) Yang WT et al：Comparison of dynamic helical CT and dynamic MR imaging in the evaluation of pelvic lymph nodes in cervical carcinoma. AJR Am J Roentgenol 175：759-766, 2000
56) Liu B et al：A comprehensive comparison of CT, MRI, positron emission tomography or positron emission tomography/CT, and diffusion weighted imaging-MRI for detecting the lymph nodes metastases in patients with cervical cancer：a meta-analysis based on 67 studies. Gynecol Obstet Invest 82：209-222, 2017
57) Lin G et al：Detection of lymph node metastasis in cervical and uterine cancers by diffusion-weighted magnetic resonance imaging at 3T. J Magn Reson Imaging 28：128-135, 2008
58) Kim JK et al：Feasibility of diffusion-weighted imaging in the differentiation of metastatic from nonmetastatic lymph nodes：early experience. J Magn Reson Imaging 28：714-719, 2008
59) Park SO et al：Relative apparent diffusion coefficient：determination of reference site and validation of benefit for detecting metastatic lymph nodes in uterine cervical cancer. J Magn Reson Imaging 29：383-390, 2009
60) Sironi S et al：Lymph node metastasis in patients with clinical early-stage cervical cancer：detection with integrated FDG PET/CT. Radiology 238：272-279, 2006
61) Adam JA et al：[18F] FDG-PET or PET/CT in the evaluation of pelvic and para-aortic lymph nodes in patients with locally advanced cervical cancer：a systematic review of the literature. Gynecol Oncol 159：588-596, 2020
62) 日本医学放射線学会ガイドライン産婦人科領域小委員会：産婦人科, 日本医学放射線学会 編：画像診断ガイドライン2021年版. p326-375, 金原出版, 東京, 2021
63) Shin MS et al：Squamous cell carcinoma of the uterine cervix：patterns of thoracic metastasis. Invest Radiol 30：724-729, 1995
64) Stein MG et al：Pulmonary lymphangitic spread of carcinoma：appearance on CT scans. Radiology 162：371-375, 1987
65) Ratanatharathorn V et al：Bone metastasis from cervical cancer. Cancer 73：2372-2379, 1994
66) Matsuyama T et al：Bone metastasis from cervix cancer. Gynecol Oncol 32：72-75, 1989
67) Kumar R et al：Bone scanning for bone metastasis in carcinoma cervix. J Assoc Physicians India 48：808-810, 2000
68) Kim GE et al：Hepatic metastases from carcinoma of the uterine cervix. Gynecol Oncol 70：56-60, 1998
69) Chura JC et al：Brain metastasis from cervical carcinoma. Int J Gynecol Cancer 17：141-146, 2007
70) Sutton GP et al：Ovarian metastases in stage Ⅰb carcinoma of the cervix：a Gynecologic Oncology Group study. Am J Obstet Gynecol 166：50-53, 1992
71) Ma S, Sun J：[Ovarian metastasis in uterine cervical cancer：analysis of 17 cases]. Zhonghua Fu Chan Ke Za Zhi 31：305-307, 1996
72) Yamamoto R et al：A study of risk factors for ovarian metastases in stage Ⅰb-Ⅲb cervical carcinoma and analysis of ovarian function after a transposition. Gynecol Oncol 82：312-316, 2001
73) Toki N et al：Microscopic ovarian metastasis of the uterine cervical cancer. Gynecol Oncol 41：46-51, 1991
74) Nakanishi T et al：A comparison of ovarian metastasis between squamous cell carcinoma and adenocarcinoma of the uterine cervix. Gynecol Oncol 82：504-509, 2001
75) Wu HS et al：Ovarian metastasis from cervical carcinoma. Int J Gynaecol Obstet 57：173-178, 1997
76) Sugimura K et al：Postirradiation changes in the pelvis：assessment with MR imaging. Radiology 175：805-813, 1990
77) Engin G：Cervical cancer：MR imaging findings before, during, and after radiation therapy. Eur Radiol 16：313-324, 2006
78) Hricak H et al：Irradiation of the cervix uteri：value of unenhanced and contrast-enhanced MR imaging. Radiology 189：381-388, 1993
79) Blomlie V et al：Critical soft tissues of the female pelvis：serial MR imaging before, during, and after radiation therapy. Radiology 203：391-397, 1997
80) Sugimura K, Okizuka H：Postsurgical pelvis：treatment follow-up. Radiol Clin North Am 40：659-680, viii, 2002
81) Jeong YY et al：Uterine cervical carcinoma after therapy：CT and MR imaging findings. Radiographics 23：969-981；discussion 981, 2003
82) Kier R, Chambers SK：Surgical transposition of the ovaries：imaging findings in 14 patients. AJR Am J Roentgenol 153：1003-1006, 1989
83) Zissin R, Even-Sapir：18F-FDG uptake on PET/CT in transposed ovaries. AJR Am J Roentgenol 186：267-268；author reply 268, 2006
84) Sella T et al：Imaging of transposed ovaries in patients with cervical carcinoma. AJR Am J Roentgenol 184：1602-1610, 2005
85) Newbold R et al：Surgical lateral ovarian transposition：CT appearance. AJR Am J Roentgenol 154：119-120, 1990
86) Gilmour DT et al：Lower urinary tract injury during gynecologic surgery and its detection by intraoperative cystoscopy. Obstet Gynecol 94：883-889, 1999
87) Mendez LE：Iatrogenic injuries in gynecologic cancer surgery. Surg Clin North Am 81：897-923, 2001
88) Stovall TG：Hysterectomy, Berek JS et al eds；Novak's Gynecology, 12th ed. p727-767, Williams and Wilkins, Baltimore, 1996
89) Jansen A et al：Lymphocele following lymph node dissection in cervical and endometrial cancer：a systematic review and meta-analysis. Gynecol Oncol 170：273-281, 2023
90) Chen HH et al：Predictors of lymphoceles in women who underwent laparotomic retroperitoneal lymph node dissection for early gynecologic cancer：a retrospective cohort study. Int J Environ Res Public Health 16：936, 2019
91) Lourie H：Spontaneous osteoporotic fracture of the sacrum：an unrecognized syndrome of the elderly. JAMA 248：715-717, 1982
92) Kwon JW et al：Pelvic bone complications after radiation therapy of uterine cervical cancer：evaluation with MRI. AJR Am J Roentgenol 191：987-994, 2008
93) Choi JI et al：Recurrent uterine cervical carcinoma：spectrum of imaging findings. Korean J Radiol 1：198-207, 2000
94) Williams MP et al：Magnetic resonance imaging in recurrent

carcinoma of the cervix. Br J Radiol 62 : 544-550, 1989
95) Walsh JW et al : Recurrent carcinoma of the cervix : CT diagnosis. AJR Am J Roentgenol 136 : 117-122, 1981
96) Babar S et al : Magnetic resonance imaging appearances of recurrent cervical carcinoma. Int J Gynecol Cancer 17 : 637-645, 2007
97) Saida T et al : Can MRI predict local control rate of uterine cervical cancer immediately after radiation therapy ? Magn Reson Med Sci 9 : 141-148, 2010
98) Fulcher AS et al : Recurrent cervical carcinoma : typical and atypical manifestations. Radiographics 19 Spec No : S103-116 ; quiz S264-265, 1999
99) Sakurai H et al : Analysis of recurrence of squamous cell carcinoma of the uterine cervix after definitive radiation therapy alone : patterns of recurrence, latent periods, and prognosis. Int J Radiat Oncol Biol Phys 50 : 1136-1144, 2001
100) Chang TC et al : Positron emission tomography for unexplained elevation of serum squamous cell carcinoma antigen levels during follow-up for patients with cervical malignancies : a phase II study. Cancer 101 : 164-171, 2004
101) Meads C et al : Positron emission tomography/computerised tomography imaging in detecting and managing recurrent cervical cancer : systematic review of evidence, elicitation of subjective probabilities and economic modelling. Health Technol Assess 17 : 1-323, 2013
102) Brooks RA et al : Surveillance FDG-PET detection of asymptomatic recurrences in patients with cervical cancer. Gynecol Oncol 112 : 104-109, 2009
103) 日本産科婦人科学会ほか 編 : 子宮頸癌取扱い規約 病理編 第4版. 金原出版, 東京, 2017
104) Kawauchi S et al : Is lobular endocervical glandular hyperplasia a cancerous precursor of minimal deviation adenocarcinoma? : a comparative molecular-genetic and immunohistochemical study. Am J Surg Pathol 32 : 1807-1815, 2008
105) Yamashita Y et al : Adenoma malignum : MR appearances mimicking nabothian cysts. AJR Am J Roentgenol 162 : 649-650, 1994
106) Doi T et al : Adenoma malignum : MR imaging and pathologic study. Radiology 204 : 39-42, 1997
107) 本山悌一 : 組織診編 : 子宮頸部. 病理と臨床 24 : 224-231, 2006
108) Togashi K et al : CT and MR demonstration of nabothian cysts mimicking a cystic adnexal mass. J Comput Assist Tomogr 11 : 1091-1092, 1987
109) Li H et al : Markedly high signal intensity lesions in the uterine cervix on T2-weighted imaging : differentiation between mucin-producing carcinomas and nabothian cysts. Radiat Med 17 : 137-143, 1999
110) Clement PB, Young RH et al : Deep nabothian cysts of the uterine cervix : a possible source of confusion with minimal-deviation adenocarcinoma (adenoma malignum). Int J Gynecol Pathol 8 : 340-348, 1989
111) Nucci MR et al : Lobular endocervical glandular hyperplasia, not otherwise specified : a clinicopathologic analysis of thirteen cases of a distinctive pseudoneoplastic lesion and comparison with fourteen cases of adenoma malignum. Am J Surg Pathol 23 : 886-891, 1999
112) Mikami Y, Manabe T : Lobular endocervical glandular hyperplasia represents pyloric gland metaplasia? Am J Surg Pathol 24 : 323-324 ; author reply 325-326, 2000
113) Mikami Y et al : Gastrointestinal immunophenotype in adenocarcinomas of the uterine cervix and related glandular lesions : a possible link between lobular endocervical glandular hyperplasia/pyloric gland metaplasia and 'adenoma malignum'. Mod Pathol 17 : 962-972, 2004
114) Ishii K et al : A new view of the so-called adenoma malignum of the uterine cervix. Virchows Arch 432 : 315-322, 1998
115) Ishii K et al : Cytologic and cytochemical features of adenoma malignum of the uterine cervix. Cancer Cytopathol 87 : 245-253, 1999
116) Tsuda H et al : Reproducible and clinically meaningful differential diagnosis is possible between lobular endocervical glandular hyperplasia and 'adenoma malignum' based on common histopathological criteria. Pathol Int 55 : 412-418, 2005
117) Takatsu A et al : Preoperative differential diagnosis of minimal deviation adenocarcinoma and lobular endocervical glandular hyperplasia of the uterine cervix : a multicenter study of clinicopathology and magnetic resonance imaging findings. Int J Gynecol Cancer 21 : 1287-1296, 2011
118) Ohya A et al : Usefulness of the 'cosmos pattern' for differentiating between cervical gastric-type mucin-positive lesions and other benign cervical cystic lesions in magnetic resonance images. J Obstet Gynaecol Res 47 : 745-756, 2021
119) Ohya A et al : Uterine cervical adenocarcinoma associated with lobular endocervical glandular hyperplasia : radiologic-pathologic correlation. J Obstet Gynaecol Res 44 : 312-322, 2018
120) Sasajima Y et al : Gross features of lobular endocervical glandular hyperplasia in comparison with minimal-deviation adenocarcinoma and stage I b endocervical-type mucinous adenocarcinoma of the uterine cervix. Histopathology 53 : 487-490, 2008
121) Omori M et al : Utility of imaging modalities for predicting carcinogenesis in lobular endocervical glandular hyperplasia. PLoS One 14 : e0221088, 2019
122) Kido A et al : Magnetic resonance appearance of gastric-type adenocarcinoma of the uterine cervix in comparison with that of usual-type endocervical adenocarcinoma : a pitfall of newly described unusual subtype of endocervical adenocarcinoma. Int J Gynecol Cancer 24 : 1474-1479, 2014
123) Herbst AL : Behavior of estrogen-associated female genital tract cancer and its relation to neoplasia following intrauterine exposure to diethylstilbestrol (DES). Gynecol Oncol 76 : 147-156, 2000
124) Huo D et al : Incidence rates and risks of diethylstilbestrol-related clear-cell adenocarcinoma of the vagina and cervix : update after 40-year follow-up. Gynecol Oncol 146 : 566-571, 2017
125) 井内康輝 : 中腎管遺残由来の腫瘍, 石倉 浩ほか 編 : 子宮腫瘍病理アトラス. p142-145, 文光堂, 東京, 2007
126) Silver SA et al : Mesonephric adenocarcinomas of the uterine cervix : a study of 11 cases with immunohistochemical findings. Am J Surg Pathol 25 : 379-387, 2001

127) 日本産科婦人科学会ほか 編：子宮頸癌取扱い規約 改訂第2版. 金原出版, 東京, 1997
128) Kimyon Comert G et al：Therapy modalities, prognostic factors, and outcome of the primary cervical carcinosarcoma：meta-analysis of extremely rare tumor of cervix. Int J Gynecol Cancer 27：1957-1969, 2017
129) Conner MG et al：Small cell carcinoma of the cervix：a clinicopathologic and immunohistochemical study of 23 cases. Ann Diagn Pathol 6：345-348, 2002
130) Sirák I et al：*SMARCA4*-deficient carcinoma of uterine cervix resembling SCCOHT：case report. Pathol Oncol Res 27：1610003, 2021
131) Semelka RC et al：Neuroendocrine tumors of the pancreas：spectrum of appearances on MRI. J Magn Reson Imaging 11：141-148, 2000
132) Jeung MY et al：Bronchial carcinoid tumors of the thorax：spectrum of radiologic findings. Radiographics 22：351-365, 2002
133) Karadeniz-Bilgili MY et al：MRI findings of primary small-cell carcinoma of kidney. Magn Reson Imaging 23：515-517, 2005
134) Hwang JY et al：Small cell neuroendocrine carcinoma of the uterine cervix mimicking cervical lymphoma：a case report. Invest Magn Reson Imaging 27：230-234, 2023
135) Gruessner SE et al：Management of stage I cervical sarcoma botryoides in childhood and adolescence. Eur J Pediatr 163：452-456, 2004
136) Kobi M et al：Sarcoma botryoides：MRI findings in two patients. J Magn Reson Imaging 29：708-712, 2009
137) DeMatos P et al：Mucosal melanoma of the female genitalia：a clinicopathologic study of forty-three cases at Duke University Medical Center. Surgery 124：38-48, 1998
138) Moon WK et al：MR findings of malignant melanoma of the vagina. Clin Radiol 48：326-328, 1993
139) Yoshizako T et al：Malignant vaginal melanoma：usefulness of fat-saturation MRI. Clin Imaging 20：137-139, 1996
140) Kosari F et al：Lymphomas of the female genital tract：a study of 186 cases and review of the literature. Am J Surg Pathol 29：1512-1520, 2005
141) Kawakami S et al：MR appearance of malignant lymphoma of the uterus. J Comput Assist Tomogr 19：238-242, 1995
142) Goto N et al：Magnetic resonance findings of primary uterine malignant lymphoma. Magn Reson Med Sci 6：7-13, 2007
143) 田中優美子：総論10 画像診断―特に体部のMRI, 石倉 浩ほか 編；子宮腫瘍病理アトラス. p77-82, 文光堂, 東京, 2007
144) 田中優美子：子宮頸部：がんの画像ステージング（CT，MRI）. 産と婦 74：251-256, 2007
145) 田中優美子ほか：術後合併症の画像診断：泌尿生殖器. 臨放 48：377-384, 2003
146) 今岡いずみ，田中優美子 編著：子宮頸部の疾患，婦人科 MRI アトラス. p86-106, 学研メディカル秀潤社, 東京, 2004
147) 田中優美子：子宮頸部病変の画像診断. 病理と臨床 26：230-236, 2008

II 子宮体部の腫瘍および腫瘍様病変 tumors of the uterine body and tumor-like lesions

Summary
- 子宮内膜癌においても画像の主たる役割はステージングであり，最大の予後因子である筋層浸潤の診断が重要である．
- 子宮内膜癌には外向性に発育するタイプと深い筋層浸潤を伴う内向性発育主体のタイプがあり，前者には高分化型類内膜癌が多く，予後良好なことが多いが，低分化型類内膜癌/非類内膜癌の多い後者はより aggressive な経過をたどる．
- 子宮癌肉腫は子宮内膜癌の組織亜型に分類され，内腔を占める境界明瞭なポリープ状の腫瘤を形成するにもかかわらず予後不良であることに留意すべきである．
- 子宮内膜癌の転移様式として腹腔内播種はまれでなく，外陰・腟再発も多い．
- 子宮平滑筋肉腫を筋腫と区別するポイントとしては，閉経後に増大する，巨大腫瘍，浸潤性発育，出血壊死，T2強調像で高信号かつ早期濃染，拡散強調像での異常信号などが挙げられる．

　子宮体部には頸部と同じく上皮性腫瘍と間葉性腫瘍，両者の混合した腫瘍とが発生する．体部に発生する間葉性腫瘍と上皮性・間葉性混合腫瘍は頸部と共通の組織型からなるので，前項ではこれらの大部分を割愛したが，本項では『子宮体癌取扱い規約 病理編 第5版』[1]の組織学的分類（表1）に準じてこれらの一つひとつについて解説していきたい．なお，WHO 分類第5版[2]で臓器組織横断的に独立した chapter の設けられた一部の間葉性腫瘍，リンパ性および骨髄性腫瘍，メラノサイト腫瘍は，本邦の取扱い規約では『子宮頸癌取扱い規約 病理編 第5版』[3]に包摂され，『子宮体癌取扱い規約 病理編 第5版』[1]では割愛されているが，体部に発生した自験例も多く，末尾で取り扱うこととする．また，神経内分泌腫瘍は WHO 分類では前述の腫瘍群と同じく独立した chapter が設けられているが，本書では『子宮体癌取扱い規約 病理編 第5版』[1]に準じ，上皮性腫瘍に含めている．さらに，WHO 分類，本邦の取扱い規約のいずれでも二次性腫瘍（転移性腫瘍）は組織学的分類から脱落しているが，鑑別診断上，重要なので末尾に記載する．なお，子宮体部に発生する腫瘍のうち最も頻度が高く特殊型や変性によるバリエーションの多い筋腫（平滑筋腫）についてはすでに第4章で述べた．

表1　子宮体部腫瘍の組織学的分類およびICD-Oコード（日産婦2022)[1]

上皮性腫瘍および前駆病変 Epithelial tumors and precursors
前駆病変 precursors
　　　　　子宮内膜増殖症 Endometrial hyperplasia without atypia
8380/2　子宮内膜異型増殖症 Atypical endometrial hyperplasia/
　　　　　類内膜上皮内腫瘍 Endometrial intraepithelial neoplasia（EIN）
子宮内膜癌 Endometrial (adeno) carcinoma
8380/3　類内膜癌 Endometrioid (adeno)carcinoma NOS
8441/3　漿液性癌 Serous (adeno)carcinoma NOS
8310/3　明細胞癌 Clear cell (adeno)carcinoma NOS
8323/3　混合癌 Mixed cell (adeno)carcinoma
8320/3　未分化癌 Undifferentiated carcinoma NOS
　　　　　脱分化癌 Dedifferentiated carcinoma
8980/3　癌肉腫 Carcinosarcoma NOS
その他の上皮性腫瘍 Other epithelial tumors
9110/3　中腎腺癌 Mesonephric adenocarcinoma
8070/3　扁平上皮癌 Squamos cell carcinoma NOS
8144/3　粘液性癌，胃/腸型 Mucinous carcinoma, gastric/intestinal type
9111/3　中腎様腺癌 Mesonephric-like adenocarcinoma
類腫瘍病変 Tumor-like lesions
　　　　　子宮内膜ポリープ Endometrial polyp
　　　　　化生 Metaplasia
　　　　　アリアス-ステラ反応 Arias-Stella reaction

神経内分泌腫瘍 Neuroendocrine neoplasia
神経内分泌腫瘍 Neuroendocrine tumor（NET）NOS
8240/3　神経内分泌腫瘍グレード1 Neuroendocrine tumor, grade 1（NET G1）
8249/3　神経内分泌腫瘍グレード2 Neuroendocrine tumor, grade 2（NET G2）
神経内分泌癌 Neuroendocrine carcinoma（NEC）
8041/3　小細胞神経内分泌癌 Small cell neuroendocrine carcinoma（SCNEC）
8013/3　大細胞神経内分泌癌 Large cell neuroendocrine carcinoma（LCNEC）
混合型神経内分泌癌 Combined neuroendocrine carcinoma
8045/3　混合型小細胞神経内分泌癌 Combined small cell neuroendocrine carcinoma
8013/3　混合型大細胞神経内分泌癌 Combined large cell neuroendocrine carcinoma

間葉性腫瘍 Mesenchymal tumors
8890/0　平滑筋腫 Leiomyoma NOS
8892/0　富細胞性平滑筋腫 Cellular leiomyoma
8893/0　奇怪核を伴う平滑筋腫 Leiomyoma with bizarre nuclei
8890/0　活動性核分裂型平滑筋腫 Mitotically active leiomyoma
8890/0　水腫状平滑筋腫 Hydropic leiomyoma
8890/0　卒中性平滑筋腫 Apoplectic leiomyoma
8890/0　脂肪平滑筋腫 Lipoleiomyoma
8891/0　類上皮平滑筋腫 Epithelioid leiomyoma
8896/0　類粘液平滑筋腫 Myxoid leiomyoma
8890/0　解離性（胎盤分葉状）平滑筋腫 Dissecting (cotyledonoid) leiomyoma
8890/1　平滑筋腫症 Leiomyomatosis NOS
8890/1　静脈内平滑筋腫症 Intravenous leiomyomatosis
8898/1　転移性平滑筋腫 Metastasizing leiomyoma
8897/1　悪性度不明な平滑筋腫瘍 Smooth muscle tumor of uncertain malignant potential（STUMP）
8890/3　平滑筋肉腫 Leiomyosarcoma NOS
　　　　　紡錘細胞型平滑筋肉腫 Spindle leiomyosarcoma
8891/3　類上皮平滑筋肉腫 Epithelioid leiomyosarcoma
8896/3　類粘液平滑筋肉腫 Myxoid leiomyosarcoma

```
                 子宮内膜間質腫瘍と関連病変 Endometrial stromal and related tumors
8930/0           子宮内膜間質結節 Endometrial stromal nodule
8931/3           低異型度子宮内膜間質肉腫 Low-grade, endometrial stromal sarcoma
8930/3           高異型度子宮内膜間質肉腫 High-grade, endometrial stromal sarcoma
8805/3           未分化子宮肉腫 Undifferentiated uterine sarcoma
                 その他の間葉性腫瘍 Miscellaneous mesenchymal tumors
8590/1           卵巣性索腫瘍に類似した子宮腫瘍 Uterine tumor resembling ovarian sex cord tumor
                 (UTROSCT)
                 血管周囲類上皮細胞腫 Perivascular epithelioid cell tumor (PEComa)
8825/1           炎症性筋線維芽細胞腫瘍 Inflammatory myofibroblastic tumor
上皮性・間葉性混合腫瘍 Mixed epithelial and mesenchymal tumors
8932/0           腺筋腫 Adenomyoma NOS
8932/0           異型ポリープ状腺筋腫 Atypical polypoid adenomyoma
8933/3           腺肉腫 Adenosarcoma
その他の腫瘍 Miscellaneous tumors
                 アデノマトイド腫瘍 Adenomatoid tumor
9473/3           原始神経外胚葉性腫瘍 Primitive neuroectodermal tumors NOS
9064/3           胚細胞腫瘍 Germ cell tumors NOS
```

1. 主として内膜腔を占める疾患（上皮性および上皮性・間葉性混合腫瘍） tumors occupying the endometrial cavity

1) 子宮内膜癌の組織型，疫学，臨床的事項

　表1に示すように子宮内膜からは多彩な組織型の腫瘍が発生するが，その大部分は子宮内膜癌（endometrial carcinoma），特に類内膜癌（endometrioid carcinoma）であり，2021年の日本産科婦人科学会の統計では子宮体部悪性腫瘍の82％が類内膜癌である（図1）[4]。この類内膜癌を含めた子宮内膜由来の上皮性悪性腫瘍は近年，その絶対数が著しい増加傾向にある（図2）。ゆえにその年齢別患者構成に著変はないものの（図3）若年患者の絶対数が増加し，非婚・晩婚化の社会的状況とも相まって未産患者数の増加をきたし，後述するように治療法の選択に苦慮することとなっている。また相対的にはⅢ期，Ⅳ期の進行癌が増加している（図4）。

　子宮内膜癌の予後や治療方針に資する分類に関しては，この10年で大きな変化があった。すなわち，30年以上汎用されていたBokhmanらのtypeⅠ, typeⅡ分類[5]（表2）から分子遺伝学的分類（表3）への移行である[1)6)]。この分子遺伝学的分類では，子宮内膜癌は *POLE*-ultramutated（*POLE*mut），mismatch repair deficiency（MMRd），p53 abnormal（p53abn），no specific molecular profile（NSMP）に分類され，*POLE*mutであれば予後良好，p53abnであれば予後不良であることから，FIGO進行期分類2023年版[7]では，類内膜癌，漿液性癌，明細胞癌については分子遺伝学的分類を行うことが推奨されており（図5，表4，5）[7]，これを加味した進行期分類はより正確に予後を反映することが報告されている[8]。しかしながら，MMRdとp53abnについては免疫組織化学染色により比較的容易に分類可能であるが，分子遺伝学的分類の起点となる*POLE*mutについては次世代シーケンサーを用いた遺伝子解析を要し[9]，2024年時

1. 主として内膜腔を占める疾患（上皮性および上皮性・間葉性混合腫瘍）tumors occupying the endometrial cavity

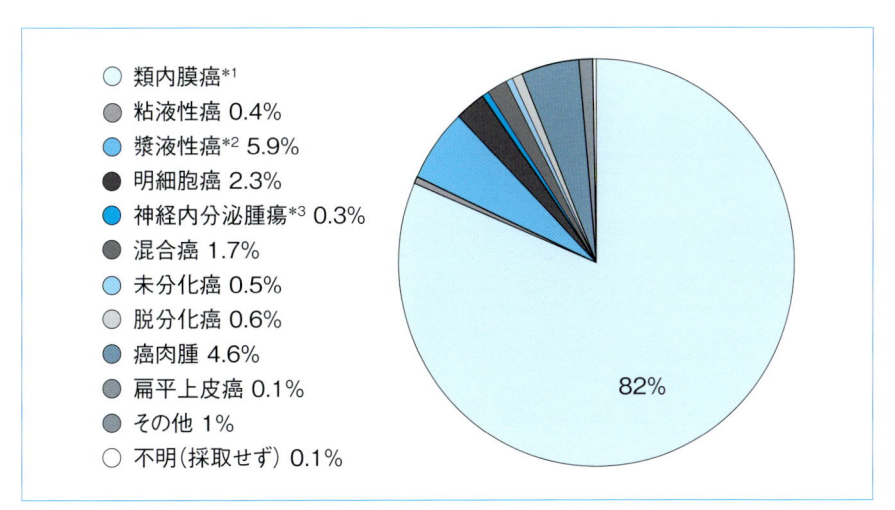

図1　子宮内膜癌の組織型別頻度[4]

- 類内膜癌[*1]
- 粘液性癌 0.4%
- 漿液性癌[*2] 5.9%
- 明細胞癌 2.3%
- 神経内分泌腫瘍[*3] 0.3%
- 混合癌 1.7%
- 未分化癌 0.5%
- 脱分化癌 0.6%
- 癌肉腫 4.6%
- 扁平上皮癌 0.1%
- その他 1%
- 不明（採取せず）0.1%
- 82%

[*1] 扁平上皮への分化を伴う類内膜癌，絨毛腺管型類内膜癌，分泌型類内膜癌を含む。
[*2] 漿液性子宮内膜上皮内癌を含む。
[*3] カルチノイド腫瘍，小細胞神経内分泌癌，大細胞神経内分泌癌の合計。
（日本産科婦人科学会婦人科腫瘍委員会報告，2021年患者年報，2023より作成）

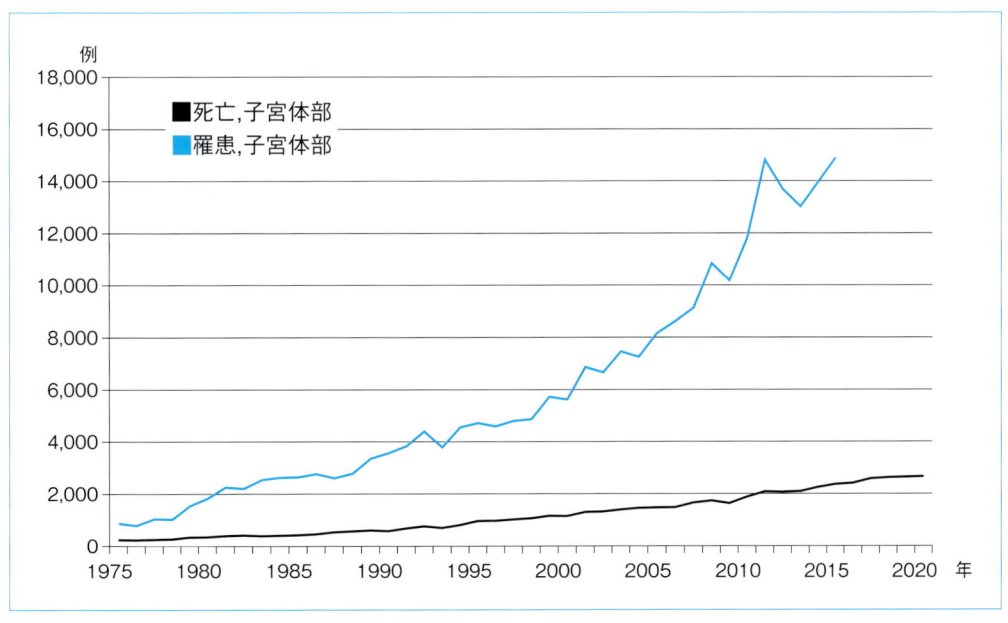

図2　子宮体癌の罹患数と死亡数の年次推移
（国立がん研究センターがん情報サービス：がん種別統計情報 子宮体部，より改変引用）

点ではほとんどの施設で対応不可能であることから，FIGO 進行期分類 2023 年版は 2025 年時点ではまだ本邦の臨床進行期分類には反映されておらず[10]（表4），今後の改訂の動向が注視される。一方，分子遺伝学的分類をぬきにすれば，FIGO 進行期分類 2023 年版でも non-aggressive type は類内膜癌 G1，2，aggressive type は類内膜癌 G3，漿液性癌，明細胞癌，未分化癌，混合癌，

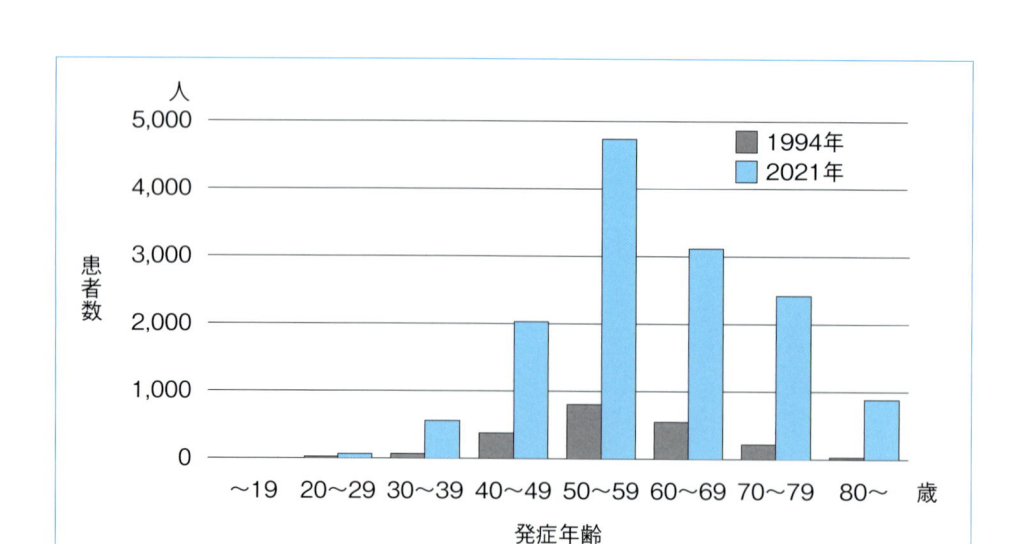

II 子宮体部の腫瘍および腫瘍様病変 tumors of the uterine body and tumor-like lesions

図3 子宮内膜癌の年齢分布[4]
(日本産科婦人科学会婦人科腫瘍委員会報告,2021年患者年報,2023より作成)

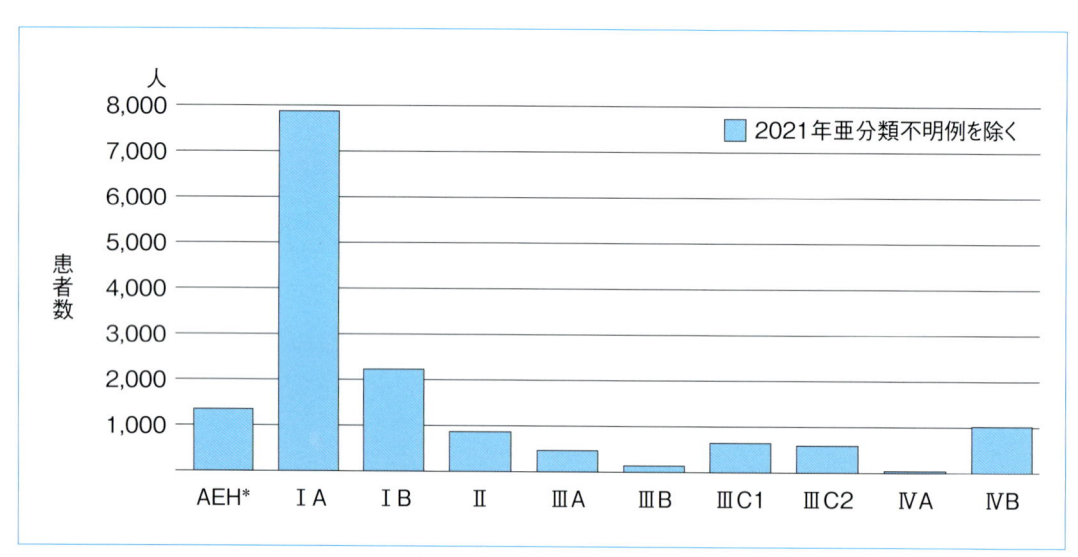

図4 子宮内膜癌治療患者の進行期分布[4]
＊子宮内膜異型増殖症
(日本産科婦人科学会婦人科腫瘍委員会報告,2021年患者年報,2023より作成)

中腎様腺癌,胃/腸型粘液性癌,癌肉腫と定義されており,長らく使用されてきたBokhman分類とよく合致する.このBokhmanのtype I,II,あるいはFIGO進行期分類2023年版のnon-aggressive,aggressive subtypeは生物学的振る舞いのかなり異なる腫瘍であることを理解しておくことは,子宮内膜癌の局所進展様式の理解に役立ち,MRIによるより正確な局所進展度診断に資する.

Bokhmanのtype Iは高エストロゲン血症をリスクファクターとして,萎縮のない子宮内膜

1. 主として内膜腔を占める疾患（上皮性および上皮性・間葉性混合腫瘍）tumors occupying the endometrial cavity

表2　子宮内膜癌の2つの型

Bokhman 分類		type I	type II
エストロゲン過剰刺激		依存性	非依存性
発症年齢		閉経前 または 更年期	閉経後
前駆病変		異型子宮内膜増殖症	上皮内癌
悪性度		低	高
筋層浸潤		様々だがしばしば浅い	様々だがしばしば深い
組織型	FIGO2023	non-aggressive	aggressive
		類内膜癌 G1, 2	類内膜癌 G3 漿液性癌 明細胞癌 未分化癌 混合癌 中腎様腺癌 胃型粘液癌 癌肉腫
生物学的態度		indolent	aggressive
遺伝子異常		*POLE* mutation	p53 abnormality

（文献5, 7などの知見から筆者が作成）

から生殖可能年齢の女性に発生する腫瘍で，外向性発育（図6）を主とする高分化型類内膜癌であることから筋層浸潤の頻度，程度とも少なく予後がよい．この腫瘍は高エストロゲン血症を背景とすることから，肥満や内分泌環境の異常（多嚢胞性卵巣症候群やエストロゲン補充療法）がリスクファクターとなる．また萎縮のない正常子宮内膜から子宮内膜増殖症（異型を伴わないものから異型を伴うものへ）を経て多段階発癌を示す[11]点でも早期発見されやすい．一方，type IIは閉経後の萎縮内膜を発生母地とし，病理組織学的には低分化型類内膜癌，漿液性癌，明細胞癌であり，主として内向型（図6）の発育を示す．このため容易に筋層浸潤をきたし，リンパ節転移の頻度も高く，発見されたときには進行癌であることが多い．

図3に示すように，子宮内膜癌の好発年齢は50代であり[4]，すでに閉経した症例では受診動機として不正性器出血が多い．少量の出血の場合は褐色ないし黄色帯下となり，時に感染を合併して膿性となる．一般的な子宮がん検診は子宮頸癌を標的として子宮腟部擦過細胞診で行われるが，内膜由来の異型細胞が腺系の異常として発見される場合もあり，少数例ではあるが検診発見例も存在する．また前述のようにtype I内膜癌はエストロゲン過剰刺激と密接な関係があり，無月経や不妊を主訴として受診した症例のなかに多嚢胞性卵巣症候群などの内分泌系の異常に合併した内膜癌が発見される場合もある．同様に外因性のホルモン製剤（閉経後のエストロゲン補充療法，乳癌に対するホルモン療法として用いられるタモキシフェンなど）はtype I子宮内膜癌のリスクファクターであり，投与中は常にその発症に留意する必要がある[12]．

前述の通り，FIGO進行期分類2023年版では，non-aggressive, aggressive subtype, 脈管侵襲の有無，リンパ節転移が微小転移かマクロ転移かによって進行期を細分化しており，これらが子宮内膜癌の予後因子であることがわかる．現行の『子宮体がん治療ガイドライン2023年版』

II 子宮体部の腫瘍および腫瘍様病変 tumors of the uterine body and tumor-like lesions

表3 WHO 分子遺伝学的分類とその典型的な特徴：TCGA 分類および ProMisE 分類参照[1]

	POLE ultramutated	MMR deficient	p53 mutant	NSMP[*6]
分子遺伝学的特徴	>100 変異/Mb 体細胞コピー数変化は非常に少ない マイクロサテライト安定性（MSS）	10-100 変異/Mb 体細胞コピー数変化は少ない マイクロサテライト不安定性（MSI）	<10 変異/Mb 体細胞コピー数変化は多い マイクロサテライト安定性（MSS）	<10 変異/Mb 体細胞コピー数変化は少ない マイクロサテライト安定性（MSS） *CTNNB1* の変異を認める
組織学的特徴	多くは高異型度 散在する腫瘍巨細胞を伴う多様な形態 腫瘍浸潤リンパ球（TILs[*1]）が目立つ	多くは高異型度 腫瘍浸潤リンパ球（TILs）が目立つ 粘液性分化 MELF[*3] 型浸潤 LVSI[*4]	ほとんどが高異型度で，広範囲に核異型を認める 腺管部と充実部が存在する	ほとんどが低異型度で，頻繁に扁平上皮分化や morule を伴う腫瘍浸潤リンパ球（TILs）はみられない
検査法	NGS[*2] サンガーシーケンス ホットスポット遺伝子変異解析 (p.Pro286Arg, p.Val411Leu, p.Ser297Phe, p.Ala456Pro, p.Ser459Phe)	MMR[*5] 免疫組織化学（MLH1, MSH2, MSH6, PMS2） MSI 検査	NGS p53 免疫組織化学：（過剰発現，完全陰性）	MMR proficient p53 野生型 *POLE* の病的変異を認めず
臨床的特徴	若年で発症する	Lynch 症候群と関連がある場合がある	発症時に進行癌の状態にある	BMI 高値
予後	良好（excellent）	中間（intermediate）	不良（poor）	中間〜良好（intermediate to excellent）

＊1 TIL：tumor infiltrating lymphocyte，＊2 NGS：next-generation sequencing，＊3 MELF：microcystic, elongated, and fragmented，＊4 LVSI：lymphovascular space invasion，＊5 MMR：mismatch repair，＊6 NSMP：no specific molecular profile

では組織型（類内膜癌 G1/G2，類内膜癌 G3，漿液性癌/明細胞癌）と筋層浸潤，頸部間質浸潤，子宮外病変の組み合わせにより，再発リスクを分類し（図7），リスクによってリンパ節郭清の要否や後療法を決定している[13]。

『子宮体がん治療ガイドライン 2023 年版』に示された標準治療の抜粋を表6に示す[13]。術前に I 期と推定される患者に対する子宮の摘出は筋膜外単純子宮全摘術で，開腹に比べ低侵襲の内視鏡手術やロボット手術が一般的になってきている。II 期と推定される患者においても準広汎子宮全摘術以上の拡大術式の優位性は見出せないとの報告もあることから，筋膜外単純子宮全摘術が基本となる。内膜癌の正確な進行期の決定には，リンパ節郭清（生検）が必要であるが，その必要範囲や治療的意義に関しては確立された見解はない。本邦では多くの施設で骨盤内リンパ節郭清が行われており，再発中・高リスク患者では傍大動脈リンパ節郭清の追加が予後改善に寄与するとの報告があり，推奨されている。III 期以上の進行例については浸潤部位に応じた集学的治

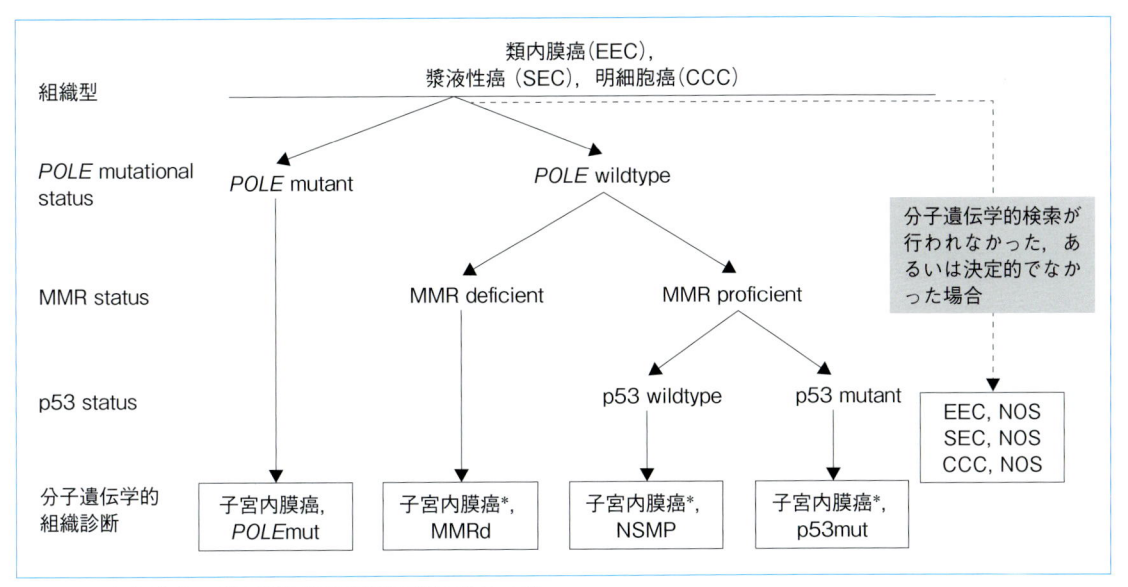

1. 主として内膜腔を占める疾患（上皮性および上皮性・間葉性混合腫瘍）tumors occupying the endometrial cavity

```
組織型                         類内膜癌（EEC），
                            漿液性癌（SEC），明細胞癌（CCC）
                                    │
                        ┌───────────┴───────────┐
POLE mutational         POLE mutant         POLE wildtype
status                                          │
                                    ┌───────────┴───────────┐                    分子遺伝学的検索が
MMR status                      MMR deficient          MMR proficient            行われなかった，あ
                                                            │                    るいは決定的でなか
                                                ┌───────────┴───────────┐        った場合
p53 status                                  p53 wildtype            p53 mutant
                                                                                 EEC, NOS
                                                                                 SEC, NOS
                                                                                 CCC, NOS
分子遺伝学的          子宮内膜癌，      子宮内膜癌*,       子宮内膜癌*,        子宮内膜癌*,
組織診断              POLEmut          MMRd              NSMP              p53mut
```

図 5　子宮内膜癌の分子遺伝学的組織分類の進め方[9]
＊分子遺伝学的検索が行われて結論が出た場合には従来の組織型分類は意味をなさなくなり，「子宮内膜癌，POLEmut」などの表記となる。

療が行われる。前述したように若年者の type I 子宮内膜癌は増加傾向にあり，妊孕性の温存は子宮内膜癌の治療においても焦眉の問題である。しかし現時点で妊孕性温存療法が選択肢に挙がるのは，筋層浸潤のない高分化型類内膜癌および子宮内膜異型増殖症のみである。諸外国では LNG-IUS などの使用も報告されているが，本邦のガイドラインでは黄体ホルモン療法が推奨されている[13]。これは 400〜600 mg/日のメドロキシプロゲステロン酢酸エステル（medroxy-progesterone acetate：MPA）を病理組織学的に癌が消失するまで長期にわたって投与し続けるもので，開始後は定期的な子宮内膜全面掻爬による病理組織診断を要する。黄体ホルモン以外も含めたメタアナリシスでは，子宮内膜異型増殖症と類内膜癌において，奏効率は 86% と 75%，病理組織学的な病変消失率が 66% と 48%，再発率は 23% と 35% であり，特に類内膜癌症例での残存，再発率が高い[14]。したがって，本法の治療開始前の病期診断，治療開始後のモニタリングに MRI は重要な役割を果たすことになる。

2016 年治療開始例の治療成績を図 8 に示す[15]。これによると I B 期と II 期の予後に差がない，III 期のなかでは骨盤内リンパ節転移陽性例が，他に比べ予後良好となるなど進行期と予後が必ずしも一致しておらず，これが FIGO 進行期分類 2023 年版での進行期の大改訂の理由の 1 つとなっている。

2）子宮内膜腔病変の画像診断の適応と進め方

子宮頸癌と同じく子宮体部の上皮性腫瘍にあっては，MRI は一部の例外を除いて進行期分類にのみ用いられるべきである。しかし子宮内膜は頸部に比べ細胞診の正診率（有効な標本の採取率を含む），特に感度が低く[16-18]，症例によっては適切な標本が採取できない場合もある。した

Ⅱ 子宮体部の腫瘍および腫瘍様病変 tumors of the uterine body and tumor-like lesions

表4 現行の子宮体癌取扱い規約とFIGO2023年版の比較

子宮内膜癌手術進行期分類（日産婦2011, FIGO2008）	FIGO2023年版の進行期分類
Ⅰ期：癌が子宮体部に限局するもの 　Ⅰ A期：癌が子宮筋層1/2未満のもの 　Ⅰ B期：癌が子宮筋層1/2以上のもの	Ⅰ期：癌が子宮体部と卵巣に限局する病変 　Ⅰ A期：子宮内膜に限局する、あるいは non-aggressive な組織型 (low-grade 類内膜癌)[*1]で筋層浸潤が1/2未満であり、脈管侵襲を伴わないか限局的であるもの、あるいは子宮良好な疾患 　　Ⅰ A1期：non-aggressive な組織型で子宮内膜ポリープや子宮内膜に限局するものないか局所的であるもの 　　Ⅰ A2期：non-aggressive な組織型で筋層浸潤1/2未満であり、脈管侵襲を伴わないか局所的であるもの 　　Ⅰ A3期：low-grade 類内膜癌[*1]で子宮および卵巣に限局するものであるもの 　Ⅰ B期：non-aggressive な組織型で筋層浸潤が1/2以上であり、脈管侵襲を伴わないか局所に限局するもの 　Ⅰ C期：aggressive な組織型[*2]で子宮内膜ポリープや子宮内膜に限局するもの
Ⅱ期：癌が頸部間質に浸潤するが、子宮を越えていないもの[*1]	Ⅱ期：頸部間質浸潤を認めるが子宮を越えない、あるいは著明な脈管侵襲を伴う、あるいは aggressive な組織型で筋層浸潤を伴うもの 　Ⅱ A期：non-aggressive な組織型で頸部間質浸潤を伴うもの 　Ⅱ B期：non-aggressive な組織型で著明な脈管侵襲を伴うもの 　Ⅱ C期：aggressive な組織型で筋層浸潤を伴うもの
Ⅲ期：癌が子宮外に広がるが、小骨盤腔を越えていないもの、または所属リンパ節転移が陽性のもの 　Ⅲ A期：子宮漿膜ならびに/あるいは付属器を侵すもの 　Ⅲ B期：腟ならびに/あるいは子宮傍組織へ広がるもの 　Ⅲ C期：骨盤リンパ節ならびに/あるいは傍大動脈リンパ節転移のあるもの 　　Ⅲ C1期：骨盤リンパ節転移陽性のもの 　　Ⅲ C2期：骨盤リンパ節への転移の有無にかかわらず、傍大動脈リンパ節転移陽性のもの	Ⅲ期：組織型を問わず腫瘍の局所的な進展ならびに/あるいは領域リンパ節に転移のあるもの 　Ⅲ A期：子宮漿膜、付属器、あるいはその両者への直接進展もしくは転移のあるもの 　　Ⅲ A1期：卵巣あるいは卵管へ進展あるいは卵管に該当するものは除く） 　　Ⅲ A2期：子宮漿膜下浸潤あるいは子宮漿膜を越えた浸潤 　Ⅲ B期：腟ならびに/あるいは骨盤腹膜また骨盤腹膜への直接進展あるいは転移のあるもの 　　Ⅲ B1期：腟ならびに/あるいは子宮傍組織への直接進展あるいは転移のあるもの 　　Ⅲ B2期：骨盤腹膜への転移のあるもの 　Ⅲ C期：骨盤リンパ節ならびに/あるいは傍大動脈リンパ節に転移のあるもの 　　Ⅲ C1期：骨盤リンパ節に転移のあるもの 　　　Ⅲ C1i期：微小転移 　　　Ⅲ C1ii期：マクロ転移 　　Ⅲ C2期：骨盤リンパ節転移を問わず傍大動脈リンパ節転移浸潤のあるもの 　　　Ⅲ C1i期：微小転移 　　　Ⅲ C1ii期：マクロ転移
Ⅳ期：癌が小骨盤腔を越えているか、明らかに膀胱ならびに/あるいは腸粘膜を侵すもの、ならびに/あるいは遠隔転移のあるもの 　Ⅳ A期：膀胱ならびに/あるいは腸粘膜浸潤のあるもの 　Ⅳ B期：腹腔内ならびに/あるいは鼠径リンパ節転移を含む遠隔転移のあるもの	Ⅳ期：膀胱粘膜浸潤ならびに/あるいは腸管粘膜浸潤のあるもの、ならびに/あるいは遠隔転移のあるもの 　Ⅳ A期：膀胱粘膜浸潤ならびに/あるいは腸管粘膜浸潤のあるもの 　Ⅳ B期：骨盤腔を越えた腹腔内腹膜転移のあるもの 　Ⅳ C期：腹腔外のリンパ節転移、腎血管より頭側の腹腔内リンパ節転移、遠隔転移

*1 FIGO2023年版における non-aggressive な組織型とは類内膜癌 G1, 2 を指す。
*2 FIGO2023年版における aggressive な組織型とは類内膜癌 G3、漿液性癌、明細胞癌、未分化癌、中腎様腺癌、混合癌、胃／腸型粘液癌、癌肉腫を指す。

1. 主として内膜腔を占める疾患（上皮性および上皮性・間葉性混合腫瘍）tumors occupying the endometrial cavity

表5 分子遺伝学的異常に基づく進行期の記載（I, II期，FIGO2023）

進行期の記載	手術進行期 I, II 期症例における分子遺伝学的所見
Stage I A m$_{POLEmut}$	子宮体部に限局または子宮頸部に進展する*POLE*mut の子宮内膜癌。脈管侵襲の程度や組織型を問わない。
Stage II C m$_{p53abn}$	筋層浸潤を伴うが子宮体部に限局する *p53*abn の子宮内膜癌。脈管侵襲の程度や組織型，子宮頸部浸潤の有無は問わない。

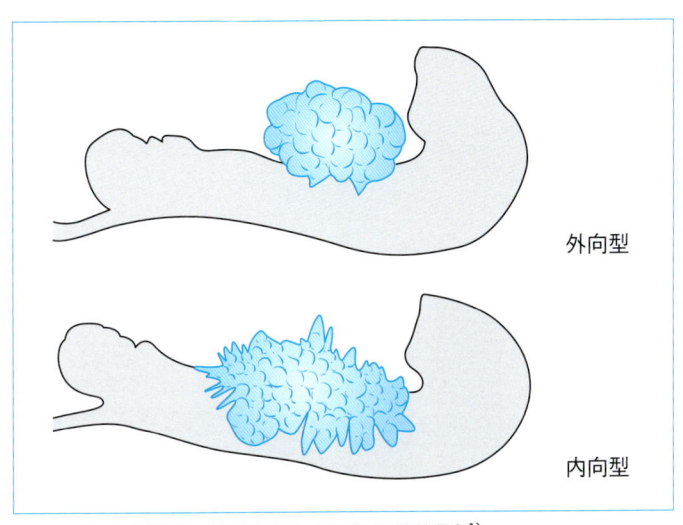

図6 子宮内膜癌の進展形式（病理肉眼分類）[1]

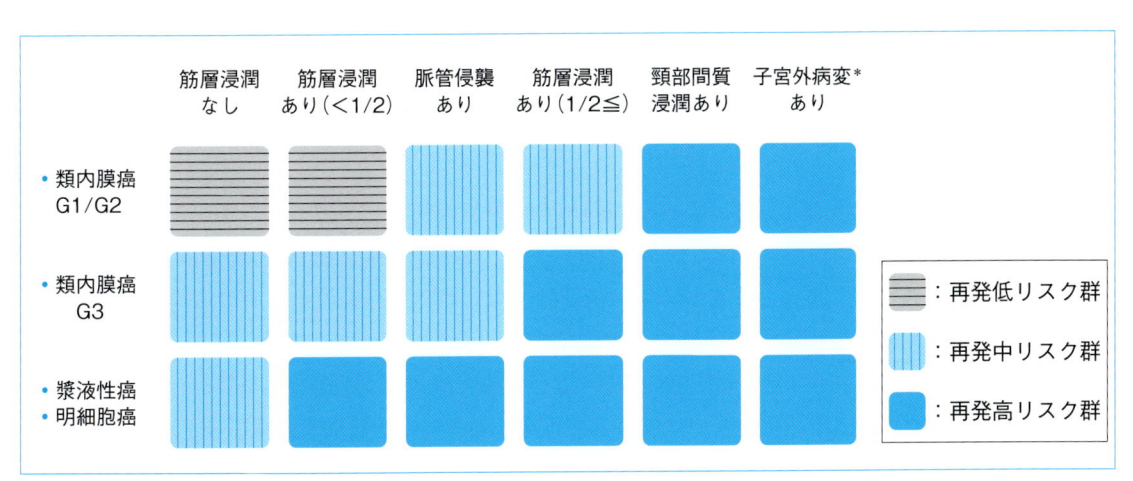

（外向型／内向型）

図7 子宮体癌術後再発リスク分類[13]

＊付属器，腟壁，基靱帯，リンパ節，膀胱，直腸，腹腔内・遠隔転移（子宮漿膜進展含む）
注）腹水細胞診/腹腔細胞診陽性については予後不良因子との意見もある。

表6 臨床進行期と標準的治療法[13]

進行期		基本術式	オプション	手術不可能
I期	類内膜癌 G1	TH*+BSO+PC	RPLND, 卵巣温存, 妊孕性温存	根治的放射線照射
	その他の組織型	TH+BSO+PC+RPLND	MRH, RH, OM, 内視鏡手術	
II期		TH+BSO+PC+RPLND	MRH, RH, OM	薬物療法 放射線治療 BSC
III期 IV期		TH+BSO+PC+RPLND	MRH, RH, OM, 腫瘍減量術	

TH：筋膜外単純，BSO：両側付属器摘出，MRH：準広汎，RH：広汎子宮全摘術，PC：腹水/腹腔洗浄細胞診，RPLND：後腹膜リンパ節郭清，OM：大網切除，BSC：best supportive care
TH*は内視鏡手術も可能であることを示す．

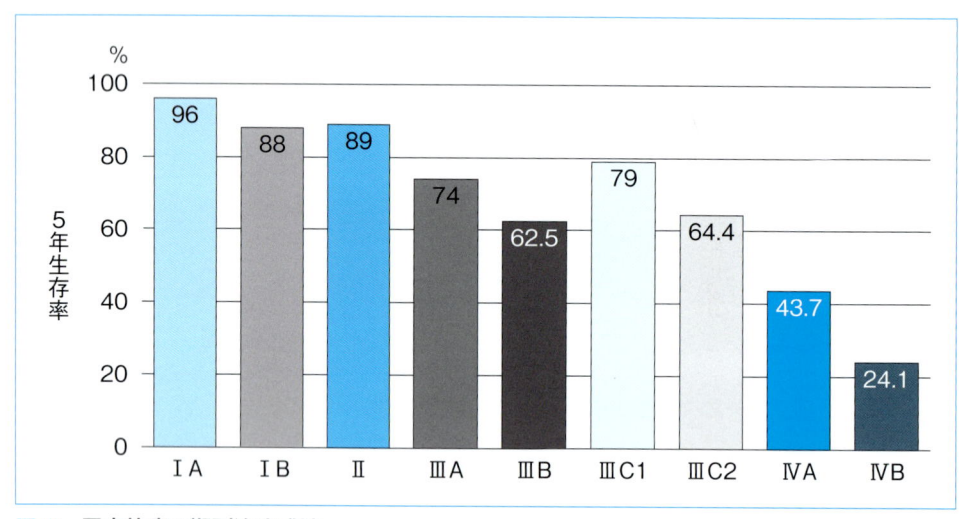

図8 子宮体癌の期別治療成績
亜分類不明例，追跡不能例を除く
（日本産科婦人科学会婦人科腫瘍委員会報告，第64回治療年報，2023より作成）

がって不正性器出血やTVUS，TAUSで明らかに子宮内膜病変があるにもかかわらず，手術以外の方法で適切な病理標本を得られない症例に対しては積極的にMRIを存在診断，質的診断（詳細は後述）に用いてよいと考えている．病期診断を含めた子宮内膜癌における検査のストラテジーのまとめを図9に示す．

第2章で述べた通り，健常な子宮内膜はT2強調像で高信号，造影後，早期には筋層よりも増強効果が不良であるが，平衡相では筋層と同程度，あるいはそれ以上の高信号となる（p59 図4参照）[19]．これに対し，子宮内膜癌では内膜肥厚（生殖可能年齢で10 mm超，閉経後は5 mm超）に加え増強効果が筋層よりも不良となることから，Imaokaらは造影剤による増強効果の違いにより内膜腔の病態の良悪性の鑑別を高い特異度（97％）で行うことができるとし[20]，Bakirらも子宮内膜癌は内膜ポリープや子宮内膜増殖症，生理的内膜肥厚に比べ，内膜の増強効果が有意に

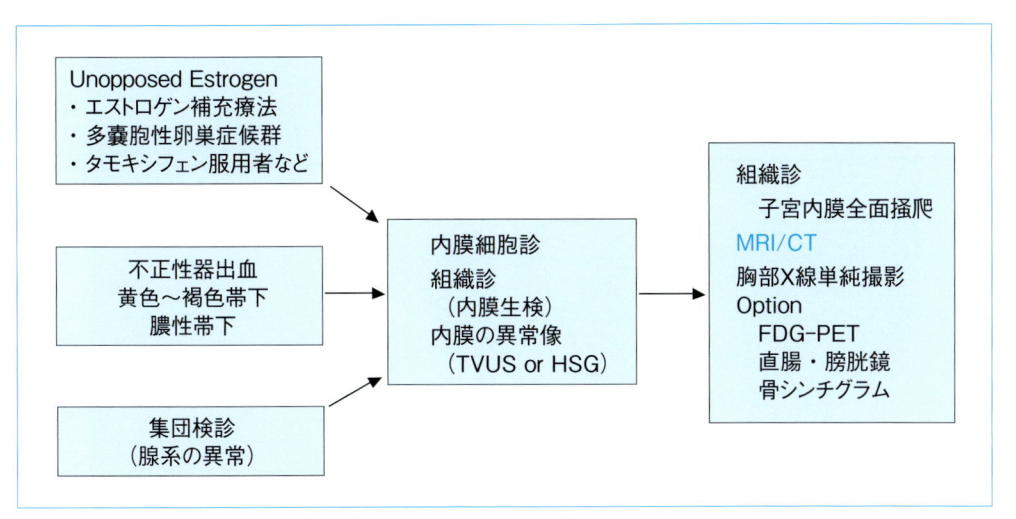

1. 主として内膜腔を占める疾患（上皮性および上皮性・間葉性混合腫瘍）tumors occupying the endometrial cavity

図9 子宮内膜癌における画像診断の適応とストラテジー

不良であることを報告している[21]（図10, 11）。なお，単なる子宮留膿症や子宮留血症では内膜腔に造影剤による増強効果は認めない（図12）。また種々の領域で cancer screening や良悪性の鑑別における拡散強調像の有用性が報告されているが，子宮内膜癌病変でも内膜癌症例では正常内膜に比べ見かけの拡散係数（apparent diffusion coefficient：ADC）が低いことが指摘されている[22]。しかし，造影剤による増強効果の程度，ADC値ともに，良性病変と悪性病変の間にオーバーラップが大きく，MRIによる内膜病変の質的診断には限界がある。したがって，MRI所見を過信してはならないが，造影検査により増強効果のない液体貯留のみであることが確認できれば，侵襲的な検査手技を急ぐ必要はなく，麻酔下の全面掻爬を要する症例か否かのスクリーニングにMRIは有用である。

3）組織分類と画像所見

(1) 子宮内膜癌の前駆病変 precursors
［子宮内膜増殖症と子宮内膜ポリープ（タモキシフェン関連を含む）］

　子宮内膜が肥厚する病態としては，正常の性周期に即した変化（p63参照），無排卵周期の持続など内分泌異常に伴う各種"化生"性変化に加え子宮内膜癌の precursor である子宮内膜増殖症（endometrial hyperplasia）もまた画像的には内膜の肥厚として表現される[23]。子宮内膜増殖症はプロゲステロンによって拮抗されない過剰なエストロゲン刺激（unopposed estrogen）によって生じる非腫瘍性の変化で，細胞異型の有無により子宮内膜増殖症（endometrial hyperplasia without atypia）と子宮内膜異型増殖症（atypical endometrial hyperplasia）に大別される[1]。リスク因子としては肥満や多嚢胞性卵巣症候群（polycystic ovary syndrome），糖尿病が挙げられ，閉経前後に好発する。後述するタモキシフェンは外因性のリスクファクターの代表であり，投与患者には子宮内膜病変の定期的なモニタリングが推奨される。

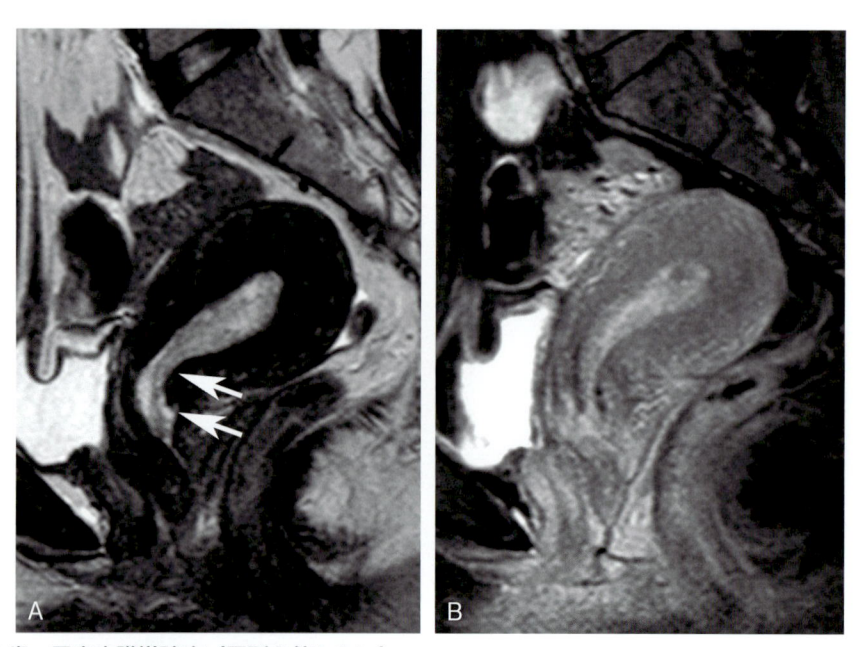

Ⅱ 子宮体部の腫瘍および腫瘍様病変 tumors of the uterine body and tumor-like lesions

図10 44歳 子宮内膜増殖症（異型を伴わない）
A：T2強調矢状断像，B：造影脂肪抑制T1強調矢状断像
T2強調像にて，子宮内膜は全長にわたって肥厚しており，健常内膜よりも少し信号強度が低い。一部は頸管にポリープ状に下垂（A→）している。肥厚した子宮内膜は筋層に比べ強い増強効果を示している（B）。これは正常の内膜に近い増強効果である。子宮全摘が行われ，異型を伴わない子宮内膜増殖症であることが確認された。

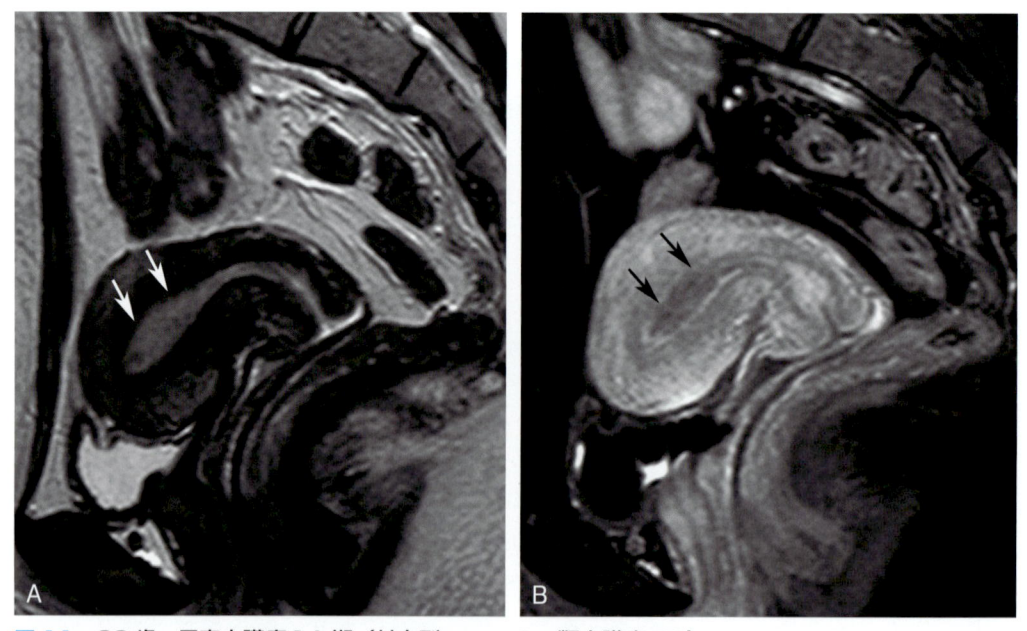

図11 30歳 子宮内膜癌ⅠA期（外向型，typeⅠ，類内膜癌G1）
A：T2強調矢状断像，B：造影脂肪抑制T1強調矢状断像
子宮内膜（→）はびまん性に肥厚し，T2強調像で低信号を示し（A），造影後の増強効果は筋層より不良である（B）。T2強調像，造影T1強調像ともjunctional zoneと漿膜側筋層のzonal anatomyは明瞭かつ正常で，内膜腔を占める腫瘍とのコントラストも良好であり，典型的な外向性発育で，筋層浸潤は伴わないと判定され子宮温存療法が選択された。

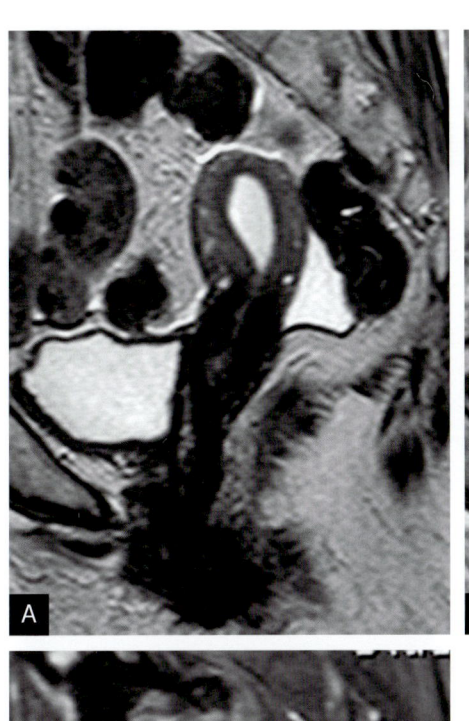

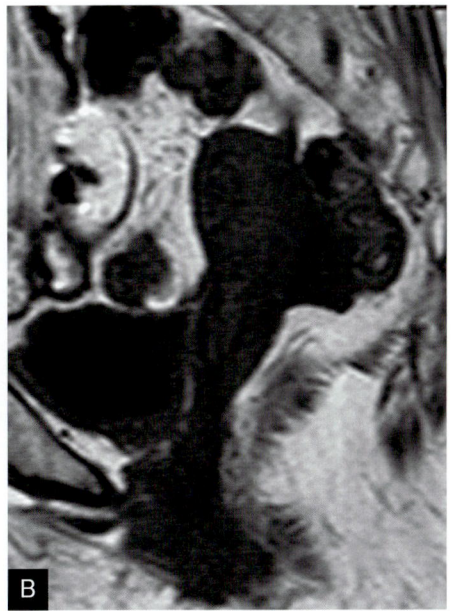

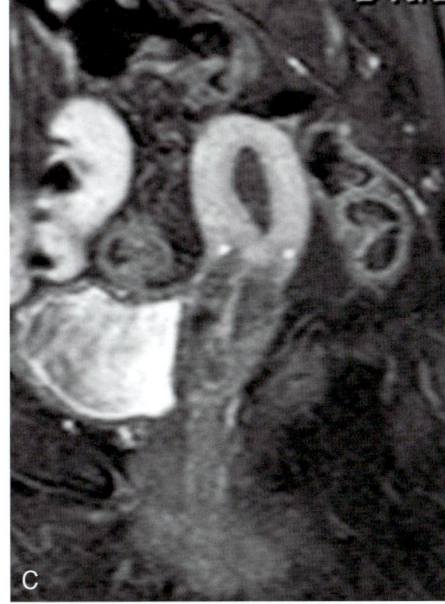

1. 主として内膜腔を占める疾患（上皮性および上皮性・間葉性混合腫瘍）tumors occupying the endometrial cavity

図12　76歳　子宮留膿症

A：T2強調矢状断像，B：T1強調矢状断像，C：造影脂肪抑制T1強調矢状断像

子宮留膿症に対しドレナージを行ったところ細胞診 Class Ⅳのため MRI を施行した。T2強調像にて，拡張した子宮内膜腔は高信号を示す構造で占められている（A）。T1強調像では筋層よりわずかに高信号で（B），造影後はまったく増強効果を示さない（C）ことから内容物は液体のみであることがわかる。

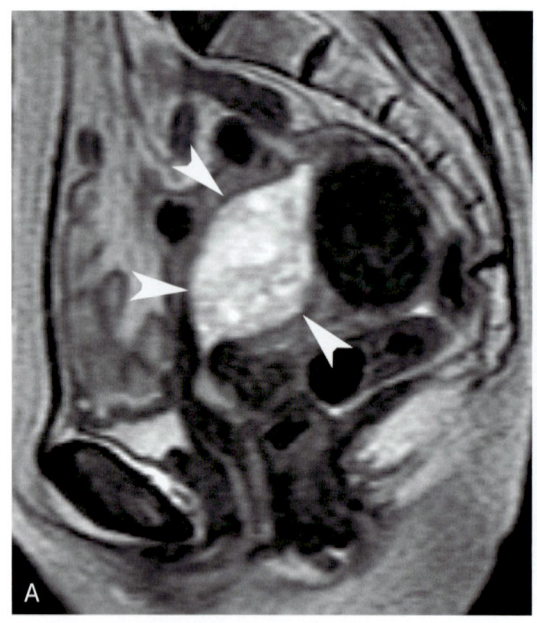

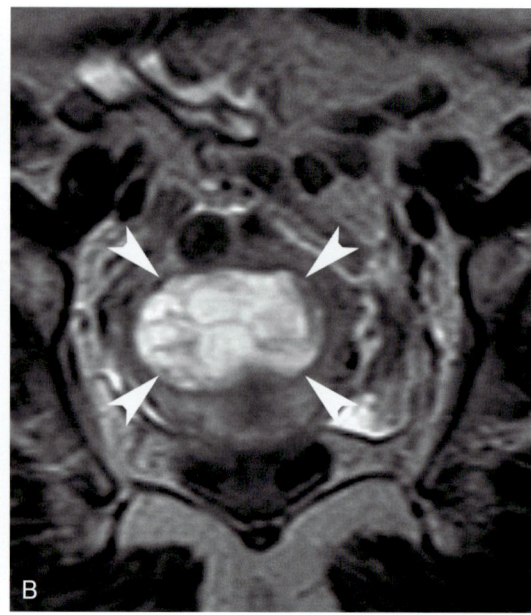

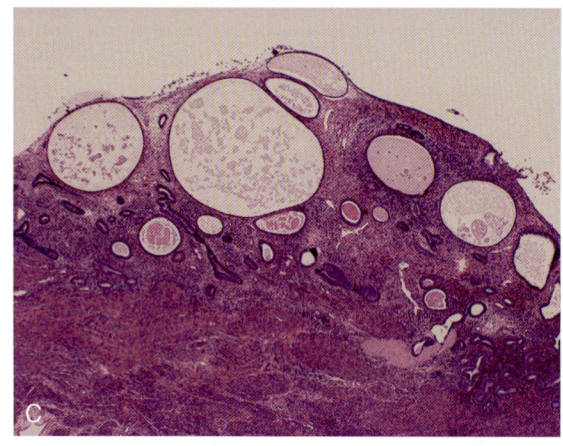

図13 65歳 子宮内膜増殖症
A：T2強調矢状断像，B：T2強調横断像，C：摘出標本HE染色（ルーペ像）
閉経後に発見された筋腫に対しMRIを施行したところ，内膜が著明に増殖し内膜腔を充満する腫瘤を形成している（A，B▲）。病理組織学的には内膜腺管の著しい増殖により多数の嚢胞を形成しており，「スイスチーズ様」と表現される所見である（C）。

　子宮内膜増殖症は大小不同で形の不整な子宮内膜腺の過剰増殖が，間質に対して優性となった状態と定義されている[1]。本症にみられる内膜の嚢胞性変化はMRIで比較的容易に捉えることができる（図13）。子宮内膜異型増殖症は子宮内膜腺の腫瘍性増殖で類内膜癌に進展するリスクが高いとされ，WHO分類では類内膜上皮内腫瘍（endometrioid intraepithelial neoplasia：EIN）と同義的に併記されている。核の腫大やクロマチンの増量など，異型を伴う円柱細胞で構成される腺管の密な増殖からなる。経験的には子宮内膜異型増殖症では正常例に比べT2強調像で肥厚した内膜の信号強度が低い傾向にあり，内膜癌同様，造影平衡相で増強効果が不良であるが，原則的に画像による厳密な鑑別診断は困難である（図14）。さらに，異型のない子宮内膜増殖症であっても1〜3%は子宮内膜癌に進展する[13]とされ，MRIで悪性所見がなくとも，TVUSや内膜細胞診での厳重な経過観察が必要である。
　一方，良性の内膜腺と間質の増生からなる限局性の隆起は子宮内膜ポリープ（endometrial

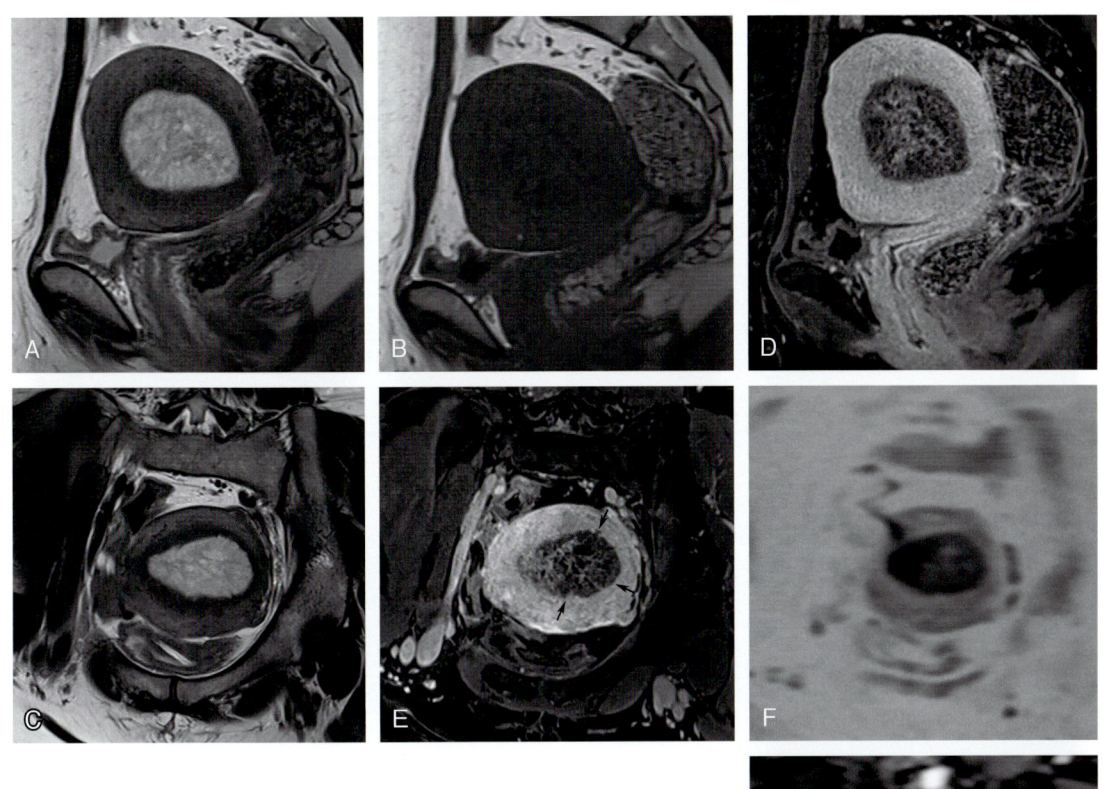

1. 主として内膜腔を占める疾患（上皮性および上皮性・間葉性混合腫瘍）tumors occupying the endometrial cavity

図14　48歳　子宮内膜異型増殖症
A：T2強調矢状断像，B：T1強調矢状断像，C：T2強調冠状断像，D：造影脂肪抑制T1強調矢状断像，E：造影脂肪抑制T1強調冠状断像，F：拡散強調冠状断像，G：ADC map
内膜はびまん性に著しく肥厚して内膜腔を充満し，T2強調像で不均一でやや信号強度が低い（A，C）。T1強調像では低信号で（B），造影後は内部に多数の腺管が明らかとなる（D）。腺管を介在する充実部は右半部ではよく増強されるが，左半部で増強効果が不良である（E）。後者が悪性所見を示唆するが，拡散強調冠状断像は囊胞内容物の信号強度を反映するので，造影T1強調像のようなコントラストにはならない（F，G）。

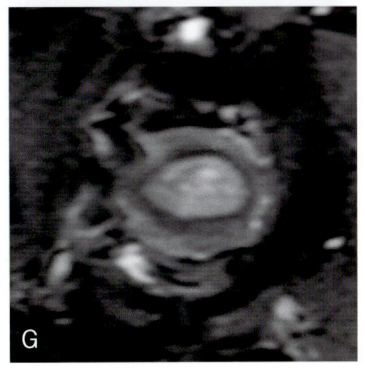

polyp）と定義される[1]。多くは無症状で，小さなものはほかの病因により摘出された子宮の標本中に高頻度に認められる。ポリープの成因は詳細にはわかっていないが内膜基底層起源であるとされ，一部はエストロゲン刺激により誘発されると考えられている[23]。病理組織学的には拡張した血管を含む間質の線維増生を伴って一部拡張した内膜腺が疎かつ不規則に分布する。Graselらはポリープの茎の部分に線維組織が豊富なため，これがT2強調像で低信号を示すこと，また肥厚した内膜組織内に拡張した腺管が高頻度に認められること（図15）に着目し，内膜癌との鑑別点になりうるとしている[24]が，これらの所見は内膜癌の前駆病変である，子宮内膜増殖症の肉眼形態と重なる。前述のように内膜ポリープ，子宮内膜増殖症，子宮内膜癌のいずれもがエストロゲン過剰状態と関連するためこれらの混在する病態がしばしば認められることやtype I 内膜癌がしばしばポリープ状に発育することから，MRI所見による厳密な鑑別は困難であり病理組織診断に代わりうるものではない。

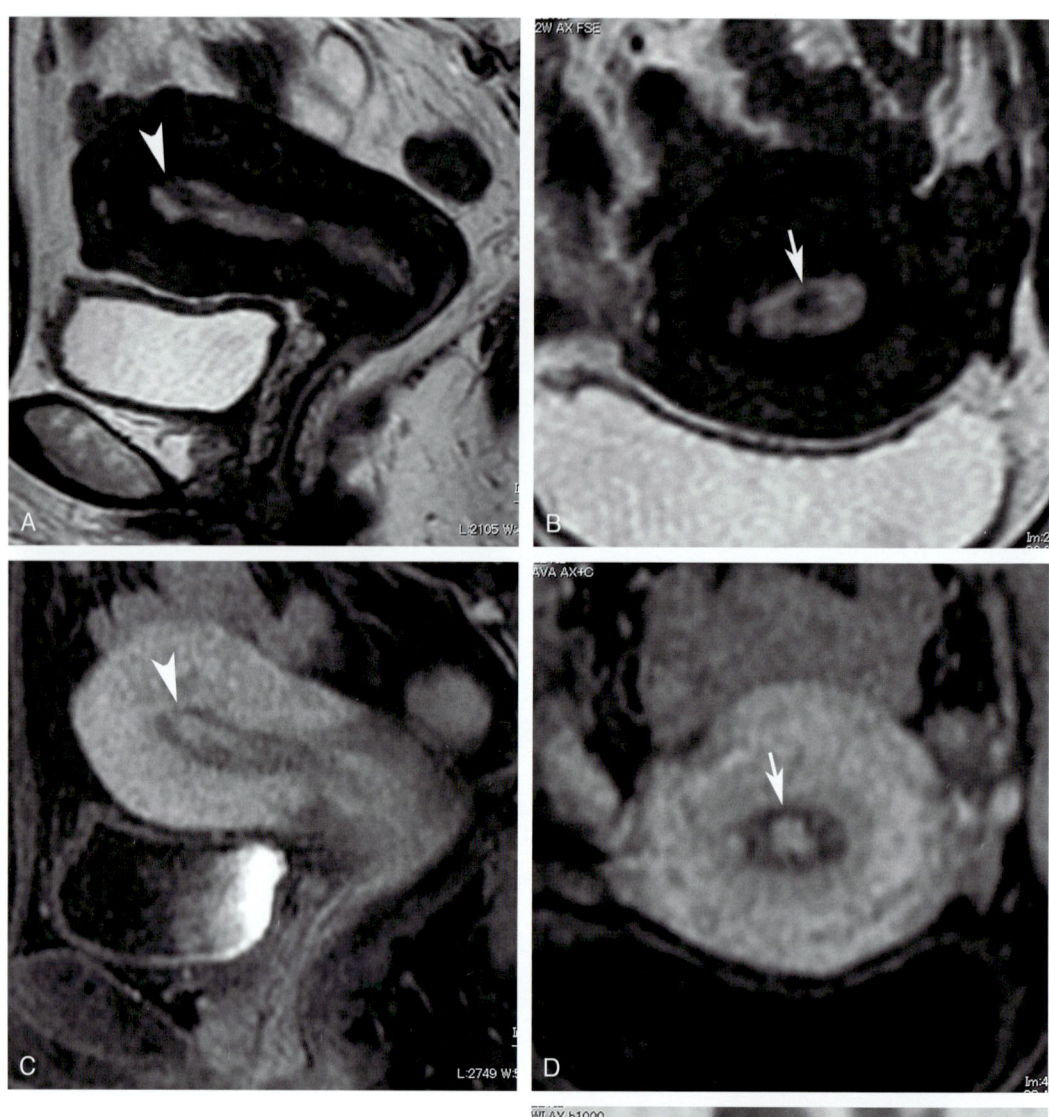

Ⅱ 子宮体部の腫瘍および腫瘍様病変 tumors of the uterine body and tumor-like lesions

図15　55歳　子宮内膜ポリープ

A：T2強調矢状断像，B：T2強調冠状断像，C：造影脂肪抑制T1強調矢状断像，D：造影脂肪抑制T1強調冠状断像，E：拡散強調冠状断像

内膜腔はT2強調像で閉経後にしては肥厚した内膜は不均一な信号を示し（A, B），病変の付着する底部から病変の中心に向かうT2強調像で低信号（A▲, B→），造影後は均一によく増強される（C▲, D→）棍棒状の構造があり，fibrous coreである。冠状断ではこのfibrous core（B, D, E→）の辺縁部に多数の腺管形成がみられ，拡散強調像ではfibrous coreの拡散が亢進していることがわかる（E）。病理組織学的には，内膜ポリープの一部に子宮内膜異型増殖症が混在していた。

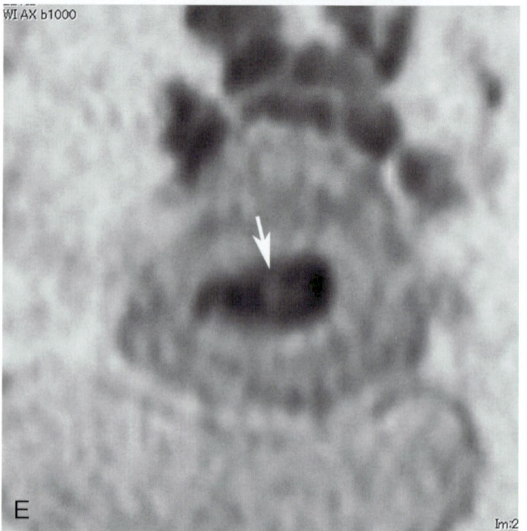

1. 主として内膜腔を占める疾患（上皮性および上皮性・間葉性混合腫瘍）tumors occupying the endometrial cavity

　乳癌に対するホルモン療法剤であるタモキシフェンは，乳腺に対しては estrogen antagonist として作用するが，子宮内膜に対しては agonist として作用するため，閉経後の症例では unopposed estrogen となり，囊胞性萎縮のほか内膜増殖症，さらに子宮内膜癌といった種々の変化を示すことが知られている[25)26)]。MRI では囊胞性萎縮または単純性子宮内膜増殖症により大小多数の囊胞を伴って著しく肥厚した内膜がしばしば観察され[27)28)]（図 16），内因性の内分泌異常による子宮内膜の肥厚に比べ変化がはなはだしいことが多い。これらの内膜増殖症の画像診断において重要なことは，しばしば肥厚した内膜に複数の病態が混在することである。すなわち細胞診もしくは組織診では子宮内膜増殖症であっても，より悪性度の高い類内膜癌が混在していることがまれではない[11)]。したがって，より侵襲的な手技を勧めるか否かの判断に MRI は有用な材料を提供する。すなわち前述の内膜癌を疑わせる MRI 所見（増強不良域や ADC 値の低下）を認めた場合（図 17）には積極的に子宮内膜全面搔爬を勧めるのはもちろんのこと，単純性子宮内膜増殖症を疑わせる多数の囊胞性病変のみであっても内膜癌の合併や癌への進展あるいは後述する腺肉腫の可能性を念頭におき，厳重な経過観察が求められる[28)]。なお，タモキシフェン投与例では定期的な婦人科外来への受診が推奨されること，前述の肥厚した内膜内の囊胞性変化は US でも容易に捉えられる[27)]ことから，フォローアップの主役はやはり US［本邦ではあまり広く行われていないが，子宮内膜腔に生食を注入して観察する sonohysterography（SHG）を含む］であり，費用対効果の面からも MRI の施行は US で診断に苦慮する例や内膜組織を採取できない例に限るべきであるとされている（図 18）[28)]。また最近は閉経後の患者に対する乳癌術後内分泌療法において，アロマターゼ阻害薬でタモキシフェンと同等の再発抑制効果が得られ，子宮内膜癌の発症を含む有害事象の発生頻度も低いと報告されている[29)]ことから，本剤のほうが広く用いられる傾向にあり，該当する症例は減少している。

(2) 子宮内膜癌 endometrial cancer（上皮性腫瘍 epithelial tumors, 神経内分泌腫瘍 neuroendocrine neoplasia）

a. 基本の MRI 所見

　前述のように古典的には子宮内膜癌（endometrial cancer）は type Ⅰと type Ⅱに大別されるが，前者は主として内膜腔を充満するように外向性に発育し，筋層浸潤はないかあっても浅いのに対し，後者は内膜腔を充満せずにもっぱら筋層内に向かって内向性に発育するため深い筋層浸潤をきたすことが多く，予後不良とされる。MRI で子宮内膜癌は子宮内膜腔を占める，T2 強調像で正常内膜よりも低信号を示す病変であるとされる[30-32)]（図 19, 20）。しかしこれは外向性に発育する腫瘍の画像所見を示したものといってよく，内向性腫瘍はこれとはまったく異なった所見を呈するので注意が必要である。すなわち，内向性腫瘍では T2 強調像で本来みられるべき内膜＝高信号，junctional zone＝低信号，漿膜側筋層＝中間信号の zonal anatomy が消失する。腫瘍は内膜由来であるので，多くの場合，内膜面と連続し上記の 3 層構造を破壊する異常信号域として発現される（図 21）。この異常信号域はしばしば junctional zone と連続する低信号となり，子宮腺筋症の所見としてよく知られている所見と類似するが，典型的な腺筋症に比べ T2 強調像で少し信号強度が高いことが多く，腺筋症ではこの低信号域の内部に異所性内膜を示す高信号域がみられるのに対し，内向型の腫瘍ではこのような構造は認められない。また junctional zone

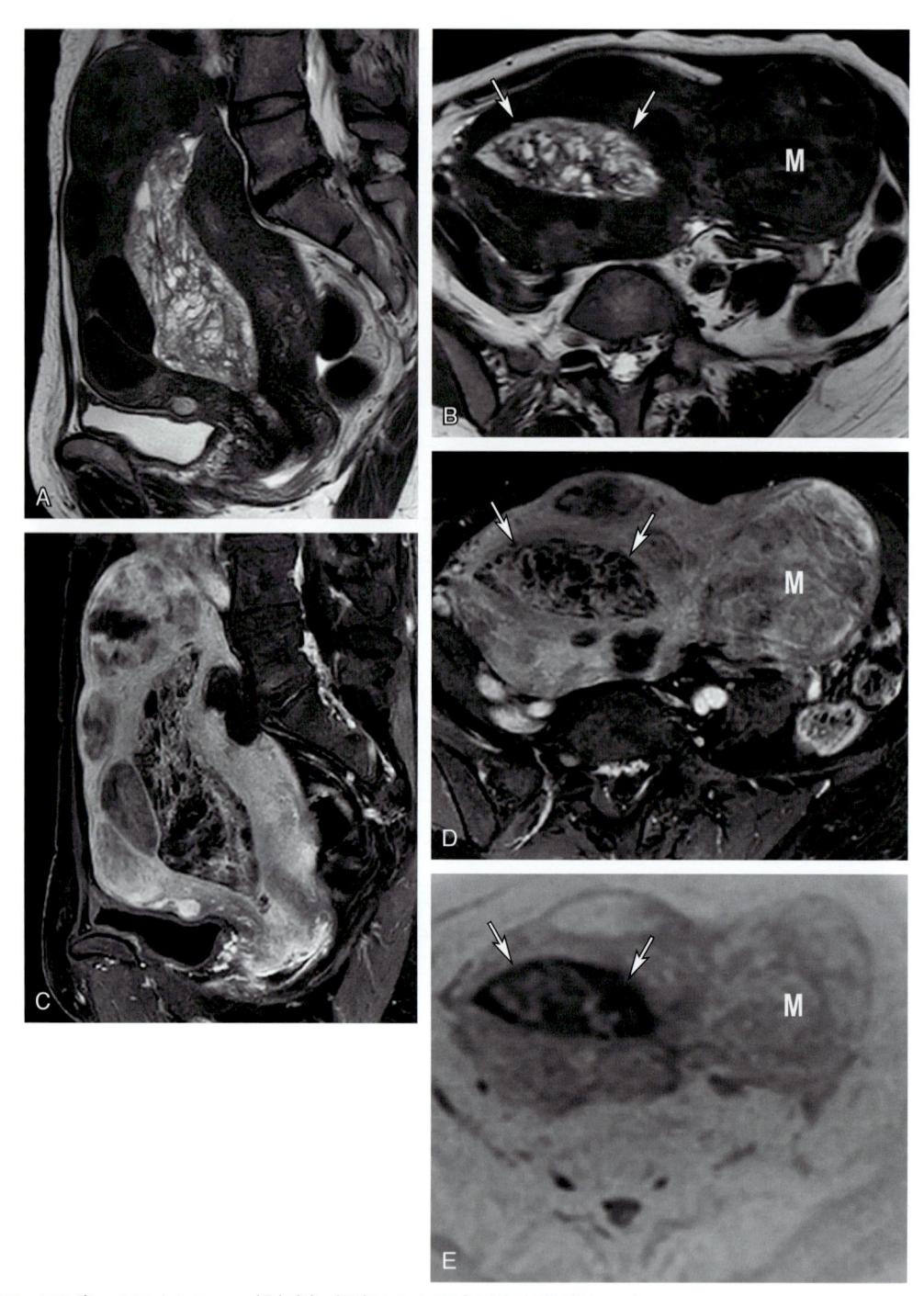

Ⅱ 子宮体部の腫瘍および腫瘍様病変 tumors of the uterine body and tumor-like lesions

図16 58歳 タモキシフェン投与例に観察された巨大子宮内膜ポリープ
A：T2強調矢状断像，B：T2強調横断像，C：造影脂肪抑制T1強調矢状断像，D：造影脂肪抑制T1強調横断像，E：拡散強調横断像
52歳時に乳癌術後，タモキシフェン内服中。T2強調像で内膜腔は極めて信号強度が高く（A，B→），造影脂肪抑制T1強調像で増強効果のない円形構造で占められ，拡張した腺管と推定される。腺管を介在する充実部はよく増強され（C，D），拡散強調像では辺縁部にみられる健常内膜よりも拡散が亢進している（E→）。多発子宮筋腫（B，D，E，"M"）もあり，子宮全摘が行われ，軽度核腫大と化生性変化はみられたが異型はなく，内膜ポリープと病理組織診断された。

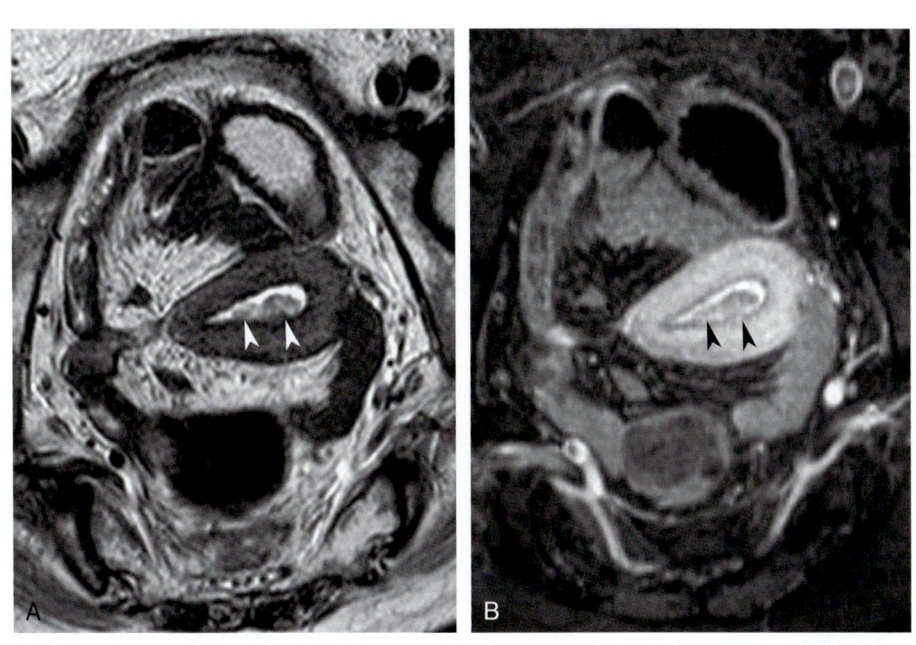

1. 主として内膜腔を占める疾患（上皮性および上皮性・間葉性混合腫瘍）tumors occupying the endometrial cavity

図17　74歳　乳癌術後，タモキシフェン投与例に観察された子宮内膜癌ⅠA期（類内膜癌G2）
A：T2強調冠状断像，B：造影脂肪抑制T1強調冠状断像
高齢者としては不自然に子宮のzonal anatomyが明瞭で，内分泌療法の影響が示唆される（A）。拡大した内膜腔にはT2強調像で低信号を示すポリープ状の腫瘤があり（A▲），造影後は増強効果も不良である（B▲）。図16の子宮内膜ポリープとはまったく増強効果が異なることに注目。

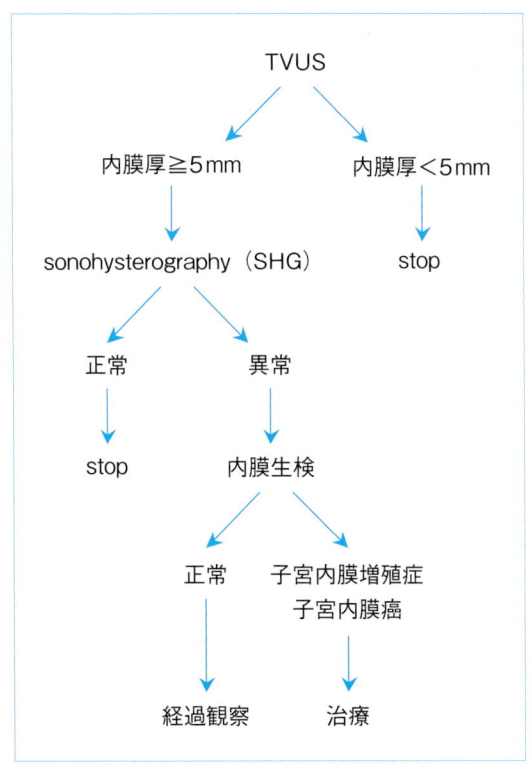

図18　閉経後のタモキシフェン投与患者の管理方針
（文献28より改変引用）

```
                    TVUS
                   ↙    ↘
          内膜厚≧5mm    内膜厚＜5mm
                ↓             ↓
      sonohysterography（SHG）  stop
              ↙    ↘
          正常     異常
            ↓        ↓
          stop    内膜生検
                   ↙    ↘
                 正常   子宮内膜増殖症
                        子宮内膜癌
                   ↓        ↓
                経過観察    治療
```

301

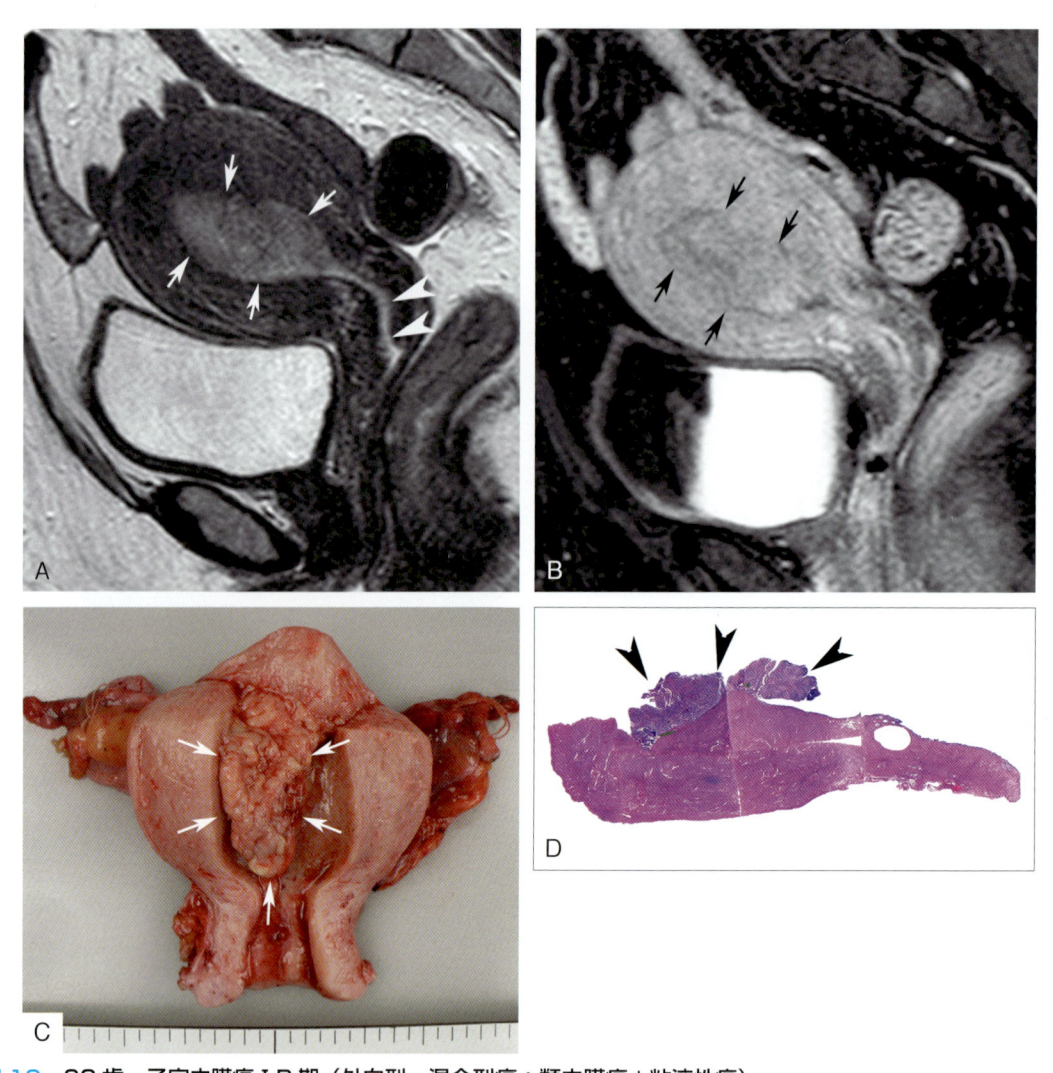

Ⅱ 子宮体部の腫瘍および腫瘍様病変 tumors of the uterine body and tumor-like lesions

図19 63歳 子宮内膜癌ⅠB期（外向型，混合型癌：類内膜癌＋粘液性癌）
A：T2強調矢状断像，B：造影脂肪抑制T1強調矢状断像，C：摘出標本肉眼像，D：摘出標本ルーペ像
閉経後にもかかわらず底部優位に肥厚した内膜により子宮は著しく腫大している（A→）。肥厚した内膜の信号強度は正常の頸管粘膜（A▲）よりも低い。正常の子宮内膜は造影後平衡相では筋層よりも強い増強効果を示すのに対し，本例ではこれと同等かむしろ低く（B→），年齢不相応な内膜の厚さとともに悪性腫瘍を疑わせる所見である。本例は典型的な外向性発育を示しており，摘出標本（C，D）上も内腔に向かってポリープ状に発育する腫瘤（C→，D▲）が確認された。

図20 57歳 子宮内膜癌ⅠA期（外向型，類内膜癌G2）
A：T2強調矢状断像，B：T2強調冠状断像，C：ダイナミックMRI冠状断像，D：造影脂肪抑制T1強調冠状断像，E：造影脂肪抑制T1強調矢状断像，F：拡散強調冠状断像，G：ADC map，H：T2強調-拡散強調融合画像
T2強調像で健常内膜に比べ信号強度の低い腫瘤により内膜腔が占められ（A，B），造影後は一貫して筋層に比べ増強効果が不良である（C〜E）が，ダイナミックMRIでは造影早期の筋層がよく増強され，腫瘍の増強効果の不良な造影早期にコントラストが最大となり（C），造影検査による筋層浸潤の評価には最も適する。またダイナミックMRIではsubendometrial enhancementがみられることから，これがT2強調像におけるjunctional zoneの代用となりうることからも，造影検査による筋層浸潤の評価にはダイナミックMRIの施行が推奨される。拡散強調像でも腫瘍と筋層とのコントラストは良好であるが，周囲構造のコントラストは不良である（F, G）ので，T2強調像と組み合わせる（H）ことにより，筋層浸潤の評価が可能となる。

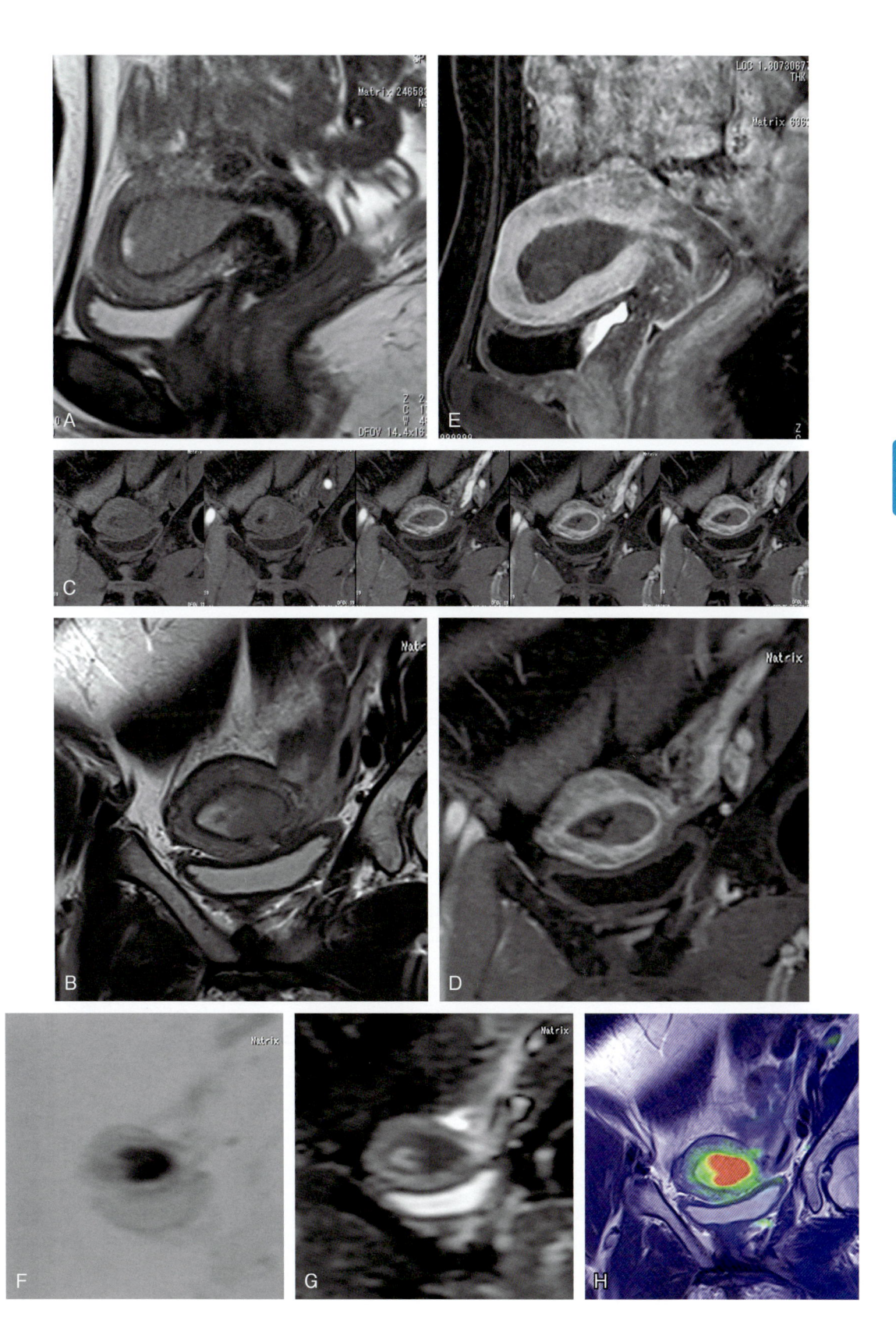

1. 主として内膜腔を占める疾患（上皮性および上皮性・間葉性混合腫瘍）tumors occupying the endometrial cavity

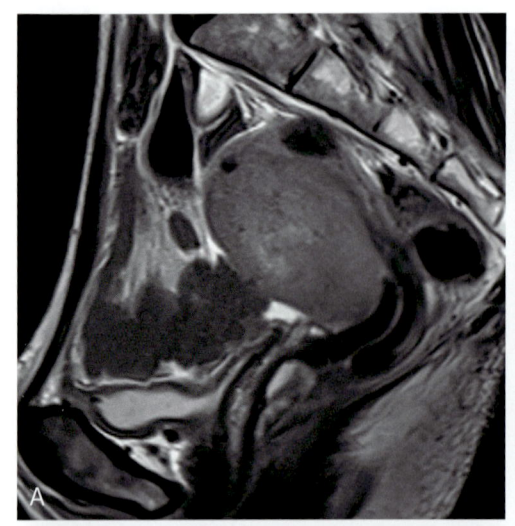

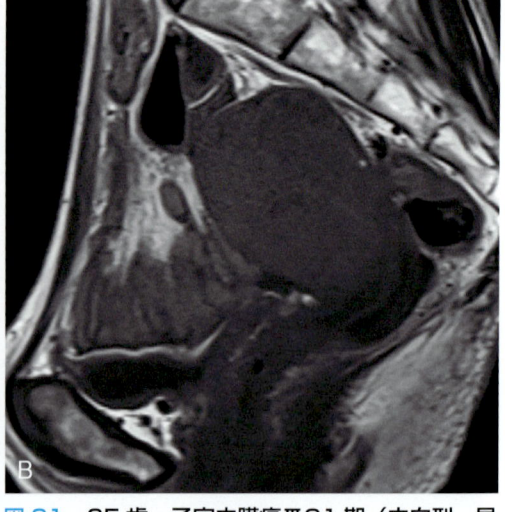

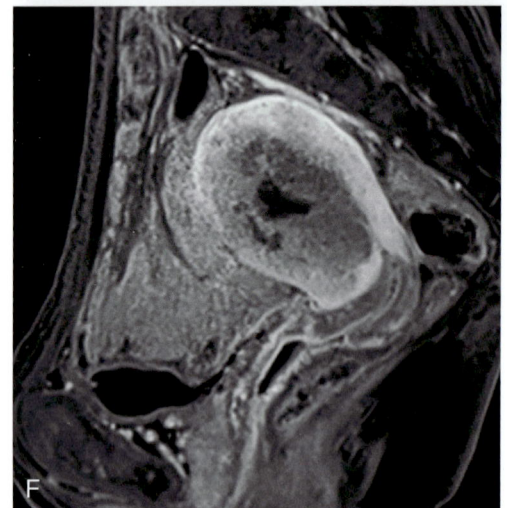

Ⅱ 子宮体部の腫瘍および腫瘍様病変 tumors of the uterine body and tumor-like lesions

図21　65歳　子宮内膜癌ⅢC1期（内向型，局所ⅢB期，類内膜癌G3）

A：T2強調矢状断像，B：T1強調矢状断像，C：T2強調冠状断像，D：ダイナミックMRI冠状断像，E：造影脂肪抑制T1強調冠状断像，F：造影脂肪抑制T1強調矢状断像，G：拡散強調冠状断像，H：ADC map

子宮体部前壁筋層を置換するT2強調像で健常内膜より信号強度の低い腫瘍があり（A，C），T1強調像では低信号（B），造影後は一貫して筋層より増強効果が不良である（D〜F）。拡散強調像では内膜腔に露出する部分に比べ筋層内に入り込む部分の拡散制限が乏しく，筋層浸潤を過小評価しないよう注意が必要である（G，H）。病変の主座が筋層にあることから，前医では平滑筋肉腫を疑われていたが，冠状断で内膜腔を取り巻くように腫瘍が分布しており内膜由来の腫瘍であることがわかる。

の拡大（表7）は腺筋症だけでなく，閉経後では生理的変化としてみられるのをはじめ，外因性のホルモン製剤投与など内分泌環境の変化[33]でも漿膜側筋層とjunctional zoneの割合は変化しうることから，このような症例でT2強調像のみで子宮内膜癌のステージングを行うと過小評価を生じる場合がある。また腺筋症病巣の異所性内膜から内膜癌が発生したり，内膜腔から発生した腫瘍が腺筋症の異所性腺管に沿って進展することがあり，この場合，T2強調像での筋層内の信号変化が腺筋症のみからなるのか，内膜癌の進展によるものかの鑑別が困難なことが多い（図22）[33)34)]造影T1強調像ではその局在にかかわらず，腫瘍は正常内膜および筋層よりも増強効果が不良である[34-38]ことが多く，typeⅡ腫瘍の局在診断においては造影T1強調像はT2強調像に優ることが多い（図21）。さらに，造影剤を急速静注しその後の信号変化を経時的に観察するダイナミックMRIでは，子宮内膜癌の増強速度が健常筋層に比べ緩徐であるため，造影早

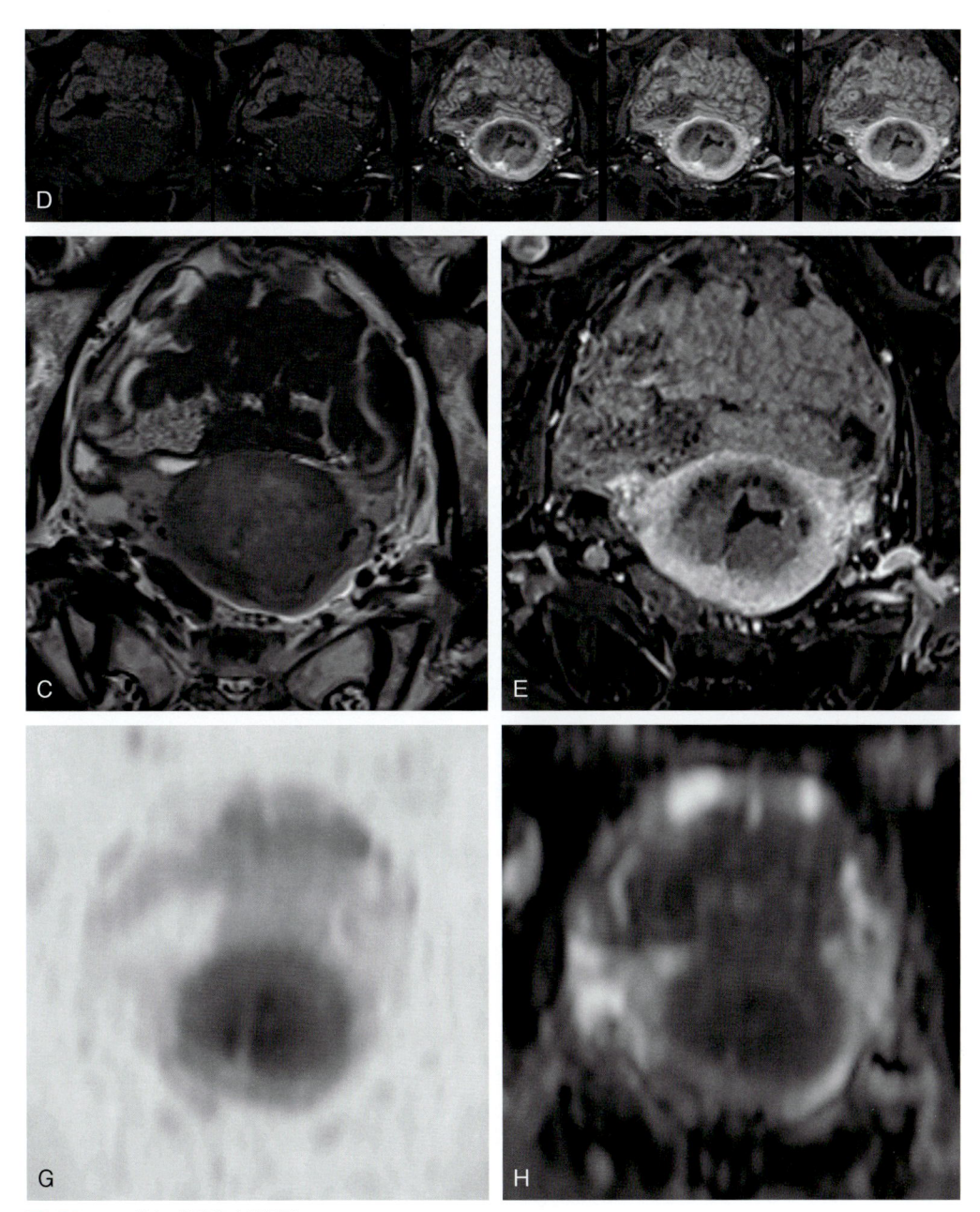

1. 主として内膜腔を占める疾患（上皮性および上皮性・間葉性混合腫瘍）tumors occupying the endometrial cavity

図21 つづき（子宮内膜癌）

表7 Junctional zone の拡大をきたす病態

機能的変化		閉経後
		内分泌環境の異常（内因性，外因性）
		一過性子宮収縮
器質的変化	良性疾患	子宮腺筋症
	悪性疾患	子宮内膜癌（内向型）
		子宮内膜間質肉腫

305

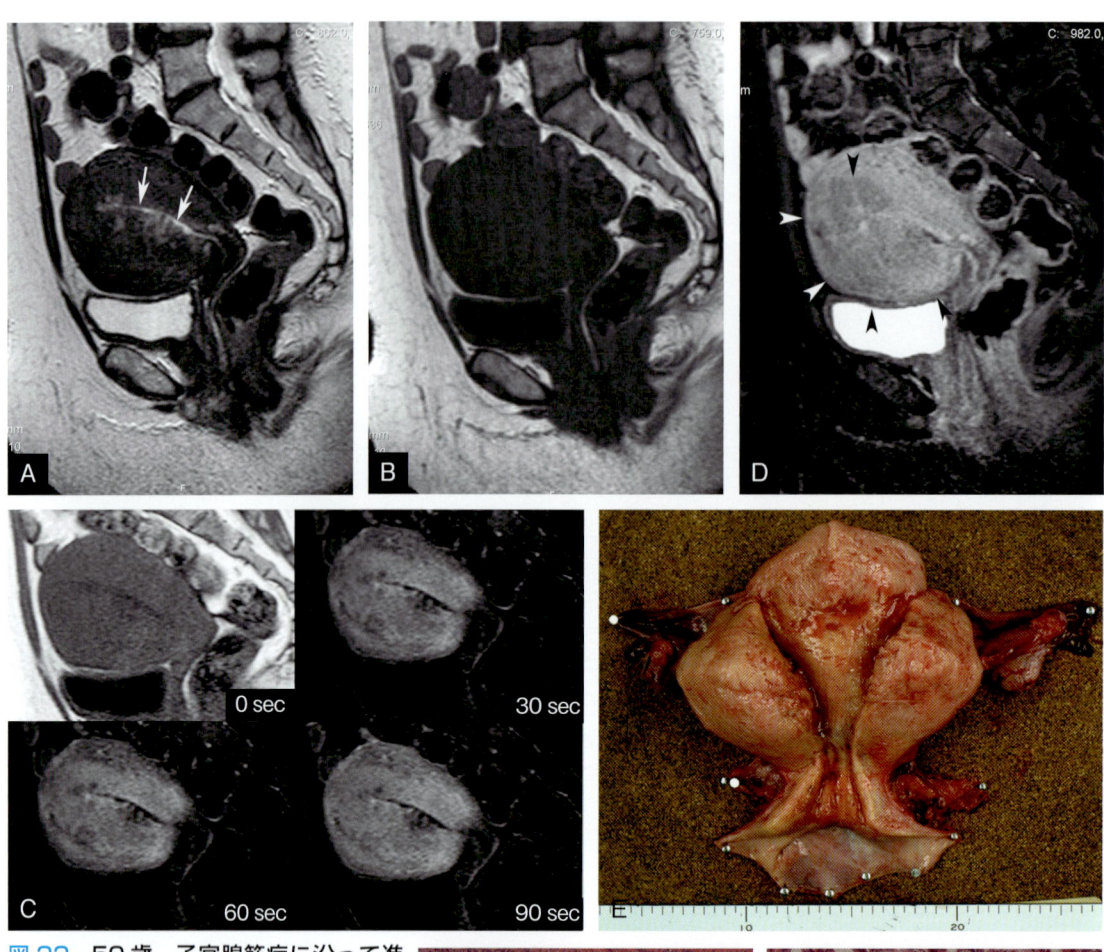

Ⅱ 子宮体部の腫瘍および腫瘍様病変 tumors of the uterine body and tumor-like lesions

図22 50歳　子宮腺筋症に沿って進展する子宮内膜癌ⅢC2期（局所ⅠB期、類内膜癌G2）
A：T2強調矢状断像，B：T1強調矢状断像，C：ダイナミックMRI矢状断像，D：造影脂肪抑制T1強調矢状断像，E：摘出標本肉眼像，F：HE染色（弱拡大），G：HE染色（強拡大）
子宮体部はびまん性に腫大し（A，B）、T2強調像で低信号を示す。内膜腔（A→）の拡大はまったくなく、もっぱら筋層が肥厚している。ダイナミックMRIでも肥厚した筋層は通常の健常筋層と遜色ない増強効果を示す（C）が、造影後平衡相で増強効果の不良な境界不鮮明な局面を形成する（D▲）。摘出標本上も内膜腔に腫瘍はまったく認められない（E）が、筋層内には間質の増生を伴う異所性内膜（F）に加えて筋層深く浸潤する類内膜癌（G）がみられた。

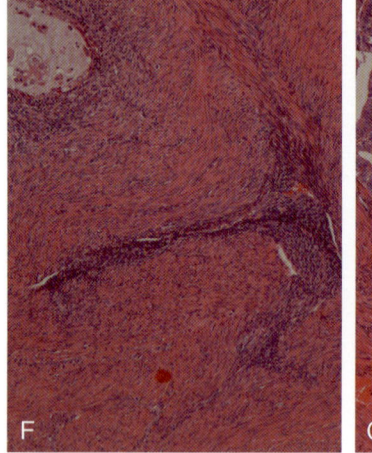

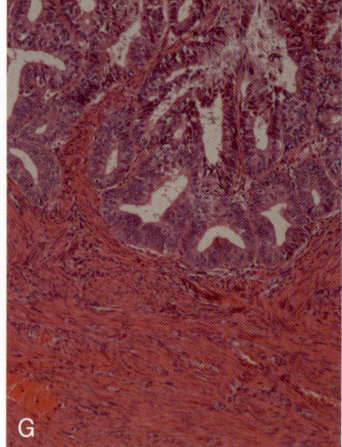

1. 主として内膜腔を占める疾患（上皮性および上皮性・間葉性混合腫瘍）tumors occupying the endometrial cavity

期の撮像で両者の信号強度差が大きく，より正確に筋層浸潤の診断が行える[36)39-43]。ただし近年，上皮性・間葉性にかかわらず子宮悪性腫瘍は造影早期に急速に濃染し（図20, 21），造影後1分程度の早期相ではむしろ筋層よりも信号強度が高いとの報告もあり[44]，必ずしも全例にあてはまるわけではない。さらに，筋層内に筋腫や腺筋症が存在する場合はこれらの病巣自体が造影早期に濃染するのに加え，周囲の筋層にも早期濃染が波及することが多く，ダイナミックMRIによる筋層浸潤の妨げになることが少なくない。一方，子宮内膜癌の筋層浸潤の評価においても拡散強調像の有用性が報告されている。前項でも述べた通り，拡散強調像で子宮内膜癌はADC値が低いために異常信号域として描出される。これに対して子宮筋層は正常内膜よりもADC値の高い組織であり，両者のコントラストは良好となる（図20, 21）[22)45-49]。しかし異型細胞が密度の高い腫瘤を形成せず，筋層内に散在性に浸潤する場合には過小評価に陥る可能性がある（図21）。

b. 進行期分類の実際

子宮体部の悪性腫瘍（内膜癌だけでなく肉腫も含め）のステージングは，原則的に手術進行期分類で行われる（表4）。前項でも述べたように，筋層浸潤は重要な予後因子の1つであり，取扱い規約上も筋層浸潤と頸部間質浸潤がステージングの分岐点となっている。『子宮体癌取扱い規約 第3版』（日産婦2012）に則したMRI所見のまとめを表8に示す[50]。

現行の取扱い規約では筋層浸潤のないものと1/2未満のものはどちらもⅠA期ではあるが，妊孕性温存療法の適応は「筋層浸潤のないもの」とされており（図11），前述のFIGO進行期分類2023年版では「non-aggressive な組織型で子宮内膜ポリープや子宮内膜に限局するもの」がⅠA1期とされることから，筋層浸潤の有無を判断することもMRIの重要な役割である。筋層浸潤の評価の基本はT2強調像における junctional zone の菲薄化，欠損の有無である（図19, 20）。T2強調像を用いた筋層浸潤の感度は30〜91％，特異度は66〜100％，正診率は82〜95.7％とされていた[31)51-53]。しかし初期のMRIではT2強調像は15分程度の長い撮像時間をかけてスピンエコー法で撮像していたので，その後一般的となった高速撮像法である高速（turbo）スピンエコー法を用いた報告では，長時間の撮像に伴う motion artifact の軽減が図られ，感度は75〜80.6％，特異度は74〜95％，正診率は78〜88％と底上げが図られた[54)55]。T2強調像における junctional zone の出現頻度と筋層浸潤の精度は無関係とする報告もあるが，やはり junctional zone の明瞭さが診断に及ぼす影響は大きい[43]。筋層内の信号強度差は閉経後に不明瞭化するほか，junctional zone と漿膜側筋層との割合は種々の要因により変化する。また子宮内膜癌自体のT2強調像における信号強度自体が多彩[30]で，子宮筋層との信号強度差の乏しいものが少なくなく，ガドリニウム造影剤の出現以後は造影T1強調像のほうがおおむね良好な正診率（平衡相のみで64.3〜95％，ダイナミックMRIで83.3〜100％）[35)40-42)54-57]を示しており，造影検査を行うことがほぼ標準化している[58]。造影後は早期から濃染する健常筋層と緩徐な増強効果を示す腫瘍とのコントラストが早期に最大となる[40-43]ことからダイナミックMRIを行ってこのタイミングを逃さないことが正確な筋層浸潤の評価に有用である（図20）。ダイナミックMRIでは内膜に近い筋層に一過性の濃染域（subendometrial enhancement：SEE）が出現するのでT2強調像における junctional zone の代用になるとの報告もある[40-42)59]が，SEEは閉経後に出現頻度が高いとする報告が多いものの全例でみられるわけではなく，閉経前後および月経周期による出現頻度も報

Ⅱ 子宮体部の腫瘍および腫瘍様病変 tumors of the uterine body and tumor-like lesions

表8 臨床進行期分類に則した子宮内膜癌のMRI所見（日産婦2012, FIGO2009）

```
Ⅰ期：腫瘍は子宮体部に限局
    ⅠA期：腫瘍は内膜に限局するか junctional zone の部分的欠損あるいは筋層1/2 以内への腫瘍の浸潤を
          認める
    ⅠB期：腫瘍の筋層の1/2 以上への浸潤を認めるが，漿膜面の輪郭は保たれる
Ⅱ期：頸部間質浸潤
    腫瘍の頸部間質への浸潤を認める
Ⅲ期：子宮外小骨盤腔内へ進展またはリンパ節転移
    ⅢA期：体部筋層の連続性の途絶，付属器に明らかな腫瘍形成
    ⅢB期：腟壁もしくは傍組織への腫瘍の浸潤を認める
    ⅢC期
        ⅢC1期：骨盤内リンパ節の腫大（短径1 cm 以上，中心壊死，連続性）
        ⅢC2期：傍大動脈リンパ節の腫大（短径1 cm 以上，中心壊死，連続性）
Ⅳ期：小骨盤腔を越えるか膀胱または腸粘膜へ進展
    ⅣA期：腫瘍浸潤により膀胱・直腸粘膜への直接浸潤
    ⅣB期：腹腔内播種，鼠径リンパ節転移を含む遠隔転移
```

告により異なる[40)42)59)]こと，併存する腺筋症や筋腫に伴う筋層内の血流増加の影響を免れないこと，さらに病変の付着する内膜下の筋層には腫瘍自体のangiogenesisに起因するperitumoral enhancement もみられ[60)]，現時点ではSEEとperitumoral enhancementを区別しうる明確な基準がないことから筆者はSEEを過信すべきではないと考えている。ほかに造影T1強調像を用いた筋層浸潤評価の注意点として，SEEのみられない症例で造影検査だけ用いて筋層浸潤の評価を行うと外向性腫瘍により筋層が押し広げられているのと筋層浸潤により筋層が菲薄化しているのと区別がつきにくく過大評価になるので注意が必要である[61)]。特に卵管間質部に近い底部外側では子宮筋層が生理的に菲薄化しているので，T2強調像でのjunctional zoneの所見を優先すべきである。拡散強調像は筋層浸潤の評価に極めて有用で，近年のメタアナリシスではT2強調像，ダイナミックMRIを凌駕する成績が得られている[46)49)]。筆者の印象としては本法は内向性の子宮内膜癌の存在診断を容易にし（図21），腺筋症に沿った腫瘍浸潤の評価にも有用である（図22～24）。深部筋層浸潤におけるダイナミックMRIと拡散強調像の正診率を比べた最近のメタアナリシスの結果を表9に示す[62)]。3T装置を用いた子宮内膜病変の評価もさかんに行われている。高磁場装置では信号雑音比の向上により，より鮮明な画像が得られることが期待される反面，磁場の不均一性や近接する消化管ガスによるmagnetic susceptibilityや蠕動によるmotion artifactの影響を受けやすく，利点・欠点が相反し現時点では1.5T装置とほぼ同等の診断成績となっている[63)]。

頸部間質浸潤があるとⅡ期に分類される。広汎/準広汎子宮全摘術が頸部間質浸潤症例の生命予後に与える影響は不明瞭なことから，現在，Ⅱ期症例に対する拡大手術は推奨されていないが，術後再発リスク分類（図7）には含まれる[13)]。MRIでは腫瘍が頸管内に下垂するが周囲に正常な頸管粘膜が保たれるものは頸管粘膜浸潤（図25），頸部間質の菲薄化を伴うものを頸部間質浸潤（図26, 27）と捉えている。最近のメタアナリシスによる頸部浸潤の正診率を表10に示す[64)65)]。

ⅢA期は筋層浸潤が漿膜に達する場合，付属器に浸潤のある場合の2通りがある[10)]。漿膜に達

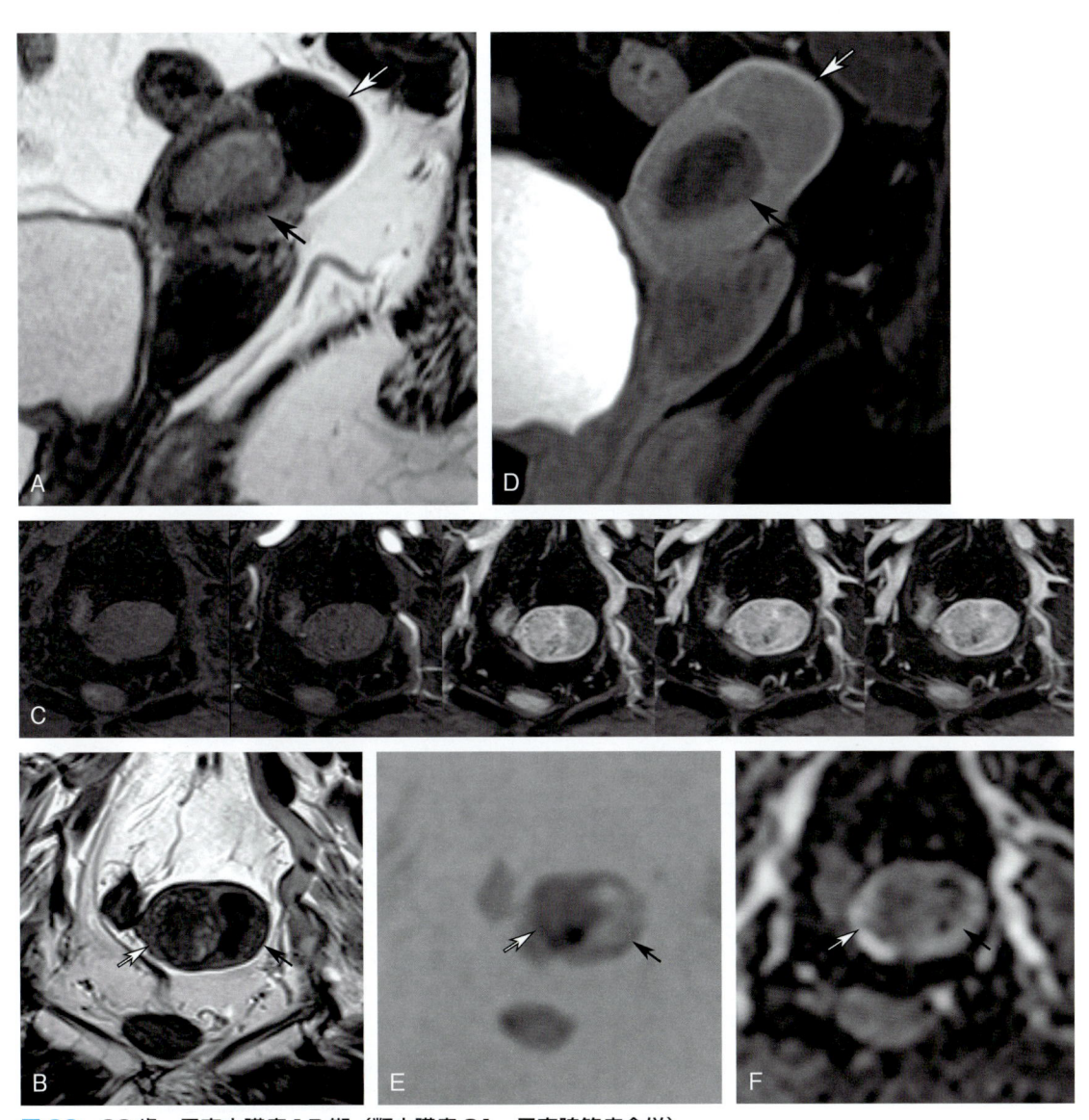

1. 主として内膜腔を占める疾患（上皮性および上皮性・間葉性混合腫瘍）tumors occupying the endometrial cavity

図23　60歳　子宮内膜癌ⅠB期（類内膜癌G1，子宮腺筋症合併）
A：T2強調矢状断像，B：T2強調冠状断像，C：ダイナミックMRI冠状断像，D：造影脂肪抑制T1強調矢状断像，E：拡散強調冠状断像，F：ADC map
T2強調像で内膜腔を占める信号強度の低い腫瘤（A，B黒→）に加え底部筋層内にjunctional zoneと連続した低信号域（A白→）を認め，内部に高信号域も散見される（B白→）ことから，腺筋症様である。ダイナミックMRIではどちらも早期からよく増強される（C）が，平衡相では前者（D黒→）のみ低信号化し，内膜腔に限局した腫瘍であるかのようにみえる。しかし，拡散強調像ではこの筋層内病変にも強い拡散制限があり（E，F白→，黒→は内膜腔内の腫瘍），腺筋症に沿った深い筋層浸潤のあることがわかる。病理組織学的に腺筋症に沿った筋層内進展を認め，腫瘍浸潤が異形腺管の周囲間質にも及ぶことから，筋層浸潤は1/2を超えるとみなされⅠB期となった。

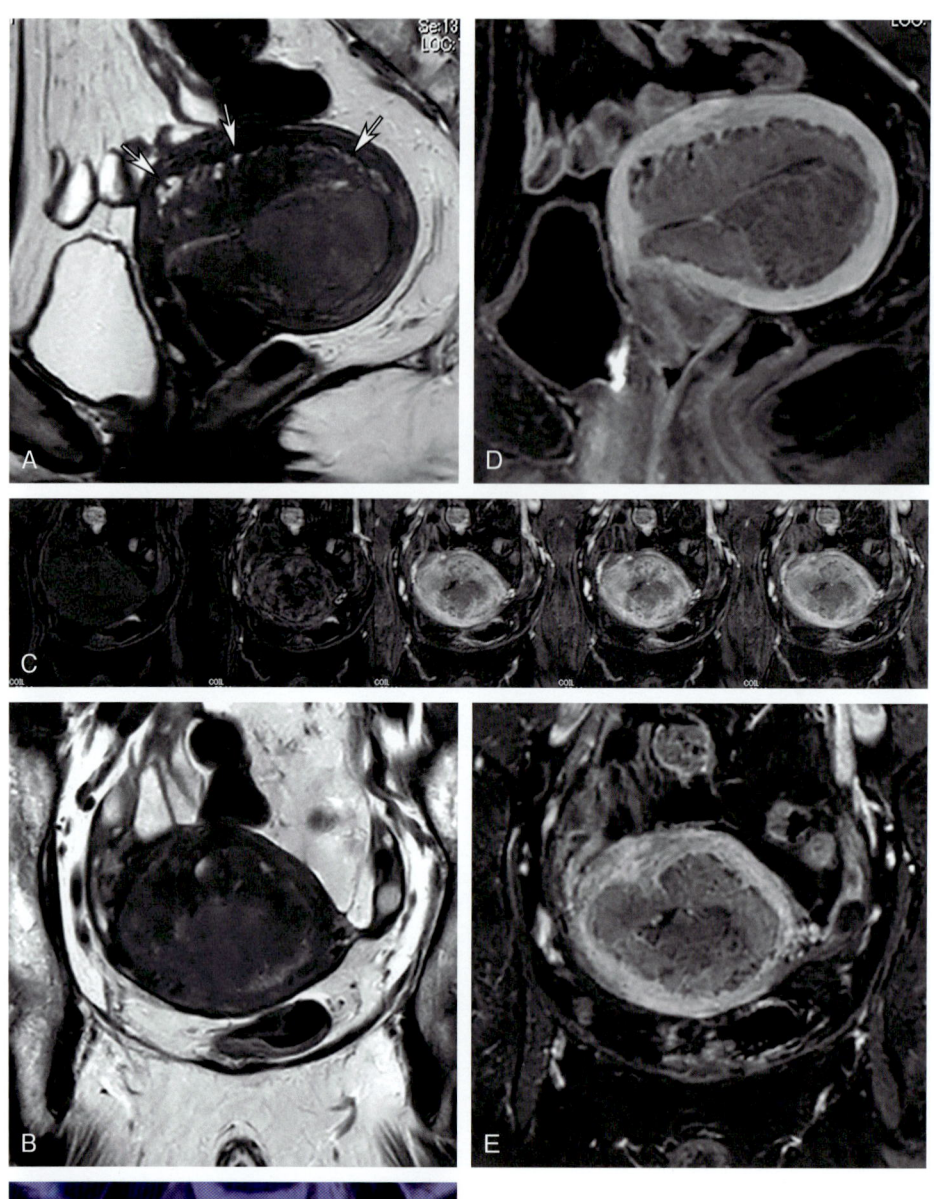

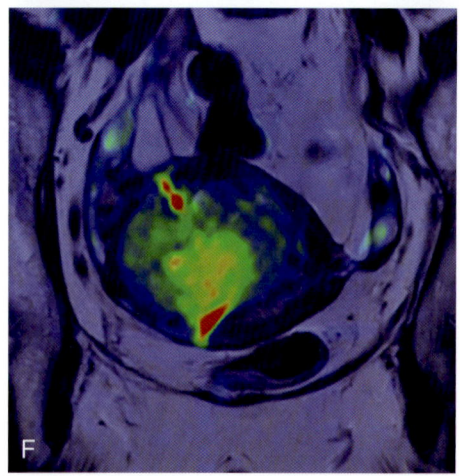

II 子宮体部の腫瘍および腫瘍様病変 tumors of the uterine body and tumor-like lesions

図24　59歳　子宮内膜癌ⅠB期（子宮腺筋症に沿った深い筋層浸潤，類内膜癌G1）
A：T2強調矢状断像，B：T2強調冠状断像，C：ダイナミックMRI冠状断像，D：造影脂肪抑制T1強調矢状断像，E：造影脂肪抑制T1強調冠状断像，F：T2強調-拡散強調融合画像

図22，23と異なり，腫瘍はT2強調像（A，B）で信号強度が高く，一見，内向性内膜癌にみえるが，辺縁部に既存の腺筋症による異所性内膜が多数認められる（A→）。造影後も一貫して健常筋層よりも増強効果が不良で，T2強調像や造影MRIでも病変の広がりがわかりやすい症例である。拡散強調像も筋層への深い浸潤を明瞭に描出している（F）。

1. 主として内膜腔を占める疾患（上皮性および上皮性・間葉性混合腫瘍）tumors occupying the endometrial cavity

表9 ダイナミックMRIと拡散強調像による深部筋層浸潤診断能の比較[62]

	感度		特異度	
	平均値（95%CI）	p値	平均値（95%CI）	p値
DWI	82.24%（77.29–86.31%）	0.168	88.54%（83.49–92.19%）	0.370
DCE	77.69%（71.35–82.97%）		85.43%（80.56–89.25%）	
DWI-T2WI	86.97%（77.81–92.71%）	0.917	86.92%（82.17–90.55%）	0.161
DCE-T2WI	84.16%（77.45–89.15%）		82.57%（77.47–86.71%）	

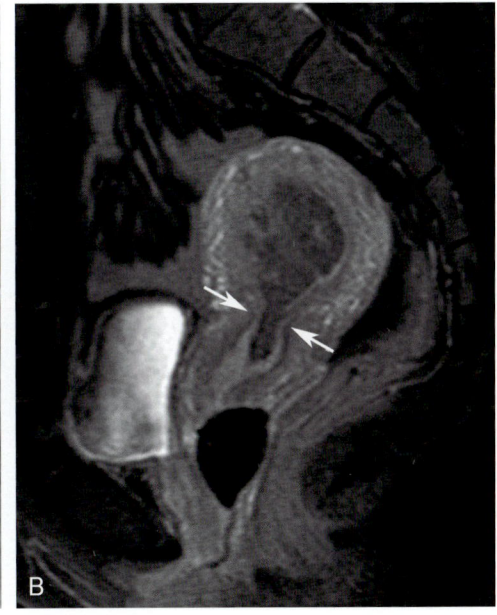

DWI-T2WIはT2WIとDWIの，DCE-T2WIはDWIとT2WIの各々組み合わせ診断とした場合。

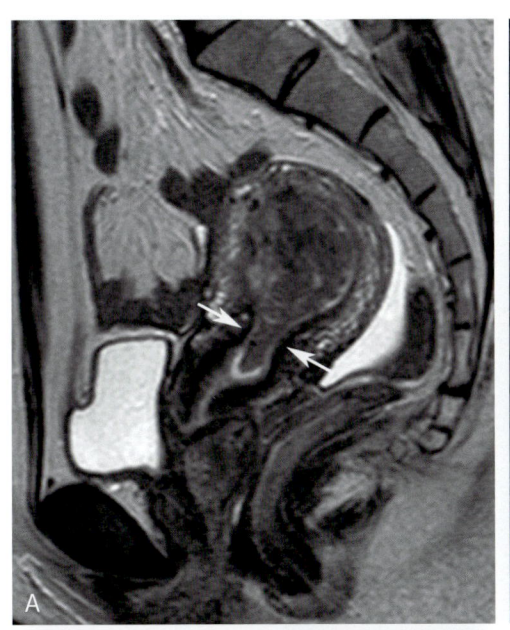

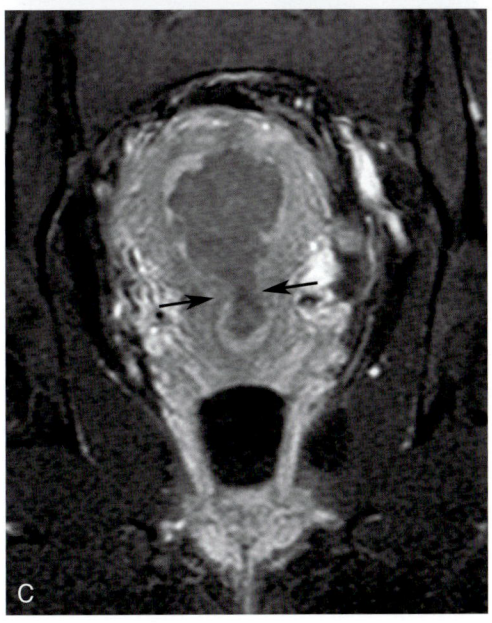

図25　38歳　子宮内膜癌ⅠA期（頸管粘膜浸潤，扁平上皮への分化を示す類内膜癌G1）
A：T2強調矢状断像，B：造影脂肪抑制T1強調矢状断像，C：造影脂肪抑制T1強調冠状断像
子宮底部に前壁に付着し外向性に発育する腫瘍が内子宮口（A, B →）を越えて頸管内に突出している。矢状断ではポリープ状に突出するようにみえるが，造影脂肪抑制T1強調像では腫瘍が左壁で頸管に付着していることがわかる（C）。ただし間質への浸潤はみられず，病期はⅠA期となる。

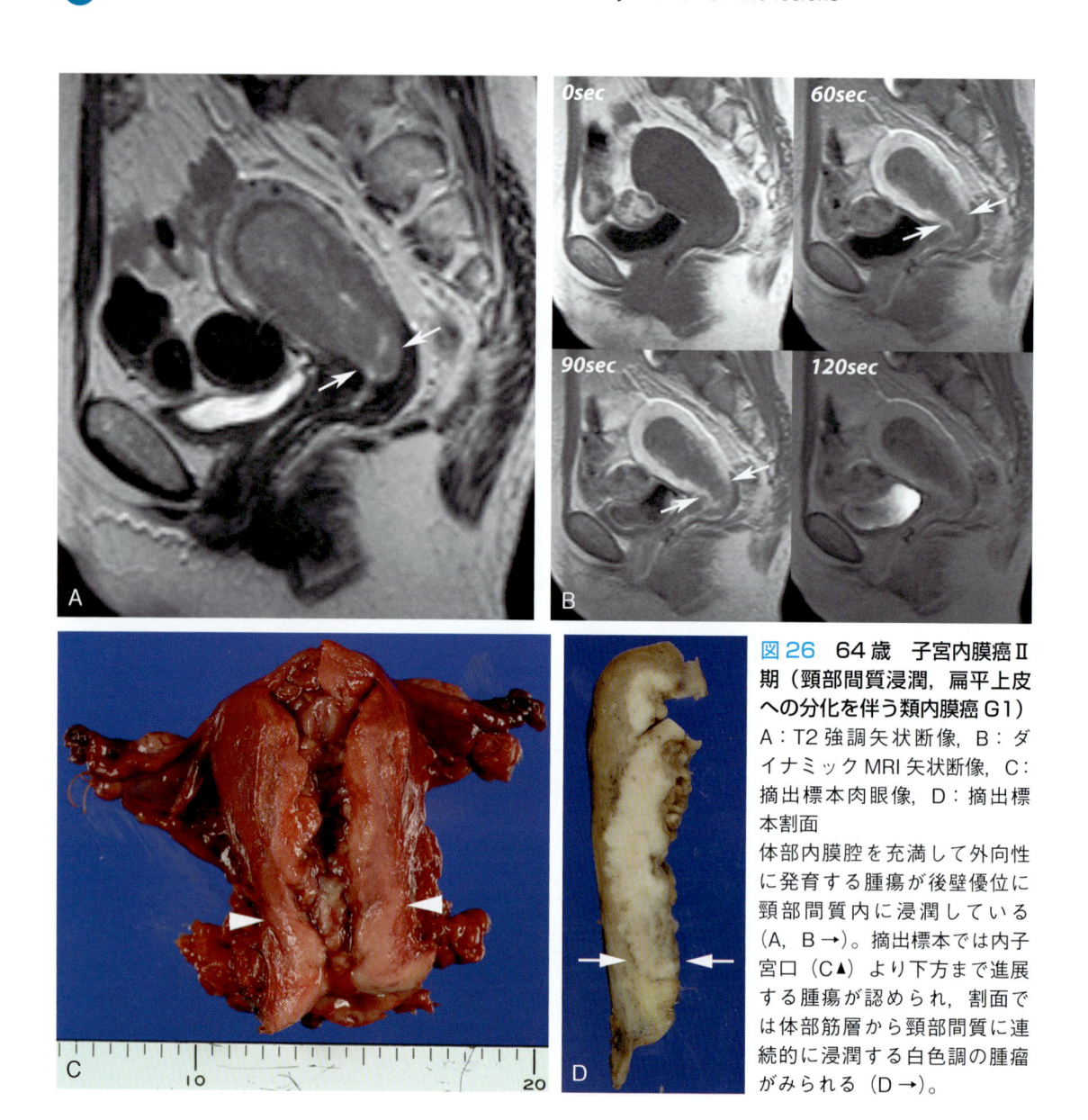

Ⅱ 子宮体部の腫瘍および腫瘍様病変 tumors of the uterine body and tumor-like lesions

図26　64歳　子宮内膜癌Ⅱ期（頸部間質浸潤，扁平上皮への分化を伴う類内膜癌G1）
A：T2強調矢状断像，B：ダイナミックMRI矢状断像，C：摘出標本肉眼像，D：摘出標本割面
体部内膜腔を充満して外向性に発育する腫瘍が後壁優位に頸部間質内に浸潤している（A, B→）。摘出標本では内子宮口（C▲）より下方まで進展する腫瘍が認められ，割面では体部筋層から頸部間質に連続的に浸潤する白色調の腫瘤がみられる（D→）。

する筋層浸潤は造影検査で増強効果の不良な腫瘍を取り囲む，よく増強される筋層が部分的に欠損している場合に陽性とする（図28）。しかしMRIによる漿膜浸潤の感度は33%，特異度89%，正診率は87%と報告されている[66]。これは残存する筋層に炎症細胞浸潤などの随伴所見がみられ，筋層が正常な増強効果を示さないため偽陰性が多いためとされている。さらに腫瘍が漿膜を越えて子宮傍組織に浸潤した場合はⅢB期とされる。卵管留血症，留膿症[67]（図29）や充実性付属器腫瘤の存在[66]（図30）を示す症例では付属器浸潤がほぼ確実視されるが，卵管と子宮内膜腔には連続性があるために顕微鏡的な付属器浸潤は画像的には直接表現されないことが多い。腹腔内洗浄細胞診が予後因子にあたるか否かについては議論があり，現在の進行期分類では進行期から除外されている。しかし閉経前症例の骨盤底の腹水貯留は生理的にみられる変化であるが，閉

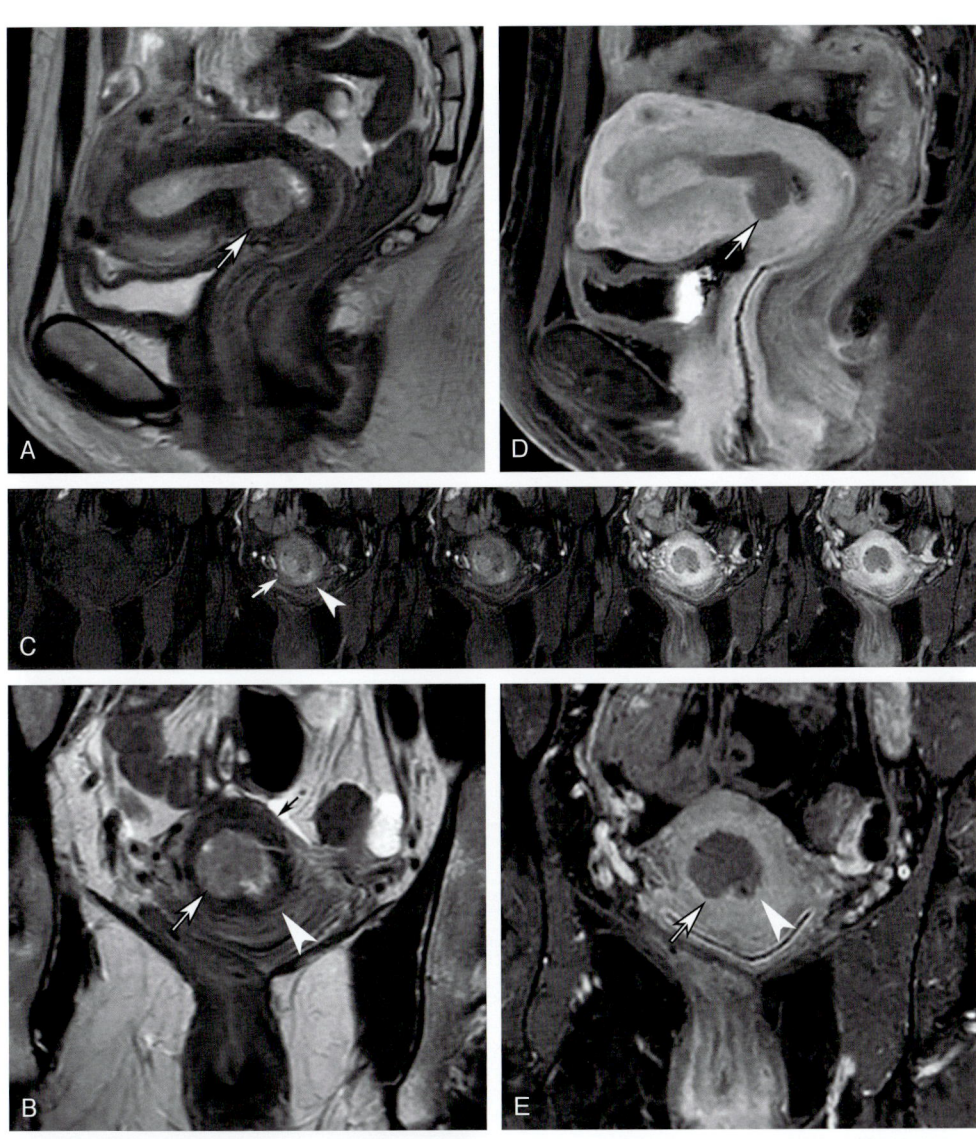

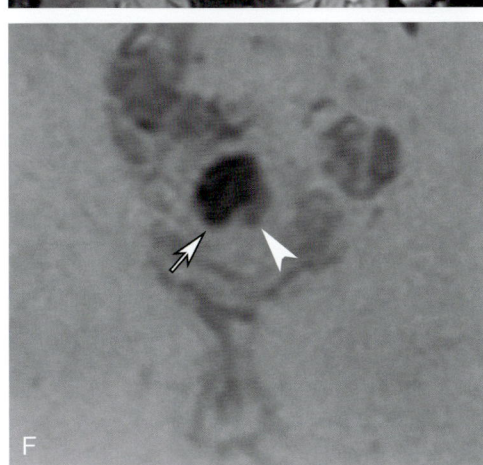

1. 主として内膜腔を占める疾患（上皮性および上皮性・間葉性混合腫瘍）tumors occupying the endometrial cavity

図27 48歳 子宮内膜癌Ⅱ期（頸部間質浸潤，類内膜癌G1，MELF pattern）

A：T2強調矢状断像，B：T2強調冠状断像，C：ダイナミックMRI冠状断像，D：造影脂肪抑制T1強調矢状断像，E：造影脂肪抑制T1強調冠状断像，F：拡散強調冠状断像

底部に比べ頸部側の内膜がT2強調像で信号強度が低く（A, B→），造影後は早期に一過性に濃染した後，筋層/頸部間質に比べ低信号化する（C→）。頸部ではいずれのシーケンスでも病変付着部の頸部間質が菲薄化している（B, E, F→）が，T2強調像では同部でのjunctional zoneの菲薄化により，間質浸潤が確実である（A, B→，黒矢印は病変非付着部）。なお，明瞭な頸部間質浸潤部の左側でT2強調像では信号強度差を指摘しにくい（B▲）が，ダイナミックMRIでの早期濃染（C▲）と拡散強調像での弱い異常信号を示す（F▲）領域があり，MELF patternを反映している可能性がある。

313

表10 各種検査法による頸部間質浸潤診断能の比較

	感度 平均値（95%CI）	特異度 平均値（95%CI）
T2WI	70%（61-77%）	92%（89-94%）
DCE	75%（60-85%）	95%（89-98%）
DCE-T2WI	58%（41-73%）	98%（95-99%）
DWI*	91.7%（61.5-99.8%）	95.8%（88.1-99.1%）

DCE-T2WIはDWIとT2WIの組み合わせ診断とした場合。
＊DWIによる頸部間質浸潤の検討はLin Gらの報告[64]しかなく，Reader 1の結果をそのまま転記。
（文献64，65より作成）

経後に腹水がみられる症例では高頻度に細胞診が陽性となる（特異度93.5%）[67]ことから，より進行した病態，すなわち明らかな播種性結節がないか注意深く観察する必要がある。

子宮内膜と卵巣の双方に類内膜癌が存在する症例はしばしば経験され，内膜癌の卵巣転移とするか内膜と卵巣の同時多発癌か判断に迷う症例（図30, 31）が少なくない。従来，このような症例では内膜病変が内膜増殖症を背景に発生し，卵巣病変に癌の前駆病変たる内膜症が併存し，両者ともⅠA期相当である場合は重複癌として取り扱われてきた[68]。しかし近年，そのような症例であっても，両者が遺伝学的に同等のクローンであることが示され[69]，FIGO進行期分類2023年版では双方とも類内膜癌G1であればⅠA3期に分類されることになった[7]。

ⅢB期は「腟転移もしくは傍組織浸潤のあるもの」と定義されている。頸管浸潤から直接腟壁に到達するものも含まれるが，多くは原発巣と離れた転移巣である（図32）。したがって病巣が粘膜下に留まる場合には術前の視診や術後病理診断では見逃される（切除検体に含まれない）可能性の高い病変で，頻度はまれ（全子宮内膜癌の0.7%）[70]だが画像の果たす役割は大きい。また漿膜を越えた子宮外への直接浸潤が傍組織にまで及ぶ場合にもⅢB期となる。

『子宮体癌取扱い規約 第3版』ではリンパ節転移があるものはⅢC期に分類される。子宮内膜癌では傍大動脈リンパ節は領域リンパ節であるが，子宮頸癌と同様に，骨盤内リンパ節転移のみであればⅢC1期，傍大動脈リンパ節に転移があればⅢC2期となる。しかし本章Ⅰでも述べたように大きさのみによる術前画像診断には限界がある（p238参照）。

ⅣA期は，子宮頸癌と同じく膀胱・直腸粘膜に浸潤が及ぶ例を指す（図33, 34）。膀胱・直腸浸潤の画像的診断基準については子宮頸癌のそれと変わるところではないので本章Ⅰを参照されたい（p233〜235）。

ⅣB期には遠隔転移はもちろん，肉眼的な腹腔内播種と鼠径リンパ節転移が含まれる。腹腔内播種の画像所見については第7章-Ⅰ-4-2）「腹腔内播種の画像所見」で詳述する（p410参照）が，腹水を伴う場合には播種性結節の有無に留意して読影する必要がある。播種性結節は原発巣と同じくT2強調像では信号強度が高いことが多いため腹水とコントラストがつきにくく，造影後はよく増強されて脂肪組織と区別のつかないことが多い。このため造影後の撮像には必ず脂肪抑制法を併用すべきである。また拡散強調像も消化管など正常構造との区別のつきにくい播種巣の拾い上げには大変有用である[71]。ただしMRIの空間分解能はCTに及ばないこと，消化管内の空気

1. 主として内膜腔を占める疾患（上皮性および上皮性・間葉性混合腫瘍）tumors occupying the endometrial cavity

が画質劣化の原因となることから，播種の正確な診断には腹腔全体のスキャンが容易なCTが基本となる（図35）。

c．組織型による所見の違い（その他の上皮性腫瘍も含めて）

『子宮体癌取扱い規約 病理編 第5版』では子宮内膜癌を表1に示す組織型に分類しているが，82％は類内膜癌（endometrioid carcinoma）であり，ほかはまれである（図1）。類内膜癌は正常子宮内膜腺に類似した形態を示す癌腫（図22G）と定義される。長期間のエストロゲン曝露（ホルモン補充療法，遅発閉経，タモキシフェン内服など）との関連が深く，子宮内膜異型増殖症を前駆病変として発症する。本腫瘍は腺癌成分の形態により亜分類される。すなわち充実性増殖の占める割合が5％以下のものを grade 1（G1），6～50％のものを grade 2（G2），50％を超えるものを grade 3（G3）とするが，細胞異型の著しく強いものは1つ上の grade に分類される。G1の類内膜癌は外向性内腔充満型発育を示すことが多いのに対し，G2, 3では漿液性癌や，明細胞癌と同様に内向性に筋層深く浸潤することが多く，これらの発育様式を反映した画像所見を示す。拡散強調像では充実性増殖部での細胞密度の高さを反映してG3ではG1に比べ拡散能低下が顕著である[22]とされる。類内膜癌病巣内に良悪性を問わず扁平上皮成分が混在することはまれではなく（図25, 26），以前は扁平上皮成分の異型が強くない場合は腺棘細胞癌（adeno-acanthoma），異型が明らかな場合は腺扁平上皮癌（adenosquamous carcinoma）とよばれたが，現行分類では消滅している[1]。扁平上皮癌への分化を伴う Type Ⅰ子宮内膜癌は，ダイナミックMRIで早期濃染して Type Ⅱ子宮内膜癌（高異型度，予後不良型）に類似することがあるとの報告もある[72]。画像診断医として注意すべき点は，生検標本で内膜から扁平上皮細胞が検出された場合には，頸部の扁平上皮癌のコンタミネーションではなく，扁平上皮成分を伴う，内膜の類内膜癌も考慮すべきであるという点である。また，類内膜癌は癌細胞が腺管の構造を維持したまま，微小嚢胞状（microcystic），細長（elongated），そして断片化（fragmented）して浸潤していくことがあり，MELF（microcystic, elongated, fragmented）pattern とよばれる。このパターンは高分化型類内膜癌でみられることが多いにもかかわらず，脈管侵襲，リンパ節転移（微小転移）の頻度が高いといわれ，術前画像診断のピットフォールとなりうる。最近，MELF pattern による筋層浸潤部ではダイナミックMRIの早期相で濃染し，境界不明瞭な拡散制限を示すが，平衡相で低信号化しないとの報告がなされ[73]，自験例（図27）でも類似の徴候がみられたが，少数例での知見であり，今後の症例の蓄積が必要である。

漿液性癌（serous carcinoma）（図35, 36）は高度な細胞異型を示す腫瘍細胞が乳頭状，管状構造をなして増殖する悪性度の高い腫瘍で，子宮内膜癌の6％を占め[4]，閉経後，特に60代以降に多い。卵巣原発の同名の腫瘍と同様に線維・血管性の結合織からなる中核部の周囲に乳頭状に腫瘍細胞が配列する形態をとる[1]（図36）。約1/3未満の症例ではあるが，卵巣原発例と同様に，砂粒状の石灰化をきたすことがあり[23]，CTで捉えられる可能性がある。閉経後の萎縮内膜に好発し，核異型が強く，筋層浸潤，リンパ節転移の頻度とも高率で，特に卵巣原発の同名の腫瘍と同様に早期から腹腔内播種をきたしやすい。

明細胞癌（clear cell carcinoma）ではグリコーゲンの豊富な明るい細胞質をもつ細胞やホブネイル（鋲釘）細胞（hobnail cell）が充実性，管状嚢胞性，または乳頭状に増殖する[1]（図37, 38）。頻度的には内膜癌全体の2％とまれである[4]。発症年齢の中央値は65～68歳と高年発症で，多く

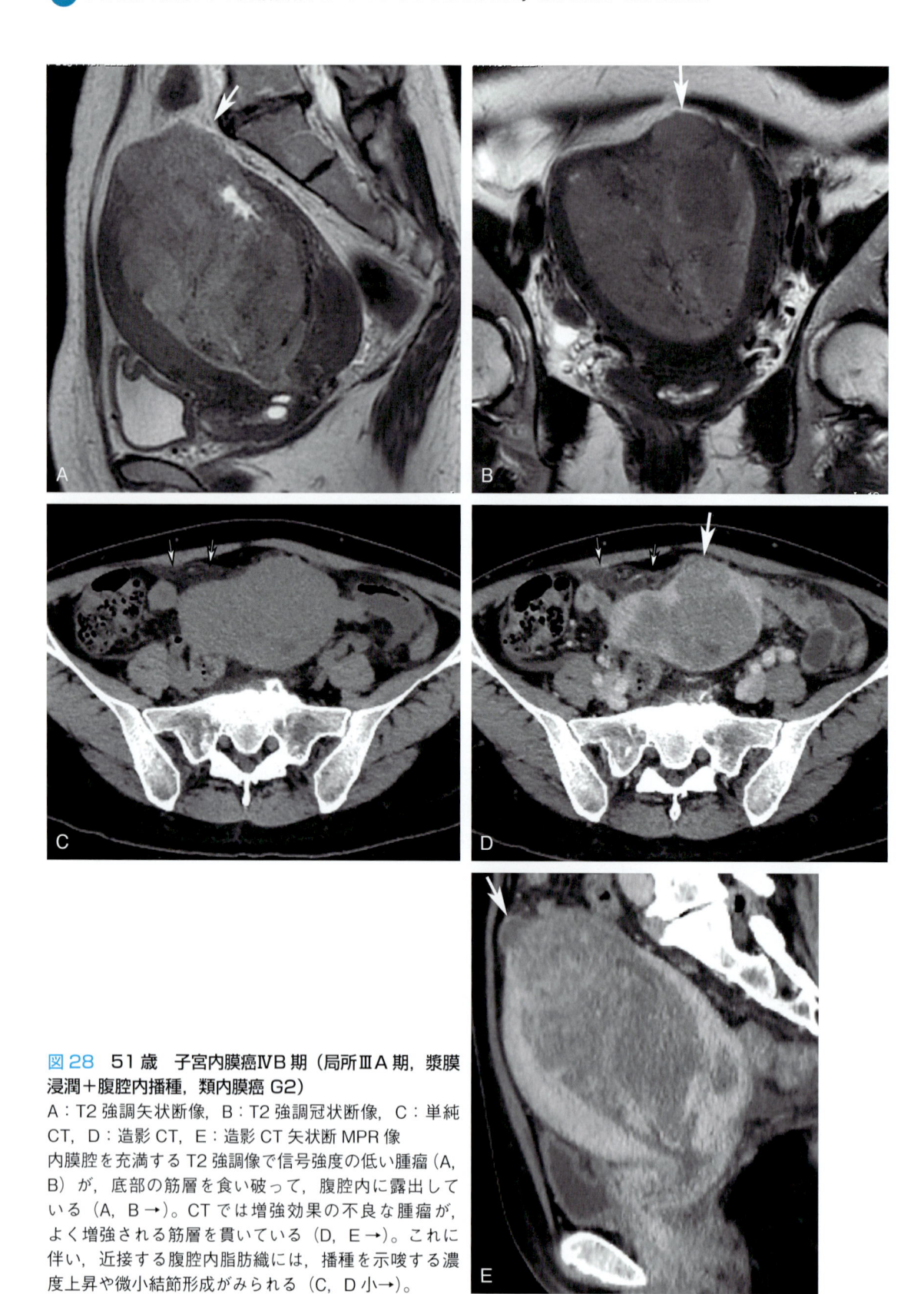

II 子宮体部の腫瘍および腫瘍様病変 tumors of the uterine body and tumor-like lesions

図28 51歳 子宮内膜癌ⅣB期（局所ⅢA期，漿膜浸潤＋腹腔内播種，類内膜癌G2）
A：T2強調矢状断像，B：T2強調冠状断像，C：単純CT，D：造影CT，E：造影CT矢状断MPR像
内膜腔を充満するT2強調像で信号強度の低い腫瘤（A，B）が，底部の筋層を食い破って，腹腔内に露出している（A，B→）。CTでは増強効果の不良な腫瘤が，よく増強される筋層を貫いている（D，E→）。これに伴い，近接する腹腔内脂肪織には，播種を示唆する濃度上昇や微小結節形成がみられる（C，D小→）。

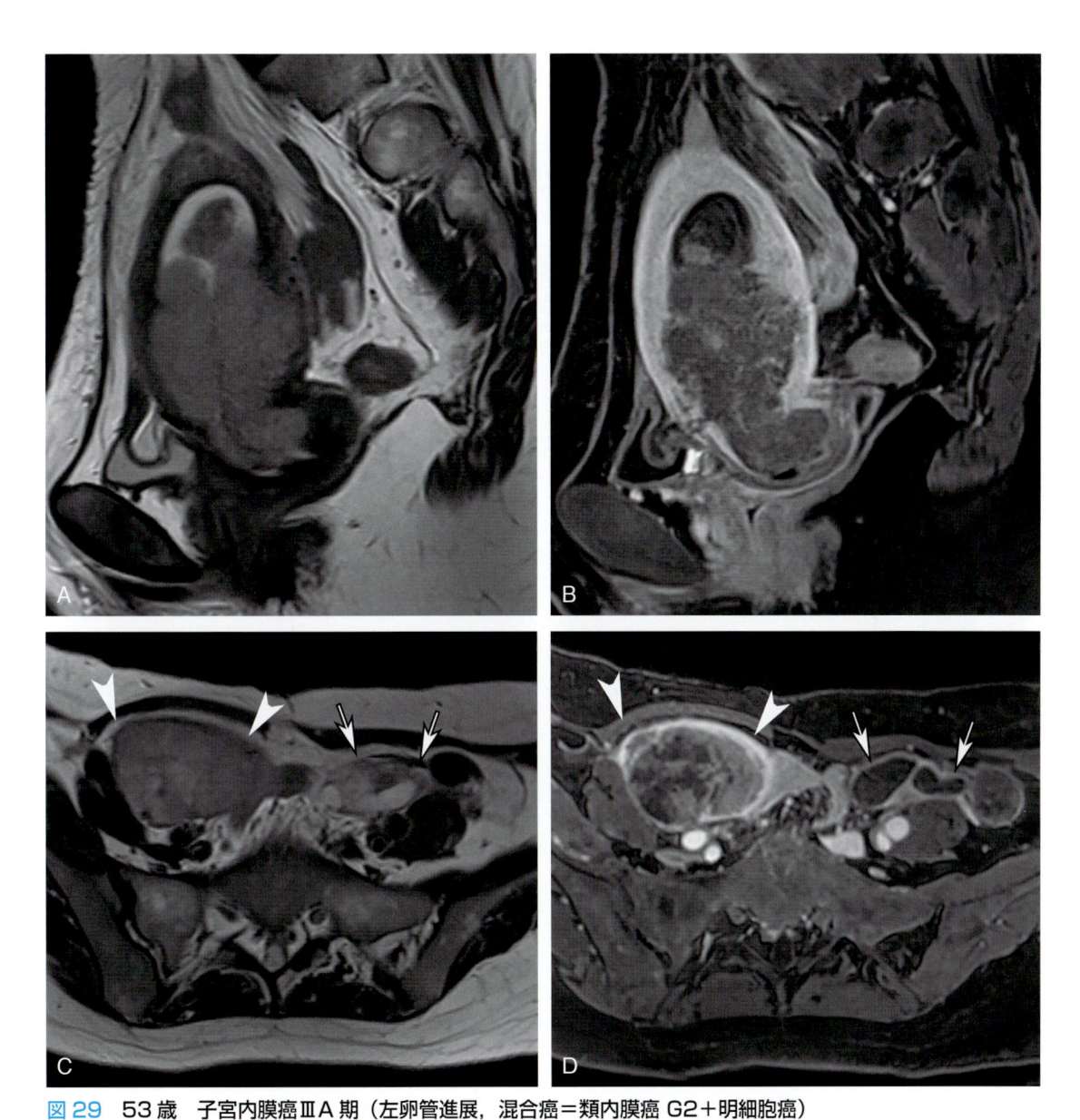

1. 主として内膜腔を占める疾患（上皮性および上皮性・間葉性混合腫瘍）tumors occupying the endometrial cavity

図29 53歳 子宮内膜癌ⅢA期（左卵管進展，混合癌＝類内膜癌 G2＋明細胞癌）
A：T2強調矢状断像，B：造影脂肪抑制 T1強調矢状断像，C：T2強調横断像，D：造影脂肪抑制 T1強調横断像
内膜腔を占め，深い筋層浸潤と頸部間質浸潤を伴い T2強調像で低信号（A，C▲），造影後は増強効果の不良な（B，D▲）進行内膜癌の左方に，左右に細長い腫瘤があり（C→），造影後は管状構造からなり，拡張した卵管と内部を占める充実性腫瘤であることが顕在化する（D→）。病理組織学的にも炎症を伴う左卵管進展が確認された（C，Dの▲は子宮腫瘍，→は左卵管腫瘤）。

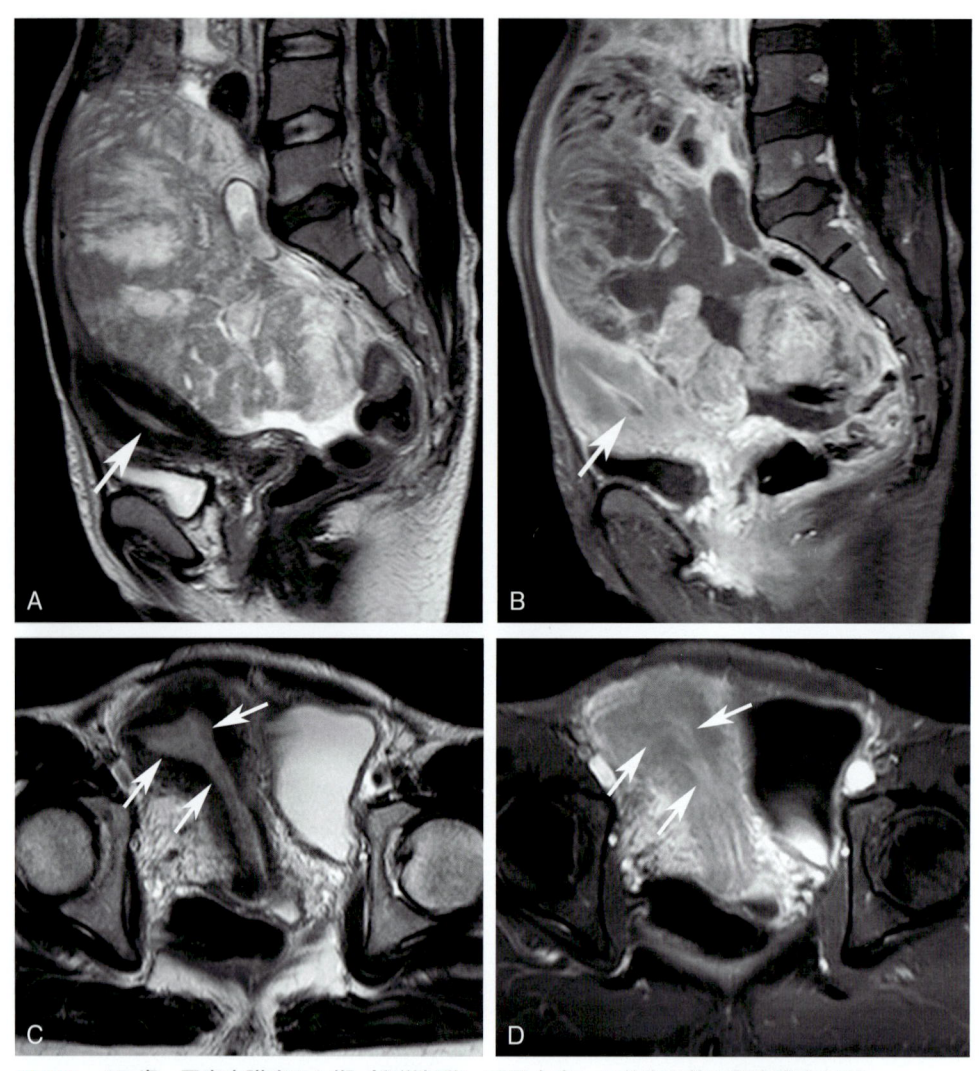

Ⅱ 子宮体部の腫瘍および腫瘍様病変 tumors of the uterine body and tumor-like lesions

図30 45歳　子宮内膜癌ⅢA期（卵巣転移，扁平上皮への分化を伴う類内膜癌 G2）
A：T2 強調矢状断像，B：造影脂肪抑制 T1 強調矢状断像，C：T2 強調横断像，D：造影脂肪抑制 T1 強調横断像
子宮の後上方に充実部と囊胞部の混在する巨大な卵巣腫瘍があり卵巣癌疑いとして紹介されたが，子宮内膜は T2 強調像で信号が低く（A，C →），増強効果も一部不良（B，D →）である。内膜癌の可能性を疑われ，病理組織学的にも双方から同一組織型の類内膜癌が検出された。FIGO 進行期分類 2023 年版では本例はⅠA3 期となる。

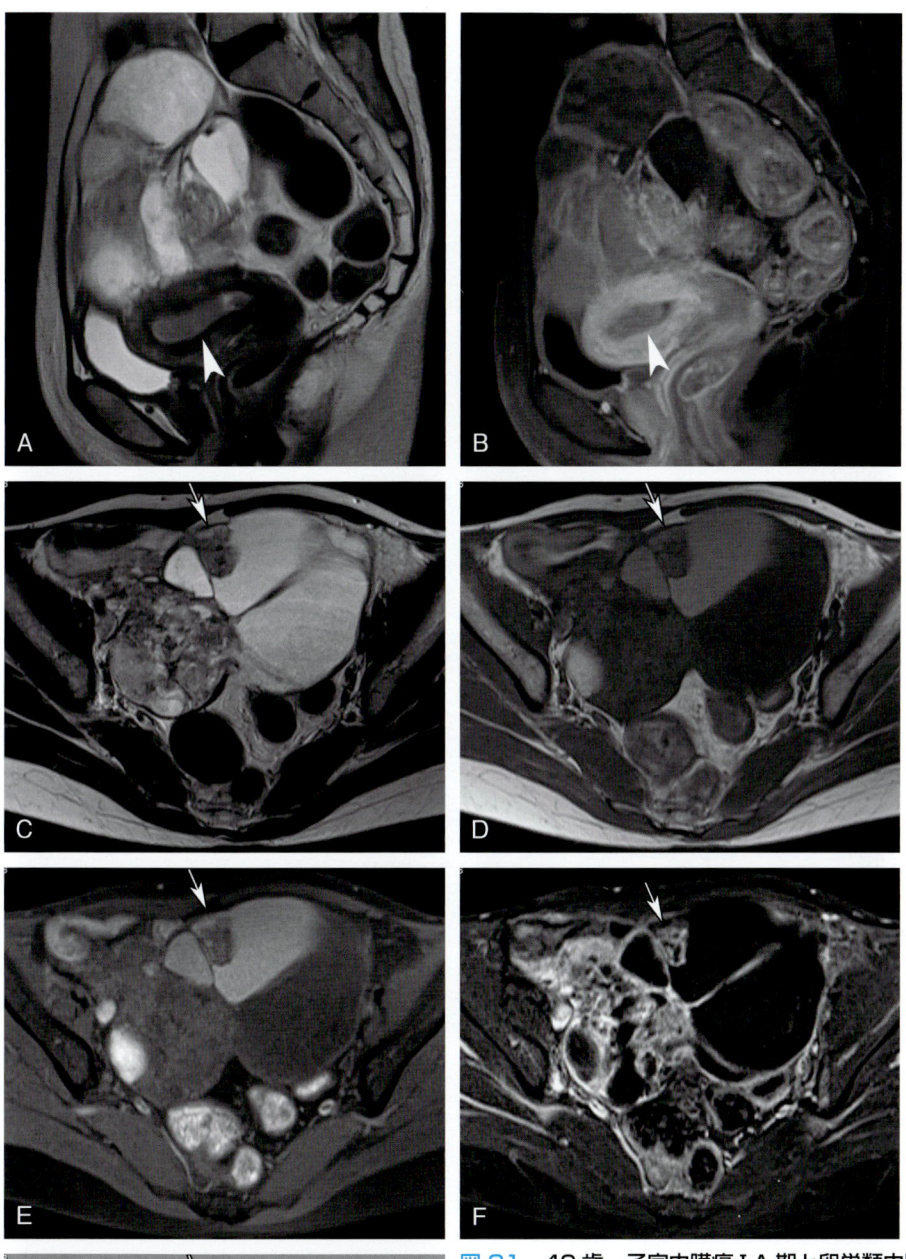

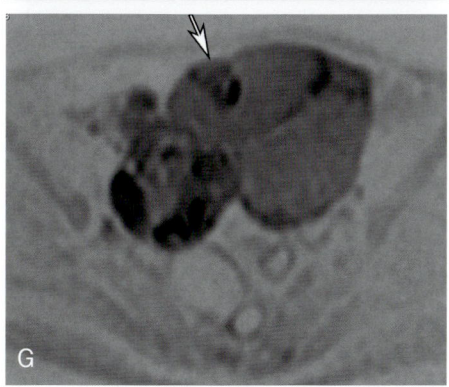

1. 主として内膜腔を占める疾患（上皮性および上皮性・間葉性混合腫瘍）tumors occupying the endometrial cavity

図31　49歳　子宮内膜癌ⅠA期と卵巣類内膜癌ⅠA期の重複癌

A：T2強調矢状断像，B：造影脂肪抑制T1強調矢状断像，C：T2強調横断像，D：T1強調横断像，E：脂肪抑制T1強調横断像，F：造影脂肪抑制T1強調横断像サブトラクション後，G：拡散強調横断像
T2強調像で低信号（A▲），増強効果の不良な腫瘤が内膜腔を占め（B▲），左卵巣は一部隔壁の肥厚した（C〜G→）多房性嚢胞性腫瘤で置換されている。内容物の一部はT1強調像，脂肪抑制T1強調像で高信号を示す血性の内容物を含み（D，E），子宮と癒着することから，卵巣子宮内膜症性嚢胞を背景とする腫瘍が疑われる。内膜病変には筋層浸潤を欠き，卵巣病変に内膜症を母地とする所見があることから，現行の取扱い規約では各々が原発として診断されるが，FIGO進行期分類2023年版ではⅠA3期に分類される。

319

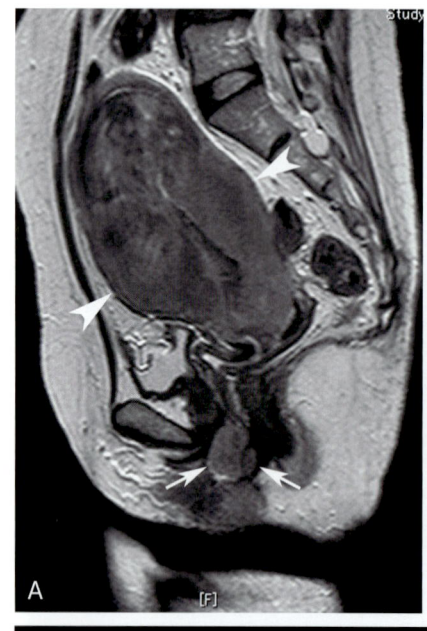

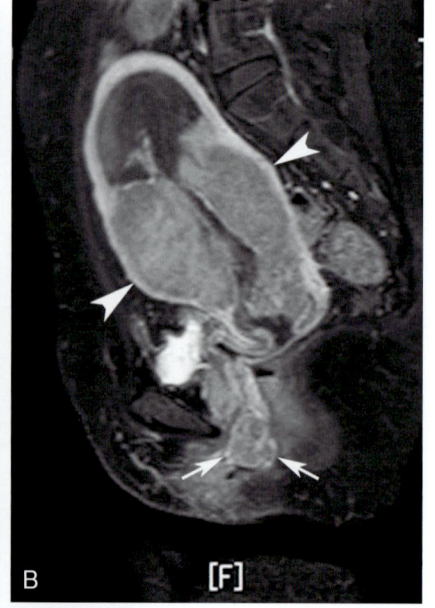

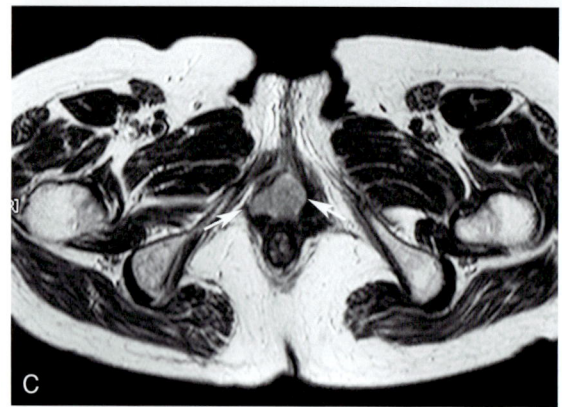

Ⅱ 子宮体部の腫瘍および腫瘍様病変 tumors of the uterine body and tumor-like lesions

図32 63歳 子宮内膜癌ⅢB期（外陰/腟転移，未分化癌）
A：T2強調矢状断像，B：造影脂肪抑制T1強調矢状断像，C：T2強調横断像
子宮体部下部の筋層内に内向性に発育する腫瘍（A，B▲）に加え，信号強度，増強効果ともほぼ同等の腫瘤が外陰から腟にかけてみられ（A〜C→），内膜癌の転移と考えられる。

は子宮内に限局している一方，15％程度に付属器転移をきたす。傍腫瘍症候群として血栓塞栓症を合併することでも知られる。また，若年発症例ではLynch症候群（p115参照）の合併を疑う必要がある[23]。

　混合癌（mixed cell carcinoma）は複数の組織型が種々の割合で混合する腫瘍で，漿液性癌か明細胞癌のどちらかを含むものとされ，各成分の割合は問わない[1]（図29）。内膜癌の2％を占め[4]，予後は異型度の高い成分に依存する。

　未分化癌（undifferentiated carcinoma）はすべての成分に分化の方向を捉えられない場合をいい（図32），脱分化癌（dedifferentiated carcinoma）は未分化癌成分と類内膜癌G1/G2に相当する低異型度癌からなる（図39）とされるが，まれには未分化癌以外の成分が類内膜癌G3や漿液性癌からなることもある。各々内膜癌の0.5％，0.6％とまれである[4]が，閉経後にやや多く，再発率が高く予後不良である。

　癌肉腫（carcinosarcoma）は高異型度の癌腫成分と肉腫成分からなる悪性腫瘍で，かつては悪

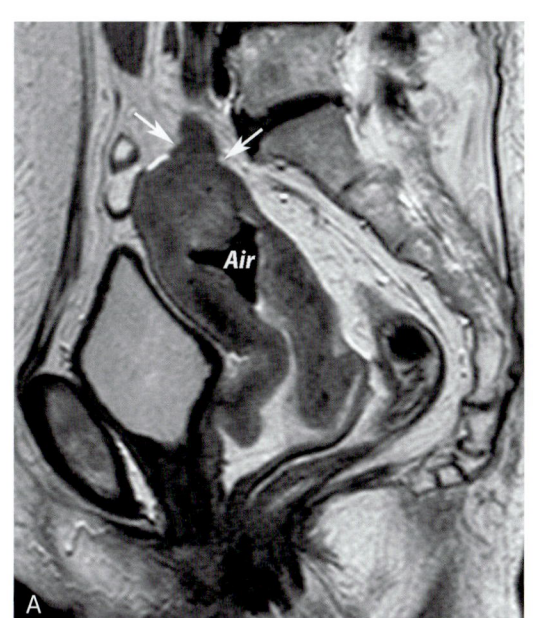

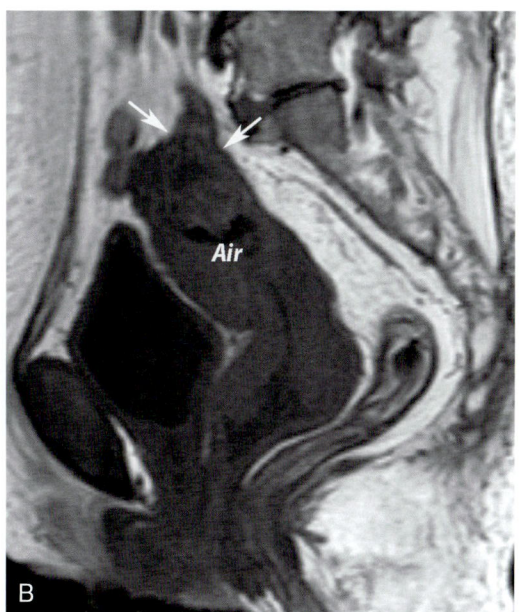

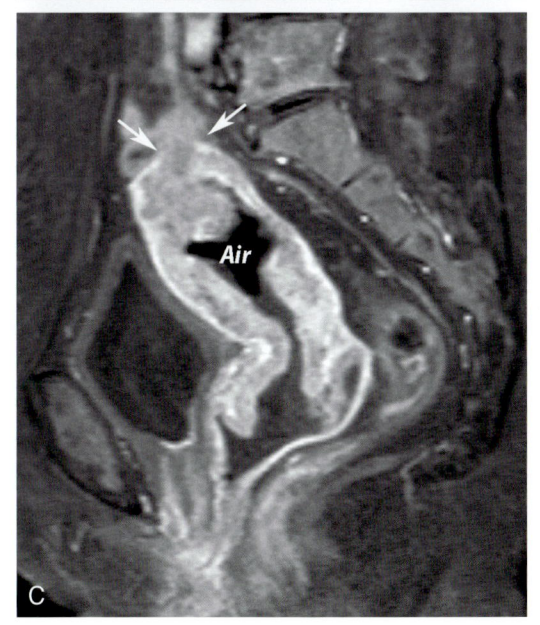

1. 主として内膜腔を占める疾患（上皮性および上皮性・間葉性混合腫瘍）tumors occupying the endometrial cavity

図33 67歳　子宮内膜癌ⅣA期（結腸粘膜浸潤，腺癌）

A：T2強調矢状断像，B：T1強調矢状断像，C：造影脂肪抑制T1強調矢状断像

T2強調像で子宮体部の筋層は信号強度の高い領域に置換されてjunctional zoneと漿膜側筋層の区別がつかなくなっている（A）ことから，内向性に発育する腫瘤が体部筋層を置換していることがわかる。T1強調像ではコントラストがつかない（B）が，造影脂肪抑制T1強調像で，よく増強される健常筋層と筋層深く浸潤する腫瘍との境界が明瞭である。腫瘍は底部で漿膜面を越えてS状結腸に浸潤し（C→），内膜腔に消化管穿通により混入したと推定されるair bubble（Air）を含む。

II 子宮体部の腫瘍および腫瘍様病変 tumors of the uterine body and tumor-like lesions

図34 56歳　子宮内膜癌膀胱粘膜浸潤（ⅣA期，類内膜癌G1）

A：T2強調横断像，B：造影脂肪抑制T1強調横断像，C：T2強調矢状断像，D：造影脂肪抑制T1強調矢状断像，E：単純CT冠状断MPR像

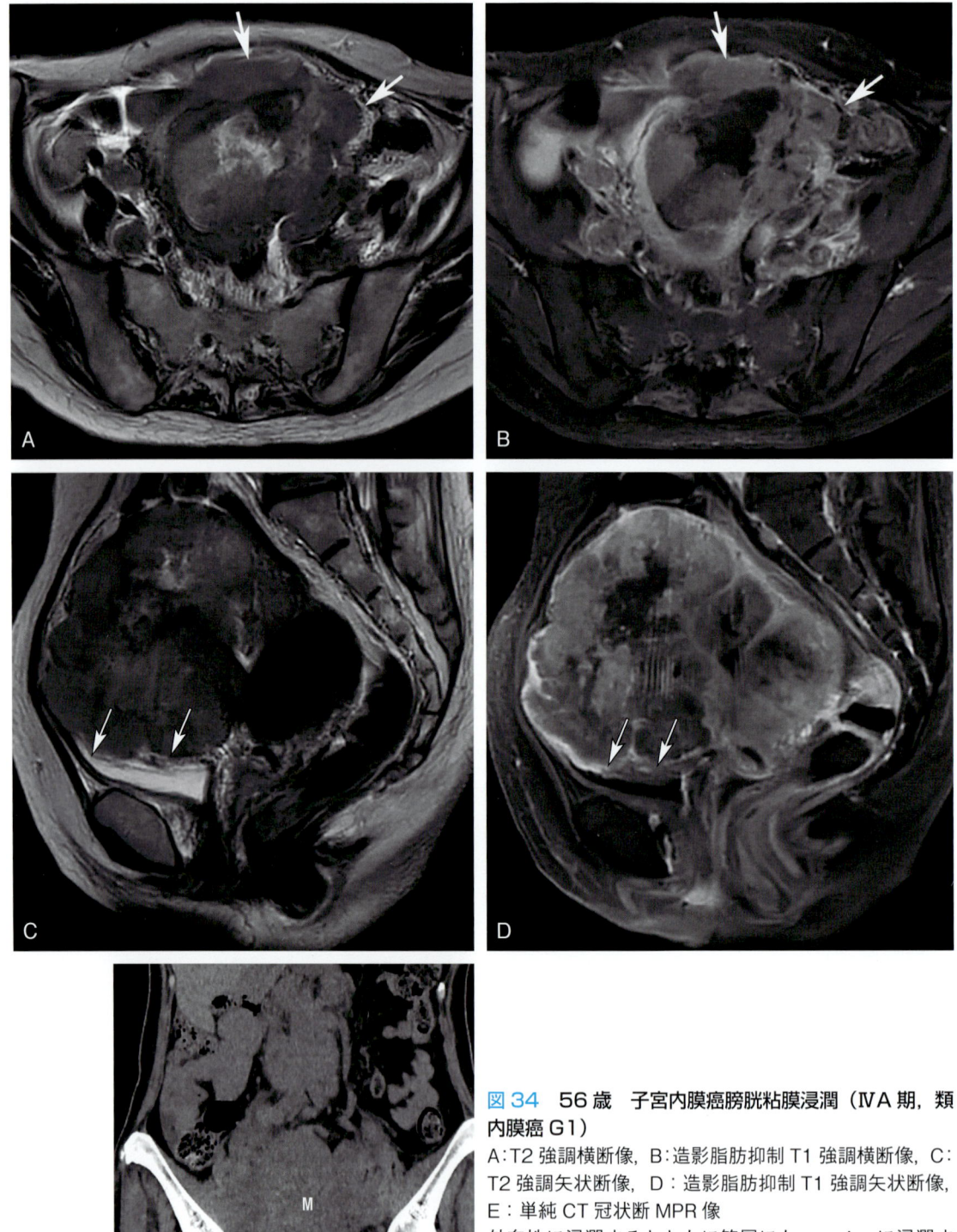

外向性に浸潤するとともに筋層にもmassiveに浸潤するT2強調像（A, C）で高信号，増強効果の不良な（B, D）腫瘤が子宮外に浸潤し（A, B→），尾側では膀胱筋層を越えて膀胱内腔に露出している（C, D→）。単純CTでは浸潤に伴う血尿が膀胱（BL, Mは腫瘤）内に高吸収域として確認できる（E→）。

322

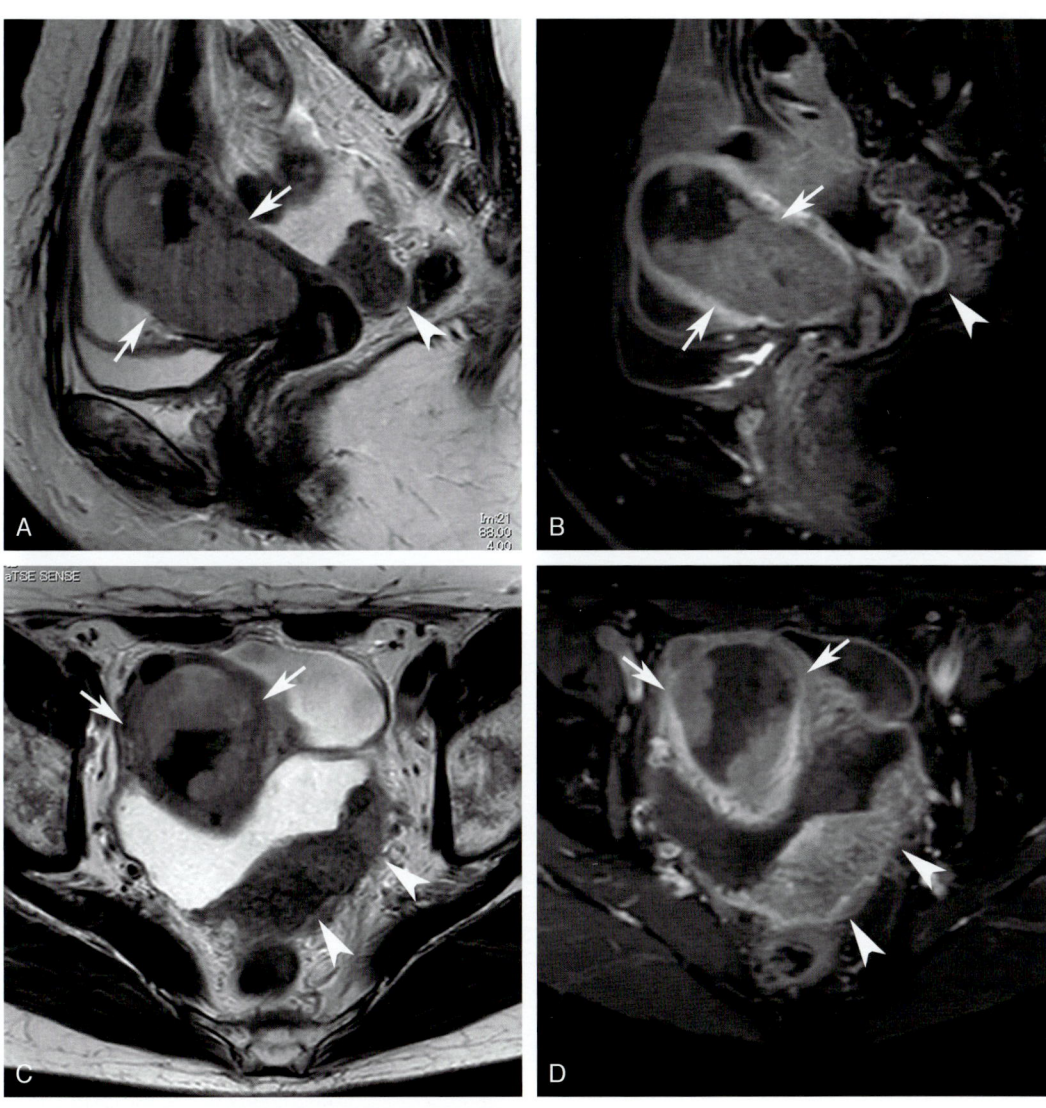

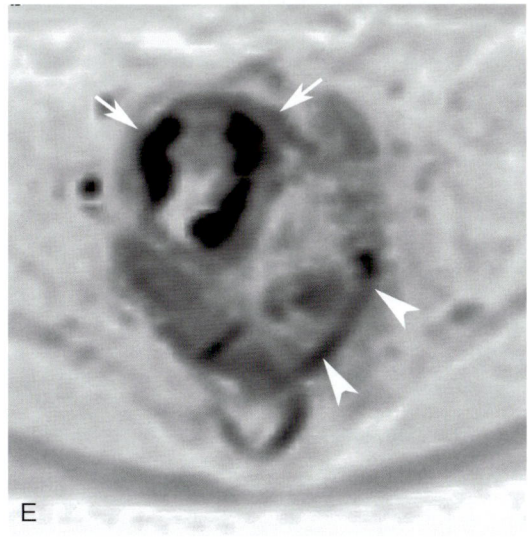

1. 主として内膜腔を占める疾患（上皮性および上皮性・間葉性混合腫瘍）tumors occupying the endometrial cavity

図35 55歳 子宮内膜癌，漿液性癌（ⅣB期，腹腔内播種）
A：T2強調矢状断像，B：造影脂肪抑制T1強調矢状断像，C：T2強調横断像，D：造影脂肪抑制T1強調横断像，E：拡散強調横断像
内膜腔に沿って外向性に進展する，均一な充実性腫瘍と液体貯留により子宮体部は腫大している（A，B→）。周囲には腹水が貯留し，これを取り巻くDouglas窩腹膜は著しく肥厚して，著明な腹腔内播種を示唆する（C，D▲，→は子宮）。原発巣（→），播種巣（▲）ともに強い拡散制限がみられる（E）。

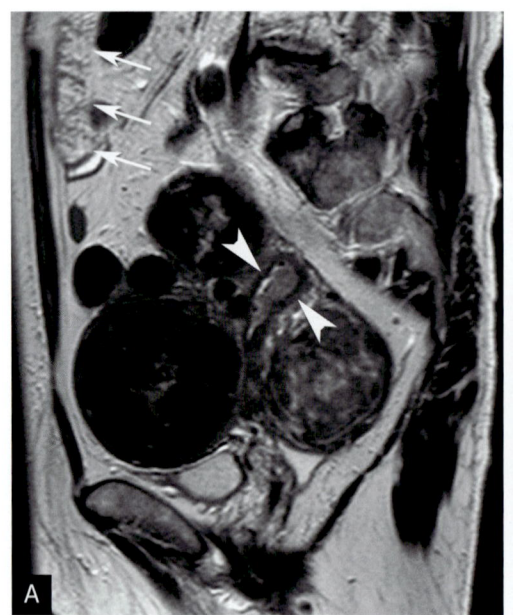

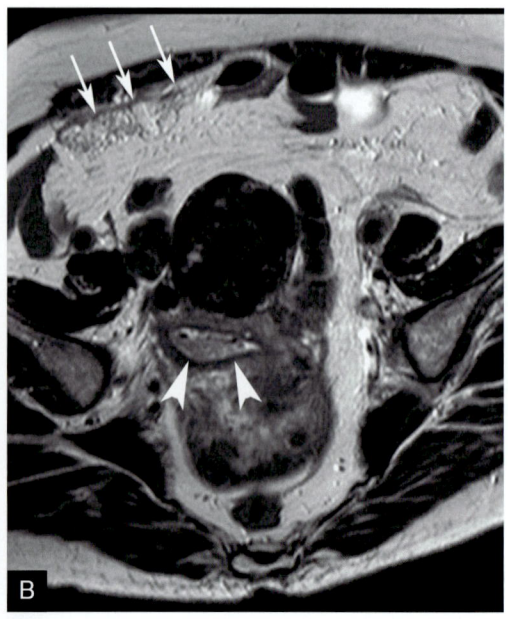

Ⅱ 子宮体部の腫瘍および腫瘍様病変 tumors of the uterine body and tumor-like lesions

図36 61歳 子宮内膜癌，漿液性癌（腹腔内播種，ⅣB期）
A：T2強調矢状断像，B：T2強調横断像，C：HE染色（強拡大）
T2強調像では多発筋腫により狭小化した内膜腔を占める比較的信号強度の低い小さな腫瘤（A, B▲）として描出される。一見子宮に限局するようにみえるが，腹腔内では播種性結節が大網ケーキを形成している（→）。病理組織学的には核異型の強い大型の立方形ないし円柱状の腫瘍細胞が管状，乳頭状に増殖しており（C），漿液性癌と診断される。本例のように，原発巣が小さくとも播種をきたしやすいのが漿液性癌の特徴であるが，図35，36ともに信号強度などに類内膜癌と区別しうる特徴はない。

性混合ミュラー管腫瘍（malignant mixed Müllerian mesodermal tumor：MMT）とよばれ，上皮性・間葉性混合腫瘍に分類されていたが，組織発生的に癌腫，肉腫とも同一起源からなることから，『子宮体癌取扱い規約 病理編 第5版』からは上皮性腫瘍に分類されるようになった[1]。高齢者に好発し，50歳以下の患者は5%未満にすぎない。純粋な間葉性悪性腫瘍が血行性転移を主たる転移経路とするのに対し，リンパ行性進展が多く，しかも多くは上皮性成分（癌腫）がリンパ節転移を構成する。進行期が主たる予後因子であるが，初発時には筋層浸潤のない限局性腫瘍であっても転移をきたすことがまれではない。肉眼的には内膜腔に突出するポリープ状の腫瘤を形成するが，巨大で出血を伴うことが多い。画像的には初期の報告は深い筋層浸潤を伴う壊死性の腫瘤で，ほかの子宮悪性腫瘍との鑑別は困難とされていた[74)75)]が，近年は肉眼的特徴と同様に

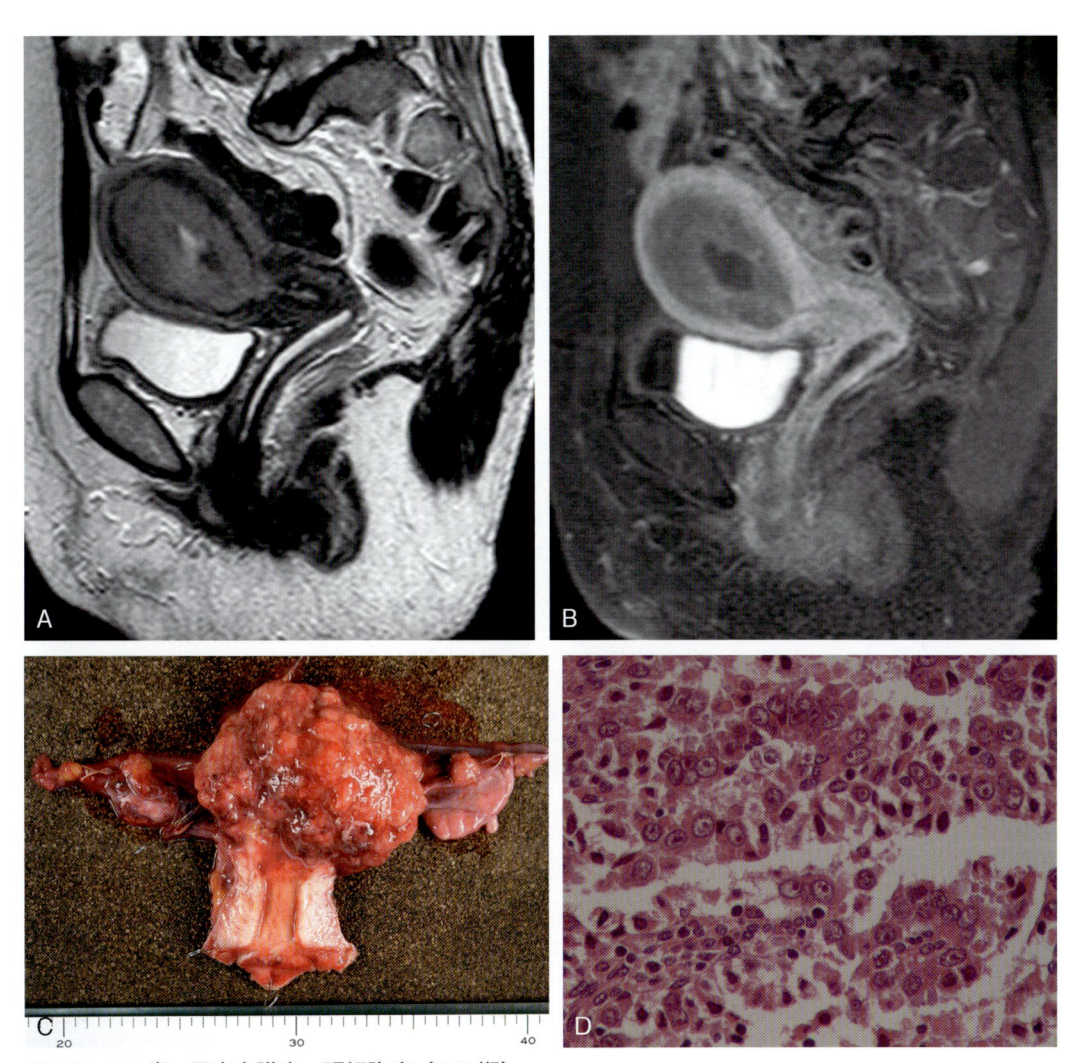

1. 主として内膜腔を占める疾患（上皮性および上皮性・間葉性混合腫瘍）tumors occupying the endometrial cavity

図37　72歳　子宮内膜癌，明細胞癌（ⅠB期）
A：T2強調矢状断像，B：造影脂肪抑制T1強調矢状断像，C：摘出標本肉眼像，D：HE染色（強拡大）
T2強調像にて後屈した子宮内膜腔を充満し，外向性に発育しつつ一部junctional zoneを菲薄化させて筋層に浸潤する腫瘍が描出されるが（A），本例も類内膜癌と比べ形態的特徴はない。造影後は筋層より増強効果が不良である（B）。摘出標本では内腔を充満する腫瘍が認められ（C），病理組織学的には多彩な形態の腫瘍細胞の増殖が認められ，一部に淡明な胞体をもつものや鋲釘（hobnail）状の形態を呈するものが認められ，明細胞癌と診断される（D）。

Ⅱ 子宮体部の腫瘍および腫瘍様病変 tumors of the uterine body and tumor-like lesions

図38 70歳　子宮内膜癌，明細胞癌（卵管進展，腹腔内播種，ⅣB期）
A：T2強調矢状断像，B：T1強調矢状断像，C：造影脂肪抑制T1強調矢状断像，D：T2強調冠状断像，E：造影脂肪抑制T1強調冠状断像，F：拡散強調冠状断像，G：ADC map
内膜腔を充満するT2強調像で信号強度の低い腫瘤（A，D）は，T1強調像では筋層より信号強度が少し高い（B）が，造影後は筋層に比べ増強効果が不良で（C，E）類内膜癌と異なる特徴はない（A〜E→）。拡散強調像では拡散制限はさほど強くない（F，G）。左卵管に沿った進展（D〜G▲）もみられ，術中，腹腔内播種も確認された（D〜G，M＝筋腫）。

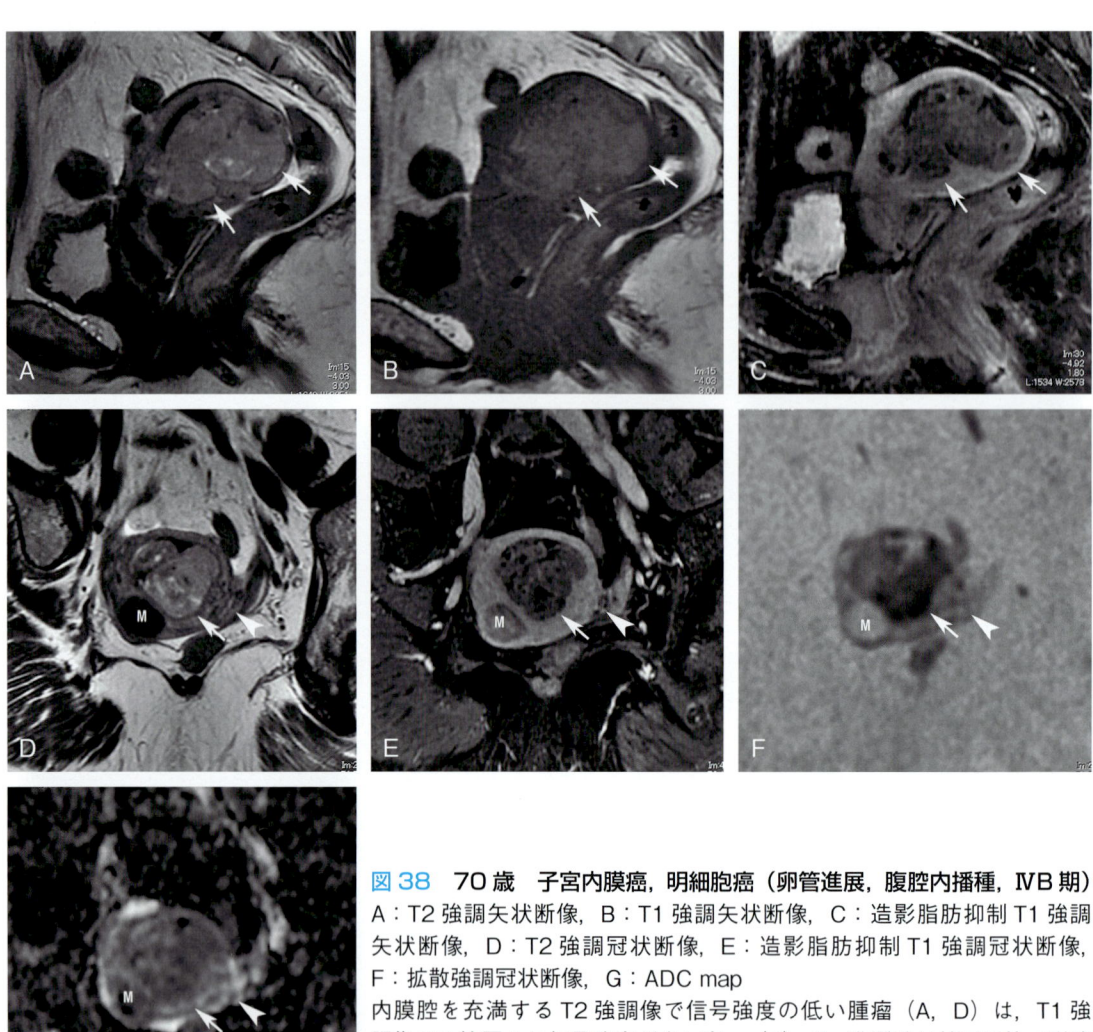

外向性，時にポリープ状に発育し，粘膜下筋腫や腺筋腫との鑑別がむしろ問題になる[76)77)]。前述のように本腫瘍は高齢者に好発することから，閉経後に内膜腔を占拠する境界明瞭で大きな粘膜下筋腫様の腫瘤を認めた場合には本腫瘍を積極的に疑う必要がある（図40，41）[77)]。また造影MRIで腫瘍内に早期濃染し平衡相まで遷延する増強域を認めるのも本腫瘍の画像的特徴である[77)78)]。壊死が明らかな進行例では出血を伴う。さらに，異所性の肉腫成分として軟骨肉腫を含む場合には，腫瘍内の骨化した軟骨成分がCTで粗大な石灰化として（図42），脂肪肉腫を含む場合には低吸収域として描出されることもある（図43）。構成成分と予後との関連も指摘されており，漿液性癌や横紋筋肉腫を含むものは予後不良とされる[1)]。

上に述べた亜組織型以外は，頻度的にまれなので，『子宮体癌取扱い規約　病理編　第5版』で

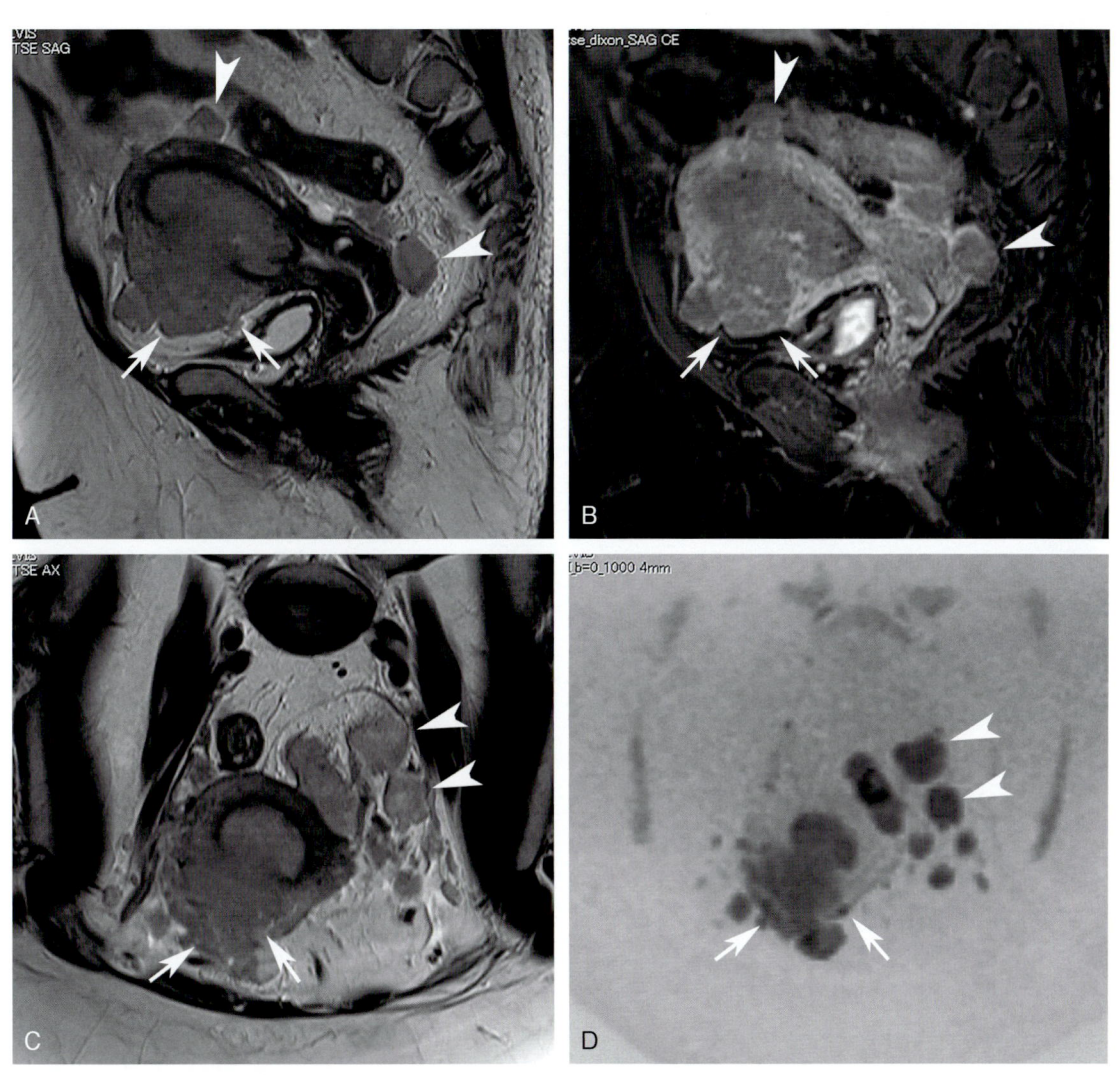

1. 主として内膜腔を占める疾患（上皮性および上皮性・間葉性混合腫瘍）tumors occupying the endometrial cavity

図 39 50 歳　子宮内膜癌，脱分化癌（漿膜浸潤，腹腔内播種，骨盤内・傍大動脈リンパ節転移，肺転移，ⅣB 期）

A：T2 強調矢状断像，B：造影脂肪抑制 T1 強調矢状断像，C：T2 強調冠状断像，D：拡散強調冠状断像
T2 強調像（A，C）で外向性に発育して内膜腔を充満する腫瘍と連続して，前壁で筋層を食い破って子宮外に達する，これよりさらに信号強度の低い腫瘍がみられる（→）。造影後はいずれも増強効果の不良な腫瘍として描出され（B→），強い拡散制限を示すが（D→），内膜腔内と筋層内の腫瘍の信号強度差は判然としない。子宮外には子宮内の腫瘍と等信号の腹腔内播種や骨盤内リンパ節転移が多数描出され（A～D▲），CT では肺転移も確認された。生検では類内膜癌 G1 相当部分と低分化癌の成分が混在し，脱分化癌と診断された。

は「その他の上皮性腫瘍」としてまとめられている[1]。中腎腺癌（mesonephric carcinoma）は胎生期に生じる中腎管（ウォルフ管）の遺残から発生するまれな腫瘍であるが，中腎様腺癌（mesonephric-like adenocarcinoma）は，これを模倣した細胞質内粘液を欠く立方状，ないし円柱状の細胞が硝子様内分泌物を含有する管腔を形成して増殖する腫瘍で，いずれも 2020 年版の WHO 分類第 5 版で新たに加わった腫瘍である[2]。腫瘍内にウォルフ管の遺残を証明することが難しいこともあり，中腎腺癌は極めてまれな一方，中腎様腺癌はミュラー管（傍中腎管）由来と

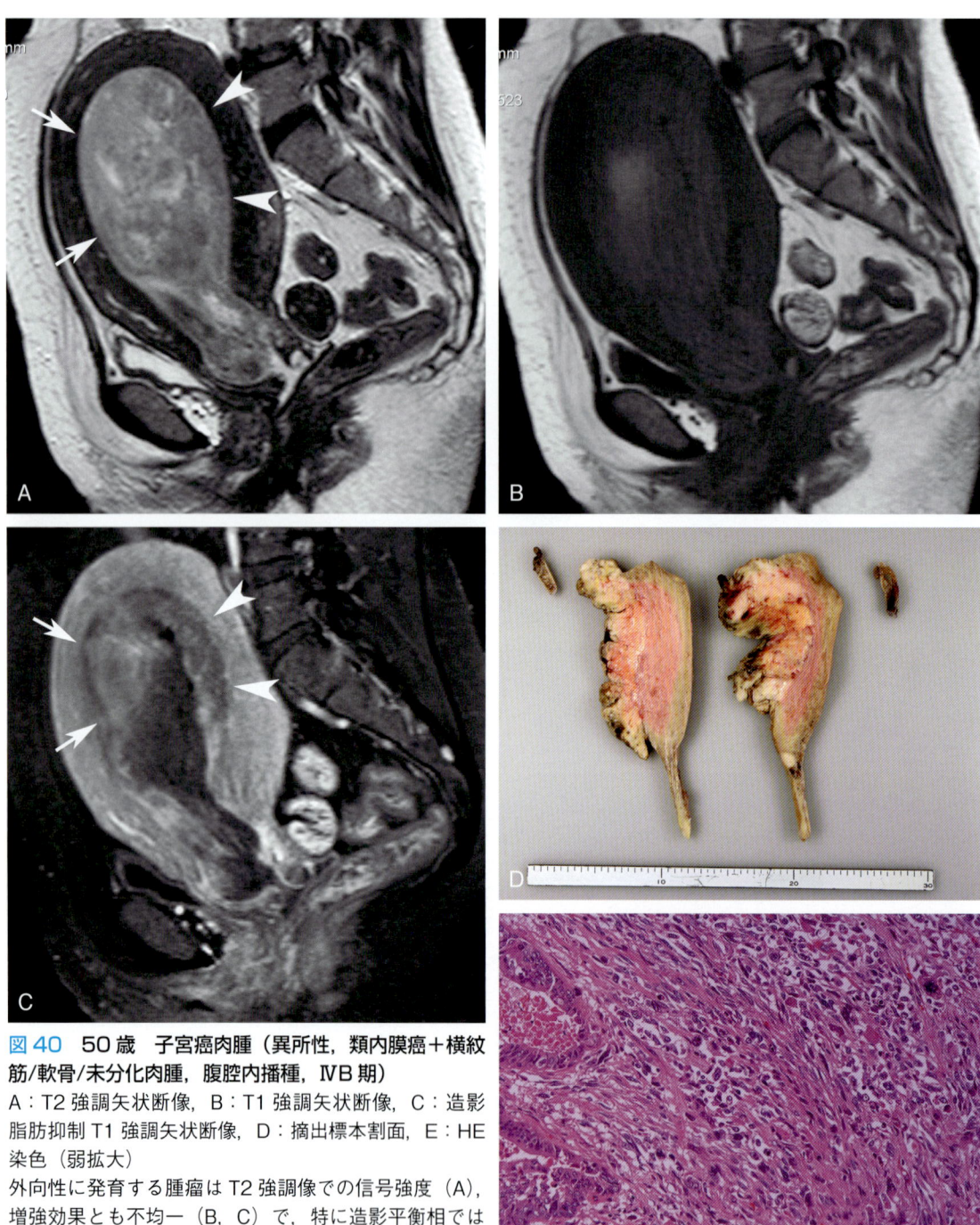

II 子宮体部の腫瘍および腫瘍様病変 tumors of the uterine body and tumor-like lesions

図40 50歳 子宮癌肉腫（異所性，類内膜癌＋横紋筋/軟骨/未分化肉腫，腹腔内播種，ⅣB期）
A：T2強調矢状断像，B：T1強調矢状断像，C：造影脂肪抑制T1強調矢状断像，D：摘出標本割面，E：HE染色（弱拡大）
外向性に発育する腫瘤はT2強調像での信号強度（A），増強効果とも不均一（B，C）で，特に造影平衡相では一部が強く増強され（A，C→，▲は増強不良部），外向性発育と合わせ癌肉腫の特徴を示す。しかし摘出標本の肉眼所見（D）では増強効果の違いに合致する差異は同定されない。病理組織学的には異型腺管を構成する上皮性成分とその周囲を取り囲む肉腫様の間質成分がほぼ半々に混ざり合って増殖しており（E），癌肉腫と診断された。

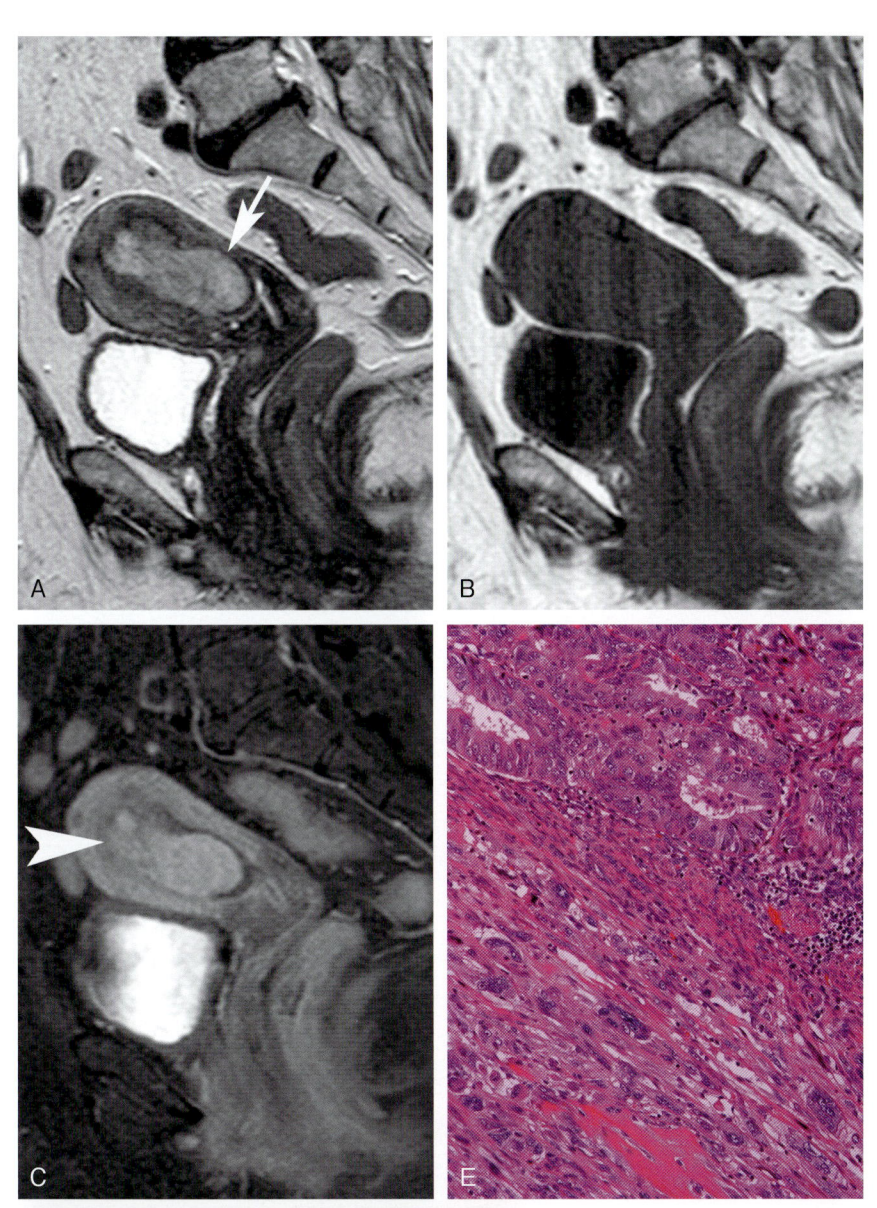

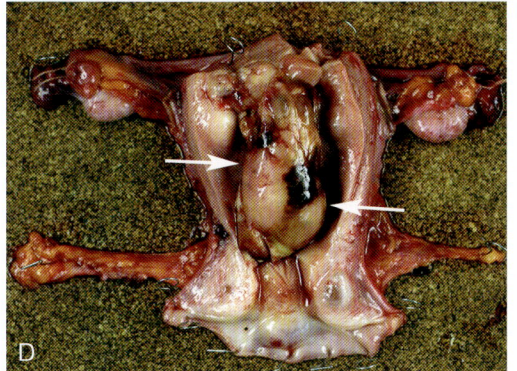

1. 主として内膜腔を占める疾患（上皮性および上皮性・間葉性混合腫瘍）tumors occupying the endometrial cavity

図41 73歳　癌肉腫（異所性，類内膜癌＋肉腫，ⅠA期）
A：T2強調矢状断像，B：T1強調矢状断像，C：造影脂肪抑制T1強調矢状断像，D：摘出標本肉眼像，E：HE染色（強拡大）

子宮底部に付着し内膜腔にポリープ状に突出するT2強調像で不均一な高信号の腫瘤（A→）がある。T1強調像では周囲筋層よりやや信号が高いが均一で，出血は伴わない（B）。造影脂肪抑制T1強調像では腫瘤は子宮筋層より強い増強効果を示している（C▲）。摘出標本でも子宮底部から内膜腔に下垂する腫瘤が認められる（D→）。病理組織学的には高円柱状の腫瘍細胞が腺管を形成しながら増殖する類内膜癌の部分（右上）と異型の強い間葉性の腫瘍細胞（左下）が併存している（E）。
（文献77より転載）

考えられており，以前は多くは類内膜癌と報告されていた症例が，ER，PR といったホルモンレセプター陰性，免疫組織化学染色で TTF-1 や GATA3 が陽性になることから，本腫瘍と診断される例が増加し，近年の報告では子宮内膜癌の 1〜3％を占めるといわれている[79)80)]。平均発症年齢 63 歳と閉経後に好発し，発見時には半数以上が II 期以上の局所進行癌で，1/3 にリンパ節転移を伴い，遠隔転移として肺転移の頻度も高く，予後不良の組織型として知られる[80)]。筆者の経験では内向性に進展する大きな腫瘍を形成する傾向がある（図 44）。

内膜原発の扁平上皮癌（squamous cell carcinoma）はまれであり，子宮頸部由来の扁平上皮癌の体部への進展や扁平上皮分化/化生を伴う類内膜癌を否定する必要がある。①子宮内膜に腺癌が存在せず，②病変が頸部の扁平上皮と連続せず，③子宮頸部に扁平上皮癌が認められないもののみ，子宮内膜原発と診断される[12)]。極めてまれである。

粘液性癌，胃/腸型（mucinous carcinoma, gastric/intestinal type）は子宮頸部の粘液性癌に類似の高分化型腺癌である。内膜癌の一構成成分としては頻繁にみられるが，優位な成分としてみられるのは内膜癌全体の 1〜9％にすぎない[12)]。したがって生検で本腫瘍が疑われた場合には，より頻度の高い頸管粘膜原発か内膜原発かが問題となり，病変の主座の同定に画像が有用な場合がある（図 45）。病理組織学的には細胞質内に豊富にムチンを含む腫瘍細胞が腺管を形成しながら発育することから，T2 強調像で高信号を示すことが期待されるが，画像的特徴の報告はない。類内膜癌と同様，エストロゲンと密接に関連する腫瘍で，多くが G1，stage I であるので予後は良好である[12)]とされる。

神経内分泌腫瘍（neuroendocrine neoplasia）は WHO 分類では臓器組織横断的に独立した chapter が設けられたが，『子宮体癌取扱い規約 病理編 第 5 版』には「神経内分泌腫瘍」の項が設けられ，神経内分泌腫瘍（neuroendocrine tumor：NET），神経内分泌癌（neuroendocrine carcinoma：NEC），混合型神経内分泌癌（combined neuroendocrine carcinoma）の 3 種が含まれ，NEC と混合型は各々小細胞，大細胞に細分されている。混合型は神経内分泌癌と非神経内分泌癌が移行・併存するものをいう[1)]。子宮内膜の神経内分泌腫瘍の 60％は混合型で，類内膜癌との合併が多い[23)]。小細胞神経内分泌癌（small cell neuroendocrine carcinoma：SCNEC）は子宮内膜では極めてまれで aggressive な腫瘍である。病理組織学的には肺でみられる同名の腫瘍と同じく，N/C 比の高い細胞が密に増生して多数の核分裂を伴うとされる[81-83)]。大細胞神経内分泌癌（large cell neuroendocrine carcinoma：LCNEC）は豊富な細胞質と核小体が明瞭な空胞状の大型核を有する細胞で構成される。小細胞，大細胞癌とも診断には神経内分泌マーカー（chromogranin A，synaptophysin など）の確認が不可欠である[1)]。少数例について小細胞神経内分泌癌の画像所見が報告されており，zonal anatomy を保ったまま境界不明瞭な浸潤を示す[84)]とするものから平滑筋肉腫のように壊死を伴い不均一な信号強度を示す[85)]とするものまで一定の傾向はみられないが，筋層にびまん性に浸潤する腫瘍との報告が多い[84-87)]（図 46, 47）。また肺の小細胞癌同様，傍腫瘍症候群（paraneoplastic syndrome）を起こすことが知られ，抗利尿ホルモン不適合分泌症候群（syndrome of inappropriate secretion of antidiuretic hormone：SIADH）[84)]，網膜症[85)88)89)]，膜性腎症[90)]，Cushing 症候群[91)]などの報告がある。混合型でも後述する悪性リンパ腫のように，子宮の輪郭を保ったまま筋層内にびまん性に浸潤することもあるが，上皮性腫瘍であることから，内膜や頸部粘膜に沿った外向性発育を示すことのほうが多いとする報告がある[92)]。

(3) 上皮性・間葉性混合腫瘍 mixed epithelial and mesenchymal tumors

　上皮性・間葉性混合腫瘍（mixed epithelial and mesenchymal tumors）もまた，内膜腔を占拠することの多い病変であり，腺筋腫（adenomyoma），異型ポリープ状腺筋腫（atypical polypoid adenomyoma），腺肉腫（adenosarcoma）が含まれる[1]。WHO分類第4版までは癌肉腫と腺線維腫・癌線維腫がこの項目に含まれていたが，癌肉腫は前述の理由で（p320～324参照）上皮性腫瘍に細分類され，腺線維腫・癌線維腫はWHO分類第5版からその名称が消失している[2]。癌線維腫の消滅は癌肉腫の上皮性腫瘍への再分類と関連している。腺線維腫は，過去に本腫瘍と報告されていた症例は非定型的な内膜ポリープ（葉状構造の内包や間質の細胞密度の増加を伴うなど）や低異型度の腺肉腫と診断すべきものであったからであるという[93]。過去に報告されていた腺線維腫の病理組織学的[23]，画像的特徴もこれに矛盾せず，腺肉腫との類似性[94]はこの変更を裏付けるものである。

　腺筋腫（adenomyoma）は子宮内膜型腺管とこれを取り囲む平滑筋性の間葉成分からなる良性腫瘍で，内膜腔にポリープ状に発育する場合も，筋層内で境界明瞭な腫瘤を形成する場合もあるとされる。画像的には構成成分である平滑筋性の間葉成分と内包する内膜腺内の出血を反映して，T2強調像で様々な信号を示し，よく増強される境界明瞭な腫瘤の内部にT1強調像で信号強度の高い内容物を含む囊胞を形成することが多く[95]（図48, 49），拡散制限は伴わない[96]とされるが，自験例では軽度拡散障害を伴うものも経験している（図50）。腺筋腫は良性腫瘍だが浅い筋層浸潤を伴うことがまれでなく[2]，これが時に悪性腫瘍と間違われる原因となる[97]（図50）。

　ポリープ状異型腺筋腫（atypical polypoid adenomyoma：APAM）は生殖可能年齢の女性（平均39.7歳）の子宮体部下部に好発する[98]。子宮内膜異型増殖症もしくは類内膜癌への進展もしくは関連がみられ（APAMの子宮内膜癌合併率は8.8％との報告がある）[2,99]，再発率も高い。確立された治療法はないが，若年発症が多く，妊孕性温存療法として経頸管的切除（transcervical resection：TCR）や術後の補助療法としてMPA療法が行われることが多い[100]。病理組織学的には子宮内膜型の腺上皮に軽度の異型があり，複雑な組織構築をもった内膜型の腺管が，線維筋性間質を伴い，ポリープ状の腫瘤をなす。画像的にも内膜腔に突出するT2強調像で低信号のポリープ状の腫瘍で，内部に高信号域を内包する腺筋症類似の所見を呈するとするもの[101]やT2強調像では筋層よりも高信号だが[102]，やはり内部に正所性の内膜と同等の信号強度（T2強調像で高信号，造影後良好な増強効果）を示す部分があるのが特徴とされる。APAMもまた，不整な辺縁をもち，筋層浸潤を伴うようにみえることも多く[103]（図51），より悪性度の高い腫瘍との鑑別に苦慮する。前述の腺筋腫とは画像的に共通点も多く，両者の鑑別は困難と推定される。

　腺肉腫（adenosarcoma）はMüllerian adenosarcomaともよばれ，良性または異型のある上皮成分と低異型度から高異型度までの肉腫成分からなる。閉経後に好発し，タモキシフェン投与例や骨盤内への放射線照射後の発生が報告されている。基本的に低悪性度の腫瘍であるが，年余を経ての再発がまれでなく（25～40％），特に肉腫成分の過剰増殖を伴う腺肉腫（with sarcomatous overgrowth）は通常例に比べ高い再発と転移の可能性を有する[1,2]。肉眼的には内膜腔にポリープ状に発育する腫瘍で，異型のない，もしくは異型の弱い上皮成分を細胞密度の高い異型間質成分を伴って，乳腺の葉状腫瘍のような構造を形成して囊胞内に突出する phyllodes-like

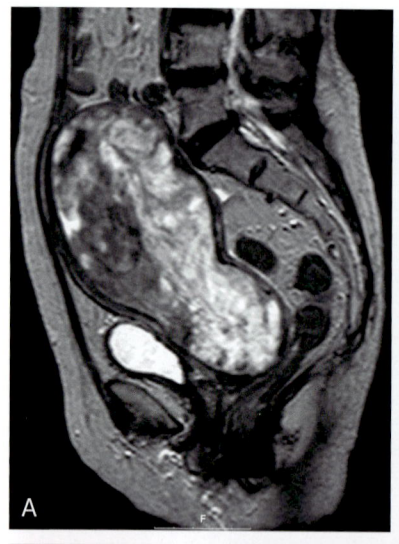

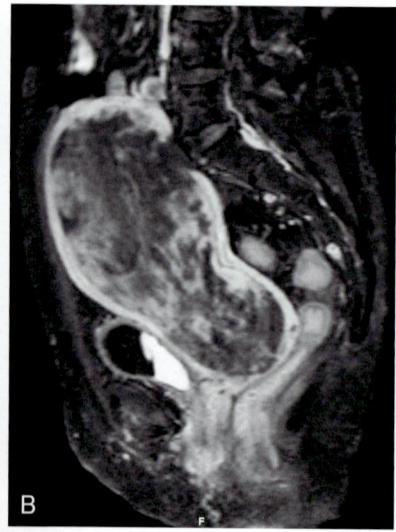

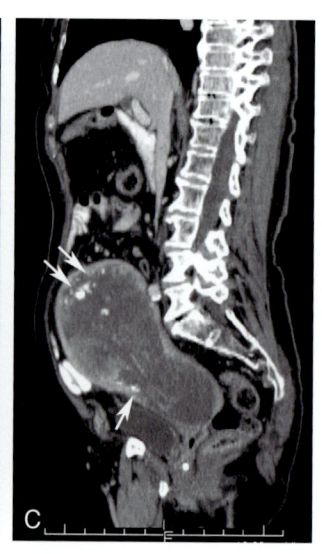

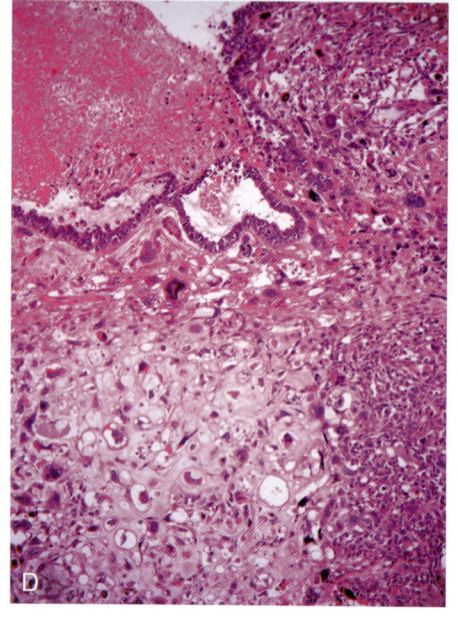

Ⅱ 子宮体部の腫瘍および腫瘍様病変 tumors of the uterine body and tumor-like lesions

図42 71歳　癌肉腫（異所性，腺癌＋軟骨肉腫を含む肉腫，ⅠA期）

A：T2強調矢状断像，B：造影脂肪抑制T1強調矢状断像，C：造影CT矢状断MPR像，D：HE染色（強拡大）

内診上，子宮は腫大し子宮口から顔を出す腫瘤がみられた。T2強調像では多彩な信号を示す腫瘤が子宮体部の内膜腔から頸管内を占拠している（A）。腫瘤は不均一に造影され，一部は子宮筋層より強い増強効果を示している（B）。CTでは腫瘤内に粗大な石灰化を多数認め（C→），T2強調像で信号強度の高いことと合わせ骨化した軟骨成分の存在を示唆する。病理組織学的にも腺癌成分に加え多彩な間葉性の腫瘍細胞がみられ，一部は明るい胞体をもった軟骨肉腫の成分からなっている（D，左下）。
（A，Bは文献77より転載）

図43 71歳　癌肉腫（異所性，脂肪肉腫を含む，ⅠB期）

A：T2強調矢状断像，B：T1強調矢状断像，C：造影脂肪抑制T1強調矢状断像，D：T2強調冠状断像，E：拡散強調冠状断像，F：単純CT，G：HE染色（弱拡大），H：HE染色（強拡大）

T2強調像では多彩な信号を示す腫瘍が子宮内膜腔を外向性に占拠している（A，D）。T1強調像で高信号（B→），造影脂肪抑制T1強調像では信号抑制され（C→），単純CTで低吸収を示す（F→）脂肪成分が確認される。腫瘍の大部分は不均一に造影され（C），拡散制限を示す（E）。病理組織学的には多彩な癌成分（20％）と肉腫成分（80％）の混在する腫瘍（G）で，肉腫の一部には脂肪肉腫も認められた（H）。

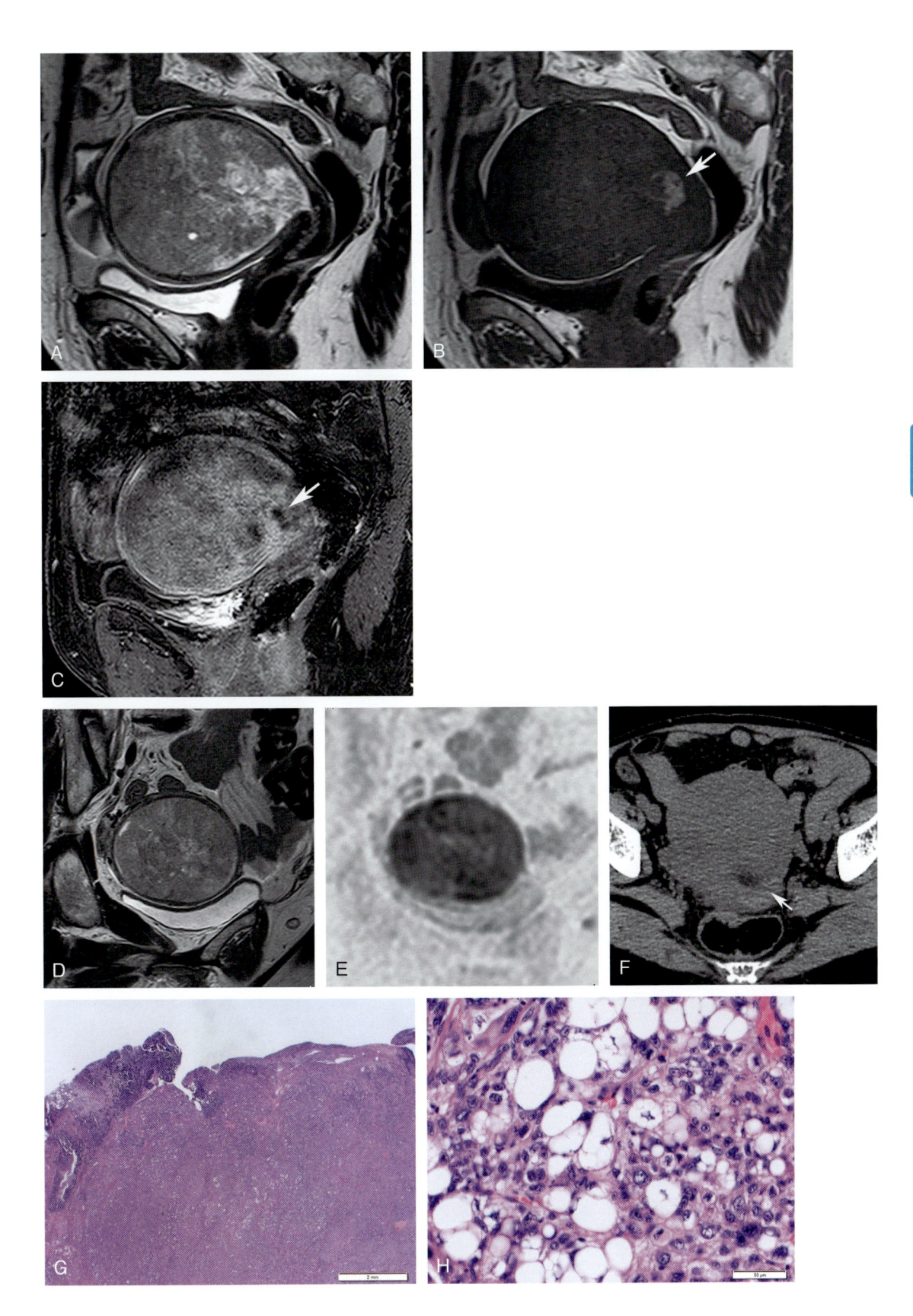

1. 主として内膜腔を占める疾患（上皮性および上皮性・間葉性混合腫瘍）tumors occupying the endometrial cavity

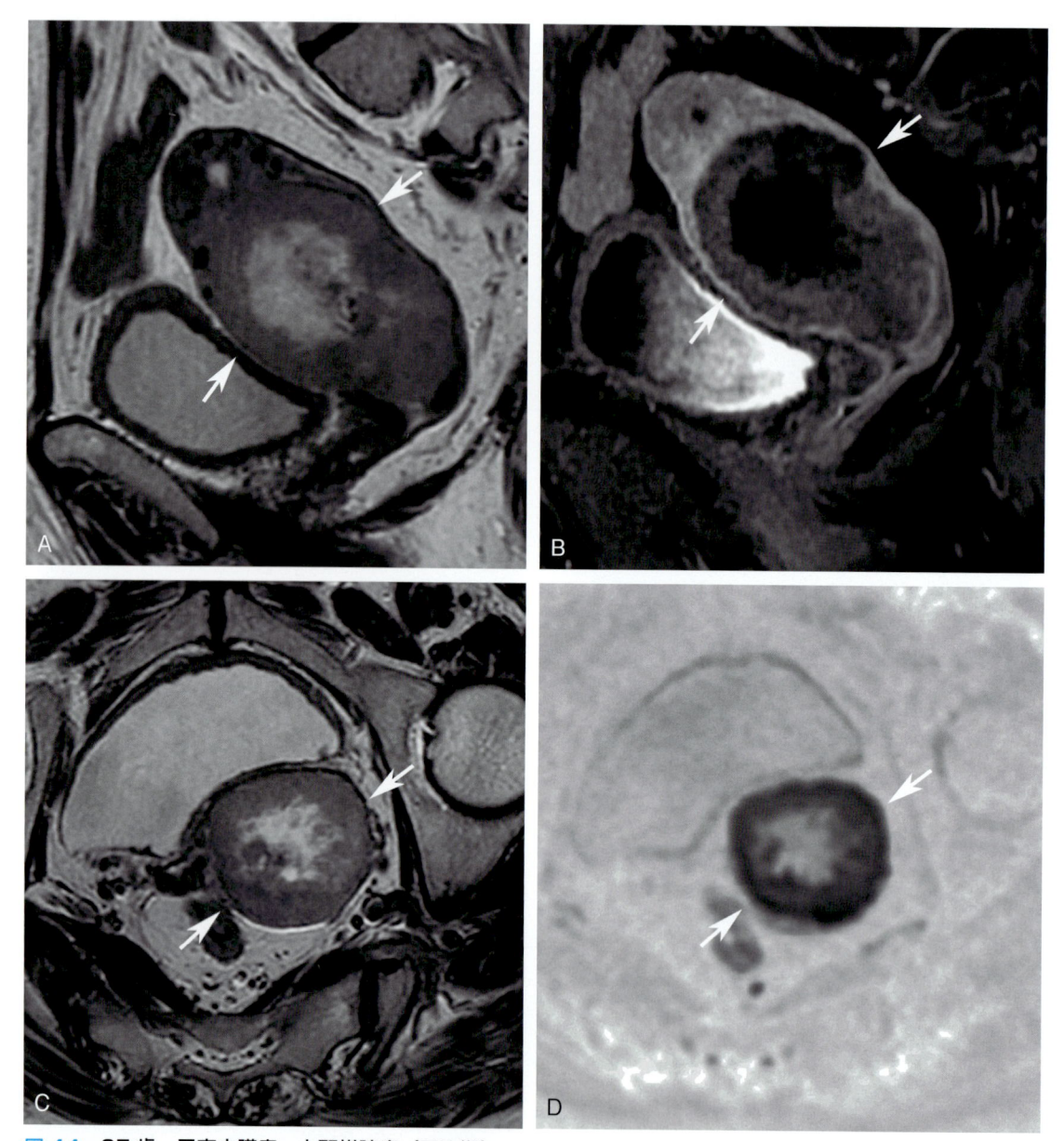

II 子宮体部の腫瘍および腫瘍様病変 tumors of the uterine body and tumor-like lesions

図44 65歳 子宮内膜癌，中腎様腺癌（ⅢB期）
A：T2強調矢状断像，B：造影脂肪抑制T1強調矢状断像，C：T2強調冠状断像，D：拡散強調冠状断像
T2強調像で体部から頸部にかけて内向性に進展する信号強度の高い，比較的均一な腫瘤を認め（A，C→），造影後，腺管形成を反映して充実部はmicro-honeycombing patternを呈する（B→）。拡散制限は強い（D）。

architectureが病理組織学的な特徴とされる[2]（図52E）。画像的には内膜ポリープとの類似性を指摘されており，多数の隔壁で境されたレース状の腫瘤がポリープ状に子宮内膜腔に突出する[104-108]。このような肉眼的・画像的特徴は内膜ポリープと共通し（図52），ことにタモキシフェン投与例では内膜ポリープであっても著しい腺管の拡張をみることが多い（p297；p298図15参照）ので，これら良性の病態との鑑別は困難である。Chourmouziらはこのような形態の腫瘍に

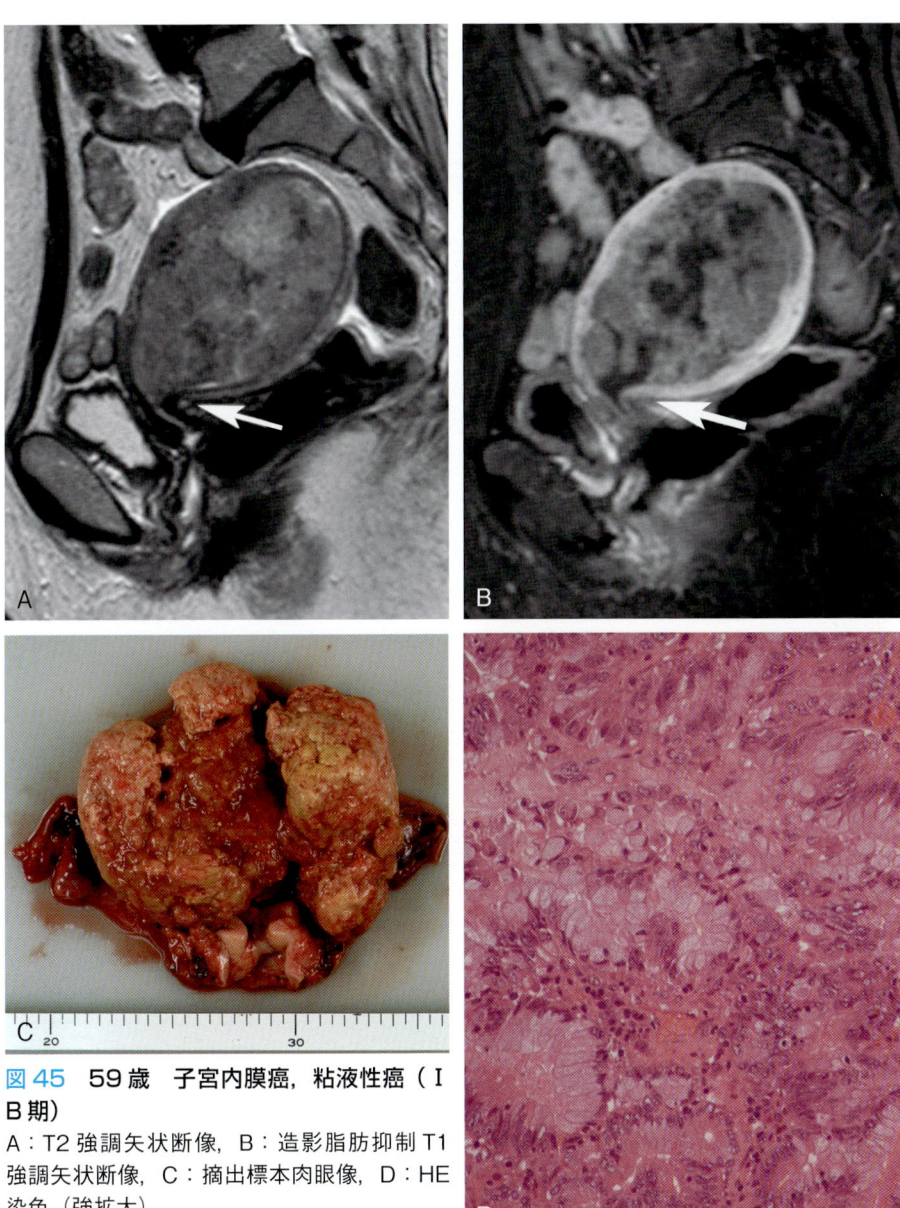

1. 主として内膜腔を占める疾患（上皮性および上皮性・間葉性混合腫瘍）tumors occupying the endometrial cavity

図45　59歳　子宮内膜癌，粘液性癌（ⅠB期）

A：T2強調矢状断像，B：造影脂肪抑制T1強調矢状断像，C：摘出標本肉眼像，D：HE染色（強拡大）

原発巣は外向性に発育するT2強調像で低信号（A），筋層よりも増強効果の不良な腫瘤（B）で，病変はかろうじて内子宮口（A，B→）を越えず体部に限局している。したがって子宮頸部原発は否定される。肉眼的にも腫瘍は外向性に発育する多結節状の腫瘤を形成している（C）。病理組織学的には粘液産生を伴う円柱状の腫瘍細胞が乳頭腺管状に増殖する粘液性癌である（D）。

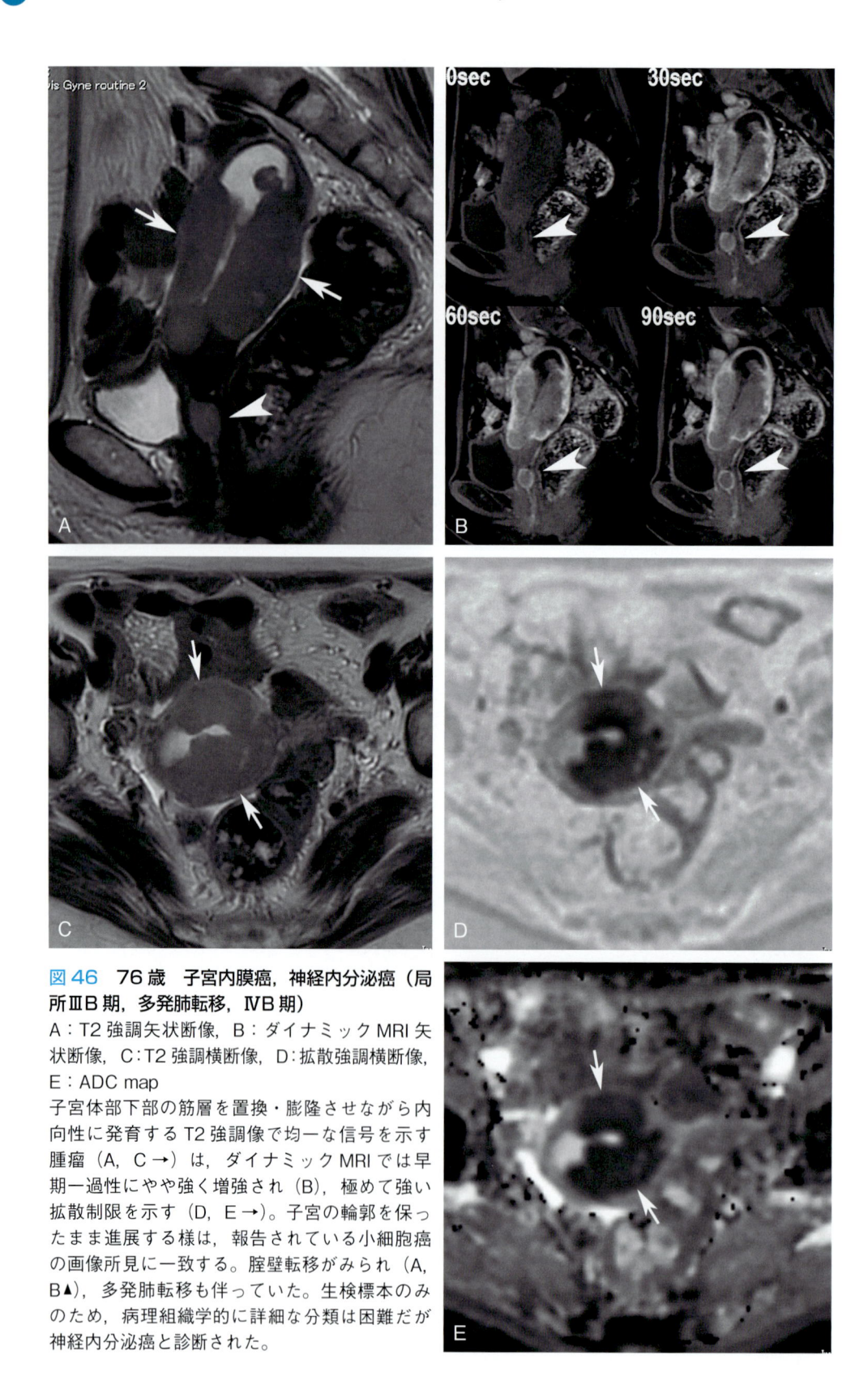

II 子宮体部の腫瘍および腫瘍様病変 tumors of the uterine body and tumor-like lesions

図46 76歳 子宮内膜癌,神経内分泌癌(局所ⅢB期,多発肺転移,ⅣB期)
A:T2強調矢状断像,B:ダイナミックMRI矢状断像,C:T2強調横断像,D:拡散強調横断像,E:ADC map
子宮体部下部の筋層を置換・膨隆させながら内向性に発育するT2強調像で均一な信号を示す腫瘤(A,C→)は,ダイナミックMRIでは早期一過性にやや強く増強され(B),極めて強い拡散制限を示す(D,E→)。子宮の輪郭を保ったまま進展する様は,報告されている小細胞癌の画像所見に一致する。腟壁転移がみられ(A,B▲),多発肺転移も伴っていた。生検標本のみのため,病理組織学的に詳細な分類は困難だが神経内分泌癌と診断された。

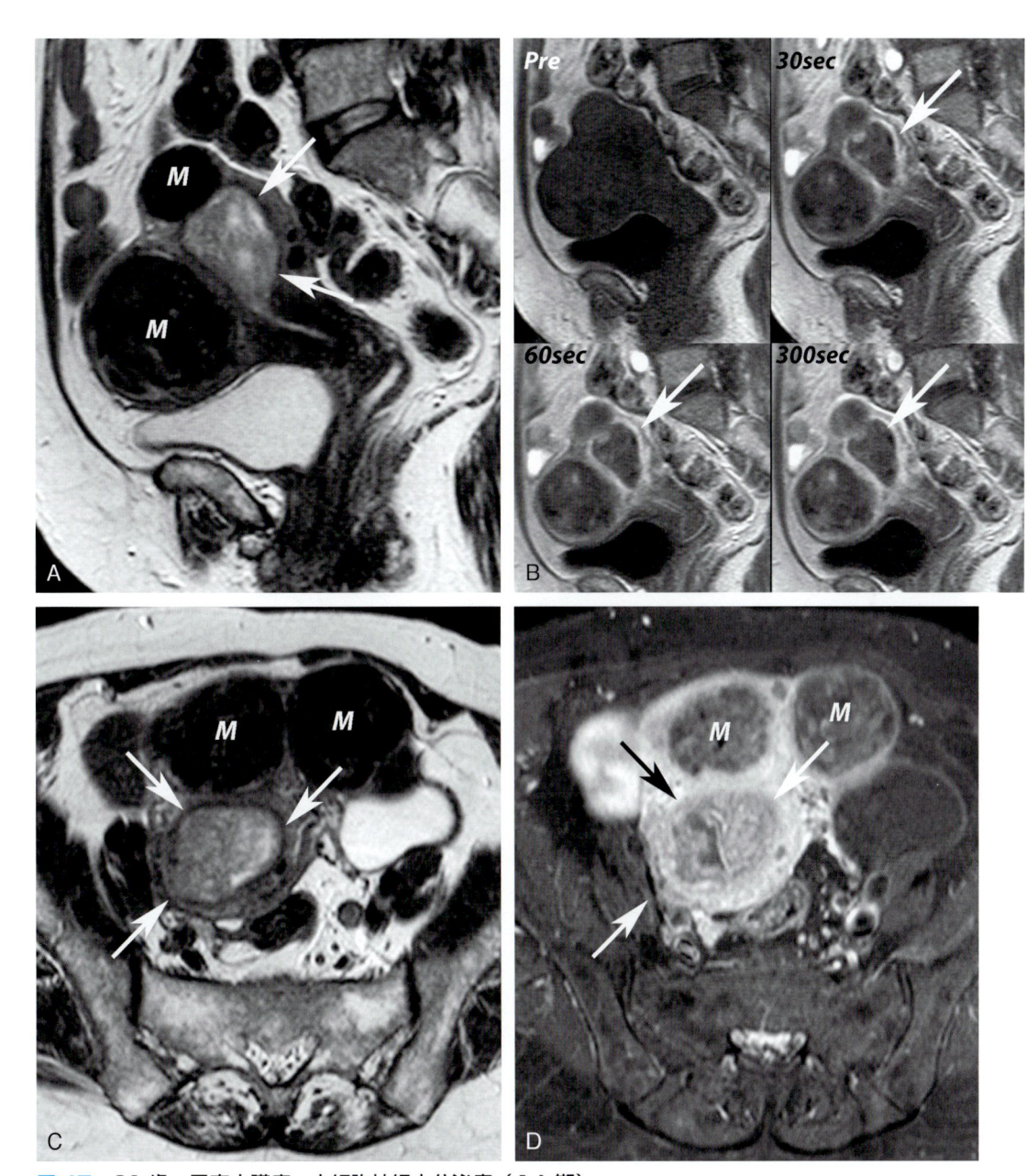

1. 主として内膜腔を占める疾患（上皮性および上皮性・間葉性混合腫瘍）tumors occupying the endometrial cavity

図47 61歳 子宮内膜癌，小細胞神経内分泌癌（ⅠA期）
A：T2強調矢状断像，B：ダイナミックMRI矢状断像，C：T2強調横断像，D：造影脂肪抑制T1強調横断像
内膜腔を外向性に発育する腫瘤（A〜E→，M：子宮筋腫）には画像的な特徴は乏しいが，不均一な増強効果（B，D）や拡散強調像で強い異常信号を示し（E→），細胞密度の高さをうかがわせる点は，報告されている小細胞癌の画像所見に一致する。

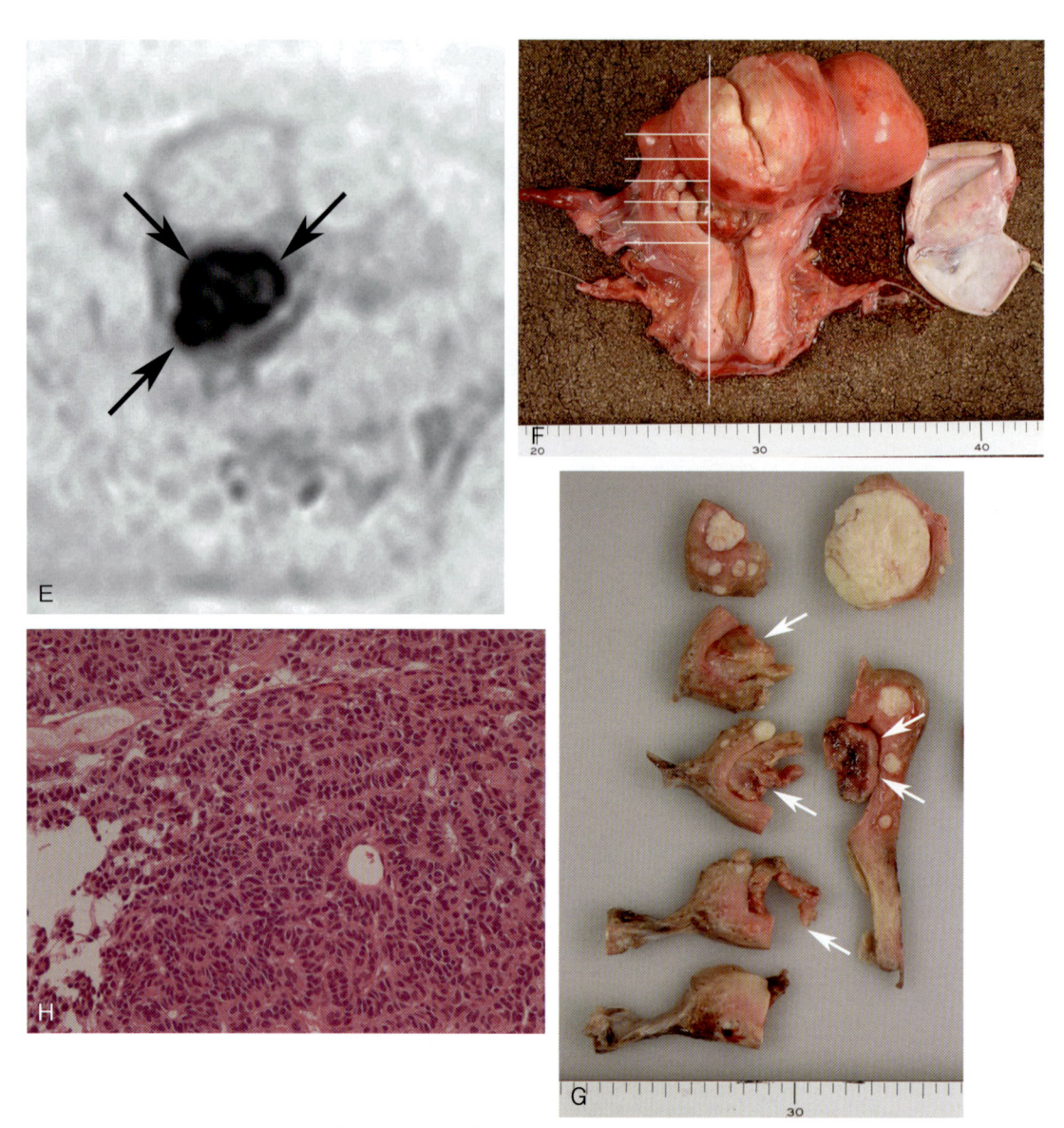

Ⅱ 子宮体部の腫瘍および腫瘍様病変 tumors of the uterine body and tumor-like lesions

図47 つづき［小細胞神経内分泌癌（ⅠA期）］
E：拡散強調横断像，F：摘出標本肉眼像，G：摘出標本割面，H：HE染色（弱拡大）
摘出標本では内膜腔を占拠する褐色調の軟らかい腫瘤が認められ（F, G, FのG白線はGの切除線），病理組織学的には小型でN/C比の高い腫瘍細胞が，一部ロゼット状に増殖（H）し，神経内分泌マーカーに陽性像を呈することから小細胞癌と診断される。

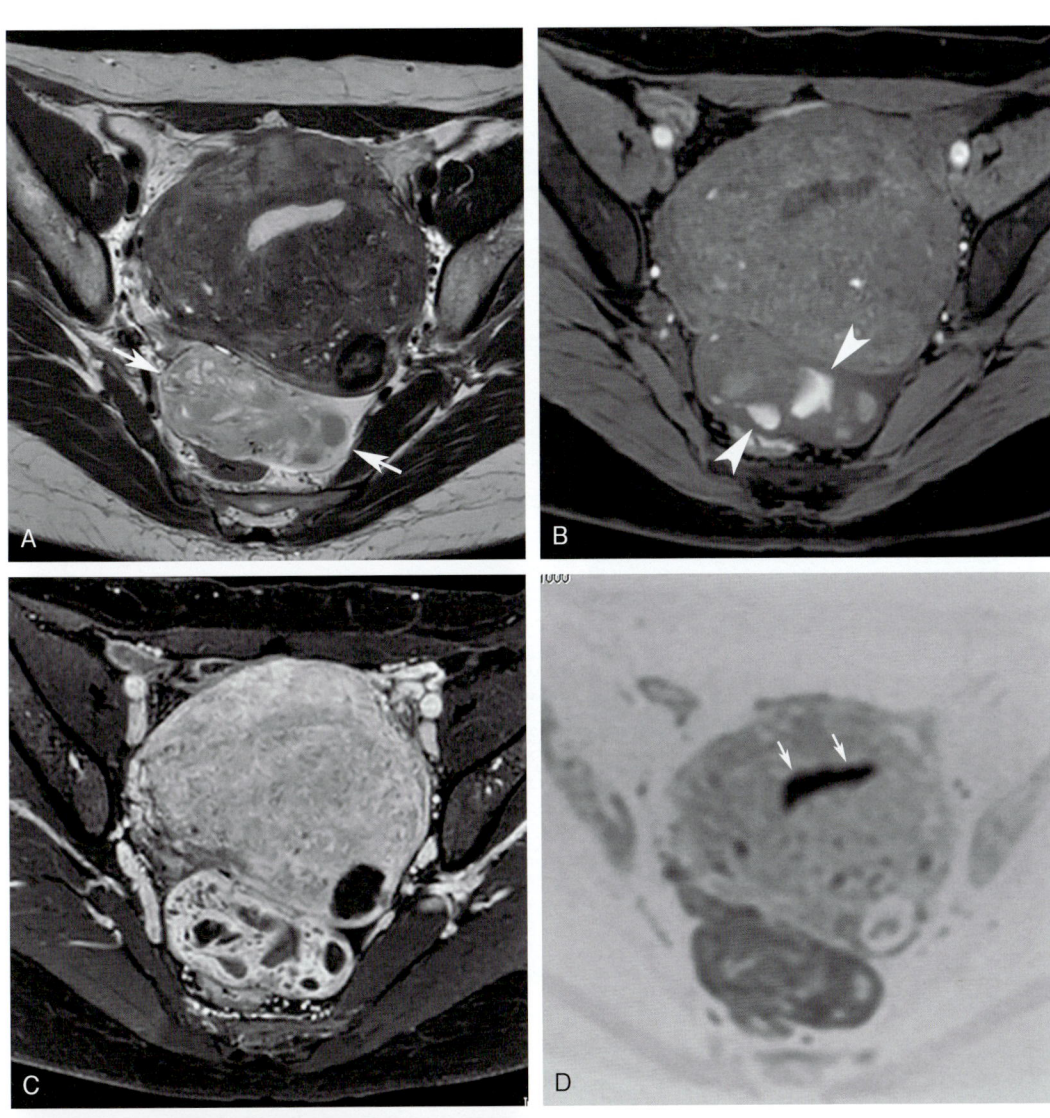

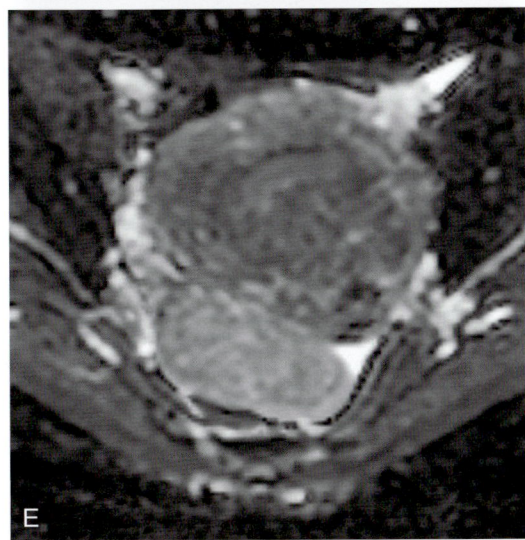

1. 主として内膜腔を占める疾患（上皮性および上皮性・間葉性混合腫瘍）tumors occupying the endometrial cavity

図48　47歳　子宮腺筋腫（漿膜下病変）

A：T2強調横断像，B：脂肪抑制T1強調横断像，C：造影脂肪抑制T1強調横断像，D：拡散強調横断像，E：ADC map

腺筋症により腫大した子宮の右後壁と連続して，Douglas窩に突出するT2強調像で信号強度の高い境界明瞭な腫瘤を認め（A→），内部に腺管を思わせる楕円形の，より信号強度の高い部分を含む。腺管内にはT1強調像で高信号を示す，血性の内容物が一部にみられ（B▲），造影後はよく増強される（C）。拡散強調像では高信号（D，反転画像なので低信号）だが，正所性の内膜（D→）よりは信号強度が低く，ADC mapでも高信号で，T2-shine throughであり，拡散制限はない。局在は非典型だが，内部構造は腺筋腫として典型的である。

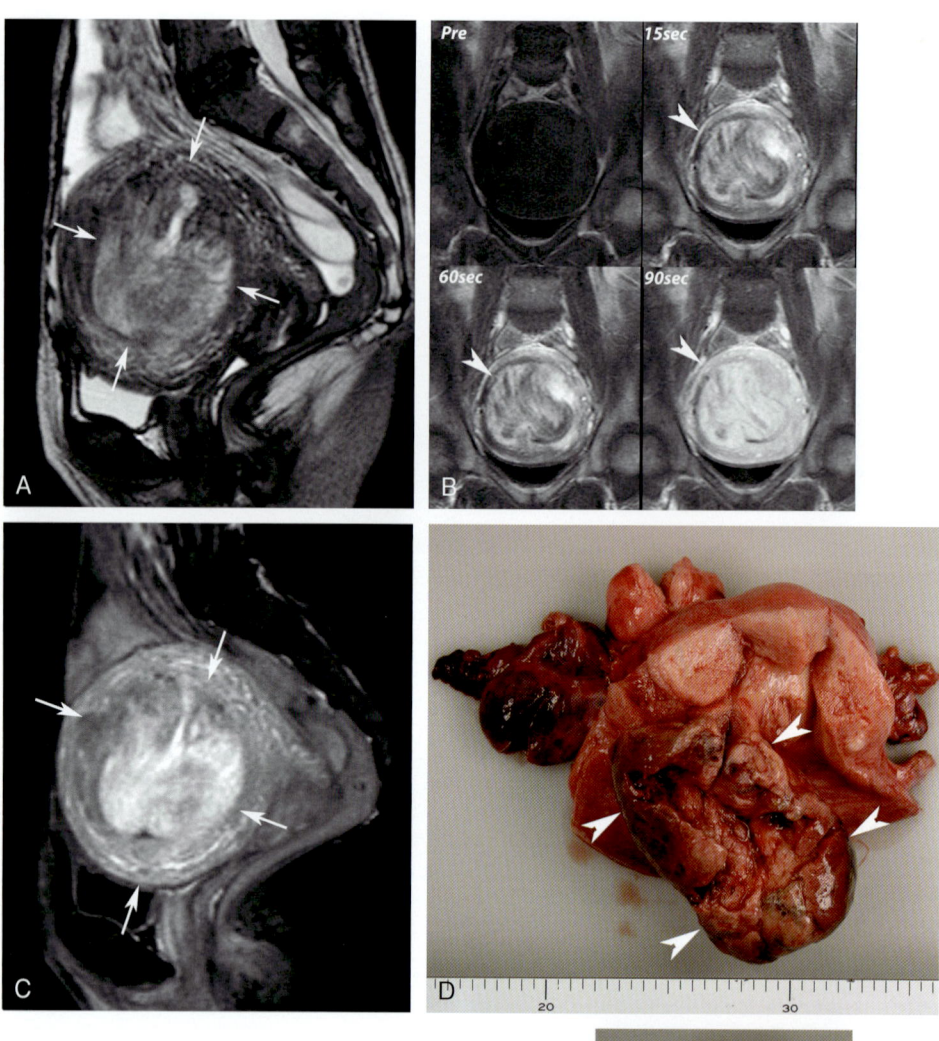

II 子宮体部の腫瘍および腫瘍様病変 tumors of the uterine body and tumor-like lesions

図49 41歳 子宮腺筋腫
A：T2強調矢状断像，B：ダイナミックMRI冠状断像，
C：造影脂肪抑制T1強調矢状断像，D：摘出標本肉眼像，
E：摘出標本割面

大量の性器出血を主訴に受診。T2強調像で子宮内膜腔を占拠する巨大な腫瘤を認める。腫瘤の信号強度は不均一だが低めである（A→）。ダイナミックMRIでは右壁に付着してポリープ状に突出する腫瘤の輪郭が明瞭化する（B）。造影後平衡相ではT2強調像で信号の高かった領域が濃染し，低信号であった領域はこれより増強効果が不良で（C），間質の浮腫を伴う筋腫に類似の信号パターンである。摘出標本上，子宮体部右壁に付着し内膜腔に突出する腫瘤を認め（D，E▲），割面上，暗赤色を呈する部分は出血壊死であったが，病理組織学的にも腫瘤内部には出血を伴う腺管構造は含まず，腺筋腫として特徴的な形態は示していない。

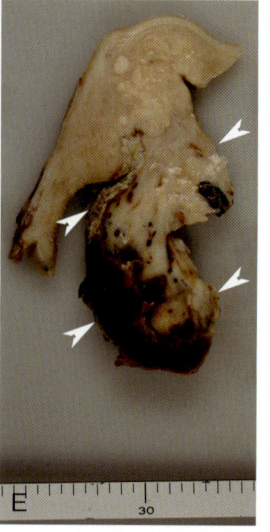

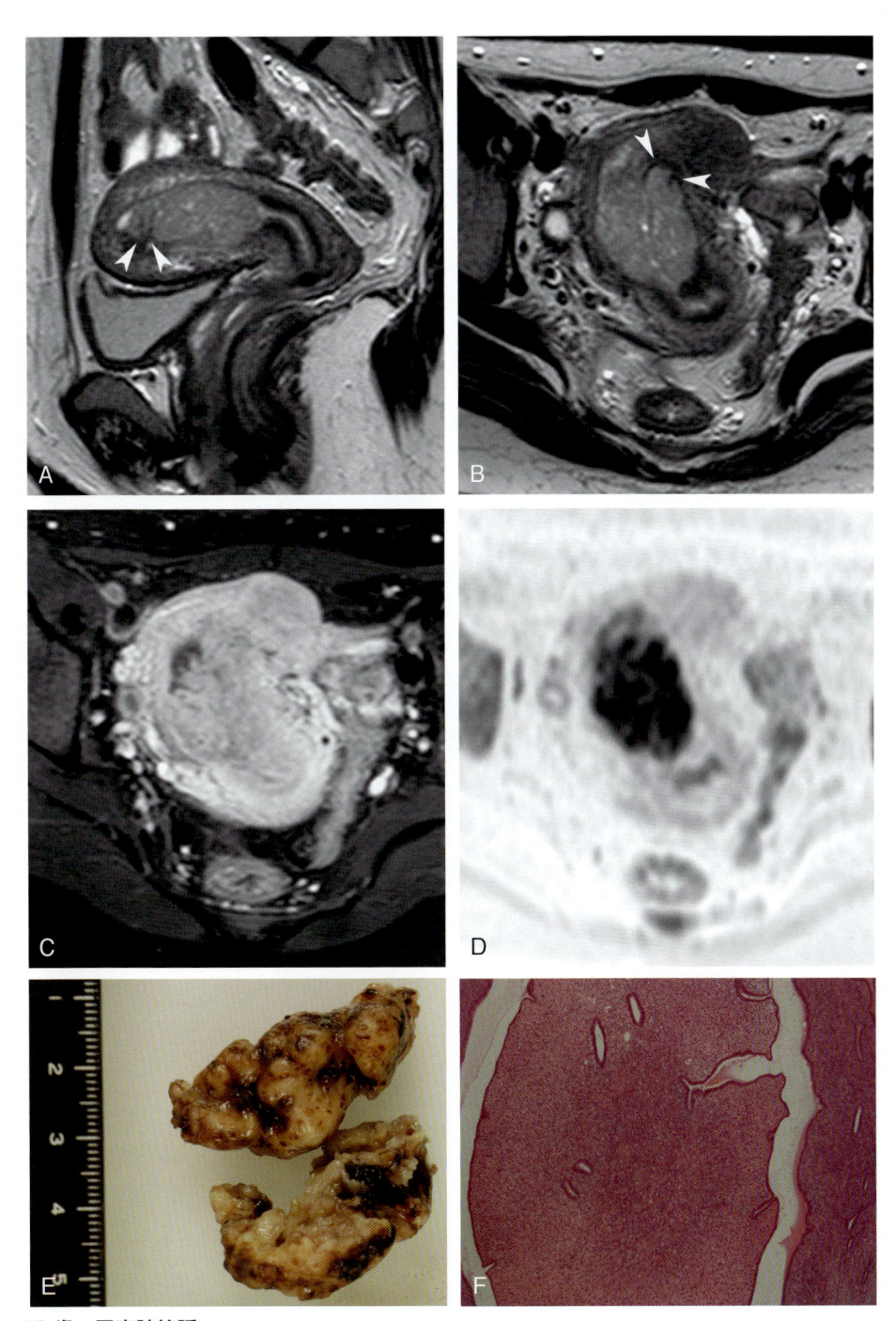

1. 主として内膜腔を占める疾患（上皮性および上皮性・間葉性混合腫瘍）tumors occupying the endometrial cavity

図50　36歳　子宮腺筋腫
A：T2強調矢状断像，B：T2強調横断像，C：造影脂肪抑制T1強調横断像，D：拡散強調横断像，E：摘出標本割面，F：HE染色（弱拡大）
過多月経による重症貧血で受診。子宮底部左壁に付着し内腔に突出するポリープ状の腫瘤がある（A～C）。T2強調像で腫瘤の信号は比較的高く，筋層内に分け入るような所見があり（A，B▲），浸潤性発育が疑われ，拡散強調像（D）でも腫瘤が異常信号を呈することと合わせ肉腫を疑った。子宮鏡下に腫瘤の捻除術が行われた（E）。病理組織学的には大小様々な内膜腺を取り巻くように豊富な平滑筋組織が認められ（F）腺筋腫と診断されるが，本例でも内膜が形成する腺管構造は画像的には不明瞭である。

341

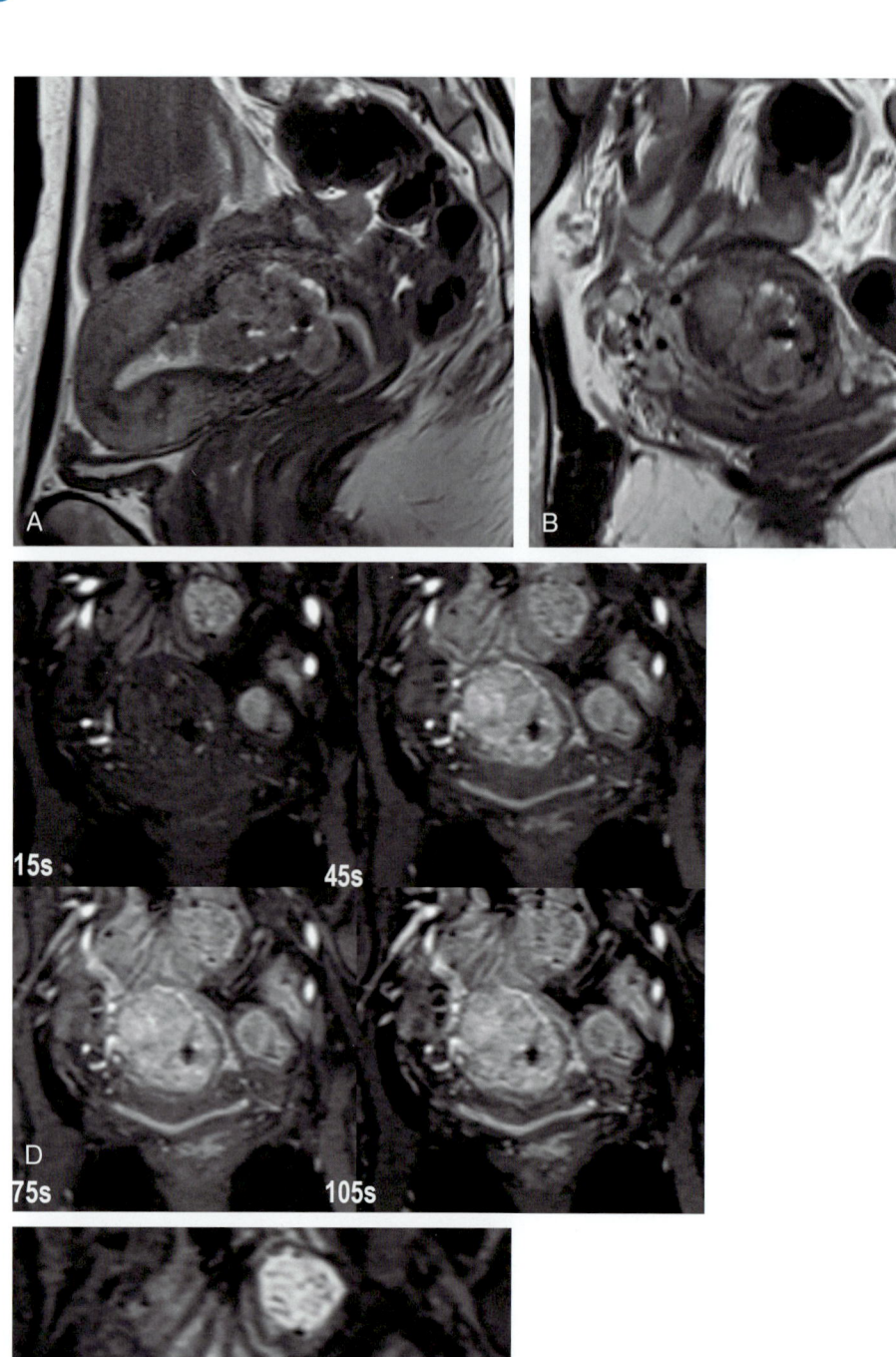

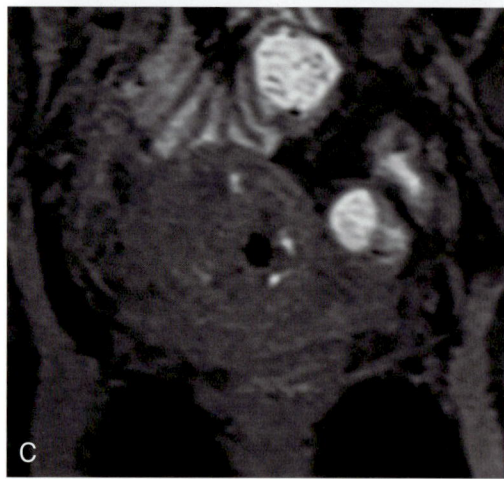

Ⅱ 子宮体部の腫瘍および腫瘍様病変 tumors of the uterine body and tumor-like lesions

図51 41歳 ポリープ状異型腺筋腫（APAM）
A：T2強調矢状断像，B：T2強調冠状断像，C：脂肪抑制T1強調冠状断像，D：ダイナミックMRI冠状断像
子宮体部下部から内子宮口付近を占拠する腫瘤が主として内膜腔を占拠している（A，B）。内部の信号は不均一で，脂肪抑制T1強調像（C）では均一な低信号で，ダイナミックMRI（D）では早期濃染する。

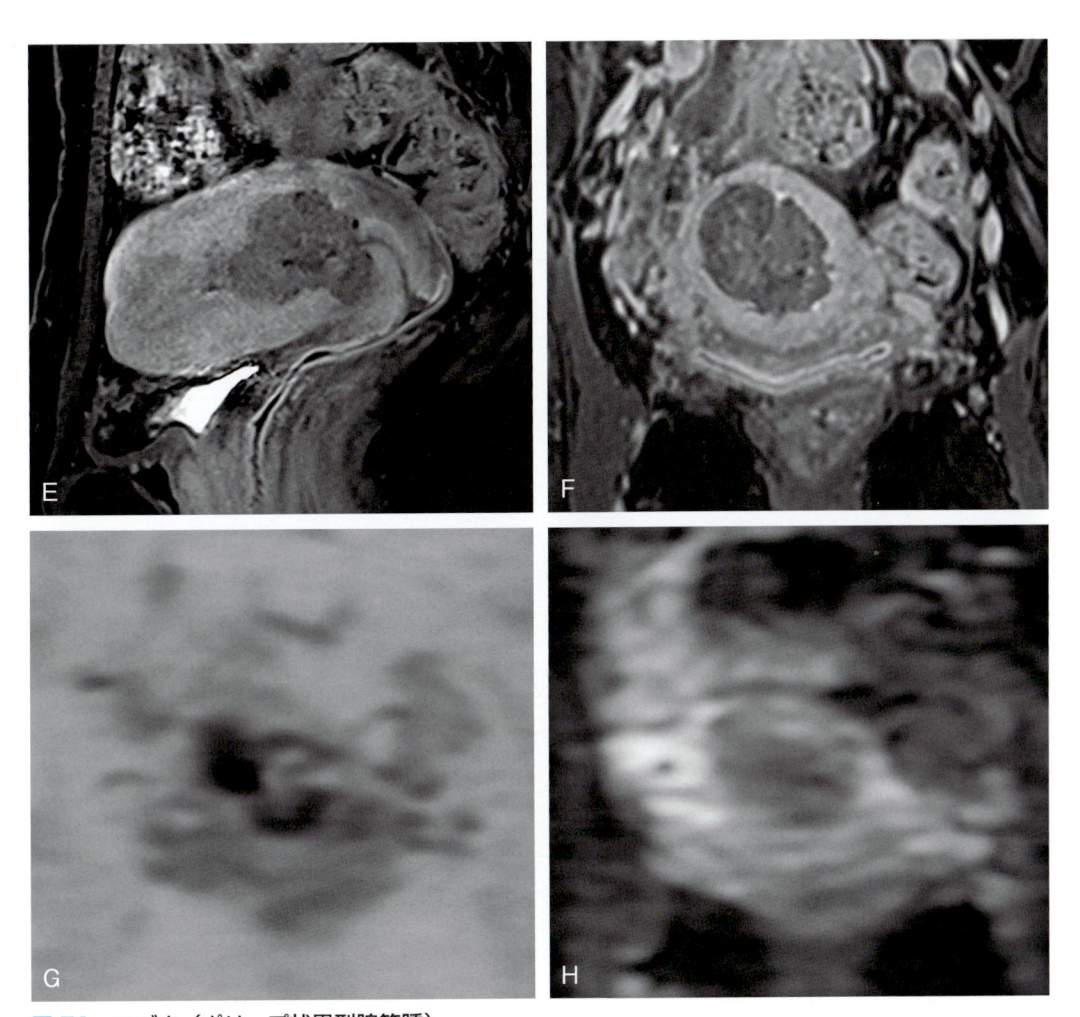

1. 主として内膜腔を占める疾患（上皮性および上皮性・間葉性混合腫瘍）tumors occupying the endometrial cavity

図51 つづき（ポリープ状異型腺筋腫）
E：造影脂肪抑制 T1 強調矢状断像，F：造影脂肪抑制 T1 強調冠状断像，G：拡散強調冠状断像，H：ADC map
平衡相では筋層より低信号化し（E，F），拡散強調像では異常信号がみられる（G）が，ADC map（H）ではさほど低信号ではなく拡散制限は弱い。一部に筋層・頸部間質に食い込むような所見があり，浸潤癌を疑いたくなる所見であるが，病理組織学的には成熟平滑筋細胞の増生と，筋線維間に散在する異型の弱い腺管からなり，ポリープ状異型腺筋腫と診断された。比較的若年で子宮体部下部で，主として膨張性に発育する点では典型的といえる。

出血を伴っていたことを強調し[107]，Soh らは筋層浸潤のみられたことを内膜ポリープとの鑑別点として挙げている[104]。どちらも鑑別の一助にはなるが決定的ではない。また通常の腺肉腫では拡散制限は弱い[105]が，Nakai らは sarcomatous overgrowth を伴う症例では強い拡散制限を示した[109]（図53）としており，予後不良例を示唆する所見として注目される。

なお，FIGO 分類および『子宮体癌取扱い規約』では腺肉腫の進行期を表11のように定めている[1]。

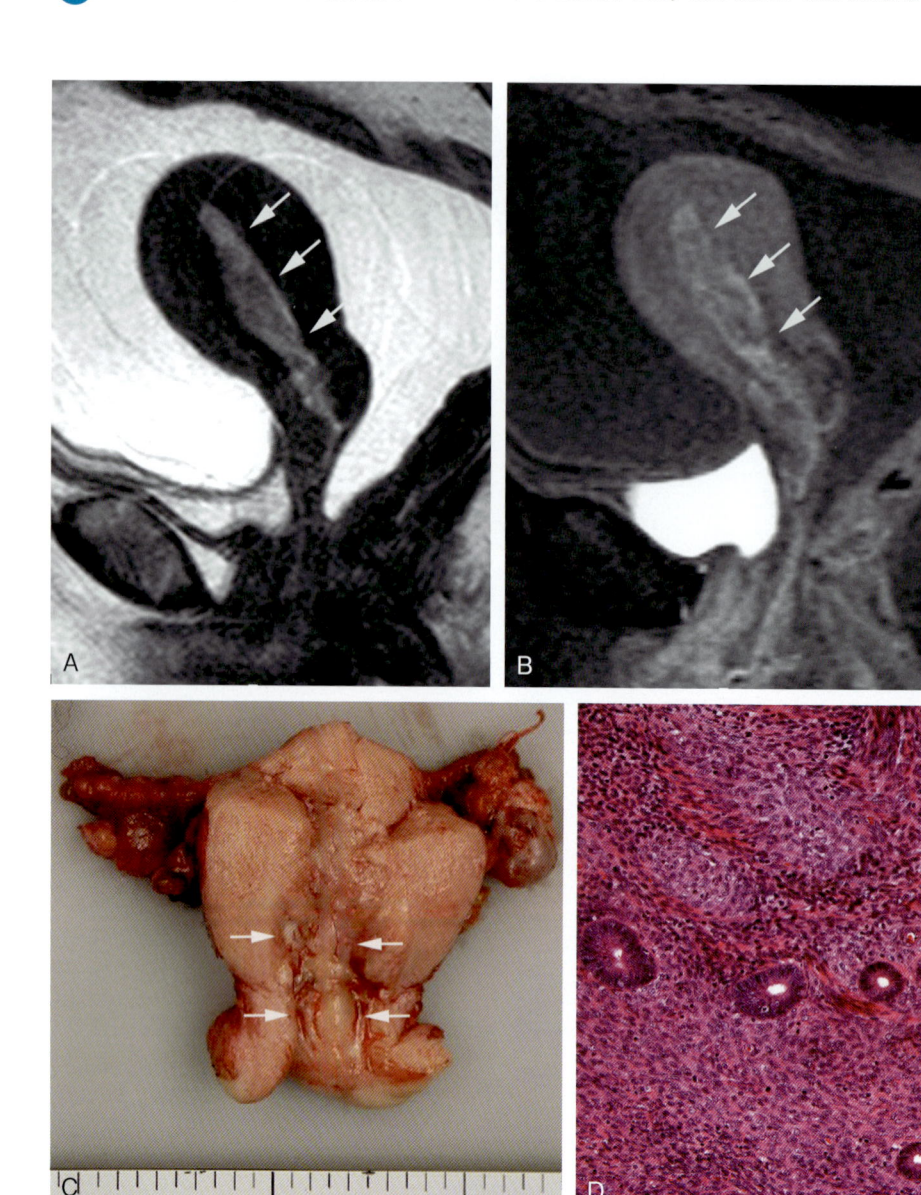

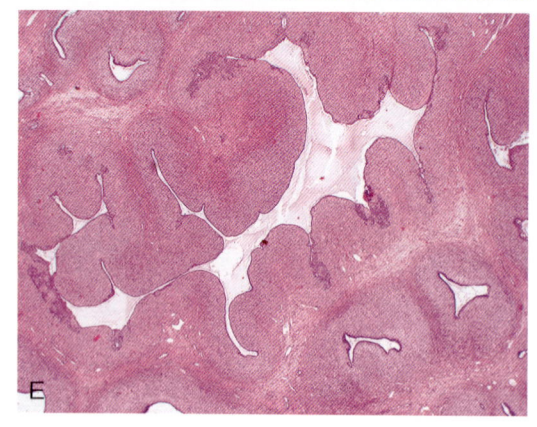

Ⅱ 子宮体部の腫瘍および腫瘍様病変 tumors of the uterine body and tumor-like lesions

図52　43歳　腺肉腫

A：T2 強調矢状断像，B：造影脂肪抑制 T1 強調矢状断像，C：摘出標本肉眼像，D：HE 染色（強拡大），E：HE 染色（弱拡大）

大量腹水で発症。子宮内膜腔を占める T2 強調像で比較的均一な高信号の腫瘤（A →）がある。造影脂肪抑制 T1 強調像で腫瘤内に増強効果をもたない微小な囊胞状の構造を認め（B →），拡張した腺管に相当すると考えられる。本例はポリープ状の発育は示さず，内膜面の限局性の不整な隆起（C →）として認められる。病理組織学的には内膜下に大型異型間質細胞の増殖があり，その下層には異型のない正常内膜組織が薄く帯状に認められる（D）。典型例では上皮成分が異型間質成分を伴って，乳腺の葉状腫瘍のような構造を形成して囊胞内に突出する phyllodes-like architecture がみられる（E）。
（E は文献 2 より転載）

1. 主として内膜腔を占める疾患（上皮性および上皮性・間葉性混合腫瘍）tumors occupying the endometrial cavity

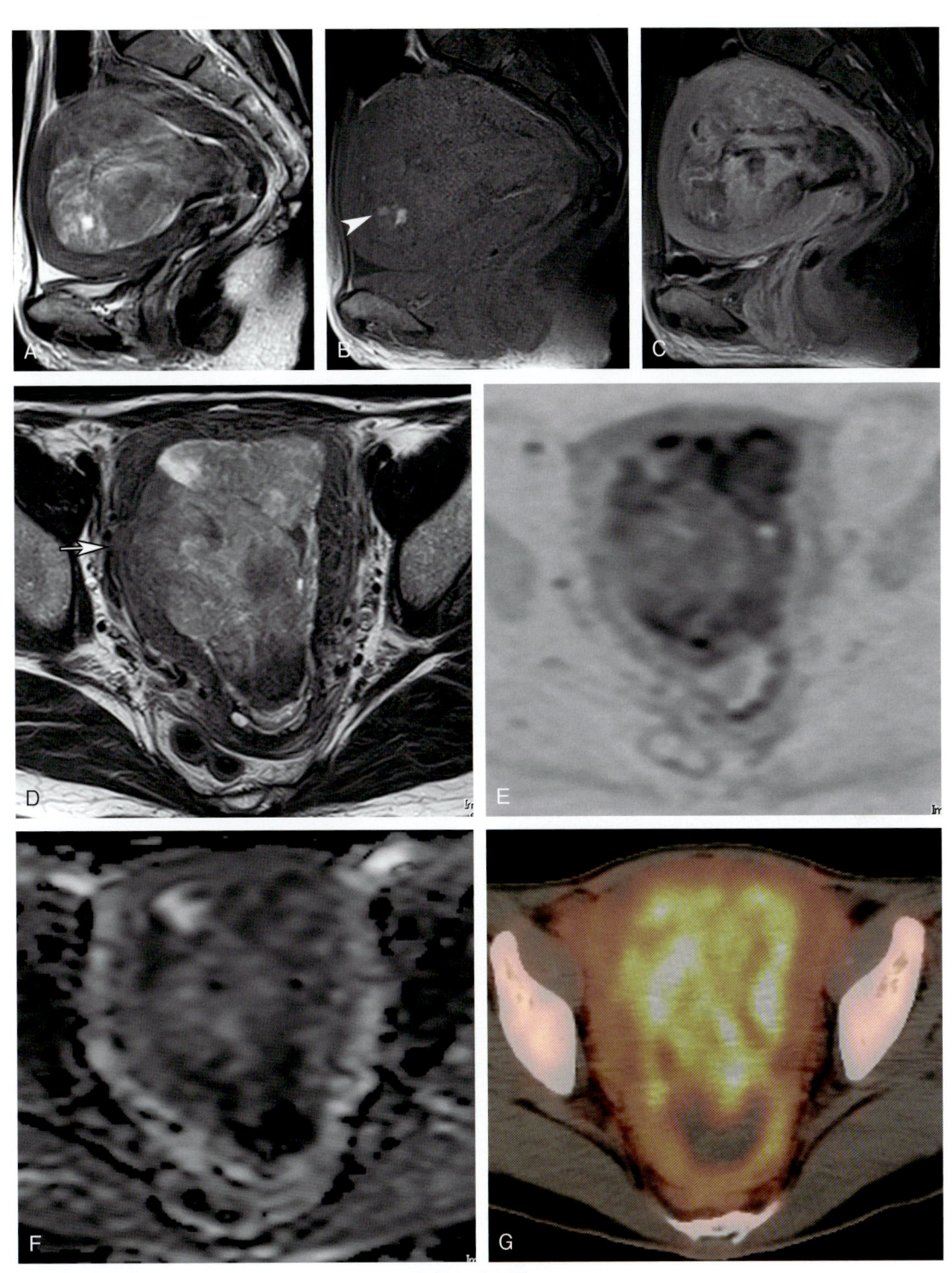

図53　43歳　sarcomatous overgrowth を伴う腺肉腫
A：T2 強調矢状断像，B：脂肪抑制 T1 強調矢状断像，C：造影脂肪抑制 T1 強調矢状断像，D：T2 強調横断像，E：拡散強調横断像，F：ADC map，G：PET/CT
子宮内膜腔を占める T2 強調像（A）で不均一な高信号を示す腫瘤があり，一部に T1 強調像で高信号を示す出血と考えられる領域がみられる（B▲）。増強効果も不均一である（C）。病変は左壁で筋層に食い込むように進展し（D→），一部に強い拡散制限を内包する（E，F）。PET/CT では強い FDG の集積をみる（G）。

345

表11　腺肉腫進行期分類（日産婦2014，FIGO2008）[1]

Ⅰ期：腫瘍が子宮に限局するもの
　ⅠA期：子宮体部内膜，頸部内膜に限局するもの（筋層浸潤なし）
　ⅠB期：筋層浸潤が1/2以内のもの
　ⅠC期：筋層浸潤が1/2を越えるもの
Ⅱ期：腫瘍が骨盤腔に及ぶもの
　ⅡA期：付属器浸潤のあるもの
　ⅡB期：その他の骨盤内組織へ浸潤するもの
Ⅲ期：腫瘍が骨盤外に進展するもの
　ⅢA期：1部位のもの
　ⅢB期：2部位以上のもの
　ⅢC期：骨盤リンパ節ならびに/あるいは傍大動脈リンパ節転移のあるもの
Ⅳ期：膀胱ならびに/あるいは直腸粘膜に浸潤のあるもの，ならびに/あるいは遠隔転移のあるもの
　ⅣA期：膀胱ならびに/あるいは直腸粘膜に浸潤のあるもの
　ⅣB期：遠隔転移のあるもの

2. 主として子宮筋層を占める疾患（間葉性腫瘍） tumors occupying the myometrium

　子宮の間葉性腫瘍（mesenchymal tumors）のうち，最も高頻度にみられるのは子宮筋腫（平滑筋腫）であるが，その変性や変異型による多彩な画像所見については第4章に述べた通りである。本項ではまず，画像による「筋腫と肉腫の鑑別」について包括的に論じた後，間葉性腫瘍，上皮性・間葉性混合腫瘍，その他の腫瘍について『子宮体癌取扱い規約　病理編　第5版』に記載された組織分類に沿って解説する。

1）筋腫と肉腫の鑑別：総論

　本項で述べる腫瘍群は，上皮性腫瘍と異なり容易に組織を得ることができないため，非上皮性悪性腫瘍（ここでは平滑筋肉腫，内膜間質肉腫，未分化子宮肉腫を包括して子宮肉腫という）と子宮筋腫（平滑筋腫）との鑑別において画像診断に求められる役割は大きい。第4章で述べた通り子宮筋腫には種々の変性・変異型があり（p137；p141表1参照），MRIで多彩な信号を示すことから，病変内の信号の多彩さのみから肉腫の診断を行うことには限界がある。病理組織学的な平滑筋肉腫の診断基準として凝固壊死の存在が重要とされているが，MRIでは壊死も変性も増強不良域として表現される。出血によるT1短縮域の混在は壊死と各種変性との鑑別点となりうる[110]ものの，妊娠や低用量経口避妊薬の服用による静脈閉塞で生じる出血性梗塞，すなわち卒中性平滑筋腫もまた出血壊死であり[111]，診断に際しては年齢や患者背景も考慮しなければならない。また平滑筋肉腫は腫瘍径の大きいものが多いが，生殖可能年齢で臍上に至る巨大筋腫は珍

2. 主として子宮筋層を占める疾患（間葉性腫瘍）tumors occupying the myometrium

表12 子宮肉腫を疑うべきMR所見

対応する病理組織所見	画像所見	鑑別すべき良性カウンターパート
細胞密度の増加	T2強調像で高信号かつ早期濃染	富細胞性子宮筋腫
	拡散強調像で異常信号	
細胞分裂の活発さ	閉経後の急速な増大・巨大腫瘍	周閉経期では平滑筋腫でも時にみられる
壊死の存在	増強不良域	平滑筋腫の囊胞変性/間質の浮腫
出血壊死	T1強調像で高信号かつ増強効果の欠如	卒中性平滑筋腫 脂肪平滑筋腫[*1]
壊死と生存腫瘍の混在	多彩な信号強度/不均一な増強効果	各種変性/水腫状/類粘液平滑筋腫
浸潤性発育	内膜腔/漿膜外への露出 筋層内への芋虫状の腫瘍進展[*2] 縞状に取り残された筋層[*2]	解離性平滑筋腫
内膜腔内でのポリープ状発育	遷延性濃染するポリープ状腫瘤	内膜ポリープ，粘膜下筋腫
脈管内進展	静脈内へ舌状に伸びる腫瘤の存在	静脈内平滑筋腫症
腹腔内播種	境界明瞭，辺縁平滑な類円型の播種性結節の存在	腹膜播種性筋腫症
遠隔転移（特に肺）	肺内の境界明瞭，辺縁平滑な類円型結節	良性転移性平滑筋腫

[*1] 脂肪抑制T1強調像の追加により鑑別可能。
[*2] 低異型度内膜間質肉腫。

しくないし，周閉経期に急激な増大もしばしば経験される。さらに特殊ではあるが，静脈内平滑筋腫症や転移性平滑筋腫にみられるように病理組織学的には良性病変であるにもかかわらず悪性の臨床経過を示す変異型もある。このような注意すべき良性疾患のカウンターパートはあるものの「肉腫を疑うべき所見」は種々報告されており[74-77)112-120)]，鑑別すべき良性疾患も含めた所見のまとめを表12に示す。近年，これらの「肉腫を疑うべき所見」の正診率について，テクスチャ解析（texture analysis）やPETも含めた多角的な検討が種々報告されている。Lakhmanらは平滑筋肉腫と非定型的筋腫の鑑別に有用な所見として，①多結節状の辺縁，②出血，③ T2-dark area，④増強不良域が病変の中心に存在すること[*1]を挙げ，これら4点のうち3点がみられた場合の正診率が高いとしている[121)]。病理組織学的にも細胞分裂の増加は肉腫を示唆する所見として重視されている（表13）が，画像的にこれを反映できる指標としては，細胞分裂の亢進の結果生じた細胞密度の増加であり，ADC値の低下として捉えられうるが，カットオフ値は使用装置や拡散強調像の撮像条件によっても変化する（表14，図54)[122)]ので，クリアカットには決定しがたく，ADC値を逐一計測するのも煩雑なので，視覚的にT2強調像で低信号を示さず，拡散強調像で健常内膜より高信号を示すものを疑診例として拾い上げるのも一法である[123)]。これらの所見の多くは各種肉腫間で共通であるばかりでなく，低分化な子宮内膜癌とも類似しているので画像単独での特異的診断は困難である。肝要なのはこれらの所見を確実に拾い上げ，悪性の可

[*1] 著者は，本論文で出血はT1強調像での高信号をもって陽性と判断しており，T2-dark areaもシーケンスを替えて出血を同定したものと解釈している。増強不良域の局在は壊死と変性との鑑別点を示したものと思われる[121)]。

表13 子宮平滑筋肉腫の病理組織学的診断基準

通常型（紡錘細胞型）平滑筋肉腫
　下記のうち2項目以上を満たすもの
　　・高度の細胞異型（2+/3+核異型）
　　・腫瘍壊死*
　　・4細胞分裂/mm² （10細胞分裂/10高倍率視野）

類上皮平滑筋肉腫
　下記のうち1項目以上を満たすもの
　　・中等度から高度の細胞異型（2+/3+核異型）
　　・腫瘍壊死
　　・1.6細胞分裂/mm² （4細胞分裂/10高倍率視野）

類粘液平滑筋肉腫
　下記のうち1項目以上を満たすもの
　　・著明な細胞異型（2+/3+核異型）
　　・腫瘍壊死
　　・0.4細胞分裂/mm² （1細胞分裂/10高倍率視野）
　　・浸潤性の境界/辺縁不整

＊原表では tumor cell necrosis と記載されているが，同項の文脈上，凝固壊死を指すことが明らか。
（文献2, p283-285 より改変引用）

表14 ADC値の違いによる筋腫と肉腫の鑑別

	ADC値（×10⁻³ mm²/s）				ADCカットオフ値	組織型（n）	b値	MRI装置
	子宮肉腫	富細胞性平滑筋腫	変性子宮筋腫	通常型子宮筋腫				
Tamai et al	1.17± 0.15	1.19± 0.18	1.70± 0.11	0.88± 0.27	N/A	LMS (5) and ESS (2)	0, 500	1.5 T
Namimoto et al	0.86± 0.11	N/A	N/A	1.18± 0.24	1.05	LMS (4) ESS (2) MMMT* (2)	0, 1,000	3 T
Sato et al	0.79± 0.21	1.13± 0.25	N/A	1.25± 0.42	1.1	LMS (5)	0, 1,000	1.5 T
Thomassin-Naggara et al	0.97± 0.26	N/A	N/A	1.40± 0.31	1.23	LMS (3), STUMP (5), IVLM (1), Rhabdo (1), ESS (2), MMMT* (4), Undiff.EM sarcoma* (9)	0, 1,000	1.5 T
Lin et al	1.02± 0.35	1.43± 0.58	1.17± 0.17	1.14± 0.16	1.08	LMS (6), STUMP (2)	0, 1,000	3 T

LMS：平滑筋肉腫，ESS：内膜間質肉腫，MMMT：悪性混合性間葉性腫瘍，STUMP：悪性度不明な平滑筋腫瘍，Undiff.EM sarcoma：未分化子宮内膜肉腫
＊は現行の組織分類からは消滅した組織型。
（文献20より改変引用）

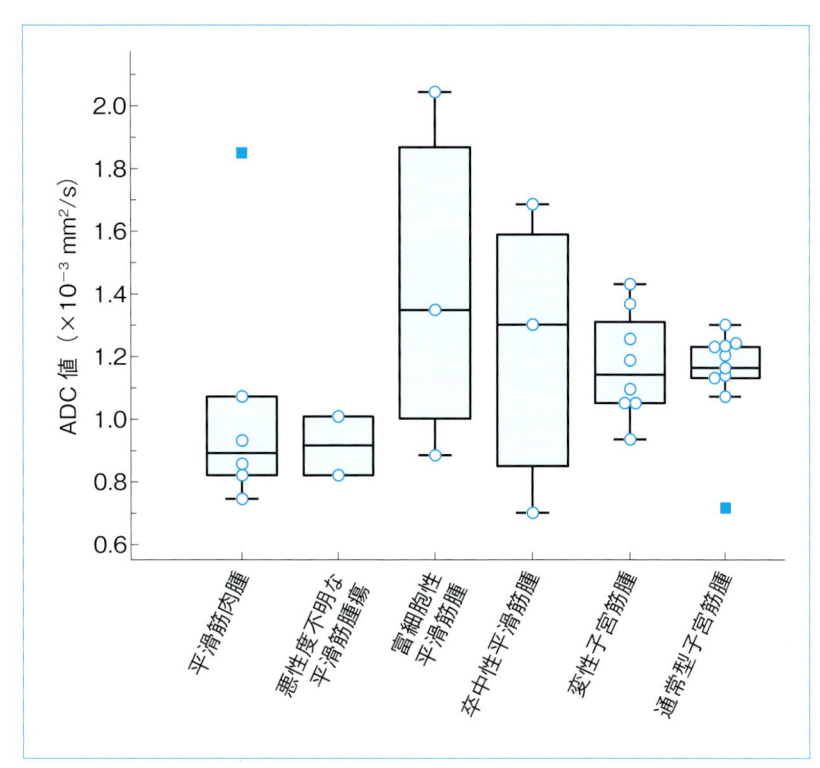

図 54 各種間葉性腫瘍の ADC 値の比較
（文献 120 より改変引用）

能性を臨床家に伝えることであり，そのためには，一般的な MRI 装置でルーチンに施行可能なシーケンス（現時点では T1, T2 強調像に加え脂肪抑制 T1 強調像，ダイナミック MRI を含む造影検査，拡散強調像）を可能な限り追加して，判断材料を増やしておくことである。

2）組織分類と画像所見

（1）間葉性腫瘍（平滑筋腫を除く）mesenchymal tumors

　表1に示す通り，子宮体部の間葉性腫瘍は大きく平滑筋腫，悪性度不明な平滑筋腫瘍，平滑筋肉腫，子宮内膜間質腫瘍と関連病変，その他に分類される[1]。

　悪性度不明な平滑筋腫瘍（smooth muscle tumor of uncertain malignant potential：STUMP）は，病理組織診断において通常型と変異型の亜分類を決定しがたい症例や病理組織像と臨床像との間に乖離のある症例に対して用いられる特殊な分類である[124]。核の異形性，細胞分裂，壊死などを総合的に判断して平滑筋肉腫の診断に至らないものが STUMP と診断される。罹患年齢は後述する平滑筋肉腫よりも 10 歳ほど若く（平均 43 歳），閉経前でもまれではない。再発率は 7〜28％と報告されている[1]。筆者らは子宮平滑筋肉腫の画像所見をまとめて報告する際，STUMPと平滑筋肉腫の間に差異を見出せなかったため，両者をまとめて発表している[110]が，術前に平

滑筋肉腫と診断した病変のなかに，STUMPと病理診断されるものが混在するというのが実臨床上の感触である（図55）。

平滑筋肉腫は悪性度の高い腫瘍で，周囲臓器への浸潤や腹腔内播種，肺をはじめとする他臓器への遠隔転移をきたしやすく，臨床症状はこれらに依拠する。予後は不良で初回治療後2年以内に再発することが多く，平均的な5年生存率は15～25％である[2]。平滑筋腫と同じく，通常の平滑筋肉腫のほかに類上皮平滑筋肉腫（epithelioid leiomyosarcoma），類粘液平滑筋肉腫（myxoid leiomyosarcoma）の2変異型を有する。前者は上皮性細胞に類似した細胞からなり，後者は粘液性物質が腫瘍細胞間にみられる浸潤性の平滑筋肉腫をいう[1]。WHO分類に示されたこれら3型での「肉腫」の診断基準を表13に示す[2]。これによると凝固壊死があればほかの所見がなくとも肉腫と診断できるが，これがない場合には細胞異型と細胞分裂能の増加の双方を満たすことが求められる。画像では凝固壊死と梗塞[125]型の壊死は区別できないので鑑別には限界があるが，壊死が存在し[75]とりわけ出血を伴うときは肉腫である頻度が高い[110]（図56，57）。ただしWHO分類では凝固壊死の病理組織学的特徴として「生存している腫瘍細胞に隣接して壊死が唐突に出現しghost状の輪郭を形成するが出血や炎症はまれ」と定義しており[2]，画像所見と食い違い今後の検討がまたれるところである。またT2強調像での信号強度の上昇[110]は異型細胞の増加に伴う相対的な膠原線維密度の減少を，またダイナミックMRIでの早期濃染[118]は血管新生の増加（図58）を，拡散強調像での異常信号（ないし見かけの拡散係数＝ADC値の減少）[120)126]は細胞密度の増加を反映している（図56）。総論でも述べた通り，筋腫と肉腫の鑑別において，ADC値単独では必ずしも満足すべき結果は得られていないので，これらを組み合わせて鑑別を進めることが重要である[120)121)125]。

類上皮平滑筋肉腫についてはこの変異型に特化した画像所見の報告がみあたらないが，自験例では通常型とあまり遜色がない（図59）。

類粘液平滑筋肉腫は類粘液平滑筋腫（p144参照）と類似の所見を呈し，概して核異型や核分裂に乏しく，病理組織学的にも肉腫の診断には辺縁不整で周囲に浸潤性に発育していることが決め手になる（図60）。

以前はすべての平滑筋肉腫が de novo 発生と考えられていたが，近年，平滑筋腫から発生した平滑筋肉腫の報告が相次ぎ，遺伝子学的見地からもこれを支持する報告が散見される[127]。しかし，平滑筋腫自体に腫瘍特異的遺伝子異常が高頻度に認められることもあり[128]，この議論は決着をみていないように思われる（図61）。

なお，FIGO分類および『子宮体癌取扱い規約 病理編 第5版』では平滑筋肉腫と内膜間質肉腫の進行期を表15のように定めている[1]。

子宮内膜間質腫瘍（endometrial stromal and related tumors）については，WHO分類の命名に変遷がある（表16）ので，文献を読むときには注意する必要があり，簡単に解説する。本腫瘍群は子宮内膜間質細胞に類似した細胞よりなる腫瘍で，最初にこの腫瘍を詳述したNorris & Taylorの定義[129]に基づき悪性度に応じて子宮内膜間質結節，低悪性度子宮内膜間質肉腫，高悪性度子宮内膜間質肉腫に分類されていた[10]。しかし高悪性度子宮内膜間質肉腫は記載された当初から内膜間質細胞との類似性に乏しく，組織学的に多形性の強い腫瘍細胞からなる腫瘍もみられることから，2003年のWHO分類第3版ではhigh grade ESSという項目の代わりに子宮内膜未

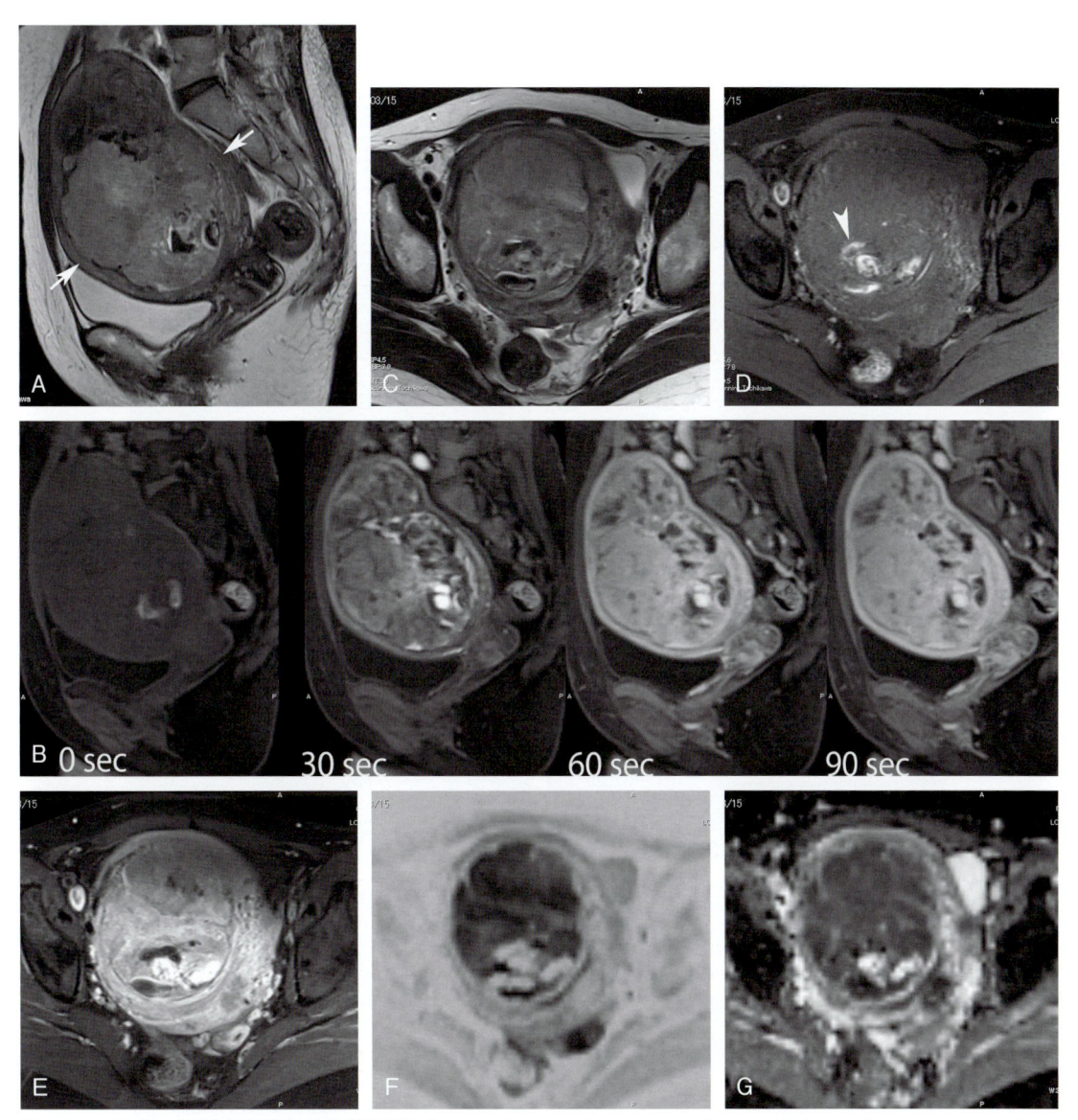

2. 主として子宮筋層を占める疾患（間葉性腫瘍）tumors occupying the myometrium

図55 48歳　悪性度不明な平滑筋腫瘍（smooth muscle tumor of uncertain malignant potential：STUMP）
A：T2強調矢状断像，B：ダイナミックMRI矢状断像，C：T2強調横断像，D：脂肪抑制T1強調横断像，E：造影脂肪抑制T1強調横断像，F：拡散強調横断像，G：ADC map
子宮肉腫疑いで紹介された。T2強調像で子宮体部右前壁の筋層内を占める境界明瞭な腫瘤は下半部で通常の筋腫に比べ信号強度が高く（A→），内部に脂肪抑制T1強調像で高信号の出血を含む（D▲）。増強効果は漸増性だが，一部は筋層と同程度によく増強され（B，E），拡散制限が強く（F，G），平滑筋肉腫を疑った。しかし病理組織学的に出血はみられるが，壊死はなく，細胞分裂は多数みられたものの，細胞異型は中等度に留まり，STUMPと診断された。術後2年6カ月，再発徴候はない。

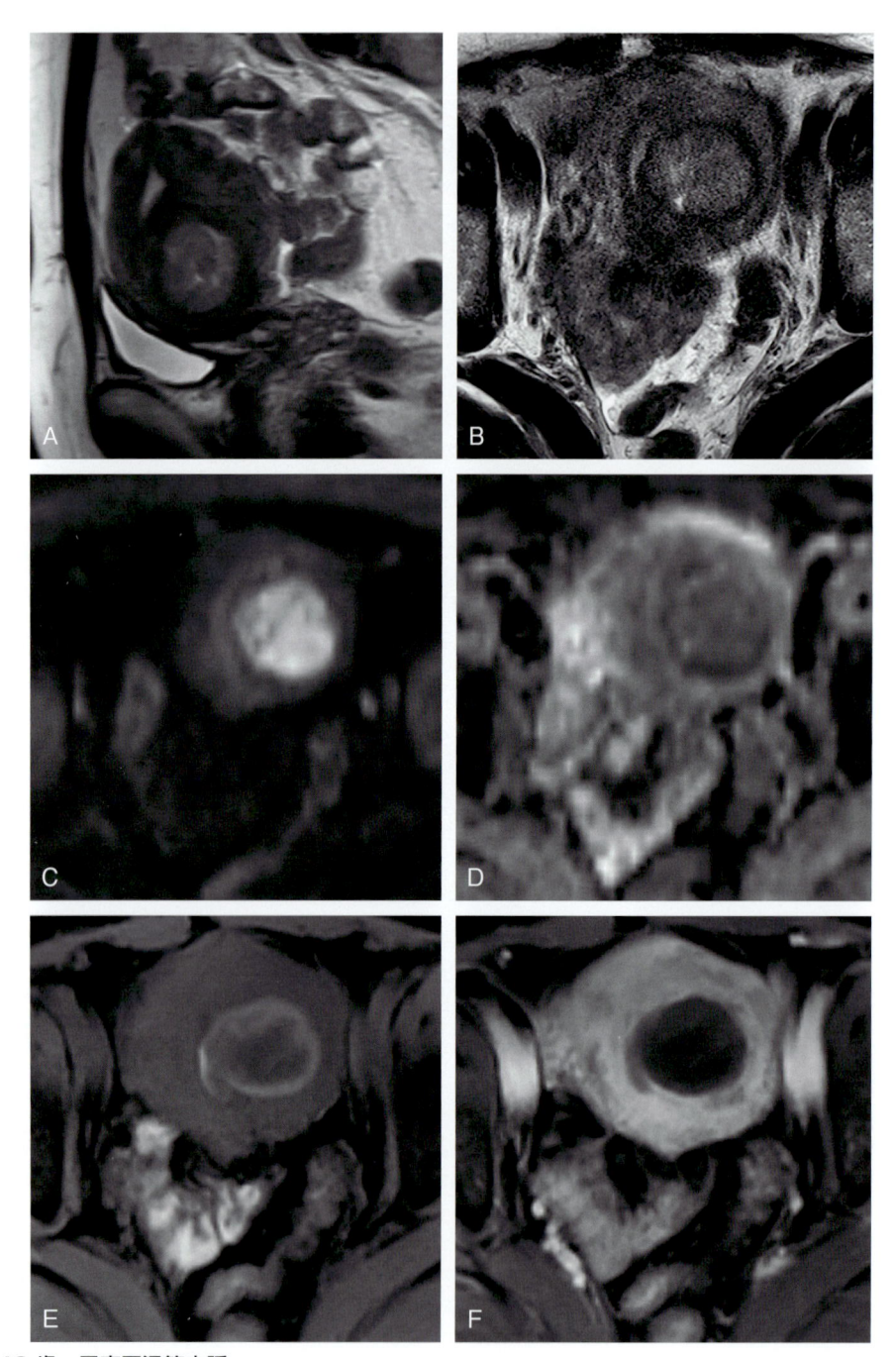

Ⅱ 子宮体部の腫瘍および腫瘍様病変 tumors of the uterine body and tumor-like lesions

図56　49歳　子宮平滑筋肉腫
A：T2強調矢状断像，B：T2強調横断像，C：拡散強調横断像，D：ADC map，E：脂肪抑制T1強調横断像，F：造影脂肪抑制T1強調横断像
子宮体部左壁筋層内の結節は8カ月前（A～F，直近：G～L）からT2強調像（A，B）で高信号，拡散強調像（C）で高信号であったが，ADC map（D）ではさほど信号強度は低くない。しかし脂肪抑制T1強調像（E）では辺縁が高信号を示し，出血合併をうかがわせる。この時点では大部分が増強効果をもたず（F），卒中性平滑筋腫様であったが，出血性梗塞の誘因（妊娠，凝固能の亢進など）なく，経過観察していたところ，左方で従来の偽被膜を越えて浸潤性発育を示唆する部分が出現し（H→），充実部が増大し（L→），やはり平滑筋肉腫であったと考えられた。

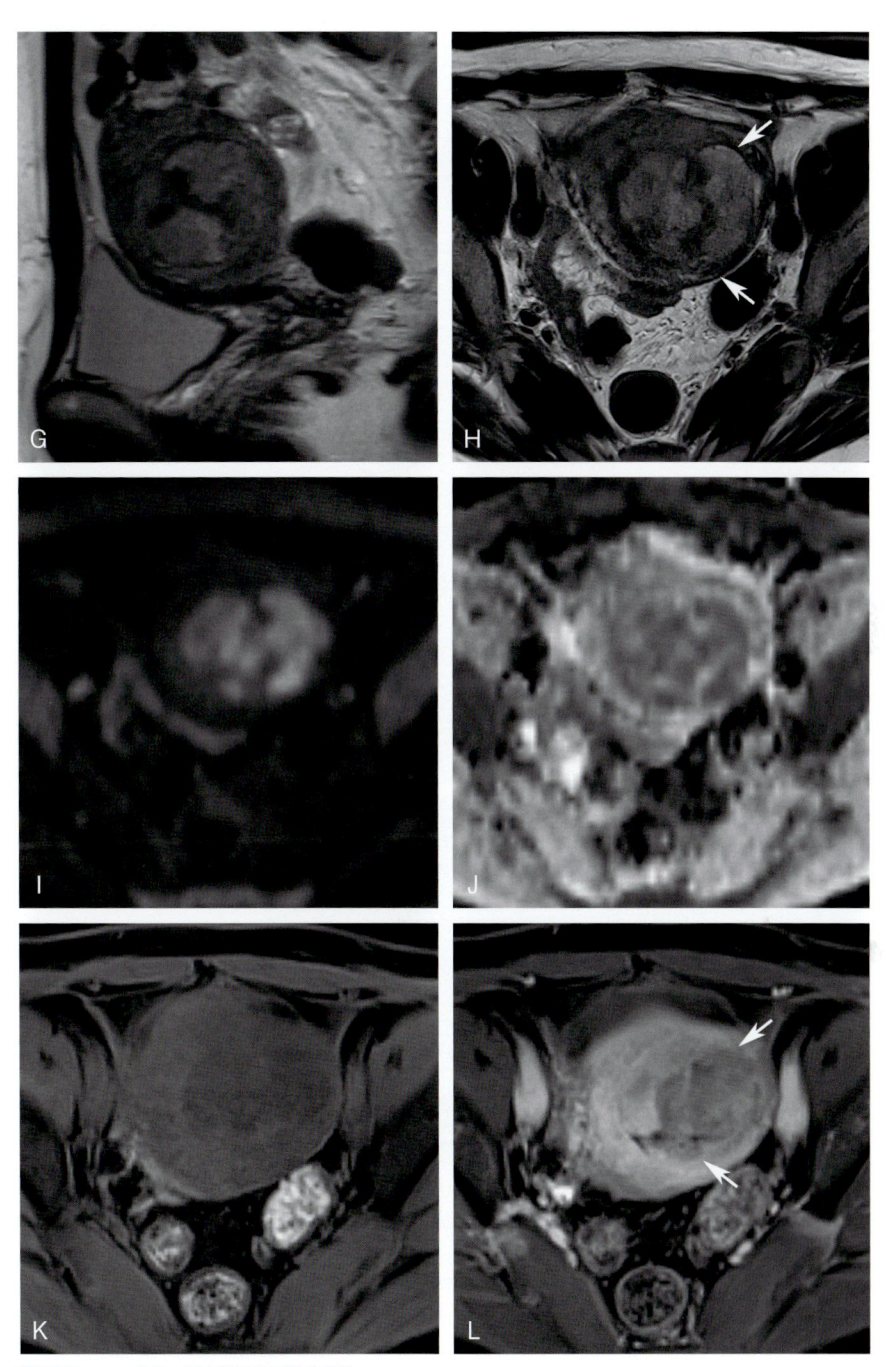

2. 主として子宮筋層を占める疾患（間葉性腫瘍）tumors occupying the myometrium

図56 つづき（子宮平滑筋肉腫）
G：T2強調矢状断像，H：T2強調横断像，I：拡散強調横断像，J：ADC map，K：脂肪抑制T1強調横断像，L：造影脂肪抑制T1強調横断像

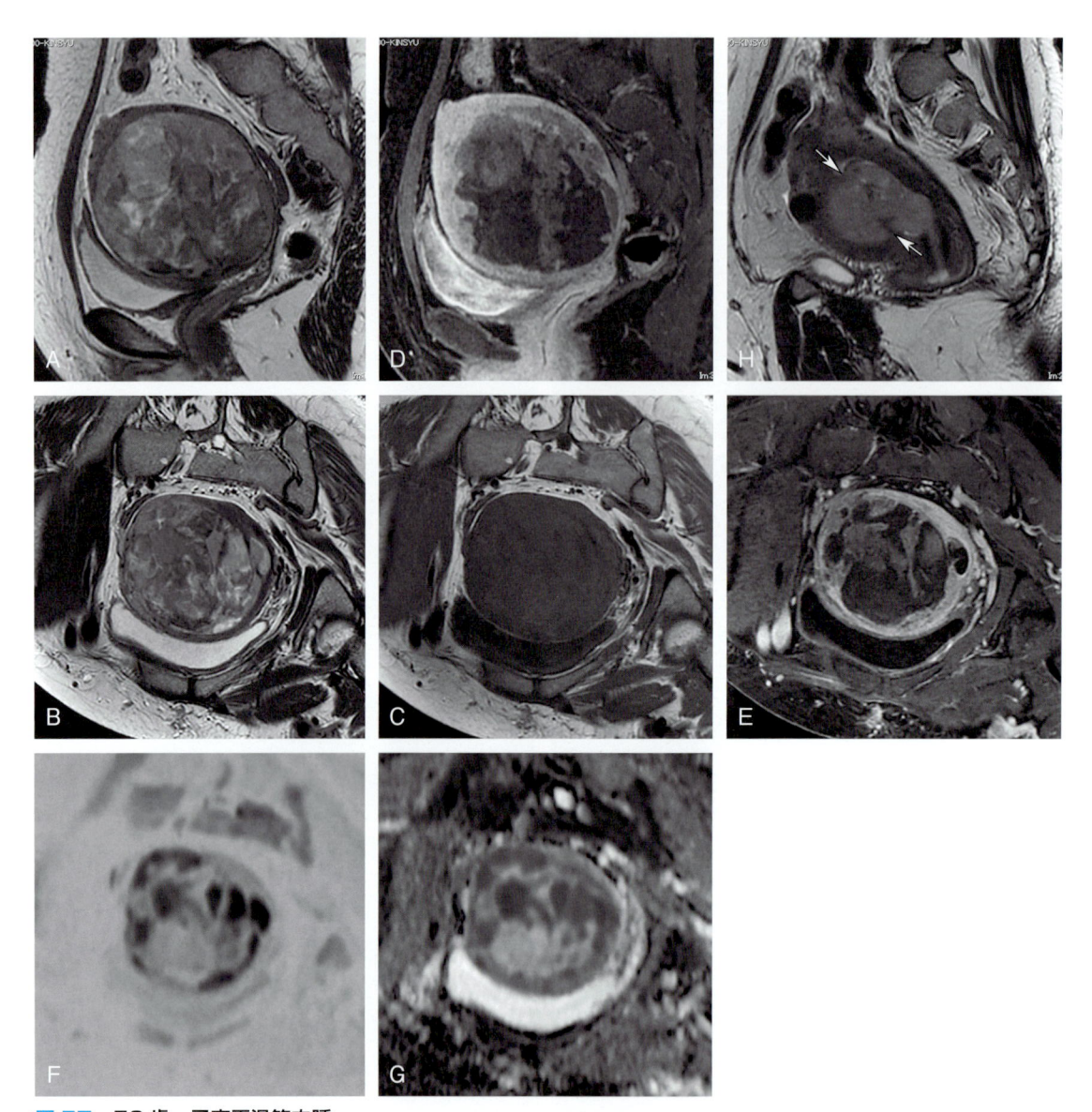

図57 53歳 子宮平滑筋肉腫
A：T2強調矢状断像，B：T2強調冠状断像，C：T1強調冠状断像，D：造影脂肪抑制T1強調矢状断像，E：造影脂肪抑制T1強調横断像，F：拡散強調冠状断像，G：ADC map，H：T2強調矢状断像
子宮体部を広汎に占拠するT2強調像で極めて不均一な信号を呈する腫瘤がある（A，B，H）。T1強調像では均一な低信号で（C），本例では高信号を示す出血の合併は明らかでない。造影後，増強されるのは辺縁を中心にその一部に留まり（D，E），広範な壊死を示唆する。充実部には強い拡散制限がある（F，G）。病変の辺縁部では腫瘍が筋層を食い破って，内膜腔に突出し（H→），浸潤傾向も明らかである。

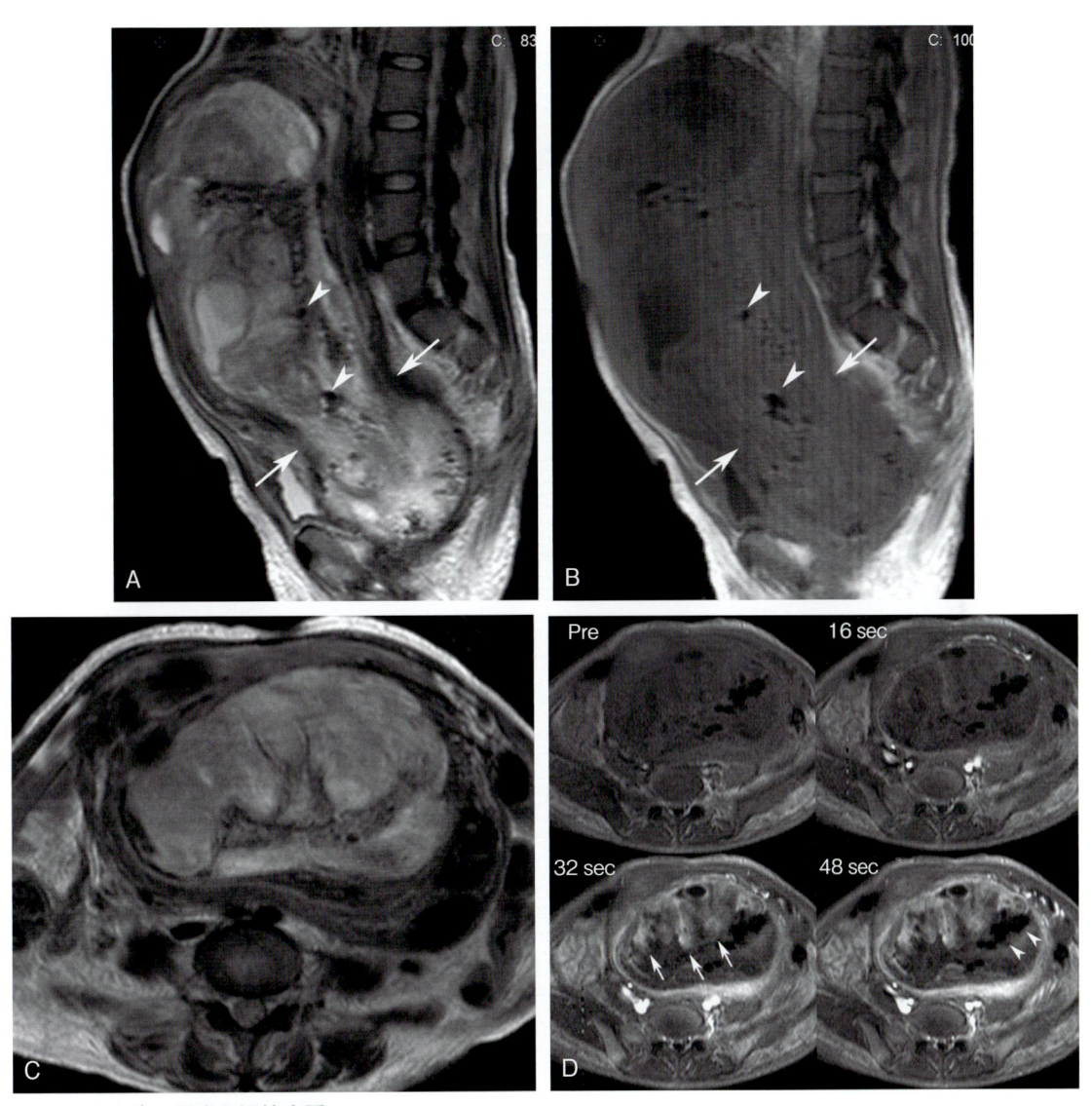

2. 主として子宮筋層を占める疾患（間葉性腫瘍）tumors occupying the myometrium

図58　51歳　子宮平滑筋肉腫
A：T2強調矢状断像，B：T1強調矢状断像，C：T2強調横断像，D：ダイナミックMRI横断像
子宮内膜腔を占拠し内子宮口（A，B→）を越えて筋腫分娩様の発育を示す巨大な腫瘍がある．T2強調像では全般に信号が高く（A，C），ダイナミックMRIでは壊死に陥っていない領域は早期から濃染する（D→）．本例に出血はみられず，早期濃染域と壊死領域が入り組みあいながら唐突に移行するこのような所見（D）がWHO分類にいう"ghost outline"に相当する変化と思われる．なお，腫瘍は壊死部に感染を併発しair bubbleを混じている（A，B，D▲）．

分化肉腫（undifferentiated endometrial sarcoma：UES）という分類が付け加えられ[113]，本邦の『子宮体癌取扱い規約 第3版』での組織分類もこれを踏襲した[50]．しかしこの分類では内膜間質に類似した異型の強い腫瘍が，内膜への分化傾向を有するのに「未分化」に分類されてしまうとの異論もあり，2013年のWHO分類第4版は早々に復活し，特定の細胞分化を示さない間葉性悪性腫瘍は未分化子宮肉腫と命名された．なお，low-grade，high-gradeの日本語訳は『子宮体

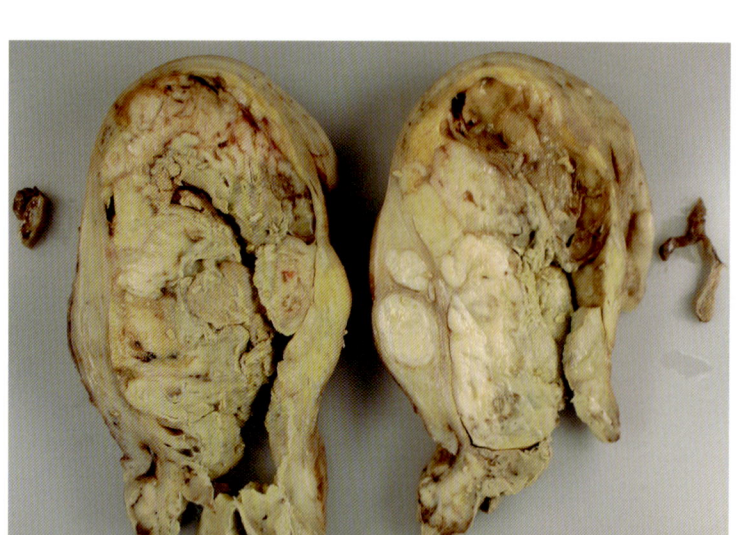

図58 つづき（子宮平滑筋肉腫）
E：摘出標本割面，F：HE染色（強拡大），G：HE染色（強拡大）
肉眼的には子宮体部前壁の筋層内に，膨張性に発育する多結節状の腫瘤が認められる（E）。病理組織学的には平滑筋腫と同様に紡錘形の細胞が極性をもって配列しているものの，核分裂の目立つ領域（F）や核異型の強い腫瘍細胞が無秩序に増殖している領域（G）など多彩な所見がみられた。

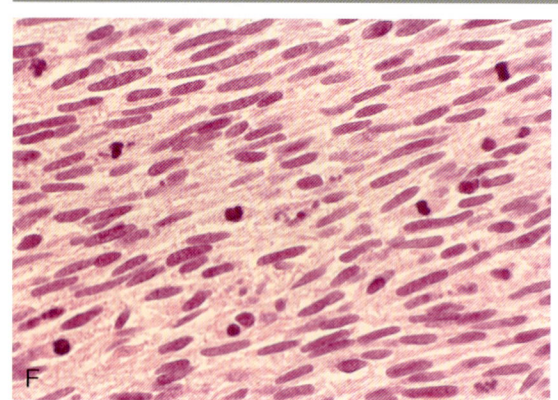

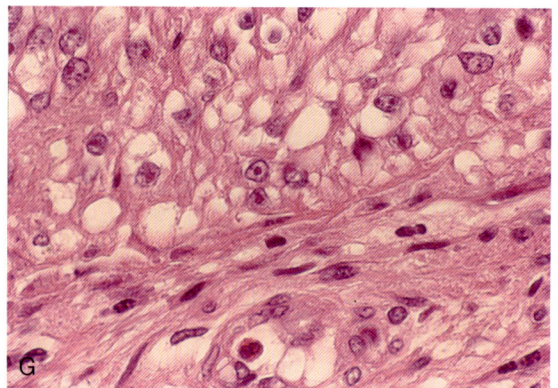

癌取扱い規約 病理編 第4版』より「低異型度」「高異型度」に変更された[1]。

　子宮内膜間質結節も低異型度内膜間質肉腫も閉経前の若年者に好発し（後者の平均年齢は47歳）不正性器出血で発症することが多い[2)23)130)]ので，臨床的にも両者は区別しがたい。子宮内膜間質結節（endometrial stromal nodule）は子宮内膜間質細胞に類似した細胞よりなる良性腫瘍で，肉腫よりまれとされる。若年者から高齢者まで幅広い年齢層にみられる[1)2)]。本腫瘍の画像所見の報告は少ないが，Ozakiらは，筋層内の境界明瞭な腫瘤で，後述する低異型度内膜間質肉腫で報告されているT2強調像で低信号の被膜様構造や索状物を欠くのが特徴と報告している[131]が，変性筋腫との鑑別は難しいと考えられる。

　低異型度内膜間質肉腫（endometrial stromal sarcoma, low-grade）では，ポリープ状または筋層内に発生し，増殖期の内膜間質細胞に類似した比較的異型の弱い類円型の腫瘍細胞が舌状，芋虫状に増殖して，筋層に浸透するような浸潤を示す[1)2)]。子宮筋層内外の脈管への指向性が強く，リンパ管内間質筋症（endolymphatic stromal myosis）の異名をとる[132)133)]。その名の通り低悪性

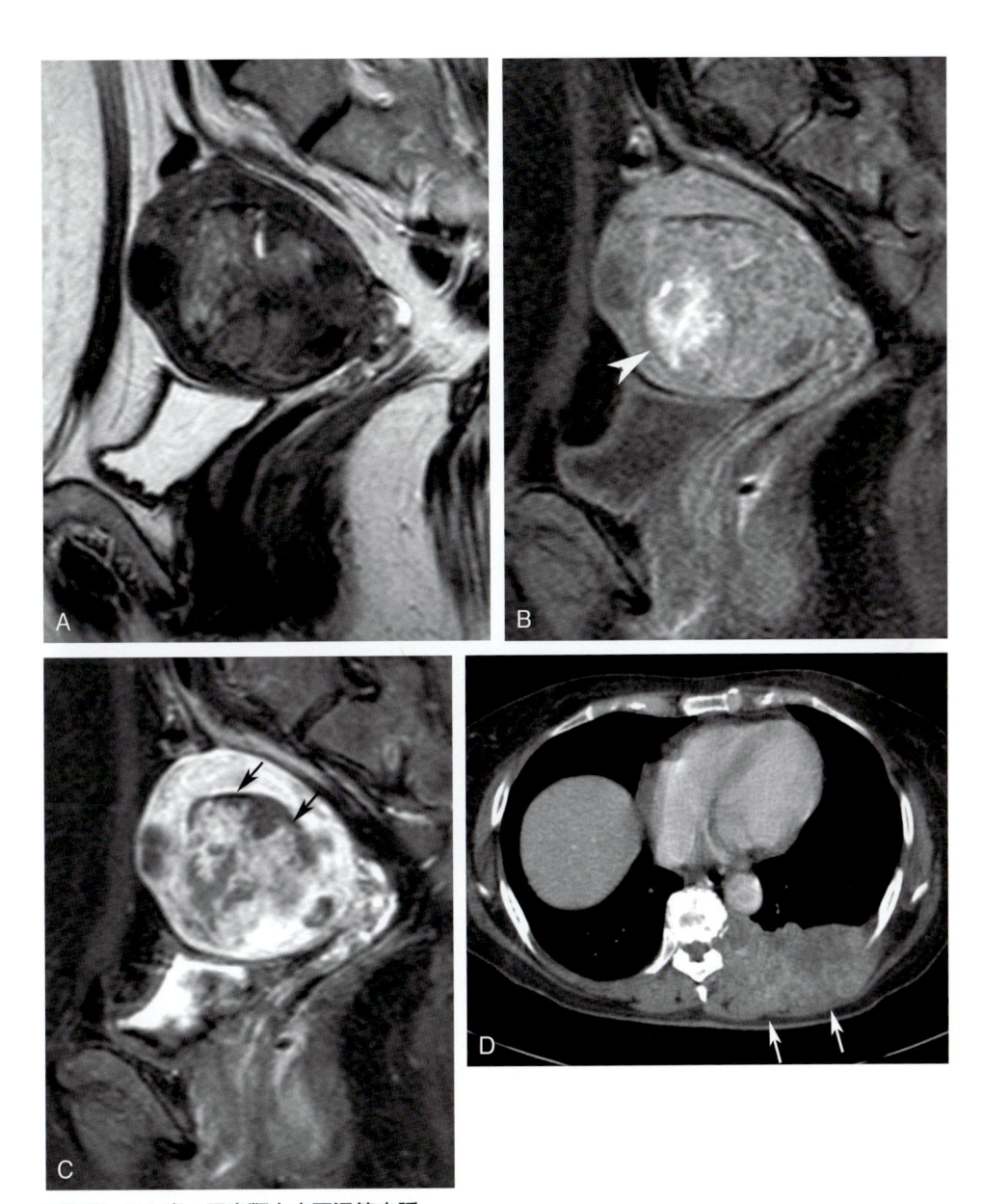

2. 主として子宮筋層を占める疾患（間葉性腫瘍）tumors occupying the myometrium

図59　51歳　子宮類上皮平滑筋肉腫
A：T2強調矢状断像，B：脂肪抑制T1強調矢状断像，C：造影脂肪抑制T1強調矢状断像，D：造影CT
子宮体部を占める腫瘍はT2強調像で高信号を示し（A），脂肪抑制T1強調像で一部に信号強度の高い，出血を示唆する領域を含む（B▲）。造影脂肪抑制T1強調像では体部前壁の筋層から内膜腔に露出する，壊死を伴う腫瘍の輪郭が明瞭に描出されている（C→）。本例では肋骨転移が原発巣に先立って発見されており（D，E→は肋骨破壊に伴う骨欠損部），不正性器出血はみられたものの婦人科的症状には乏しい。

度の腫瘍であり，診断時に1/3は子宮外に進展しているものの遠隔転移はまれである[113]。しかし初発より3～5年を経ての晩期局所再発の頻度は高く，再発時には10％に肺転移を伴うとされる。

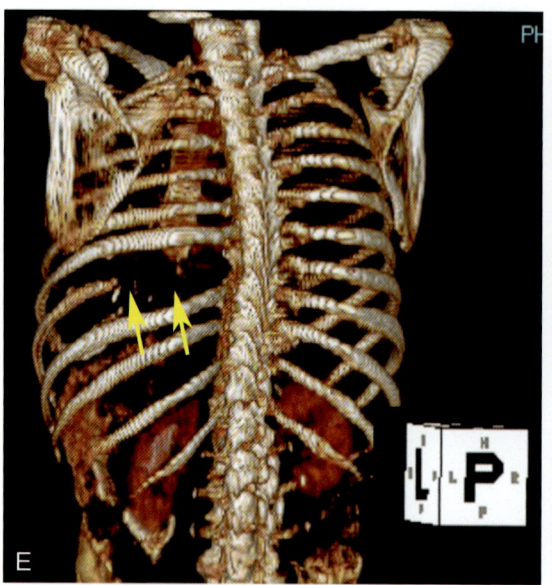

Ⅱ 子宮体部の腫瘍および腫瘍様病変 tumors of the uterine body and tumor-like lesions

図59 つづき（子宮類上皮平滑筋肉腫）
E：造影 CT volume rendering，F：摘出標本肉眼像，G：HE 染色（強拡大）
摘出標本では子宮底部より子宮内腔に突出する粗大顆粒状腫瘤がみられる（F）。病理組織学的には淡明な胞体をもつ多角形の細胞からなり、多数の核分裂像を伴っている。一部腺管形成様の増殖形態を示し（G）、免疫組織化学染色上 pan-keratin など上皮系マーカーに陰性で、α-SMA 陽性であることから類上皮平滑筋肉腫と診断された。

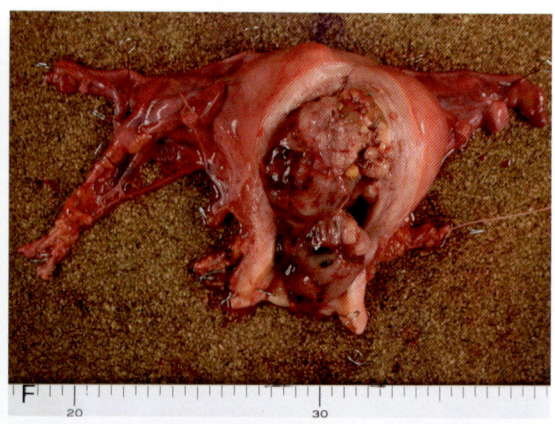

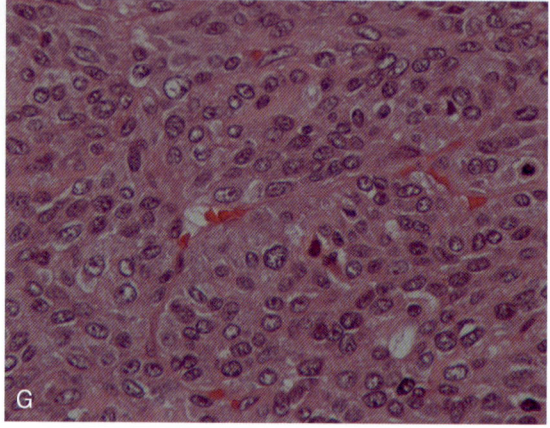

転移や播種にもかかわらず5年生存率は比較的高く67〜100％と報告されている[2)23)130)]。このため保存的治療が推奨されており、プロゲスチン（黄体ホルモン類似物質）により長期にわたり小康を保つ例がしばしば経験される。肉眼病理学的には境界明瞭な結節を子宮筋層内に形成し、しばしば筋層内に浸潤性に発育して半数は漿膜面に至る[2)23)130)]。肉眼的特徴を反映して、内膜腔を占拠してポリープ状に発育するものと筋層内に限局した腫瘤を形成するものに大別される。脈管内進展の指向性が強い病理組織所見を反映して、腫瘍内に取り残された筋層が縞状に残存する[115)]（図62）、あるいは多結節状の腫瘤が筋層内や子宮外に芋虫様に進展する[116)]（図63）。このような所見のみられる典型例では術前診断は容易だが、浸潤性発育は時に画像的に捉えることが難しく、ほかの肉腫と違い若年者に好発することもあり、しばしば筋腫や腺筋症との鑑別が問題となる。T2強調像で高信号でかつ造影後強い増強効果を示す場合[117)]、また T2強調像での腫瘤を取り巻く[134)]、あるいは腫瘍内の低信号帯や speckled appearance（腫瘍内にびまん性に撒布された高信号域で変性筋腫の特徴とされる）の欠除[135)136)]も変性筋腫よりも本症にみられることが多いとされる。しかしこれらの所見にもやはり変性筋腫とのオーバーラップがあり、鑑別の決め手にはならないと考える。また腫瘍の ADC 値は病理組織学的な Ki-67 の発現と逆相関し鑑別に有用

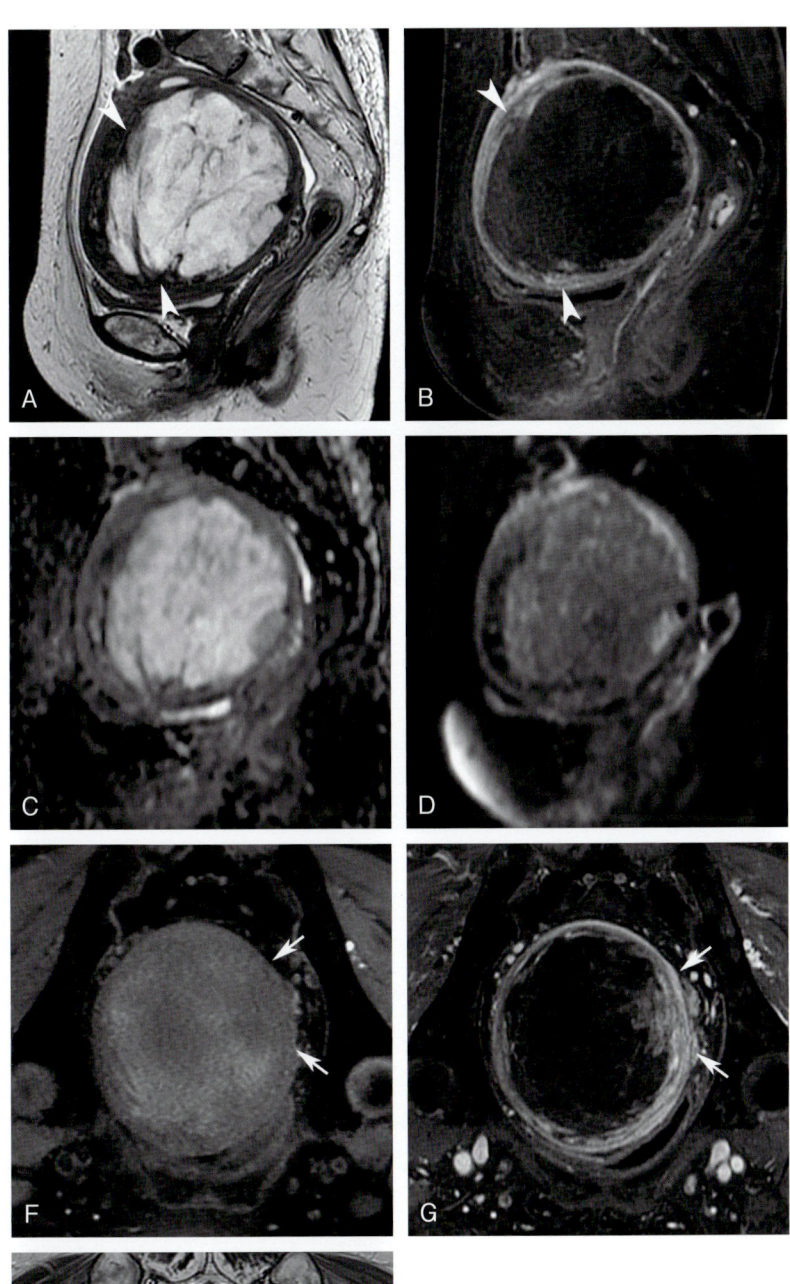

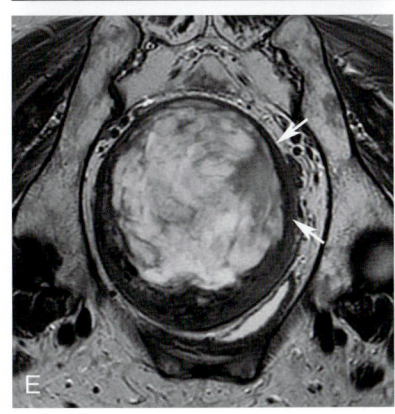

2. 主として子宮筋層を占める疾患（間葉性腫瘍）tumors occupying the myometrium

図60　70歳　子宮類粘液平滑筋肉腫

A：T2強調矢状断像，B：造影脂肪抑制T1強調矢状断像，C：拡散強調矢状断像，D：ADC map，E：T2強調冠状断像，F：脂肪抑制T1強調冠状断像，G：造影脂肪抑制T1強調冠状断像

子宮体部右後壁筋層内を占める約10cmのほぼ球形の腫瘤がある。T2強調像で辺縁部が低信号を示し，中心部の大部分は高信号である（A, E）。脂肪抑制T1強調像では全体に信号強度が高いが（F），出血を示唆するほどではない。造影後は辺縁のみが漸増性に増強され（B▲），内部に早期の増強効果はない。増強不良域は拡散制限を示し（C, D）粘稠な液体からなると考えられる。

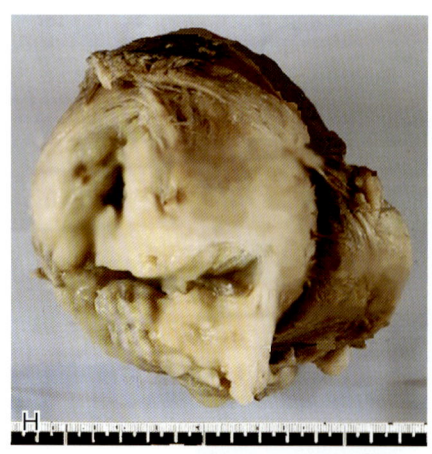

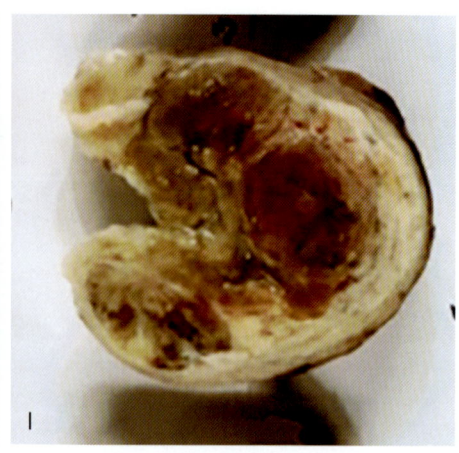

図60 つづき（子宮類粘液平滑筋肉腫）
H, I：摘出標本割面
病変の辺縁部に筋層内に分け入るように浸潤する部分がある（A，B▲）こと，閉経後にもかかわらず7 cmから10 cmと増大していることから類粘液平滑筋肉腫を疑った．摘出標本では粘液腫状基質を含んだ巨大な腫瘤を認め（H，I），核の多型性と多数の核分裂像（＞10/10高倍率視野）から肉腫と診断された．

とする報告もある[137]が，表14に示した通り良性病変とのオーバーラップも多い（図64）．

高異型度子宮内膜間質肉腫（endometrial stromal sarcoma, high-grade）も筋層内もしくは内膜腔に発育するが，大きな，壊死や出血を伴う腫瘤で，低異型度内膜間質肉腫に比べ早期にかつ高頻度に再発する[1]．前述のように組織分類の歴史的変遷から本腫瘍に特化した画像所見の報告は少ないが，低異型度内膜間質肉腫に比べ，より広範な壊死と出血および特徴的な羽毛状の造影パターンを示す[138]とされ，後述する未分化子宮肉腫との共通点が多い（図65）．なお，子宮内膜間質肉腫の肺転移はリンパ脈管筋腫症類似の壁の薄い嚢胞としてみられることがあり，経過観察に際して知っておくべき所見である（図66）．

未分化子宮肉腫（undifferentiated uterine sarcoma）は肉眼的には内膜腔にポリープ状に発育する出血や壊死の目立つ腫瘍で，閉経後に好発する．病理組織学的に高度の細胞異型を伴う腫瘍細胞が特定の構造を示さずに増殖し活発な分裂能を示す．予後は不良で大部分は初発から3年以内に死亡するとされる[2]．WHO分類の変更からまだ年月が浅く「未分化子宮肉腫」としてのまとまった画像所見の報告はないが，「肉腫」としてくくられた報告[75]と自験例を総合すると，極めて壊死・浸潤傾向の高い大きな腫瘍であることが多い（図67）．

卵巣性索腫瘍に類似した子宮腫瘍（uterine tumor resembling ovarian sex cord tumor：UTROSCT）は当初，性索間質性腫瘍類似の成分が40％未満のtype I（endometrial stromal tumor with sex cord-like elements：ESTSCLE）と同成分が大部分を占めるtype II（UTROSCT）に分けられていた[139]が，UTROSCTをその他の間葉性腫瘍の1つとしてWHO分類に加えるに際し，ESTSCLEのみに新たな融合遺伝子 *JAZF1-SUZ12*（旧称 *JAZF1-JJAZ1*）が発見されたことから，UTROSCTが内膜間質腫瘍とは独立した疾患として取り扱われることになったものである[2)140]（表16）．その後，UTROSCTには種々の遺伝子異常が報告されているが，いまだ組

2. 主として子宮筋層を占める疾患（間葉性腫瘍）tumors occupying the myometrium

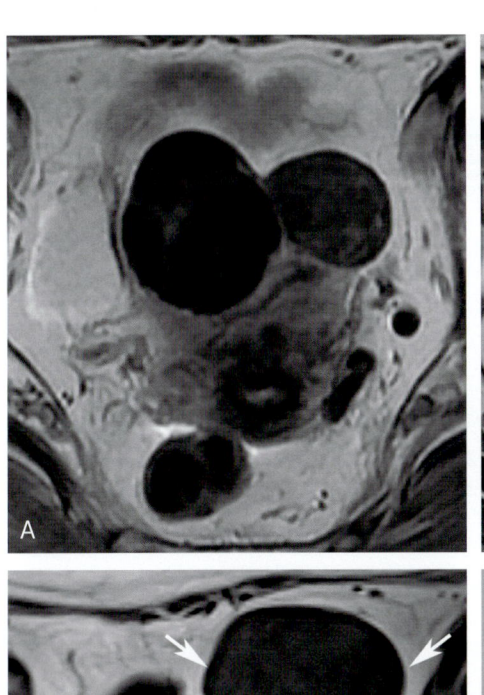

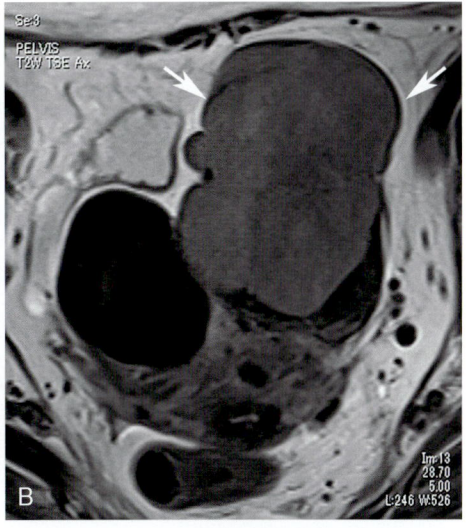

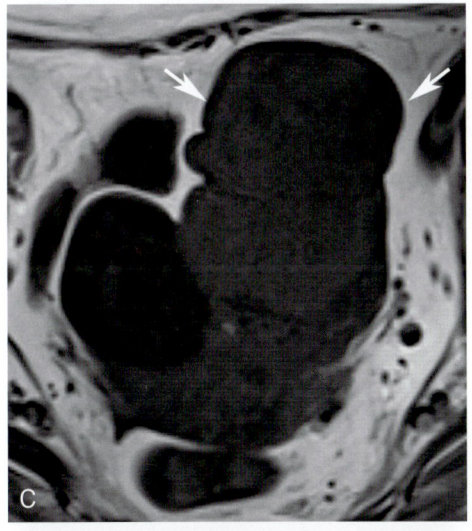

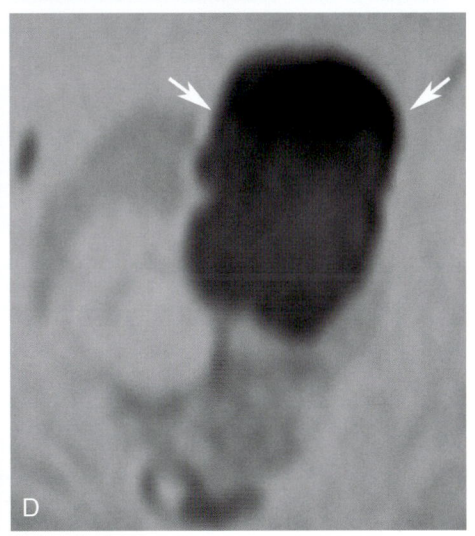

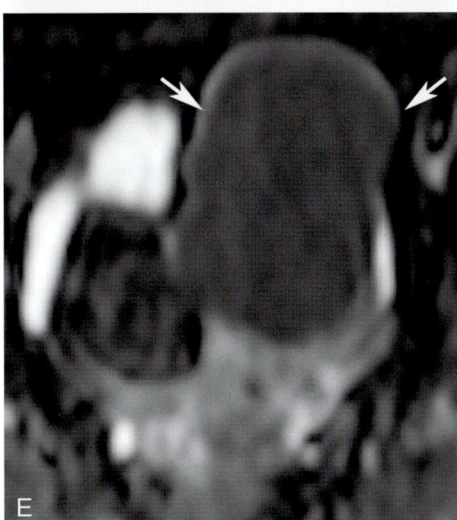

図61　80歳　子宮平滑筋肉腫（平滑筋腫が肉腫化したようにみえる症例）

A：T2強調横断像（6年前），B：T2強調横断像（直近），C：T1強調横断像，D：拡散強調横断像，E：ADC map

6年前の健診時のT2強調像で子宮前壁漿膜下に低信号を示す境界明瞭な腫瘤が2個みられた（A）が，直近では左側の腫瘤の前壁に，新たにT2強調像で信号強度の高い腫瘤が出現した（B）。T1強調像では全体に信号強度が低く（C），高信号を示す出血を示唆する部分はないが，増大部は拡散制限を示した（D，E）。年齢的にも平滑筋肉腫を疑い，子宮全摘後，病理組織学的に確認されたものの，既存の筋腫に近接して発生した肉腫か，筋腫が肉腫に悪性転化したのかは明らかとならなかった。

表15 平滑筋肉腫・内膜間質肉腫進行期分類（日産婦2014, FIGO2008）[1]

Ⅰ期：腫瘍が子宮に限局するもの
　ⅠA期：子宮体部内膜，頸部内膜に限局するもの（筋層浸潤なし）
　ⅠB期：筋層浸潤が1/2以内のもの
　ⅠC期：筋層浸潤が1/2を越えるもの
Ⅱ期：腫瘍が骨盤腔に及ぶもの
　ⅡA期：付属器浸潤のあるもの
　ⅡB期：その他の骨盤内組織へ浸潤するもの
Ⅲ期：腫瘍が骨盤外に進展するもの
　ⅢA期：1部位のもの
　ⅢB期：2部位以上のもの
　ⅢC期：骨盤リンパ節ならびに/あるいは傍大動脈リンパ節転移のあるもの
Ⅳ期：膀胱ならびに/あるいは直腸粘膜に浸潤のあるもの，ならびに/あるいは遠隔転移のあるもの
　ⅣA期：膀胱ならびに/あるいは直腸粘膜に浸潤のあるもの
　ⅣB期：遠隔転移のあるもの

織発生は明らかとなっていない。腫瘍細胞がセルトリ細胞腫や顆粒膜細胞腫にみられるような索状，コード状，胞巣状などの配列を示しながら，圧排性に増殖することから，その名がある。中年女性に多く（平均発症年齢50歳），不正性器出血や骨盤痛で発症するが，偶発的にみつかることも多い。多くは良性だが再発することもあるので，低悪性度と考えるべきとされている[1)93)]。組織発生にはいまだ決着がみられていないが，当初は内膜間質腫瘍との混合型が報告されていたこともあり，内膜間質腫瘍と類似した画像所見が報告されている。すなわち筋層内に発育する境界明瞭な腫瘍[141)]もしくは内膜腔に突出するポリープ状の腫瘍[142)143)]（図68）で，T2強調像で一部に高信号域を含む中間信号[142)]もしくは均一な高信号[141)143)]を示し，増強効果は中等度[142)]である。

血管周囲類上皮細胞腫瘍（perivascular epithelioid cell tumor：PEComa）はHMB45陽性の淡明ないし好酸性顆粒状の胞体をもつ腫瘍細胞からなり，メラノサイトや平滑筋への分化傾向をもつ，腎血管筋脂肪腫や肺のリンパ脈管筋腫症と同系統の腫瘍である。生殖器発生はまれで，性成熟期から老年期まで幅広い年齢層の多くは子宮体部に発生し，不正性器出血や下腹部痛で発症することが多い[2)144)]。悪性度は様々で腫瘍径（5cm以上），浸潤性発育，核異型，細胞分裂の数，壊死，脈管侵襲が病理組織学的な予後規定因子として報告されている[1)2)]。子宮病変の画像所見は少数しかないが，USではドプラで著明な血流信号を伴う境界明瞭な腫瘤を形成した報告[145)]や，MRIで筋層内に境界不明瞭な出血斑を伴う[146)]とする報告など，多血性，易出血性を示唆する報告が散見され，臨床的にも腹腔内出血をきたした例が報告されている。しかし多くはT1強調像で低信号，T2強調像で不均一な高信号を示す腫瘤で，特に悪性の場合，強い増強効果を示し，壊死や腫瘍内出血を示唆する増強不良域を含み，変性筋腫や平滑筋肉腫との鑑別は困難とされる[147)]。

炎症性筋線維芽細胞腫瘍（inflammatory myofibroblastic tumor：IMT）は筋線維芽細胞様の紡錘形細胞が炎症細胞浸潤を伴って増殖する間葉性腫瘍で，免疫組織化学的にALK陽性であることを特徴とする。子宮ではまれだが頸部よりも体部に多い。閉経前に好発し，時に妊娠中に胎盤に浸潤したとの報告も散見される。基本的に良性だが時に子宮外浸潤や再発をきたす。子宮で

2. 主として子宮筋層を占める疾患（間葉性腫瘍）tumors occupying the myometrium

表16 間葉性子宮体部腫瘍WHO分類の変遷：内膜間質腫瘍との関係を中心に

~2003	~2013	~2020	2020~
	Mesenchymal Tumours (MT)		MTs specific to the uterus
	Smooth Muscle Tumours		
Leiomyoma NOS, etc, STUMP, Leiomyosarcoma	Leiomyoma NOS, etc, STUMP, Leiomyosarcoma	Leiomyoma NOS, etc, STUMP, Leiomyosarcoma	Leiomyoma NOS, etc, STUMP, Leiomyosarcoma
		Endometrial Stromal and Related Tumours	
Endometrial stromal nodule	Endometrial stromal nodule	Endometrial stromal nodule	Endometrial stromal nodule
Low grade endometrial stromal sarcoma	Low grade endometrial stromal sarcoma	Low grade endometrial stromal sarcoma	Endometrial stromal sarcoma, low grade
High grade endometrial stromal sarcoma	Undifferentiated endometrial sarcoma	High grade endometrial stromal sarcoma	Endometrial stromal sarcoma, high grade
—	—	Undifferentiated uterine sarcoma	Undifferentiated sarcoma
—	—	UTROSCT*3	UTROSCT*3
Other mesenchymal tumours		Miscellaneous mesenchymal tumours	
—	PEComa*1	PEComa*1	PEComa, benign
			PEComa, malignant
—	—	—	IMT/EMS*4
—	ME&SMT*2	ME&SMT*2	ME&SMT*1
—	—	Miscellaneous MTs	Miscellaneous MTs
—	Adenomatoid tumour	Adenomatoid tumour	—
—	—	Neuroectodermal tumours	Primitive neuroectodermal tumours
—	—	Germ cell tumours	Germ cell tumour, NOS
—	—	Rhabdomyosarcoma	→ Transfer to the "Mesenchymal tumours of the lower genital tract"
—	—	Others	
Mesenchymal tumours, homologous	Other malignant mesenchymal tumours	—	
Mesenchymal tumours, homologous	Other benign mesenchymal tumours	—	

*1 Perivascular epithelioid cell tumour, *2 Mixed epithelial and smooth muscle tumours, *3 Uterine tumor resembling ovarian sex cord tumour,
*4 Inflammatory myofibroblastic tumour/epithelioid myofibroblastic sarcoma

363

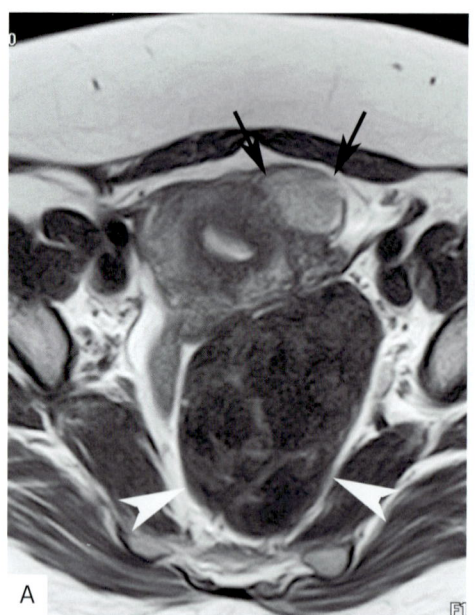

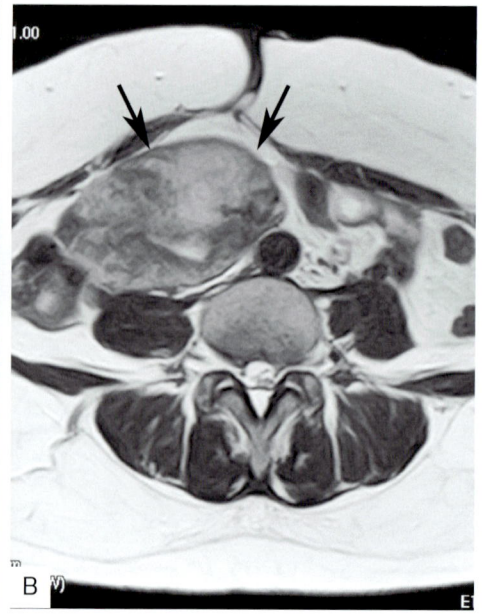

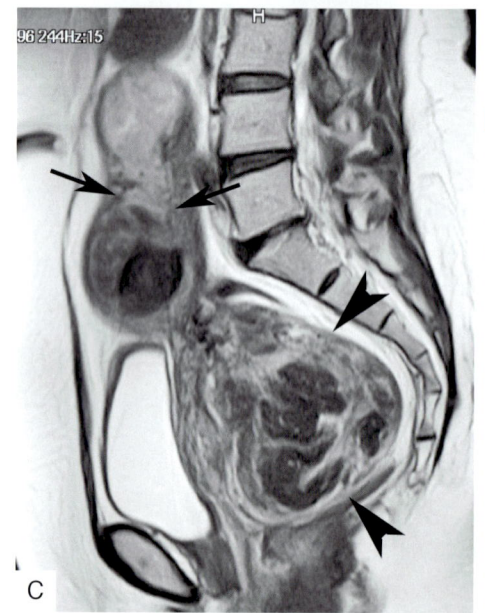

Ⅱ 子宮体部の腫瘍および腫瘍様病変 tumors of the uterine body and tumor-like lesions

図62　47歳　低異型度子宮内膜間質肉腫
A：T2強調横断像（内分泌療法後），B：T2強調横断像（内分泌療法前），C：T2強調矢状断像（内分泌療法前）

筋腫の術前診断で内分泌療法後に子宮全摘を行ったところ内膜間質肉腫との病理診断であったので後療法目的で近医より紹介。手術直前のT2強調像で当該腫瘤（A→）は極めて信号強度が高いのに加え，内分泌療法前（Aの5カ月前）のT2強調像では腫瘤の右下縁が筋層内に舌状に浸潤している（C→）ことが明らかである。肉腫を示唆する微細な所見を見落とさないことの重要性を示すとともに，内膜間質肉腫の場合，内分泌療法には反応することを示す症例である。なお，変性筋腫も内分泌療法後，縮小するとともに低信号化している（A, C▲）。

2. 主として子宮筋層を占める疾患（間葉性腫瘍）tumors occupying the myometrium

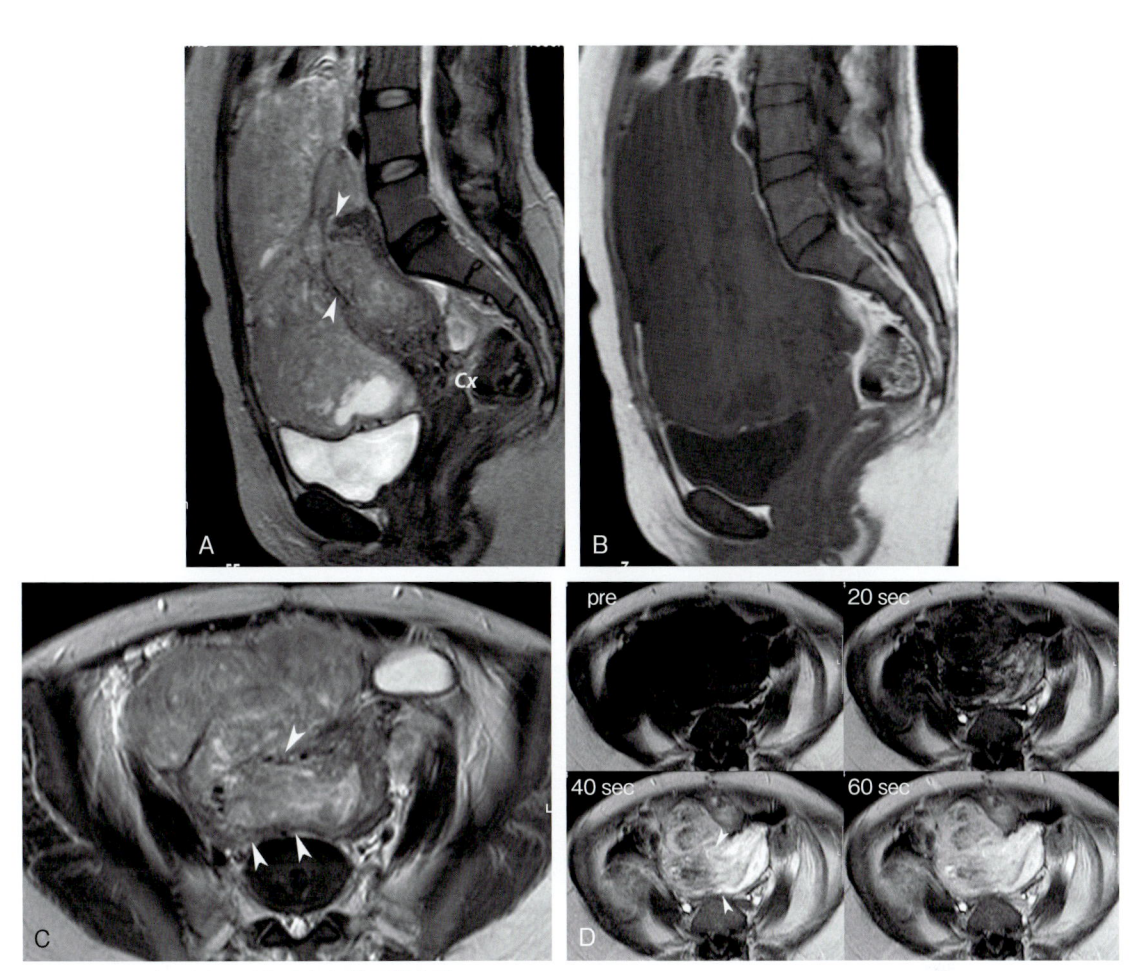

図63 43歳　低異型度子宮内膜間質肉腫
A：T2強調矢状断像，B：T1強調矢状断像，C：T2強調横断像，D：ダイナミックMRI横断像
T2強調像で高信号，T1強調像で低信号を示す腫瘍が子宮体部前壁の筋層を分け入るように浸潤し（A, C, D▲），ダイナミックMRIで早期から濃染している（D）。ただし増強パターンとしては漸増型である。T2強調像での高信号，早期濃染，浸潤性発育の3項が肉腫の条件を満たす。出血壊死は伴わない。AのCxは子宮頸部。

の画像所見の報告は限られるが，T2強調像で中間〜低信号の境界明瞭な筋層内腫瘤で，筋腫との鑑別が困難との報告がある[148)149)]。

上記のいずれにも属さない間葉性腫瘍はWHO分類ではmesenchymal tumors of the lower genital tractとして，原発臓器を問わず，分化の方向によって分類されて（脂腺腫瘍，筋線維芽・線維芽細胞腫瘍，平滑筋腫瘍，骨格筋腫瘍，末梢神経鞘腫瘍，分化能の不明な腫瘍，未分化小円形細胞肉腫）別章にまとめられている[2)]が，本邦の『子宮体癌取扱い規約』では取り上げられておらず，頻度もまれなことから本書でも割愛する[1)]。

(2) その他の腫瘍 miscellaneous tumors

『子宮体癌取扱い規約』では上記のいずれにも分類されない腫瘍としてアデノマトイド腫瘍，原始神経外胚葉性腫瘍，胚細胞腫瘍を挙げている。

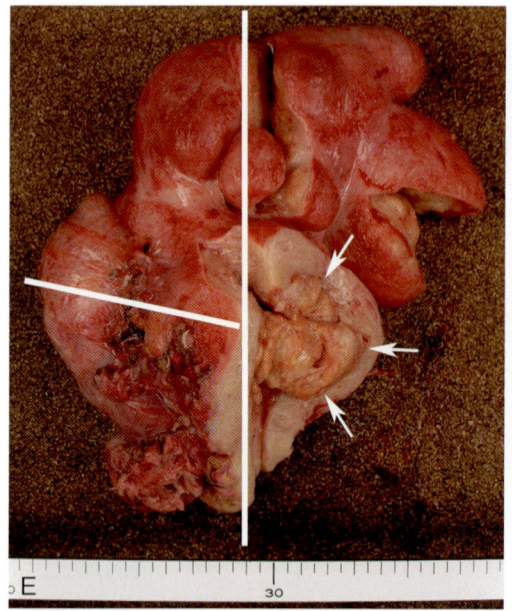

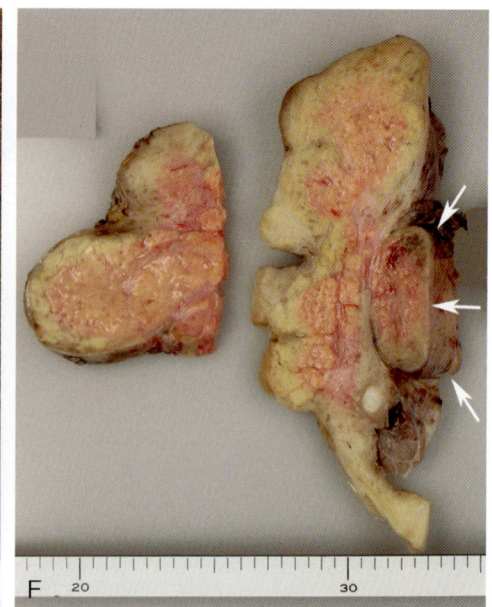

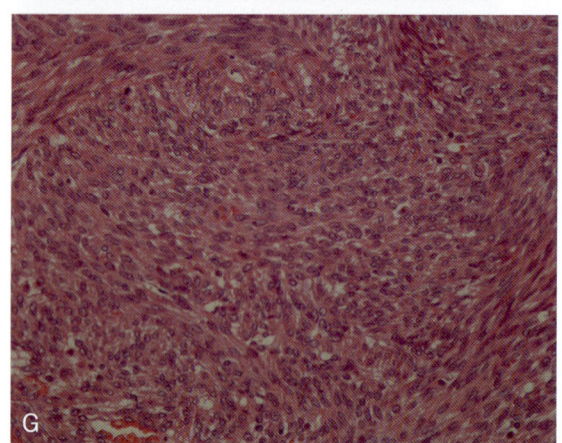

図63 つづき（低異型度子宮内膜間質肉腫）
E：摘出標本肉眼像，F：摘出標本割面，G：HE染色（中拡大）

摘出標本では子宮内膜腔に黄色調，分葉状の腫瘤が露出しており（E→，白線はFの切断面），割面では内腔に露出する腫瘍（F→）が筋層を破壊して子宮外に突出する様子がわかる。病理組織学的には粗造なクロマチンと小型の核小体を伴う卵円形核を有する腫瘍細胞がびまん性均一に増殖しており，強拡大10視野に10個を超える核分裂像がみられた（G）。免疫組織化学染色ではα-SMA，CD10，プロゲステロンレセプターに陽性であることなどから子宮内膜間質肉腫と診断された。本例は病理組織学的には低異形度であったが発症時に肺転移を伴っていた。

　アデノマトイド腫瘍（adenomatoid tumor）は中皮細胞由来の良性腫瘍で，子宮のほか，卵巣，卵管に発生し，腹膜発生はむしろまれとされるが，中皮由来であることから，WHO分類では腹膜腫瘍の項のみに掲載されている[2]。本項では『子宮体癌取扱い規約 第5版』に則り，子宮体部のその他の腫瘍としてここに掲載する[1]。生殖可能年齢に好発し，子宮腫瘍の2.4%との報告がある。多くは漿膜ないし卵管角近くの子宮筋層内の境界明瞭な弧発性の3cm以下の腫瘤で，病理組織学的に過形成性の平滑筋組織に囲まれて，種々の大きさ，形態の空胞を伴って，立方状の上皮様細胞が腺管様構造を形成する[150]。画像的に典型的には漿膜下の境界明瞭なT2強調像で境界明瞭な信号強度の低い結節[151)152)]で，増強効果は筋層よりも不良なことが多い[151]（図69）。病理組織学的な腺腫様構造が形成する筋層内の間隙の多寡は，T2強調像での高信号部分の混在の程

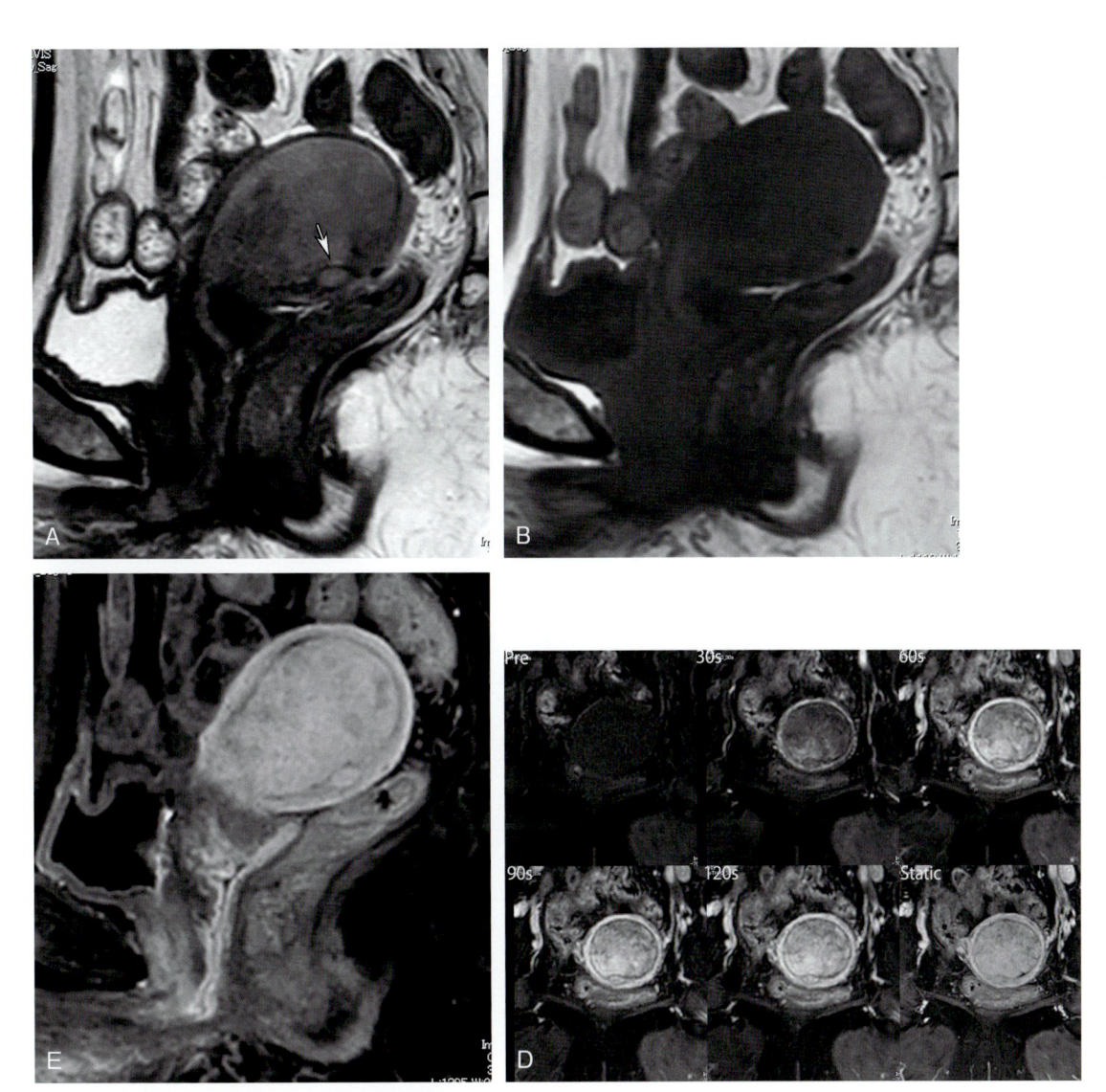

2. 主として子宮筋層を占める疾患（間葉性腫瘍）tumors occupying the myometrium

図64　63歳　低異型度子宮内膜間質肉腫
A：T2強調矢状断像，B：T1強調矢状断像，C：T2強調冠状断像，D：ダイナミックMRI冠状断像，E：造影脂肪抑制T1強調矢状断像，F：拡散強調冠状断像，G：ADC map，H：PET/CT
T2強調像で内膜腔を占拠する不均一な高信号を示す境界明瞭な腫瘤を認め，内部に低信号の索状構造を伴う（A，C→）。T1強調像では均一な低信号を示し（B），ダイナミックMRIで早期から漸増性に濃染している（D，E）。低異型度を反映して，拡散制限はみられるが弱く（F，G），PET/CT（H）でのFDGの集積も弱い。

度や増強効果の程度に反映し[151)153)]，大きくなると腫瘍全体が囊胞状を呈する。囊胞優位の発育を示す場合には局在が漿膜下であることから，囊性腺筋症や付属器腫瘍との鑑別が問題となることがある[154)]。

　子宮に発生する原始神経外胚葉性腫瘍（primitive neuroectodermal tumor）は，非常にまれであるが，子宮においては癌や腺肉腫/癌肉腫に「神経外胚葉性分化を伴う」成分として混在することがある[2)]。まとまった画像所見の報告はないが，大きな子宮体部の腫瘍でT2強調像で境

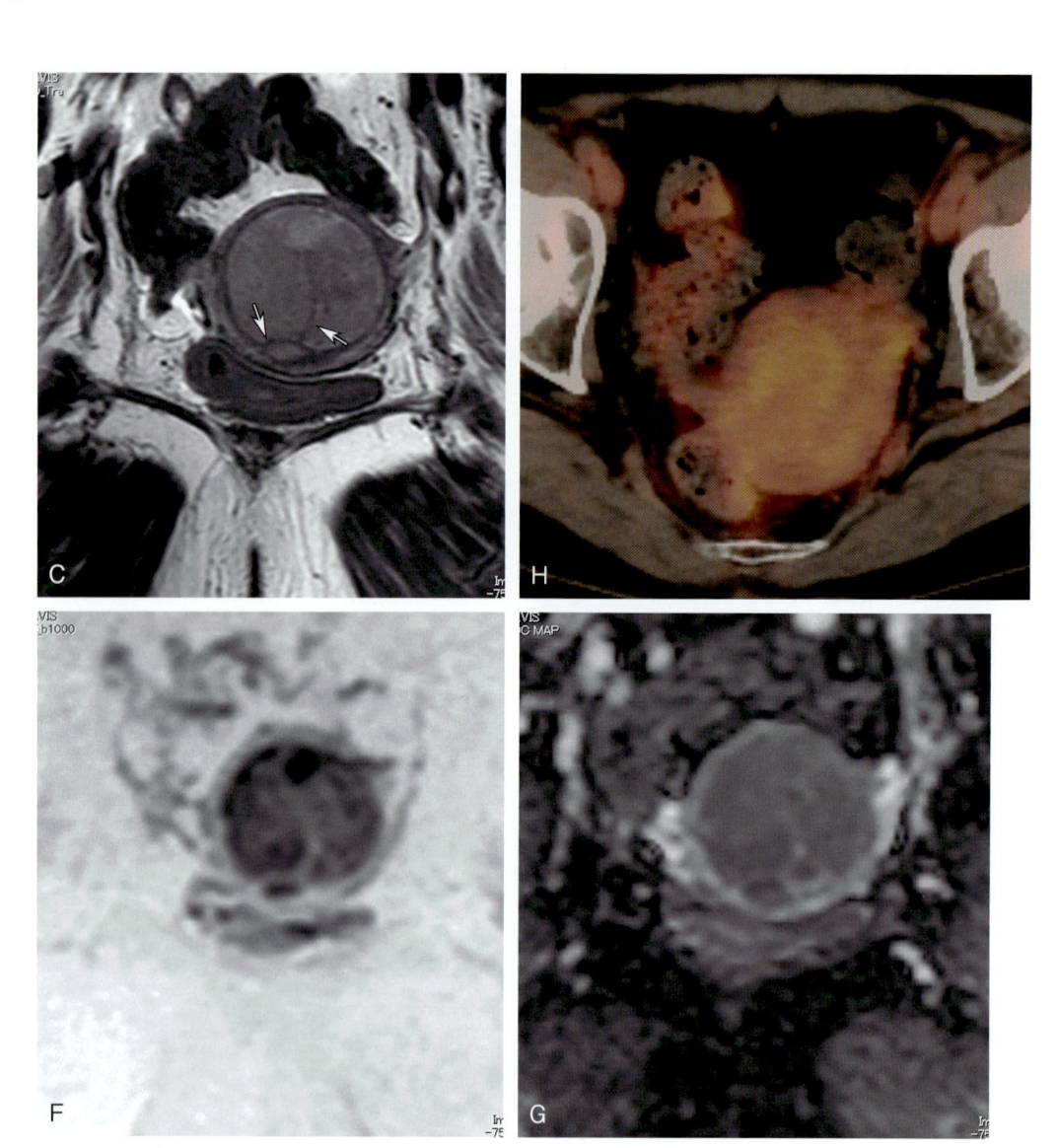

図64 つづき（低異型度子宮内膜間質肉腫）

界不明瞭な高信号を示し，PET/CT で FDG の強い集積を示す[155]．時に内膜腔にポリープ状に発育するものや出血を伴うものの報告がある．

　胚細胞腫瘍（germ cell tumors）は極めてまれに子宮に発生し，体細胞型腫瘍の逆分化や不完全な妊娠中絶により迷入した胎児由来の胚細胞腫瘍が起源と考えられている．

　WHO 分類では臓器横断的に hematolymphoid proliferations and neoplasia の項目が設けられたために，本邦の取扱い規約では『子宮頸癌取扱い規約』のみに収載されているが，悪性リンパ腫についてもここで概説する．女性生殖器を冒す悪性リンパ腫（malignant lymphoma）はまれで，節外浸潤を有する女性患者の1.6%にすぎない[156]とされる．女性生殖器原発の悪性リンパ腫の定義には議論のあるところだが，リンパ節腫大も含めてほかに原発巣がないこと（Ann Arbor 分

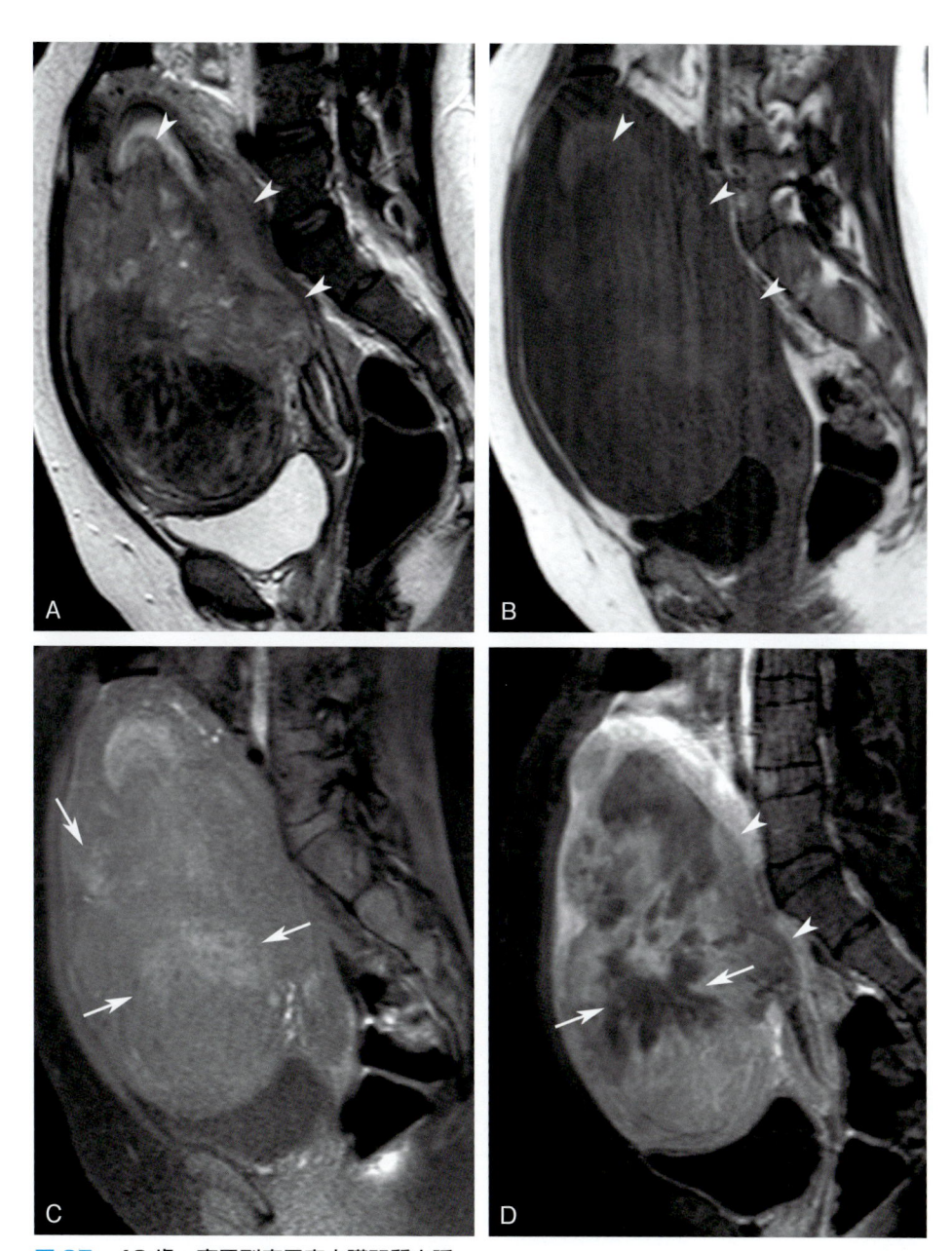

2. 主として子宮筋層を占める疾患（間葉性腫瘍）tumors occupying the myometrium

図65　46歳　高異型度子宮内膜間質肉腫
A：T2強調矢状断像，B：T1強調矢状断像，C：脂肪抑制T1強調矢状断像，D：造影脂肪抑制T1強調矢状断像
子宮体部前壁筋層内を占める腫瘍は筋層を食い破って内膜腔に露出している（A，B，D▲）。脂肪抑制T1強調像で信号強度が高く（C）増強効果をもたない（D→）出血壊死と考えられる領域も含む。

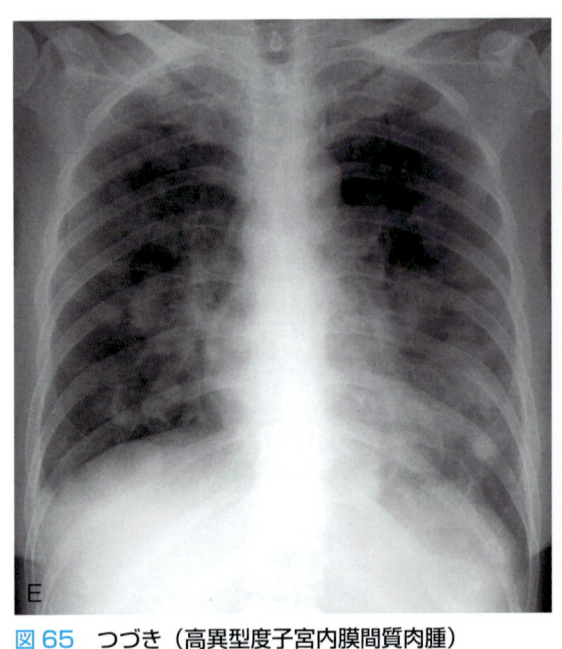

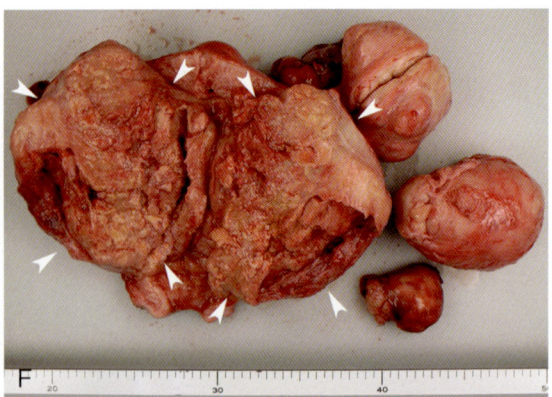

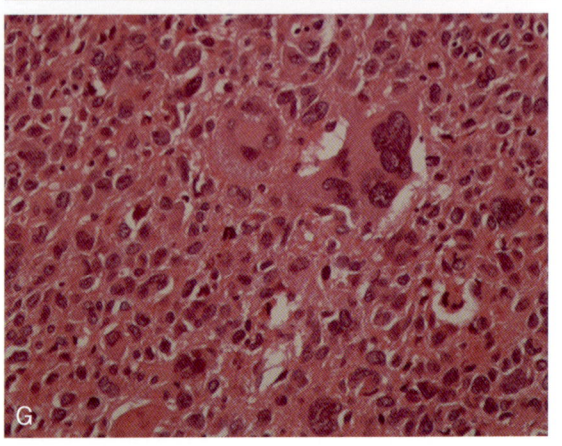

Ⅱ 子宮体部の腫瘍および腫瘍様病変 tumors of the uterine body and tumor-like lesions

図65 つづき（高異型度子宮内膜間質肉腫）
E：胸部単純X線写真A-P像（坐位），F：摘出標本肉眼像，G：HE染色（中拡大）
発症時すでに多発肺転移の合併がみられる（E）。摘出標本上も腫大した子宮前壁を占拠する巨大な腫瘤がみられ（F▲），病理組織学的には大小不同な核を伴う紡錘形の細胞に混ざって多核巨細胞やbizarreな核を含む多彩な異型細胞が認められる（G）。本例のように閉経前であっても浸潤性発育と出血壊死があれば「肉腫」の診断は容易である。

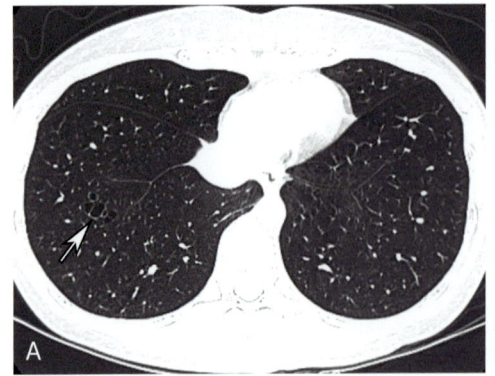

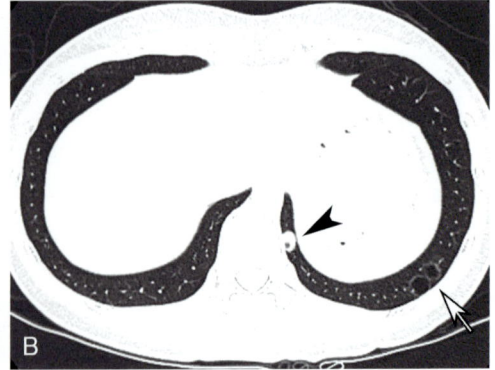

図66 43歳 低異型度子宮内膜間質肉腫の肺転移
A，B：CT肺条件
23年前に他院で低異型度子宮内膜間質肉腫にて子宮全摘後，11年前から両肺に囊胞性腫瘤が出現し，同腫瘍の転移を疑われプロゲステロン投与にて一時縮小したが，4年前から緩徐に増大してきたため紹介受診。右下葉に薄壁の囊胞が集簇し（A→），左下葉には同様の囊胞（B→）と空洞を伴う充実性結節（B▲）が共存する。低異型度内膜間質肉腫では，骨肉腫など他の間葉系悪性腫瘍と同様に，肺転移がリンパ脈管筋腫症に類似した壁の薄い囊胞を形成することがある。

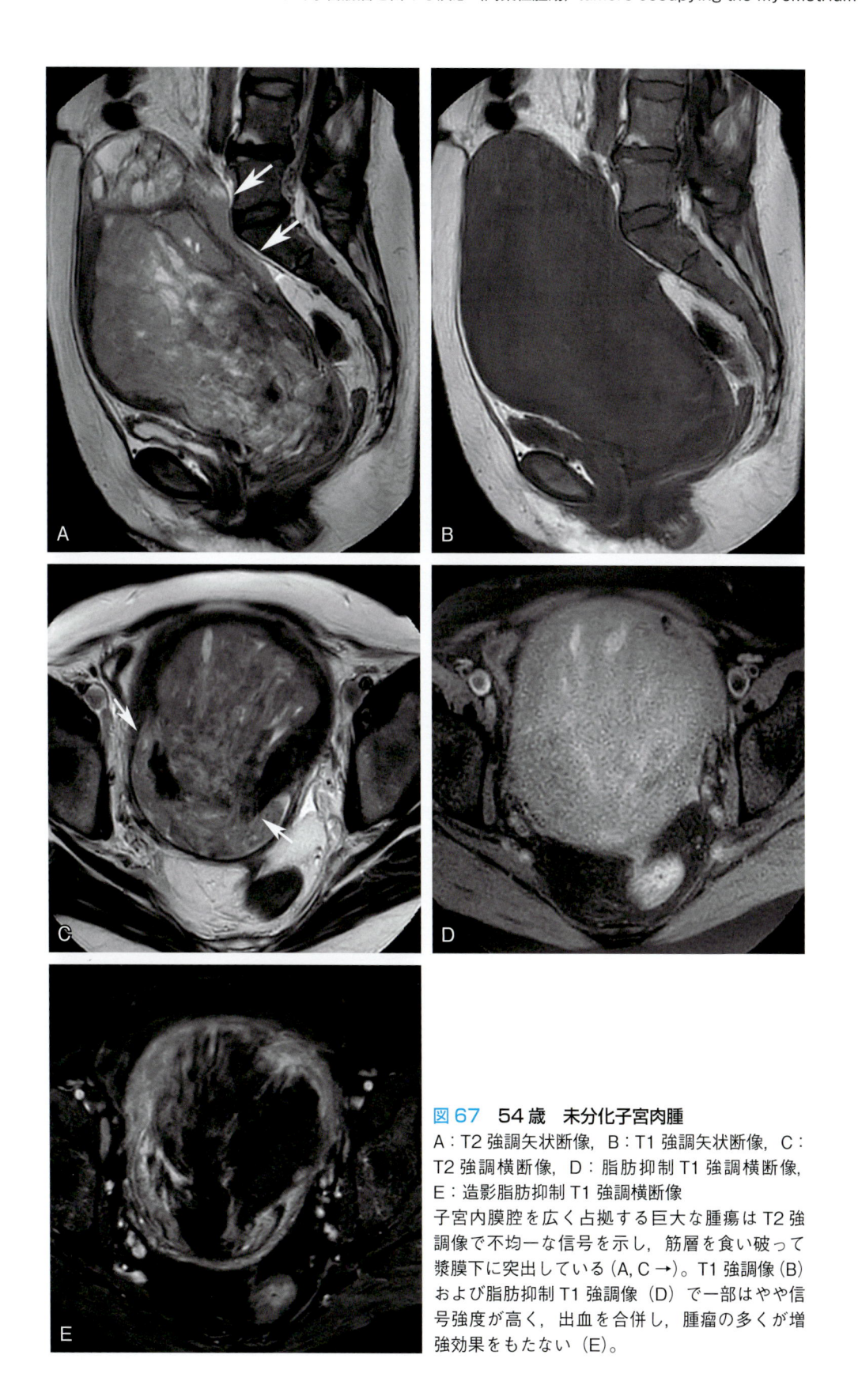

2. 主として子宮筋層を占める疾患（間葉性腫瘍）tumors occupying the myometrium

図67 54歳　未分化子宮肉腫
A：T2強調矢状断像，B：T1強調矢状断像，C：T2強調横断像，D：脂肪抑制T1強調横断像，E：造影脂肪抑制T1強調横断像
子宮内膜腔を広く占拠する巨大な腫瘍はT2強調像で不均一な信号を示し，筋層を食い破って漿膜下に突出している（A, C →）。T1強調像（B）および脂肪抑制T1強調像（D）で一部はやや信号強度が高く，出血を合併し，腫瘤の多くが増強効果をもたない（E）。

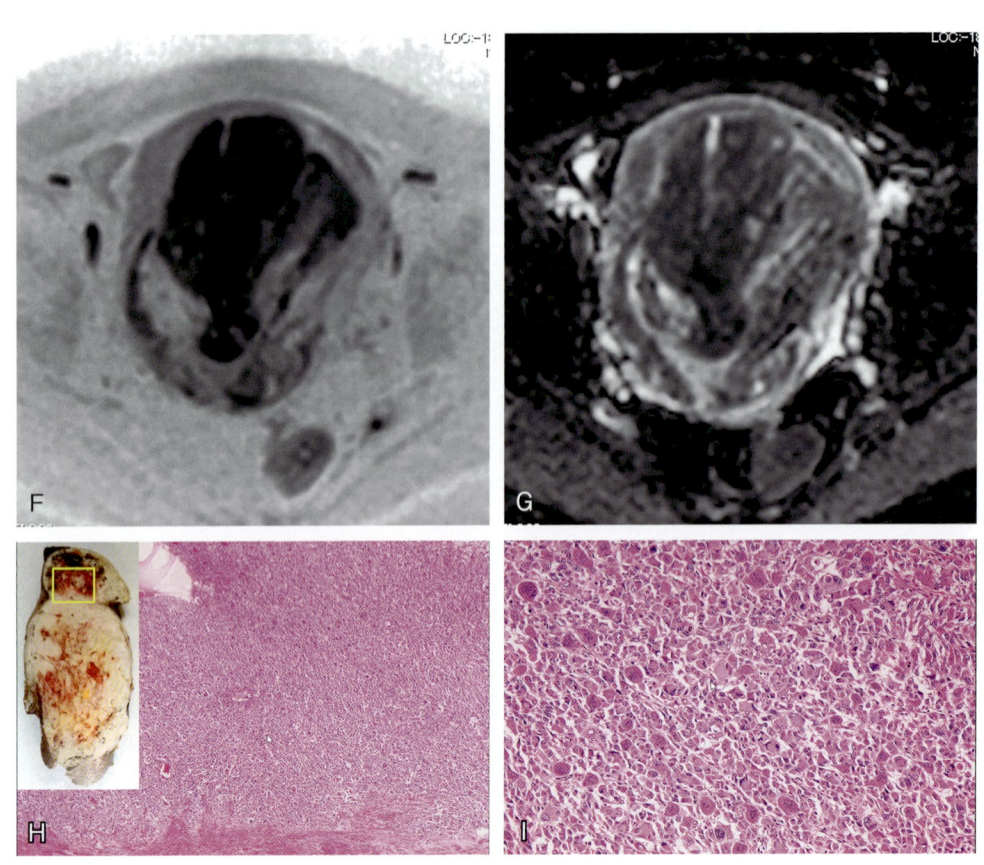

図67 つづき（未分化子宮肉腫）
F：拡散強調横断像，G：ADC map，H：HE染色（弱拡大）（左上：摘出標本割面），I：HE染色（強拡大）
軽度の拡散制限もおそらく壊死物質の信号を反映している（F，G：出血壊死と考えられる領域も含む）。病理組織学的には巨大な腫瘤が子宮底部から内腔方向に外向性に発育する巨大腫瘤で，内部に出血・壊死を伴う（H：左上）。充実性増殖部では紡錘形の腫瘍細胞が束状に錯綜して増殖する（H）。核には異型が目立ち，高く巨細胞も混在し，多型性に富む（I）。

類のIE期相当）との条件が比較的広く受け入れられている[156)157)]。女性生殖器のうち最も高頻度に冒されるのは卵巣で，子宮頸部/腟がこれに次ぎ，子宮体部はさらにまれである[157)]。子宮を冒す組織型としてはびまん性大細胞B型が最も多い[156)157)]。画像的特徴としてはすでに頸部の項で述べた通り，子宮のzonal anatomyを保ったまま，もしくは内膜腔を破壊することなく，びまん性に浸潤する均一な腫瘤[158)159)]（図70）との報告が多い。また壊死を伴わず多結節状に増殖する[160)]のも特徴の1つである。しかし，内向性に進展する低分化癌や小細胞癌[84)]の画像的特徴とオーバーラップする部分もあり，特異的とはいえない。

卵巣以外への転移性腫瘍についても，WHO分類では女性生殖器への転移性腫瘍も単独で項目が設けられたことから，『子宮体癌取扱い規約 病理編 第5版』では言及されていない[1)]が，『子宮体癌取扱い規約 病理編 第4版』までは子宮体部へ直接あるいは転移性に進展する腫瘍は続発性腫瘍として掲載されていた。同時性に発生した結腸癌などの直接浸潤例では画像的な診断に迷

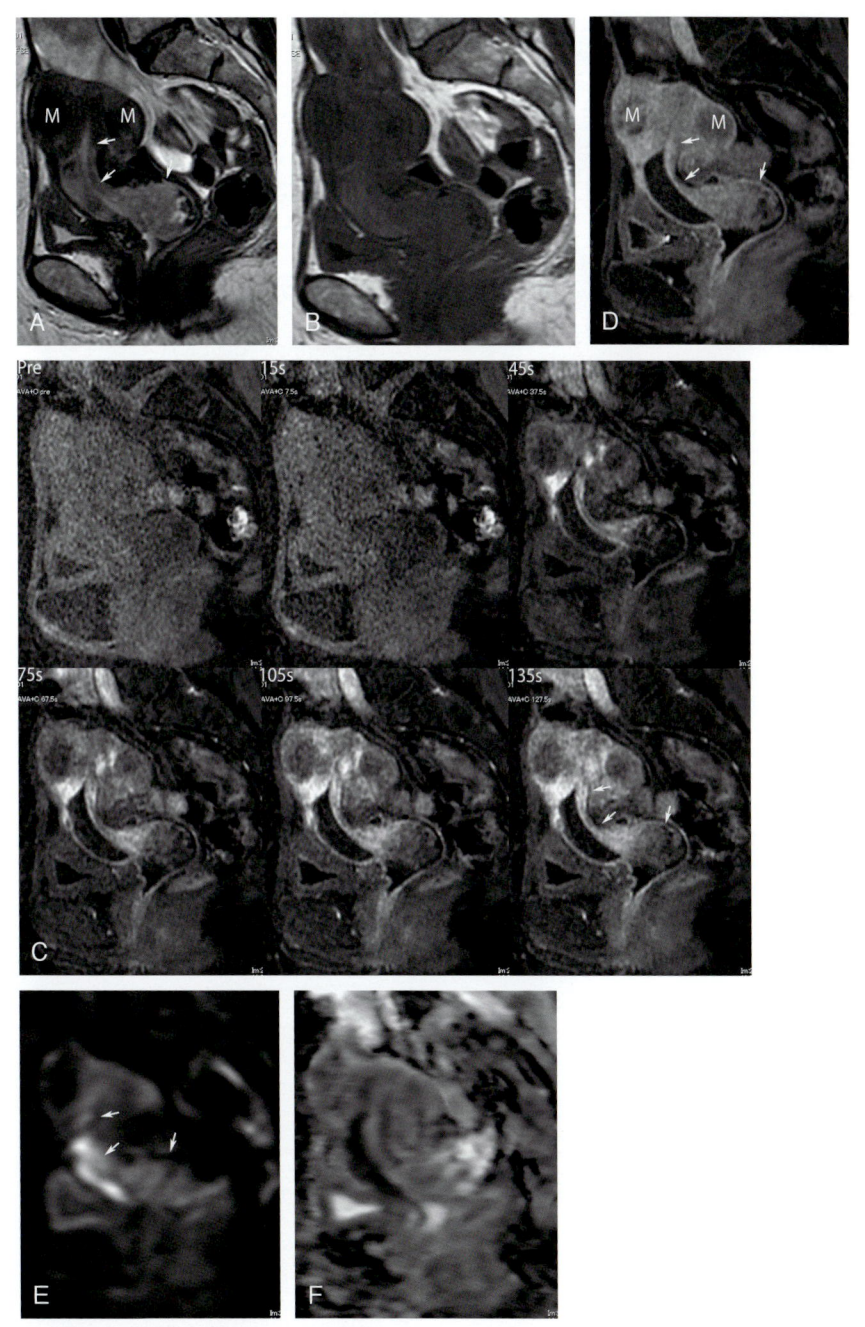

2. 主として子宮筋層を占める疾患（間葉性腫瘍）tumors occupying the myometrium

図68　54歳　卵巣性索腫瘍に類似した子宮腫瘍（UTROSCT）
A：T2強調矢状断像，B：T1強調矢状断像，C：ダイナミックMRI矢状断像，D：造影脂肪抑制T1強調矢状断像，E：拡散強調矢状断像，F：ADC map
子宮口からピンポン玉大の腫瘤が突出しているとしてMRIを施行した。T2強調像で多発子宮筋腫（M）により腫大した内膜腔を占拠するポリープ状の腫瘤（A→）が信号強度の低い細長い茎を介して子宮底部に付着し，外子宮口から突出している。T1強調像では均一な低信号（B），造影後はポリープの茎部は早期から遷延性によく増強されるが，先端部は漸増性に増強され（C），平衡相では子宮筋層と同程度までよく増強されている（D→，Mは筋層内筋腫）。拡散強調像では先端部に軽い拡散制限がある（E, F）。内膜腔，腟腔には血性の液体が貯留している。病理組織学的に核小体の目立つ淡明な類円形核と淡好酸性細胞質をもつ境界不明瞭な細胞が，充実胞巣状ないし索状に増殖し，CD10陰性，WT-1，CD56，CD99が陽性であり，形態と合わせてUTROSCTと診断された。

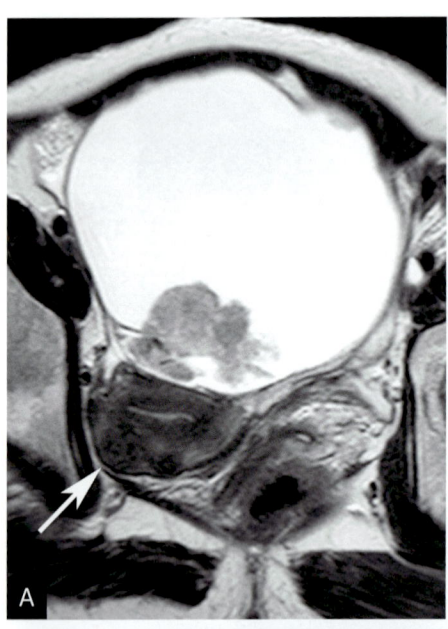

Ⅱ 子宮体部の腫瘍および腫瘍様病変 tumors of the uterine body and tumor-like lesions

図69　46歳　アデノマトイド腫瘍

A：T2強調横断像，B：ダイナミックMRI横断像，C：摘出標本割面（左下：拡大），D：HE染色（弱拡大）

卵巣腫瘍の術前検査にてT2強調像で子宮体部漿膜下にいくつかの低信号結節を認める（A白→）。ダイナミックMRIでは辺縁のみが増強され中心部の増強効果は不良であり（B白→），ヒアリン変性を伴う筋腫と考えていた。摘出標本上も子宮体部漿膜下に白色調の境界明瞭，円型の結節がみられ（C黒→），肉眼的には筋腫と区別しがたい。病理組織学的には豊富な筋組織に介在して扁平な細胞からなる大小の管腔構造が認められ（D），免疫組織化学染色ではpan-keratin，calretininに陽性であることからアデノマトイド腫瘍と診断された。なお，子宮腹側の嚢胞性腫瘍は内膜症性嚢胞に合併した明細胞癌である。

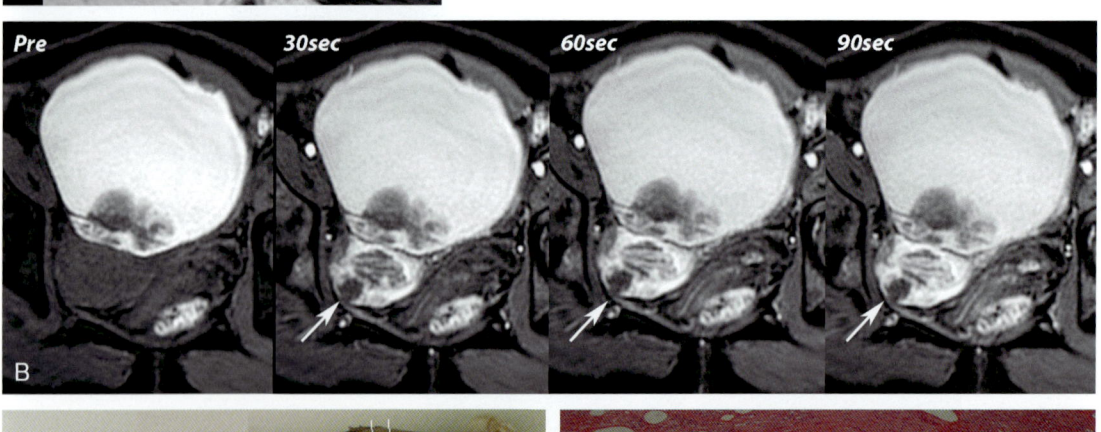

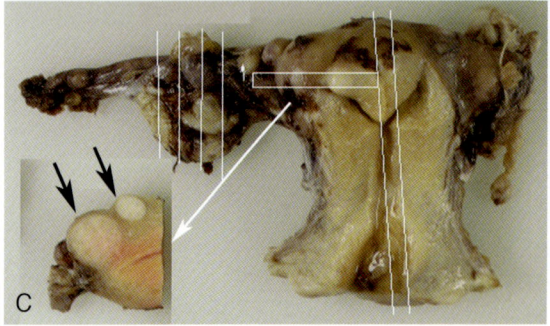

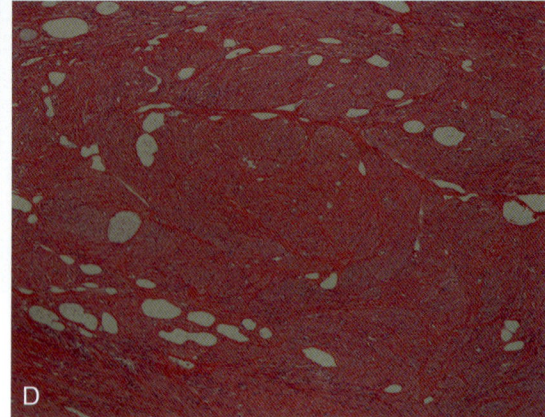

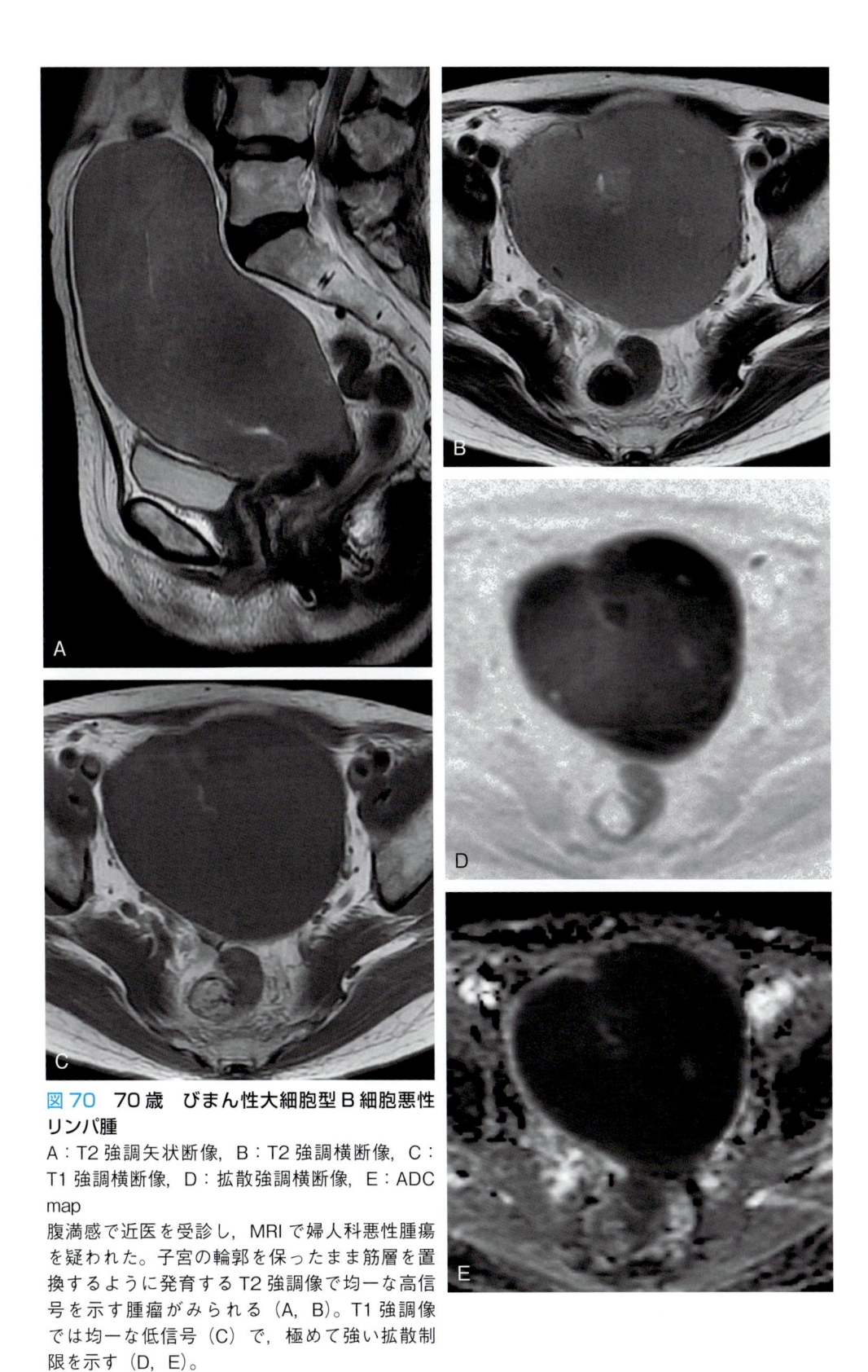

2. 主として子宮筋層を占める疾患（間葉性腫瘍）tumors occupying the myometrium

図70　70歳　びまん性大細胞型B細胞悪性リンパ腫

A：T2強調矢状断像，B：T2強調横断像，C：T1強調横断像，D：拡散強調横断像，E：ADC map

腹満感で近医を受診し，MRIで婦人科悪性腫瘍を疑われた。子宮の輪郭を保ったまま筋層を置換するように発育するT2強調像で均一な高信号を示す腫瘤がみられる（A, B）。T1強調像では均一な低信号（C）で，極めて強い拡散制限を示す（D, E）。

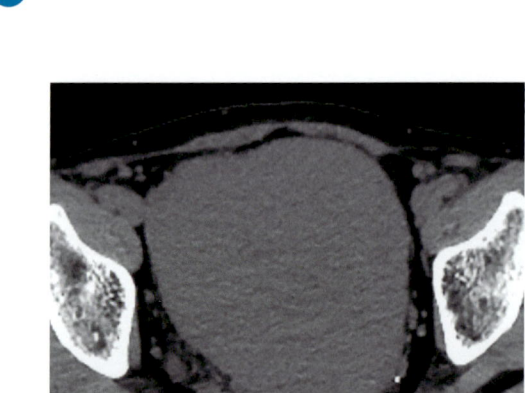

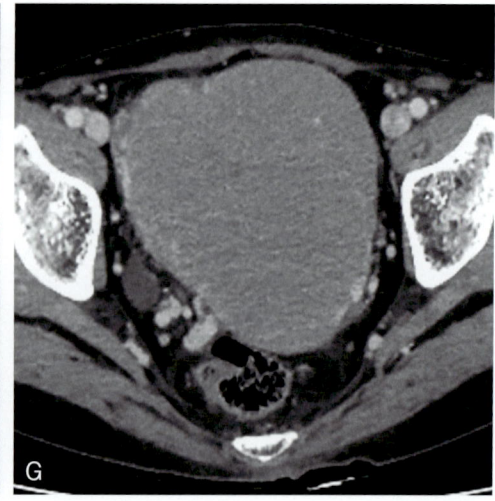

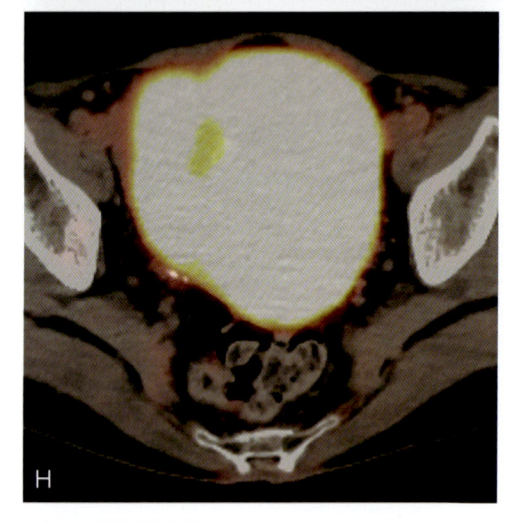

図70 つづき（びまん性大細胞型 B 細胞悪性リンパ腫）
F：単純 CT，G：造影 CT，H：PET/CT
単純 CT でも均一な低信号（F）で，造影後は均一に弱く増強される（G）。PET/CT では FDG の極めて強い集積がある（H）。内膜組織診にて上記と診断された。

うことはほとんどないと考えられるが，原発巣の術後に，子宮漿膜面に再発することがあり（図71），発症時にさかのぼっての画像所見の詳細な検討を怠ってはならない。また子宮頸部は Douglas 窩腹膜と接していることから，他臓器癌の腹腔内播種の直接浸潤もしばしば見受けられる（図72）。一方，子宮頸部や内膜の細胞診が他臓器悪性腫瘍の発見契機になることはまれではない[161]。発見される悪性腫瘍の原発臓器としては，卵巣，消化管，乳腺が多いとされている[161)162]。特に乳腺浸潤性小葉癌は胃壁など，一般的には転移頻度の低い臓器に転移することが多く，注意が必要である[163]。一般に転移性子宮腫瘍では頸部よりも体部が冒されることが多い[164]とされるが，所見は多彩で特異的診断は難しい。ただし，しばしば正常な子宮の zonal anatomy が消失する（図73）[164]ので，びまん性の異常を見逃さないためには常に内膜/junctional zone/漿膜側筋層の三層構造が明瞭に確認できるか留意する必要がある。また胃癌の転移で著明な石灰化[165]，主として乳腺からの転移で PET/CT の診断における有用性が報告されている[163]が陽性とならない症例も見受けられる（図74）。

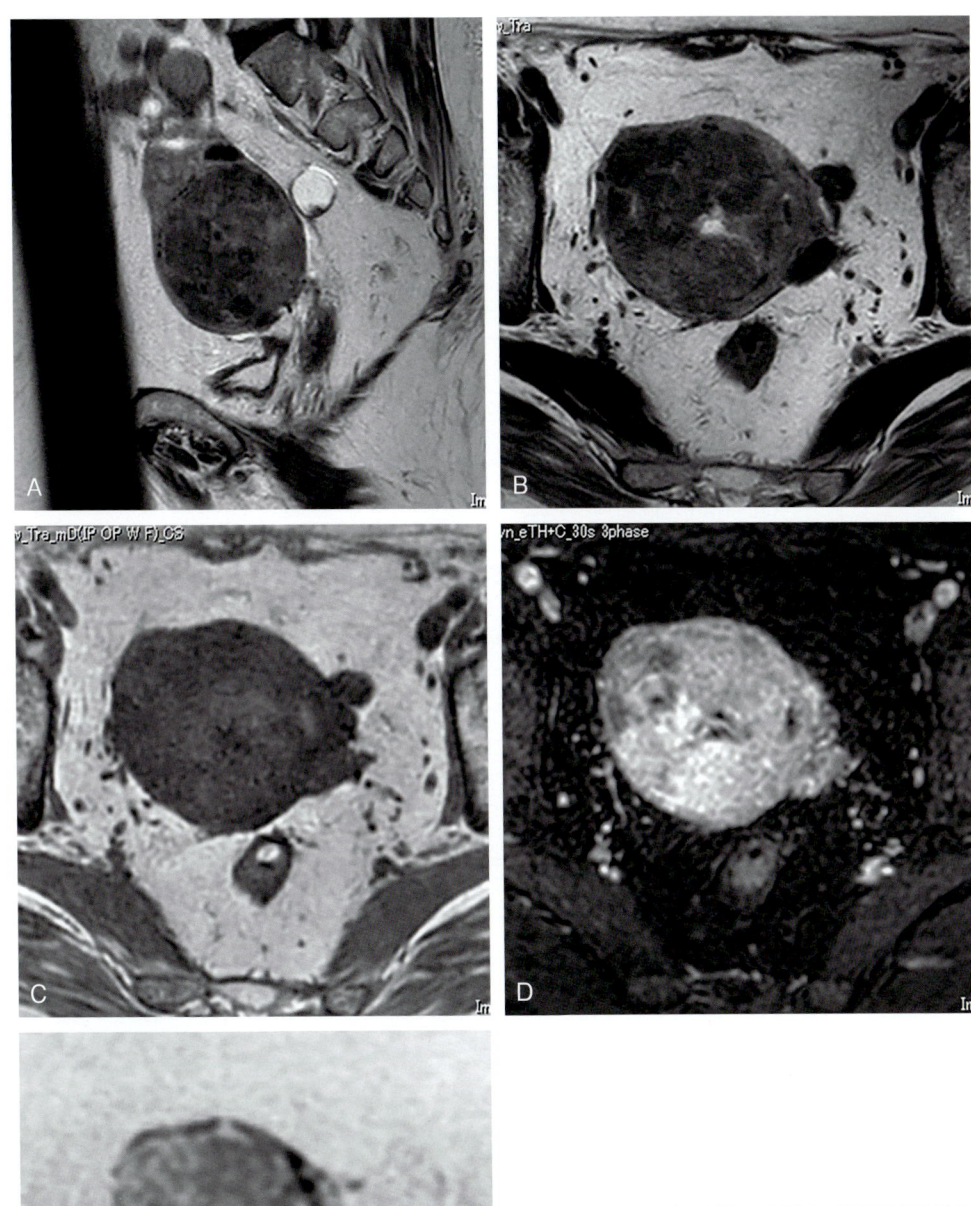

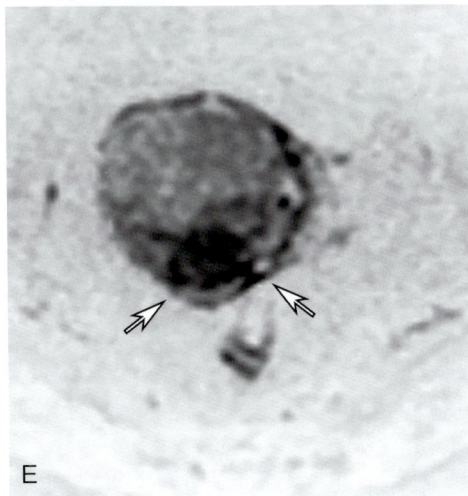

2. 主として子宮筋層を占める疾患（間葉性腫瘍）tumors occupying the myometrium

図71　68歳　転移性子宮腫瘍（結腸癌直接浸潤部の増大）
A：T2強調矢状断像，B：T2強調横断像，C：T1強調横断像，D：造影脂肪抑制T1強調横断像，E：拡散強調横断像
S状結腸癌術後，不正出血による重症貧血により受診。T2強調像（A，B）では筋層内に筋腫様の低信号結節を認めるが，内膜に異常はない。造影後は筋層全体がよく増強され（C，D）拡散制限を伴う（E）。

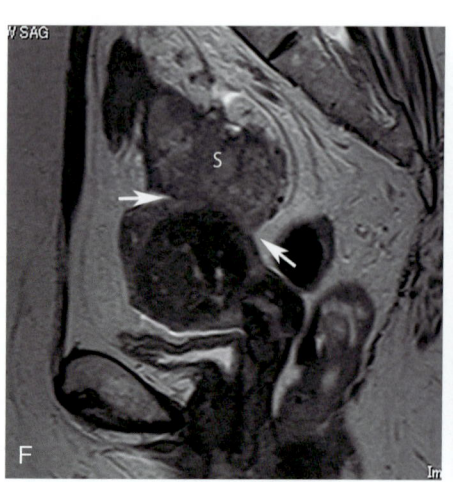

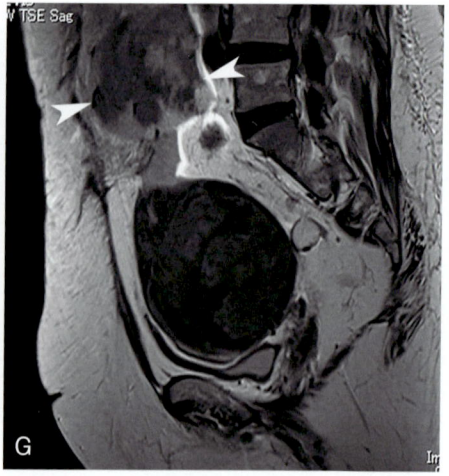

Ⅱ 子宮体部の腫瘍および腫瘍様病変 tumors of the uterine body and tumor-like lesions

図71 つづき（転移性子宮腫瘍）
F：T2強調矢状断像（約3年前），G：T2強調矢状断像（2カ月後）
約3年前のT2強調像では原発巣（S）が子宮後壁と広く接しており（F →），この部分で特に拡散制限の強いことがわかる（E →）。2カ月後，子宮はさらに増大し（G），転移性卵巣腫瘍も顕在化し（G▲），不正出血の原因が転移性子宮腫瘍であったと判明した。

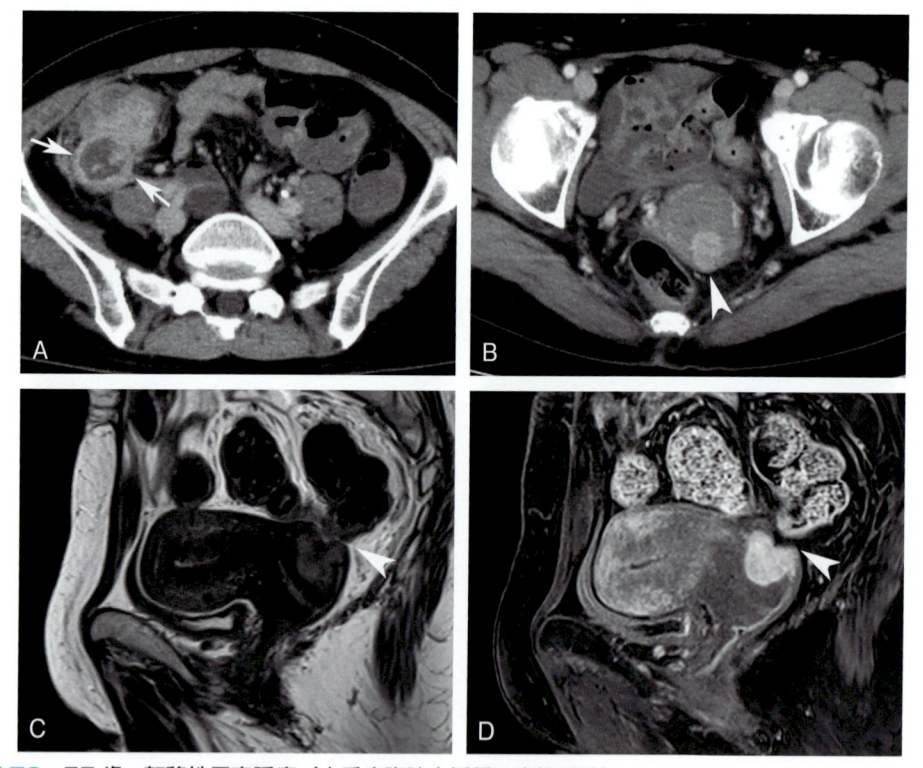

図72 55歳 転移性子宮腫瘍（虫垂癌腹腔内播種の直接浸潤）
A：造影CT（約4年前），B：造影CT，C：T2強調矢状断像，D：造影脂肪抑制T1強調矢状断像
約4年前の造影CTでは盲腸や周囲脂肪織に浸潤する虫垂腫瘍（A →）が認められる。CEA上昇の原因検索のために行われた造影CTで子宮に限局性の強い増強効果を認めた（B▲）ため，MRIを撮像したところ，子宮頸部後壁にDouglas腹膜に沿って進展するT2強調像で高信号（C▲），よく増強される結節（D▲）が認められ，腹腔内播種の直接浸潤と考えられた。

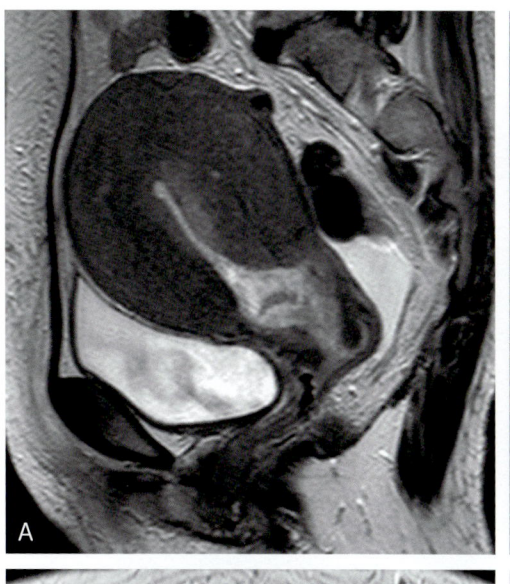

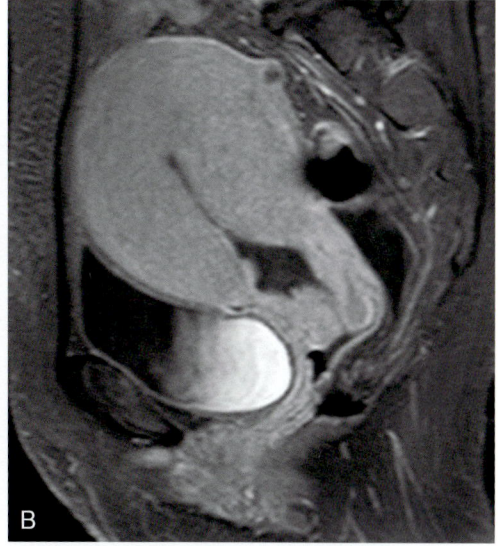

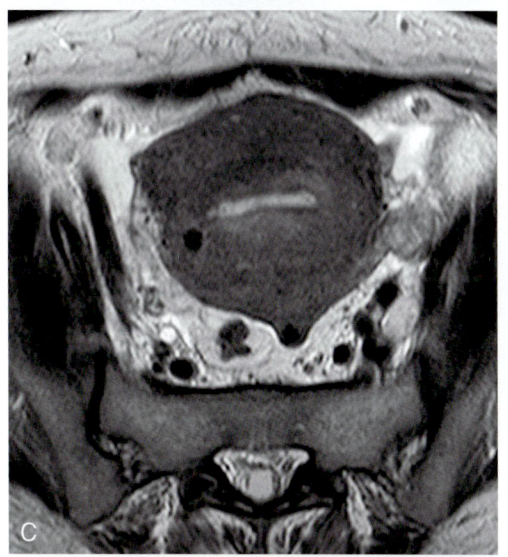

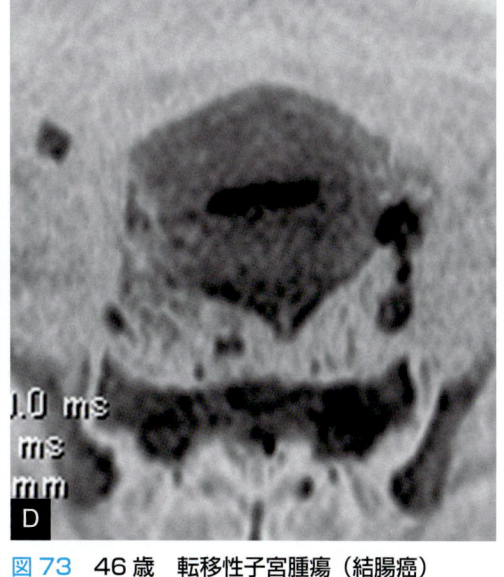

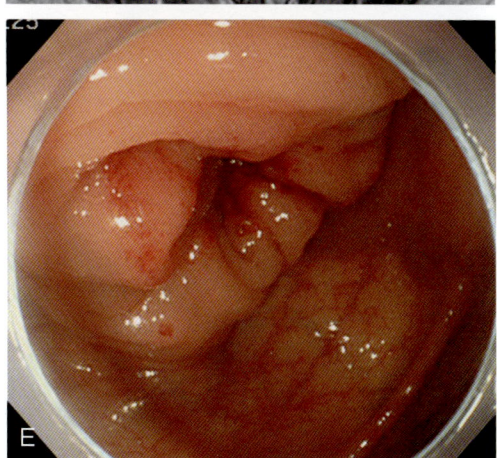

2. 主として子宮筋層を占める疾患（間葉性腫瘍）tumors occupying the myometrium

図73　46歳　転移性子宮腫瘍（結腸癌）
A：T2強調矢状断像，B：造影脂肪抑制T1強調矢状断像，C：T2強調横断像，D：拡散強調横断像，E：大腸内視鏡

転移性骨腫瘍の原発巣精査で，横行結腸および子宮・卵巣に腫瘤を指摘された。T2強調像で子宮体部筋層は一様に低信号化し，junctional zoneと漿膜側筋層の区別が消失している（A, C）。造影後，筋層は一様に強い増強効果を示す（B）。拡散強調像では肥厚した筋層は健常例ではみられない異常信号を示す（D）。大腸内視鏡では横行結腸に潰瘍を伴う隆起性病変がみられ（E），病理組織学的に結腸，子宮の双方から腺癌が検出され免疫組織化学染色所見から結腸原発と診断された。

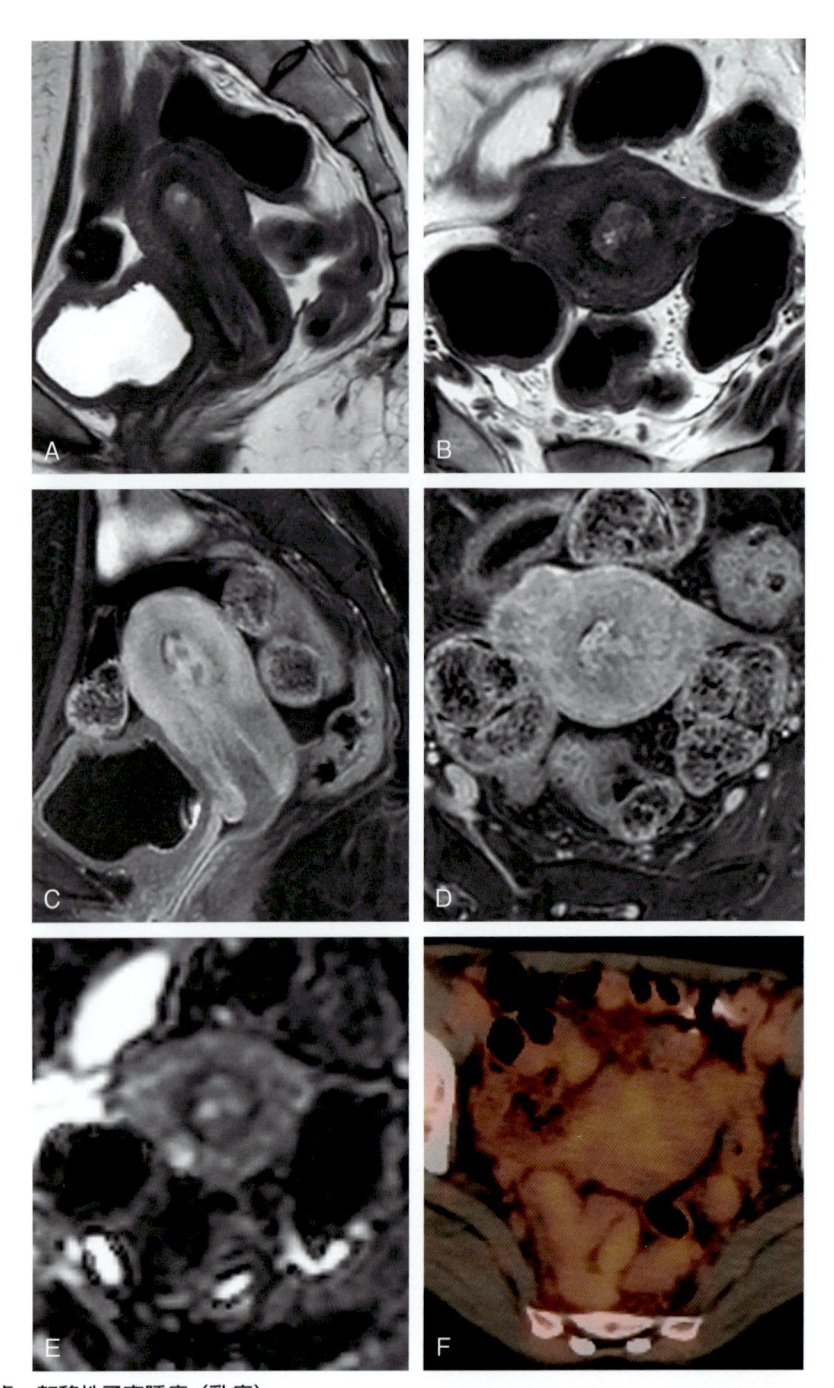

II 子宮体部の腫瘍および腫瘍様病変 tumors of the uterine body and tumor-like lesions

図74 49歳 転移性子宮腫瘍（乳癌）
A：T2強調矢状断像，B：T2強調横断像，C：造影脂肪抑制T1強調矢状断像，D：造影脂肪抑制T1強調横断像，
E：ADC map，F：PET/CT
3年前に，luminal-B型の乳癌に対して化学療法，放射線治療後，タモキシフェン投与中，子宮頸部細胞診で腺癌が検出され，内膜癌か頸部腺癌か鑑別のためにMRIが行われた。T2強調像で内膜腔を占拠する，腺管形成と考えられる囊胞を伴った腫瘤を認め，下縁は頸管内を下行して外子宮口に至る（A, B）。造影剤による増強効果は不良（C, D）だが，強い拡散制限はなく（E），FDGの集積も認めない（F）ことからタモキシフェン投与に伴う子宮内膜ポリープを疑った。子宮内膜組織診では一部に腺腔形成を伴う異型細胞を認め，免疫組織化学染色にて，GATA3（＋），mammaglobin（＋），GCDFP15（−），PAX8（−）。既往の乳癌と類似した組織像であり，乳癌の子宮転移と診断された。

2. 主として子宮筋層を占める疾患（間葉性腫瘍）tumors occupying the myometrium

文献

1) 日本産科婦人科学会ほか 編：子宮体癌取扱い規約 病理編 第5版. 金原出版, 東京, 2022
2) The WHO Classification of Tumors Editorial Board：Female Genital Tumours. 5th ed. International Agency for Research on Cancer, Lyon, 2020
3) 日本産科婦人科学会ほか 編：子宮頸癌取扱い規約 病理編 第5版. 金原出版, 東京, 2022
4) 日本産科婦人科学会婦人科腫瘍委員会：婦人科腫瘍委員会報告 2021年患者年報. 日産婦会誌 75：1643-1698, 2023
5) Bokhman JV：Two pathogenetic types of endometrial carcinoma. Gynecol Oncol 15：10-17, 1983
6) McAlpine J et al：The rise of a novel classification system for endometrial carcinoma：integration of molecular subclasses. J Pathol 244：538-549, 2018
7) Berek JS et al：FIGO staging of endometrial cancer：2023. Int J Gynaecol Obstet 162：383-394, 2023
8) Gaffney D et al：2023 FIGO staging system for endometrial cancer：the evolution of the revolution. Gynecol Oncol 184：245-253, 2024
9) van den Heerik ASVM et al：Adjuvant therapy for endometrial cancer in the era of molecular classification：radiotherapy, chemoradiation and novel targets for therapy. Int J Gynecol Cancer 31：594-604, 2021
10) 日本産科婦人科学会ほか 編：子宮体癌取扱い規約 改訂第2版. 金原出版, 東京, 1996
11) Hedrick Ellenson L et al：Precursors of Endometrial Carcinoma．(in)：Kurman RJ et al eds：Blaustein's Pathology of the Female Genital Tract, 7th ed. p439-472, Springer International Publishing, Cham, 2019
12) Hedrick Ellenson L et al：Endometrial Carcinoma, (in) Kurman RJ et al eds：Blaustein's Pathology of the Female Genital Tract. p473-533, Springer International Publishing, Cham, 2019
13) 日本婦人科腫瘍学会 編：子宮体がん治療ガイドライン2023年版 第5版. 金原出版, 東京, 2023
14) Gunderson CC et al：Oncologic and reproductive outcomes with progestin therapy in women with endometrial hyperplasia and grade 1 adenocarcinoma：a systematic review. Gynecol Oncol 125：477-482, 2012
15) 日本産科婦人科学会婦人科腫瘍委員会：婦人科腫瘍委員会報告 第64回治療年報. 日産婦会誌 75：1528-1642, 2023
16) Bistoletti P et al：Cytological diagnosis of endometrial cancer and preinvasive endometrial lesions：a comparison of the Endo-Pap sampler with fractional curettage. Acta Obstet Gynecol Scand 67：343-345, 1988
17) Karlsson B et al：Endovaginal scanning of the endometrium compared to cytology and histology in women with postmenopausal bleeding. Gynecol Oncol 50：173-178, 1993
18) Kufahl J et al：Transvaginal ultrasound, endometrial cytology sampled by Gynoscann and histology obtained by Uterine Explora Curette compared to the histology of the uterine specimen：a prospective study in pre- and postmenopausal women undergoing elective hysterectomy. Acta Obstet Gynecol Scand 76：790-796, 1997
19) Hricak H et al：The uterus and vagina, Higgins CB et al eds：Magnetic resonance imaging of the body, 2nd ed. p817-864, Raven Press, New York, 1992
20) Imaoka I et al：Abnormal uterine cavity：differential diagnosis with MR imaging. Magn Reson Imaging 17：1445-1455, 1999
21) Bakir B et al：Role of diffusion weighted MRI in the differential diagnosis of endometrial cancer, polyp, hyperplasia, and physiological thickening. Clin Imaging 41：86-94, 2017
22) Tamai K et al：Diffusion-weighted MR imaging of uterine endometrial cancer. J Magn Reson Imaging 26：682-687, 2007
23) Oliva E et al：Tumors of the Uterine Corpus and Gestational Trophoblastic Diseases. American Registry of Pathology, 2020
24) Grasel RP et al：Endometrial polyps：MR imaging features and distinction from endometrial carcinoma. Radiology 214：47-52, 2000
25) McGonigle KF et al：Abnormalities detected on transvaginal ultrasonography in tamoxifen-treated postmenopausal breast cancer patients may represent endometrial cystic atrophy. Am J Obstet Gynecol 178：1145-1150, 1998
26) Cohen I et al：Postmenopausal endometrial pathologies with tamoxifen treatment：comparison between hysteroscopic and hysterectomy findings. Gynecol Obstet Invest 48：187-192, 1999
27) Hulka CA et al：Endometrial abnormalities associated with tamoxifen therapy for breast cancer：sonographic and pathologic correlation. AJR Am J Roentgenol 160：809-812, 1993
28) Ascher SM et al：Tamoxifen-induced uterine abnormalities：the role of imaging. Radiology 214：29-38, 2000
29) Arimidex, Tamoxifen, Alone or in Combination Trialists' Group；Buzdar A et al：Comprehensive side-effect profile of anastrozole and tamoxifen as adjuvant treatment for early-stage breast cancer：long-term safety analysis of the ATAC trial. Lancet Oncol 7：633-643, 2006
30) Hricak H et al：Magnetic resonance imaging of the female pelvis：initial experience. AJR Am J Roentgenol 141：1119-1128, 1983
31) Hricak H et al：Endometrial carcinoma staging by MR imaging. Radiology 162：297-305, 1987
32) Javitt MC et al：MRI in staging of endometrial and cervical carcinoma. Magn Reson Imaging 5：83-92, 1987
33) Tanaka YO et al：A thickened or indistinct junctional zone on T2-weighted MR images in patients with endometrial carcinoma：pathologic consideration based on microcirculation. Eur Radiol 13：2038-2045, 2003
34) Utsunomiya D et al：Endometrial carcinoma in adenomyosis：assessment of myometrial invasion on T2-weighted spin-echo and gadolinium-enhanced T1-weighted images. AJR Am J Roentgenol 182：399-404, 2004
35) Sironi S et al：Myometrial invasion by endometrial carcinoma：assessment with plain and gadolinium-enhanced MR imaging. Radiology 185：207-212, 1992
36) Hirano Y et al：Preliminary experience with gadolinium-enhanced dynamic MR imaging for uterine neoplasms. Radiographics 12：243-256, 1992
37) Thurnher SA：MR imaging of pelvic masses in women：contrast-enhanced vs unenhanced images. AJR Am J Roentgenol 159：1243-1250, 1992
38) Yamashita Y et al：Assessment of myometrial invasion by endometrial carcinoma：transvaginal sonography vs contrast-enhanced MR imaging. AJR Am J Roentgenol

161：595-599, 1993
39) 田中優美子ほか：子宮体癌における Dynamic MRI の有用性の検討. 断層映像研会誌 20：50-55, 1993
40) Yamashita Y et al：Normal uterus and FIGO stage I endometrial carcinoma：dynamic gadolinium-enhanced MR imaging. Radiology 186：495-501, 1993
41) Ito K et al：Assessing myometrial invasion by endometrial carcinoma with dynamic MRI. J Comput Assist Tomogr 18：77-86, 1994
42) Joja I et al：Endometrial carcinoma：dynamic MRI with turbo-FLASH technique. J Comput Assist Tomogr 20：878-887, 1996
43) Manfredi R et al：Local-regional staging of endometrial carcinoma：role of MR imaging in surgical planning. Radiology 231：372-378, 2004
44) Park BK et al：Differentiation of the various lesions causing an abnormality of the endometrial cavity using MR imaging：emphasis on enhancement patterns on dynamic studies and late contrast-enhanced T1-weighted images. Eur Radiol 16：1591-1598, 2006
45) Fujii S et al：Diagnostic accuracy of the apparent diffusion coefficient in differentiating benign from malignant uterine endometrial cavity lesions：initial results. Eur Radiol 18：384-389, 2008
46) Shen SH et al：Diffusion-weighted single-shot echo-planar imaging with parallel technique in assessment of endometrial cancer. AJR Am J Roentgenol 190：481-488, 2008
47) Inada Y et al：Body diffusion-weighted MR imaging of uterine endometrial cancer：is it helpful in the detection of cancer in nonenhanced MR imaging? Eur J Radiol 70：122-127, 2009
48) Kilickesmez O et al：Quantitative diffusion-weighted magnetic resonance imaging of normal and diseased uterine zones. Acta Radiol 50：340-347, 2009
49) Lin G et al：Myometrial invasion in endometrial cancer：diagnostic accuracy of diffusion-weighted 3.0-T MR imaging：initial experience. Radiology 250：784-792, 2009
50) 日本産科婦人科学会ほか 編：子宮体癌取扱い規約 第3版. 金原出版, 東京, 2012
51) Belloni C et al：Magnetic resonance imaging in endometrial carcinoma staging. Gynecol Oncol 37：172-177, 1990
52) Lien HH et al：Cancer of the endometrium：value of MR imaging in determining depth of invasion into the myometrium. AJR Am J Roentgenol 157：1221-1223, 1991
53) Sironi S et al：Myometrial invasion by endometrial carcinoma：assessment by MR imaging. AJR Am J Roentgenol 158：565-569, 1992
54) Takahashi S et al：Preoperative staging of endometrial carcinoma：diagnostic effect of T2-weighted fast spin-echo MR imaging. Radiology 206：539-547, 1998
55) Nasi F et al：MRI evaluation of myometrial invasion by endometrial carcinoma：comparison between fast-spin-echo T2w and coronal-FMPSPGR Gadolinium-Dota-enhanced sequences. Radiol Med 110：199-210, 2005
56) Joja I et al：Endometrial carcinoma：multisection dynamic MR imaging using a three-dimensional FLASH technique during breath holding. Radiat Med 17：211-218, 1999
57) Ryoo UN et al：MR imaging in endometrial carcinoma as a diagnostic tool for the prediction of myometrial invasion and lymph node metastasis. Cancer Res Treat 39：165-170, 2007
58) Kinkel K et al：Radiologic staging in patients with endometrial cancer：a meta-analysis. Radiology 212：711-718, 1999
59) Seki H et al：Myometrial invasion of endometrial carcinoma：assessment with dynamic MR and contrast-enhanced T1-weighted images. Clin Radiol 52：18-23, 1997
60) Fujii S et al：Subendometrial enhancement and peritumoral enhancement for assessing endometrial cancer on dynamic contrast enhanced MR imaging. Eur J Radiol 84：581-589, 2015
61) Sala E et al：Added value of dynamic contrast-enhanced magnetic resonance imaging in predicting advanced stage disease in patients with endometrial carcinoma. Int J Gynecol Cancer 19：141-146, 2009
62) Wang LJ et al：Diffusion-weighted imaging versus dynamic contrast-enhanced imaging for pre-operative diagnosis of deep myometrial invasion in endometrial cancer：a meta-analysis. Clin Imaging 80：36-42 2021
63) Hori M et al：MR imaging of endometrial carcinoma for preoperative staging at 3.0 T：comparison with imaging at 1.5 T. J Magn Reson Imaging 30：621-630, 2009
64) Lin G et al：Endometrial cancer with cervical stromal invasion：diagnostic accuracy of diffusion-weighted and dynamic contrast enhanced MR imaging at 3T. Eur Radiol 27：1867-1876, 2017
65) Bi Q et al：Predictive value of T2-weighted imaging and dynamic contrast-enhanced MRI for assessing cervical invasion in patients with endometrial cancer：a meta-analysis. Clin Imaging 78：206-213, 2021
66) 信澤 宏ほか：病期Ⅲa子宮内膜癌（漿膜浸潤と腹腔内転移）のMR imaging. 日本医放会誌 56：283-287, 1996
67) Tanaka YO et al：Predicting microscopic extrauterine spread of endometrial carcinoma with MRI to support less invasive therapy. Int J Clin Oncol 5：158-163, 2000
68) McCluggage WG：Progress in the pathological arena of gynecological cancers. Int J Gynaecol Obstet 155（suppl 1）：107-114, 2021
69) Anglesio MS et al：Synchronous endometrial and ovarian carcinomas：evidence of clonality. J Natl Cancer Inst 108：djv428, 2016
70) Nicklin JL, Petersen RW：Stage 3B adenocarcinoma of the endometrium：a clinicopathologic study. Gynecol Oncol 78：203-207, 2000
71) Fujii S et al：Detection of peritoneal dissemination in gynecological malignancy：evaluation by diffusion-weighted MR imaging. Eur Radiol 18：18-23, 2008
72) Takeuchi M et al：Dynamic contrast-enhanced MR imaging of uterine endometrial carcinoma with/without squamous differentiation. Abdom Radiol 48：2494-2502, 2023
73) Kaketaka K et al：Assessment of endometrial cancer with microcystic, elongated, and fragmented pattern invasion using multiparametric MRI. Abdom Radiol 2025. doi：10.1007/s00261-025-04937-5. Online ahead of print.
74) Shapeero LG, Hricak H：Mixed mullerian sarcoma of the uterus：MR imaging findings. AJR Am J Roentgenol 153：317-319, 1989
75) Sahdev A et al：MR imaging of uterine sarcomas. AJR Am J Roentgenol 177：1307-1311, 2001

76) Takemori M et al : Carcinosarcoma of the uterus : magnetic resonance imaging. Gynecol Obstet Invest 43 : 139-141, 1997
77) Tanaka YO et al : Carcinosarcoma of the uterus : MR findings. J Magn Reson Imaging 28 : 434-439, 2008
78) Ohguri T et al : MRI findings including gadolinium-enhanced dynamic studies of malignant, mixed mesodermal tumors of the uterus : differentiation from endometrial carcinomas. Eur Radiol 12 : 2737-2742, 2002
79) Mills AM et al : Mesonephric-like endometrial carcinoma : results from immunohistochemical screening of 300 endometrial carcinomas and carcinosarcomas for this often overlooked and potentially aggressive entity. Am J Surg Pathol 46 : 921-932, 2022
80) Kim HG et al : Mesonephric-like adenocarcinoma of the uterine corpus : comprehensive analyses of clinicopathological, molecular, and prognostic characteristics with retrospective review of 237 endometrial carcinoma cases. Cancer Genomics Proteomics 19 : 526-539, 2022
81) Huntsman DG et al : Small-cell carcinoma of the endometrium : a clinicopathological study of sixteen cases. Am J Surg Pathol 18 : 364-375, 1994
82) Varras M et al : Primary small-cell carcinoma of the endometrium : clinicopathological study of a case and review of the literature. Eur J Gynaecol Oncol 23 : 577-581, 2002
83) Katahira A et al : Small cell carcinoma of the endometrium : report of three cases and literature review. Int J Gynecol Cancer 14 : 1018-1023, 2004
84) Yamamoto T et al : MR imaging of small cell carcinoma of the uterus with associated inappropriate secretion of antidiuretic hormone. AJR Am J Roentgenol 174 : 1167-1168, 2000
85) Ju W et al : Small cell carcinoma of the uterine corpus manifesting with visual dysfunction. Gynecol Oncol 99 : 504-506, 2005
86) Tognini G et al : Small cell carcinoma of the uterine corpus : CT appearance. Clin Imaging 26 : 133-135, 2002
87) Tamai K et al : Small cell carcinoma of the uterine corpus : MR imaging and pathological correlation. J Comput Assist Tomogr 31 : 485-489, 2007
88) Sekiguchi I et al : Rare case of small-cell carcinoma arising from the endometrium with paraneoplastic retinopathy. Gynecol Oncol 71 : 454-457, 1998
89) Campo E et al : Small cell carcinoma of the endometrium with associated ocular paraneoplastic syndrome. Cancer 69 : 2283-2288, 1992
90) Meydanli MM et al : Rare case of neuroendocrine small cell carcinoma of the endometrium with paraneoplastic membranous glomerulonephritis. Tumori 89 : 213-217, 2003
91) Sato H et al : Small-cell carcinoma of the endometrium presenting as Cushing's syndrome. Endocr J 57 : 31-38, 2010
92) Sugimoto M et al : Comparison of MR imaging features of uterine neuroendocrine carcinoma and uterine malignant lymphoma. Abdom Radiol 44 : 3377-3387, 2019
93) McCluggage WG et al : Key changes to the World Health Organization (WHO) classification of female genital tumours introduced in the 5th edition (2020). Histopathology 80 : 762-778, 2022
94) Lee HK et al : Uterine adenofibroma and adenosarcoma : CT and MR findings. J Comput Assist Tomogr 22 : 314-316, 1998
95) Song SE et al : MR imaging features of uterine adenomyomas. Abdom Imaging 36 : 483-488, 2011
96) Takeuchi M et al : MR manifestations of uterine polypoid adenomyoma. Abdom Imaging 40 : 480-487, 2015
97) Connors AM et al : Adenomyoma mimicking an aggressive uterine neoplasm on MRI. Br J Radiol 76 : 66-68, 2003
98) Young RH et al : Atypical polypoid adenomyoma of the uterus : a report of 27 cases. Am J Clin Pathol 86 : 139-145, 1986
99) Heatley MK : Atypical polypoid adenomyoma : a systematic review of the English literature. Histopathology 48 : 609-610, 2006
100) Raffone A et al : Management of women with atypical polypoid adenomyoma of the uterus : a quantitative systematic review. Acta Obstet Gynecol Scand 98 : 842-855, 2019
101) Yamashita Y et al : MR imaging of atypical polypoid adenomyoma. Comput Med Imaging Graph 19 : 351-355, 1995
102) Maeda T et al : Atypical polypoid adenomyoma of the uterus : appearance on (18) F-FDG PET/MRI fused images. AJR Am J Roentgenol 186 : 320-323, 2006
103) Nakai G et al : Magnetic resonance imaging findings in atypical polypoid adenomyoma. J Comput Assist Tomogr 39 : 32-36, 2015
104) Soh E et al : Magnetic resonance imaging findings of tamoxifen-associated uterine Müllerian adenosarcoma : a case report. Acta Radiol 49 : 848-851, 2008
105) Takeuchi M et al : Adenosarcoma of the uterus : magnetic resonance imaging characteristics. Clin Imaging 33 : 244-247, 2009
106) Ikuta A et al : Benign endometrial adenofibroma and polyp in patients receiving tamoxifen : findings on transvaginal ultrasonography and magnetic resonance imaging. J Med Ultrason 32 : 71-76, 2005
107) Chourmouzi D et al : Sonography and MRI of tamoxifen-associated müllerian adenosarcoma of the uterus. AJR Am J Roentgenol 181 : 1673-1675, 2003
108) Yoshizako T et al : MR imaging of uterine adenosarcoma : case report and literature review. Magn Reson Med Sci 10 : 251-254, 2011
109) Nakai G et al : Imaging findings of uterine adenosarcoma with sarcomatous overgrowth : two case reports, emphasizing restricted diffusion on diffusion weighted imaging. BMC Womens Health 21 : 416, 2021
110) Tanaka YO et al : Smooth muscle tumors of uncertain malignant potential and leiomyosarcomas of the uterus : MR findings. J Magn Reson Imaging 20 : 998-1007, 2004
111) Kawakami S et al : Red degeneration of uterine leiomyoma : MR appearance. J Comput Assist Tomogr 18 : 925-928, 1994
112) Bell SW et al : Problematic uterine smooth muscle neoplasms : a clinicopathologic study of 213 cases. Am J Surg Pathol 18 : 535-558, 1994
113) Hendrickson MR et al : Mesenchymal tumors and related lesions, Tavassoli FA, Devilee P eds ; Pathology and Genetics of Tumours of the Breast and Female Genital Organs. p233-244, IARC Press, 2003

114) Pattani SJ et al：MRI of uterine leiomyosarcoma. Magn Reson Imaging 13：331-333, 1995
115) Koyama T et al：MR imaging of endometrial stromal sarcoma：correlation with pathologic findings. AJR Am J Roentgenol 173：767-772, 1999
116) Ueda M et al：MR imaging findings of uterine endometrial stromal sarcoma：differentiation from endometrial carcinoma. Eur Radiol 11：28-33, 2001
117) Ueda M et al：Uterine endometrial stromal sarcoma located in uterine myometrium：MRI appearance. Eur Radiol 10：780-782, 2000
118) Goto A et al：Usefulness of Gd-DTPA contrast-enhanced dynamic MRI and serum determination of LDH and its isozymes in the differential diagnosis of leiomyosarcoma from degenerated leiomyoma of the uterus. Int J Gynecol Cancer 12：354-361, 2002
119) Kato H et al：Carcinosarcoma of the uterus：radiologic-pathologic correlations with magnetic resonance imaging including diffusion-weighted imaging. Magn Reson Imaging 26：1446-1450, 2008
120) Namimoto T et al：Combined use of T2-weighted and diffusion-weighted 3-T MR imaging for differentiating uterine sarcomas from benign leiomyomas. Eur Radiol 19：2756-2764, 2009
121) Lakhman Y et al：Differentiation of uterine leiomyosarcoma from atypical leiomyoma：diagnostic accuracy of qualitative MR imaging features and feasibility of texture analysis. Eur Radiol 27：2903-2915, 2017
122) Lin G et al：Comparison of the diagnostic accuracy of contrast-enhanced MRI and diffusion-weighted MRI in the differentiation between uterine leiomyosarcoma/smooth muscle tumor with uncertain malignant potential and benign leiomyoma. J Magn Reson Imaging 43：333-342, 2016
123) Abdel Wahab C et al：Diagnostic algorithm to differentiate benign atypical leiomyomas from malignant uterine sarcomas with diffusion-weighted MRI. Radiology 297：361-371, 2020
124) Oliva E et al：Mesenchymal Tumors of the Uterus, Kurman RJ et al eds：Blaustein's Pathology of the Female Genital Tract. p535-647, Springer International Publishing, Cham, 2019
125) Hindman N et al：MRI Evaluation of Uterine Masses for Risk of Leiomyosarcoma：a consensus statement. Radiology 306：e211658, 2023
126) Tamai K et al：The utility of diffusion-weighted MR imaging for differentiating uterine sarcomas from benign leiomyomas. Eur Radiol 18：723-730, 2008
127) Mittal KR et al：Molecular and immunohistochemical evidence for the origin of uterine leiomyosarcomas from associated leiomyoma and symplastic leiomyoma-like areas. Mod Pathol 22：1303-1311, 2009
128) Packenham JP et al：Analysis of genetic alterations in uterine leiomyomas and leiomyosarcomas by comparative genomic hybridization. Mol Carcinog 19：273-279, 1997
129) Norris HJ, Taylor HB：Mesenchymal tumors of the uterus：I．a clinical and pathological study of 53 endometrial stromal tumors. Cancer 19：755-766, 1966
130) Oliva E et al：Mesenchymal tumors of the uterus, Kurman RJ et al eds：Blaustein's Pathology of the Female Genital Tract, 7th ed. Springer, Cham, New York, 2019
131) Ozaki K, Gabata T：Magnetic resonance imaging of an endometrial stromal nodule. J Obstet Gynaecol Res 42：99-102, 2016
132) Henderson DN：Endolymphatic stromal myosis. Am J Obstet Gynecol 52：1000-1013, 1946
133) Krieger PD, Gusberg SB：Endolymphatic stromal myosis：a grade Ⅰ endometrial sarcoma. Gynecol Oncol 1：299-313, 1973
134) Furukawa R et al：Endometrial stromal sarcoma located in the myometrium with a low-intensity rim on T2-weighted images：report of three cases and literature review. J Magn Reson Imaging 31：975-979, 2010
135) Kim TH et al：What MRI features suspect malignant pure mesenchymal uterine tumors rather than uterine leiomyoma with cystic degeneration? J Gynecol Oncol 29：e26, 2018
136) Himoto Y et al：Differentiation of uterine low-grade endometrial stromal sarcoma from rare leiomyoma variants by magnetic resonance imaging. Sci Rep 11：19124, 2021
137) Li HM et al：Endometrial stromal sarcoma of the uterus：magnetic resonance imaging findings including apparent diffusion coefficient value and its correlation with Ki-67 expression. Int J Gynecol Cancer 27：1877-1887, 2017
138) Huang YL et al：Utility of diffusion-weighted and contrast-enhanced magnetic resonance imaging in diagnosing and differentiating between high- and low-grade uterine endometrial stromal sarcoma. Cancer Imaging 19：63, 2019
139) Clement PB, Scully RE：Uterine tumors resembling ovarian sex-cord tumors：a clinicopathologic analysis of fourteen cases. Am J Clin Pathol 66：512-525, 1976
140) Hermsen B et al：Uterine tumour resembling ovarian sex cord tumour (UTROSCT)：experience with a rare disease：two case reports and overview of the literature. Obstet Gynaecol Cases Rev 2：4-8 2015
141) Watrowski R et al：Uterine tumors resembling ovarian sex cord tumors (UTROSCTs)：a scoping review of 511 cases including 2 new cases. Medicina 60：179 2024
142) Okada S et al：MRI findings of a case of uterine tumor resembling ovarian sex-cord tumors coexisting with endometrial adenoacanthoma. Radiat Med 19：151-153 2001
143) Calisir C et al：Mazabraud's syndrome coexisting with a uterine tumor resembling an ovarian sex cord tumor (UTROSCT)：a case report. Korean J Radiol 8：438-442 2007
144) Bennett JA et al：Uterine PEComas：a morphologic, immunohistochemical, and molecular analysis of 32 tumors. Am J Surg Pathol 42：1370-1383, 2018
145) Giannella L et al：Ultrasound features of a uterine perivascular epithelioid cell tumor (PEComa)：case report and literature review. Diagnostics 10：553, 2020
146) Nishio N et al：MR findings of uterine PEComa in patients with tuberous sclerosis：report of two cases. Abdom Radiol 44：1256-1260, 2019
147) Kwon BS et al：Two cases of perivascular epithelioid cell tumor of the uterus：clinical, radiological and pathological diagnostic challenge. Eur J Med Res 22：7, 2017
148) Ueno K et al：Magnetic resonance imaging features of inflammatory myofibroblastic tumor of the uterus. 東女医大誌 78：225-229, 2008
149) Horwood G et al：Fertility-preserving management of an inflammatory myofibroblastic tumor：a case report and

2. 主として子宮筋層を占める疾患（間葉性腫瘍）tumors occupying the myometrium

review of the literature. Case Rep Womens Health 37 : e00481, 2023

150) Chen HF et al : Uterine adenomatoid tumor : a clinicopathologic study of 102 cases. Int J Clin Exp Pathol 10 : 9627-9632, 2017

151) Meng Q et al : Magnetic resonance imaging and pathologic findings of 26 cases with uterine adenomatoid tumors. J Comput Assist Tomogr 39 : 499-505, 2015

152) Mitsumori A et al : MR appearance of adenomatoid tumor of the uterus. J Comput Assist Tomogr 24 : 610-613, 2000

153) Takeuchi M et al : MR imaging findings of uterine adenomatoid tumors. Magn Reson Med Sci 23 : 127-135, 2024

154) Kim JY et al : Cystic adenomatoid tumor of the uterus. AJR Am J Roentgenol 179 : 1068-1070, 2002

155) Park JY et al : Primary Ewing's sarcoma-primitive neuroectodermal tumor of the uterus : a case report and literature review. Gynecol Oncol 106 : 427-432, 2007

156) Aozasa K et al : Malignant lymphoma of the uterus : report of seven cases with immunohistochemical study. Cancer 72 : 1959-1964, 1993

157) Kosari F et al : Lymphomas of the female genital tract : a study of 186 cases and review of the literature. Am J Surg Pathol 29 : 1512-1520, 2005

158) Kawakami S et al : MR appearance of malignant lymphoma of the uterus. J Comput Assist Tomogr 19 : 238-242, 1995

159) Kim YS et al : MR imaging of primary uterine lymphoma. Abdom Imaging 22 : 441-444, 1997

160) Goto N et al : Magnetic resonance findings of primary uterine malignant lymphoma. Magn Reson Med Sci 6 : 7-13, 2007

161) Gupta D, Balsara G : Extrauterine malignancies : role of Pap smears in diagnosis and management. Acta Cytol 43 : 806-813, 1999

162) Kumar NB, Hart WR : Metastases to the uterine corpus from extragenital cancers : a clinicopathologic study of 63 cases. Cancer 50 : 2163-2169, 1982

163) Muñoz-Iglesias J et al : Unsuspected uterine metastasis of breast carcinoma diagnosed by 18F-FDG PET/CT. Clin Nucl Med 38 : e441-442, 2013

164) Metser U et al : MR imaging findings and patterns of spread in secondary tumor involvement of the uterine body and cervix. AJR Am J Roentgenol 180 : 765-769, 2003

165) Kim SH et al : Uterine metastasis from stomach cancer : radiological findings. Clin Radiol 42 : 285-286, 1990

Column

❖ 抗 NMDA (*N*-methyl-D-aspartate) 受容体脳炎

　1960年代から非ヘルペス性脳炎が若年女性に好発することが知られていた。1997年，Okamuraら[1]やNokuraら[2]により卵巣奇形腫切除後に神経症状が急速に改善した症例が報告され，卵巣奇形腫に随伴する傍腫瘍性辺縁系脳炎の存在が推測された。2007年にはDalmauらにより抗NMDA受容体脳炎として新たな疾患概念が提唱された[3]。本症はシナプス後膜にあるグルタミン酸受容体の1つであるNMDA受容体に抗体が付着してこれを障害する[4]。卵巣奇形腫合併例では腫瘍内の神経細胞膜上に発現している抗原が，抗原提示細胞を介して免疫応答を誘導し，CD4陽性T細胞を活性化し抗体を産生させていると推測されている[5]。

　臨床的には若年女性に好発し，女性の場合はほとんどが卵巣成熟または未熟奇形腫合併例であるという。症状は典型的には発熱など感冒様症状の前駆期に引き続き，しばしば痙攣発作を契機に緊張病性昏迷類似の状態に陥る精神病期に移行し，中枢性低換気をきたす無反応期，ジスキネジアやアテトーゼといった不随意運動期を経て緩徐に回復するといわれる[5]。治療はステロイドパルス，免疫グロブリン大量療法や血漿交換療法にシクロホスファミドやリツキシマブが併用される[4]。治療には長期間を要するが，脳炎のなかでは予後はさほど悪くないといわれる。若年女性で新規に発生した痙攣発作では鑑別疾患の1つとして考慮する必要があり，腫瘍合併例では腫瘍摘除により予後の改善が望める[6]ことから，抗NMDA受容体抗体陽性例ではTAUS/TVUSで卵巣奇形腫の有無を検索する必要がある。

　画像的にはT2強調像やFLAIRで側頭葉内側に高信号域を認めることが多いが，異常信号域は大脳皮質，小脳，脳幹，基底核さらには脊髄の報告もあり，辺縁系脳炎の好発部位である側頭葉内側ばかりではないことに注意が必要である[6]。

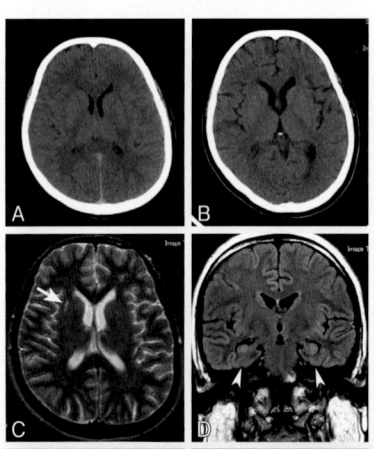

図　32歳　成熟奇形腫に合併した抗NMDA受容体脳炎
A：単純CT（初診時），B：単純CT（症状改善後），C：T2強調横断像，D：FLAIR冠状断像，E：T2強調横断像，F：T1強調横断像，G：脂肪抑制T1強調横断像

感冒様症状に引き続き急性の経過で異常行動，意識障害が出現。経過中痙攣重積や不随意運動もみられた。初診時単純CT（A）では，症状改善後（B）に比べ脳回が見にくく，びまん性脳浮腫がみられ，右被殻にT2強調像で異常高信号域を認める（C→）。側頭葉内側部には異常信号は認めない（D▲）。抗NMDA受容体抗体の1種であるGluRε2抗体が陽性であったので，検索したところ，右卵巣にT2強調像で多彩な信号を示す多房性嚢胞性腫瘤を認め（E→），T1強調像（F），脂肪抑制T1強調像（G）から脂肪の存在が明らかである。付属器切除が行われ，成熟奇形腫と病理診断された。

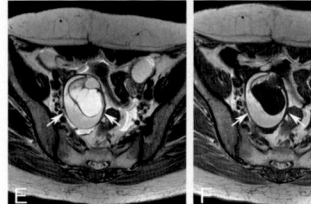

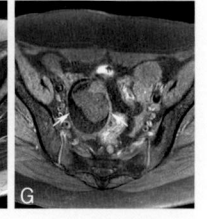

【文　献】
1) Okamura H et al：An acutely confused 15-year-old girl. Lancet 350：488, 1997
2) Nokura K et al：Reversible limbic encephalitis caused by ovarian teratoma. Acta Neurol Scand 95：367-373, 1997
3) Dalmau J et al：Paraneoplastic anti-N-methyl-D-aspartate receptor encephalitis associated with ovarian teratoma. Ann Neurol 61：25-36, 2007
4) 飯塚高浩：REVIEW & PREVIEW：抗NMDA受容体脳炎. Medicina 50：734-738, 2013
5) 飯塚高浩：抗NMDA受容体抗体脳炎の臨床と病態. 臨神経 49：774-778, 2009
6) Dalmau J et al：Anti-NMDA-receptor encephalitis：case series and analysis of the effects of antibodies. Lancet Neurol 7：1091-1098, 2008

第7章

婦人科腫瘍
(卵巣・卵管・腹膜)

I 「卵巣腫瘍」から「卵巣・卵管・腹膜腫瘍」へ

卵巣は表層上皮，性索間質，胚細胞から構成される組織（図1）で，これらの各構成成分から良性・境界悪性・悪性取り混ぜて多種多彩な腫瘍が発生する（表1）[1]。これに加えて子宮内膜症や卵管卵巣膿瘍に代表される非腫瘍性病変が卵巣内またはその近傍に腫瘤を形成することが，婦人科疾患の術前画像診断をさらに困難なものにさせている。これらの腫瘤のなかには頻度的に極めてまれなものが少なくなく，定まった画像所見の報告されていない腫瘍もあるが，多くのcommon diseaseでは特徴的なMRI所見が報告されている。また，初版の出版後，卵巣・卵管・腹膜の高異型度漿液性癌の多くが漿液性卵管上皮内癌に由来するとの考え方が広く受け入れられた結果，『卵巣腫瘍取扱い規約』の書名が『卵巣腫瘍・卵管癌・腹膜癌取扱い規約』[1]へと変更され，これに基づく進行期分類の変更もなされた[2]。これについては本章Ⅱ-1-1）「上皮性腫瘍」の項で詳述する。本項ではまず，極めて多彩な腫瘍性病変が付属器およびその近傍に生じることから，骨盤内腫瘤の鑑別診断の進め方について概説する。次に治療を含めた臨床的事項の概要を述べるが，悪性卵巣・卵管・腹膜腫瘍の90％以上が上皮性腫瘍である（図2）ことから，上皮性腫瘍が中心となる。さらに，そのうちの40％以上を占める高異型度漿液性癌は，広範な腹腔内播種（癌性腹膜炎）を伴って発症することが多いので，癌性腹膜炎の鑑別診断，腹腔内の画像解剖に根ざした播種の広がりを中心に，画像による病期診断，さらに再発診断について述べる。

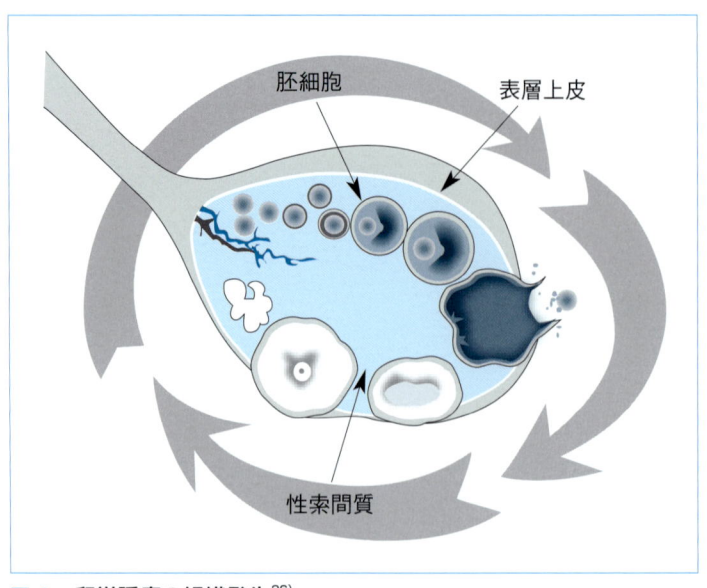

図1　卵巣腫瘍の組織発生[26]
卵巣は表層上皮，胚細胞，性索間質細胞から形成されており，これらの各々から多彩な腫瘍が発生する。

表1 臨床的な取扱いに基づいた卵巣腫瘍の分類

	良性腫瘍	境界悪性腫瘍/低悪性度腫瘍/悪性度不明の腫瘍	悪性腫瘍
上皮性腫瘍	漿液性嚢胞腺腫・腺線維腫 漿液性表在性乳頭腫 粘液性嚢胞腺腫・腺線維腫 類内膜嚢胞腺腫・腺線維腫 明細胞嚢胞腺腫・腺線維腫 ブレンナー腫瘍 漿液粘液性嚢胞腺腫・腺線維腫 子宮内膜症性嚢胞	漿液性境界悪性腫瘍 粘液性境界悪性腫瘍 類内膜境界悪性腫瘍 明細胞境界悪性腫瘍 境界悪性ブレンナー腫瘍 漿液粘液性境界悪性腫瘍	低異型度漿液性癌 高異型度漿液性癌 粘液性癌 類内膜癌 明細胞癌 悪性ブレンナー腫瘍 漿液粘液性癌 未分化癌
		微小乳頭状パターンを伴う漿液性境界悪性腫瘍*	
間葉性腫瘍	―	―	類内膜間質肉腫
上皮性・間葉性混合腫瘍	―	―	腺肉腫 癌肉腫
性索間質性腫瘍	線維腫 莢膜細胞腫 硬化性腹膜炎を伴う黄体化莢膜細胞腫 硬化性間質性腫瘍 印環細胞間質性腫瘍 微小嚢胞間質性腫瘍 ライディッヒ細胞腫 ステロイド細胞腫瘍 セルトリ・ライディッヒ細胞腫（高分化型）	富細胞性線維腫 若年型顆粒膜細胞腫 セルトリ細胞腫 輪状細管を伴う性索腫瘍 セルトリ・ライディッヒ細胞腫（中分化型） その他の性索間質性腫瘍	線維肉腫 悪性ステロイド細胞腫瘍 セルトリ・ライディッヒ細胞腫（低分化型）
		成人型顆粒膜細胞腫*	
胚細胞腫瘍	成熟奇形腫 良性卵巣甲状腺腫 脂腺腺腫	―	未分化胚細胞腫 卵黄嚢腫瘍 胎芽性癌 絨毛癌（非妊娠性） 悪性卵巣甲状腺腫（乳頭癌, 濾胞癌） 脂腺癌 癌（扁平上皮癌, その他）
		未熟奇形腫（Grade 1～3）* カルチノイド腫瘍*	
胚細胞・性索間質性腫瘍	―	性腺芽腫 分類不能な胚細胞・性索間質性腫瘍	―
その他	卵巣網腺腫	ウォルフ管腫瘍 傍神経節腫 充実性偽乳頭状腫瘍	卵巣網腺癌 小細胞癌 ウィルムス腫瘍 悪性リンパ腫 形質細胞腫 骨髄性腫瘍

現在は使用されていない組織型を含む。
＊臨床的取扱いが境界悪性あるいは悪性度不明の腫瘍に準じることがあるにもかかわらず, ICD-Oコードが悪性あるいは上皮内癌である腫瘍はあえていずれか一方に分類せず, 両方にまたがるように記載していた。
(日本産科婦人科学会ほか 編：卵巣腫瘍・卵管癌・腹膜癌取扱い規約 病理編 第1版. 金原出版, 2016より引用)

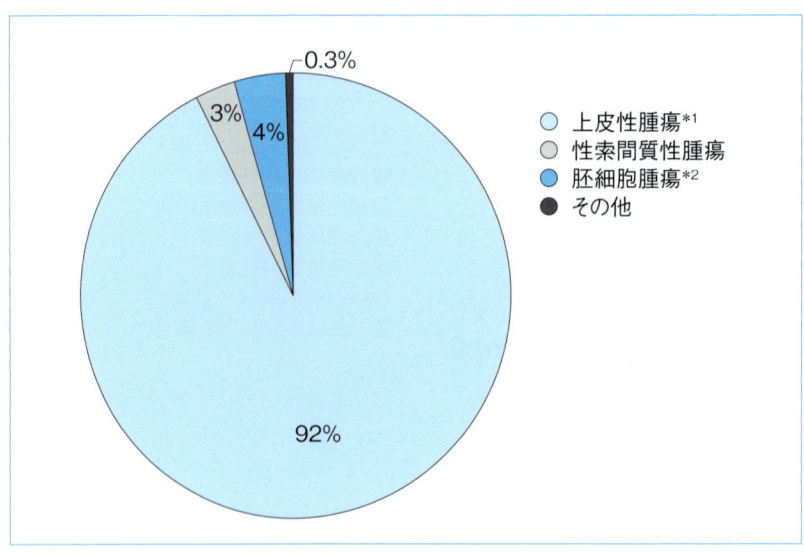

図 2 卵巣・卵管・腹膜腫瘍（悪性）の組織型別頻度
*1 上皮性腫瘍には小細胞癌を含む。
*2 胚細胞腫瘍には奇形腫由来の扁平上皮癌を含む。
（日本産科婦人科学会婦人科腫瘍委員会報告，2021 年患者年報，2023[28]より作成）

1. 卵巣・卵管・腹膜癌の組織分類

　前述の通り，現在用いられている本邦の『卵巣腫瘍・卵管癌・腹膜癌取扱い規約　病理編　第2版』[1]，WHO 分類第5版[3]とも卵巣腫瘍はその組織発生に基づいて分類されている。すなわち上皮性腫瘍，性索間質性腫瘍，胚細胞腫瘍に加え，まれな腫瘍や類腫瘍病変，転移性腫瘍を大分類に加えている（表2）。なお，WHO 分類の最新版では間葉性腫瘍，神経内分泌腫瘍，造血器系腫瘍，メラニン系腫瘍などを臓器横断的に，組織型毎の章立てに変更した[3]ことから，本邦の各婦人科腫瘍取扱い規約では若干の補遺があり，本書でも臓器毎に必要と考えられる腫瘍についての記述を加えている。

2. 骨盤内腫瘤性病変の画像診断の適応と進め方

1）卵巣か卵巣外か

　冒頭で述べたように付属器には良悪性取り混ぜて多彩な腫瘍が発生するうえに，かつ性腺外由来の腫瘍や非腫瘍性病変も骨盤内腫瘤性病変として発生することから，画像診断にはまず由来臓器の特定が求められる。これには当該腫瘤の子宮（p129〜130；p133〜134参照）や直腸，小腸（p135参照），神経（図3）といった周囲臓器との連続性に留意するとともに，生殖可能年齢の症例に

表2 卵巣腫瘍の組織学的分類および ICD-O コード[*1]

漿液性腫瘍 Serous tumors
8441/0 漿液性嚢胞腺腫 Serous cystadenoma NOS
8461/0 　漿液性表在性乳頭腫 Serous surface papilloma
9014/0 漿液性腺線維腫 Serous adenofibroma NOS
9014/0 漿液性嚢胞腺線維腫 Serous cystadenofibroma NOS
8442/1 漿液性境界悪性腫瘍 Serous borderline tumor NOS
8460/2 　微小乳頭状漿液性境界悪性腫瘍 Serous borderline tumor, micropapillary variant
8460/2 Serous carcinoma, non-invasive, low grade[*2]
8460/3 低異型度漿液性癌 Low-grade serous carcinoma
8461/3 高異型度漿液性癌 High-grade serous carcinoma

粘液性腫瘍 Mucinous tumors
8470/0 粘液性嚢胞腺腫 Mucinous cystadenoma NOS
9015/0 粘液性腺線維腫 Mucinous adenofibroma NOS
8472/1 粘液性境界悪性腫瘍 Mucinous borderline tumor
8480/3 粘液性癌 Mucinous adenocarcinoma

類内膜腫瘍 Endometrioid tumors
8380/0 類内膜嚢胞腺腫 Endometrioid cystadenoma NOS
8381/0 類内膜腺線維腫 Endometrioid adenofibroma NOS
8380/1 類内膜境界悪性腫瘍 Endometrioid tumor, borderline
8380/3 類内膜癌 Endometrioid adenocarcinoma NOS
8474/3 　漿液粘液性癌 Seromucinous carcinoma

明細胞腫瘍 Clear cell tumors
8443/0 明細胞嚢胞腺腫 Clear cell cystadenoma
8313/0 明細胞腺線維腫 Clear cell cystadenofibroma
8313/1 明細胞境界悪性腫瘍 Clear cell borderline tumor
8310/3 明細胞癌 Clear cell adenocarcinoma NOS

漿液粘液性腫瘍 Seromucinous tumors
8474/0 漿液粘液性嚢胞腺腫 Seromucinous cystadenoma
9014/0 漿液粘液性腺線維腫 Seromucinous adenofibroma
8474/1 漿液粘液性境界悪性腫瘍 Seromucinous borderline tumor

ブレンナー腫瘍 Brenner tumors
9000/0 ブレンナー腫瘍 Brenner tumor NOS
9000/1 境界悪性ブレンナー腫瘍 Brenner tumor, borderline malignancy
9000/3 悪性ブレンナー腫瘍 Brenner tumor, malignant

その他の癌 Other carcinomas
9111/3 中腎様腺癌 Mesonephric-like adenocarcinoma
8020/3 未分化癌 Carcinoma, undifferentiated NOS
8020/3 脱分化癌 Dedifferentiated carcinoma
8980/3 癌肉腫 Carcinosarcoma NOS
8323/3 混合癌 Mixed cell adenocarcinoma

間葉性腫瘍 Mesenchymal tumors
8931/3 低異型度類内膜間質肉腫 Endometrioid stromal sarcoma, low grade
8930/3 高異型度類内膜間質肉腫 Endometrioid stromal sarcoma, high grade
8890/0 平滑筋腫 Leiomyoma NOS
8890/3 平滑筋肉腫 Leiomyosarcoma NOS
8897/1 悪性度不明な平滑筋腫瘍 Smooth muscle tumor of uncertain malignant potential
8840/0 粘液腫 Myxoma NOS

上皮性・間葉性混合腫瘍 Mixed epithelial and mesenchymal tumors
8933/3 腺肉腫 Adenosarcoma

表2 （つづき）卵巣腫瘍の組織学的分類および ICD-O コード*

性索間質性腫瘍 Sex cord-stromal tumors
〈純粋型間質性腫瘍 Pure stromal tumors〉
8810/0 　線維腫 Fibroma NOS
8810/1 　　富細胞性線維腫 Cellular fibroma
8600/0 　莢膜細胞腫 Thecoma NOS
8601/0 　黄体化莢膜細胞腫 Thecoma, luteinized
8602/0 　硬化性間質性腫瘍 Sclerosing stromal tumor
8590/0 　微小嚢胞間質性腫瘍 Microcystic stromal tumor
8590/0 　印環細胞間質性腫瘍 Signet-ring stromal tumor
8650/0 　ライディッヒ細胞腫 Leydig cell tumor NOS
8670/0 　ステロイド細胞腫瘍 Steroid cell tumor NOS
8670/3 　悪性ステロイド細胞腫瘍 Steroid cell tumor, malignant
8810/3 　線維肉腫 Fibrosarcoma NOS

〈純粋型性索腫瘍 Pure sex cord tumors〉
8620/3 　成人型顆粒膜細胞腫 Adult granulosa cell tumor
8622/1 　若年型顆粒膜細胞腫 Granulosa cell tumor, juvenile
8640/1 　セルトリ細胞腫 Sertoli cell tumor NOS
8623/1 　輪状細管を伴う性索腫瘍 Sex cord tumor with annular tubules

〈混合型性索間質性腫瘍 Mixed sex cord-stromal tumors〉
8631/1 　セルトリ・ライディッヒ細胞腫瘍 Sertoli-Leydig cell tumor NOS
8631/0 　　高分化型セルトリ・ライディッヒ細胞腫 Sertoli-Leydig cell tumor, well differentiated
8631/1 　　中分化型セルトリ・ライディッヒ細胞腫 Sertoli-Leydig cell tumor, moderately differentiated
8631/3 　　低分化型セルトリ・ライディッヒ細胞腫 Sertoli-Leydig cell tumor, poorly differentiated
8633/1 　　網状型セルトリ・ライディッヒ細胞腫 Sertoli-Leydig cell tumor, retiform
8590/1 　分類不能な性索腫瘍 Sex cord tumor NOS
8632/1 　ギナンドブラストーマ Gynandroblastoma

胚細胞腫瘍 Germ cell tumors
9080/0 　奇形腫 Teratoma, benign
9080/3 　未熟奇形腫 Immature teratoma NOS
9060/3 　未分化胚細胞腫 Dysgerminoma
9071/3 　卵黄嚢腫瘍 Yolk sac tumor NOS
9070/3 　胎芽性癌 Embryonal carcinoma NOS
9100/3 　絨毛癌 Choriocarcinoma NOS
9085/3 　混合型胚細胞腫瘍 Mixed germ cell tumor

〈単胚葉性奇形腫および皮様嚢腫に伴う体細胞型腫瘍
Monodermal teratomas and somatic-type tumors arising from a dermoid cyst〉
9090/0 　卵巣甲状腺腫 Struma ovarii NOS
9090/3 　悪性卵巣甲状腺腫 Struma ovarii, malignant
9091/1 　甲状腺腫性カルチノイド Strumal carcinoid
9080/0 　単胚葉性嚢胞性奇形腫 Cystic teratoma NOS
9084/3 　悪性転化を伴う奇形腫 Teratoma with malignant transformation

〈胚細胞・性索間質性腫瘍 Germ cell-sex cord-stromal tumors〉
9073/1 　性腺芽腫 Gonadoblastoma
　　　　　　Dissecting gonadoblastoma
　　　　　　Undifferentiated gonadal tissue
8594/1 　分類不能な混合型胚細胞・性索間質性腫瘍 Mixed germ cell-sex cord-stromal tumor NOS

その他の腫瘍 Miscellaneous tumors
9110/0 　卵巣網腺腫 Adenoma of rete ovarii
9110/3 　卵巣網腺癌 Adenocarcinoma of rete ovarii
9110/1 　ウォルフ管腫瘍 Wolffian tumor

表2 （つづき）卵巣腫瘍の組織学的分類およびICD-O コード[*1]

8452/1	充実性偽乳頭状腫瘍	Solid pseudopapillary tumor
8044/3	高カルシウム血症型小細胞癌	Small cell carcinoma, hypercalcaemic type
8960/3	ウィルムス腫瘍	Wilms tumor（腎芽腫 Nephroblastoma）
8041/3	小細胞神経内分泌癌	Small cell neuroendocrine carcinoma

腫瘍様病変 Tumor-like lesions

	卵胞囊胞	Follicle cyst
	黄体囊胞	Corpus luteum cyst
	大型孤在性黄体化卵胞囊胞	Large solitary luteinized follicle cyst
	黄体化過剰反応	Hyperreactio luteinalis
8610/0	妊娠黄体腫	Pregnancy luteoma
	間質過形成および莢膜細胞過形成	Stromal hyperplasia and hyperthecosis
	線維腫症および広汎性浮腫	Fibromatosis and massive edema
	ライディッヒ細胞過形成	Leydig cell hyperplasia
	子宮内膜症性嚢胞	Endometriotic cyst

転移性腫瘍 Metastases to the ovary

[*1] ほぼ WHO Classification of Tumours of the Ovary（2020）の日本語訳である。
[*2] 『卵巣腫瘍・卵管癌・腹膜癌取扱い規約 病理編 第2版』には収載されず。

おいては常に腫瘍外に両側正常卵巣が確認できるか否かを確認しておく必要がある[4]。栄養血管や導出静脈が腫瘍起源推定に役立つことは多い[5)6)]（p521 参照）が，子宮動静脈にも卵巣枝はあり，子宮腫瘍と卵巣腫瘍の鑑別において，その取り扱いには注意する必要がある（図4）。

2）卵巣腫瘍性病変の鑑別診断とマネジメントのストラテジー

　本邦では問診・内診に引き続いて，婦人科外来でUSが行われることが多いが，USで認められた単純性嚢胞（壁が薄く内部エコーのない嚢胞）は生殖可能年齢においては主席卵胞[7-9)]や黄体[10)11)]といった機能性嚢胞（functional cyst）であることが多い。閉経後であっても約20％の女性の卵巣に1 cm以上の単純性嚢胞が発見される[12)]とされる。Boosらは CT で偶発的に発見された嚢胞のうち，最終的に悪性卵巣腫瘍と診断されたものは0.7％で，単純性嚢胞（壁の薄い，漿液性の内容物を含む単房性嚢胞）では皆無であったと報告している[13)]。これと相前後して，The Society of Radiologists in Ultrasound（SRU）では，単純性嚢胞は閉経前では5〜7 cm 以上，閉経後でも3〜5 cm 以上のもののみ経過観察すべきであるとの見解を表明しており[14)]，米国放射線科医会（American College of Radiology：ACR）白書[15)]，『画像診断ガイドライン 2021年版』[16)]でもこれを踏襲している（図5）。閉経前症例では，その多くで性周期が1.5 cycle 経過したと推定される6週間後の検査により消失もしくは縮小を確認できる。よってUS以上に侵襲的な，あるいは高コストのCT，MRIなどの検査は要さない。

　上記ACR白書には注釈としての表（表3）が添付され，特徴的な画像所見をもつ特定の良性疾患についての管理方針が明示されている[15)]。これには生殖可能年齢の女性において高頻度に認められる内膜症性嚢胞（p163〜169 参照）や成熟奇形腫（p535〜539 参照）などが含まれ，各々特徴的な画像所見が知られており，所見に疑義のある場合を除き発見契機となった検査以上の精

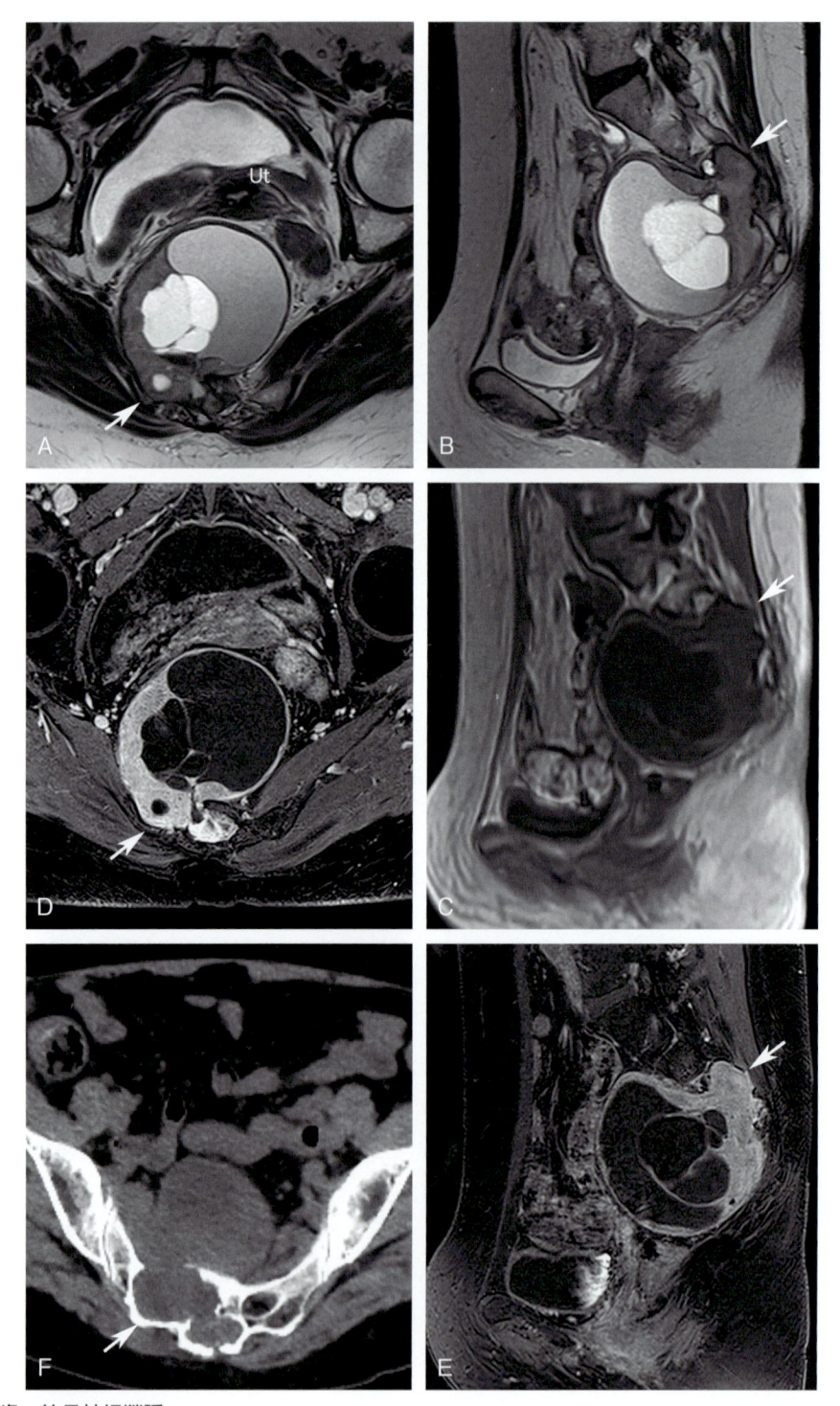

I 「卵巣腫瘍」から「卵巣・卵管・腹膜腫瘍」へ

図3 64歳 仙骨神経鞘腫
A：T2強調横断像，B：T2強調矢状断像，C：T1強調矢状断像，D：造影脂肪抑制T1強調横断像，E：造影脂肪抑制T1強調矢状断像，F：単純CT
卵巣腫瘍疑いにて紹介された．子宮の背側に被膜と連続した充実部を有する囊胞性腫瘤を認める（A〜E→）が，その後縁は仙骨孔に連続し，これを押し広げるように侵食している（F→）ことから良性の神経原性腫瘍であることが明らかである．脊椎との関係はTVUSでは評価が難しく，CT，MRI診断で気付くべき所見である．

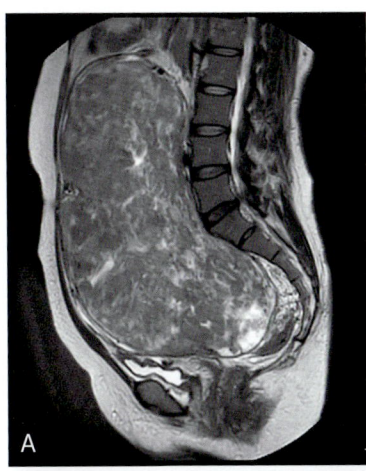

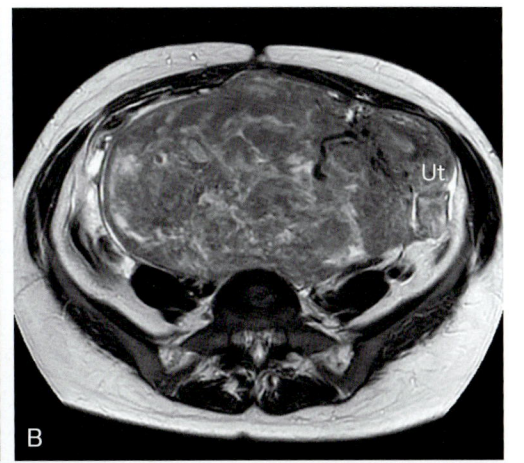

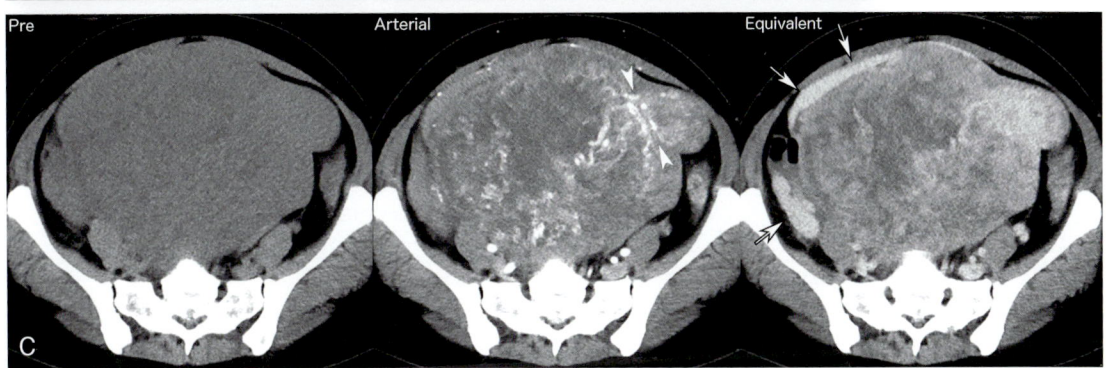

図4　48歳　広間膜内子宮筋腫
A：T2強調矢状断像，B：T2強調横断像，C：ダイナミックCT

卵巣腫瘍疑いにて紹介された。骨盤腔内を占拠する腫瘤はT2強調像（A，B）で信号強度が低く，子宮の右側壁との連続性が明らかで，単純MRIでも子宮由来であることがわかる。ダイナミックCT（C）動脈優位相では子宮側から腫瘤に向かう子宮動脈末梢枝が栄養動脈として描出される（C▲）が，導出静脈は右卵巣静脈（C→）である。このように，子宮腫瘍と卵巣腫瘍の鑑別に際しては血管支配が必ずしも由来臓器と一致しないことに注意が必要である。

査を要さない。閉経後の出血性嚢胞と悪性腫瘍が推定される場合は精査が必要とされるが，放射線科医は付属器腫瘍の画像所見に精通すべきであるとのみ記載され，後者に明確な基準は示されていない[15]。一般的に卵巣腫瘍性病変の多くが嚢胞性もしくは充実部を含む嚢胞性腫瘍として発症することから，TVUSに限らず，USでは表4に示す点に留意して検査を行う。日本超音波医学会では，卵巣腫瘍のエコーパターンを図6のように分類し，Bモードのみで悪性・境界悪性腫瘍である確率はⅠ型，Ⅱ型，Ⅲ型では3％以下であり，Ⅳ型は約50％，Ⅴ型は約70％，Ⅵ型は約30％である，としている[17]。またUS上，「腫瘍が単房性または多房性で，嚢胞壁や隔壁に不整な部分や高さ3mmを超える乳頭状隆起がなく，腫瘍の輪郭が明瞭であること」を良性とする基準で診断した場合，感度83～88％，特異度91～96％であったと報告されている[18]。USではこれにドプラによる解析結果を付加することにより正診率が向上することが知られている。すなわち腫瘍内やその辺縁にドプラ信号の確認できない場合に「悪性腫瘍でない」との陰性反応適中

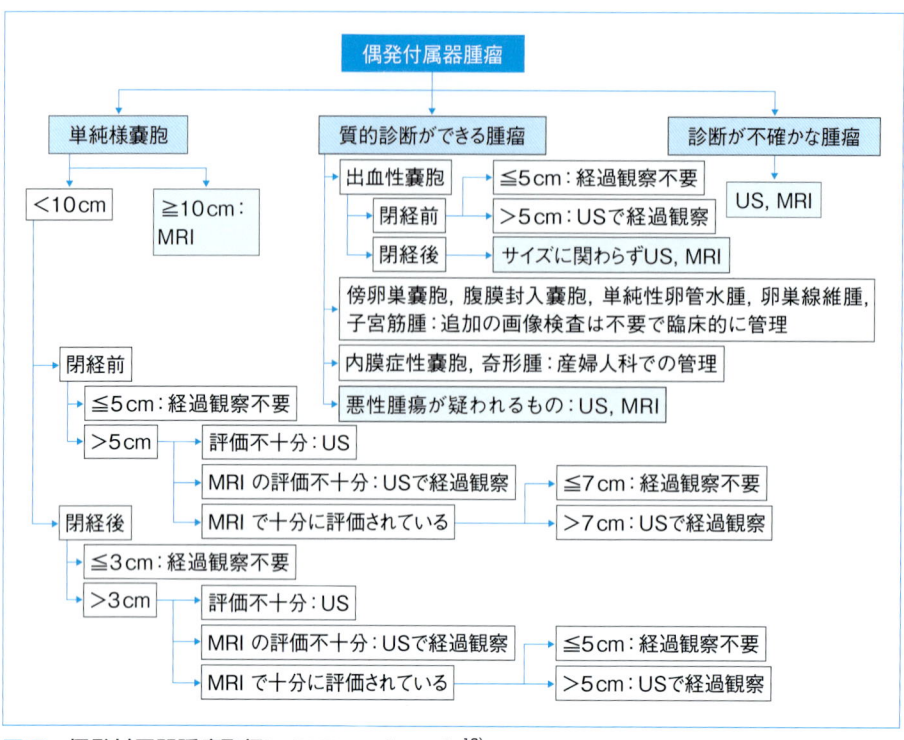

I 「卵巣腫瘍」から「卵巣・卵管・腹膜腫瘍」へ

```
                          偶発付属器腫瘤
            ┌─────────────┼─────────────┐
         単純様嚢胞      質的診断ができる腫瘤      診断が不確かな腫瘤
                                                    │
      ┌──────┐          出血性嚢胞 ─┬─ ≦5cm：経過観察不要    US, MRI
   <10cm  ≧10cm：        ├─閉経前 ─── >5cm：USで経過観察
           MRI            └─閉経後 ─── サイズに関わらずUS, MRI
                         ┌──────────────────────────────────┐
                         │傍卵巣嚢胞，腹膜封入嚢胞，単純性卵管水腫，卵巣線維腫，│
                         │子宮筋腫：追加の画像検査は不要で臨床的に管理       │
                         └──────────────────────────────────┘
    閉経前                 内膜症性嚢胞，奇形腫：産婦人科での管理
      ├─ ≦5cm：経過観察不要
      └─ >5cm             悪性腫瘍が疑われるもの：US, MRI
              ├─評価不十分：US
              ├─MRIの評価不十分：USで経過観察 ─┬─ ≦7cm：経過観察不要
              └─MRIで十分に評価されている    └─ >7cm：USで経過観察
    閉経後
      ├─ ≦3cm：経過観察不要
      └─ >3cm
              ├─評価不十分：US
              ├─MRIの評価不十分：USで経過観察 ─┬─ ≦5cm：経過観察不要
              └─MRIで十分に評価されている    └─ >5cm：USで経過観察
```

図5 偶発付属器腫瘤取扱いのフローチャート[16]

表3 ACR白書：CTおよびMRIで偶発的に発見された付属器腫瘤のマネジメント

付属器腫瘤	閉経前 （不明の場合は50歳未満）	閉経後 （不明の場合は50歳超）
出血性嚢胞	5cm未満の場合は追加の画像検査は不要	USまたはMRIで質的診断を行う
	5cm超の場合は2〜3カ月後にUSでフォローアップ	
傍卵巣嚢胞	通常，追加の画像検査は不要（必要に応じて経過観察もしくは治療開始）	
癒着による偽嚢胞[*1]		
単純卵管水腫		
卵巣線維腫		
子宮筋腫		
子宮内膜症性嚢胞	通常は婦人科医が管理し，必要に応じて定期的な画像検査を行う	
成熟奇形腫[*2]		
悪性腫瘍疑い	USまたはMRIで質的診断を行う	

上記のマネジメントはCT，MRIで偶発的に発見された径1cmを超える付属器腫瘤に対して適用される。
*1 原文では"peritoneal inclusion cyst"だが，現WHO分類の腹膜封入嚢胞ではなく，癒着による偽嚢胞を指す。
*2 原文では"dermoid"だが，成熟奇形腫（mature teratoma）を指す。なお本邦では，成熟奇形腫は良性腫瘍であるが，茎捻転や悪性転化のリスクがあるため，外科的切除が推奨されている。

2. 骨盤内腫瘤性病変の画像診断の適応と進め方

表4 US における付属器腫瘤のチェックポイント

1. 囊胞性か充実性か
    1) 囊胞性腫瘍の場合
        ① 単房性か多房性か
        ② 囊胞内の内部エコーの有無と性状
            例：細顆粒状，液面形成など
        ③ 壁や隔壁に不整な肥厚や壁在結節が存在しないか
    2) 充実性の場合
        ① 充実性部分の割合
        ② 腫瘍の輪郭や境界は明瞭か
        ③ 周囲臓器との関係
2. ドプラの施行が可能なとき
    1) resistive index（RI）
    2) pulsatility index（PI）
    3) peak systolic velocity（PSV）

率は高く（94％）[19]，悪性腫瘍では pulsatility index（PI），resistive index（RI）とも良性腫瘍に比べ低い傾向にある[19)20)]。

これらの知見に基づき，International Ovarian Tumor Analysis（IOTA）は US における付属器腫瘤の良悪性の鑑別点を simple rule[21)22)]（表5）にまとめ，海外では広く用いられている。このようななかで，米国と欧州の研究者が中心となって満を持して登場したのが，Ovarian-Adnexal Reporting and Data System（O-RADS™）である。放射線科医の間では，30年近く前にマンモグラフィのガイドラインとして始まった BI-RADS® が，画像診断の均てん化（その領域を専門としない画像診断医でも一定程度の正診率を確保する）を目的として各領域に拡大（前立腺の PI-RADS など）していったのは記憶に新しいところである。O-RADS はまず US 版（表6）が作成され，これを踏襲する形で MRI 版（表7）が公表された[23)]。O-RADS US は ACR 白書，IOTA の simple rule など，それまでに公開された診断基準を踏襲した洗練されたものとなっており，筆者も高く評価している。このように診断基準が百花繚乱状態となるなかで，IOTA を含む欧州を中心とした学会連合が提唱する O-RADS US を基軸とした診断基準とマネジメントの実際（図7）[24)] は，現時点でのスタンダードといえよう。

一方，O-RADS MRI（表7）は，US が鑑別診断のより所とした形態，ドプラに代わるものとしてのダイナミック MRI における時間信号曲線（time intensity curve：TIC）に重点をおいた診断基準であり，MRI の優れたコントラスト分解能を活かした信号強度の評価，拡散強調像で得られる情報などが部分的にしか反映されていないうえに，境界悪性以上の陽性反応適中率として示された値に，各種ガイドライン作成時に行われるような文献的裏付けを欠いており，発展途上の感を否めない。

MRI 装置の普及した本邦ではドプラによる腫瘍血管の詳細な評価が行われることは少なく，良悪性の鑑別は客観的な評価の可能な MRI に委ねられることが多い。US におけるドプラに代わって，主として造影 MRI による悪性腫瘍の拾い上げがなされ[25)26)]，US より高い精度で質的診断の可能なことが示されている[26)]。これらの基準は O-RADS MRI にも反映されている[23)]。しかし，付随所見（浸潤性発育，腹腔内播種，リンパ節転移）を伴わない卵巣に限局した病変の場合，実

	パターン		追記が望ましい項目	解説
I型	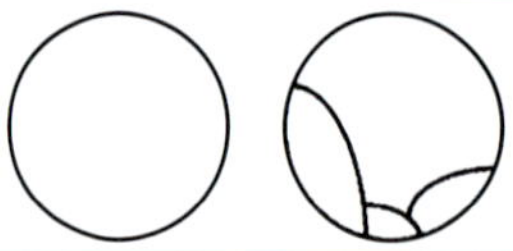	嚢胞性パターン（内部エコーなし）	隔壁の有無（二房性〜多房性）	1〜数個の嚢胞性パターン 隔壁の有無は問わない 隔壁がある場合は薄く平滑 内部は無エコー
II型	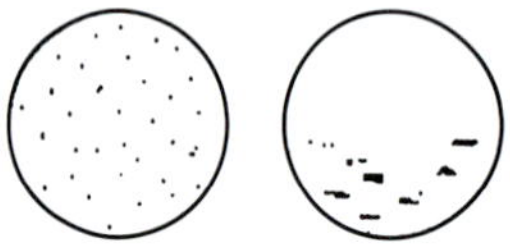	嚢胞性パターン（内部エコーあり）	隔壁の有無（二房性〜多房性） 内部エコーの状態（点状・線状）（一部〜全部）	隔壁の有無は問わない 隔壁がある場合は薄く平滑 内部全体または部分的に点状エコーまたは線状エコーを有する
III型		混合パターン	嚢胞性部分：隔壁の有無，内部エコーの状態 充実性部分：均質性；均質・不均質，辺縁・輪郭	中心充実エコーないし偏在する辺縁・輪郭平滑な充実エコーを有する 後方エコーの減弱（音響陰影）を有することもある
IV型	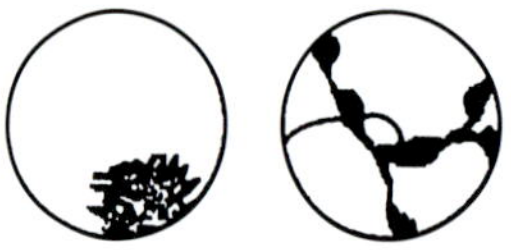	混合パターン（嚢胞性優位）	嚢胞性部分：隔壁の有無，内部エコーの状態 充実性部分：均質性；均質・不均質，辺縁・輪郭	辺縁・輪郭が粗雑で不整形の（腫瘤壁より隆起した）充実エコーまたは厚く不均一な隔壁を有する
V型	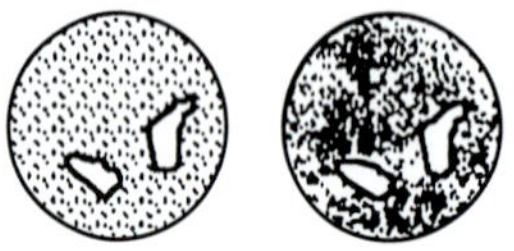	混合パターン（充実性優位）	嚢胞性部分：隔壁の有無，内部エコーの状態 充実性部分：均質性；均質・不均質，辺縁・輪郭	腫瘤内部は充実エコーが優位であるが，一部に嚢胞エコーを認める 充実性部分のエコー強度が不均一な場合と均一な場合がある
VI型	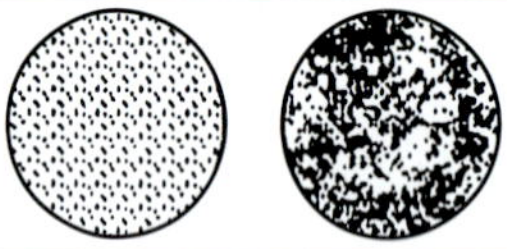	充実性パターン	内部の均質性：均質・不均質 辺縁・輪郭	腫瘤全体が充実エコーで満たされる 内部エコー強度が均一な場合と不均一な場合とがある
分類不能			上記すべての項目	I〜VI型に分類が困難

図6　卵巣腫瘤のエコーパターン分類（日本超音波医学会，2000年6月15日公示）[17]

際の臨床は一筋縄ではいかない。表8に骨盤内腫瘍の鑑別診断におけるチェックポイントを示す。

　主な卵巣腫瘍の組織構築とそこから考えられる疾患を極めて簡略化した形で示したものが図8であり，これを信号強度に応じてさらに簡略化すると図9のごとくとなる。T2強調像で高信号となるのはケラチンや一部の充実性腫瘍を除くと液状物であると推定され，卵巣腫瘍が含有しうる組織成分としては表9に示すものが挙げられる。T2強調像で低信号となるのは出血やゲル状の液体を除くと多くは充実成分，なかでも線維成分に富む組織ということになる（表10）が，このなかには線維腫に代表される充実性良性腫瘍が多いものの，線維化を伴いながら増殖する悪性腫瘍や細胞密度が高いために低信号化する悪性リンパ腫をはじめとする small round cell tumors も含まれ，注意を要する。卵巣腫瘍の鑑別診断はT1，T2強調像での信号強度に加え，

表5 The International Ovarian Tumor Analysis (IOTA) Group Simple Ultrasound Rules[21]

US所見		陽性適中率%（95%CI），症例数
悪性腫瘍を予測する所見（M所見）		
M1	不整な充実性腫瘤	96%（88〜98），64/67
M2	腹水の存在	97%（93〜99），157/162
M3	4個以上の乳頭状構造	88%（80〜93），75/85
M4	最大径≧100 mmの不整な充実部を有する多房性腫瘤	84%（77〜90），103/122
M5	非常に強い血流（カラースコア4）	88%（82〜92），131/149
いずれか1つ以上のM所見		87%（84〜90），340/389
良性腫瘍を予測する所見（B所見）		
B1	単房性嚢胞性腫瘤	99%（98〜99），673/681
B2	最大径＜7 mmの充実成分を含む嚢胞性腫瘤	100%（90〜100），33/33
B3	音響陰影の存在	95%（92〜97），223/234
B4	最大径＜100 mmの平滑な多房性腫瘤	99%（97〜100），190/191
B5	血流なし（カラースコア1）	98%（96〜99），615/629
いずれか1つ以上のB所見		97%（96〜98），1,083/1,112

判定：
1. いずれか1つ以上のM所見があってB所見がない場合，腫瘍は悪性と判定する．
2. いずれか1つ以上のB所見があってM所見がない場合，腫瘍は良性と判定する．
3. 両方の所見がある場合，もしくはいずれの所見もない場合は判定不能とし，精密検査を推奨する．

増強効果，ダイナミックMRIでの増強パターン，拡散強調像での信号強度や見かけの拡散係数，chemical shift imagingでの信号低下などを加えて行っていくことになる．

3. 卵巣・卵管・腹膜癌の疫学，臨床的事項

　本邦における卵巣癌の発生率（8.1/人口10万）と死亡率（3.8）は過去数十年にわたって上昇し，欧米の水準に近づきつつある[27]。2021年に本邦で登録された卵巣・卵管・腹膜悪性腫瘍症例は8,000例あまりあり，その実に9割以上が上皮性悪性腫瘍である（図2）[28]。詳細は本章II-1「上皮性腫瘍と上皮性・間葉性混合腫瘍」で述べるが，上皮性悪性腫瘍中，本邦で最も頻度が高いのは欧米と同様に漿液性癌で，その全体に占める割合は40％程度と低く（欧米は75％），明細胞癌，類内膜癌の割合が高い．これは本邦においては卵巣癌全体の頻度が欧米に比して少なく，子宮内膜症を母地として発生することの多いこれらの組織型が相対的に多くなることに起因すると考えられている．上皮性悪性腫瘍が中年以降，特に50代に好発することから，卵巣悪性腫瘍患者の

I 「卵巣腫瘍」から「卵巣・卵管・腹膜腫瘍」へ

表6 O-RADS™ US v2022 — Assessment Categories[23]

O-RADS Score	Risk Category [IOTA Model]	Lexicon Descriptors		Management Pre-menopausal	Management Post-Menopausal
0	Incomplete Evaluation [N/A]	Lesion features relevant for risk stratification cannot be accurately characterized due to technical factors		Repeat US study or MRI	
1	Normal Ovary [N/A]	No ovarian lesion		None	
		Physiologic cyst: follicle (≦3 cm) or corpus luteum (typically ≦3 cm)			
2	Almost Certainly Benign [<1%]	Simple cyst	≦3 cm	N/A (see follicle)	None
			>3 cm to 5 cm	None	Follow-up US in 12 months*
			>5 cm but <10 cm	Follow-up US in 12 months*	Follow-up US in 12 months*
		Unilocular, smooth, non-simple cyst (internal echoes and/or incomplete septations)	≦3 cm	None	Follow-up US in 12 months*
		Bilocular, smooth cyst	>3 cm but <10 cm	Follow-up US in 6 months*	
		Typical benign ovarian lesion (see "Classic Benign Lesions" table)	<10 cm	See "Classic Benign Lesions" table for descriptors and management	
		Typical benign extraovarian lesion (see "Classic Benign Lesions" table)	Any size		
3	Low Risk [1-<10%]	Typical benign ovarian lesion (see "Classic Benign Lesions" table), ≧10 cm		Imaging: • If not surgically excised, consider follow-up US within 6 months** • If solid, may consider US specialist (if available) or MRI (with O-RADS MRI score)† Clinical: Gynecologist	
		Uni- or bilocular cyst, smooth, ≧10 cm			
		Unilocular cyst, irregular, any size			
		Multilocular cyst, smooth, <10 cm, CS <4			
		Solid lesion, ±shadowing, smooth, any size, CS=1			
		Solid lesion, shadowing, smooth, any size, CS 2-3			
4	Intermediate Risk [10-<50%]	Bilocular cyst without solid component(s)	Irregular, any size, any CS	Imaging: Options include: • US specialist (if available) or • MRI (with O-RADS MRI score)† or • Per gyn-oncologist protocol Clinical: Gynecologist with gyn-oncologist consultation or solely by gyn-oncologist	
		Multilocular cyst without solid component(s)	Smooth, ≧10 cm, CS <4		
			Smooth, any size, CS 4		
			Irregular, any size, any CS		
		Unilocular cyst with solid component(s)	<4 pps or solid component(s) not considered a pp; any size		
		Bi- or multilocular cyst with solid component(s)	Any size, CS 1-2		
		Solid lesion, non-shadowing	Smooth, any size, CS 2-3		
5	High Risk [≧50%]	Unilocular cyst, ≧4 pps, any size, any CS		Imaging: Per gyn-oncologist protocol Clinical: Gyn-oncologist	
		Bi- or multilocular cyst with solid component(s), any size, CS 3-4			
		Solid lesion, ±shadowing, smooth, any size, CS 4			
		Solid lesion, irregular, any size, any CS			
		Ascites and/or peritoneal nodules††			

GLOSSARY

Smooth and irregular: refer to inner walls/septation(s) for cystic lesions, and outer contour for solid lesions; irregular inner wall for cysts=<3 mm in height	Solid: excludes blood products and dermoid contents; solid lesion=≧80% solid; solid component=protrudes ≧3 mm (height) into cyst lumen off wall or septation
Shadowing: must be diffuse or broad to qualify; excludes refractive artifact	pp=papillary projection; subtype of solid component surrounded by fluid on 3 sides
CS=color score; degree of intralesional vascularity; 1=none, 2=minimal flow, 3=moderate flow, 4=very strong flow	Bilocular=2 locules; multilocular=≧3 locules; bilocular smooth cysts have a lower risk of malignancy, regardless of size or CS
Postmenopausal=≧1 year amenorrhea (early: <5 yrs; late: ≧5 yrs); if uncertain or uterus surgically absent, use age >50 years (early =>50 yrs but <55 yrs, late=≧55 yrs)	

*Shorter imaging follow-up may be considered in some scenarios (eg, clinical factors). If smaller (≧10-15% decrease in average linear dimension), no further surveillance. If stable, follow-up US at 24 months from initial exam. If enlarging (≧10-15% increase in average linear dimension), consider follow-up US at 12 and 24 months from initial exam, then management per gynecology. For changing morphology, reassess using lexicon descriptors. Clinical management with gynecology as needed.
**There is a paucity of evidence for defining the optimal duration or interval for imaging surveillance. Shorter follow-up may be considered in some scenarios (eg, clinical factors). If stable, follow-up at 12 and 24 months from initial exam, then as clinically indicated. For changing morphology, reassess using lexicon descriptors.
† MRI with contrast has higher specificity for solid lesions, and cystic lesions with solid component(s).
†† Not due to other malignant or non-malignant etiologies; specifically, must consider other etiologies of ascites in categories 1-2.

[American College of Radiology Committee on O-RADS™ (Ovarian and Adnexal). Ovarian-Adnexal Reporting & Data System (O-RADS™). Available at https://www.acr.org/Clinical-Resources/Clinical-Tools-and-Reference/Reporting-and-Data-Systems/O-RADS. Accessed on July 5, 2025]

表7 O-RADS™ MRI Risk Statification and Monagement System[23]

O-RADS MRI Score	Risk Category	Positive Predictive Value for Malignancy^	Lexicon Description
0	Incomplete Evaluation	N/A	N/A
1	Normal Ovaries	N/A	No ovarian lesion
			Follicle defined as simple cyst ≦ 3 cm in a premenopausal woman
			Hemorrhagic cyst ≦ 3 cm in a premenopausal woman
			Corpus luteum +/− hemorrhage ≦ 3 cm in a premenopausal woman
2	Almost Certainly Benign	<0.5%^	Cyst : Unilocular- any type of fluid content ・No wall enhancement ・No enhancing solid tissue*
			Cyst : Unilocular-simple or endometriotic fluid content ・Smooth enhancing wall ・No enhancing solid tissue
			Lesion with lipid content** ・No enhancing solid tissue
			Lesion with "dark T2/dark DWI" solid tissue ・Homogeneously hypointense on T2 and DWI
			Dilated fallopian tube - simple fluid content ・Thin, smooth wall/endosalpingeal folds with enhancement ・No enhancing solid tissue
			Para-ovarian cyst-any type of fluid ・Thin, smooth wall +/− enhancement ・No enhancing solid tissue
3	Low Risk	~5%^	Cyst : Unilocular-proteinaceous, hemorrhagic or mucinous fluid content*** ・Smooth enhancing wall ・No enhancing solid tissue
			Cyst : Multilocular-Any type of fluid, no lipid content ・Smooth septae and wall with enhancement ・No enhancing solid tissue
			Lesion with solid tissue (excluding T2 dark/DWI dark) ・Low risk time intensity curve on DCE MRI
			Dilated fallopian tube- ・Non-simple fluid : Thin wall/folds ・Simple fluid : Thick, smooth wall/folds ・No enhancing solid tissue
4	Intermediate Risk	~50%^	Lesion with solid tissue (excluding T2 dark/DWI dark) ・Intermediate risk time intensity curve on DCE MRI ・Any lesion with solid tissue enhancing ≦ myometrium at 30-40s on non-DCE MRI****
			Lesion with lipid content ・Large volume enhancing solid tissue
5	High Risk	~90%^	Lesion with solid tissue (excluding T2 dark/DWI dark) ・High risk time intensity curve on DCE MRI ・Any lesion with solid tissue enhancing >myometrium at 30-40 s on non-DCE MRI
			Peritoneal, mesenteric or omental nodularity or irregular thickening with or without ascites

^Approximate PPV based on data from Thomassin-Naggara, et al. O-RADS MRI Score for Risk Stratification of Sonographically Indeterminate Adnexal Masses. JAMA Network Open. 2020 ; 3 (1) : e1919896. Please note that the PPV provided applies to the score category overall and not to individual characteristics. Definitive PPV are not currently available for individual characteristics. The PPV values for malignancy include both borderline tumors and invasive cancers.
*Solid tissue is defined as a lesion component that enhances and conforms to one of these morphologies : papillary projection, mural nodule, irregular septation/wall or other larger solid portions.
**Minimal enhancement of Rokitansky nodules in lesion containing lipid does not change to O-RADS MRI 4.
***Hemorrhagic cyst <3 cm in pre-menopausal woman is O-RADS MRI 1.
****Decreased accuracy of O-RADS MRI score when DCE is not utilized
DCE=dynamic contrast enhancement with a time resolution of 15 seconds or less
DWI=diffusion weighted images
MRI=magnetic resonance imaging

[American College of Radiology Committee on O-RADS™ (Ovarian and Adnexal). Ovarian-Adnexal Reporting & Data System (O-RADS™). Available at https://www.acr.org/Clinical-Resources/Clinical-Tools-and-Reference/Reporting-and-Data-Systems/O-RADS. Accessed on July 5, 2025]

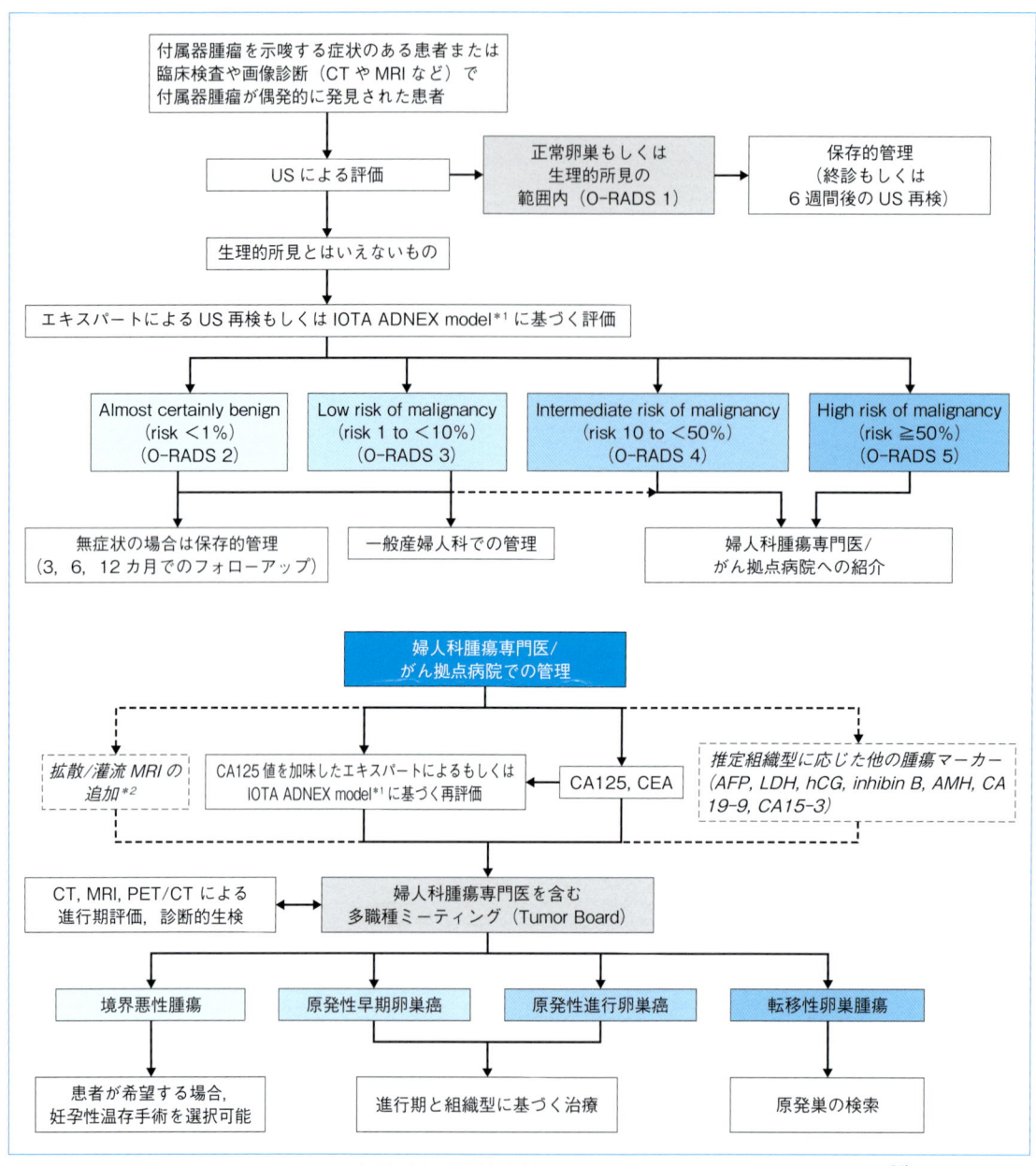

I 「卵巣腫瘍」から「卵巣・卵管・腹膜腫瘍」へ

図7 ESGO/ISUOG/IOTA/ESGE 卵巣腫瘍の術前診断に関するコンセンサスステートメント[24]

*1 https://www.evidencio.com/models/show/946 参照
*2 本邦ではスクリーニング MRI で拡散強調像や灌流像の代替としてのダイナミック MRI が撮像されていることが多く，実態にそぐわない。

表8 卵巣悪性腫瘍診断の要点

```
【質的診断】
    ○卵巣由来かその他の臓器由来か？
            卵巣腫瘍と間違いやすい他臓器腫瘍
                    子宮筋腫
                    消化管間質腫瘍（gastrointestinal stromal tumor：GIST）
    ○腫瘍か非腫瘍性病変か？
            腫瘤を形成する非腫瘍性疾患
                    子宮内膜症
                    骨盤内感染症（卵管卵巣膿瘍）
    ○考えられる組織型
        〔チェック項目〕
            腫瘤の性状
                ・嚢胞性（単房性・多房性）か充実性か
                ・嚢胞成分の信号強度（特に脂肪成分と出血の有無）
                ・充実成分の信号強度
                        T2強調像
                        chemical shift imaging（in phase & out of phase）
                        拡散強調像
                ・充実成分の増強効果
                        ダイナミックMRIでの増強パターン
                        平衡相での増強効果
            付随所見の有無（リンパ節転移，腹腔内播種）
【原発巣の検索（転移性腫瘍を疑ったとき）】
【悪性腫瘍のステージング】
    ○被膜破綻の有無と腹腔内播種の局在
    ○隣接臓器への浸潤の有無（播種巣からの二次的な浸潤を含む）
    ○リンパ節転移の有無
```

年齢分布もまた50代にピークを形成するが，胚細胞腫瘍以外でも悪性腫瘍は若年層にも決して少なくはない（図10）[28]。

上皮性悪性腫瘍では遺伝子異常を背景として家族性に集積するもの（p111参照）を除くと確立されたリスクファクターはないが，多産婦と低用量経口避妊薬内服者ではリスクが低く，閉経後にエストロゲン単独の補充療法を10年以上継続して行った者はリスクが増すとされている[29]。

卵巣・卵管・腹膜悪性腫瘍には，いまだ有効なスクリーニング法は確立されていない[30-32]。USによるスクリーニングは経腹走査でも特異度は95％を超える[33]が，経腟走査でも正常大の卵巣容積しか示さない症例（図11）もあり，感度に問題がある（85％程度）[34]。CA125は上皮性悪性卵巣腫瘍に有用な腫瘍マーカーであるが，単回の検査では感度が低く，スクリーニングには適さない[35,36]。CA125とTVUSを組み合わせたスクリーニングでも，対照群での卵巣癌による死亡率低下効果はないことが証明されている[37]。

卵巣・卵管・腹膜悪性腫瘍患者の受診理由は月経異常や不正性器出血など非特異的なものが多いが，腫瘤のmass effectによる腹部膨満感や頻尿，便秘なども時に見受けられる。卵巣・卵管・腹膜悪性腫瘍の早期診断もスクリーニングと同様に現状では困難で，術前化学療法（neoadjuvant chemotherapy：NAC）症例の多くが臨床的・画像的にはⅢC期以上であることを考慮すると1/3以上の症例が発見されたときには2cmを超える腹腔内播種や悪性胸水，領域外リンパ節を含む

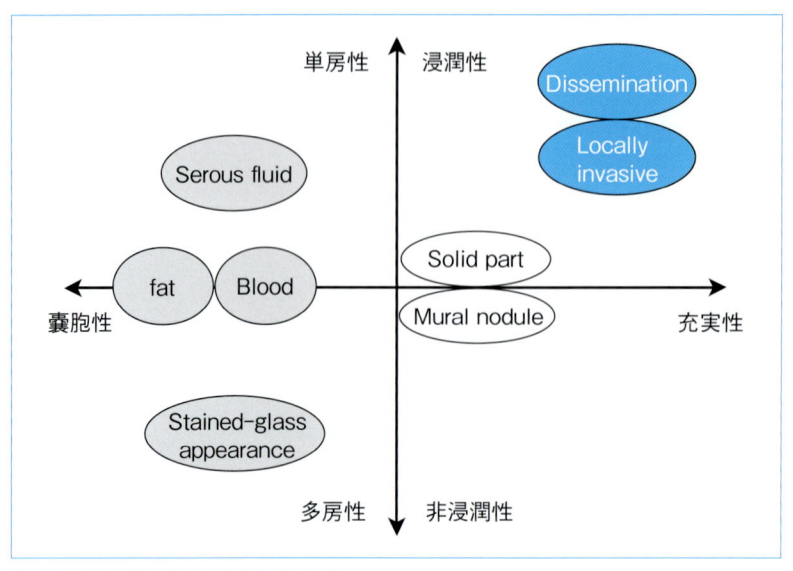

図8　付属器腫瘍の鑑別診断（1）

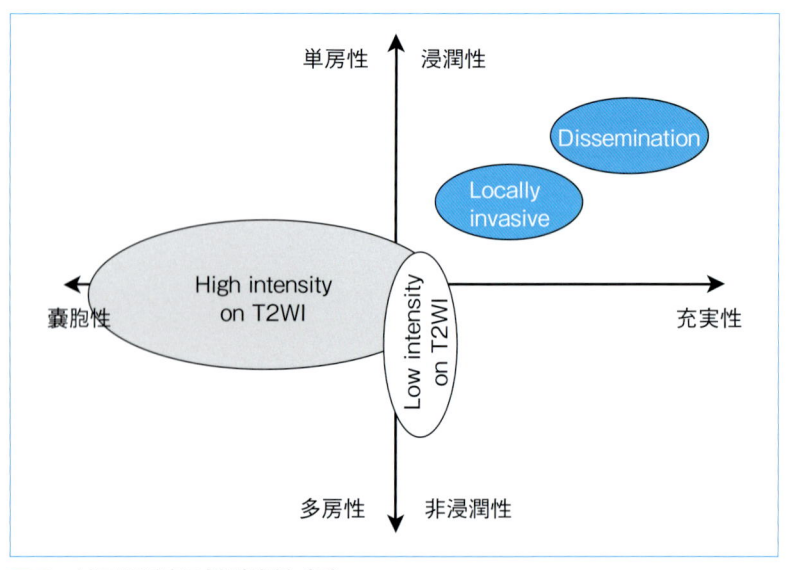

図9　付属器腫瘍の鑑別診断（2）

遠隔転移を有する（図12）。このような進行例では腹腔内播種による腹部膨満感や腹痛，便秘を訴えて来院する。診断の第一歩は触診で腫瘤を触知することであるが，これらの症状で安易にCTが撮影されることの多い昨今，偶然発見された付属器腫瘍が前項のストラテジーに沿って診断されることも多くなってきた。画像診断以外で既知の付属器腫瘍の良悪性の鑑別に有用なのは腫瘍マーカーで，婦人科領域ではCA125が広く用いられている。卵巣癌症例では感度56〜100％，特異度60〜92％の精度でCA125が上昇するとされる[38]。ただし，CA125は月経中，妊娠中など

表9 T2強調像で高信号を示す組織と考慮すべき疾患

【液状物】
　漿液
　　機能性囊胞，漿液性腫瘍 など
　粘液
　　粘液性腫瘍 など
　膿
　　卵管卵巣膿瘍 など
　脂肪
　　奇形腫 など
　血液
　　内膜症性囊胞 など
　ケラチン
　　類表皮囊胞

【細胞内の水分】
　粘液産生細胞
　　粘液性腫瘍 など
　細胞質の豊富な腫瘍
　　脱落膜化した内膜 など

【間質の水分】
　間質の浮腫
　　線維腫などの一部で
　腫瘍細胞間の間隙
　　漿液性腫瘍 など

表10 T2強調像で低信号を示す組織と考慮すべき疾患

【線維性間質】
　性索間質性腫瘍
　　線維腫　莢膜細胞腫
　　硬化性間質腫瘍　顆粒膜細胞腫
　腺線維腫/癌線維腫
　転移性腫瘍
　Brenner 腫瘍

【高い細胞密度】
　造血器悪性腫瘍
　　悪性リンパ腫・顆粒球性肉腫
　未分化癌

【線維血管性隔壁】
　未分化胚細胞腫

【ヘモジデリン沈着】
　内膜症　膿瘍　梗塞

【spindle cell tumor】
　子宮筋腫
　GIST

【粘稠な液体】
　粘液性腫瘍
　内膜症性囊胞
　卵巣甲状腺腫

の生理的変化に加え，子宮内膜症，子宮腺筋症といった良性疾患でも上昇することがあり，特に閉経前の症例では有用性に限界があり，画像所見と組み合わせた運用が推奨されている[39]。閉経前症例における CA125 の特異度の低さを補う新たな腫瘍マーカーとして，近年，human epididymis protein 4（HE4）が着目されており，臨床現場では CA125 と HE4 が併用される傾向にある[40]。

最新の卵巣・卵管・腹膜癌の進行期分類を表11[41]に示す。この分類からも明らかなように，卵巣・卵管・腹膜癌の進展様式として最も重要なのは腹腔内播種であり，以前は骨盤外に 2 cm 以上の播種性結節を有するⅢC期の割合が全体の 1/4 以上を占めていた。しかし卵巣・卵管・腹膜癌の治療法の選択肢として NAC が普及するにつれ，NAC 症例が全体の 20％近くを占めるに至り，ⅢC期をはじめ，広範な腹腔内播種を伴う症例数は登録数上は減少している（図12）。しかしそのような症例が減少したわけではなく，確実に complete debulking ができる症例と，侵襲が大きく primary debulking は見送るべき症例の見極めは重要さを増しており，次項に腹腔内播種の画像診断の要諦を示す。卵巣腫瘍における領域リンパ節は骨盤内，傍大動脈リンパ節で，

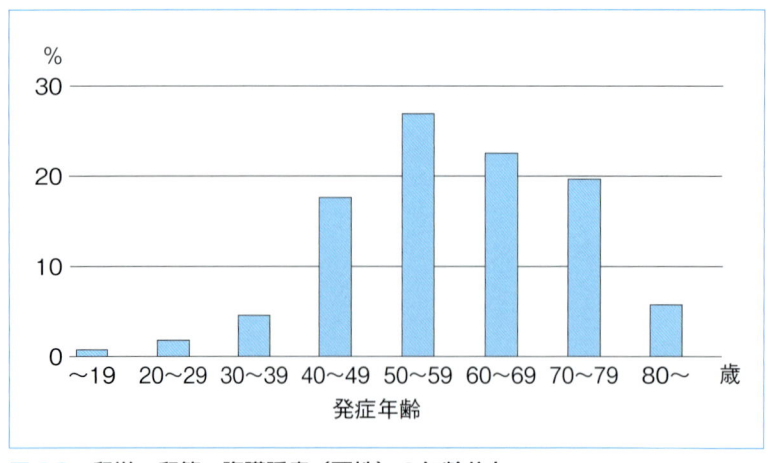

図10 卵巣・卵管・腹膜腫瘍（悪性）の年齢分布
（日本産科婦人科学会婦人科腫瘍委員会報告，2021年患者年報，2023[28]）より作成）

転移があればⅢA1期以上となる[41]。また悪性胸水（癌性胸膜炎）はⅣA期，鎖骨上窩など領域外リンパ節転移や血行性遠隔転移はⅣB期に分類される。

『卵巣がん・卵管癌・腹膜癌治療ガイドライン 2025年版』[42]に示された上皮性卵巣悪性腫瘍に対する標準治療を図13に示す。手術療法を基本とした集学的治療である初回治療における手術の目的は，組織型と進展度を診断し，原発ならびに転移巣を可及的に摘出することにある。一般的な基本術式は両側付属器摘出術＋子宮摘出術＋大網切除術であるがstaging laparotomyとして腹腔細胞診，後腹膜（骨盤・傍大動脈）リンパ節郭清（生検），さらに腹腔内各所の十分な観察と生検が付加される。また播種の明らかな症例では播種巣の可及的摘出を行う。手術完遂度（肉眼的に腫瘍が完全切除された場合をcomplete surgery，残存腫瘍径が1cm未満のoptimal surgery，1cm以上をsuboptimal surgeryという）は予後に影響するため，原則的にcomplete surgeryを目指す[42]が，この10年ほどの間にNACの非劣性を証明する報告が相次ぎ[43)44]，手術侵襲の大きさや患者のperformance statusとの兼ね合いから，NAC後にインターバル腫瘍減量手術（interval debulking surgery：IDS）の選択される症例が増加している。

妊孕性温存を希望する症例に対しては片側付属器摘出術のみで子宮・対側卵巣の温存が考慮されるが，上皮性腫瘍における適応はⅠA期かつ組織学的異型度が低い非明細胞癌に対しては推奨されているが，ⅠC1期や明細胞癌では「妊孕性温存療法を提案する」との一段低い推奨度に留まっている。一方，悪性胚細胞腫瘍では進行期にかかわらず，妊孕性温存手術が推奨されている[42]。

術後化学療法は組織学的分化度がgrade 1（G1）のⅠA期とⅠB期を除くほとんどの症例に対して行われ，初回化学療法の標準はパクリタキセル（T）とカルボプラチン（C）の併用療法（TC療法）である。なお，NACについても同一のレジメンが用いられるが，Ⅲ，Ⅳ期症例ではベバシズマブの併用/維持療法が推奨されている[42]。境界悪性腫瘍に対して術後化学療法を行うことは推奨されていない[45]。また胚細胞腫瘍に対してはBEP療法（ブレオマイシン＋エトポシド＋シスプラチン）が標準的なレジメンで，ⅠA期の未分化胚細胞腫とⅠ期かつG1の未熟奇形腫を

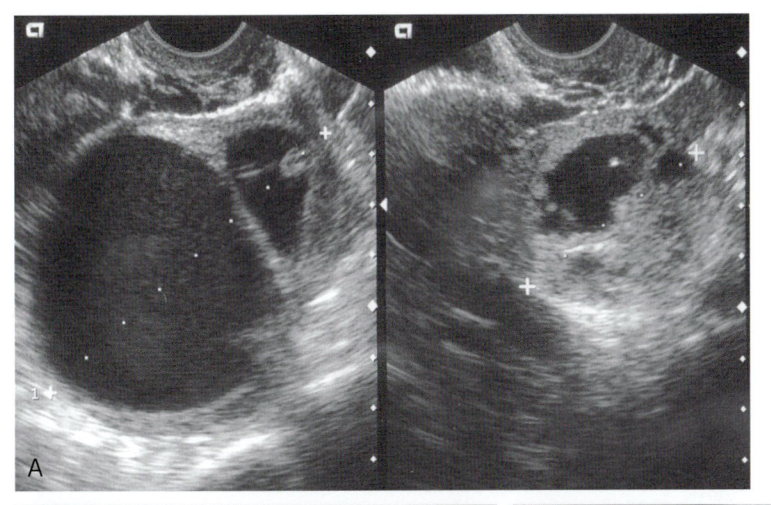

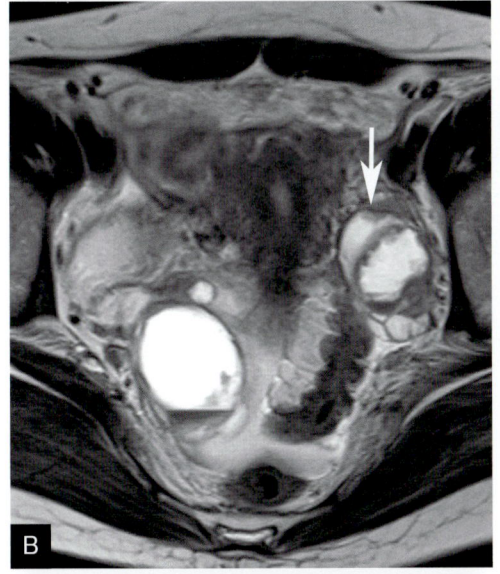

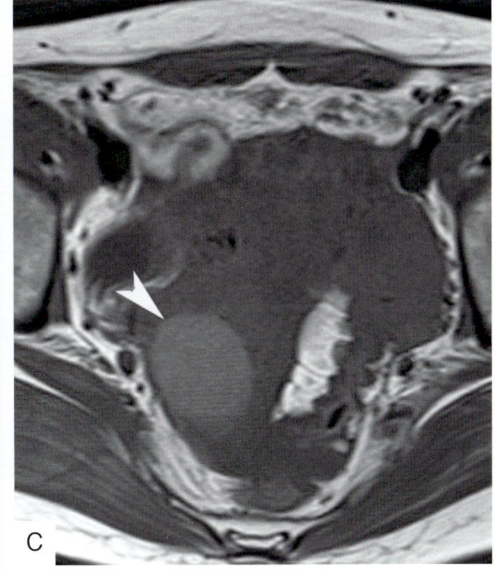

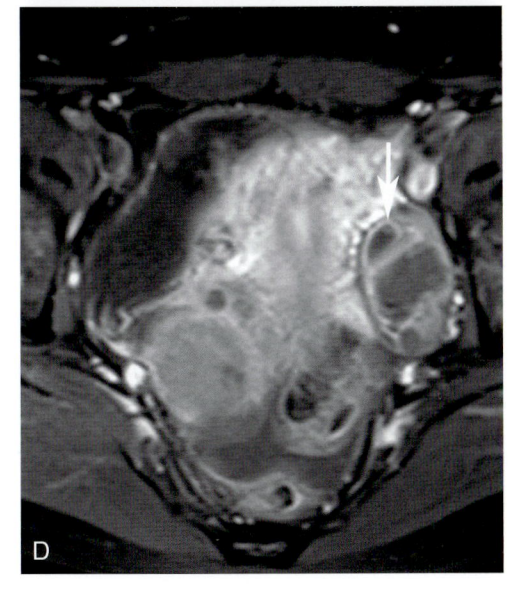

図11 原発巣の微小な進行卵巣癌

A：TVUS，B：T2強調横断像，C：T1強調横断像，
D：造影脂肪抑制T1強調横断像

44歳，卵巣癌ⅢC期。検診で頸部細胞診ClassⅡ，内膜細胞診ClassⅣ，後者では経卵管的に排泄された子宮外からの異型細胞の疑い。USでは両側卵巣に卵胞より大きな囊胞を認め，その壁は不規則に肥厚し，一部内腔に突出する壁在結節もみられる（A）。MRIでも両側卵巣はやや大きめで，左卵巣を占める囊胞の壁に小さな結節が多発（B, D→）。右卵巣の囊胞も内容物は血性（C▲）でDouglas窩には血性の腹水が貯留。原発性卵巣癌と考え手術を行い，低分化な漿液性癌または類内膜癌と診断された。

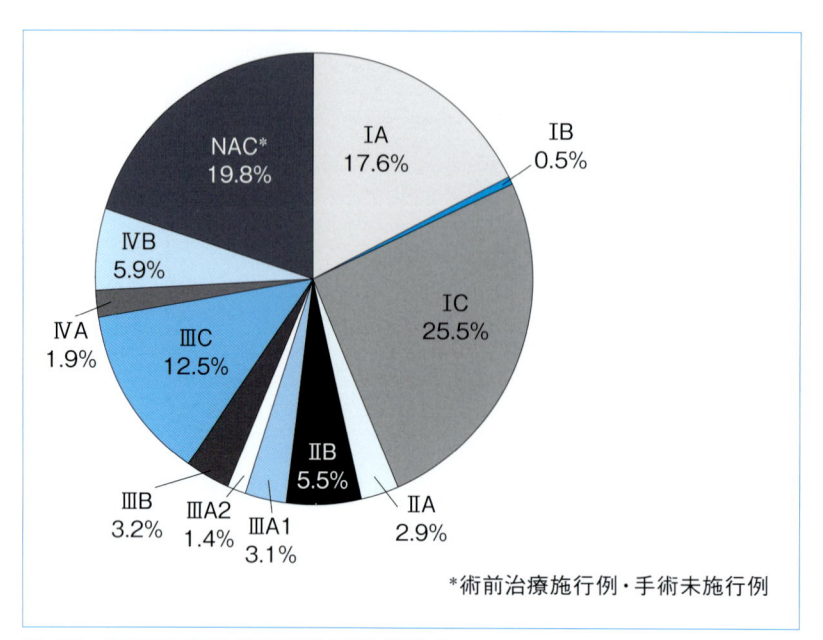

図12 卵巣悪性腫瘍治療患者の進行期分布
(日本産科婦人科学会婦人科腫瘍委員会報告, 2021年患者年報, 2023[28]より作成)

除き行うことが推奨されている[42]。

　本邦における上皮性卵巣癌の進行期別の5年生存率は組織型や分化度によって異なるが、2016年治療開始例ではⅠ期で91.4％、Ⅱ期で77.5％、Ⅲ期で54.1％、Ⅳ期で36.3％、NAC症例で48.4％である[46]。

4. 卵巣・卵管・腹膜癌のステージング

　卵巣・卵管・腹膜癌では腹腔内播種が主たる転移経路であり、Ⅲ期では大きさ2cmを境に進行期が亜分類されている（表11）。リンパ節、遠隔転移の画像所見については第6章-Ⅰ-2「子宮頸癌の画像所見」（p235～242参照）ですでに述べた。本項ではまず腹腔内播種の各種画像診断法、主力診断モダリティであるCTを中心とした画像所見とその解剖的背景、鑑別診断について述べ、最後にⅣ期の構成要件となる胸水と心横隔膜角リンパ節転移について触れる。

1) 腹腔内播種の画像診断法

　前項で述べた通り、手術完遂度が予後に影響することから、術前画像診断では小さな播種性転移の所在を逐一報告することが求められている。臨床現場での診断の主力はCTであるが、CT装置の性能の向上とともに腹腔内播種の診断能も向上し、1980年代初頭、CTが普及し始めた頃には1.5cm程度の腹腔内播種を辛うじて指摘可能であった[47]のが、MDCTでMPRによる冠状断・矢状断での観察を加えることができるようになると診断率は飛躍的に向上し、大きさを問わ

4. 卵巣・卵管・腹膜癌のステージング

表11　卵巣癌・卵管癌・腹膜癌進行期分類（日産婦2014, FIGO2014）[41]

> Ⅰ期：卵巣あるいは卵管内限局発育
> 　ⅠA期：腫瘍が一側の卵巣（被膜破綻がない）あるいは卵管に限局し，被膜表面への浸潤が認められないもの。腹水または洗浄液の細胞診にて悪性細胞の認められないもの
> 　ⅠB期：腫瘍が両側の卵巣（被膜破綻がない）あるいは卵管に限局し，被膜表面への浸潤が認められないもの。腹水または洗浄液の細胞診にて悪性細胞の認められないもの
> 　ⅠC期：腫瘍が一側または両側の卵巣あるいは卵管に限局するが，以下のいずれかが認められるもの
> 　　ⅠC1期：手術操作による被膜破綻
> 　　ⅠC2期：自然被膜破綻あるいは被膜表面への浸潤
> 　　ⅠC3期：腹水または腹腔洗浄細胞診に悪性細胞が認められるもの
> Ⅱ期：腫瘍が一側または両側の卵巣あるいは卵管に存在し，さらに骨盤内（小骨盤腔）への進展を認めるもの，あるいは原発性腹膜癌
> 　ⅡA期：進展ならびに/あるいは転移が子宮ならびに/あるいは卵管ならびに/あるいは卵巣に及ぶもの
> 　ⅡB期：他の骨盤部腹腔内臓器に進展するもの
> Ⅲ期：腫瘍が一側または両側の卵巣あるいは卵管に存在し，あるいは原発性腹膜癌で，細胞学的あるいは組織学的に確認された骨盤外の腹膜播種ならびに/あるいは後腹膜リンパ節転移を認めるもの
> 　ⅢA1期：後腹膜リンパ節転移陽性のみを認めるもの（細胞学的あるいは組織学的に確認）
> 　　ⅢA1（ⅰ）期：転移巣最大径10 mm以下
> 　　ⅢA1（ⅱ）期：転移巣最大径10 mmをこえる
> 　ⅢA2期：後腹膜リンパ節転移の有無にかかわらず，骨盤外に顕微鏡的播種を認めるもの
> 　ⅢB期：後腹膜リンパ節転移の有無にかかわらず，最大径2 cm以下の腹腔内播種を認めるもの
> 　ⅢC期：後腹膜リンパ節転移の有無にかかわらず，最大径2 cmをこえる腹腔内播種を認めるもの（実質転移を伴わない肝および脾の被膜への進展を含む）
> Ⅳ期：腹膜播種を除く遠隔転移
> 　ⅣA期：胸水中に悪性細胞を認める
> 　ⅣB期：実質転移ならびに腹腔外臓器（鼠径リンパ節ならびに腹腔外リンパ節を含む）に転移を認めるもの

　ず傍結腸溝や大網では70％以上，肝表や横隔膜下では50％以上の感度でこれを指摘可能となった[48]。一方でMRIは優れたコントラスト分解能をもち，造影脂肪抑制T1強調像（enhanced fat-saturated T1-weighted images）により小さな播種巣の描出に威力を発揮してきた。近年スキャン時間の高速化により上腹部も呼吸停止下に撮像可能となり，課題であった空間分解能の低さを克服しつつあり，さらに拡散強調像が腹腔内播種の拾い上げにも用いられるようになると[49,50]，特に感度においてCTを凌駕する成績の報告も増えてきた。PET/CTでは局在ベースで感度，特異度ともCT単体をわずかに上回る。最近の各モダリティの腹腔内播種の診断能を調べたメタアナリシスの結果を表12に示す[51]。

　一方で次項に示すように，腹腔内の画像解剖は複雑であり，さらに空気を含み蠕動するという特性をもつ腸管の存在が診断能に影響を与える。すなわち磁化率アーチファクトを受けやすいecho planner法で撮像されることの多いMRI拡散強調像は腸管に隣接する小病変の拾い上げには不利である。また，PET/CTは撮像時間が長く呼吸停止下の撮像が難しいことから横隔膜付近の病変の正確な局在決定に課題があり，機器の性能が進歩したとはいえ空間分解能はCT，MRIに劣る。こうした各モダリティの利点，欠点は播種の局在毎の診断能に影響を与えうる。そこでTsiliらは，Sugarbakerらの提唱する腹腔内播種巣の解剖学的局在[52]毎に各モダリティの腹腔内播種診断能のメタアナリシスを試みているが，PET/CT，MRIにおいては部位毎に解析

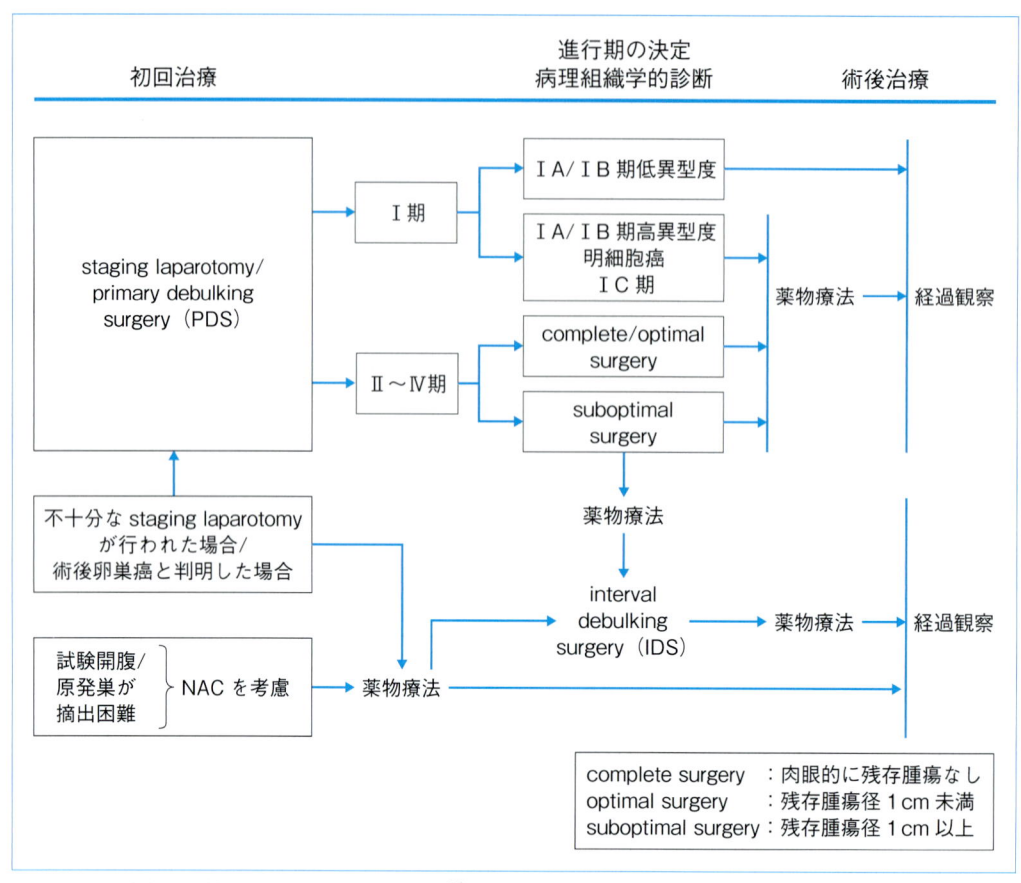

I 「卵巣腫瘍」から「卵巣・卵管・腹膜腫瘍」へ

図13 卵巣癌・卵管癌・腹膜癌の初回治療[42]

　可能なエビデンスレベルの高い文献が乏しく，解析に至っておらず（図14）[53]，availabityも考慮すると，まだまだ診断の基本はCTであるといえる。しかし特に腸管，腸間膜表面での感度は低く，CT診断の限界を知っておく必要がある。

　一方，PDSでoptimal surgeryに至ることができるか否かは初回治療をPDSとするかNACとするかの決定に重要で，表13に示すようなCT所見を用いた予測モデルが過去にいくつも提唱され，びまん性腹膜肥厚，腸間膜病変，腎茎部より頭側のリンパ節転移，大量腹水などがoptimal cytoreductionの支障となる所見として重視されているが，いずれのモデルも感度は15～79％，特異度は32～64％と満足すべき結果は得られていない[54]。

2）腹腔内播種の画像所見

　卵巣腫瘍の被膜破綻により腹腔内に撒布された腫瘍細胞は生理的に存在する腹水の流れに乗って腹腔内を自由に移動する[55]。腫瘍細胞の動態は腹水の量には依存しないとされる[55]。腹水の流れは重力に従うと同時に呼吸運動による陰圧形成にも依存する（図15）。しかし実際の腫瘍細胞の移動に際しては障壁となる様々な間膜構造があり（図16），腫瘍の動態を知るにはまずこ

4. 卵巣・卵管・腹膜癌のステージング

表12 腹腔内播種のCT，PET/CT，MRI（拡散強調像）の診断能（メタアナリシス）[51]

モダリティ	感度	特異度	診断オッズ比
局在ベース			
CT	0.68 (0.46-0.84)	0.88 (0.81-0.93)	15.9 (4.38-58.01)
PET/CT	0.79 (0.092)	0.90 (0.80-0.96)	36.5 (6.7-200.0)
MRI（拡散強調像）	0.91 (0.96)	0.85 (0.78-0.91)	63.3 (31.5-127.3)
患者ベース			
CT	0.70 (0.53-0.83)	0.94 (0.87-0.97)	33.5 (16.3-69.0)

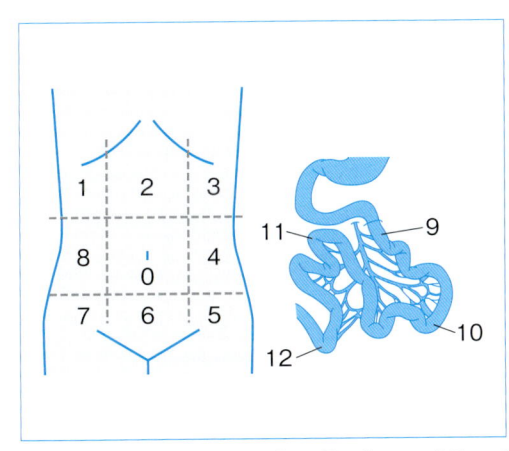

ARs	Sugarbaker's PCI
AR0	腹部正中切開創，大網，横行結腸
AR1	肝右葉上面，右横隔膜下面，肝右葉後面
AR2	胃より上方の腹腔内脂肪織，肝左葉，小網，肝鎌状間膜
AR3	左横隔膜下面，脾，膵尾部，胃の前後壁
AR4	下行結腸と左傍結腸溝
AR5	S状結腸およびS状結腸より左側の骨盤壁
AR6	卵巣卵管および子宮，膀胱，Douglas窩，直腸・S状結腸遠位
AR7	右骨盤壁，虫垂を含む盲腸下面
AR8	上行結腸と右傍結腸溝
AR9〜12	小腸（AR9：近位空腸，AR10：遠位空腸，AR11：近位回腸，AR12：遠位回腸）

図 14-1　The Sugarbaker Peritoneal Carcinomatosis Index
ARs：abdominopelvic regions，PCI：peritoneal carcinomatosis index

ARs	MDCT pooled sensitivity (%CI)	MDCT pooled specificity (%CI)	AUC	MRI pooled sensitivity (%CI)	MRI pooled specificity (%CI)	AUC	PET/CT pooled sensitivity (%CI)	PET/CT pooled specificity (%CI)	AUC
AR0	80.1 (74.5-84.9)	89 (83.1-93.3)	0.91	64.7 (55.9-72.7)	67.2 (61.2-72.7)	0.82	92.9 (86.5-96.9)	85.2 (73.8-93)	0.95
AR1	62.5 (54.1-70.4)	97.1 (94.8-98.6)	0.86				73.5 (64.5-81.2)	92.1 (85-96.5)	0.83
AR2	53.1 (34.7-70.9)	92.8 (86.8-96.7)	0.72						
AR3	61.8 (50.9-71.9)	97.9 (95.8-99.2)	0.93				70.4 (58.4-80.7)	86.9 (77.8-93.3)	0.78
AR4	73 (60.3-83.4)	86.3 (76.7-92.9)	0.92						
AR5〜7*	64.1 (58.4-69.4)	95.1 (91.6-97.4)	0.90				91.5 (85-95.9)	87.5 (74.8-95.3)	0.94
AR6	66.2 (59.7-72.3)	93.3 (89.7-95.9)	0.92						
AR5〜7*	64.1 (58.4-69.4)	95.1 (91.6-97.4)	0.90				91.5 (85-95.9)	87.5 (74.8-95.3)	0.94
AR8	71 (58.8-81.3)	86.3 (76.2-93.2)	0.74						
横隔膜	49.7 (42.6-56.9)	97.7 (94.8-99.3)	0.91	67.3 (57.3-76.3)	66.5 (61.2-71.5)	0.66			
小腸 (AR9〜12)	45.5 (35.4-55.8)	94.9 (92.2-96.9)	0.80						
結腸	30.5 (23.2-38.5)	95.8 (92.2-98.1)	0.36						
腸間膜	33.8 (27.2-41)	96.9 (94.9-98.3)	0.66	59.2 (48.8-69)	75.7 (71.3-79.7)	0.90	45.5 (30.4-61.2)	98.9 (94-100)	0.9

図 14-2　患者ベースでの各モダリティ，部位毎の腹腔内播種の診断能
*AR5は左骨盤壁，AR7は右骨盤壁近傍の播種で，左右分離した検討がなされていないので，いずれもAR5〜7と表現されている。
（文献53より改変引用）

表13 CTによるoptimal reduction予測モデルで重視される所見と検証結果（11論文13モデルによるメタアナリシス）

CTクライテリア	予測モデルのクライテリアとして使用された回数	有意	有意でない
びまん性腹膜肥厚	7	5	1
腸間膜病変	7	3	1
腎茎部より上部のリンパ節	6	3	0
横隔膜上の播種	7	2	1
肝表の播種	4	0	1
（大量）腹水	5	3	0
大網転移の胃・脾への進展	4	1	1
肝門部への播種	2	0	1
骨盤側壁浸潤	3	0	1
肺もしくは胸膜病変	2	0	1
腸管壁への浸潤	1	1	0
脾表面の播種	1	1	0

（文献54より改変引用）

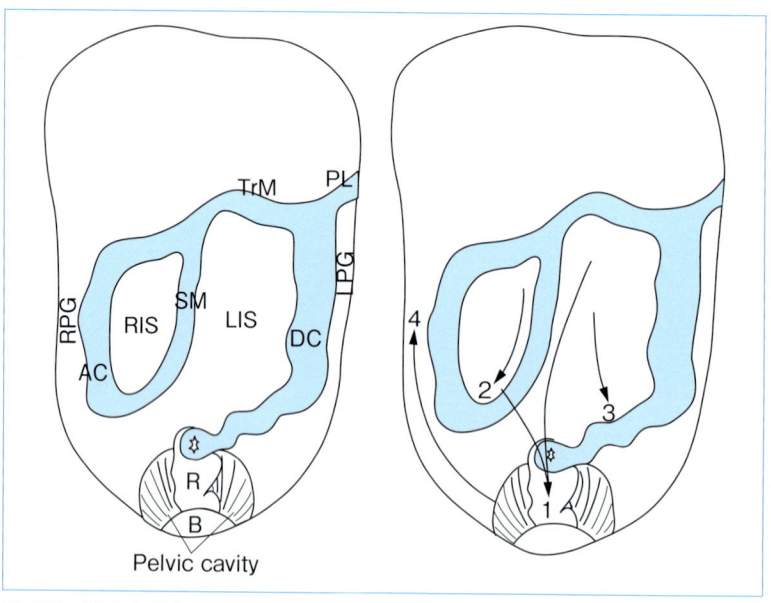

図15 腹水の流れ
腹水は重力に従ってDouglas窩に流入するとともに傍結腸溝を上行して上結腸間膜腔に至る。B：膀胱，R：直腸，SM：S状結腸間膜，DC：下行結腸，AC：上行結腸，TrM：横行結腸間膜，PL：横隔結腸間膜，RPG：右傍結腸溝，LPG：左傍結腸溝，RIS：右下結腸間膜腔（区画），LIS：左下結腸間膜腔（区画）

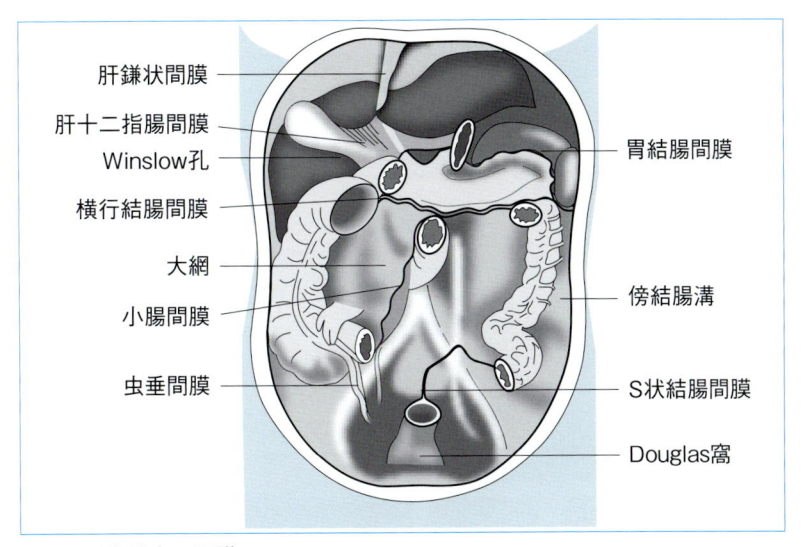

図16　腹腔内の間膜
腹腔内には腸管を腹壁に固定するためのものをはじめとする間膜が多数あり，これらが腹腔内を細分し，腹水や悪性腫瘍が腹腔内を自由に行き来するのを妨げている。

れを理解することが肝要である。

　腹腔は横行結腸間膜により上結腸間膜腔（区画，supramesocolic space）と下結腸間膜腔（区画，inframesocolic space）に分けられる。卵巣は下結腸間膜腔，それも骨盤底近くに存在することから，原発巣に近く背臥位で最も低位になり重力に従うとDouglas窩（pouch of Douglas, cul de sac）に最も播種が好発することは容易に想像がつく。男性のDouglas窩が膀胱直腸窩であるのに対し，女性の場合は両者の間に子宮が存在することから直腸子宮窩であり，充実性臓器である子宮の表面に小さな播種を生じてもCTでは両者のX線吸収値の差が乏しく同定困難なことが多い。これに対しコントラスト分解能に優るMRIはこの領域の播種性転移を明瞭に描出することができる（図17）。さらに子宮は基靱帯から円靱帯に至るまで広間膜にその両側を支えられて骨盤壁に固定され，卵巣間膜や卵巣提索もこれに近接して存在することから，広間膜表面も播種を生じやすい領域である（図18）。この領域に生じた播種巣はしばしば卵巣腫瘍と鑑別困難であり，「原発不明・腹水細胞診陽性」例では広間膜表面の腫瘤をただちに原発性卵巣癌と決めつけることなく，消化器悪性腫瘍からの播種や腹膜原発癌も念頭においた読影が必要である。Douglas窩を越えて骨盤腔内からあふれた腹水は，後腹膜に固定された上行・下行結腸の外側に位置する傍結腸溝（paracolic gutter）を通って上行し，上結腸間膜腔に至る。傍結腸溝は一般に右側が左より深く広いので播種もより右側に生じやすい（図19）[55]。

　小腸間膜（small bowel mesentery）は下結腸間膜腔の左上から右下へと付着し，腹水は滝の流れのように1つの腸間膜襞から次の襞へと流れることから，回盲部近傍がその終点となり播種が着床しやすい領域の1つとなっている（図20）。小腸・結腸間膜への播種は腸間膜付着側に偏心性の腸管壁進展不良，鋸歯状変化を伴って消化管狭窄を引き起こすが，粘膜面に潰瘍を伴わないことが消化管原発腫瘍でないことの証左となる（図21）。

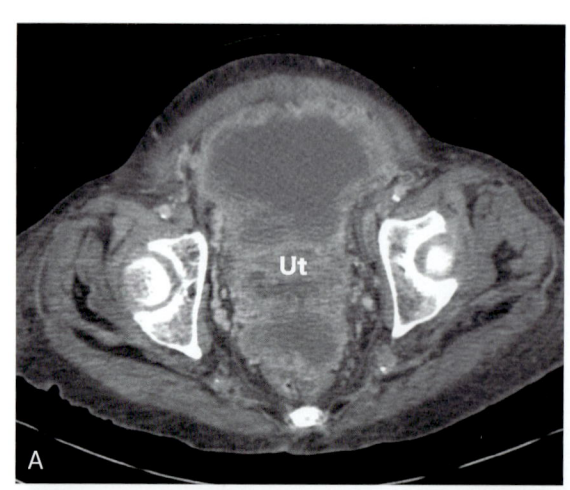

Ⅰ　「卵巣腫瘍」から「卵巣・卵管・腹膜腫瘍」へ

図17　骨盤底の腹腔内播種性転移
A：造影CT，B：造影CT矢状断MPR像，C：T2強調矢状断像
76歳，卵巣癌ⅢC期。骨盤底の腹膜を裏打ちするように広範な腹腔内播種性転移があるが，通常の造影CTでは既存の臓器との位置関係がわかりにくい（A）。矢状断に再構成すると多量の腹水を取り囲む肥厚した腹膜の認識が少し容易となる（B）が，T2強調像では筋腫を含む子宮（Ut）や膀胱が良好なコントラストで描出され，これに沿ってビロード状に広がる播種が一目瞭然である。
（文献74より転載）

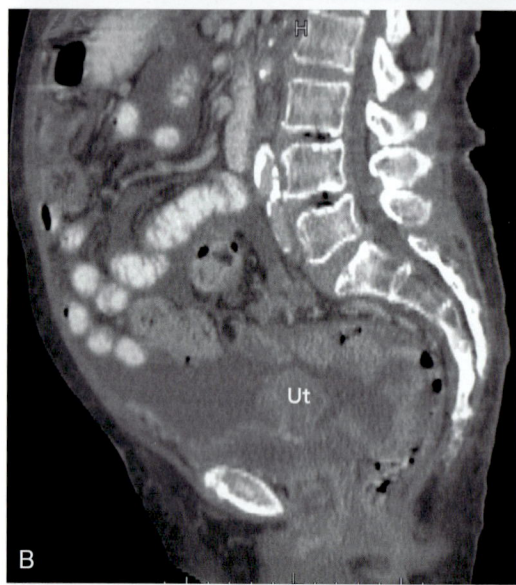

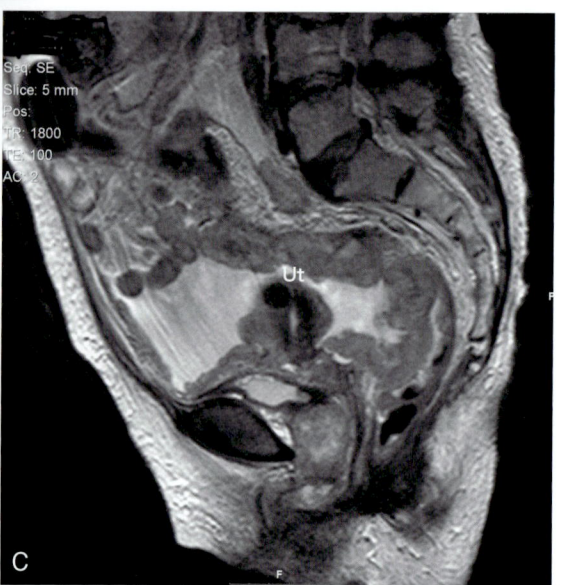

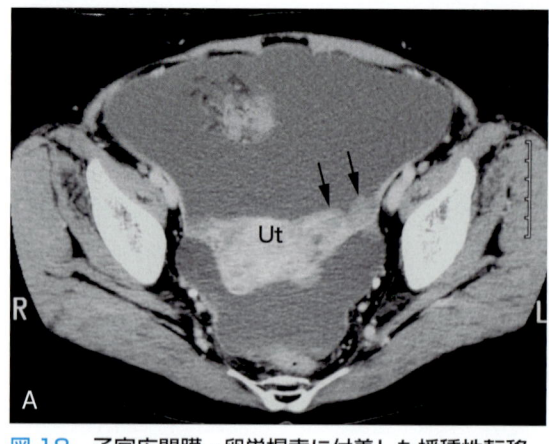

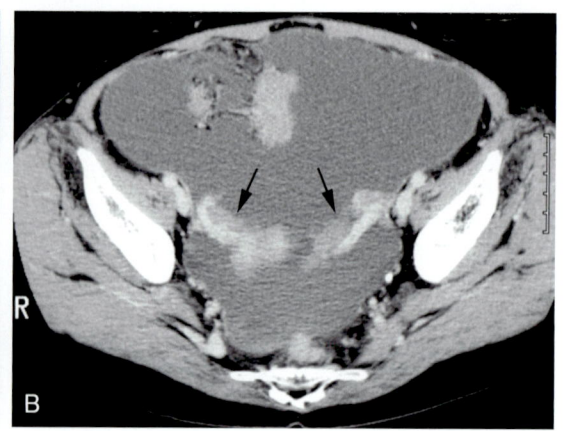

図18　子宮広間膜・卵巣提索に付着した播種性転移
57歳，原発不明漿液性癌症例。造影CTで，大量の腹水により局在の明瞭化した両側子宮広間膜（A→，Ut：子宮），卵巣提索（B→）に沿って播種性結節がみられる。
（文献74より転載）

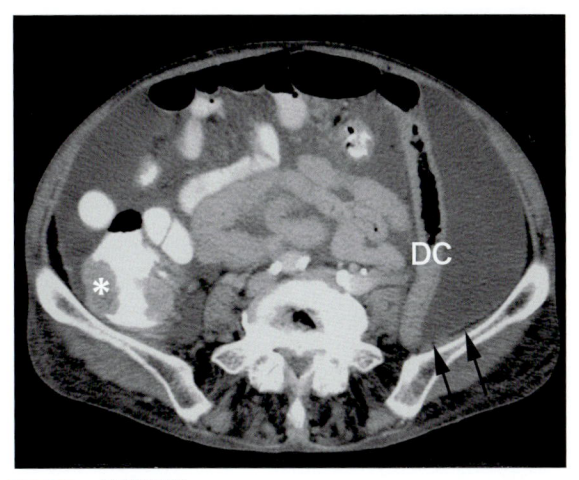

4. 卵巣・卵管・腹膜癌のステージング

図19 傍結腸溝
69歳，卵巣癌症例の造影CT。大量腹水の存在により下行結腸（DC）外側の左傍結腸溝（→）が背臥位では腹腔内で低位にあり腹水が貯留しやすいことがわかる。本例では右傍結腸溝は播種性転移（＊）により閉鎖されて浅いが，通常は右傍結腸溝のほうが広く深い。
（文献74より転載）

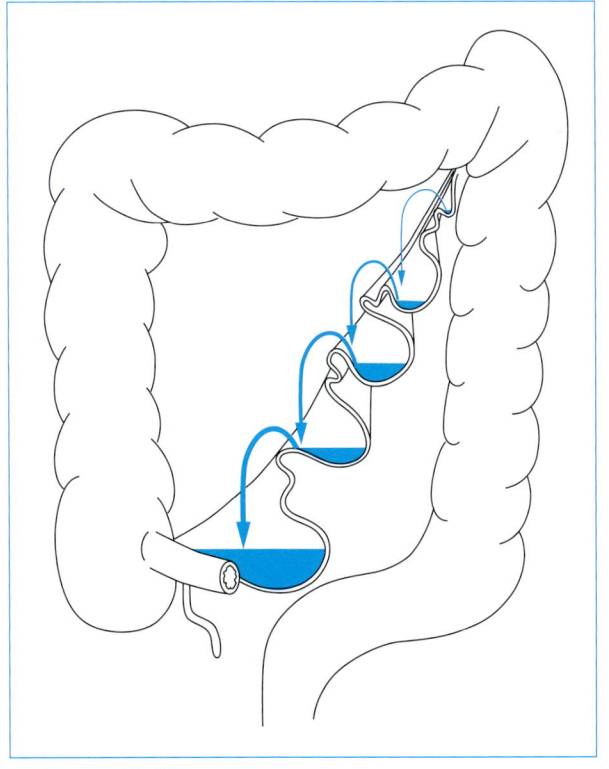

図20 小腸間膜
小腸係蹄を支持する小腸間膜の襞のたわみにも腹水は貯留し，腫瘍細胞が着床して発育する。

415

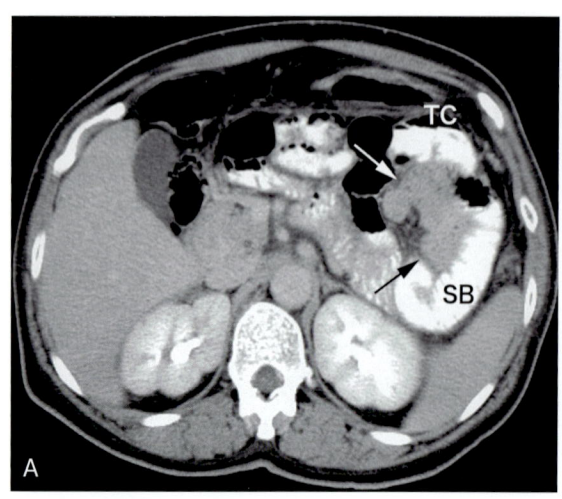

図21 腸間膜への播種性転移
50歳，卵巣癌症例。造影CT上，小腸（SB），横行結腸（TC）の間膜上で卵巣癌の播種性転移が腫瘤を形成する（A →）のが認められ，注腸造影では横行結腸の腸間膜付着側に鋸歯状変化（B →）がみられる。
（文献74より転載）

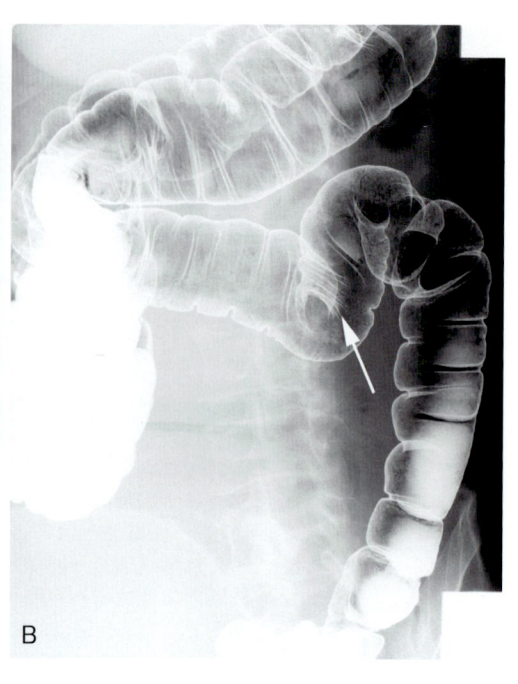

　大網（greater omentum）は胃結腸間膜と横行結腸間膜と連続して横行結腸の前下面に下垂する間膜構造で，通常は全体が脂肪濃度からなるため画像診断で同定することは困難だが，炎症の波及や播種性転移により濃度が上昇すると大網ケーキ（omental cake）とよばれる板状の軟部腫瘤を形成する[55]。大網ケーキは本来，脂肪織であったところに結節状に播種を生じて形成されるので，高吸収と低吸収の入り交じった不均一な濃度を呈することが多い（図22）。

　肝周囲の腹膜腔は肝の後上方に付着している冠状間膜により横隔膜下腔（subphrenic space）と肝下腔（subhepatic space）に分けられる（図23）。このうち後肝下腔は冠状間膜の付着部まで伸びることから背臥位では右傍脊椎腔の最も低い部分となりやはり播種の着床を生じやすく[55]，Morison窩（Morison's pouch）の名で知られる。横隔膜下腔への播種はしばしば血行性肝転移との異同が問題となるが，一見，肝実質内にみえる病巣も横断だけでなく冠状断や矢状断で観察すると肝表から食い込むように発育した播種巣であることが明瞭化することが多い（図24）。解剖学的には冠状間膜の上下の翻転部付近に付着しやすく，bare area（肝が腹膜に覆われていない部分）には生じないことを理解していれば判定は容易である。

　前述のMorison窩とはWinslow孔を介してわずかな交通をもつが，胎性期の中腸回転によりほかとは切り離されたもう1つの腹腔，すなわち網嚢（lesser sac）が上結腸間膜腔には存在する（図22A）。網嚢は小網，胃，十二指腸球部，胃結腸間膜の後方に存在し，下方は横行結腸間膜により境される。横行結腸間膜の付着部は膵であり，網嚢の後面は膵が裏打ちすることになる。またこの空間は食道裂孔近傍の横隔膜直下まで頭側に広がりをもつ（図25）。腫瘍細胞は腹水とともにWinslow孔を通過し網嚢内にもまた容易に着床するが，ここに画像的に認識可能な播種を認めた場合，通常の手術でoptimal debulkingは不可能である[56)57]。

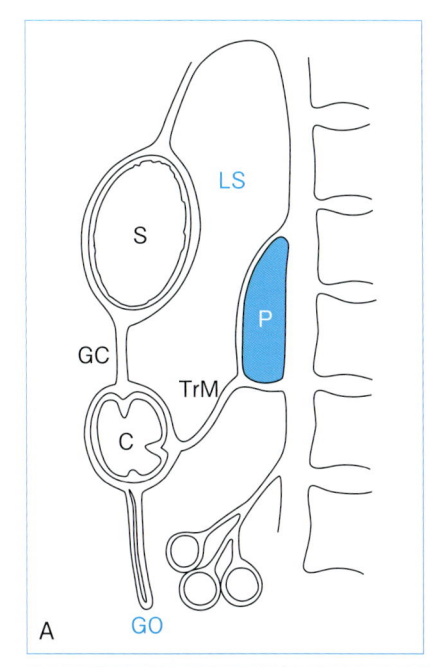

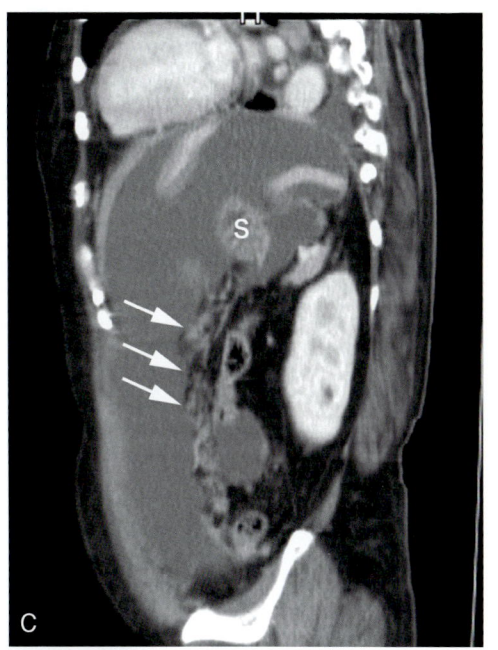

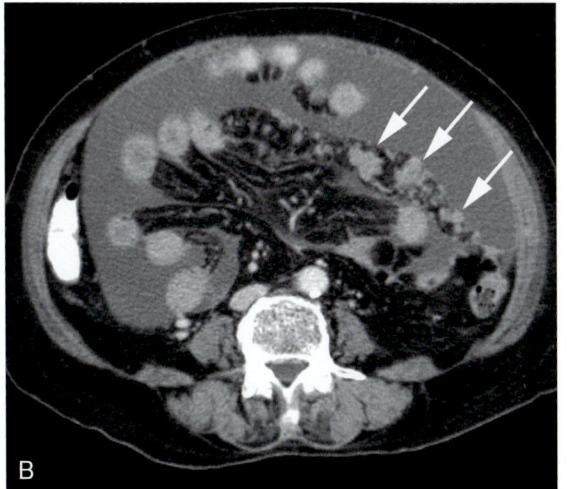

4. 卵巣・卵管・腹膜癌のステージング

図22 大網への播種性転移
A：シェーマ，B：造影CT，C：造影CT矢状断MPR像
72歳，卵巣癌症例。シェーマ（A）で示すと横行結腸（AのC）の下面にエプロンのように下垂する大網（GO）は通常は脂肪濃度のためCTで同定することは困難だが，播種性結節の多発（B）により濃度上昇をきたすと大網ケーキとよばれる板状の腫瘤を形成する（C，S：胃）。また胃間膜，胃結腸間膜（GC），横行結腸間膜（TrM）は腹腔のほかの大部分とは分離された網嚢（LS）を形成する。
（B，Cは，文献74より転載）

3）腹腔内播種の鑑別診断

　腹腔内播種性転移の原発巣として卵巣・卵管・高異型度漿液性癌の頻度が高いが，消化管悪性

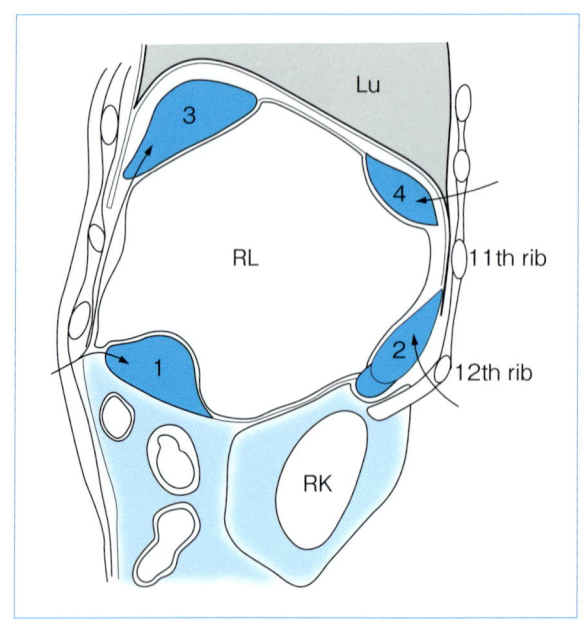

図23 右上結腸間膜腔
第11肋骨の前面付近に付着する肝冠状間膜により横隔膜下腔（3：前，4：後），肝下腔（1：前，2：後）に分けられ，肝右葉（RL）と右腎（RK）の間に位置する右肝下腔（2）は特に播種が着床しやすくMorison窩とよばれる。

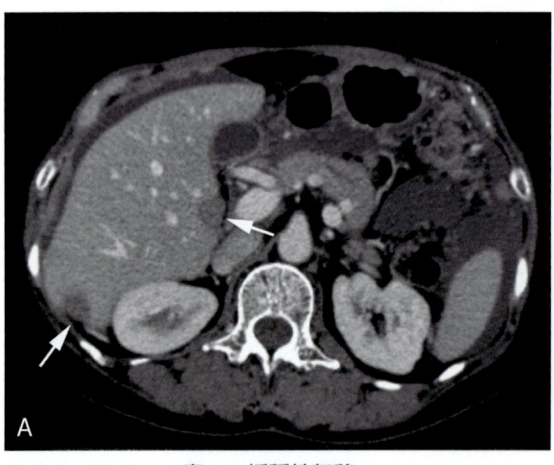

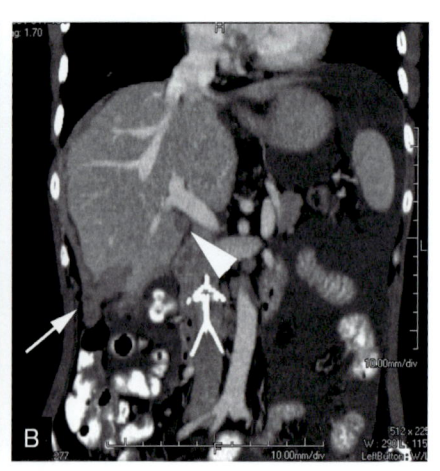

図24 Morison窩への播種性転移
A：造影CT，B：造影CT冠状断MPR像
72歳，卵巣癌再発症例。横断像では一見肝実質内にみえる結節（A→）も，冠状断像を作成して観察すると，Morison窩（B→）や網嚢内（B▲）の播種であることがわかりやすい。
（文献74より転載）

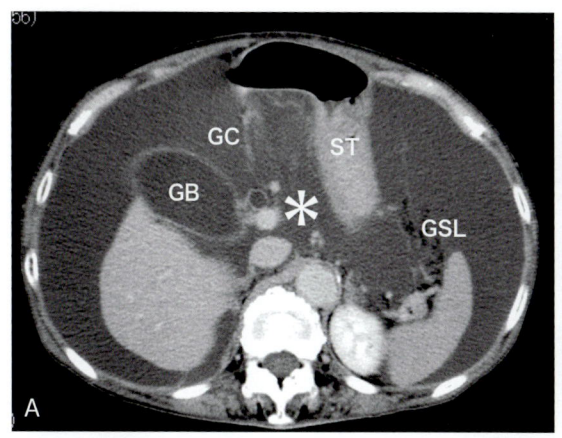

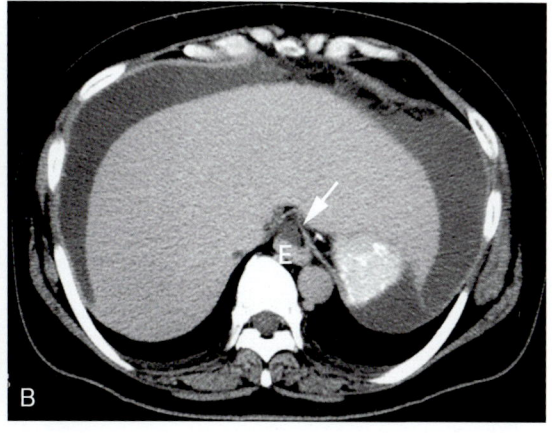

図25 網嚢

造影CT。網嚢は図22AのLSで示すように横行結腸間膜，胃結腸間膜，胃，左胃動脈後方の腹壁などから構成される腹膜腔内の湾ともいうべき領域で，腹水が貯留すると間膜に囲まれたその局在が明らかとなる（A＊）。その上端は噴門前方まで及ぶ（B→）。GB：胆嚢，GC：胃結腸間膜，ST：胃，GSL：胃脾間膜。
（文献74より転載）

腫瘍からの播種は絶えず念頭におき，消化管壁に原発巣がないか留意しなければならない（図26）。前述のごとく腸間膜への播種はしばしば消化管狭窄を伴うことから，播種と原発の鑑別はしばしば困難であり疑わしい病変は必ず内視鏡や消化管造影検査で確認する必要がある。また腹膜原発の腫瘍で，特に多発するもの，すなわち悪性腹膜中皮腫（p633〜636参照），消化管外間質腫瘍（p637；p640〜641参照），良性であるが播種性腹膜筋腫症（p633，638参照）なども鑑別すべき疾患である。また腫瘍だけでなく，炎症性疾患，特に結核性腹膜炎（tuberculous peritonitis）も腹腔内播種と類似の画像所見を呈する。濃度の高い腹水，壁側腹膜の肥厚が平滑なこと，乾酪壊死のために腫大リンパ節や播種性結節の中心部が造影CTで低吸収となることなどが結核性腹膜炎の特徴として挙げられている[58-60]（図27）が，腹水細胞診が陰性の場合，抗酸菌検査は積極的に行う必要がある。

4）Ⅳ期となる病変：悪性胸水と心横隔膜角リンパ節転移

『卵巣腫瘍・卵管癌・腹膜癌取扱い規約』では，「胸水中に悪性細胞を認めるのみの例はⅣA期とする」と定めている[41]。よって穿刺できるだけの胸水（pleural fluid）がなければ実際にはⅣ期にはならないので，ステージングに際し放射線科医は胸水の量と左右差，穿刺吸引の可能性について言及しなければならない（図28）。

子宮頸癌と異なり，卵巣癌では傍大動脈リンパ節転移は所属リンパ節に含まれ，これらに転移が陽性でもⅣ期にはならない[41]。しかし，鎖骨上窩リンパ節転移は子宮頸癌と同様，遠隔転移と同等に扱われる。近年，画像診断技術の向上に伴い，上腹部の腹腔内播種の顕著な症例において心横隔膜角リンパ節（cardiophrenic lymph node）の腫大をしばしば認める（図28A）。これは明らかに腹腔外病巣で，Ⅳ期に分類すべき病巣であると同時に腹腔内播種とは独立した予後因子

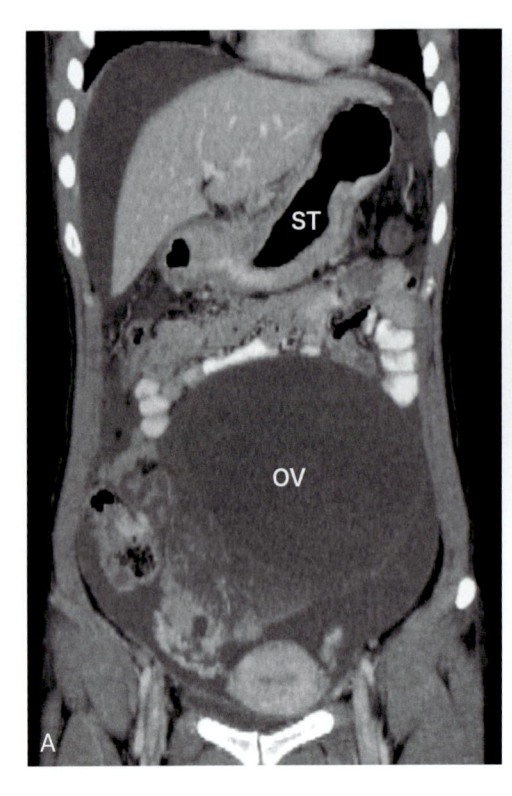

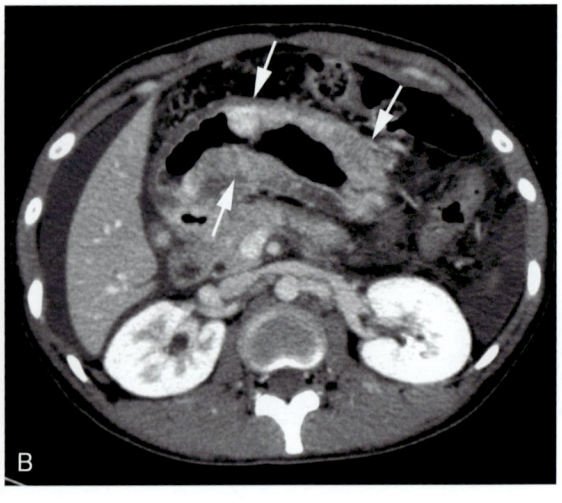

I 「卵巣腫瘍」から「卵巣・卵管・腹膜腫瘍」へ

図26 胃癌の腹腔内播種と卵巣転移
A：造影 CT 冠状断 MPR 像，B：造影 CT
29歳。巨大卵巣腫瘍（A，OV）を伴う癌性腹膜炎のCT像だが，体部を中心に胃壁（A，ST）が不均一な増強効果を伴って肥厚している（B →）。内視鏡下の生検で胃癌と診断された。
（文献74より転載）

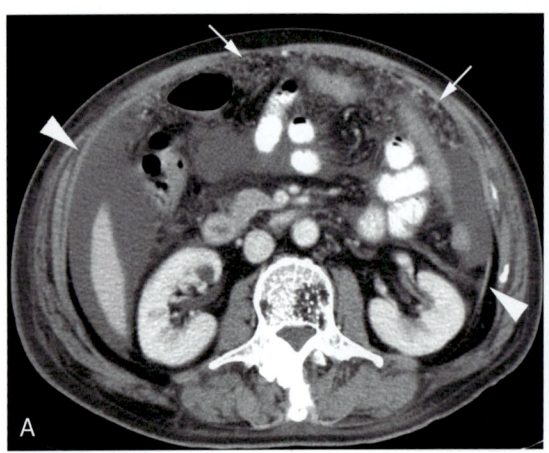

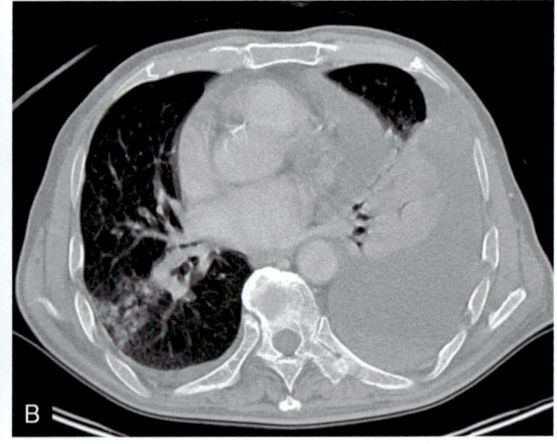

図27 結核性腹膜炎
A：造影 CT，B：肺 HRCT
75歳男性例。癌性腹膜炎に比べ播種性結節の大きさが小さく均一（A →）で，腹膜の肥厚が平滑（A▲）な傾向があるが，骨髄異型性症候群，不明熱といった臨床情報なしには癌性腹膜炎との鑑別は難しい。本例ではただちに抗結核療法が行われたが，経気道撒布性病巣が後に出現した（B）。
（文献74より転載）

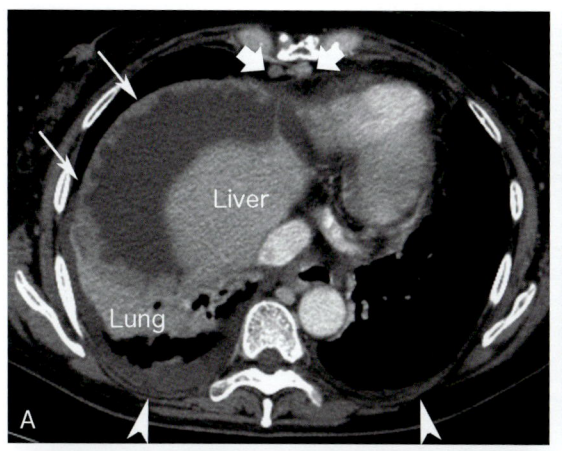

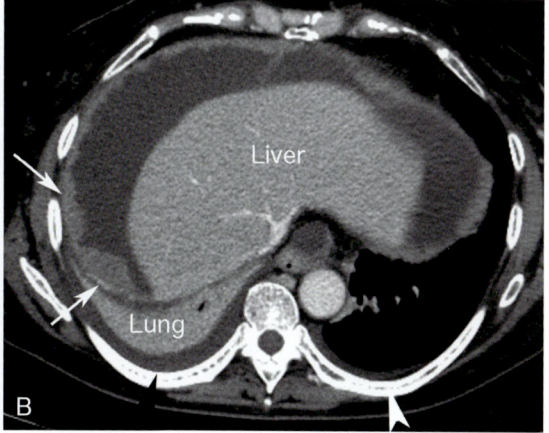

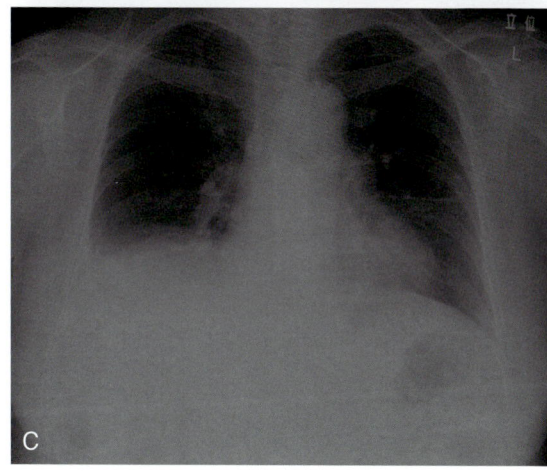

図28 胸水と心横隔膜角リンパ節転移

A，B：造影CT，C：胸部単純X線写真
65歳。卵巣原発混合癌（漿液性癌＋明細胞癌）症例。右横隔膜の裏面には多数の播種が付着し（A, B→），胸水も伴っている（A, B▲）。心外膜の外側前方の前縦隔脂肪層には腫大したリンパ節がみられ，心横隔膜角リンパ節転移である（A 太→）。胸部単純X線写真（C）では，大量胸水のために横隔膜が挙上しているものの，胸水の指摘は困難である。

であり[61]，見落とさずに指摘する必要がある。さらに腸管への貫壁性浸潤，臍転移もⅣB期となるので，レポートに進行期を記載する際には注意が必要である[41]。

5. 卵巣腫瘍の再発とその診断

『卵巣がん・卵管癌・腹膜癌治療ガイドライン2025年版』では初回治療後のフォローアップで，問診，内診，TVUS，腫瘍マーカー測定は毎回行うことが推奨されているが，CTやMRI，PET/CTは，必要に応じて行うことを推奨するとされている。しかしエビデンスレベルはCである[42]。CA125は非粘液性上皮性卵巣癌の最も感度の高いマーカーであり，35 U/mLをカットオフ値にすると再発例の80％以上が陽性を示すといわれる[62-64]。そこでNational Comprehensive Cancer Network（NCCN）では治療前にCA125や他の腫瘍マーカーが上昇していた症例では腫瘍マーカーの測定を推奨し，画像診断は必要に応じて実施するとしている[65]。またEuropean Society for Medical Oncology（ESMO）もCA125測定を毎回実施し，CT検査は臨床的，もし

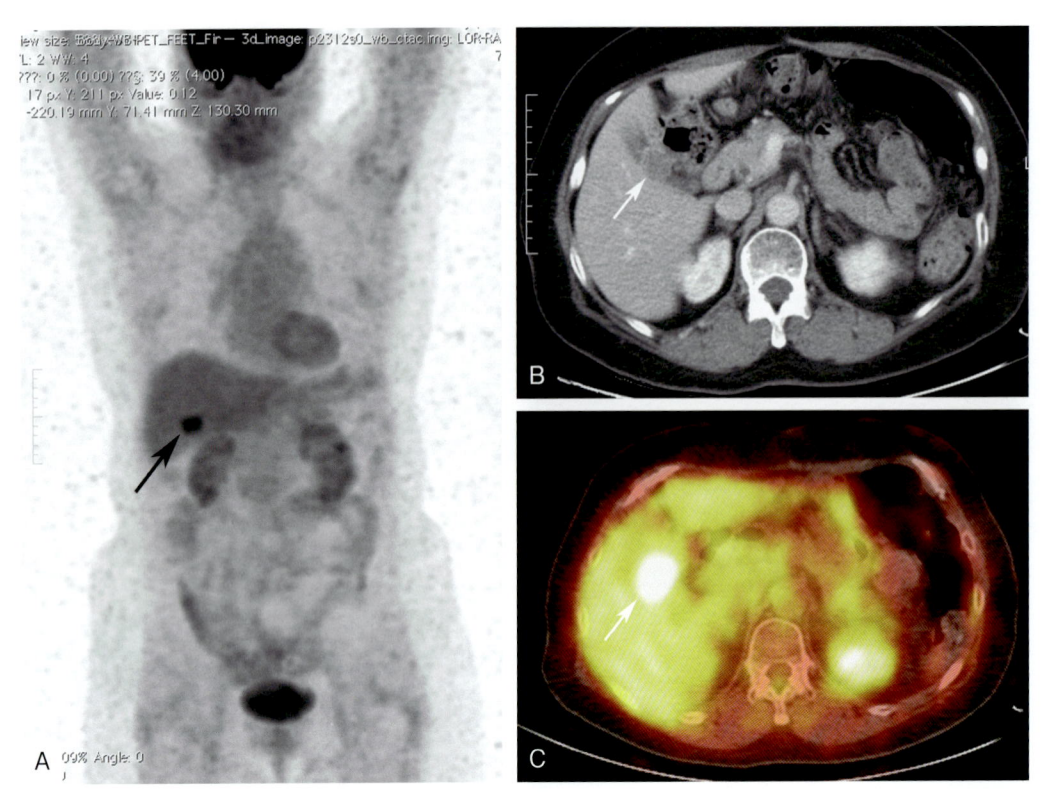

図29 卵巣癌治療後再発，PET/CT の有用性
A：PET 冠状断プラナー像，B：造影 CT，C：PET/CT
69歳。4年前発症の卵巣癌に対し，術前化学療法後に手術が行われ，類内膜癌ⅢC 期であった。その後補助化学療法を行っていたが，PET にて右上腹部に集積を認めた（A→）。造影 CT（B）との融合画像（C）でみると，胆嚢窩に充実性腫瘍がみられ（B，C→），単発の播種と診断した。胆嚢摘出術を含む手術が行われ，卵巣癌の播種であることが確認された。

くは CA125 の上昇により再発を疑ったときにのみ実施することを推奨している[66]。筆者は頻回の定期的な CT 撮影は，病勢を反映した腫瘍マーカーの存在しない一部の症例（明細胞癌など）に限るべきと考えている。また再発の検索目的には必要に応じて胸部のスキャンも容易に実行可能な CT のほうが MRI に優ることはいうまでもないが，再発卵巣癌の診断において PET/CT が CT 単独での正診率を凌駕したとの報告は多く[67)68]。最近のメタアナリシスでは PET/CT の再発卵巣癌の診断における感度，特異度，診断オッズ比は，各々 86.6〜90.3％，87.6〜92.7％，30.764〜105.73 と報告されている[69]。PET は特に腹腔外病変の同定に有用であり[70]，CA125 再上昇例で効率よく再発巣を見つけるには PET/CT が最も適している（図29）。

初発卵巣癌が癌性腹膜炎として発症する例が多いのと同様，再発時にも 60％以上が広範な腹腔内播種として発症し，残る再発例の多くも単発もしくは数個の腹腔内結節として発症する[71]。また，PDS 症例においては治療前の病変の局在に関係なく再発するのに対し，NAC 症例では初回に病変の存在した部位に再発する割合が高い[72]とされており（図30，31），フォローアップ CT 評価時の目安となる。リンパ節転移として再発する症例は数は少ないが，単発の場合はほかの再発形式に比べ，有意に予後のよいことが知られている[73]（図31）。

5. 卵巣腫瘍の再発とその診断

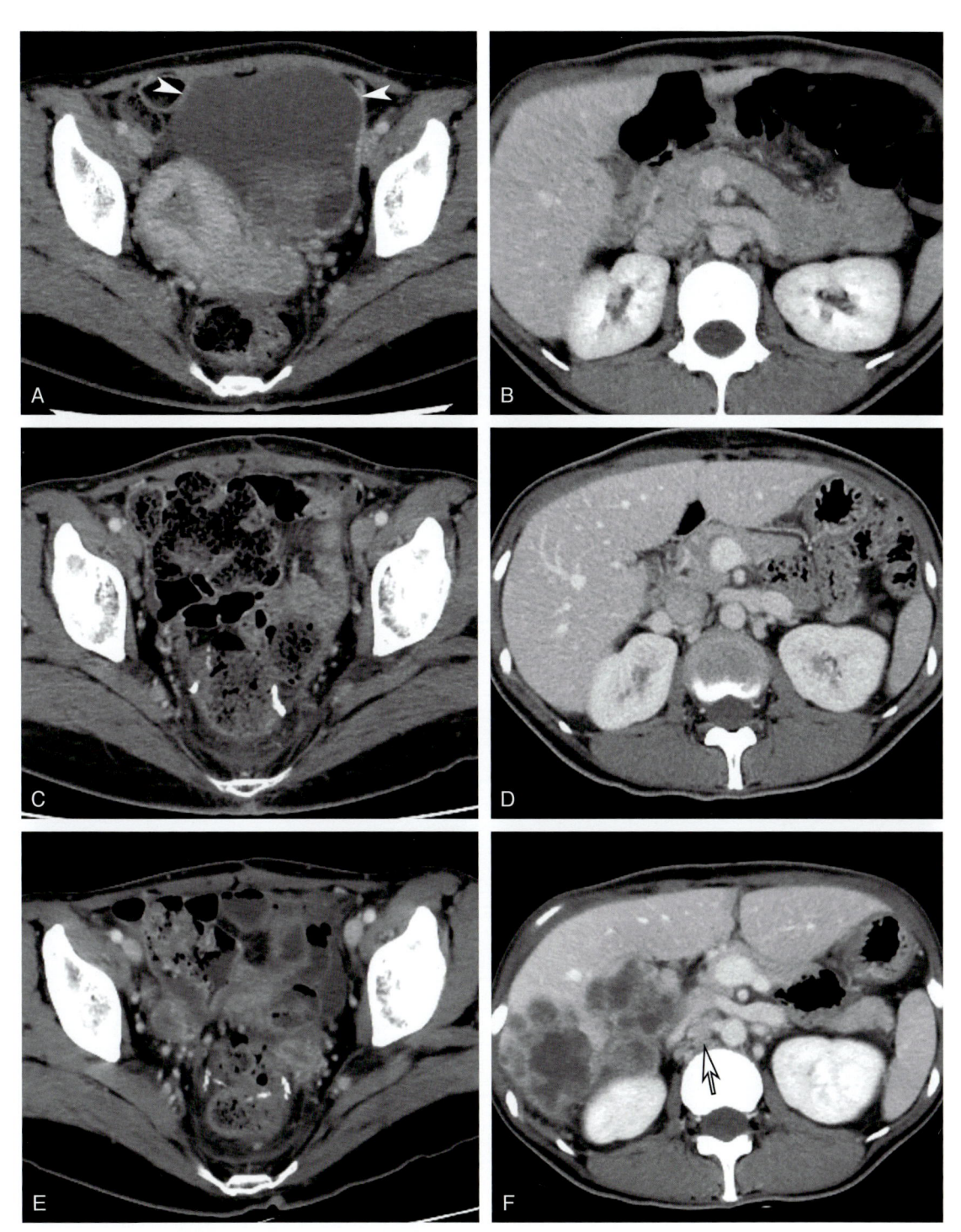

図30 40歳 卵巣癌初回手術（PDS）後再発
A～F：造影CT（A, B：治療前，C, D：初回治療終了時，E, F：再発時）
左卵巣混合癌（明細胞癌＋類内膜癌）（A▲）に対し，初回手術，術後化学療法後。初回治療終了時の造影CTでは子宮全摘＋付属器切除＋低位前方切除術後の骨盤底（C）にも上腹部（D）にも残存腫瘍を認めない。治療終了6カ月後，局所再発は認めない（E）が，初発時には病変の存在しなかったMorison窩に大きな播種，大動静脈間にもリンパ節転移を生じた（F→）。

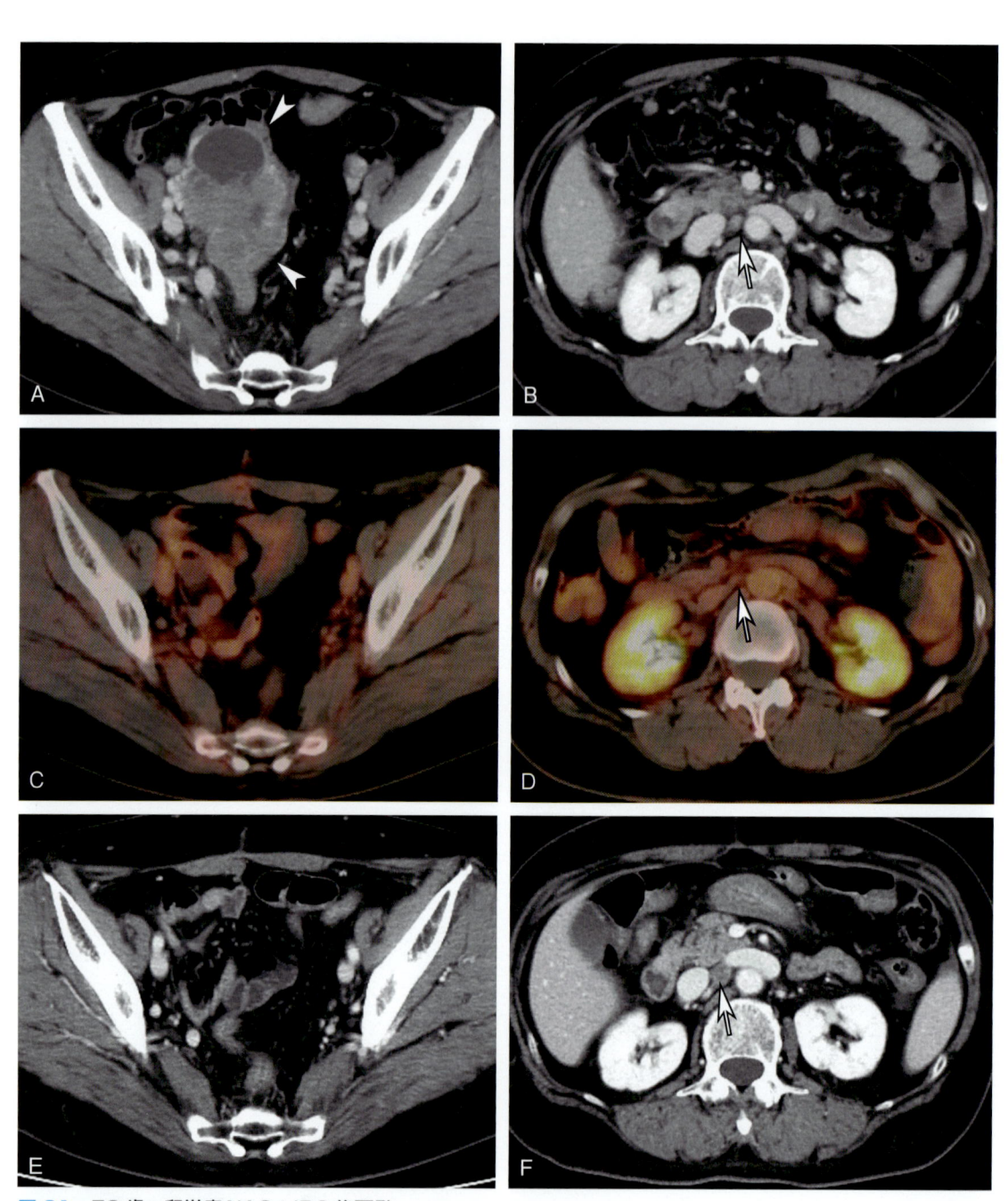

I 「卵巣腫瘍」から「卵巣・卵管・腹膜腫瘍」へ

図31 50歳 卵巣癌NAC＋IDS後再発
A, B：造影CT（治療前），C, D：PET/CT（初回治療終了時），E, F：造影CT（再発時）
右卵巣高異型度漿液性癌（A▲）症例で，初発時，傍大動脈リンパ節転移を伴っていた（B→）。術前化学療法（NAC），インターバル腫瘍減量手術（IDS）後のPET/CTでは骨盤底に残存腫瘍はなく（C），傍大動脈リンパ節は縮小して，FDGの集積を認めなかった（D→）。治療終了11カ月後，局所再発は認めない（E）が，大動静脈間リンパ節に再増大を認めた（F→）

文献

1) 日本産科婦人科学会ほか 編：卵巣腫瘍・卵管癌・腹膜癌取扱い規約 病理編 第2版．金原出版，東京，2022
2) Prat J ; FIGO Committee on Gynecologic Oncology : Staging classification for cancer of the ovary, fallopian tube, and peritoneum. Int J Gynaecol Obstet 124 : 1-5, 2014
3) WHO Classification of Tumours Editorial Board : Female Genital Tumours, 5th ed. International Agency for Research on Cancer, Lyon, France, 2020
4) Nougaret S et al : MRI of tumors and tumor mimics in the female pelvis : anatomic pelvic space-based approach. Radiographics 39 : 1205-1229, 2019
5) Lee JH et al : "Ovarian vascular pedicle" sign revealing organ of origin of a pelvic mass lesion on helical CT. AJR Am J Roentgenol 181 : 131-137, 2003
6) Asayama Y et al : MDCT of the gonadal veins in females with large pelvic masses : value in differentiating ovarian versus uterine origin. AJR Am J Roentgenol 186 : 440-448, 2006
7) Bakos O et al : Ultrasonographical and hormonal description of the normal ovulatory menstrual cycle. Acta Obstet Gynecol Scand 73 : 790-796, 1994
8) Ritchie WG : Sonographic evaluation of normal and induced ovulation. Radiology 161 : 1-10, 1986
9) Baerwald AR et al : Form and function of the corpus luteum during the human menstrual cycle. Ultrasound Obstet Gynecol 25 : 498-507, 2005
10) Bourne TH et al : Ultrasound studies of vascular and morphological changes in the human corpus luteum during the menstrual cycle. Fertil Steril 65 : 753-758, 1996
11) Durfee SM, Frates MC : Sonographic spectrum of the corpus luteum in early pregnancy : gray-scale, color, and pulsed Doppler appearance. J Clin Ultrasound 27 : 55-59, 1999
12) Healy DL et al : Ovarian status in healthy postmenopausal women. Menopause 15 : 1109-1114, 2008
13) Boos J et al : Ovarian cancer : prevalence in incidental simple adnexal cysts initially identified in CT examinations of the abdomen and pelvis. Radiology 286 : 196-204, 2018
14) Levine D et al : Simple adnexal cysts : SRU consensus conference update on follow-up and reporting. Radiology 293 : 359-371, 2019
15) Patel MD et al : Management of incidental adnexal findings on CT and MRI : a white paper of the ACR Incidental Findings Committee. J Am Coll Radiol 17 : 248-254, 2020
16) 日本医学放射線学会ガイドライン産婦人科領域小委員会：産婦人科，日本医学放射線学会 編；画像診断ガイドライン2021年版．p326-375，金原出版，東京，2021
17) 日本超音波医学会用語・診断基準委員会：会告 卵巣腫瘍のエコーパターン分類の公示について．J Med Ultrasonic 27 : 912-914, 2000
18) Valentin L : Pattern recognition of pelvic masses by gray-scale ultrasound imaging : the contribution of Doppler ultrasound. Ultrasound Obstet Gynecol 14 : 338-347, 1999
19) Stein SM et al : Differentiation of benign and malignant adnexal masses : relative value of gray-scale, color Doppler, and spectral Doppler sonography. AJR Am J Roentgenol 164 : 381-386, 1995
20) Valentin L et al : Limited contribution of Doppler velocimetry to the differential diagnosis of extrauterine pelvic tumors. Obstet Gynecol 83 : 425-433, 1994
21) Timmerman D et al : Simple ultrasound rules to distinguish between benign and malignant adnexal masses before surgery : prospective validation by IOTA group. BMJ 341 : c6839, 2010
22) Timmerman D et al : Terms, definitions and measurements to describe the sonographic features of adnexal tumors : a consensus opinion from the International Ovarian Tumor Analysis (IOTA) Group. Ultrasound Obstet Gynecol 16 : 500-505, 2000
23) American College of Radiology Committee on O-RADS™ (Ovarian and Adnexal). Ovarian-Adnexal Reporting & Data System (O-RADS™). 2024 ; 2025 https://www.acr.org/Clinical-Resources/Clinical-Tools-and-Reference/Reporting-and-Data-Systems/O-RADS (accessed 2025.07.05.)
24) Timmerman D et al : ESGO/ISUOG/IOTA/ESGE Consensus Statement on pre-operative diagnosis of ovarian tumors. Int J Gynecol Cancer 31 : 961-982, 2021
25) Stevens SK et al : Ovarian lesions : detection and characterization with gadolinium-enhanced MR imaging at 1.5 T. Radiology 181 : 481-488, 1991
26) Yamashita Y et al : Adnexal masses : accuracy of characterization with transvaginal US and precontrast and postcontrast MR imaging. Radiology 194 : 557-565, 1995
27) Weiderpass E et al : Risk factors for epithelial ovarian cancer in Japan : results from the Japan Public Health Center-based prospective study cohort. Int J Oncol 40 : 21-30, 2012
28) 日本産科婦人科学会婦人科腫瘍委員会：婦人科腫瘍委員会報告 2021年患者年報．日産婦会誌 75 : 1643-1698, 2023
29) Momenimovahed Z et al : Ovarian cancer in the world : epidemiology and risk factors. Int J Womens Health 11 : 287-299, 2019
30) Oei AL et al : Surveillance of women at high risk for hereditary ovarian cancer is inefficient. Br J Cancer 94 : 814-819, 2006
31) Elezaby M et al : *BRCA* mutation carriers : breast and ovarian cancer screening guidelines and imaging considerations. Radiology 291 : 554-569, 2019
32) Javitt MC : Risk assessment for ovarian carcinoma : hope or hype ? AJR Am J Roentgenol 194 : 308, 2010
33) Campbell S et al : Transabdominal ultrasound screening for early ovarian cancer. BMJ 299 : 1363-1367, 1989
34) van Nagell JR Jr et al : Ovarian cancer screening with annual transvaginal sonography : findings of 25,000 women screened. Cancer 109 : 1887-1896, 2007
35) Rustin GJ et al : Advanced ovarian cancer : tumour markers. Ann Oncol 4 (suppl 4) : 71-77, 1993
36) Berek JS, Bast RC Jr : Ovarian cancer screening : the use of serial complementary tumor markers to improve sensitivity and specificity for early detection. Cancer 76 : 2092-2096, 1995
37) Buys SS et al : Effect of screening on ovarian cancer mortality : the Prostate, Lung, Colorectal and Ovarian (PLCO) Cancer Screening Randomized Controlled Trial. JAMA 305 : 2295-2303, 2011
38) Gadducci A et al : Serum tumor markers in the management of ovarian, endometrial and cervical cancer. Biomed Pharmacother 58 : 24-38, 2004
39) Charkhchi P et al : CA125 and ovarian cancer : a comprehensive review. Cancers 12 : 3730, 2020
40) Langmár Z et al : HE4 : a novel promising serum marker in

the diagnosis of ovarian carcinoma. Eur J Gynaecol Oncol 32：605-610, 2011
41) 日本産科婦人科学会ほか 編：卵巣腫瘍・卵管癌・腹膜癌取扱い規約 臨床編 補訂版. 金原出版, 東京, 2023
42) 日本婦人科腫瘍学会 編：卵巣がん・卵管癌・腹膜がん治療ガイドライン 2025年版. 金原出版, 東京, 2025
43) Kehoe S et al：Primary chemotherapy versus primary surgery for newly diagnosed advanced ovarian cancer (CHORUS)：an open-label, randomised, controlled, non-inferiority trial. Lancet 386：249-257, 2015
44) Onda T et al：Comparison of survival between primary debulking surgery and neoadjuvant chemotherapy for stage Ⅲ/Ⅳ ovarian, tubal and peritoneal cancers in phase Ⅲ randomised trial. Eur J Cancer 130：114-125, 2020
45) Yokoyama Y et al：Clinical outcome and risk factors for recurrence in borderline ovarian tumours. Br J Cancer 94：1586-1591, 2006
46) 日本産科婦人科学会婦人科腫瘍委員会：婦人科腫瘍委員会報告 第64回治療年報. 日産婦誌 75：1528-1642, 2023
47) Jeffrey RB Jr：CT demonstration of peritoneal implants. AJR Am J Roentgenol 135：323-326, 1980
48) Pannu HK et al：Multidetector CT of peritoneal carcinomatosis from ovarian cancer. Radiographics 23：687-701, 2003
49) Fujii S et al：Detection of peritoneal dissemination in gynecological malignancy：evaluation by diffusion-weighted MR imaging. Eur Radiol 18：18-23, 2008
50) Low RN et al：Diffusion-weighted MRI of peritoneal tumors：comparison with conventional MRI and surgical and histopathologic findings：a feasibility study. AJR Am J Roentgenol 193：461-470, 2009
51) van 't Sant I et al：Diagnostic performance of imaging for the detection of peritoneal metastases：a meta-analysis. Eur Radiol 30：3101-3112, 2020
52) Jacquet P, Sugarbaker PH：Clinical research methodologies in diagnosis and staging of patients with peritoneal carcinomatosis. Cancer Treat Res 82：359-374, 1996
53) Tsili AC et al：Imaging of peritoneal metastases in ovarian cancer using MDCT, MRI, and FDG PET/CT：a systematic review and meta-analysis. Cancers 16：1467, 2024
54) Rutten MJ et al：Predicting surgical outcome in patients with International Federation of Gynecology and Obstetrics stage Ⅲ or Ⅳ ovarian cancer using computed tomography：a systematic review of prediction models. Int J Gynecol Cancer 25：407-415, 2015
55) Meyers M et al：Meyers' Dynamic Radiology of the Abdomen：Normal and Pathologic Anatomy, 6th ed. Springer New York, New York, 2011
56) Forstner R：Radiological staging of ovarian cancer：imaging findings and contribution of CT and MRI. Eur Radiol 17：3223-3235, 2007
57) Forstner R et al：ESUR guidelines：ovarian cancer staging and follow-up. Eur Radiol 20：2773-2780, 2010
58) Ha HK et al：CT differentiation of tuberculous peritonitis and peritoneal carcinomatosis. AJR Am J Roentgenol 167：743-748, 1996
59) Rodriguez E, Pombo F：Peritoneal tuberculosis versus peritoneal carcinomatosis：distinction based on CT findings. J Comput Assist Tomogr 20：269-272, 1996
60) Sheth S et al：Mesenteric neoplasms：CT appearances of primary and secondary tumors and differential diagnosis. Radiographics 23：457-473；quiz 535-536, 2003
61) Holloway BJ et al：The significance of paracardiac lymph node enlargement in ovarian cancer. Clin Radiol 52：692-697, 1997
62) Niloff JM et al：Predictive value of CA 125 antigen levels in second-look procedures for ovarian cancer. Am J Obstet Gynecol 151：981-986, 1985
63) Makar AP et al：Is serum CA 125 at the time of relapse a prognostic indicator for further survival prognosis in patients with ovarian cancer？ Gynecol Oncol 49：3-7, 1993
64) Meier W et al：CA125 based diagnosis and therapy in recurrent ovarian cancer. Anticancer Res 17：3019-3020, 1997
65) Armstrong DK et al：Ovarian Cancer, Version 2.2020, NCCN Clinical Practice Guidelines in Oncology. J Natl Compr Canc Netw 19：191-226, 2021
66) Colombo N et al：ESMO-ESGO consensus conference recommendations on ovarian cancer：pathology and molecular biology, early and advanced stages, borderline tumours and recurrent disease. Ann Oncol 30：672-705, 2019
67) Sebastian S et al：PET-CT vs. CT alone in ovarian cancer recurrence. Abdom Imaging 33：112-118, 2008
68) Gu P et al：CA 125, PET alone, PET-CT, CT and MRI in diagnosing recurrent ovarian carcinoma：a systematic review and meta-analysis. Eur J Radiol 71：164-174, 2009
69) Limei Z et al：Accuracy of positron emission tomography/computed tomography in the diagnosis and restaging for recurrent ovarian cancer：a meta-analysis. Int J Gynecol Cancer 23：598-607, 2013
70) Prakash P et al：Role of PET/CT in ovarian cancer. AJR Am J Roentgenol 194：W464-470, 2010
71) Ferrandina G et al：Impact of pattern of recurrence on clinical outcome of ovarian cancer patients：clinical considerations. Eur J Cancer 42：2296-2302, 2006
72) Himoto Y et al：Does the method of primary treatment affect the pattern of first recurrence in high-grade serous ovarian cancer？ Gynecol Oncol 155：192-200, 2019
73) Legge F et al：Epithelial ovarian cancer relapsing as isolated lymph node disease：natural history and clinical outcome. BMC Cancer 8：367, 2008
74) 田中優美子ほか：腹腔内播種性転移の画像診断. 産婦の実際 54：1575-1584, 2005

II 卵巣腫瘍 ovarian tumors

1. 上皮性腫瘍と上皮性・間葉性混合腫瘍

A. 上皮性腫瘍 epithelial tumors

　「卵巣がん」とひらがな表記された場合には胚細胞腫瘍なども含めた卵巣悪性腫瘍全般を指すことになるが，小児期を除くとその多く（92%，p390 参照）が癌腫，すなわち上皮性腫瘍である。この上皮性腫瘍は『卵巣腫瘍・卵管癌・腹膜癌取扱い規約 病理編 第2版』では本章Iの表2（p391 参照）のごとく細分類されている[1]。この分類はWHO分類第5版[2]に準拠している。しかしこのなかだけでも極めて多くの腫瘍があり，理解を助けるために「上皮性腫瘍に共通する所見」が取扱い規約の上皮性腫瘍の項，冒頭に記載されている。悪性度の分類には良性，悪性に加えて境界悪性腫瘍がある。境界悪性腫瘍は「上皮の旺盛な増殖を示すものの微小浸潤をこえる間質浸潤を伴わず，長い経過を経て再発することはあっても腫瘍死に至ることはほとんどない腫瘍」と定義される。良性腫瘍では間質の線維成分の割合が上皮成分に加えて優勢である場合，「線維腫（fibroma）」の接尾辞をつける。また肉眼的に嚢胞を形成しているときは「嚢胞性（cystic）」を付してよぶ（漿液性と粘液性腫瘍に限る）。漿液性腫瘍が表層に乳頭状に発育しているときは以前は「表在性（surface）」を付していたが，現組織分類では消滅している[1]。

　上皮性腫瘍の主な組織型に高異型度漿液性癌（high-grade serous carcinoma），低異型度漿液性癌（low-grade serous carcinoma），粘液性癌（mucinous carcinoma），類内膜癌（endometrioid carcinoma），明細胞癌（clear cell carcinoma）の5つが挙げられ，以前は単一の漿液性癌とされていた高異型度漿液性癌と低異型度漿液性癌は組織発生の違いから，今や別の組織型と考えられている[3]。すなわち上皮性腫瘍の40%以上を占める（図1）[4] 高異型度漿液性癌の多くが漿液性卵管上皮内癌（serous tubal intraepithelial carcinoma：STIC）を前駆病変として，卵管から卵巣，腹膜へと転移・進展したものである（図2）[5] のに対し，低異型度漿液性癌は伝統的な組織発生，すなわち卵巣表層上皮や表層上皮封入嚢胞（surface epithelial inclusion cyst）に起源をもつと考えられている（図3）[3]。発生初期の中腎堤を覆う体腔上皮はミュラー管（傍中腎管）へと分化して子宮・卵管・腟上部へと分化するが，生殖堤を覆った体腔上皮は卵巣表層上皮へと分化する。このため卵巣表層上皮はミュラー管由来の臓器組織への分化能をもち，卵管上皮を模倣する卵管内膜症（endosalpingiosis）から腺腫，境界悪性を経て，低異型度漿液性癌に至る[6)7)]。また卵管采の卵管上皮は，時に排卵後に欠損した上皮の修復過程で卵巣組織内に嵌入して表層上皮封入嚢胞を形成し[8-10]卵巣漿液性腫瘍の発生母地となる（図3）。高異型度漿液性癌の一部は，後者の経路で多段階発癌したものと考えられているが，まれである[11]。後者のように良性腫瘍や境界悪性腫瘍を経て比較的緩徐に発生する卵巣癌をType I，高異型度漿液性癌のように前駆病

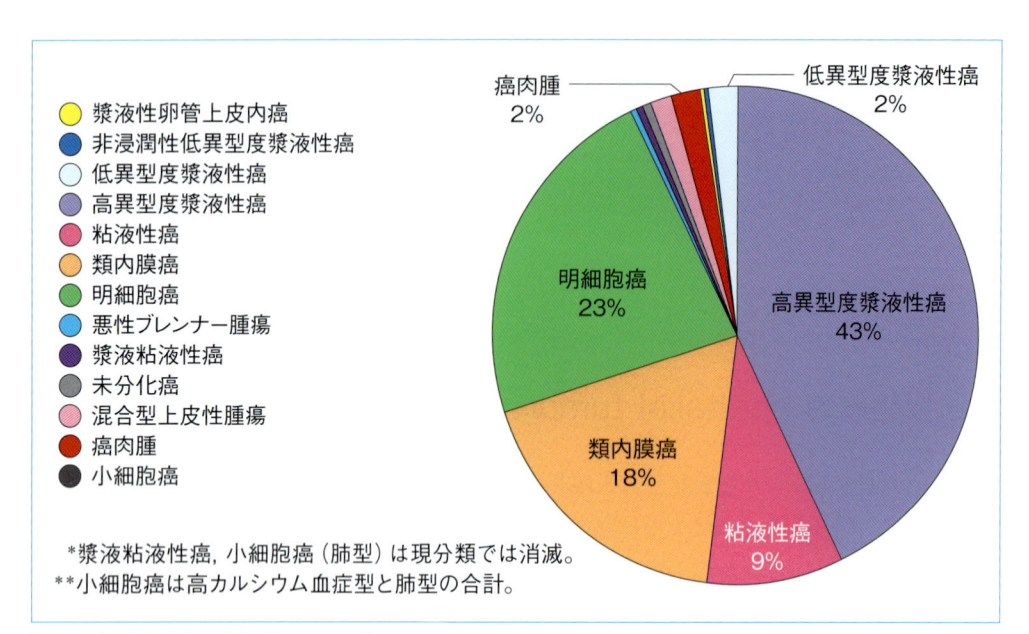

図1　悪性上皮性腫瘍の組織型分類
(日本産科婦人科学会婦人科腫瘍委員会報告，2021年患者年報，2023[4]より作成)

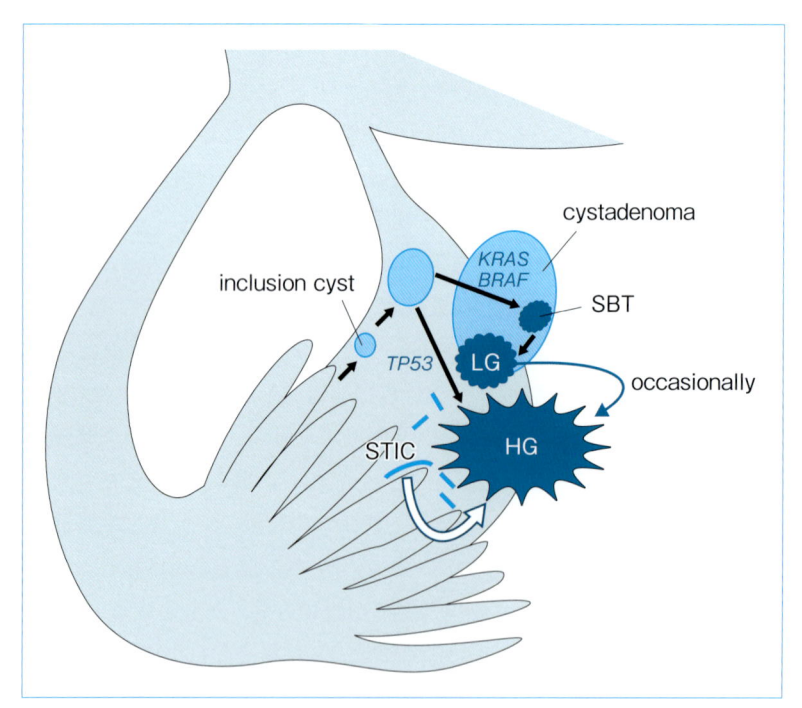

凡例：
- 漿液性卵管上皮内癌
- 非浸潤性低異型度漿液性癌
- 低異型度漿液性癌
- 高異型度漿液性癌
- 粘液性癌
- 類内膜癌
- 明細胞癌
- 悪性ブレンナー腫瘍
- 漿液粘液性癌
- 未分化癌
- 混合型上皮性腫瘍
- 癌肉腫
- 小細胞癌

構成比：
- 高異型度漿液性癌 43%
- 明細胞癌 23%
- 類内膜癌 18%
- 粘液性癌 9%
- 癌肉腫 2%
- 低異型度漿液性癌 2%

*漿液粘液性癌，小細胞癌（肺型）は現分類では消滅。
**小細胞癌は高カルシウム血症型と肺型の合計。

図2　低異型度漿液性癌（LG）と高異型度漿液性癌（HG）の組織発生[5]
組織発生の1つの経路は，排卵時に卵管采から脱落した正常卵管上皮が卵巣内で表層上皮封入嚢胞（inclusion cyst）を形成して，*KRAS/BRAF/ERRB2* もしくは *TP53* の遺伝子変異によりLGまたはHGになるもの，もう1つはすでに卵管采上で漿液性卵管上皮内癌（STIC）となった腫瘍細胞が，卵巣表層上皮で発育するものである。前者は漿液性嚢胞腺腫（cystadenoma），漿液性境界悪性腫瘍（SBT），LGを経てHGにもなりうるが，HGの組織発生としては後者が主流と考えられている。

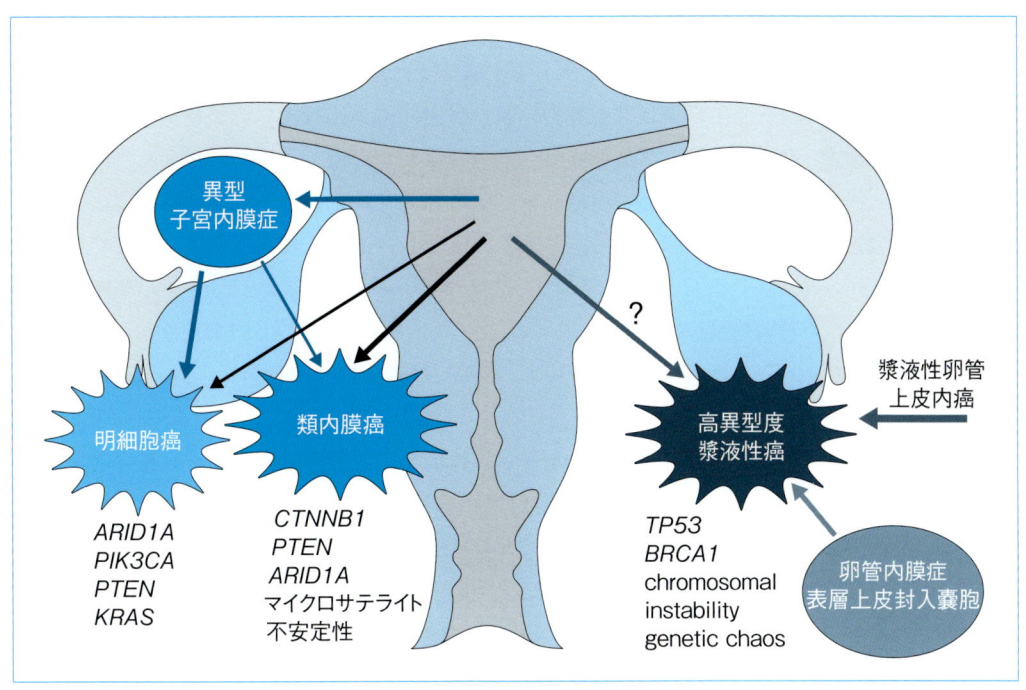

図3 組織発生と遺伝子変異に基づく卵巣腫瘍の組織分類[3]

表1 卵巣癌の発癌モデル（Type I，Type II）

分類	癌化・進展	組織型	前癌病変	異常が認められる主な遺伝子
Type I	緩徐	低異型度漿液性癌	漿液性嚢胞腺腫	KRAS BRAF ERBB2 PIK3CA ARID1A CTNNB1 PTEN PPP2R1A マイクロサテライト不安定性
			異型増殖性漿液性腫瘍	
			非浸潤性微小乳頭状漿液性癌	
		低異型度類内膜癌	子宮内膜症	
			類内膜腺線維腫	
			異型増殖性類内膜腫瘍	
		明細胞癌	子宮内膜症	
			明細胞腺線維腫	
			異型増殖性明細胞腫瘍	
		粘液性癌	粘液性嚢胞腺腫	
			異型増殖性粘液性腫瘍	
Type II	急速	高異型度漿液性癌	―	TP53 BRCA1/2 染色体不安定性
		高異型度類内膜癌	―	

（文献13より引用）

変なく急速に発生する卵巣癌をTypeⅡとする発癌モデルが提唱されている（表1）[12)13)]。

粘液性癌の組織発生学的な由来は不明とされる[3)]が，図3に示すように明細胞癌と類内膜癌は卵巣内膜症性嚢胞を発生母地とするものが多い。実際の摘出標本に内膜症病変が含まれていた場合，異型のない異所性内膜から悪性腫瘍への移行像がない限り，厳密には子宮内膜症由来の悪性腫瘍とは診断できない[14)]ので，内膜症由来と病理組織学的に診断される卵巣癌は一部に限られるが，本群腫瘍の細胞型別頻度が諸外国と大きく異なる（図1）理由として，本邦では子宮内膜症由来の明細胞癌が多いからと考えられている。すなわち世界平均では61％の上皮性卵巣癌が漿液性癌であり，粘液性癌が16％でこれに次ぎ，類内膜癌は15％，明細胞癌に至っては8％とされている[15)]のに対し，図1に示すように，本邦では漿液性癌の割合は43％で，類内膜癌と明細胞癌が各々20％前後を占める[4)]。

高異型度漿液性癌の3/4は，発見されたときには広範に腹腔内播種を伴う生物学的悪性度の高い腫瘍で，Ⅰ期症例においては低異型度漿液性癌，TP53変異を伴う明細胞癌と並んで予後不良である[16)]が，化学療法に対する反応は良好であり，Ⅲ期症例ではこれより化学療法に不応である粘液性癌と明細胞癌のほうが予後不良である[17)]。したがって，特にNAC症例の選択に際しては画像による組織型推定の意義は大きく，次項以降で順次言及する。

1）漿液性腫瘍 serous tumors

Summary

- 良性漿液性腫瘍には嚢胞腺腫，腺線維腫，表在性乳頭腫の3つの表現型がある。嚢胞腺腫の場合，多くは単房性か寡房性で，壁在結節は画像では捉えられないことが多い。
- 境界悪性腫瘍では papillary architecture and internal branching（PA&IB）pattern を呈する乳頭状構造が特徴的である。乳頭状構造が嚢胞壁から内腔に突出する嚢胞性腫瘍と卵巣表面から腹腔側に発育する表在性腫瘍がある。腹膜インプラントを伴うことがある。
- 低異型度漿液性癌では腺腫→境界悪性→浸潤癌への多段階発癌がみられる。緩徐に進行するが，化学療法には抵抗性である。形態的には境界悪性腫瘍の特徴を残すことが多い。
- 高異型度漿液性癌は漿液性卵管上皮内癌が卵巣表面で増殖したものがほとんどと考えられている。発症時にすでに広範な腹腔内播種を伴っていることが多く，しばしば卵管や腹膜原発のカウンターパートと鑑別困難（原発巣を決定しがたい）である。腫瘍マーカーCA125が高率に上昇する。画像的にT2強調像で高信号，拡散制限の強い，比較的小さな両側性充実性付属器腫瘤を呈することが多い。

(1) 良性 benign

　卵管上皮への分化を示す腫瘍細胞からなる良性腫瘍である[1]。多くは漿液性囊胞腺腫（serous cystadenoma）で，肉眼的に単房性あるいは寡房性囊胞である。画像的には単房もしくは二房性の，整で薄い壁・隔壁で囲まれた，CTで水濃度，MRIではT1強調像で低信号，T2強調像で高信号を呈する内容液を含む囊胞性腫瘍で，通常，壁在結節はない[18)19)]（図4）。よって，比較的大きな機能性囊胞をはじめ，癒着による偽囊胞，時には卵管溜水症も鑑別に挙がる[11)]。後述する粘液性囊胞腺腫は多房性で大きな腫瘍を形成することが多い点で対照的であるが，中間的な大きさの寡房性囊胞では時にその鑑別が難しい。

　漿液性腺線維腫（serous adenofibroma）は腫瘍腺管と広い線維性間質で構成されると定義されている[1)]。WHO分類や取扱い規約では「囊胞腺線維腫（cystadenofibroma）」との用語は使われていない[1)2)]が，特に漿液性，粘液性腫瘍では囊胞成分主体の症例が多く，「囊胞腺線維腫」として報告された画像の約半数は囊胞腺腫と区別のつかない純型の囊胞性腫瘍，半数に充実部が描出され[20)]，組織型にかかわらず，厚い被膜や隔壁，時に乳頭状増殖を伴う多房性囊胞性腫瘍として描出されることが多い[21-23)]。被膜・隔壁はその線維成分を反映してT2強調像で極めて低信号[21)]，増強効果は不良で[24)25)]，拡散は亢進している[25)]とされる（図5）。より頻度の高い漿液性囊胞腺腫は単房性であることが多いのに対し，漿液性腺線維腫は多房性囊胞性であることが多く，この点では次項の良性粘液性腫瘍と類似するが，いずれにせよ良性なので，臨床的にはあまり問題とならない。また両側性病変であることも多く（図5），対側が境界悪性であることも少なくない。漿液性表在性乳頭腫（serous surface papilloma）は卵巣表面に，単層に配列する腫瘍細胞が豊富な線維性間質を伴う乳頭状病変を形成するとされるが，後出の境界悪性腫瘍と鑑別するために設けられた分類との意味合いが強く，このような領域が10％未満の場合のみ良性とみなされる[2)]。

(2) 境界悪性 borderline

　漿液性境界悪性腫瘍（serous borderline tumors：SBT）は卵管上皮への分化を示す腫瘍細胞で構成される境界悪性腫瘍で，約1/3の症例は両側性である。後述する漿液性癌より発症年齢は若く，病理組織学的に階層性乳頭状構造（枝分かれするたびに間質が狭細化する乳頭状構造）を形成して増殖し，しばしば砂粒体がみられる[1)]。画像的には乳頭状に増殖した腺組織の間質が，T2強調像で葉脈状の低信号域，先端の腺組織およびその直下の浮腫性の間質が高信号の乳頭状部分として描出される，特徴的な papillary architecture and internal branching (PA&IB) pattern を呈する（図6）[26-28)]。この乳頭状構造は卵巣表層から外向性に発育する（図6）ことも，囊胞内の壁在結節としてみられる（図7）こともある[1)29)]（図8）。Outwaterらは囊胞性卵巣腫瘍の壁在結節の多くがT2強調像で低信号を呈する線維性の茎とこれを取り巻く浮腫状の乳頭からなることを明らかにしており[30)]，これはPA&IB patternのミニチュアに相当する（図7）。PA&IB patternの壁在結節は明細胞癌（図41参照）や顆粒膜細胞腫でも認められており[30)]，囊胞性腫瘍の亜組織型の推定の一助にはなるが特異的ではない。病理組織学的に30％程度に観察される砂粒体[31)32)]は，顕微鏡的な大きさの微細な石灰化であり，MRIでは同定されることはまれ

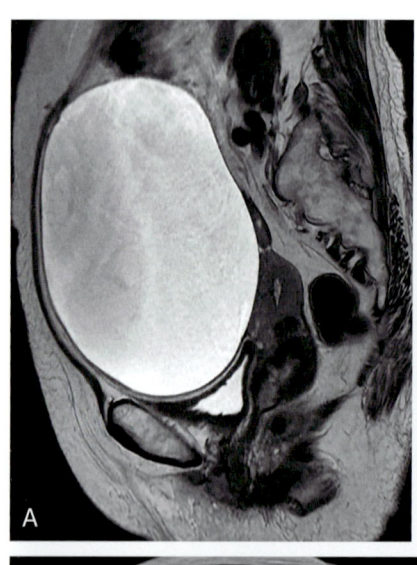

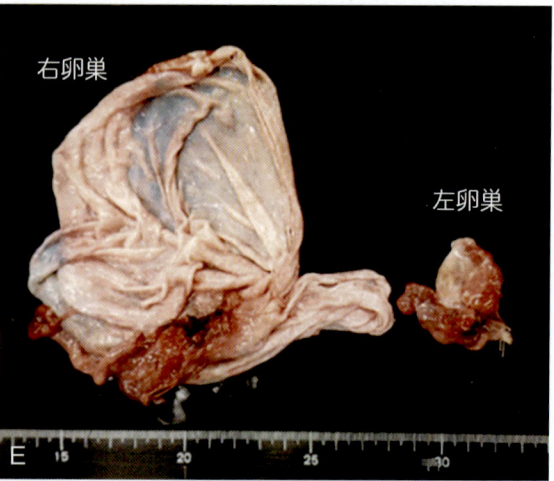

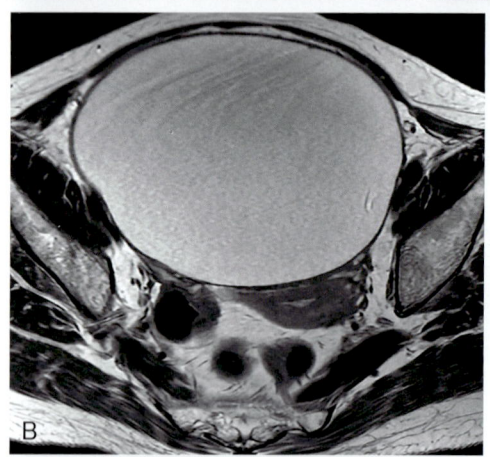

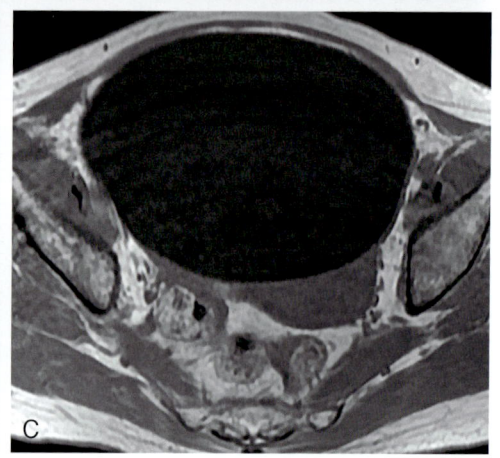

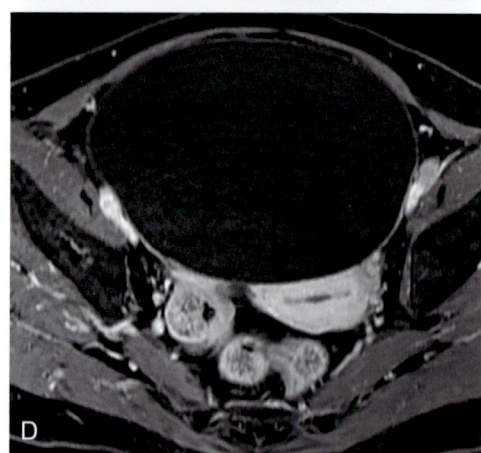

II 卵巣腫瘍 ovarian tumors

図4 75歳 漿液性囊胞腺腫（典型例）
A：T2強調矢状断像，B：T2強調横断像，C：T1強調横断像，D：造影脂肪抑制T1強調横断像，E：摘出標本肉眼像

子宮の前方を占める，閉経後にもかかわらず長径16 cmに及ぶ単房性囊胞性腫瘤を認める（A～C）。造影後も増強効果のある充実部は明らかとならず（D），摘出標本（E，右卵巣は囊胞割面）の内面も平滑だが，病理組織学的に，一部線毛を伴う小型円形核と淡好酸性細胞質を有する立方状～扁平な単層の細胞で裏装され漿液性囊胞腺腫と診断された。いわゆる単純性囊胞だが，閉経後症例としてはもちろん，閉経前症例であるとしてもサイズが大きい。

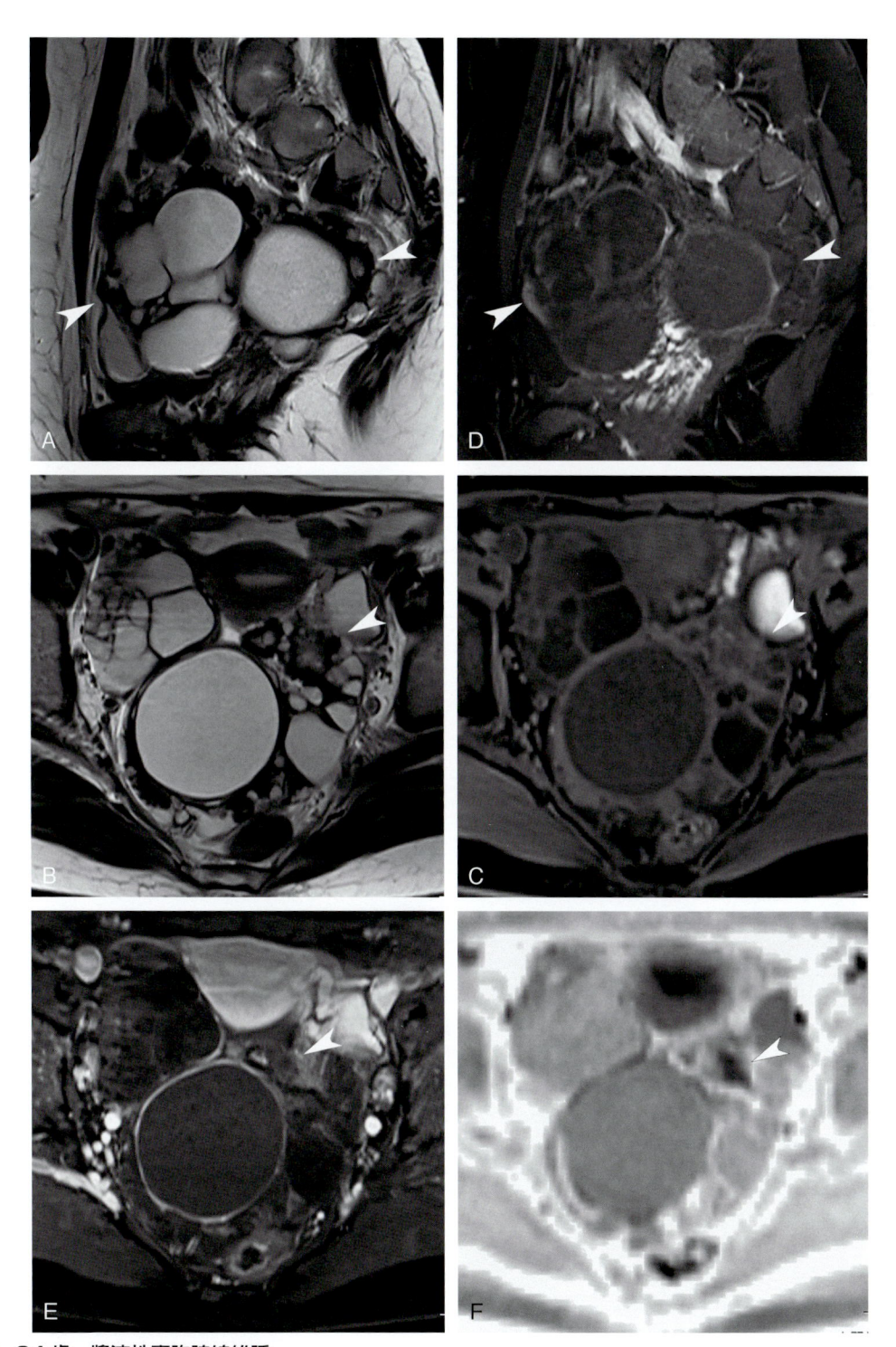

1．上皮性腫瘍と上皮性・間葉性混合腫瘍

図5　34歳　漿液性嚢胞腺線維腫
A：T2強調矢状断像，B：T2強調横断像，C：脂肪抑制T1強調横断像，D：造影脂肪抑制T1強調矢状断像，E：造影脂肪抑制T1強調横断像，F：拡散強調横断像
卵巣癌疑いで受診。T2強調像で比較的均一な高信号の内容物を含む，多房性嚢胞性腫瘤が両側卵巣にみられる。各房は厚く信号強度の低い被膜，隔壁（A，B▲）で境され，これらの増強効果は不良（C〜E▲）で，拡散制限も弱い（F▲）。

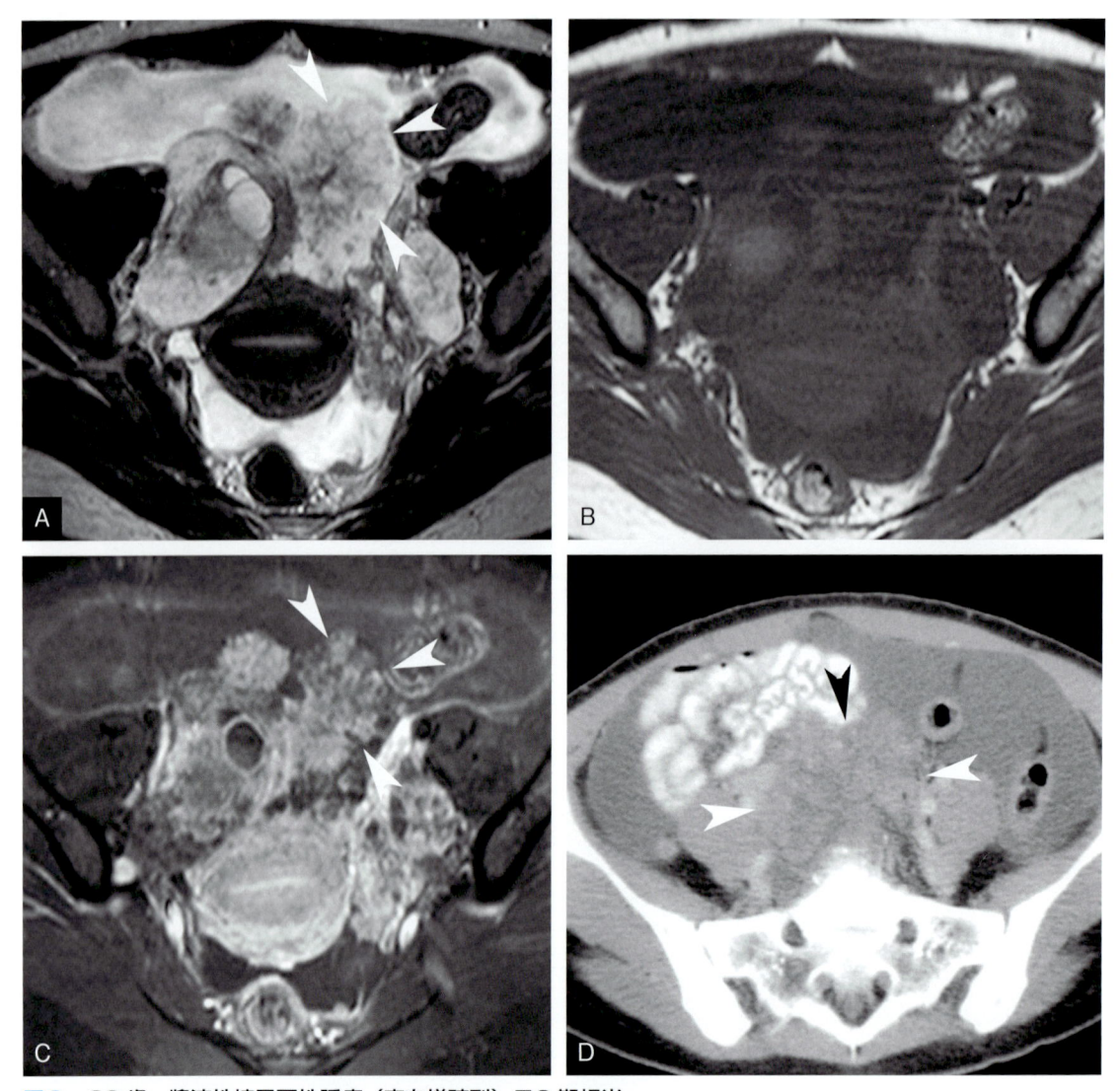

図6　30歳　漿液性境界悪性腫瘍（表在増殖型）ⅢC期相当
A：T2強調横断像，B：T1強調横断像，C：造影脂肪抑制T1強調横断像，D：造影CT
T2強調像で卵巣表層から腹腔内に向かって外向性に発育する大きな乳頭状の腫瘤があり，中心部に葉脈状の低信号構造を認め，その先端を極めて信号強度の高い乳頭状構造が覆っている（A▲）。このPA&IB patternが漿液性腫瘍の構造の基本となる。この乳頭状構造はT1強調像では均一な低信号（B），造影後は表層の乳頭がより強く増強される（C▲）。造影CTでは造影後も腫瘤は均一で内部の構造は明瞭とならない（D▲）。

だが，CTでは原発巣の囊胞壁や充実部のみならず，腹腔内播種巣やリンパ節転移にも描出される[32)33)]（図9）。しかし漿液性癌で病理組織学的に検出される石灰化の頻度は漿液性癌で30％とされるのに対し，CTでは6％が検出されるにすぎない[33)]。

　漿液性境界悪性腫瘍のうち，高さが横径の5倍以上の突起を有する，乳頭状構造ないし篩状構造が5mm以上の領域に連続して広がるものを微小乳頭状／篩状漿液性境界悪性腫瘍（serous borderline tumor, micropapillary/cribriform）とよぶ。微小乳頭状／篩状漿液性境界悪性腫瘍で

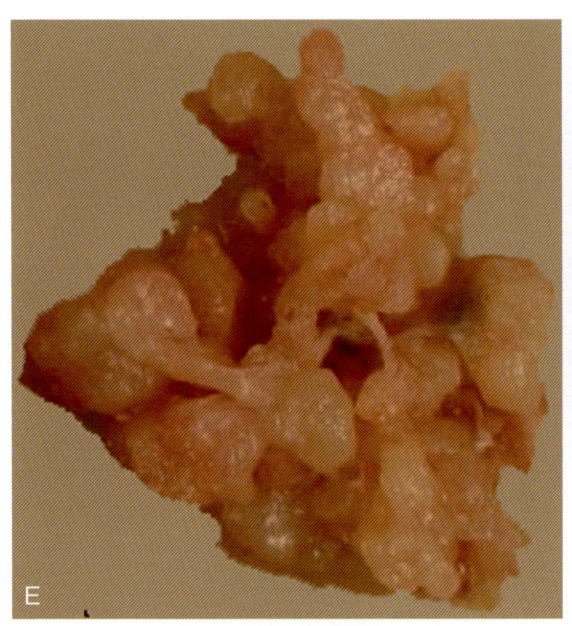

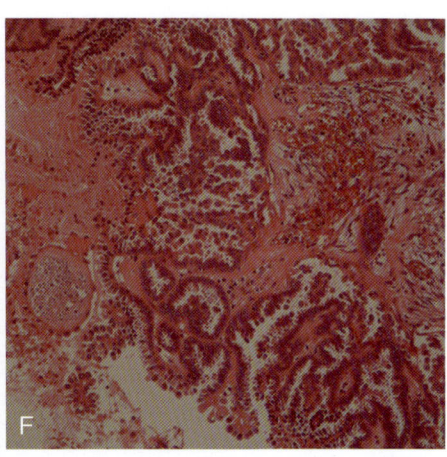

図6 つづき（漿液性境界悪性腫瘍）
E：摘出標本肉眼像，F：HE 染色（弱拡大）
摘出標本ではイソギンチャク状の構造を呈しており（E），病理組織所見では papillary architecture に相当する上皮細胞の増殖部では乳頭状の構造間に広い間隙が空いており（F），ここに腫瘍外の腹水が入り込むことによって T2 強調像で極めて高信号にみえるものと推定される。間質浸潤はなく，境界悪性であるが，リンパ節転移（非提示）があり，取扱い規約上，ⅢC 期相当である。

は，より核異型が強く，通常の漿液性境界悪性腫瘍より両側性病変，被膜浸潤，後述するインプラントや浸潤癌との合併率が高い[31]とされ，注意が必要である。微小乳頭状/篩状漿液性境界悪性腫瘍では病理組織学的に大きな乳頭の先端に小さな乳頭が「メドゥーサの頭」状に放射状に突出し，乳頭状構造の中心に軸を欠く[1,2]とされ，画像的には PA&IB pattern の IB 部分の厚みが乏しいものが多い（図10, 11）。一方で，乳頭の密な増殖に伴い，乳頭間の間隙が狭まり，相対的に細胞密度が高くなるらしく，PA&IB pattern の乳頭部に T2 強調像でより信号強度の低い部分を混在することがあり，同部はより強い拡散制限と増強効果を示す傾向にある（図11）が，Nakai らは通常の漿液性境界悪性腫瘍との鑑別は困難と報告している[34]。また次項の低異型度漿液性癌との鑑別が問題となる症例もある。

漿液性境界悪性腫瘍では，腹膜や大網など卵巣外やリンパ節にも同様の腫瘍細胞を認めることがある。前者は腹膜インプラント（peritoneal implant）と命名されており[1]，以前は既存の腹膜や脂肪組織の構造を破壊することなく接着するものは非浸潤性インプラント，既存の構造を破壊して浸潤性に増殖する浸潤性インプラントに分けられていたが，現在は前者のみをインプラントとよび，後者を有するものは低異型度漿液性癌とみなされる。画像診断で両者を鑑別することは不可能で（図9），存在を指摘することも困難なことが多い（図10）。これら，インプラントやリンパ節転移の存在が"ancillary findings"として悪性群を疑う根拠とされがちであるが，原発巣が PA&IB pattern を呈する場合には境界悪性に留まる可能性がある。しかし後述する低異型

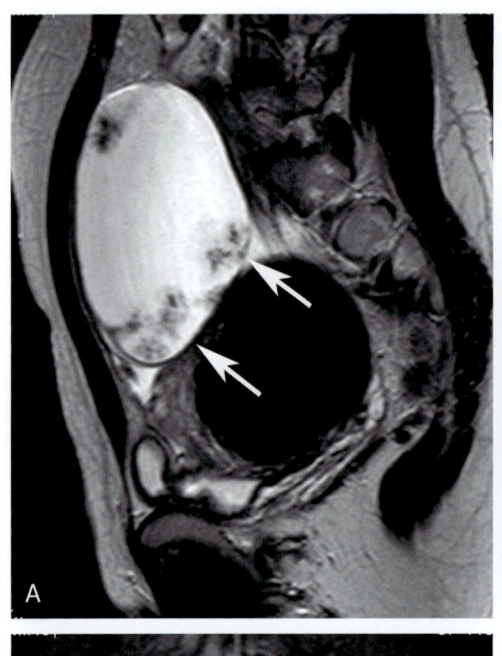

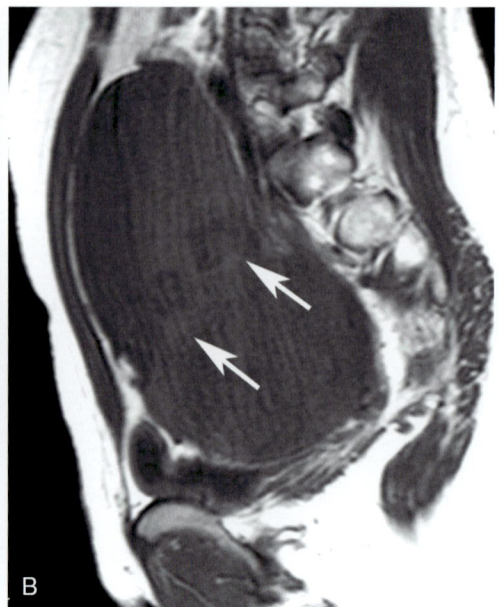

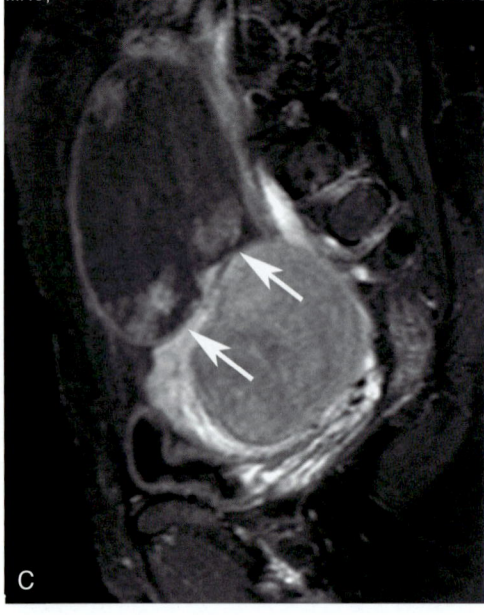

II 卵巣腫瘍 ovarian tumors

図7　44歳　漿液性境界悪性腫瘍（嚢胞型）
A：T2強調矢状断像，B：T1強調矢状断像，C：造影脂肪抑制T1強調矢状断像
子宮の上方に大きな単房性嚢胞性腫瘍があり，壁から内腔に突出する壁在結節が多数認められる（A～C →）。個々の壁在結節はT2強調像でPA&IB patternを呈し（A），表在増殖型（図6）のミニチュアの形態である。

度漿液性癌は，この漿液性境界悪性腫瘍から多段階発癌する（図12）と考えられており，形態的にも連続性があり，境界悪性と浸潤癌の鑑別は難しいことがある（図13）。

(3) 悪性 malignant

形態，生物学的ふるまい，遺伝子異常，前駆病変，組織発生の異なる2つの腫瘍がある。

a. 低異型度漿液性癌 low-grade serous carcinoma（LGSC）

卵管上皮への分化を示す低異型度の腫瘍細胞で構成される腺癌と定義され，漿液性癌全体の

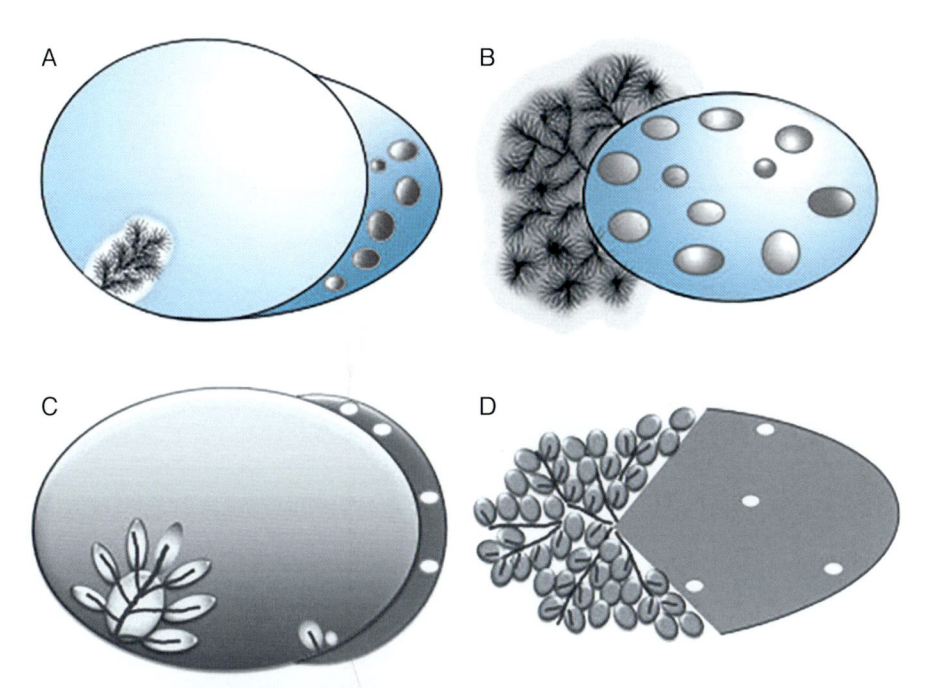

図8　漿液性境界悪性腫瘍の発育形態
大きく分けて囊胞性腫瘍の壁在結節を呈するものと卵巣表層から腹腔内に向かって乳頭状に発育するものとがあり，壁在結節が単発のもの（A）と複数（B）の囊胞性腫瘍，母地となる卵巣に変形を伴うもの（D）と伴わない表在性腫瘤（C）を図に示す。以前の分類では漿液性表在性乳頭状腫瘍と漿液性囊胞腫瘍の別が取扱い規約上も存在したが，現在は名称上の区別は消滅している。図6はB，図7はCに相当する。
（文献29より改変引用）

数％とまれである。好発年齢は次項で述べる高異型度漿液性癌よりも10歳ほど若い（中央値43歳）[1]。前述の通り，微小乳頭状/篩状漿液性境界悪性腫瘍を経て多段階発癌的に発生すると考えられている[11)35)36]。病理組織学的には小型のN/C比の高い腫瘍細胞が小型乳頭状構造や充実性胞巣を形成して浸潤性に発育する[31]が，核異型は軽度から中等度で高度の異型を呈することはない。壊死はほとんどなく，砂粒体や石灰化の頻度が高い[1]。筆者の経験では，画像的には表層の乳頭状の構造は維持しつつ，PA&IB patternの内部構造が崩壊して，より均一な信号強度を呈することが多い（図13, 14）。WHO分類，取扱い規約ともに記載はないが，砂粒体形成の著明な低異型度漿液性癌の変異型はpsammocarcinomaとよばれ，75％以上の乳頭に砂粒体がみられる症例を指す[11)31]。通常型の低異型度漿液性癌より予後良好とされている[37)38]。画像的には低異型度漿液性癌の特徴を示す腫瘍内，およびその播種巣に著明な石灰化を伴うのが特徴である[39]（図15）。

b. 高異型度漿液性癌 high-grade serous carcinoma（HGSC）

卵管上皮への分化を示す高異型度の腫瘍細胞で構成される腺癌と定義され，漿液性癌の95％以上を占める。好発年齢は60代前半である。広範な腹腔内播種を伴うために，診断時にはⅢ期以上の進行癌であることが多い[1)2]。ほとんどの症例に*TP53*の機能喪失型変異を認める[1)40]。腫

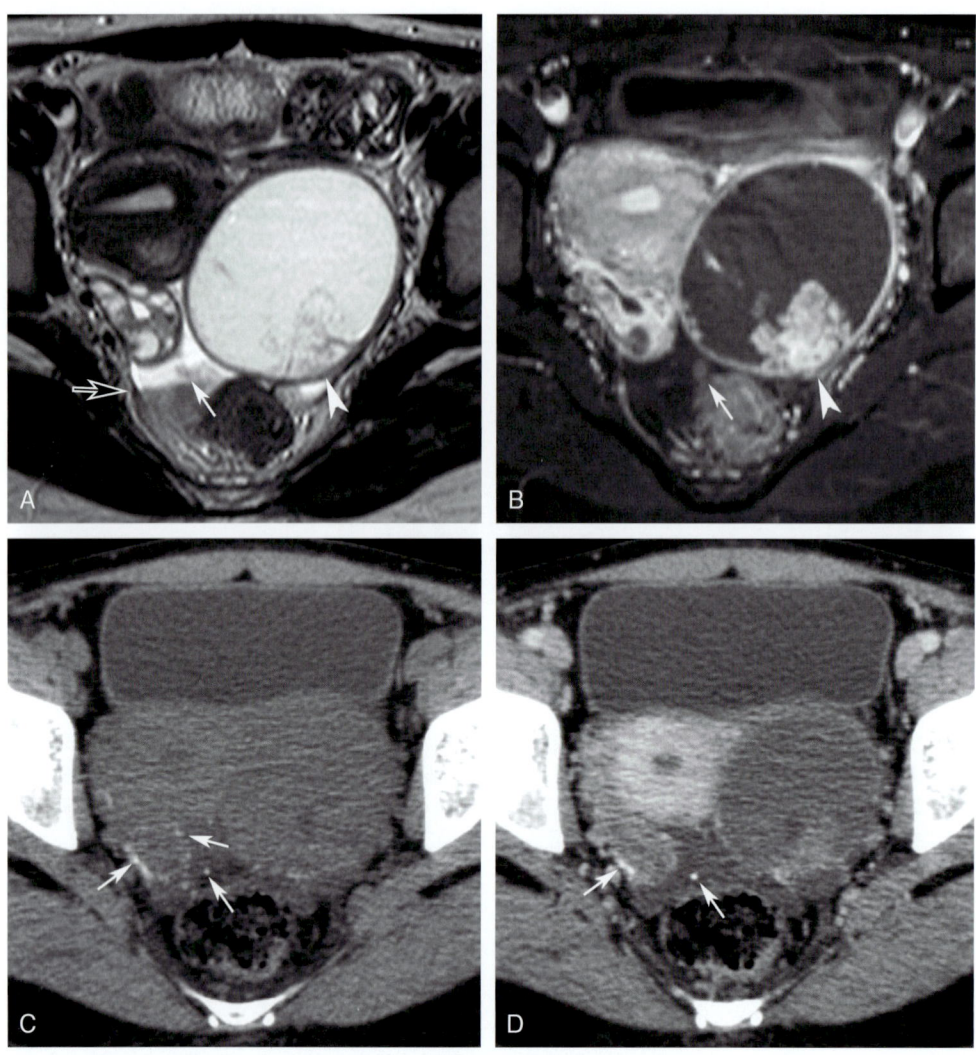

図9 27歳 砂粒体を伴う漿液性腫瘍（低異型度漿液性癌）ⅢA期
A：T2強調横断像，B：造影脂肪抑制T1強調横断像，C：単純CT，D：造影CT
左卵巣に豊富な充実成分をもつ単房性嚢胞性腫瘍があるが，充実部はPA&IBパターンを示し漿液性境界悪性腫瘍の特徴を示す（A，B▲）。Douglas窩の腹水にはT2強調像で背側が低信号の，血性と考えられる液面形成があり（A黒→），直腸表面には結節がみられる（A，B白→）。CTでは嚢胞壁に加え，右卵巣や直腸表層の結節に砂粒状石灰化が多発している（C，D→）。病理組織学的に卵巣腫瘍は境界悪性に留まるが，卵巣外病変が既存の構造を破壊して浸潤性に発育している（従来の浸潤性インプラント）ため，低異型度漿液性癌とみなされる。
（Aは田中優美子：特集 画像診断の進歩—どこまで病理診断に迫ってきているか：卵巣. 病理と臨 26：1095-1099, 2008 より転載）

瘍マーカーCA125はその約90％で上昇する[11)41)]。また約2/3は両側性である[2)]。

　今世紀初頭より，遺伝性乳癌卵巣癌症候群の保因者に対して予防的付属器切除を行った検体で，卵巣癌の顕在化以前に卵管采に高率に漿液性卵管上皮内癌（STIC）が発見された[42)]ことを契機に，組織発生上，卵巣・卵管・腹膜にみられる高異型度漿液性癌の多くが，総じてSTICに由来する

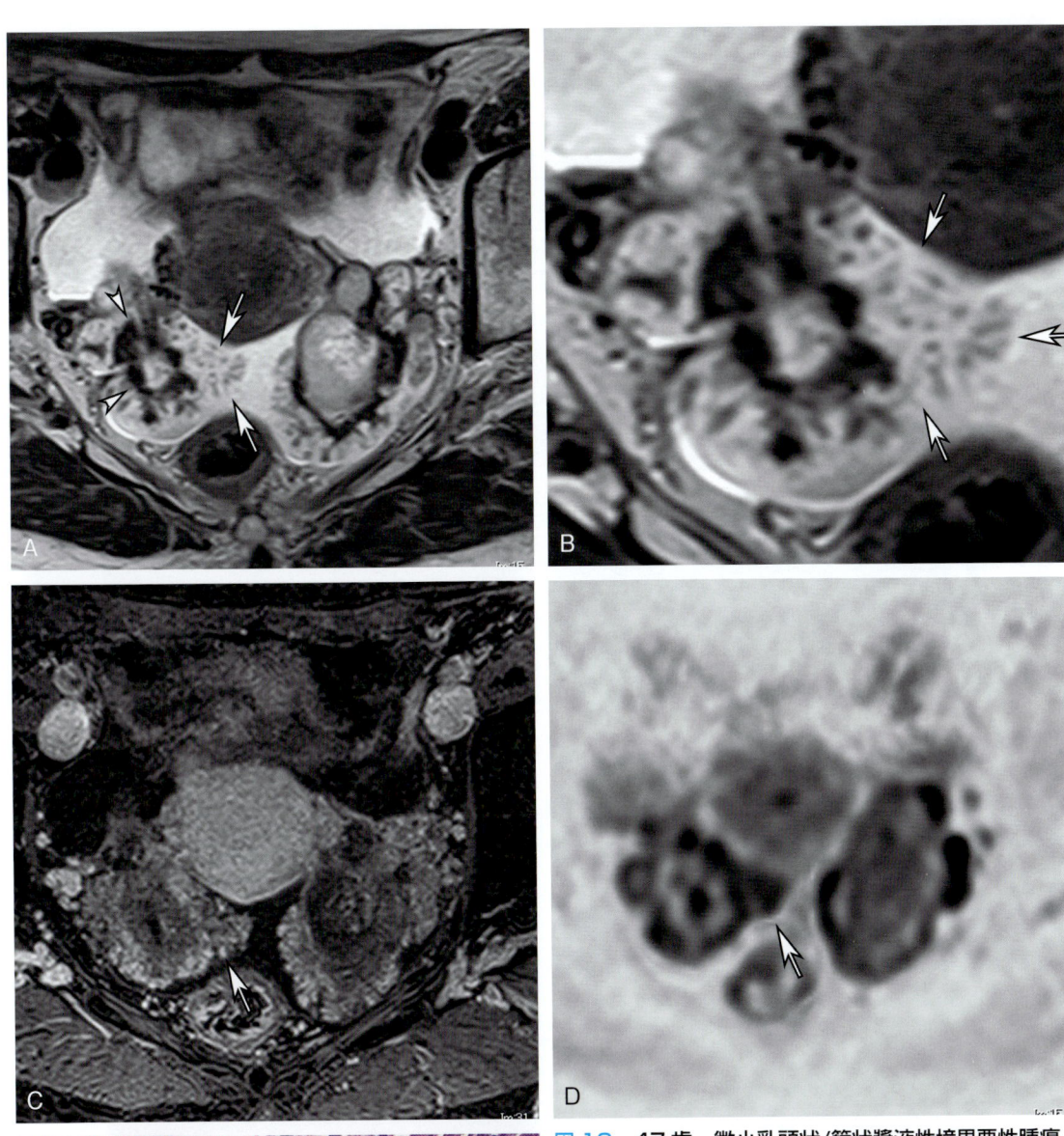

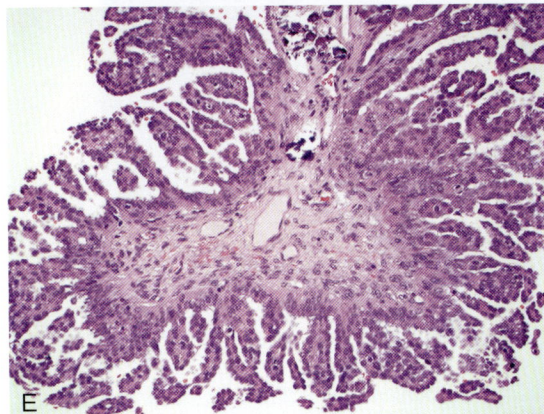

1．上皮性腫瘍と上皮性・間葉性混合腫瘍

図10　47歳　微小乳頭状/篩状漿液性境界悪性腫瘍
A：T2強調横断像，B：Aの部分拡大，C：造影脂肪抑制T1強調横断像，D：拡散強調横断像，E：HE染色（弱拡大）

本例にはT2強調像で低信号に描出される腺線維腫様の線維成分の豊富な領域（A▲）もみられるが，右卵巣腫瘤の左縁から突出する乳頭状構造には線維性の軸を欠き，全体がT2強調像で高信号（B→），よく増強され（C→），強い拡散制限（D→）を示す。この形態は，大きな乳頭に小さな乳頭が多数付着している，メドゥーサの頭といわれる病理組織学的特徴（E）をよく反映している。病理組織学的に広間膜上に腹膜インプラントを認めたが，画像では指摘困難である。
（EはThe WHO Classification of Tumors Editorial Board：Female Genital Tumours, 5th ed, 2020[2]より引用）

第7章　婦人科腫瘍（卵巣・卵管・腹膜）

439

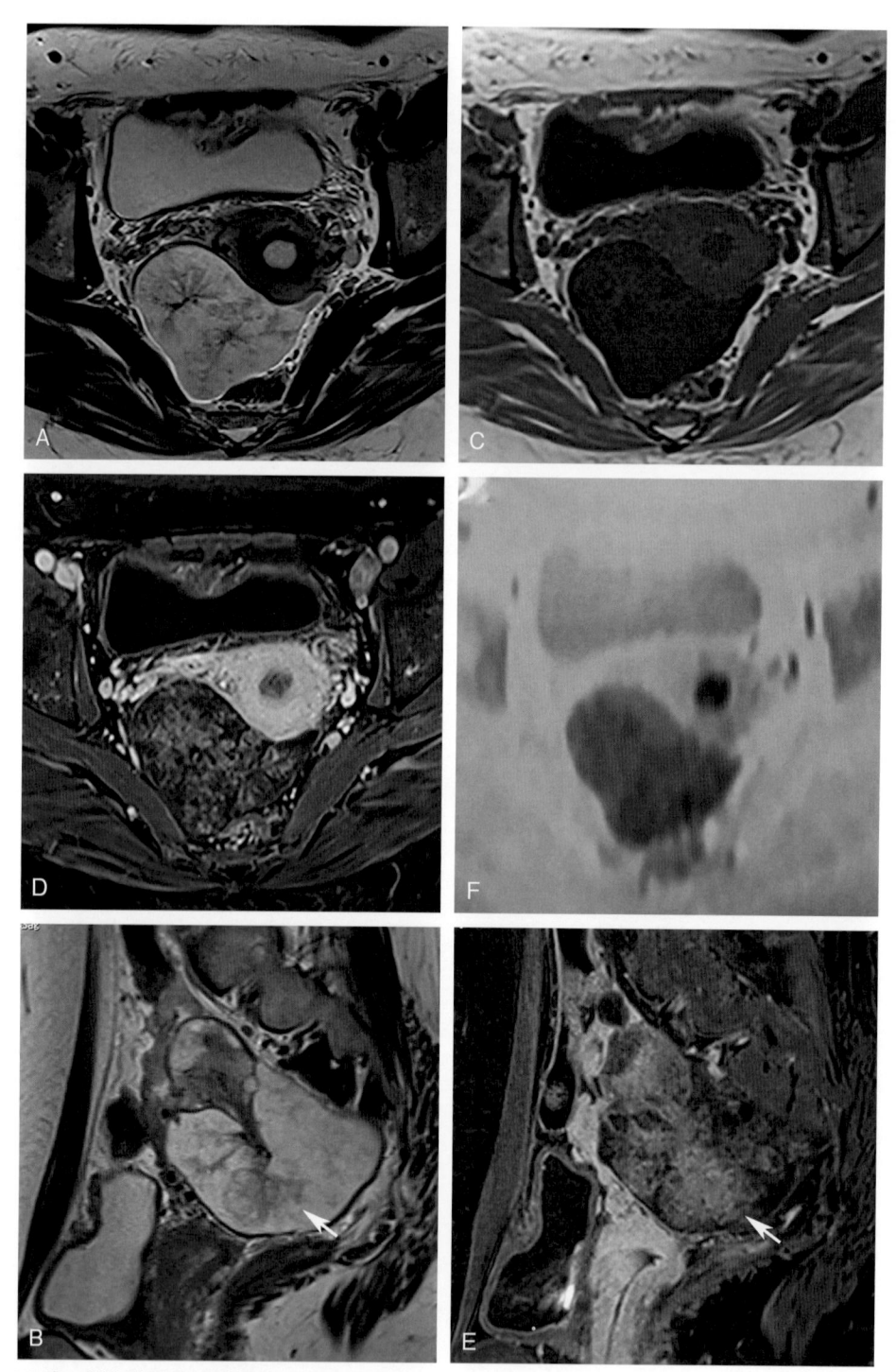

図11 41歳 微小乳頭状/篩状漿液性境界悪性腫瘍
A：T2強調横断像，B：T2強調矢状断像，C：T1強調横断像，D：造影脂肪抑制T1強調横断像，E：造影脂肪抑制T1強調矢状断像，F：拡散強調横断像
丈の高い乳頭状構造主体に構成され，PA&IB patternのinternal branchingの部分が少なく，腫瘤のほとんどがT2強調像で高信号（A，B），よく増強され（C〜E），拡散制限の強い（F）乳頭状構造の集簇で構成されている。乳頭状構造が高密度に存在するために，internal branchingでない部分にもT2強調像でやや信号強度が低い部分が混在し，よく増強されているのも微小乳頭状/篩状漿液性境界悪性腫瘍の特徴である（B，E→）。

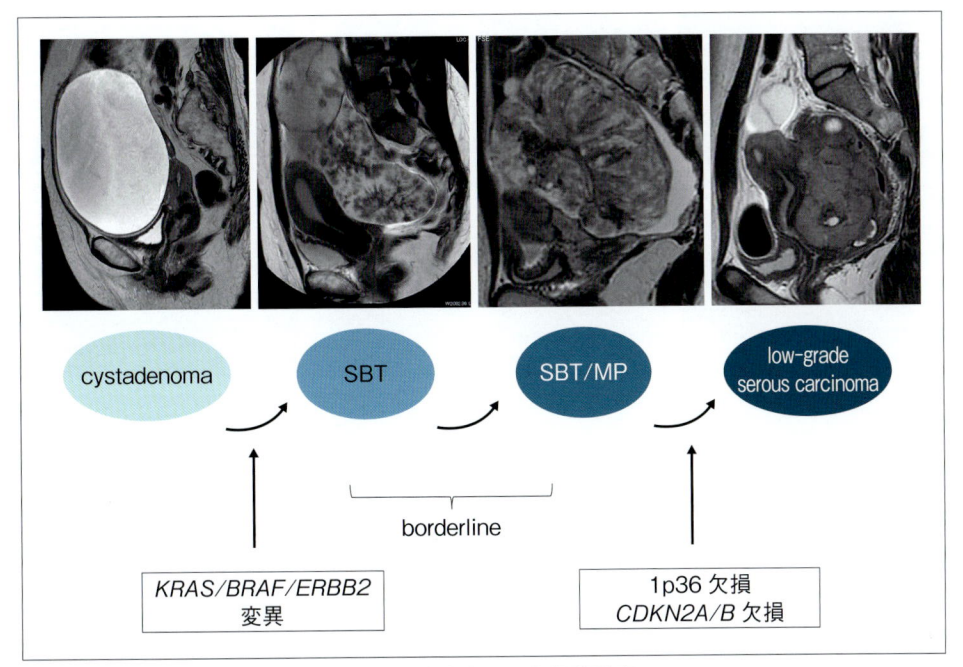

図12 漿液性嚢胞腺腫から低異型度漿液性癌への多段階発癌

低異型度漿液性癌は遺伝子変異を経て，漿液性嚢胞腺腫，漿液性境界悪性腫瘍から多段階的に発生すると考えられている。
SBT：serous borderline tumor, SBT/MP：serous borderline tumor, micropapillary/cribriform
（文献11, 35をもとに筆者作成）

との考え方が広く受け入れられるに至った。すなわち卵巣では卵管采に発生したSTICが卵巣にインプラントし，あたかも卵巣原発の腫瘍であるかのような肉眼形態を示すとされる（図2）[5]。したがって，付属器，腹腔内に広く進展した高異型度漿液性癌の原発巣の決定には，sectioning and extensively examining the fimbriated end（SEE-FIM）とよばれる卵管上皮内癌の病理組織学的な検索（図16）が不可欠で，その結果に基づき図17のように決定されている。したがって卵巣癌や腹膜癌との臨床診断で手術が行われ，摘出標本で初めて卵管原発と診断される症例が少なくない。

　筆者らがSEE-FIM法が準義務化される前に行った上皮性卵巣癌各組織型の画像的検討では，腫瘍径が小さく，両側性であることが多く，T2強調像で高信号，強い拡散制限を示すのが漿液性癌の特徴である[43]（図18）。対象症例のほとんどは現行の病理組織分類では高異型度漿液性癌に相当し，対象症例の91％がIII期以上，癌性腹膜炎合併例である。したがって，付属器腫瘍を伴う癌性腹膜炎の原発巣の検索にあたって，CTやPET/CTで消化管や膵胆道，乳房などに原発巣が明らかでなく，上記のような特徴を有する付属器腫瘍を認めた場合には高異型度漿液性癌を疑い，初回手術不適例においても腹水セルブロックや審査腹腔鏡下の生検で本腫瘍であることを病理組織学的に確定して，早期治療に結び付けるべきである[44]。また，腹腔内播種はあるが腹水が少ない症例（図19）や癌性胸膜炎で発見される症例（図20）もあり，このような場合も

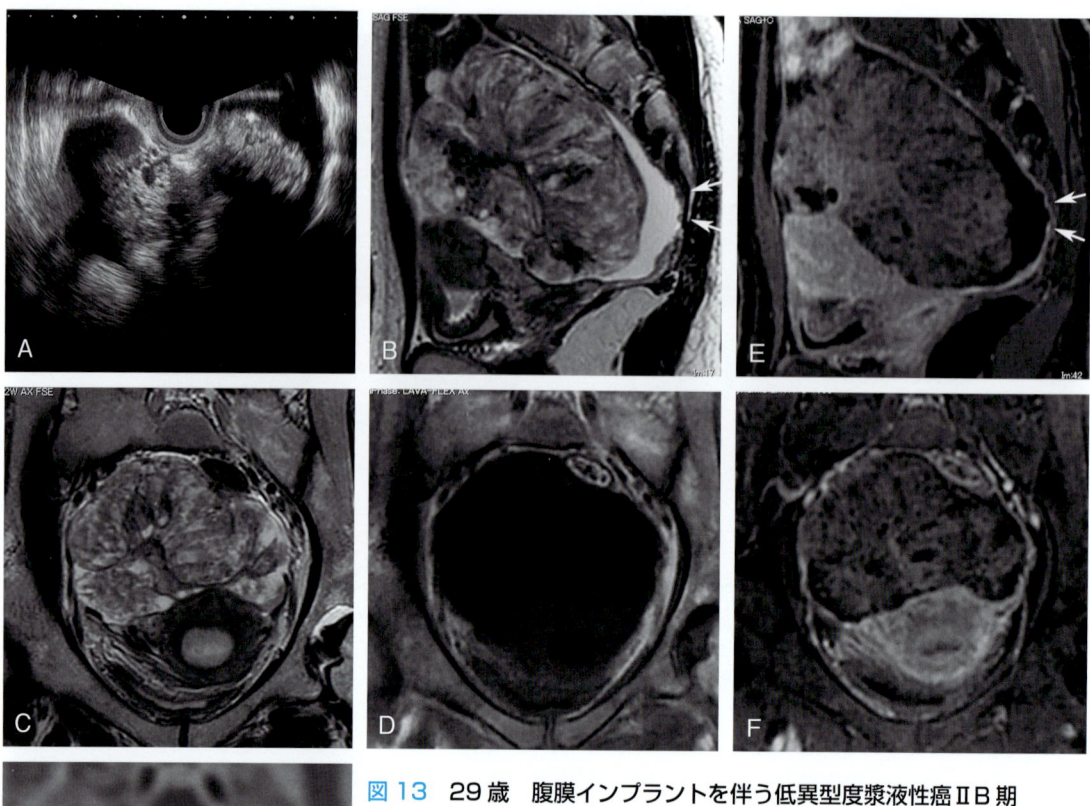

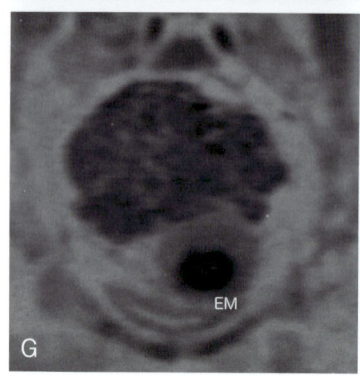

Ⅱ 卵巣腫瘍 ovarian tumors

図13　29歳　腹膜インプラントを伴う低異型度漿液性癌ⅡB期
A：TVUS，B：T2強調矢状断像，C：T2強調冠状断像，D：T1強調冠状断像，E：造影脂肪抑制T1強調矢状断像，F：造影脂肪抑制T1強調冠状断像，G：拡散強調冠状断像
TVUSで右付属器領域に乳頭状の高エコー腫瘤（A）を認め，T2強調像で子宮の後方にPA&IB patternを呈する大きな腫瘤があり，境界悪性例に比べ乳頭部の信号が一部で低下している（B，C）。増強効果は子宮筋層に比べるとかなり弱く（D～F），拡散強調像（G）での信号強度も子宮内膜（EM）より低く，悪性度の低い腫瘍であることをうかがわせる。Douglas窩腹膜には微小な隆起があり（B，E→），病理組織学的に腹膜インプラント（非浸潤性）と診断された。

付属器腫瘤が疑われる場合には，その性状に十分に注意を傾ける必要がある。なお，ごく一部の高異型度漿液性癌は低異型度漿液性癌と同じく多段階発癌機序により生じたと考えられており，PA&IB patternの一部に充実性増殖部を含む症例（図21）もある。また上記の画像的特徴に一致せず，比較的大きく充実性の付属器腫瘤を形成する例や，播種はあるが腹水の少ない症例，充実部を有する多房性嚢胞性腫瘤を形成する例（図22）など，本腫瘍の形態的多様性も知っておく必要がある。

　鑑別診断としては腹膜腫瘍の項で挙げた，他臓器腫瘍原発の癌性腹膜炎，上皮性腫瘍以外の腹腔内多発腫瘍として悪性腹膜中皮腫，消化管外間質腫瘍，びまん性腹膜筋腫症，腹膜悪性リンパ腫，炎症性疾患として結核性腹膜炎などが挙がる（p629参照）。

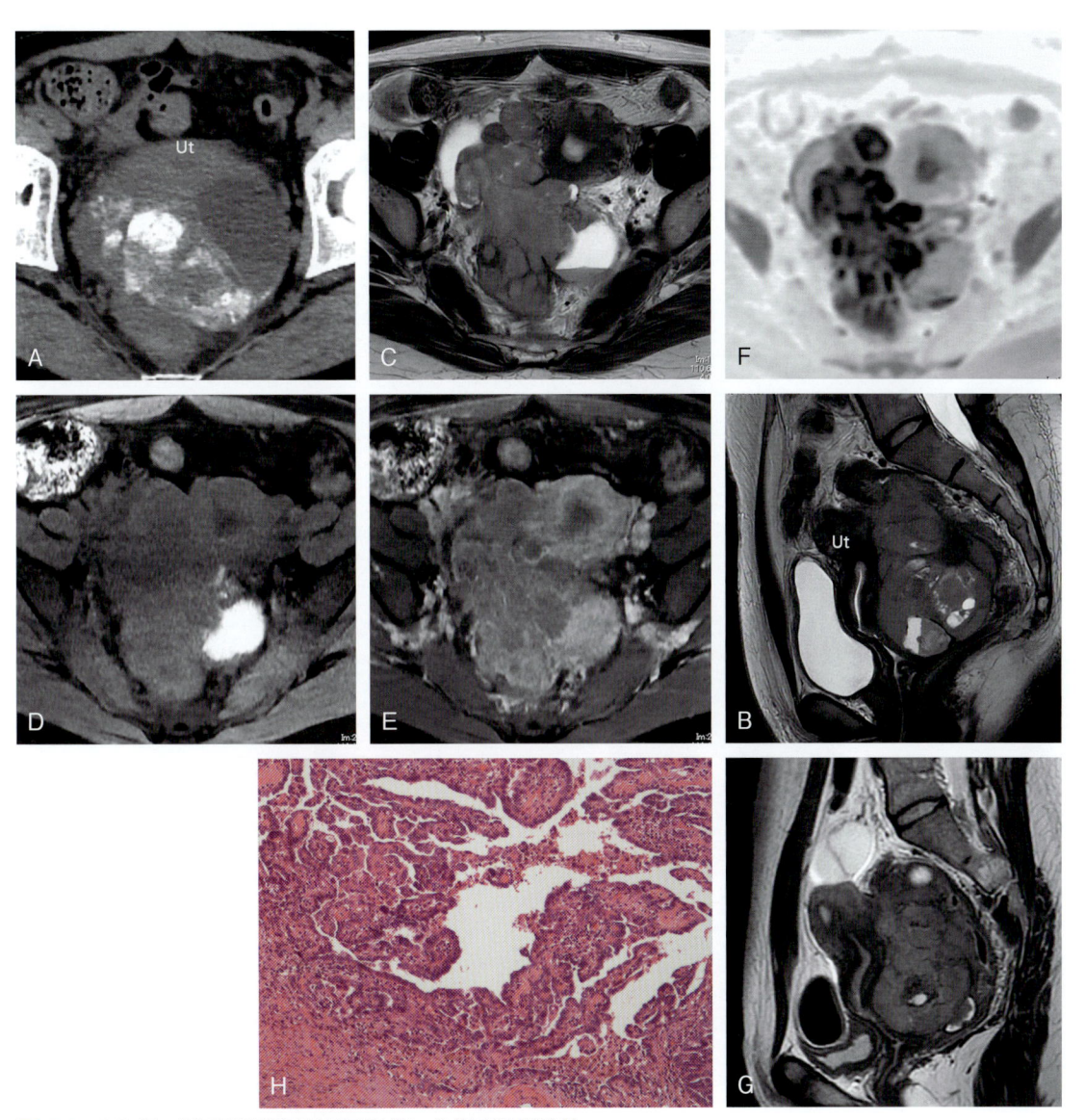

1.上皮性腫瘍と上皮性・間葉性混合腫瘍

図14 26歳 低異型度漿液性癌ⅣB期，化学療法抵抗性
A：単純CT，B：T2強調矢状断像，C：T2強調横断像，D：脂肪抑制T1強調横断像，E：造影脂肪抑制T1強調横断像，F：拡散強調横断像，G：T2強調矢状断像（化学療法後），H：HE染色（中拡大）
子宮（Ut）の後壁に癒着する，著明な石灰化を伴い（A），T2強調像で信号強度の高い，乳頭状の充実部がほとんどを占める腫瘤を認める（B, C）。造影後は多結節状によく増強され（D, E），不均一だが拡散制限も強い（F）。TC療法を3コース施行されたが，縮小効果は限定的である（G）。病理組織学的には乳頭状に増殖する腫瘍細胞に中等度の異型や細胞分裂がみられ（H），*p53*は野生型で低異型度漿液性癌と診断された。病期は領域外（直腸周囲）リンパ節転移による。

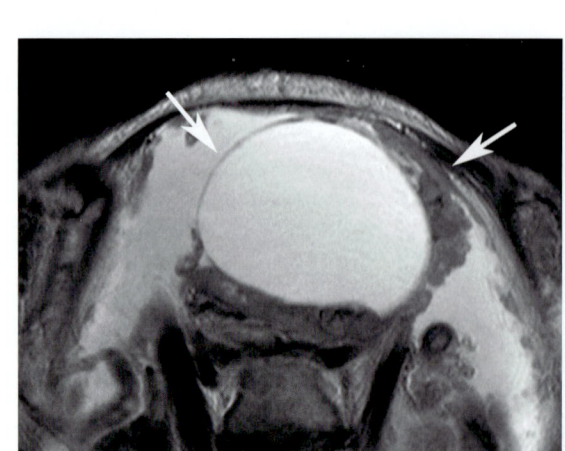

Ⅱ 卵巣腫瘍 ovarian tumors

図15 77歳 Serous psammocarcinoma, ⅣA期
A：T2強調横断像，B：T2強調矢状断像，C：単純CT矢状断MPR像，D：造影CT矢状断MPR像
原発巣は単房性嚢胞性腫瘍で外向性の大きな壁在結節を伴う（A, B→）。腹腔内には広範な播種がありDouglas窩はT2強調像で高信号を示す充実性腫瘍で埋め尽くされている（B▲）。この内部に一部signal voidがみられるが，CTでは，このsignal voidが著明な石灰化からなることがわかる（C, D▲）。胸水を伴う高齢の進行例のため積極的な治療が行われず，病理診断は得られなかったが，psammocarcinomaに近い，砂粒状石灰化の著明な症例である。

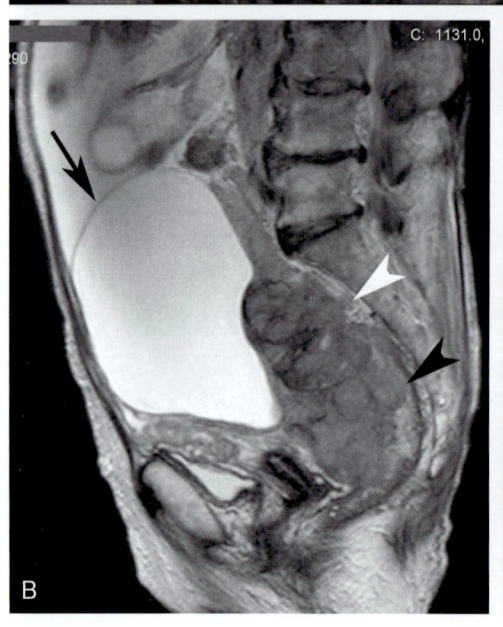

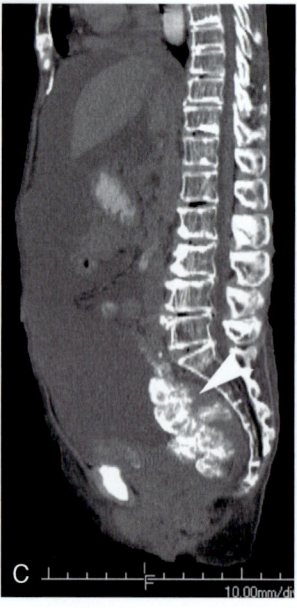

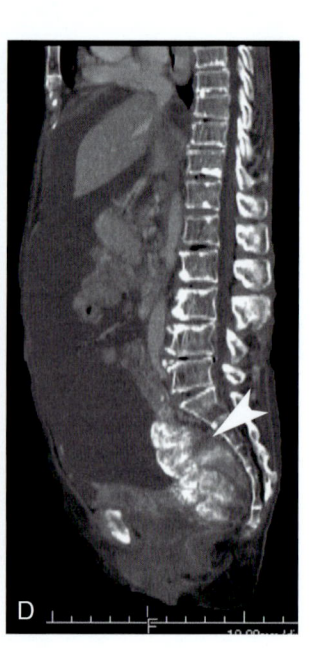

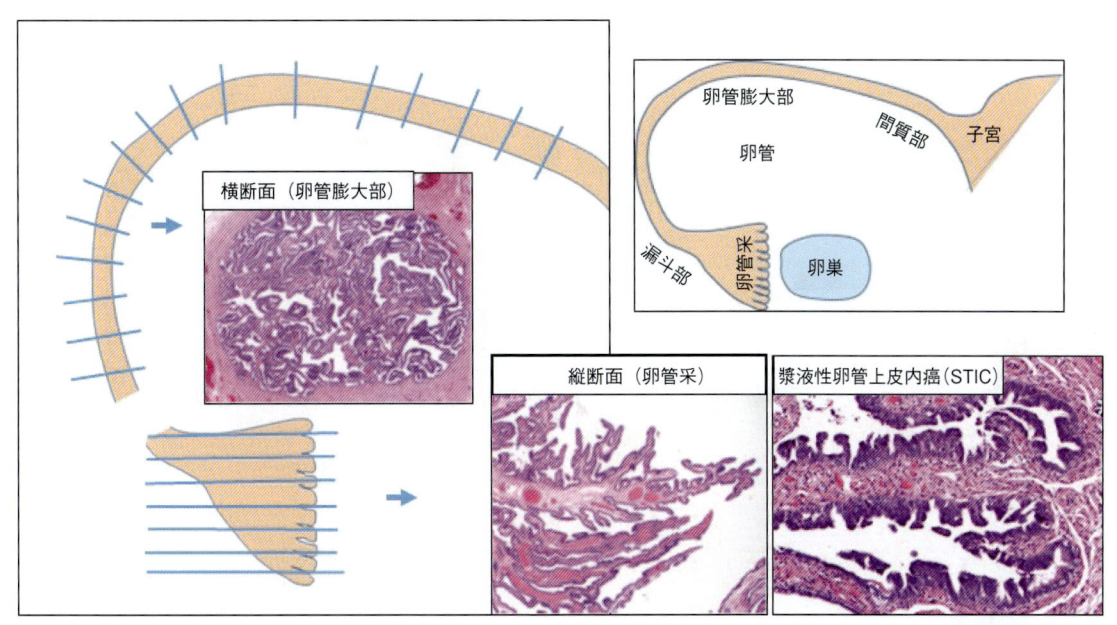

1. 上皮性腫瘍と上皮性・間葉性混合腫瘍

図16 Sectioning and extensively examining the fimbriated end (SEE-FIM) 法による卵管の包括的な病理組織学的検索法
(Wikipedia P53Signature-Own work, CC BY-SA 4.0, https://commons.wikimedia.org/w/index.php?curid=77918915 より改変引用)

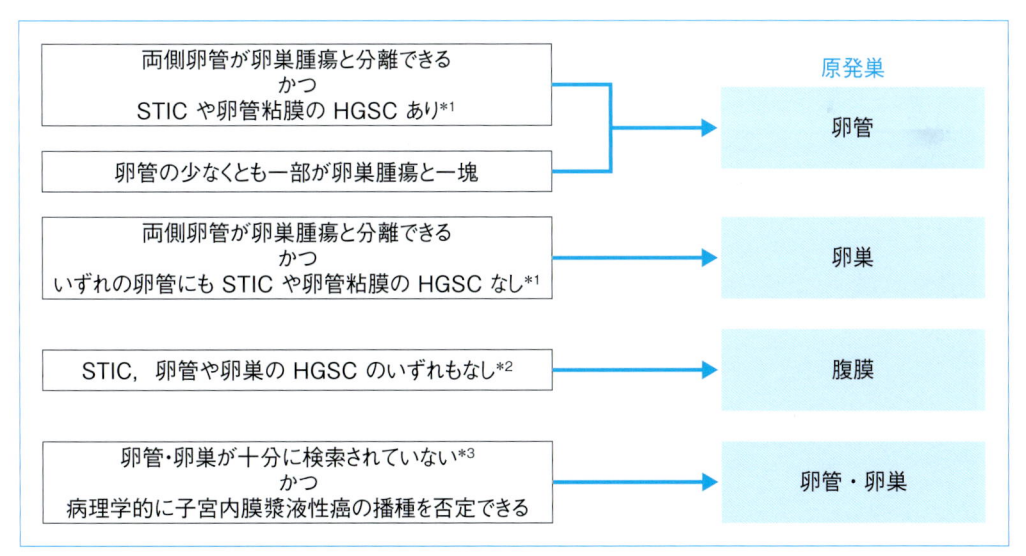

図17 高異型度漿液性癌の原発巣決定方法
STIC：漿液性卵管上皮内癌　HGSC：高異型度漿液性癌
＊1 SEE-FIM 法ないしそれに準じた卵管の検索
＊2 卵管（SEE-FIM 法ないしそれに準じて）・卵巣の十分な検索が必要
＊3 SEE-FIM 法ないしそれに準じた卵管の検索がなされていない場合（生検検体，卵管切除後，卵巣切除後を含む），化学療法後で卵管を含めて腫瘍を確認できないあるいは卵管上皮の変性が著しい場合など
(日本産科婦人科学会ほか：卵巣腫瘍・卵管癌・腹膜癌取扱い規約 臨床編 第1版補訂版，金原出版，2023 より引用)

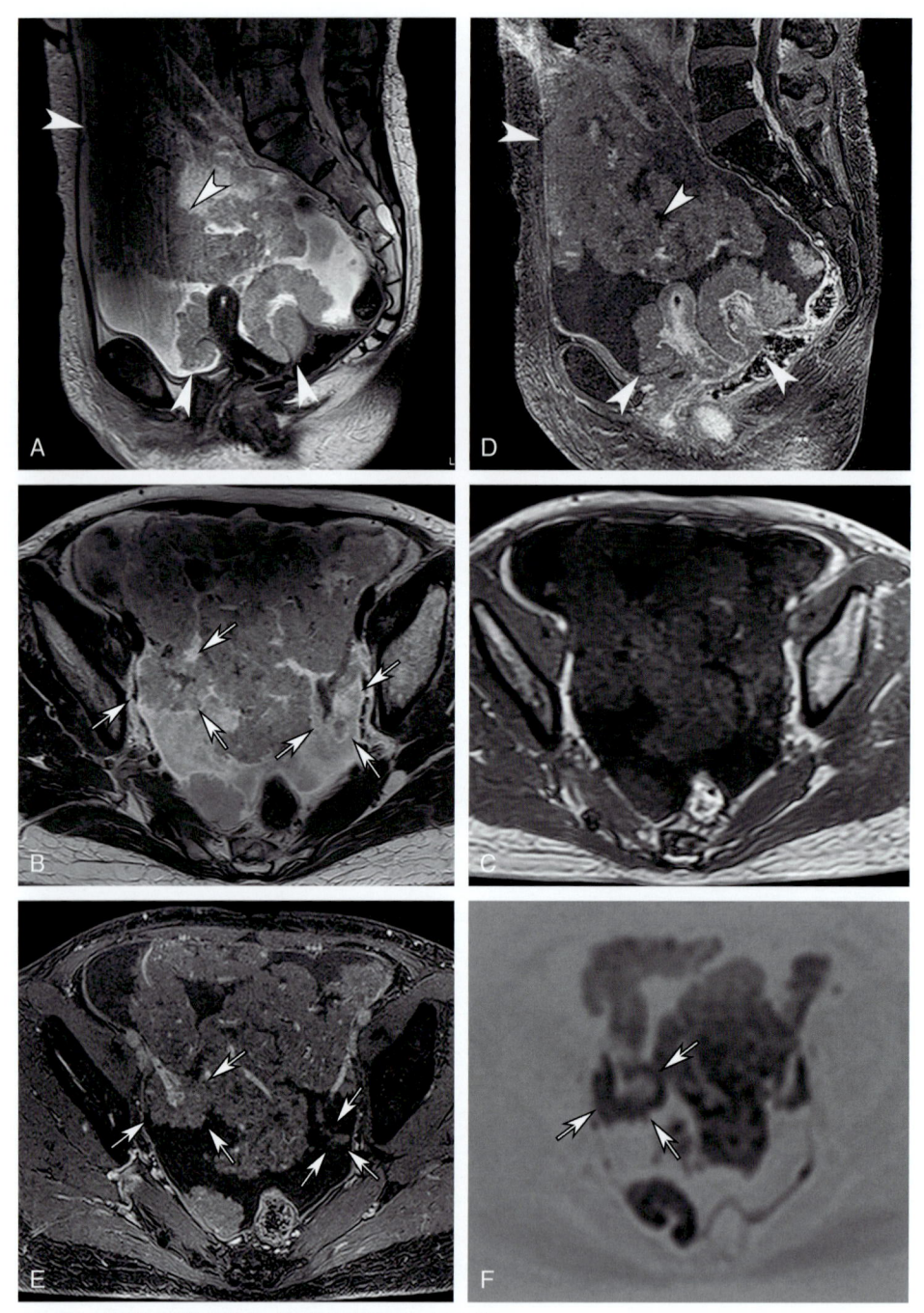

図18 56歳 高異型度漿液性癌（原発巣未確定）ⅢC期
A：T2強調矢状断像，B：T2強調横断像，C：T1強調横断像，D：造影脂肪抑制T1強調矢状断像，E：造影脂肪抑制T1強調横断像，F：拡散強調横断像
両側卵巣にT2強調像で均一な高信号（PA&IB patternは認めない）を示す乳頭状の小さな腫瘤（B→）があり，付属器腫瘤よりもはるかに大きな播種性結節が，膀胱子宮窩，Douglas窩，大網などに認められる（A，D▲）。付属器腫瘤，播種巣とも子宮筋層に比べると弱いがよく増強され（C～E），強い拡散制限（F→）を示す。審査腹腔鏡にて腹膜の生検が行われ，高異型度漿液性癌との病理組織診断を得て化学療法中である。

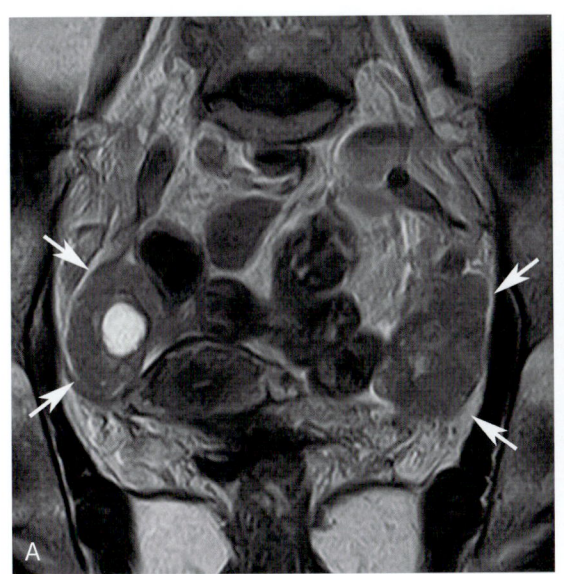

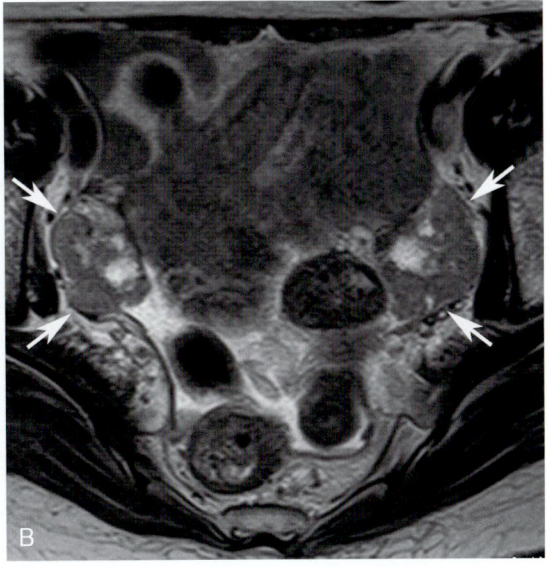

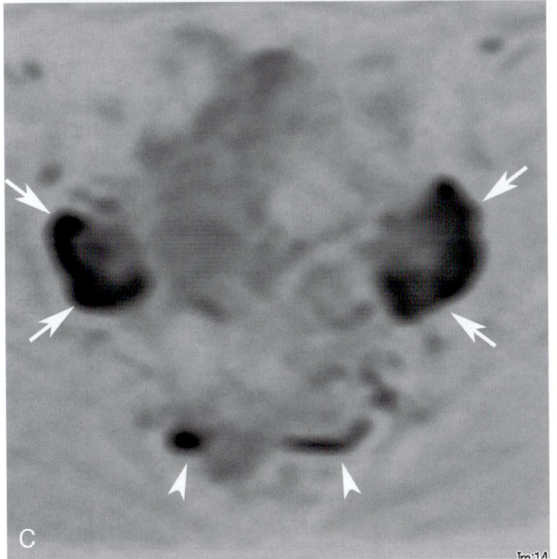

1. 上皮性腫瘍と上皮性・間葉性混合腫瘍

図19 58歳 高異型度漿液性癌
A：T2強調冠状断像，B：T2強調横断像，C：拡散強調横断像

原発不明の転移性卵巣腫瘍疑いとして前医より紹介。両側付属器を置換するT2強調像で比較的信号の高い腫瘤は微小であるにもかかわらず（A，B→），Douglas窩に貯留した血性の腹水を取り囲む腹膜にも腫瘤と同程度の拡散制限がみられ（C▲），腹腔内播種を示唆する。術前化学療法後ではあるが，手術標本で両側卵巣原発，ⅢA2期以上の高異型度漿液性癌と診断された。

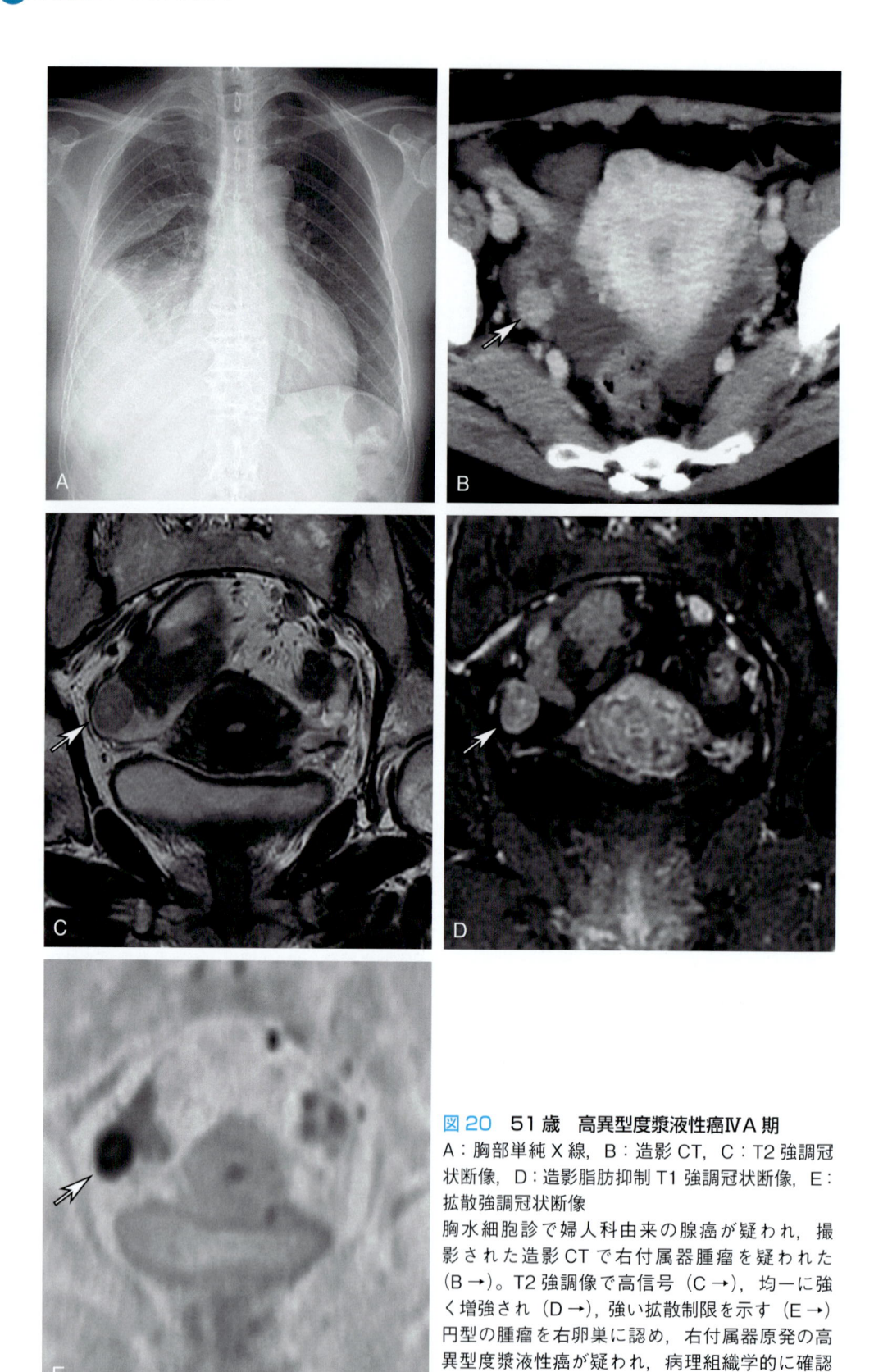

図20　51歳　高異型度漿液性癌ⅣA期
A：胸部単純X線，B：造影CT，C：T2強調冠状断像，D：造影脂肪抑制T1強調冠状断像，E：拡散強調冠状断像

胸水細胞診で婦人科由来の腺癌が疑われ，撮影された造影CTで右付属器腫瘤を疑われた（B→）．T2強調像で高信号（C→），均一に強く増強され（D→），強い拡散制限を示す（E→）円型の腫瘍を右卵巣に認め，右付属器原発の高異型度漿液性癌が疑われ，病理組織学的に確認された．

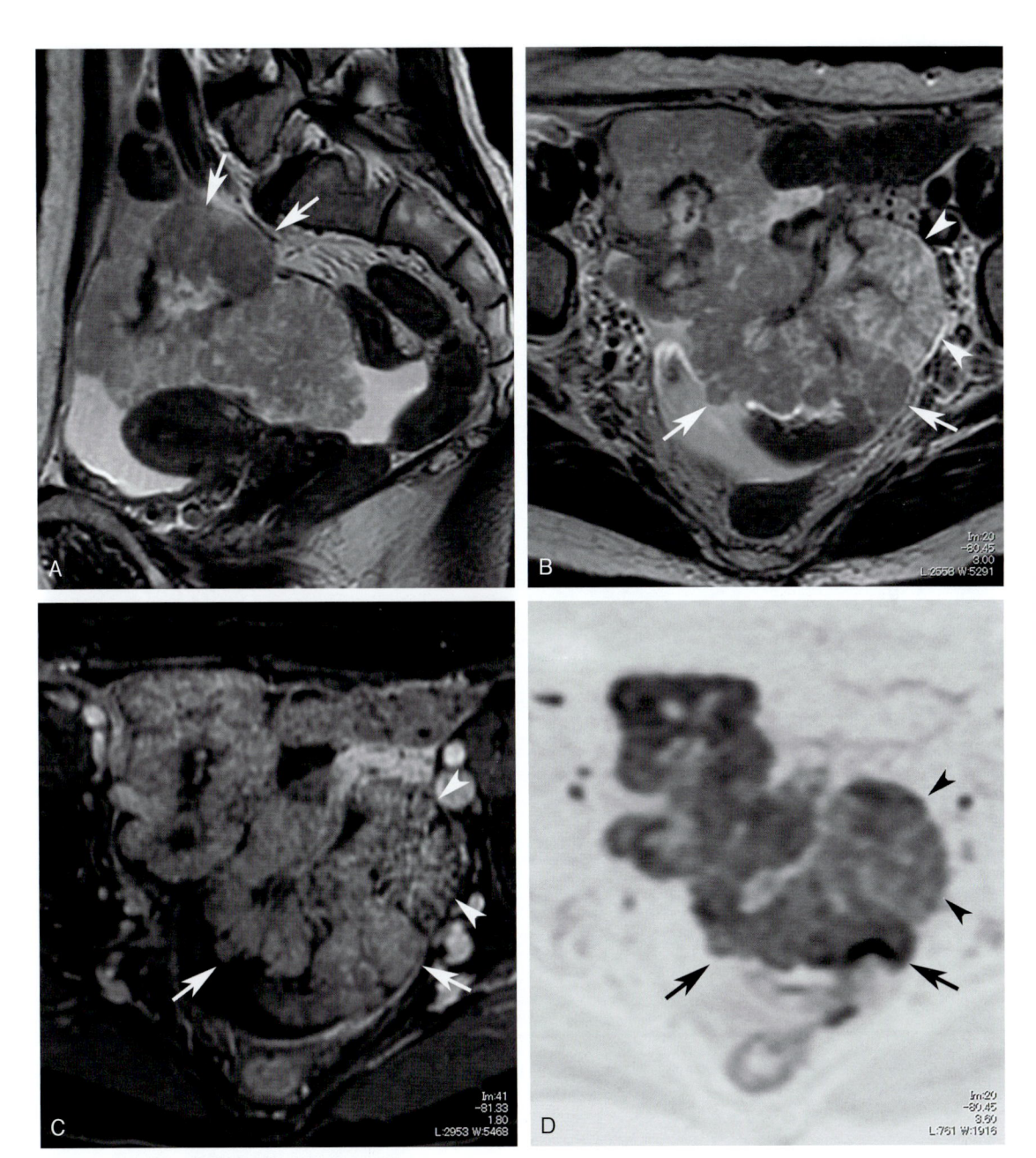

図21 56歳 高異型度漿液性癌ⅡB期
A：T2強調矢状断像，B：T2強調横断像，C：造影脂肪抑制T1強調横断像，D：拡散強調横断像
両側付属器腫瘤はT2強調像でPA&IB patternを呈する（A，B▲）が，一部の乳頭状部分により信号強度が低い部分があり（A，B→），造影脂肪抑制T1強調像や拡散強調像でも各乳頭間の間隙が狭く（C，D→），密に増殖する様子が見てとれる。図13の低異型度漿液性癌と類似の形態だが*TP53*変異があり，高異型度漿液性癌と診断された。

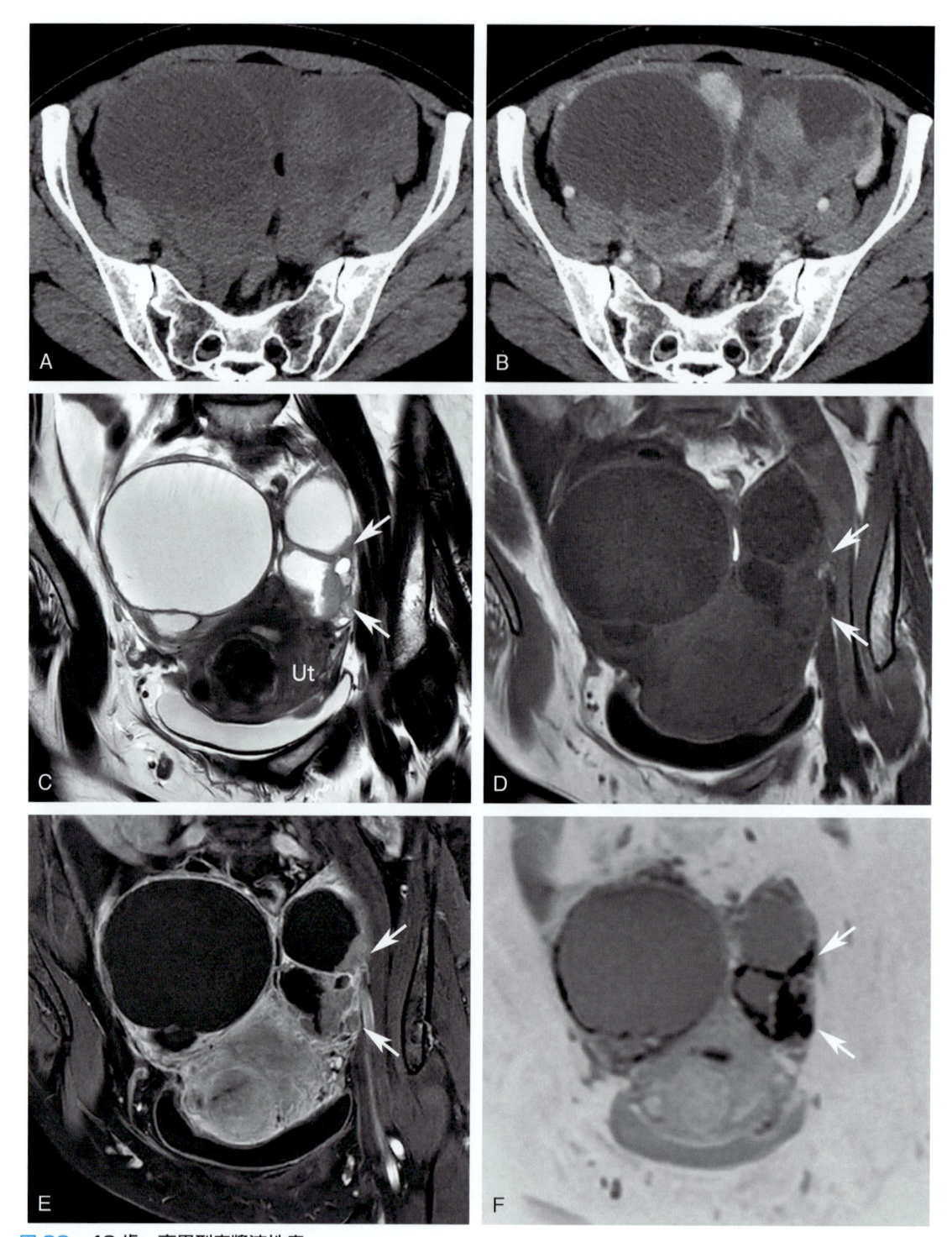

II 卵巣腫瘍 ovarian tumors

図22　49歳　高異型度漿液性癌
A：単純CT，B：造影CT，C：T2強調冠状断像，D：T1強調冠状断像，E：造影脂肪抑制T1強調冠状断像，F：拡散強調冠状断像
両側付属器は，いずれも被膜・隔壁に沿ってよく増強される充実部を有する多房性嚢胞性腫瘍に置換されている。充実部はT2強調像で高信号（C→），子宮筋層（C, Ut）より弱いがよく増強され（D, E→），拡散制限が強く（F→），漿液性癌に特徴的な信号を呈している。

2）粘液性腫瘍 mucinous tumors

Summary
- 漿液性腫瘍に次いで頻度の高い腫瘍であるが，約78％が腺腫，12％が境界悪性，悪性は11％にすぎないとされており，悪性腫瘍に占める割合は高くない。
- 腫瘍マーカーとしてはCA19-9，CEAが上昇する。悪性の場合，化学療法に対する反応が不良なため予後不良である。
- 画像的な典型像は房毎に異なる信号を呈するステンドグラス様の多房性嚢胞性腫瘤であり，腫瘍径は良性でも巨大なことが多い。
- 粘液性腫瘍の境界悪性・悪性腫瘍を疑う所見としては径の小さい房の多発（honeycombing），隔壁の肥厚，充実部の存在が挙げられるが，オーバーラップも多く，特に境界悪性・悪性の鑑別は困難である。
- 壁在結節を伴う粘液性腫瘍では，壁在結節が退形成癌や肉腫といった悪性度の高い成分からなることが多く，予後不良である。
- 肉眼的にも病理組織学的にも転移性卵巣腫瘍（特に結腸癌）との類似性が知られており，術前診断に際し他臓器原発の否定が重要である。
- 腹膜偽粘液腫の原発巣はほとんどが低異型度虫垂粘液性腫瘍，一部が奇形腫由来の粘液性腫瘍と考えられており，前者ではしばしば原発巣が小さく，その卵巣転移が「卵巣偽粘液腫」ともよばれる粘液の豊富な腫瘤を形成するので，原発性粘液性腫瘍との鑑別に留意すべきである。

（1）組織発生・分類と臨床的事項

粘液性腫瘍（mucinous tumors）は細胞質内粘液を有する胃・腸型ないしミュラー管型上皮細胞で構成される良性腫瘍であると定義されている[1]。組織発生には諸説あり，卵巣表層上皮由来とするもののほかに，合併率の高いブレンナー腫瘍（もしくはその起源としてのWalthard nest）や奇形腫が挙げられているが，定説はない[45]。また後述する漿液粘液性腫瘍はWHO分類第3版まで，少なくとも一部は本群腫瘍の一部（内頸部様）に分類されていた[2]こともあり，文献検索上は注意が必要である。

病理組織学的に細胞質内粘液を有する高円柱状腫瘍細胞が嚢胞ないし管腔を形成しながら発育し，異型の程度に応じて良性，境界悪性，悪性に分類されるが，さらにその一部に悪性の壁在結節を伴うことがある（後述）。境界悪性・悪性では構成細胞は胃・腸型（胃腺窩上皮型，幽門腺型，胚細胞型，パネート細胞型など）に限られるが，良性のみ子宮頸管腺に類似するミュラー管型上皮細胞からなるものを含む。粘液性境界悪性腫瘍（mucinous borderline tumor：MBT）ではこれらの細胞が複雑な腺管ないし乳頭状構造を形成し，多層化や内腔への分離増殖を示す。間質浸潤を欠くものの高度の細胞異型を伴う腫瘍細胞を認める場合には「上皮内癌を伴う粘液性境界悪性腫瘍（with intraepithelial carcinoma）」とよぶ。悪性ではこれらの高度の異型と極性の乱れを

示す腫瘍性細胞が浸潤性に増殖し，細胞内粘液が目立たないこともある。病理学的な浸潤には癒合/圧排性浸潤と侵入性浸潤があり，圧倒的に前者の頻度が高い[1]。なお，悪性度にかかわらず，粘液性腫瘍では機能性間質（間質細胞の黄体化とエストロゲンないしアンドロゲン産生によって内分泌学的徴候を呈する性索間質性腫瘍以外の卵巣腫瘍）を有する頻度が高い[1,46]。

粘液性腫瘍はその80％が良性であり[47]，後述するように卵巣原発と考えられた粘液性癌の多くが転移性であることが明らかとなっており，原発性粘液性癌はかなりまれと考えられている[11]。ただし近年，形態的に極めて類似性の高い，結腸癌や低異型度虫垂粘液性腫瘍の転移（p604参照）との病理組織学的鑑別は，免疫組織化学染色の発達に伴って以前よりは容易となり，特にCK7陰性は転移を疑うべき所見とされている[31]。粘液性腫瘍ではCA125の上昇頻度は漿液性腫瘍ほど高くなく（67.7％），CEA（83.9％）やCA19-9（72.1％）のほうが腫瘍マーカーとしては有用である[48]。良性腫瘍は広い年齢に発症するが中央値50歳，粘液性癌では発症年齢が若干高い（平均53歳）。良性であってもしばしば巨大な腫瘤を形成し，良性，境界悪性では両側性であることは少ない（良性で95％が片側性）[31]。粘液性境界悪性腫瘍は胃・腸型細胞が，複雑な腺管乳頭状構造を形成し，多層化や分離増殖を示す。粘液性癌では多くの症例が診断時Ⅰ期である[11]が，ほかの腫瘍に比べ治療抵抗性である[17]ことは冒頭に述べた。前述の圧排性浸潤に比べ侵入性浸潤では転移・再発のリスクが高いことが指摘されている。

(2) 画像所見

粘液性腫瘍では漿液性腫瘍と異なり表在増殖型は存在せず，良性では多くは粘液性嚢胞腺腫（mucinous cystadenoma）の形態をとる。漿液性腫瘍とは対照的に多房性嚢胞性腫瘍として描出され，各房に含まれる粘液のタンパク濃度が異なるために，房毎に多彩な信号を示しステンドグラス様（stained-glass appearance）を示す（図18）[49,50]。粘液性腫瘍では良性腺腫であっても嚢胞が巨大化することが多く，大きさは良悪性の鑑別にあまり役立たない[31,50]（図23〜26）。また癌腫であっても明らかな充実性部分を形成することは比較的まれである。筆者らは画像的にはより細かな嚢胞を形成して隔壁の密度が高い場合（honeycombing）に境界悪性以上である可能性の高いことを指摘したが，粘液性境界悪性腫瘍（mucinous borderline tumor）（図24, 25）と粘液性癌（図26）の区別は困難であった[50]。この粘液性腫瘍の良悪性の鑑別については，この数年種々の研究が発表されている。筆者らの指摘したhoneycomb loculiにはT2強調像で低信号の房を含む必要があるとの報告もある[51]が，単独での有用性には懐疑的報告もある[52]。上記に加えおおむね5mm以上の厚さをもつ隔壁や5mm以上の壁在結節の存在も境界悪性以上を疑う所見といえる[51-53]。筆者らの経験では，経過観察期間があれば，短期間に増大する腫瘤も境界悪性以上の可能性が高い（図27）。境界悪性と浸潤癌の比較では，後者で壁在結節がより大きく，拡散制限が強いとする報告もある[54]が，微小な房の集簇部では，充実性と小嚢胞の集簇との鑑別が難しく，正確なADC値の計測可能性に疑問が残る（図28）。腹水も悪性を示唆する所見との報告[53]があり，多量，あるいは明らかに播種を伴う場合には参考になる。

良性粘液性腫瘍の一部は漿液性腫瘍と同様に粘液性腺線維腫（mucinous adenofibroma）の形態をとる。Takeuchiらは豊富な線維成分が構成する多数の厚い隔壁をもった腫瘍に対し"black sponge appearance"という印象的なネーミングをしている[55]。こうした充実部の存在は悪性病

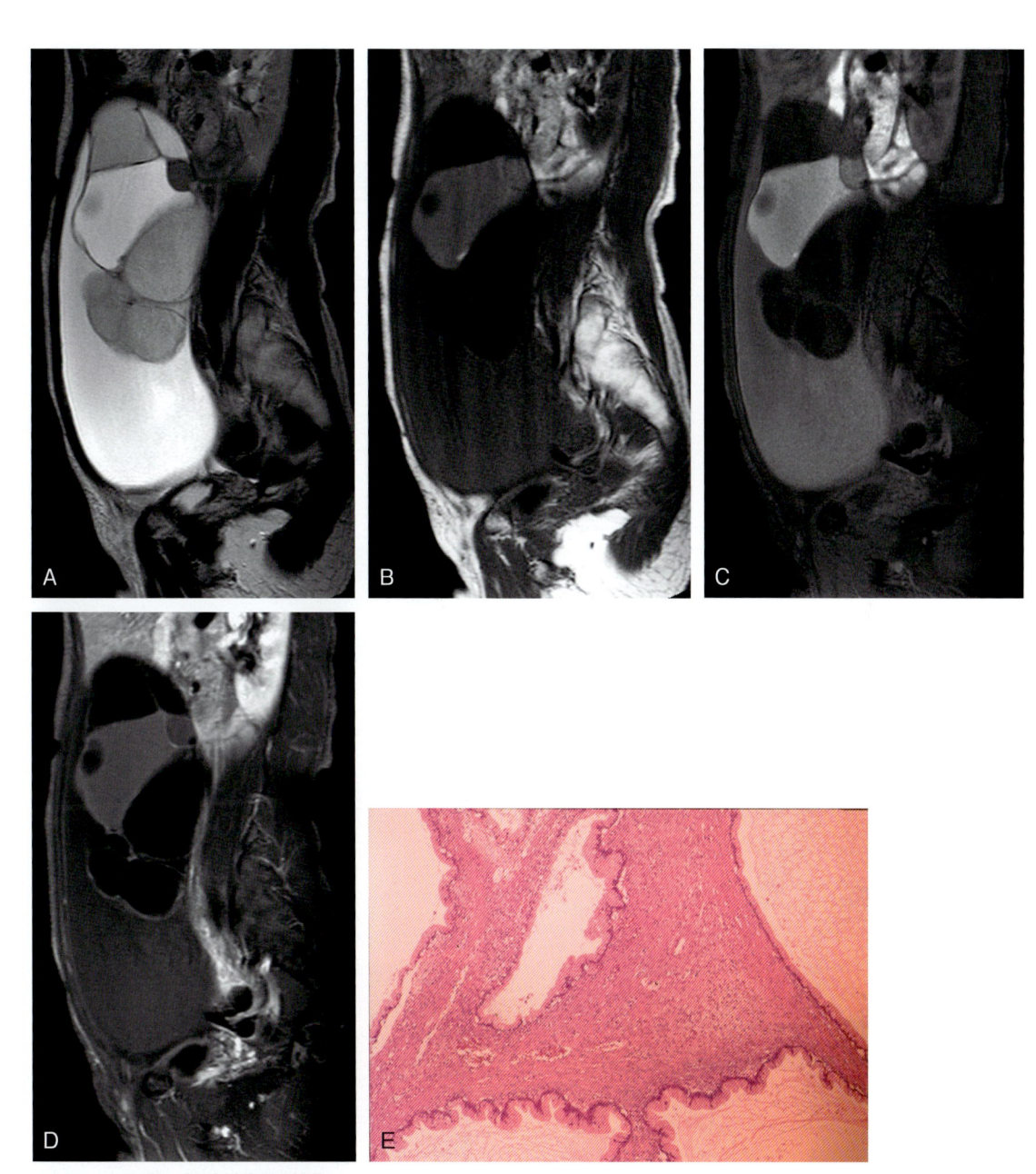

図23 52歳 粘液性囊胞腺腫
A：T2強調矢状断像，B：T1強調矢状断像，C：脂肪抑制T1強調矢状断像，D：造影脂肪抑制T1強調矢状断像，E：HE染色（弱拡大）
骨盤から上腹部まで腹腔を占拠する多房性囊胞性腫瘤が認められ，それぞれの房はT2，T1強調像の双方で多彩な信号強度を示している（A, B）。T1強調像で高信号の房では脂肪抑制T1強調像でも信号の低下はなく（C），タンパク濃度や粘稠度の違いを反映しているものと考えられる。造影後は隔壁が強く増強されるが，壁の不整な肥厚や内腔に突出する充実性成分は認めない（D）。病理組織学的には丈の高い細胞質の豊富な腫瘍細胞が一層に配列して腺管を形成しながら増殖しており（E），粘液性囊胞腺腫と診断される。

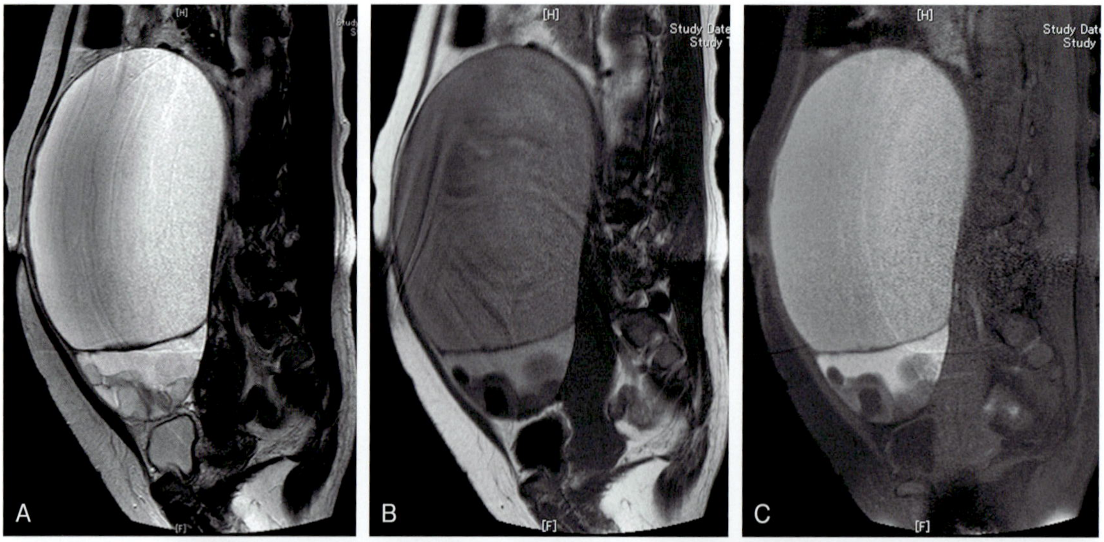

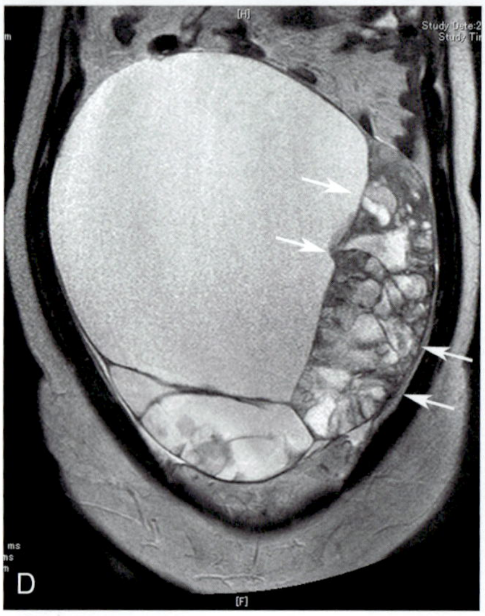

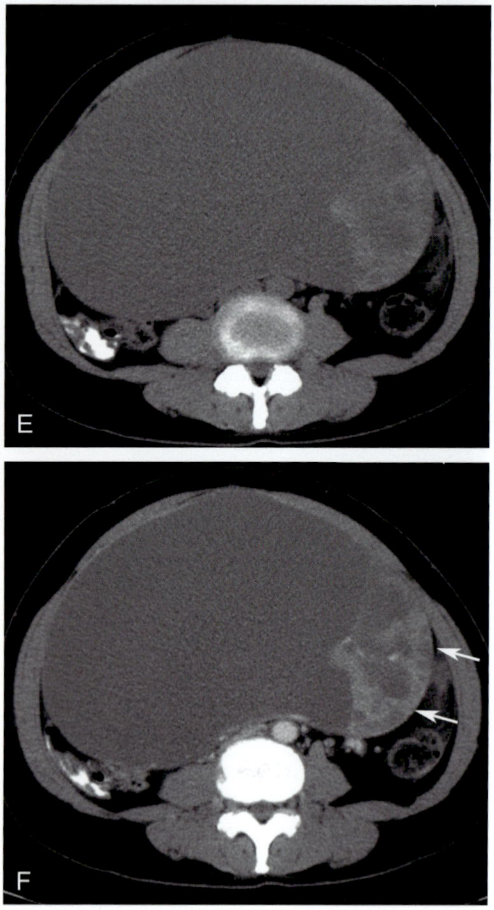

Ⅱ 卵巣腫瘍 ovarian tumors

図24 42歳 粘液性境界悪性腫瘍
A：T2強調矢状断像，B：T1強調矢状断像，C：脂肪抑制T1強調矢状断像，D：T2強調冠状断像，E：単純CT，F：造影CT
本例も図23（粘液性嚢胞腺腫）と極めて類似した腫瘍であるが（A～C），腫瘍左縁に位置する嚢胞径が極めて小さい（D→）。この小さな嚢胞は内容物の吸収値がCTでも高い（E）ので，造影後はコントラスト分解能の限界からあたかも充実部であるかのように描出される（F→）。しかし腫瘍は薄い細かな隔壁に境されているのみで充実部はなく，粘膜性境界悪性腫瘍と診断された。

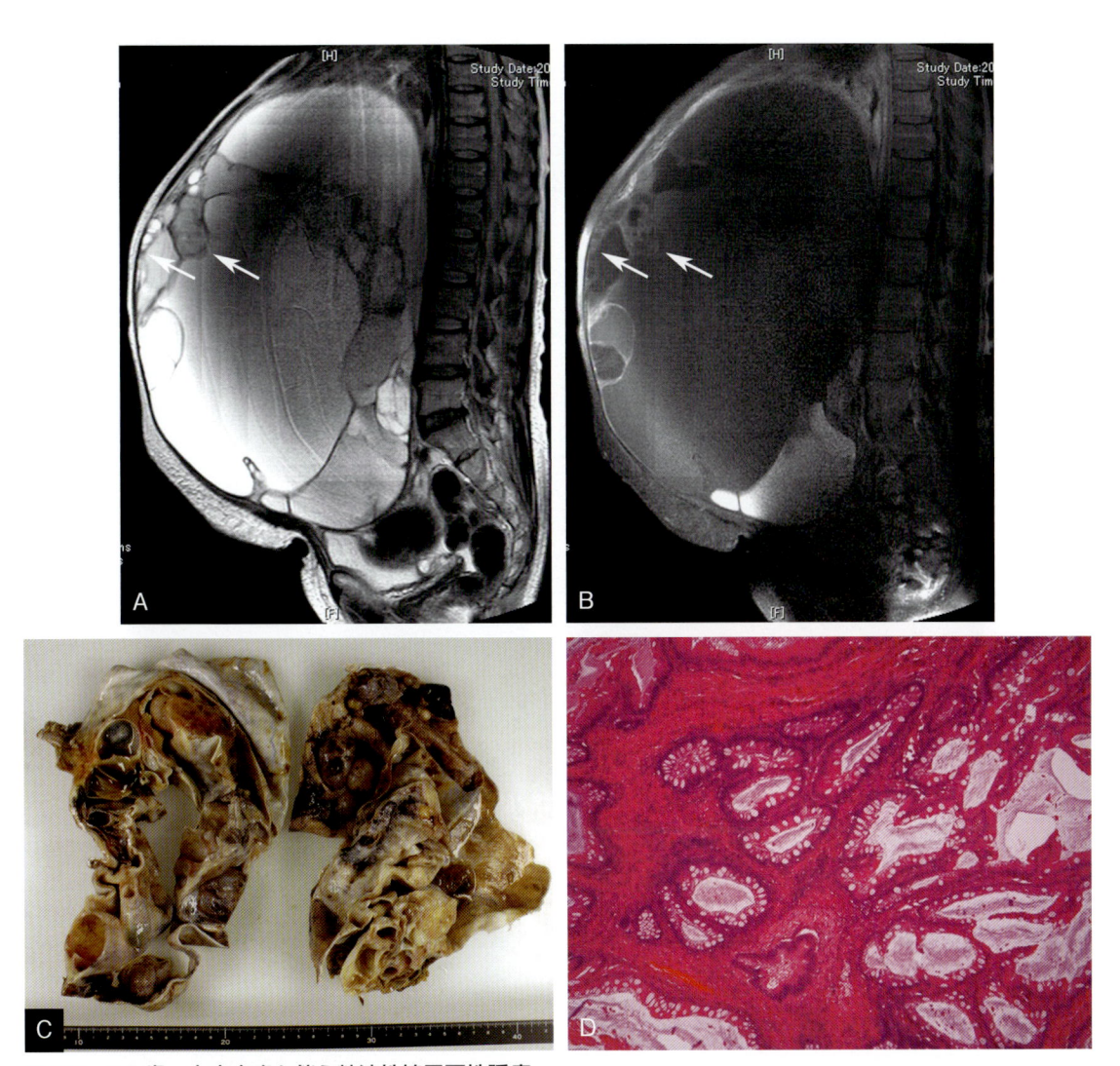

1. 上皮性腫瘍と上皮性・間葉性混合腫瘍

図25 54歳 上皮内癌を伴う粘液性境界悪性腫瘍
A：T2強調矢状断像，B：造影脂肪抑制T1強調矢状断像，C：摘出標本割面，D：HE染色（強拡大）

図23と極めて類似した腫瘍であるが，多彩な内容物を含む房の大きさが一部極めて小さい（A，B→）。腫瘍径が極めて大きく，腫瘍中心部の信号が受信コイルに到達していないことと合わせ，旺盛な増殖能を反映していると考えられる。摘出標本の割面上も多数の隔壁を伴う巨大な囊胞性腫瘍であることがわかる（C）。病理組織学的に囊胞壁を形成する胞体内に粘液を有する円柱状の腫瘍細胞が一部偽重層構造を伴って増殖している（D）。

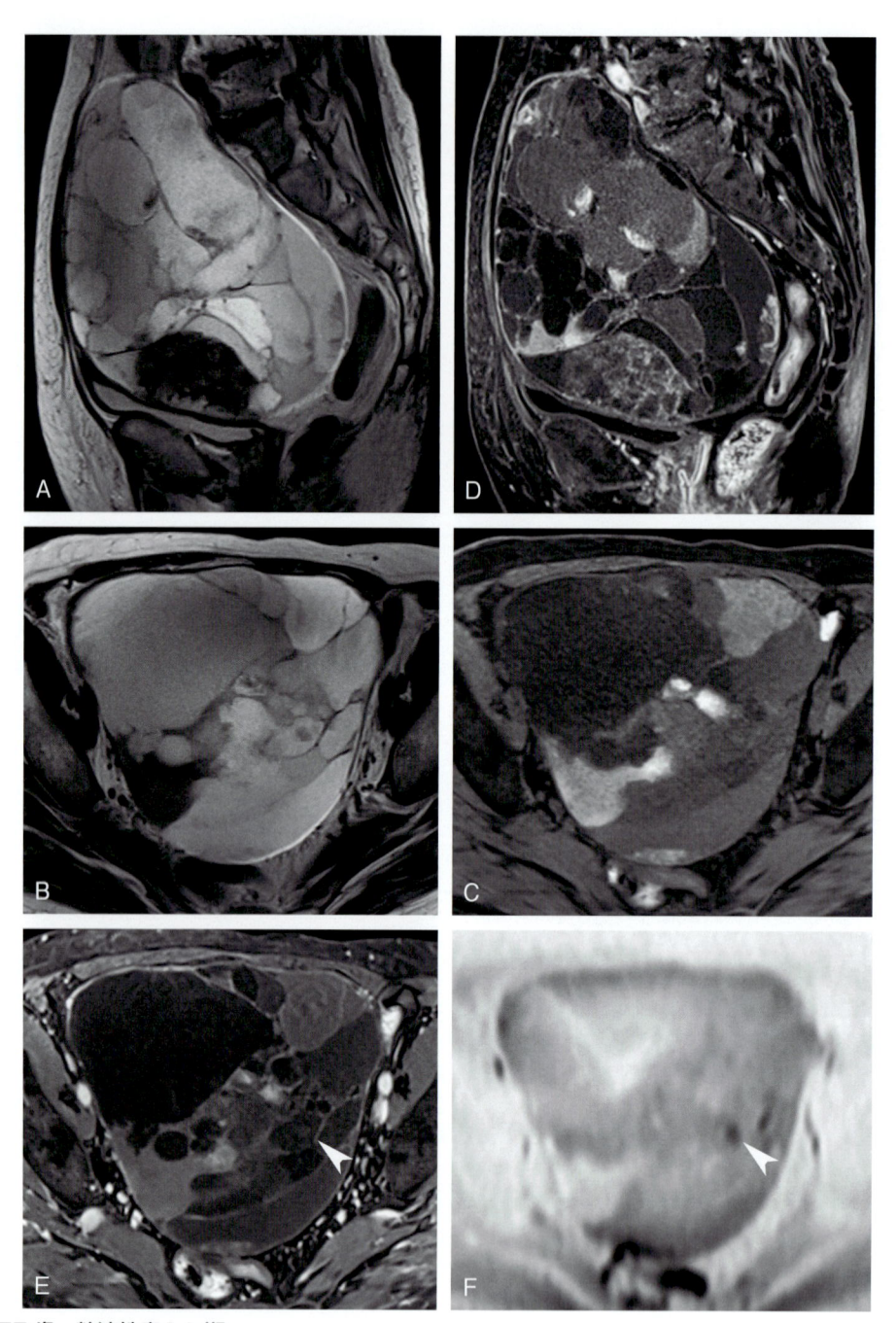

Ⅱ 卵巣腫瘍 ovarian tumors

図26　75歳　粘液性癌ⅠA期
A：T2強調矢状断像，B：T2強調横断像，C：脂肪抑制T1強調横断像，D：造影脂肪抑制T1強調矢状断像，E：造影脂肪抑制T1強調横断像，F：拡散強調横断像
大腸ポリープにて経過観察中，腹部に腫瘤を触知し，卵巣腫瘍を指摘された。T2強調像（A，B），脂肪抑制T1強調像（C）ともに多彩な信号強度を示す内容物を含んだ，大小の房からなる境界明瞭な多房性囊胞腫瘍があり，造影後は隔壁のみ増強され（D，E），明らかな充実部はないが，細かな房の集簇が目立つ。拡散強調像では一部，異常信号を示す領域（F▲）もあるが，造影脂肪抑制T1強調像（E▲）と合わせると，内容液の拡散制限を反映していると考えられる。

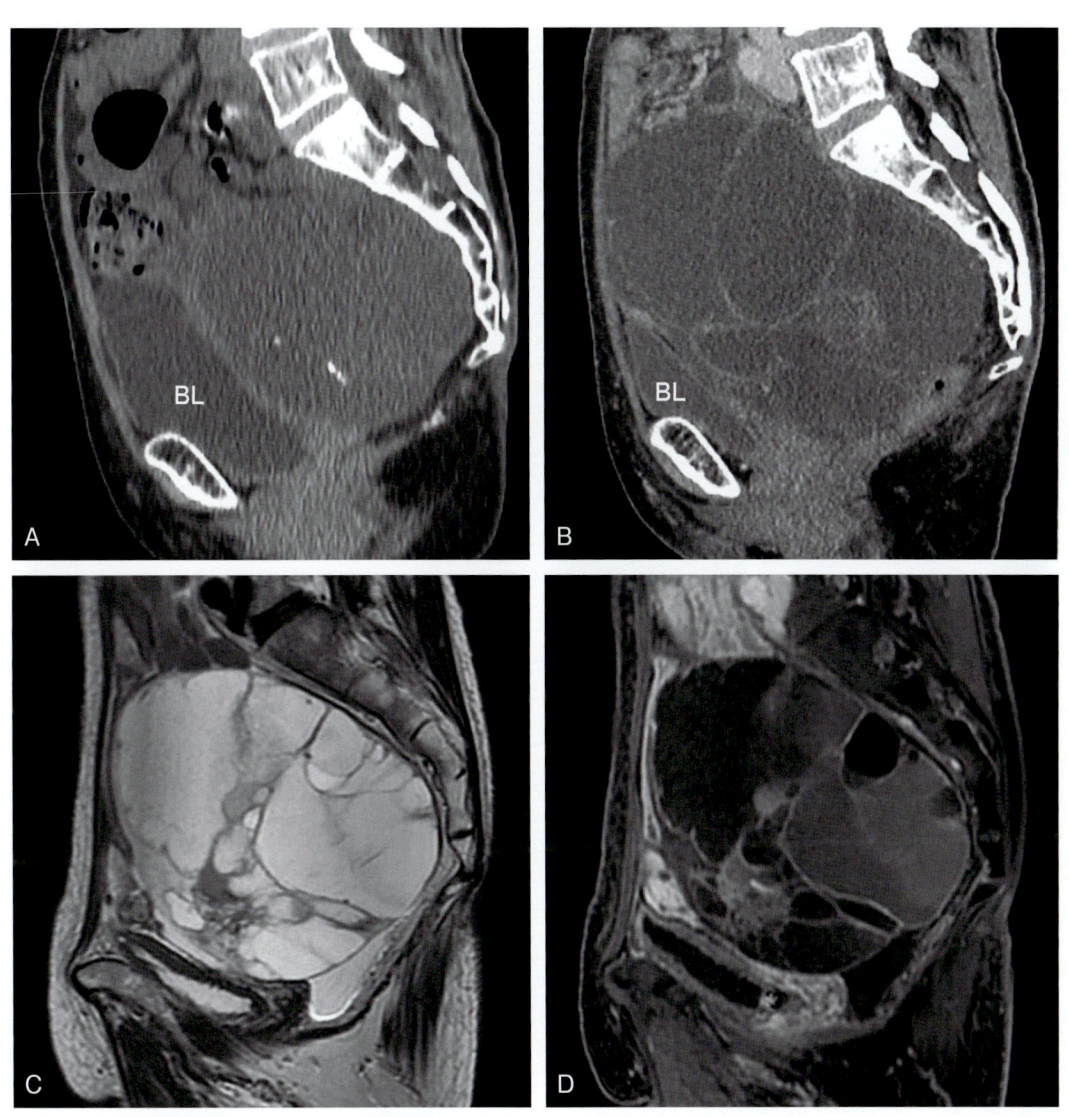

図27　54歳　粘液性癌ⅠA期（急速増大例）
A：単純CT（発症時），B：造影CT（2週間後），C：T2強調矢状断像，D：造影脂肪抑制T1強調矢状断像
左卵巣の多房性嚢胞性腫瘤は，前医より持参の単純CT（A）と初診時の造影CT（B）を比べると，わずか2週間で目に見えて増大している（BLは膀胱）。T2強調像（C），造影脂肪抑制T1強調像（D）ともに多彩な信号強度を示す内容物を含んだ，大小の房からなる境界明瞭な多房性嚢胞性腫瘤であり，細かな房の集簇と合わせ，境界悪性以上を疑い，術後，病理組織学的に粘液性癌であることが確認された。

変と区別することが時に難しい[21)56)]。よって同じく線維成分を豊富に含む線維腫（p503参照）やブレンナー腫瘍（p481参照）との鑑別が問題となる。筆者の経験では，腺線維腫の線維成分は線維腫の線維成分に比べ，造影剤による増強効果が強い（図29）。これは単なる線維腫と比べ腺線維腫では腺上皮成分の存在が血管新生を誘発するためではないかと考えている。同じく移行上皮成分が線維性の間質の中に認められるブレンナー腫瘍にも同様の傾向がある。また上皮成分が悪性腫瘍から構成される腺線維腫様癌（adenofibromatous carcinoma）においてはT2強調像

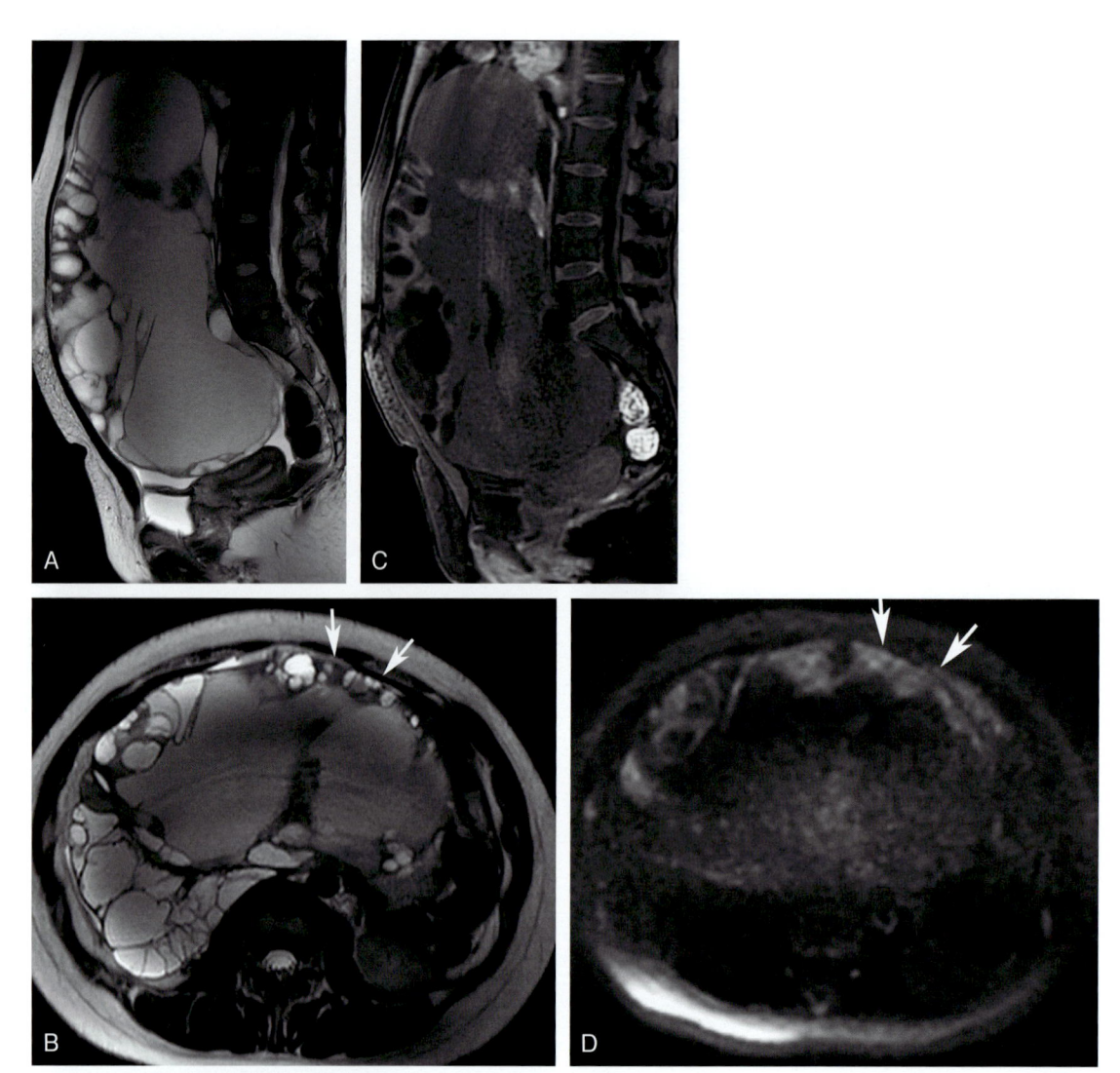

図28 23歳 粘液性境界悪性腫瘍
A：T2強調矢状断像，B：T2強調横断像，C：脂肪抑制T1強調矢状断像，D：拡散強調横断像
T2強調像（A，B），脂肪抑制T1強調像（C）ともに多彩な信号強度を示す内容物を含んだ，大小の房からなる巨大な多房性嚢胞腫瘍を認める．腹側の各房を境する隔壁の肥厚があるようにみえるものの，非造影検査のみのため充実部と断定はできないが，境界悪性以上を疑わせる．拡散強調像では内容物と隔壁が一塊として異常信号を示しており（D），隔壁の拡散制限のみを視覚的に同定することの難しさを示している．

での充実部の信号は腺線維腫よりも高く強い増強効果を示すとする報告もある[22]が，腺線維腫と同程度の信号強度，増強効果のものあり，画像による鑑別は難しい[57]（図30）．

　粘液性腫瘍ではその腫瘍の大部分を構成する成分の悪性度にかかわらず嚢胞壁の一部に結節性病変をみることがあり，壁在結節を伴う粘液性腫瘍（mucinous tumor with mural nodule）として独立したカテゴリに分類される[1]．この壁在結節は非腫瘍性の肉腫様（sarcoma-like），退形成癌（anaplastic carcinoma），真の肉腫（sarcoma）からなり，これらの成分が混在することもある．肉腫様結節は線維芽細胞，組織球，リンパ球などからなる非腫瘍性増生とされる．真の肉腫は線

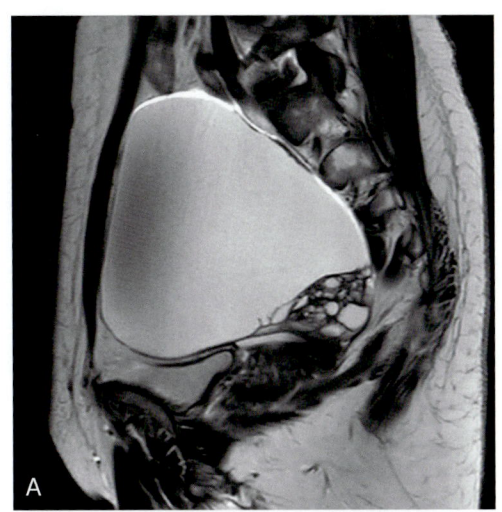

1. 上皮性腫瘍と上皮性・間葉性混合腫瘍

図29　53歳　粘液性腺線維腫
A：T2強調矢状断像，B：T2強調横断像，C：T1強調横断像，D：造影脂肪抑制T1強調横断像，E：拡散強調横断像

粘液性囊胞腺腫と同様に，大きさ，内容物の信号強度ともに多彩な多房性囊胞性腫瘍だが，隔壁が厚く，T2強調像で信号強度が低く（B→），増強効果は不良で（D→），拡散は内容物よりもむしろ亢進しており（E→），豊富な線維成分を示唆する。典型的な粘液性腺線維腫である。

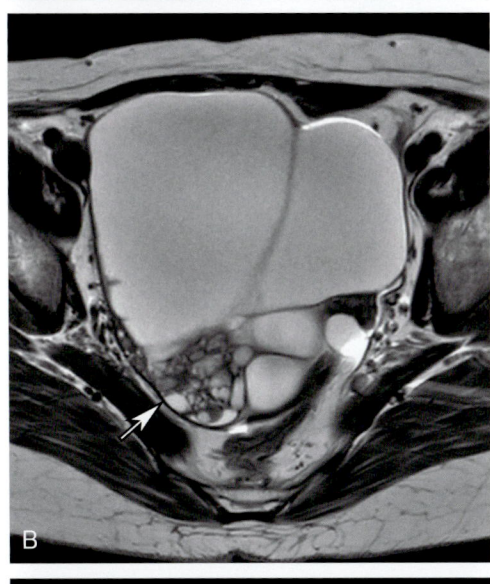

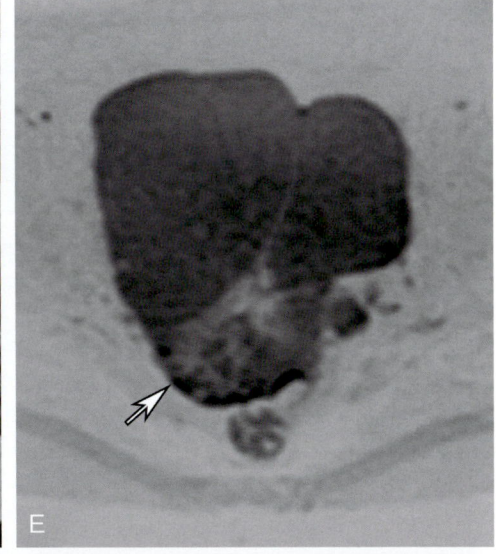

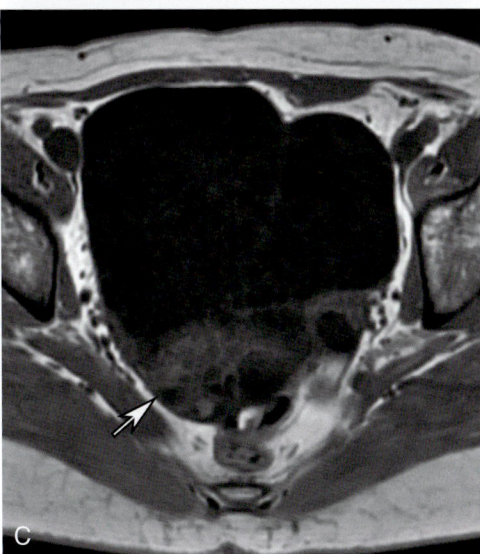

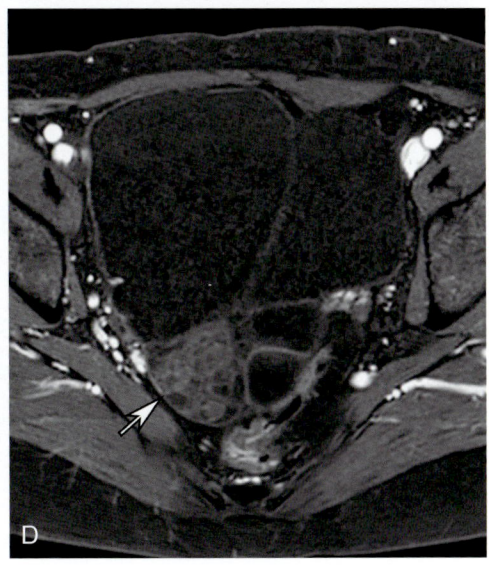

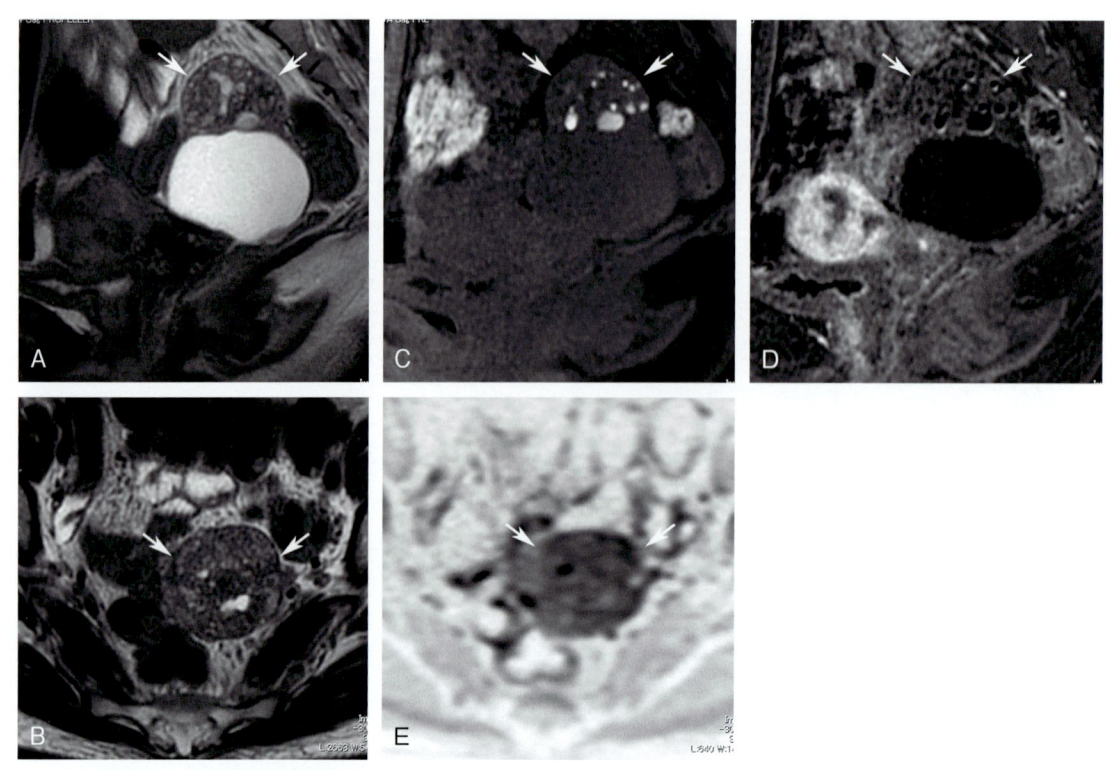

図30　49歳　上皮内癌を伴う粘液性境界悪性腫瘍（腺線維腫）
A：T2強調矢状断像，B：T2強調横断像，C：脂肪抑制T1強調矢状断像，D：造影脂肪抑制T1強調矢状断像サブトラクション後，E：拡散強調横断像
大きな囊胞と多数の小囊胞の集簇（A，B→）からなる混合性腫瘍を認め，一部の内容物は脂肪抑制T1強調像で高信号を示し（C→），タンパク濃度が高いことがうかがわれる．造影後は隔壁のみが増強される（D→）が，囊胞腔に対して隔壁は相対的に厚いものの充実部のvolumeとしては小さいので，増強効果は弱く，拡散強調像にも充実部の密な細胞増殖は反映されないらしく，信号強度はさほど強くなく（E→），画像的には腺線維腫を疑った．病理組織学的には大小多数の囊胞状腺管と間質の増生からなる腺線維腫様腫瘍で，上皮の異型が部分的に強く核分裂像も増しているため，上皮内癌を伴う粘液性境界悪性腫瘍と診断された．

維肉腫，横紋筋肉腫，あるいは未分化肉腫の像をとる[1]．悪性壁在結節は境界悪性腫瘍または粘液性癌の壁在結節として発症し，病変は巨大（12 cm以上）であることが多い．良性の壁在結節は予後良好であるがまれであり，悪性の場合は極めて予後不良である（図31）[11)31)]．

附1．腹膜偽粘液腫 pseudomyxoma peritoneii

　粘液産生の旺盛な腫瘍細胞が腹腔内に撒布されて腹腔にゼリー状の粘液が貯留する状態を腹膜偽粘液腫（pseudomyxoma peritoneii）（図32）という．腸型の粘液性囊胞腺腫や境界悪性腫瘍がその原発巣と考えられていたが，近年の免疫組織学的検討では，これらのほとんどが低異型度虫垂粘液性腫瘍（low-grade appendiceal mucinous neoplasm：LAMN）が原発である[58)59)]ことが明らかにされてきた．診断時には虫垂粘液瘤はすでに破裂して虫垂には大きな腫瘍は存在せず，転移により生じた卵巣腫瘍のほうが巨大化していることも多く，画像的にも，術中，病理組織学的にも虫垂について十分に検討する必要がある．LAMNの卵巣転移は卵巣原発の粘液性腫瘍の

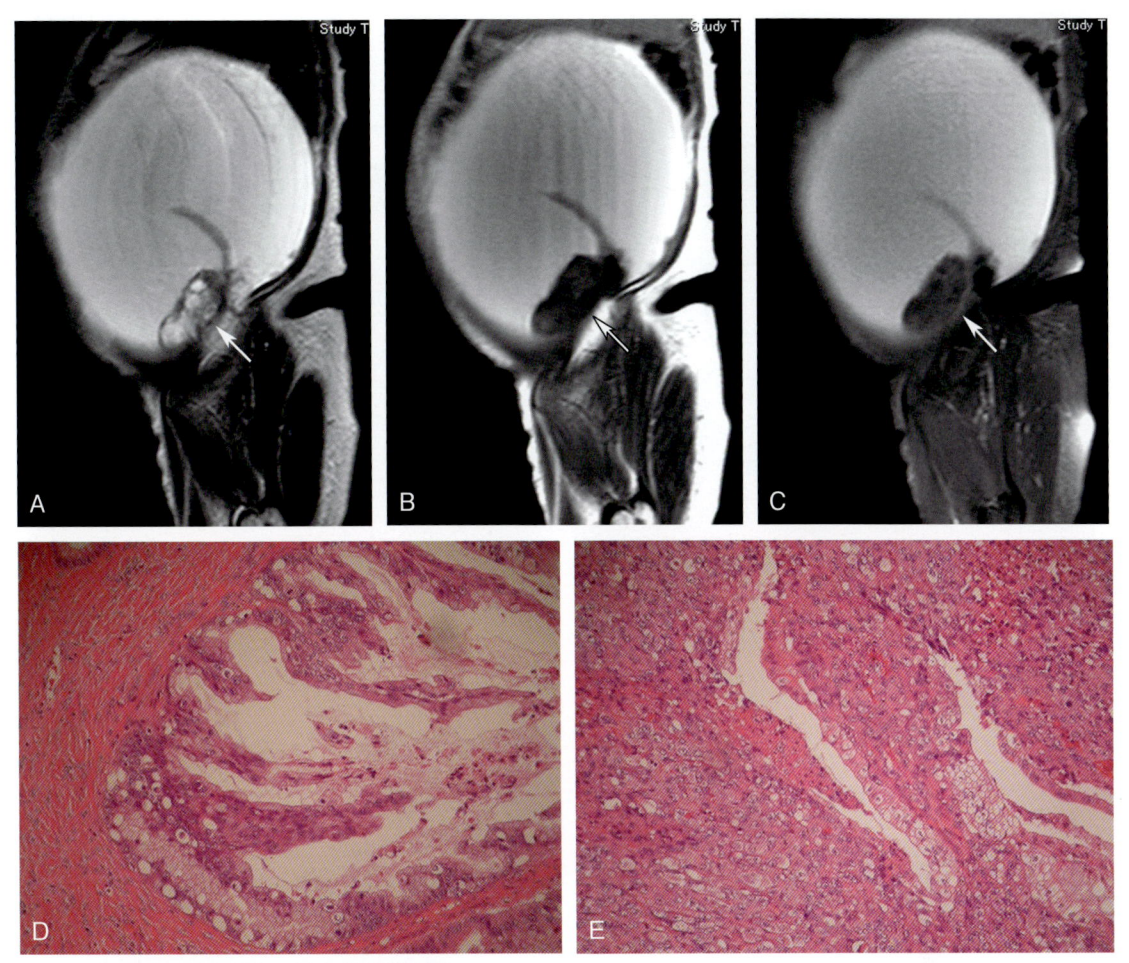

1. 上皮性腫瘍と上皮性・間葉性混合腫瘍

図31　62歳　壁在結節を伴う粘液性腫瘍

A：T2強調矢状断像，B：T1強調矢状断像，C：造影脂肪抑制T1強調横断像，D，E：HE染色（強拡大）
腹腔内を広範に占める巨大な囊胞性腫瘤があり，厚い壁をもった小囊胞の集簇として壁在結節を伴っている（A〜C →）。囊胞内容物のT1強調像での信号強度は高く（B），タンパク濃度の高い液体を含む。造影後，壁在結節はよく増強されている（C →）。病理組織学的に囊胞壁は粘液性癌（E），壁在結節は退形成癌（anaplastic carcinoma）（D）からなる。本腫瘍は極めて予後不良であり，本例も診断から約6カ月後に死亡した。

ようにステンドグラス様を呈することは少なく，結腸癌の転移同様，より均一な信号強度の内容物を含む多房性囊胞性腫瘍であることが多い[60)61)]（図32A, B）。また原発巣は虫垂であるので，卵巣腫瘍も右側に多いとされる。腹腔内に撒布された偽粘液腫は，囊胞内容物の濃度も，壁の厚さも様々な囊胞性腫瘍とされ[62)63)]，しばしば石灰化を伴う[63)64)]。しかし合併する腹水との境界を同定することが困難なほど壁が薄く，CTでは一見すると単純に腹水が貯留しているだけのようにみえることも多い。このような場合でも内容物は硬いゼリー状の物質であるので，腹水に圧排された肝や脾が陥凹してscallopingといわれる特徴的な像を呈する[63)64)]（図32G）。MRIではT1強調像で低信号，T2強調像では高信号を呈し，これも腹水と区別しがたいことも多いが，CT同様，実質臓器の圧排変形が診断の鍵になる[65)]。またプロトン密度強調像や拡散強調像では滲出

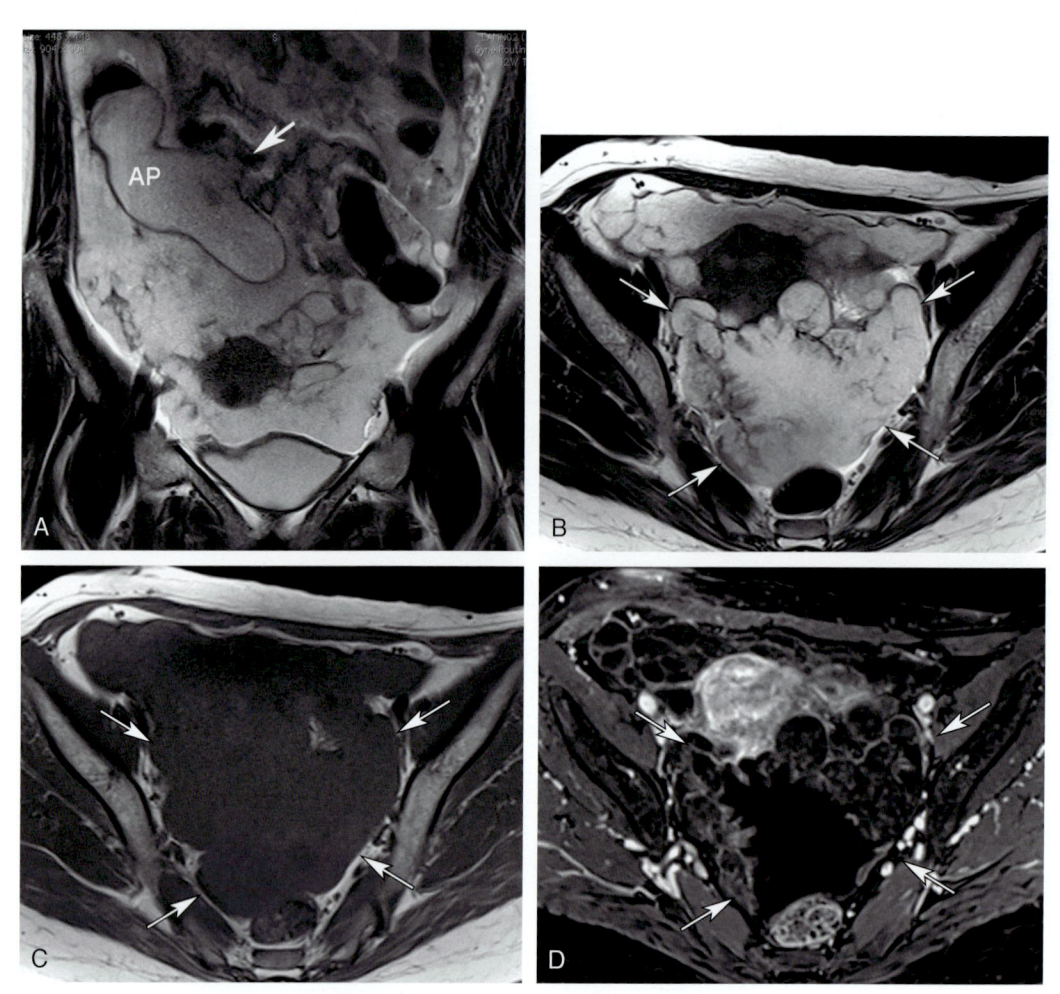

II 卵巣腫瘍 ovarian tumors

図32　48歳　低異型度虫垂粘液性腫瘍，卵巣転移と腹膜偽粘液腫
A：T2強調冠状断像，B：T2強調横断像，C：T1強調横断像，D：造影脂肪抑制T1強調横断像
両側卵巣に境界不明瞭な多房性嚢胞性腫瘤を認め（B〜D →），右側腹部にはバナナ状の嚢胞（A，AP）として，被膜破綻（A →）を伴う虫垂粘液瘤が描出されている。

性腹水とのタンパク濃度の差違をより鋭敏に検出できる（図32F）[666]。定義的には腹膜偽粘液腫は低異型度腫瘍の腹腔内撒布に限定され，粘液を産生する浸潤癌の腹腔内播種とは区別される。両者の混同を避けるため，前者を disseminated peritoneal adenomucinosis（DPAM），後者を peritoneal mucinous carcinomatosis（PMCA）とよぶ[11)67)68]。PMCAの原発巣には虫垂ばかりでなく小腸や結腸も含まれ，その組織学的異型度を反映してPMCAはDPAMに比べはるかに予後不良である。

　組織発生の項で述べた通り，粘液性腫瘍の発生母地は卵巣表層上皮ではなく，奇形腫の一成分が巨大化したものであるとの説があり[31]，両者の併存例が時に経験される（図33）。奇形腫に合併した粘液性腫瘍は腸型の形質を有することから，腹膜偽粘液腫の原発巣となりうる（p557

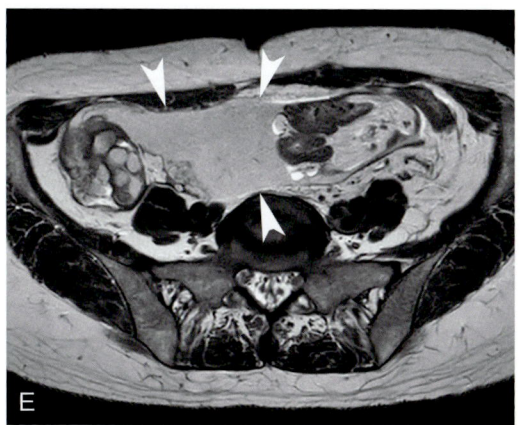

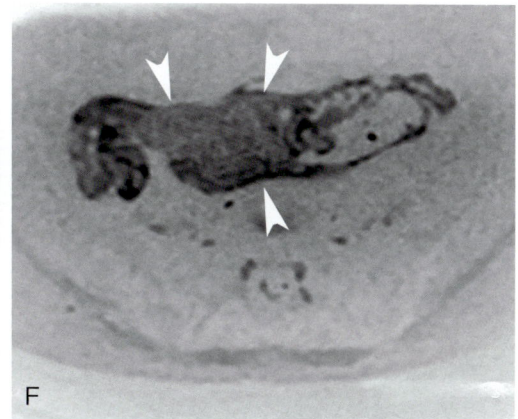

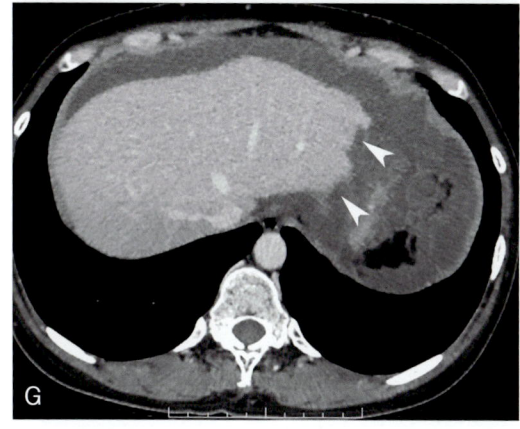

図32 つづき（低異型度虫垂粘液性腫瘍，卵巣転移と腹膜偽粘液腫）
E：T2強調横断像，F：拡散強調横断像，G：造影CT
周囲に貯留した腹水はT2強調像では通常の腹水と変わらない高信号（E▲）だが，拡散強調像で異常信号を示し（F▲），上腹部では貯留した腹水による肝左葉外側区の圧排変形（scalloping）（G▲）を示す。典型的な腹膜偽粘液腫である。

参照）。後述のようにブレンナー腫瘍にも粘液化生をしばしば生じる（p481参照）。粘液性腫瘍のhallmarkはステンドグラス様であるが，これらの衝突腫瘍もしばしばステンドグラス様を呈して発症するので常に共存するほかの腫瘍の存在に注意が必要である。

附2. synchronous mucinous metaplasia and neoplasia in female genital tract（SMMN-FGT）

synchronous mucinous metaplasia and neoplasia in female genital tract（SMMN-FGT）は，卵巣，子宮頸部，子宮内膜，卵管などの複数の部位において，粘液性の化生や腫瘍が同時に発生するまれな病態（図34）で，免疫組織化学的にMUC6やHIKが陽性であることから，胃型分化を示すとされる[69]。分葉状頸管腺過形成（lobular endocervical hyperplasia：LEGH）や胃型腺癌（p257参照）を合併することの多いPeutz-Jeghers症候群例での同時発生例も報告されている。そこで近年はこの病態は胃型腺癌の隣接臓器への上皮内進展ではないかとの見方も提唱されている[70]。

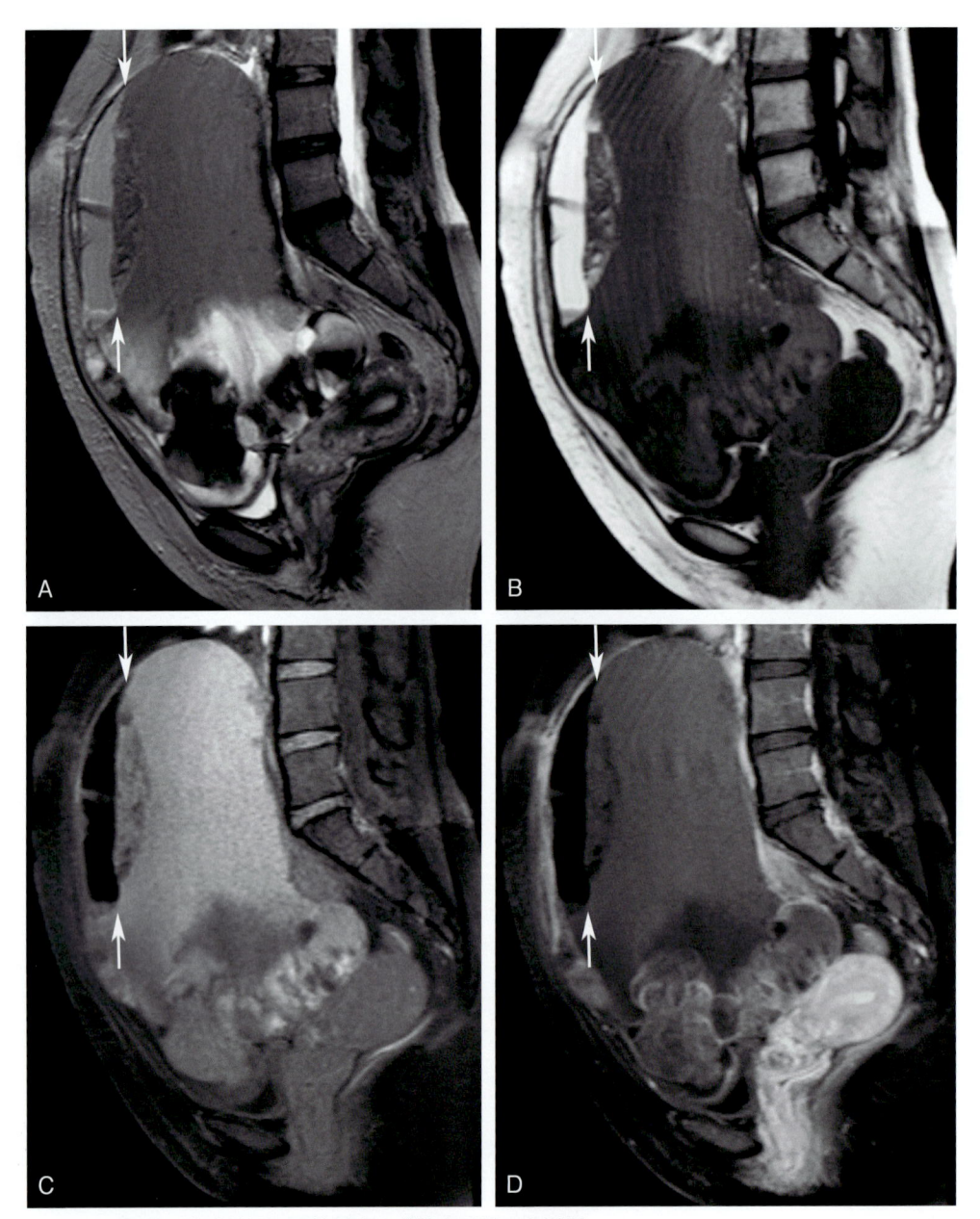

II 卵巣腫瘍 ovarian tumors

図33　49歳　粘液性境界悪性腫瘍と成熟奇形腫の合併例
A：T2強調矢状断像，B：T1強調矢状断像，C：脂肪抑制T1強調矢状断像，D：造影脂肪抑制T1強調矢状断像
子宮の前方にステンドグラス様を呈する巨大な多房性嚢胞性腫瘤があるが，最も大きな嚢胞内にはfat-fluid levelがあり（A〜D→），脂肪を含む腫瘍，すなわち奇形腫の成分を含むことがわかる。p535〜536に示したように奇形腫はそれ自体が脳脊髄液や甲状腺コロイド，軟骨など多彩な成分を含むことからステンドグラス様を示すが，本例のように粘液性腫瘍と共存することもある。

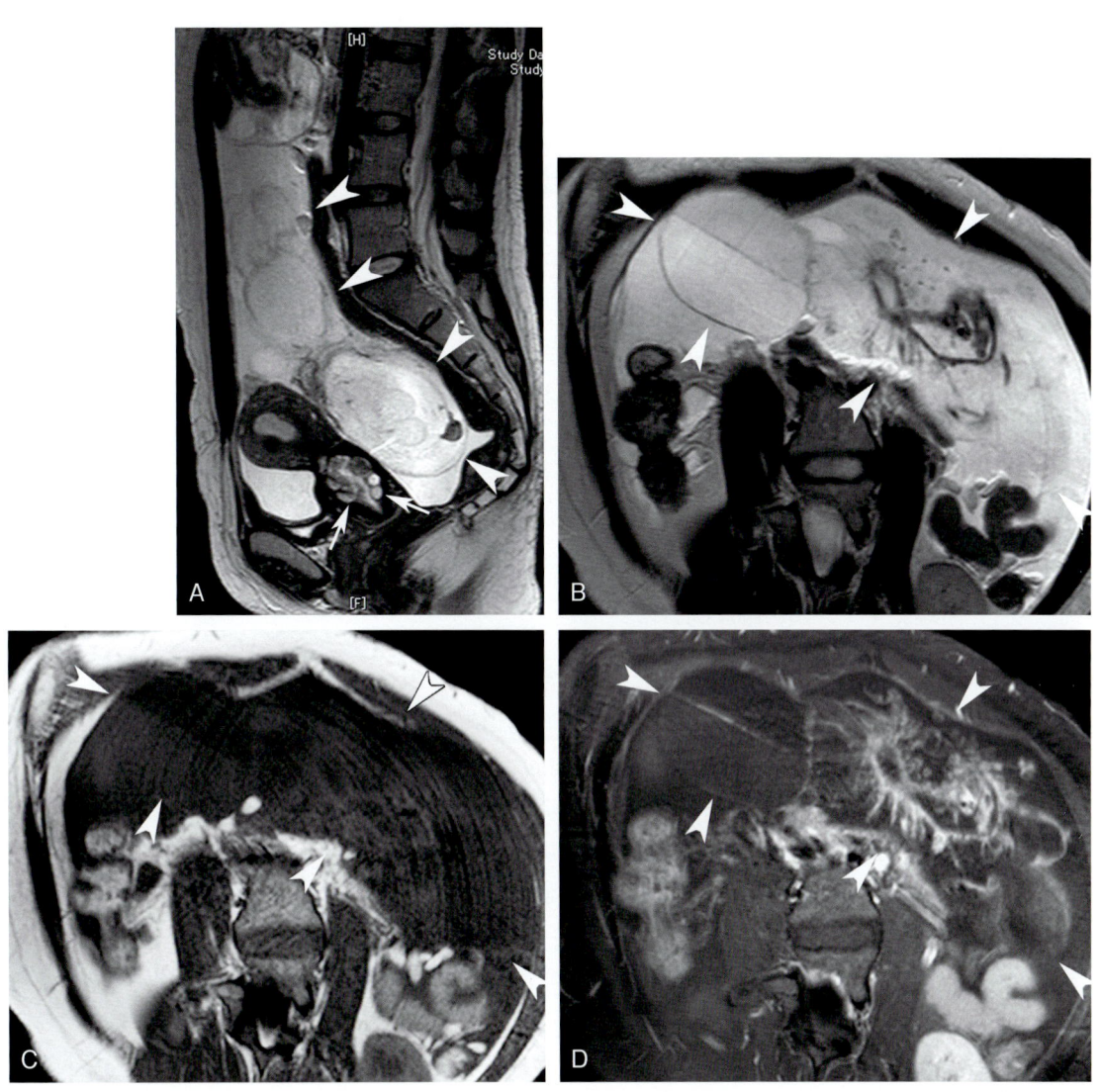

図34 37歳 synchronous mucinous metaplasia and neoplasia in female genital tract (SMMN-FGT)
A：T2強調矢状断像，B：T2強調横断像，C：T1強調横断像，D：造影脂肪抑制T1強調横断像
子宮頸管腺に沿って多数の大小の囊胞が集簇したような腫瘤があり，胃型腺癌や分葉状頸管腺過形成に類似した所見である（A→）。一方，子宮の後上方には中心部の輪状の充実部を取り巻く壁の薄い多房性囊胞性腫瘤があり（A〜D▲），両側卵巣腫瘤と考えられる。子宮頸部細胞診では腺癌が疑われており，胃型腺癌の卵巣転移か同時多発と考えられる症例である。

3）類内膜腫瘍 endometrioid tumors

> **Summary**
> - 類内膜癌は本邦の原発性卵巣癌の20％弱を占めるが，子宮内膜の同名の腫瘍との合併が多く，原発巣を決定しがたいことも少なくない。
> - 約1/4の症例で両側卵巣腫瘍を形成する。漿液性腫瘍同様，CA125が高率に上昇し化学療法に対する感受性が高い。
> - 明細胞癌とともに子宮内膜症との合併率が高く，その場合，壁在結節を伴う囊胞性腫瘍として発生する。壁在結節は内部にスリット状構造を含み囊胞壁に沿って多数が均等に配列する傾向がある。内膜症を合併しない症例では充実性成分が豊富でしばしば浸潤性に発育する。

（1）組織発生・分類と臨床的事項

　類内膜腫瘍（endometrioid tumors）は子宮内膜由来の上皮性および間質性腫瘍に類似を示す腫瘍群と定義され，その多くは悪性である。子宮内膜症を伴うことが少なくないが，必ずしも併存するわけではない。良性類内膜腫瘍（benign endometrioid tumor）としては異型のない子宮内膜腺上皮に類似した細胞からなる類内膜囊胞腺腫（endometrioid cystadenoma）と類内膜腺線維腫（endometrioid adenofibroma）があり，前者は内膜間質を伴わない類内膜上皮により裏装された囊胞を指し，まれである[2]。後者は他組織型と同じく線維性の間質に富む良性腫瘍を指し，多くは閉経後に平均腫瘍径10 cmと大きな片側性の腫瘍を形成し，類内膜腫瘍の2〜20％を占めるとされるが，境界悪性腫瘍や癌腫を伴わない腺線維腫はまれとされる[31]。異型はあるが間質への浸潤を欠く場合は類内膜境界悪性腫瘍（endometrioid borderline tumor）となる。境界悪性腫瘍の多くは囊胞腺線維腫の形態をとるとされる[31]。子宮内膜症は良性，境界悪性腫瘍も含め類内膜腫瘍に関連する重要病変と考えられており[31]，本邦の研究では子宮内膜症の0.7％が原発性卵巣癌を合併し[71]，卵巣類内膜癌は明細胞癌に次いで頻度の高い組織型である[72]（p171参照）。逆に類内膜癌の20％は子宮内膜症を合併する[31]とされるが，筆者の印象ではより高頻度である。類内膜境界悪性腫瘍，類内膜癌は子宮内膜の類内膜癌を同時性に合併し，40歳未満では合併率が25％に及ぶとされる[31]。近年，卵巣と子宮内膜の類内膜癌は遺伝子的に同一の起源をもつと考えられるようになり[73]，FIGO進行期分類2023年版の子宮内膜癌進行期分類では，独立した腫瘍か，一方が他方の転移かの厳密な区別は要求されなくなり，各々子宮・卵巣に限局した類内膜癌G1，G2であればⅠA3期として取り扱うことが決定している[74]（p290参照）。類内膜癌の多くは低異型度であり，低異型度の卵巣類内膜癌の発症年齢は，一般的な卵巣癌よりも若く，51〜56歳で，発見時，90％は卵巣に限局し，片側性が多く，平均腫瘍径は11.1〜15 cmと大きい[31,44]。病理組織学的には子宮内膜に発生する類内膜癌と同様に円柱状の異型細胞が明瞭な管状ないし乳頭状構造を形成し，扁平上皮化生を伴うことが少なくないとされる。WHO分類第4版で漿液粘液性癌とよばれていた腫瘍は，粘液性分化が目立つ類内膜癌の異型と位置付けられた[1,2]。88

~95％の卵巣類内膜癌は G1~2 であるので，高異型度類内膜癌（G3）は頻度的にはまれではあるが，両側発生が多く，発見時には骨盤外に進展していることが多く[11]，高異型度漿液性癌との鑑別が困難なことがある[1]。時に腫瘍細胞がセルトリ細胞腫や顆粒膜細胞腫に類似した形態をとることがあり，endometrioid adenocarcinoma resembling sex cord-stromal tumor または Sertoli-form endometrioid carcinoma とよばれる[1]。

(2) 画像所見

前述の通り，卵巣類内膜癌には子宮内膜症との合併が多いことが広く知られているが，良悪性にかかわらず，背景に存在する内膜症所見が診断のヒントになる。良性・境界悪性類内膜腫瘍の画像所見に関する報告は少ないが，類内膜腺線維腫，類内膜境界悪性腫瘍（前述の通り，腺線維腫型が多い）は画像的には嚢胞と充実部が種々の程度，形態で混在する腫瘍で，壁在結節を伴う嚢胞として認められる[75]こともあるが，充実部の内部に細かな嚢胞が多発する蜂巣状構造を示すことが多い。充実部は豊富な線維成分を反映して US で音響陰影を伴い，MRI では T2 強調像で低信号を示す[76]とされる（図 35）。

林らは卵巣類内膜癌の画像形態を単房性嚢胞性，多房性嚢胞性，充実性の 3 種に分類し，子宮内膜症合併例の 71％が単房性嚢胞性腫瘤であり，その全例が I 期であったと報告している（図 36）[77]。Kitajima らは子宮内膜症併存の有無の観点からこれを分類し，同様の傾向を認めている[78]。したがって子宮内膜症に併存する嚢胞性腫瘍であることが本腫瘍の 1 つの典型像となるが，これは次項で述べる明細胞癌とオーバーラップする。そこで Manabe らは嚢胞性腫瘤の壁在結節の数や局在，形態に着目し，明細胞癌では①腫瘍内嚢胞を含む壁在結節が，②少数，③偏心性に存在するのに対し，類内膜癌では① internal slit を含む壁在結節が，②多数，③求心性に配列する傾向があると報告している（図 36, 37）[79]。一方，内膜症を伴わない類内膜癌は充実性増殖を示し（図 38），II~IV期であることが多いとされる[77)78]。筆者の経験では内膜症を伴わない症例も壁在結節の数と大きさが極端に大きなものが多いが，Manabe らの報告した画像所見に類似するとの印象をもっている。

子宮内膜と卵巣の双方に類内膜癌を認める症例はかなり多く[80]（図 39），どちらが原発か苦慮する。前述の通り，両者は遺伝子学的に同一起源である可能性が高いと考えられている[73]ものの，取扱い規約では，子宮内膜における増殖症の合併，卵巣腫瘍における内膜症性嚢胞や良性・境界悪性類内膜腫瘍の併存は，各々独立した腫瘍であると診断する根拠になるとされている[1]。

4) 明細胞腫瘍 clear cell tumors

Summary
- 明細胞癌は本邦では欧米に比べ頻度が高く，原発性卵巣癌の 20％強を占める。
- 子宮内膜症に合併することが多く，片側性で CA125 は上昇しないことが多い。血栓塞栓症（Trousseau 症候群）や高カルシウム血症といった傍腫瘍症候群の合併率が高い。I 期で発見されることが多い反面，化学療法には抵抗性である。

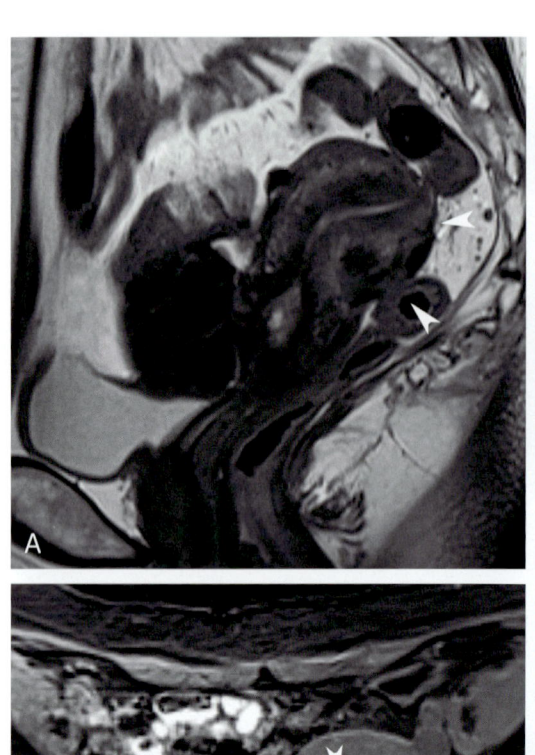

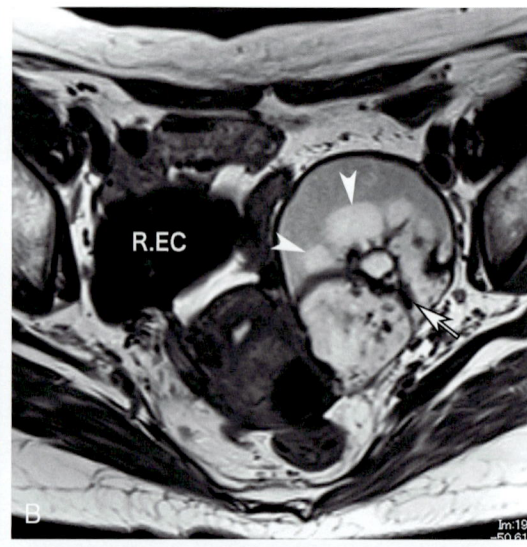

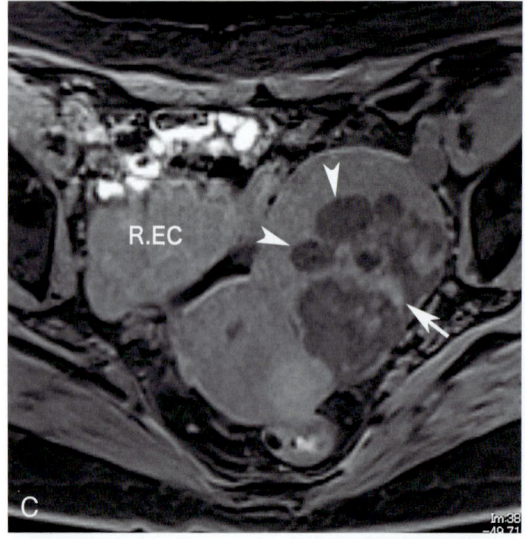

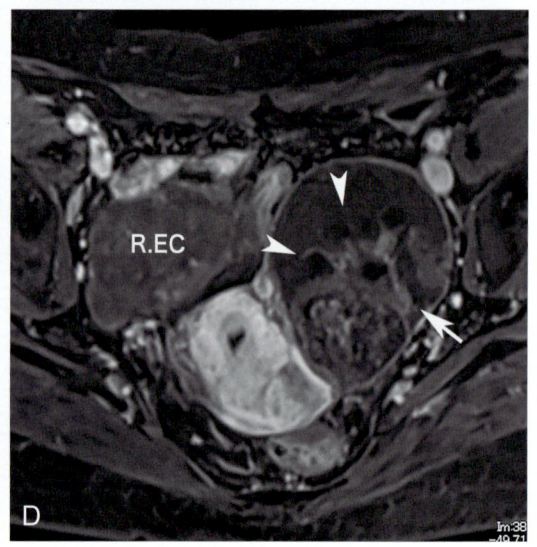

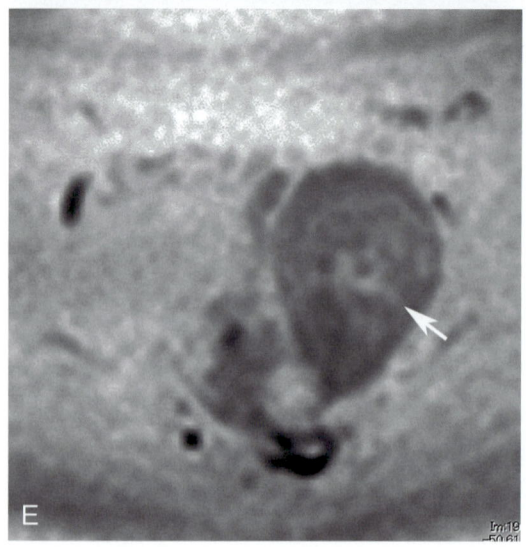

Ⅱ 卵巣腫瘍 ovarian tumors

図35 52歳 類内膜腺線維腫
A：T2強調矢状断像，B：T2強調横断像，C：脂肪抑制T1強調横断像，D：造影脂肪抑制T1強調横断像，E：拡散強調横断像
T2強調像で子宮背面に低信号の軟部組織が増生し（A▲），深部内膜症の存在を示唆する症例。子宮と癒着した左卵巣囊胞性腫瘤（B〜D，R.ECは右卵巣内膜症性囊胞）にはT2強調像で極めて信号強度の低い充実部（B→）と，信号強度の高い乳頭状隆起（B▲）が併存し，いずれも増強効果が不良で（C, D→, ▲），拡散制限はない（E→）。前者は線維組織，後者は粘液に富む腫瘍性変化を示唆し，形態的には漿液粘液性腺線維腫（図47参照）を想起させるが，類内膜腺線維腫と病理組織診断された。

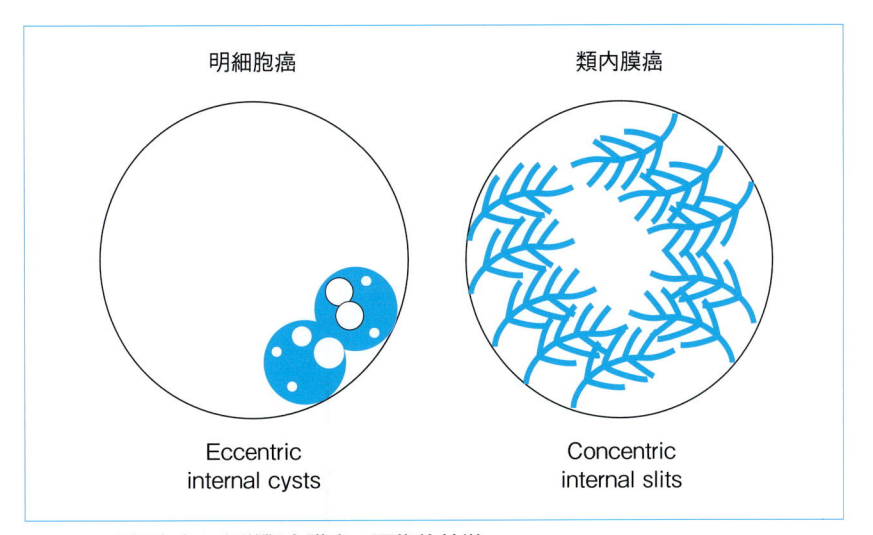

図36 明細胞癌と卵巣類内膜癌の画像的特徴
明細胞癌では壁在結節が偏心性に局在し，小囊胞を含む球形の結節であることが多いのに対し，類内膜癌では壁在結節が求心性，全周性に分布し，幅の狭い間隙を多数有する刷毛状の壁在結節をみることが多い。
（文献71をもとに筆者が改変）

- 子宮内膜症性囊胞の壁在結節として発生する場合と，線維性の間質を豊富に含む腺線維腫様明細胞癌の形態をとる場合がある。前者では偏心性に少数の壁在結節を形成することが多く，後者ではT2強調像で低信号の充実性腫瘤を形成する。

（1）組織発生・分類と臨床的事項

　明細胞腫瘍（clear cell tumors）はグリコーゲンに富む淡明な細胞質をもつ腫瘍細胞または細胞質と大型の核を有してホブネイル（鋲釘）の形態をとる腫瘍細胞によって構成される。背景に子宮内膜症を伴うことが少なくない。良性の明細胞囊胞腺腫（clear cell cystadenoma），明細胞腺線維腫（clear cell adenofibroma）は極めてまれである。明細胞境界悪性腫瘍（clear cell borderline tumor）は，大半が豊富な線維性間質を伴う明細胞境界悪性腺線維腫（clear cell borderline adenofibroma）の形態をとる。しかし多くの明細胞腫瘍は悪性（malignant clear cell tumor），すなわち明細胞癌である[1]。

　明細胞癌は北米では上皮性腫瘍の10〜12％にすぎないが，アジアで多く[2,11]，本邦では23％と高異型度漿液性癌に次ぐ[4]。発症年齢の中央値は50〜53歳，すべての亜組織型の卵巣腫瘍のなかで子宮内膜症との関係が最も密接である[11]とされる。高カルシウム血症[81,82]や血栓塞栓症[83,84]（p786参照）といった傍腫瘍症候群を高頻度に伴うことでも有名である。約半数は発症時臨床進行期Ⅰ期であり[11,85]ながら，標準的な化学療法に抵抗性であるとの報告が多く[85]，予後不良な組織型の1つとして知られる[86]。このため初回治療も再発時も可及的な腫瘍切除が求められる[87]。

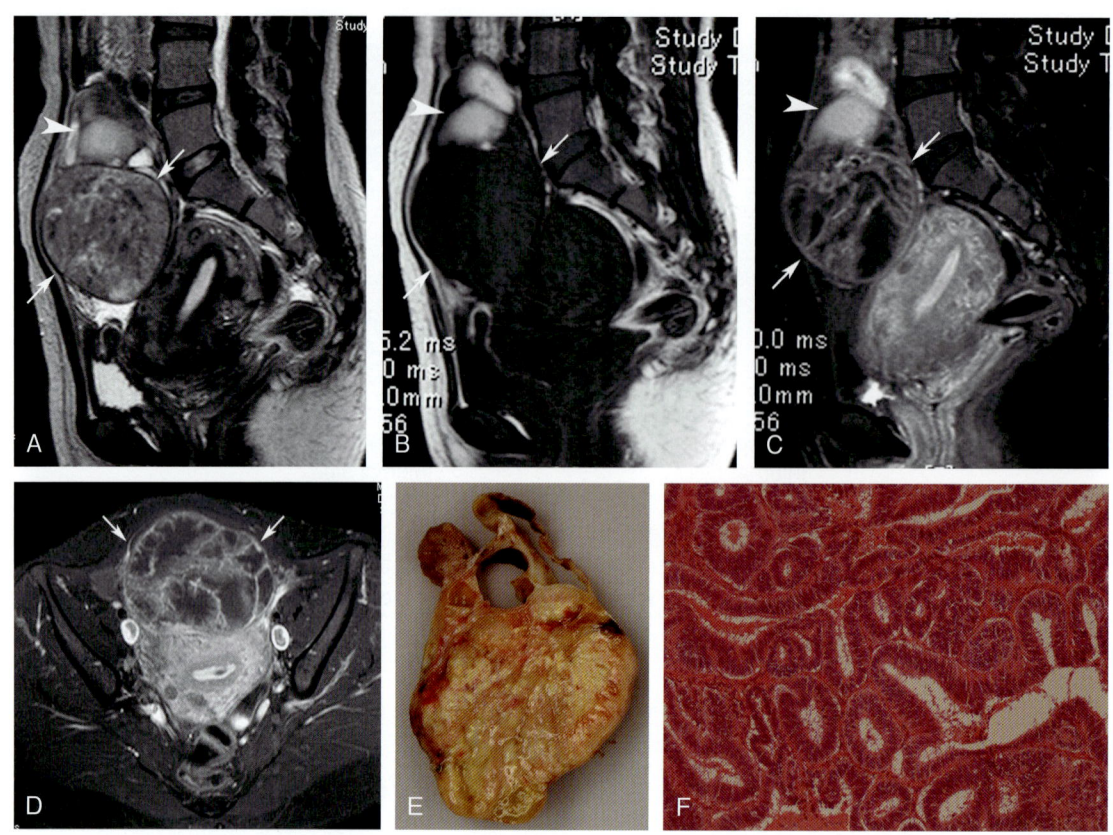

Ⅱ 卵巣腫瘍 ovarian tumors

図37　47歳　卵巣類内膜癌ⅠB期，子宮内膜症合併例
A：T2強調矢状断像，B：T1強調矢状断像，C：造影脂肪抑制T1強調矢状断像，D：造影脂肪抑制T1強調横断像，E：摘出標本割面，F：HE染色（弱拡大）
子宮の上前方に大きな卵円型の腫瘤があり，T2強調像では多彩な信号を示す（A →）が，造影後，内部に索状の間隙を伴う細長い壁在結節を多数伴う多房性嚢胞性腫瘤であることがわかる（B〜D →）。腫瘤の上方にはこれとは異質な壁の厚い，T1強調像で高信号（B▲），T2強調像ではshadingを示す嚢胞成分があり（A▲），内膜症性嚢胞の特徴を示す。摘出標本割面（E）では嚢胞内腔の大半が黄色調の充実性の腫瘤で占められ，病理組織学的には子宮内膜に類似した異型細胞が腺管を形成しながら増殖しており類内膜癌と診断された（F）。

　病理組織学的には淡明ないし好酸性細胞質を有する上皮細胞ないしホブネイル（鋲釘）細胞（hobnail cell）から構成される腺癌と定義されている[1]。明細胞癌には極めて多彩な病理組織像がみられ，淡明な胞体を有する腫瘍細胞やホブネイル型の腫瘍細胞が乳頭状，嚢胞状に発育するもの，好酸性の細胞質を有する細胞が主体のもの，硝子様間質を豊富に含むものなどがある[2)11)31]。これらの多彩な病変も病理組織学的に2つの型，すなわち嚢胞性明細胞癌（cystic clear cell carcinoma：cystic CCC）と腺線維腫様明細胞癌（adenofibromatous clear cell carcinoma：adenofibromatous CCC）に大別されるとの考え方があり[88]（表2），前者は肉眼的に大きな単房性嚢胞性腫瘤を形成し，多くはⅠ期病変として発症するが，後者はより充実性成分が豊富で発症時進行例であることが多いとされる[88]。また前者のほうが子宮内膜症をより高率に合併する[88)89]。予後については，嚢胞性明細胞腺癌のほうがよいとする報告[88]と腺線維腫様部分を有するもののほうがよいとする報告[88)90]が拮抗している。この捉え方は以下の画像所見にも応用でき，鑑別診断に役立つ。

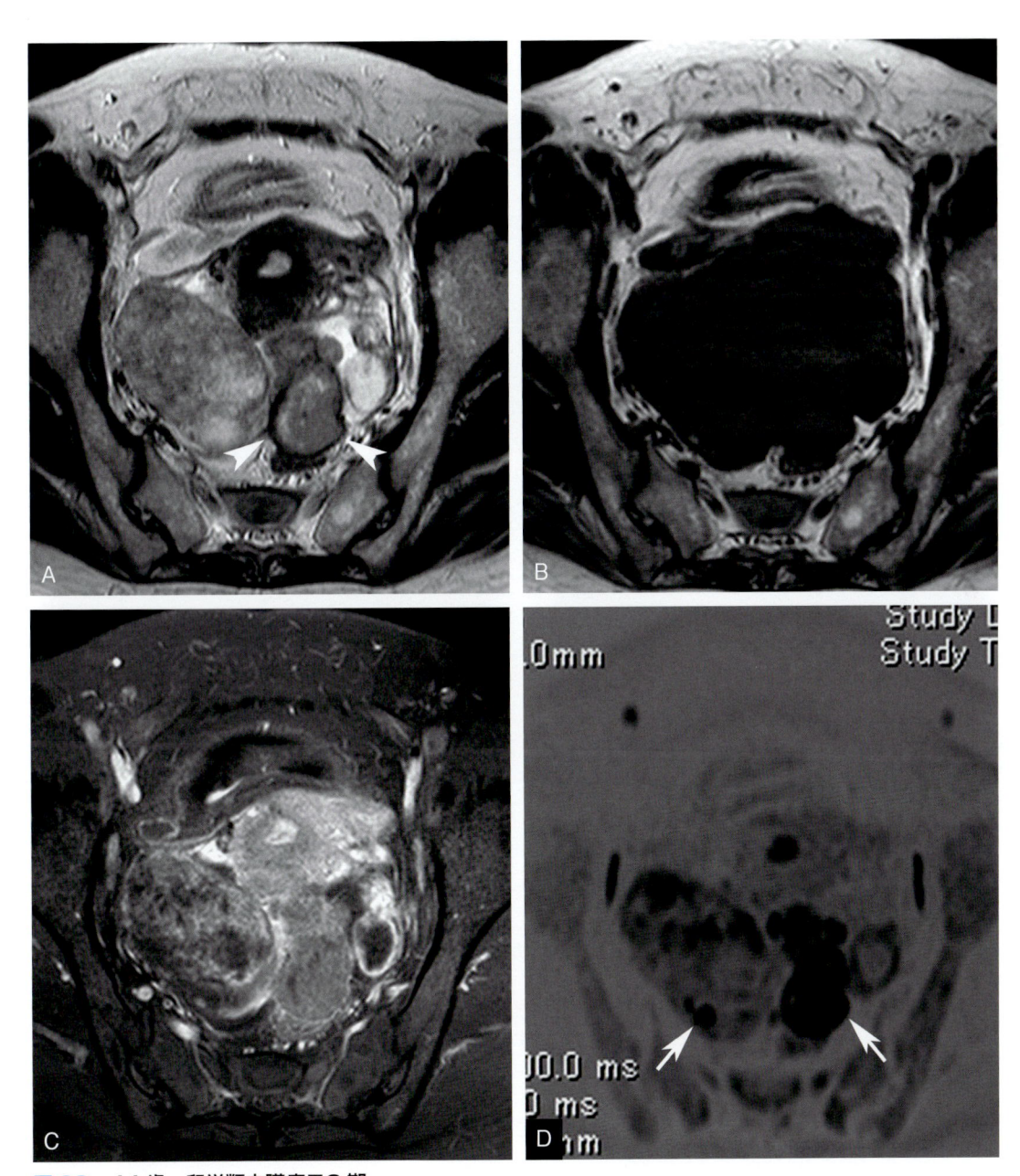

図38　44歳　卵巣類内膜癌ⅢC期

A：T2強調横断像，B：T1強調横断像，C：造影脂肪抑制T1強調横断像，D：拡散強調横断像

子宮の後方に両側性卵巣腫瘤があり，T2強調像では両者とも多彩な信号を示すが，造影後，右卵巣腫瘤では充実部と嚢胞部が混在するのに対し，左卵巣腫瘤はほとんどが充実部からなる（B, C）。内膜症合併例（図37）に比べ充実部の割合が多く，左卵巣腫瘤では辺縁部にT2強調像で無信号のヘモジデリン沈着を伴うが（A▲），内膜症の併存は判然としない。拡散強調像では充実部の拡散制限が著明である（D→）。

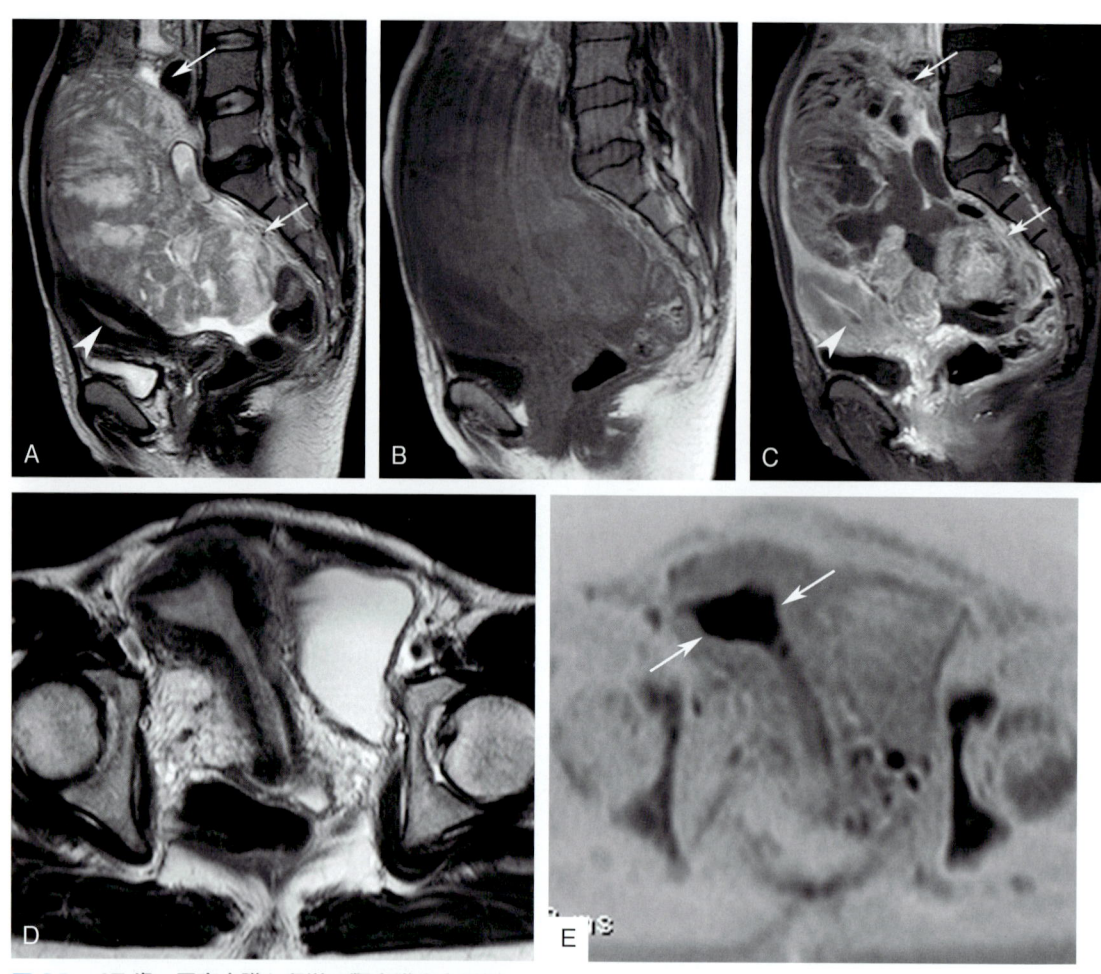

II 卵巣腫瘍 ovarian tumors

図39 45歳 子宮内膜と卵巣の類内膜癌合併例
A：T2強調矢状断像，B：T1強調矢状断像，C：造影脂肪抑制T1強調矢状断像，D：T2強調横断像，E：拡散強調横断像
子宮の後上方に大きな卵円型の腫瘤があり，T2強調像で比較的信号強度が高く（A→），よく増強される充実部（B，C→）を豊富に伴う。圧排された子宮の内膜には一部T2強調像で信号強度が低く（A▲），正常の内膜に比して増強効果の不良な領域があり（C▲），拡散強調像（E→）でも異常信号を示している。病理組織学的にも内膜と卵巣の双方から類内膜癌が確認され，内膜病変には子宮内膜異型増殖症の併存がみられたものの，病変は卵巣のほうがはるかに大きく，どちらが原発か同時多発か決めかねる症例である。このような症例は子宮内膜癌のFIGO進行期分類2023年版ではⅠA3期となる。

（2）画像所見

　明細胞癌は画像的にも壁在結節を有する囊胞と充実成分の多い2つの型に大別される[91]。前者では内膜症性囊胞との合併が多く，少数の円型の壁在結節が囊胞壁に偏心性に存在する（図40）[79)91)92)]。この壁在結節の形態は，病理組織所見を反映して多彩で，漿液性腫瘍様のPA&IB pattern類似の形態を示すもの（図41），多房性囊胞を形成するもの（図42）などがある。さらに卵巣子宮内膜症性囊胞が卵巣癌の前駆病変であることが周知された現在，内分泌療法中にもかかわらず増大する症例や，内部エコーの変化，腫瘍マーカーの上昇などにより悪性腫瘍

表2 明細胞癌の2つの型

	囊胞性明細胞癌 cystic CCC	腺線維腫様明細胞癌 adenofibromatous CCC
頻度	79%	21%
低悪性度（病理組織学的）	43%	93%
Ki-67 labeling index	44.0%	35.9%
子宮内膜症の併存	67.9% vs 62%*	14.7% vs 44%*
Stage I	75%*	44%*
Stage II〜IV	18%*	56%*
2年生存率	82%*	62%*
5年生存率	49.3% vs 77%*	78.8% vs 37%*

無印：文献88より引用，＊：文献87より引用

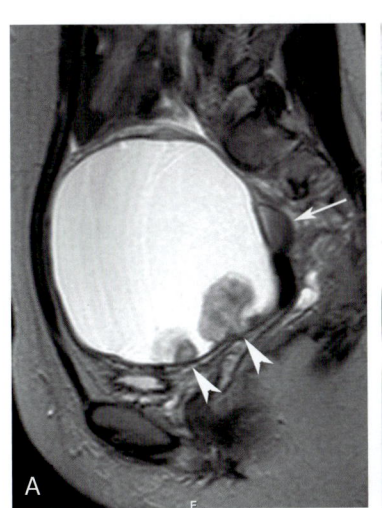

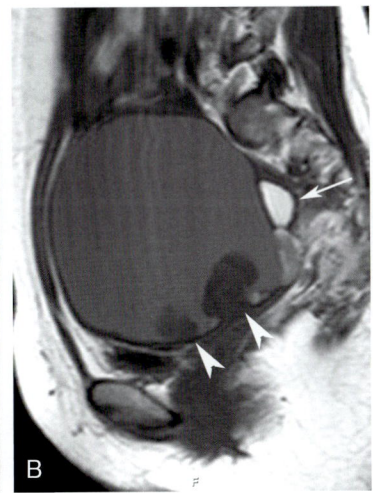

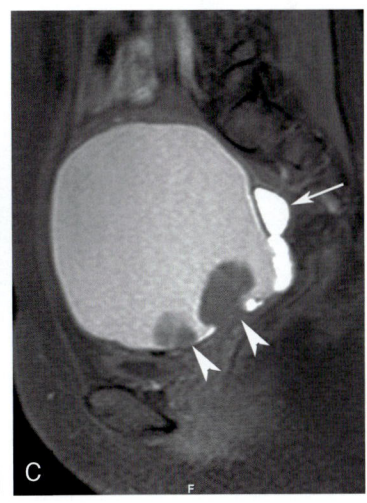

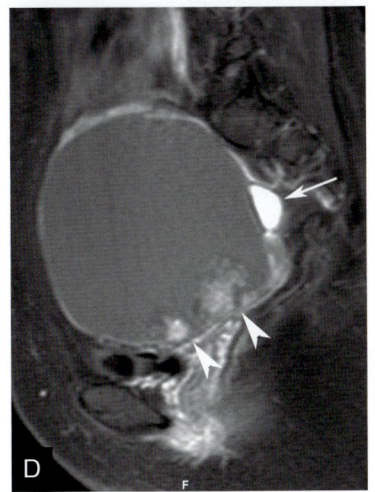

図40 35歳 明細胞癌ⅡC期，子宮内膜症合併
A：T2強調矢状断像，B：T1強調矢状断像，C：脂肪抑制T1強調矢状断像，D：造影脂肪抑制T1強調矢状断像，E：摘出標本割面，F：HE染色（弱拡大），G：HE染色（強拡大）
T2強調像で下壁に偏在する2個の壁在結節（A▲）をもった単房性囊胞性腫瘤がある。病変の後壁には対側卵巣の内膜症性囊胞がT1強調像で高信号，T2強調像でshadingを示す囊胞として描出されている（A〜C→）。腫瘍の囊胞内溶液は脂肪抑制T1強調像でやや高信号を示し（C），淡血性の内容物を想起させる。壁在結節には造影増強効果がみられる（C，D▲）。摘出標本でも囊胞の内面に隆起する黄色調の壁在結節（E→）を認め，病理組織学的には子宮内膜症に連続して，淡明な胞体を有する腫瘍細胞が乳頭状に増殖しており（F，G）明細胞癌と診断される。

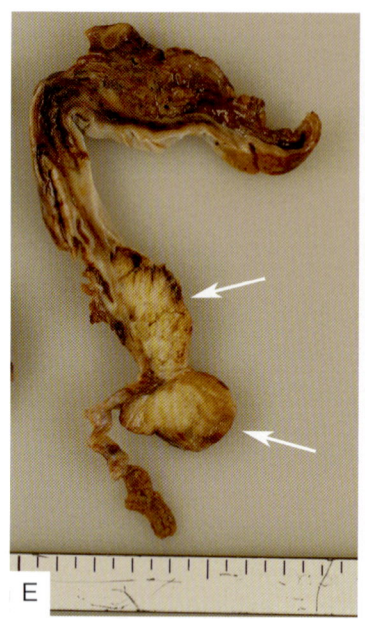

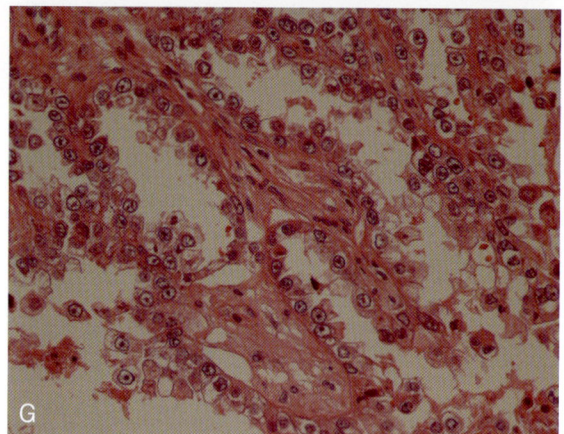

II 卵巣腫瘍 ovarian tumors

図40 つづき（明細胞癌）

疑いとして紹介される症例のなかには，画像（造影MRI）的には充実部を指摘できない症例（図43）も少数ながら経験される．充実成分優位のものの多くは内膜症の合併がなく，進行した症例が多いとされる[79)91)]．おそらく画像的に充実性成分優位な症例のなかには，腺線維腫から多段階発癌により生じた腺線維腫様明細胞癌を含み，さらにそのなかには腫瘍細胞が密に増殖するもの（図44），硝子様間質を豊富に含むもの（図45）が混在すると推定される．腺線維腫様明細胞癌はT2強調像で低信号かつよく増強される充実部をもつ[57)]との報告があるが，線維成分に富みながら悪性腫瘍のもつ血管新生の豊富さをも反映した所見と推定される．ダイナミックMRIで早期濃染を示さない場合には，他の組織型同様，良性の腺線維腫との鑑別が難しい（図44）．

5) 漿液粘液性腫瘍 seromucinous tumors

Summary
- 以前は腸型と並ぶ粘液性境界悪性腫瘍の一型であった内頸部様粘液性腫瘍と，種々の上皮細胞への分化を示すミュラー管型混合上皮性境界悪性腫瘍を統合して，WHO分類第4版から加わった，比較的新しい腫瘍群である．

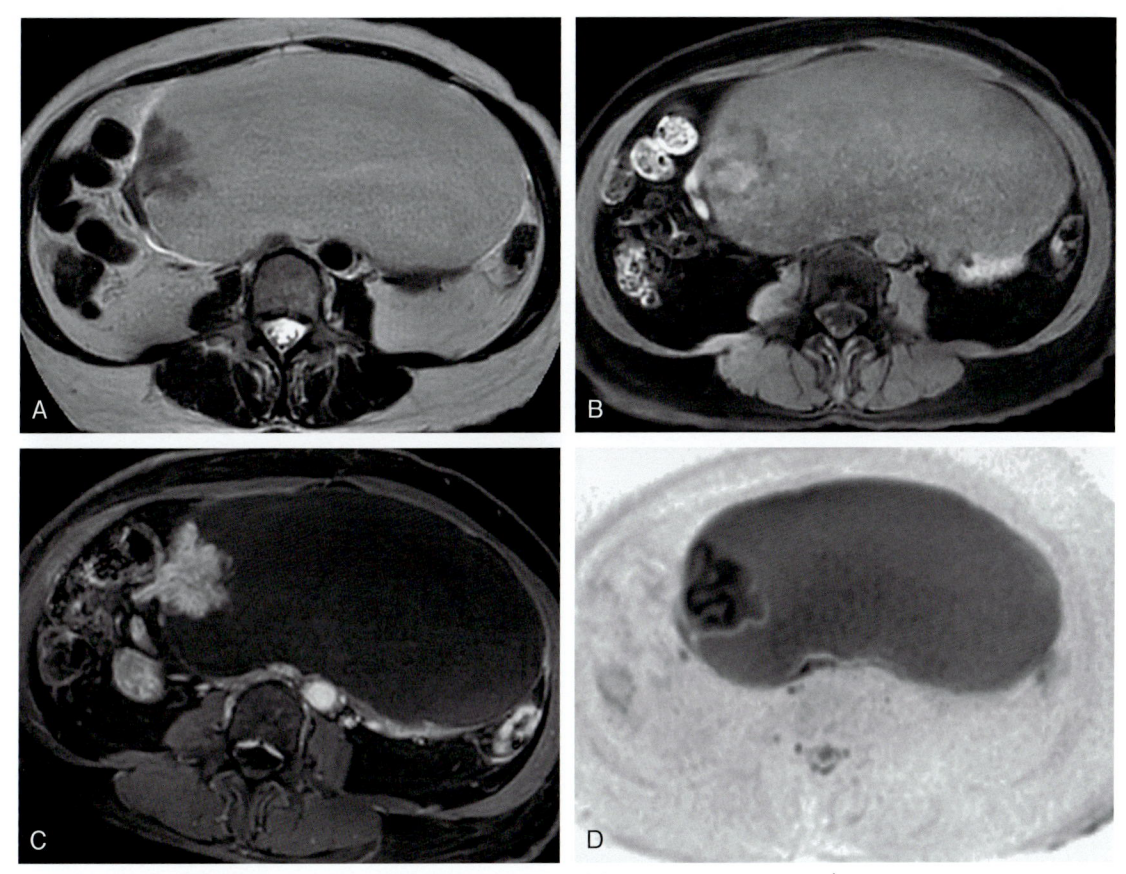

1. 上皮性腫瘍と上皮性・間葉性混合腫瘍

図41　68歳　明細胞癌IC1期，壁在結節が漿液性腫瘍類似の形態を示すもの
A：T2強調横断像，B：脂肪抑制T1強調横断像，C：造影脂肪抑制T1強調横断像，D：拡散強調横断像
大きな単房性囊胞の右壁にみられる壁在結節はT2強調像でPA&IB patternを呈し（A），内容物は脂肪抑制T1強調像でやや信号強度が高い（B）が，癒着は目立たないので背景に内膜症の存在を疑うことが難しく，よく増強され（C），拡散制限も目立つ（D）ことから漿液性境界悪性腫瘍ないし，低異型度漿液性癌を疑ったが，病理組織学的には淡明〜好酸性細胞質を有する腫瘍細胞に加えホブネイル細胞が浸潤性に増殖し，内膜症（卵巣外病変のみ）に合併した明細胞癌であった。

- 良性の漿液粘液性嚢胞腺腫/腺線維腫と漿液粘液性境界悪性腫瘍のみで，悪性群は存在しない。
- MRIでは内膜症性囊胞の壁から突出するPA&IB patternを呈する結節が漿液粘液性境界悪性腫瘍の特徴であるが，乳頭部分は豊富な粘液を反映して，漿液性境界悪性腫瘍と比べ，T2強調像でより高信号，増強効果は不良なことが多い。

（1）組織発生・分類と臨床的事項

以前のWHO分類/卵巣腫瘍取扱い規約では粘液性腫瘍のうち境界悪性腫瘍のみを腸型（intestinal type）と内頸部様（endocervical-like）に分けていた。しかし電顕所見[93]や免疫組織化学染色の染色パターンの差違から腸型と内頸部様の粘液性腫瘍はまったく別のカテゴリの腫瘍

475

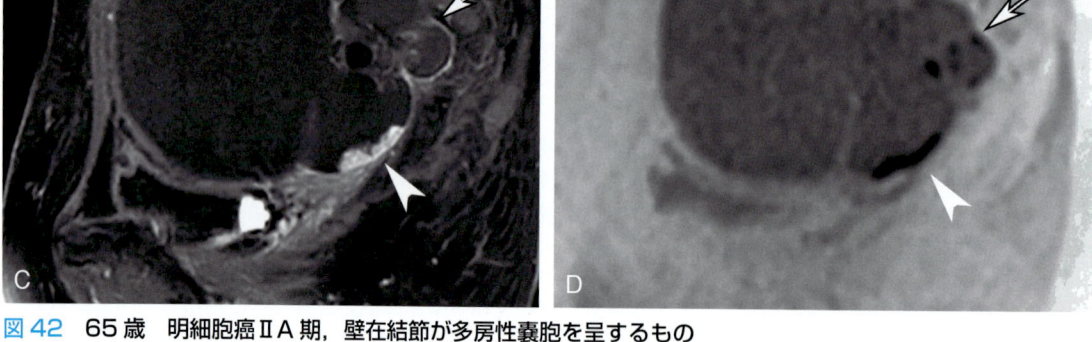

Ⅱ 卵巣腫瘍 ovarian tumors

図 42　65 歳　明細胞癌ⅡA 期，壁在結節が多房性囊胞を呈するもの
A：T2 強調矢状断像，B：脂肪抑制 T1 強調矢状断像，C：造影脂肪抑制 T1 強調矢状断像，D：拡散強調矢状断像
2 年前に内膜症性囊胞に対し，両側付属器切除後。骨盤底の腹膜に癒着するように，一部不完全な隔壁を伴う多房性囊胞性腫瘤があり，後壁に隔壁の薄い多房性囊胞からなる壁在結節が付着している（A〜D →）。大きな囊胞の内容物は脂肪抑制 T1 強調像でやや高信号で（B），周囲との癒着もあり，既往と合わせると内膜症の併存も考慮すべき形態である。下壁にみられる平板状の壁在結節（A〜D▲），囊胞壁や隔壁に肥厚や強い増強効果を認め（C），軽度の拡散制限を伴う（D）。腫瘤全体として多彩な大きさの房の集簇からなる多房性囊胞性腫瘤のように見え，粘液性境界悪性腫瘍を疑ったが，病理組織学的には内膜症を背景として淡明な胞体と核縁不整なホブネイル様の細胞が囊胞壁を這うように進展しており，明細胞癌と診断された。

ではないか[94]との議論を経て，内頸部様粘液性腫瘍が独立する形で WHO 分類第 4 版から漿液粘液性腫瘍（seromucinous tumors）が加わった。内頸部様粘液性腫瘍は卵管内膜症（endosalpingiosis）[95]や子宮内膜症との共存[93)96]の多いことで知られていた。一方，好酸性の細胞質を豊富に含む腫瘍細胞が乳頭状に増殖するが，これらの細胞が粘液性腫瘍のみならず漿液性，類内膜，扁平上皮，あるいは分類不能な上皮細胞への分化を示す細胞の混合からなるものはミュラー

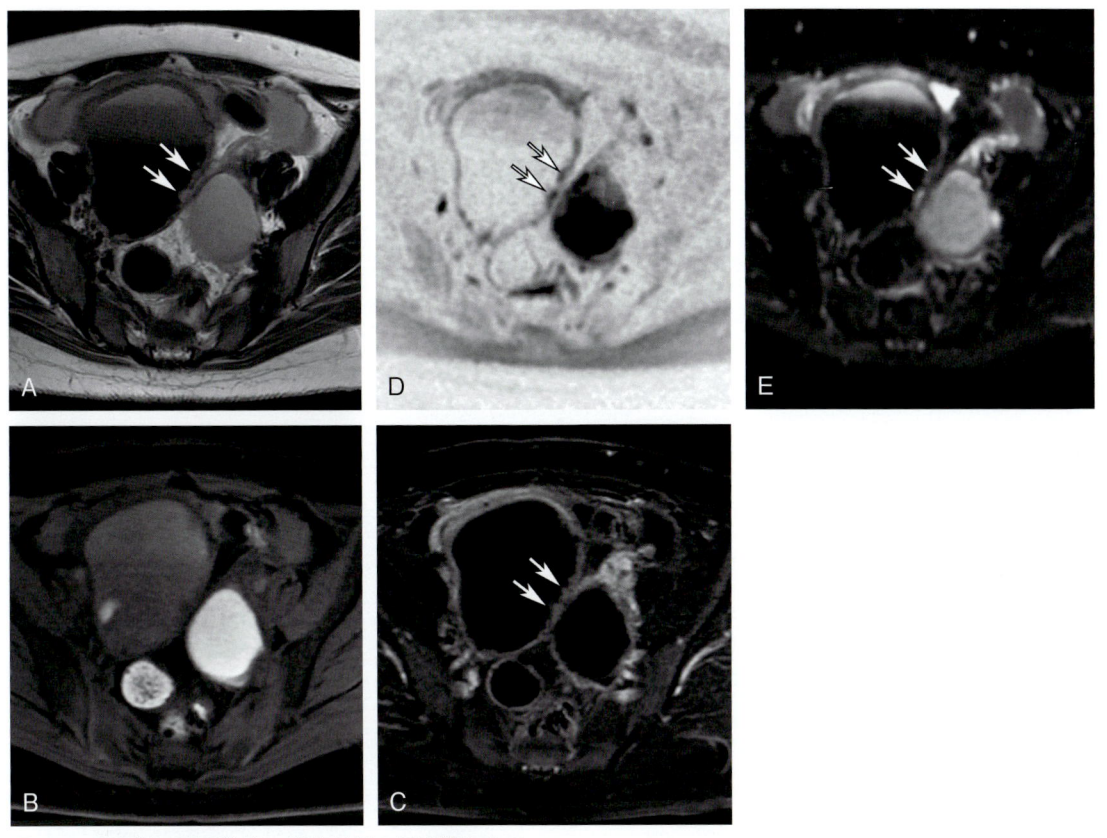

1. 上皮性腫瘍と上皮性・間葉性混合腫瘍

図43 46歳　明細胞癌，壁在結節の不明瞭なもの
A：T2強調横断像，B：脂肪抑制T1強調横断像，C：造影脂肪抑制T1強調横断像サブトラクション後，D：拡散強調横断像，E：ADC map
両側卵巣に囊胞性腫瘤を認め，左はT1強調像で高信号で典型的な内膜症性囊胞であるが，右はT1強調像で信号強度が低く，内容物が血性とすれば希釈されているようにみえる（B）。T2強調像で高信号の壁在結節様部分（A →）に増強効果はなく（C →），拡散制限も認められず（D, E →），内膜症性囊胞として付属器切除が行われたが，病理組織学的に明細胞癌を合併しており，4年後に局所再発した。Shadingの軽減や対側に比べ極端に大きな内膜症性囊胞は悪性腫瘍合併の徴候ではあるが，増強効果のある壁在結節を伴わない症例では指摘が難しい。

管型混合上皮性境界悪性腫瘍（Müllerian mixed epithelial borderline tumor：MEBT）とよばれていた[95]。内頸部様粘液性境界悪性腫瘍［別名ミュラー管型粘液性腫瘍（Müllerian mucinous borderline tumor：MMBT）］とMEBTは形態的に極めて類似しており，いずれも境界悪性もしくは微小浸潤癌に留まり，高悪性度の腫瘍はみられないことも知られていた[95]。このように共通点の多い腫瘍であることから，この2つを合わせた漿液粘液性境界悪性腫瘍（seromucinous borderline tumors：SMBT）という概念が提唱され，WHO分類には第4版から加わった。この漿液粘液性境界悪性腫瘍はしばしば漿液性腫瘍への分化を示し，免疫組織学的には腸型の粘液性腫瘍よりも漿液性腫瘍に近いパターンを示すという。

本腫瘍群には良性の漿液粘液性囊胞腺腫（seromucinous cystadenoma），漿液粘液性腺線維腫（seromucinous adenofibroma）と漿液粘液性境界悪性腫瘍のみが存在し，悪性群は存在しない[1)2)]。これはWHO分類第4版で漿液粘液性癌（seromucinous carcinoma）という疾患概念が

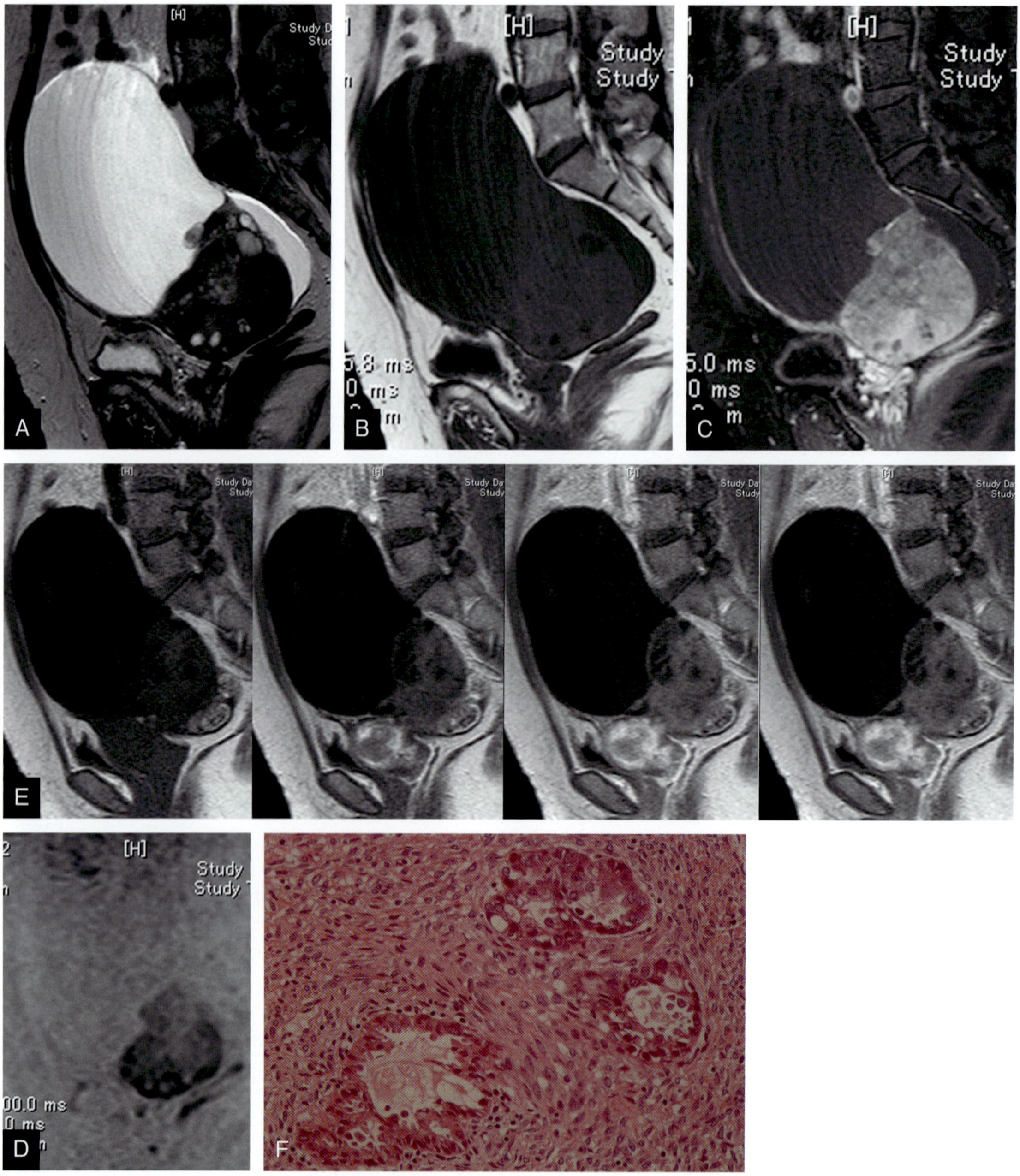

図44 60歳 明細胞癌ⅠA期，腺線維腫様
A：T2強調矢状断像，B：T1強調矢状断像，C：造影脂肪抑制T1強調矢状断像，D：拡散強調矢状断像，E：ダイナミックMRI矢状断像，F：HE染色（弱拡大）
T2強調像で信号強度の低い充実部をもつ腫瘤があり（A），囊胞部の内容物はT1強調像で低信号を示し（B），内膜症を疑わせる所見は伴わない。充実部は緩徐に淡く増強され（C，E），拡散強調像でも強い異常信号は示さない（D）。これらの画像所見は線維腫（p503参照）に類似するが，線維腫より増強効果が強い。病理組織学的に膠原線維の密に増殖する間質を背景に明るい胞体をもった細胞が腺管状に増殖しており（F），境界悪性明細胞腺線維腫と明細胞癌との鑑別が問題となったが，術後1年3カ月後に腹腔内播種と多発リンパ節転移が顕在化し，臨床的にも悪性の経過を示した。

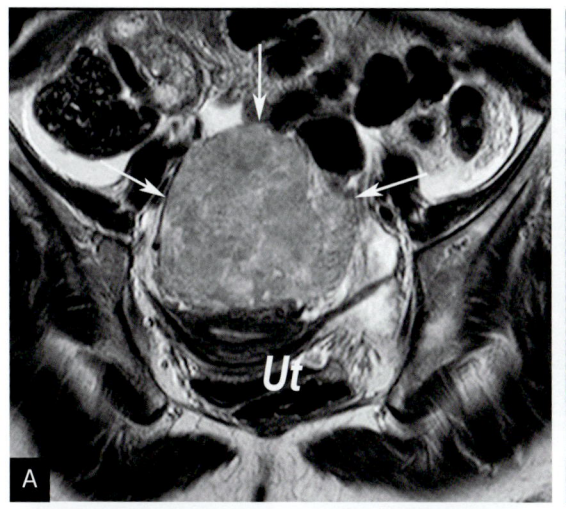

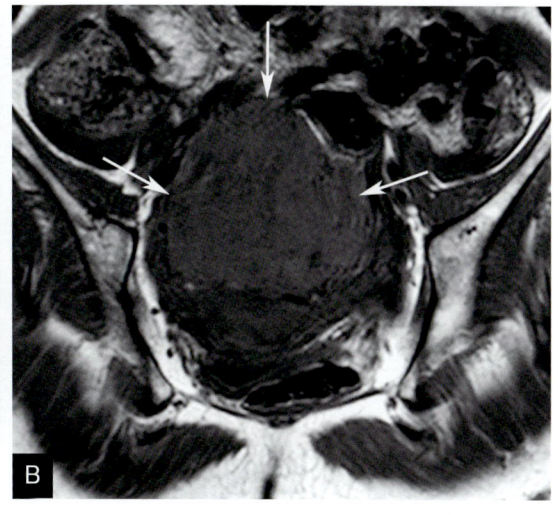

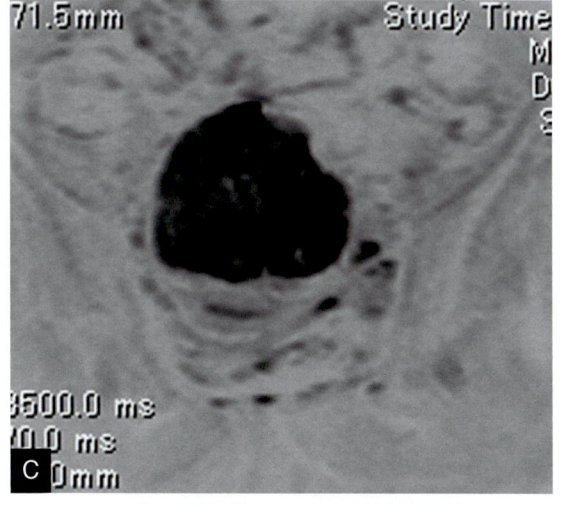

図45 52歳 明細胞癌ⅢC期，充実性増殖
A：T2強調横断像，B：T1強調横断像，C：拡散強調横断像
T2強調像で子宮（A，Ut）の前方を占める比較的均一な信号強度の高い腫瘤（A→）があり，T1強調像（B）で低信号を示し，拡散強調像では強い異常信号を示す（C）。

追加されたものの，病理医間での診断一致率が低く，免疫組織学的，分子医学的に既存の5種の上皮性腫瘍，とりわけ類内膜癌，高異型度漿液性癌との一致点が多かったために，第5版で消滅した[45]。この歴史的経緯をまとめると表3のようになる。

肉眼的に漿液性腫瘍や粘液性腫瘍と同じく漿液粘液性囊胞腺腫は単房性ないし寡房性の囊胞性腫瘍を形成し（図46），漿液粘液性腺線維腫では間質の線維性増殖を伴う結節を内膜症性囊胞壁に形成するか充実性である（図47）。漿液粘液性境界悪性腫瘍は30代後半に好発し，高頻度に子宮内膜症性囊胞を伴い，囊胞内に（まれに卵巣表面から外向性に）乳頭状増殖を示すとされる。30％は両側性である。

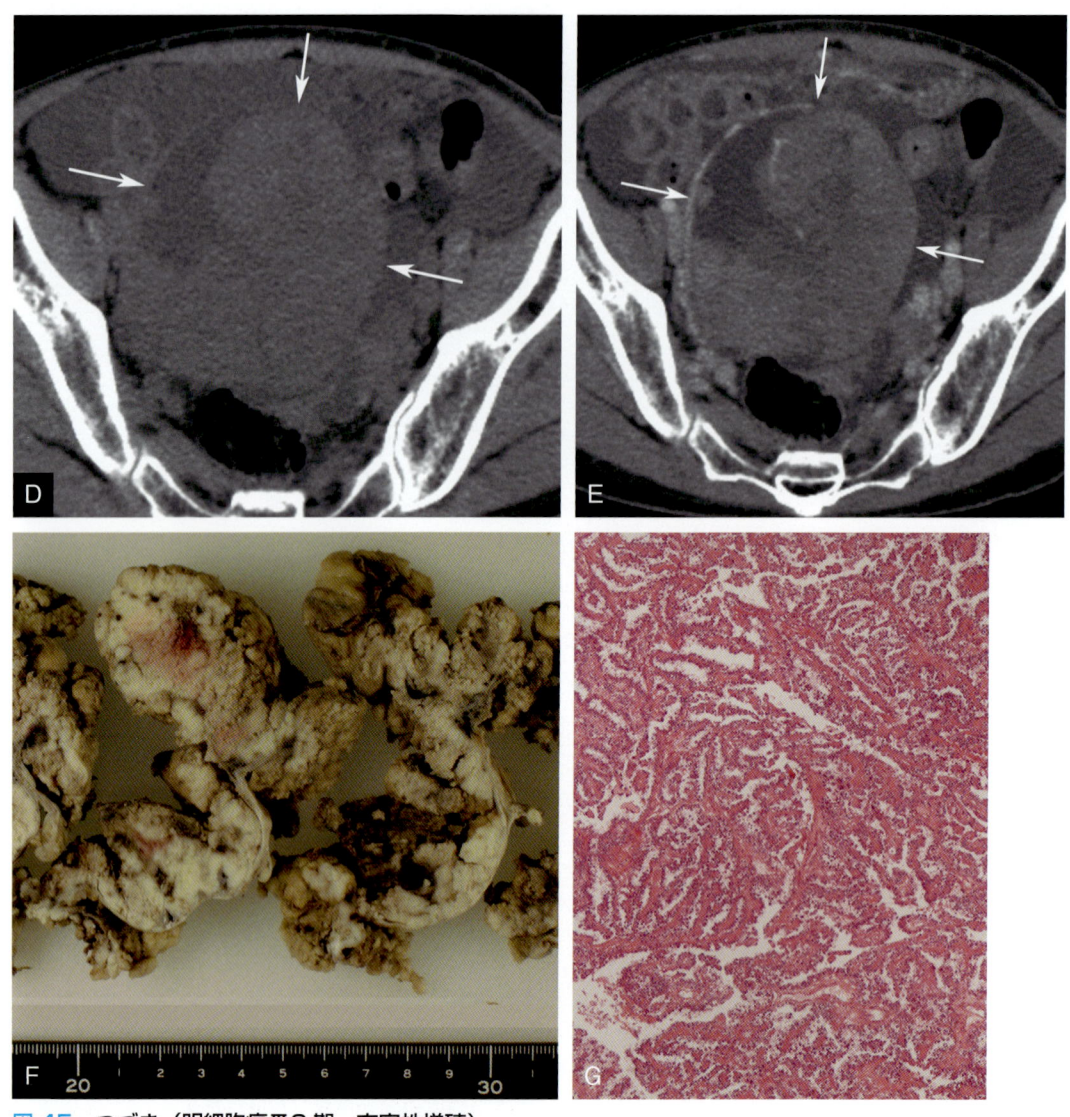

図45 つづき（明細胞癌ⅢC期，充実性増殖）
D：単純CT，E：造影CT，F：摘出標本割面，G：HE染色（弱拡大）
CT（D, E）では腫瘤の大部分が中等度に増強され，充実性成分に富む腫瘍で，これらの画像所見は図40とも図44とも異なる様相を示す．摘出標本割面（F）では白色充実性で表面乳頭状の比較的もろい腫瘍を認め，病理組織学的に明るい細胞質を有する細胞が硝子化した線維血管茎を伴いながら乳頭状に増殖しており，これも明細胞癌と診断される（G）．

（2）画像所見

画像的には漿液粘液性境界悪性腫瘍は内膜症性嚢胞の壁から突出するT2強調像で高信号の壁在結節として報告されている[97)98)]．漿液粘液性境界悪性腫瘍は病理組織学的に漿液性腫瘍への分化を示すことから，この壁在結節には漿液性境界悪性腫瘍（p434〜435参照）類似のPA&IB pattern[28)]のみられることが多い[99)]（図48, 49）．このPA&IB patternの存在は，妊娠中に内膜症性嚢胞壁に生じる脱落膜化した異所性内膜（p177；p183図24参照）との鑑別にも有用である

表3 漿液粘性腫瘍の名称の変遷[44]

	Pre-2003	WHO 2003	WHO 2014	WHO 2020
Benign	Mixed cystadenoma/adenofibroma	Mixed cystadenoma/adenofibroma	Benign seromucinous tumour (cystadenoma/adenofibroma)	Benign seromucinous tumour (cystadenoma/adenofibroma)
Borderline	Müllerian mucinous borderline tumour/mixed epithelial borderline tumour	Müllerian mucinous borderline tumour	Seromucinous borderline tumour	Seromucinous borderline tumour
Malignant	No category	Müllerian mucinous carcinoma or mixed carcinoma	Seromucinous carcinoma	Endometrioid carcinoma

という[100]。完全に漿液性腫瘍への分化が優位な場合には壁在結節の性状は漿液性境界悪性腫瘍と区別がつかないが，漿液粘液性境界悪性腫瘍におけるPA&IB patternの乳頭状部分はT2強調像でより信号強度が高く，漿液性境界悪性腫瘍例と比べ拡散は亢進している[98)99)]（図50）。漿液性境界悪性腫瘍では先端の乳頭部分の増強効果が中心の葉脈状部分に比べて強いのが特徴[28]であるが，筆者の経験では増強効果が逆転する。これらの所見がみられない場合には，背景の嚢胞が内膜症性嚢胞か否かが鑑別点となるが，漿液性境界悪性腫瘍でも腫瘍内出血により内容物がT1強調像で高信号になることはあり，周囲との癒着の有無に留意する必要がある。一方，良性腫瘍（漿液粘液性嚢胞腺腫）では漿液粘液性境界悪性腫瘍に比べ壁在結節の丈が低いとの報告がある[101]。

6）ブレンナー腫瘍 Brenner tumors

Summary
- 豊富な線維性間質の中に尿路上皮様の細胞からなる腫瘍胞巣を形成するものをブレンナー腫瘍といい，良性から悪性まで存在する。
- 画像的には豊富な線維性間質を反映して，T2強調像で骨格筋と同程度の低信号を呈する充実性腫瘤を形成する。石灰化も高頻度に観察される。
- 良性ブレンナー腫瘍は粘液性嚢胞腺腫と共存することが多く，多房性嚢胞性腫瘤の一部にT2強調像で低信号の充実部が偏心性に存在することが多い。
- 充実部や共存する粘液性腫瘍の嚢胞壁にT2強調像での信号上昇や拡散制限を認めた場合には，境界悪性や悪性を疑う。

（1）組織発生・分類と臨床的事項

ブレンナー腫瘍（Brenner tumors）は移行（尿路）上皮型細胞と線維性間質で構成される腫瘍と定義される[1]。良性，境界悪性，悪性の各々があり，多くは良性で境界悪性，悪性はまれである[11]。1907年にFritz Brennerが初めて報告して以来，その起源が問題となってきた[102]。卵巣

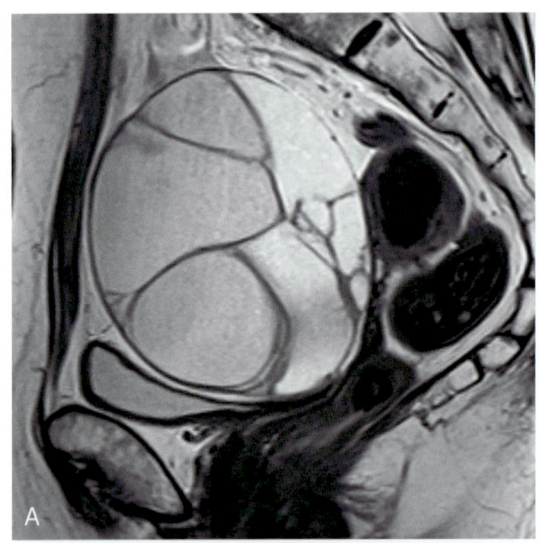

II 卵巣腫瘍 ovarian tumors

図46　64歳　漿液粘液性嚢胞腺腫
A：T2強調矢状断像、B：T2強調横断像、C：T1強調横断像、D：造影脂肪抑制T1強調横断像、E：拡散強調横断像

CTで偶然発見された左卵巣腫瘍で、半年間に2 cmほど増大したため、悪性病変を疑われた。左卵巣を置換するT2強調像（A，B）およびT1強調像（C）でやや多彩な信号の内容物を含む多房性嚢胞性腫瘍を認め、増強される壁在結節や拡散制限はない（D，E）。粘液性嚢胞腺腫類似の形態だが、比較的速い増大傾向のため、境界悪性腫瘍を疑った。T1強調像（C）で内容物は高信号を示さないが、子宮との間に癒着が疑われ、背景の内膜症は疑うことができるかもしれない。このような旧分類における内頸部様粘液性嚢胞腫瘍に近い形態である。

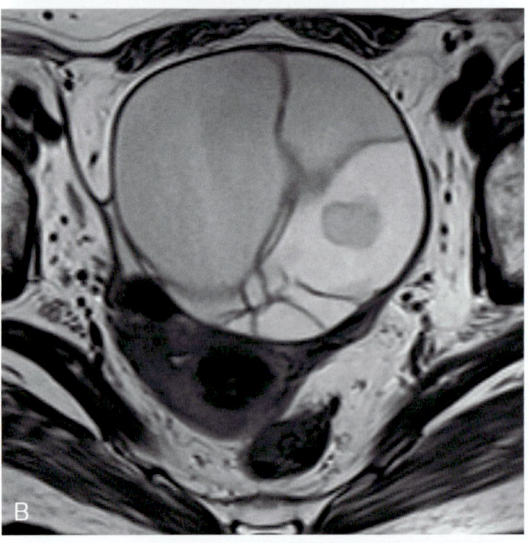

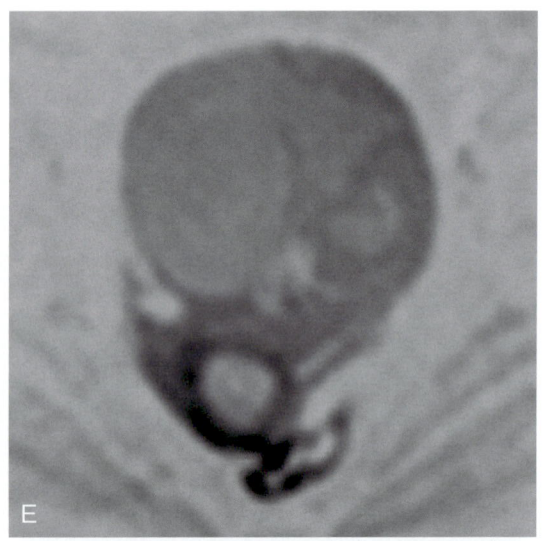

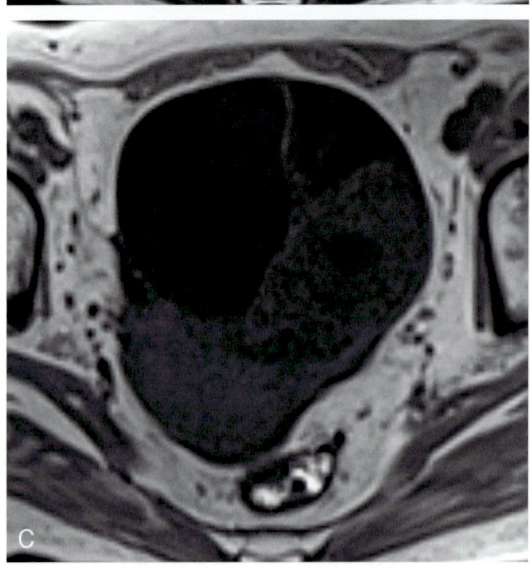

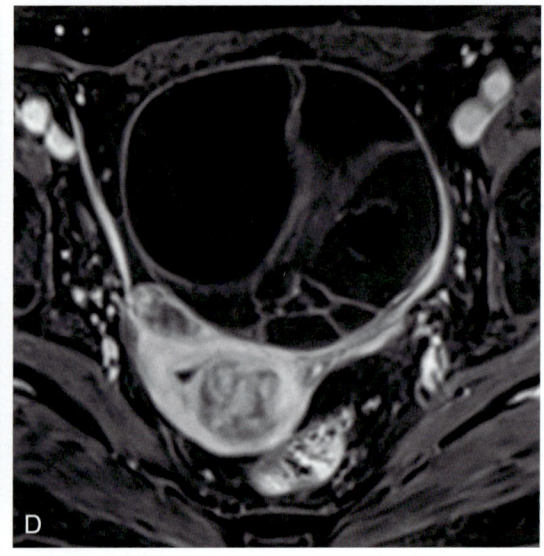

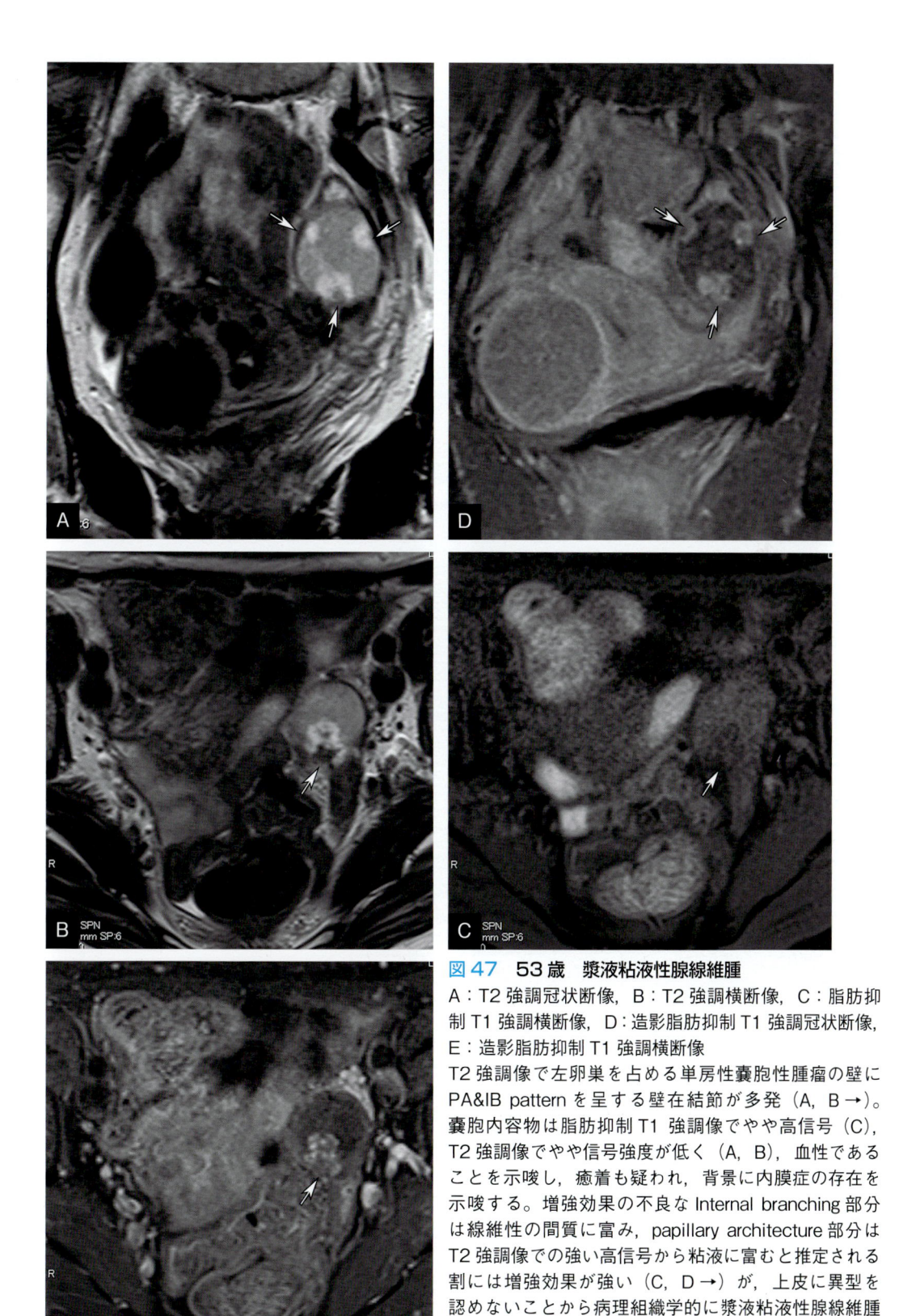

図47 53歳 漿液粘液性腺線維腫

A：T2強調冠状断像，B：T2強調横断像，C：脂肪抑制T1強調横断像，D：造影脂肪抑制T1強調冠状断像，E：造影脂肪抑制T1強調横断像

T2強調像で左卵巣を占める単房性嚢胞性腫瘤の壁にPA&IB patternを呈する壁在結節が多発（A，B→）。嚢胞内容物は脂肪抑制T1強調像でやや高信号（C），T2強調像でやや信号強度が低く（A，B），血性であることを示唆し，癒着も疑われ，背景に内膜症の存在を示唆する。増強効果の不良なInternal branching部分は線維性の間質に富み，papillary architecture部分はT2強調像での強い高信号から粘液に富むと推定される割には増強効果が強い（C，D→）が，上皮に異型を認めないことから病理組織学的に漿液粘液性腺線維腫と診断された。壁在結節の丈の高さや増強効果のみでは，境界悪性例（図48，49）との鑑別は難しい。

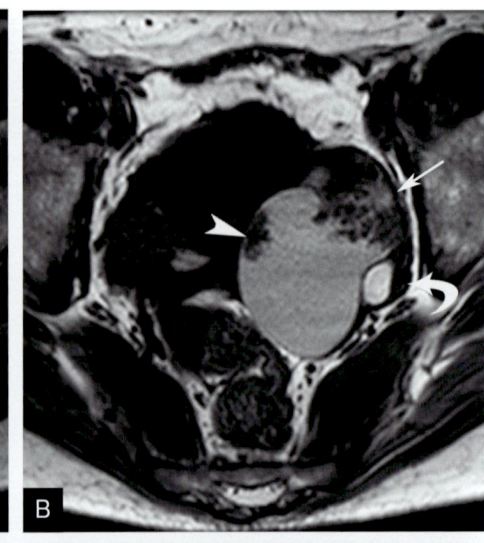

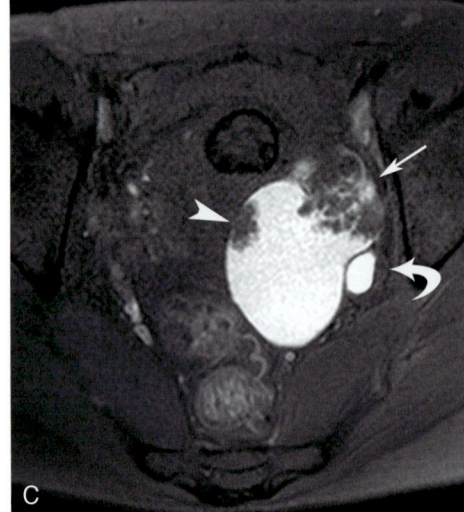

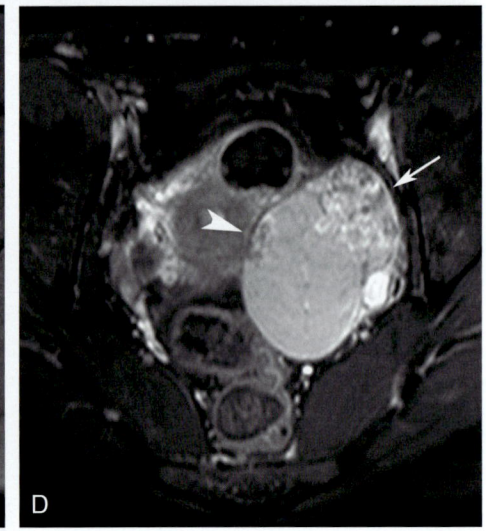

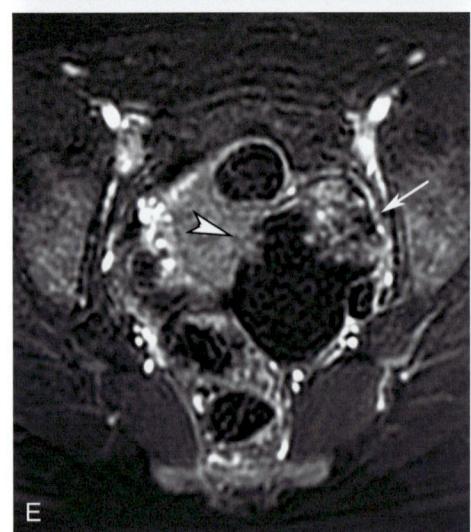

II 卵巣腫瘍 ovarian tumors

図48 41歳 漿液粘液性境界悪性腫瘍
A：T2強調横断像，B：T1強調横断像，C：脂肪抑制T1強調横断像，D：造影脂肪抑制T1強調横断像，E：造影脂肪抑制T1強調横断像サブトラクション後
T2強調像で極めて信号強度の高い乳頭状隆起（A→，▲）を有する囊胞性腫瘤がある。本例ではT1強調像，脂肪抑制T1強調像で高信号を呈し，壁の厚い囊胞性腫瘤が共存し（曲→）内膜症性囊胞から生じた腫瘍であることがより明瞭である。乳頭状隆起は囊胞壁への付着部を中心によく増強される（D, E→，▲）。

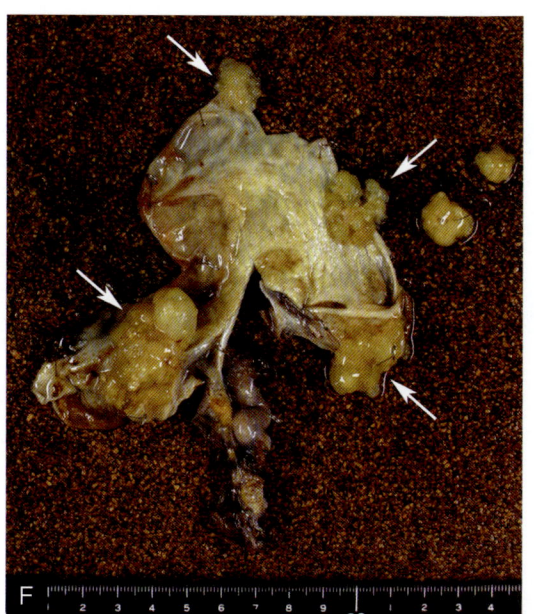

1. 上皮性腫瘍と上皮性・間葉性混合腫瘍

図48 つづき（漿液粘液性境界悪性腫瘍）

F：摘出標本肉眼像，G，H：HE染色（強拡大）

摘出標本上，黄色調の乳頭状隆起が嚢胞の内面に多発しており（F→），病理組織学的には粘液性腫瘍（G）だけでなく漿液性腫瘍や明細胞腫瘍（H）の特徴を有する腫瘍も混在し，漿液粘液性境界悪性腫瘍と診断された。

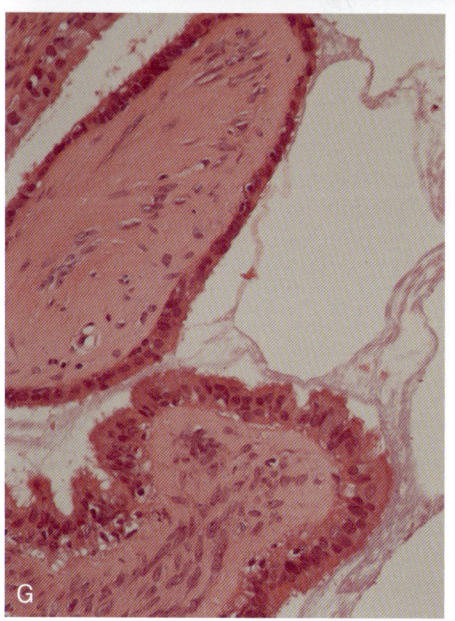

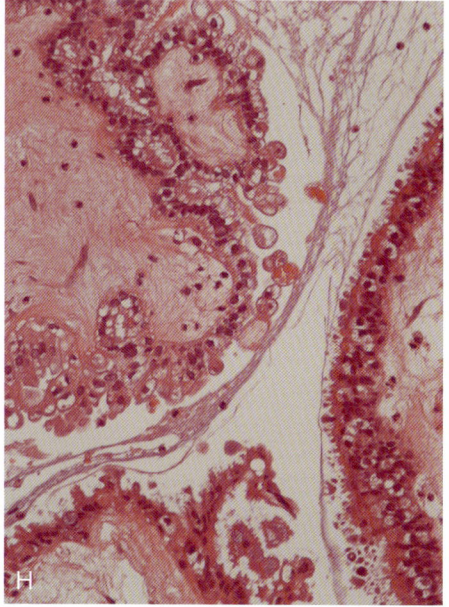

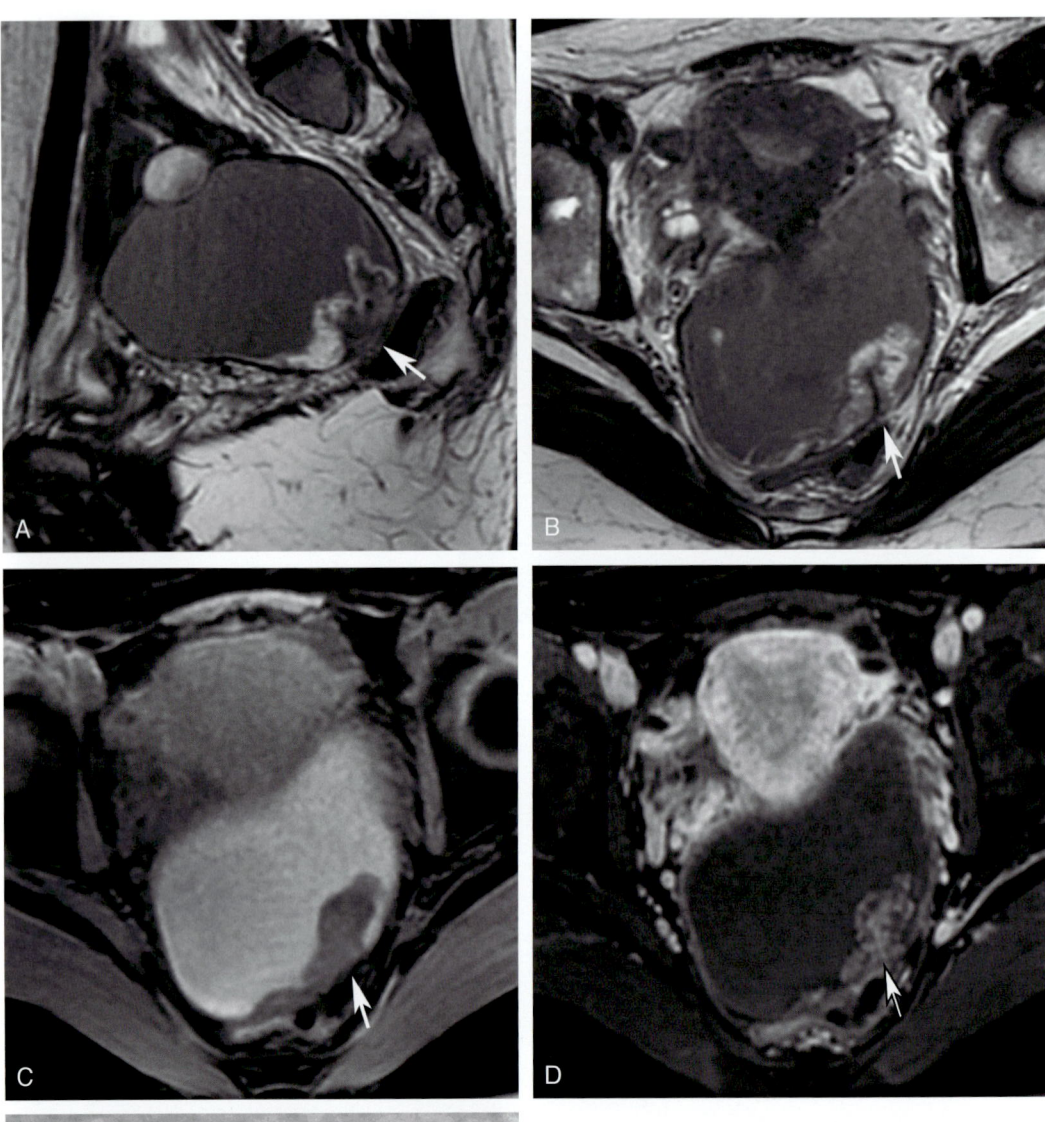

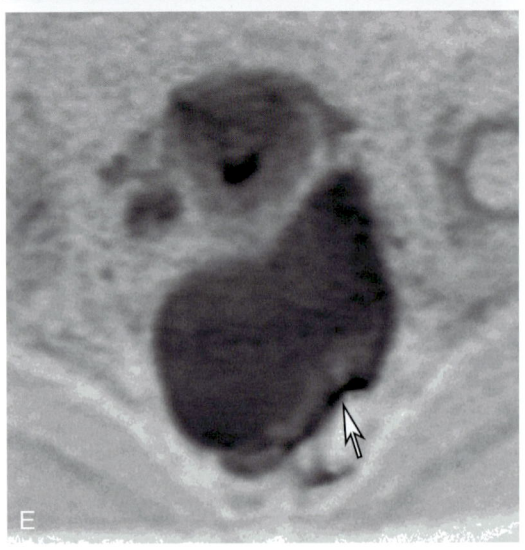

II 卵巣腫瘍 ovarian tumors

図49 30歳 漿液粘液性境界悪性腫瘍
A：T2強調矢状断像，B：T2強調横断像，C：脂肪抑制T1強調横断像，D：造影脂肪抑制T1強調横断像，E：拡散強調横断像

左卵巣を置換する囊胞は子宮の背側でこれと癒着し，脂肪抑制T1強調像で高信号の内容物を含み（C），内膜症性囊胞の特徴を有する．この囊胞の後壁から突出する乳頭状の壁在結節はPA&IB patternを呈する（A, B→）ものの，増強効果はむしろinternal branchingの部分で強く（D→），漿液性境界悪性腫瘍（図6, 7, 9）とは逆のパターンを示す．拡散制限はほとんどみられない（E→）．浸潤癌に至らず，境界悪性で留まっている場合には，発生母地となる内膜症性囊胞がshadingを保っている（T2強調像で内容溶液が低信号である）場合が多い（A, B）．

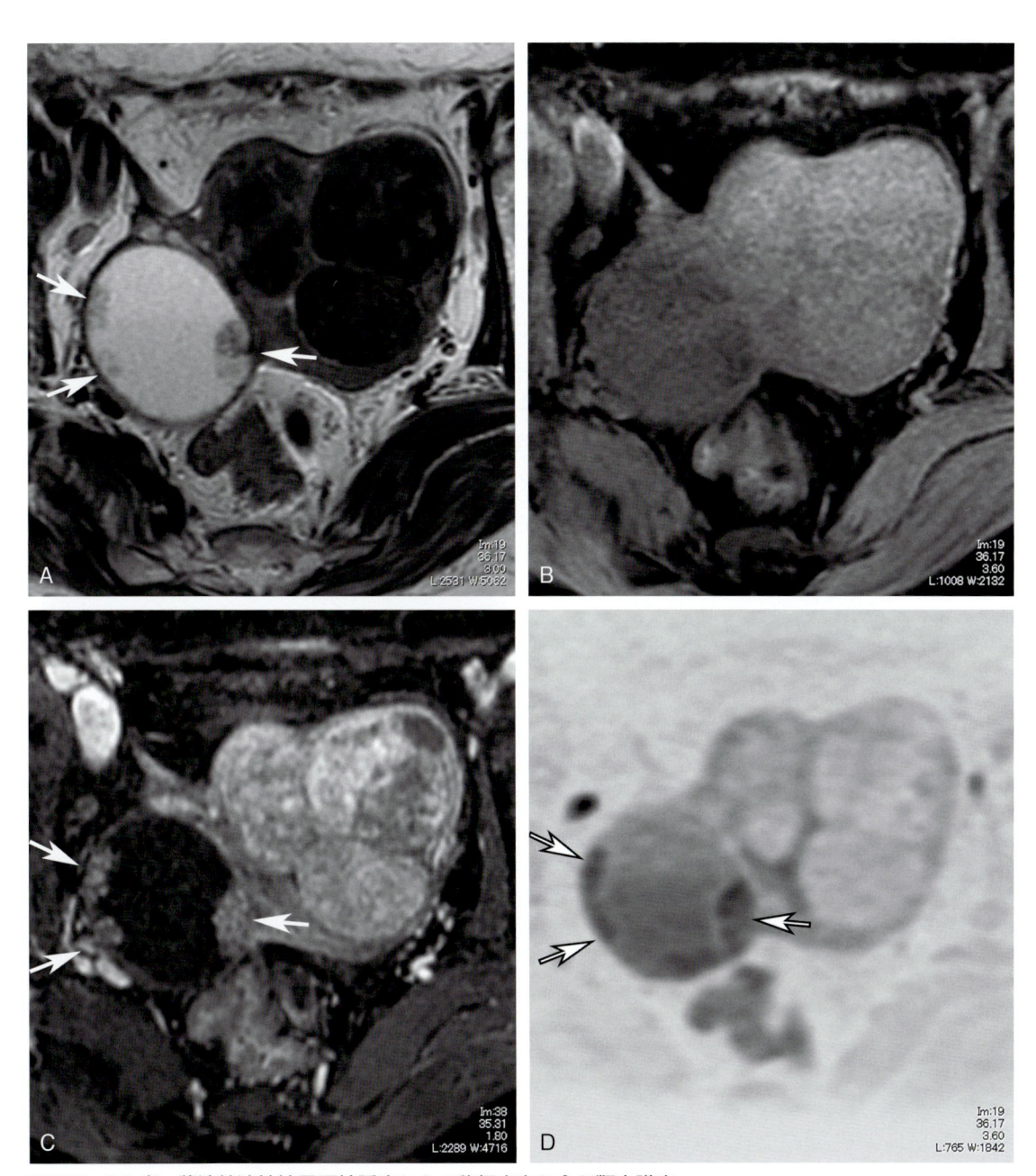

図50　55歳　漿液粘液性境界悪性腫瘍からの移行病変を含む類内膜癌
A：T2強調横断像，B：脂肪抑制T1強調横断像，C：造影脂肪抑制T1強調横断像，D：拡散強調横断像
右卵巣を置換する囊胞に複数の壁在結節を認め，PA&IB patternを呈する（A→）が，発生母地となっている内膜症性囊胞の内容物のT1強調像での信号強度は低く（B），T2強調像でのshadingにも乏しく（A），図49の漿液粘液性境界悪性腫瘍に比べ増強効果（C），拡散制限（D）とも強いが，画像的に浸潤癌を指摘するのは難しい。

間膜や卵巣門，卵管漿膜面にはWalthard nestとよばれる正常の尿路上皮に類似した組織がしばしば発見されることから，Walthard nestが本腫瘍の起源であるとする説もある[2)11)102)103)]。

　良性ブレンナー腫瘍（benign Brenner tumor）は異型のない移行（尿路）上皮に類似性を示す腫瘍で，全卵巣腫瘍の1〜2％とまれで，多くは中高年にみられる（平均年齢56歳）[2)11)]。両側性の

頻度は6〜7％と低い[11]。半数以上が2cm以下の小さな腫瘍であることもあり，無症状で，ほかの疾患で摘出された卵巣内に偶然見つかることも少なくない[11]。病理組織学的には中心部に縦溝のあるコーヒー豆様の核と豊富な細胞質をもつ腫瘍細胞が，周囲の間質とは明瞭に区分されて大小の充実性胞巣を形成する（図51G）。胞巣の中心部が粘液産生性の円柱上皮で裏打ちされて，腺管様ないし嚢胞構造をとることもある[1)2)]。良性ブレンナー腫瘍は粘液性嚢胞腺腫と合併することがあり[1)2)104)]（16％との報告あり），純型ブレンナー腫瘍よりも高齢者に好発し，2つの成分が明瞭に境されていることが多い[11]。境界悪性・悪性ブレンナー腫瘍は充実性または乳頭状成分を有する嚢胞性腫瘤で，嚢胞内に尿路上皮様の腫瘍細胞が乳頭状構造や大型の胞巣を形成して，境界悪性では圧排性，悪性では浸潤性に増殖する。境界悪性は片側性のことが多いが，悪性では両側性の場合がある。いずれの腫瘍も周囲に良性もしくは境界悪性ブレンナー腫瘍が併存する[1)]。良性と異なり5cm以上の大きな腫瘤を形成する。境界悪性例はほとんどがⅠ期で局所再発もまれとされる。悪性ブレンナー腫瘍はⅠ期で予後良好だが，Ⅱ期以上は不良である（5年生存率94.5％ vs 51.3％）[2)]。

WHO分類第3版まで本腫瘍群に含まれていた移行上皮癌（尿路上皮様の腫瘍からなる浸潤癌のうち，良性もしくは境界悪性ブレンナー腫瘍に合併しないもの）は高異型度漿液性癌に含まれることになった[1)]。

(2) 画像所見

画像的には豊富な線維性間質を反映して，USやCTでは境界明瞭な充実性腫瘤[105)]，MRIではT2強調像で極めて（骨格筋と同程度に）低信号を示す充実性腫瘤[104)]として知られる。したがって画像所見は線維腫ないし線維莢膜細胞腫（p503参照）に類似する[105)]が，比較的大きな線維腫では間質の浮腫や嚢胞変性をきたしT2強調像で高信号化しがちであるのに対し，本腫瘍ではその傾向に乏しい[104)]。また間質にはしばしば石灰化が認められ[106)]，CTではもちろん，MRIでもsignal voidとしてみられることがある。前述のようにブレンナー腫瘍自体が粘液産生性の円柱上皮で裏打ちされて嚢胞構造をとることもあるが，粘液性腫瘍の合併も多く，粘液性腫瘍の代表的な画像所見であるステンドグラス様（内容液の信号強度の多彩な多房性嚢胞性腫瘤）の一部に，前述のT2強調像で低信号を示す充実部が存在する形態を示す[49)]ことが多い（図51）。鑑別診断としては，充実部が主体の場合には線維莢膜細胞腫のほかにT2強調像で低信号を示す境界明瞭な充実性腫瘤として，Krukenberg腫瘍（p605参照）や漿膜下筋腫（p129；p133〜134図4〜5参照）が挙げられる。粘液性腫瘍との合併例では充実部の存在を悪性とみなすと粘液性癌（図26）や壁在結節を伴う粘液性腫瘍（図31）との診断がなされかねないが，T2強調像で極めて（骨格筋と同程度に）低信号であることが鑑別点となる。T2強調像での信号強度の点では粘液性嚢胞腺線維腫（図29）と所見のオーバーラップがあるが，嚢胞腺線維腫では多房性嚢胞の隔壁の多くが低信号を示すのに対し，ブレンナー腫瘍合併例ではブレンナー腫瘍部分がほかとは明確に境されて1カ所にまとまってみられることが多い。

境界悪性・悪性ブレンナー腫瘍の画像所見の報告は少ないが，悪性部分はT2強調像で高信号を示すとの報告が多い[107-110)]。このことからブレンナー腫瘍は悪性度が増すにつれ線維性の間質の割合が減少し，T2強調像で高信号化する可能性がある（図52）。また筆者の経験では，境界悪性部分では拡散制限もみられる[111)]。

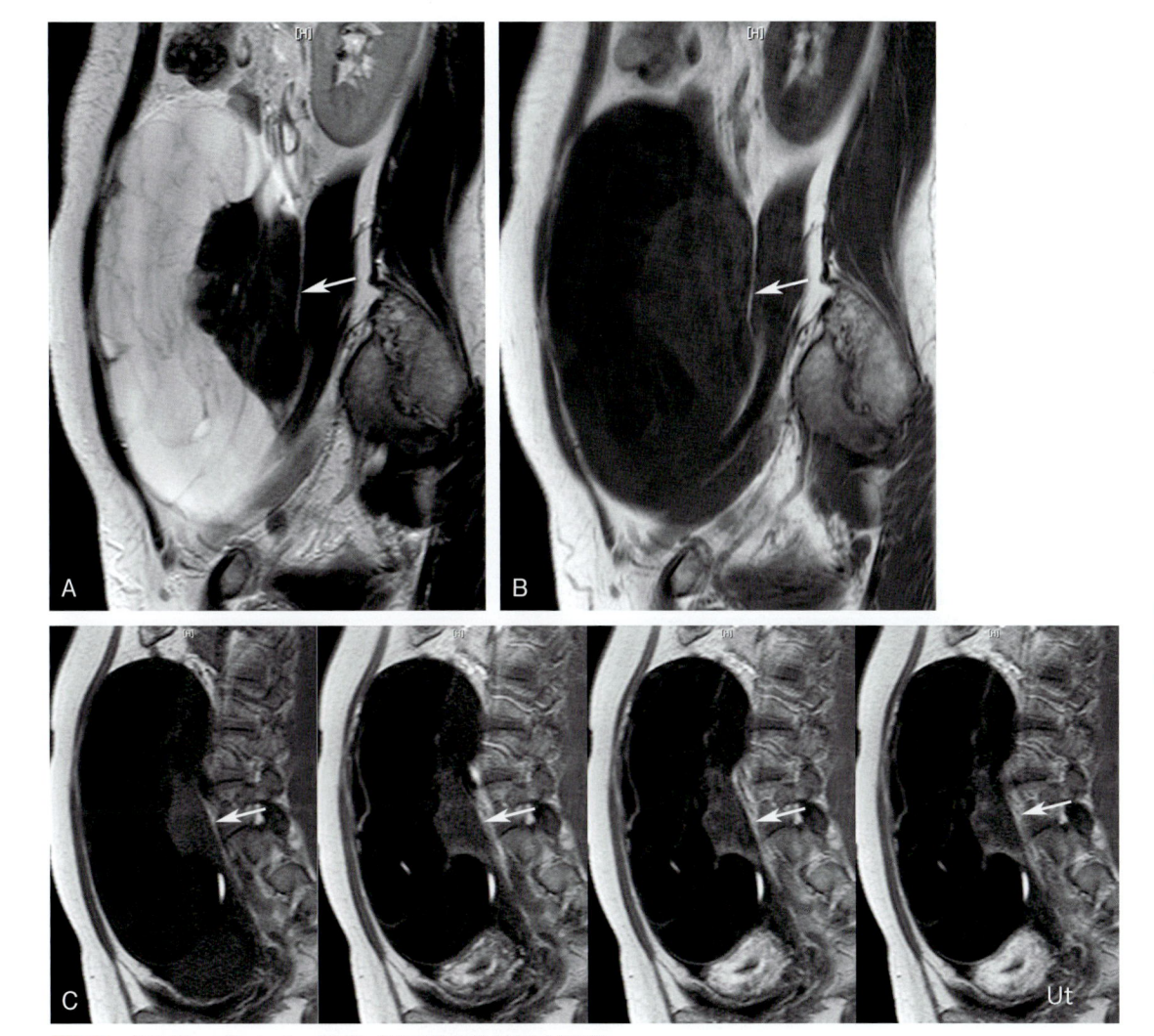

1. 上皮性腫瘍と上皮性・間葉性混合腫瘍

図51　63歳　ブレンナー腫瘍（粘液性嚢胞腺腫合併例）
A：T2強調矢状断像，B：T1強調矢状断像，C：ダイナミックMRI矢状断像
T2強調像で多房性嚢胞性腫瘍の壁に偏在する極めて信号強度の低い充実部（A→）があり，T1強調像で低信号を示し（B→），ダイナミックMRIでは子宮（Ut）に比べ緩徐で弱い増強効果を示すに留まる（C→）。

7）その他の癌 other epithelial tumors

（1）中腎様腺癌 ovarian mesonephric-like adenocarcinoma（OMLC）

　中腎様腺癌（ovarian mesonephric-like adenocarcinoma：OMLC）は中腎管（ウォルフ管）への分化を示すまれな腺癌で，傍卵管のウォルフ管遺残由来と考えられるものの報告もあるが，子宮内膜の同名の腫瘍と同様，他のミュラー管型腫瘍から分化したものと考えられている[1]。発症年齢の中央値は60代だが，幅広い年齢にみられ[31]，子宮内膜症との合併例が多く，通常は片側性の充実性ないし，充実性と嚢胞性の混合性腫瘍を形成する。組織学的には子宮頸部の中腎癌

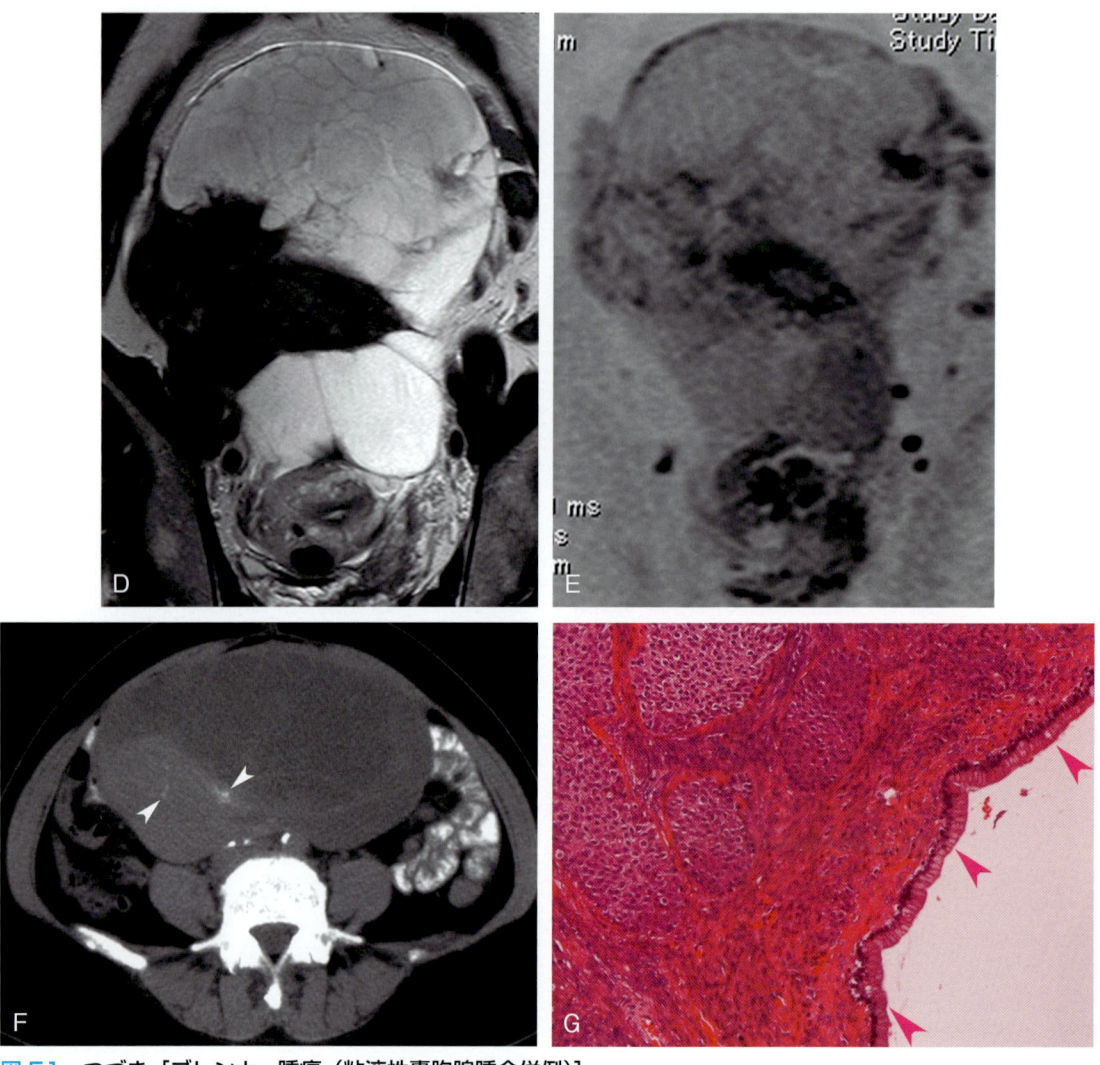

II 卵巣腫瘍 ovarian tumors

図51 つづき［ブレンナー腫瘍（粘液性囊胞腺腫合併例）］
D：T2強調冠状断像，E：拡散強調冠状断像，F：単純CT，G：HE染色（弱拡大）
拡散強調像でも充実部は強い異常信号は示さない（E）。CTでは充実部に淡い石灰化（F▲）を認める。病理組織学的に尿路上皮に類似した上皮細胞が豊富な線維性間質に取り囲まれて存在し，これに近接して丈の高い円柱上皮がみられる（G▲）。後者は粘液性腫瘍であり，粘液性囊胞腺腫合併良性ブレンナー腫瘍と診断される。

と類似し，腺腔内にPAS陽性の好酸性硝子様物質を認め，免疫組織化学染色ではER，PgRは陰性でGATA3，TTF-1，CD10が陽性となる[1)2)]。類内膜癌や明細胞癌との鑑別が問題となるが，卵巣中腎様腺癌はこれらの腫瘍や低異型度類内膜癌に比べ，はるかにaggressiveで，局所再発や遠隔転移も多いので，鑑別診断は重要である。化学療法に対する反応は良好だが，11～55%は再発し，5年生存率はおよそ70%とされる[31)]。まとまった画像所見の報告はないが，内膜症性囊胞様の壁の厚い，T2強調像でやや信号強度の低い内容物を含む囊胞の壁在結節として描出されている症例報告がある[112)]（図53）。

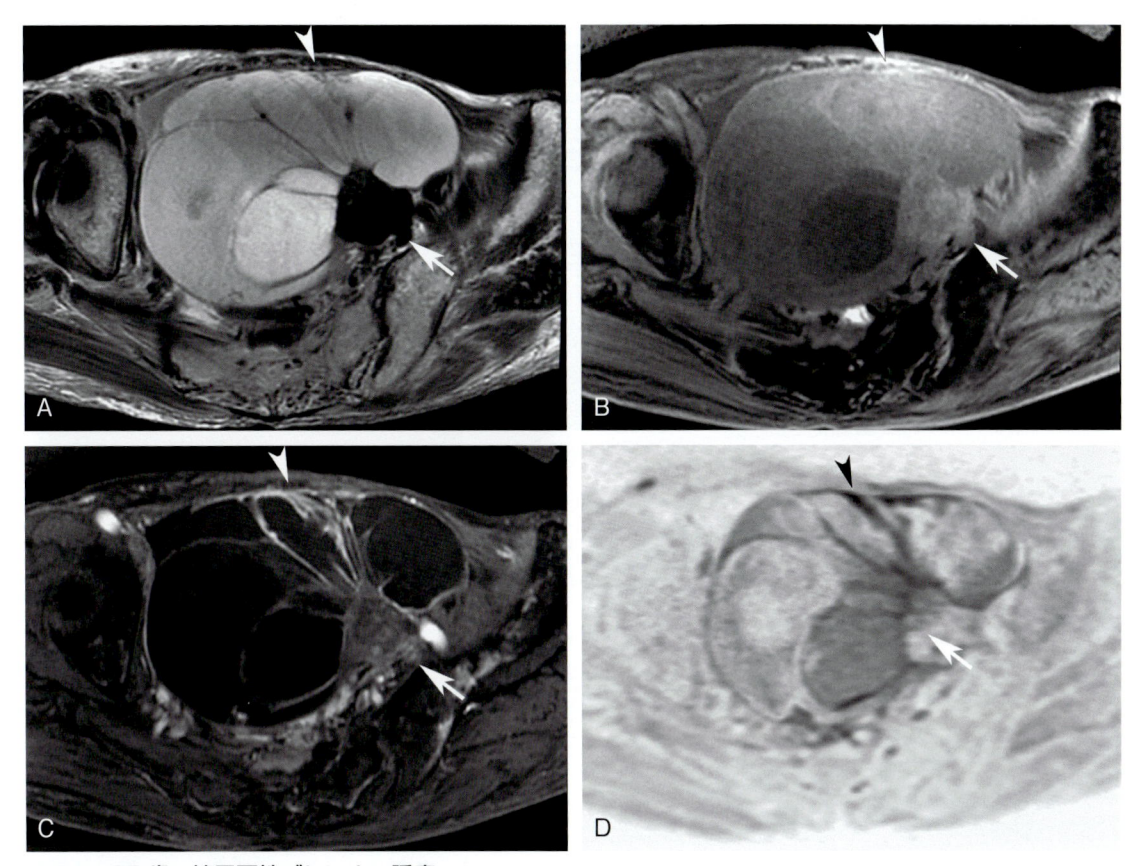

図52　86歳　境界悪性ブレンナー腫瘍
A：T2強調横断像，B：脂肪抑制T1強調横断像，C：造影脂肪抑制T1強調横断像，D：拡散強調横断像
左卵巣に多房性嚢胞性腫瘤を認め，その外側後縁にT2強調像で信号強度の低い充実部を認める（A→）。嚢胞部の内容物は比較的均一な信号強度を示す（A，B）が，粘液性腫瘍類似の形態で，充実部は線維腫にしては増強効果が強い（C→）。嚢胞部の一部に隔壁の肥厚（A〜D▲）と拡散制限（D▲）を認め，境界悪性を示唆する所見の可能性がある。

（2）未分化癌 undifferentiated carcinoma および脱分化癌 dedifferentiated carcinoma

　未分化癌（undifferentiated carcinoma）は特定の方向への分化を欠く癌である。脱分化癌（dedifferentiated carcinoma）は一定方向への分化を示す癌が未分化癌と併存するものである。いずれも極めてまれで，発症年齢の中央値は53歳，多くは進行癌として診断され，リンパ節転移を伴い，予後は極めて不良である（平均生存期間9カ月との報告がある）[2)31)113)]。脱分化癌の自験例では，背景に内膜症があり，類内膜癌から発生した脱分化癌と考えられた。発症時すでに血行性肝転移を伴う症例で，画像的には内膜症性嚢胞から発生した類内膜癌・明細胞癌類似の形態であったが，広範な壊死を伴っていた（図54）。

（3）癌肉腫 carcinosarcoma

　癌肉腫（carcinosarcoma）は上皮由来の高悪性度の腫瘍と肉腫成分で構成される腫瘍である。

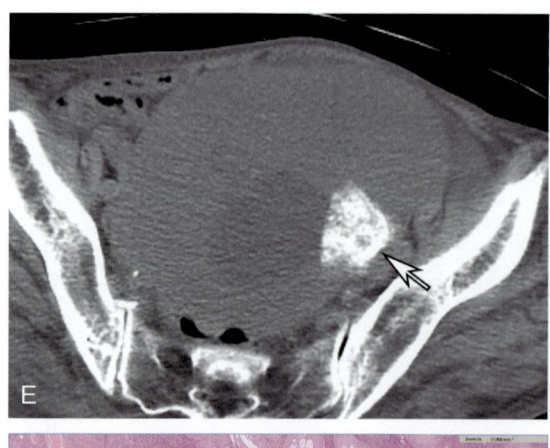

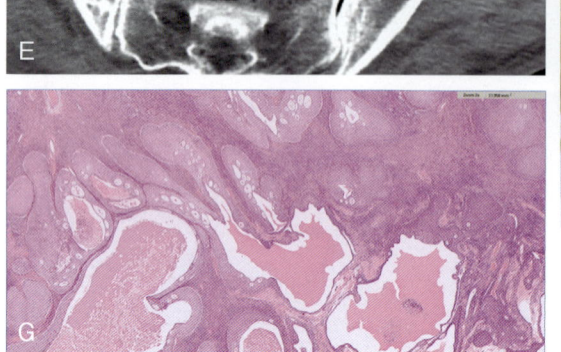

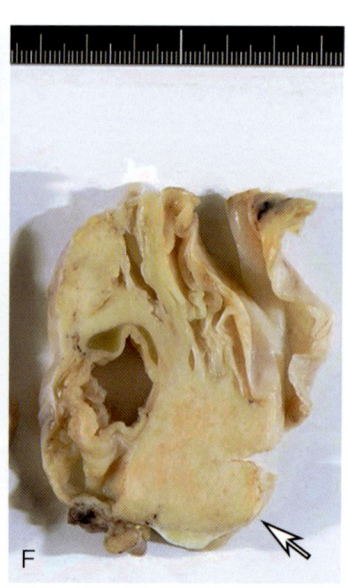

図 52 つづき（境界悪性ブレンナー腫瘍）
E：単純 CT，F：摘出標本割面，G：HE 染色（中拡大）
単純 CT では充実部の石灰化が顕著である（E →）。肉眼的に充実部は，白色調の境界明瞭な結節で周囲を大きな多房性嚢胞が取り巻く（F）。病理組織学的には異型のない尿路上皮に類似した上皮が乳頭状充実性に増生するとともに，嚢胞状部分を構成する，粘液上皮化生を伴う上皮が軽度の核腫大を伴って多層化し，乳頭状に増生しており（G），境界悪性ブレンナー腫瘍と診断された。画像的に石灰化を伴う充実成分と認められた領域は併存する良性ブレンナー腫瘍部分である。

両成分は同一起源と考えられており，構成する上皮成分としては高異型度漿液性癌が最も多い[2]。子宮に発生する同名の腫瘍と同様に卵巣に本来存在する組織（平滑筋，線維，内膜間質）からなるものを同所性，卵巣には存在しない組織からなるものを異所性に分類する[1]。本邦では2％にすぎないが，米国では従来考えられていたほどまれではなく，全卵巣癌の6％を占める。閉経後に好発し，平均発症年齢は64～66歳，診断時にはすでに播種やリンパ節転移を伴うことが多く，早期に発見された例を除くと予後不良である[114]。肉眼病理上，巨大な腫瘍で出血や壊死が広範にみられることが多く[2]，画像所見はこれを反映して，出血・壊死を伴う巨大な腫瘍で[115]，壊死物質や血液成分の出血時期の違いにより非充実部は多彩な信号を示す[116]（図 55）。充実部はよく増強され，拡散制限がある（図 56）が，ADC 値の実測値はさほど低くない[115]。

（4）混合癌 mixed carcinoma

混合癌（mixed carcinoma）は2つ以上の異なる組織型で構成される癌で，発生機序として一方から他方への組織分化と共通のクローンから2つの組織型への分化が考えられている。最も多い組み合わせは類内膜癌と明細胞癌である（図 57）。病理組織学的には一方が他方の形態的バリエーションで説明できる場合が多く，免疫組織化学的にも異なる形質が示されることが望まし

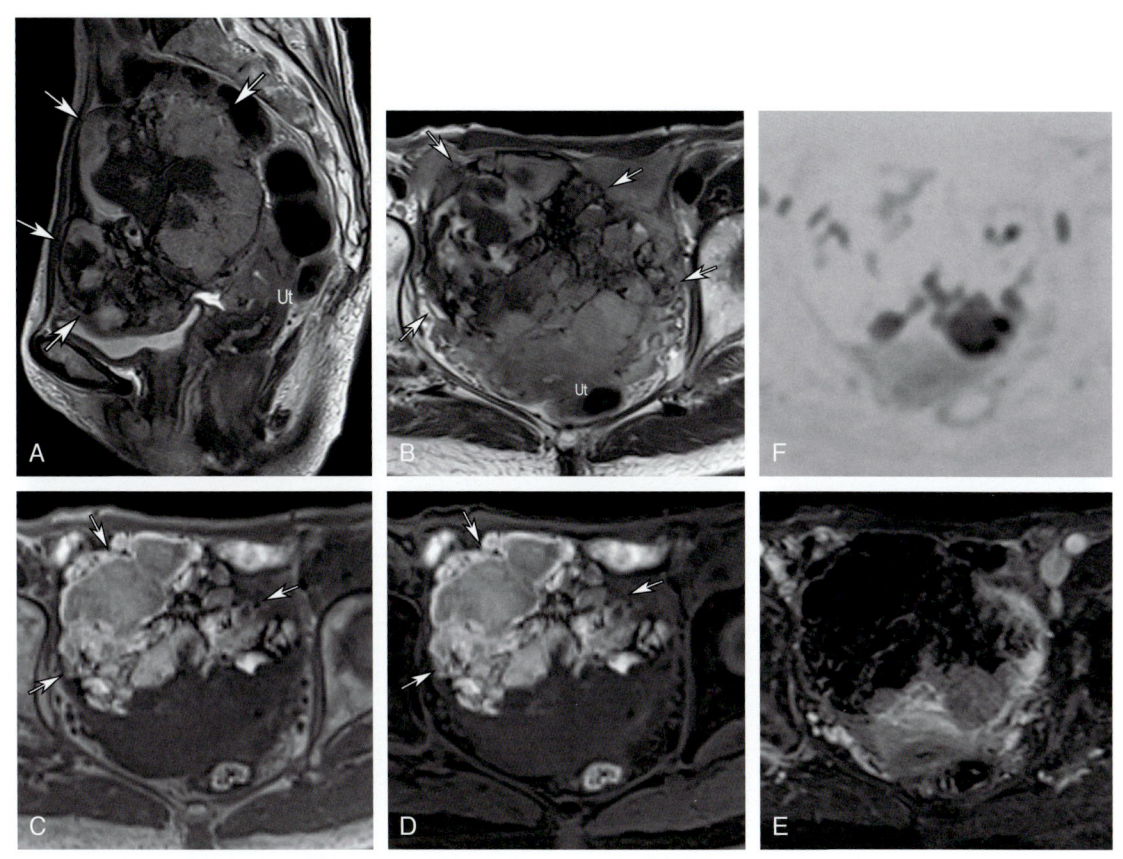

図53 75歳 卵巣中腎様腺癌
A：T2強調矢状断像，B：T2強調横断像，C：T1強調横断像，D：脂肪抑制T1強調横断像，E：造影脂肪抑制T1強調横断像サブトラクション後，F：拡散強調横断像
子宮の腹側で腹腔内を占拠する分葉状の腫瘤を認め，T2強調像で低信号（A，B），T1強調像で高信号（C），脂肪抑制T1強調像で信号抑制されない（D）血性の内容物を含み，隔壁の厚い多房性囊胞からなる腫瘤で，顆粒膜細胞腫（p519参照）に類似，もしくは背景に内膜症を有する腫瘍（p171〜177参照）のようにみえる。免疫組織化学染色でER(−)，GATA3(+)，TTF-1(+)の腺癌で，中腎様腺癌と診断された。

いとされている[1]。

附．扁平上皮癌 squamous cell carcinoma

　卵巣原発の扁平上皮癌（squamous cell carcinoma）はWHO分類/取扱い規約からは消滅したが，ここで解説する。卵巣原発の扁平上皮癌は奇形腫の悪性転化が否定された場合に上皮性腫瘍とみなされ，悪性ブレンナー腫瘍の一部として発生するもの，類内膜癌の扁平上皮成分の一方的増殖からなるもの，および純型扁平上皮癌がある[117]。奇形腫由来の扁平上皮癌と同様，純型扁平上皮癌もⅢ期以上の進行例として発見されることが多く，治療抵抗性で予後不良とされる[118]。Todoらの1例報告に添付された画像では壁在結節を有する単房性囊胞性腫瘤である[119]。自験例は囊胞と充実部の混在した腫瘤で，腫瘍の産生したケラチンが塊状となりT2強調像で低信号，増強効果をもたない領域としてみられた（図58）。

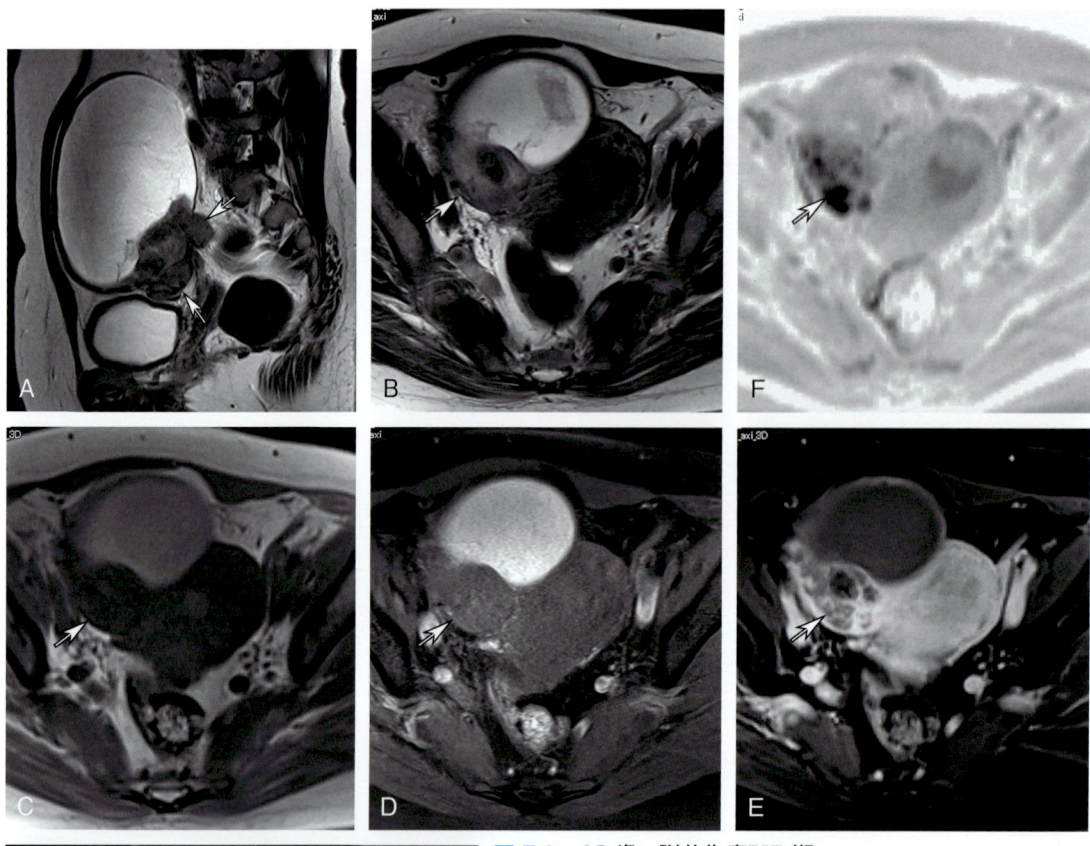

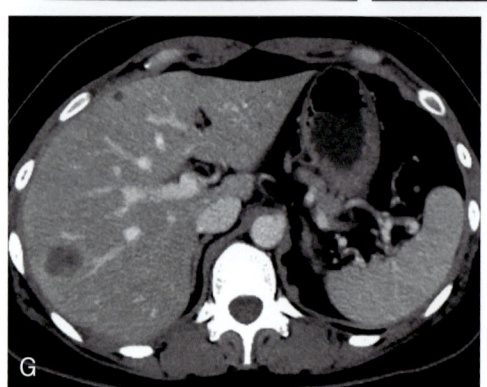

Ⅱ 卵巣腫瘍 ovarian tumors

図54 48歳 脱分化癌ⅣB期
A：T2強調矢状断像，B：T2強調横断像，C：T1強調横断像，D：脂肪抑制T1強調横断像，E：造影脂肪抑制T1強調横断像，F：拡散強調横断像，G：上腹部造影CT
右卵巣に子宮と癒着する壁の厚い囊胞性腫瘤を認め（A〜E），T1強調像で高信号の血性の内容物を含み（C，D），内膜症性囊胞の特徴を有する。背側下縁にT2強調像で信号強度の低い充実部があり（A，B→），造影後はよく増強されるが内部に不整形の増強不領域として広範な壊死巣がみられる（E→）。壊死物質が拡散強調像で強い拡散制限を示す（F→）が，viable な腫瘍成分の拡散制限はさほど強くない。発症時，すでに肝転移もみられ（G），aggressive feature をうかがわせる。病理組織学的に内膜症性囊胞から発生した類内膜癌から脱分化した癌と診断された。

B. 間葉性腫瘍 mesenchymal tumors

　低異型度類内膜間質肉腫（low-grade endometrioid stromal sarcoma）は子宮内膜間質細胞に類似した腫瘍細胞が増殖するもので，子宮内膜症から発生し，浸潤は卵巣門部のみで観察できる。高異型度類内膜間質肉腫（high-grade endometrioid stromal sarcoma）は細胞異型の明らかに強い多形性の増した腫瘍細胞からなる。どちらも卵巣原発はまれである[1]。平滑筋腫，平滑筋肉

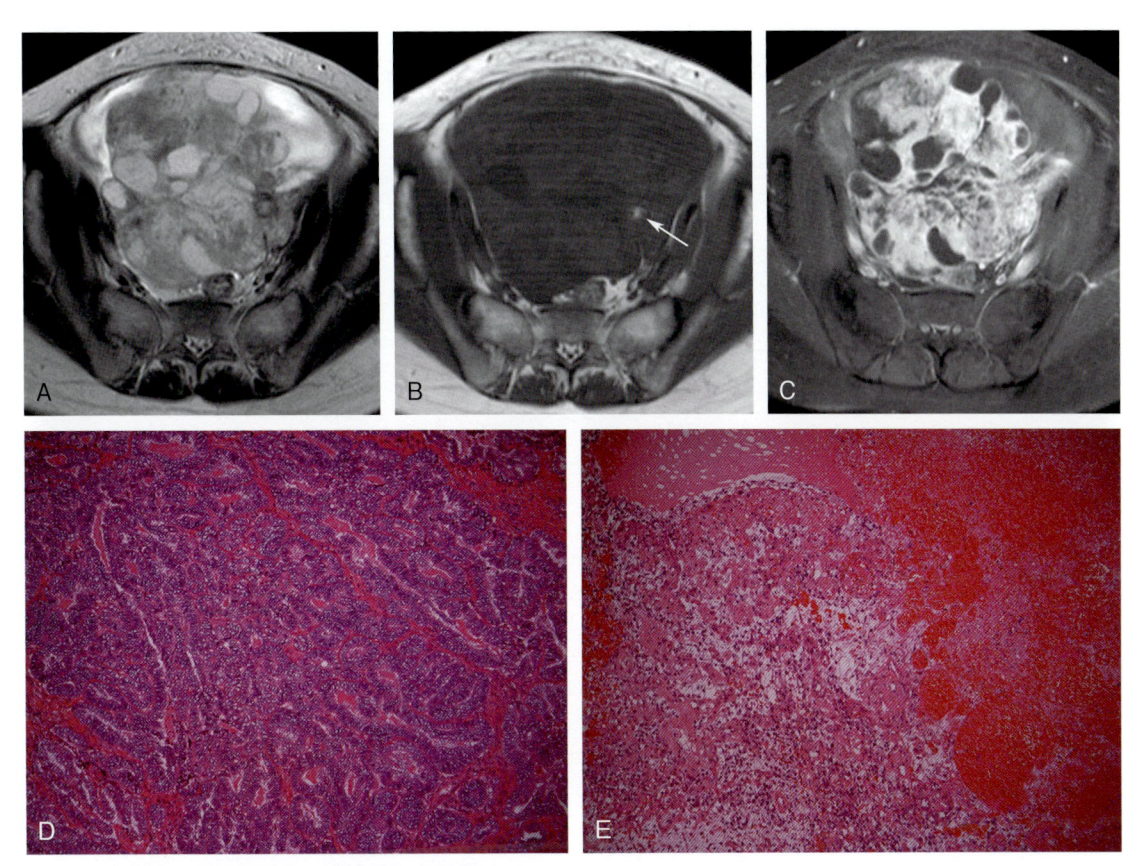

図55　62歳　卵巣癌肉腫（異所性）ⅢC期
A：T2強調横断像，B：T1強調横断像，C：造影脂肪抑制T1強調横断像，D，E：HE染色（強拡大）
骨盤腔を占める多数の小嚢胞と豊富な充実成分からなる腫瘤があり，充実部は，T2強調像（A）で高信号，T1強調像（B）で低信号を示し，強い増強効果を認める（C）。嚢胞内容物の大部分はT1強調像で低信号の漿液成分からなるが，一部に高信号の出血と考えられる部分を含んでいる（B→）。大量の腹水があり，播種の合併も疑われる。病理組織学的には癌腫と肉腫の部分は分かれて存在し，上皮成分はほとんど漿液性癌で部分的に類内膜癌が混在し（D），間質成分は内膜間質肉腫，線維肉腫，平滑筋肉腫，軟骨肉腫，脂肪肉腫，横紋筋肉腫からなる高悪性度の肉腫からなり，出血壊死を伴う（E）。

腫については p580 を参照されたい。
　その他，極めてまれに，粘液腫（myxoma）を含む多彩な良性および悪性間葉性腫瘍が発生しうる。これらの中には奇形腫から発生するものも珍しくない。また他臓器からの転移や腺肉腫，癌肉腫の肉腫成分の過剰増殖を否定する必要がある[1]。

C. 上皮性・間葉性混合腫瘍 mixed epithelial and mesenchymal tumors

1）腺肉腫 adenosarcoma

　腺肉腫（adenosarcoma）は肉腫成分と良性のミュラー管型の上皮細胞からなる腫瘍で，肉腫成分は低異型度内膜間質肉腫からなることが多い[120]。閉経後早期に好発し，容易に腹腔内播種を

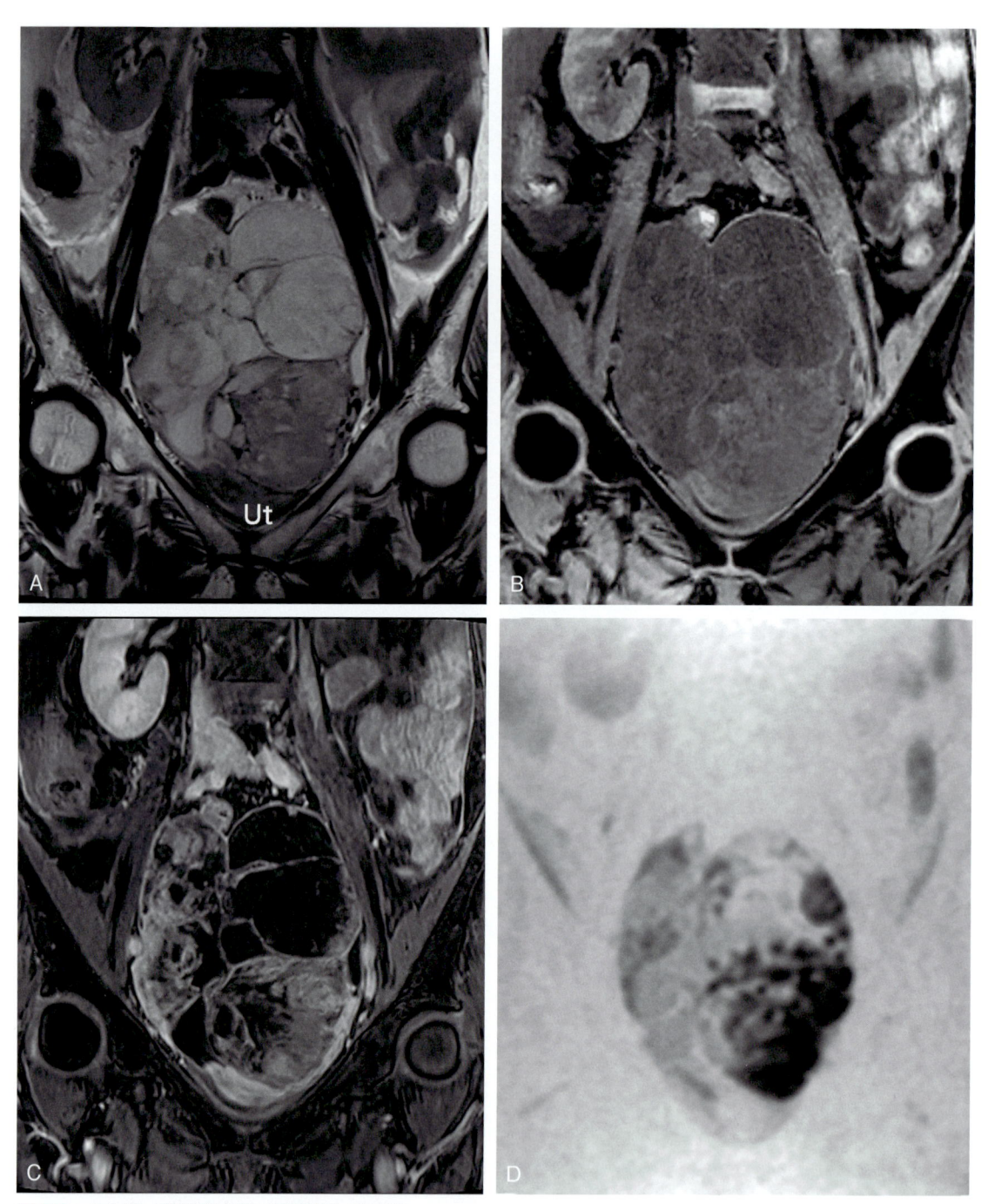

Ⅱ 卵巣腫瘍 ovarian tumors

図56 64歳 卵巣癌肉腫（異所性）ⅢB期
A：T2強調冠状断像，B：脂肪抑制T1強調冠状断像，C：造影脂肪抑制T1強調冠状断像，D：拡散強調冠状断像
子宮（Ut）の左上方を占める，豊富な充実部を伴う巨大な多房性嚢胞性腫瘤を認める（A）。本例には脂肪抑制T1強調像で信号強度の高い出血成分はない（B）が，造影される充実部と非充実部の境界が不整で壊死の存在を示唆する（C）。腫瘤の左下端の部分を中心に強い拡散制限もみられる（D）。

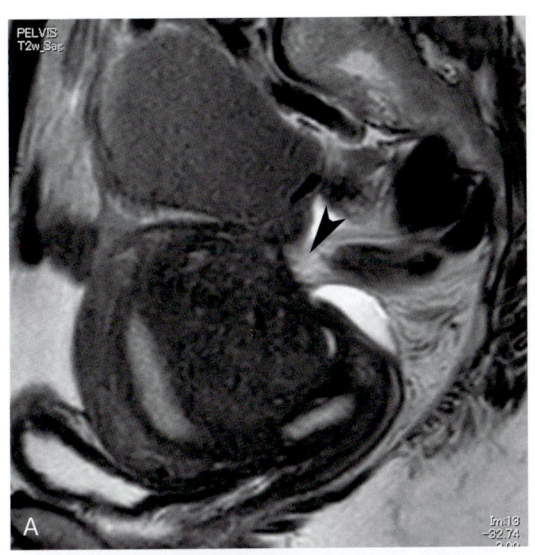

図57　43歳　混合癌（明細胞癌＋類内膜癌）ⅠC1期

A：T2強調矢状断像，B：T2強調横断像，C：脂肪抑制T1強調横断像，D：造影脂肪抑制T1強調横断像，E：拡散強調横断像

子宮後面にT2強調像で信号強度の低い軟部組織が増生し，直腸が牽引されて癒着し，対側卵巣にも内膜症性囊胞を認め（B～D，R），左卵巣内膜症性囊胞の壁在結節として発生したと考えられる腫瘤（B～E→）である。拡散制限は弱く（E）腫瘤は単発の結節状であることから，明細胞癌を疑ったが，明細胞癌と類内膜癌の混合癌であった。

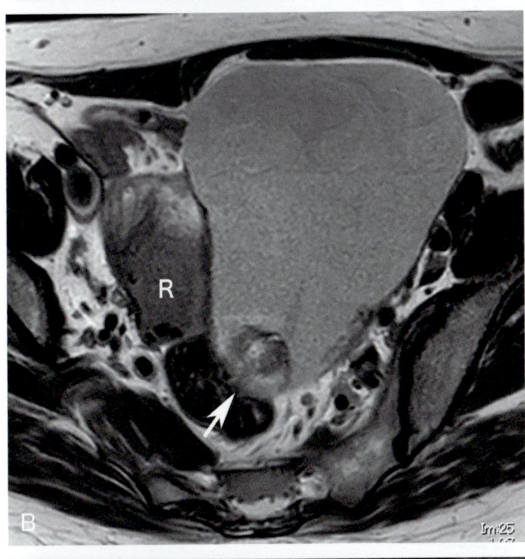

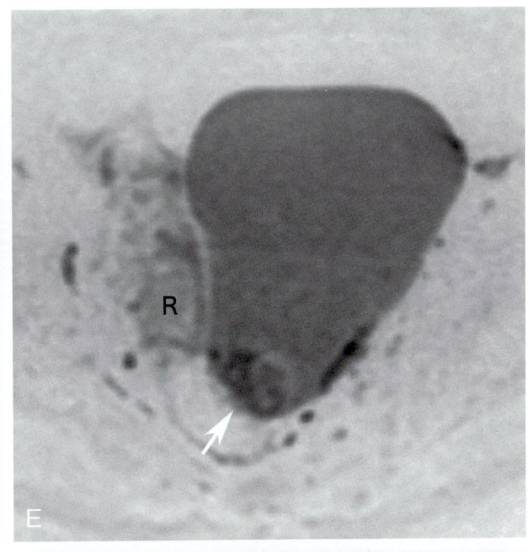

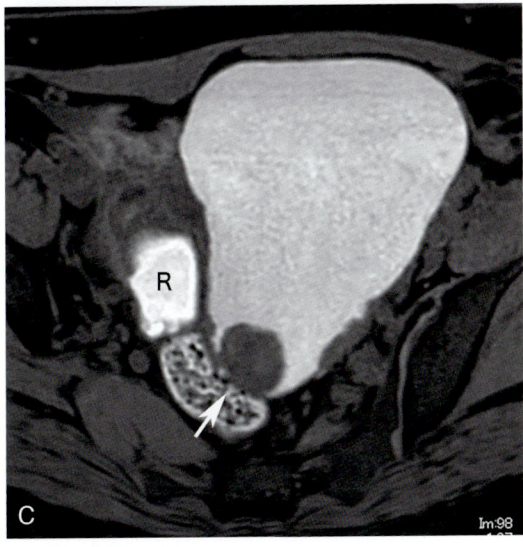

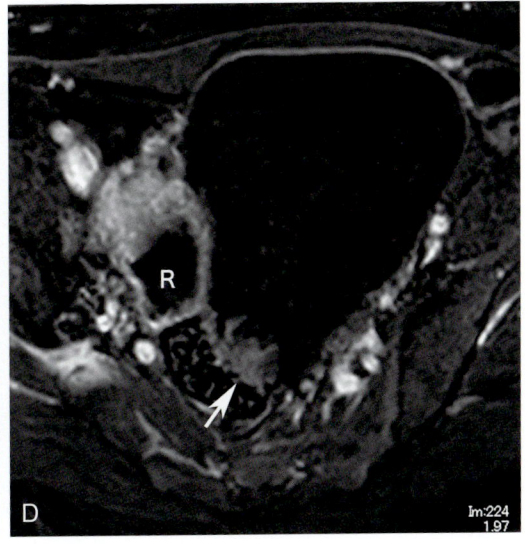

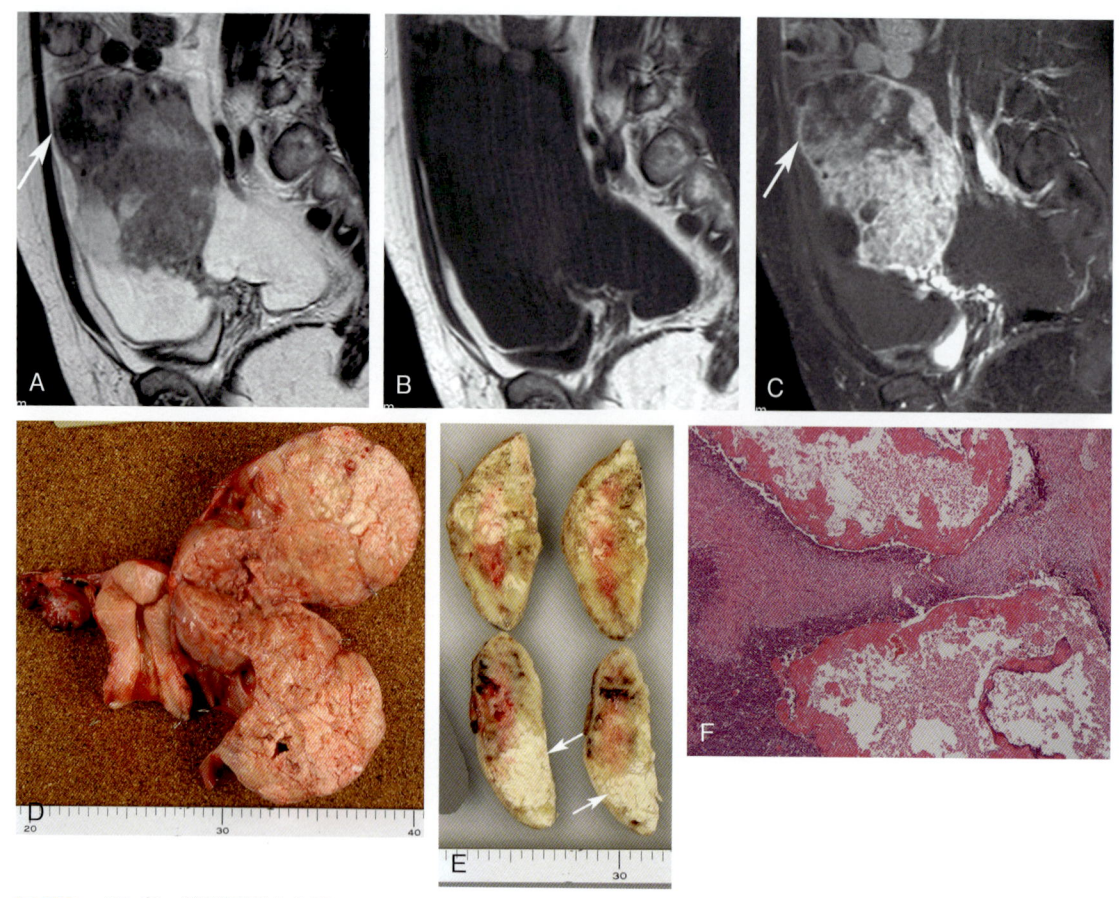

Ⅱ 卵巣腫瘍 ovarian tumors

図58 49歳 純型扁平上皮癌
A：T2強調矢状断像，B：T1強調矢状断像，C：造影脂肪抑制T1強調矢状断像，D：摘出標本肉眼像，E：摘出標本割面，F：HE染色（弱拡大）
多量の腹水に浮かぶように充実成分の豊富な腫瘤がある（A〜C）。T2強調像で低信号で増強されなかった部分にはケラチンが充満していた（A，C，E→）。病理組織学的には他成分を含まない扁平上皮癌である（F）。

きたすため，子宮由来の腫瘍に比べ，再発率が高く予後不良（5年生存率は65％）とされる。肉眼病理所見は充実部と囊胞部の混在する腫瘍で時に囊胞内に充実部が乳頭状に発育する[2]。ほかの上皮性卵巣悪性腫瘍と比べ特徴的所見には乏しい。子宮外の腺肉腫の発生母地としては卵巣のほかに腹膜が知られているが，どちらも子宮内膜症との合併例が多く報告されており，内膜症合併例のほうが予後良好とされている[121)122]。卵巣内膜症性囊胞から発生した症例では，囊胞壁から内腔に突出する充実部として認められ[123]，上皮性腫瘍合併例に比べT2強調像で低信号であったとの報告がある[124]（図59）。

1. 上皮性腫瘍と上皮性・間葉性混合腫瘍

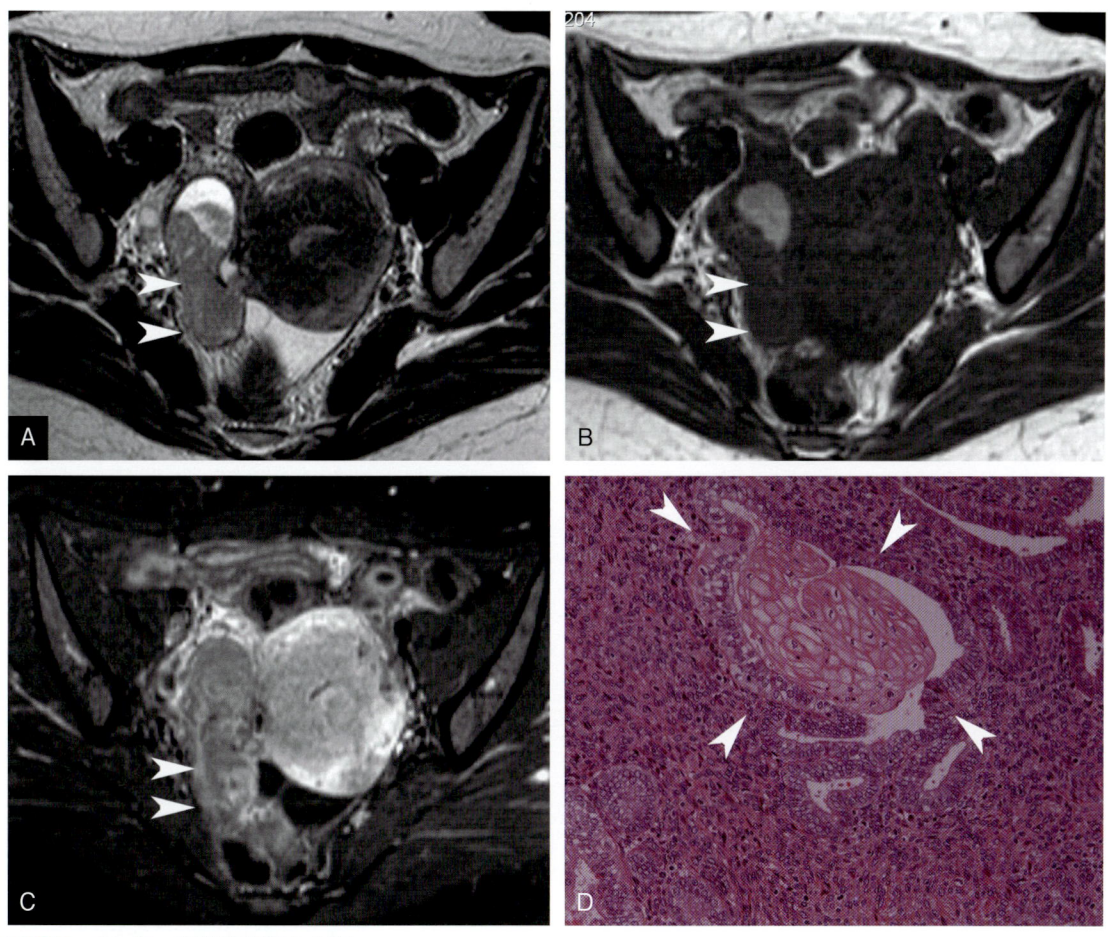

図59　42歳　卵巣腺肉腫ⅠA期
A：T2強調横断像，B：T1強調横断像，C：造影脂肪抑制T1強調横断像，D：HE染色（強拡大）
MRIでは右卵巣領域に厚い壁をもつ多房性嚢胞性腫瘤を認めた。嚢胞内容物はT1強調像（B）で高信号，T2強調像（A）でshadingを示す。腫瘤と子宮との間に癒着が疑われ背景に内膜症の存在が示唆される。充実部はT1強調像で低信号（B▲），T2強調像で高信号（A▲）で増強効果は子宮に比べ弱い（C▲）。病理組織学的には上皮成分は類内膜腺腫（D▲），間質成分は低異型度内膜間質肉腫であった。

文献

1) 日本産科婦人科学会ほか 編：卵巣腫瘍・卵管癌・腹膜癌取扱い規約 病理編 第2版．金原出版，東京，2022
2) WHO Classification of Tumors Editorial Board：Female Genital Tumours, 5th ed. International Agency for Research on Cancer, Lyon, 2020
3) Prat J：Ovarian carcinomas：five distinct diseases with different origins, genetic alterations, and clinicopathological features. Virchows Arch 460：237-249, 2012
4) 日本産科婦人科学会婦人科腫瘍委員会：婦人科腫瘍委員会報告 2021年患者年報．日産婦会誌 75：1643-1698, 2023
5) Kurman RJ, Shih IeM：The origin and pathogenesis of epithelial ovarian cancer：a proposed unifying theory. Am J Surg Pathol 34：433-443, 2010
6) Bast RC Jr. et al：Malignant transformation of ovarian epithelium. J Natl Cancer Inst 84：556-558, 1992
7) Godwin AK et al：The biology of ovarian cancer development. Cancer 71：530-536, 1993
8) Fathalla MF：Incessant ovulation：a factor in ovarian neoplasia? Lancet 2：163, 1971
9) Murdoch WJ, McDonnel AC：Roles of the ovarian surface epithelium in ovulation and carcinogenesis. Reproduction 123：743-750, 2002
10) Rosen DG et al：Ovarian cancer：pathology, biology, and disease models. Front Biosci 14：2089-2102, 2009
11) Seidman JD et al：Epithelial Tumors of the Ovary, Kurman RJ et al ed；Blaustein's Pathology of the Female Genital Tract, 7th ed. p841-966, Springer International Publishing, Cham, 2019

12) Shih IeM, Kurman RJ：Ovarian tumorigenesis：a proposed model based on morphological and molecular genetic analysis. Am J Pathol 164：1511-1518, 2004
13) 竹中将貴ほか：卵巣癌の発生・進展に関与する遺伝子, 森谷卓也, 手島伸一 編；卵巣・卵管腫瘍病理アトラス 改訂・改題第2版. p16-21, 文光堂, 東京, 2016
14) Sampson JA：Endometrial carcinoma of the ovary, arising in endometrial tissue in that organ. Arch Surg 10：1-72, 1925
15) Wang M et al：Global incidence of ovarian cancer according to histologic subtype：a population-based cancer registry study. JCO Glob Oncol 10：e2300393, 2024
16) Leskela S et al：The frequency and prognostic significance of the histologic type in early-stage ovarian carcinoma：a reclassification study by the spanish group for ovarian cancer research (GEICO). Am J Surg Pathol 44：149-161, 2020
17) Winter WE 3rd et al：Prognostic factors for stage III epithelial ovarian cancer：a Gynecologic Oncology Group study. J Clin Oncol 25：3621-3627, 2007
18) Buy JN et al：Epithelial tumors of the ovary：CT findings and correlation with US. Radiology 178：811-818, 1991
19) Ghossain MA et al：Epithelial tumors of the ovary：comparison of MR and CT findings. Radiology 181：863-870, 1991
20) Cho SM et al：CT and MRI findings of cystadenofibromas of the ovary. Eur Radiol 14：798-804, 2004
21) Outwater EK et al：Ovarian fibromas and cystadenofibromas：MRI features of the fibrous component. J Magn Reson Imaging 7：465-471, 1997
22) Jung DC et al：MR imaging findings of ovarian cystadenofibroma and cystadenocarcinofibroma：clues for the differential diagnosis. Korean J Radiol 7：199-204, 2006
23) Byun JY：MR imaging findings of ovarian cystadenofibroma：clues for making the differential diagnosis from ovarian malignancy. Korean J Radiol 7：153-155, 2006
24) Tang YZ et al：The MRI features of histologically proven ovarian cystadenofibromas：an assessment of the morphological and enhancement patterns. Eur Radiol 23：48-56, 2013
25) Avesani G et al：Features of cystadenofibroma on magnetic resonance imaging：an update using the O-RADS lexicon and considering diffusion-weighted and perfusion imaging. Eur J Radiol 154：110429, 2022
26) Kim SH et al：Radiological findings in serous surface papillary carcinoma of the ovary：case reports. Acta Radiol 38：847-849, 1997
27) deSouza NM et al：Borderline tumors of the ovary：CT and MRI features and tumor markers in differentiation from stage I disease. AJR Am J Roentgenol 184：999-1003, 2005
28) Tanaka YO et al：Ovarian serous surface papillary borderline tumors form sea anemone-like masses. J Magn Reson Imaging 33：633-640, 2011
29) Sahin H et al：Serous borderline ovarian tumours：an extensive review on MR imaging features. Br J Radiol 94：20210116, 2021
30) Outwater EK et al：Papillary projections in ovarian neoplasms：appearance on MRI. J Magn Reson Imaging 7：689-695, 1997
31) Carlson JW et al：Tumors of the Ovary and Fallopian Tube (AFIP Atlases of Tumor and Non-Tumor Pathology, series 5). American Registry of Pathology, 2023
32) Mitchell DG et al：Serous carcinoma of the ovary：CT identification of metastatic calcified implants. Radiology 158：649-652, 1986
33) Kim HJ et al：CT features of serous surface papillary carcinoma of the ovary. AJR Am J Roentgenol 183：1721-1724, 2004
34) Nakai G et al：MRI appearance of ovarian serous borderline tumors of the micropapillary type compared to that of typical ovarian serous borderline tumors：radiologic-pathologic correlation. J Ovarian Res 11：7, 2018
35) Singer G et al：Patterns of p53 mutations separate ovarian serous borderline tumors and low- and high-grade carcinomas and provide support for a new model of ovarian carcinogenesis：a mutational analysis with immunohistochemical correlation. Am J Surg Pathol 29：218-224, 2005
36) Dehari R et al：The development of high-grade serous carcinoma from atypical proliferative (borderline) serous tumors and low-grade micropapillary serous carcinoma：a morphologic and molecular genetic analysis. Am J Surg Pathol 31：1007-1012, 2007
37) Gilks CB et al：Serous psammocarcinoma of the ovary and peritoneum. Int J Gynecol Pathol 9：110-121, 1990
38) Giordano G et al：Serous psammocarcinoma of the ovary：a case report and review of literature. Gynecol Oncol 96：259-262, 2005
39) Hiromura T et al：Serous psammocarcinoma of the ovary：CT and MR findings. J Comput Assist Tomogr 31：490-492, 2007
40) Vang R et al：Molecular alterations of TP53 are a defining feature of ovarian high-grade serous carcinoma：a rereview of cases lacking TP53 mutations in the Cancer Genome Atlas Ovarian Study. Int J Gynecol Pathol 35：48-55, 2016
41) Charkhchi P et al：CA125 and ovarian cancer：a comprehensive review. Cancer 12：3730, 2020
42) Piek JM et al：Dysplastic changes in prophylactically removed fallopian tubes of women predisposed to developing ovarian cancer. J Pathol 195：451-456, 2001
43) Tanaka YO et al：Differentiation of epithelial ovarian cancer subtypes by use of imaging and clinical data：a detailed analysis. Cancer Imaging 16：3, 2016
44) 日本婦人科腫瘍学会 編：卵巣がん・卵管癌・腹膜癌治療ガイドライン 2025年版. 金原出版, 東京, 2025
45) Talia KL et al：Ovarian mucinous and seromucinous neoplasms：problematic aspects and modern diagnostic approach. Histopathology 80：255-278, 2022
46) Tanaka YO et al：Ovarian tumor with functioning stroma. Comput Med Imaging Graph 26：193-197, 2002
47) Hart WR：Mucinous tumors of the ovary：a review. Int J Gynecol Pathol 24：4-25, 2005
48) Lertkhachonsuk AA et al：Serum CA19-9, CA-125 and CEA as tumor markers for mucinous ovarian tumors. J Obstet Gynaecol Res 46：2287-2291, 2020
49) Tanaka YO et al：Differential diagnosis of gynaecological "stained glass" tumours on MRI. Br J Radiol 72：414-420, 1999
50) Okamoto Y et al：Malignant or borderline mucinous cystic

neoplasms have a larger number of loculi than mucinous cystadenoma : a retrospective study with MR. J Magn Reson Imaging 26 : 94-99, 2007
51) Zhao SH et al : MRI in differentiating ovarian borderline from benign mucinous cystadenoma : pathological correlation. J Magn Reson Imaging 39 : 162-166, 2014
52) Ohya A et al : Useful preoperative examination findings to classify the grade of ovarian primary mucinous tumor. Abdom Radiol 46 : 2393-2402, 2021
53) Ozyilmaz S et al : Salient magnetic resonance imaging findings in the differential diagnosis of benign, borderline and malignant ovarian mucinous tumors. Abdom Radiol 50 : 1009-1017, 2025
54) Kaga T et al : Can MRI features differentiate ovarian mucinous carcinoma from mucinous borderline tumor? Eur J Radiol 132 : 109281, 2020
55) Takeuchi M et al : Ovarian cystadenofibromas : characteristic magnetic resonance findings with pathologic correlation. J Comput Assist Tomogr 27 : 871-873, 2003
56) Shimizu S et al : Ovarian cystadenofibroma with solid nodular components masqueraded as ovarian cancer. Arch Gynecol Obstet 279 : 709-711, 2009
57) Sugiyama K, Takehara Y : Magnetic resonance findings of clear-cell adenocarcinofibroma of the ovary. Acta Radiol 48 : 704-706, 2007
58) Mukherjee A et al : Pseudomyxoma peritonei usually originates from the appendix : a review of the evidence. Eur J Gynaecol Oncol 25 : 411-414, 2004
59) Smeenk RM et al : Pseudomyxoma peritonei. Cancer Treat Rev 33 : 138-145, 2007
60) Tanaka YO et al : Diversity in size and signal intensity in multilocular cystic ovarian masses : new parameters for distinguishing metastatic from primary mucinous ovarian neoplasms. J Magn Reson Imaging 38 : 794-801, 2013
61) Tanaka YO et al : Mucinous tumors arising from ovarian teratomas as another source of pseudomyxoma peritoneii : MR findings comparison with ovarian metastases from appendiceal mucinous tumors. BJR Open 5 : 20220036, 2023
62) Mayes GB et al : CT of pseudomyxoma peritonei. AJR Am J Roentgenol 136 : 807-808U, 1981
63) Sulkin TV et al : CT in pseudomyxoma peritonei : a review of 17 cases. Clin Radiol 57 : 608-613, 2002
64) Matsuoka Y et al : Pseudomyxoma peritonei with progressive calcifications : CT findings. Gastrointest Radiol 17 : 16-18, 1992
65) Buy JN et al : Magnetic resonance imaging of pseudomyxoma peritonei. Eur J Radiol 9 : 115-118, 1989
66) Himoto Y et al : A case of pseudomyxoma peritonei : visualization of septa using diffusion-weighted images with low b values. Abdom Radiol 41 : 1713-1717, 2016
67) Ronnett BM et al : Disseminated peritoneal adenomucinosis and peritoneal mucinous carcinomatosis : a clinicopathologic analysis of 109 cases with emphasis on distinguishing pathologic features, site of origin, prognosis, and relationship to "pseudomyxoma peritonei". Am J Surg Pathol 19 : 1390-1408, 1995
68) Ronnett BM et al : Patients with pseudomyxoma peritonei associated with disseminated peritoneal adenomucinosis have a significantly more favorable prognosis than patients with peritoneal mucinous carcinomatosis. Cancer 92 : 85-91, 2001
69) Mikami Y et al : Reappraisal of synchronous and multifocal mucinous lesions of the female genital tract : a close association with gastric metaplasia. Histopathology 54 : 184-191, 2009
70) Wong RW et al : Gastric-type glandular lesions of the female genital tract excluding the cervix : emerging pathological entities. Histopathology 85 : 20-39, 2024
71) Kobayashi H et al : Ovarian endometrioma : risks factors of ovarian cancer development. Eur J Obstet Gynecol Reprod Biol 138 : 187-193, 2008
72) Kim HS et al : Risk and prognosis of ovarian cancer in women with endometriosis : a meta-analysis. Br J Cancer 110 : 1878-1890, 2014
73) Anglesio MS et al : Synchronous endometrial and ovarian carcinomas : evidence of clonality. J Natl Cancer Inst 108 : djv428, 2016
74) Berek JS et al : FIGO staging of endometrial cancer : 2023. Int J Gynaecol Obstet 162 : 383-394, 2023
75) Kumatoriya Y et al : [A case of ovarian cystadenofibroma with papillary projections showing very high signal intensity on T2-weighted images]. Nihon Igaku Hoshasen Gakkai Zasshi 63 : 418-419, 2003
76) Tong HC et al : Endometrioid adenofibroma of ovary : a case report and review of literature. Medicine 102 : e32965, 2023
77) 林 敏彦ほか：卵巣類内膜腺癌のMRI. 臨放 45 : 1543-1548, 2000
78) Kitajima K et al : Magnetic resonance imaging findings of endometrioid adenocarcinoma of the ovary. Radiat Med 25 : 346-354, 2007
79) Manabe T et al : Magnetic resonance imaging of endometrial cancer and clear cell cancer. J Comput Assist Tomogr 31 : 229-235, 2007
80) Li HM et al : Primary ovarian endometrioid adenocarcinoma : magnetic resonance imaging findings including a preliminary observation on diffusion-weighted imaging. J Comput Assist Tomogr 39 : 401-405, 2015
81) Ross L, Shelley E : Mesonephric carcinoma of the ovary producing hypercalcemia. Am J Obstet Gynecol 100 : 418-421, 1968
82) Hwang CS et al : Hypercalcemia induced by ovarian clear cell carcinoma producing all transcriptional variants of parathyroid hormone-related peptide gene during pregnancy. Gynecol Oncol 103 : 740-744, 2006
83) 後藤典子ほか：脾・腎梗塞合併により明細胞癌との組織型の推定が可能であった卵巣癌の2例. 臨放 50 : 321-324, 2005
84) Matsuura Y et al : Thromboembolic complications in patients with clear cell carcinoma of the ovary. Gynecol Oncol 104 : 406-410, 2007
85) Sugiyama T et al : Clinical characteristics of clear cell carcinoma of the ovary : a distinct histologic type with poor prognosis and resistance to platinum-based chemotherapy. Cancer 88 : 2584-2589, 2000
86) Goff BA et al : Clear cell carcinoma of the ovary : a distinct histologic type with poor prognosis and resistance to platinum-based chemotherapy in stage III disease. Gynecol Oncol 60 : 412-417, 1996
87) Takano M et al : The impact of complete surgical staging upon survival in early-stage ovarian clear cell carcinoma : a multi-institutional retrospective study. Int J Gynecol

Cancer 19 : 1353-1357, 2009
88) Veras E et al : Cystic and adenofibromatous clear cell carcinomas of the ovary : distinctive tumors that differ in their pathogenesis and behavior : a clinicopathologic analysis of 122 cases. Am J Surg Pathol 33 : 844-853, 2009
89) Yamamoto S et al : Clear cell adenocarcinoma associated with clear cell adenofibromatous components : a subgroup of ovarian clear cell adenocarcinoma with distinct clinicopathologic characteristics. Am J Surg Pathol 31 : 999-1006, 2007
90) Yamamoto S et al : Clear-cell adenofibroma can be a clonal precursor for clear-cell adenocarcinoma of the ovary : a possible alternative ovarian clear-cell carcinogenic pathway. J Pathol 216 : 103-110, 2008
91) 林 敏彦ほか：卵巣明細胞腺癌の画像診断. 臨放 44 : 1651-1656, 1999
92) Matsuoka Y et al : MR imaging of clear cell carcinoma of the ovary. Eur Radiol 11 : 946-951, 2001
93) Moriya T et al : Endocervical-like mucinous borderline tumors of the ovary : clinicopathological features and electron microscopic findings. Med Electron Microsc 36 : 240-246, 2003
94) Vang R et al : Ovarian atypical proliferative (borderline) mucinous tumors : gastrointestinal and seromucinous (endocervical-like) types are immunophenotypically distinctive. Int J Gynecol Pathol 25 : 83-89, 2006
95) Shappell HW et al : Diagnostic criteria and behavior of ovarian seromucinous (endocervical-type mucinous and mixed cell-type) tumors : atypical proliferative (borderline) tumors, intraepithelial, microinvasive, and invasive carcinomas. Am J Surg Pathol 26 : 1529-1541, 2002
96) Lee KR et al : Ovarian mucinous and mixed epithelial carcinomas of mullerian (endocervical-like) type : a clinicopathologic analysis of four cases of an uncommon variant associated with endometriosis. Int J Gynecol Pathol 22 : 42-51, 2003
97) Kataoka M et al : MR imaging of müllerian mucinous borderline tumors arising from endometriotic cysts. J Comput Assist Tomogr 26 : 532-537, 2002
98) Kurata Y et al : Diagnostic performance of MR imaging findings and quantitative values in the differentiation of seromucinous borderline tumour from endometriosis-related malignant ovarian tumour. Eur Radiol 27 : 1695-1703, 2017
99) Kurata Y et al : Differentiation of seromucinous borderline tumor from serous borderline tumor on MR imaging. Magn Reson Med Sci 17 : 211-217, 2018
100) Ando T et al : MR findings for differentiating decidualized endometriomas from seromucinous borderline tumors of the ovary. Abdom Radiol 45 : 1783-1789, 2020
101) Saida T et al : Comparison of benign, borderline, and malignant ovarian seromucinous neoplasms on MR imaging. Magn Reson Med Sci 2024
102) Fox RA : Brenner tumor of the ovary : case reports, discussion and bibliography. Am J Pathol 18 : 223-235, 1942
103) Ogawa K et al : Immunohistochemical analysis of uroplakins, urothelial specific proteins, in ovarian Brenner tumors, normal tissues, and benign and neoplastic lesions of the female genital tract. Am J Pathol 155 : 1047-1050, 1999

104) Outwater EK et al : Ovarian Brenner tumors : MR imaging characteristics. Magn Reson Imaging 16 : 1147-1153, 1998
105) Athey PA, Siegel MF : Sonographic features of Brenner tumor of the ovary. J Ultrasound Med 6 : 367-372, 1987
106) Moon WJ et al : Brenner tumor of the ovary : CT and MR findings. J Comput Assist Tomogr 24 : 72-76, 2000
107) Takahama J et al : Borderline Brenner tumor of the ovary : MRI findings. Abdom Imaging 29 : 528-530, 2004
108) Sugimura K et al : Malignant Brenner tumor : MR findings. AJR Am J Roentgenol 157 : 1355-1356, 1991
109) Takeuchi M et al : Malignant Brenner tumor with transition from benign to malignant components : computed tomographic and magnetic resonance imaging findings with pathological correlation. J Comput Assist Tomogr 32 : 553-554, 2008
110) Oh SN et al : Transitional cell tumor of the ovary : computed tomographic and magnetic resonance imaging features with pathological correlation. J Comput Assist Tomogr 33 : 106-112, 2009
111) Tanaka YO et al : Borderline Brenner tumor of the ovary : a challenging case to be differentiated from benign counterpart. Eurorad 2023
112) Koh HH et al : Mesonephric-like adenocarcinoma of the ovary : clinicopathological and molecular characteristics. Diagnostics 12 : 326, 2022
113) Němejcová K et al : Dedifferentiated carcinoma of the ovary : a case report. Cesk Patol 54 : 33-36, 2018
114) Brown E et al : Carcinosarcoma of the ovary : 19 years of prospective data from a single center. Cancer 100 : 2148-2153, 2004
115) Xu Q et al : Primitive ovarian carcinosarcoma : a clinical and radiological analysis of five cases. J Ovarian Res 13 : 129, 2020
116) Saida T et al : Carcinosarcoma of the ovary : MR and clinical findings compared with high-grade serous carcinoma. Jpn J Radiol 39 : 357-366, 2021
117) Ben-Baruch G et al : Pure primary ovarian squamous cell carcinoma. Gynecol Oncol 29 : 257-262, 1988
118) Pins MR et al : Primary squamous cell carcinoma of the ovary : report of 37 cases. Am J Surg Pathol 20 : 823-833, 1996
119) Todo Y et al : A case of pure-type ovarian squamous cell carcinoma for which combination chemotherapy consisting of paclitaxel and carboplatin was not effective. Gynecol Oncol 97 : 223-227, 2005
120) 日本産科婦人科学会 編：子宮内膜症取扱い規約 第2部．第3版，金原出版，東京，2021
121) Chang HY et al : Extrauterine müllerian adenosarcoma associated with endometriosis and rectal villotubular adenoma : report of a case and review of the literature. Int J Gynecol Cancer 15 : 361-365, 2005
122) Huang GS et al : Extragenital adenosarcoma : a case report, review of the literature, and management discussion. Gynecol Oncol 115 : 472-475, 2009
123) Al-Abbadi MA, Spanta R : Pathologic quiz case : a 34-year-old woman with abdominal pain and a large right multicystic ovarian mass. Arch Pathol Lab Med 128 : 1057-1058, 2004
124) Horiuchi T et al : MRI findings characteristic of ovarian primary adenosarcoma. J Obstet Gynaecol 40 : 1176-1177, 2020

2. 性索間質性腫瘍 sex cord-stromal tumors

Summary

- 最も頻度の高いのはホルモン活性のない良性の線維腫であり，境界明瞭，辺縁平滑な充実性腫瘍で，T2強調像で低信号，造影後は晩期に淡い増強効果を示す。Meigs症候群により多量の胸腹水を伴うことがあり，注意を要する。
- 代表的なエストロゲン産生腫瘍である顆粒膜細胞腫や莢膜細胞腫では，子宮の腫大や内膜の肥厚といった間接所見から組織型を推定できることがある。
- 典型的な成人型顆粒膜細胞腫は血性の内容物を含む多房性の多血性腫瘍で，50代に好発する。若年型は初経発来前の小児に早発思春期として発症する。
- セルトリ間質性腫瘍やステロイド細胞腫瘍は若年成人に好発し，男化腫瘍として有名だが，頻度的にはまれで，アンドロゲンを産生するものはさらに少ない。
- 硬化性間質性腫瘍は若年成人に月経異常で発症し，T2強調像で高信号を示す浮腫性の間質に島状に富細胞性の領域が低信号域としてみられ（pseudolobular pattern），造影剤により充実性増殖部が濃染する。

性索細胞とは卵巣の顆粒膜細胞，精巣のセルトリ細胞，間質細胞とは卵巣の莢膜細胞や線維芽細胞，精巣のライディッヒ細胞，あるいはこれらの発生過程でみられる細胞を指す[1]。卵巣性索間質性腫瘍は，胎性期生殖索および間質に由来し[2]これらの細胞が単独に，あるいは種々の組み合わせで含まれる腫瘍をいい，全卵巣腫瘍の約8％を占めるといわれる[2]。したがって内分泌活性をもつ腫瘍のほとんどがこの群に含まれる（本章Ⅰ-表2，p391参照）わけだが，実際にはホルモン活性のない線維腫が半数程度を占め，顆粒膜細胞腫がこれに次いで多いといわれている。

A. 純粋型間質性腫瘍 pure stromal tumors

1) 線維腫 fibroma, 莢膜細胞腫 thecoma

純粋型間質性腫瘍（pure stromal tumors）の代表格が線維腫（fibroma）と莢膜細胞腫（thecoma）で，各々独立した疾患概念であるが，後述するように病理組織学的に「線維莢膜細胞腫（fibrothecoma）」と診断される症例が少なくなく，画像所見も線維莢膜細胞腫として報告されているものがほとんどであることから，ここではまとめて解説する。

線維腫は異型に乏しい紡錘細胞と膠原線維の増殖で構成される良性腫瘍[1]で，全卵巣腫瘍の4％を占める[2]。中年女性に好発し通常は内分泌活性をもたない[2]。線維腫に多量の胸腹水を合併した病態はMeigs症候群（コラム「Meigs症候群とpseudo-Meigs症候群」，p660参照）として知られるが，腹水単独の合併は10～15％に及ぶとされる[2]。またGorlin-Goltz症候群（母斑性基底細胞症候群，nevoid basal cell carcinoma syndrome）の女性患者の75％に本腫瘍を合併し，両

側性，石灰化の頻度が高いとされる（p12；p10 図8 参照）[3]。通常は片側性で，病理組織学的には紡錘形の腫瘍細胞が膠原線維，硝子化，様々な程度の浮腫を伴って増殖する。線維腫でも細胞質内に脂質を含むことがあり，後述の莢膜細胞腫との鑑別は脂質の有無のみではできず，莢膜細胞の増殖を伴っていても腫瘍細胞の主体が線維芽細胞である場合は線維腫と診断すると取り決められている[4]が，明確な基準はなく，「線維莢膜細胞腫」と病理組織診断される例が少なくない[5]。

莢膜細胞腫は閉経後に好発する代表的なホルモン産生腫瘍の1つである。病理組織学的には脂質を含有する莢膜細胞類似の細胞からなるが，細網線維が腫瘍細胞を取り囲むために線維成分に富み，種々の割合で線維芽細胞が混在している。主として閉経後（平均年齢59歳）に発症し，原則的に片側性であるが3％は両側性とされる[6]。

莢膜細胞腫に限定した画像所見の報告はほとんどなく，線維腫あるいは線維莢膜細胞腫としてまとめられた報告が多く，線維成分に富むという特徴に着目した画像所見の報告が多くみられる。USでは，エコーレベルは高いとするもの[7]と低いとするもの[8]が混在するが，おおむね音響陰影を伴う腫瘍である[7,8]とする報告が多い。単純CTでは骨格筋の代表としての大腰筋と比べ，CT値が低いことが報告されている[9]。Bazotらは，その豊富な線維成分を反映して造影剤投与後，晩期に増強効果を示すとしている[10]。MRIでは腫瘍が線維成分に富むことを反映して，T1強調像，T2強調像とも低信号を呈する（図1）[11-14]。しかし線維腫において内部の変性・浮腫はまれではなく，変性部分が広範で囊胞主体の病変を形成する例も時に経験される[15,16]（図2）。拡散強調像では低信号[17]，ダイナミックMRIではCTでの報告と同様，晩期に淡い増強効果を示す[18-20]。しかしながら線維莢膜細胞腫における拡散制限と増強パターンは内部の線維成分の量に依存し，細胞成分が豊富で相対的に膠原線維・弾性線維が少ないものは拡散制限が強く，よく増強される[21]との推論が成り立つ。Chungらは，大きな線維莢膜細胞腫ほど莢膜細胞が多く，T2強調像で信号強度が上昇し，ADC値が低く，典型例に比べよく増強される（図3）ことを報告している[17]。さらにこのような症例では腹水も多く，CA125も高値を示す[17]傾向にあり，悪性腫瘍との鑑別に注意が必要である。筆者の印象では拡散強調像で異常信号を呈しても，典型的な悪性腫瘍のようにADC値が$1.0 \times 10^{-3} mm^2/s$を下回ることはなく，増強効果は不良なことが多い。

閉経後に発症したエストロゲン産生莢膜細胞腫では顆粒膜細胞腫と同様，臨床的にも不正性器出血で発症することがあり，画像的にも子宮の腫大や子宮内膜の肥厚を指摘できることがあり，内膜病変（ポリープ，異型増殖症，高分化型類内膜癌）の合併に留意する必要がある（図4）。

鑑別診断の第一は同様にT2強調像で低信号を示す子宮筋腫である。漿膜下子宮筋腫が有茎性に発育することはまれでなく，子宮との連続性が明らかでない場合には鑑別に苦慮することがある[12]。腫瘍が子宮由来であることを示す所見としては子宮と腫瘍との間のflow void（bridging vascular sign）[22-25]，両側の正常卵巣の確認[22]が重視される（p130；p133〜134 図4〜5 参照）。また閉経後の子宮筋腫に腹水を合併することはまれだが，前述のごとく線維腫では腹水の合併が多く[22]，診断のヒントになることがある。ダイナミックMRIを含めた造影検査では，線維莢膜細胞腫が晩期に淡い増強効果を示すのみであるのに対し，子宮筋腫は造影早期から良好な増強効果を示すことから両者の鑑別に有用であるとされる[18,26]。

ほかに線維成分の豊富な腫瘍としてはブレンナー腫瘍（p481 参照），腺線維腫[14]が挙げられる。典型的なブレンナー腫瘍では線維腫よりも間質の浮腫は乏しい傾向にあり，T2強調像で骨格筋

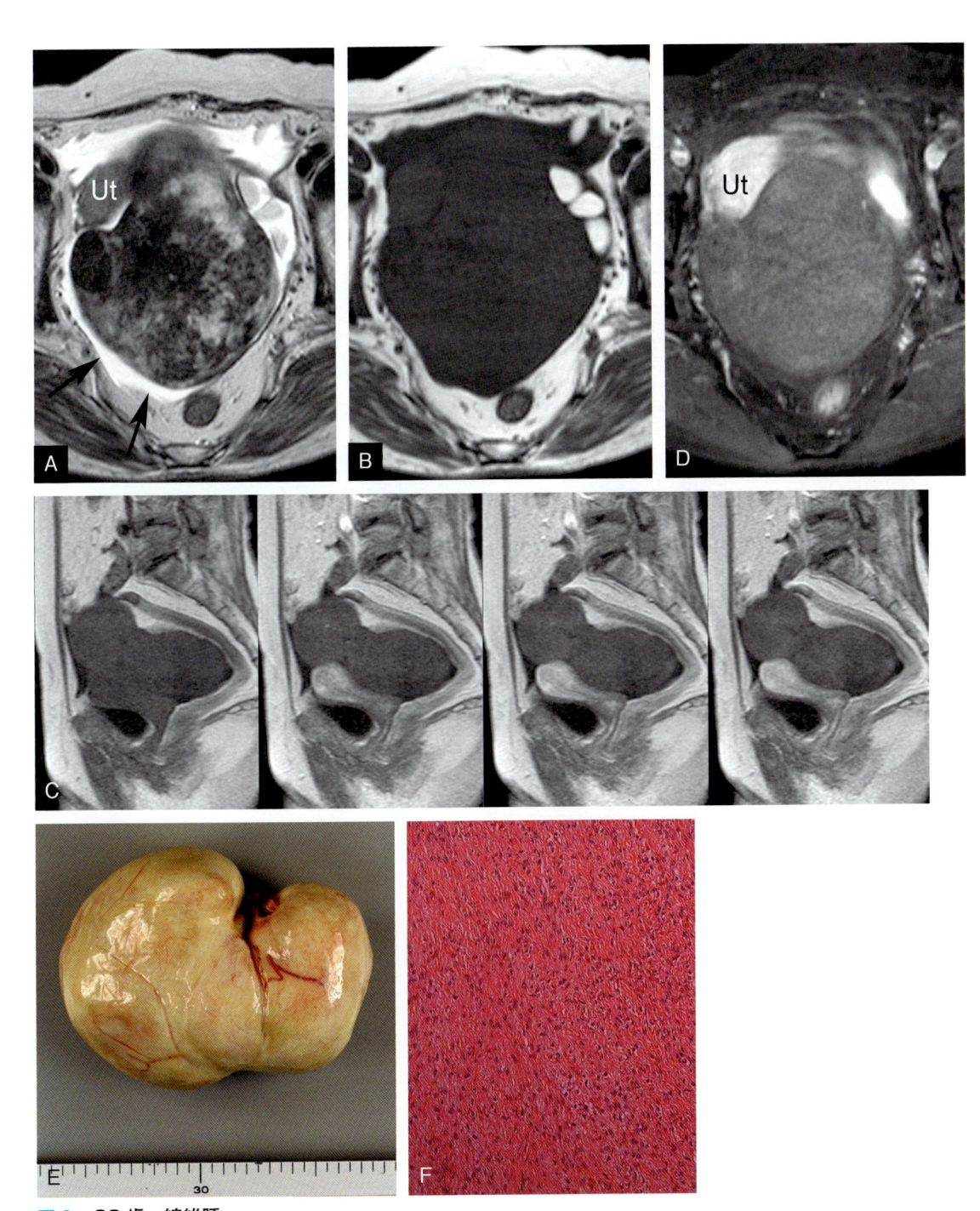

2. 性索間質性腫瘍 sex cord-stromal tumors

図1 69歳 線維腫
A：T2強調横断像，B：T1強調横断像，C：ダイナミックMRI矢状断像，D：脂肪抑制T1強調横断像，E：摘出標本肉眼像，F：HE染色（弱拡大）
子宮（Ut）の左後方にT2強調像で低信号（A），T1強調像でも低信号（B）の分葉状の腫瘤があり，少量の腹水（A →）を伴う。ダイナミックMRIでは早期から増強不良（C）で，造影後平衡相でも子宮（Ut）筋層よりも低信号に留まる（D）。摘出標本は白色調の充実性分葉状の腫瘤（E）で，病理組織学的には紡錘形の腫瘍細胞がびまん性に増殖している（F）。

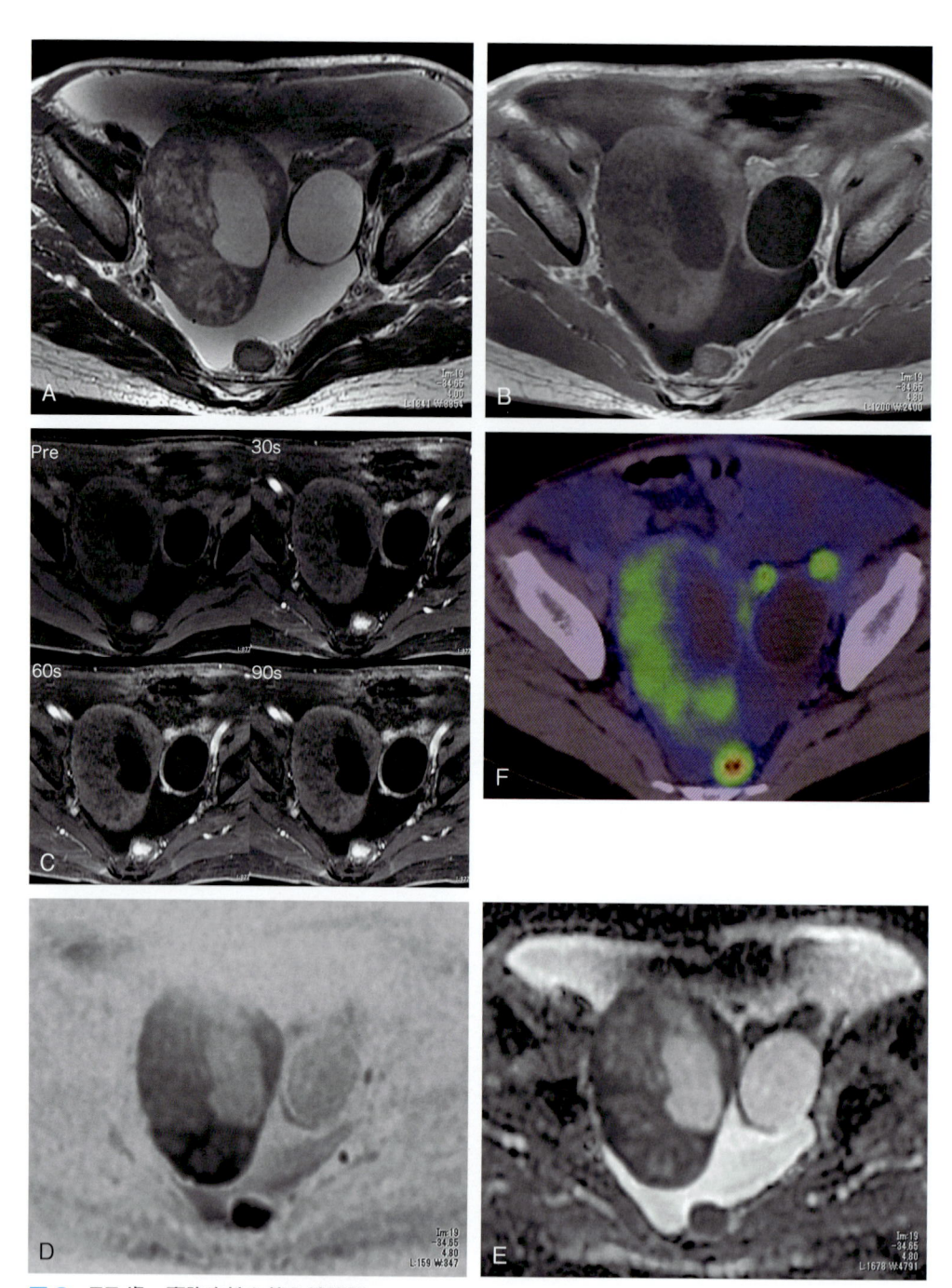

Ⅱ 卵巣腫瘍 ovarian tumors

図2 55歳 囊胞変性を伴う線維腫
A：T2強調横断像，B：T1強調横断像，C：ダイナミックMRI，D：拡散強調横断像，E：ADC map，F：PET/CT
右卵巣を置換する境界明瞭，辺縁平滑な腫瘤がある。T2強調像で低信号（A），T1強調像でも低信号（B）で増強効果は不良である（C）。拡散強調像では充実部は異常信号を示す（D）が，ADC mapではさほど低信号ではなく（E），拡散制限は弱い。PET/CTでのFDGの集積も弱い（F）。周囲には多量の腹水があるが，播種性結節は描出されない。充実部のT2強調像での信号が不均一な点で非典型的だが，非浸潤性，delayed weak enhancementに着目すれば，線維腫との診断は難しくない。なお，対側卵巣は非腫瘍性の単純性囊胞であった。

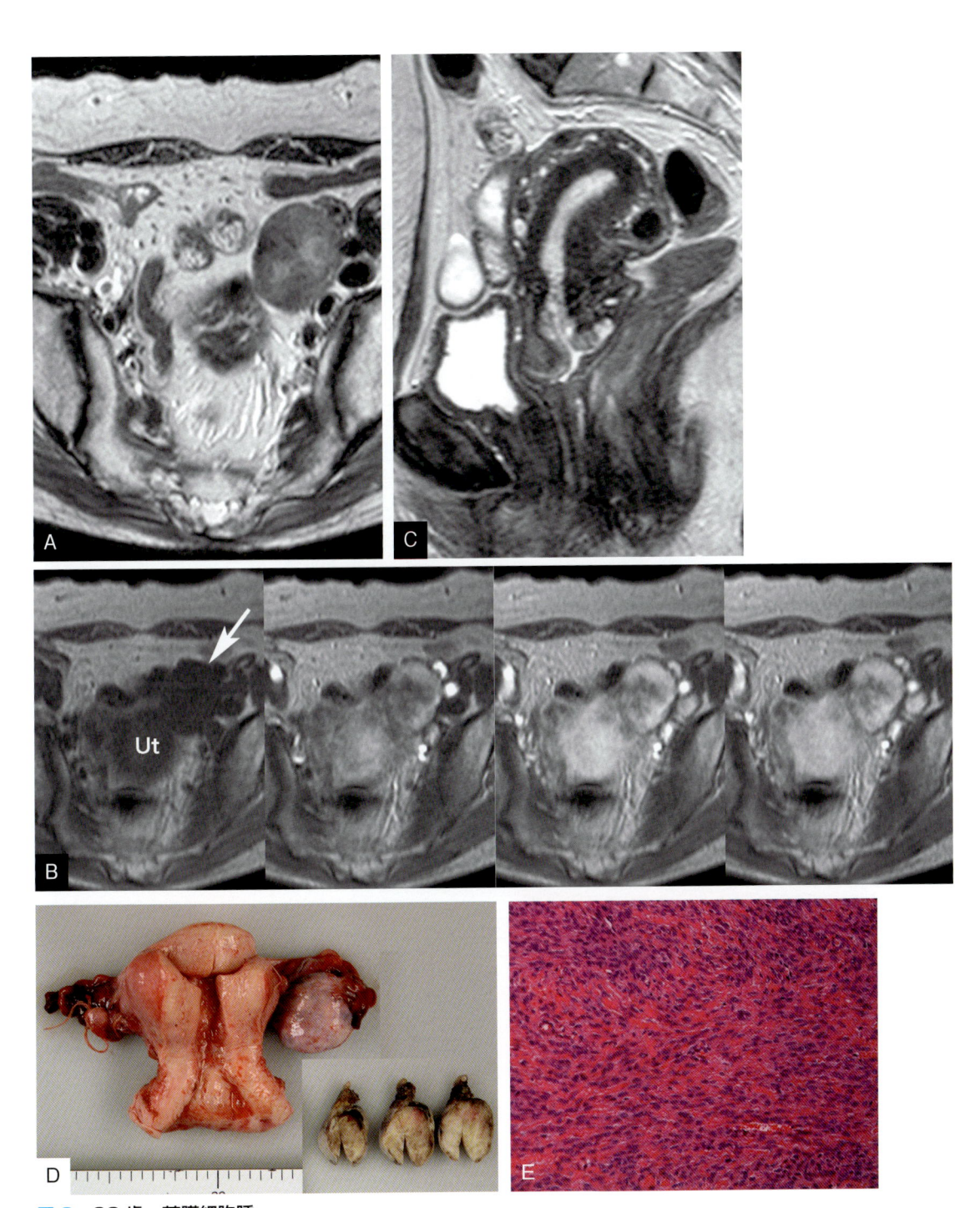

2. 性索間質性腫瘍 sex cord-stromal tumors

図3 60歳 莢膜細胞腫
A：T2強調横断像，B：ダイナミックMRI横断像，C：T2強調矢状断像，D：摘出標本肉眼像，E：HE染色（弱拡大）
子宮の左上方に接して境界明瞭，分葉状のT2強調像にて信号強度の低い腫瘤があり（A）線維腫に類似するが，ダイナミックMRIでは早期から子宮（Ut）と同程度の増強効果を示す（B→）。子宮は閉経後にしてはかなり大きく，内膜は厚く内部構造も明瞭である（C）。内分泌学的にもエストラジオールが271 pg/mLと高値であった。肉眼的にも非浸潤性の充実性腫瘤（D）で，細胞境界の不鮮明な細胞が豊富な膠原線維に囲まれて存在し（E），莢膜細胞腫と診断された。
（A，C，Eは文献21より転載）

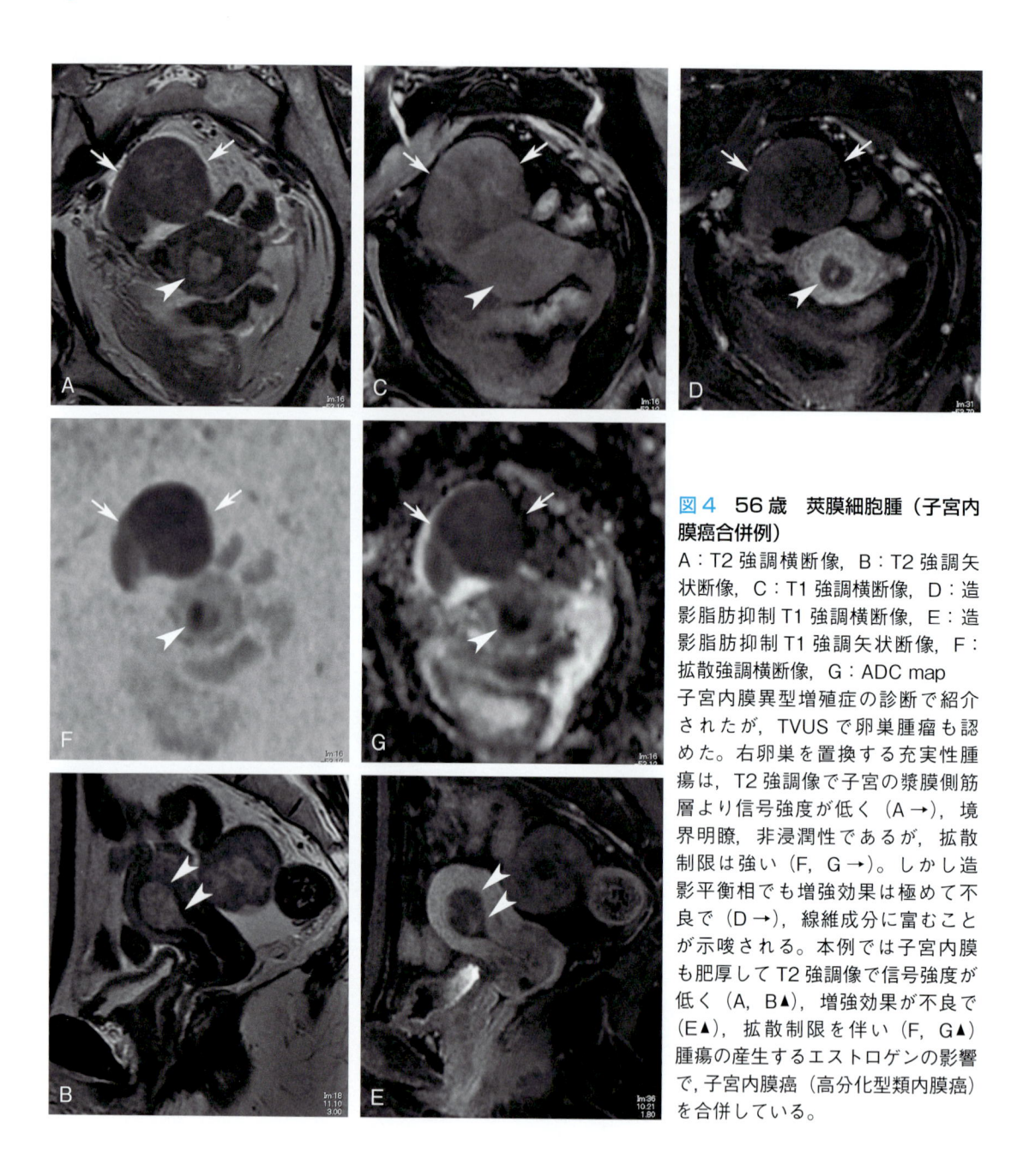

Ⅱ 卵巣腫瘍 ovarian tumors

図4　56歳　莢膜細胞腫（子宮内膜癌合併例）
A：T2強調横断像，B：T2強調矢状断像，C：T1強調横断像，D：造影脂肪抑制T1強調横断像，E：造影脂肪抑制T1強調矢状断像，F：拡散強調横断像，G：ADC map
子宮内膜異型増殖症の診断で紹介されたが，TVUSで卵巣腫瘍も認めた。右卵巣を置換する充実性腫瘍は，T2強調像で子宮の漿膜側筋層より信号強度が低く（A→），境界明瞭，非浸潤性であるが，拡散制限は強い（F，G→）。しかし造影平衡相でも増強効果は極めて不良で（D→），線維成分に富むことが示唆される。本例では子宮内膜も肥厚してT2強調像で信号強度が低く（A，B▲），増強効果が不良で（E▲），拡散制限を伴い（F，G▲）腫瘍の産生するエストロゲンの影響で，子宮内膜癌（高分化型類内膜癌）を合併している。

と同程度の著しい低信号を呈する[14]。

　Meigs症候群（Meigs' syndrome）（図5）は線維腫に多量の胸腹水を合併し卵巣腫瘍摘出により胸腹水が消失する病態をいい[27]，臨床的には悪性腫瘍と誤認されがちだが，多量の腹水にもかかわらず播種は存在しないこと，卵巣腫瘍は充実成分が豊富であるにもかかわらず周囲への浸潤傾向を欠くことから本腫瘍を疑うことは比較的容易である。鑑別対象としては悪性腫瘍であるにもかかわらず浸潤傾向に乏しい転移性卵巣腫瘍（特に狭義のKrukenberg腫瘍）が挙げられるが，

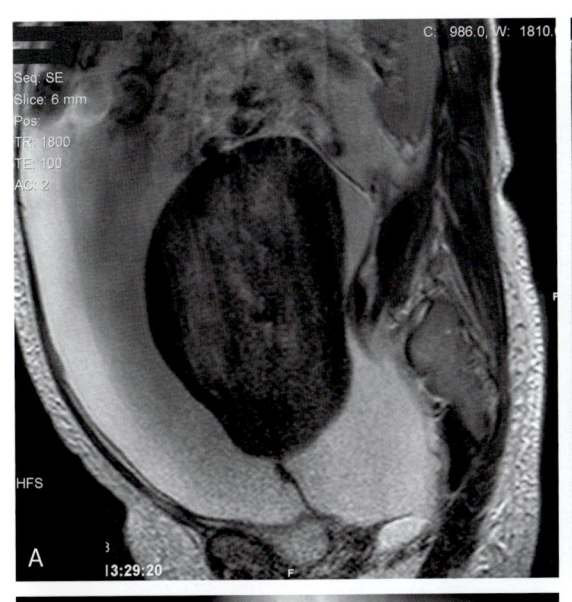

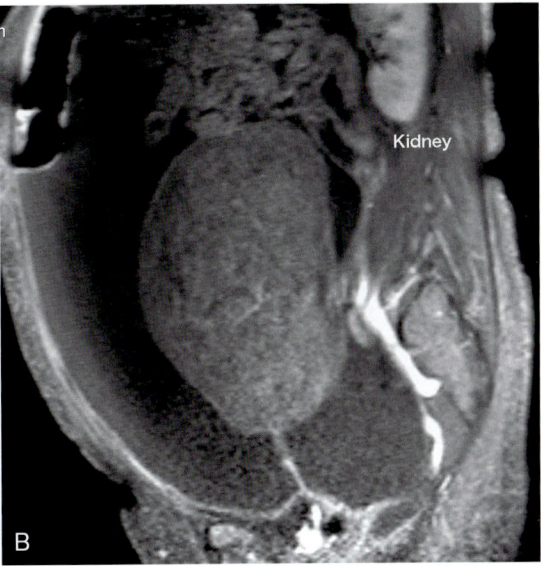

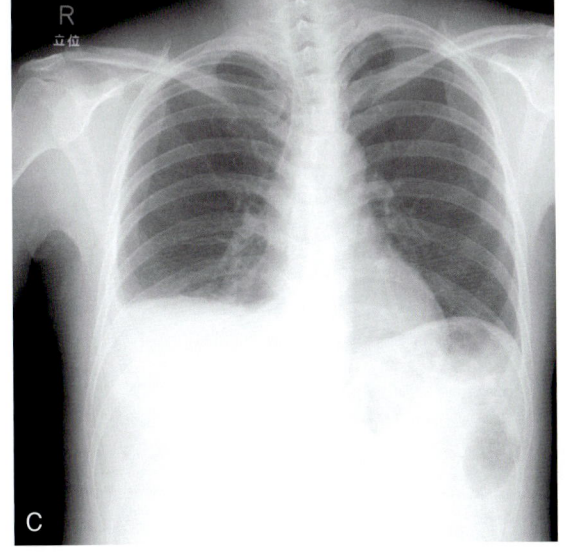

2. 性索間質性腫瘍 sex cord-stromal tumors

図5　47歳　線維腫，Meigs 症候群
A：T2 強調矢状断像，B：造影脂肪抑制 T1 強調矢状断像，C：胸部単純 X 線写真
辺縁平滑で境界明瞭，T2 強調像で低信号（A），腎（B：Kidney）に比べ極めて増強効果の不良な典型的な線維腫。大量の腹水，右胸水（C）を合併しているが，腫瘤摘除後，腹水は再発せず胸水も1カ月後には消失が確認された。

転移の場合は悪性腫瘍細胞の増生に伴う血管新生のため典型的な線維腫よりも増強効果が良好で典型例は鑑別可能である[21)28)]。また，線維腫以外の卵巣腫瘍や時に子宮筋腫にも同様の病態がみられ，pseudo-Meigs 症候群（pseudo-Meigs' syndrome）として，線維腫に起因する Meigs 症候群とは区別される。

　細胞密度が高いものの核異型が軽度な線維腫は富細胞性線維腫（cellular fibroma）（図6）とよばれ，線維腫の10％程度でみられる。そのうち高倍率視野で4個を超える核分裂を示すものは活動性核分裂型線維腫（mitotically active cellular fibroma）（図7）とよばれる。肉眼的にも前者は平均8cm，後者は9.4cm と大きなものが多く，1/3の症例で囊胞変性を伴い，卵巣被膜を越えて卵巣外に露出していることが少なくないという。予後は良好だが，局所再発例はあり，

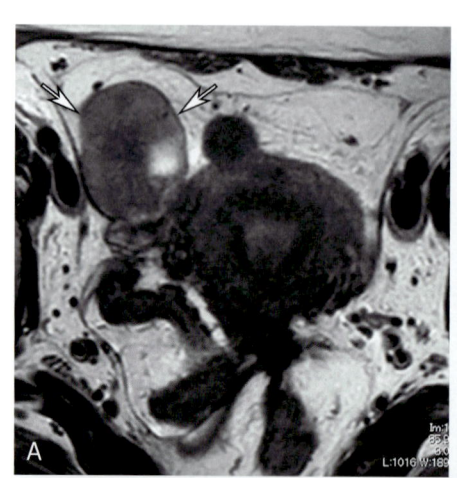

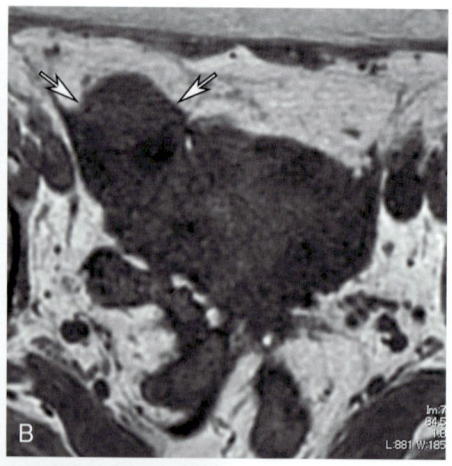

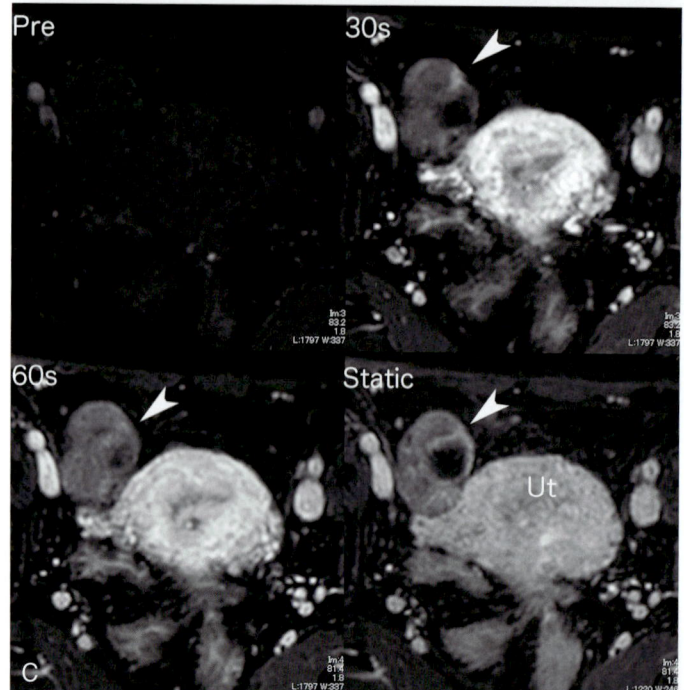

II 卵巣腫瘍 ovarian tumors

図6　39歳　富細胞性線維腫

A：T2強調横断像，B：脂肪抑制T1強調横断像，C：ダイナミックMRI横断像，D：拡散強調横断像，E：ADC map

右卵巣に，辺縁に囊胞成分を伴う，境界明瞭，辺縁平滑な充実性腫瘤がある（A，B→）。図1の線維腫に比べ，T2強調像で信号が高く（A），増強効果も強く（C▲，Ut：子宮），拡散制限も強い（D，E→）。病理組織学的に細胞質の乏しい紡錘形細胞が錯綜しながらびまん性に増殖し，線維成分は相対的に乏しく，富細胞性線維腫と診断された。

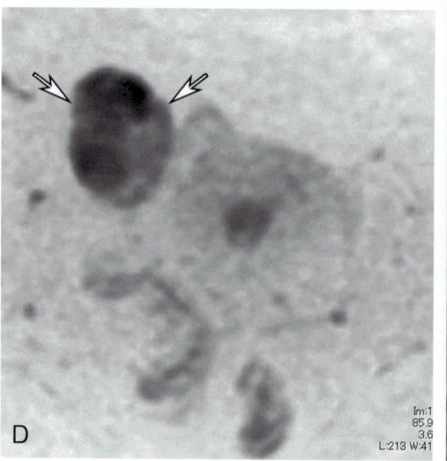

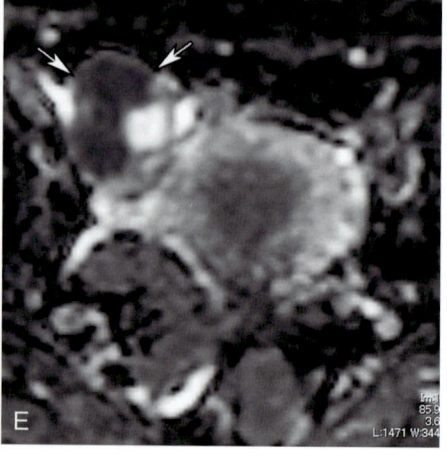

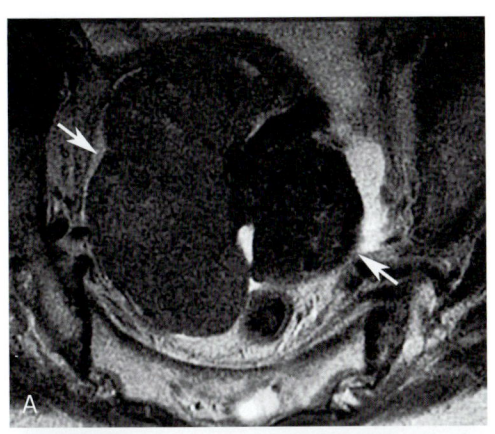

図7 87歳 活動性核分裂型線維腫
A：T2強調横断像，B：T2強調横断像（1年後），C：脂肪抑制T1強調横断像（1年後）
腰椎MRIで偶然，T2強調像で信号強度の低い骨盤内腫瘤が描出された（A→）。約1年後，腫瘤内にT2強調像で信号強度の高い部分を伴って（B▲），腫瘍は増大し，出血を合併した（C▲）。

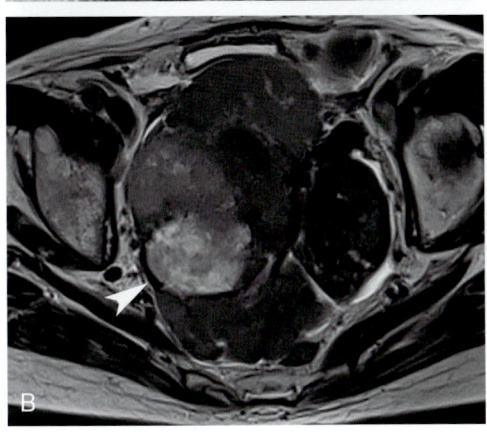

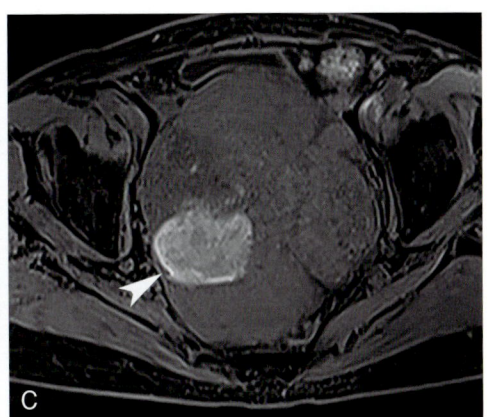

術後，注意深く経過観察すべきとされる[29]。画像所見のまとまった報告はないが，富細胞性線維腫では典型的な線維腫に比べT2強調像で信号強度の高いものが多く[30)31]，核分裂の活発さを反映して，拡散制限を示すと報告されている[32]。

莢膜細胞腫の組織内に好酸性ないし淡明で広い細胞質を有するステロイド細胞様腫瘍が混在することがあり，性索成分が少量（10％）未満の場合は僅少な性索成分を伴う莢膜細胞腫（thecoma with minor sex cord elements）とよぶ[1]。自験例では線維腫と区別のつかない形態を呈していた（図8）。

2）硬化性腹膜炎を伴う黄体化莢膜細胞腫 luteinized thecoma associated with sclerosing peritonitis

WHO分類第3版では黄体化莢膜細胞腫（luteinized thecoma）が莢膜細胞腫の亜分類として挙げられていたが，第4版で多くの性索間質性腫瘍，ひいては他の卵巣腫瘍でも脂質に富んだステロイド型細胞を含有することが少なくないので，黄体化莢膜細胞腫という用語は使用すべきではないとされて廃止された。一方で，第4版から独立した疾患概念として登場した硬化性腹膜炎を伴う黄体化莢膜細胞腫は，腹膜の硬化やそれによる腸管の閉塞を伴うまれな病態である[6]。卵

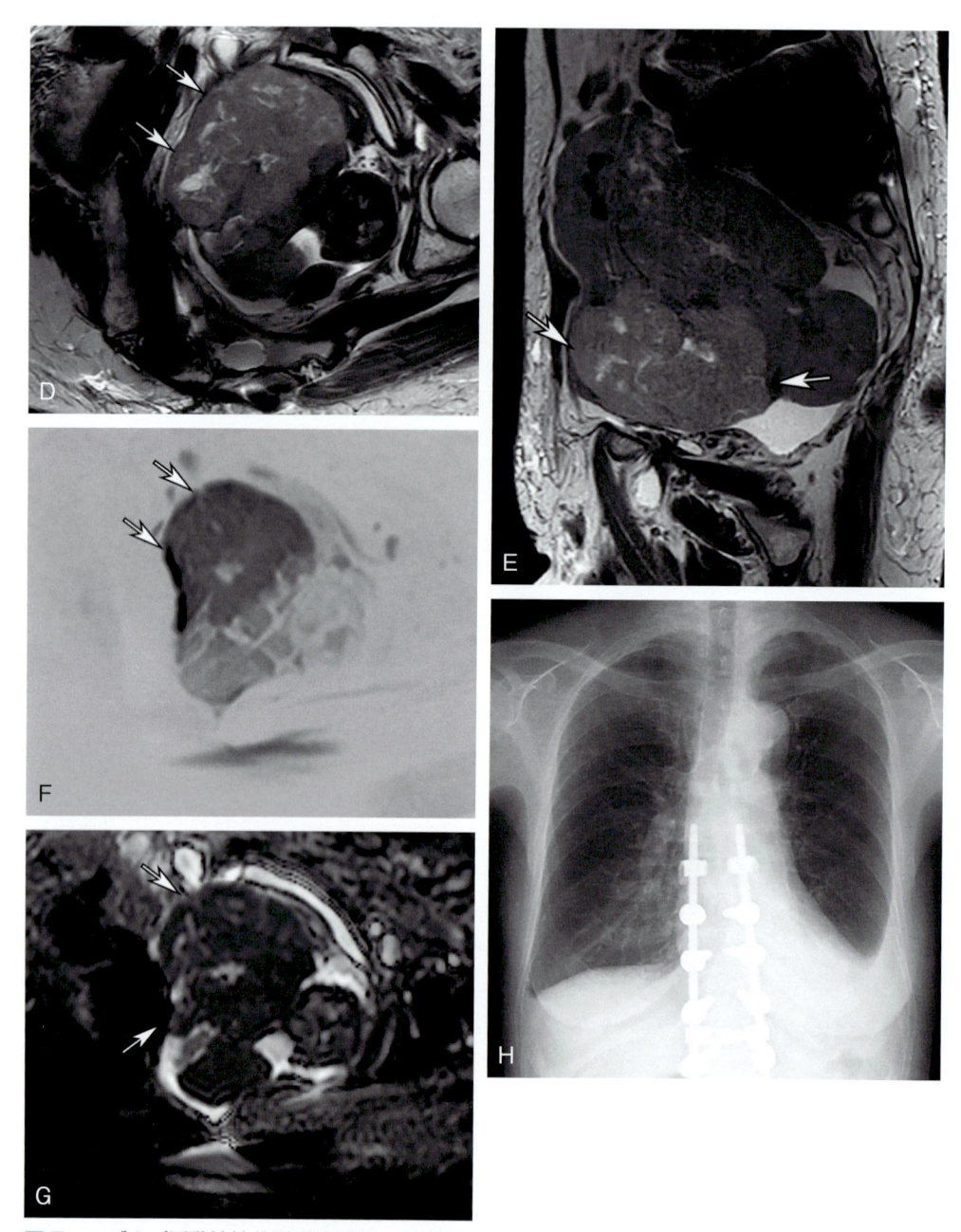

II 卵巣腫瘍 ovarian tumors

図7 つづき（活動性核分裂型線維腫，3年後）
D：T2強調横断像，E：T2強調矢状断像，F：拡散強調横断像，G：ADC map，H：胸部単純X線写真
3年後，経過中出現した出血は吸収されて縮小した反面，腫瘤はさらに増大し，T2強調像で極めて信号強度の低い部分と，やや高信号の部分（D, E→）が混在し，典型的な線維腫に比べ拡散制限も強い（F, G→）が，浸潤性発育はなく，3年の経過を考慮すると良性の性索間質性腫瘍と考えられた。病理組織学的にも異型の目立たない卵円形～紡錘形の腫瘍細胞が比較的高い密度で錯綜して増殖し，核分裂像は多い部分で5個/10高倍率視野でみられ，活動性核分裂型線維腫と診断された。本例も腹水のみならず，胸水を合併し（H），Meigs症候群である。

2. 性索間質性腫瘍 sex cord-stromal tumors

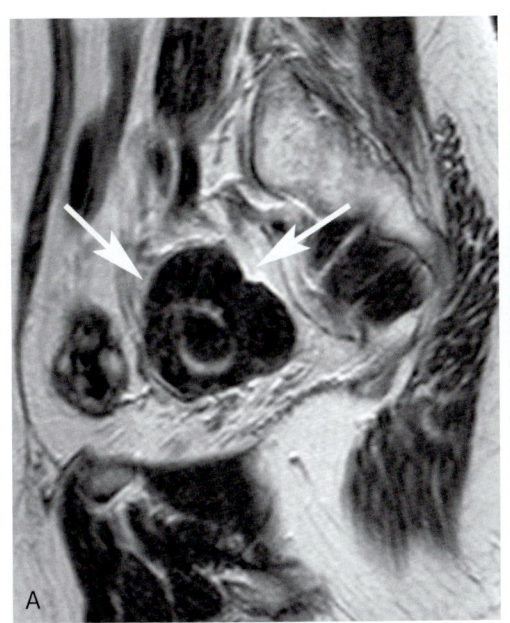

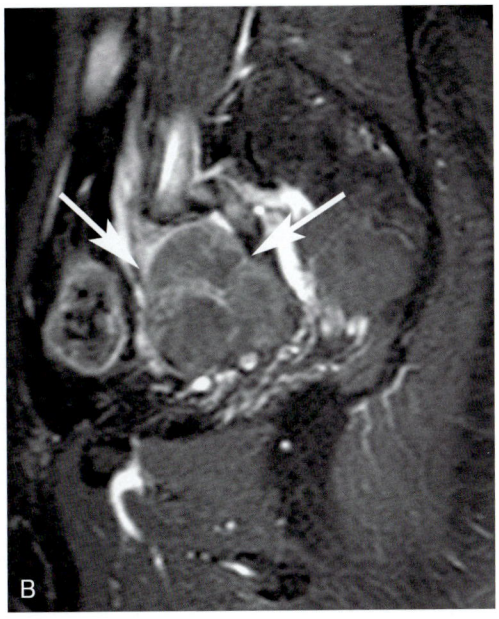

図8 64歳　僅少な性索成分を伴う莢膜細胞腫
A：T2強調矢状断像，B：造影脂肪抑制T1強調矢状断像
左骨盤壁に接して分葉状で境界明瞭，辺縁平滑な腫瘤を認める。T2強調像で骨格筋と同程度の低信号を示し（A→），増強効果が不良で（B→），線維莢膜細胞腫の特徴を有する。摘出標本では線維成分に富む間質成分が主体であったが，莢膜細胞，顆粒膜細胞が少量含まれており，僅少な性索成分を伴う莢膜細胞腫の範疇と考えられる。

巣腫瘍は通常両側性で，発症年齢の中央値は28歳と若年女性に好発する。病理組織学的には紡錘形の莢膜細胞様細胞と，孤在性ないし胞巣を形成する黄体化細胞で構成され，浮腫や微小嚢胞形成を伴うことが多いという[1]。黄体化細胞が産生するエストロゲンやプロゲステロンが線維芽細胞の増殖を促進し，硬化性腹膜炎を生じると考えられている[33]。画像所見の報告はほとんどないが，Chenらは多数の微小な腹膜結節を伴う両側性卵巣腫瘍を示すCT所見から，進行卵巣癌との鑑別が難しかったことを報告している[34]。病理組織所見は次項の硬化性間質性腫瘍と共通点があることから，MRI所見も類似している可能性がある。

3) 硬化性間質性腫瘍 sclerosing stromal tumor

硬化性間質性腫瘍（sclerosing stromal tumor）は10～20代の若年者に生じる良性の充実性腫瘍である。内分泌活性をもつことはまれだが，多くは続発性無月経や不正出血などの月経異常を契機に発見される。病理組織学的には浮腫性で細胞の少ない結合織を背景に富細胞性の領域が浮かぶ形態をとり，pseudolobular patternとよばれる[2)35]。富細胞性の領域には豊富な膠原線維と毛細血管網を伴うことから，T2強調像では低信号を呈し[36]，造影剤によりかなり良好な増強効果を示す（図9, 10）[37]。特にダイナミックMRIでは，その豊富な毛細血管網を反映して富細胞性の領域が早期より非常に強く増強され，それが後期まで持続する[38)39]とされる。毛細血管網の

513

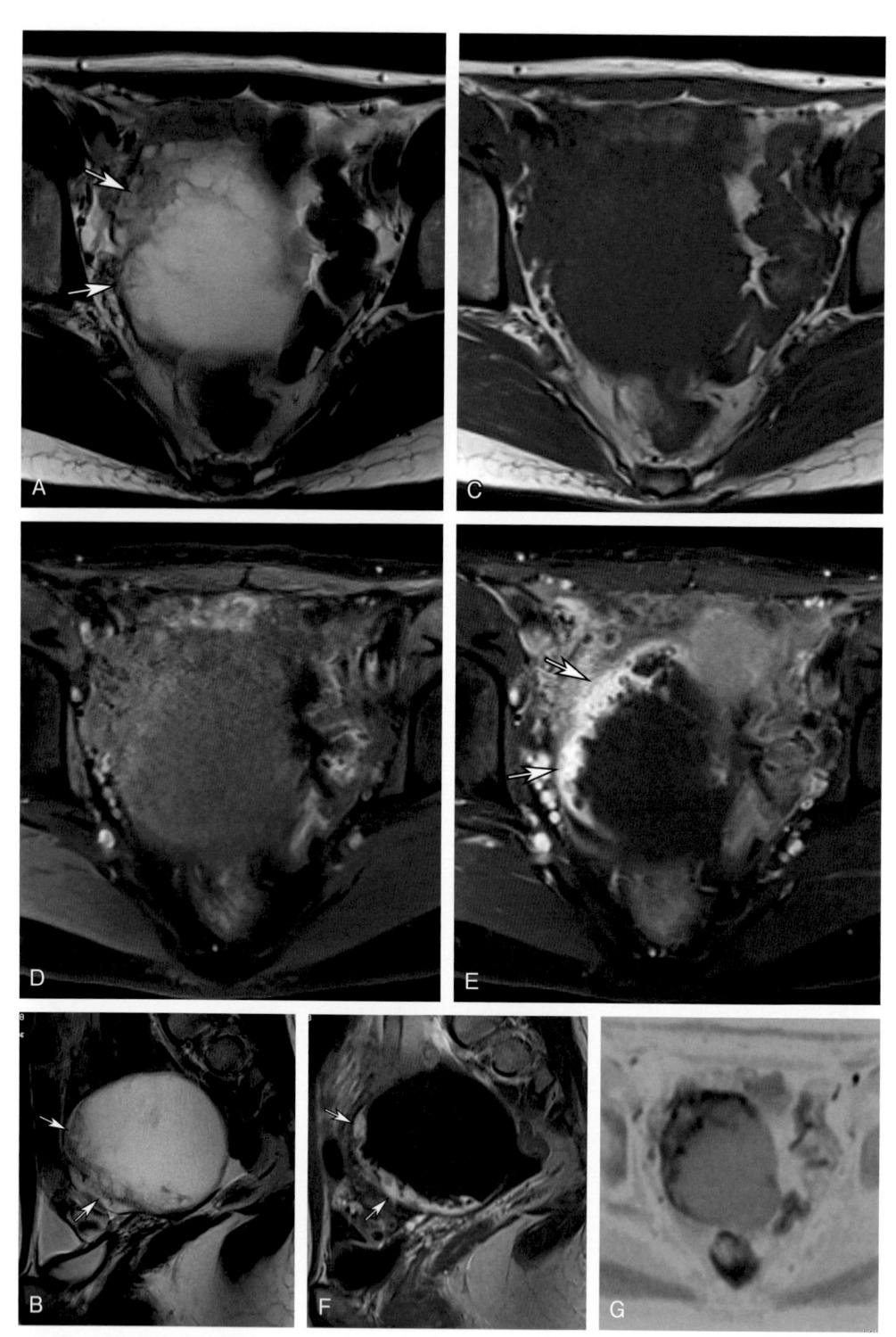

Ⅱ 卵巣腫瘍 ovarian tumors

図9 38歳 硬化性間質性腫瘍
A：T2強調横断像，B：T2強調矢状断像，C：T1強調横断像，D：脂肪抑制T1強調横断像，E：造影脂肪抑制T1強調横断像，F：造影脂肪抑制T1強調矢状断像，G：拡散強調横断像
右卵巣を置換する腫瘍は嚢胞とみまがうほどT2強調像で極めて高信号だが，右前縁により信号強度の低い部分があり（A, B→），この部分は造影剤により極めて強く増強され（C〜F），同部は拡散制限も強い（G）。強い増強域は富細胞性の部分，ほとんど増強されない部分は浮腫性の部分と考えられ，病理組織学的なpseudolobular patternに相当し，本腫瘍に特徴的である。

2. 性索間質性腫瘍 sex cord-stromal tumors

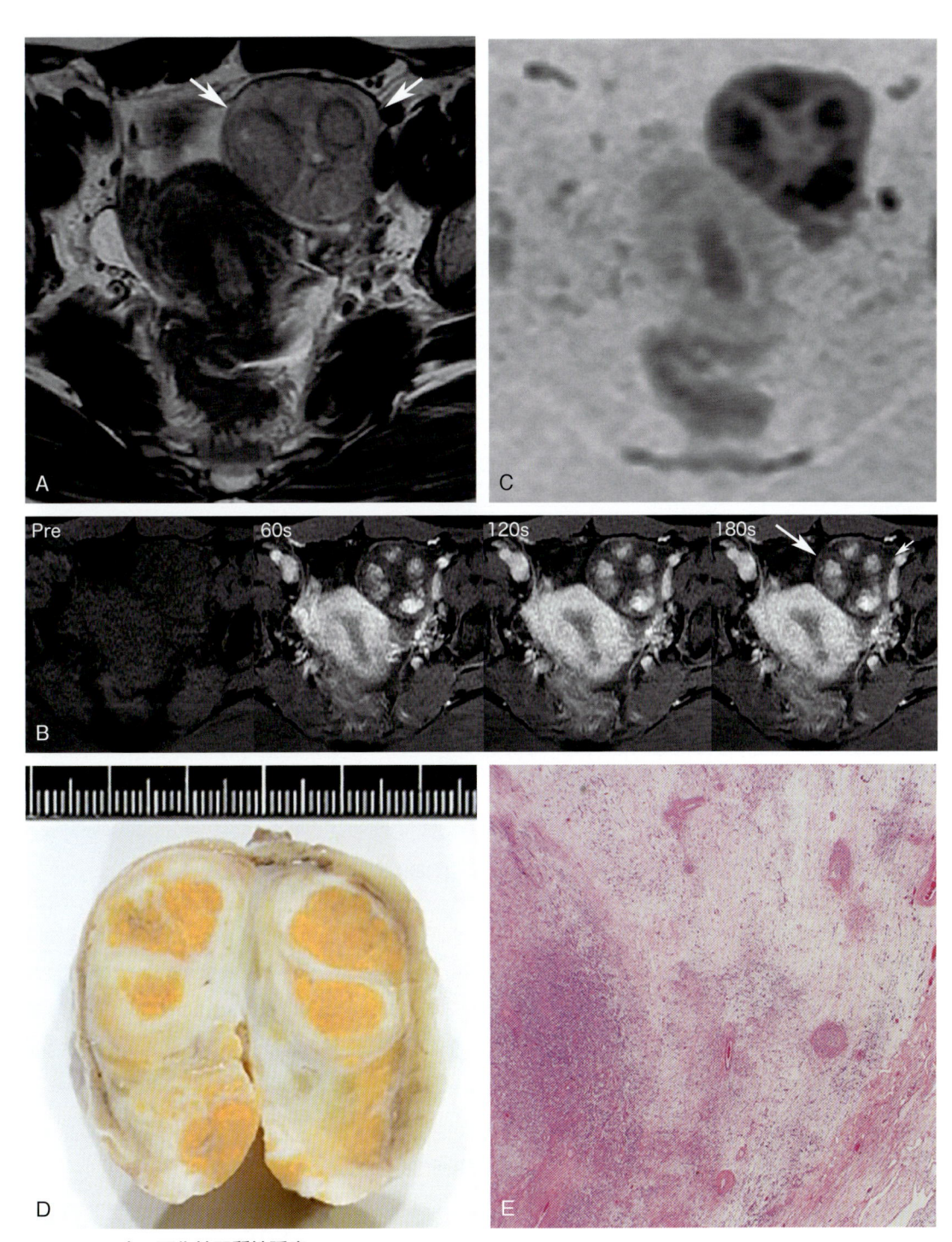

図10 17歳 硬化性間質性腫瘍
A：T2強調横断像，B：ダイナミックMRI横断像，C：拡散強調横断像，D：摘出標本割面，E：HE染色（中拡大）
月経不順を主訴に近医を受診したところ，左卵巣腫瘍を指摘された。腫瘍にはT2強調像で不均一なやや高信号を示す背景に，低信号の被膜様構造で囲まれた島状の領域が内部に散見され（A→），同部は早期から極めて強く増強される（B→），拡散制限も強い（C）。摘出標本では黄白色調の背景に，より鮮やかな黄色を呈する結節が多数配列する形態を示し（D），前者は浮腫性の間質，後者は富細胞性の部分に相当（E）し，pseudo-lobular patternを呈する。

515

発達は画像的には腫瘍内の flow void の多発としてもみられることがある。典型的な硬化性間質性腫瘍では腫瘍の大部分は浮腫状で細胞は疎に分布することから低信号域は腫瘍辺縁にわずかに偏在するだけのことが多く（図9），充実部の局在から centripetal enhancement を示すとされる[38]。しかし筆者らは，富細胞性領域が島状に存在する症例も時に経験し，増強効果はその分布形態により様々であることを指摘した[40]。浮腫性の膠原線維に富んだ間質に疎に腫瘍細胞が増殖する病理組織学的特徴は転移性腫瘍にもみられ，病理組織学的にも，画像的にも Krukenberg 腫瘍（狭義＝胃の印環細胞癌からの転移性卵巣腫瘍）との鑑別が問題となる。狭義の Krukenberg 腫瘍では腫瘍細胞が腺腔を形成することに伴い，造影剤により壁のよく増強される囊胞を含む[41]が，本腫瘍ではみられない。また胃癌の検索や月経異常の病歴の聴取といった間接所見も鑑別診断に際しては重要である。

4）微小囊胞間質性腫瘍 microcystic stromal tumor

WHO 分類第 4 版から加わった，微小囊胞形成・固形細胞巣・硝子化線維性間質を特徴とする極めてまれな良性腫瘍で，幅広い年齢層に発生し，通常，片側性でホルモン活性はない[6]。本腫瘍の大半は *CTNNB1*（β-カテニン）遺伝子変異を有し，一部は *APC* 遺伝子変異を伴うため，家族性大腸ポリポーシスに伴うことがある。その他の腫瘍に分類される充実性偽乳頭状腫瘍（solid pseudopapillary neoplasm）も β-カテニン遺伝子変異や核内 β-カテニン発現など分子遺伝学的な共通点をもつ（p576 参照）ため，両者の類似性が指摘されている。特徴的な画像所見の報告はないが，症例報告に添付された US 所見は，いずれも壁在結節を伴う囊胞性腫瘍[42)43)]で，PET/CT では充実部に FDG の強い集積を伴っている[42]。

5）印環細胞間質性腫瘍 signet-ring stromal tumor

印環型腫瘍細胞と線維性間質で構成された極めてまれな良性腫瘍で，幅広い年齢に発生し，通常は片側性の充実性腫瘍である。印環型腫瘍細胞の本質は，細胞外の基質で構成される偽封入体とそれによる核の圧排像で，細胞質内粘液を欠くことから，狭義の Krukenberg 腫瘍（胃の印環細胞癌の卵巣転移）とは区別されるという[1]。画像の報告は見当たらないが，病理で本腫瘍が疑われた場合には，画像で転移性卵巣腫瘍の原発巣は存在しないことを示すのが肝要と考える。

6）ライディッヒ細胞腫 Leydig cell tumor

卵巣門部に局在する片側性，小型（平均腫瘍径 2 cm）のまれなステロイド産生良性腫瘍で，閉経後に発生する。ステロイド産生による内分泌学的徴候（多くはアンドロゲン）がみられることがある[6]。病理組織学的にはラインケ結晶（細胞質内の桿状の細長い好酸性の結晶）が特徴的だが，みられないこともある[1)6)]。卵巣ではまれなため，画像所見の報告は見当たらないが，精巣のカウンターパートでは，US で境界明瞭な低エコー結節でドプラでは豊富な血流が検出され，MRI T2 強調像の信号強度は報告により多彩である[44]が，早期一過性に濃染する，hypervascular

2. 性索間質性腫瘍 sex cord-stromal tumors

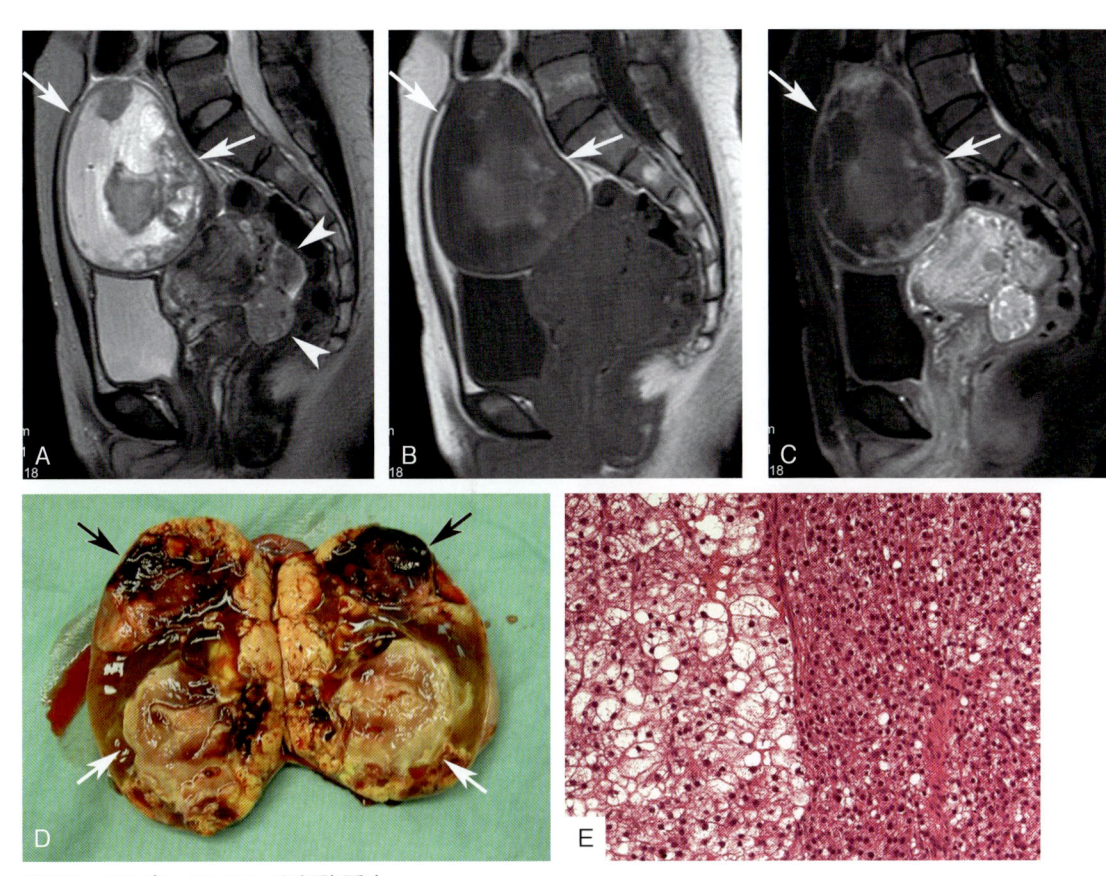

図11　28歳　ステロイド細胞腫瘍
A：T2強調矢状断像，B：T1強調矢状断像，C：造影脂肪抑制T1強調矢状断像，D：摘出標本割面，E：HE染色（強拡大）
ハスキーボイスと多毛を主訴に受診。T2強調像で子宮の前方に多房性嚢胞性腫瘤を認め（A→），一部の房はT1強調像で淡い高信号を示す（B→）ことから出血の合併が示唆された。腫瘍辺縁の充実部は極めてよく増強されている（C）。摘出標本でも黄色調の脂肪成分（D白→）のほか，血性の内容物が認められた（D黒→）。病理組織学的には細胞内脂肪の豊富な明るい細胞と緻密な好酸性の細胞質を有する腫瘍細胞が充実性に増殖している（E）。本例ではテストステロンに加え血清エストラジオールも増加していたためか，子宮には筋腫が多発している（A▲）。

tumorとして知られている[44)45)]。精巣においては腫瘍性のライディッヒ細胞の増生に，非担癌部にも細小血管の発達と精細管の萎縮を伴い，造影晩期に患側精巣全体の強い増強効果を示すことが特徴的との報告がある[45)]。これらの所見は卵巣原発例診断のヒントになるかもしれない。

7）ステロイド細胞腫瘍 steroid cell tumor

　ステロイド細胞で構成されるまれな腫瘍で，卵巣間質に発生する。約半数はアンドロゲン，10％はエストロゲン産生による内分泌学的徴候がみられる。多くは片側性の大型（平均腫瘍径8.3cm）の腫瘍で出血や壊死を伴うことがまれではない[1)6)]。約1/3は悪性の経過をたどるが，病理組織所見から良悪性を鑑別するのは困難とされる。画像的には腫瘍内にCTでは低吸収，MRI T1強調像では高信号を呈する部分を含むとの報告がみられる[46)]が，副腎腺腫と同様に脂質

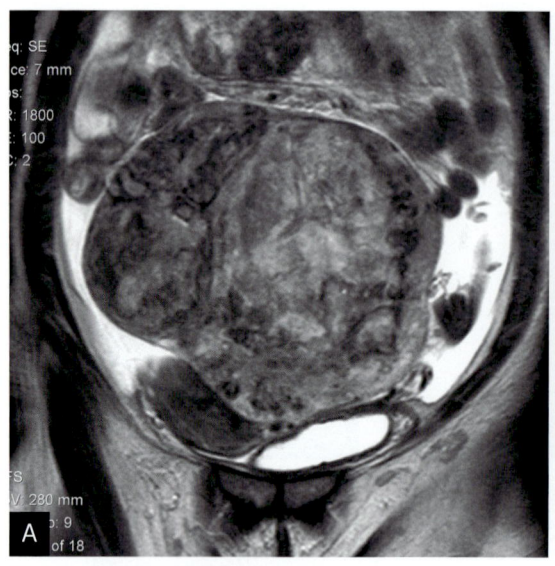

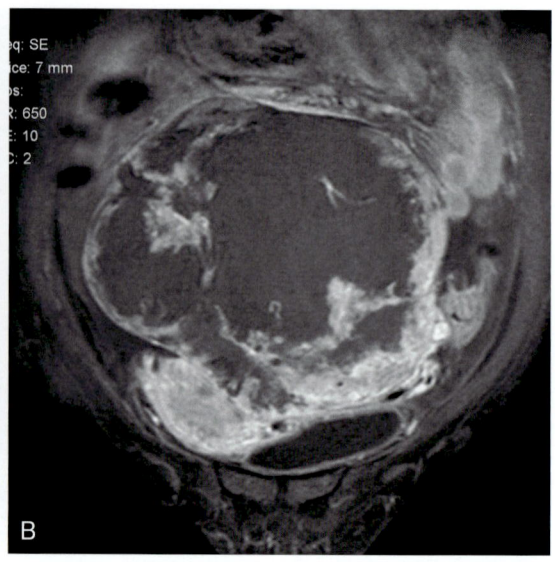

II 卵巣腫瘍 ovarian tumors

図12　59歳　線維肉腫
A：T2強調冠状断像，B：造影脂肪抑制T1強調冠状断像
境界明瞭な腫瘤だが，T2強調像では線維腫に比べ明らかに信号が高く（A），造影後充実部の増強効果がより強く，嚢胞変性例に比べ非増強部と増強部の境界は凹凸不整で壊死様である（B）。画像的には上皮性卵巣癌に近い形態である。病理組織学的にも広範な壊死が認められ，一部細胞異型や核分裂像が認められたため線維肉腫と診断された。なお，本例の腹水中にも悪性細胞は検出されず，Meigs症候群と同様の機序による良性の腹水であった。

の量は症例により様々であり，細胞内の微量の脂肪を検出するためchemical shift imagingによる検索が必要な症例も存在する[47)48)]。また腫瘍の被膜・隔壁部分には血管が豊富に存在するとされており，辺縁部がよく増強されるとの報告がある[46)47)]（図11）。また内分泌学的には半数で男性化がみられるとされるが，エストロゲン活性やコルチゾールの産生に伴うCushing症候群やvon Hippel-Lindau病合併例も報告されている[2)]。

8）線維肉腫 fibrosarcoma

線維芽細胞様細胞で構成される極めてまれな悪性腫瘍である。核異型，核分裂像が高度で，線維腫，特に富細胞性線維腫（図6），活動性核分裂型線維腫（図7）との鑑別が問題となるが，両者とも相対的に膠原線維の量は少なく，通常の線維腫よりもT2強調像では高信号[49)]，よく増強される[49)]が，線維肉腫では壊死のため，増強不良域を伴う[50)]との報告がある。自験例でも広範な壊死を伴っており，線維腫とは明らかに異なる（図12）が，T2強調像で信号強度が高いこともあり，他の悪性卵巣腫瘍との鑑別は難しいと推定される。

B. 純粋型性索腫瘍 pure sex cord tumors

1) 成人型顆粒膜細胞腫 adult granulosa cell tumor

　顆粒膜細胞腫はその病理組織学的特徴から成人型（adult）と若年型（juvenile）に大別され，前者は更年期から閉経後，後者は小児に好発する[1]。全体で全卵巣腫瘍の1～2％を占めるといわれるが，その95％は成人型である[2]。

　成人型顆粒膜細胞腫（adult granulosa cell tumor）は，顆粒膜細胞が莢膜細胞および線維芽細胞を伴って増殖する悪性腫瘍である。最も頻度の高いエストロゲン産生腫瘍であり，子宮内膜増殖症や子宮内膜癌を誘発する。好発年齢である50代では，臨床的には不正性器出血や不規則な過多月経を特徴とする出血性メトロパチーで発症することが多い[2]。多くはⅠ期で診断され，Ⅰ期の10年生存率は90～95％であるが，長年月を経て再発・転移を生じることが少なくない。形態的には片側性の平均腫瘍径10 cmの大型の腫瘍で，顆粒膜を模倣する腫瘍細胞が，多彩な構築を示して増殖する。すなわち島状，索状，あるいはびまん性に充実性増殖を示したり，好酸性の液体や硝子化した物質を取り囲むように大濾胞状，小濾胞状に増殖して，肉眼的には囊胞状を呈するものもある。出血を合併することも多い。画像的には同じ性索間質細胞腫瘍群の線維腫とは異なりhypervascular tumorであり，典型的には大小の濾胞内には出血成分を含む[51]スポンジ状の形態を呈し，honeycombingもしくはswiss-cheese patternと称される[52]（図13）。また前述のエストロゲン産生能を反映して子宮は生殖可能年齢並みに大きく，T2強調像で漿膜側筋層とjunctional zoneの分離が明瞭で，内膜も厚く高信号に描出される（図14）[51)53)54]。しかし，前述の病理組織所見を反映して，全体が充実性のもの（図15）から粘液性腫瘍とみまがうような多房性囊胞を呈するもの（図16），単純性囊胞に近いものまで極めて多彩である[53)55]。腫瘍内に線維芽細胞を伴って増殖するので線維成分の存在からT2強調像での信号低下を期待されるが，線維莢膜細胞腫や硬化性間質腫瘍に比べ，高信号のものが多いとされる[52)56]。また，拡散強調像でのADC値は他の性索間質性腫瘍（比較対象の多くは線維莢膜細胞腫）に比べ，低い傾向にある[52)56]。

2) 若年型顆粒膜細胞腫 juvenile granulosa cell tumor

　若年型顆粒膜細胞腫（juvenile granulosa cell tumor）は顆粒膜細胞腫全体の5％以下とまれで，97％の症例は10歳未満である[2]。若年型の肉眼病理所見は成人型と変わらないとされているが充実性腫瘍が多く，病理組織学的には，成人型では典型的なCall-Exner小体やコーヒー豆様の核の切れ込みをみることはまれとされる[1]。予後はⅠ期であれば良好である[2]。本腫瘍は思春期前の小児に好発するので，仮性性早熟（pseudo precocious puberty＝乳房，陰毛の発達，骨年齢の促進，無排卵性性器出血などが起こるが，排卵やホルモン分泌を伴わないのでpseudo-とされる）で発症する[2]。よって成人型と同様に子宮の腫大や内膜の肥厚が観察される。また本腫瘍を合併する症候群としてOllier病（内軟骨腫症）とこれに血管腫を伴うMaffucci症候群が知

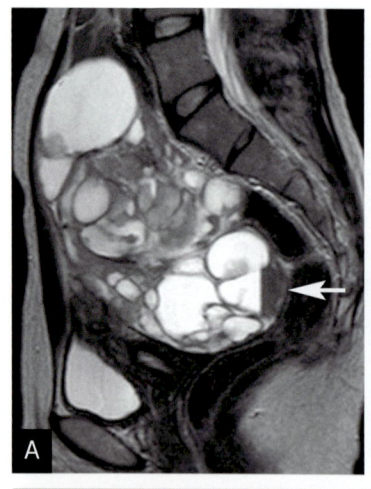

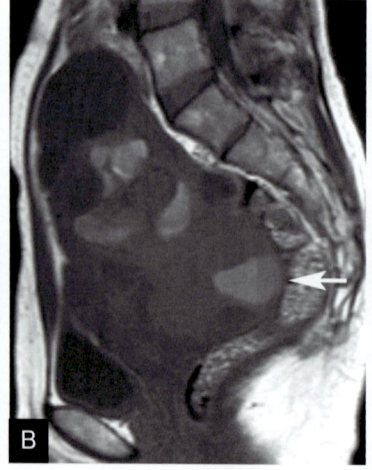

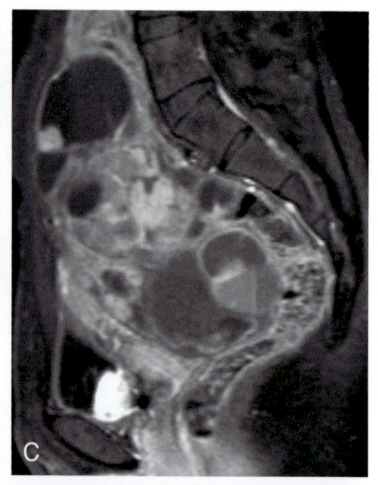

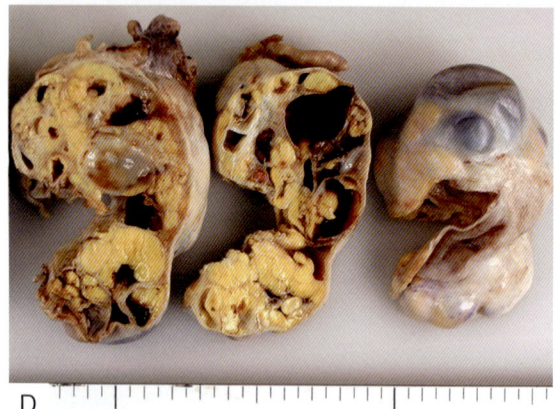

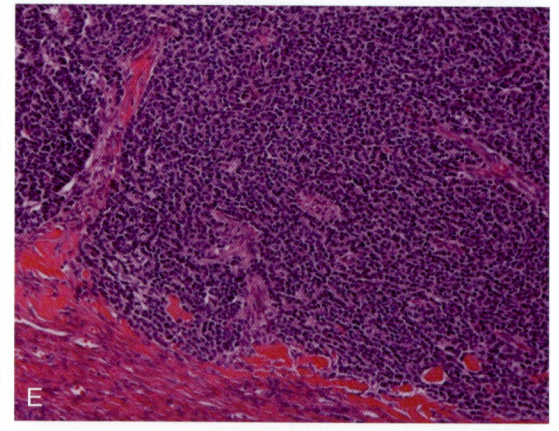

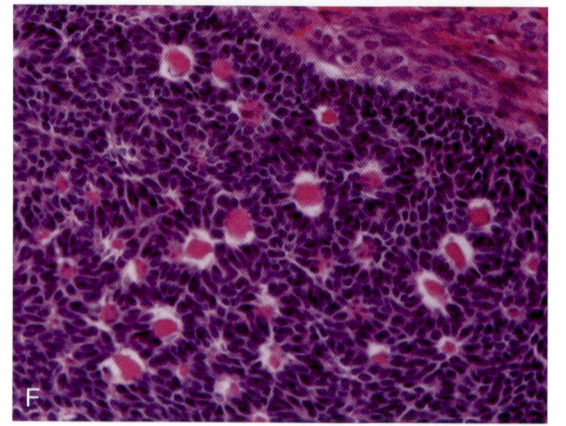

II 卵巣腫瘍 ovarian tumors

図13 31歳 成人型顆粒膜細胞腫

A：T2強調矢状断像，B：T1強調矢状断像，C：造影脂肪抑制T1強調矢状断像，D：摘出標本割面，E：HE染色（弱拡大），F：HE染色（強拡大）

子宮の後上方に巨大で辺縁平滑な多房性囊胞性腫瘤を認め，一部に背側が低信号のfluid levelを伴う（A→）。T1強調像では高信号で血性の内容物を含む（B→）。充実部は造影剤により子宮筋層と同程度によく増強される（C）。摘出標本でも黄色調の充実部に加えて一部血液を含む囊胞の多発がみられる（D）。病理組織学的にはコーヒー豆様の核の切れ込み（核溝）を伴う小型の細胞が線維性間質内で胞巣を形成しながら増殖（E，この部分では索状型）している。好酸性の無構造物質を顆粒膜細胞が取り囲むロゼット様の構造はCall-Exner小体とよばれ，本腫瘍の特徴である（F）。なお，臨床的には本例は無月経と陰核肥大にて発症し，血清テストステロン値が高値を示した。

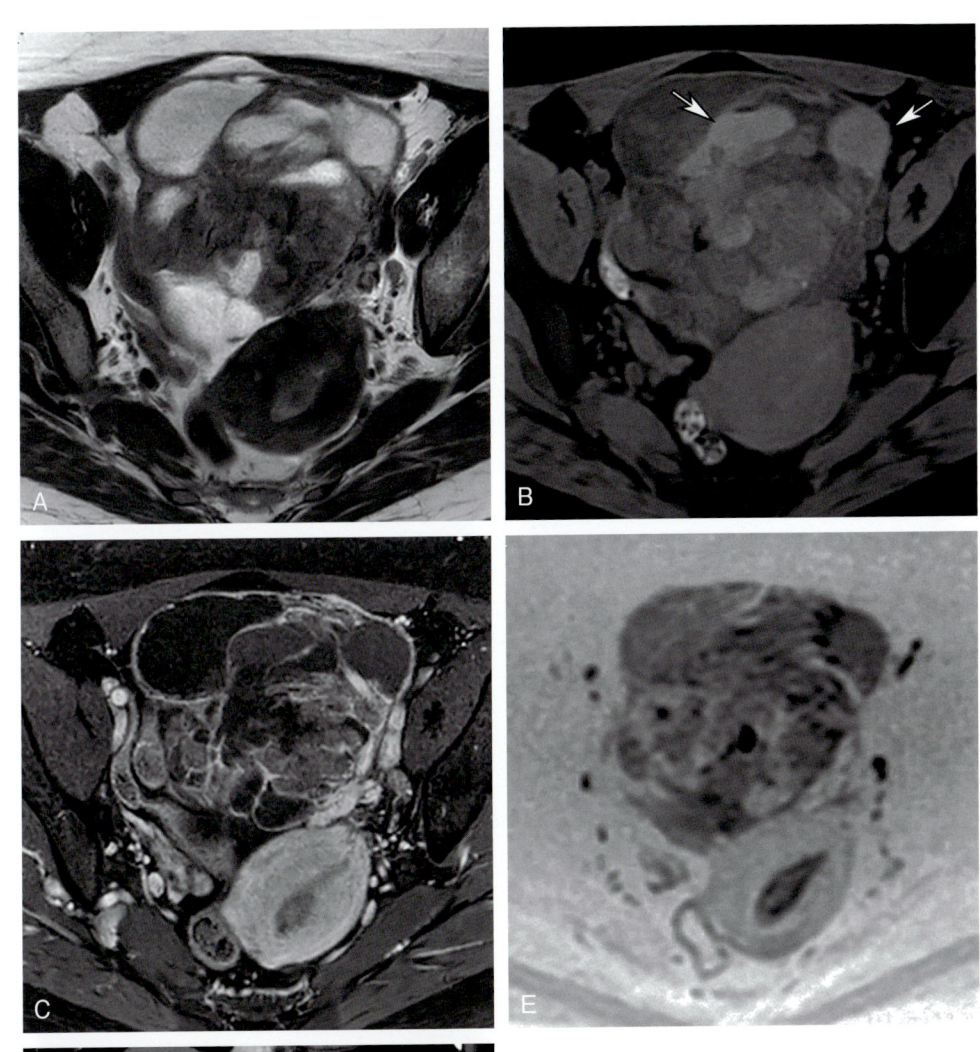

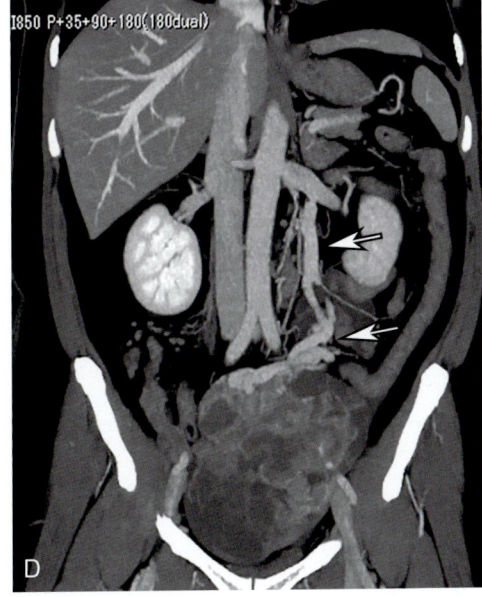

2. 性索間質性腫瘍 sex cord–stromal tumors

図14 51歳 成人型顆粒膜細胞腫，子宮内膜癌（類内膜癌G1）合併例
A：T2強調横断像，B：脂肪抑制T1強調横断像，C：造影脂肪抑制T1強調横断像，D：造影CT冠状断MPR像，E：拡散強調横断像
5年前に閉経，不正出血を主訴に受診。左卵巣に豊富な充実部を伴う境界明瞭な多房性嚢胞性腫瘤があり，T1強調像で高信号を示す血性の内容物を含み（B→），卵巣動静脈の著しく拡張した多血性腫瘤である（D→）。充実部の拡散制限は強い（E）。

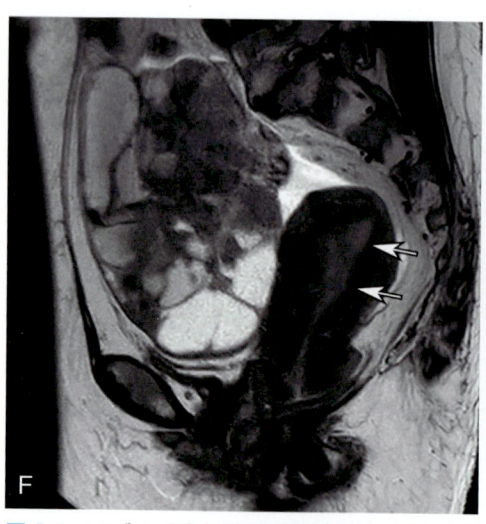

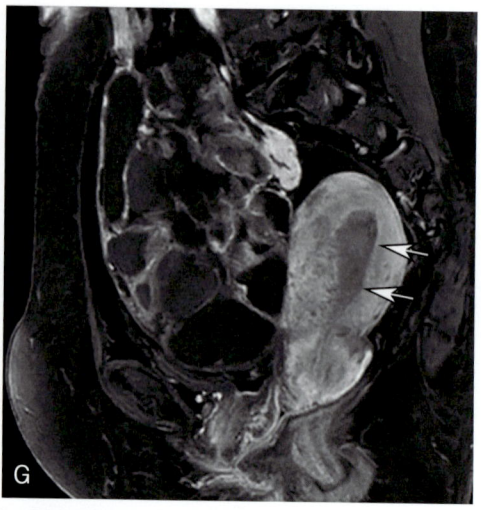

図14 つづき［成人型顆粒膜細胞腫，子宮内膜癌（類内膜癌G1）合併例］
F：T2強調矢状断像，G：造影脂肪抑制T1強調矢状断像
多量の腹水を合併するとともに，内膜腔にはT2強調像で低信号（F→），増強効果の不良な（G→）腫瘤を合併している。血清エストラジオールは54.20 pg/mLと上昇しており，unopposed estrogenに誘発された子宮内膜癌と考えられる。

られる。若年型顆粒膜細胞腫の画像的報告は極めて少ないが，病理組織所見を反映して成人型と同様，種々の割合で充実成分を含む多房性嚢胞性腫瘤[57)58)]から被膜に沿ってわずかな充実部を有する単房性嚢胞性腫瘤を呈するものまで多彩である。自験例は大部分が充実性であった[28)]（図17）。エストロゲン産生腫瘍に着目すると，中高年では莢膜細胞腫との鑑別が問題となるが，この年齢層では莢膜細胞腫はほとんどみられないので，鑑別が問題になることはないと推定される。

3）セルトリ細胞腫 Sertoli cell tumor

管状構造を形成するセルトリ細胞で構成されるまれな腫瘍で，幅広い年齢に発症する。アンドロゲン産生による内分泌徴候がみられることもあるが，偶然発見されることもある。充実性が多いとされるが，嚢胞成分を伴うこともある。まとまった画像所見の報告はないが，症例報告に添付されたCTでは充実性腫瘤を呈するもの[59)60)]や充実成分を豊富に伴う多房性嚢胞を示すもの[61)]がみられる。自験例では嚢胞成分が豊富であった（図18）。

4）輪状細管を伴う性索腫瘍 sex cord tumor with annular tubules（SCTAT）

本腫瘍の30％はPeutz-Jeghers症候群（PJS）の一環として発生する。PJS合併例では通常，顕微鏡的な大きさの腫瘍が多発し，多くは両側性で，局所的な石灰化を示す[1)]。したがって本腫瘍の画像的報告はUS所見の1例報告をみるにすぎないが，それによるとほぼ正常大の両側卵巣

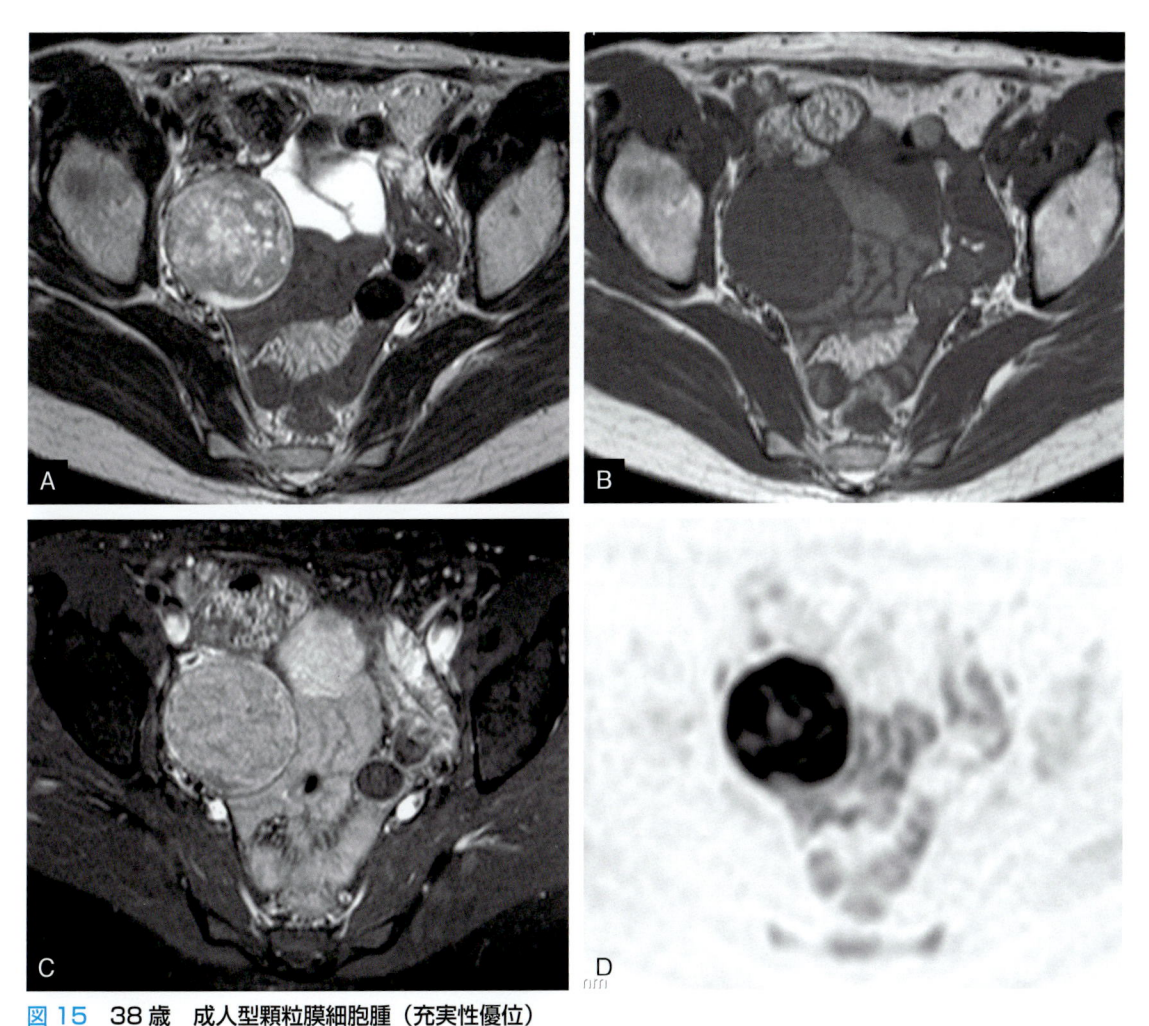

2. 性索間質性腫瘍 sex cord-stromal tumors

図15　38歳　成人型顆粒膜細胞腫（充実性優位）
A：T2強調横断像，B：T1強調横断像，C：造影脂肪抑制T1強調横断像，D：拡散強調横断像
一部に囊胞成分の混在があるが，ほとんどが充実性で細胞密度の高い腫瘍である．図13，14（典型例）との違いに注目．

内の高輝度のスポットが多発性に認められ，輪状細管内，あるいはその周囲を占める好酸性の硝子化物質を反映しているとされる[62]（p119参照）．孤発例は，30代以降に好発し，一側性，3cm以上の充実性腫瘤で，囊胞を伴うこともある．しばしば典型的な顆粒膜細胞腫やセルトリ細胞腫への移行像をみるとされる[1]．画像的にはT2強調像で子宮筋層よりもやや高信号，強い拡散制限を示す充実性腫瘍で，漸増性の増強効果を示したとの報告がある[63]が，巨大な多房性囊胞性病変も報告されている[64]（図19）．

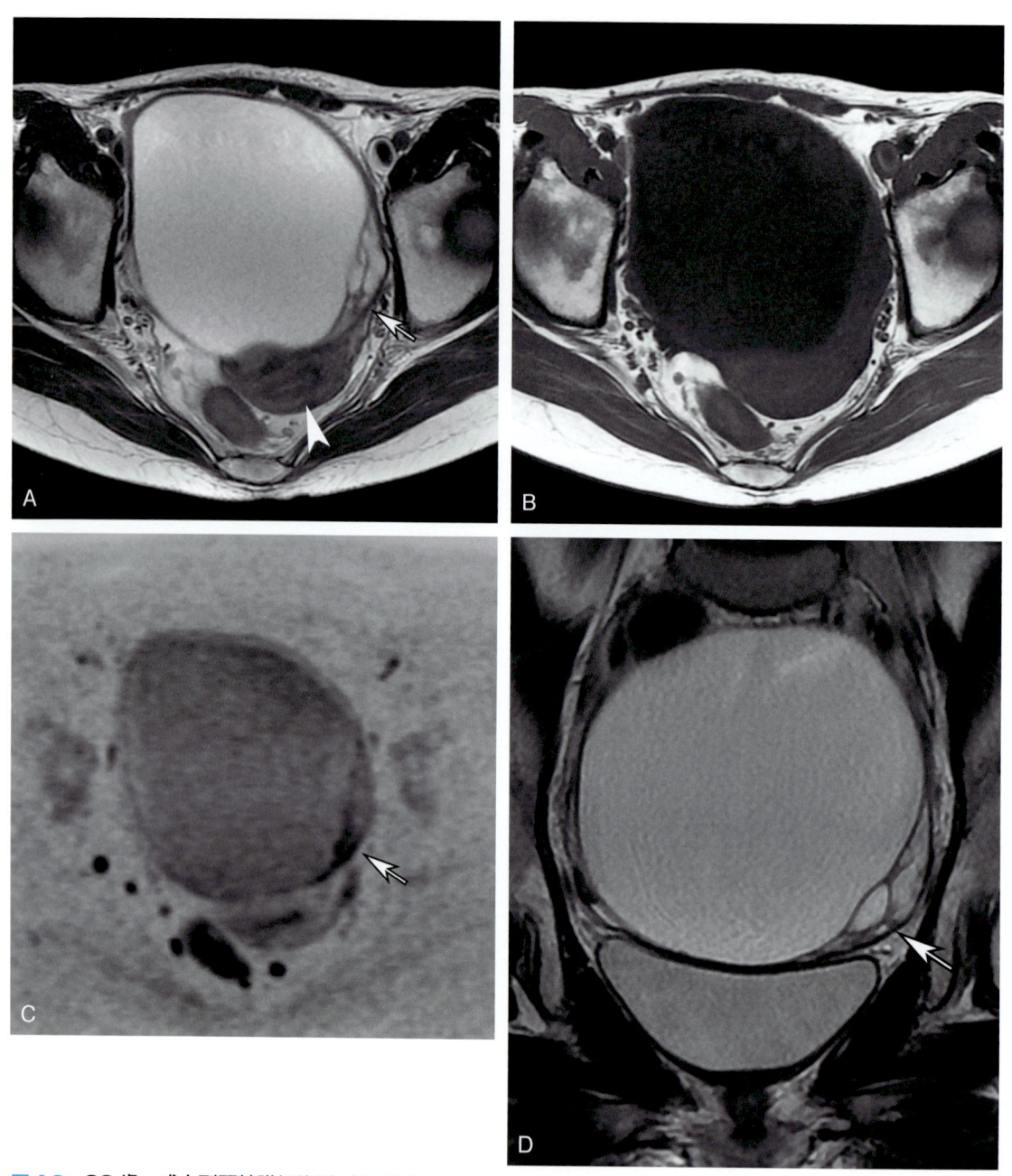

II 卵巣腫瘍 ovarian tumors

図 16　32 歳　成人型顆粒膜細胞腫（嚢胞優位）
A：T2 強調横断像，B：T1 強調横断像，C：拡散強調横断像，D：T2 強調冠状断像
大きな嚢胞の辺縁に小さな嚢胞が集簇した多房性嚢胞が右卵巣を占めている（A〜D）。充実部は隔壁部分にわずかに疑われるのみである（A，C，D →）。良性病変と考え，腫瘍核出術が行われたが，成人型顆粒膜細胞腫と判明したため，根治術目的に紹介された。性成熟期のため，内膜（A▲）の肥厚や子宮の腫大は指摘できない。

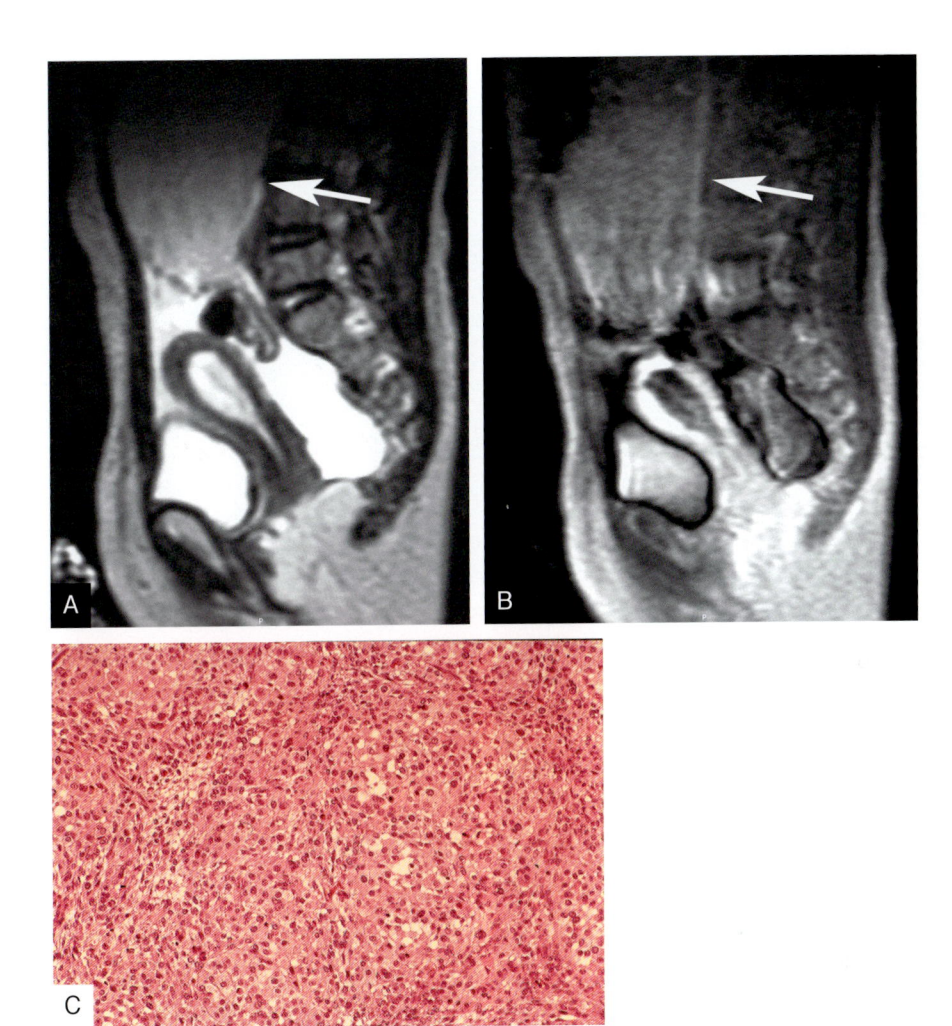

図17 2歳 若年型顆粒膜細胞腫
A：T2強調矢状断像，B：造影T1強調矢状断像，C：HE染色（弱拡大）
腹水の中に浮かぶように子宮の頭側にT2強調像で高信号（A→）で子宮筋層より淡く造影される（B→），充実成分の豊富な腫瘤がある。子宮は小児にもかかわらず体部が大きく，内膜は肥厚しており，エストロゲン産生腫瘍であることを間接的に示している。病理組織学的には円型の核と好酸性の胞体をもった腫瘍細胞がびまん性に増殖しており（C），若年型顆粒膜細胞腫と診断された。
（文献28より転載）

C. 混合型性索間質性腫瘍 mixed sex cord-stromal tumors

1) セルトリ・ライディッヒ細胞腫 Sertoli-Leydig cell tumor

種々の成熟段階のセルトリ細胞，ライディッヒ細胞で構成される腫瘍である[1]。卵巣腫瘍全体の0.5％とまれで，20代の若年者に好発する。約半数はアンドロゲン産生性で，まれにエストロゲン産生性[65]で内分泌学的徴候がみられる。さらに，高，中，低分化型，および網状型に分けられ，異所性成分を伴うことがある[1,6]。網状型は病変部の90％以上が精巣網に類似したスリット

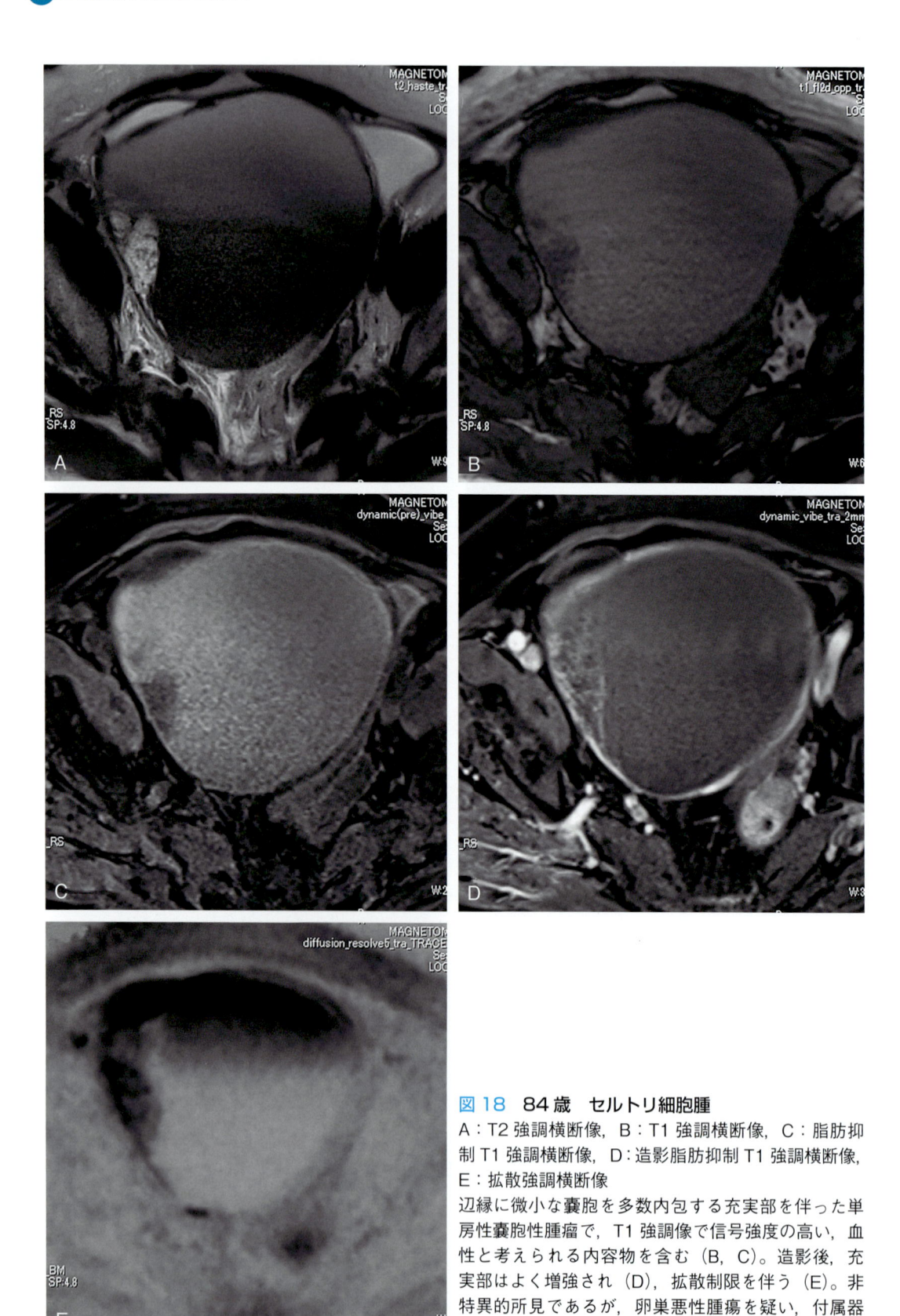

II 卵巣腫瘍 ovarian tumors

図18 84歳 セルトリ細胞腫
A：T2強調横断像，B：T1強調横断像，C：脂肪抑制T1強調横断像，D：造影脂肪抑制T1強調横断像，E：拡散強調横断像

辺縁に微小な囊胞を多数内包する充実部を伴った単房性囊胞性腫瘤で，T1強調像で信号強度の高い，血性と考えられる内容物を含む（B，C）。造影後，充実部はよく増強され（D），拡散制限を伴う（E）。非特異的所見であるが，卵巣悪性腫瘍を疑い，付属器切除が行われ，セルトリ細胞腫と診断された。

2. 性索間質性腫瘍 sex cord-stromal tumors

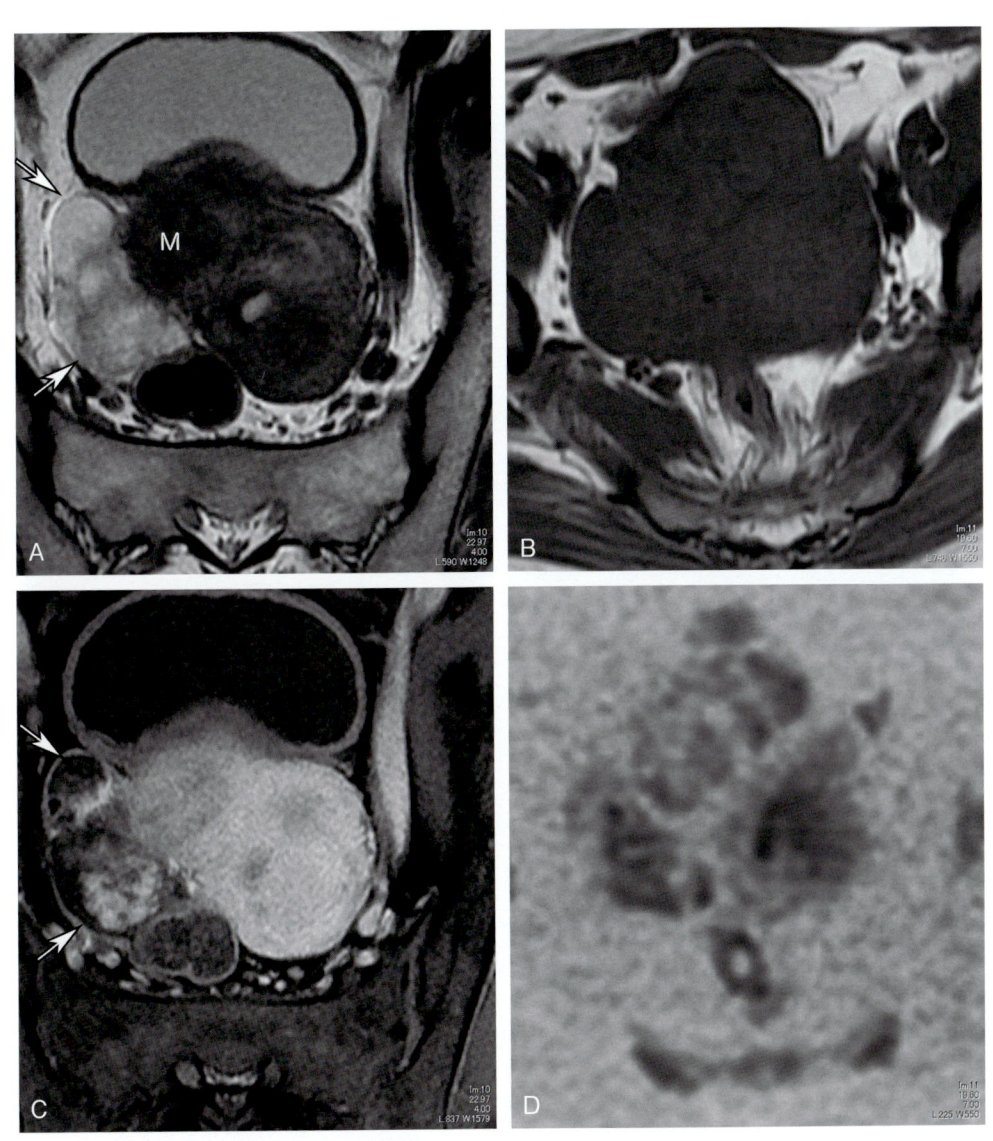

図19 46歳 輪状細管を伴う性索腫瘍
A：T2強調横断像，B：T1強調横断像，C：造影脂肪抑制T1強調横断像，D：拡散強調横断像
子宮がん検診後に性器出血が止まらず，偶然発見された右卵巣腫瘍は，T2強調像で不均一な高信号（A→，Mは子宮筋腫），T1強調像では低信号（B）で，造影後はT2強調像でやや信号強度の低かった部分が強く増強される（C→）。拡散制限は弱い（D）。付属器切除が行われ，肉眼的には黄色調の割面をもつ充実性腫瘍で，病理組織学的には豊富な線維成分の一部にPAS陽性の硝子体周囲に車軸状に配列する腫瘍細胞の増生を伴っており輪状細管を伴う性索腫瘍と診断された。

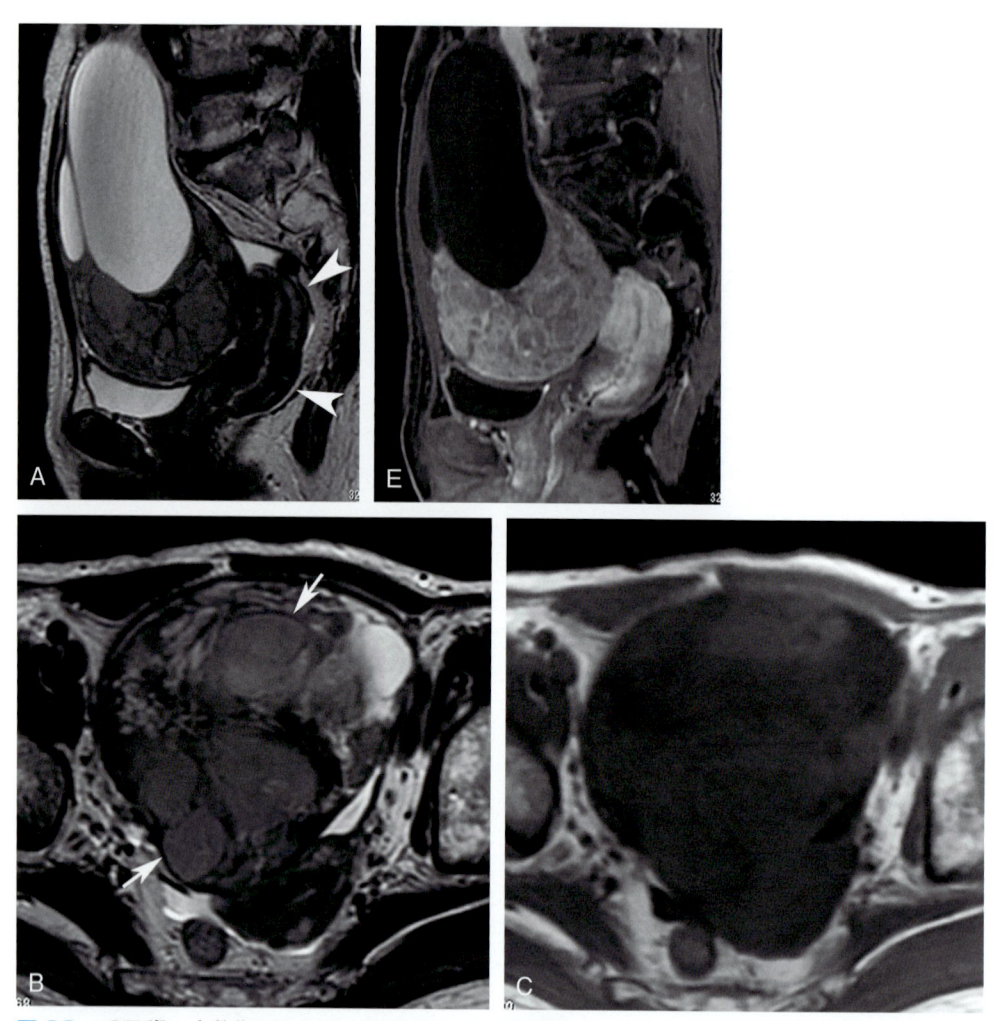

Ⅱ 卵巣腫瘍 ovarian tumors

図20　67歳　中分化セルトリ・ライディッヒ細胞腫
A：T2強調矢状断像，B：T2強調横断像，C：T1強調横断像，E：造影脂肪抑制T1強調矢状断像
下半部が充実性，上半部が漿液性の液体を含む囊胞からなる境界明瞭，辺縁平滑な混合性腫瘍があり，充実部ではT2強調像で低信号の背景に，多結節状の信号強度の高い結節が集簇する（B→）。

状空隙の吻合や微小囊胞構造からなるものをいう。分子病理学的にはDICER1異常，FOXL2異常，いずれの異常も示さないものに大別され，*DICER1*遺伝子変異例は若年者に多く，一部はDICER1症候群（p121参照）の一環として発症する[1]。

肉眼病理的には極めて多彩な形態を示すが，網状型や異所性成分を伴うものはより囊胞成分に富むとされる[65]。USで同定困難なほど小さい腫瘍が多い[57]とされ，特徴的な画像所見は報告されていないが，種々の割合の充実部を含む囊胞性腫瘤であったとの報告が多い（図20，21）[28)57)66]。T2強調像での信号強度は報告によりまちまちだが，強い増強効果を有することがほぼ共通している[67)68]。したがって男化徴候を伴う若年女性に，よく増強される充実成分を含む腫瘍を認めた場合には本腫瘍を疑うべきであるが，顆粒膜細胞腫や莢膜細胞腫のみならず，転移性卵巣腫瘍がテストステロンを産生する例もあり注意を要する[28]。

2. 性索間質性腫瘍 sex cord-stromal tumors

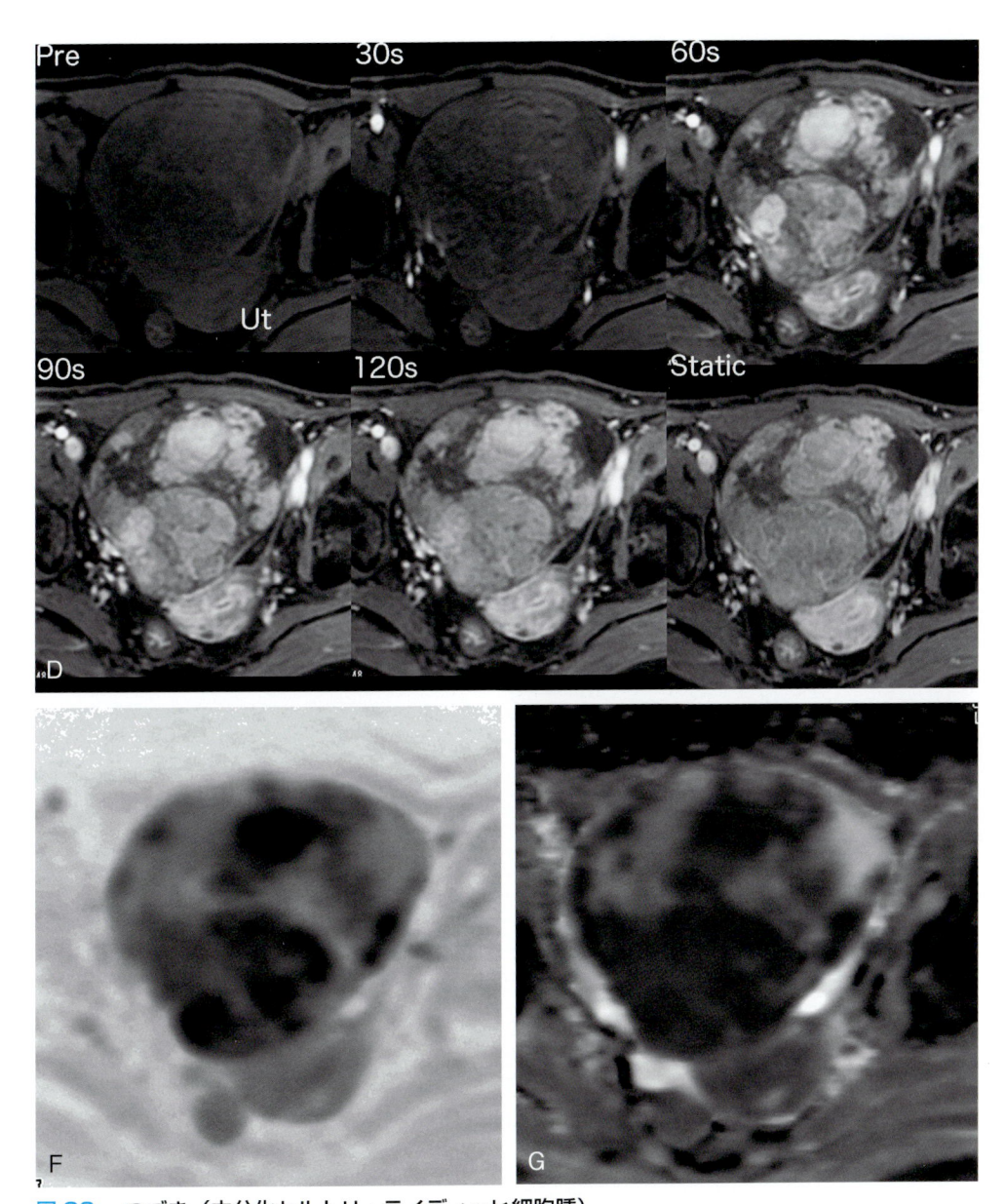

図20 つづき（中分化セルトリ・ライディッヒ細胞腫）
D：ダイナミックMRI，F：拡散強調横断像，G：ADC map
この部分は早期から極めて強い増強効果を示し（D），拡散制限も強い（F, G）。閉経後にしては子宮が大きく（A▲, D, Ut），血清エストラジオールも41.70 pg/mLと上昇しており，顆粒膜細胞腫を疑ったが病理組織診断は中分化セルトリ・ライディッヒ細胞腫で，性索間質性腫瘍間での画像所見の共通性をうかがわせる。

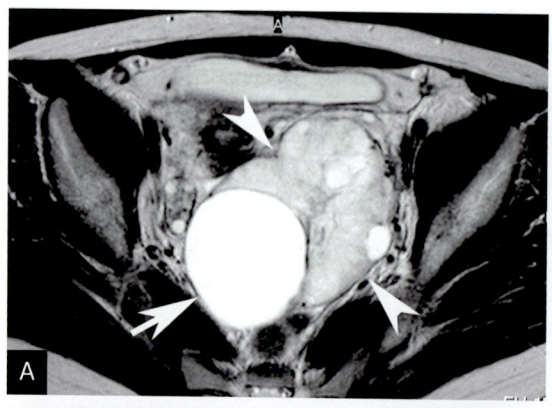

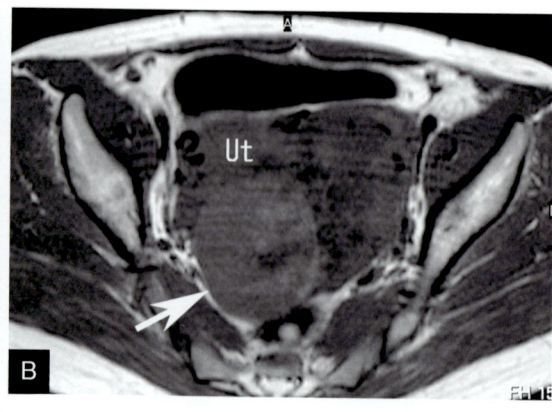

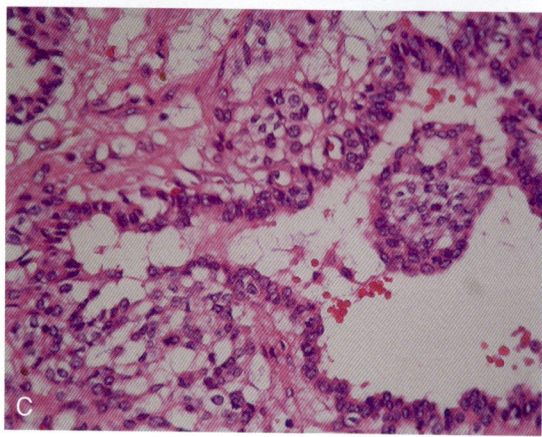

図21 31歳 低分化セルトリ・ライディッヒ細胞腫
A：T2強調横断像，B：T1強調横断像，C：HE染色（強拡大）
妊婦健診で偶然発見された左卵巣腫瘍。妊娠中のため造影検査はできなかったが，T2強調像で高信号の充実性腫瘤（A▲）の辺縁に嚢胞（A→）を擁する形態で，嚢胞内容はT1強調像で低信号である（B→）が，出血ではない。病理標本では浮腫性の間質内に薄い索状に配列するセルトリ細胞が認められる（C）。男化徴候はなく，不妊治療の既往はあるが発症時は自然妊娠であった。
（文献28より転載）

2）その他の性索間質性腫瘍 sex cord-stromal tumor NOS

特定の分化が明瞭でない性索間質性腫瘍をいう[1]。

3）ギナンドブラストーマ gynandroblastoma

女性型（成人型/若年型顆粒膜細胞腫）と男性型（セルトリ/セルトリ・ライディッヒ細胞腫）の性索間質成分が混在する腫瘍と定義されている。セルトリ・ライディッヒ細胞腫を主成分とし，少量の顆粒膜細胞腫成分を伴うものが多い[1]。

文献

1) 日本産科婦人科学会，日本病理学会 編：卵巣腫瘍・卵管癌・腹膜癌取扱い規約 病理編 第2版．金原出版，2022
2) Staats PN et al：Sex Cord-Stromal, Steroid Cell, and Other Ovarian Tumors with Endocrine, Paraendocrine, and Paraneoplastic Manifestations. Kurman RJ et al eds；Blaustein's Pathology of the Female Genital Tract, 7th ed. p967-1045, Springer International Publishing, Cham, 2019
3) Gorlin RJ：Nevoid basal-cell carcinoma syndrome. Medicine 66：98-113, 1987
4) 日本婦人科腫瘍学会 編：卵巣がん・卵管癌・腹膜癌治療ガイドライン2025年版．金原出版，東京，2025
5) Amin HK et al：Classification of fibroma and thecoma of the ovary：an ultrastructural study. Cancer 27：438-446, 1971
6) WHO Classification of Tumors Editorial Board：Female Genital Tumours, 5 ed. International Agency for Research on Cancer, Lyon, 2020

7) Conte M et al：Ovarian fibrothecoma：sonographic and histologic findings. Gynecol Obstet Invest 32：51-54, 1991
8) Stephenson WM, Laing FC：Sonography of ovarian fibromas. AJR Am J Roentgenol 144：1239-1240, 1985
9) Pat JJ et al：CT review of ovarian fibrothecoma. Br J Radiol 95：20210790, 2022
10) Bazot M et al：Fibrothecomas of the ovary：CT and US findings. J Comput Assist Tomogr 17：754-759, 1993
11) Hamlin DJ et al：Magnetic resonance imaging of the pelvis：evaluation of ovarian masses at 0.15 T. AJR Am J Roentgenol 145：585-590, 1985
12) Weinreb JC et al：The value of MR imaging in distinguishing leiomyomas from other solid pelvic masses when sonography is indeterminate. AJR Am J Roentgenol 154：295-299, 1990
13) Troiano RN et al：Fibroma and fibrothecoma of the ovary：MR imaging findings. Radiology 204：795-798, 1997
14) Outwater EK et al：Ovarian fibromas and cystadenofibromas：MRI features of the fibrous component. J Magn Reson Imaging 7：465-471, 1997
15) Ueda J et al：Ovarian fibroma of high signal intensity on T2-weighted MR image. Abdom Imaging 23：657-658, 1998
16) Takeshita T et al：Ovarian fibroma (fibrothecoma) with extensive cystic degeneration：unusual MR imaging findings in two cases. Radiat Med 23：70-74, 2005
17) Chung BM et al：Magnetic resonance imaging features of ovarian fibroma, fibrothecoma, and thecoma. Abdom Imaging 40：1263-1272, 2015
18) Schwartz RK et al：Ovarian fibroma：findings by contrast-enhanced MRI. Abdom Imaging 22：535-537, 1997
19) Thomassin-Naggara I et al：Value of dynamic enhanced magnetic resonance imaging for distinguishing between ovarian fibroma and subserous uterine leiomyoma. J Comput Assist Tomogr 31：236-242, 2007
20) Tanaka YO et al：Solid non-invasive ovarian masses on MR：histopathology and a diagnostic approach. Eur J Radiol 80：e91-97, 2011
21) Tanaka YO et al：MR findings of ovarian tumors with hormonal activity, with emphasis on tumors other than sex cord-stromal tumors. Eur J Radiol 62：317-327, 2007
22) 田中優美子ほか：卵巣莢膜細胞腫・線維腫群腫瘍のMRI鑑別診断のポイントとピットフォール. 臨放 43：493-500, 1998
23) Torashima M et al：The value of detection of flow voids between the uterus and the leiomyoma with MRI. J Magn Reson Imaging 8：427-431, 1998
24) Kim JC et al："Bridging vascular sign" in the MR diagnosis of exophytic uterine leiomyoma. J Comput Assist Tomogr 24：57-60, 2000
25) Madan R：The bridging vascular sign. Radiology 238：371-372, 2006
26) 森 墾ほか：ダイナミックMRIによる漿膜下子宮筋腫と莢膜細胞腫・線維腫群腫瘍との鑑別. 臨放 45：393-401, 2000
27) Meigs JV, Cases JW：Fibroma of the ovary with ascites and hydrothorax with a report of seven cases. Am J Obstet Gynecol 33：249-267, 1937
28) Tanaka YO et al：Functioning ovarian tumors：direct and indirect findings at MR imaging. Radiographics 24 (suppl 1)：S147-166, 2004
29) Irving JA et al：Cellular fibromas of the ovary：a study of 75 cases including 40 mitotically active tumors emphasizing their distinction from fibrosarcoma. Am J Surg Pathol 30：929-938, 2006
30) Yamada T et al：Mitotically active cellular fibroma of the ovary：a case report and literature review. J Ovarian Res 8：65, 2015
31) 藤井進也ほか：Meigs症候群にCA125の上昇をともなった卵巣cellular fibromaの1例. 臨放 47：830-837, 2002
32) Sano Y et al：Ovarian cellular fibroma：magnetic resonance imaging findings with pathological correlation. J Clin Gynecol Obstet 13：90-99, 2024
33) Muratori L et al：Luteinized thecoma (thecomatosis) with sclerosing peritonitis：a systematic review of the literature of the last 25 years. Expert Rev Anticancer Ther 21：23-32, 2021
34) Chen YC et al：Bilateral ovarian thecomas with sclerosing peritonitis mimicking advanced ovarian cancer. Taiwan J Obstet Gynecol 61：555-556, 2022
35) Carlson JW et al：Tumors of the Ovary and Fallopian Tube. American Registry of Pathology, 2023
36) Ihara N et al：Sclerosing stromal tumor of the ovary：MRI. J Comput Assist Tomogr 23：555-557, 1999
37) Torricelli P et al：Sclerosing stromal tumor of the ovary：US, CT, and MRI findings. Abdom Imaging 27：588-591, 2002
38) Matsubayashi R et al：Sclerosing stromal tumor of the ovary：radiologic findings. Eur Radiol 9：1335-1338, 1999
39) Joja I et al：Sclerosing stromal tumor of the ovary：US, MR, and dynamic MR findings. J Comput Assist Tomogr 25：201-206, 2001
40) Ito K et al：Variable distribution of pseudolobules in ovarian sclerosing stromal tumors：utility of diffusion-weighted imaging for differential diagnosis. Magn Reson Med Sci 17：107-108, 2018
41) Ha HK et al：Krukenberg's tumor of the ovary：MR imaging features. AJR Am J Roentgenol 164：1435-1439, 1995
42) Jeong D et al：Ovarian microcystic stromal tumor：radiologic-pathologic correlation. Gynecol Oncol Rep 25：11-14, 2018
43) Liu J et al：Ovarian microcystic stromal tumors：clinical, radiological, and pathological studies of two cases. Int J Clin Exp Pathol 12：2241-2248, 2019
44) Maxwell F et al：Leydig cell tumors of the testis：an update of the imaging characteristics of a not so rare lesion. Cancers 14：3652, 2022
45) Yamamoto Y et al：Leydig cell tumor of the testis with characteristic contrast patterns of tumor and non-tumorous testicular parenchyma on MRI：a case report. Abdom Radiol 48：2477-2482, 2023
46) 吉野綾子ほか：卵巣原発のステロイド（脂質）細胞腫の画像診断. 臨放 42：283-286, 1997
47) Saida T et al：Steroid cell tumor of the ovary, not otherwise specified：CT and MR findings. AJR Am J Roentgenol 188：W393-394, 2007
48) Sakamoto K et al：MR diagnosis of steroid cell tumor of the ovary：value of chemical shift imaging. Magn Reson Med Sci 8：193-195, 2009
49) Tatsumi M et al：[A case of ovarian fibrosarcoma]. Nihon Igaku Hoshasen Gakkai Zasshi 57：684-686, 1997
50) Mraihi F et al：Ovarian fibrosarcoma：diagnostic challenges and treatment options, a case report. Int J Surg Case Rep 112：108938, 2023
51) Morikawa K et al：Granulosa cell tumor of the ovary：MR

findings. J Comput Assist Tomogr 21 : 1001-1004, 1997
52) Zhang J et al : Combination of clinical and MRI features in diagnosing ovarian granulosa cell tumor : a comparison with other ovarian sex cord-gonadal stromal tumors. Eur J Radiol 158 : 110593, 2023
53) Kim SH et al : Granulosa cell tumor of the ovary : common findings and unusual appearances on CT and MR. J Comput Assist Tomogr 26 : 756-761, 2002
54) Kitamura S et al : Adult granulosa cell tumors of the ovary : a retrospective study of 30 cases with respect to the expression of steroid synthesis enzymes. J Gynecol Oncol 28 : e31, 2017
55) Ko SF et al : Adult ovarian granulosa cell tumors : spectrum of sonographic and CT findings with pathologic correlation. AJR Am J Roentgenol 172 : 1227-1233, 1999
56) Zhang H et al : MR findings of primary ovarian granulosa cell tumor with focus on the differentiation with other ovarian sex cord-stromal tumors. J Ovarian Res 11 : 46, 2018
57) Outwater EK et al : Sex cord-stromal and steroid cell tumors of the ovary. Radiographics 18 : 1523-1546, 1998
58) Kitamura Y et al : MR imaging of juvenile granulosa cell tumour of the ovary : a case report. Pediatr Radiol 30 : 360, 2000
59) Demidov VN et al : Imaging of gynecological disease (2) : clinical and ultrasound characteristics of Sertoli cell tumors, Sertoli-Leydig cell tumors and Leydig cell tumors. Ultrasound Obstet Gynecol 31 : 85-91, 2008
60) Shrestha S et al : Pure Sertoli cell tumor of the ovary : a case report. Clin Case Rep 10 : e05892, 2022
61) Al-Agha OM et al : A 67-year-old woman with abdominal distention, vaginal bleeding, and elevated CA 125 level : pure Sertoli cell tumor of the ovary with differentiation varying from well-differentiated tubules, to intermediate foci, to sarcomatoid spindle cell areas. Arch Pathol Lab Med 130 : e70-73, 2006
62) Swanger RS, Brudnicki A : Ultrasound of ovarian sex-cord tumor with annular tubules. Pediatr Radiol 37 : 1270-1271, 2007
63) Liu T et al : Imaging findings of sex cord tumor with annular tubules : a case description. Quant Imaging Med Surg 13 : 5403-5408, 2023
64) 植野百合ほか：妊孕性を温存し得た卵巣の輪状細管を伴う性索腫瘍（SCTAT）の1女児例．日小外会誌 57：959-964, 2021
65) Young RH, Scully RE : Ovarian Sertoli-Leydig cell tumors : a clinicopathological analysis of 207 cases. Am J Surg Pathol 9 : 543-569, 1985
66) Yamano T et al : Sertoli-stromal cell tumor of the right ovary : radiological-pathological correlation. Radiat Med 24 : 592-594, 2006
67) Xu Q et al : Sertoli-Leydig cell tumors of ovary : a case series. Medicine 97 : e12865, 2018
68) Chen J et al : Imaging, clinical, and pathologic findings of Sertoli-leydig cell tumors. Sci Prog 104 : 368504211009668, 2021

3. 胚細胞腫瘍 germ cell tumors

Summary
- 脂肪と石灰化の存在により診断される成熟奇形腫が大部分を占める。
- 未熟奇形腫は非脂肪性充実成分に富む巨大な腫瘍で、充実部内に脂肪と石灰化の撒布像がしばしばみられる。
- 成熟奇形腫の悪性転化は扁平上皮癌であることが多く、主として40代以上の巨大な腫瘍において、浸潤性に発育する囊胞壁の肥厚や囊胞内腔へ突出するカリフラワー状の充実部を形成する。
- 最も頻度の高い悪性胚細胞腫瘍である未分化胚細胞腫は充実性に増殖する腫瘍内を境する線維血管性隔壁（T2強調像で低信号、造影剤で早期濃染）により特徴づけられる。
- 卵黄囊腫瘍は易出血性の多血性腫瘍で、腫瘍内に栄養血管のflow voidをみる。AFPの上昇に加え、しばしば急性腹症で発症することも特徴である。

胚細胞腫瘍（germ cell tumors）は多能性幹細胞のもつ多彩な分化能を反映した多彩な腫瘍群で多くは卵巣内の胚細胞に由来する[1]。本腫瘍群には未熟な胚細胞に由来する未分化胚細胞腫（dysgerminoma）、種々の胚細胞腫瘍に分化しうる多能性をもった胎芽性癌（embryonal carcinoma）、胎芽外成分を模倣する卵黄囊腫瘍（yolk sac tumor）、非妊娠性絨毛癌（non-gestational choriocarcinoma）、様々な成熟段階の体組織への分化能を示す奇形腫（teratoma）などが属する（図1）[2]。全卵巣腫瘍の30％を占めるとされるが、その95％は成熟奇形腫である。本腫瘍群には特異性の高い腫瘍マーカーを有するものが多く、診断の助けになる（表1）。

1) 奇形腫 teratoma

(1) 成熟奇形腫 mature teratoma

2胚葉あるいは3胚葉由来の成熟組織から構成される良性腫瘍である。定義上、気管支上皮や消化管粘膜といった内胚葉成分、軟骨や骨、平滑筋といった中胚葉成分、神経組織などの外胚葉性組織を含む[1,3]が、成熟奇形腫（mature teratoma）の壁は角化扁平上皮とその付属腺（毛囊、汗腺、皮脂腺）からなり、肉眼所見はこれらを反映し、毛髪や皮脂を含む囊胞であることから、俗に「皮様囊腫（dermoid cyst）」とも呼称される（厳密には皮様囊腫には中・内胚葉成分は含まないのでこれはあくまで俗称と考えるべきである）[*1]。抗NMDA受容体脳炎（コラム「抗

---

*1 奇形腫（teratoma）、皮様囊腫（dermoid cyst）、類表皮囊胞（epidermoid cyst）
病理学的定義上は成人型の成熟した組織からなる胚細胞腫瘍は「奇形腫」に分類されるが、卵巣の成熟奇形腫は通常、付属腺を伴う角化扁平上皮により被覆され、肉眼的にこれらの付属腺の産物、すなわち皮脂や毛髪が目立つためにしばしば皮様囊腫と呼称される。しかし主として神経外胚葉の発生過程に生じる皮様囊腫と類表皮囊胞にはより厳密な定義、すなわち前者は角化扁平上皮とその付属腺のみを構成成分とし、後者は付属腺を含まない角化扁平上皮を構成成分とするとの定義がなされており、筆者は混同を避けるため卵巣においても成熟奇形腫を皮様囊腫と呼称すべきではないと考えている。

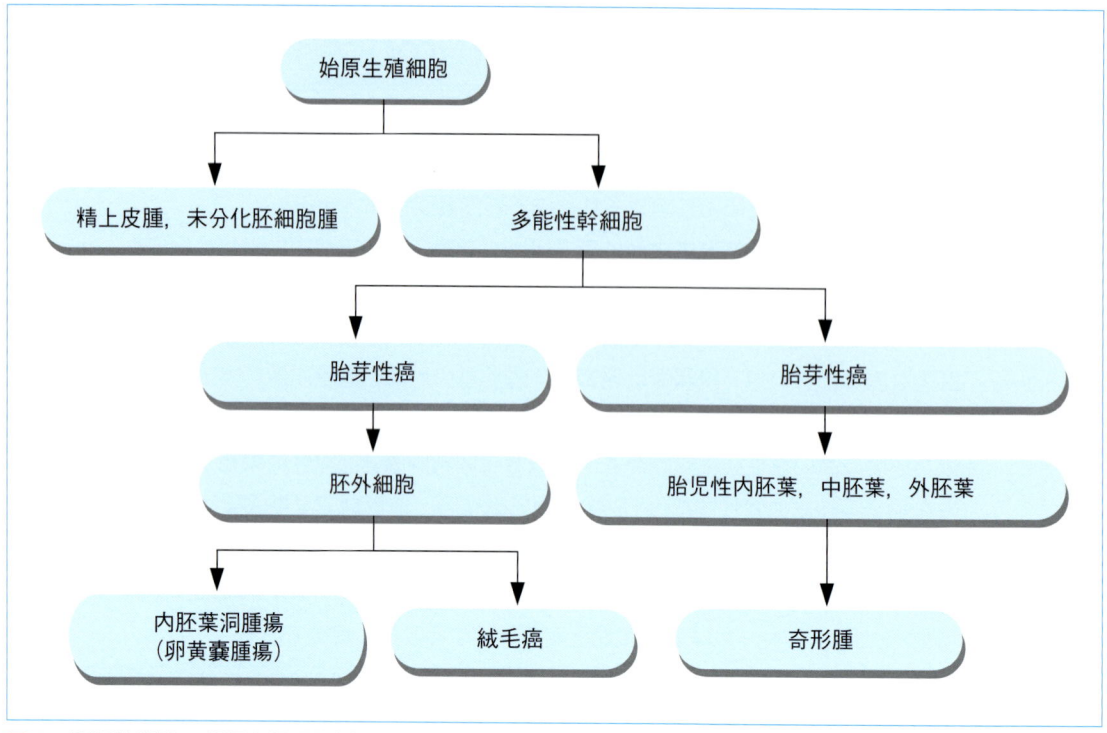

図1 胚細胞腫瘍の起源と相互関係

表1 卵巣胚細胞腫瘍で上昇のみられる腫瘍マーカー

組織型	AFP	hCG-β	LDH	ALP
未分化胚細胞腫	－	±	＋	＋
卵黄嚢腫瘍	＋	－	＋	－
未熟奇形腫	±	－	±	－
胎芽性癌	±	±	±	－
絨毛癌	－	＋	±	－
混合性胚細胞腫瘍	±	±	±	±

AFP：α-fetoprotein, hCG-β：human chorionic gonadotropin, LDH：lactate dehydrogenase, ALP：alkaline phosphatase
±：上昇することがある，－：上昇することはない，＋：高頻度に上昇する．

NMDA（N-methyl-D-aspartate）受容体脳炎」参照，p386）の患者では中枢神経組織を取り囲むリンパ球の浸潤を認める[3]．

　成熟奇形腫は全卵巣腫瘍の約20％を占め，日常的に経験される腫瘍であるが，茎捻転や破裂といった合併症を生じない限り偶発的に発見されることが多い[1]．

　肉眼的に表面は平滑な囊胞性腫瘍で，角化扁平上皮由来の痂皮，付属腺由来の皮脂や毛髪を内包する（図2A）．しばしば Rokitansky protuberance とよばれる，歯牙や骨組織を含む充実性隆起を囊胞内面に認める[1)2)4]．単房性であることが多いが，多房性であることもまれではない．

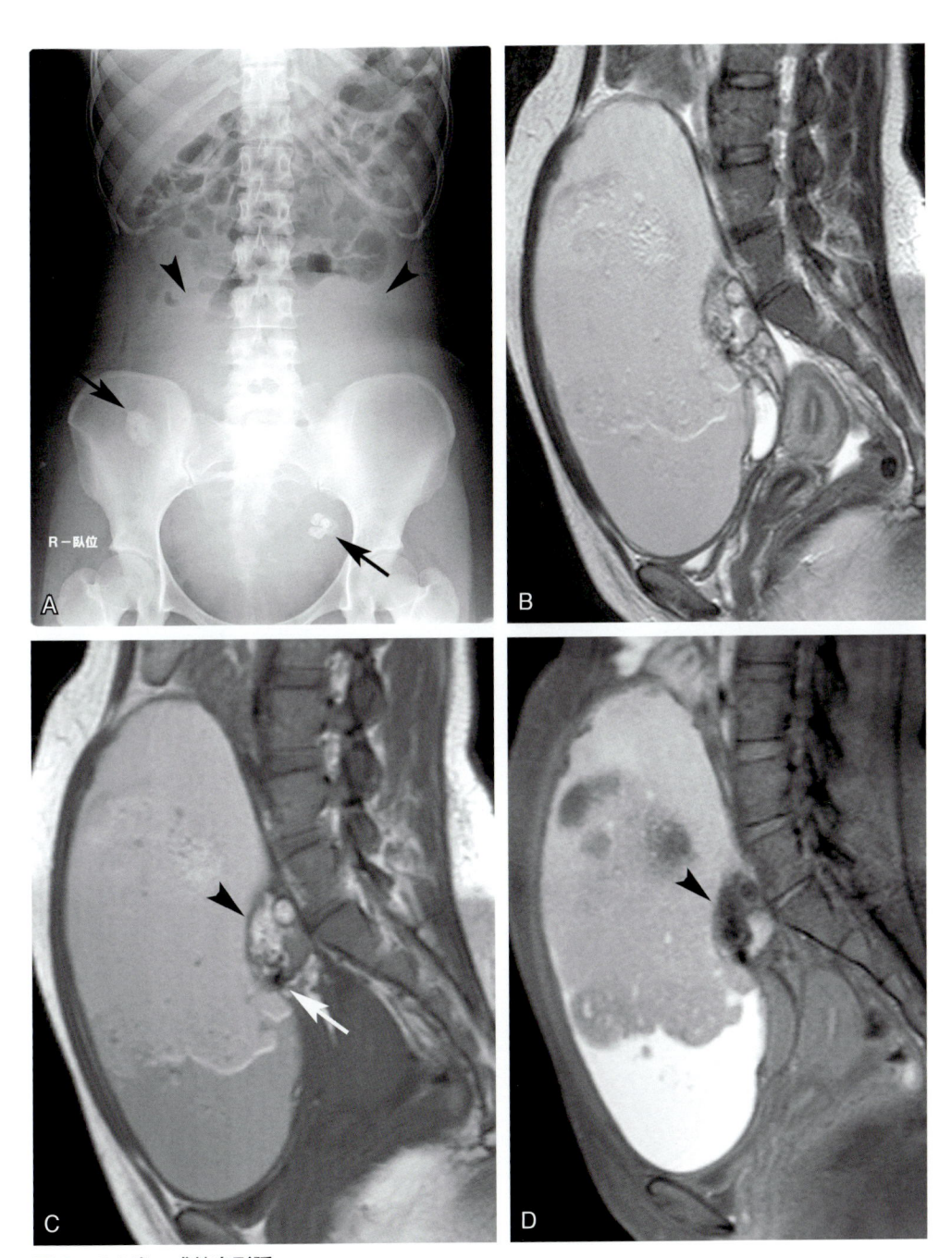

3. 胚細胞腫瘍 germ cell tumors

図2　24歳　成熟奇形腫
A：腹部単純X線写真，B：T2強調矢状断像，C：T1強調矢状断像，D：脂肪抑制T1強調矢状断像
腹部単純X線写真で骨盤腔を越えて下腹部を広範に占める腫瘤（A▲）を認め，内部に歯牙状の石灰化（→）を含む。MRI（B～D）では内部にfluid levelを有する巨大な囊胞性腫瘤で，上半部はT1強調像で高信号を呈し（C），脂肪抑制T1強調像で信号抑制を受ける（D）ことからfat-fluid levelであることがわかる。背側のより小さな房内には脂肪抑制T1強調像でより強い信号抑制を受ける脂肪成分（C, D▲）と石灰化を示すsignal void（C→）がみられる。

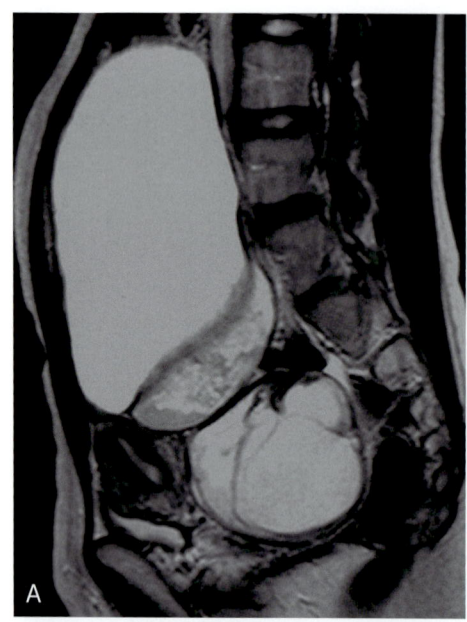

図3　15歳　両側卵巣成熟奇形腫
A：T2強調矢状断像，B：T1強調矢状断像，C：脂肪抑制T1強調矢状断像
右卵巣腫瘤が上方，左卵巣腫瘤が下方に配置する（A〜E）。右卵巣腫瘤の尾側の房内はT1強調像ではいずれも高信号（B）だが，脂肪抑制T1強調像で信号抑制を受ける部分（脂肪）と受けない部分（非脂肪）があり（C），両者の間にchemical shift artifactが線状の高信号として認められる（B→）。

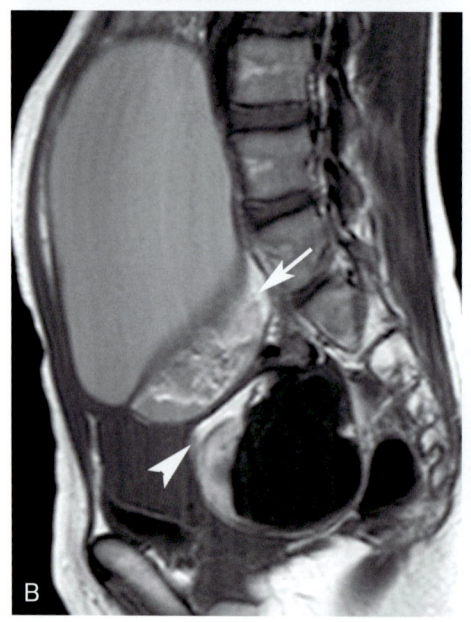

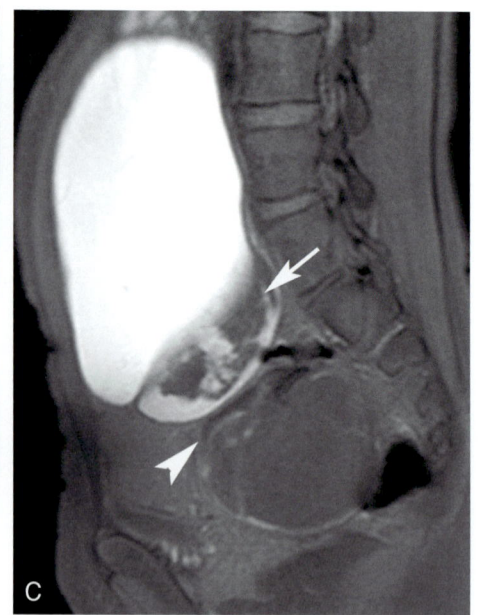

また，8〜15％は両側性とされる[2]。
　画像的に本腫瘍の形態を特徴付けるのは脂肪組織であり[5]，卵巣由来の脂肪腫/脂肪肉腫はまれであることから，卵巣腫瘍の内部に脂肪を認めた場合にはほぼ奇形腫と考えてよい。脂肪組織はCTでは低吸収（CT値が0 HU以下，すなわちマイナス），MRI T1強調像では高信号を示す（図2, 3）。また脂肪と皮脂肪成分がその比重の違いから水準面を形成するfat-fluid levelを形成することがCT，MRIともに報告されている[6-9]（図2）。CTで水より低吸収である場合にはほぼ脂肪組織と考えてよいが，MRI T1強調像ではタンパク濃度の高い粘稠な液体や出血もまた高信号を示すことから，脂肪抑制T1強調像による信号低下を確認すべきである（p14〜18；p20, 22

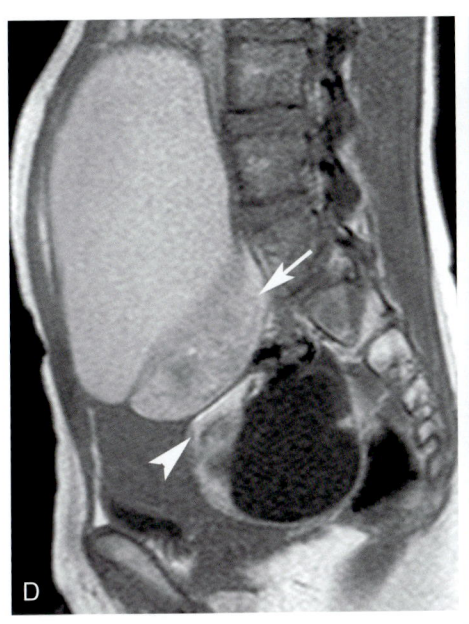

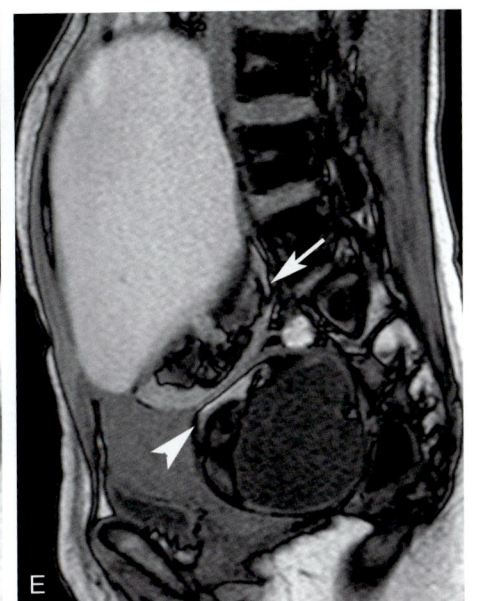

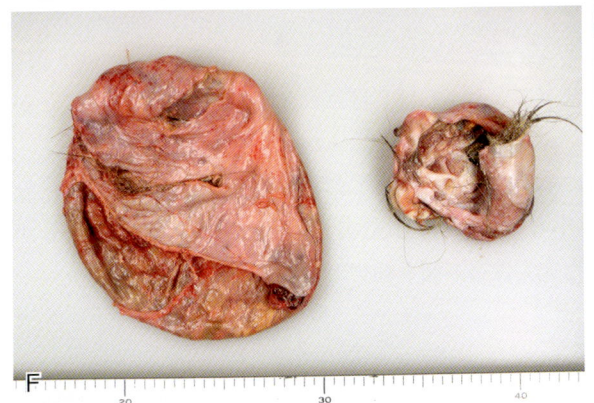

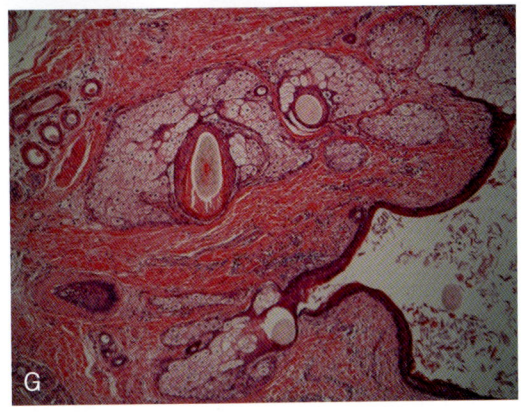

3. 胚細胞腫瘍 germ cell tumors

図3 つづき（両側卵巣成熟奇形腫）
D：T1 強調矢状断像（in phase），E：T1 強調矢状断像（out of phase），F：摘出標本肉眼像，G：HE 染色（弱拡大）
この部分には同一ピクセル内に脂肪と非脂肪成分が不均一に混在するので Dixon 法の in phase（D）に比べ out of phase で信号が低下している（E →）。左卵巣腫瘍では T1 強調画像で高信号を示す部分（B▲）が脂肪抑制 T1 強調画像では信号抑制を受けている（C▲）にもかかわらず，脂肪は塊として存在するので in phase に比べ out of phase で信号は低下しない（D，E▲）。肉眼的にはどちらも脂肪と毛髪を含む嚢胞性腫瘍（F）で，病理組織学的には角化扁平上皮と皮脂腺，毛嚢が認められる（G）。

図19, 21 参照）[10-12]。また脂肪と水の共鳴周波数の違いが画像上，位置のずれとして反映される chemical shift が脂肪と水の境界面に生じる[8]（図3）ことも，脂肪抑制画像が撮像されなかった場合には鑑別に有用である。さらに Rokitansky protuberance にはその表面に毛髪が存在することから，特徴的な椰子の木状（palm tree appearance）を呈する[8]（図4）。また，嚢胞内に脂肪やケラチンが浮き実（mobile spherules, floating fat ball）を形成する[13-16]（図5）のもしばしば観察される。一方，本腫瘍の中には脂肪が極端に少なく，むしろ卵巣甲状腺腫（p559〜562；p563〜564 図23〜24 参照）に類似したもの[17]や，内容物のほとんどがケラチンからなり画像や肉眼的には類表皮腫に近いもの[18]（図6）もある。また，特に若年者に発見される成熟奇形腫は神経

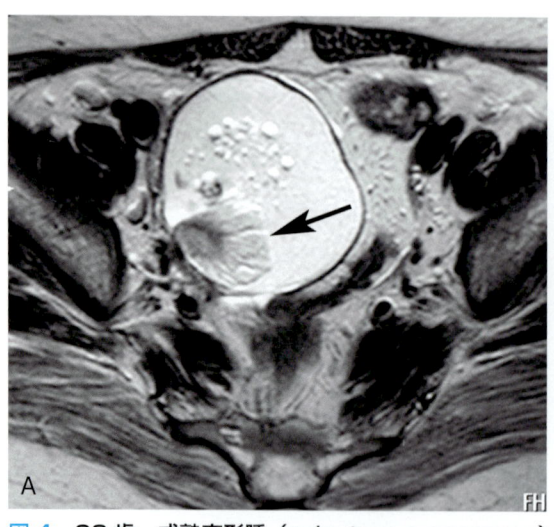

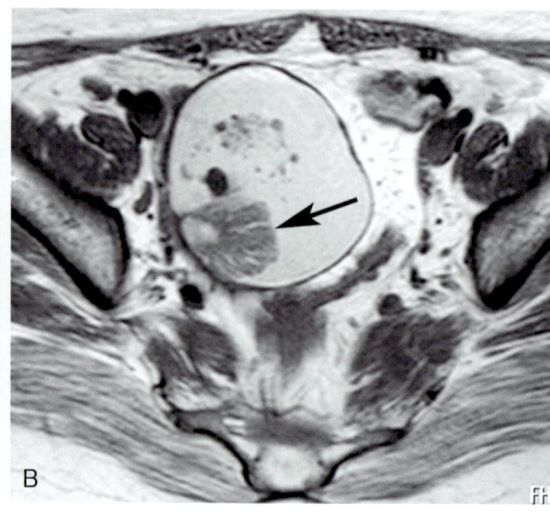

図4 23歳 成熟奇形腫（palm tree appearance）
A：T2強調横断像，B：T1強調横断像
脂肪を含む囊胞性腫瘤の右後壁から内腔に突出する椰子の木状の構造を認める（→）。

外胚葉成分の産生する脳脊髄液様の液体貯留が目立ち，しばしば巨大化し，脂肪の少ないことが多い（図7）といわれる。

成熟奇形腫は囊胞性であることが圧倒的に多いが，時にすべての構成成分が成熟した充実成分からなることもある。Kawakamiらは微小な囊胞を含む充実性腫瘍で僅少な脂肪成分がchemical shift artifactとしてのみ検出された充実性奇形腫を報告している[19]。

(2) 未熟奇形腫 immature teratoma

胎芽期の組織に類似する未熟組織（多くの場合，未熟な神経外胚葉成分）と成熟組織で構成される奇形腫である。かつての多胎芽腫（polyembryoma）は，現在は未熟奇形腫（immature teratoma）の特殊形として位置付けられている。未熟な神経上皮成分の割合に基づいて組織学的異型度分類が行われ[20]（表2），進行期，転移の有無と合わせ，予後因子となる。未熟奇形腫は全卵巣奇形腫の3%以下と頻度的にはまれである。成熟奇形腫が比較的幅広い年代層に発症するのに対し，未熟奇形腫はほかの悪性胚細胞腫瘍と同様，20歳未満の若年者に好発する。急激に増大することが多く腫瘍径も巨大なものが多い[2]。腫瘍マーカーとしてはAFPが上昇するとされるが，全症例の65%程度で観察されるにすぎず[21]，卵黄囊腫瘍ほど感度は高くない。腹腔内播種や転移の頻度も高く予後は以前は不良であるとされたが，現在の標準治療であるBEP療法（ブレオマイシン＋エトポシド＋シスプラチン）により治癒率は早期ではほぼ100%，進行例でも75%以上まで改善した[22]。

成熟奇形腫が囊胞性であることが多いのに対し，未熟成分は充実性腫瘍を形成し，内部に脂肪と石灰化の撒布像がみられるのが特徴とされる（図8）[23)24]。筆者はこれらは成熟した神経外胚葉成分が，過誤腫のように無秩序に配列した像と考えており，近接してより未熟な神経外胚葉成分が存在する可能性を示唆する所見と考えている。すなわち，脂肪と石灰化の撒布に近接して，

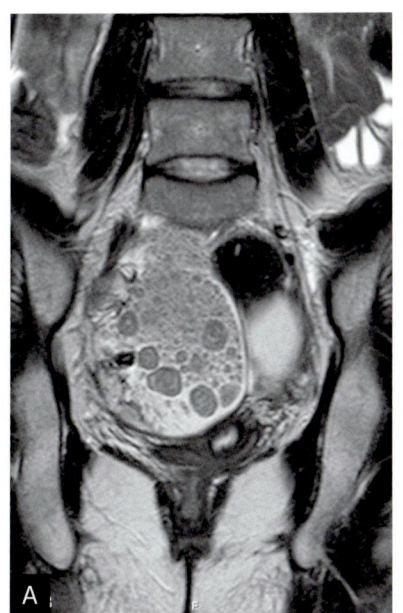

3. 胚細胞腫瘍 germ cell tumors

図5 22歳 成熟奇形腫（floating fat ball）
A：T2強調冠状断像，B：T1強調冠状断像，C：脂肪抑制T1強調冠状断像
囊胞内に多数の円型の結節状構造を認め（A〜C），うち一部はT1強調像で高信号を呈し（B→），脂肪抑制T1強調像で信号抑制される（C→）ことから脂肪球であることがわかる。

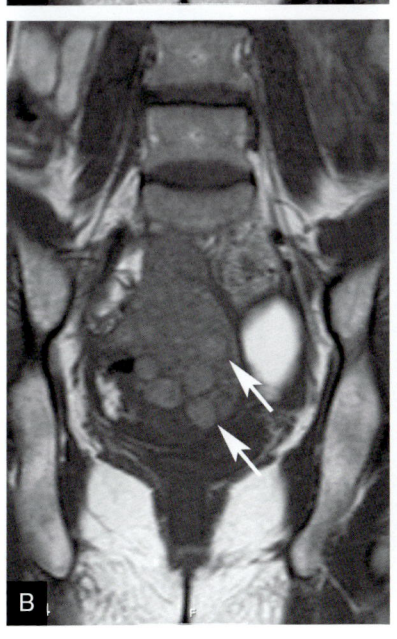

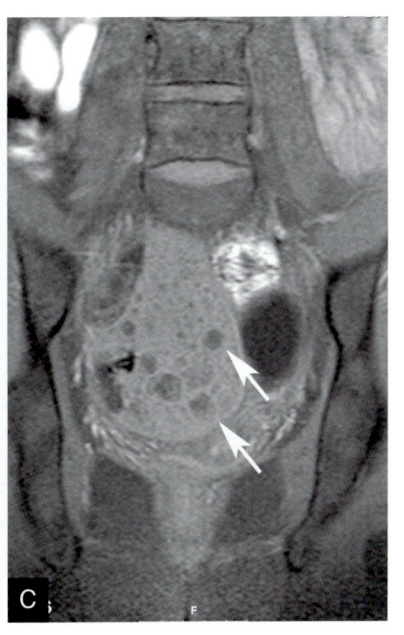

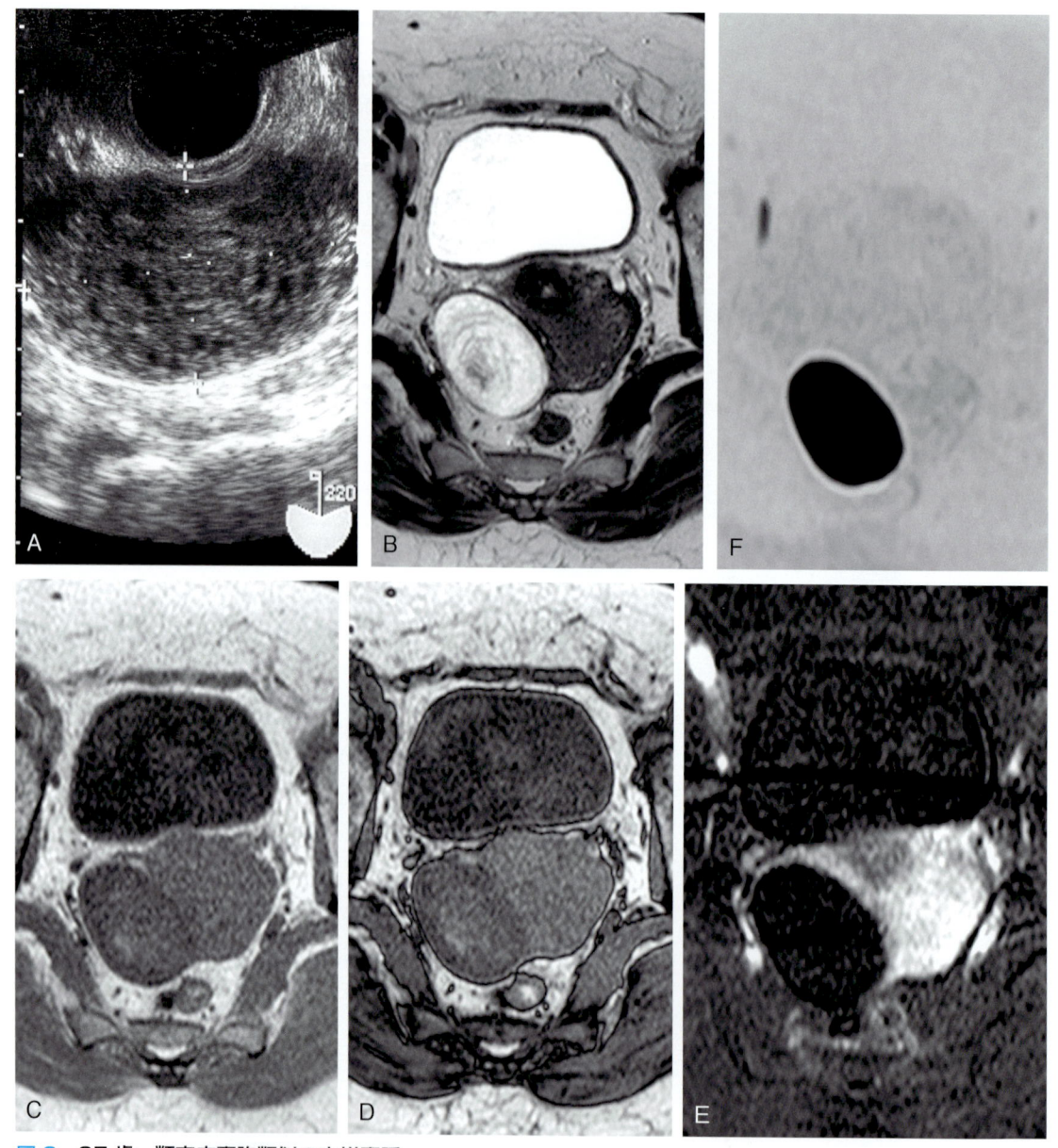

II 卵巣腫瘍 ovarian tumors

図6 65歳 類表皮嚢胞類似の皮様嚢腫
A：TVUS，B：T2強調横断像，C：T1強調横断像（in phase），D：T1強調横断像（out of phase），E：ダイナミックMRI横断像サブトラクション後，F：拡散強調横断像
USでは内部エコーのある充実性腫瘤にみえるが，T2強調像で高信号（B），T1強調像で低信号（C，D）の内容物を含み，被膜しか増強されず壁の薄い嚢胞性腫瘤である（E）。脂肪成分はない（C，D）。嚢胞内容物は拡散能の低下を示し（F），ケラチンの存在を示す。

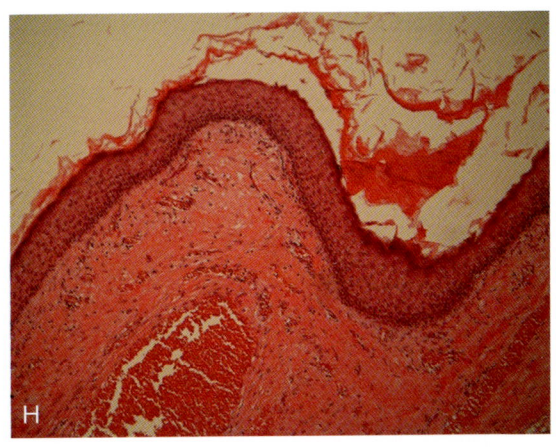

3. 胚細胞腫瘍 germ cell tumors

図6 つづき（類表皮嚢胞類似の皮様嚢腫）
G：摘出標本割面，H：HE 染色（弱拡大）
肉眼的に白色調おから状の内容物（G →，角質）を含む嚢胞で，病理組織学的にはほとんどが角化扁平上皮からなる（H）が，ごく一部に皮膚付属器腺が認められ，病理診断としては皮様嚢腫とされた。

　未熟成分を反映した充実性軟部組織が存在しない場合には，神経外胚葉成分の豊富な成熟奇形腫であることがありうる（図9）。また成熟奇形腫内に微量の未熟な神経上皮成分を認める場合は予後良好であり，未熟奇形腫には分類しないことが取扱い規約にも明記されている。Cheng らは脂肪を含有する卵巣腫瘍の良悪性の鑑別において，充実部の大きさが，全体の腫瘍径，脂肪の撒布像に増して，悪性を示唆するより重要な因子であることを示している[25]。Kishimoto らは脂肪や石灰化は存在せず脳回様の充実部と微小な嚢胞の集簇からなる grade 2（G2）の未熟奇形腫を報告している[26]が，筆者も画像的には脂肪や石灰化を確認できない G3 未熟奇形腫を経験している（図10）。

　成熟した神経膠組織のみから腹膜播種巣は腹膜神経膠腫症（peritoneal gliomatosis）[*2] とよばれる。以前は被膜破綻した奇形腫内の神経組織が撒布された腹腔内で生着・成熟したと考えられていたが，近年は奇形腫に由来する液性因子により，多分化能を有する腹膜の細胞が化生する例もあると考えられている。画像的には 0.3～1.2 cm の小結節の多発として描出され，癌性腹膜炎や結核性腹膜炎との鑑別が難しい[27]（図11）。前述の通り，成熟した組織からなるので予後良好とされるが，完全な外科的切除は困難なことから，長期にわたる経過観察が必要とされる[28]。

　未熟奇形腫や奇形腫を含む悪性胚細胞腫瘍の治療後に生じる悩ましい病態に growing teratoma syndrome がある。本症は 1982 年に Logothesis らにより，精巣混合性胚細胞腫瘍の化学療法を含む治療後に増大する悪性成分を含まない奇形腫として 6 例が初めて報告され[29]，女性例は比較的少ないがこれまでに英文で 100 例以上の報告がある。成因として化学療法により未熟成分から成熟した組織への転換が誘導された，あるいは悪性成分のみが死滅して成熟奇形腫のみ

---

*2 腹膜神経膠腫症（peritoneal gliomatosis）
　　未熟奇形腫や成熟奇形腫に合併して神経膠組織が腹腔内に播種したもので，神経膠播種（glial implant）ともよばれる。未熟奇形腫に準じて播種された組織の分化度が判定されるが，すべてが成熟した神経膠組織のみからなる場合は第 0 度（grade 0）とする。

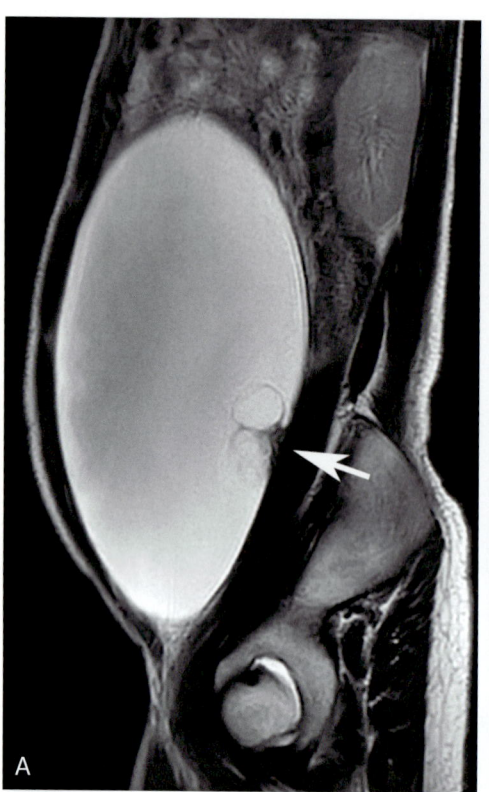

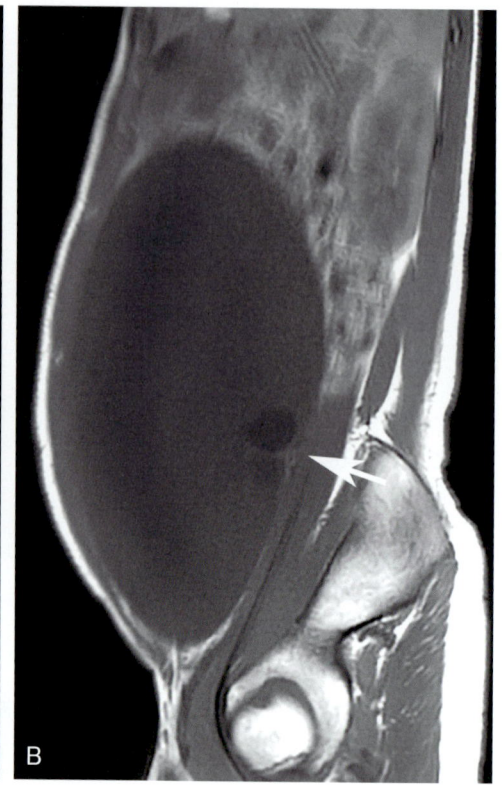

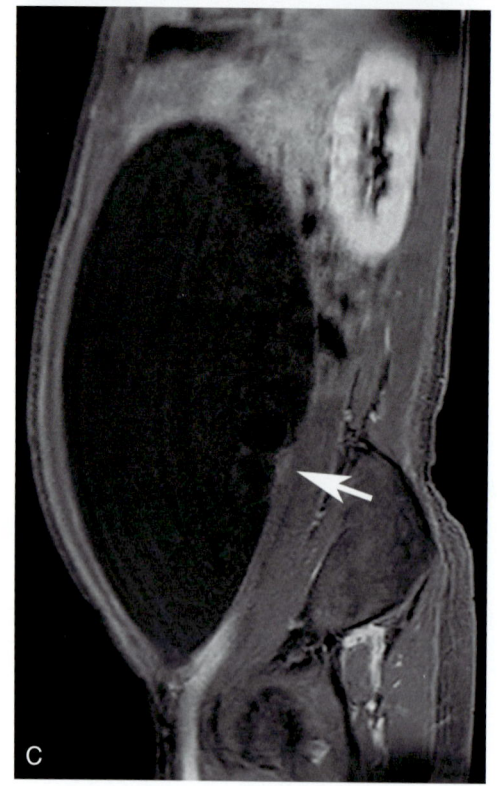

Ⅱ 卵巣腫瘍 ovarian tumors

図7 25歳 脂肪の少ない成熟奇形腫
A：T2強調矢状断像，B：T1強調矢状断像，C：造影脂肪抑制T1強調矢状断像
左卵巣の長径20 cm近い大きな囊胞性腫瘤の後縁に小さな房（A〜C →）の配列する粘液性腫瘍類似の腫瘤で，画像的には脂肪成分はまったく同定されず，病理組織学的にも大部分が上衣細胞（脳脊髄液産生源の1つ）からなるが，微量の皮脂や骨成分が観察され，成熟奇形腫と診断された。

3. 胚細胞腫瘍 germ cell tumors

表2　未熟奇形腫の組織学的異型度分類（grading）[3]

grade 1 (G1)	未熟な神経上皮成分を最も多く含む標本において同成分の合計面積が低倍率（対物×4）で1視野の範囲に収まる。
grade 2 (G2)	未熟な神経上皮成分を最も多く含む標本において同成分の合計面積が低倍率（対物×4）で3視野を超えない範囲に収まる。
grade 3 (G3)	未熟な神経上皮成分を最も多く含む標本において同成分の合計面積が低倍率（対物×4）で3視野を超える範囲を占める。

が残存したとする説などが唱えられている。Li らのまとめによると初発の未熟奇形腫から発症までの間隔は平均 26.6 カ月，長いものでは 9 年に達したという[30]。好発部位は後腹膜で，肺，頸部リンパ節，縦隔などの報告があり，女性例では前述の腹膜神経膠腫症が少なくなく，脂肪や石灰化を含む単発あるいは多発の腹腔内腫瘤として描出される[31]（図12）。これら腫瘤の増大速度は 0.5～0.9 cm/月と比較的速く，画像や腫瘍マーカー値で，残存/再発腫瘍と区別することは難しい。外科的に切除すれば再発率は低い一方で，悪性転化の報告もみられることから，本症を疑った場合も厳重な経過観察を要するとされる[30]。

2）未分化胚細胞腫 dysgerminoma

未分化胚細胞腫（dysgerminoma）は卵巣原発悪性胚細胞腫瘍中で最も頻度が高く，全卵巣腫瘍の 1％，悪性卵巣腫瘍の 3～5％を占める[1,2]とされるが，本邦での頻度は欧米より高い[4]。始原生殖細胞に類似した大型の腫瘍細胞で構成され，精巣や縦隔における精上皮腫と病理組織学的に同義の腫瘍である。精巣の悪性胚細胞腫瘍に特異的とされる 12 番染色体短腕のイソ染色体が約 80％の症例でみられる。10～20 代の若年者に好発し，30 歳未満の発症が全体の 80％を占め，思春期前や閉経後にはほとんどみられない。特異的症状はなくしばしば巨大化する。腫瘍マーカーとしては非特異的ながら LDH，ALP が上昇する。時に共存する合胞体絨毛細胞が hCG-β を産生することがあるが，絨毛癌ほど高値とならない[4]。発症時は I A 期の症例が多くを占める（65％）こと，化学療法・放射線治療にともに感受性が高いことから，予後は良好な悪性腫瘍である。肉眼的には被包化された充実性分葉状の腫瘤で，一部に出血，壊死，囊胞変性を内在する。病理組織学的には大型で円型の核と豊富な細胞質をもつ腫瘍細胞が島状，索状に増殖するが，内部を栄養血管と炎症性のリンパ球・マクロファージ浸潤を含む線維成分に富んだ隔壁が境する[1,2,4]。この線維血管性隔壁は T2 強調像で低信号，造影剤でよく増強される構造として描出され，特徴的な画像を構成する（図13）。線維血管性隔壁以外の充実部は T2 強調像でより信号強度が高く，増強効果はやや弱い[32,33]。ただし線維血管性隔壁があまり太くない場合には，造影剤により強く増強されるが T2 強調像では高信号である場合もあり注意を要する[32,34]（図14）。拡散制限は強く，PET/CT での FDG の集積も強い（図15）。

画像的に鑑別が問題となるのは同様に若年者に好発し全体が充実性で分葉状の形態を呈する[35]悪性リンパ腫であるが，筆者の経験では悪性リンパ腫のほうが臨床的に増大速度が速く，発症時には播種やリンパ節腫大を伴っていることが多く，生殖可能年齢では辺縁部に正常卵胞が取り残されてみられる（follicle preserving sign）[36]ことが多い（p580 参照）。

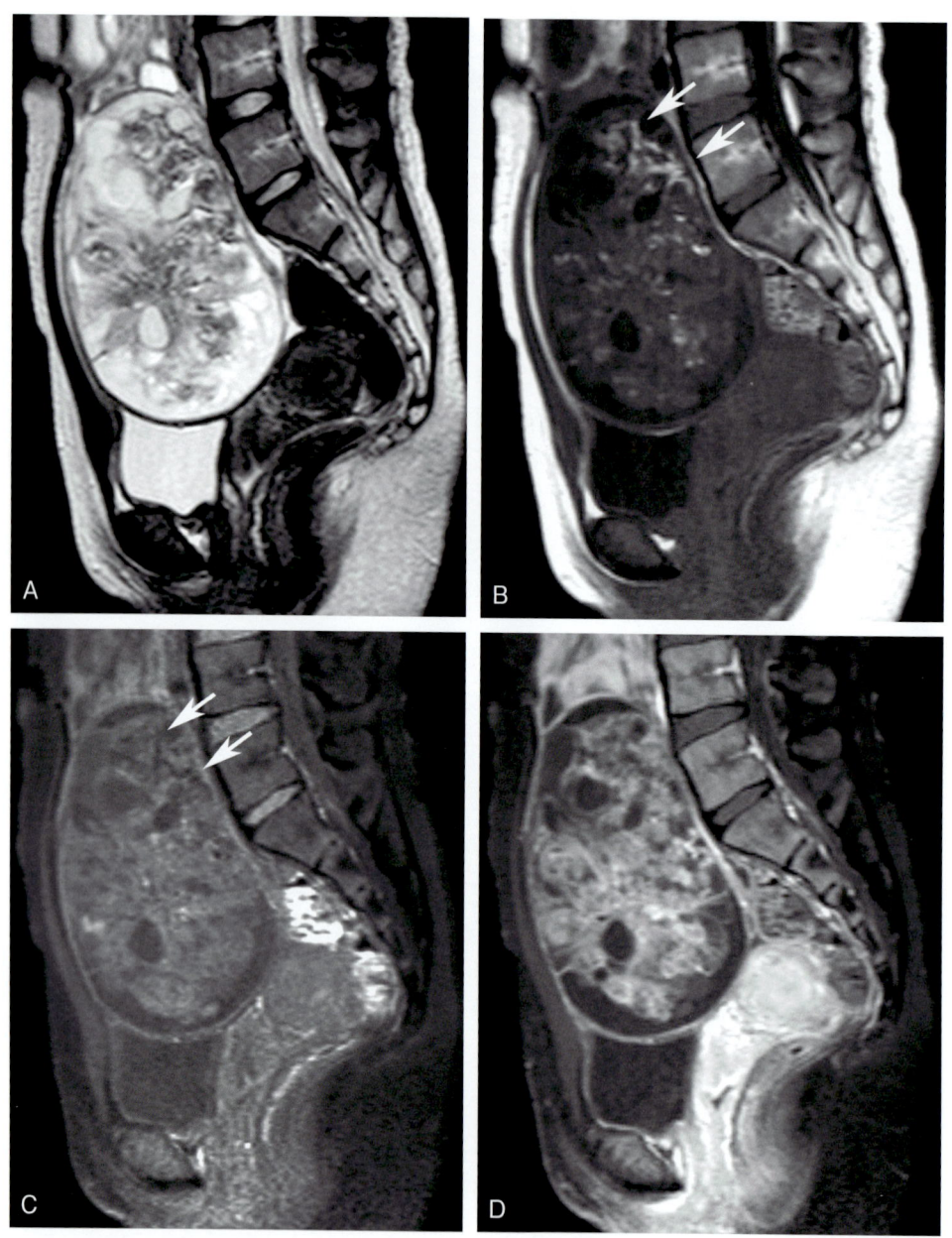

図8 19歳 未熟奇形腫
A：T2強調矢状断像，B：T1強調矢状断像，C：脂肪抑制T1強調矢状断像，D：造影脂肪抑制T1強調矢状断像
図9と類似のT2強調像で極めて不均一な信号強度の腫瘤がある（A）。内部にはT1強調像で高信号，脂肪抑制T1強調像で信号抑制される脂肪成分が散在する（B，C→）。造影後は，図9に比べ量的に豊富な充実部が認められる（D）。

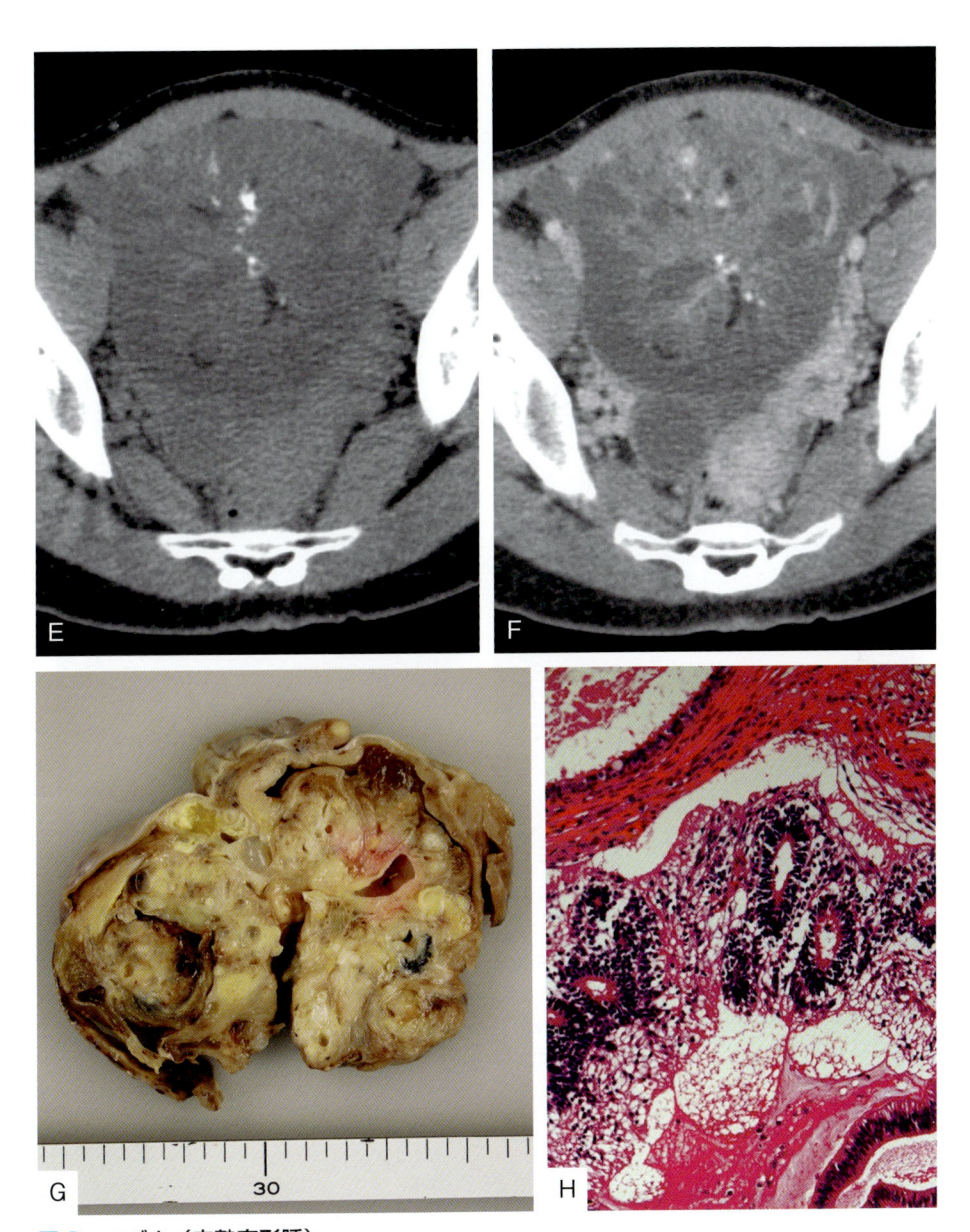

3. 胚細胞腫瘍 germ cell tumors

図8 つづき（未熟奇形腫）
E：単純CT，F：造影CT，G：摘出標本割面，H：HE染色（強拡大）
CTでは脂肪と同様に石灰化も撒布されている（E，F）のがわかる。摘出標本の割面では黄色調の脂肪成分の混在する充実性腫瘤（G）で，病理組織学的には未熟な神経組織（H）が認められる。

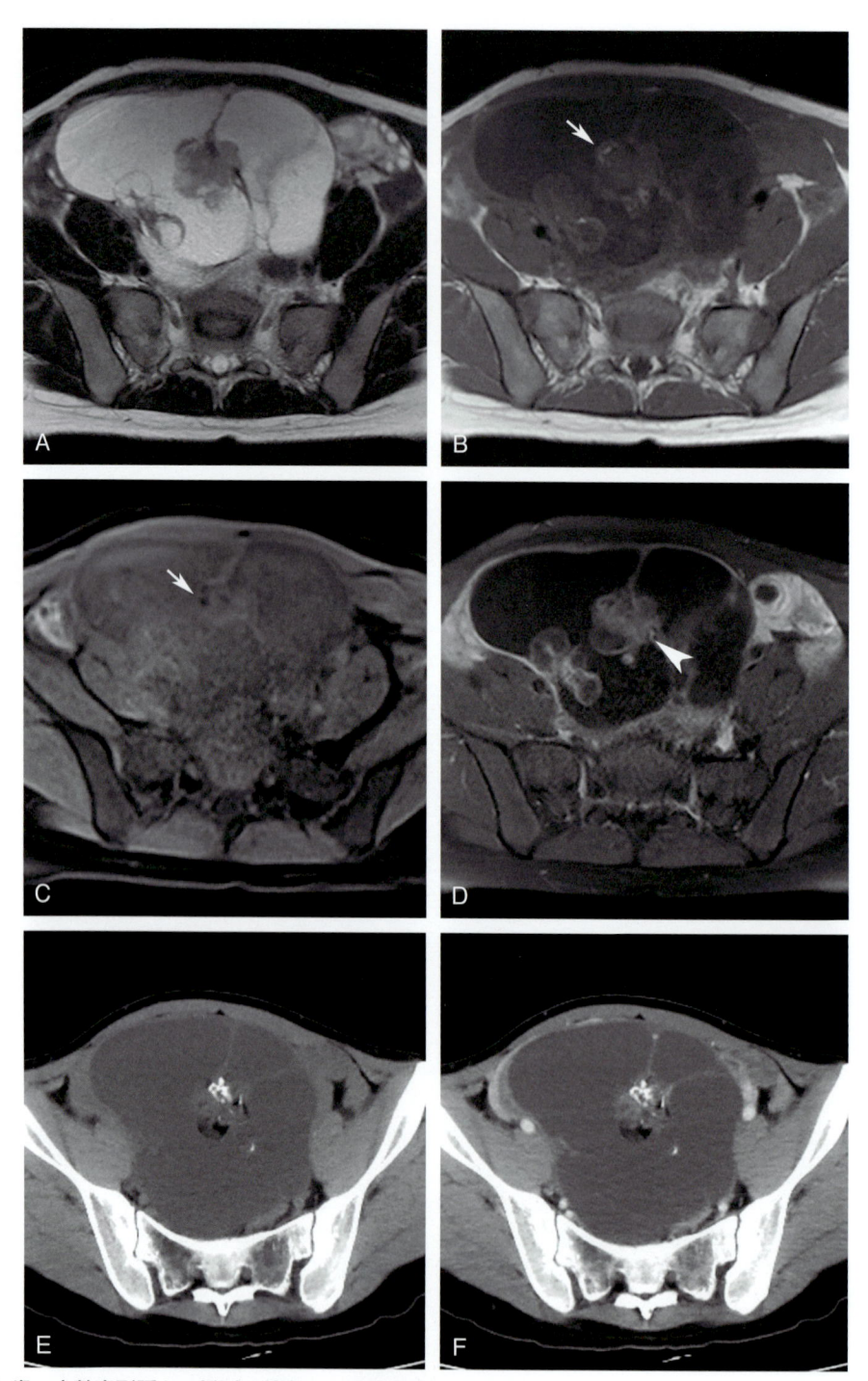

Ⅱ 卵巣腫瘍 ovarian tumors

図9 29歳 未熟奇形腫との鑑別に苦慮した成熟奇形腫
A：T2強調横断像，B：T1強調横断像，C：脂肪抑制T1強調横断像，D：造影脂肪抑制T1強調横断像，E：単純CT，F：造影CT
T2強調像で不均一な信号強度の充実成分を伴う囊胞性腫瘤がある（A）。内部にはT1強調像で高信号，脂肪抑制T1強調像で信号抑制される脂肪成分が散在する（B，C→）。CTでは低吸収を示す脂肪成分と，高吸収を示す石灰化が撒布されているのがより明瞭にわかる（E，F）。造影脂肪抑制T1強調像では，量は多くはないが明らかに増強効果のある充実部がみられ（D▲），未熟奇形腫が疑われた。病理組織学的に成熟した神経外胚葉成分はみられたが未熟成分はなく，成熟奇形腫と診断された。

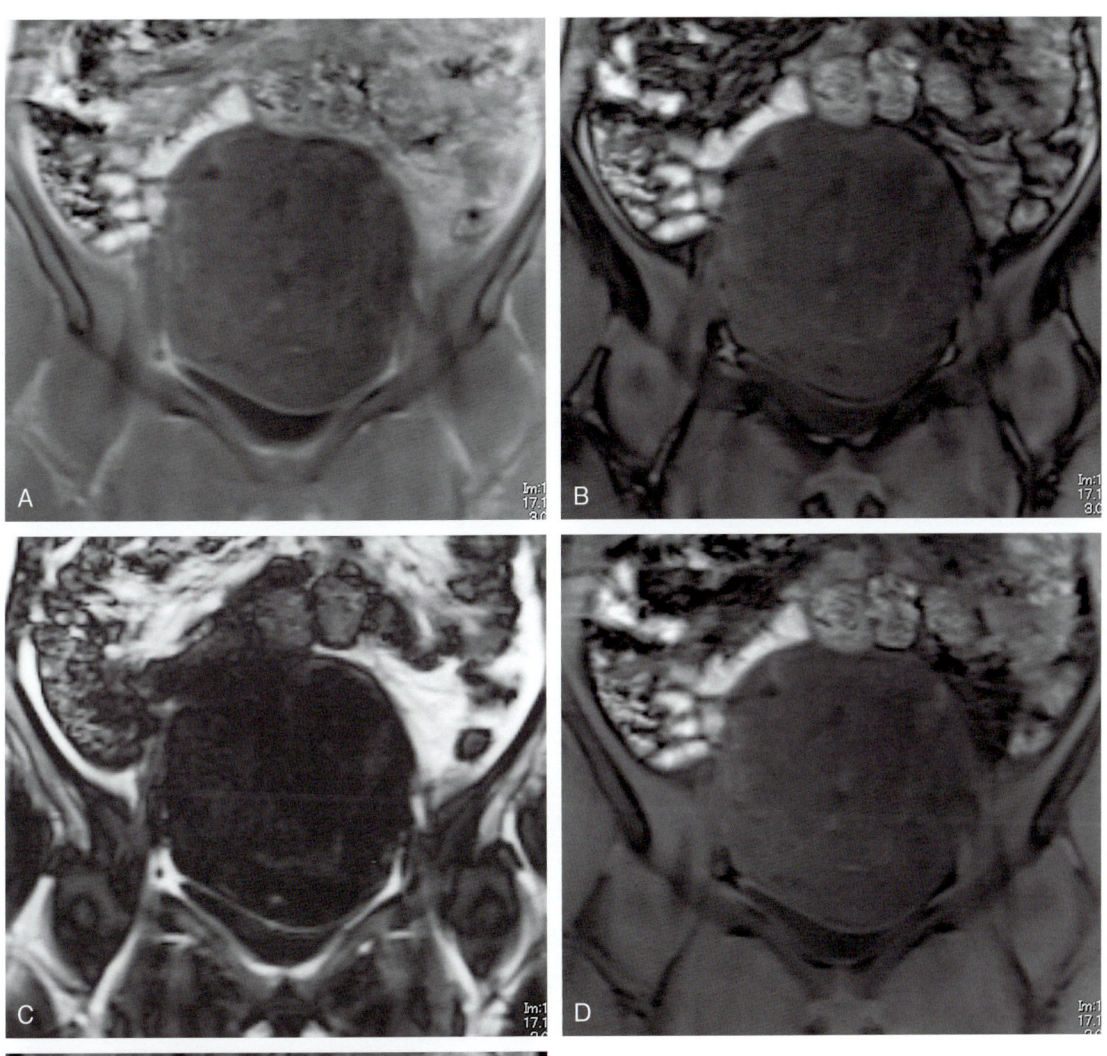

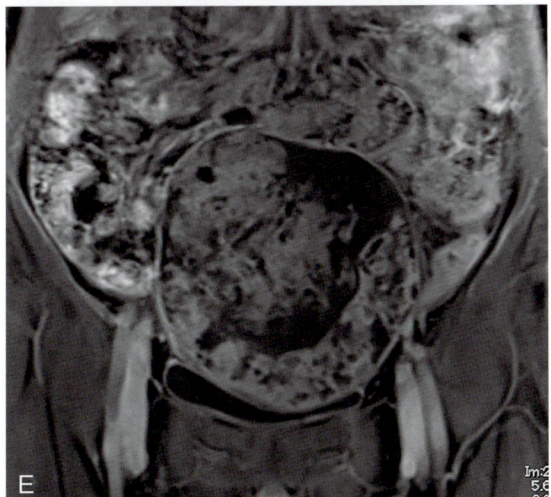

3. 胚細胞腫瘍 germ cell tumors

図10　28歳　脂肪や石灰化を確認できないG3未熟奇形腫

A〜D：T1強調冠状断像（A：in phase, B：out of phase, C：脂肪強調像, D：水強調像＝脂肪抑制像），E：造影脂肪抑制T1強調冠状断像

Dixon法によるT1強調像（A〜D）で不均一な低信号を示す腫瘤があり，造影後は内部に多数の囊胞が顕在化し，一部は隔壁の肥厚として豊富な充実部が増強されている（E）。in phase（A）とout of phase（B）を比較しても，視覚的にはsignal dropは同定しがたく，脂肪の検出に鋭敏なDixon法をもってしても脂肪成分は確認されない。

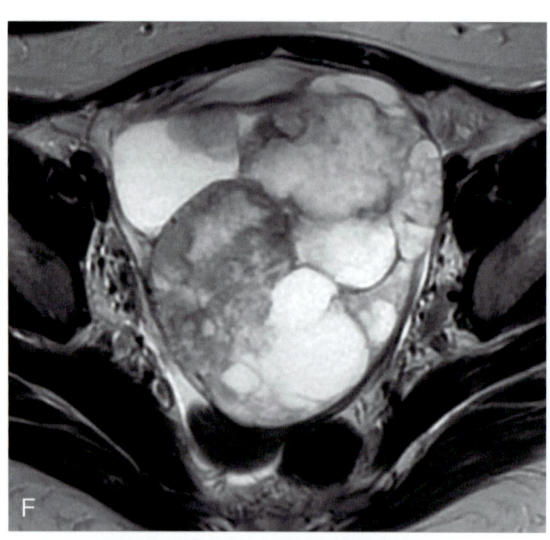

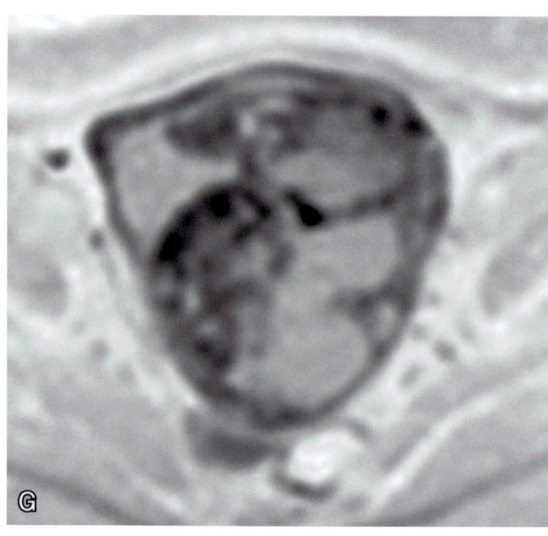

図10 つづき（脂肪や石灰化を確認できない G3 未熟奇形腫）
F：T2 強調横断像，G：拡散強調横断像
T2 強調像では多彩な信号を呈する大小の囊胞と充実部からなる内部構造が明瞭に描出されており（F），充実部には拡散制限がある（G）。AFP が上昇しており，卵黄囊腫瘍を疑ったが，病理組織学的には分化した皮膚や気管支，これらの付属器を含むものの大部分は未熟な神経管組織からなり，G3 未熟奇形腫と診断された。

3）卵黄囊腫瘍 yolk sac tumor

　胚外性内胚葉組織である原腸や，胎性内胚葉組織である腸管や肝への分化能をもつ組織学的に多彩な胚細胞腫瘍で，免疫組織化学的に α-fetoprotein（AFP）が証明される[1]。古い文献では内胚葉洞腫瘍（endodermal sinus tumor）と表記されていることがある。組織学的には，①微小囊胞・網状型，②内胚葉洞型，③充実型，④乳頭型，⑤花鎖型，⑥多小胞状卵黄囊型などの種々の組織像が混在する[3]。悪性胚細胞腫瘍としては未分化胚細胞腫に次ぐ頻度を占め，30 歳未満での発症が大多数を占める。血中 AFP はほぼ全例で上昇し診断に有用である[2,4]。臨床的には急激な増大と被膜破綻により急性腹症として発症することも少なくない[2]。本腫瘍は混合性胚細胞腫瘍の構成成分としてもしばしば認められ，成熟奇形腫[4]や胎芽性癌[2]に合併することが多い。肉眼的には通常片側性の大きな腫瘍で被膜に覆われているが，脆弱な被膜は術前，術中にしばしば破綻している。充実性だが内部に広範な出血と壊死をしばしば含む。病理組織学的に多小胞状卵黄囊型の部分は多数の小囊胞からなる蜂巣状を呈する[2,4]。内胚葉洞型では病理組織学的に特徴的な，腫瘍細胞が血管周囲に配列する Schiller-Duval body を形成する。画像的には多房性囊胞性腫瘍であることが多く，多血性であることを反映して腫瘍内に flow void が観察される。出血もまた本腫瘍に特徴的な所見である[24,37]（図16）。したがって多くは 30 歳未満，時に 30 代までに易出血性，多血性の腫瘍を認め，血中 AFP が上昇している場合には，疾患頻度を考慮すると本腫瘍である可能性が高い[38]。被膜・隔壁が薄く，脆弱な腫瘤が多いが，比較的厚い隔壁や充実部を有する症例では，充実部の拡散制限が強い（図17）。前述の通り，極めて多彩な病理組織像を呈することから，非典型例では画像所見のみからは G3 未熟奇形腫（図10）や粘液性癌などとの

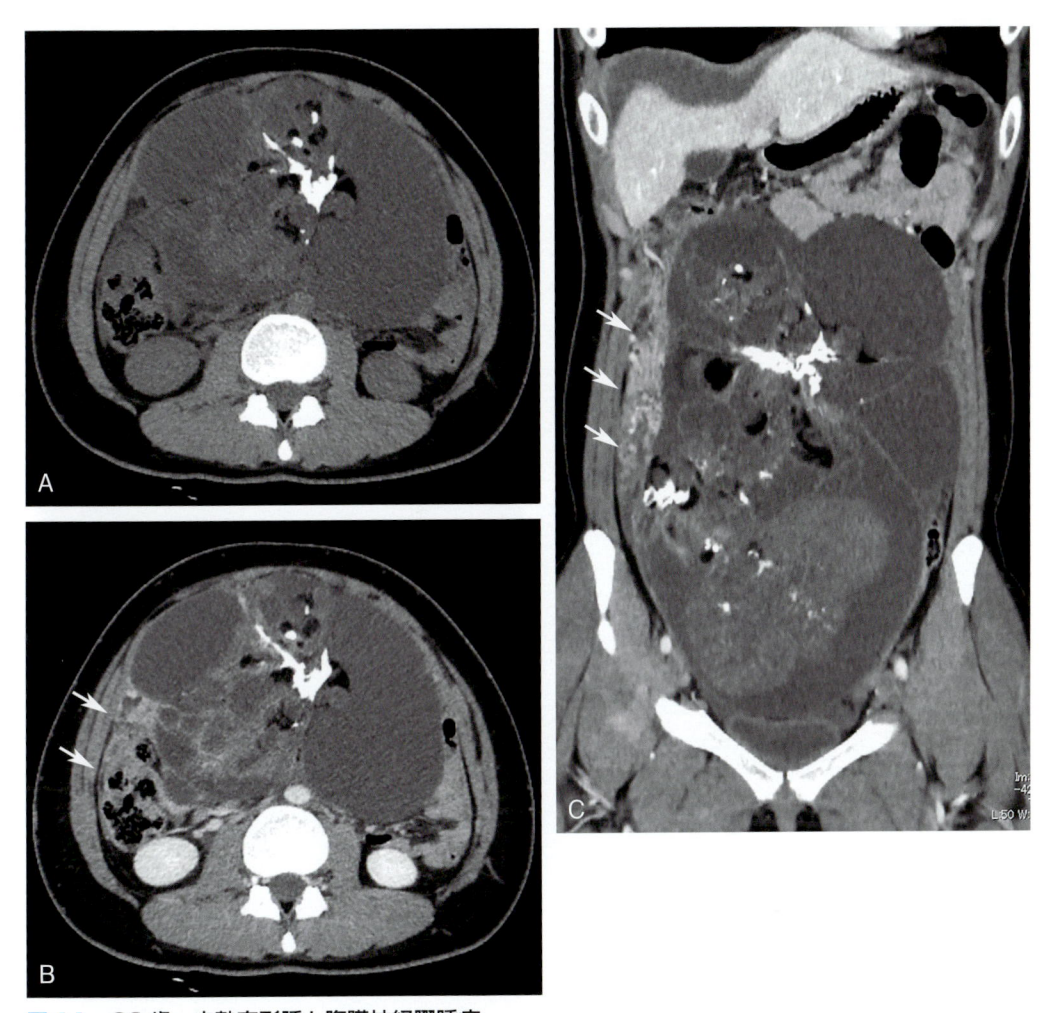

3. 胚細胞腫瘍 germ cell tumors

図11 23歳 未熟奇形腫と腹膜神経膠腫症
A：単純CT，B：造影CT横断像，C：造影CT冠状断MPR像
単純CTで内部に脂肪と石灰化の撒布像を伴った，大きな充実部を有する嚢胞性腫瘍を認める（A）。造影後，腫瘍の右側に軟部組織濃度からなる板状の腫瘤を認め（B，C→），未熟奇形腫の腹腔内播種を疑った。病理組織学的に原発巣はG3未熟奇形腫であったが，大網ケーキは成熟した神経膠成分のみから構成されていた。

鑑別に苦慮することがある。

　卵黄嚢腫瘍は高齢者で上皮性悪性腫瘍を基盤として発生することがある（図18）。多くは類内膜癌を基盤とし，明細胞癌や粘液性癌，漿液性癌，癌肉腫などの報告がある[39]。上皮性腫瘍の逆分化（retrodifferentiation）などがその機序として考察されている。症例が少なく，定まった画像的特徴は報告されていない。通常の卵黄嚢腫瘍と同様に血清AFPが上昇し，一般的に化学療法抵抗性で，予後不良とされている[3]。

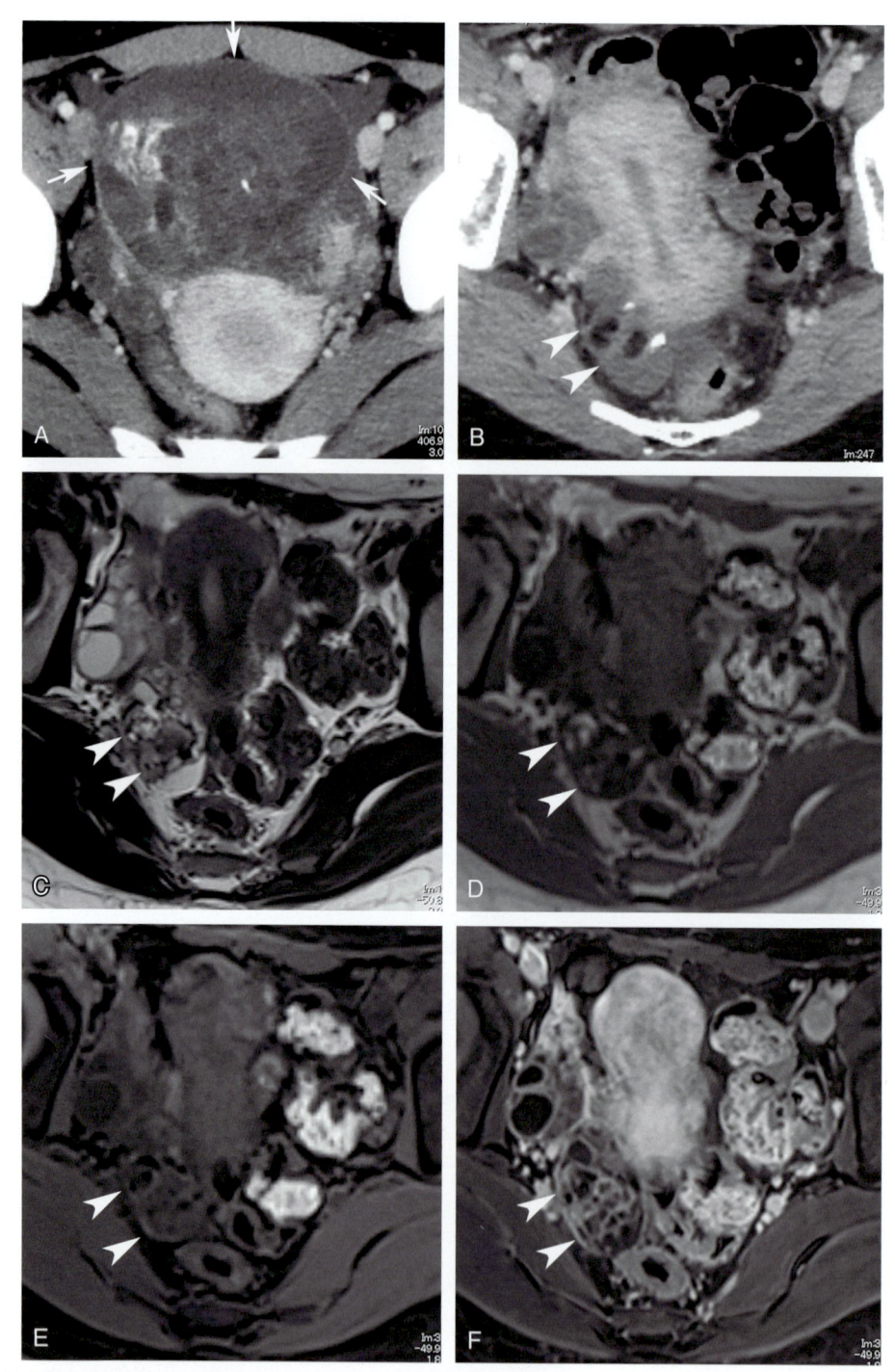

Ⅱ 卵巣腫瘍 ovarian tumors

図12 24歳 Growing teratoma syndrome（腹膜神経膠腫症）
A：造影CT（治療前），B：造影CT（治療後），C：T2強調横断像，D：T1強調横断像，E：脂肪抑制T1強調横断像，F：造影脂肪抑制T1強調横断像
14カ月前に左卵巣のG3未熟奇形腫（A →）に対し，妊孕性温存術後，BEP療法を3コース施行．経過観察中の造影CTで右卵巣表面に内部に脂肪と石灰化の撒布像を伴った大きな充実部を有する囊胞性腫瘤を認める（B▲）．T2強調像では多彩な信号を示す腫瘤を認め（C▲），T1強調像で高信号（D▲），脂肪抑制T1強調像で信号抑制される（E▲）脂肪成分が明らかである．造影後は隔壁のよく増強される多房性囊胞性腫瘤が明瞭化し（F▲）未熟奇形腫の腹腔内播種を疑ったが，病理組織学的に成熟した多胚葉性成分のみからなり，未熟な組織は認められなかった．

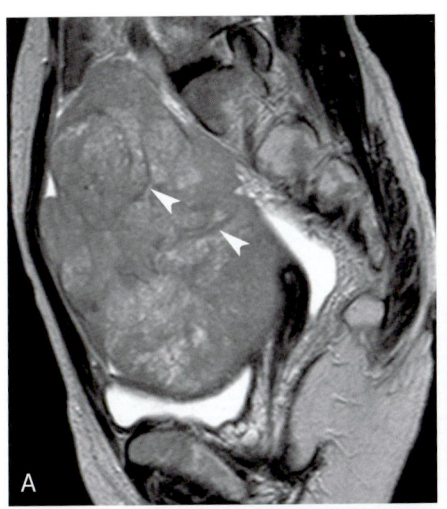

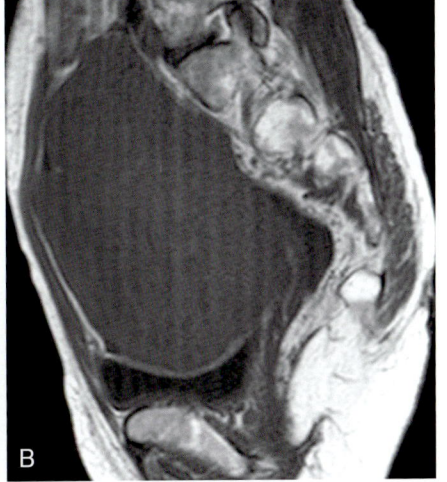

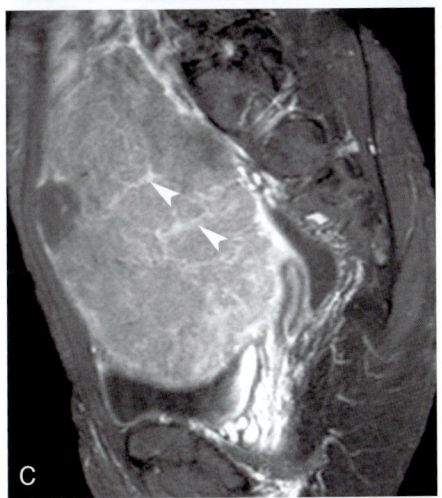

3. 胚細胞腫瘍 germ cell tumors

図13　39歳　未分化胚細胞腫
A：T2強調矢状断像，B：T1強調矢状断像，C：造影脂肪抑制T1強調矢状断像，D：HE染色（弱拡大），E：HE染色（強拡大）
T2強調像で子宮に浸潤するやや信号強度の高い腫瘤があり，内部を低信号の隔壁状の構造（A▲）で境されている．T1強調像では全体が低信号（B）だが，造影後はこの隔壁状構造が他よりも強く増強されている（C▲）．病理組織学的にはびまん性に増殖する大型の腫瘍細胞の間を線維血管性隔壁が境している．この隔壁の内部にはリンパ球の浸潤もみられる（D，E）．

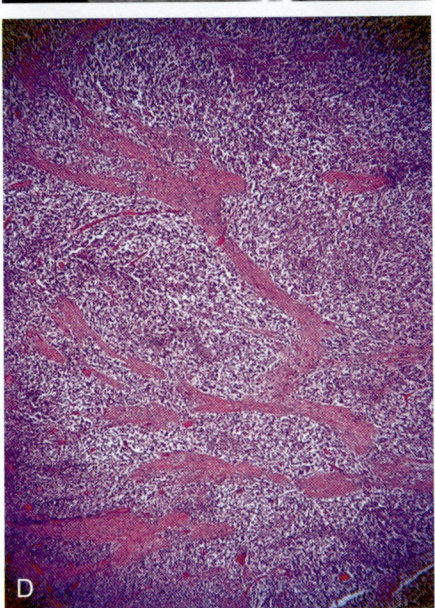

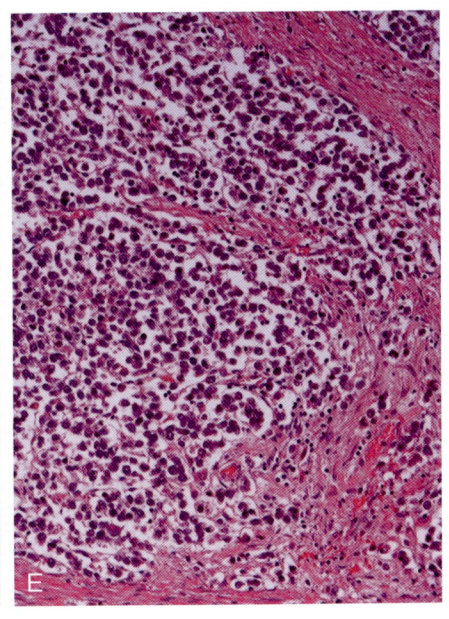

Ⅱ 卵巣腫瘍 ovarian tumors

図14 36歳 未分化胚細胞腫
A：T2強調横断像，B：造影脂肪抑制T1強調横断像，C：単純CT，D：造影CT，E：HE染色（強拡大）
T2強調像でやや高信号の充実性腫瘤があるが，内部の隔壁状構造は図13と異なり高信号である。造影後は同じようにこの隔壁状構造が強く増強されている（B）。単純CTではMRIよりコントラスト分解能が劣るので線維血管性隔壁は不明瞭だが（C），造影後，太い脈管は確認できる（D）。病理組織学的には図13に比べ幅の狭い線維血管性の隔壁により境されている（E）。

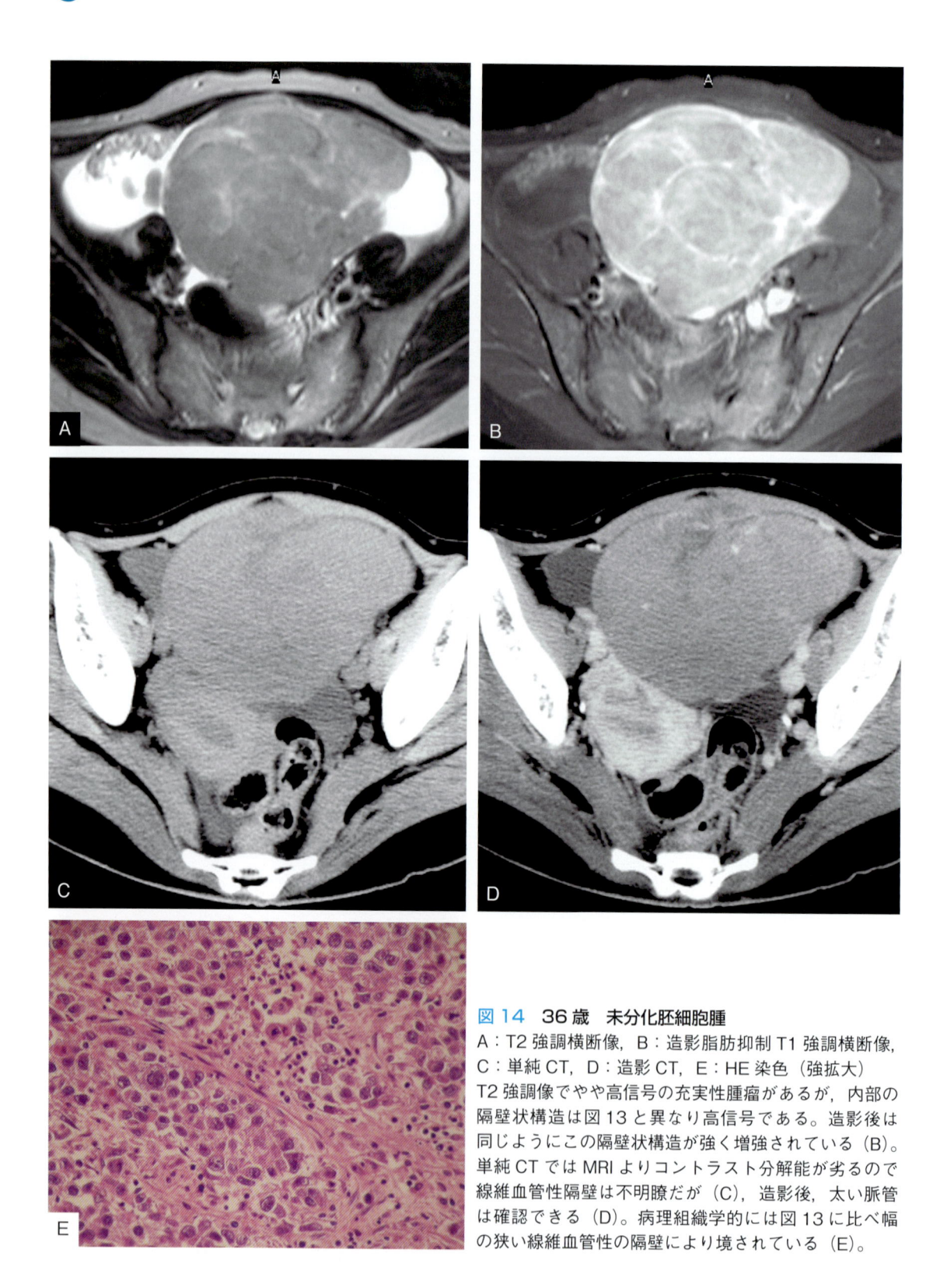

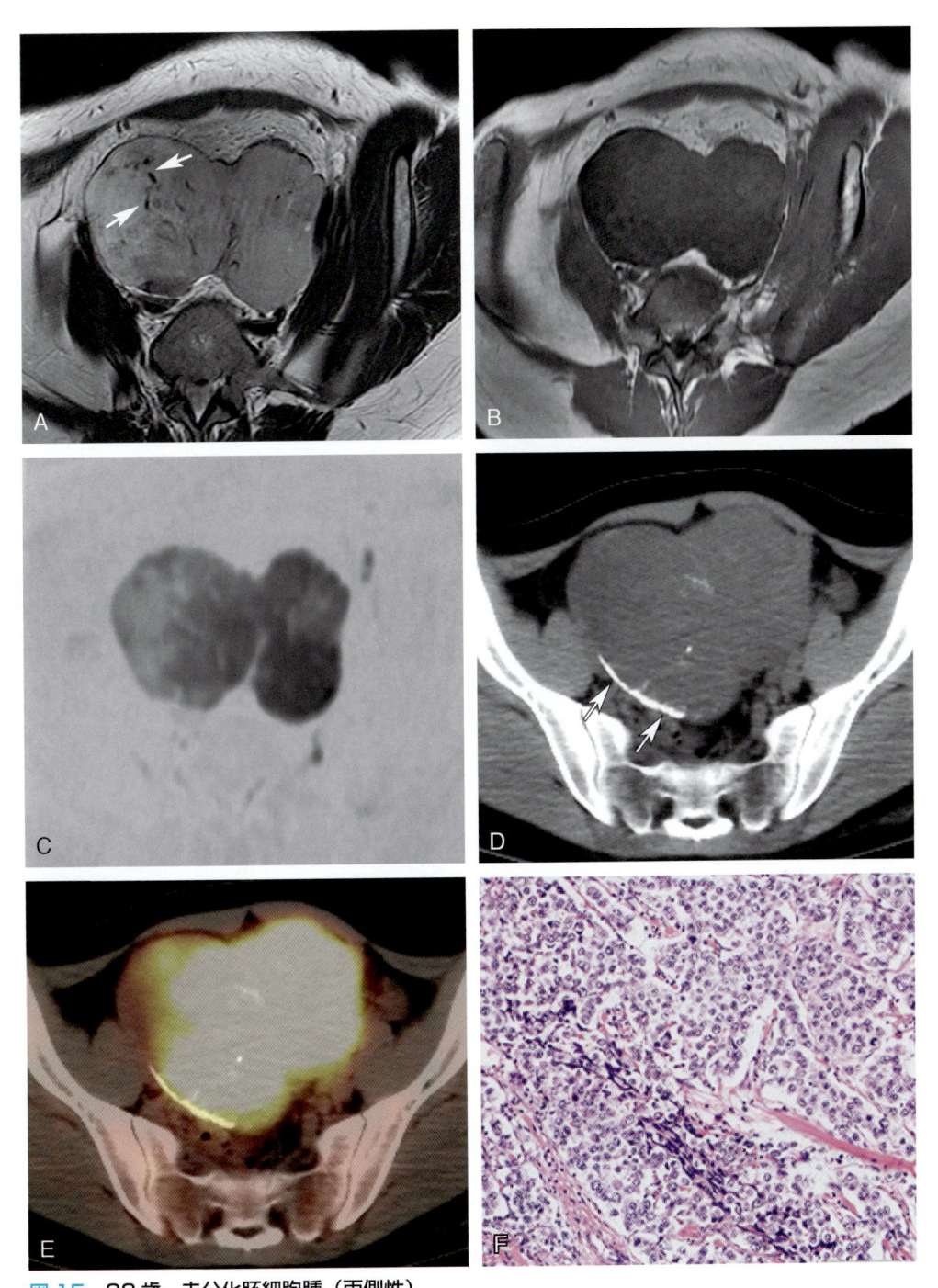

3. 胚細胞腫瘍 germ cell tumors

図15 23歳 未分化胚細胞腫（両側性）
A：T2強調横断像，B：T1強調横断像，C：拡散強調横断像，D：PET/CTの吸収補正用CT，E：PET/CT，F：HE染色（強拡大）
本例は血清 hCG-β が 2.6 ng/mL と上昇し，続発性無月経で発症した。本例では太い栄養血管が flow void としてみられるが（A→），線維性の隔壁はさらに不明瞭である。T1強調像では均一な低信号（B）で，拡散制限もびまん性にみられる（C）。PET/CTの吸収補正用CTでは辺縁に石灰化を認め（D→），均一で強いFDGの集積がみられる（E）。病理組織学的にも大型の腫瘍細胞がリンパ球の浸潤を伴って認められるが，線維血管性隔壁は薄い（F）。

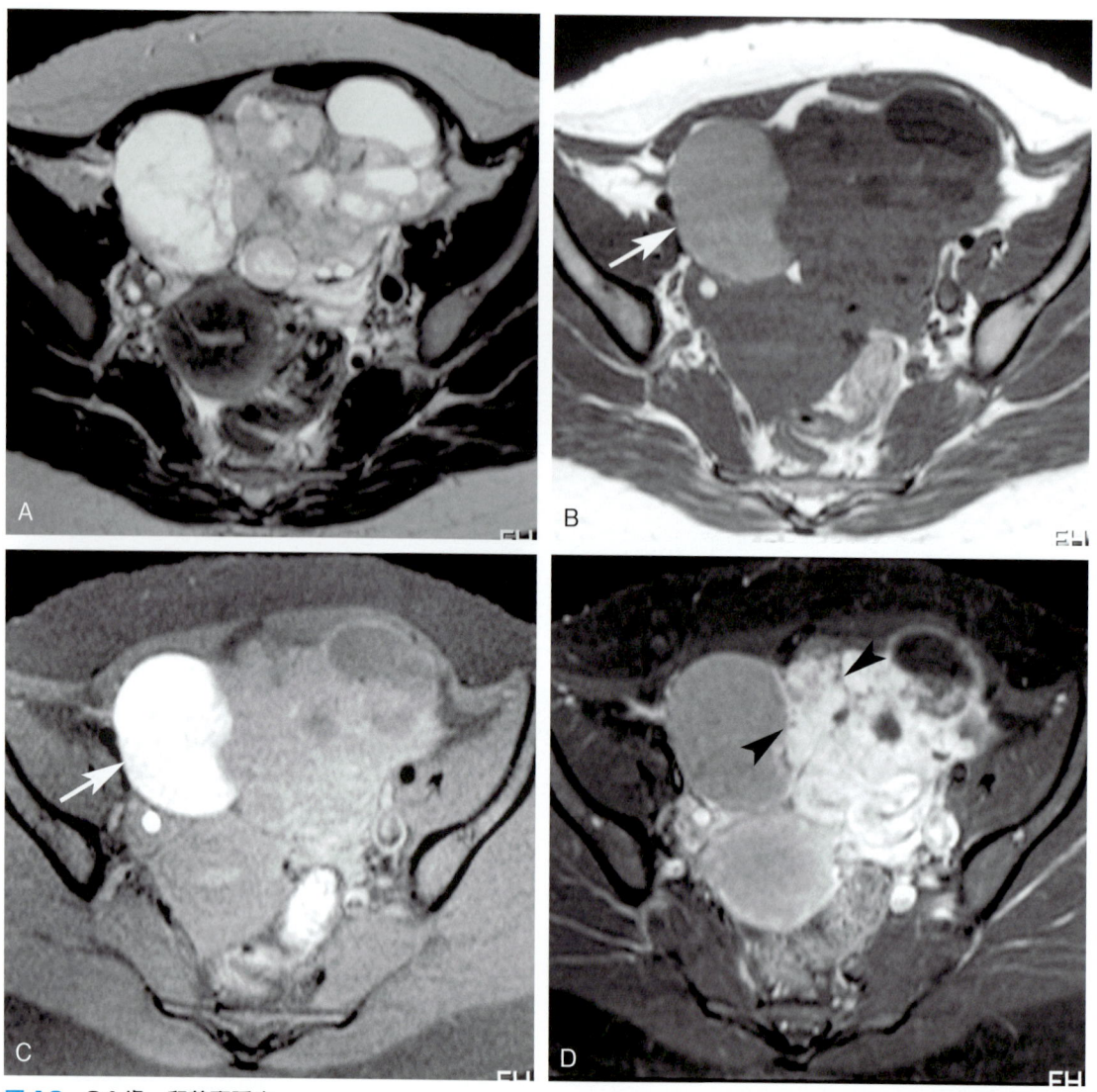

図16 34歳 卵黄嚢腫瘍
A：T2強調横断像，B：T1強調横断像，C：脂肪抑制T1強調横断像，D：造影脂肪抑制T1強調横断像
豊富な充実成分を有する混合性腫瘤が左卵巣を置換している（A〜D）。一部の囊胞内容物はT1強調像で高信号を呈し血性と推定され（B，C→），充実部には栄養血管を示すflow voidがみられ，造影剤によりよく増強される（D▲）多血性腫瘍である。
（A，B，D，Gは文献38より転載）

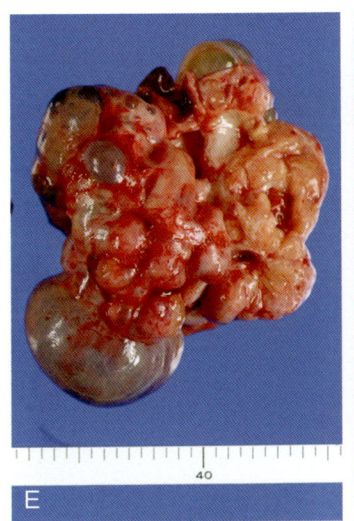

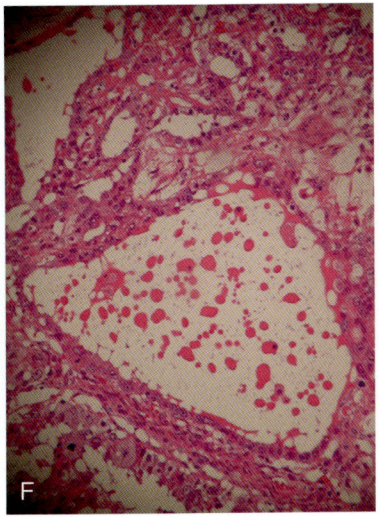

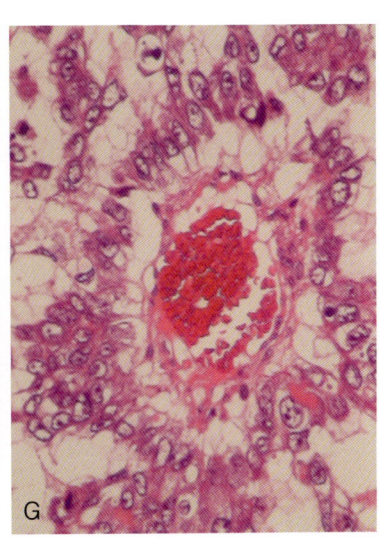

3. 胚細胞腫瘍 germ cell tumors

図16 つづき（卵黄嚢腫瘍）
E：摘出標本肉眼像，F：HE染色（弱拡大），G：HE染色（強拡大）
摘出標本（E）でも，病理組織学的にも（F）腫瘍内出血がみられる。強拡大（G）では本腫瘍に特徴的なSchiller-Duval bodyがみられる。

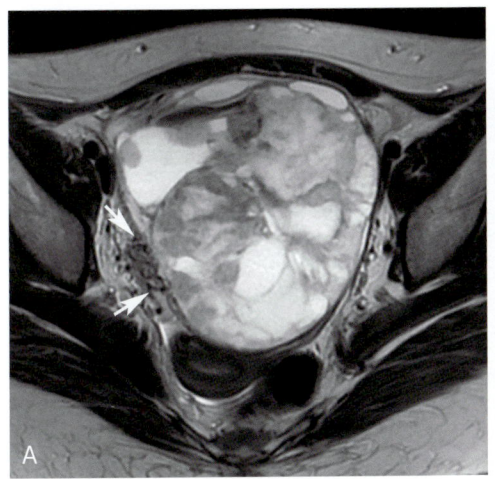

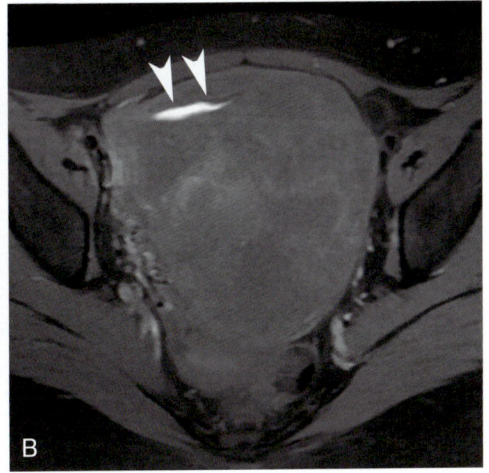

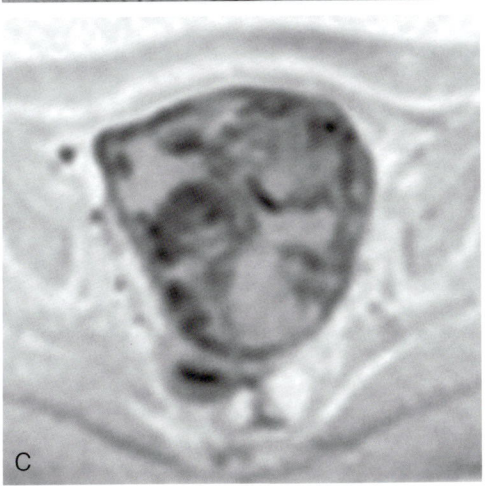

図17 21歳 卵黄嚢腫瘍
A：T2強調横断像，B：脂肪抑制T1強調横断像，C：拡散強調横断像
急性腹症のため，前医で右付属器切除が行われ，病理組織学的に診断が確定されてから紹介受診した症例。T2強調像で隔壁の厚い多房性嚢胞性腫瘤を呈し（A），一部に出血を伴い（B▲），拡張した栄養血管を示すflow voidが腫瘤外側にみられる（A→）。充実部の拡散制限は比較的強い（C）。気管支喘息のため，造影検査を行うことができず，増強効果の程度は確かめられなかった。

II 卵巣腫瘍 ovarian tumors

図18 71歳 卵黄嚢への分化を伴う卵管癌
A：T2強調横断像，B：T1強調横断像，C：造影T1強調横断像，D：拡散強調横断像，E：HE染色（強拡大）

腹部膨満を主訴に受診。CA125 321.1 U/mL，AFP 865.2 ng/mLと高値である。大量の腹水に囲まれるように右卵管と連続してT2強調像で高信号（A），T1強調像では低信号（B），中等度に増強され（C），均一に強い拡散制限を示す（D）境界明瞭な分葉状の腫瘤がみられる（A～D▲）。病理組織学的に卵管上皮と連続するように淡明な細胞質を有する卵黄嚢腫瘍の増殖を認め（E），明らかな腺癌部分（非提示）も確認されたため，卵黄嚢への分化を伴う腺癌と診断された。

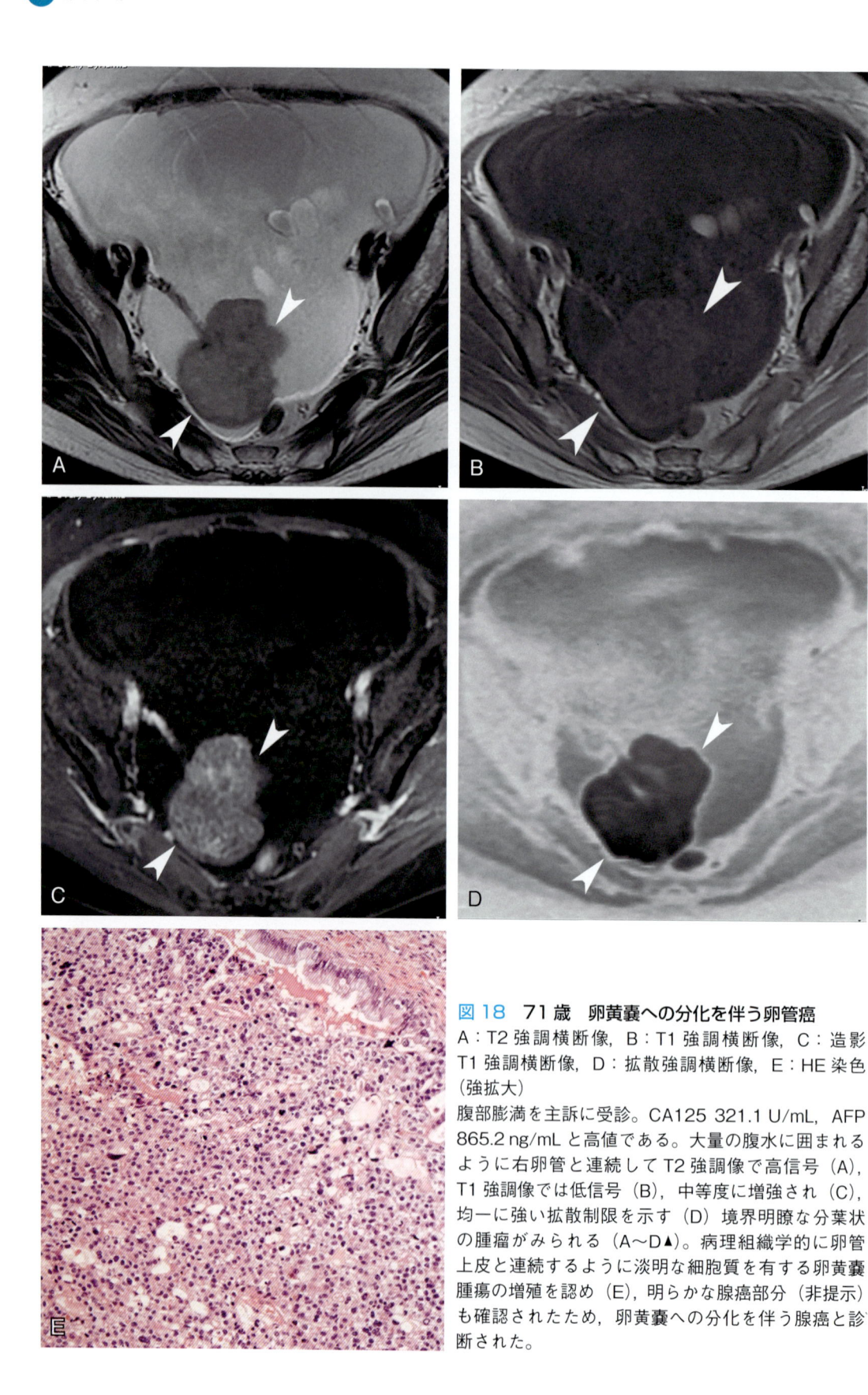

4) 胎芽性癌 embryonal carcinoma

　大型の未熟な腫瘍細胞で構成される悪性胚細胞腫瘍で，他の胚細胞腫瘍，とりわけ卵黄囊腫瘍に共存することが多い。腫瘍内の出血，梗塞による骨盤痛で発症することがあるとされ，この点でも卵黄囊腫瘍と類似する。血清 AFP に加え，hCG-β の上昇をみることがあり，月経異常や早発思春期など，内分泌学的徴候がみられる。肉眼的には片側性の大型の腫瘍で，出血や壊死を伴う[3]。純型が少ないので，混合する他腫瘍の画像所見の影響を受けると考えられるが，Kim らは T2 強調像で高信号，造影剤により強く増強される，非浸潤性の全体が充実成分からなる腫瘍として報告している[40]。自験例は卵黄囊腫瘍類似の多血性腫瘍であった（図 19）。

5) 非妊娠性絨毛癌 non-gestational choriocarcinoma

　卵巣に発生する絨毛癌は「非妊娠性絨毛癌（non-gestational choriocarcinoma）」として妊娠性の絨毛疾患とは区別される[1]。妊娠性絨毛癌は 20,000～25,000 妊娠に 1 例であるのに対し，非妊娠性絨毛癌は全絨毛癌の 1% 未満と，極めてまれである。30 歳未満に好発し，本症と診断するためには妊娠・分娩歴がないことが条件となっており，実際には直近の妊娠とは無関係な症例も妊娠性と診断され，潜在的頻度はもっと高いとの指摘もある[41]。純型卵巣原発絨毛癌の頻度は少なく，多くは混合型胚細胞腫瘍の一成分として発症する[4]。純型絨毛癌は典型的には出血を伴う充実性腫瘤で，腫瘍マーカーとしては hCG-β が上昇するため，異所性妊娠破裂と誤認されたとする報告が散見される（図 20）[42)43]。画像的報告は極めて少ないが，組織学的には同義の妊娠性絨毛癌や精巣・縦隔での報告が参考になると考えられ，血性の内容物と造影剤で極めてよく増強される充実部からなる壁の脆弱な腫瘤と考えてよさそうである[44)45]。本腫瘍は脳転移など血行性転移の頻度も高く予後不良とされる。卵黄囊腫瘍と同様に，上皮性悪性腫瘍と混在する非若年発生例も報告されている。

6) 混合型胚細胞腫瘍 mixed germ cell tumor

　同一腫瘍内に複数の組織型が混在しているものを混合型胚細胞腫瘍（mixed germ cell tumor）といい，悪性胚細胞腫瘍の 10～20% を占める。未分化胚細胞腫と卵黄囊腫瘍の混合型が多い。卵黄囊腫瘍（図 21），胎芽性癌，（図 22），絨毛癌，G3 未熟奇形腫を混じるものは予後不良とされる。

7) 単胚葉性奇形腫 monodermal teratoma および奇形腫から発生する体細胞型腫瘍 somatic neoplasms arising from teratoma

　単胚葉性奇形腫（monodermal teratoma）は単一構成成分が腫瘍性に増殖する奇形腫である。以下に示す，卵巣甲状腺腫（struma ovarii），カルチノイド（carcinoid），神経外胚葉性腫瘍（neuro-ectodermal type tumor），単胚葉性囊胞性腫瘍奇形腫（monodermal cystic teratoma）が含まれる[1)3]が，日常的に多く経験されるのは卵巣甲状腺腫である。

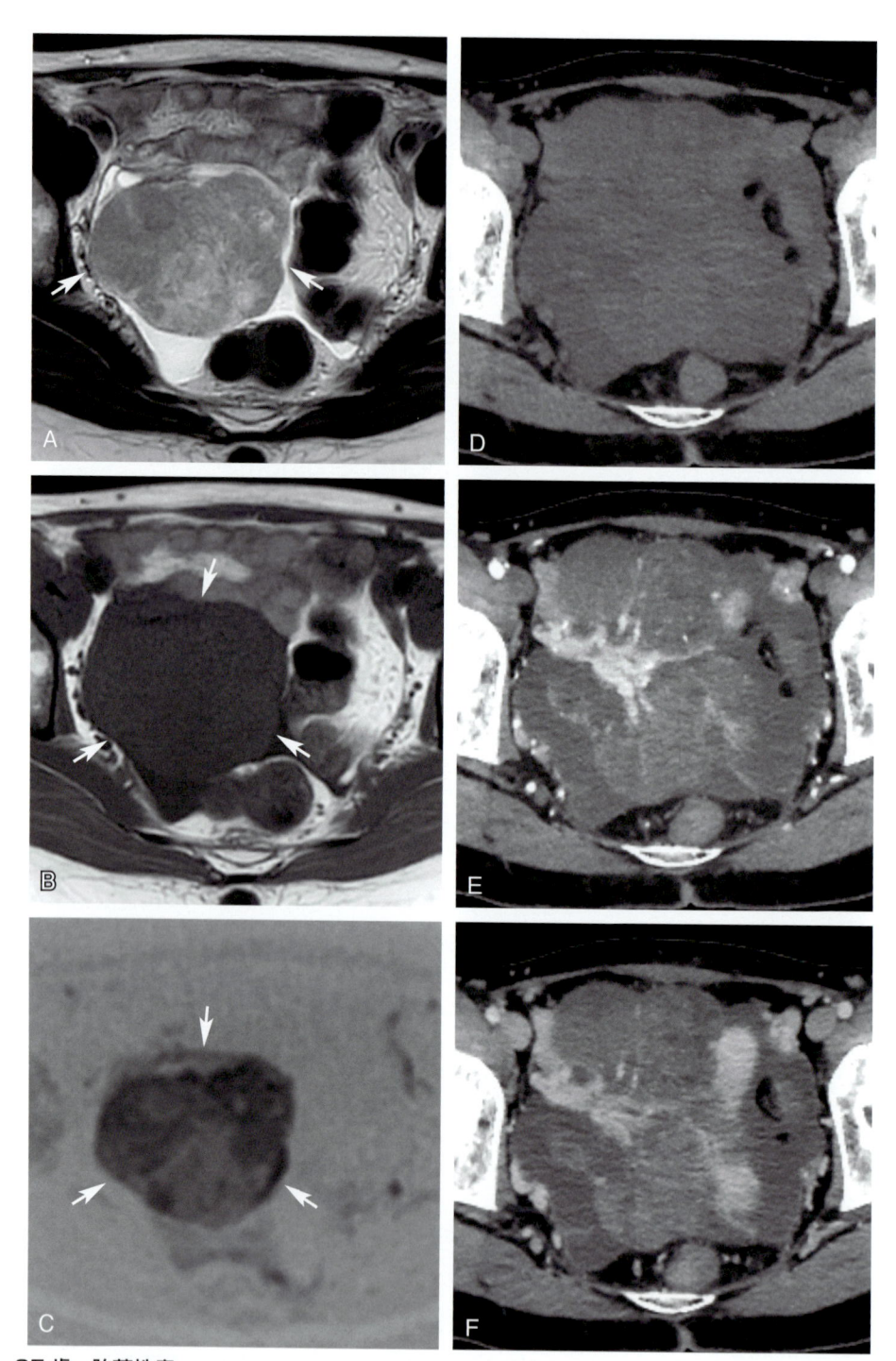

Ⅱ 卵巣腫瘍 ovarian tumors

図19 25歳 胎芽性癌

A：T2強調横断像，B：T1強調横断像，C：拡散強調横断像，D：ダイナミックCT造影前，E：ダイナミックCT動脈優位相，F：ダイナミックCT平衡相

不正出血を主訴に前医を受診したところ，USで右卵巣腫瘍を指摘された。AFP 6,403 ng/mLと異常高値。右卵巣を置換する，T2強調像で高信号（A），T1強調像では低信号（B），不均一な拡散制限を示す（C）腫瘤があり，ダイナミックCTでは動脈優位相から平衡相まで，一部に極めて強い増強効果がみられる（D〜F）。画像的には卵黄嚢腫瘍を疑っていたが，病理組織学的に微量の（混合性胚細胞腫瘍とするほど多量でない）奇形腫成分を伴う胎芽性癌と診断された。

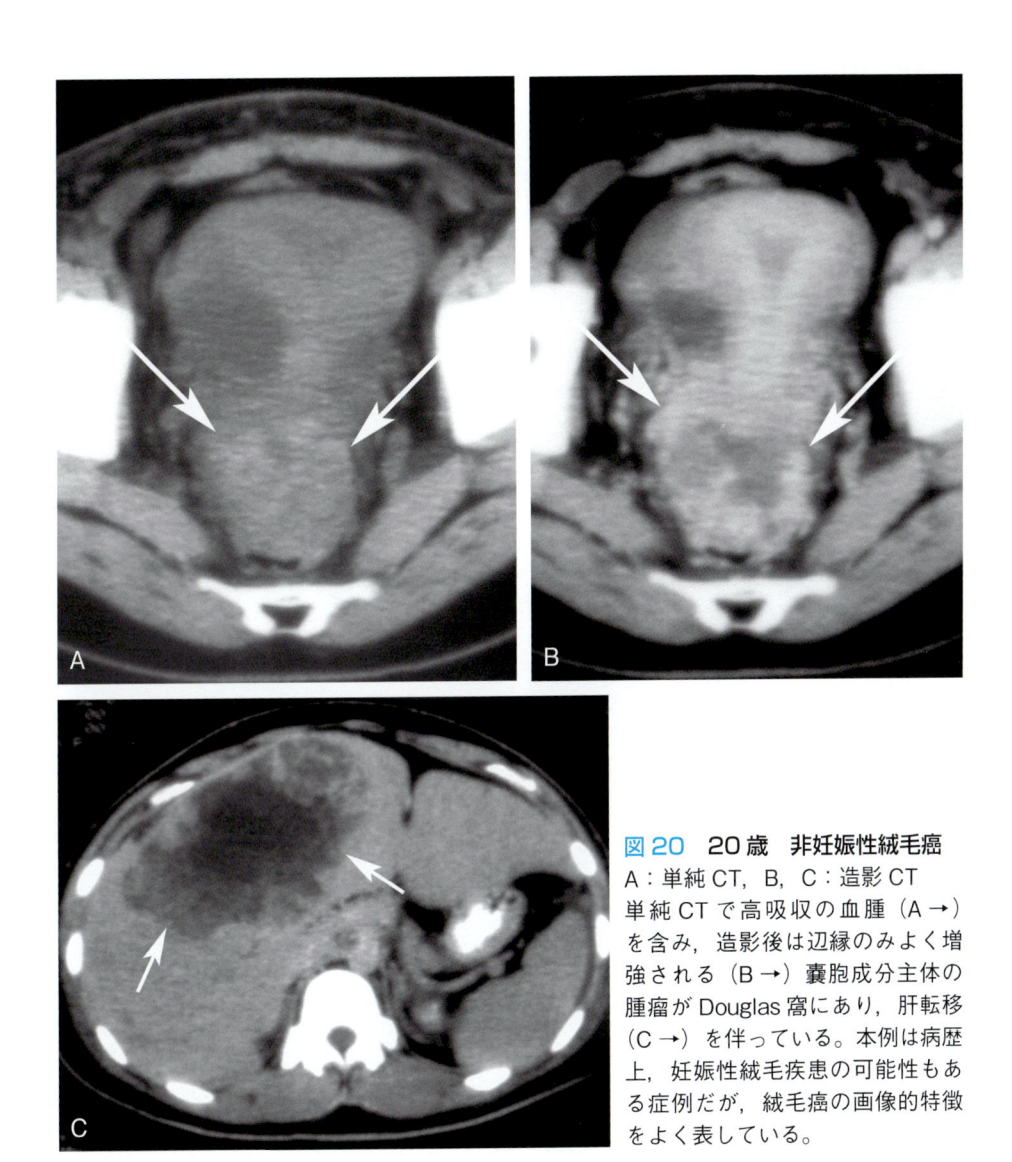

図20　20歳　非妊娠性絨毛癌
A：単純CT，B，C：造影CT
単純CTで高吸収の血腫（A →）を含み，造影後は辺縁のみよく増強される（B →）囊胞成分主体の腫瘤がDouglas窩にあり，肝転移（C →）を伴っている。本例は病歴上，妊娠性絨毛疾患の可能性もある症例だが，絨毛癌の画像的特徴をよく表している。

　奇形腫から発生する体細胞型腫瘍（somatic neoplasms arising from teratoma）と単胚葉性奇形腫とを明確に分離する組織学的診断基準はなく，慣用的に癌，肉腫，悪性黒色腫はこの範疇に含まれてきた。取扱い規約では，これらを奇形腫から発生する粘液性腫瘍，奇形腫から発生する悪性腫瘍，その他の腫瘍のカテゴリーに分類して呈示している[3]。

(1) 卵巣甲状腺腫 struma ovarii

　卵巣甲状腺腫（struma ovarii）は腫瘍組織の全体が甲状腺組織によって占められているか，または肉眼で認めうるような広範囲を占めるものと定義され，単胚葉性奇形腫のうち最も高頻度で奇形腫の2.7％を占める[1]。ほとんどが良性で悪性甲状腺腫はまれである。無症候性の甲状腺ホルモン産生例は少なくないと考えられており，臨床的に甲状腺ホルモンの分泌が確認されるのは5％ほどとされる。また1/3で腹水を伴い，時にpseudo-Meigs症候群（良性卵巣腫瘍に起因する胸

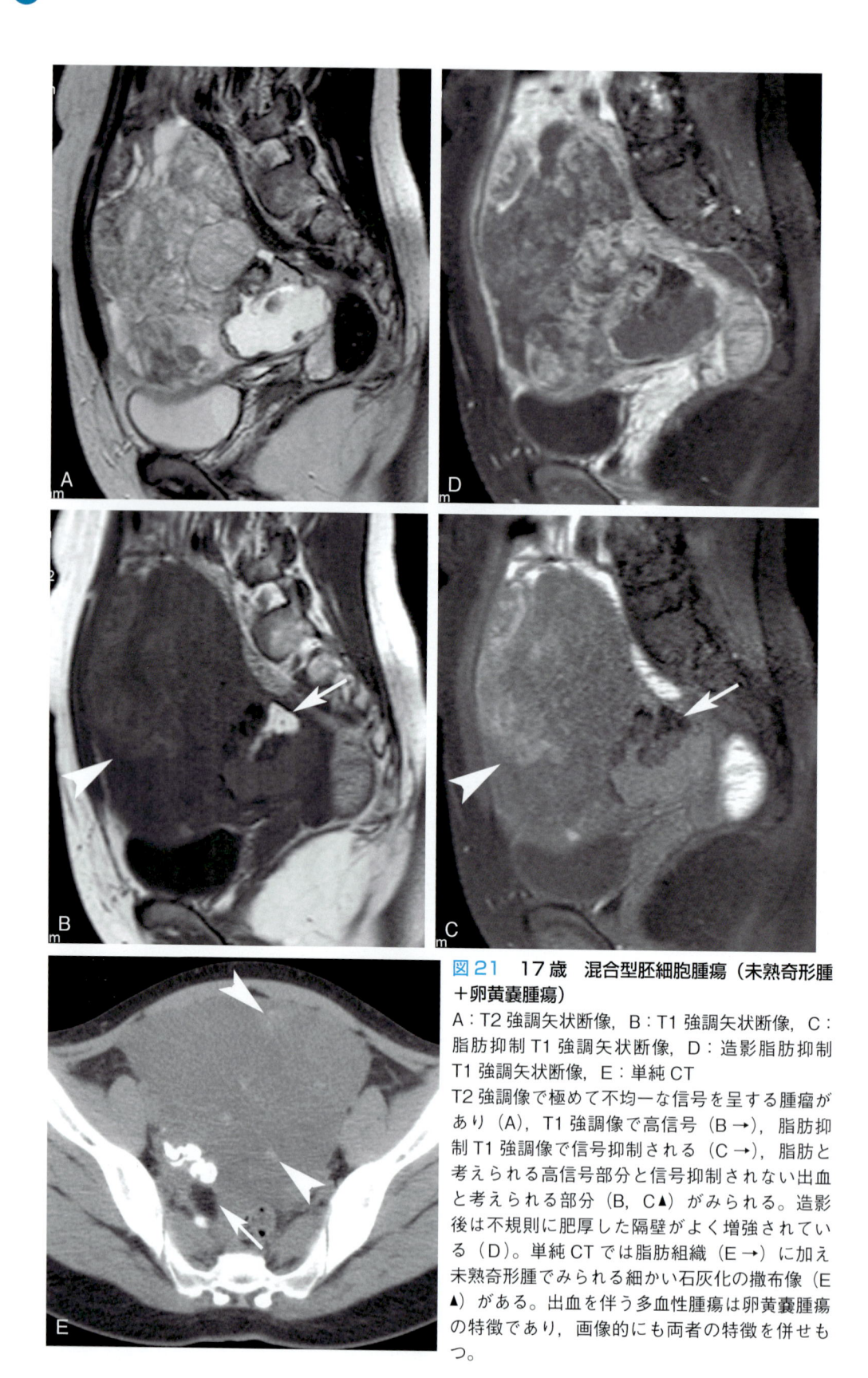

II 卵巣腫瘍 ovarian tumors

図21 17歳 混合型胚細胞腫瘍（未熟奇形腫＋卵黄嚢腫瘍）
A：T2強調矢状断像，B：T1強調矢状断像，C：脂肪抑制T1強調矢状断像，D：造影脂肪抑制T1強調矢状断像，E：単純CT
T2強調像で極めて不均一な信号を呈する腫瘤があり（A），T1強調像で高信号（B→），脂肪抑制T1強調像で信号抑制される（C→），脂肪と考えられる高信号部分と信号抑制されない出血と考えられる部分（B，C▲）がみられる。造影後は不規則に肥厚した隔壁がよく増強されている（D）。単純CTでは脂肪組織（E→）に加え未熟奇形腫でみられる細かい石灰化の撒布像（E▲）がある。出血を伴う多血性腫瘍は卵黄嚢腫瘍の特徴であり，画像的にも両者の特徴を併せもつ。

560

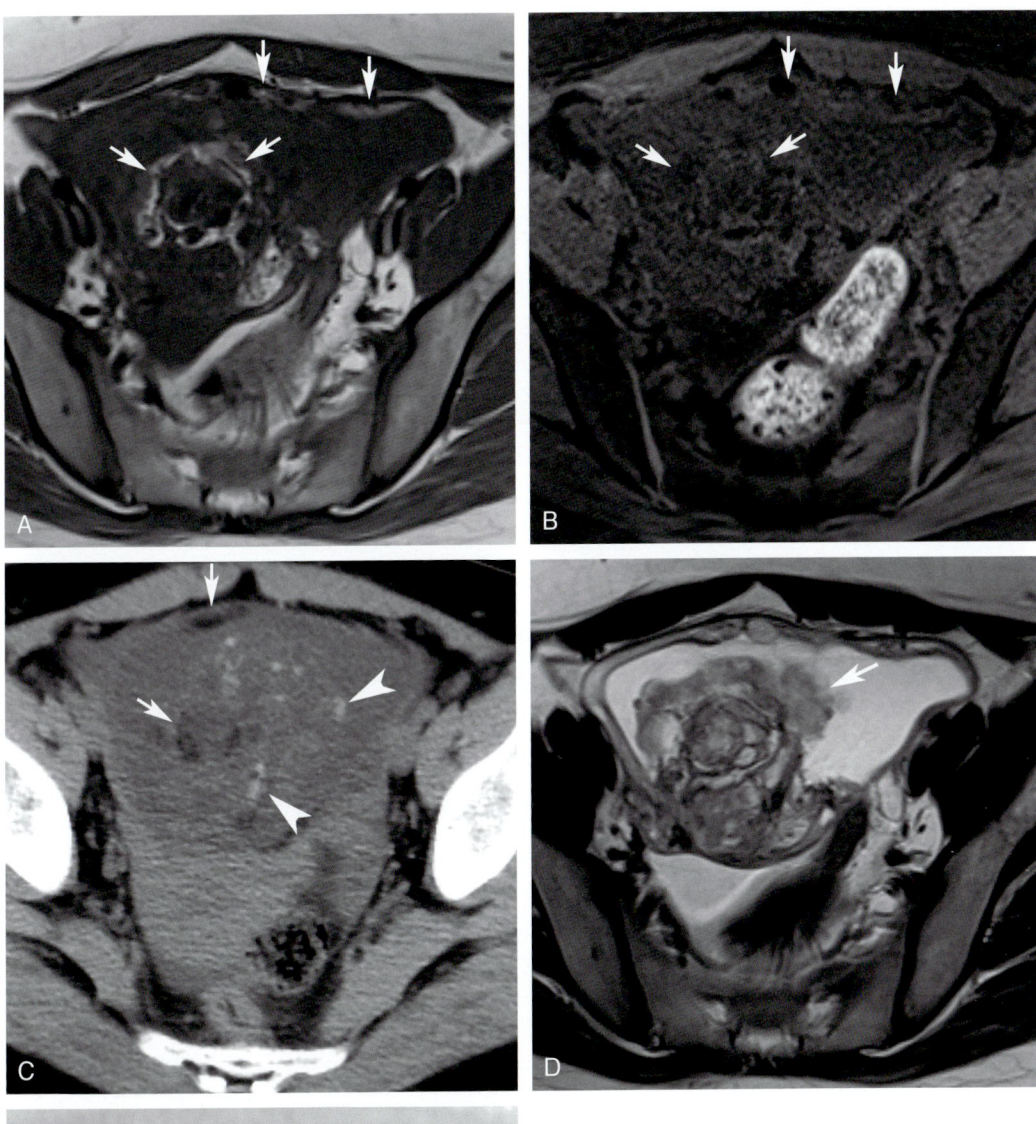

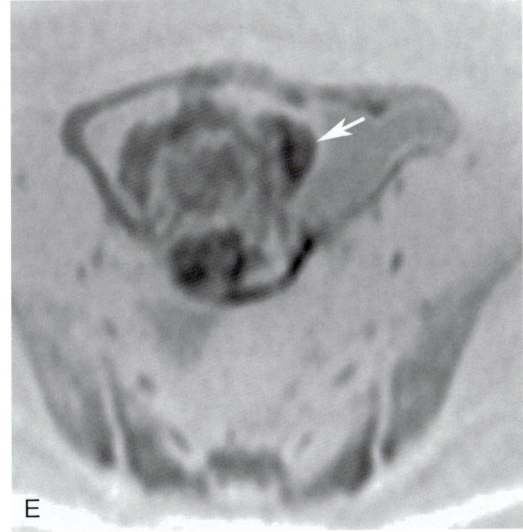

3. 胚細胞腫瘍 germ cell tumors

図22 20歳 混合型胚細胞腫瘍（未熟奇形腫＋胎芽性癌）
A：T1強調横断像，B：脂肪抑制T1強調横断像，C：単純CT，D：T2強調横断像，E：拡散強調横断像
T1強調像で高信号を示し（A→），脂肪抑制T1強調像で信号抑制される（B→）脂肪成分（A〜C→）と石灰化（C▲）を散在性に含み，T2強調像で信号強度が高く（D→），強い拡散制限を伴う（E→）充実部を豊富に含む混合性腫瘍がみられ，未熟奇形腫を疑ったが，胎芽性癌との混合型胚細胞腫瘍であった。

腹水）の原因となる[1]。画像所見は豊富な充実性成分を含む多房性囊胞で，囊胞内容物の多くは一般的な T1 強調像で低信号，T2 強調像で高信号であるが，一部に甲状腺コロイドのゲル状の性状を反映して，T1 強調像で高信号[46)47)]，T2 強調像で低信号の内容物を含む。この特徴的な信号強度の一部は出血壊死にも起因している[48]。充実性成分も比較的豊富なことが多く，造影剤で強く増強される多血性腫瘍である[46)49)]（図 23）。よって腫瘤内に拡張した栄養血管を示す signal void のみられることもある[50]。ヨードを含有することから単純 CT で高吸収を示し，比較的頻度の高い石灰化[51]と合わせ診断の鍵となることがある（図 24）。また機能性甲状腺腫でなくとも ^{123}I-シンチグラムで集積がみられたとの報告もあり[47]，鑑別診断に寄与する可能性がある。本腫瘍と鑑別すべき疾患として，同様に多房性囊胞で一部の房が T1 強調像で高信号，T2 強調像で低信号の房を含む粘液性腫瘍が挙げられる。卵巣甲状腺腫では粘液性腫瘍に比べ辺縁が分葉状で[50]，前述のごとくよく増強される充実部に富むことが挙げられるが，粘液性囊胞腺癌でも充実部に富むことから注意を要する。また多血性の多房性囊胞性腫瘤という点では顆粒膜細胞腫も鑑別対象となる（p519；p520〜524 図 13〜16 参照）。

前述の通り，悪性卵巣甲状腺腫は多い報告でも卵巣甲状腺腫の 5％とまれであり，正所性の甲状腺癌と同じく，濾胞癌に比べ乳頭癌が圧倒的に多い（70％）。5 年生存率は 91％と予後は良好である[52]。画像所見の報告は少ないが，良性の卵巣甲状腺腫とのオーバーラップが多く，鑑別は難しいと推定されるが，Takeshita らが良性卵巣甲状腺腫の充実部の拡散は亢進していたと報告している[53]のに対し，Yamauchi らは，悪性卵巣甲状腺腫では拡散制限がみられ，PET/CT では FDG の集積がみられた[54]としており，拡散強調像や FDG-PET が鑑別に有用な可能性がある。

(2) カルチノイド carcinoid

卵巣カルチノイド（carcinoid）は高度に分化した神経内分泌細胞からなる消化管神経内分泌腫瘍 G1 類似の腫瘍と定義され[1]，単胚葉性奇形腫に分類されている。全卵巣腫瘍の 0.5〜1.7％とまれな腫瘍で，単独発生のほか，成熟奇形腫や粘液性腫瘍，ブレンナー腫瘍に合併する。病理組織学的には甲状腺腫性（strumal），島状（insular），索状（trabecular），粘液性（mucinous），混合型（mixed）に亜分類される。セロトニンの過剰分泌によるいわゆる古典的カルチノイド症候群（発汗，皮膚紅潮，腹痛，下痢など）[55]は消化管カルチノイドと同様，島状カルチノイドに多いとされるが，まれである。これは島状カルチノイドの 30％しか古典的カルチノイド症候群を示さないのに加え，欧米では島状カルチノイドが高頻度にみられるのに対し本邦では甲状腺腫性カルチノイドが多いことにも起因する[56]。これに対し卵巣原発カルチノイドに高頻度にみられる過剰な peptide YY によって引き起こされる頑固な便秘は新カルチノイド症候群といわれる[57]。卵巣カルチノイドの画像所見に関する報告はほとんどない。肉眼病理上は島状，索状カルチノイドは成熟奇形腫の充実性結節としてみられることが多いとされる。島状カルチノイドの自験例は粘液性腫瘍様の多房性囊胞性腫瘤として認められた（図 25）[58]。Takeuchi らは腫瘍の産生するセロトニンに誘発された間質増生の結果，T2 強調像で信号強度の低い充実部がみられたと報告している[59]が，自験例でも観察された。粘液性カルチノイドは病理組織学的に小型円柱上皮と杯細胞が小管腔を形成するとされ[20]，これを反映して粘液性腫瘍類似の多房性囊胞が MRI 所見として報告されている[60]。甲状腺腫性カルチノイドは卵巣に特有のカルチノイドであり，甲状腺腫

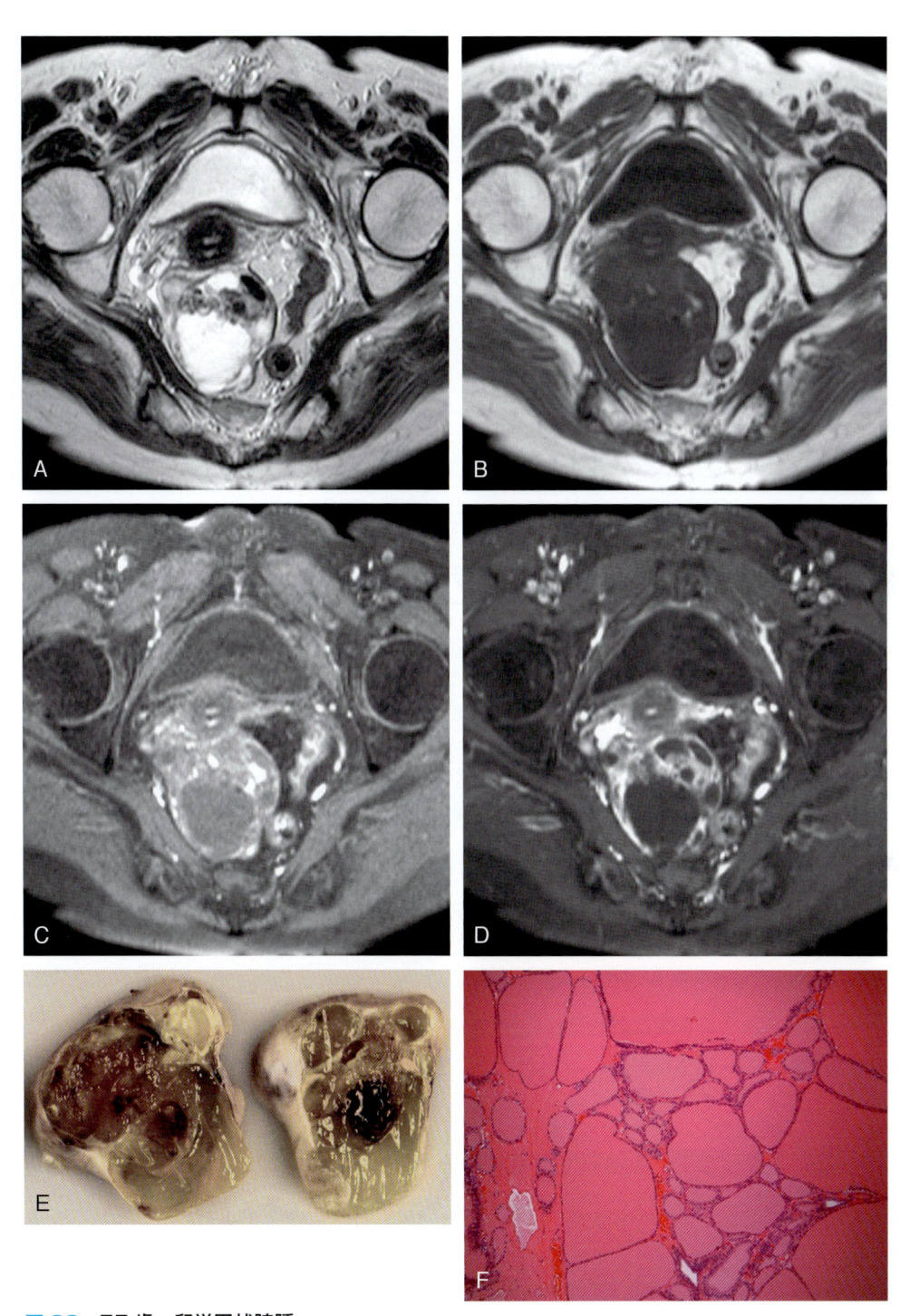

3. 胚細胞腫瘍 germ cell tumors

図23　55歳　卵巣甲状腺腫
A：T2強調横断像，B：T1強調横断像，C：脂肪抑制T1強調横断像，D：造影脂肪抑制T1強調横断像，E：摘出標本割面，F：HE染色（弱拡大）
辺縁に凹凸のある分葉状の多房性嚢胞性腫瘍があり，大部分はT2強調像で高信号，T1強調像でも低信号の内容物を含むが，一部はT2強調像で低信号（A），T1強調像で高信号（B，C）の内容物からなる．造影後は隔壁部分が濃染している（D）．摘出標本の割面には粘度が高くゼリー状になった嚢胞内容物がみられ（E），病理組織学的には甲状腺濾胞からなる（F）．

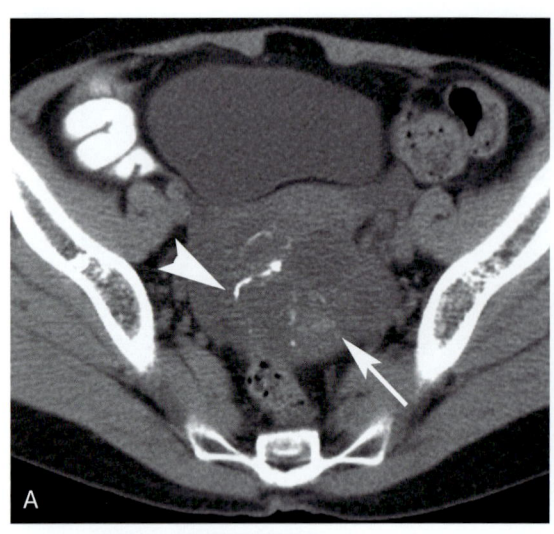

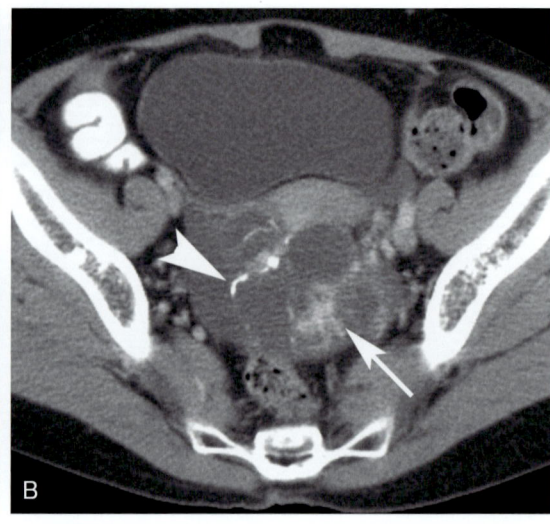

図24　58歳　卵巣甲状腺腫
A：単純CT，B：造影CT
多房性囊胞性腫瘤があり，単純CTで隔壁に粗大な石灰化を認め（A▲），造影後，よく増強される充実部（B →）は単純CTではかなり高吸収を呈している（A →）。

とカルチノイド，これらの中間移行型細胞が混在する[20]ことから，卵巣甲状腺腫と画像上は区別が難しいものと推定される（図26）。

(3) 他の単胚葉性奇形腫 other rare monodermal teratomas

神経外胚葉性腫瘍には中枢神経系に発生する腫瘍と同様，よく分化した上衣腫（ependymoma），原始神経外胚葉性腫瘍（primitive neuroectodermal tumor：PNET），髄上皮腫（medulloepithelioma）などの低分化なもの，膠芽腫（glioblastoma multiforme）のような退形成性のものがある[3]。若年者に好発し，典型的には充実性の大きな腫瘍が多いとされるが，まれである。

単胚葉性囊胞性奇形腫は外胚葉ないし内胚葉のいずれか一方に由来する組織で構成される腫瘍のうち，前述の卵巣甲状腺腫，カルチノイド，神経外胚葉性腫瘍以外を指す。類表皮囊胞はこの範疇に含まれる（図6）。

(4) 奇形腫から発生する粘液性腫瘍 mucinous tumors arising from teratomas

WHO分類第5版では奇形腫から発生する体細胞型腫瘍を細分化せず1つの項目にまとめている[1]が，卵巣原発の粘液性腫瘍の5%程度は奇形腫由来と考えられており，本邦の取扱い規約では奇形腫由来の粘液性腫瘍を独立した項目として取り上げている[3]。上皮性腫瘍（粘液性腫瘍）の項でも述べた通り，腹膜偽粘液腫の原発巣は虫垂低悪性度粘液性腫瘍（low-grade appendiceal mucinous neoplasm：LAMN）であるが，少数ながら卵巣原発の粘液性腫瘍が本症の原発巣たりうる。これは卵巣表層上皮由来の粘液性腫瘍ではなく奇形腫内の消化管上皮に由来する[61,62]もので，免疫組織化学染色ではCK7陰性，CK20陽性（卵巣表層上皮由来の粘液性腫瘍と逆），CDX2陽性となる[62]。本腫瘍は極めて豊富な粘液産生能を有し，"pseudomyxoma ovarii"

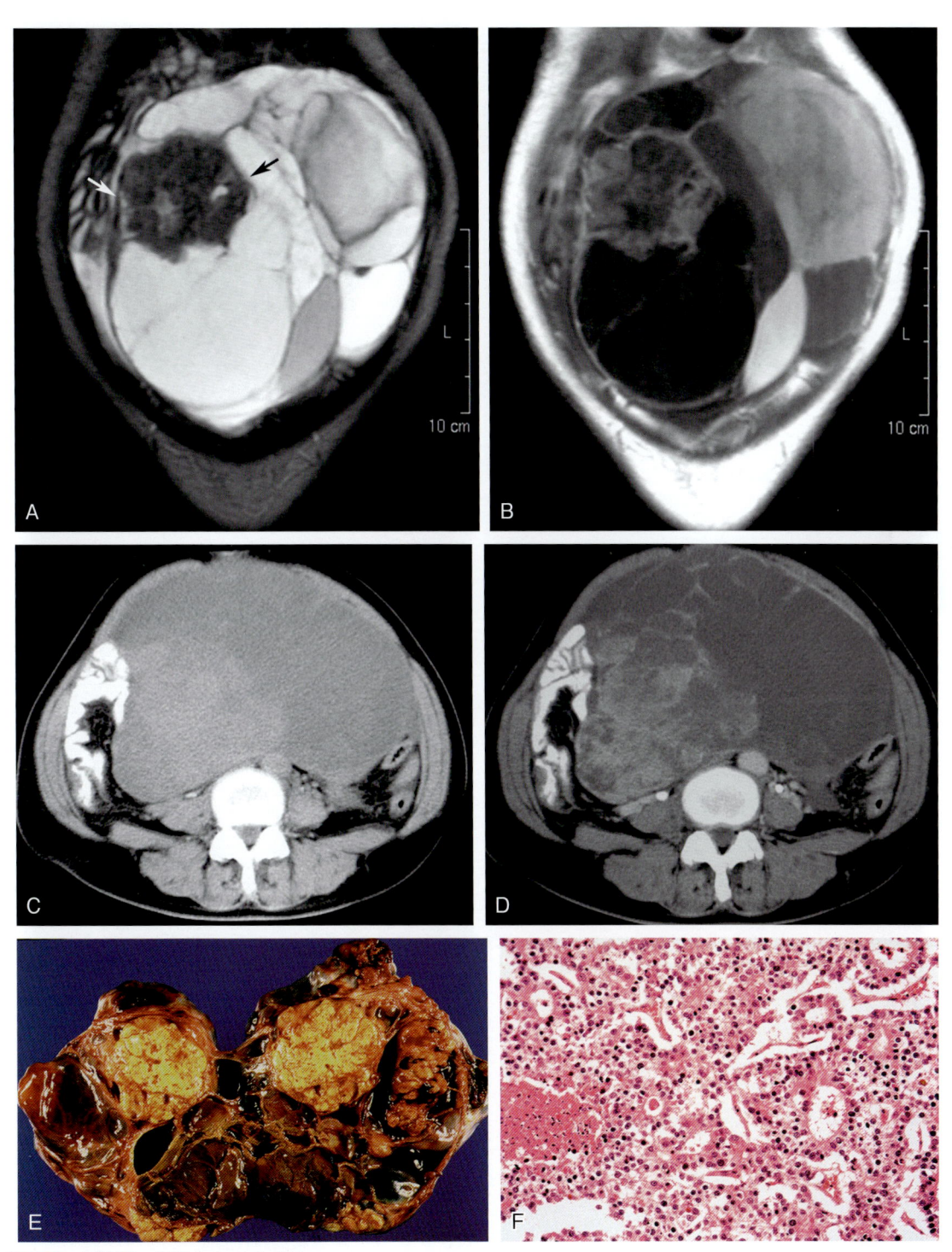

3. 胚細胞腫瘍 germ cell tumors

図 25　52 歳　島状カルチノイド
A：T2 強調冠状断像，B：造影脂肪抑制 T1 強調冠状断像，C：単純 CT，D：造影 CT，E：摘出標本肉眼像，F：HE 染色（強拡大）
T2 強調像，T1 強調像とも多彩な信号を呈する多房性嚢胞性腫瘍があり（A，B），充実部は T2 強調像で低信号を示している（A →）。CT では右後方に位置する充実部が造影後に濃染している（C，D）。摘出標本でも多房性嚢胞の一部に黄色調の充実部がみられ（E），病理組織学的にはロゼット形成がみられた（F）。免疫組織化学的に神経内分泌マーカーが陽性であり島状カルチノイドと診断されている。

II 卵巣腫瘍 ovarian tumors

図26　48歳　甲状腺腫性カルチノイド
A：T2強調冠状断像，B：T1強調冠状断像，C：脂肪抑制T1強調冠状断像，D：造影脂肪抑制T1強調冠状断像，E：拡散強調冠状断像
左卵巣を置換する多房性嚢胞性腫瘤は多彩な信号の内容物からなり（A～C▲），一部はT2強調像で低信号（A），T1強調像で高信号を示す（B，C）。造影後は比較的厚い被膜隔壁が強い増強効果を示し（D→），拡散強調像では一部に強い拡散制限を認める（E→）。

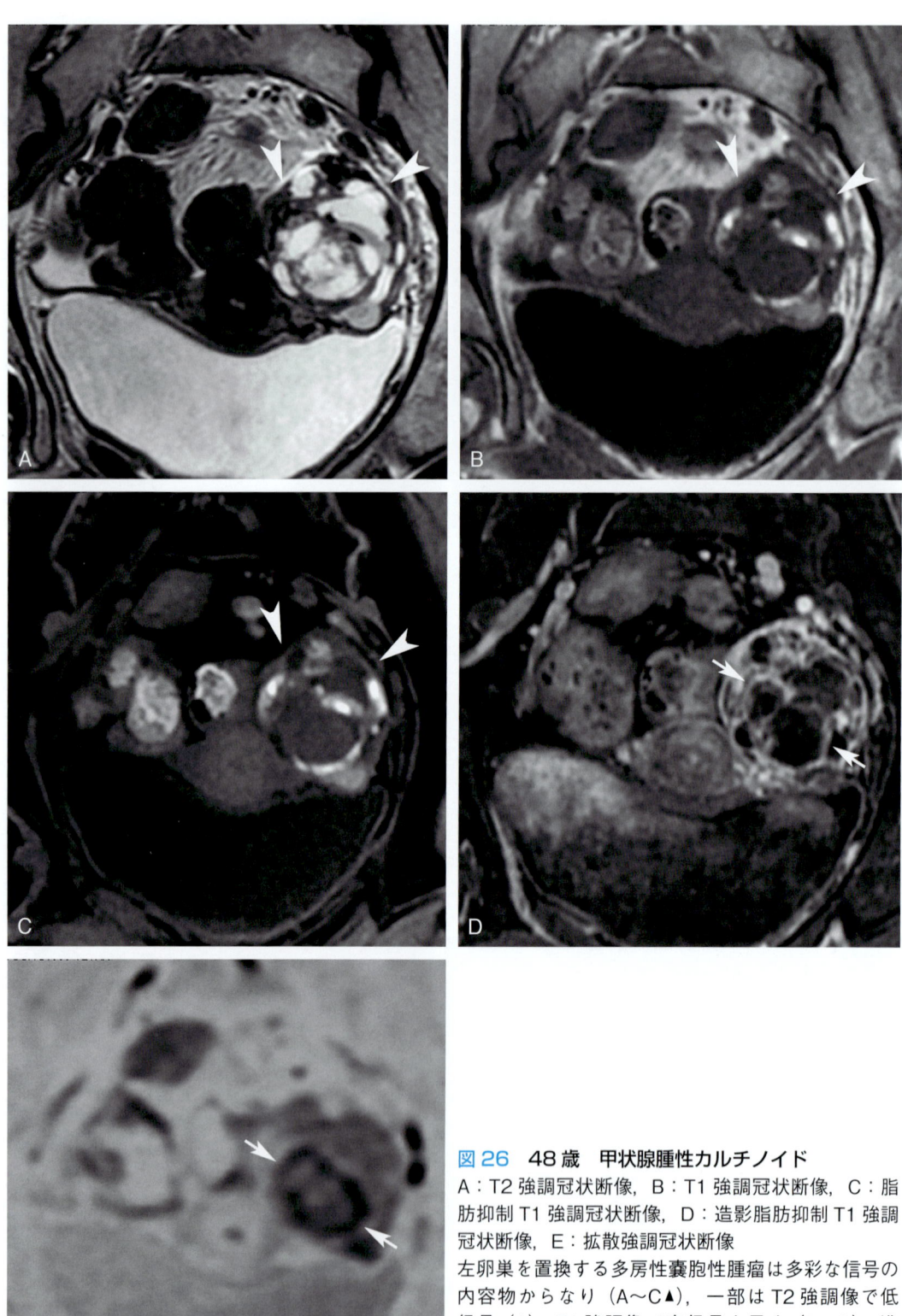

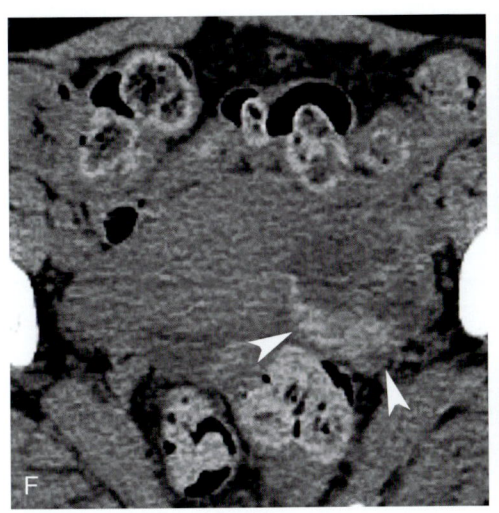

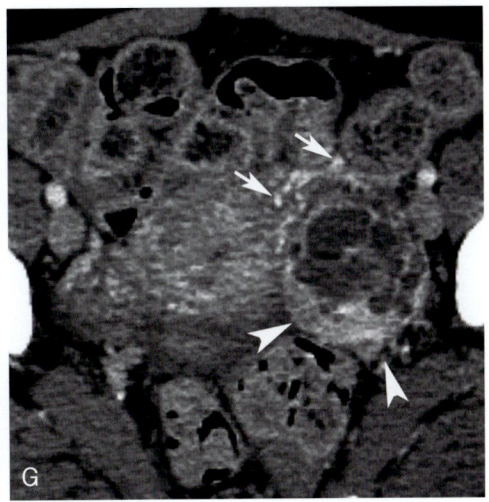

図26 つづき（甲状腺腫性カルチノイド）
F：単純CT，G：造影CT
CTでは甲状腺コロイド内のヨードを反映して，一部が造影前から高吸収を示し（F▲），よく増強され（G▲），栄養動脈や漏出静脈の拡張も目立つ（G→）。拡散制限を除くと所見は卵巣甲状腺腫（図23，24）と共通であり，カルチノイドであることを言い当てるのは難しい。

の異名をもつ[63]。画像的には典型的なステンドグラス腫瘍を呈する卵巣原発粘液性腫瘍（p451～465参照）[64]と異なり，各房の内容物の信号強度や大きさが均一で，転移性卵巣腫瘍の特徴に合致する[65]。LAMNの卵巣転移との比較ではこれらの形状に二者間で有意差はなく，LAMNの卵巣転移では虫垂腫大と両側性卵巣病変が観察されるのに対し（p460参照），奇形腫由来の粘液性腫瘍では腫瘍内に奇形腫のhallmarkである，脂肪成分が確認される[66]（図27）。

（5）奇形腫から発生する悪性腫瘍 malignant tumors arising from teratomas

奇形腫から発生する悪性腫瘍（malignant tumors arising from teratomas）は本腫瘍のおおむね0.17～2％前後に生じ，その80％は扁平上皮癌であるとされる[67]。最近のシステマティックレビューによると，扁平上皮癌への悪性転化は平均53.5歳（19～87歳）で生じ，腹痛や腹部腫瘤で発症し，約半数はⅠ期で見つかっている[68]。悪性転化を伴う成熟奇形腫では良性例よりも腫瘍径の大きいことが多く（おおむね10cm以上）[67)69)]，扁平上皮癌合併例では腫瘍マーカーSCCが高率に上昇する[70]［ことに40歳以上でSCC 2.5ng/mL以上（正常は1.0ng/mL未満）をカットオフ値とすると感度80％との報告がある[71]］。最大の予後因子は術前進行期でⅠ期であれば5年生存率は95％だが，Ⅲ期以上では0％との報告がある[67]。画像的には囊胞壁に対し鈍角の立ち上がりを示す限局性壁肥厚[69]（図28）や内腔にカリフラワー状[72]，嘴状[73]に突出する充実部を形成するとされるが，悪性転化を伴わない成熟奇形腫でもRokitansky protuberanceなどの充実部がしばしば認められることから早期の特異的診断は難しい。また，特に後述する茎捻転により静脈性梗塞を起こした場合には，梗塞により壁が偏心性の肥厚をきたすのでしばしば悪性転化と誤られる。扁平上皮癌への悪性転化の場合には囊胞壁を貫いて周囲臓器に直接浸潤するのが特徴的（通常の上皮性卵巣癌＝腺癌では直接浸潤よりも被膜破綻による腹腔内播種が主体だが，扁平上皮癌

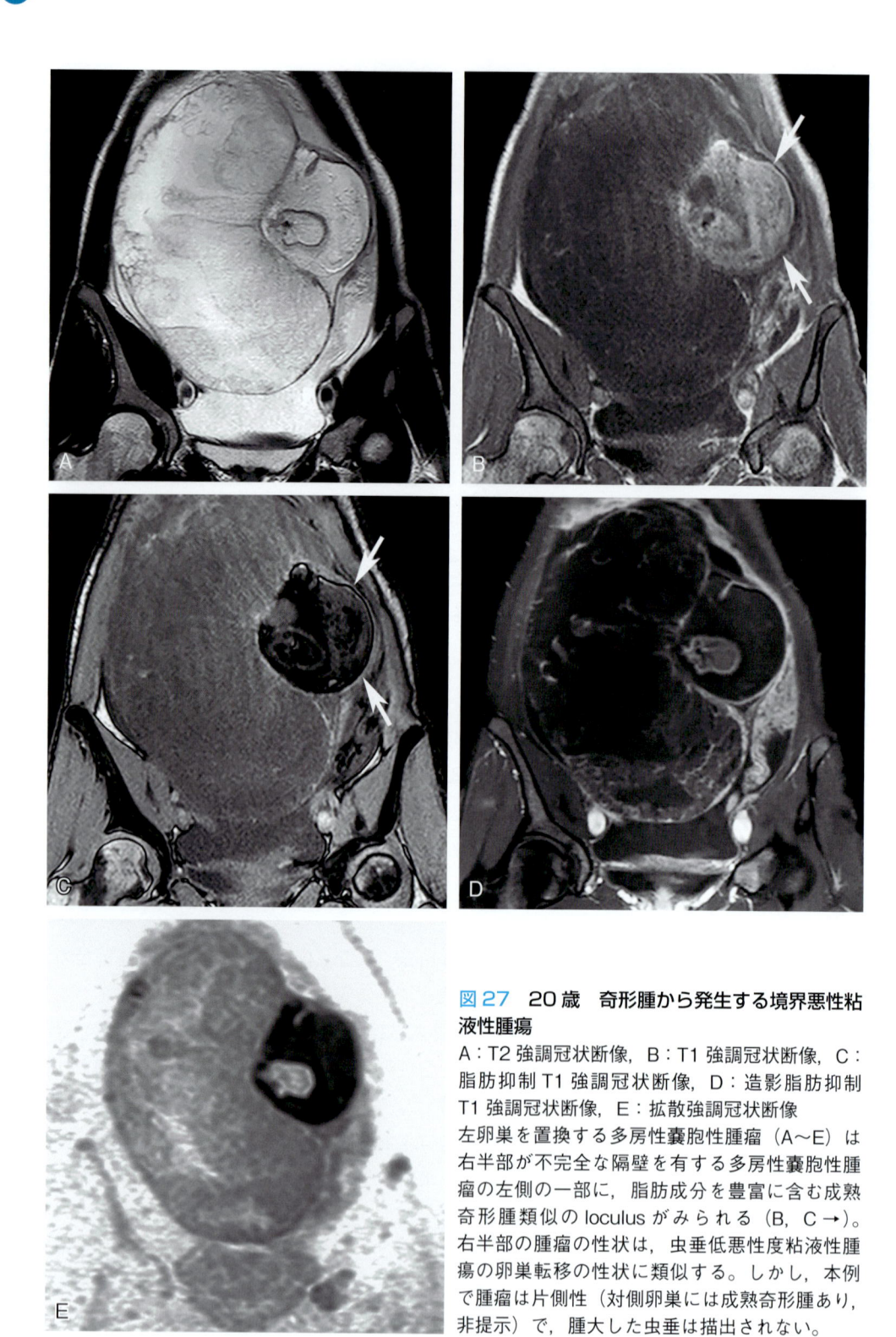

II 卵巣腫瘍 ovarian tumors

図27　20歳　奇形腫から発生する境界悪性粘液性腫瘍

A：T2強調冠状断像，B：T1強調冠状断像，C：脂肪抑制T1強調冠状断像，D：造影脂肪抑制T1強調冠状断像，E：拡散強調冠状断像

左卵巣を置換する多房性囊胞性腫瘤（A～E）は右半部が不完全な隔壁を有する多房性囊胞性腫瘤の左側の一部に，脂肪成分を豊富に含む成熟奇形腫類似のloculusがみられる（B，C→）。右半部の腫瘤の性状は，虫垂低悪性度粘液性腫瘍の卵巣転移の性状に類似する。しかし，本例で腫瘍は片側性（対側卵巣には成熟奇形腫あり，非提示）で，腫大した虫垂は描出されない。

3. 胚細胞腫瘍 germ cell tumors

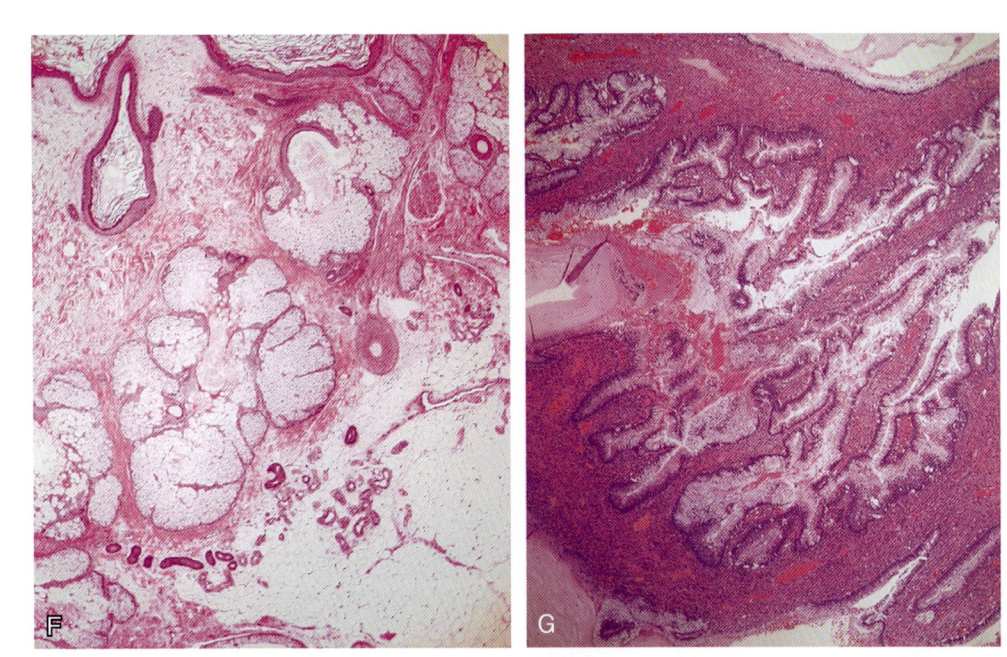

図27 つづき（奇形腫から発生する境界悪性粘液性腫瘍）
F，G：HE 染色（中拡大）
病理組織学的には成熟した脂肪や軟骨成分を含む成熟奇形腫部分（F）と高円柱状の腸管粘膜類似の上皮からなる粘液性腫瘍（G）が混在した。

であるために子宮頸癌に似て局所浸潤傾向が強い）とされる（図29）[74]。成熟奇形腫は病理組織学的に三胚葉成分すべてを含むために，ほかにも極めて多彩な悪性腫瘍（カルチノイド，悪性甲状腺腫，基底細胞癌，悪性黒色腫，腺癌，各種肉腫など）を合併しうる[2]。しかし扁平上皮癌以外は頻度的にまれなのでまとまった画像的報告はなく[75]，術前診断は難しい。悪性転化を伴わない成熟奇形腫であっても茎捻転，破裂の予防の観点からも手術療法が基本であることを考慮すると，Rokitansky protuberance では説明のつかない充実部を成熟奇形腫に認めた場合には早期手術を勧めるべきと考える。

(6) その他の腫瘍 other tumors

取扱い規約には，奇形腫から発生する体細胞型腫瘍として，上記のほかに脂腺腫瘍，脈絡膜乳頭腫，グロムス腫瘍，良性軟部腫瘍などが挙げられている[3]。

8）胚細胞・性索間質性腫瘍 germ cell-sex cord-stromal tumors

(1) 性腺芽腫 gonadoblastoma

胚細胞と性索細胞が混合する，発生途上の性腺を模倣する腫瘍であり，Swyer 症候群をはじめとする性腺形成異常に発生する[3]ことから，詳細は第3章-Ⅱ「性分化疾患と原発性無月経」の項を参照されたい（p95；p99 図3）。

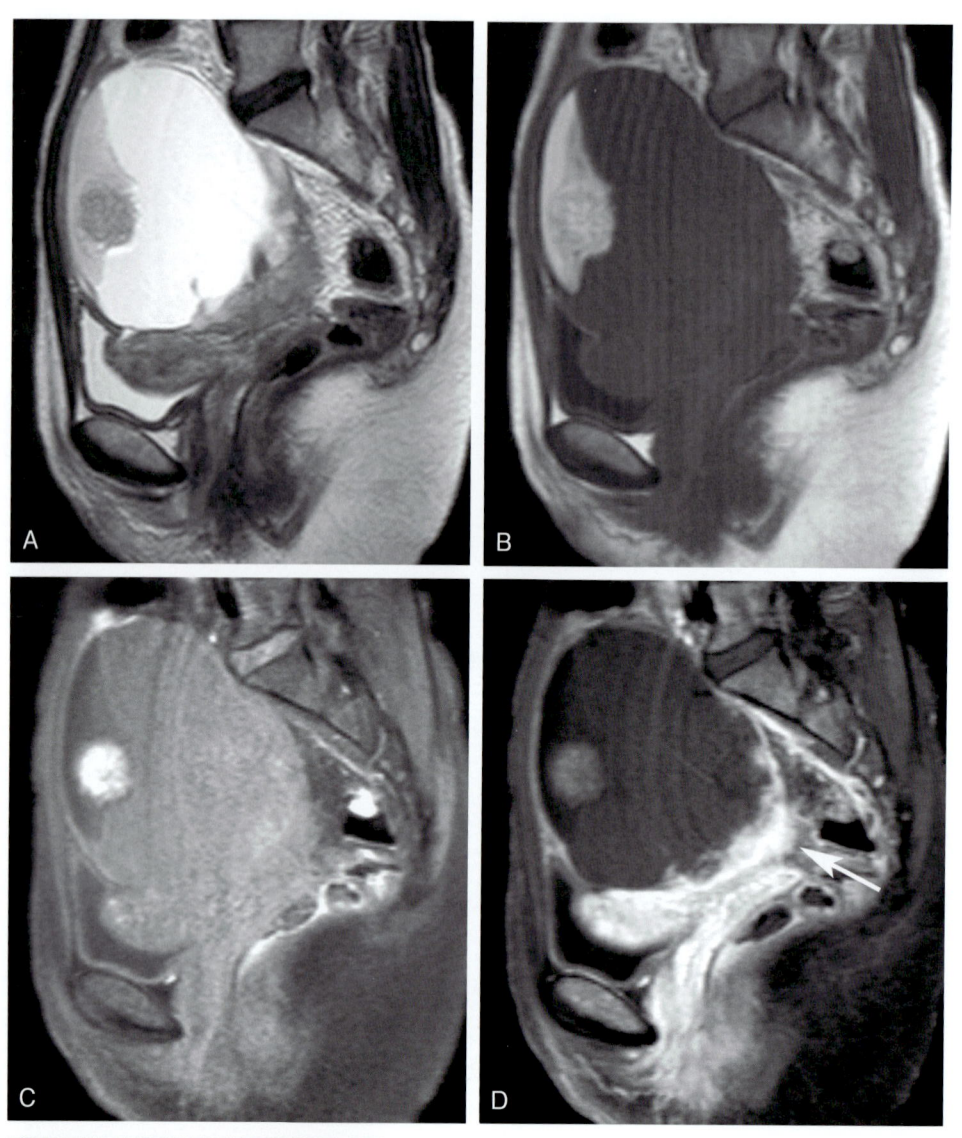

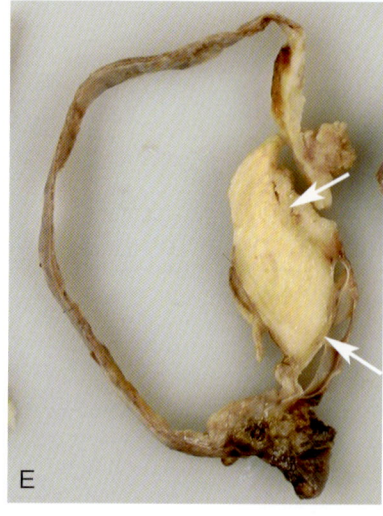

Ⅱ 卵巣腫瘍 ovarian tumors

図28 43歳　扁平上皮癌への悪性転化を伴う成熟奇形腫

A：T2強調矢状断像，B：T1強調矢状断像，C：脂肪抑制T1強調矢状断像，D：造影脂肪抑制T1強調矢状断像，E：摘出標本割面

fat-fluid levelを伴う囊胞性腫瘤が子宮の上方にあり（A〜D），後壁が肥厚し，わずかに壁外に浸潤している（D→）。摘出標本の切片でも囊胞壁が肥厚して白色調の充実部を形成しているのがわかる（E→）。病理組織学的に充実部は扁平上皮癌であった。

3. 胚細胞腫瘍 germ cell tumors

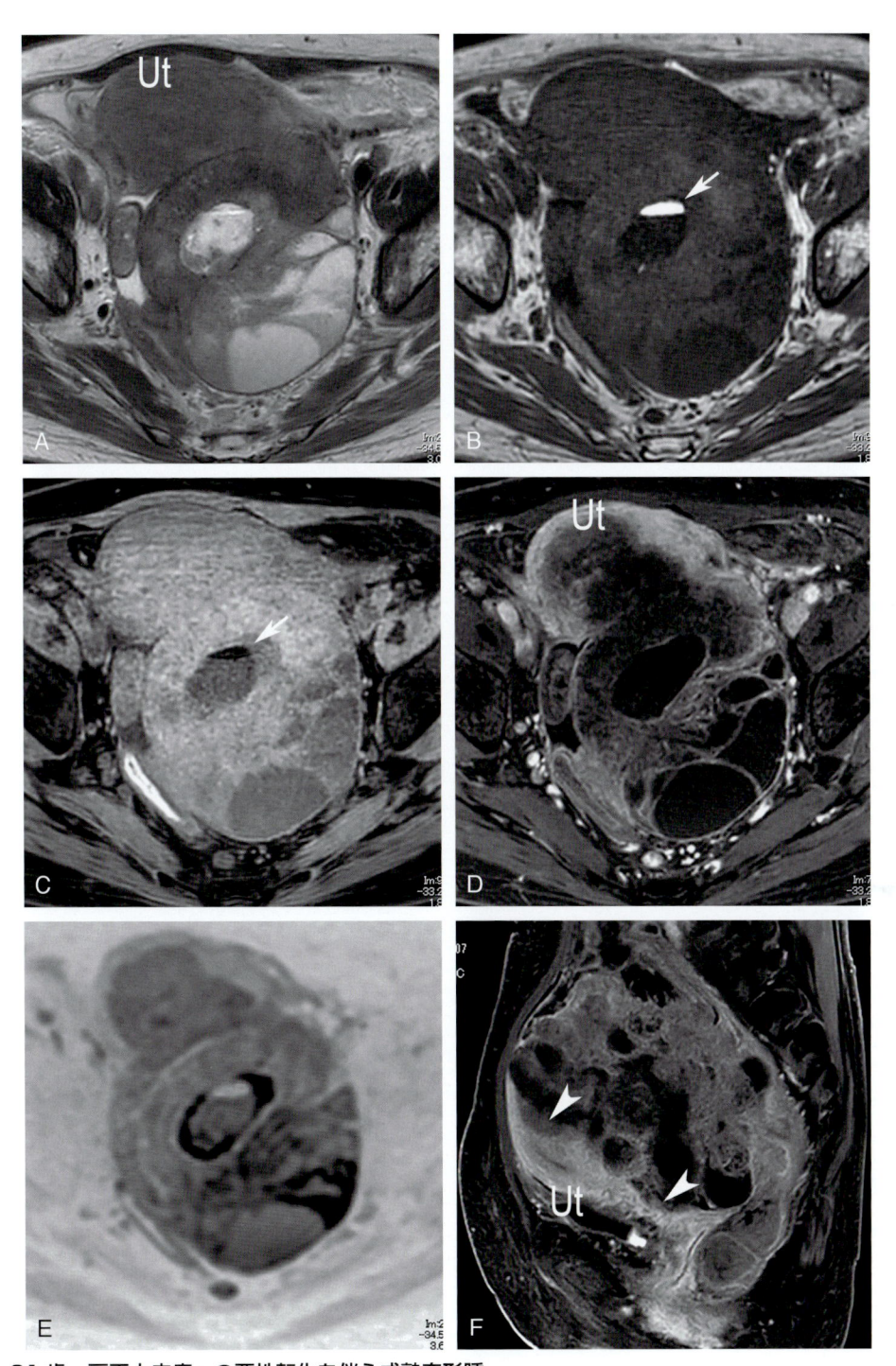

図29　61歳　扁平上皮癌への悪性転化を伴う成熟奇形腫
A：T2強調横断像，B：T1強調横断像，C：脂肪抑制T1強調横断像，D：造影脂肪抑制T1強調横断像，E：拡散強調横断像，F：造影脂肪抑制T1強調矢状断像
腫瘍マーカーはCA125，CA19-9，CEAはいずれも正常だが，SCC 6.8 ng/mLと上昇。左卵巣はfat-fluid levelを伴って（B，C→），子宮（A，D，Ut）後壁に浸潤する多房性嚢胞性腫瘍に置換されている。嚢胞成分が多いので拡散制限はさほど目立たない（E）。子宮後壁に対する著明な浸潤傾向に着目（F▲）。

(2) 分類不能な混合型胚細胞・性索間質性腫瘍 mixed germ cell-sex cord-stromal tumors

　生殖細胞と性索成分が混在するものの，性腺芽腫の組織学的特徴を示さない腫瘍で，10歳未満の性腺発育不全を有さない女児に認められる。片側性の大型充実性腫瘤を形成し，約10％は未分化胚細胞腫やほかの悪性胚細胞腫瘍を合併する[3]。

文献

1) WHO Classification of Tumors Editorial Board : Female Genital Tumours, 5th ed. International Agency for Research on Cancer, Lyon, 2020
2) Maniar KP et al : Germ cell tumors of the ovary, Kurman R et al eds : Blaustein's Pathology of the Female Genital Tract, 7th ed. p1047-1124, Springer, Cham, New York, 2019
3) 日本産科婦人科学会，日本病理学会 編：卵巣腫瘍・卵管癌・腹膜癌取扱い規約 病理編 第2版．2022
4) Carlson JW et al : Tumors of the Ovary and Fallopian Tube. Atlases of Tumor and Non-Tumor Pathology, Series 5. American Registry of Pathology, Rockville, 2023
5) Buy JN et al : Cystic teratoma of the ovary : CT detection. Radiology 171 : 697-701, 1989
6) Skaane P, Klott KJ : Fat : fluid level in in a cystic ovarian teratoma. J Comput Assist Tomogr 5 : 577-579, 1981
7) Skaane P, Huebener KH : Computed tomography of cystic ovarian teratomas with gravity-dependent layering. J Comput Assist Tomogr 7 : 837-841, 1983
8) Togashi K et al : Ovarian cystic teratomas : MR imaging. Radiology 162 : 669-673, 1987
9) Kim HC et al : Fluid-fluid levels in ovarian teratomas. Abdom Imaging 27 : 100-105, 2002
10) Stevens SK et al : Teratomas versus cystic hemorrhagic adnexal lesions : differentiation with proton-selective fat-saturation MR imaging. Radiology 186 : 481-488, 1993
11) Yamashita Y et al : Value of phase-shift gradient-echo MR imaging in the differentiation of pelvic lesions with high signal intensity at T1-weighted imaging. Radiology 191 : 759-764, 1994
12) Yamashita Y et al : Mature cystic teratomas of the ovary without fat in the cystic cavity : MR features in 12 cases. AJR Am J Roentgenol 163 : 613-616, 1994
13) Muramatsu Y et al : CT and MR imaging of cystic ovarian teratoma with intracystic fat balls. J Comput Assist Tomogr 15 : 528-529, 1991
14) Chen CP et al : Multiple globules in a cystic ovarian teratoma. Fertil Steril 75 : 618-619, 2001
15) Kawamoto S et al : Multiple mobile spherules in mature cystic teratoma of the ovary. AJR Am J Roentgenol 176 : 1455-1457, 2001
16) Gürel H, Gürel SA : Ovarian cystic teratoma with a pathognomonic appearance of multiple floating balls : a case report and investigation of common characteristics of the cases in the literature. Fertil Steril 90 : 2008.e17-19, 2008
17) 田中優美子：非典型的なMR所見を呈した卵巣成熟囊胞性奇形腫10例の検討：CT・病理組織所見との対比．日独医報 42：436，1997
18) Shinya T et al : Magnetic resonance imaging features of epidermoid cyst of the ovaries : magnetic resonance and computed tomography findings. J Comput Assist Tomogr 30 : 906-909, 2006
19) Kawakami S et al : Solid mature teratoma of the ovary : appearances at MR imaging. Comput-Med-Imaging-Graph 18 : 203-207, 1994
20) 日本産科婦人科学会，日本病理学会 編：卵巣腫瘍取扱い規約 第1部 組織分類ならびにカラーアトラス．金原出版，東京，1990
21) Kawai M et al : Alpha-fetoprotein in malignant germ cell tumors of the ovary. Gynecol Oncol 39 : 160-166, 1990
22) 日本婦人科腫瘍学会 編：卵巣がん・卵管癌・腹膜癌治療ガイドライン2020年版．金原出版，東京，2020
23) Bazot M et al : Imaging of dermoid cysts with foci of immature tissue. J Comput Assist Tomogr 23 : 703-706, 1999
24) Yamaoka T et al : Yolk sac tumor of the ovary : radiologic-pathologic correlation in four cases. J Comput Assist Tomogr 24 : 605-609, 2000
25) Cheng M et al : Fat-containing adnexal masses on MRI : solid tissue volume and fat distribution as a guide for O-RADS Score assignment. Abdom Radiol 48 : 358-366, 2023
26) Kishimoto K et al : Immature teratoma with gliomatosis peritonei associated with pregnancy. Abdom Imaging 27 : 96-99, 2002
27) Patel T, Meena V : Gliomatosis peritonei and Its relation to teratoma : role of imaging and histological aspects. Cureus 14 : e28849, 2022
28) Wang P et al : Ovarian dysgerminoma detected by 18F-FDG PET/CT technique : a case report. Medicine 99 : e23074, 2020
29) Logothetis CJ et al : The growing teratoma syndrome. Cancer 50 : 1629-1635, 1982
30) Li S et al : Growing teratoma syndrome secondary to ovarian giant immature teratoma in an adolescent girl : a case report and literature review. Medicine 95 : e2647, 2016
31) Han NY et al : Imaging features of growing teratoma syndrome following a malignant ovarian germ cell tumor. J Comput Assist Tomogr 38 : 551-557, 2014
32) Tanaka YO et al : Ovarian dysgerminoma : MR and CT appearance. J Comput Assist Tomogr 18 : 443-448, 1994
33) Kim SH et al : Ovarian dysgerminoma : color Doppler ultrasonographic findings and comparison with CT and MR imaging findings. J Ultrasound Med 14 : 843-848, 1995
34) Zhao S et al : Pure dysgerminoma of the ovary : CT and MRI features with pathological correlation in 13 tumors. J Ovarian Res 13 : 71, 2020
35) Ferrozzi F et al : Non-Hodgkin lymphomas of the ovaries : MR findings. J Comput Assist Tomogr 24 : 416-420, 2000
36) Tanaka YO et al : Magnetic resonance imaging findings of small round cell tumors of the ovary : a report of 5 cases with literature review. J Comput Assist Tomogr 30 : 12-17, 2006
37) Li YK et al : CT imaging of ovarian yolk sac tumor with

3. 胚細胞腫瘍 germ cell tumors

38) 八木貴子ほか：30代で発症した卵巣悪性胚細胞性腫瘍の2例．臨放 49：1045-1049, 2004
39) McNamee T et al：Yolk sac tumours of the female genital tract in older adults derive commonly from somatic epithelial neoplasms：somatically derived yolk sac tumours. Histopathology 69：739-751, 2016
40) Kim HK et al：[Imaging findings of embryonal cell carcinoma in ovary：a case report]. J Korean Soc Med Ultrasound 23：151-154, 2004
41) Kumar Upadhyay A et al：Extragonadal nongestational choriocarcinoma with a widespread metastasis in a young female：a case report and literature analysis with a focus on unmet needs. Cureus 15：e48441, 2023
42) Balat O et al：Primary pure ovarian choriocarcinoma mimicking ectopic pregnancy：a report of fulminant progression. Tumori 90：136-138, 2004
43) Horne AW et al：Ovarian choriocarcinoma masquerading as ectopic pregnancy. J Obstet Gynaecol 26：385-387, 2006
44) Bazot M et al：Imaging of pure primary ovarian choriocarcinoma. AJR Am J Roentgenol 182：1603-1604, 2004
45) Ozaki Y et al：Choriocarcinoma of the ovary associated with mucinous cystadenoma. Radiat Med 19：55-59, 2001
46) Dohke M et al：Struma ovarii：MR findings. J Comput Assist Tomogr 21：265-267, 1997
47) Joja I et al：I-123 uptake in nonfunctional struma ovarii. Clin Nucl Med 23：10-12, 1998
48) Yamashita Y et al：Struma ovarii：MR appearances. Abdom Imaging 22：100-102, 1997
49) Kim JC et al：MR findings of struma ovarii. Clin Imaging 24：28-33, 2000
50) Joja I et al：Struma ovarii：appearance on MR images. Abdom Imaging 23：652-656, 1998
51) Matsumoto F et al：Struma ovarii：CT and MR findings. J Comput Assist Tomogr 14：310-312, 1990
52) Ayhan S et al：Malignant struma ovarii：From case to analysis. J Obstet Gynaecol Res 47：3339-3351, 2021
53) Takeshita T et al：Diffusion-weighted magnetic resonance imaging findings in a patient with struma ovarii. Osaka City Med J 60：45-52, 2014
54) Yamauchi S et al：Computed tomography, magnetic resonance imaging, and positron emission tomography/computed tomography findings for the diagnosis of malignant struma ovarii：a case report. J Obstet Gynaecol Res 49：1456-1461, 2023
55) Thorson A et al：Malignant carcinoid of the small intestine with metastases to the liver, valvular disease of the right side of the heart (pulmonary stenosis and tricuspid regurgitation without septal defects), peripheral vasomotor symptoms, bronchoconstriction, and an unusual type of cyanosis：a clinical and pathologic syndrome. Am Heart J 47：795-817, 1954
56) 本山禎一：カルチノイド, 石倉　浩, 手島伸一 編；卵巣腫瘍病理アトラス, p264-268, 文光堂, 東京, 2004
57) Motoyama T et al：Functioning ovarian carcinoids induce severe constipation. Cancer 70：513-518, 1992
58) Tanaka YO et al：Ovarian tumor with functioning stroma. Comput Med Imaging Graph 26：193-197, 2002
59) Takeuchi M et al：Primary carcinoid tumor of the ovary：MR imaging characteristics with pathologic correlation. Magn Reson Med Sci 10：205-209, 2011
60) Outwater EK et al：Ovarian teratomas：tumor types and imaging characteristics. Radiographics 21：475-490, 2001
61) Ronnett BM, Seidman JD：Mucinous tumors arising in ovarian mature cystic teratomas：relationship to the clinical syndrome of pseudomyxoma peritonei. Am J Surg Pathol 27：650-657, 2003
62) Stewart CJ et al：Ovarian mucinous tumour arising in mature cystic teratoma and associated with pseudomyxoma peritonei：report of two cases and comparison with ovarian involvement by low-grade appendiceal mucinous tumour. Pathology 38：534-538, 2006
63) Michael H et al：Ovarian carcinoma with extracellular mucin production：reassessment of "pseudomyxoma ovarii et peritonei". Int J Gynecol Pathol 6：298-312, 1987
64) Tanaka YO et al：Differential diagnosis of gynaecological "stained glass" tumours on MRI. Br J Radiol 72：414-420, 1999
65) Tanaka YO et al：Diversity in size and signal intensity in multilocular cystic ovarian masses：new parameters for distinguishing metastatic from primary mucinous ovarian neoplasms. J Magn Reson Imaging 38：794-801, 2013
66) Tanaka YO et al：Mucinous tumors arising from ovarian teratomas as another source of pseudomyxoma peritoneii：MR findings comparison with ovarian metastases from appendiceal mucinous tumors. BJR Open 5：20220036, 2023
67) Hackethal A et al：Squamous-cell carcinoma in mature cystic teratoma of the ovary：systematic review and analysis of published data. Lancet Oncol 9：1173-1180, 2008
68) Li C et al：Squamous cell carcinoma transformation in mature cystic teratoma of the ovary：a systematic review. BMC Cancer 19：217, 2019
69) Park SB et al：Preoperative diagnosis of mature cystic teratoma with malignant transformation：analysis of imaging findings and clinical and laboratory data. Arch Gynecol Obstet 275：25-31, 2007
70) Miyazaki K et al：Clinical usefulness of serum squamous cell carcinoma antigen for early detection of squamous cell carcinoma arising in mature cystic teratoma of the ovary. Obstet Gynecol 78：562-566, 1991
71) Mori Y et al：Preoperative diagnosis of malignant transformation arising from mature cystic teratoma of the ovary. Gynecol Oncol 90：338-341, 2003
72) 小林昭彦ほか：扁平上皮癌を合併した卵巣類皮嚢胞腫（成熟嚢胞性奇形腫）の2例．画像診断 10：1267-1272, 1990
73) Lai PF et al：Malignant transformation of an ovarian mature cystic teratoma：computed tomography findings. Arch Gynecol Obstet 271：355-357, 2005
74) Kido A et al：Dermoid cysts of the ovary with malignant transformation：MR appearance. AJR Am J Roentgenol 172：445-449, 1999
75) Yahata T et al：Adenocarcinoma arising from respiratory ciliated epithelium in benign cystic teratoma of the ovary：a case report with analyzes of the CT, MRI, and pathological findings. J Obstet Gynaecol Res 34：408-412, 2008

II 卵巣腫瘍 ovarian tumors

4. その他の腫瘍 miscellaneous tumors

Summary
- 表層上皮性・間質性腫瘍，性索間質性腫瘍，胚細胞腫瘍以外の卵巣腫瘍はまれである。
- ウォルフ管腫瘍はウォルフ管（中腎管）に由来すると考えられている腫瘍で，T2強調像で中間信号，拡散制限があり，よく増強される，豊富な充実部を有する境界明瞭な腫瘤を形成することが多い。
- 高カルシウム血症型小細胞癌は若年成人ないし小児に好発する未分化な腫瘍で，神経内分泌腫瘍には分類されない独立した疾患概念である。
- 卵巣原発の悪性リンパ腫はまれだが，組織型としてはBurkittリンパ腫やびまん性大細胞型B細胞リンパ腫であることが多く，T2強調像で低信号，脳回状・多結節状の均一で大きな充実性腫瘤を形成し，辺縁に取り残された卵胞がみられる（follicle preserving sign）。

　表層上皮性・間質性腫瘍，性索間質性腫瘍，胚細胞腫瘍，胚細胞・性索間質性腫瘍に続いて『卵巣腫瘍・卵管癌・腹膜癌取扱い規約 病理編 第2版』にはウォルフ管腫瘍，高カルシウム血症型小細胞癌，充実性偽乳頭状腫瘍，さらにその他として，卵巣網の腫瘍，ウィルムス腫瘍，神経内分泌癌，リンパ性・骨髄性腫瘍が取り上げられている[1]。いずれもまれな腫瘍であるが，報告のあるものは画像所見についても概説する。

1）ウォルフ管腫瘍 Wolffian tumor

　ウォルフ管腫瘍（Wolffian tumor）はウォルフ管（中腎管）に由来するまれな腫瘍で，胎性期のウォルフ管の走行に沿った領域（図1）[2]に発生する[3]ため，WHO分類第5版では卵巣腫瘍（卵巣門）と腹膜腫瘍（広間膜など卵巣外）の双方に本腫瘍の項目がある[4]が，本邦の取扱い規約では卵巣のその他の腫瘍にのみ取り上げられている[1]。従来，female adnexal tumor of probable Wolffian origin（FATWO）と呼称されてきたが，ウォルフ管上部由来であることを支持する所見が増加し，現在はウォルフ管腫瘍とよばれている。頻度はまれで，18〜83歳の幅広い年齢に，多くは無症状で偶発的に発見される。当初は予後良好な良性腫瘍と考えられていたが，少数例ながら再発，腫瘍死例（図2）もあり，慎重な経過観察を要する。肉眼的には充実性分葉状の腫瘤で，組織学的には管状，囊胞状などを呈する充実性増殖部と大小の囊胞を形成する像が種々の割合で混在するとされる[1]。これを反映して画像的にも充実性腫瘤の報告が多いが，単房性・多房性囊胞性腫瘤の報告もある。おおむね境界明瞭な非浸潤性の腫瘍である。充実部はT2強調像で中等度高信号，拡散制限があり，増強効果は均一で強く，FDGの集積も強いとする報告が多い[5-7]。腫瘍辺縁にT2強調像で低信号の縁取りがみられるとする報告もある[8]が，例外も多く，

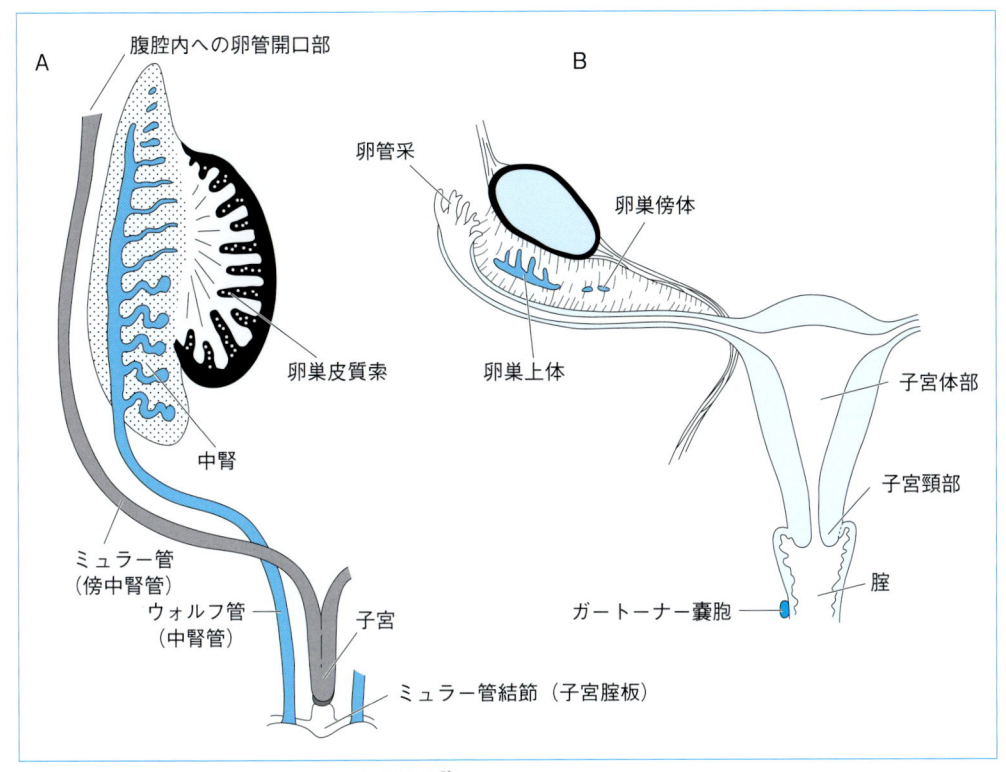

図1 胎生期のウォルフ管とその遺残構造[2]

胎生8週のウォルフ管（中腎管）（青）とミュラー管（傍中腎管）（灰）の走行をAに示す。生殖器上部ではウォルフ管はミュラー管の内側に位置し、出生後（B）は卵巣門に近い広間膜内の卵巣上体（epoöphoron）や卵巣傍体（paroöphoron）として遺残する。

疾患特異的とはいえないようである。自験例でも全体が充実性を呈したもの（図2）、増強不良域を内包する充実性腫瘍（図3）、充実部と浮腫状の間質に充実部が撒布された硬化性間質腫瘍類似の形態のもの（図4）と多彩である。その組織発生から正常卵巣が別途確認できる場合には本腫瘍を鑑別に挙げるべきではある[6]が、卵巣門発生例（図4）や高齢者の卵巣萎縮例では難しい。

2）高カルシウム血症型小細胞癌 small cell carcinoma, hypercalcemic type

　WHO分類では神経内分泌腫瘍は臓器横断的に別のchapterにまとめられたことは「子宮体部の腫瘍」の項ですでに述べた通りだが、取扱い規約ではその他の腫瘍のなかに神経内分泌癌の項目が設けられている[1]。後述するように神経内分泌癌は小細胞癌と大細胞癌に分けられるが、この小細胞神経内分泌癌とは別の疾患概念として、高カルシウム血症型小細胞癌がある（神経内分泌分化がはっきりせず、組織発生も未解明のため）。ちなみに旧分類では、小細胞癌が高カルシウム血症型と肺型に分類され、後者が今日の小細胞神経内分泌癌に相当する[4]。

　高カルシウム血症型小細胞癌（small cell carcinoma, hypercalcemic type）は高頻度に高カルシウム血症を伴うまれな未分化腫瘍であり、20～30代の若年成人や小児に好発する。腹腔内播

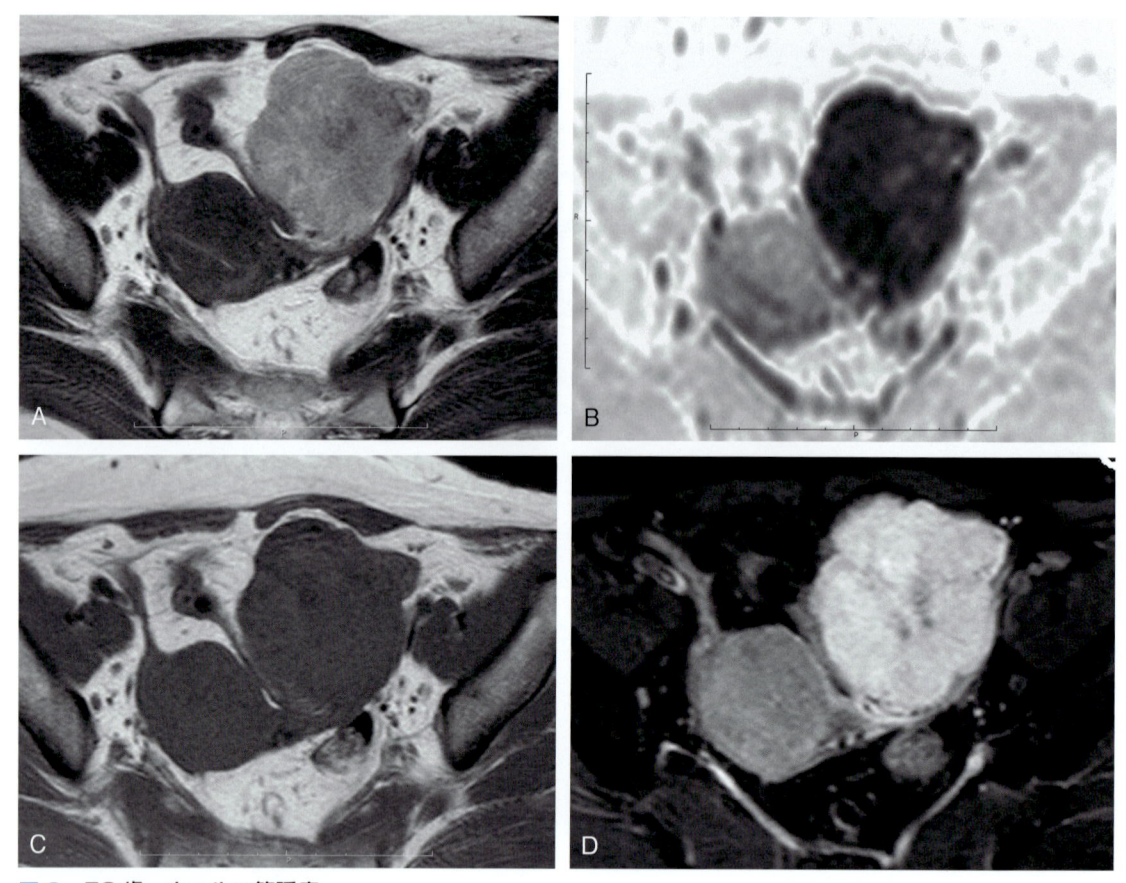

図2　53歳　ウォルフ管腫瘍
A：T2強調横断像，B：拡散強調横断像，C：T1強調横断像，D：造影脂肪抑制T1強調横断像
不正性器出血を契機に付属器腫瘍を指摘された。左卵巣と連続するようにT2強調像で高信号（A），中等度の拡散制限（B）を示し，よく増強される（C，D）充実性腫瘍を認める。

種に加え，リンパ節，肺，肝への転移頻度が高く，予後は不良である。肉眼的に大型の充実性腫瘍でしばしば出血，壊死，囊胞変性を認めるとされる[4)9)]。画像所見の報告は少数例に留まるが，全体が充実性のもの[10)]や，壊死や囊胞変性を反映して中心部に広範な増強不良域を伴うもの[9)]があり，おおむね境界明瞭な腫瘍を形成するようである。

3）充実性偽乳頭状腫瘍 solid pseudopapillary neoplasm

　膵臓に発生する同名の腫瘍と同様の形態を示す極めてまれな腫瘍である[1)]。性索間質性腫瘍（純粋型間質性腫瘍）の1つである微小囊胞間質性腫瘍とは*CTNNB1*（β-カテニン）遺伝子変異を有する点で共通するが，本腫瘍の起源は不明で，境界悪性ないし，低悪性度の腫瘍とされている[1)]。肉眼所見を反映して，画像的にも中心部に増強不良域を伴った，T2強調像で信号強度が高く，拡散制限の強い，分葉状・多結節状の腫瘍を呈したとの報告がある[11)12)]。

4. その他の腫瘍 miscellaneous tumors

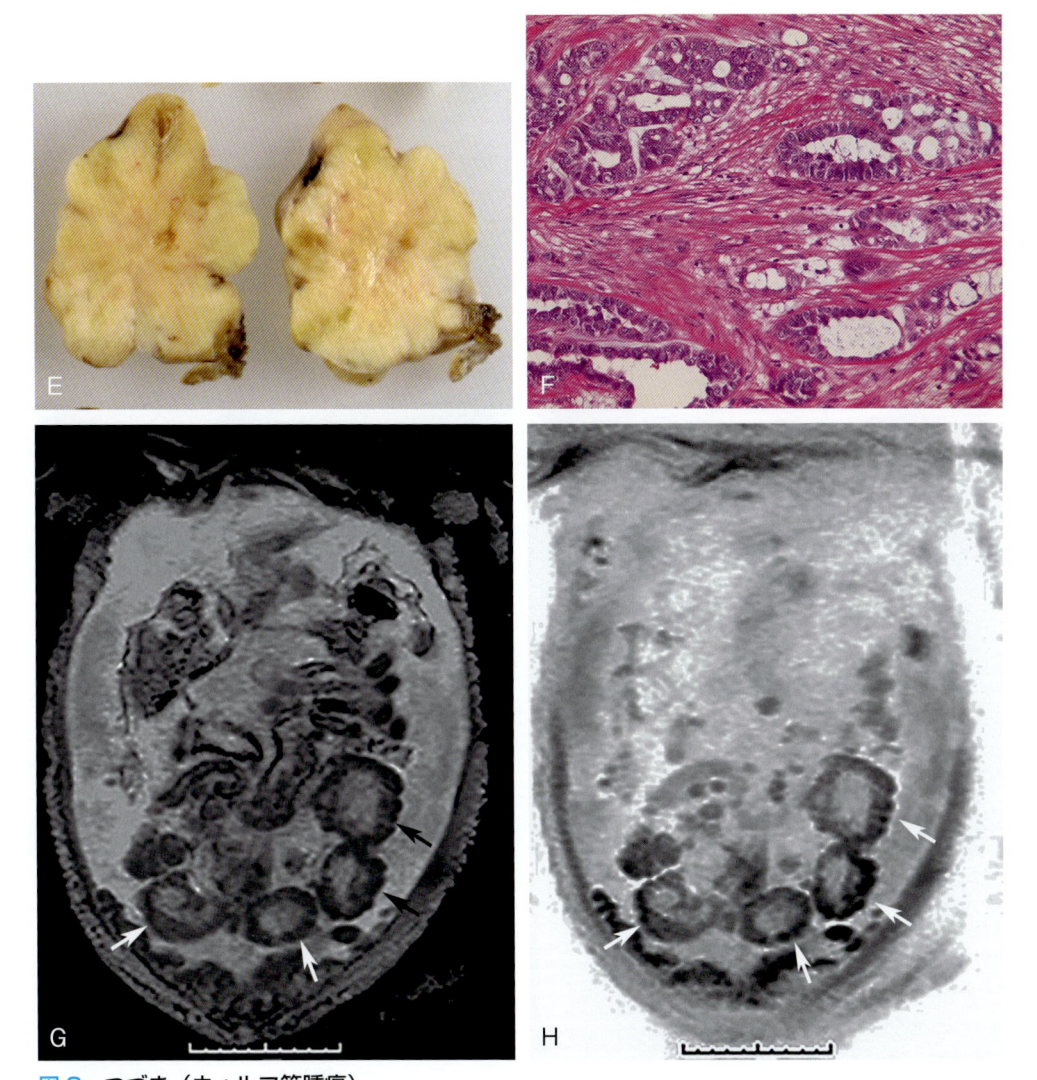

図2 つづき（ウォルフ管腫瘍）
E：摘出標本割面，F：HE 染色（強拡大），G：T2 強調冠状断像（再発時），H：拡散強調冠状断像（再発時）
腫瘤は黄白色の充実性腫瘤として卵巣外に存在し（E），病理組織学的には腺管状・網状に増殖する腫瘍細胞が浮腫・線維化の混在する間質を伴って増生し（F），免疫組織化学染色の結果と合わせウォルフ管腫瘍と診断された。術後 11 カ月目に腹腔内播種として再発し，初回と異なり個々の播種性結節は辺縁にのみ充実部を配するリング状を呈した（G, H →）。

4）その他の腫瘍 miscellaneous tumors

（1）卵巣網の腫瘍 tumors of rete ovarii

　卵巣門部に発生するまれな腫瘍で，卵巣網腺腫，卵巣網腺癌がある[4]。腺腫，嚢胞腺腫は閉経後にみられることが多いとされるが，画像的に卵巣門部に限局していることを示すのは困難と推定され，表層上皮性・間質性腫瘍と区別がつかないものと思われる。

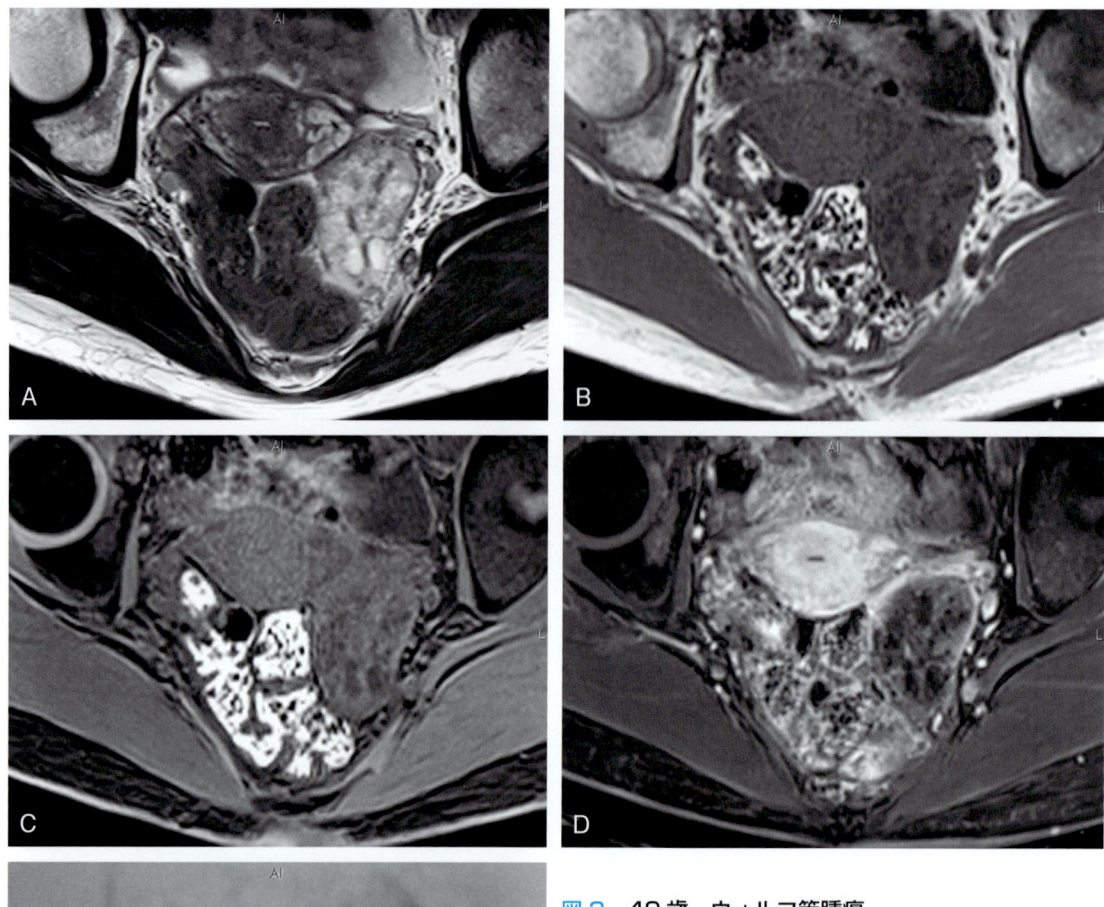

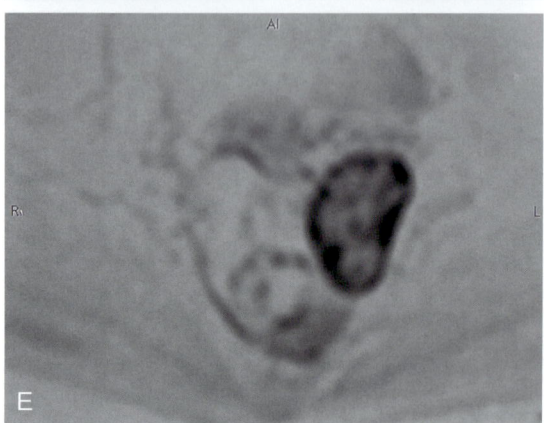

図3 49歳 ウォルフ管腫瘍
A：T2強調横断像，B：T1強調横断像，C：脂肪抑制T1強調横断像，D：造影脂肪抑制T1強調横断像，E：拡散強調横断像
左卵巣腫瘍疑いにて受診．T2強調像にて不均一な信号強度を呈するが，境界明瞭，辺縁平滑な腫瘤を左付属器領域に認め（A），造影後，内部には多数の囊胞性変化が観察され（B～D），拡散強調像でも，充実部は辺縁部に偏在しており（E），図2とはまったく異なる印象の腫瘤である．病理組織学的に卵管近傍の広間膜に発生したウォルフ管腫瘍と診断された．本例は2年以上再発を認めていない．

（2）ウィルムス腫瘍 Wilms tumor（腎芽腫 nephroblastoma）

時に卵巣で認められるウォルフ管の遺残組織もしくは胚性幹細胞の分化能を有する細胞を起源とする，小児の腎臓に発生するウィルムス腫瘍と同様の腫瘍である[1)4)]．奇形腫の一成分として発生することもあるが，純型の場合は肉眼病理的に10 cmを超える，混合性（充実性＋囊胞性）腫瘤を形成するとされる．まれな腫瘍のため予後予測は難しいが，初発時進行例であっても腫瘍死や再発の報告はないとされている[4)]．

4. その他の腫瘍 miscellaneous tumors

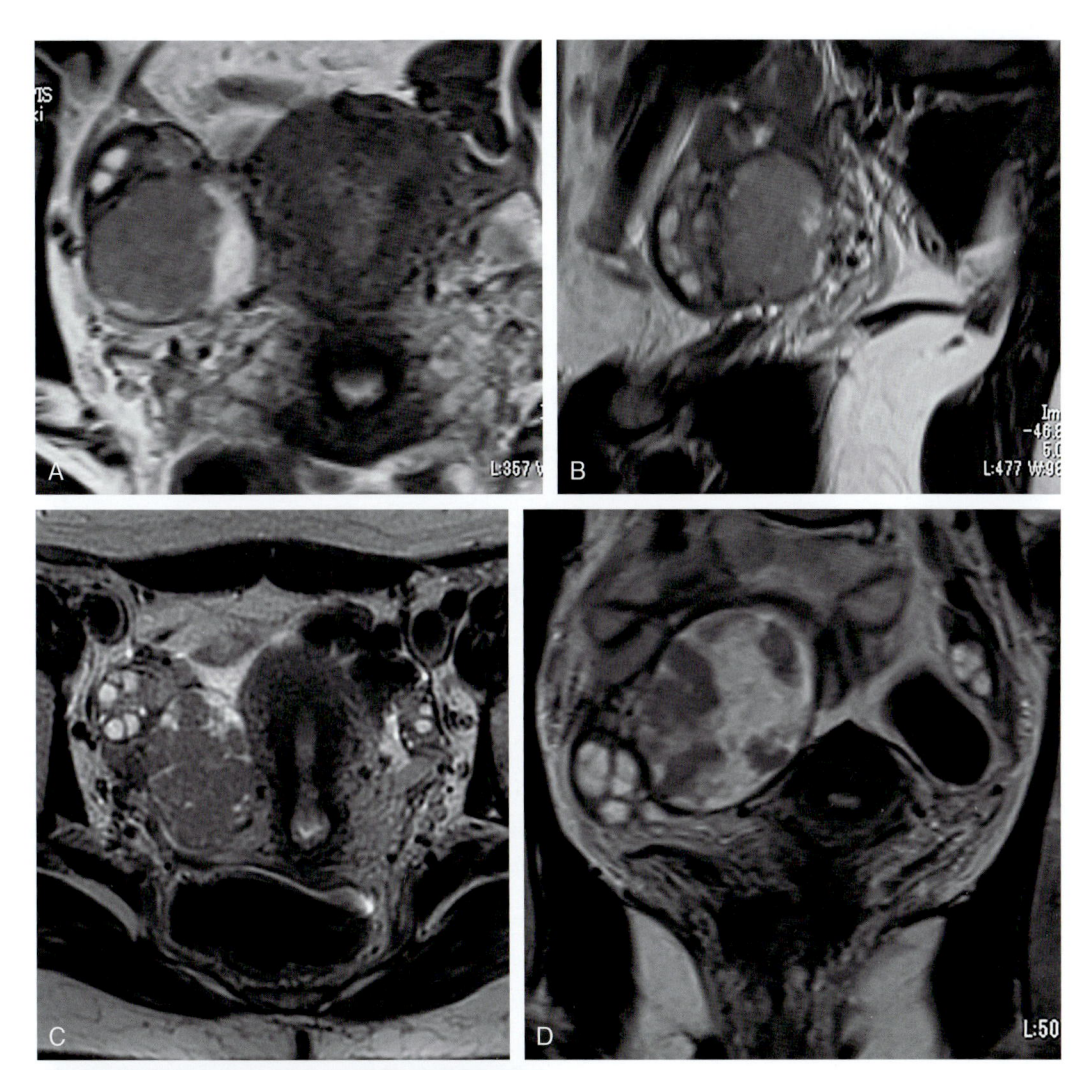

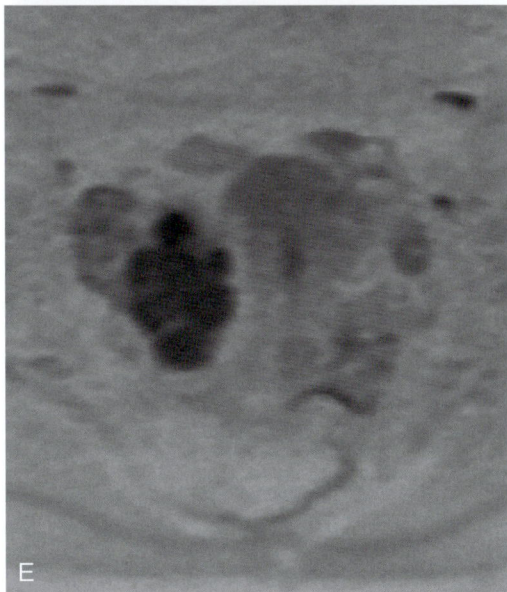

図4　24歳　ウォルフ管腫瘍
A：T2強調横断像（1年半前），B：T2強調矢状断像（1年半前），C：T2強調横断像，D：T2強調冠状断像，E：拡散強調横断像
1年半前から右付属器腫瘤を指摘されており，当初，卵巣と連続するようにT2強調像（A, B）で均一な高信号を呈する充実性腫瘤として認められたが，経過中，充実部を分散させるようにT2強調像で信号強度の高い浮腫状の部分が出現（C, D）するとともに，卵巣から離れるように発育した。充実部の拡散制限は強い（E）。浮腫状の間質に充実部が散在する pseudolobular pattern 類似の形態（D）と強い増強効果，若年発症であることは硬化性間質腫瘍を想起させたが，卵巣外発生のウォルフ管腫瘍であった。

（3）神経内分泌癌 neuroendocrine carcinoma

　肺や消化管などに生じる神経内分泌癌と同様の形態を示すまれな腫瘍で，小細胞神経内分泌癌（small cell neuroendocrine carcinoma）と大細胞神経内分泌癌（large cell neuroendocrine carcinoma）がある。どちらも女性生殖器のなかでは子宮頸部で最も頻度が高く，卵巣ではまれである。なお，卵巣では良性のカウンターパートは神経内分泌腫瘍（neuroendocrine tumor：NET）ではなく，カルチノイド（carcinoid）の呼称が用いられ，単胚葉性奇形腫として胚細胞腫瘍に分類されている（p562参照）。卵巣原発神経内分泌癌はしばしば上皮性腫瘍，典型的には類内膜癌との混合型として発症する。他臓器原発例と同じく，侵襲性で進行例が多く，予後不良である[4)13)]。少ない画像所見の報告をまとめると，比較的小さい腫瘍では境界明瞭な充実性腫瘍である[14)]が，大きくなると壊死や囊胞変性により充実性・囊胞性混合腫瘍となり，播種や遠隔転移を伴う[13)]傾向がうかがわれる。また自験例では充実部の拡散制限が強い（図5, 6）。

（4）リンパ性・骨髄性腫瘍 lymphoid and myeloid tumors

　悪性リンパ腫，骨髄球系細胞に由来する骨髄肉腫（myeloid sarcoma）[顆粒細胞肉腫（granulocytic sarcoma）]，形質細胞腫（plasmacytoma）が本項に含まれる。

　卵巣原発の悪性リンパ腫（malignant lymphoma）はまれで[15)]，全身に蔓延したリンパ腫の二次的な卵巣浸潤の頻度が高い。卵巣病変の頻度はBurkittリンパ腫で最も高く，びまん性大細胞型B細胞リンパ腫がこれに次ぐ[16)]。卵巣原発のホジキン病は，二次的な卵巣浸潤も極めてまれである。Burkittリンパ腫はEpstein-Barr virus（EB virus）関連疾患で，南西アフリカやニューギニアなどの流行地で高頻度にみられる（endemic type）が，流行地外の本邦でも散見される極めて悪性度の高いリンパ腫である。主として小児から若年成人を冒し，卵巣は顎骨や眼窩，腎などと並ぶ節外初発病変の好発部位で[16)]，通常両側性である[17)]。これに対しびまん性大細胞型B細胞リンパ腫はより幅広い年齢層を冒し（多くは20〜50歳），臨床経過も緩徐である[16)]。画像所見は卵巣原発と二次的な浸潤との差違はなく，脳回状・多結節状の均一で大きな充実性腫瘍を形成する[18)19)]。内部はT2強調像で信号強度が低いことが多く[20)]，相対的に高信号の隔壁様構造で境される[21)]。この隔壁様構造は造影剤によりよく増強される[22)]。さらに生殖可能年齢の患者では腫瘤辺縁にリンパ腫の浸潤から取り残された卵胞が真珠の首飾り状の小囊胞構造として確認できることがある（follicle preserving sign）[20)]（図7）。これは骨髄肉腫（顆粒細胞肉腫）とも共通する[23)]所見であるが，周閉経期から閉経後の卵巣が萎縮した症例では観察できないので注意を要する（図8）。これらの所見は異型リンパ球が壊死を形成することなく高密度に（T2短縮の一因）（図9），かつ既存の正常構造を破壊することなく生じるためと考えられる[20)24)]。

附．軟部腫瘍 soft tissue tumors

　WHO分類では下部生殖器（子宮頸部，腟，外陰）についてのみ間葉性腫瘍の項目が設けられているが，卵巣の間質からも他の軟部組織にみられるのと同様の組織像の腫瘍を生じる。良性では平滑筋腫，線維筋腫，血管腫，リンパ管腫，脂肪腫，粘液腫，軟骨腫，骨腫，神経鞘腫，悪性では平滑筋肉腫，横紋筋肉腫，悪性神経鞘腫，血管肉腫などが挙げられている[25)]。肉腫の場合は

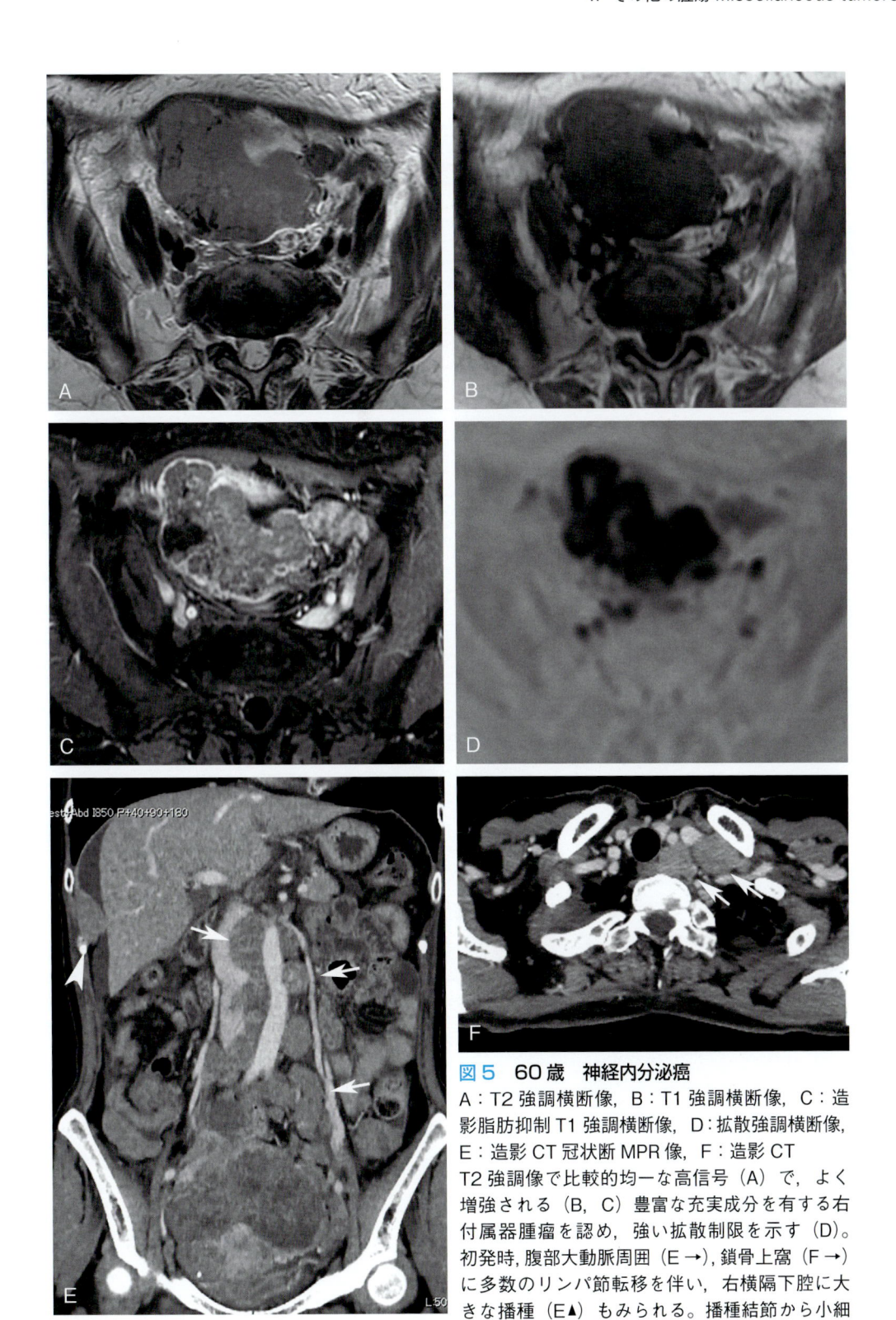

4. その他の腫瘍 miscellaneous tumors

図5 60歳 神経内分泌癌
A：T2強調横断像，B：T1強調横断像，C：造影脂肪抑制T1強調横断像，D：拡散強調横断像，E：造影CT冠状断MPR像，F：造影CT
T2強調像で比較的均一な高信号（A）で，よく増強される（B，C）豊富な充実成分を有する右付属器腫瘤を認め，強い拡散制限を示す（D）。初発時，腹部大動脈周囲（E→），鎖骨上窩（F→）に多数のリンパ節転移を伴い，右横隔下腔に大きな播種（E▲）もみられる。播種結節から小細胞神経内分泌癌と診断され，画像的に他臓器に原発巣を認めないことから，卵巣原発と考えられた。

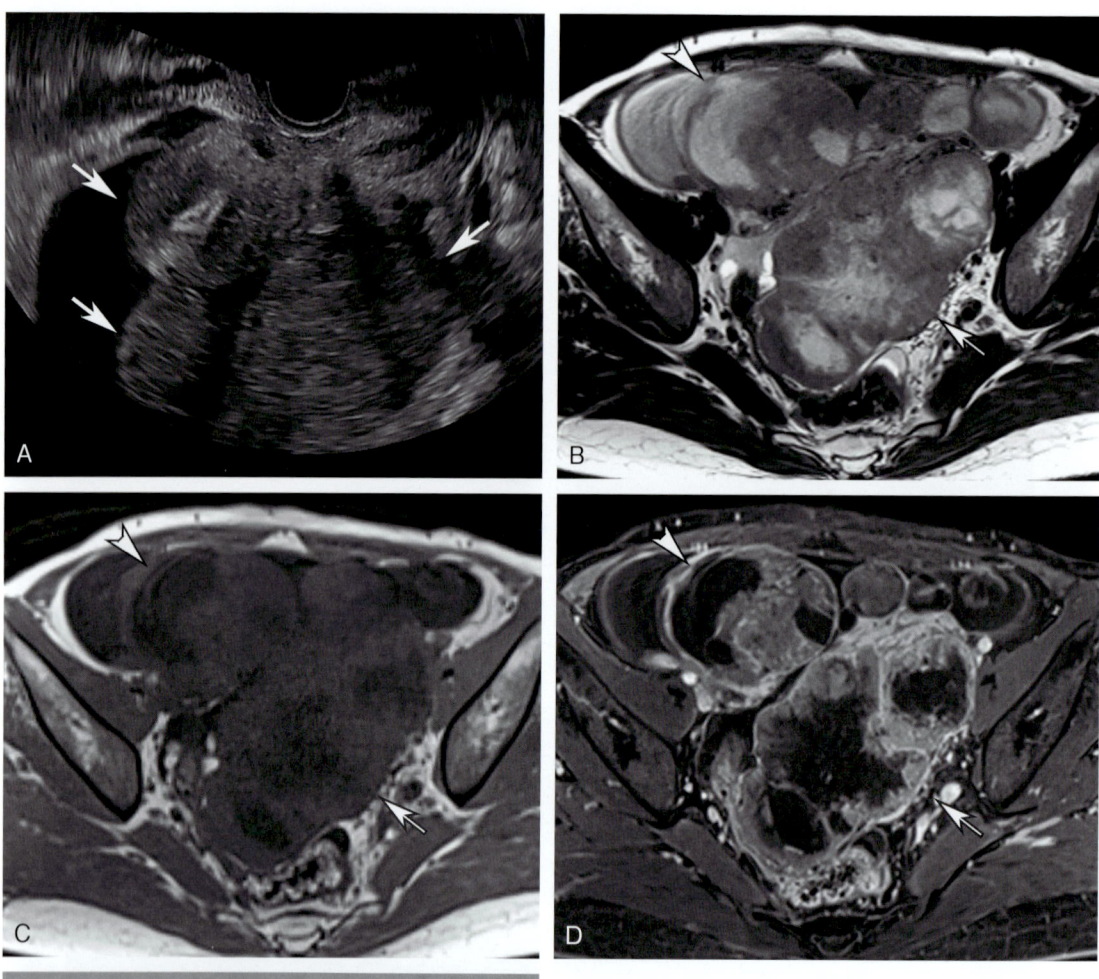

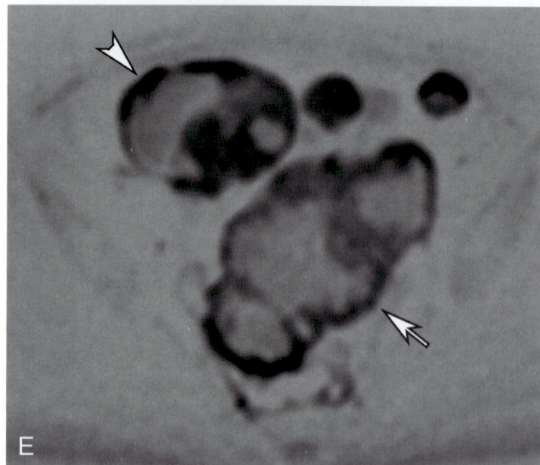

II 卵巣腫瘍 ovarian tumors

図6 52歳 類内膜癌と神経内分泌癌の混合癌
A：TVUS，B：T2強調横断像，C：T1強調横断像，D：造影脂肪抑制T1強調横断像，E：拡散強調横断像
肺転移を伴う卵巣腫瘍として紹介。TVUSでは全体が充実性にみえる低エコー腫瘤（A →）を認めた。MRIではT2強調像で辺縁が高信号，中心が高信号（B）で，辺縁のよく増強される（C，D）両側卵巣腫瘍と，類似の形状を示す多数の腹腔内播種，多発肺転移を認めた。いずれも拡散制限が強い（E）。内性器全摘が行われ，右（B〜E▲）は類内膜癌と神経内分泌癌，左（B〜E →）は神経内分泌癌で，同一起源の混合癌と考えられた。

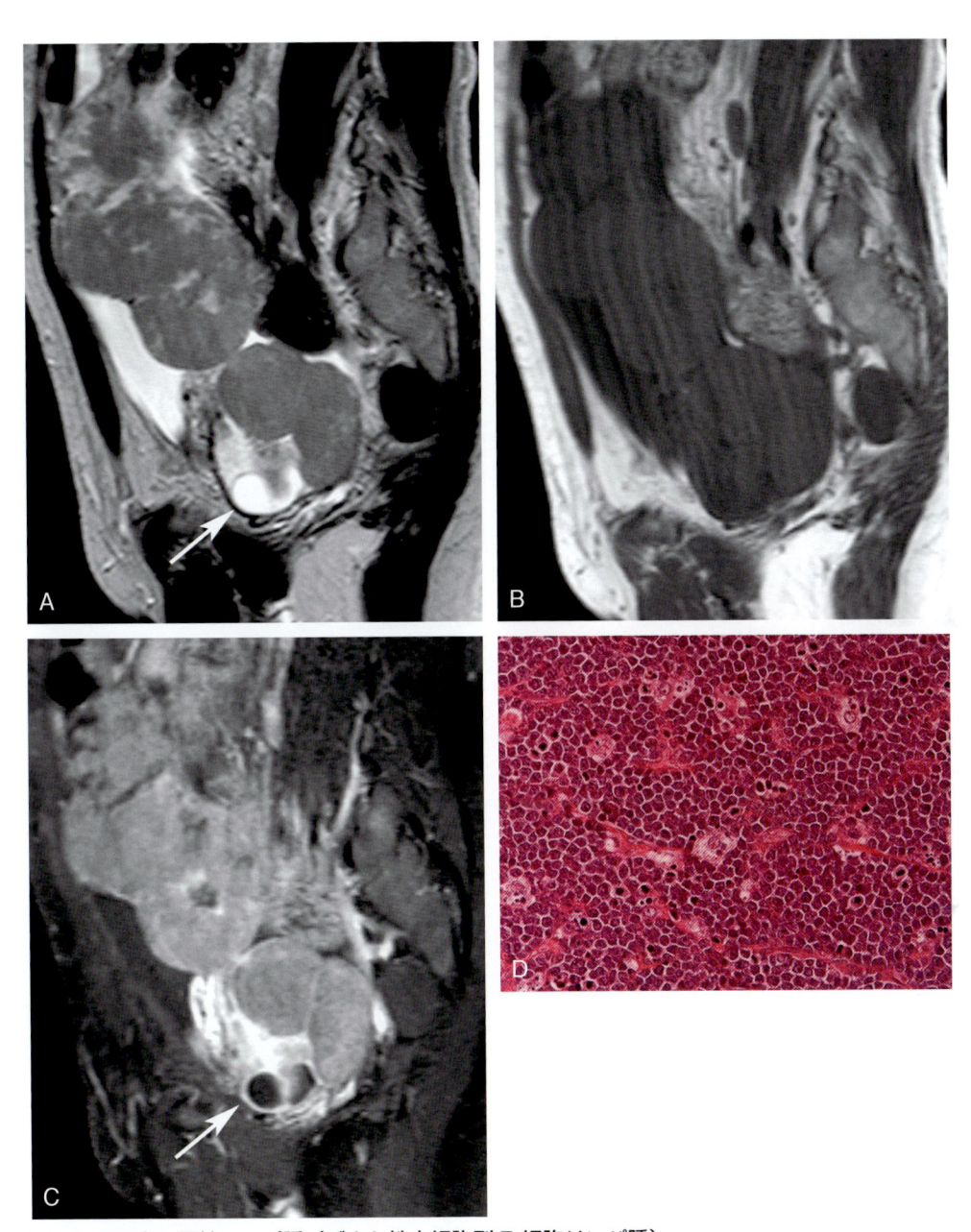

図7 42歳 悪性リンパ腫（びまん性大細胞型B細胞リンパ腫）
A：T2強調矢状断像，B：T1強調矢状断像，C：造影脂肪抑制T1強調矢状断像，D：HE染色（強拡大）
両側性卵巣腫瘍が上下に並んで認められる。T2強調像で腫瘤は比較的信号の低い充実成分に富み（A），T1強調像では低信号である（B）。造影後，均一に中等度に増強される（C）が，尾側端に辺縁のよく増強される囊胞構造がみられ，腫瘍浸潤に取り残された卵胞と推定される（A，C→）。病理組織学的には好塩基性の細胞質をもつ大型のリンパ球様の細胞が空胞を伴ってびまん性に増殖しており（D），びまん性大細胞型B細胞リンパ腫と診断された。
（A，Cは文献24より転載）

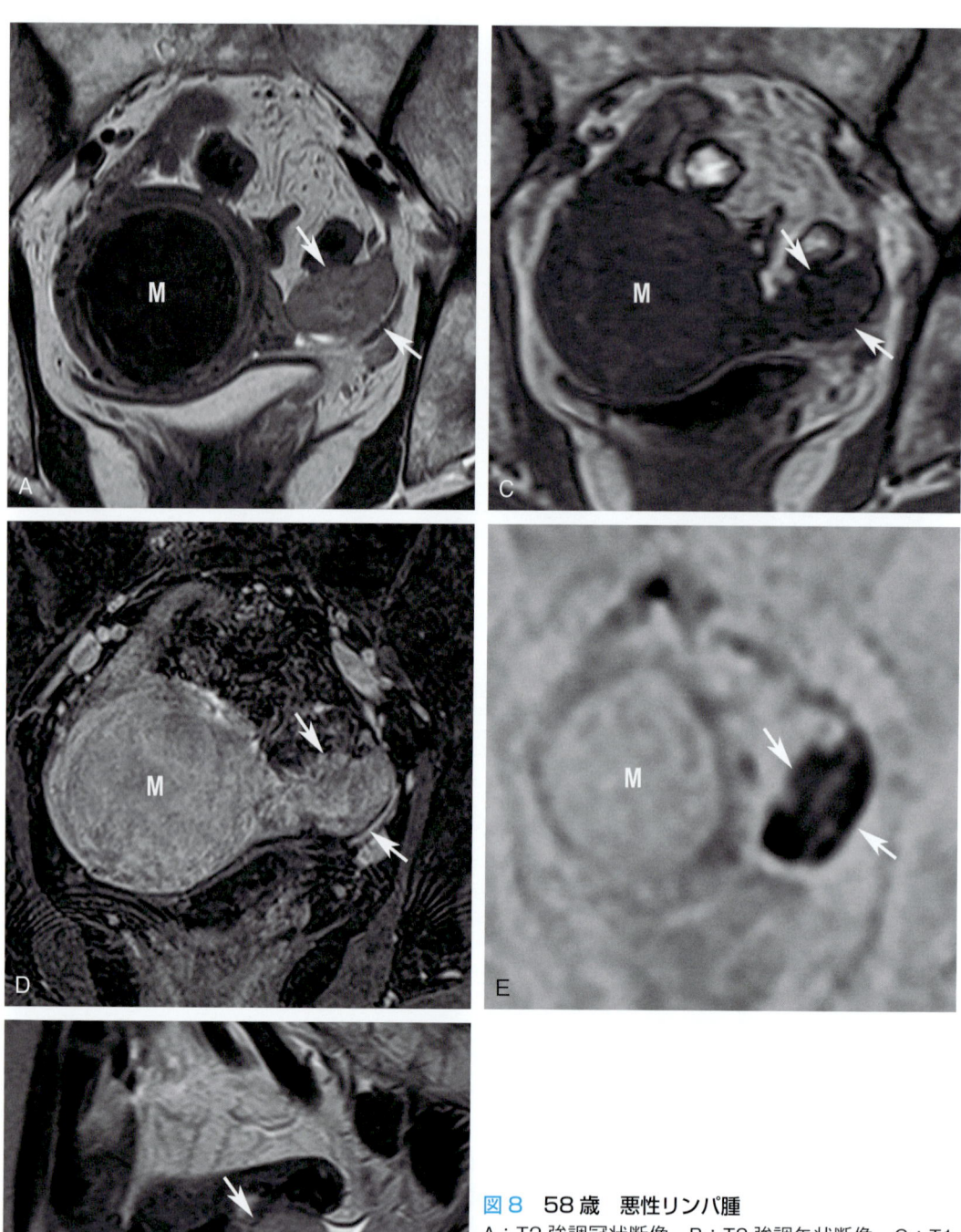

Ⅱ 卵巣腫瘍 ovarian tumors

図8 58歳 悪性リンパ腫
A：T2強調冠状断像，B：T2強調矢状断像，C：T1強調冠状断像，D：造影脂肪抑制T1強調冠状断像，E：拡散強調冠状断像

卵巣腫瘍疑いにて紹介。左卵巣に全体がT2強調像で信号強度の高い充実性腫瘤（A，B→，M：子宮筋腫）を認めるが，図7，9でみられるfollicle preserving signはみられない。腫瘤はよく増強され（C，D→），強い拡散制限を示す（E→）。閉経後症例ではもともと卵巣に卵胞が少ないので，診断がより困難になる。

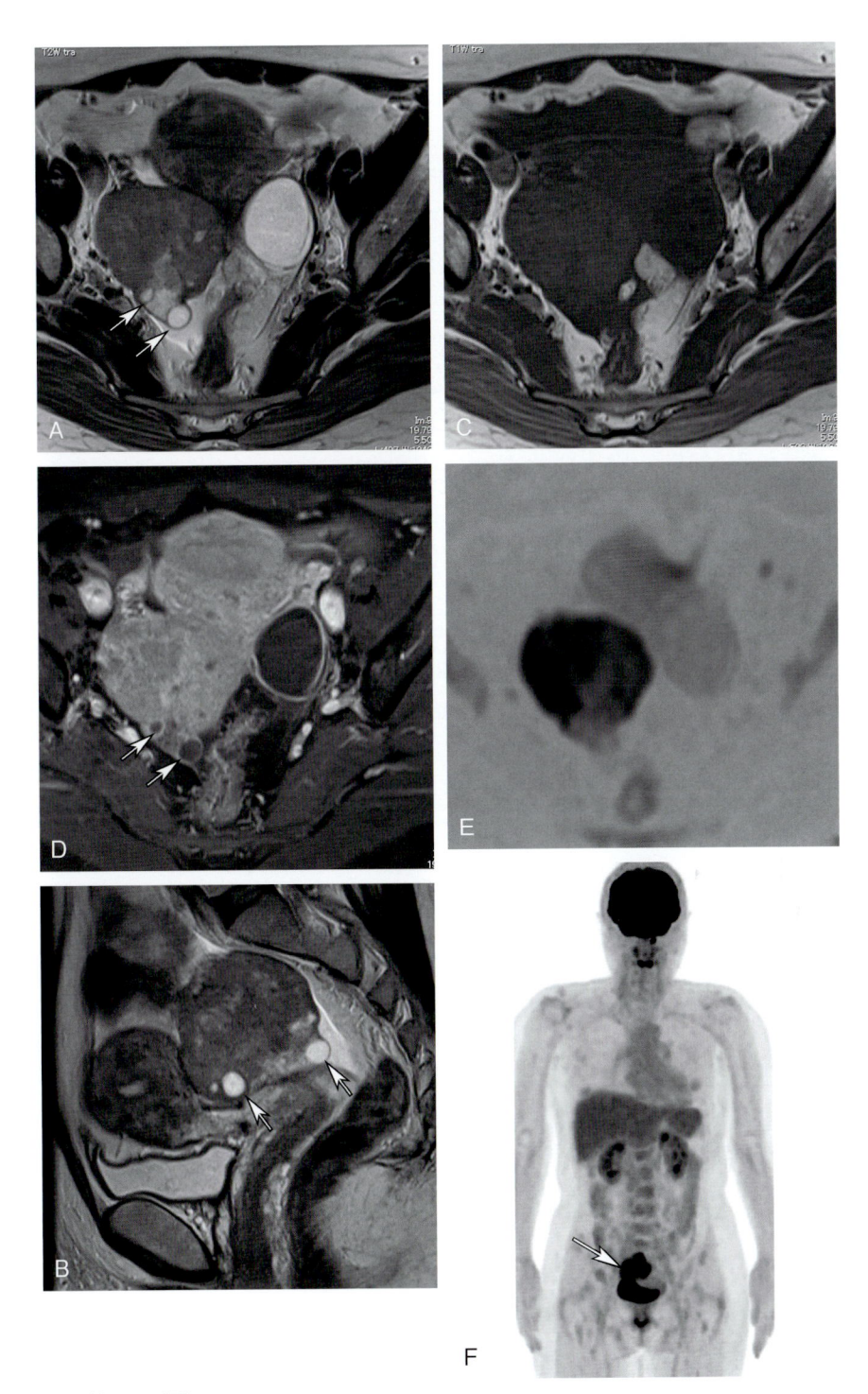

4. その他の腫瘍 miscellaneous tumors

図9　44歳　悪性リンパ腫
A：T2強調横断像，B：T2強調矢状断像，C：T1強調横断像，D：造影脂肪抑制T1強調横断像，E：拡散強調横断像，F：FDG-PETプラナー像
悪性卵巣腫瘍疑いにて紹介。右卵巣にほぼ全体が充実性の腫瘤を認め（A〜D）follicle preserving signを伴う（A, B, D →）。腫瘤はT2強調像で漿膜側筋層よりも信号強度が低く（B），強い拡散制限を示し（E），FDG-PET 0（F）でも強い集積が右卵巣のみに限局して認められ，卵巣原発と診断できる。

癌肉腫や腺肉腫の肉腫成分の overgrowth，奇形腫の一成分の増大，多臓器由来の肉腫からの転移を否定する必要がある．

　まれな卵巣平滑筋腫の起源には諸説あるが，卵巣内の血管壁の平滑筋成分から発生すると考えられており，更年期から閉経後に，多くは無症状で偶然発見される[25]．MRI では T1 強調像で低信号，T2 強調像で一部高信号部分を混在する高信号で，造影後は早期濃染を示す[26)27)]（図 10）．これらの特徴は子宮平滑筋腫（子宮筋腫）とまったく同等であり，有茎性筋腫との鑑別が問題となり，腫瘤と子宮との連続性を欠き，同側の卵巣が同定されないか，腫瘤の辺縁に卵胞を含む卵巣組織を含む場合には卵巣原発を疑うべきとされる．卵巣平滑筋肉腫はさらにまれである．子宮平滑筋肉腫と同様，粘液腫様平滑筋肉腫や上皮様平滑筋肉腫の報告もみられ[25]，病理組織学的にも良悪性の鑑別が難しい[28]．画像所見の示された症例報告では，漿膜下筋腫のように T2 強調像で信号強度の低い腫瘤[29]（図 11）とより高信号の充実性腫瘤[30]を呈した例が報告されているが，変性や壊死の程度により多彩な信号を示す可能性が高い．また，卵巣と離れて存在する場合には，より中枢側の卵巣静脈由来の可能性も考慮する必要がある（図 12）．

　卵巣血管腫（hemangioma）は血管腫症の一病変として生じることも孤発例として生じることもある．大量の胸腹水を合併して pseudo-Meigs 症候群を呈した例[31]や間質の黄体化によるホルモン活性を呈した症例[32]の報告が目立つ．他臓器の血管腫同様，T2 強調像で極めて信号強度が高く，よく造影される充実成分と囊胞成分の混在する腫瘤が多いようである[33]．

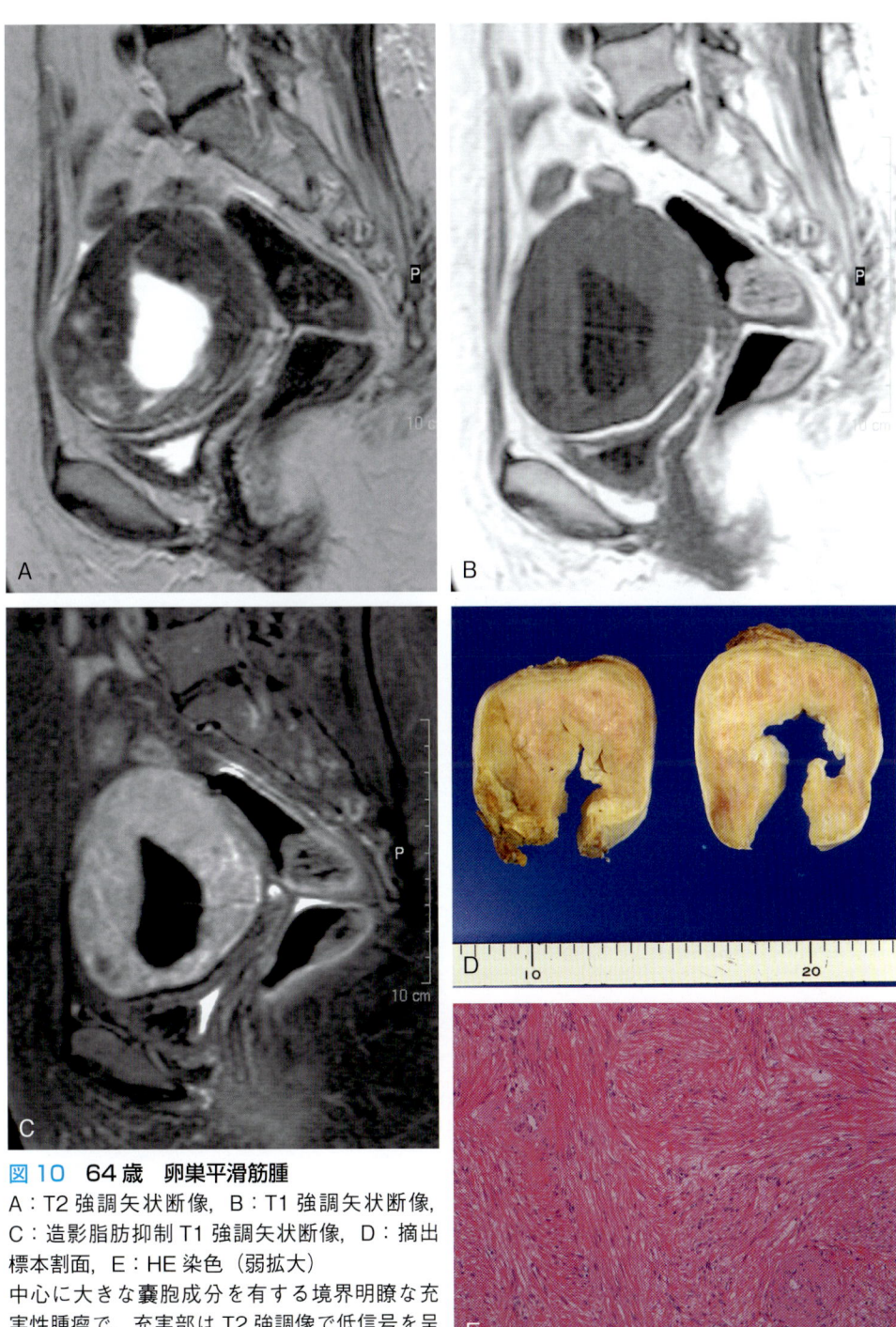

4. その他の腫瘍 miscellaneous tumors

図10 64歳 卵巣平滑筋腫
A：T2強調矢状断像，B：T1強調矢状断像，C：造影脂肪抑制T1強調矢状断像，D：摘出標本割面，E：HE染色（弱拡大）
中心に大きな囊胞成分を有する境界明瞭な充実性腫瘤で，充実部はT2強調像で低信号を呈し（A），造影剤によりよく増強され（B，C）子宮の平滑筋腫に類似する。摘出標本も白色調の固い腫瘍で中心部に囊胞を有する（D）。病理組織学的には紡錘形の腫瘍細胞が交錯しながら増殖しており，子宮筋腫と同等のパターンである（E）。

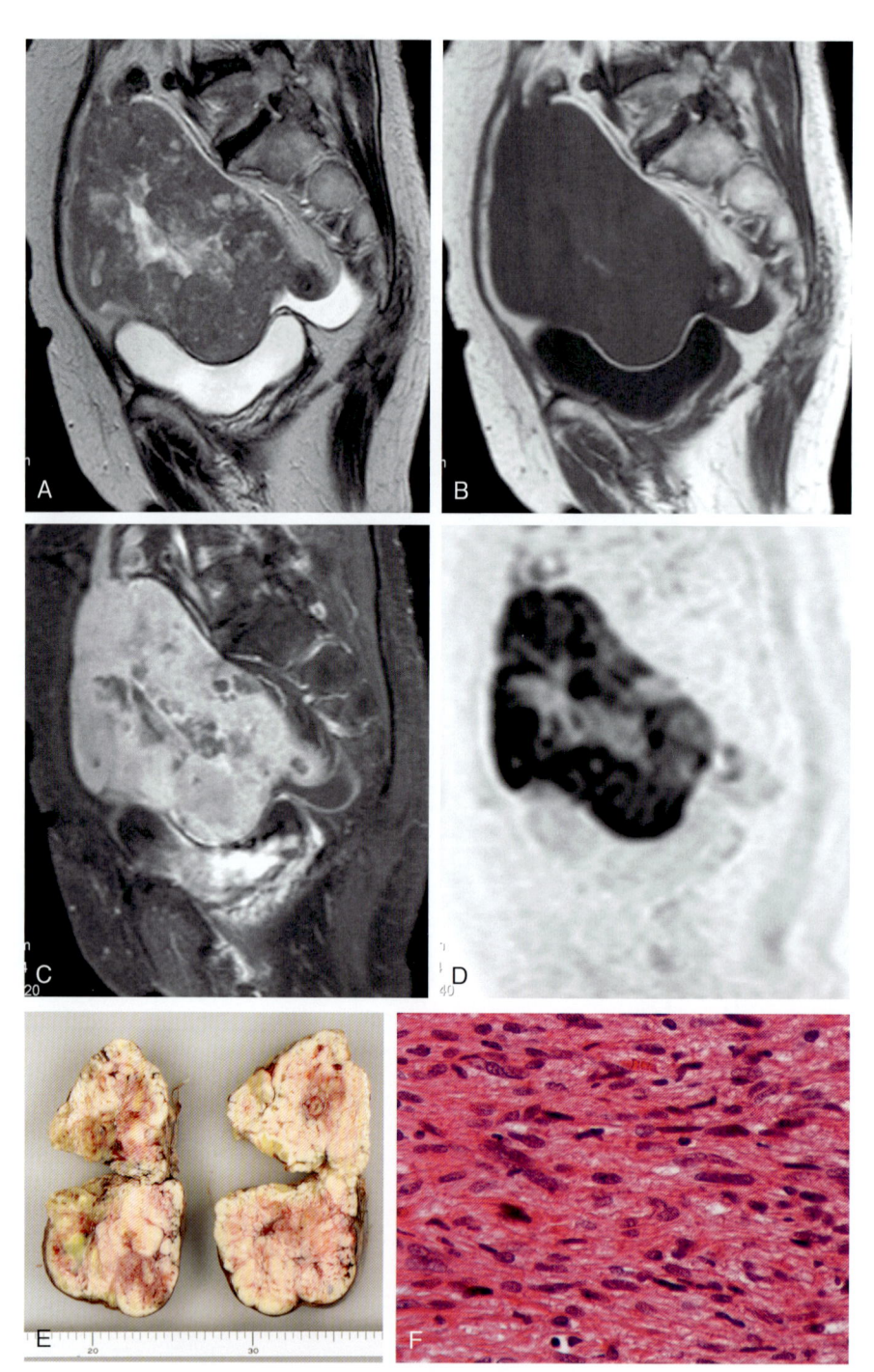

図11　71歳　卵巣平滑筋肉腫
A：T2強調矢状断像，B：T1強調矢状断像，C：造影脂肪抑制T1強調矢状断像，D：拡散強調矢状断像，E：摘出標本割面，F：HE染色（強拡大）
図10の卵巣平滑筋腫に極めて類似した，中心に囊胞成分を有する境界明瞭な充実性腫瘤（A〜D）である．図10に比べると充実部はやや不均一であるが，浸潤や播種は認められず，子宮発生例と同じく筋腫と肉腫の鑑別は困難なことがうかがわれる．摘出標本の割面も図10Dと類似している（E）．しかし病理組織学的に腫瘍を構成する細胞には核の大小不同や核型の不整，クロマチンの増量といった明らかな異型が存在する（F）．

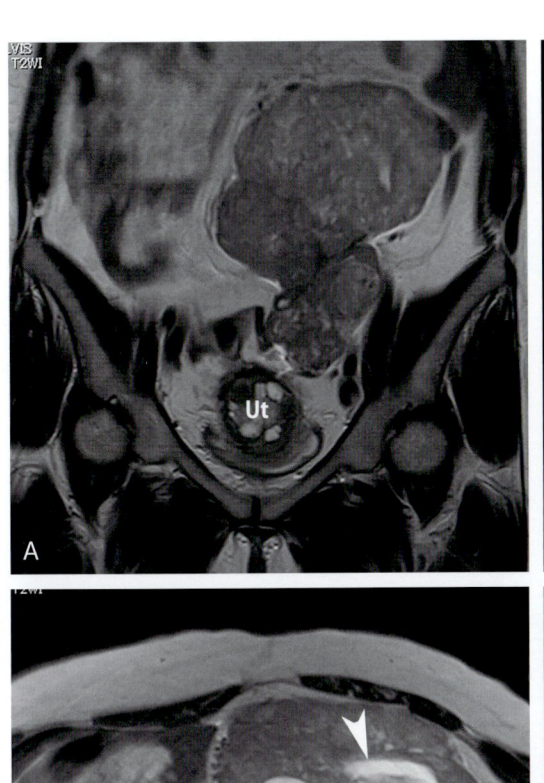

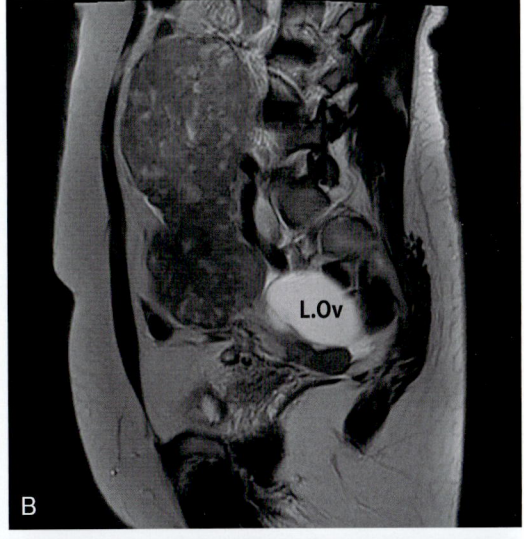

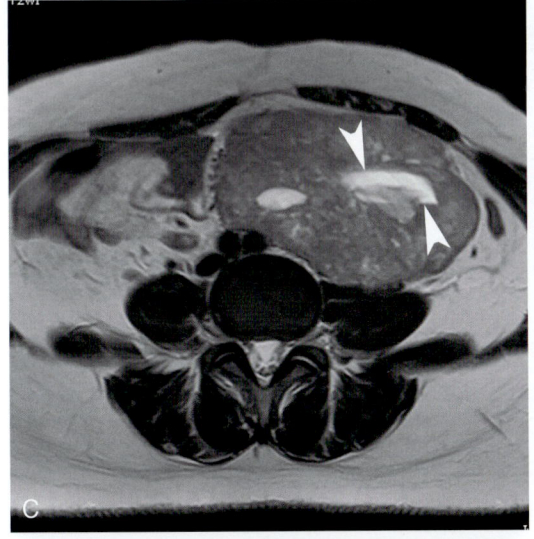

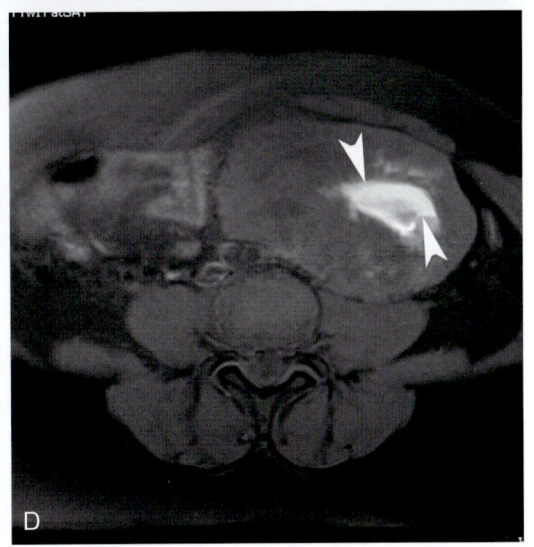

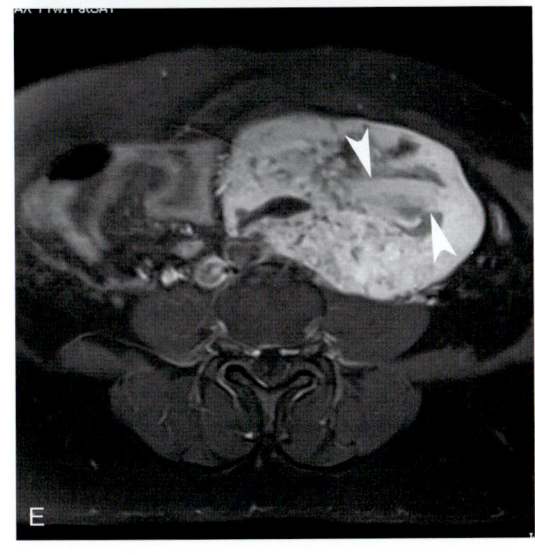

4. その他の腫瘍 miscellaneous tumors

図 12　52 歳　左卵巣静脈由来と考えられた平滑筋肉腫

A：T2 強調冠状断像，B：T2 強調矢状断像，C：T2 強調横断像，D：脂肪抑制 T1 強調横断像，E：造影脂肪抑制 T1 強調横断像

多発肺・肝転移を伴う骨盤内腫瘤として紹介。T2 強調像（A〜C）で子宮（A, Ut）とも，左卵巣（B, L.Ov）とも連続しない，多結節状の，信号強度の高い腫瘤を認め，中心部に出血壊死を伴っている（C〜E▲）。

589

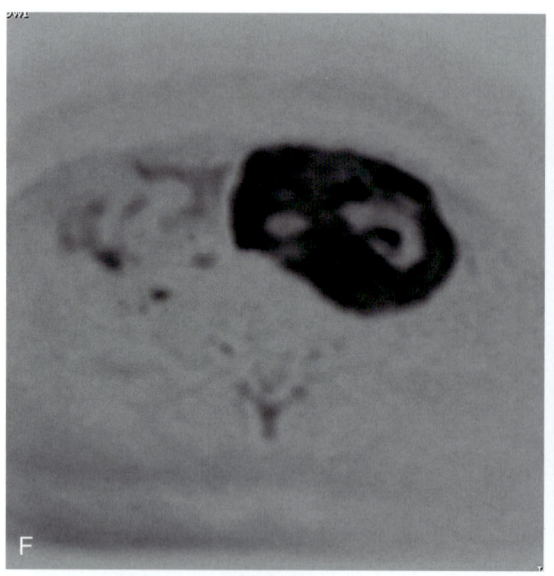

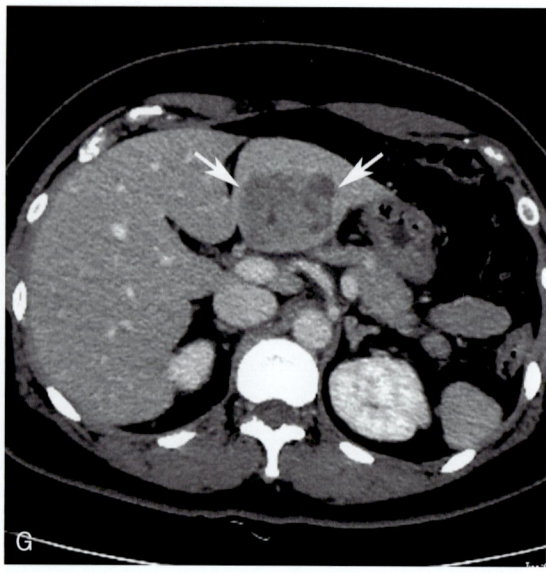

図 12 つづき（左卵巣静脈由来と考えられた平滑筋肉腫）
F：拡散強調横断像，G：造影 CT
拡散制限は強い（F）。浸潤傾向はないが，肺（非提示），肝転移（G→）を認める。内性器全摘と腫瘍切除が行われ，左卵巣静脈原発の平滑筋肉腫と診断された。

文献

1) 日本産科婦人科学会，日本病理学会 編：卵巣腫瘍・卵管癌・腹膜癌取扱い規約 病理編 第 2 版．金原出版，東京，2022
2) Vang R：Diseases of the Fallopian Tube and Paratubal Region, Kurman RJ et al eds：Blaustein's Pathology of the Female Genital Tract. p649-714, Springer International Publishing, Cham, 2019
3) Kariminejad MH, Scully RE：Female adnexal tumor of probable Wolffian origin：a distinctive pathologic entity. Cancer 31：671-677, 1973
4) WHO Classification of Tumors Editorial Board：Female Genital Tumours, 5th ed. International Agency for Research on Cancer, Lyon, 2020
5) Matsuki M et al：Female adnexal tumour of probable Wolffian origin：MR findings. Br J Radiol 72：911-913, 1999
6) Ito H et al：MRI, CT and FDG-PET/CT findings of Wolffian tumor：four-case series. Jpn J Radiol 39：1009-1016, 2021
7) Cui C et al：Magnetic resonance imaging findings of a case with Wolffian tumor and related literature review. Asian Biomed (Res Rev News) 18：81-86, 2024
8) Sakai M et al：Two cases of Wolffian tumor with novel magnetic resonance imaging findings reflecting characteristic pathology. J Obstet Gynaecol Res 42：1046-1051, 2016
9) Korivi BR et al：Small cell carcinoma of the ovary, hypercalcemic type：clinical and imaging review. Curr Probl Diagn Radiol 47：333-339, 2018
10) Hanafy AK et al：Imaging in pediatric ovarian tumors. Abdom Radiol 45：520-536, 2020
11) Lee J et al：Primary solid pseudopapillary tumor of the ovary：a case report and review of the literature. J Clin Med 13：2791, 2024
12) Liu AH et al：Solid pseudopapillary neoplasm：report of a case of primary ovarian origin and review of the literature. Heliyon 9：e19318, 2023
13) Vora M et al：Neuroendocrine tumors in the ovary：histogenesis, pathologic differentiation, and clinical presentation. Arch Gynecol Obstet 293：659-665, 2016
14) Lopes Dias J et al：Neuroendocrine tumours of the female genital tract：a case-based imaging review with pathological correlation. Insights Imaging 6：43-52, 2015
15) Oliva E et al：Granulocytic sarcoma of the female genital tract：a clinicopathologic study of 11 cases. Am J Surg Pathol 21：1156-1165, 1997
16) Monterroso V et al：Malignant lymphomas involving the ovary：a clinicopathologic analysis of 39 cases. Am J Surg Pathol 17：154-170, 1993
17) Ferry JA：Hematologic Neoplasms and Selected Tumorlike Lesions Involving the Female Reproductive Organs, Kurman RJ et al eds：Blaustein's Pathology of the Female Genital Tract. p1377-1403, Springer International Publishing, Cham, 2019
18) Osborne BM, Robboy SJ：Lymphomas or leukemia presenting as ovarian tumors：an analysis of 42 cases. Cancer 52：1933-1943, 1983
19) Ferrozzi F et al：Non-Hodgkin lymphomas of the ovaries：MR findings. J Comput Assist Tomogr 24：416-420, 2000
20) Tanaka YO et al：Magnetic resonance imaging findings of

small round cell tumors of the ovary : a report of 5 cases with literature review. J Comput Assist Tomogr 30 : 12-17, 2006
21) Mitsumori A et al : MR appearance of non-Hodgkin's lymphoma of the ovary. AJR Am J Roentgenol 173 : 245, 1999
22) McCarville MB et al : Secondary ovarian neoplasms in children : imaging features with histopathologic correlation. Pediatr Radiol 31 : 358-364, 2001
23) Jung SE et al : MR findings in ovarian granulocytic sarcoma. Br J Radiol 72 : 301-303, 1999
24) Tanaka Y : Ovarian small round cell tumors : Magnetic resonance imaging, Hayat M ed : Cancer Imaging. Vol. 2. p533-536, Elsevier, Chicago, 2007
25) Schwartz LE et al : Nonspecific Tumors of the Ovary, Including Mesenchymal Tumors, Kurman RJ et al eds : Blaustein's Pathology of the Female Genital Tract. p1125-1150, Springer International Publishing, Cham, 2019
26) Tamada T et al : MRI appearance of primary giant ovarian leiomyoma in a hysterectomised woman. Br J Radiol 79 : e126-128, 2006
27) Thombare P et al : Primary ovarian leiomyoma : imaging in a rare entity. Radiol Case Rep 15 : 1066-1070, 2020
28) Lerwill MF et al : Smooth muscle tumors of the ovary : a clinicopathologic study of 54 cases emphasizing prognostic criteria, histologic variants, and differential diagnosis. Am J Surg Pathol 28 : 1436-1451, 2004
29) Fischetti A et al : Imaging findings of ovarian leiomyosarcoma with histopathologic correlations. Eur J Obstet Gynecol Reprod Biol 236 : 261-262, 2019
30) Raychaudhuri S et al : Primary leiomyosarcoma of ovary : a rare malignancy as an incidental finding. Indian J Pathol Microbiol 65 : 938-941, 2022
31) Kaneta Y et al : Ovarian hemangioma presenting as pseudo-Meigs' syndrome with elevated CA125. J Obstet Gynaecol Res 29 : 132-135, 2003
32) Yamawaki T et al : Ovarian hemangioma associated with concomitant stromal luteinization and ascites. Gynecol Oncol 61 : 438-441, 1996
33) Yu X et al : MR imaging of typical ovarian hemangioma : a case report. Curr Med Imaging 20 : e15734056293540, 2024

5. 腫瘍様病変 tumor-like lesions

Summary
- 性周期に伴ってみられる卵胞嚢胞や黄体嚢胞が巨大化または多発して腫瘍様にみえることがある。
- 妊娠中や絨毛性疾患による高hCG環境下で発症する黄体化過剰反応や不妊治療に伴う卵巣過剰刺激症候群とよばれる黄体化した卵胞が多発する病態は多数の嚢胞を境する間質が車輻状を呈する。
- ウォルフ管（中腎管），ミュラー管（傍中腎管）起源とされる傍卵巣嚢胞は卵巣と近接するが連続性のない嚢胞として描出される。
- 広汎性浮腫ではT2強調像で水に近い高信号を呈して卵巣が腫瘍様に腫大する。
- 多嚢胞性卵巣症候群は月経周期の異常に肥満や男性化など多彩な症候を伴う病態で，形態的には「USで両側卵巣に多数の小卵胞がみられ，少なくとも一方の卵巣で直径2〜9mmの小卵胞が10個以上存在するもの」との項目が診断基準に含まれる。

『卵巣腫瘍・卵管癌・腹膜癌取扱い規約 病理編 第2版』[1]では以下に示す腫瘍様病変(tumor-like lesions)を取り上げている。これらのなかには正常の性周期（排卵，妊娠）に伴う生理的変化に加え，内分泌や血流の異常に伴う卵巣の異常反応ともいうべき変化が含まれる。また子宮内膜症と炎症性病変が本項に含まれ，これらは真の腫瘍ではないものの，腫瘤を形成してしばしば画像診断の対象となる病態である。本稿では独立した疾患群としてとらえうる子宮内膜症（第5章-Ⅰ参照）と炎症性疾患（第11章-Ⅰ参照）を除いた卵巣の腫瘍様病変について概説する。

1) 子宮内膜症性嚢胞 endometriotic cyst

子宮内膜症性嚢胞については第5章-Ⅰで取り上げており，そちらを参照されたい。

2) 卵胞嚢胞 follicle cyst

顆粒膜細胞とその外側の莢膜細胞で被覆された生理的嚢胞で径3cmを超えるものと定義されている。性成熟期だけでなく，あらゆる年代でみられることがあるとされている（図1）[1-3]。正常卵巣には主席卵胞を含む多数の卵胞や黄体が含まれ，MRIによる検討では個々の大きさは0.2〜4.7cmであった[4]とされており，本章Ⅰで述べた通り，大型化したものを除いては正常卵巣の一部とみなしてよいものがほとんどである。

5. 腫瘍様病変 tumor-like lesions

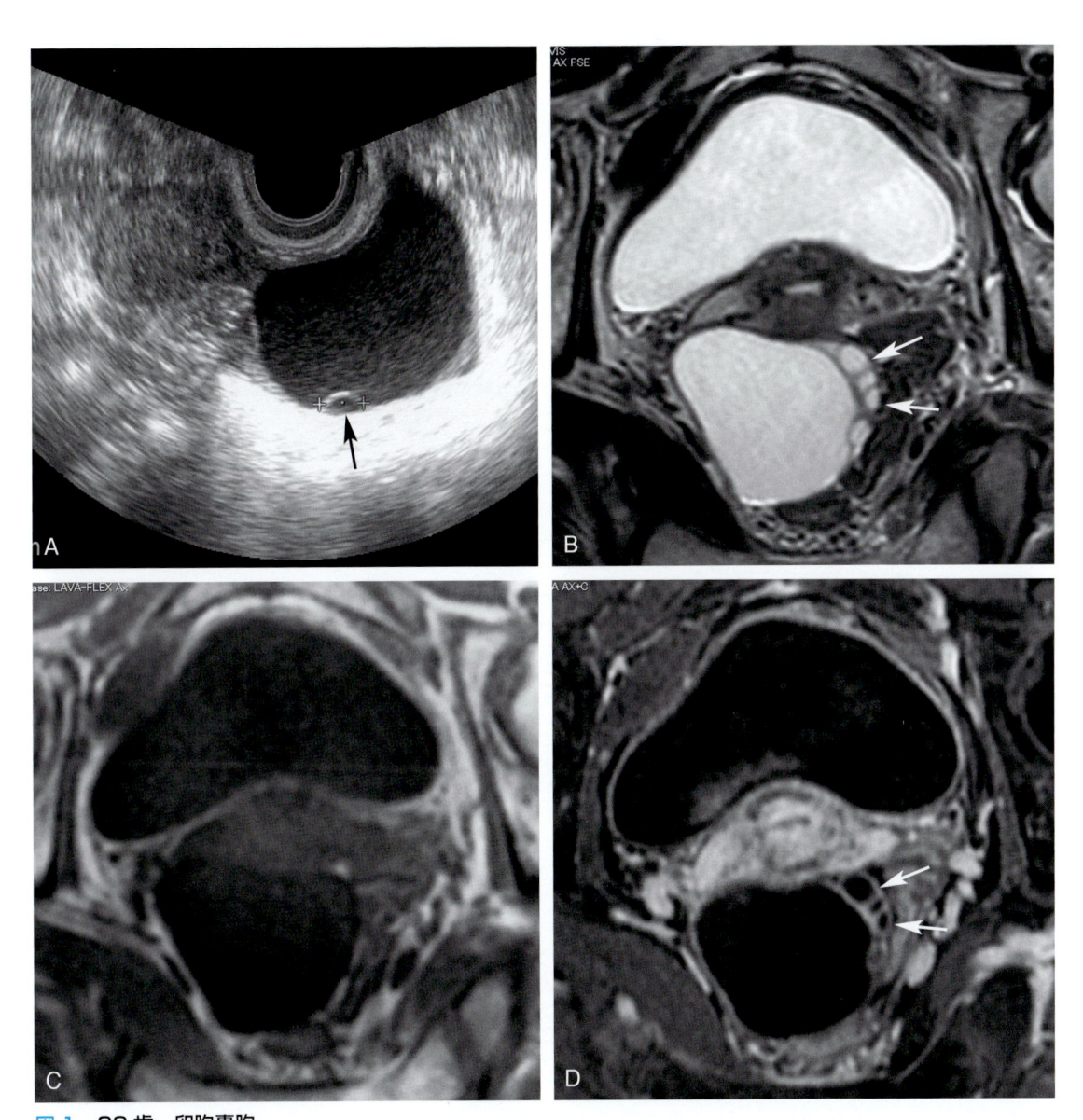

図1　38歳　卵胞嚢胞
A：TVUS，B：T2強調冠状断像，C：T1強調冠状断像，D：造影脂肪抑制T1強調冠状断像
卵巣癌疑い（充実成分を伴う嚢胞性腫瘤）として紹介された。TVUSでは内部に微細な内部エコーのある径約5cmの嚢胞性腫瘤が正常卵胞（A →）に接して認められるが，充実部はない。MRIではT2強調像で高信号（B），T1強調像で低信号（C）の内容物を含む壁の薄い嚢胞で，左方に存在する卵胞（B, D →）と比べサイズは大きいが，造影後も充実部は明らかとならない（D）。その後の経過観察で縮小し，卵胞嚢胞と考えられた。

3）黄体嚢胞 corpus luteum cyst

　径3cmを超える嚢胞化した黄体と定義され，破綻して出血を合併することが多く，内層は黄体化顆粒膜細胞，外層は莢膜細胞で構成され，性成熟期にみられる[1-3]。画像的には莢膜・顆粒膜細胞層が内腔側に嵌入しながら配列する王冠状の形態も黄体の特徴である（p62 図7参照）が，大型化した黄体嚢胞では被膜が伸展されるためか，確認できないことも多い（図2）。

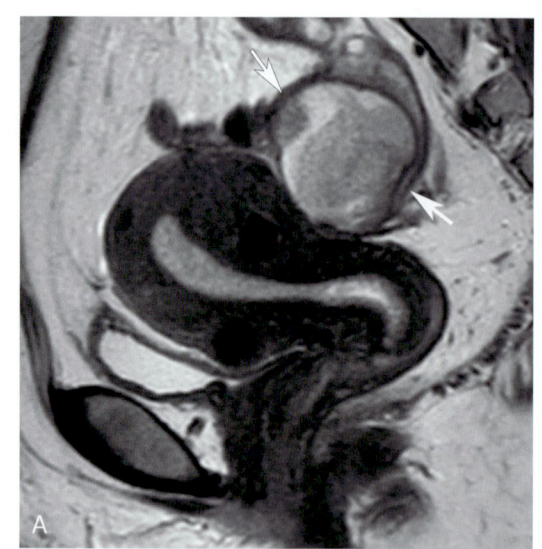

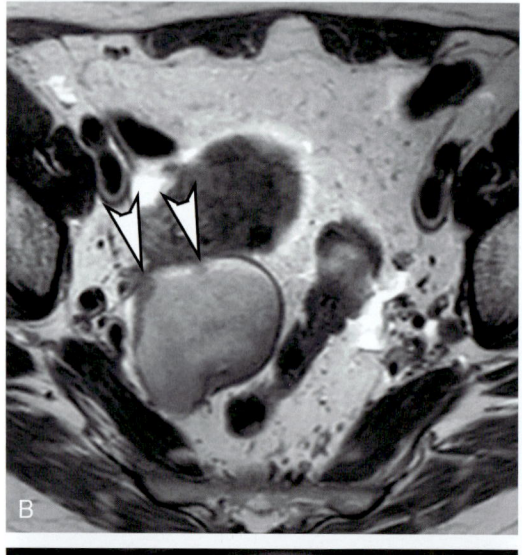

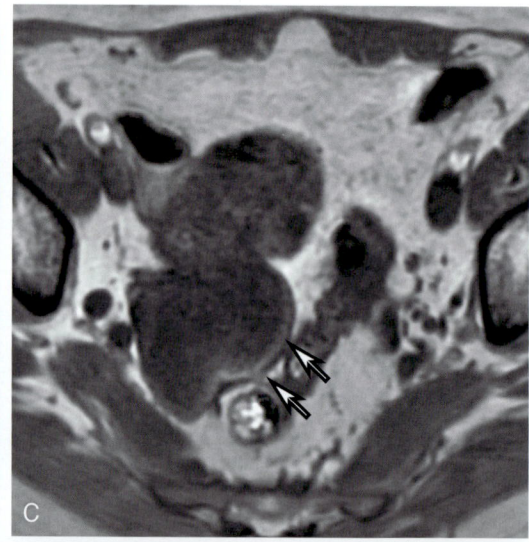

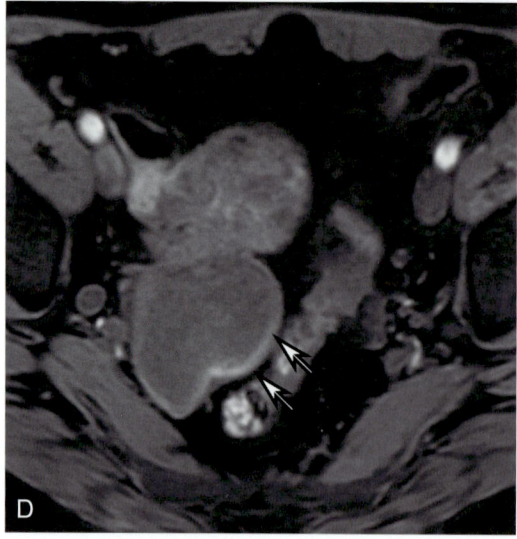

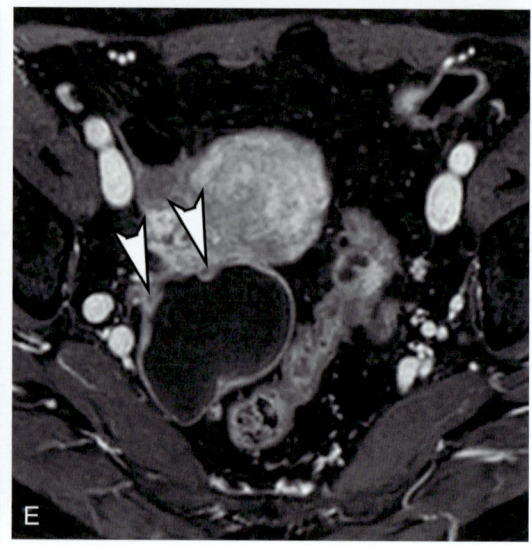

図2 41歳 黄体嚢胞

A：T2強調矢状断像，B：T2強調横断像，C：T1強調横断像，D：脂肪抑制T1強調横断像，E：造影脂肪抑制T1強調横断像

腹痛にて近医を受診し，卵巣腫瘍が疑われた。T2強調像で右卵巣の下端に不均一な高信号を示す長径75 mmの腫瘤を認め（A，B），T1強調像で辺縁の一部が高信号を示し（C，D→），血性の内容物が示唆される。T2強調像で，前壁から右壁にかけてみられた微小な壁在結節様の部分（B▲）は造影後，辺縁に圧排された卵胞であることがわかる（E▲）。両側付属器切除が行われ，病理組織学的に黄体嚢胞であることが確認された。

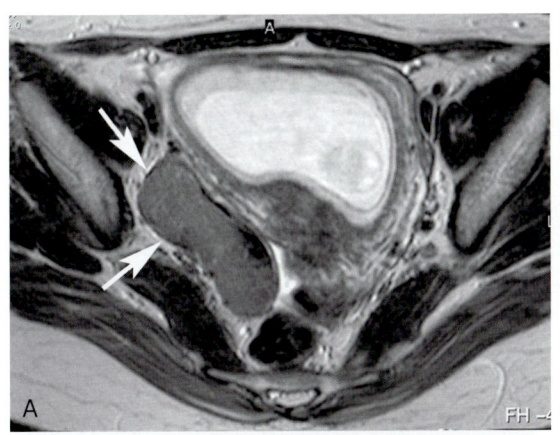

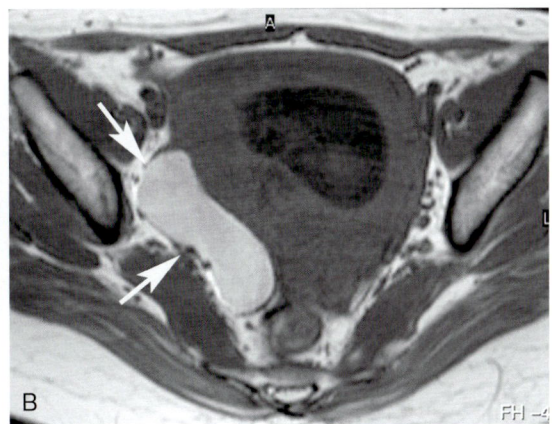

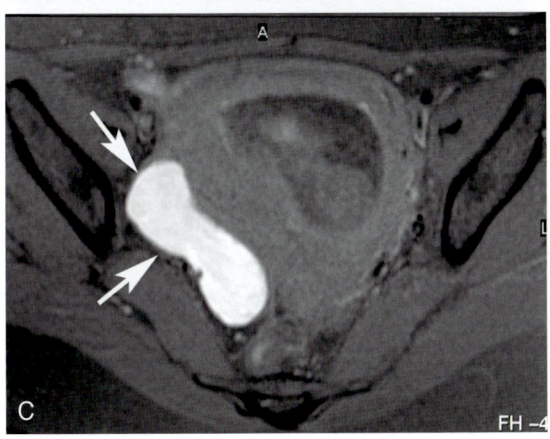

図3 30歳 妊娠12週，大型孤在性黄体化卵胞囊胞
A：T2強調横断像，B：T1強調横断像，C：造影脂肪抑制T1強調横断像
妊娠により腫大した子宮の右後方にT2強調像で不均一な低信号（A），T1強調像，脂肪抑制T1強調像ともに高信号の単房性囊胞がある（B，C→）。本病態の囊胞内容物は通常漿液性といわれるが，本例では出血に伴いT1強調像で高信号になっている。

4）大型孤在性黄体化卵胞囊胞 large solitary luteinized follicle cyst

hCGに対する異常反応と考えられている．妊娠中にみられる，黄体化細胞で構成される片側性の囊胞である．薄い壁を有し，20 cmを超えることが少なくないとされる（図3）[1]．

5）黄体化過剰反応 hyperreactio luteinalis

黄体化した卵胞囊胞からなる両側性の卵巣腫大で，通常は妊娠中や絨毛性疾患に合併して起こる[1)3)]．本症は絨毛性疾患の10～50％にみられるとされるが，正常妊娠にも合併することがある[3)5)6)]．肉眼的には薄い壁からなる多数の囊胞により両側卵巣は腫大する．囊胞内容物は漿液性のものも血性のものもみられる[7)]．病理組織学的に囊胞壁は主として黄体化した内莢膜細胞からなり，莢膜細胞層や間質は著明な浮腫をきたすとされる[3)]．

画像的には多数の囊胞を境する間質が車輻状（spoke-wheel appearance）を呈する（図4）．卵巣過剰刺激症候群（ovarian hyperstimulation syndrome：OHSS）は不妊治療としての排卵誘発により医原性に生じた黄体化過剰反応で[2)]，卵巣腫大をきたす（図5）ばかりでなく，全身の毛細血管透過性亢進により血漿成分がサードスペースに漏出し，循環血液量減少，血液濃縮，胸

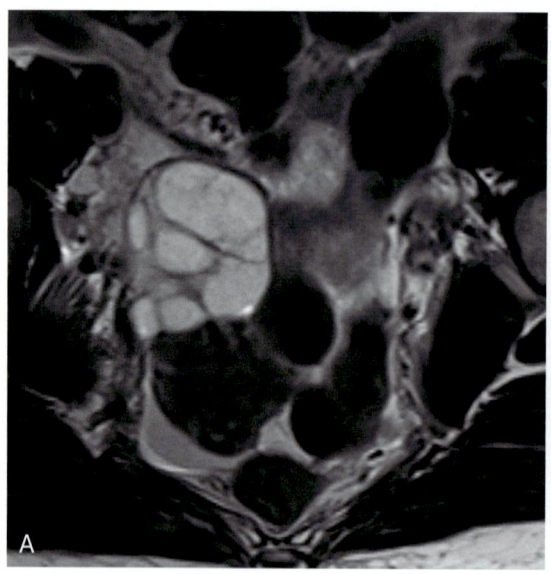

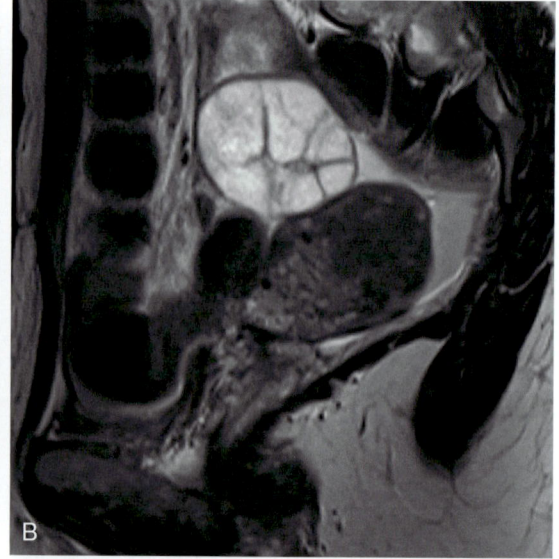

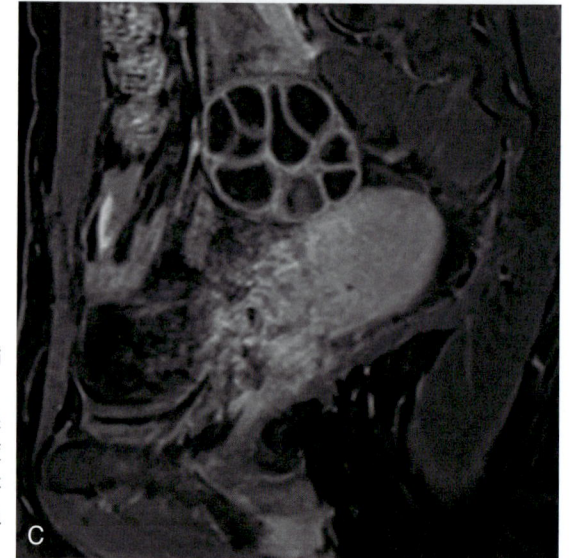

図4　35歳　黄体化過剰反応
A：T2強調横断像，B：T2強調矢状断像，C：造影脂肪抑制T1強調矢状断像
28歳時，子宮頸癌に対し広汎子宮頸部摘出術後，経過良好にて不妊治療中。右卵巣には皮質領域に多数の比較的大きな卵胞嚢胞が配列し，車輻状を呈して卵巣全体が腫大している（A～C）。排卵誘発剤による黄体化過剰反応である。

腹水貯留が生じた状態とされる[8]（図6）。排卵誘発周期あたりの発生頻度は0.8～1.5%，危機的な最重症型が10万あたり0.6～1.2と報告されている[8]。

6）妊娠黄体腫 pregnancy luteoma

　妊娠時に見つかる卵巣の黄褐色腫瘍状の腫大である。大きさは様々で時に20cmを超える。本態は黄体細胞，黄体化莢膜細胞の過形成であり，通常は無症状で帝王切開時やUSで偶然発見されるが，まれに機能性で男化徴候を呈する。USでは血流の豊富なエコーレベルの低い充実性腫瘤との報告が多い[9]。MRIではT1強調像で中間信号，T2強調像で低信号の結節が卵巣辺縁に配列する多結節状の腫瘤[10]との報告が多いが，嚢胞性腫瘤との報告もみられる[9]。

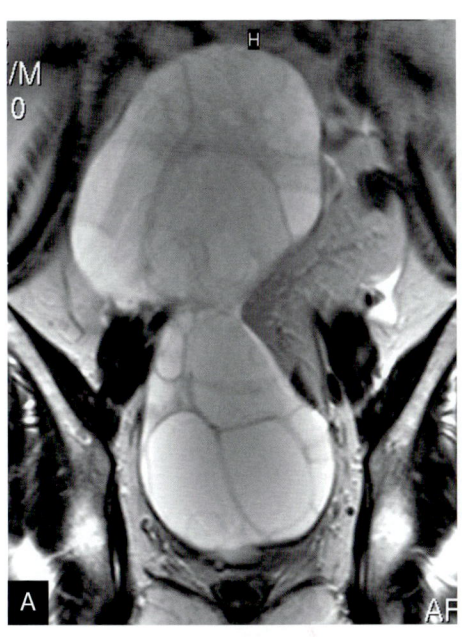

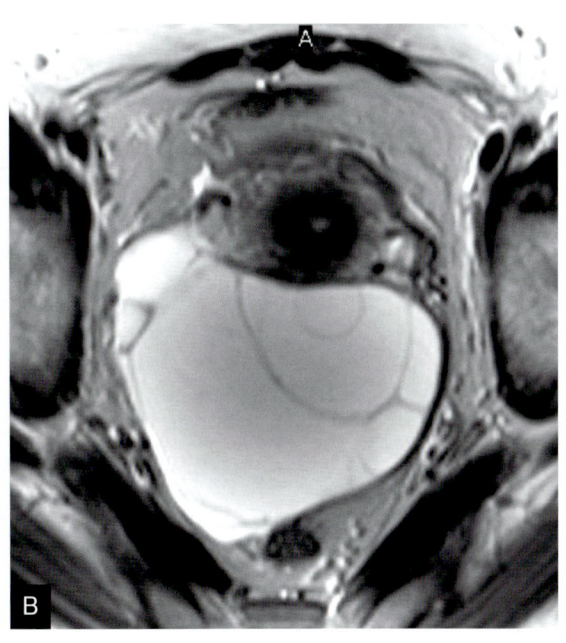

5. 腫瘍様病変 tumor-like lesions

図5 41歳 卵巣過剰刺激症候群
A：T2強調冠状断像，B：T2強調横断像
他院にて不妊治療中，子宮腺筋症を疑われて行ったMRIで偶然みられた多発性黄体化卵胞嚢胞で典型的な卵巣過剰刺激症候群である。両側卵巣は著明に腫大し内部に大小の嚢胞を伴い隔壁が車輻状に認められる（A，B）。

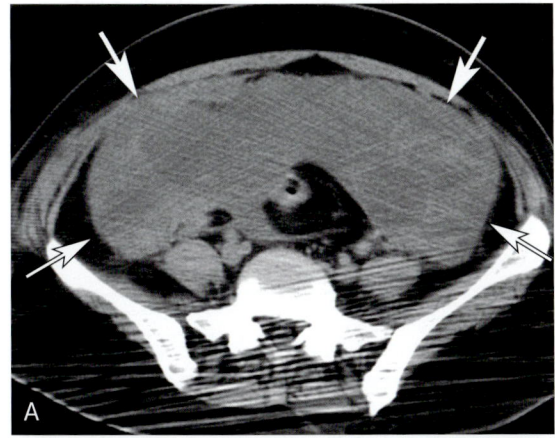

図6 39歳 卵巣過剰刺激症候群
A：単純CT（骨盤入口部），B：単純CT（胸部），C：単純CT（肺条件）
他院にて不妊治療中，呼吸困難で発症。多数の嚢胞を伴って著しく腫大した卵巣（A→）により腹部は膨隆している。両側に多量の胸水を認め（B→），肺静脈拡大と間質性肺水腫を示唆するすりガラス状の濃度上昇もみられる（C）。

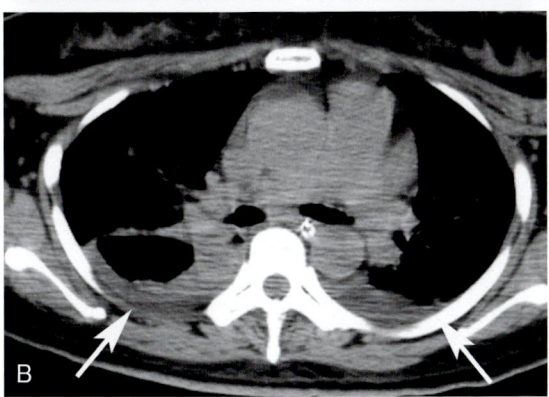

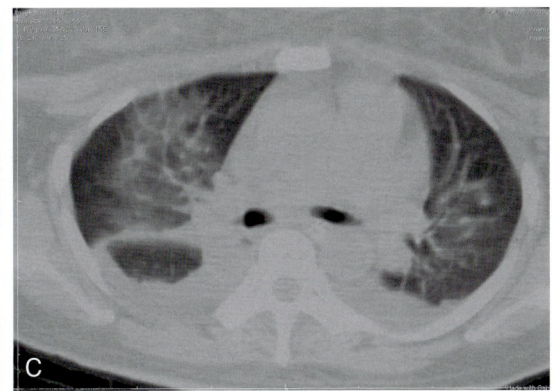

7) 間質過形成 stromal hyperplasia および
　　間質莢膜細胞過形成 stromal hyperthecosis

　　間質過形成（stromal hyperplasia）は両側卵巣の間質細胞の過形成によるびまん性腫大である。間質莢膜細胞過形成（stromal hyperthecosis）は黄体化細胞の増殖を伴う間質過形成である。周閉経期や閉経後に偶然診断されることが多い。性腺刺激ホルモンの増加に反応した状態である。形態的にはどちらも両側卵巣が結節状ないしびまん性に腫大する[1]。

8) 線維腫症 fibromatosis

　　膠原線維を産生する紡錘形細胞の非腫瘍性増殖で，卵巣は硬い充実性腫瘤を形成する[1]。膠原線維が卵胞を取り囲むように増生し，卵巣実質との境界は不明瞭である。多くの場合，線維化はびまん性に起こるが，なかには皮質に限局した cortical fibrosis ともいうべき分布をとるものもある[3]。後述の広汎性浮腫と同様に病変に浮腫を合併するものがあること，逆に広汎性浮腫症例に線維化巣を含む症例があること，どちらも好発年齢が小児から若年成人にあることから同一の病態の異なる発現形式を見ているとの説もある[11]。US では高度の線維化を反映して後方エコーの強い減弱を伴う不均一な高エコー結節としてみられ，CT では増強効果の不良な充実性腫瘤を形成する。MRI では T1 強調像で低信号，T2 強調像でも極めて低信号を呈するが，低信号の線維化巣の間に正常卵巣組織の残存がみられるのが特徴とされる[12]。前述の線維化が皮質領域に限局する症例では線維化巣が卵巣辺縁を花冠状に取り囲む（図 7）ことから black garland sign と報告されている[13]。

9) 広汎性浮腫 massive edema

　　一側性，時に両側性の腫瘍様卵巣腫大で，卵巣の間質にタンパク成分を含む水溶液が貯留し，間質は分断され，その間に卵胞が散在性に残存している病態と定義されている[1]。その成因は多岐にわたるが，間欠的，不完全な茎捻転が疑われており[14]，小児や若年成人に好発し，後述する茎捻転と同じく右卵巣に多い。画像的に腫大した卵巣は T1 強調像で低信号，T2 強調像で水に近い高信号を呈し[15]，卵胞の残存を反映して辺縁部に小嚢胞が配列するとされる[16]（図 8）。近年，不全茎捻転以外でも，内分泌学的異常や既存の卵巣腫瘍によるリンパ還流障害なども本症の誘因になることが報告されており[17,18]（図 9），特に悪性腫瘍の併存には注意が必要である。

10) ライディッヒ細胞過形成 Leydig cell hyperplasia
　　（門細胞過形成 hilar cell hyperplasia）

　　妊婦ないし閉経後にみられる卵巣門部におけるライディッヒ細胞の過形成で，病変は微視的で肉眼的異常を認めない[1]とされており，画像的に問題となることはないと思われる。

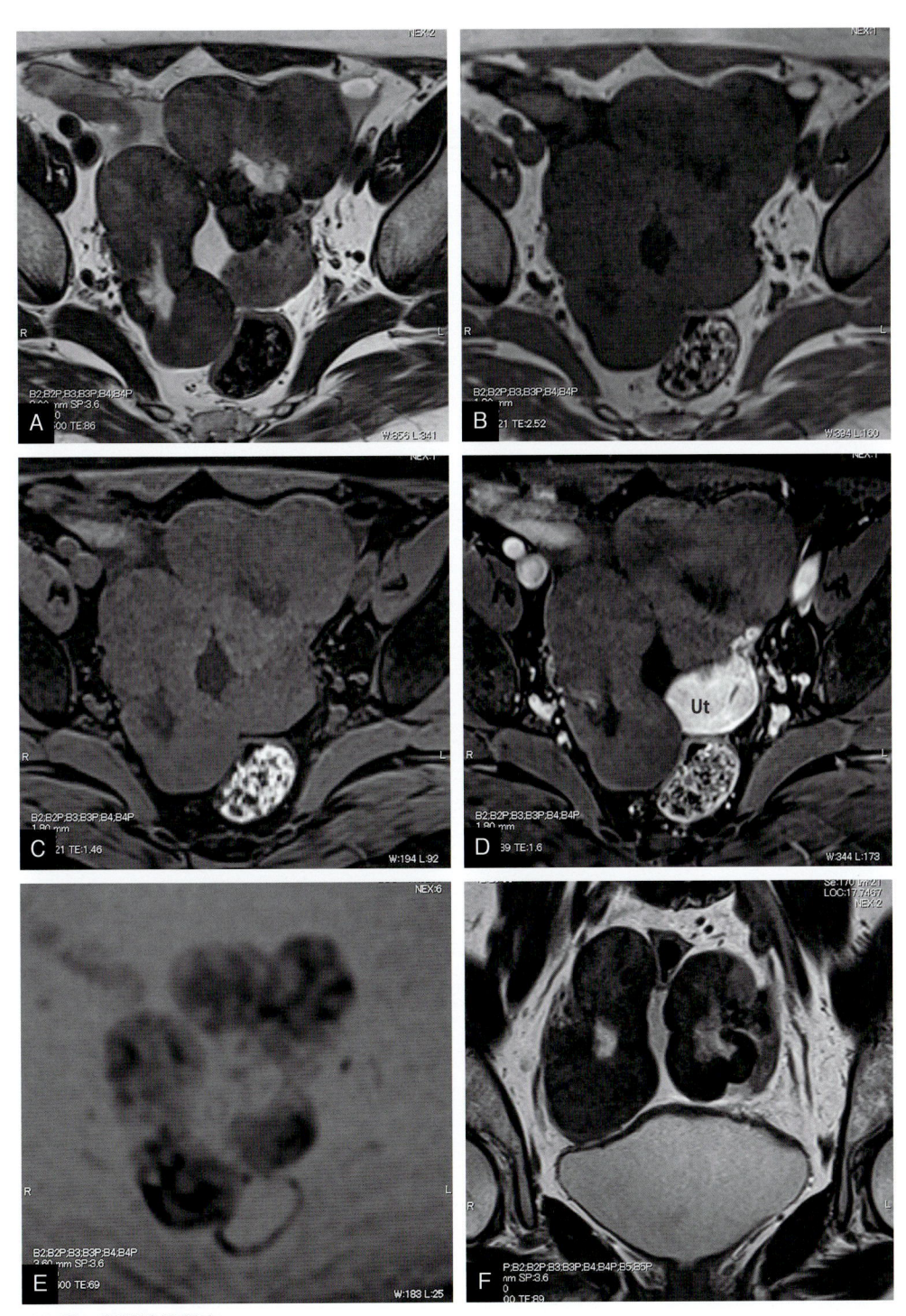

5. 腫瘍様病変 tumor-like lesions

図7 61歳 卵巣線維腫症
A：T2強調横断像，B：T1強調横断像，C：脂肪抑制T1強調横断像，D：造影脂肪抑制T1強調横断像，E：拡散強調横断像，F：T2強調冠状断像

両側卵巣腫瘍疑いで紹介され，転移の否定のため消化管，乳腺を検索したが原発巣は同定されなかった。両側卵巣にT2強調像では皮質領域に縁取りのような幅の広い低信号域が広がり（A, F），卵巣全体が腫大している。T1強調像では低信号（B, C），造影後は子宮筋層に比べ，増強効果が不良である（D, Ut：子宮）。拡散強調像では不均一で弱い拡散制限を認める（E）。典型的な卵巣線維腫症の black garland sign である。

599

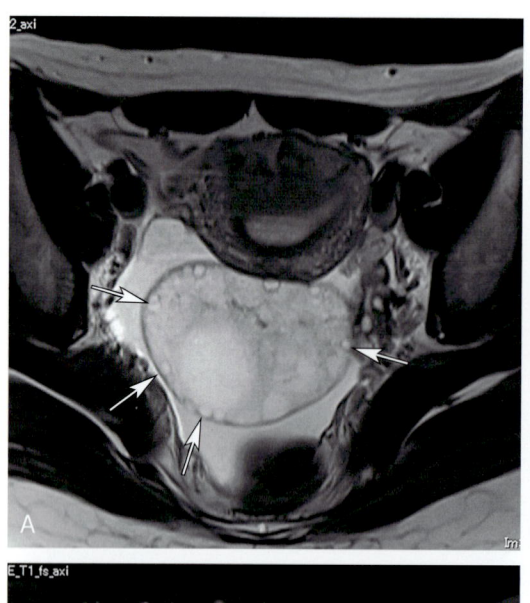

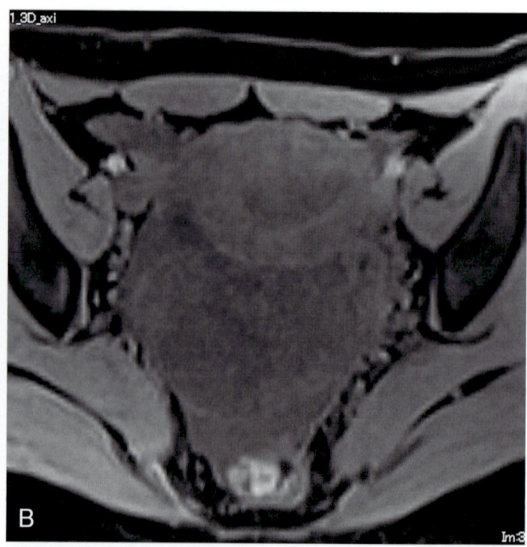

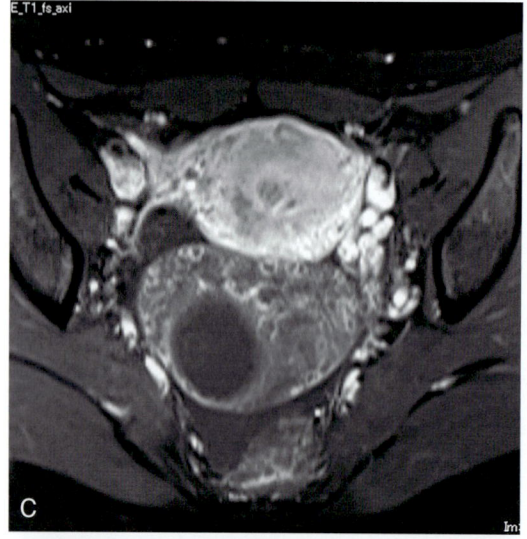

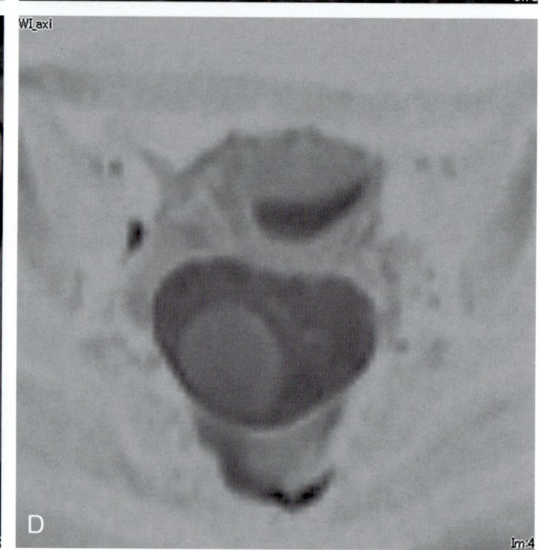

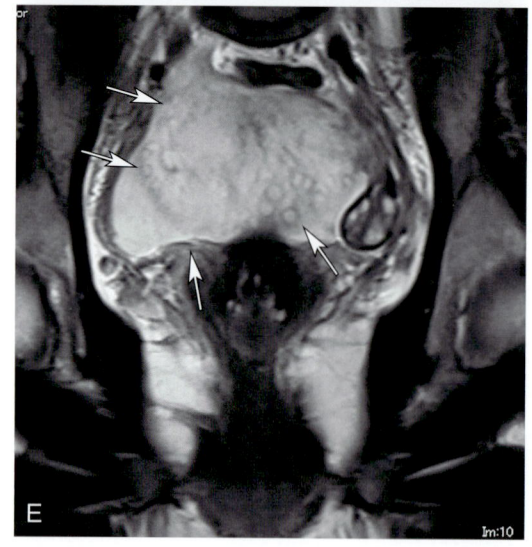

II 卵巣腫瘍 ovarian tumors

図8 32歳 広汎性浮腫

A：T2強調横断像，B：脂肪抑制T1強調横断像，C：造影脂肪抑制T1強調横断像，D：拡散強調横断像，E：T2強調冠状断像

6年前，排卵誘発剤（クロミフェン）を用いて，妊娠・出産に至った既往がある。今回，右卵巣腫大，腫瘍疑いにて紹介受診。著しく腫大した右卵巣はT2強調像にて辺縁を中心に卵胞と考えられる小囊胞を含み（A，E→），脂肪抑制T1強調像にて低信号（B），増強効果は極めて不良（C）だが，軽度の拡散制限（D）がある。浮腫性の卵巣腫大であり，排卵誘発剤使用を誘因とする広汎性浮腫と考えられる。

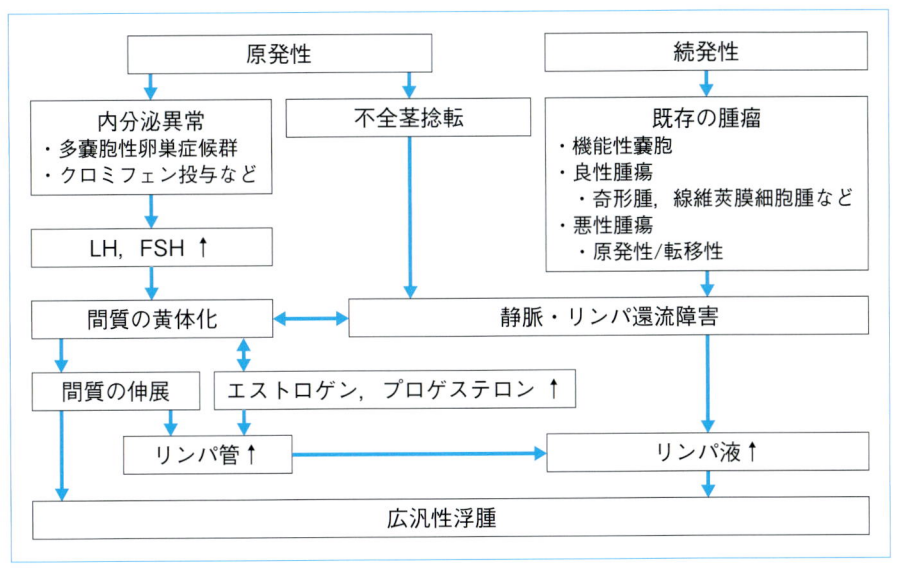

図9 広汎性浮腫の発生機序

11）その他 others

　妊娠時顆粒膜細胞過形成（granulosa cell proliferation of pregnancy），異所性脱落膜（ectopic decidua）［脱落膜症（deciduosis）］，自己免疫性卵巣炎（autoimmune oophoritis），中皮過形成（mesothelial hyperplasia），放線菌などによる卵管・卵巣膿瘍（tubo-ovarian abscess），肉芽腫性炎症が腫瘍に類似することがある[1]。炎症性疾患については第11章-Ⅰ（p758参照）で詳述する。

附．多嚢胞性卵巣症候群 polycystic ovary syndrome（PCOS）

　以前の『卵巣腫瘍取扱い規約』には「多発性卵巣嚢胞」として掲載されていたが，最新版『卵巣腫瘍・卵管癌・卵巣癌取扱い規約 病理編 第2版』では消滅した。臨床的に遭遇する機会が多いので，ここに付記する。本症は月経異常と男化徴候など多彩な症状を示す症候群で，本症患者の卵巣にこのような形態が認められる。2024年に日本産科婦人科学会・生殖内分泌委員会が提案した診断基準（p805参照）では「超音波断層検査で両側卵巣に多数の小卵胞がみられ，少なくとも一方の卵巣で2～9 mmの小卵胞が10個以上存在するもの」とされている[19]。
　MRIではT2強調像で線維性肥厚を示す間質が低信号を示し，その周囲に多数の高信号を示す小嚢胞が描出される[20]（図10）。MRIはコントラスト分解能に優れることからUS，特に経腟走査と比べてもより正確に卵胞数を計測することが可能[21]とされ，その所見の客観性と合わせ，本症の診断に有用な画像診断法である。しかし注意しなければならないのは，卵巣がこのような形態をしても月経異常や内分泌学的異常がなければPCOSとはいえず[22]，MRI所見のみで本症の診断には至らない。

Ⅱ 卵巣腫瘍 ovarian tumors

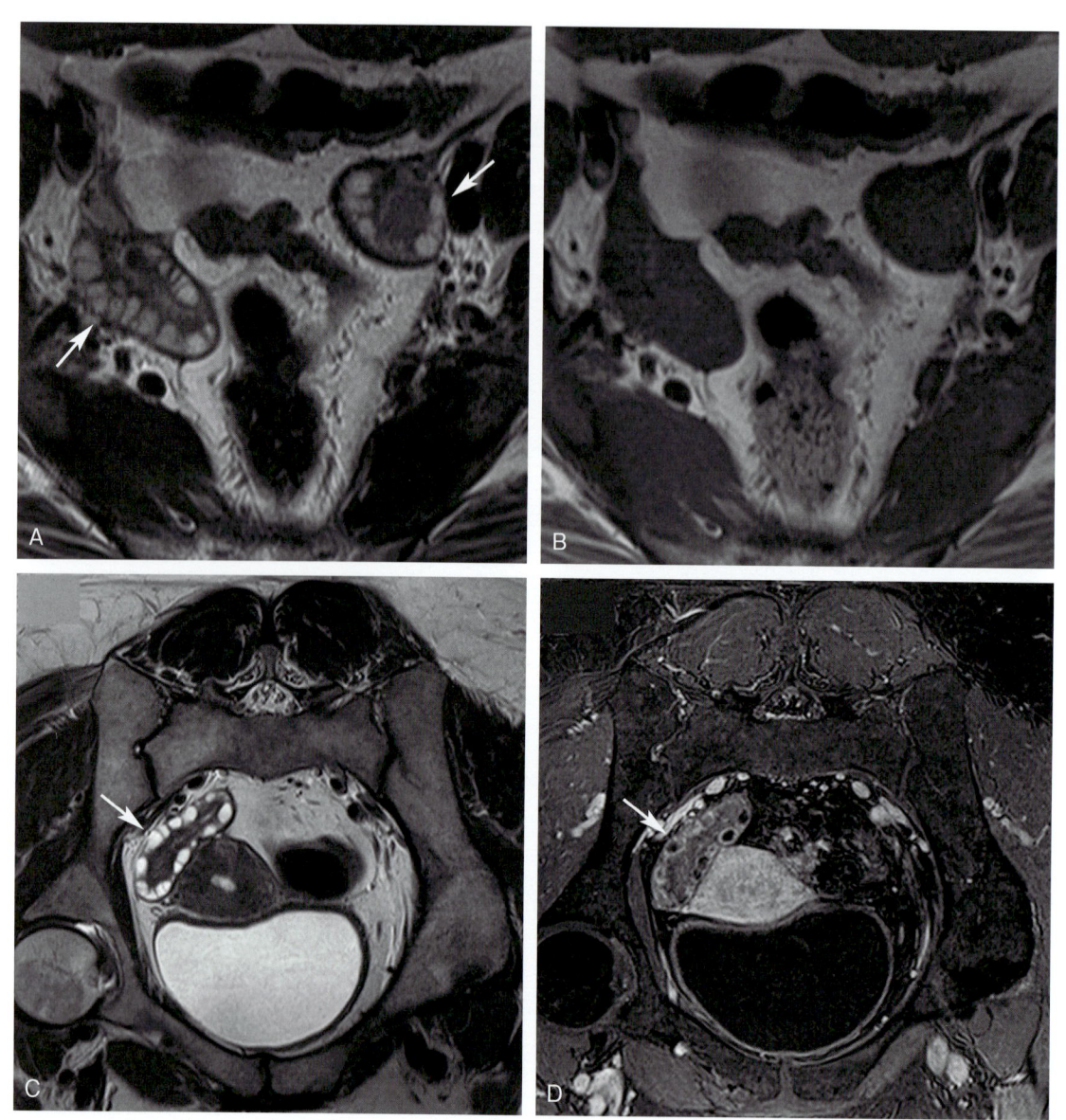

図10 36歳 多囊胞性卵巣症候群（polycystic ovary syndrome：PCOS）
A：T2強調横断像，B：T1強調横断像，C：T2強調冠状断像，D：造影脂肪抑制T1強調冠状断像
33歳時に子宮内膜癌に対しMPA療法後，再発なく経過観察中。BMI（body mass index）29.1と肥満あり，MPA療法終了後も月経不順あり，PCOSが内膜癌発生の誘因となったと考えている。T2強調像にて皮質領域に多数の，小さく，大きさのそろった卵胞が配列している（A，C→）。T1強調像では卵巣は正常な形態を保ったまま軽度腫大し（B），造影後は卵胞の壁がよく増強されるが，髄質領域の増強効果は不良である（D→）。

文献

1) 日本産科婦人科学会,日本病理学会 編:卵巣腫瘍・卵管癌・腹膜癌取扱い規約 病理編 第2版. 金原出版, 東京, 2022
2) Carlson JW et al:Tumors of the Ovary and Fallopian Tube. American Registry of Pathology, 2023
3) Irving JA et al:Nonneoplastic Lesions of the Ovary, Kurman RJ et al eds;Blaustein's Pathology of the Female Genital Tract, 7th ed. p715-770, Springer International Publishing, Cham, 2019
4) Outwater EK et al:Normal adnexa uteri specimens:anatomic basis of MR imaging features. Radiology 201:751-755, 1996
5) Ghossain MA et al:Hyperreactio luteinalis in a normal pregnancy:sonographic and MRI findings. J Magn Reson Imaging 8:1203-1206, 1998
6) Chen EM et al:Pregnancy in chronic renal failure:a novel cause of theca lutein cysts at MRI. J Magn Reson Imaging 26:1663-1665, 2007
7) Hricak H et al:Gestational trophoblastic neoplasm of the uterus:MR assessment. Radiology 161:11-16, 1986
8) 日本産科婦人科学会,日本産婦人科医会 編:産婦人科診療ガイドライン 婦人科外来編 2023. 日本産科婦人科学会, 東京, 2023
9) Shang JH et al:Imaging features, clinical characteristics and neonatal outcomes of pregnancy luteoma:a case series and literature review. Acta Obstet Gynecol Scand 103:740-750, 2024
10) Kao HW et al:MR imaging of pregnancy luteoma:a case report and correlation with the clinical features. Korean J Radiol 6:44-46, 2005
11) Young RH, Scully RE:Fibromatosis and massive edema of the ovary, possibly related entities:a report of 14 cases of fibromatosis and 11 cases of massive edema. Int J Gynecol Pathol 3:153-178, 1984
12) Bazot M et al:Imaging of ovarian fibromatosis. AJR Am J Roentgenol 180:1288-1290, 2003
13) Takeuchi M et al:Ovarian fibromatosis:magnetic resonance imaging findings with pathologic correlation. J Comput Assist Tomogr 32:776-777, 2008
14) Roth LM et al:Massive ovarian edema:a clinicopathologic study of five cases including ultrastructural observations and review of the literature. Am J Surg Pathol 3:11-21, 1979
15) Lee AR et al:Massive edema of the ovary:imaging findings. AJR Am J Roentgenol 161:343-344, 1993
16) Kramer LA et al:Massive edema of the ovary:high resolution MR findings using a phased-array pelvic coil. J Magn Reson Imaging 7:758-760, 1997
17) Machairiotis N et al:Massive ovarian oedema:a misleading clinical entity. Diagn Pathol 11:18, 2016
18) Tanaka YO et al:MR imaging of secondary massive ovarian edema caused by ovarian metastasis from appendiceal adenocarcinoma. Magn Reson Med Sci 18:111-112, 2019
19) 日本産科婦人科学会生殖内分泌委員会 本邦における多嚢胞性卵巣症候群の診断基準の検証に関する小委員会:多嚢胞性卵巣症候群に関する全国症例調査の結果と本邦における新しい診断基準(2024)について. 2023;2025 https://www.jsog.or.jp/news/pdf/PCOS1_20231204.pdf
20) Faure N et al:Assessment of ovaries by magnetic resonance imaging in patients presenting with polycystic ovarian syndrome. Hum Reprod 4:468-472, 1989
21) Yoo RY et al:Ovarian imaging by magnetic resonance in obese adolescent girls with polycystic ovary syndrome:a pilot study. Fertil Steril 84:985-995, 2005
22) Mitchell DG et al:Polycystic ovaries:MR imaging. Radiology 160:425-429, 1986

6. 転移性腫瘍 metastatic tumors

> **Summary**
> - 転移性卵巣腫瘍の原発臓器としては胃，結腸，乳腺の頻度が高い．
> - 転移性卵巣腫瘍の画像的特徴としては，両側性の，境界明瞭・非浸潤性の腫瘍で，T2強調像で充実部の信号強度が低く，強い増強効果をもつことが挙げられる．
> - 原発巣が胃癌の場合はT2強調像で信号強度の低い充実性腫瘤，大腸癌では多房性嚢胞性腫瘤を形成することが多い．
> - 多房性嚢胞性腫瘤では，各房の大きさ・内容物の信号強度が卵巣原発粘液性腫瘍に比べ，転移性腫瘍において均一となる傾向があり，少ない充実部である隔壁が境界不明瞭で，造影検査では時にミルフィーユサインとよばれる折りたたまれたパイ生地様の構造がみられる．

　卵巣外の臓器を原発巣とする悪性腫瘍の卵巣への転移である．卵巣腫瘍の3〜30%を占める[1]とされ，鑑別診断を考えるうえで無視できない存在である．その原発巣としては，おおむね表1[2]に示すように子宮内膜癌の頻度が高く，性器外では各国とも乳腺，結腸が多く，韓国や本邦では胃癌が多いのが特徴である．しかし，このデータはいささか古く，本邦における胃癌の発症頻度の減少に伴い，近年は筆者の印象では結腸が多い．一般的に転移性卵巣腫瘍患者の平均発症年齢は原発巣のそれよりも低いとされ，これは若年者では卵巣の血流が豊富なことに起因するとされる[3)4]．

　卵巣への転移経路は，①直接浸潤，②血行性転移，③リンパ行性転移，④腹腔内播種のいずれもがあるとされるが，卵巣転移と同時に他臓器転移が見つかる例が多いこと，卵巣への血流の豊富な若年者に多いことから，主に血行性と考えられている．また腹腔内播種の直接浸潤も，しばしば小さな転移巣が卵巣被膜下，皮質領域に発見されることから，重要な経路であると考えられている[3]．しかし卵巣転移をきたした消化器癌症例が常に腹腔内播種を伴うわけではなく，卵巣転移を伴う胃粘膜内癌などの研究から胃周囲リンパ節から傍大動脈節転移を経て，逆行性に基靱帯を介して卵巣門に至るリンパ行性経路も有力視されている[5]．

　転移性卵巣腫瘍の画像的特徴としては，肉眼病理学的にも報告されているように[6)7]両側性であること，多結節性，多房性の境界明瞭な腫瘍で[8)9]，浸潤・癒着傾向を欠くことが挙げられている．前述のごとく原発巣の多くは腺癌であることから，病理組織学的には粘液産生を伴う腫瘍細胞の増殖とそれに対する宿主である卵巣の間質細胞の増殖，黄体化過剰反応を生じており，これらが画像的特徴を形成することになる．特に後者はT2強調像における低信号の原因とされている[9]．また腺癌の粘液中の高いタンパク濃度を反映してT1強調像では信号強度がやや高い傾向にある（図1）が，T1短縮は黄体化に伴う細胞内脂肪に起因する[10]との報告もある．転移性腫瘍は一般に原発巣の病理形態を模倣することから，原発巣によって画像所見にも差違がみられ，胃癌の転移は結腸癌からの転移に比べ充実性成分の多い（図2）こと，結腸癌の転移は多房性嚢

表1 転移性卵巣腫瘍の原発巣

著者	Alvarado-Cabrero	Bruls	Demopoulos	de Waal	Kondi-Pafiti	Lee	Moore	Skirnisdóttir	Yada-Hashimoto
地域	メキシコ	オランダ	米国	オランダ	ギリシャ	韓国	米国	スウェーデン	日本
報告年	2013	2015	1987	2009	2011	2009	2004	2007	2003
婦人科以外									
乳房	13	14.3	33.3	27.6	15.5	1.8	8.5	29.4	14.1
大腸	30	33.2	12.5	19.8	15.5	41.2	32.2	29.4	10.9
胃	16	4.5	6.3	6	24.7	30.4	6.8	16.1	23.4
小腸	-	1.6	2.1	2.6	1	-	6.8	2.7	-
虫垂	13	7.3	1	1.7	3.1	1.8	20.3	3.1	1.6
膵臓	12	1	1	0.9	2.1	-	5.1	2.7	-
胆道	15	0.6	1	-	-	3.6	1.7	1.2	1.6
肝臓	4	-	-	-	-	-	-	0.4	-
悪性黒色腫	-	-	-	2.6	1	-	-	1.6	-
肉腫	-	-	-	1.7	1	-	-	-	3.1
肺	-	0.8	1	-	1	1.8	-	2	1.6
その他	-	7	3.1	3.4	1	1.8	3.4	4	4.7
原発不明	-	15.1	0	7.8	-	8	16.9	7.5	1.6
婦人科									
子宮内膜	23	17.1	14.6	19.8	22.7	8.9	-	-	20.3
子宮頸部	4	1.1	2.1	5.2	9.3	0.9	-	-	14.1
卵管	-	-	1	0.9	3.1	-	-	-	3.1

胞性腫瘤が多い（図3）こと[11]が報告されている．また狭義のKrukenberg腫瘍，すなわち胃の印環細胞癌の転移では転移性腫瘍の形成する腺管が囊胞壁を形成し，同部に血管新生を伴うことから囊胞壁の強い増強効果がみられることが指摘されている（図2）[9]．

前述の転移に対する卵巣組織の反応性変化は，時に良性の病態とみまがう形態を作り出す．そもそも血行性では血流の豊富さから，播種からの直接浸潤では距離的な近さから，転移は皮質領域に好発するうえに，黄体化過剰反応が起こるとT2強調像で低信号の縁取りが皮質領域に生じることとなり，卵巣線維腫症（p598参照）に類似した形態となる（図4）．妊娠中の黄体化した莢膜細胞の過形成は妊娠黄体腫として知られ，時に転移性腫瘍との鑑別を要する[12]．さらに黄体化に伴うホルモン産生の亢進はリンパ管の増生を招来し，腫瘍によるリンパドレナージ経路の障害も加わって，広汎性浮腫（p598参照）様の形態を示すこともあり，注意が必要である[12]（図5）．

浸潤傾向を欠き，境界明瞭な形態，T2強調像での低信号からまず鑑別しなければならないのが線維腫である．これにはダイナミックMRIが非常に有用で，通常，線維腫のT2短縮は豊富な膠原線維に起因し[13]，線維成分の内部では細胞外液腔の造影剤は極めて緩徐に組織内に浸透することからdelayed weak enhancementを示す[14][15]のに対し，転移性卵巣腫瘍では造影早期から強い増強効果を示す[16]．これは転移性腫瘍内では線維成分の豊富な間質を背景に，転移性腫瘍が血管新生を伴って増殖する（図6）ことに起因すると考えられる．転移性卵巣腫瘍では充実部がT2強調像で低信号であることに着目すると線維腫以外の，多血性の性索間質性腫瘍，特に莢膜細胞腫や顆粒膜細胞腫との鑑別が問題となる[17]．顆粒膜細胞腫は極めて多彩な形態を示す（p519参照）が典型例では囊胞内に血腫がみられる[18]ので，粘液と比べT1強調像でさらに高信号であることやT2強調像でのfluid levelの形成などが鑑別点となる．

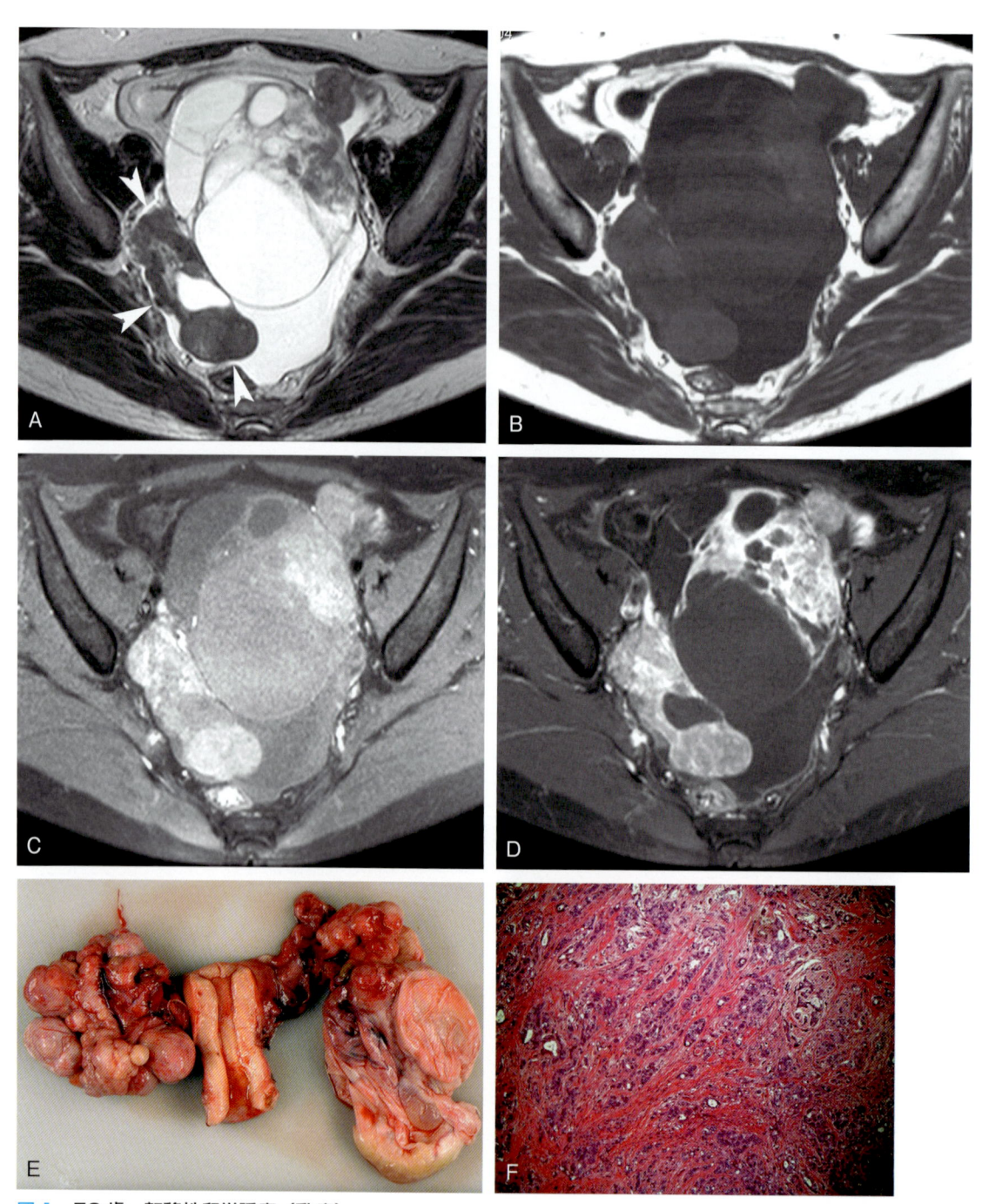

II 卵巣腫瘍 ovarian tumors

図1 59歳 転移性卵巣腫瘍（乳癌）
A：T2強調横断像，B：T1強調横断像，C：脂肪抑制T1強調横断像，D：造影脂肪抑制T1強調横断像，E：摘出標本肉眼像，F：HE染色（強拡大）
右は主として充実性，左は主として嚢胞からなる両側性腫瘍があり，充実部はT2強調像で低信号（A▲），T1強調像，脂肪抑制T1強調像でやや高信号を呈する（B，C）。充実部はよく増強されている（D）。摘出標本ではよく被包化された多結節状の腫瘍で（E），病理組織学的には反応性に線維化の顕著となった卵巣間質を背景に粘液を含む腺癌細胞が多数認められ（F），典型的な転移性卵巣腫瘍である。

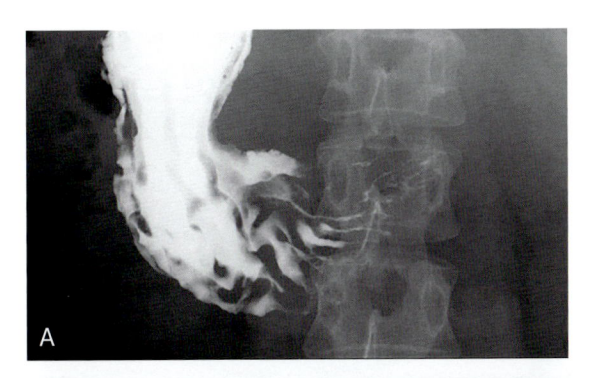

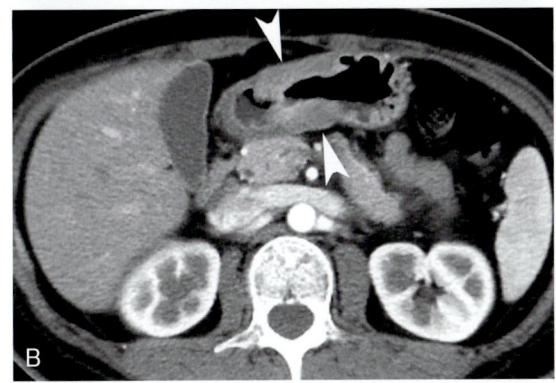

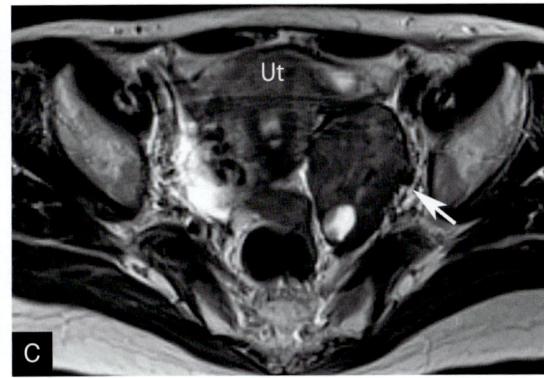

6. 転移性腫瘍 metastatic tumors

図2　45歳　転移性卵巣腫瘍（狭義のKrukenberg 腫瘍，胃印環細胞癌）
A：上部消化管造影腹臥位充盈像，B：造影 CT，C，D：T2 強調横断像，E：T1 強調横断像，F：脂肪抑制 T1 強調横断像，G：造影脂肪抑制 T1 強調横断像，H：拡散強調横断像，I：ADC map
進行胃癌（A）の術前造影 CT で両側卵巣腫瘍を指摘された。原発巣は前庭部の限局性壁肥厚として認められる（B▲）。両側に T2 強調像で信号強度の低い充実性腫瘤を認め（C→：左卵巣腫瘍，D：右卵巣腫瘍），T1 強調像では低信号ながら骨格筋に比べかなり信号強度が高い（E，F）。造影後はよく増強される（G）。T2 強調像で信号強度の高い部分（D→）は拡散強調像ではコントラストがつかないが（H→），ADC map でも高信号（I→）で，増強効果はなく，嚢胞であるが，その辺縁部はほかよりもよく増強されている（G→）。典型的な狭義の Krukenberg 腫瘍である。

　結腸癌の転移はしばしば多房性嚢胞性腫瘤を形成するので，代表的な多房性嚢胞性腫瘤である卵巣原発粘液性腫瘍（粘液性癌）との鑑別が問題となるが，粘液性腫瘍は内容物が薄い境界明瞭な隔壁に境されて多彩な信号を呈しステンドグラス様を呈する[19]。これに対し結腸癌の転移は内容物の信号強度が均一で[20)21)]，隔壁が厚く隔壁と内部との境界が不明瞭であることが多い（図3）。これは結腸癌の転移では病理組織学的にしばしば "dirty necrosis" といわれる，腫瘍細胞の壊死による管腔構造の部分的破壊がみられる[22)] ので，これを反映したものと考えている。近年，結腸癌の転移に特徴的と報告されているミルフィーユサイン（mille-feuille sign）もまた，腸上皮特有の，粘液を含んだ丈の高い腺上皮が形成する乳頭状構造と壊死の混在により成立すると考えられている（図7）[23)]。病理組織学的には，免疫組織化学染色が卵巣原発腫瘍と転移性卵巣腫瘍の鑑別に役立つことがあり，SATB2 は大腸および虫垂腫瘍の卵巣転移では高頻度に陽性，卵巣原発粘液性癌では陰性である。両者の鑑別に使われることの多いサイトケラチンは，結腸，直腸，虫垂由来で CK7 陰性，CK20 陽性で，卵巣原発粘液性腫瘍では CK7 陽性，CK20 陰性で

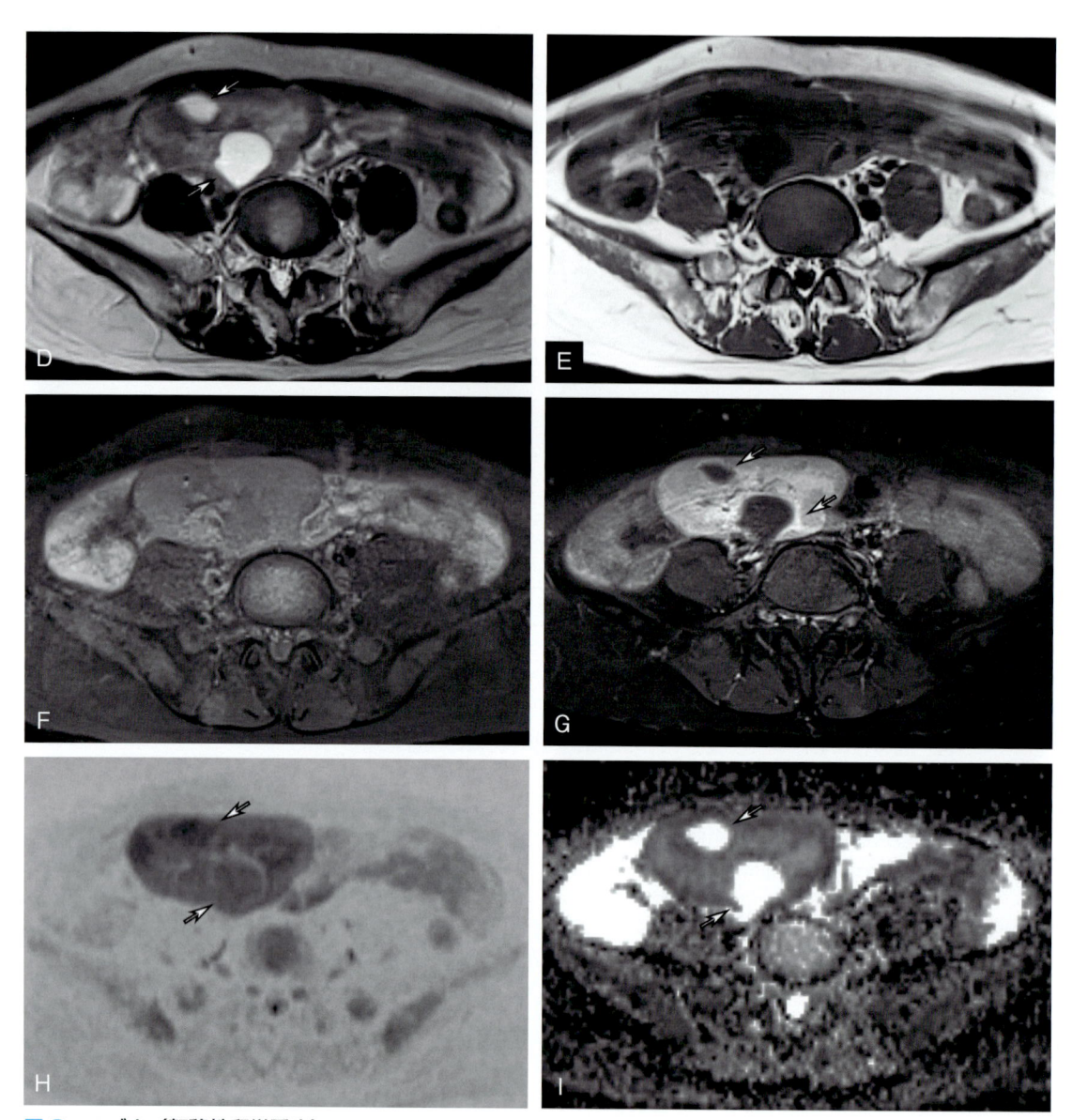

図2 つづき（転移性卵巣腫瘍）

図3 57歳　転移性卵巣腫瘍（上行結腸癌）
A：T2強調矢状断像，B：T2強調横断像，C：T1強調横断像，D：脂肪抑制T1強調横断像，E：造影T1強調矢状断像，F：造影脂肪抑制T1強調横断像，G：拡散強調横断像

卵巣癌疑いにて紹介された。T2強調像にて多数の隔壁を有する囊胞成分，中心部に隔壁と連続する信号強度の低い充実成分を有する腫瘤（B▲）を認める。T1強調像では比較的均一な低信号腫瘤（C，D▲）で，造影後，隔壁のみがよく増強され（E，F▲），弱いが拡散制限もみられる（G▲）。隔壁から内腔に向かう，多数のよく増強される棘状構造は，あたかも折りパイの生地のようである（ミルフィーユサイン）。同一断面状に不規則に肥厚した上行結腸壁が描出されており（B～D→，F～G→），進行結腸癌の併存が明らかである。均一な大きさと濃度の囊胞成分の豊富な多房性囊胞性腫瘤は結腸からの転移性卵巣腫瘍の特徴である。図2の胃癌症例に比べ，充実部に乏しいこと，p456～457の原発性卵巣癌症例に比べ，個々の囊胞成分の大きさ，内容物の信号強度が均一なことに注目。

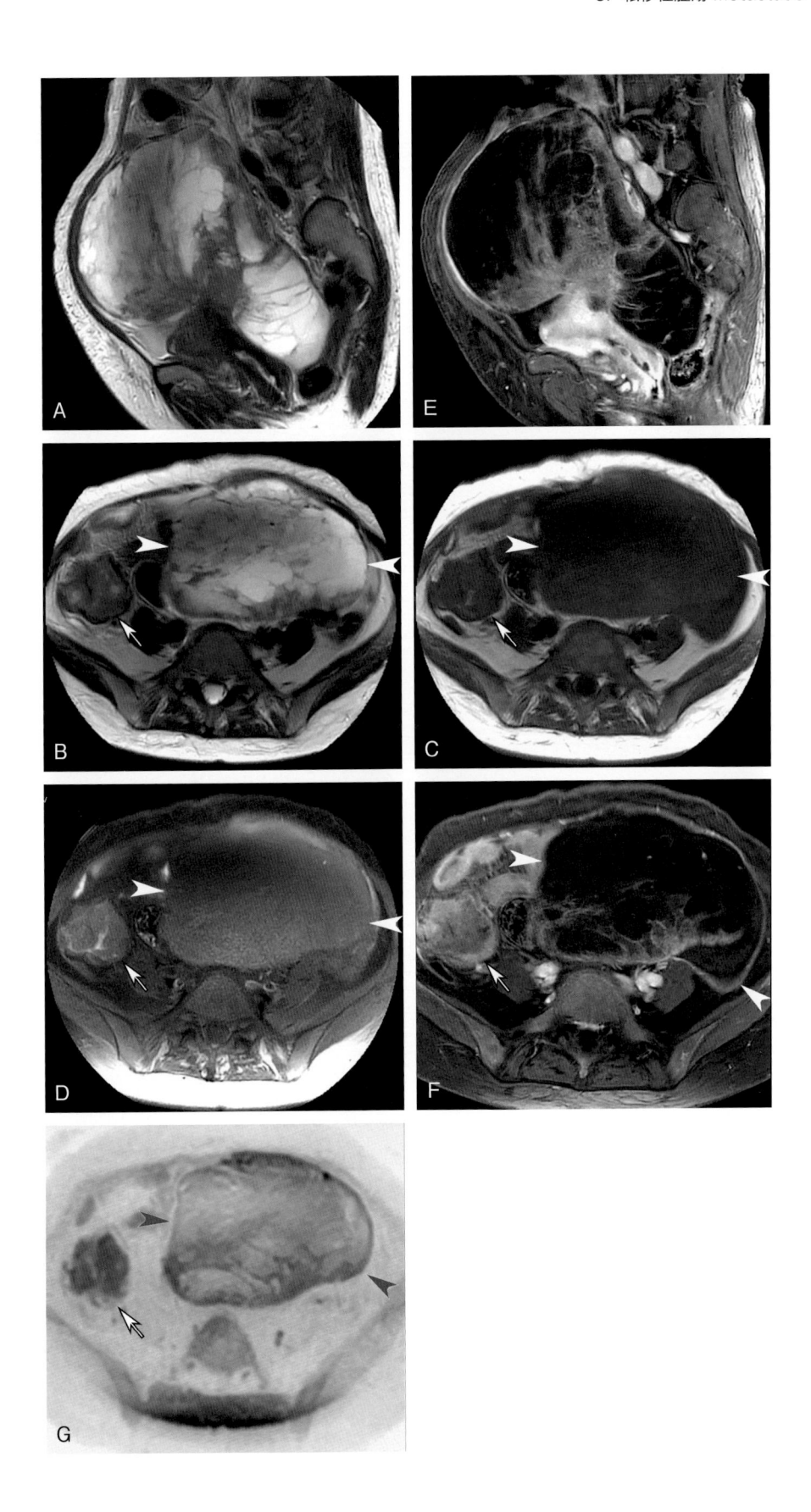

6. 転移性腫瘍 metastatic tumors

609

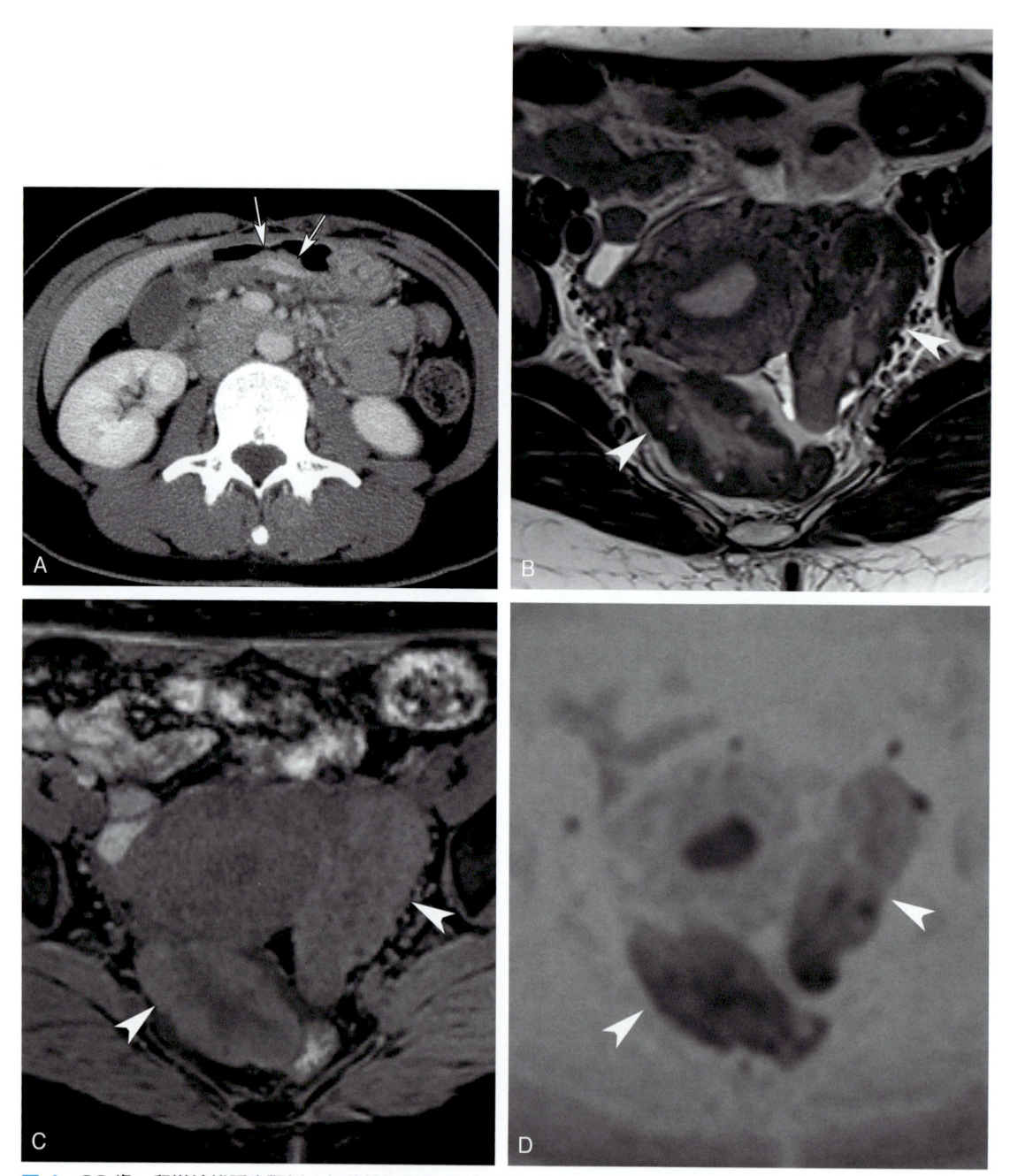

II 卵巣腫瘍 ovarian tumors

図4 38歳 卵巣線維腫症類似の転移性卵巣腫瘍（胃癌）
A：造影 CT，B：T2強調横断像，C：脂肪抑制T1強調横断像，D：拡散強調横断像
胃癌（A→）術後5年，経過観察中に卵巣腫大を指摘された。軽度腫大した両側卵巣はT2強調横断像で皮質領域が低信号を示し（B▲），black garland sign（p599 図7参照）様である。肥厚した皮質領域は脂肪抑制T1強調像で高信号を示し（C），軽度だが拡散制限もみられる（D）。両側付属器切除が行われ，皮質下を中心に線維化を伴って腺癌の増殖が認められ，狭義のKrukenberg 腫瘍と診断された。

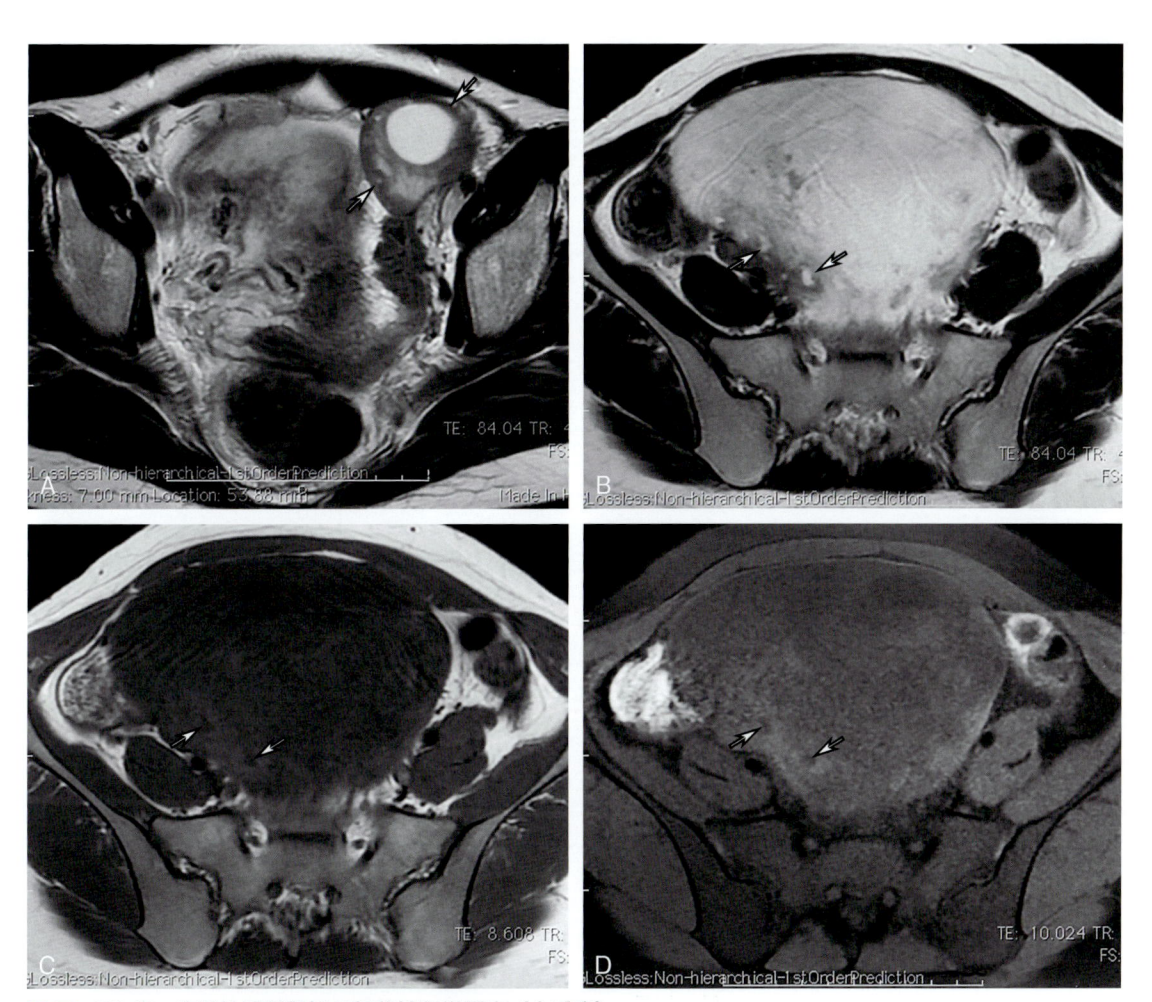

6. 転移性腫瘍 metastatic tumors

図5 29歳 広汎性浮腫類似の転移性卵巣腫瘍（虫垂癌）
A, B：T2強調横断像, C：T1強調横断像, D：脂肪抑制T1強調横断像
下腹部腫瘤を自覚し，近医で卵巣腫瘍茎捻転を疑われ受診。T2強調像で両側卵巣（A：左，B：右）は腫大して，髄質領域が高信号を示し皮質領域の卵胞が辺縁に押しやられるように存在する（A〜D→）。

あるが，奇形腫由来の粘液性腫瘍など例外もあり，注意が必要である[17]。

日常診療においては両側性卵巣腫瘍，充実部の豊富な非浸潤性卵巣腫瘍の場合には，常に転移の可能性を考慮する必要がある[8]が，片側性の転移性卵巣腫瘍も必ずしも少なくなく（53〜63％）[7)24]，CT，MRIの読影に際しては，原発巣を示唆する所見，特に消化管壁の肥厚や虫垂の腫大（図7），乳腺腫瘤の存在に留意する必要がある。

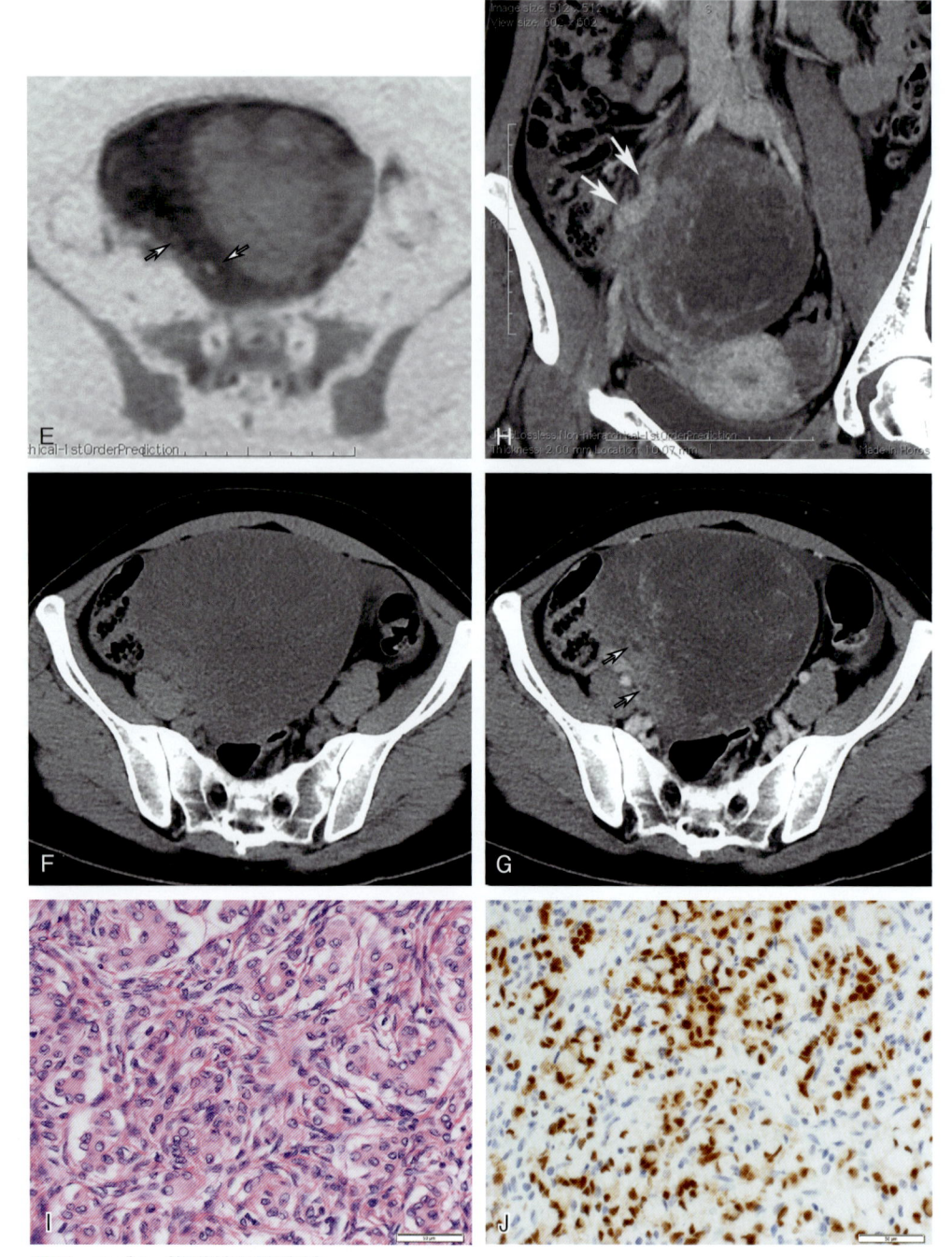

図5 つづき(転移性卵巣腫瘍)
E:拡散強調横断像,F:単純CT,G:造影CT,H:造影CT冠状断MPR像,I:HE染色(強拡大),J:免疫組織化学染色(CDX2)

腫大した卵巣髄質はT1強調像で低信号(C,D),拡散は亢進し(E),増強効果は不良である(F,G)。症状,年齢と合わせ広汎性浮腫を疑った。開腹手術中,虫垂腫瘤が見つかり(H→),病理組織学的に印環細胞を含む低分化腺癌がびまん性に増殖し(I),がん細胞はCDX2陽性(J)で虫垂癌と両側卵巣転移と診断された。

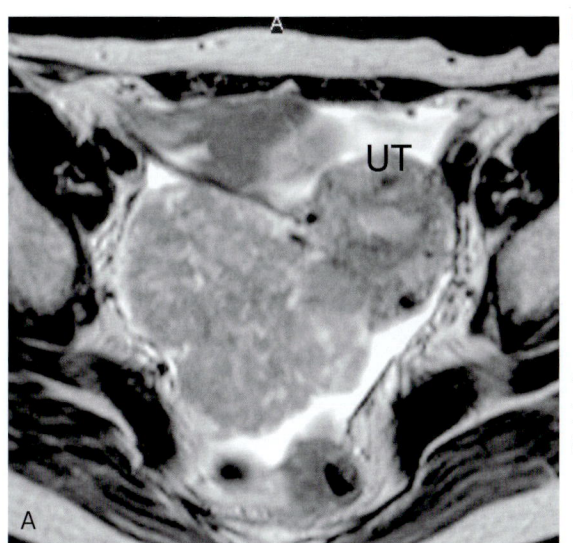

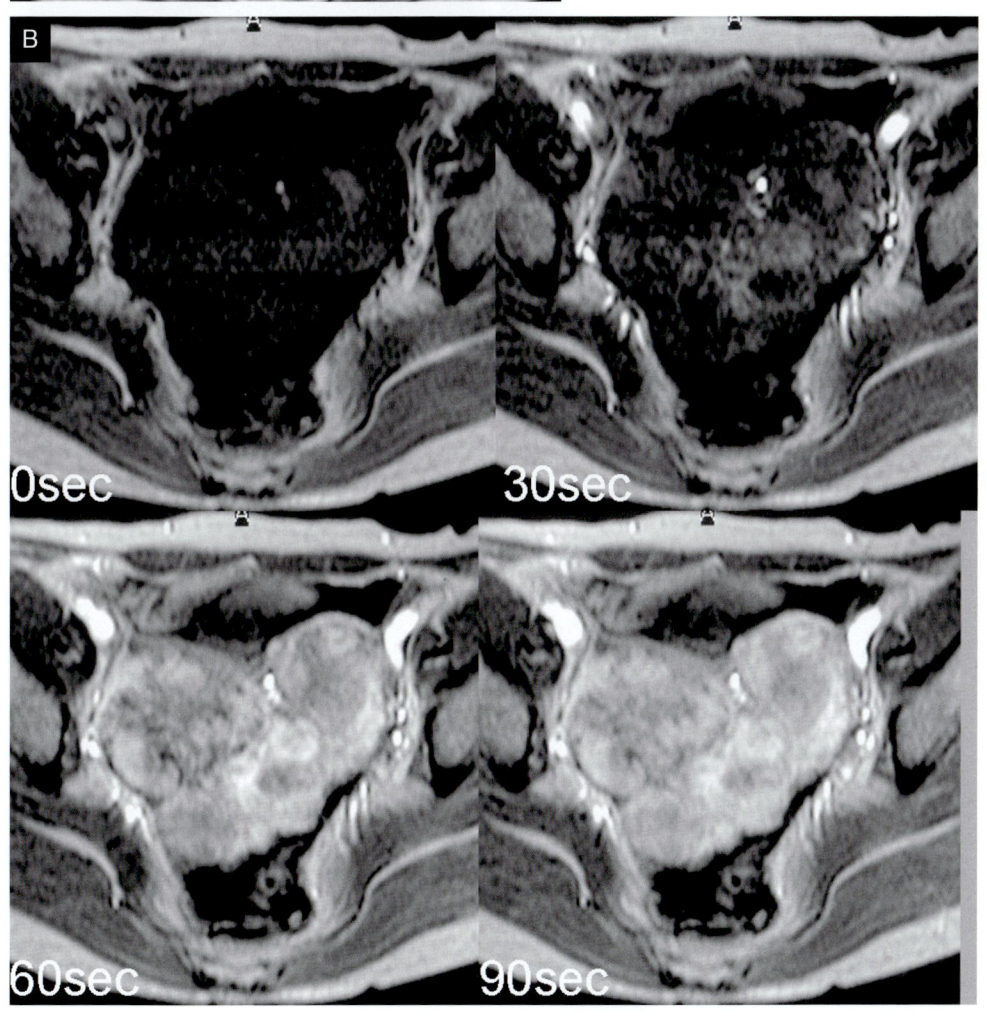

図6　52歳　転移性卵巣腫瘍（胃癌）
A：T2強調横断像，B：ダイナミックMRI

T2強調像（A）にて子宮（UT）の右後方にほぼ全体が充実性の境界明瞭，分葉状の腫瘤を認め，ダイナミックMRI（B）では造影剤投与30秒後にはすでに一部が濃染し，1分後には子宮筋層と同程度に増強されている。これは線維腫に比べはるかに早期から強い増強効果である。
[Tanaka YO et al：Functioning ovarian tumors：direct and indirect finding at MR imaging. Radiographics 24(suppl 1)：S147-166, 2004 より転載]

Ⅱ 卵巣腫瘍 ovarian tumors

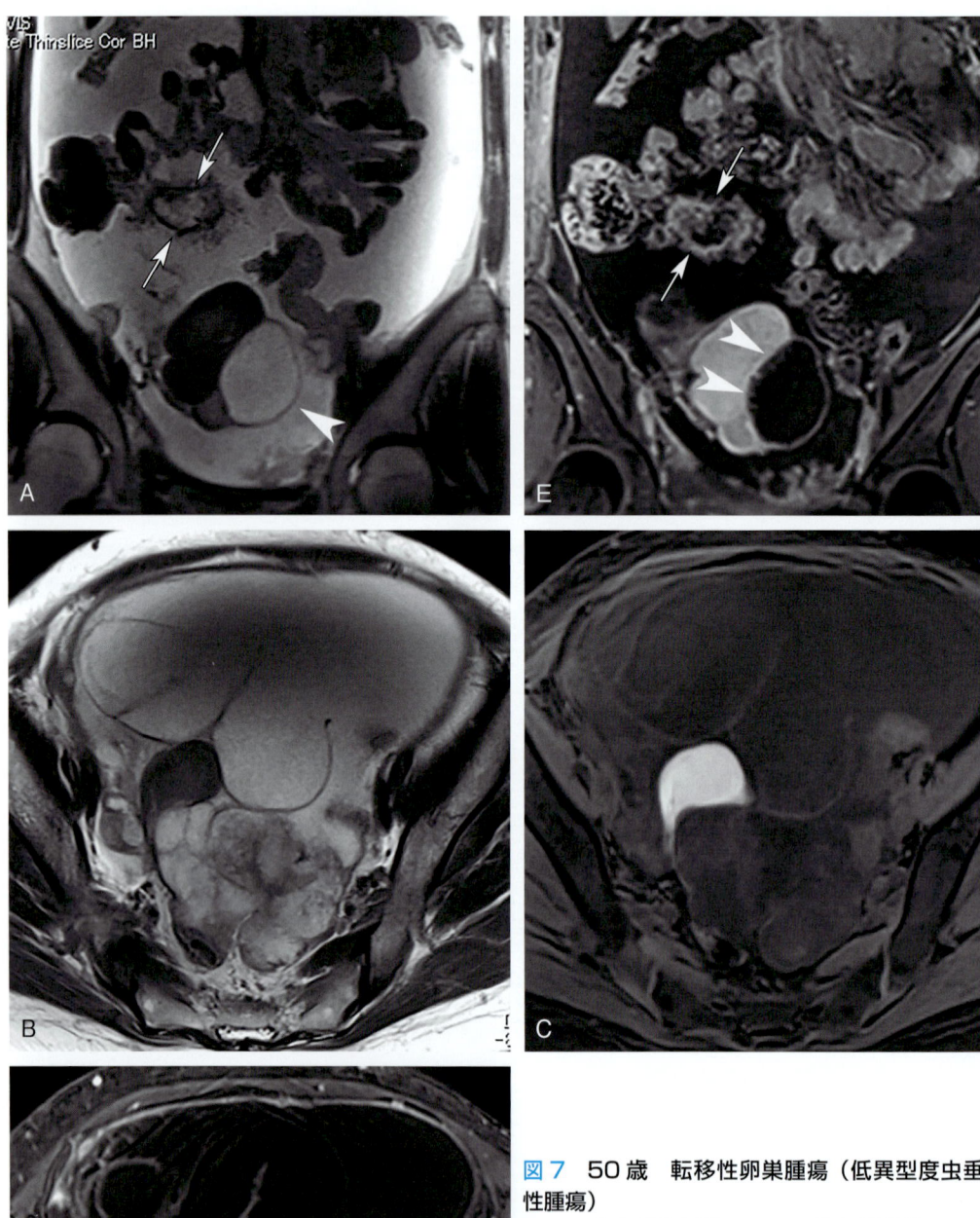

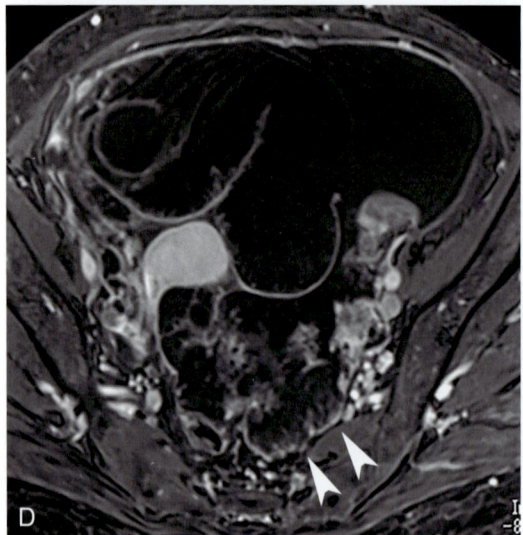

図7　50歳　転移性卵巣腫瘍（低異型度虫垂粘液性腫瘍）

A：T2強調冠状断像，B：T2強調横断像，C：脂肪抑制T1強調横断像，D：造影脂肪抑制T1強調横断像，E：造影脂肪抑制T1強調冠状断像

左卵巣を置換する多房性嚢胞性腫瘤を認め（A▲），脂肪抑制T1強調像では内容物の一部が高信号を示し（C），粘稠な粘液を有する．多量の腹水に浮かぶように腫大した虫垂から外方に向かう棘状構造を多数認め，パッファーボール（puffer ball）様の形態を示し（A，E→），典型的な低異型度虫垂粘液性腫瘍の所見である．造影脂肪抑制T1強調像（D, E）では，卵巣腫瘍にも内腔に突出する多数の棘状構造があり，高密度の領域ではミルフィーユ様にみえる（D, E▲）．

文 献

1) WHO Classification of Tumors Editorial Board : Female Genital Tumours, 5th ed. International Agency for Research on Cancer, Lyon, 2020
2) Kubecek O et al : The pathogenesis, diagnosis, and management of metastatic tumors to the ovary : a comprehensive review. Clin Exp Metastasis 34 : 295-307, 2017
3) Lerwill MF et al : Metastatic Tumors of the Ovary, Kurman RJ et al eds ; Blaustein's Pathology of the Female Genital Tract, 7th ed. p1151-1222, Springer International Publishing, Cham, 2019
4) Carlson JW et al : Tumors of the Ovary and Fallopian Tube. American Registry of Pathology, 2023
5) Agnes A et al : Krukenberg tumors : seed, route and soil. Surg Oncol 26 : 438-445, 2017
6) Lee KR et al : The distinction between primary and metastatic mucinous carcinomas of the ovary : gross and histologic findings in 50 cases. Am J Surg Pathol 27 : 281-292, 2003
7) Kiyokawa T et al : Krukenberg tumors of the ovary : a clinicopathologic analysis of 120 cases with emphasis on their variable pathologic manifestations. Am J Surg Pathol 30 : 277-299, 2006
8) Brown DL et al : Primary versus secondary ovarian malignancy : imaging findings of adnexal masses in the Radiology Diagnostic Oncology Group Study. Radiology 219 : 213-218, 2001
9) Ha HK et al : Krukenberg's tumor of the ovary : MR imaging features. AJR Am J Roentgenol 164 : 1435-1439, 1995
10) Jeong YY et al : Luteinized fat in Krukenberg tumor : MR findings. Eur Radiol 12 (suppl 3) : S130-132, 2002
11) Choi HJ et al : Contrast-enhanced CT for differentiation of ovarian metastasis from gastrointestinal tract cancer : stomach cancer versus colon cancer. AJR Am J Roentgenol 187 : 741-745, 2006
12) Tanaka YO et al : A metastatic ovarian tumor mimicking pregnancy luteoma found during puerperium. Magn Reson Med Sci 15 : 149-150, 2016
13) Outwater EK et al : Ovarian fibromas and cystadenofibromas : MRI features of the fibrous component. J Magn Reson Imaging 7 : 465-471, 1997
14) Schwartz RK et al : Ovarian fibroma : findings by contrast-enhanced MRI. Abdom Imaging 22 : 535-537, 1997
15) Thomassin-Naggara I et al : Value of dynamic enhanced magnetic resonance imaging for distinguishing between ovarian fibroma and subserous uterine leiomyoma. J Comput Assist Tomogr 31 : 236-242, 2007
16) Tanaka YO et al : Solid non-invasive ovarian masses on MR : histopathology and a diagnostic approach. Eur J Radiol 80 : e91-97, 2011
17) 日本産科婦人科学会, 日本病理学会 編：卵巣腫瘍・卵管癌・腹膜癌取扱い規約 病理編 第2版. 金原出版, 東京, 2022
18) Morikawa K et al : Granulosa cell tumor of the ovary : MR findings. J Comput Assist Tomogr 21 : 1001-1004, 1997
19) Tanaka YO et al : Differential diagnosis of gynaecological "stained glass" tumours on MRI. Br J Radiol 72 : 414-420, 1999
20) Tanaka YO et al : Diversity in size and signal intensity in multilocular cystic ovarian masses : new parameters for distinguishing metastatic from primary mucinous ovarian neoplasms. J Magn Reson Imaging 38 : 794-801, 2013
21) Cai SQ et al : Mucin-producing tumors of the ovary : preoperative differentiation between metastatic ovarian mucinous carcinoma and primary mucinous malignant tumors. J Ovarian Res 17 : 59, 2024
22) Lash RH, Hart WR : Intestinal adenocarcinomas metastatic to the ovaries : a clinicopathologic evaluation of 22 cases. Am J Surg Pathol 11 : 114-121, 1987
23) Kurokawa R et al : Differentiation between ovarian metastasis from colorectal carcinoma and primary ovarian carcinoma : evaluation of tumour markers and "mille-feuille sign" on computed tomography/magnetic resonance imaging. Eur J Radiol 124 : 108823, 2020
24) Jeung YJ et al : Krukenberg tumors of gastric origin versus colorectal origin. Obstet Gynecol Sci 58 : 32-39, 2015

III 卵管腫瘍 tumors of the fallopian tubes

Summary
- 卵巣・腹膜に認める高異型度漿液性癌の大部分は漿液性卵管上皮内癌を前駆病変とする。
- 卵管腫瘍は病理組織学的には高異型度漿液性癌が大部分を占め，両側卵管が卵巣腫瘍と分離できる場合にのみ卵管原発と診断される。
- 肉眼病理学的に拡張した卵管壁から内腔に突出する腫瘤を形成することが多く，ソーセージ様の囊胞構造（卵管留水症）に合併した充実性腫瘤として描出されることが多い。
- 広間膜や基靱帯に沿って浸潤性に発育する腫瘤を形成することもある。

1. 卵管腫瘍の組織型，疫学，臨床的事項

　卵巣上皮性腫瘍の項で述べたように，卵巣や腹膜の高悪性度漿液性腫瘍の起源は卵管上皮の漿液性卵管上皮内癌（serous tubal-intraepithelial carcinoma：STIC）に由来していると考えられている[1]。女性骨盤内にみられる腫瘍が「卵管原発」と診断されるためには，腫瘍が肉眼的に卵管内に限局もしくは卵管采と連続し，子宮や卵巣には腫瘍が存在しない，もしくは卵巣の腫瘍とは独立していることが条件となる[2]。このため，従来原発性卵管腫瘍と診断される症例は少なく，全婦人科悪性腫瘍の0.3～1.1％とされていた[3]が，近年，SEE-FIM法（p445参照）の普及により，以前は卵巣もしくは腹膜原発と考えられていた高異型度漿液性癌症例の卵管に上皮内腺癌が確認されるようになり，卵管原発とされる症例の頻度は増している[4]。病理組織学的に同義であることから，卵管原発の高異型度漿液性癌も卵巣・腹膜原発とされる症例と同じく腹腔内播種をきたしやすく，腫瘍マーカーCA125が高率に上昇し，プラチナ製剤への感受性が良好であるといった共通の性質をもつ。さらに卵巣癌と同様，*BRCA1*，*BRCA2*の遺伝子変異をもつものも多い[5,6]。

　卵管原発の悪性腫瘍の50～80％が高異型度漿液性癌で，多くがG3の低分化な腫瘍である[7]。残りの1/3程度は類内膜癌で，ほかの組織型は極めてまれとされ，最新のWHO分類第5版（表1）でも漿液性腫瘍（良性の腺線維腫と境界悪性腫瘍を含む），類内膜癌，癌肉腫のみが上皮性腫瘍に含まれている。本章Iで述べた通り，現在の進行期分類は卵巣癌，卵管癌，腹膜癌に共通したものとなっている（p409表11参照）[8]。よって，現行の『卵巣腫瘍・卵管癌・腹膜癌取扱い規約 臨床編 第1版補訂版』採用後の患者年報では原発巣による区別を行っておらず，古いデータ

表1 卵管腫瘍の組織学的分類およびICD-Oコード（日産婦 2022）[8]

```
上皮性腫瘍 Epithelial tumors
9014/0  漿液性腺線維腫 Serous adenofibroma NOS
8442/1  漿液性境界悪性腫瘍 Serous borderline tumor NOS
8461/3  高異型度漿液性癌 High-grade serous carcinoma
8380/3  類内膜癌 Endometrioid adenocarcinoma NOS
8980/3  癌肉腫 Carcinosarcoma NOS
上皮性・間葉性混合腫瘍 Mixed epithelial and mesenchymal tumors
8933/3  腺肉腫 Adenosarcoma
胚細胞腫瘍 Germ cell tumors
9080/0  成熟奇形腫 Mature teratoma NOS
9080/3  未熟奇形腫 Immature teratoma NOS
腫瘍様病変 Tumor-like lesions
        傍卵管嚢胞 Paratubal cysts
        卵管過形成 Tubal hyperplasia
        卵管・卵巣膿瘍 Tubo-ovarian abscess
        結節性峡部卵管炎 Salpingitis isthmica nodosa
        化生性乳頭状病変 Metaplastic papillary lesion
        卵管着床部結節 Placental site nodule
        粘液性化生 Mucinous metaplasia
        卵管内膜症 Endosalpingiosis
```

になるが卵管癌発症時の臨床進行期はⅠ期が29％，Ⅱ期が23％。Ⅲ期が39％，Ⅳ期が7％と，腹腔内播種によるⅢ期症例が多いことも卵巣癌に類似している[9]。

原発性卵管腫瘍の罹患率は生殖可能年齢では年齢とともに増加し，50代に最も高頻度となる。古典的には水様帯下，下腹部疝痛発作，付属器腫瘤が三徴（Latzko's triad）とされているが，3つとも示す例は少ないとされる[10]。卵管の膨隆・伸展により強い痛みを引き起こすので，卵巣癌よりは早期に発見される傾向にあるとされる一方で，開腹時に初めて原発巣が明らかとなる悪性腫瘍としても頻度の高い疾患である。病理組織学的に高異型度漿液性癌が多いので，前述のようにCA125は有力な腫瘍マーカーであり，80％の症例で上昇し[11]，治療効果のモニタリングにも有用である。

卵管癌の治療は卵巣癌に準じて行われ，これも古いデータになるが5年生存率はⅠ期が81％，Ⅱ期が67％。Ⅲ期が41％，Ⅳ期が33％と[9]，卵巣癌全般より少し良好であるが，卵巣の高異型度漿液性癌とはほぼ同等とされる。

2. 卵管腫瘍の画像所見

卵管癌は，肉眼病理学的には拡張した卵管壁から突出する充実性腫瘤であることが多いとされる。これを反映して，画像的には壁在結節を伴うソーセージ様の嚢胞性腫瘤として描出される（図1）[12-15]。腫瘤の嚢胞部は拡張した卵管の折り返しのために重畳した卵管壁が車輻状を呈する[14]。時に拡張した卵管内で鋳型状に腫瘤が発育するために全体が充実性のソーセージ様の腫瘤

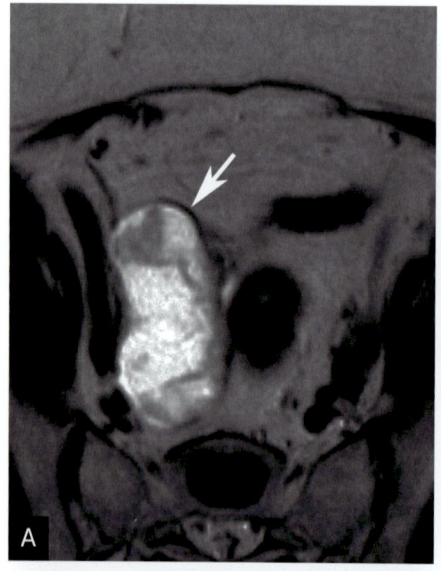

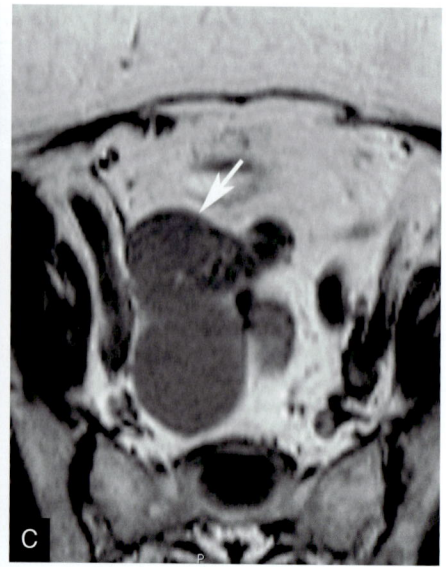

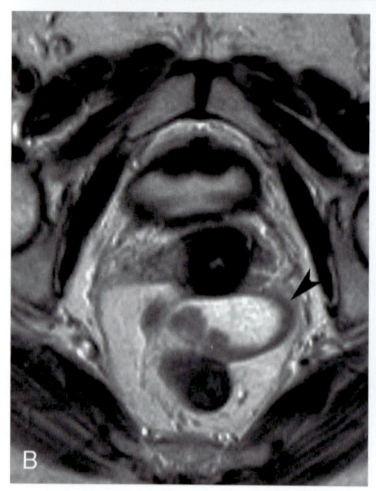

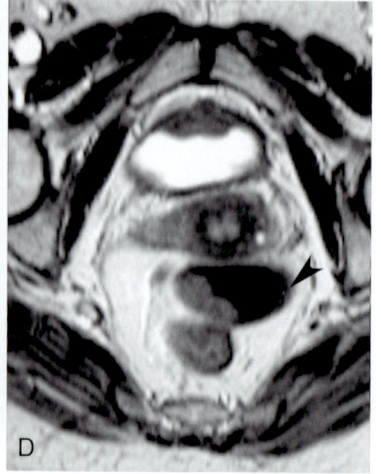

III 卵管腫瘍 tumors of the fallopian tubes

図1　55歳　卵管癌（高異型度漿液性癌）ⅡB期

A, B：T2強調横断像，C, D：造影T1強調横断像，E：T2強調矢状断像，F：単純CT，G：造影CT，H：摘出標本肉眼像，I：HE染色（弱拡大）

子宮内膜癌疑いにて前医より紹介。両側付属器に囊胞性腫瘤を認め（右：A, C, E, F, G→，左：B, D, F, G▲），矢状断像（E）でみると右は拡張した管状構造がとぐろを巻いているようにみえる。このことから腫瘤は卵巣ではなく，拡張した卵管であることがわかる。いずれの卵管にも増強効果をもつ充実部を認め（F, G），悪性腫瘍が疑われる。摘出標本では両側卵管は著しく拡張して腫瘤を形成しており（H），病理組織学的には高異型度漿液性腺癌からなっている（I）。

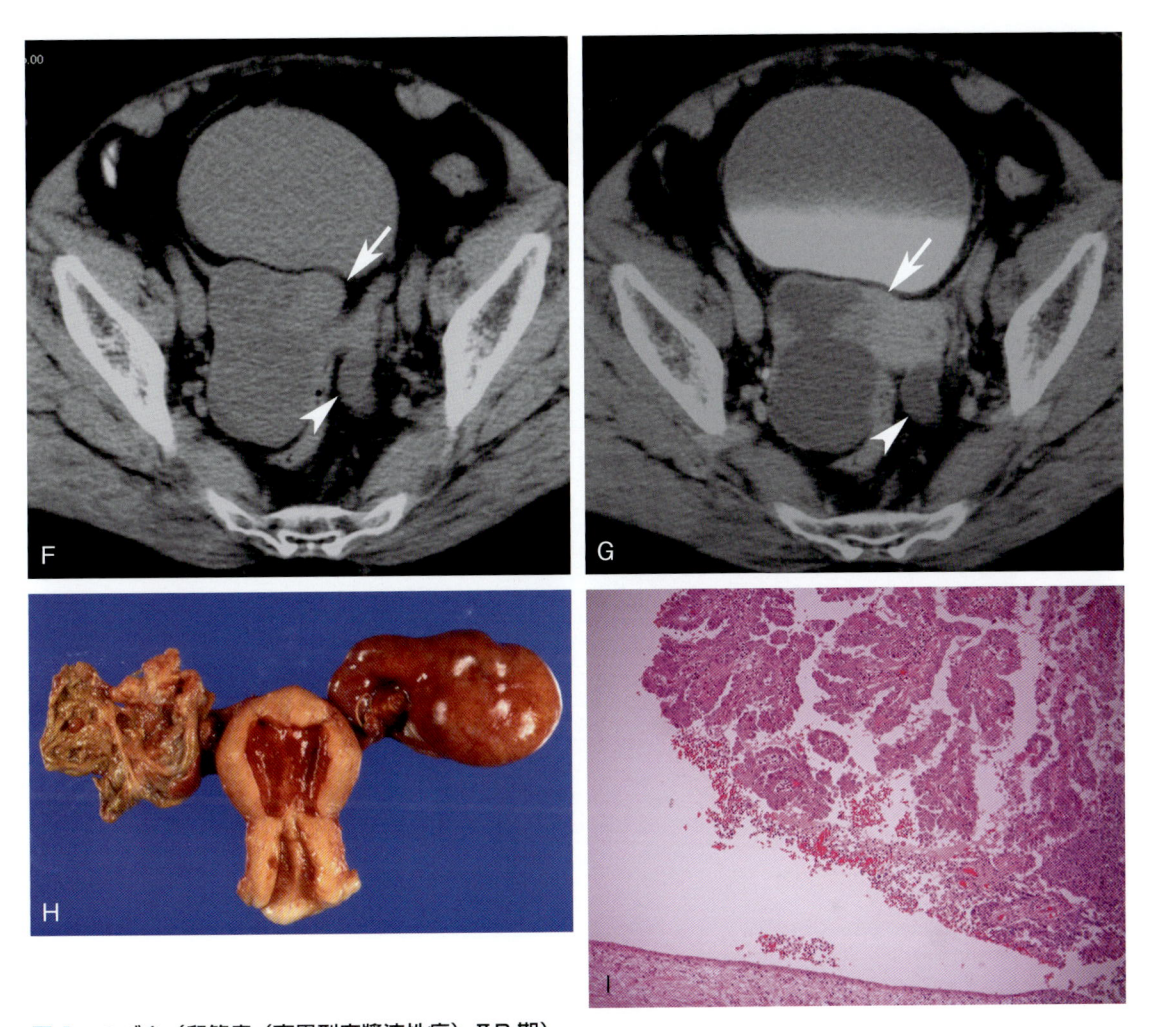

図1 つづき（卵管癌（高異型度漿液性癌）ⅡB期）

として描出されることもある[15]。卵管内に鋳型状に発育することから、卵巣腫瘍に比べて小さいことが多いこと[12)16)17]、腫瘍を取り巻く卵管壁に強い増強効果をみることも原発性卵管癌の特徴とされる[18]。さらに組織型としては大部分が高異型度漿液性癌であることから、卵巣発生と同じく、拡散制限は強い[16-18]。また前述の三徴の1つである水様帯下を反映して子宮内腔にも液体貯留を伴うことが多い[12]（図2）。しかしUS[14]、CT、MRI[12]のいずれでも腫瘍は壁在結節もしくは充実部を有する混合性腫瘍として描出されることから、正常卵巣を別個に同定できる場合を除き卵巣癌と鑑別することは難しい（図3）[13)19]。ことに両側性の卵管拡張は子宮内膜癌でもしばしばみられる所見であり、注意が必要である[20]。卵管拡張は骨盤内炎症性疾患（卵管卵巣膿瘍）や子宮内膜症でも生じうるが、内膜症では反復性の出血で生じた卵管留血症であることから内容物がT1強調像で高信号を示すことが多い（p170参照）[21]のに対し、卵管癌では多くは漿液性癌であるために内容物の信号強度はT1強調像で低信号であることが期待されるが、腫瘍内出血のために高信号を示すことも多い[21]。卵管卵巣膿瘍では卵管外へも炎症が波及するために、造影剤で

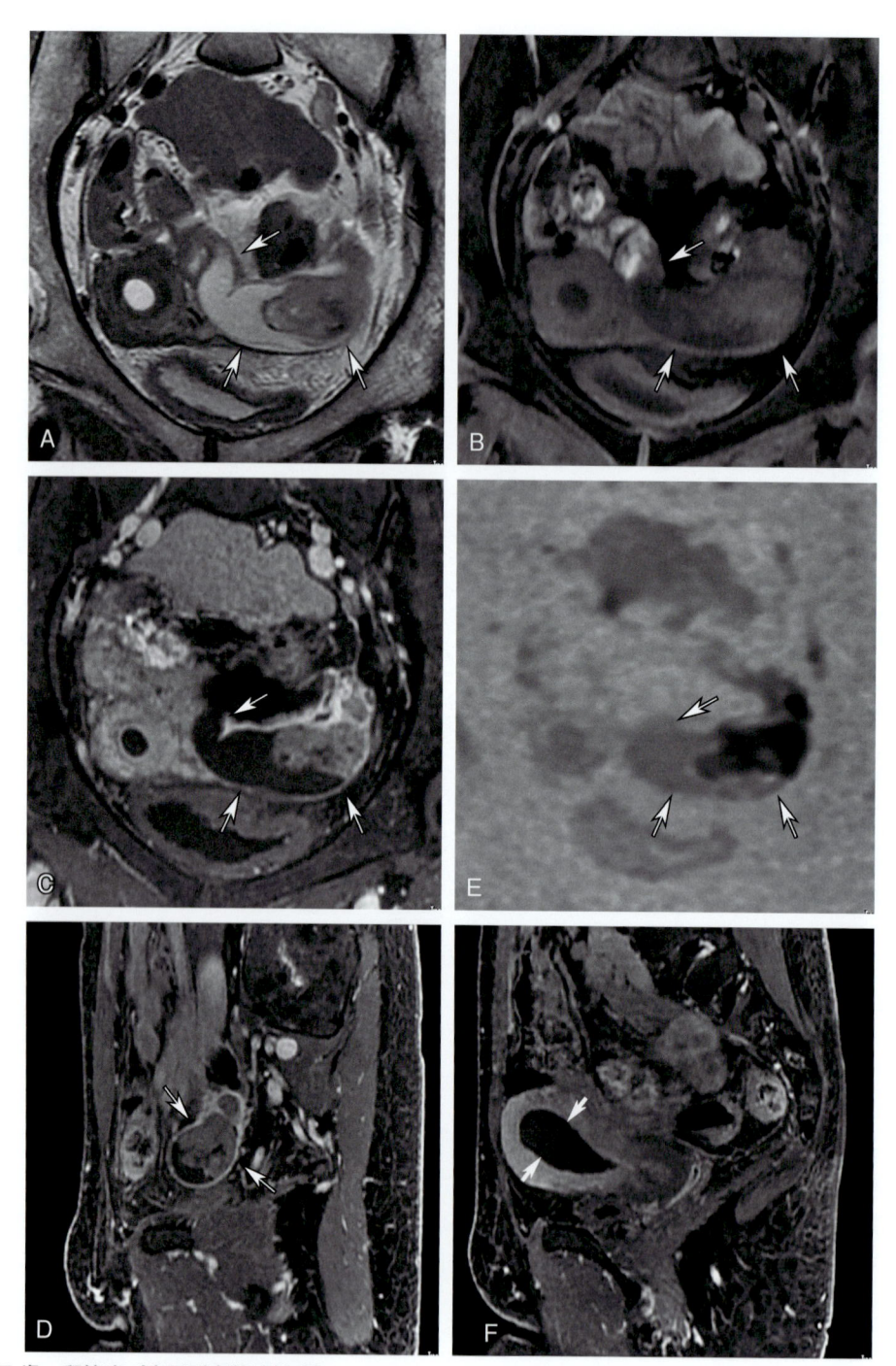

Ⅲ 卵管腫瘍 tumors of the fallopian tubes

図2 55歳 卵管癌（高異型度漿液性癌）
A：T2強調冠状断像，B：脂肪抑制T1強調冠状断像，C：造影脂肪抑制T1強調冠状断像，D：造影脂肪抑制T1強調矢状断像，E：拡散強調冠状断像，F：造影脂肪抑制T1強調矢状断像
水様帯下を主訴に前医受診。T2強調像にて子宮の左側に蛇行拡張した管状構造（A→）の外側縁を占める信号強度の高い充実部を認め，造影後は充実部よりもこれを取り巻く卵管壁がよく増強され（B～D→），充実部は強い拡散制限を示す（E）。信号パターンは高異型度漿液性癌の典型である。腫瘤は卵管内に鋳型状に発育しているが，卵管内腔のみならず子宮内膜腔にも多量の液体貯留があり（F→），腫瘍細胞の分泌能の亢進を示唆し，卵管高異型度漿液性癌の臨床的特徴を反映している。

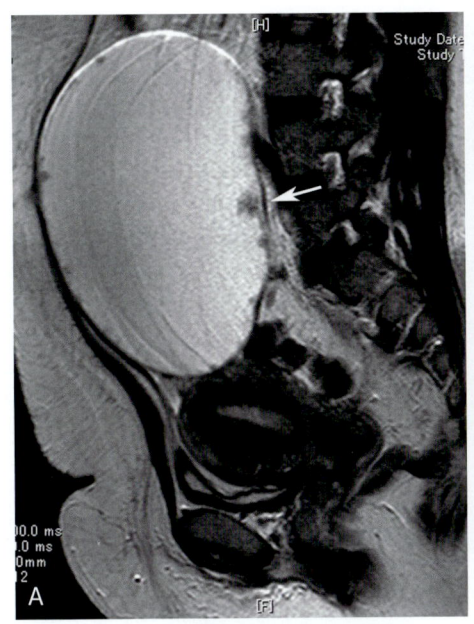

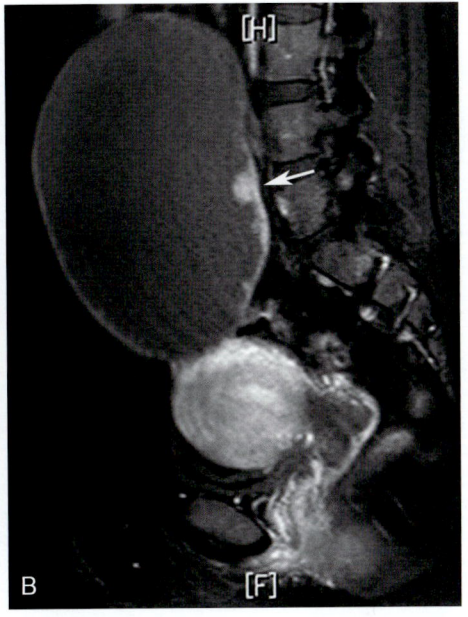

図3　37歳　卵管漿液性境界悪性腫瘍
A：T2強調矢状断像，B：造影脂肪抑制T1強調矢状断像
卵巣癌疑いにて前医より紹介。単房性囊胞性腫瘤の壁に多数の壁在結節（A, B →）を認め，個々の結節にはPA&IB patternを確認でき，卵巣原発の境界悪性漿液性腫瘍を疑わせる形態であるが，腫瘤は拡張した卵管から構成されていた。このように単房性囊胞の形態をとるものでは卵管腫瘍をイメージすることは難しい。

よく増強される拡張した卵管壁と周囲構造との境界が不明瞭であることが多い（p764～766参照）。卵管留膿症や卵管卵巣膿瘍では卵管壁も肥厚することが多く[22]，画像所見のみでは両者を区別できない場合もあり，発熱や炎症所見といった臨床情報も参考にすべきである。一方，卵管は広間膜に固定されて子宮に連続していることから，間質部に近い領域に発生した場合には子宮筋腫との鑑別が問題になることもある[12]。また，時に間膜に沿って腹膜外に浸潤性に発育することがあり，このような進展形式を示した場合は原発巣の同定に苦慮する（図4）。

卵管原発の上皮性腫瘍のうち，漿液性境界悪性腫瘍（図3）と癌肉腫（図5）を示す。卵管内発育である点を除き，画像的特徴は卵巣原発の症例に類似するので，卵巣の該当項目（p431～436；p491～492；p495～496）を参照されたい。

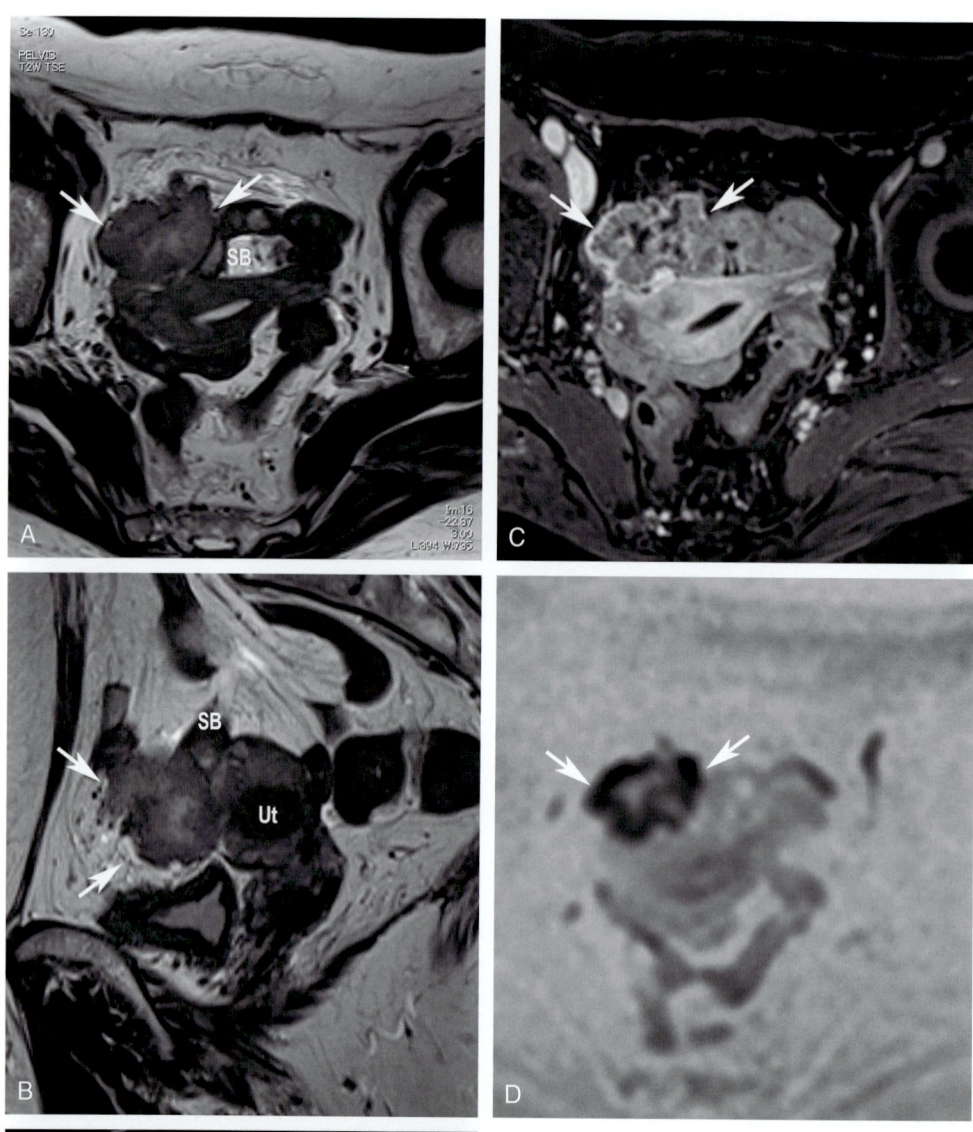

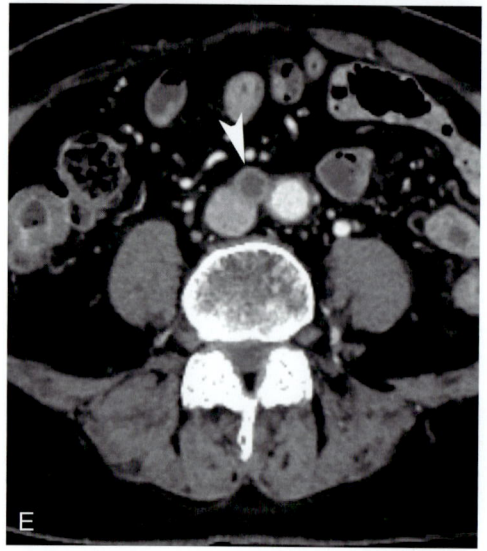

図4 81歳 卵管癌（高異型度漿液性癌）ⅢC期
A：T2強調横断像，B：T2強調矢状断像，C：造影脂肪抑制T1強調横断像，D：拡散強調横断像，E：造影CT

充実性骨盤内腫瘤疑いにて紹介受診。萎縮した右卵巣（非提示）とは離れて，子宮（Ut），小腸（SB）と広く接して，T2強調像にて比較的信号強度が低く（A，B→），中心部に広範な壊死を伴う（C→）分葉状の腫瘤を認める。充実部の拡散制限（D→），浸潤傾向が強く，傍大動脈リンパ節転移（E▲）も伴う。小腸との密接な関係から，メッケル憩室癌やGIST（消化管間質性腫瘍）を疑ったが，大網に浸潤した卵管癌であった。典型的な高異型度漿液性癌に比べ，T2強調像での信号強度が低く，壊死傾向が強いことも診断を難しくした。

2. 卵管腫瘍の画像所見

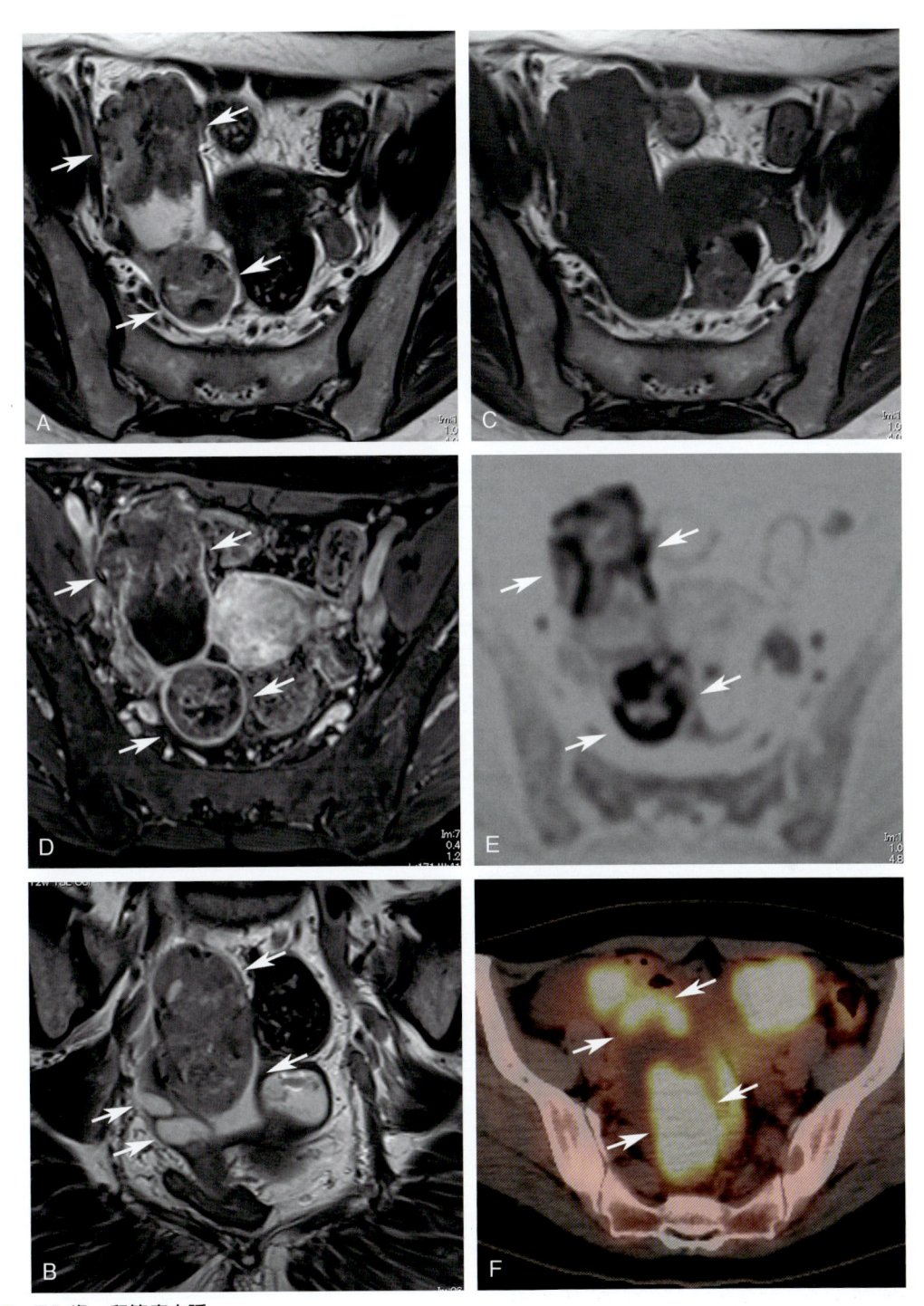

図5 51歳 卵管癌肉腫

A：T2強調横断像，B：T2強調冠状断像，C：T1強調横断像，D：造影脂肪抑制T1強調横断像，E：拡散強調横断像，F：PET/CT

卵管癌または虫垂癌疑いにて紹介受診。T2強調像にて子宮の右側に蛇行拡張した管状構造（A, B, D, E→）があり，内腔を占める腫瘤を認める。図1, 2の高異型度漿液性癌に比べT2強調像で信号強度が低く（A, B），増強効果（C, D），拡散制限（E）とも不均一で，明らかに性状が異なる。PET/CTでは極めて強いFDGの集積がみられる（F→）。病理組織学的に上皮成分は高異型度漿液性癌だが，肉腫成分を混じており，卵管原発の癌肉腫と診断された。

623

III 卵管腫瘍 tumors of the fallopian tubes

3. その他の卵管病変

　ここでは『卵巣腫瘍・卵管癌・腹膜癌取扱い規約 病理編 第2版』(表1) に挙げられた類腫瘍病変のなかからいくつかについて解説する。

　傍卵管嚢胞（paratubal cyst）は卵巣と卵管の間にみられる線毛上皮に被覆された嚢胞状構造で[2]，腹膜中皮，ミュラー管（傍中腎管）もしくはウォルフ管（中腎管）の遺残から発生すると考えられている[23]。ミュラー管由来の場合はエストロゲンの影響を受け，性成熟期，妊娠中に増大し，閉経後は縮小する[24]。卵管采近傍で有茎性に発育する2cm以下のミュラー管由来の嚢胞は，特に cystic hydatid of Morgagni として知られる[23]。傍卵管嚢胞は画像的には卵巣外発生である局在を反映して，卵巣と近接するが連続性のない単房性嚢胞として描出される[25-28]（図6）。USではプローブで病変を圧迫すると卵巣から離れることがあり split sign とよばれる[24]。まれだが腫瘍性増殖（腺腫，嚢胞腺腫）も報告されており，多くは漿液性（図7）もしくは粘液性である[24]。

　結節性峡部卵管炎（salpingitis isthmica nodusa）は，卵管憩室症としても知られ，平滑筋の肥大や過形成により卵管壁が結節状に肥厚する病態である。峡部に好発（全体の72％）し，不妊症や異所性妊娠の原因として知られる[2]。画像的には子宮卵管造影で卵管壁に多結節状の陰影欠損を生じる。MRI 所見の報告はないが，自験例では T2 強調像で低信号，よく増強される卵管壁の肥厚として描出され（図8），卵管癌や特に結核性卵管炎（p774 図10 参照）との鑑別は困難と推定される。

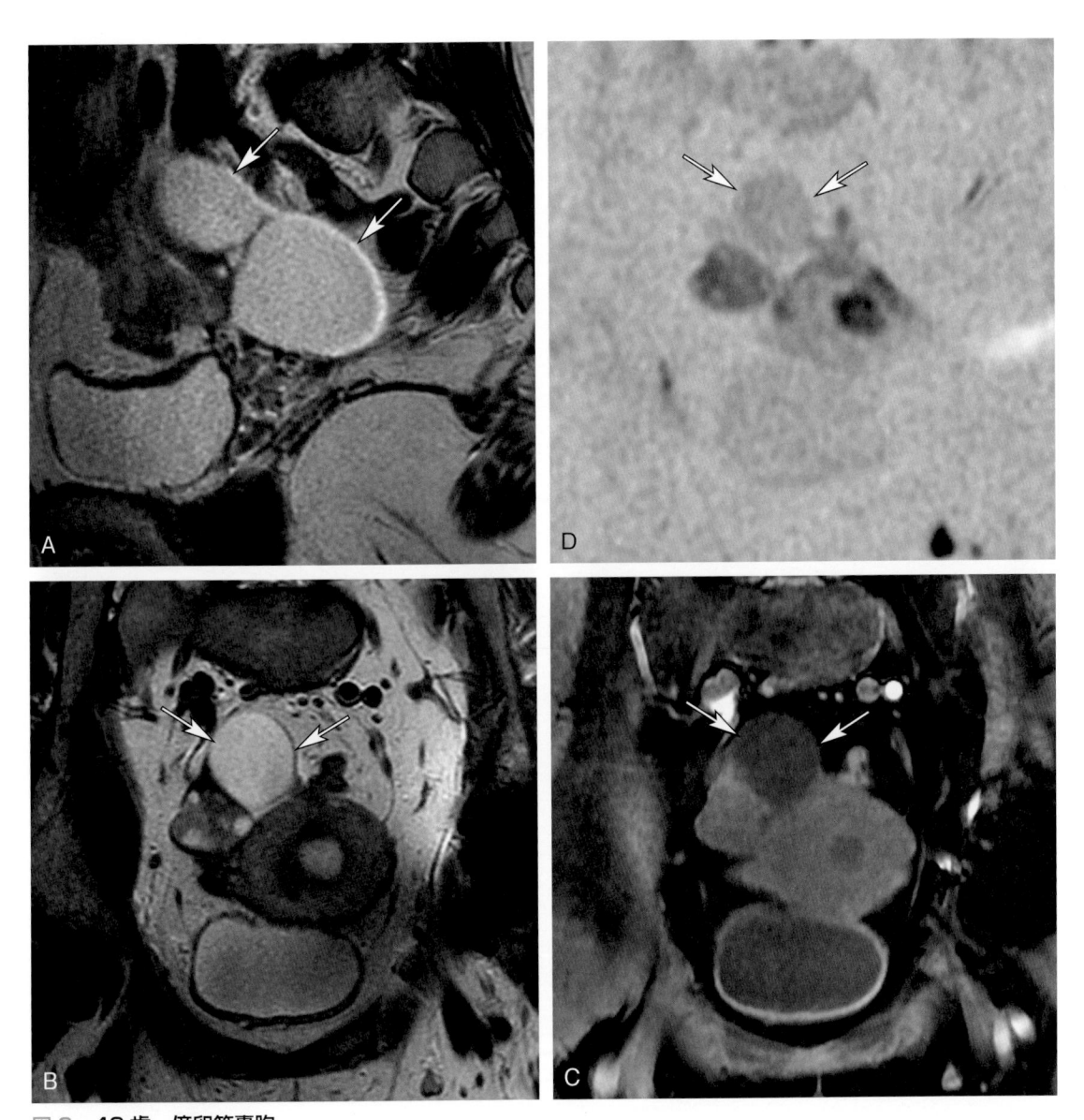

図6 40歳 傍卵管嚢胞
A：T2強調矢状断像，B：T2強調冠状断像，C：脂肪抑制T1強調冠状断像，D：拡散強調冠状断像
8年前から経過観察中の2房性嚢胞。T2強調像で卵巣と接するが，連続性に乏しく，壁の薄く平滑な嚢胞性腫瘤を認める（A, B→）。内容物はT2強調像で高信号，脂肪抑制T1強調像で低信号（C），拡散制限はない（D）。当初より卵巣外と考えられていたが，増大したので付属器切除が行われ，病理組織学的に卵巣外に卵管上皮類似の上皮に裏装された嚢胞が認められた。本例は病理組織学的にも多房性で，傍卵管嚢胞としては非典型例である。

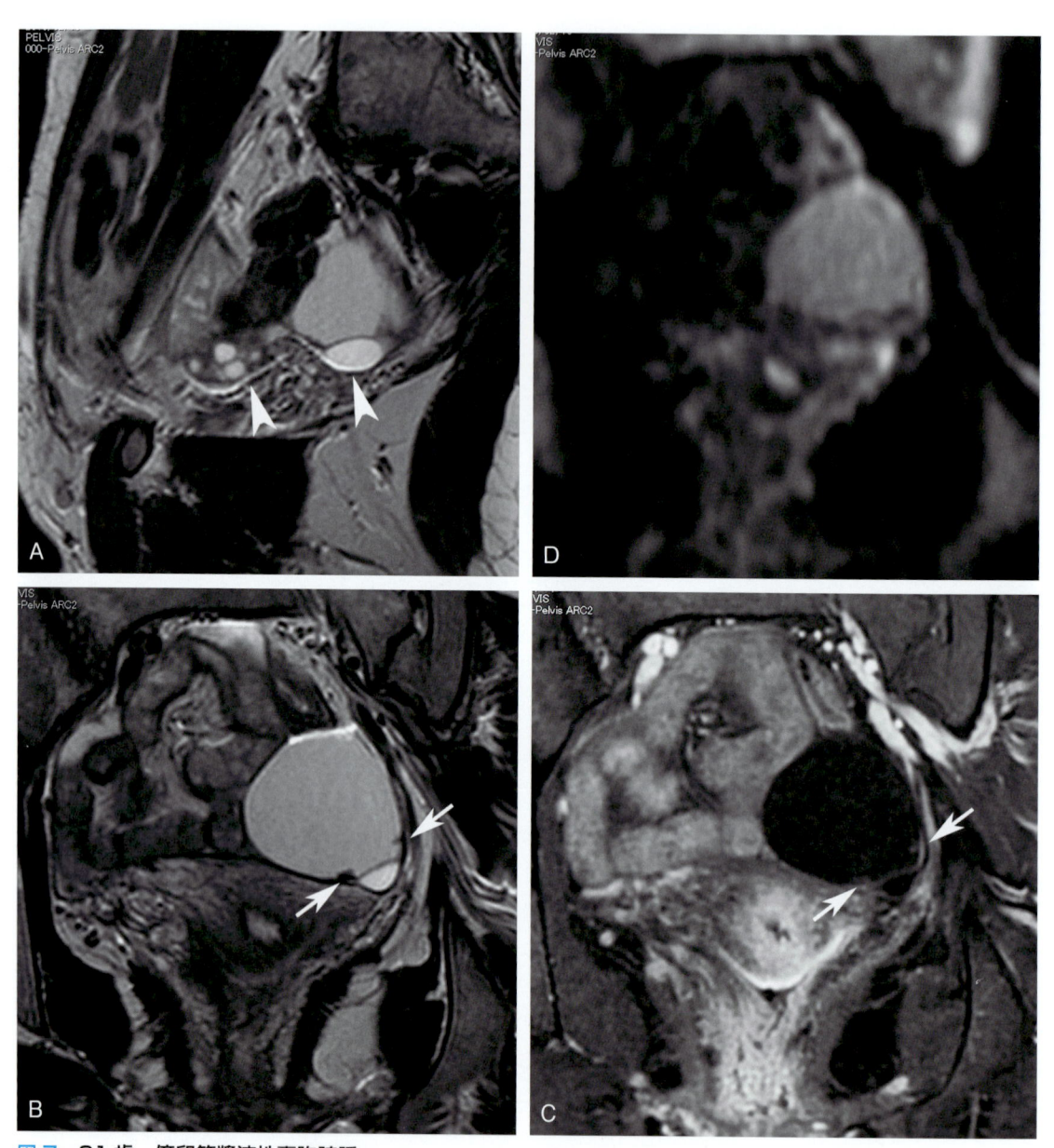

Ⅲ 卵管腫瘍 tumors of the fallopian tubes

図7 31歳 傍卵管漿液性嚢胞腺腫
A：T2強調矢状断像，B：T2強調冠状断像，C：造影脂肪制T1強調冠状断像，D：ADC map
増大傾向のある卵巣嚢胞として紹介。T2強調像で卵巣の後方から上方に，単房性嚢胞性腫瘤を認め（A▲），信号強度の低い微小な壁在結節を伴う（B→）。内容物はT2強調像で高信号（A，B），T1強調で低信号（C），拡散制限はない（D）。壁在結節の増強効果は弱い（C→）。付属器切除が行われ，傍卵管領域の漿液性嚢胞腺腫と診断された。

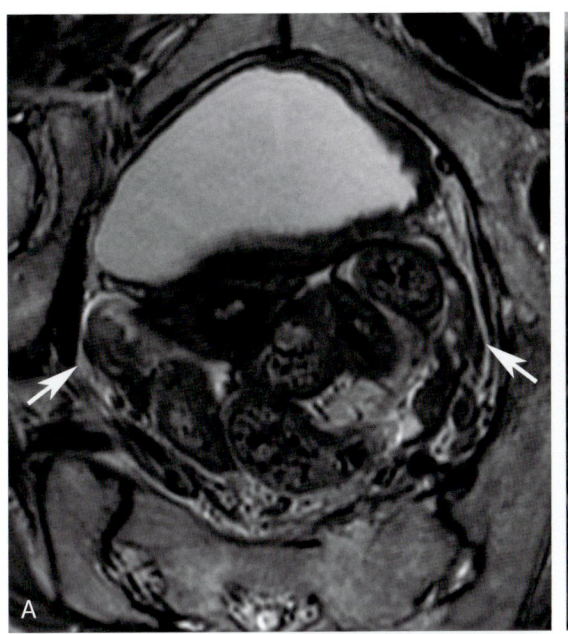

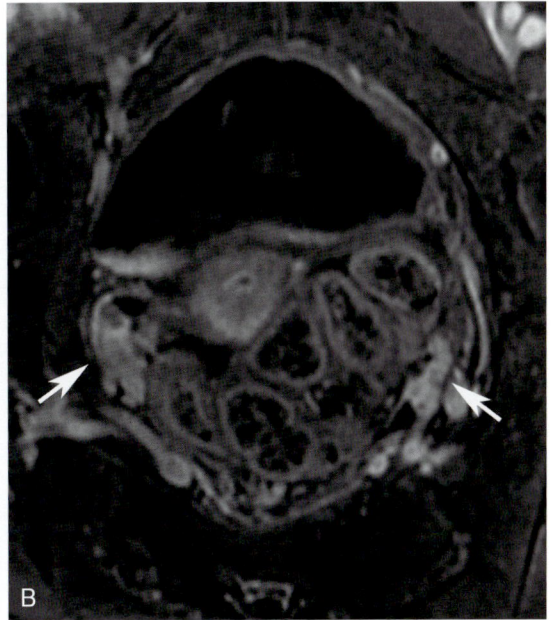

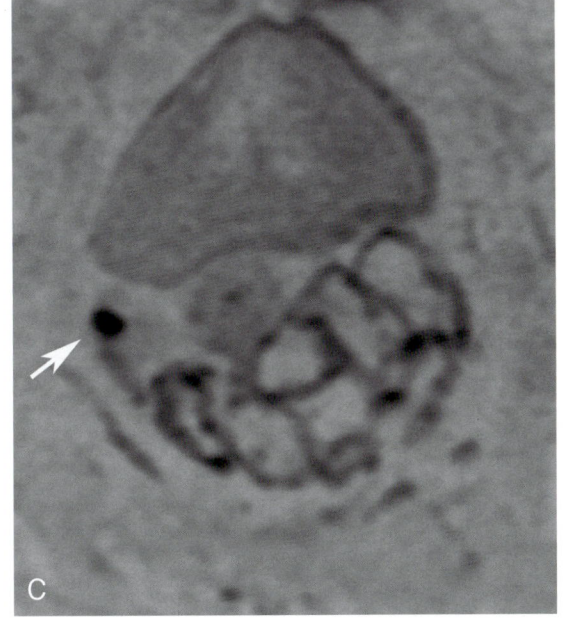

図8 43歳 結節性峡部卵管炎

A：T2 強調横断像，B：造影脂肪抑制 T1 強調横断像，C：拡散強調横断像

BRCA2 病的変異陽性のためリスク低減卵管卵巣切除の術前検査として MRI が行われた。T2 強調像で低信号（A →），造影剤でよく増強される索状物（B →）が両側付属器領域にみられ，右では卵管采が肥厚したような手指状の形態を示している。右卵管には一部拡散制限もみられ（C →），患者背景もあり既発症の卵管原発高異型度漿液性癌を疑ったが，結節性峡部卵管炎であった。

(田中優美子：遺伝性卵巣腫瘍の画像診断：HBOC を中心に．臨画像 39：164-171, 2023 より転載)

Ⅲ 卵管腫瘍 tumors of the fallopian tubes

文献

1) Kurman RJ, Shih IeM : The origin and pathogenesis of epithelial ovarian cancer : a proposed unifying theory. Am J Surg Pathol 34 : 433-443, 2010
2) WHO Classification of Tumors Editorial Board : Female Genital Tumours, 5th ed. International Agency for Research on Cancer, Lyon, 2020
3) Baekelandt M et al : Carcinoma of the fallopian tube. Cancer 89 : 2076-2084, 2000
4) Gilks CB et al : Incidental nonuterine high-grade serous carcinomas arise in the fallopian tube in most cases : further evidence for the tubal origin of high-grade serous carcinomas. Am J Surg Pathol 39 : 357-364, 2015
5) Olivier RI et al : Clinical outcome of prophylactic oophorectomy in BRCA1/BRCA2 mutation carriers and events during follow-up. Br J Cancer 90 : 1492-1497, 2004
6) Cass I et al : BRCA-mutation-associated fallopian tube carcinoma : a distinct clinical phenotype? Obstet Gynecol 106 : 1327-1334, 2005
7) Stewart SL et al : The incidence of primary fallopian tube cancer in the United States. Gynecol Oncol 107 : 392-397, 2007
8) 日本産科婦人科学会, 日本病理学会 編：卵巣腫瘍・卵管癌・腹膜癌取扱い規約 病理編 第2版. 金原出版, 東京, 2022
9) Heintz A et al : Carcinoma of the fallopian tube. Int J Gynaecol Obstet 95（suppl 1）: S145-160, 2006
10) Sedlis A : Carcinoma of the fallopian tube. Surg Clin North Am 58 : 121-129, 1978
11) Hefler LA et al : The clinical value of serum concentrations of cancer antigen 125 in patients with primary fallopian tube carcinoma : a multicenter study. Cancer 89 : 1555-1560, 2000
12) Kawakami S et al : Primary malignant tumor of the fallopian tube : appearance at CT and MR imaging. Radiology 186 : 503-508, 1993
13) Slanetz PJ et al : Imaging of fallopian tube tumors. AJR Am J Roentgenol 169 : 1321-1324, 1997
14) Kurjak A et al : Preoperative diagnosis of the primary fallopian tube carcinoma by three-dimensional static and power Doppler sonography. Ultrasound Obstet Gynecol 15 : 246-251, 2000
15) Mikami M et al : Preoperative diagnosis of fallopian tube cancer by imaging. Abdom Imaging 28 : 743-747, 2003
16) Cai SQ et al : Primary fallopian tube carcinoma : correlation between magnetic resonance and diffuse weighted imaging characteristics and histopathologic findings. J Comput Assist Tomogr 39 : 270-275, 2015
17) Ma FH et al : MRI for differentiating primary fallopian tube carcinoma from epithelial ovarian cancer. J Magn Reson Imaging 42 : 42-47, 2015
18) Kitai S et al : MRI findings for primary fallopian tube cancer : correlation with pathological findings. Jpn J Radiol 36 : 134-141, 2018
19) Patlas M et al : Sonographic diagnosis of primary malignant tumors of the fallopian tube. Ultrasound Q 20 : 59-64, 2004
20) Hosokawa C et al : Bilateral primary fallopian tube carcinoma : findings on sequential MRI. AJR Am J Roentgenol 186 : 1046-1050, 2006
21) Outwater EK et al : Dilated fallopian tubes : MR imaging characteristics. Radiology 208 : 463-469, 1998
22) Tukeva TA et al : MR imaging in pelvic inflammatory disease : comparison with laparoscopy and US. Radiology 210 : 209-216, 1999
23) Carlson JW et al : Tumors of the Ovary and Fallopian Tube. American Registry of Pathology, 2023
24) Stefanopol IA et al : Clinical, imaging, histological and surgical aspects regarding giant paraovarian cysts : a systematic review. Ther Clin Risk Manag 18 : 513-522, 2022
25) Kim JS et al : Sonographic diagnosis of paraovarian cysts : value of detecting a separate ipsilateral ovary. AJR Am J Roentgenol 164 : 1441-1444, 1995
26) Korbin CD et al : Paraovarian cystadenomas and cystadenofibromas : sonographic characteristics in 14 cases. Radiology 208 : 459-462, 1998
27) Kishimoto K et al : Paraovarian cyst : MR imaging features. Abdom Imaging 27 : 685-689, 2002
28) Ghossain MA et al : Extraovarian cystadenomas : ultrasound and MR findings in 7 cases. J Comput Assist Tomogr 29 : 74-79, 2005

IV 腹膜腫瘍 peritoneal tumors

Summary

- 高異型度漿液性癌の前駆病変は漿液性卵管上皮内癌であるが，原発巣が微小でありながら，大網ケーキをはじめとする大きな播種性転移の多発により「腹膜癌」ないし「癌性腹膜炎」の様相を呈することが少なくない。
- 腹膜中皮腫は中皮細胞由来の悪性腫瘍で，画像的には腹腔内に多発する充実性腫瘤の形態をとることから，高異型度漿液性癌との鑑別に苦慮する疾患である。
- 播種性腹膜平滑筋腫症は腹腔内に平滑筋や線維芽細胞からなる結節が多発する病態で，個々の結節は子宮筋腫に類似した，T2強調像で低信号の境界明瞭な結節を呈する。
- デスモイド腫瘍は線維芽細胞，筋線維芽細胞が浸潤性に増殖する腫瘍で，手術を含む外傷に続発することが多く，骨盤底に好発する。典型的には境界明瞭な腫瘤を呈するとされるが特異的所見には乏しい。
- 孤立性線維性腫瘍は拡張した壁の薄い血管と線維芽細胞への分化を示す紡錘形細胞の増殖で構成されるまれな腫瘍で，遷延性の強い増強効果を示すとの報告が多いが，デスモイドや消化管外間質腫瘍と並び，特徴的な画像所見には乏しい。
- 腹膜偽粘液腫の大部分は，虫垂境界悪性粘液性腫瘍の腹膜播種性転移であり，一見，腹水様にみえる囊胞が肝・脾に食い込むscallopingが特徴的である。

WHO分類第5版では腹膜腫瘍（peritoneal tumors）として腹膜中皮，ミュラー管型上皮性腫瘍，腹膜に特有な間葉性腫瘍，類腫瘍病変，転移性腫瘍について解説している（表1）[1]。『卵巣腫瘍・卵管癌・腹膜癌取扱い規約 病理編 第2版』では，その書名上の制約から，類腫瘍病変については割愛されている[2]。一方，腹膜からは上記WHO分類に含まれる疾患群以外にも多彩な腫瘍や類腫瘍病変が発生し，画像による鑑別診断が重要なことから，古くはRosらが1994年に腹膜に発生する腫瘍をbubbles（囊胞性腫瘍）とmarbles（充実性腫瘍）に大別し，北米放射線学会などで繰り返し講義してきた[3,4]。本項ではWHO分類を軸に婦人科腫瘍と鑑別すべき疾患との観点から，Rosら先人が講義や総説でたびたび取り上げてきた腹膜病変について概説する。

初版では多くの紙幅を割いた高異型度漿液性癌のほとんどは漿液性卵管上皮内癌由来であると考えられるに至り，初版で腹膜腫瘍に含めていた本腫瘍については卵巣上皮性腫瘍の項に移動したので，そちらを参照されたい（p427）。しかし腹膜中皮も卵巣表層上皮も発生学的には胎性体腔上皮由来という共通の発生起源を有し，腹膜からは卵巣上皮腫瘍と同様の組織像を呈する上皮性腫瘍が発生することから，WHO分類，取扱い規約ともにミュラー管型上皮性腫瘍を残している。

IV 腹膜腫瘍 peritoneal tumors

表1 腹膜腫瘍の組織学的分類および ICD-O コード

中皮腫瘍 Mesothelial tumors	
9054/0	アデノマトイド腫瘍 Adenomatoid tumor NOS
9052/0	高分化型乳頭状中皮性腫瘍 Well-differentiated papillary mesothelioma, benign
9050/3	中皮腫 Mesothelioma, malignant
9052/3	上皮型悪性中皮腫 Epithelioid mesothelioma, malignant
9051/3	肉腫型中皮腫 Sarcomatoid mesothelioma
9053/3	二相型悪性中皮腫 Mesothelioma, biphasic, malignant
ミュラー管型上皮性腫瘍 Epithelial tumors (of Müllerian type)	
8442/1	漿液性境界悪性腫瘍 Serous borderline tumor NOS
8460/3	低異型度漿液性癌 Low-grade serous carcinoma
8461/3	高異型度漿液性癌 High-grade serous carcinoma
腹膜に特有な間葉性腫瘍 Mesenchymal tumors specific to peritoneum	
8890/1	播種性腹膜平滑筋腫症 Leiomyomatosis, peritonealis disseminata
8822/1	腹部線維腫症 Abdominal fibromatosis
8817/0	石灰化線維性腫瘍 Calcifying fibrous tumor
8936/3	消化管間質腫瘍 Gastrointestinal stromal tumor
8815/1	孤立性線維性腫瘍 Solitary fibrous tumor NOS
	Fat-forming (lipomatous) solitary fibrous tumor
	Giant cell-rich solitary fibrous tumor
	Dedifferentiated solitary fibrous tumor
8815/3	悪性孤立性線維性腫瘍 Solitary fibrous tumor, malignant
8931/3	低異型度類内膜間質肉腫 Endometrioid stromal sarcoma, low grade
8930/3	高異型度類内膜間質肉腫 Endometrioid stromal sarcoma, high grade
8806/3	線維形成性小型円形細胞腫瘍 Desmoplastic small round cell tumor
腫瘍様病変 Tumor-like lesions	
	中皮過形成 Mesothelial hyperplasia
9055/0	腹膜封入嚢胞 Peritoneal inclusion cysts
	移行上皮化生 Transitional cell metaplasia
	子宮内膜症 Endometriosis
	卵管内膜症 Endosalpingiosis
	組織球結節 Histiocytic nodule
	異所性脱落膜 Ectopic decidua
	脾症 Splenosis
転移性腫瘍 Metastases to the peritoneum	
	癌および肉腫 Carcinomas and sarcomas
8480/6	腹膜偽粘液腫 Pseudomyxoma peritonei
	膠腫症 Gliomatosis

(文献1より改変引用)

　本項では，取扱い規約に掲載された腫瘍に，WHO 分類，Ros らの視点や Irving らが成書で取り上げている疾患[5]を加味して代表的な腹膜腫瘍・類腫瘍疾患について述べる (表2)。

表2 腹膜・腸間膜・大網にみられる腫瘤性病変（肉眼型による分類）
"Bubbles & marbles in the belly"

	Bubbles（嚢胞性腫瘤）	Marbles（充実性腫瘤）
腫瘍性病変	奇形腫 嚢胞性間葉性腫瘍 腹膜偽粘液腫	上皮性腫瘍 　性腺外ミュラー管腫瘍 　腹膜原発漿液性癌 神経原性腫瘍 間葉性腫瘍 　脂肪腫/脂肪肉腫 　びまん性腹膜平滑筋腫症 　線維腫症（デスモイド腫瘍） 　消化管外間質腫瘍 　孤立性線維性腫瘍 　線維形成性小型円形細胞腫瘍 腹膜中皮腫 転移性腫瘍（癌性腹膜炎） 悪性リンパ腫
非腫瘍性病変	真性嚢胞 　内皮細胞性：リンパ管奇形 　上皮細胞性：腸管重複嚢胞 　中皮細胞性：腹膜封入嚢胞 仮性嚢胞（偽嚢胞） 　膵炎など腹腔内の炎症や癒着 　によるもの 　硬化性腹膜炎	リンパ増殖性疾患 　キャッスルマン病 　IgG4関連疾患 感染症 　結核性腹膜炎 非感染性炎症性疾患 　腸間膜脂肪織炎 その他 　脾症

1. 中皮腫瘍 mesothelial tumors

1）アデノマトイド腫瘍 adenomatoid tumor

　腹膜由来の良性腫瘍としてはアデノマトイド腫瘍（adenomatoid tumor）がある[1]。同名の腫瘍は子宮の漿膜下に発育する非上皮性腫瘍として第6章で詳述した（p366；p374 図69参照）（図1）。本腫瘍は子宮と離れた腹膜や腸間膜に発生することもあるが，まれである[2,5]。

2）高分化型乳頭状中皮性腫瘍 well-differentiated papillary mesothelial tumor

　中皮細胞から発生し，乳頭状外向性発育を特徴とするまれな良性腫瘍である[2]。男性にも，また胸膜や精巣鞘膜にも発生するが，生殖可能年齢の女性に好発する。次項の中皮腫と異なりアスベストとの関連はないが，腹膜と同時に胸膜にも腫瘍を認めることが多いとされる[6]。肉眼的に腹膜や子宮・卵巣の表面に時に孤発性，多くは多発性に灰白色の結節を認め，病理組織学的には

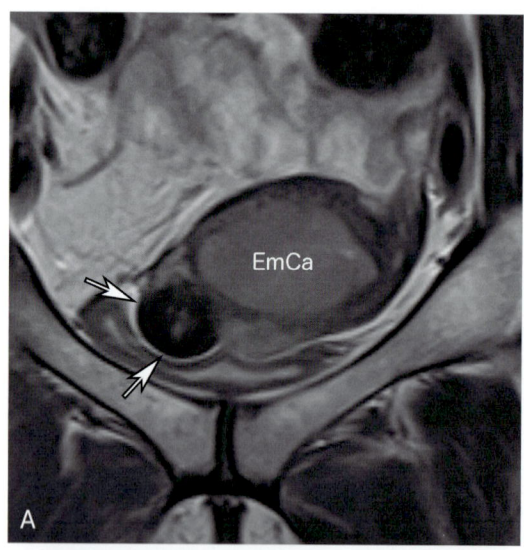

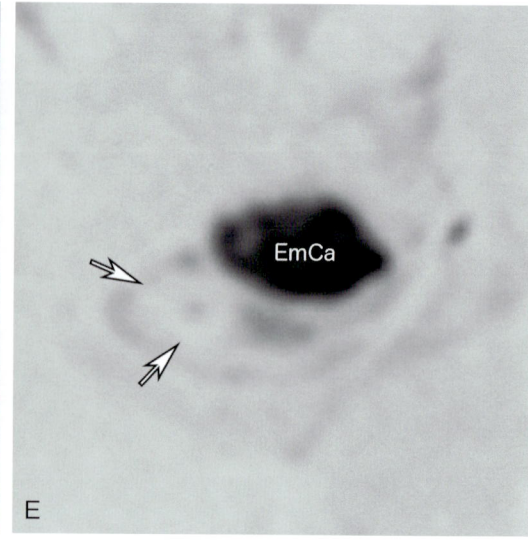

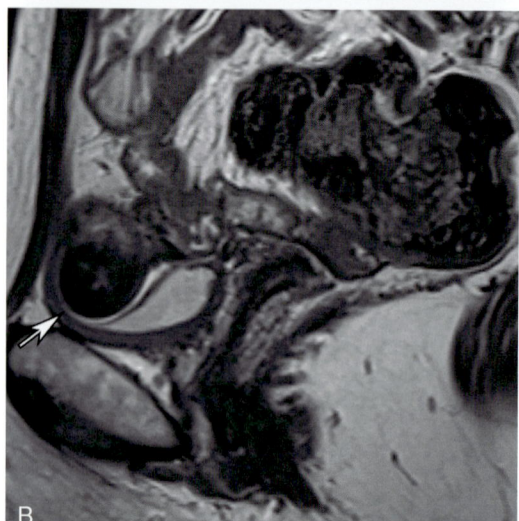

Ⅳ 腹膜腫瘍 peritoneal tumors

図1　55歳　アデノマトイド腫瘍（子宮症例）
A：T2強調冠状断像，B：T2強調矢状断像，C：T1強調矢状断像，D：造影脂肪抑制T1強調矢状断像，E：拡散強調冠状断像
子宮内膜癌の術前検査で，子宮底部の漿膜下にT2強調像で境界明瞭な信号強度の低い腫瘤（A，B→，EmCaは子宮内膜腔を占める子宮内膜癌）を認め，造影後は不均一に増強され（C，D），拡散制限はない（E）。術前は漿膜下筋腫と考えていたが，病理組織学的にアデノマトイド腫瘍と診断された。

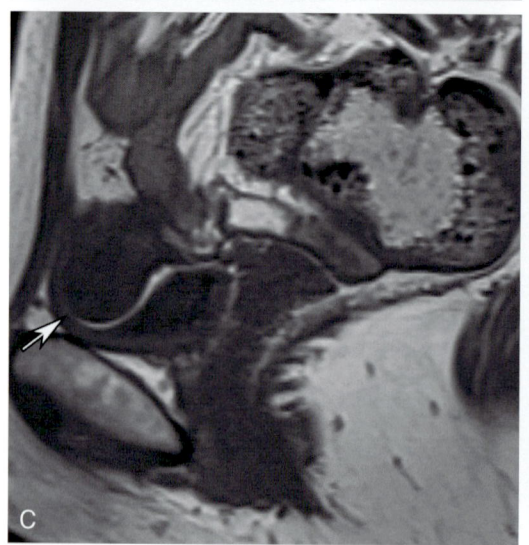

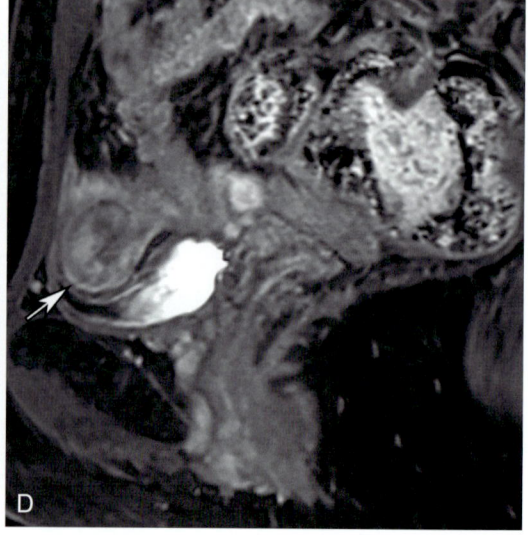

円柱状の細胞が乳頭状に増殖することからその名がある[6]。画像的にはCTで石灰化を伴う腹膜の肥厚や腹膜に沿った結節として認められるという[6-8]。個々の結節は多くは1cm未満，せいぜい3cm以下であり，画像的にも指摘が難しく，結節を伴わない石灰化としてのみ認められることもあるという[8]。したがって，形態的には高異型度漿液性癌や次項で述べる中皮腫との鑑別は難しいと推定される。

3）中皮腫 mesothelioma

中皮細胞由来の腫瘍細胞が浸潤性に増殖する悪性腫瘍である。臨床的にも画像的にも高異型度漿液性癌との鑑別が最も問題になる疾患である[9]。胸膜中皮腫に比べまれな疾患で，全中皮腫の70%が胸膜に生じるのに対し，腹膜原発は10～20%にすぎない[5)9]。アスベストへの曝露と胸膜悪性中皮腫の発生には強い相関があるが，腹膜中皮腫では50%程度の症例でしか曝露歴を確認できない。また女性例でも80%はアスベストの曝露歴があるとする報告もあるが，男性に比べ職業被曝を証明しにくいこともあり，無関係との報告もある[5]。胸膜悪性中皮腫同様，男性に多いとされていたが，近年は男女比は同等とされる[5]。また男性例の平均生存期間が2年以下であるのに対し，女性例では40%が4年以上生存しているとの報告がある[5]。

病理組織学的に上皮型（epithelioid），肉腫型（sarcomatoid），二相型（biphasic）に大別され，腹膜では上皮型がほとんどを占める[2]。上皮型のうち，脱落膜様型（deciduoid type）と称される，好酸性の細胞質を豊富にもつ腫瘍細胞がびまん性に増殖するタイプはほぼ腹膜にのみ発症し，その2/3は女性例で，小児や若年者にも発症するという。また腹膜中皮腫は総じて予後不良であるが，この脱落膜様型は特に急速進行性であるとされる[5]。

画像的には腹腔内に多発する充実性腫瘤の形態をとる。Rosらは腹水は少ない傾向があり，上皮型はびまん性の腹膜の肥厚や結節状の胼胝を形成することが多い（図2）のに対し，肉腫型はよく被包化された大きな腫瘤をつくることが多いと（図3）報告している[10]。一方，Sugarbakerらは臨床的に腹水は少ないが腹膜と連続した大きな腫瘤を形成する"dry-painful type"（図4）と大量の腹水を伴いびまん性の腹膜肥厚をきたす"wet type"（図2），その双方の性質を併せもつものの3タイプに分類される[11]とし，これに準じた画像所見の報告も散見される[7)12]。

2. 腹膜に特有な間葉性腫瘍 mesenchymal tumors specific to peritoneum

A. 平滑筋腫瘍 smooth muscle tumors

1）播種性腹膜平滑筋腫症 leiomyomatosis peritonealis disseminata （びまん性腹膜平滑筋腫症 diffuse peritoneal leiomyomatosis）

WHO分類では腹膜原発の平滑筋腫瘍として播種性腹膜平滑筋腫症（leiomyomatosis

Ⅳ 腹膜腫瘍 peritoneal tumors

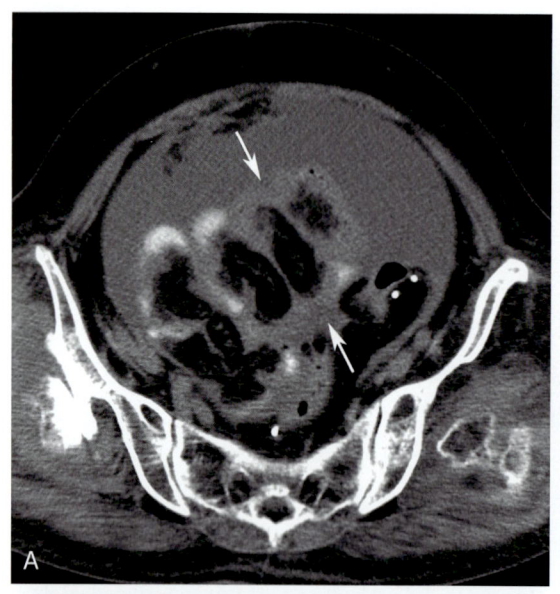

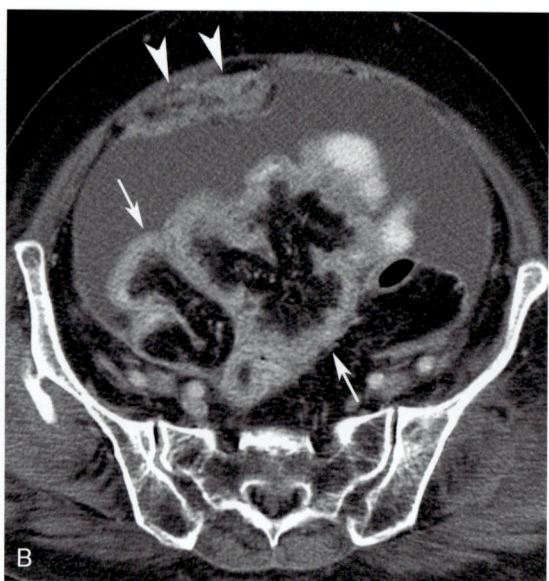

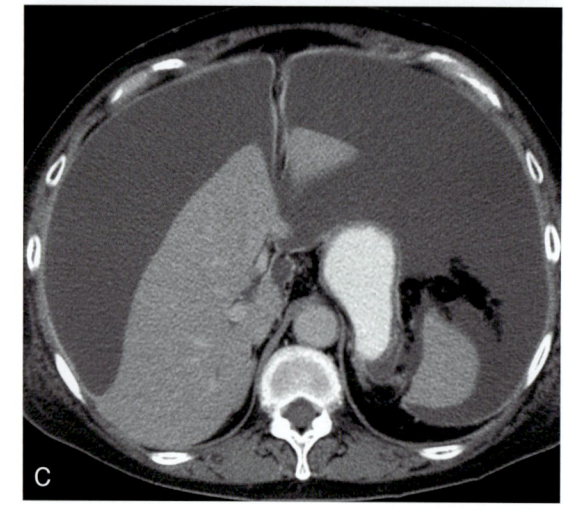

図2 61歳 腹膜中皮腫（二相型）
A〜C：造影 CT
造影 CT 上，大量の腹水に加え腸間膜（A，B →）や壁側腹膜にびまん性の著しい肥厚がみられ，大網には板状の腫瘤形成が認められる（B▲）が，図3と異なり，大網以外の大きな腫瘤形成は認められない。本例も中皮腫であるが，病理組織学的には肉腫型と上皮型の混在する二相型とされた。

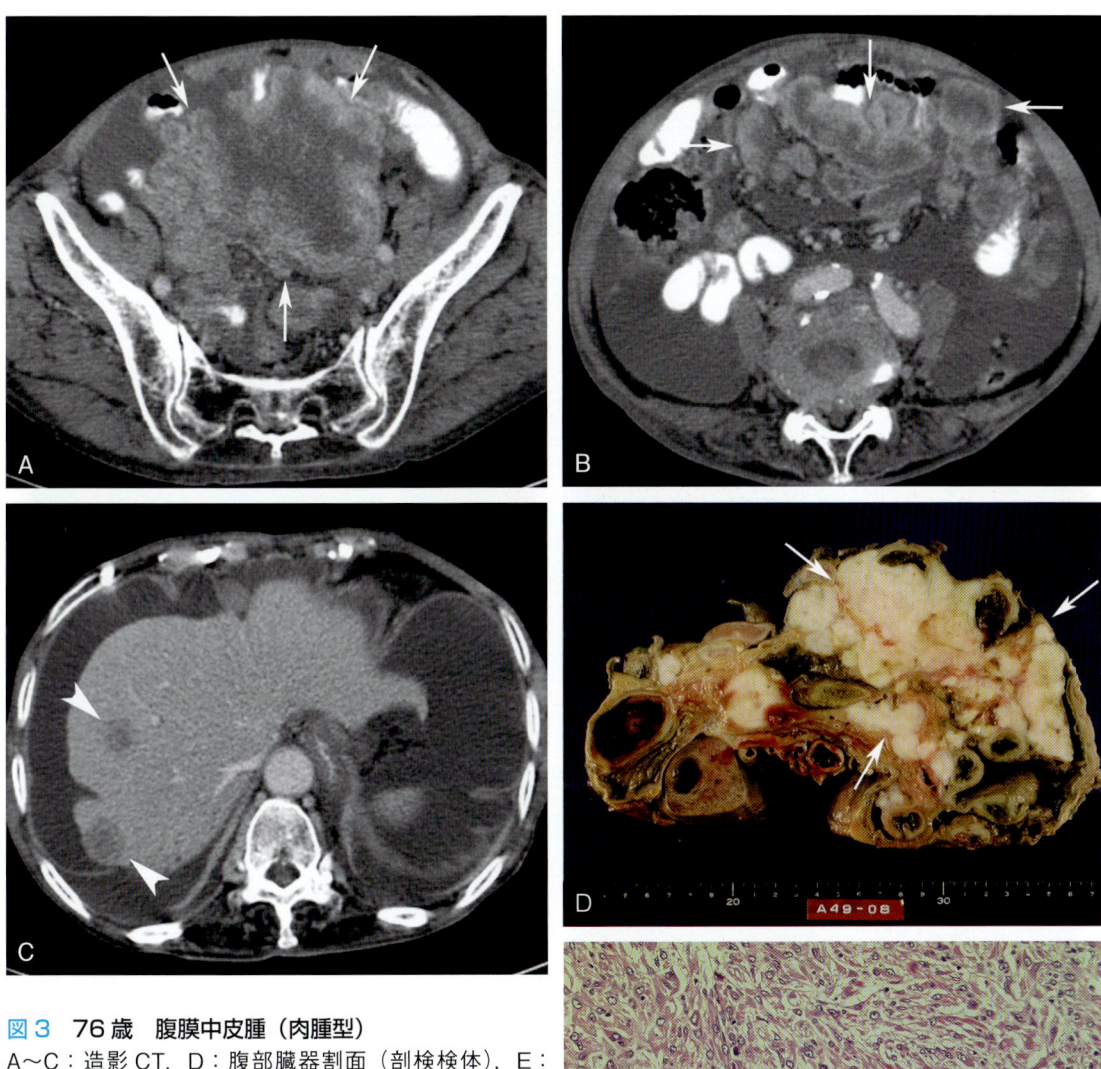

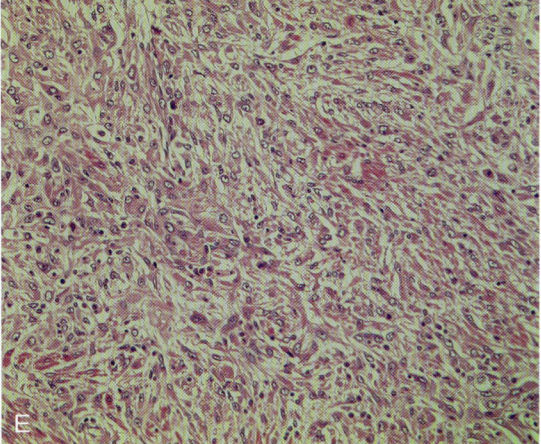

2. 腹膜に特有な間葉性腫瘍 mesenchymal tumors specific to peritoneum

図3 76歳 腹膜中皮腫（肉腫型）
A～C：造影CT，D：腹部臓器割面（剖検検体），E：HE染色（強拡大）
骨盤腔内や腸間膜上に腹水を伴って造影CTで辺縁が増強される，大小の境界明瞭な腫瘤が多発している（A，B→）。肝実質内には同様の性状をもつ腫瘤が散在し，血行性転移と考えられる（C▲）。腫瘍の消化管浸潤により穿孔性腹膜炎を併発し死亡した。剖検では小腸間膜（D→）や肝に白色調の腫瘤を多数認め，組織学的には紡錘形ないし多角形の細胞が密に増殖しており（E），免疫組織化学所見と合わせ肉腫型中皮腫と診断された。

Ⅳ 腹膜腫瘍 peritoneal tumors

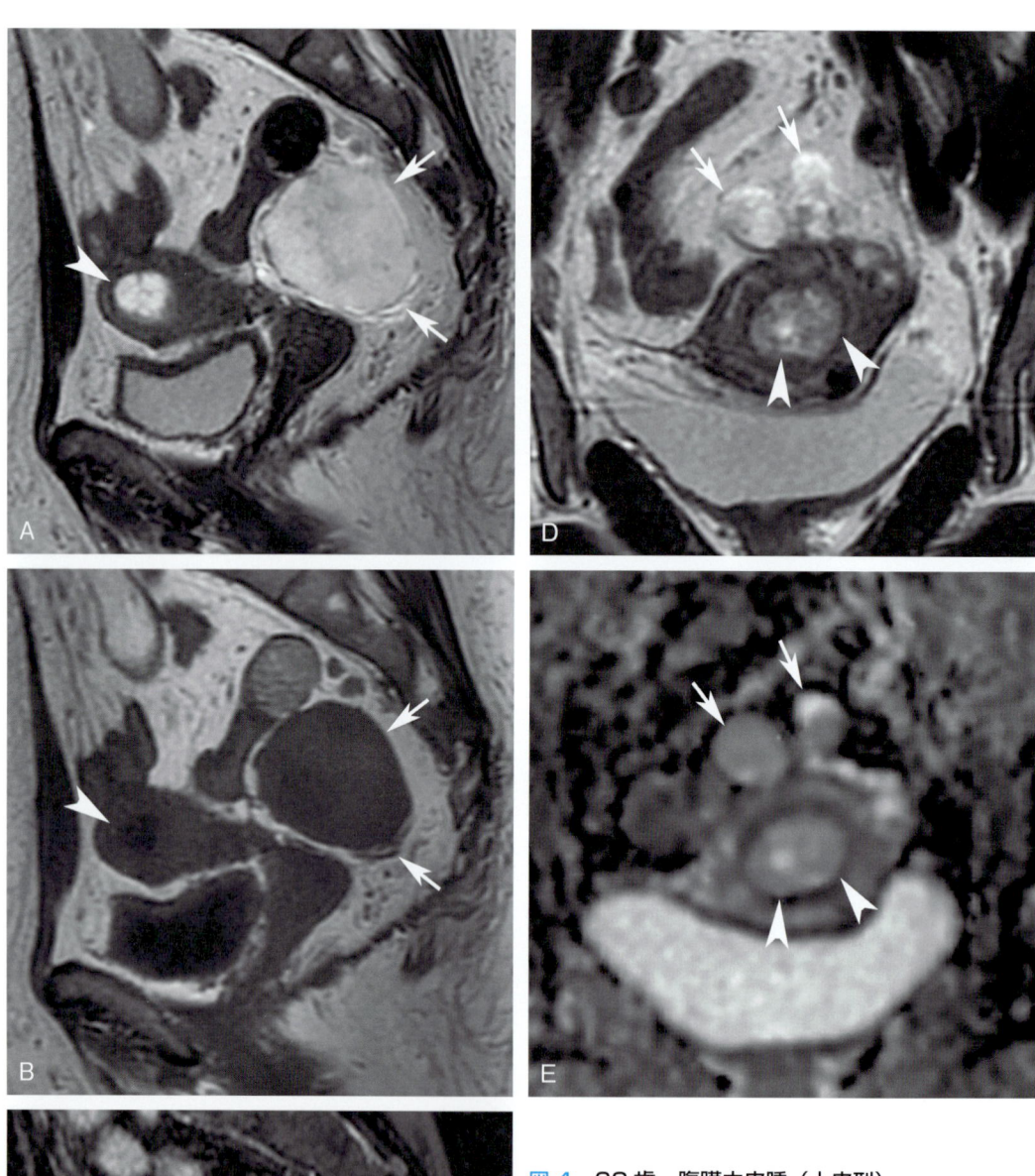

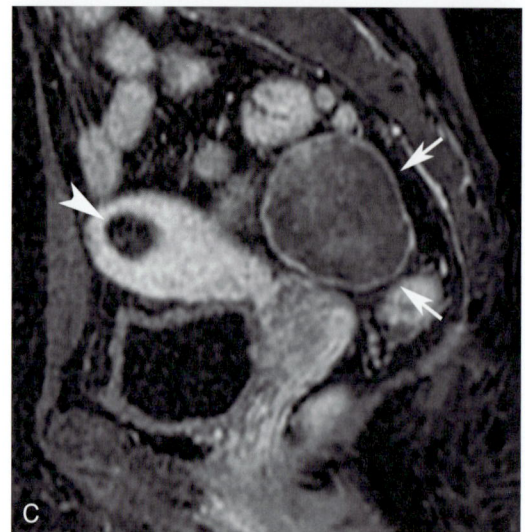

図4 62歳 腹膜中皮腫（上皮型）
A：T2強調矢状断像，B：T1強調矢状断像，C：造影脂肪抑制T1強調矢状断像，D：T2強調冠状断像，E：ADC map
子宮内膜病変の精査のため撮像したMRIで偶然，骨盤底に複数の腹腔内腫瘤が認められた。いずれもT2強調像で信号強度が高く，境界明瞭な腫瘤（A，D→）で，増強効果は不良（B，C→）で，拡散制限には乏しい（E→）。子宮内膜病変（A〜E▲，病理組織学的には内膜ポリープであった）の播種とは考えがたく，他臓器腫瘍の播種を疑って検索をされたが原発巣は見つからず，診断的切除となり腹膜中皮腫と診断された。病理組織学的にも図2，3症例と比べ好酸性細胞質を豊富に有するみずみずしい腫瘍であった。

peritonealis disseminata）を挙げている[1]。播種性腹膜平滑筋腫症は，1952年にWillson & Pealにより初めて報告され[13]，1965年にTaubertらが病理組織学的な概念を確立した疾患で，腹膜表面などの腹腔内に平滑筋や線維芽細胞からなる結節が多発する病態である[14]。狭義には子宮筋腫の合併や既往を認めないものをいうが，近年は子宮筋腫合併例も本症として報告されている。病因は腹膜中皮または腹膜下間葉組織の多中心性化生と考えられている。妊娠中や不妊治療[15]，低用量経口避妊薬（oral contraceptives：OC）の内服，エストロゲン産生腫瘍合併例での発症が報告され，その発症には女性ホルモンが密接に関係している。画像的には腹腔内に多発する，多くは1 cm未満の結節で，MRIのT2強調像で結節が低信号を示す（子宮筋腫と同等である）ことが特徴[16]とされる（図5）。本症はエストロゲンの過剰な環境下で誘発されることから，そのような既往のない症例においては平滑筋肉腫を疑うべきであるとされる。治療は外科的切除が基本となるが，再発例においてはGnRHaも有効とされる。悪性転化（肉腫化）の頻度は少ないが，報告されている[1]。

B. その他の腫瘍 other mesenchymal tumors

1）腹部線維腫症 abdominal fibromatosis（デスモイド腫瘍 desmoid tumor）

線維芽細胞，筋線維芽細胞が浸潤性に増殖する腫瘍[2]で，成人に好発し，外傷，妊娠，OCの服用はリスクファクターとされる。半数は疼痛を主訴とするが，無症状も少なくない。骨盤底に好発し，平均腫瘍径11 cmと境界明瞭な，孤発性の硬い腫瘤を形成する。家族性大腸腺腫症（familial adenomatous polyposis：FAP）に合併することがある（Gardner症候群）。Gardner症候群症例は孤発例よりも多発する傾向がある[17]。約40％が2年以内に再発するとされ，最近は保存的治療（厳重な経過観察）が推奨されている[1]。

前述のように外傷が誘因となることから，特にFAP症例で結腸癌の再発や腹腔内播種との鑑別が問題となることが多い。CT上，境界明瞭な腫瘤であることが多いが，浸潤性のこともある。T2強調像での信号強度は内包する線維成分の割合に依存し，線維成分の多い部分はT2強調像で信号強度が低く，造影剤投与後は緩徐で弱い増強効果を示すのに対し，細胞成分が多い部分はT2強調像で信号強度が高く，早期からよく増強される（図6）[18]。前述のように浸潤性発育を示すこともあるが，結腸癌の再発/播種に比べ，おおむね境界明瞭，辺縁平滑であり，両者の鑑別にはPET/CTが有用とされる[19]。

2）消化管外間質腫瘍 extragastrointestinal stromal tumor（EGIST）

Cajalの間質細胞への分化傾向を示し，消化管壁外に発育することで知られる消化管間質腫瘍（gastrointestinal stromal tumor：GIST）（p129，135参照）も消化管外に生じることがある。取扱い規約では消化管由来病変の転移（図7）や原発巣から分離した腫瘍が含まれている可能性があると記載されており，腹膜原発以外のものも消化管外間質腫瘍（extragastrointestinal stromal tumor：EGIST）とよぶことを容認しているようにみえる。EGISTは小腸間膜や大網に好発し，

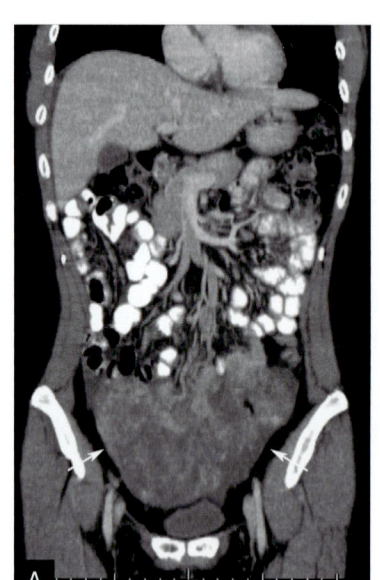

Ⅳ 腹膜腫瘍 peritoneal tumors

図5 40歳 播種性腹膜平滑筋腫症
A：造影 CT 冠状断 MPR 像，B：T2 強調矢状断像，C：T1 強調矢状断像，D：造影脂肪抑制 T1 強調矢状断像，E：摘出標本肉眼像，F：HE 染色（強拡大）
34 歳時に 2 度の流産を契機に漿膜下筋腫が発見され，核出術を受けた。37 歳時に不妊治療を受け，38 歳にて分娩。40 歳時に腹部腫瘤にて再来。造影 CT にて腸間膜の先端に付着する，均一な増強効果を示す腫瘤を認める（A→）。T2 強調像では子宮の前方に高信号を背景に点状に低信号の混在する腫瘤として描出され（B→），造影剤によりよく増強される（C，D→）。間質の浮腫を伴う筋腫に近い性状であるが，子宮との連続性はない。術中，小腸間膜先端に付着する主腫瘤とともに，多数の結節が子宮漿膜面や腹膜上に撒布されているのが確認された（E）。病理組織学的には紡錘形の細胞が膠原線維を伴ってびまん性に増殖する平滑筋腫であり（F），不妊治療を契機に増悪した播種性腹膜平滑筋腫症と診断された。
（A，B は文献 15 より転載）

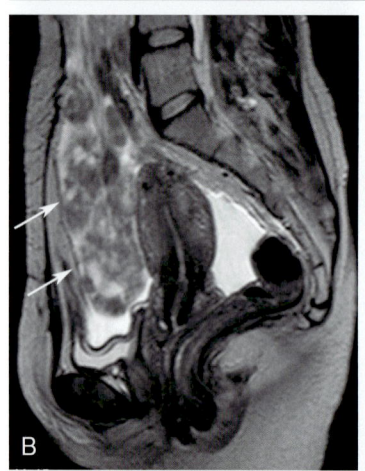

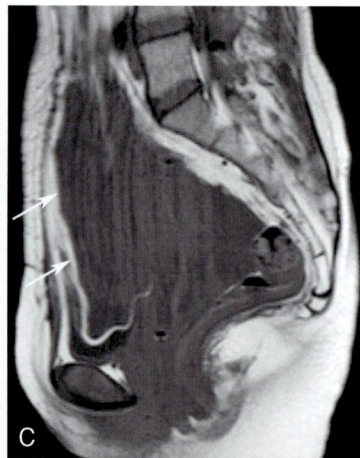

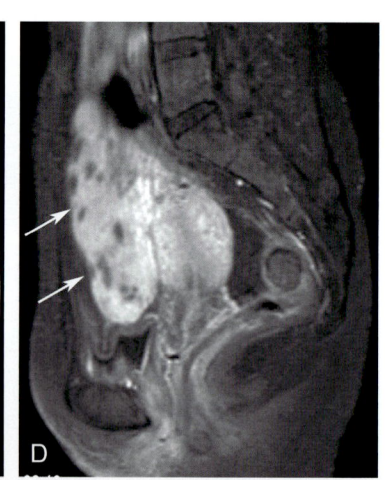

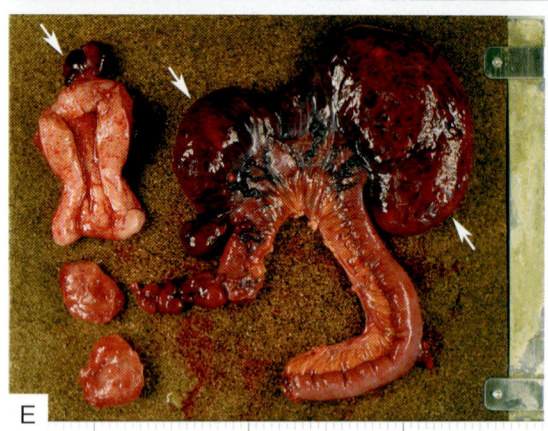

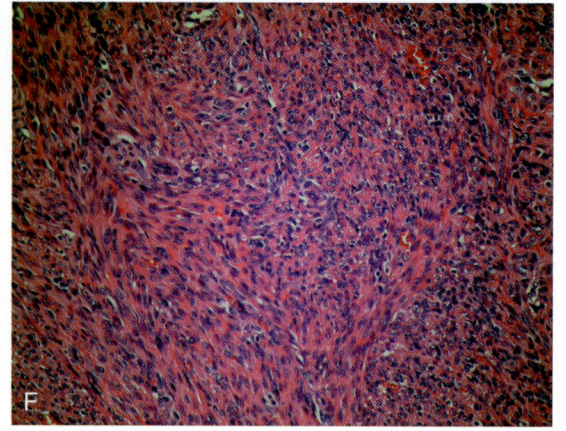

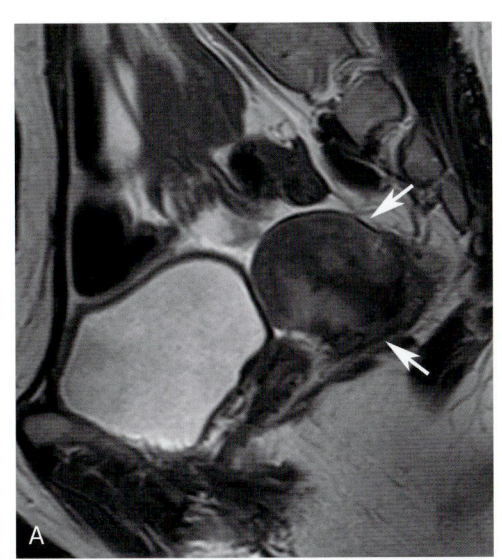

2. 腹膜に特有な間葉性腫瘍 mesenchymal tumors specific to peritoneum

図6　37歳　デスモイド腫瘍
A：T2強調矢状断像，B：T2強調横断像，C：T1強調横断像，D：造影脂肪抑制T1強調横断像，E：拡散強調横断像

子宮頸部異形成に対し，単純子宮全摘術後，定期健診で腫瘤を認めた。腟の断端よりは右後方で腹膜と広く接して存在する，T2強調像で不均一な信号（A, B→），T1強調像で低信号（C→），全体が強く増強される腫瘍（D→）で，拡散制限は弱い（E→）。T2強調像で高信号の部分が相対的によく増強され，拡散制限も強く，線維成分が少なく，相対的に細胞密度も高い部分に相当すると考えられる。

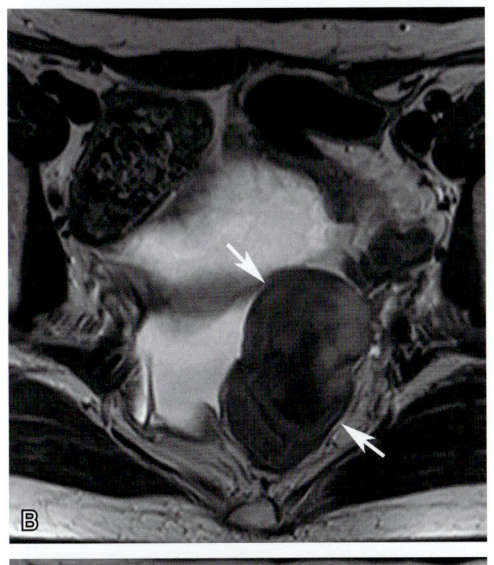

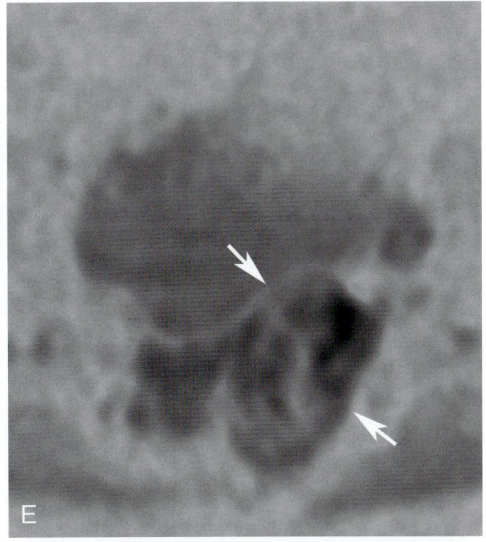

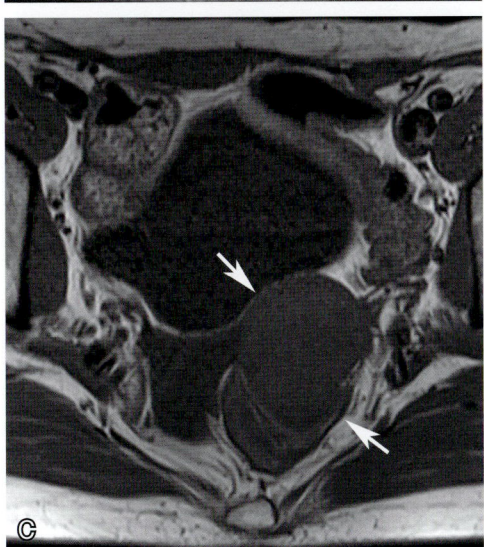

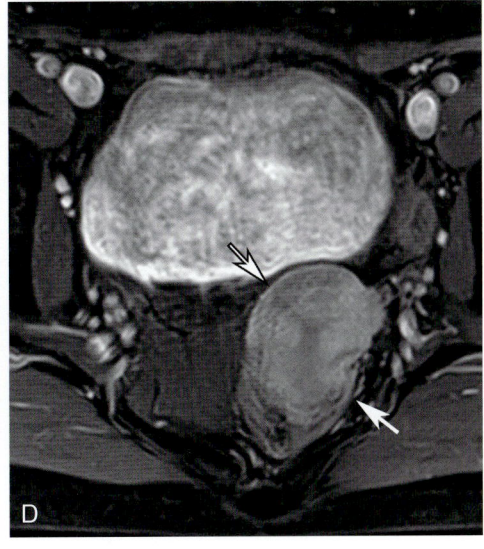

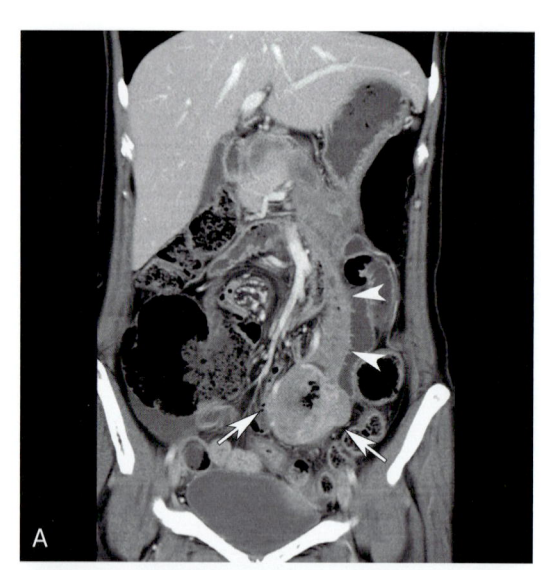

Ⅳ 腹膜腫瘍 peritoneal tumors

図7 47歳 消化管外間質腫瘍（EGIST）
A：造影 CT 冠状断 MPR 像，B，C：T2 強調冠状断像，D：T1 強調冠状断像，E：造影脂肪抑制 T1 強調冠状断像

小腸粘膜下腫瘍として発症した消化管間質腫瘍（A →，▲は小腸）が，3年後，骨盤腔内多発結節（B，C →，Ut は子宮）として再発。したがって，狭義には消化管間質腫瘍の腹腔内播種である。T2 強調像で高信号，造影後はよく増強される結節（D，E →）である。

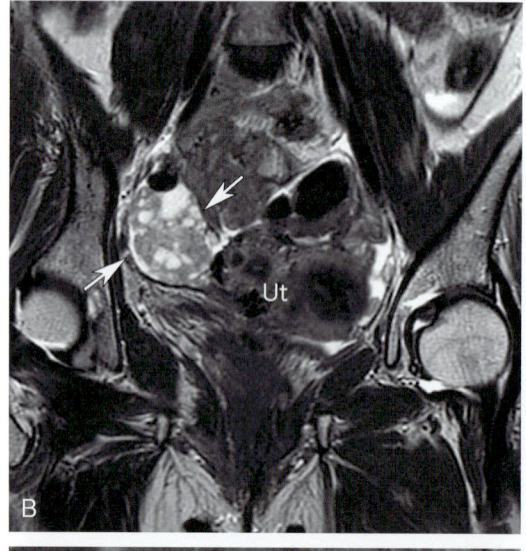

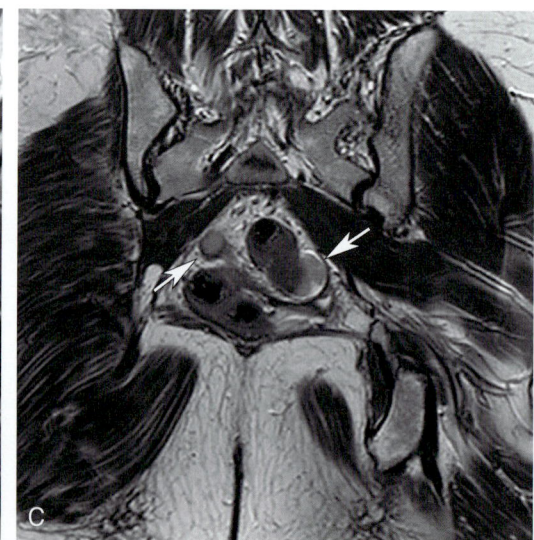

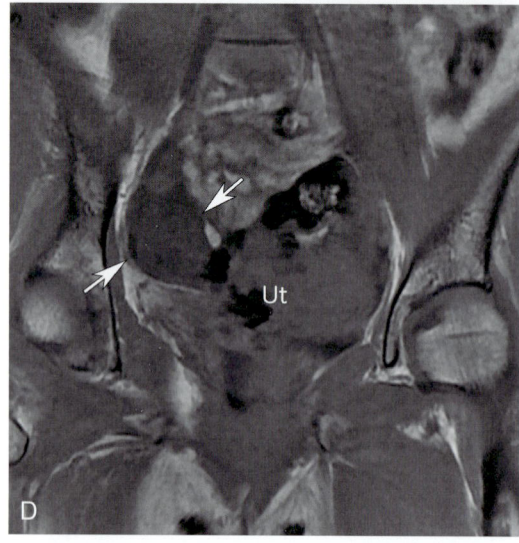

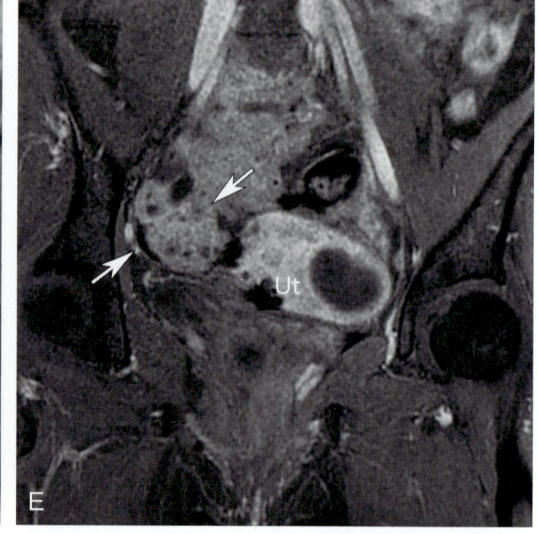

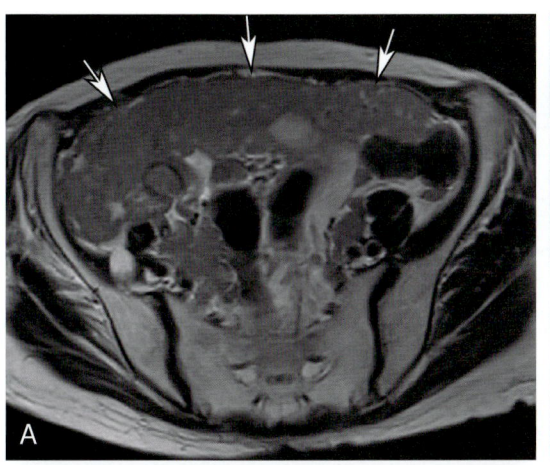

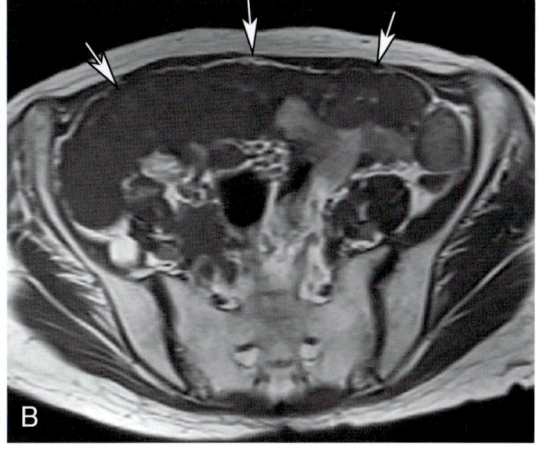

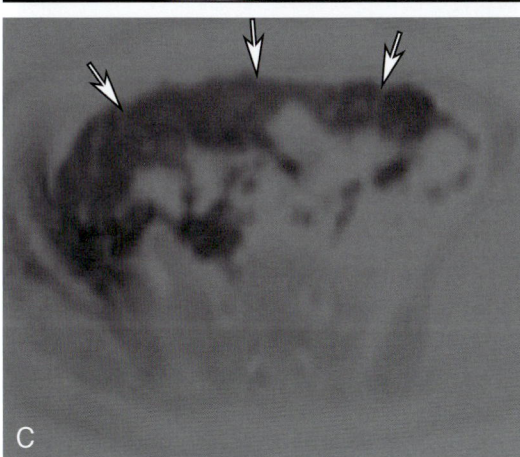

2. 腹膜に特有な間葉性腫瘍 mesenchymal tumors specific to peritoneum

図8　61歳　消化管外間質腫瘍（EGIST）
A：T2強調横断像，B：T1強調横断像，C：拡散強調横断像，D：単純CT，E：造影CT動脈優位相
大網がT2強調像でやや高信号（A），T1強調像で低信号（B）の板状の腫瘤に置換され，強い拡散制限を示す（A〜C →）。CT（D，E）では造影早期に腫瘤内に太い導出静脈を確認できる（E▲）が，ダイナミックスタディを行わないと見つからない所見であり，腫瘤自体はほかの間葉性腹膜腫瘍に加え，上皮性腫瘍の腹腔内播種との鑑別すら難しい。

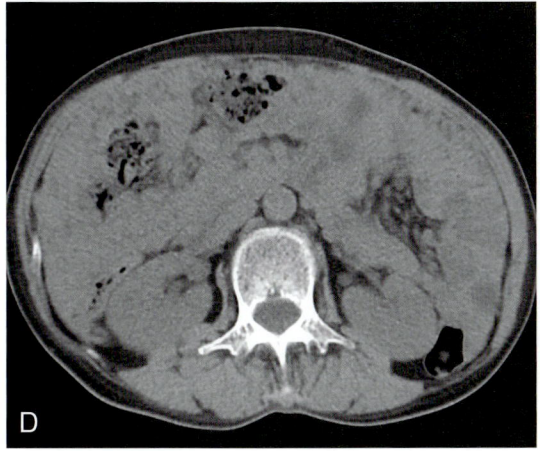

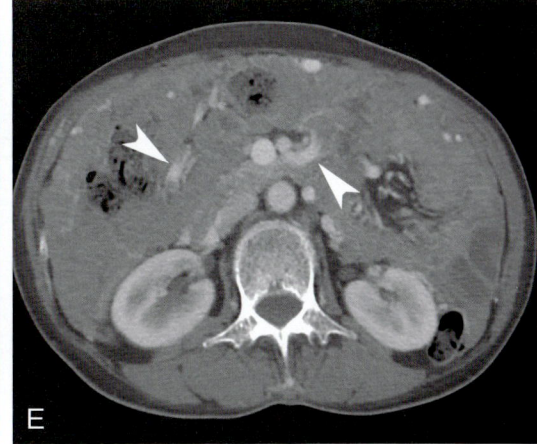

T1強調像で低信号，T2強調像で高信号，不均一によく増強される[20]とされるが，特徴的な画像所見は乏しい。GISTの画像所見としては腫瘍内出血や導出静脈の早期描出（early venous drainage）などが報告されており[21]，EGISTでも半数以上にみられたとの報告がある[20]（図8）。多発性の場合は腹腔内播種性転移全般に加え，播種性腹膜平滑筋腫症（図5）も鑑別対象となる。

GISTの多発は家族性GIST症候群，Carney複合（Carney's complex：皮膚色素沈着，粘液腫，内分泌腫瘍または機能亢進），神経線維腫症Ⅰ型で報告されているので，これらの疾患背景を有する患者では積極的に疑う必要がある[22]。

3）孤立性線維性腫瘍 solitary fibrous tumor（SFT）

孤立性線維性腫瘍（solitary fibrous tumor：SFT）はKlempererとRabinにより1932年にlocalized fibrous mesotheliomaとして報告された[23]。拡張した壁の薄い血管と線維芽細胞への分化を示す紡錘形細胞の増殖で構成されるまれな腫瘍である[1]。胸膜に好発するが，頭頸部をはじめ胸膜外発生もあり，腹部では腹膜のほか大網，腸間膜，後腹膜，腹壁に発生する。広い年齢層に発生し，性差はなく症状は局在や大きさによって様々である。約30％が再発し，5年目以降の晩期再発も40％程度にみられるとされる[1]。病理組織学的には紡錘形腫瘍細胞が不規則に配列するpatternless patternを示し，鹿角様（staghorn）と形容される不規則な分岐と拡張を示す壁の薄い血管が介在する。免疫組織化学的にSTAT6の核陽性所見が*NAB2::STAT6*の融合遺伝子を反映し，診断に有用とされる[2]。再発リスクとしては細胞分裂の多いもの，腫瘍径の大きいもの，発症年齢が55歳以上などが挙げられている[1]。CT上は孤発性，もしくは多発性の境界明瞭な大きな腫瘍で，早期から晩期まで遷延する著明な増強効果を示す多血性腫瘍であるとの報告が多い[23)24]。MRIではT2強調像で不均一な高信号を呈し，低信号域は腫瘍内の線維組織を反映する[23]（図9）。画像的には，比較的線維成分に富む多血性腫瘍全般が鑑別に挙がり，特異的診断は困難とされる[23]。

4）線維形成性小型円形細胞腫瘍 desmoplastic small round cell tumor（DSRCT）

WHO分類では起源不明の腹膜腫瘍として線維形成性小型円形細胞腫瘍（desmoplastic small round cell tumor：DSRCT）を挙げている[1]。DSRCTは1991年Geraldらによって初めて報告された比較的新しい疾患概念[25]で，中皮細胞由来の未分化な腫瘍ではないかと推定されている。病理組織学的に境界明瞭な小型の上皮様細胞が線維形成性の間質に囲まれて集簇して増殖する[1)5]。ほかの腹膜原発の腫瘍と同様に腹満や腹部腫瘤を主訴として発症し，腫瘍マーカーとしてはCA125やneuron-specific enolase（NSE）が上昇することが多い[26]。男女比は4：1，平均発症年齢は22歳と若年男性の腹腔内に好発するが，胸腔内や卵巣の報告もある。発症時にすでにリンパ節や肝への転移を伴っていることが多く，予後不良な腫瘍である[1)5)25]。画像的には腹腔内，特に大網や骨盤腔内の単発，もしくは多発する軟部腫瘤として認められ[27]，最も大きな腫瘤は10cmを超えるbulkyなものが多い[28]。癌性腹膜炎や前述の腹膜中皮腫[29]に加え，若年者に好発することからprimitive neuroectodermal tumor（PNET）や神経芽腫とも鑑別を要する。Bellahらは，頻度は少ないが腫瘍内に微細な石灰化を伴うこと，肝・リンパ節転移，腹腔・胸腔内播種は多いが肺・骨などへの血行性転移が少ないことが鑑別点になりうると報告している[28]。またGardner症候群に合併することがあり，本症候群合併例では疑う必要がある[28]。

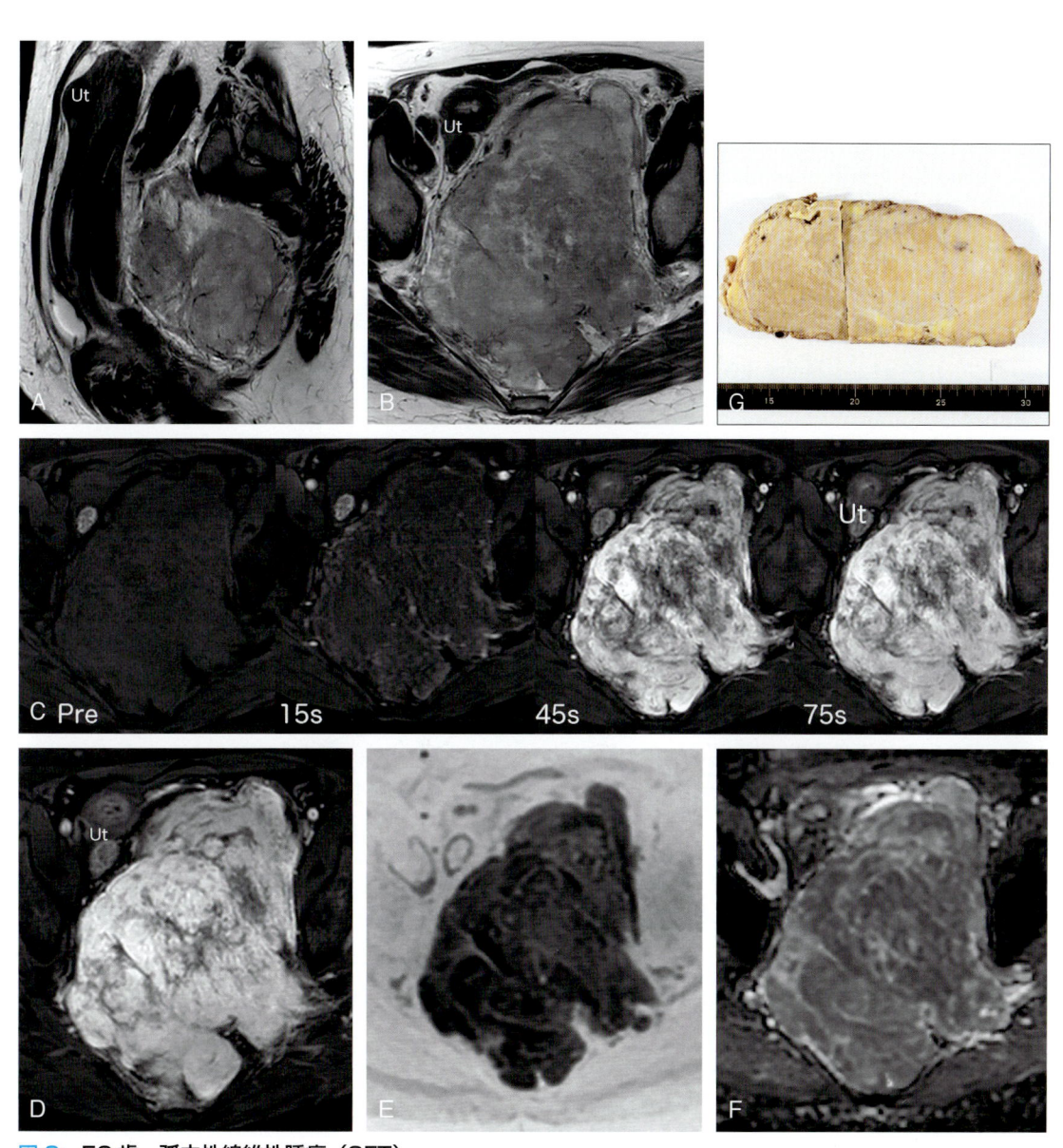

2. 腹膜に特有な間葉性腫瘍 mesenchymal tumors specific to peritoneum

図9 50歳 孤立性線維性腫瘍（SFT）
A：T2 強調矢状断像，B：T2 強調横断像，C：ダイナミック MRI 横断像，D：造影脂肪抑制 T1 強調横断像，E：拡散強調横断像，F：ADC map，G：摘出標本割面
卵巣腫瘍疑いで紹介された。T2 強調像で不均一な高信号を示す腫瘤が，子宮（Ut）の左背側で Douglas 窩腹膜から主として尾側の腹膜外腔を広汎に占め（A，B），ダイナミック MRI では早期から遷延性に極めて強く増強される（C，D）。拡散制限はさほど強くない（E，F）。摘出標本では黄色調の細胞密度の高い部分と白色調の線維化に富む部分が T2 強調像と類似のパターンで分布している（G）。

5) その他 others

　類内膜間質肉腫（endometrioid stromal sarcoma），石灰化線維性腫瘍（calcifying fibrous tumor），上衣腫（ependymoma）などがあるが，いずれもまれである[2]。

3. ミュラー管型上皮性腫瘍 primary epithelial tumors of the Müllerian type

　胎生期にミュラー管（傍中腎管）は体腔上皮の嵌入により発生することから，骨盤内，ないし下腹部の腹膜は潜在的にミュラー管への分化能を有する（secondary Müllerian system）。このことから腹膜からは卵巣表層上皮由来と同様の多彩な腫瘍が発生する。その多くは子宮内膜症を基盤とする類内膜癌であるが，明細胞癌や癌肉腫（図10）[2]，腺肉腫[30]など多岐にわたる。しばしば病理組織学的にも子宮内膜症病巣を欠除する。腺肉腫は子宮内膜でみられる（p331；p344～345 図52～53 参照）のと同様の腫瘍で，正常な増殖期子宮内膜に類似した上皮細胞と子宮内膜間質細胞または線維芽細胞に類似した異型を伴う間質からなる。子宮由来の場合は外科的切除のみで再発率は10％に満たないが，性腺外に発生した場合，半数以上が再発し，死亡率は35％にも及ぶという予後不良な疾患である[31]。Douglas 窩に好発し，時に病理組織学的に polypoid endometriosis（p177；p181～182 図22～23 参照）や深部内膜症との鑑別が難しいとされ，画像的にも類似した報告がみられる[32]（図11）。

　一方，過去に腹膜原発とされていた漿液性癌は，現在ではその大部分が漿液性卵管上皮内癌（STIC）に起因するとされ，STIC および卵管，卵巣に高異型度漿液性癌が存在しない場合のみに腹膜原発と診断される（p445 図17 参照）。起源としては卵管内膜症（endosalpingiosis，卵管上皮に類似した上皮が異所性に存在するもの）も考えられているが，WHO 分類では STIC 由来と明記されている[1]。画像的には癌性腹膜炎の病像を呈し，付属器腫瘍を認めない場合に本症を疑う[33-35]（図12）。また卵巣原発の漿液性癌と同様に石灰化の頻度も高い[33]。しかし卵巣・卵管原発の漿液性癌も，早期に（原発巣が小さいうちに）腹腔内播種をきたすことが多いこと，また逆に腹膜原発であっても，卵巣の漿膜面に多数の播種が付着し，卵巣が腫大してみえることもあるので，両者の鑑別は困難なことも多い[36,37]（図13）。鑑別診断として重要なのはむしろ他臓器からの転移である。漿液性癌では原発臓器にかかわらず，腫瘍マーカーとして CA125 が上昇する[37,38]ことから，CA125 の上昇がなく，CEA などほかの腫瘍マーカーの上昇している症例において，注意深く原発巣の検索を行うことで，消化管その他の悪性腫瘍の転移を除外できることが多い。

　卵巣上皮性腫瘍に境界悪性腫瘍があるのと同様に，腹膜からも境界悪性腫瘍が発生し，大部分は漿液性腫瘍である。漿液性境界悪性腫瘍は漿液性癌より若年に発症し（平均31～33歳）[1]，骨盤腹膜のみに限局し，上腹部に及ばない例が多く，病理組織学的には2cm 以下（多くは6mm 未満）の腹膜上の顆粒状病変として認められるとされる[39]が，画像的には腹腔内に多発する小さな薄壁の嚢胞であったとの報告がある[40]。

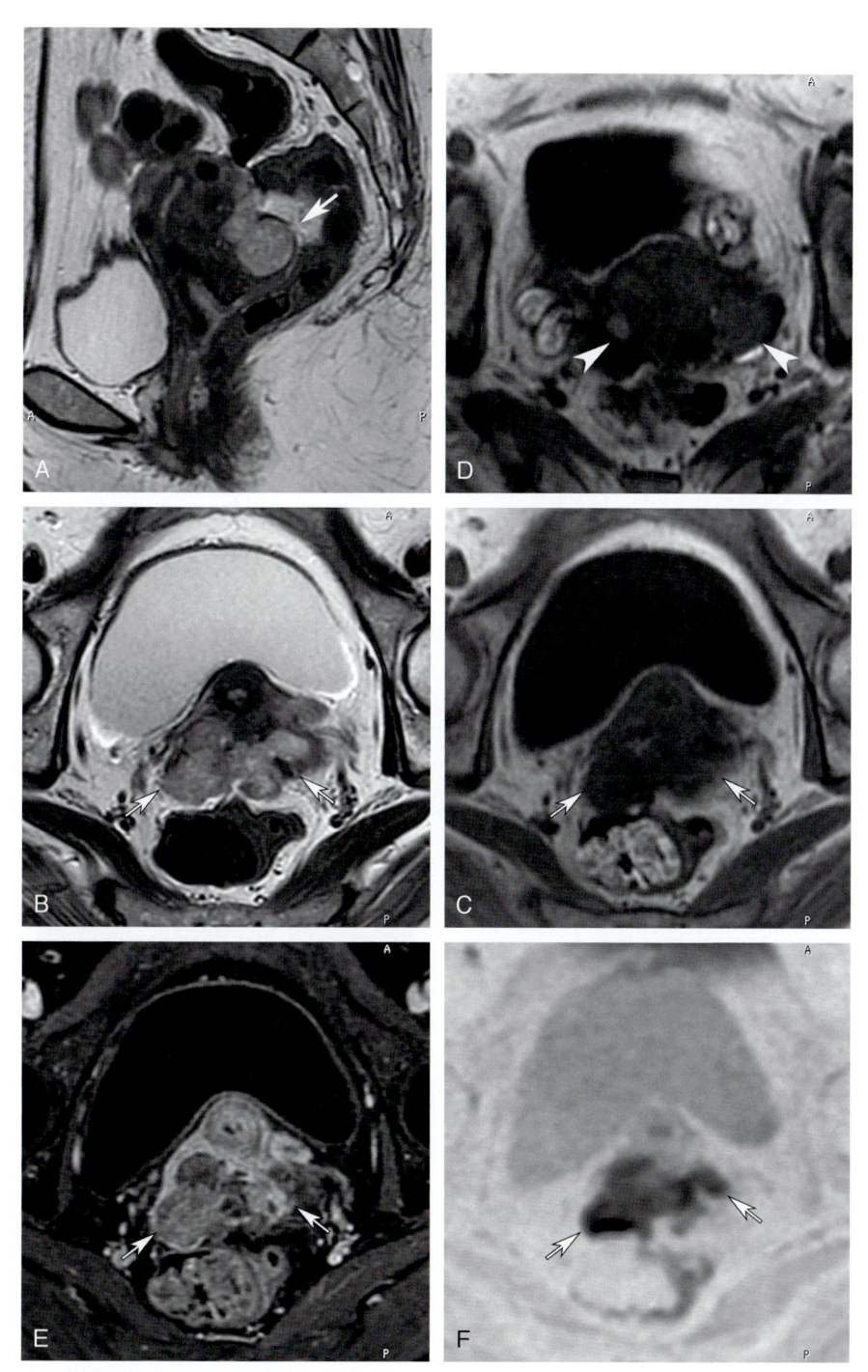

3. ミュラー管型上皮性腫瘍 primary epithelial tumors of the Müllerian type

図10 55歳 腹膜原発癌肉腫（腹膜子宮内膜症由来）
A：T2強調矢状断像，B：T2強調横断像，C，D：T1強調横断像（DはCより頭側），E：造影脂肪抑制T1強調横断像，F：拡散強調横断像
乳癌術後，タモキシフェン内服中に検診USで"筋腫の増大"を指摘された．子宮の背側を占める充実性腫瘤（→）を認め，Douglas窩腹膜，子宮後面と広く接する（A〜F→）．その外側縁にはT1強調像で高信号の内容物を含む壁の厚い囊胞（D▲）があり，腫瘤は卵巣外内膜症に合併しているようにみえる．腫瘤は不均一な増強効果を示し（E），軽度の拡散制限を伴う（F）．

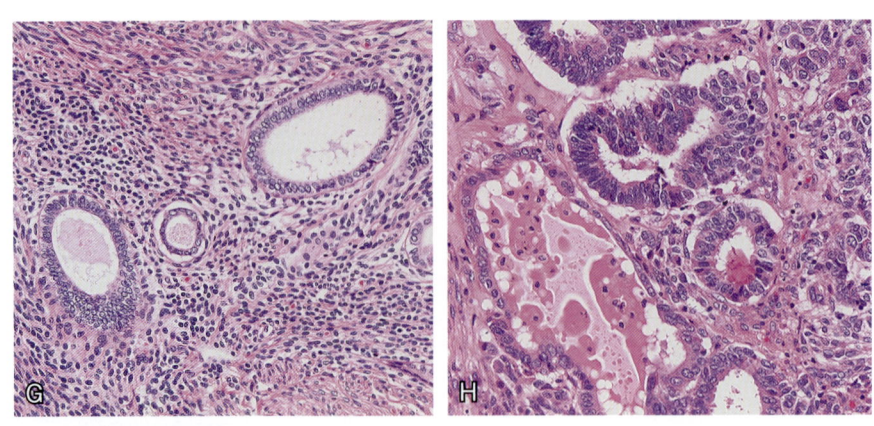

Ⅳ 腹膜腫瘍 peritoneal tumors

図10 つづき（腹膜原発癌肉腫）
G：HE 染色（強拡大），H：HE 染色（強拡大）
病理組織学的に卵巣は別途確認され，Douglas 窩腹膜の子宮内膜症（G）と連続して，上皮性，間葉性双方からなる悪性腫瘍の増殖を認め（H），癌肉腫と診断された。

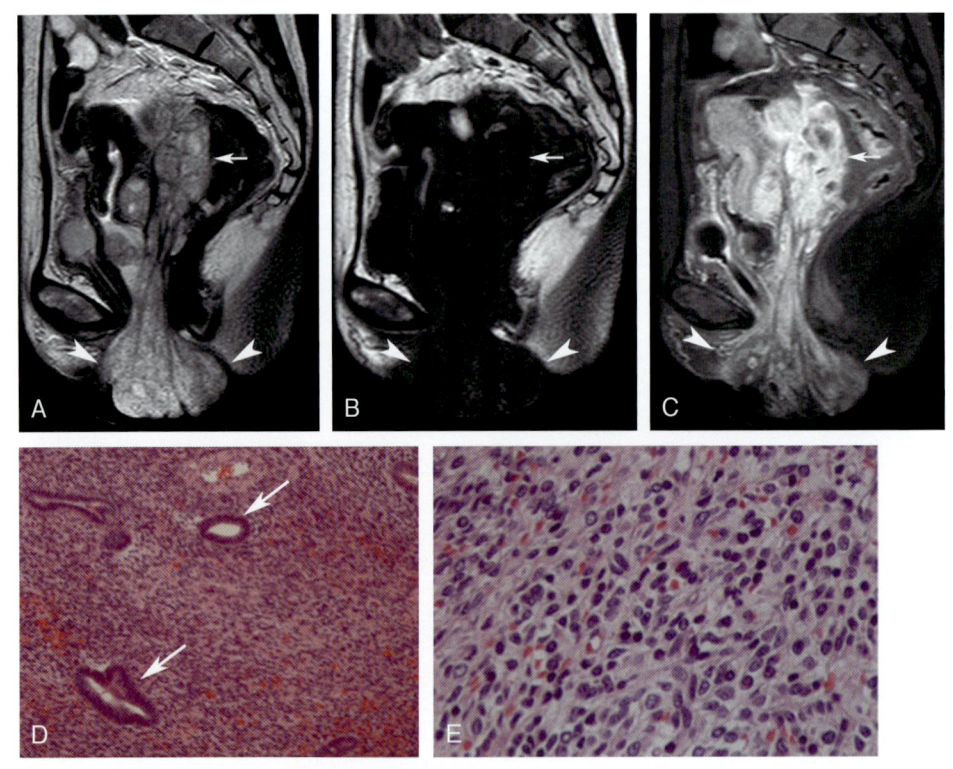

図11 43歳　腹膜原発腺肉腫（腹膜子宮内膜症由来）
A：T2 強調矢状断像，B：T1 強調矢状断像，C：造影脂肪抑制 T1 強調矢状断像，D：HE 染色（弱拡大），E：HE 染色（強拡大）
28 歳時に腹腔鏡下に内膜症の手術を受け，その後再発し 40 歳時より GnRHa 投与を受けていた。6 カ月前から急速に増大する腟内の腫瘤が出現し，T2 強調像（A）では比較的均一な高信号を示す充実性腫瘤が，直腸腟中隔を挟んで腟腔内（▲）と骨盤底の腹膜外腔（→）を広範に占拠している。腫瘤は造影剤によりよく増強される（B，C）。病理組織学的には異型を伴わない子宮内膜類似の上皮細胞（D）を，N/C 比の高い核形の不整な間質細胞が取り囲んでいる（E）。性腺外の深部内膜症由来の腺肉腫と考えられる。

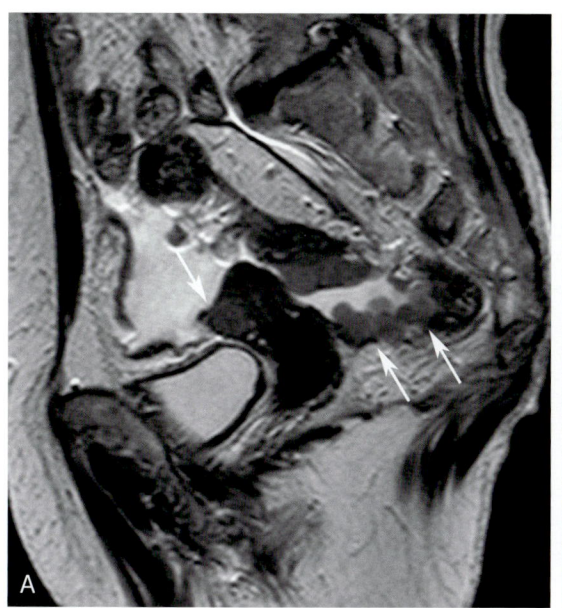

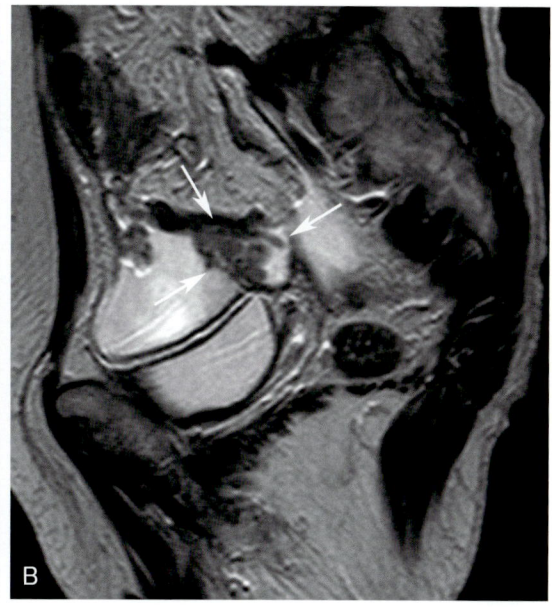

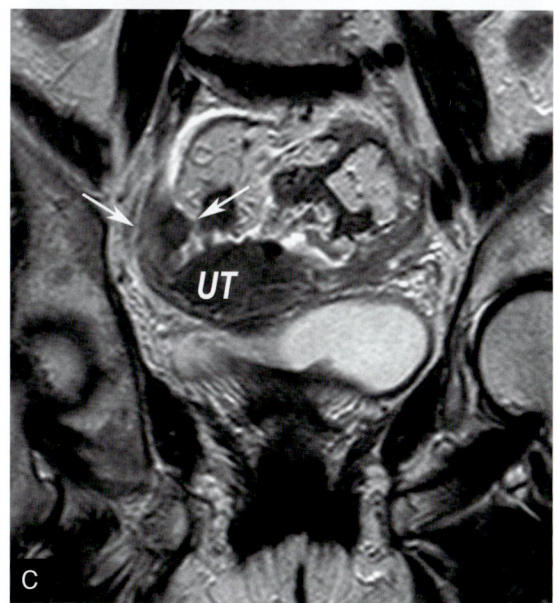

3. ミュラー管型上皮性腫瘍 primary epithelial tumors of the Müllerian type

図12　73歳　腹膜原発ミュラー管型上皮性腫瘍（低分化癌）

A，B：T2強調矢状断像，C：T2強調冠状断像
前医にて癌性腹膜炎，上下部消化管に異常なく，卵巣癌疑いにて紹介された。血清CA125は8,898 IU/Lと著しく上昇しているが，CEAは基準値以内である。腹水を取り囲むDouglas窩，膀胱子宮窩の壁側腹膜に高信号の結節が多発している（A→）。左卵巣は高齢の割に大きく，顆粒状を呈する（B→）が，右卵巣は広間膜に沿う楕円形の結節としてのみ認められる（C→，UT：子宮）。病理組織学的には腫瘍は両側卵巣において被膜表面やそのごく直下（数mm以内）のみに存在し，卵巣実質内で大きく腫瘤を形成しての増殖は認めないことから，腹膜原発とされた。本例は病理組織学的には低分化癌とされたが，病変の広がりは高異型度漿液性癌に類似し，図13（卵巣原発高異型度漿液性癌）とは画像的に区別が困難である。

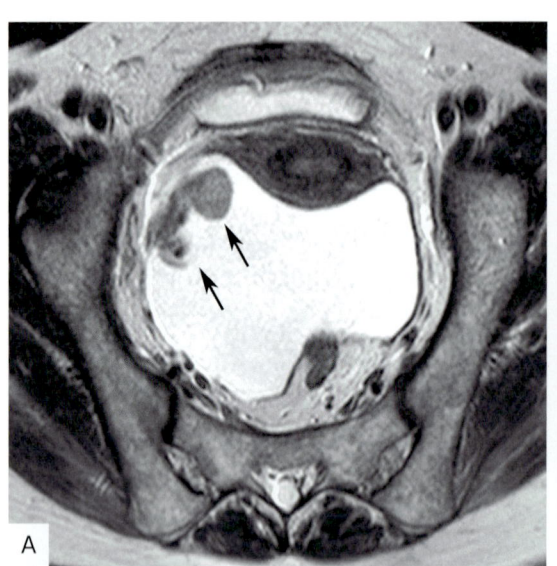

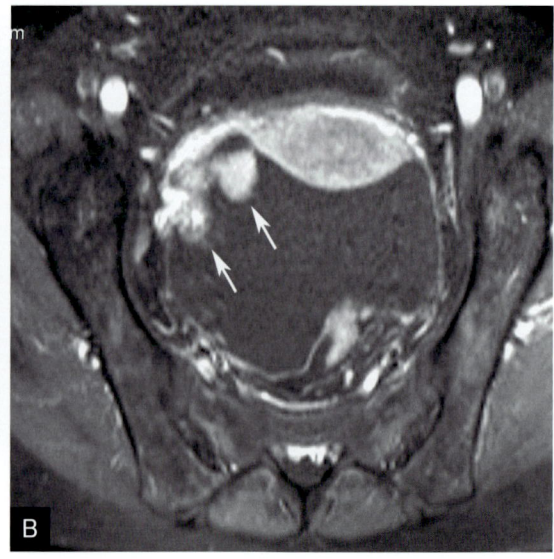

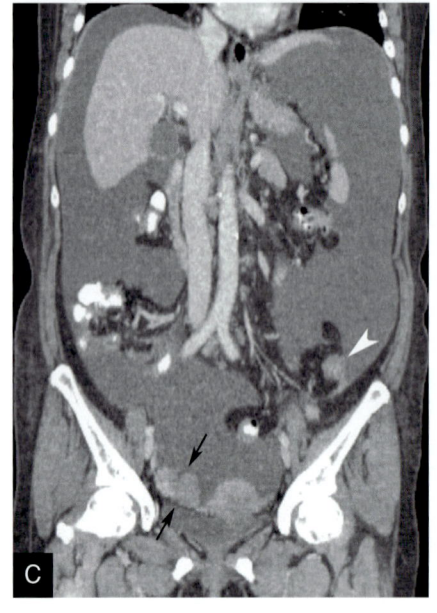

Ⅳ 腹膜腫瘍 peritoneal tumors

図13 61歳 卵巣原発高異型度漿液性癌
A：T2 強調横断像，B：造影脂肪抑制 T1 強調横断像，C：造影 CT 冠状断 MPR 像
右骨盤壁で卵巣に一致して T2 強調像でやや高信号を呈する分葉状の腫瘤があり（A →），造影剤によりよく増強される（B →）。多量の腹水に加え壁側腹膜もびまん性に肥厚し，大きさ的には右卵巣腫瘤（C →）と同程度の播種性結節は左傍結腸溝にもみられる（C▲）。本例では病理組織学的に右卵巣の実質内を占拠して充実性に腫瘍が増殖しており，卵巣原発とされた。

4. 腫瘍様病変 tumor-like lesions

1）腹膜封入嚢胞 peritoneal inclusion cyst

1979 年に Menemeyer と Smith は 27 歳の女性の下腹部に，リンパ管腫に類似するが電顕所見から腹膜中皮由来と考えられた嚢胞性腫瘤を（良性）多嚢胞性中皮腫［(benign) multicystic mesothelioma］として報告した[41)42)]。アスベストの曝露歴とは無関係に生殖可能年齢の女性の下

腹部に好発するまれな腫瘍で、骨盤内の炎症性疾患や手術歴、子宮内膜症、子宮筋腫との合併が多い。このことから本疾患は真の腫瘍ではなく、これらに対する腹膜の反応性変化であるとされ、WHO 分類では第 4 版よりこの名称が用いられることとなった[*1]。臨床的には体重減少を主訴とするものが多く、外科的に切除しても局所再発を繰り返す。このため手術療法のほか、内分泌療法やテトラサイクリンによる硬化療法などの有用性も報告されている。従来、転移はしないといわれていたが、近年、少数ではあるが悪性転化が報告されている[42]。

画像的には骨盤内臓器の漿膜面に接してみられる壁の薄い、漿液性の内容物を含む多房性の囊胞で、石灰化はまれである。大きさは最大で 25 cm に達したとの報告もあるが、多くは数 mm から数 cm である[43)44)]（図 14）。鑑別診断としてはやはり多房性囊胞の形態をとるリンパ管奇形、卵巣粘液性囊胞性腫瘍、腹膜偽粘液腫が挙がる[44)]。鑑別点としては若年女性に発症すること、また卵巣粘液性腫瘍では内容物が多彩な信号強度を呈するが、本疾患では均一な点が挙げられる。

2）脾症 splenosis

脾症（splenosis）は外傷や脾機能亢進症などで脾摘術が行われたのち、微量の脾組織が自家移植され、長年月を経て増大したものである。大きさは数 mm から 7 cm にも達し、多くは多発性で腹腔内のどこにでも生じうる。これに対し副脾（accessory spleen）は剖検例では 40％ほどにみられるとされるが、左上腹部の胃脾間膜近傍に生じ、多くは単発である[45)]。画像的には境界明瞭な円型、卵円型、もしくは分葉状の結節で、単純 CT では肝と同程度かやや低吸収、造影後は良好な増強効果を示す（図 15）[46)47)]。腹腔内の多発結節であることから時に癌性腹膜炎や悪性リンパ腫との鑑別が問題になり、網内系への特異的な集積を示す ^{99m}Tc-スズコロイドシンチグラフィ[48)]や超常磁性体酸化鉄粒子を用いた MRI[49)]が鑑別診断に有用である。

5. 転移性腫瘍 metastatic tumors

1）癌および肉腫 carcinomas and sarcomas

腹膜に転移、播種する癌の原発巣として頻度が高いのは、卵巣・卵管（特に高異型度漿液性癌）（p446 参照）、子宮内膜、結腸、膵臓、胆道、胃などの腹部臓器で、子宮頸部（特に胃型腺癌）（p252, 265 参照）や肝、乳腺、肺腫瘍が腹膜転移をきたすこともある。

2）腹膜偽粘液腫 pseudomyxoma peritonei（PMP）

粘液産生の旺盛な腫瘍細胞が腹腔内に撒布されて腹腔にゼリー状の粘液が貯留する状態を腹膜

[*1] WHO 分類の改訂以前から、術後の癒着や腹膜の炎症により腹膜の液体吸収機能が低下した結果、限局性に液体貯留が生じた状態（偽囊胞）に対してこの名称が広く用いられており、用語的な混乱を生じている。すなわち古い文献では偽囊胞が "peritoneal inclusion cyst" として報告されており、注意が必要である。

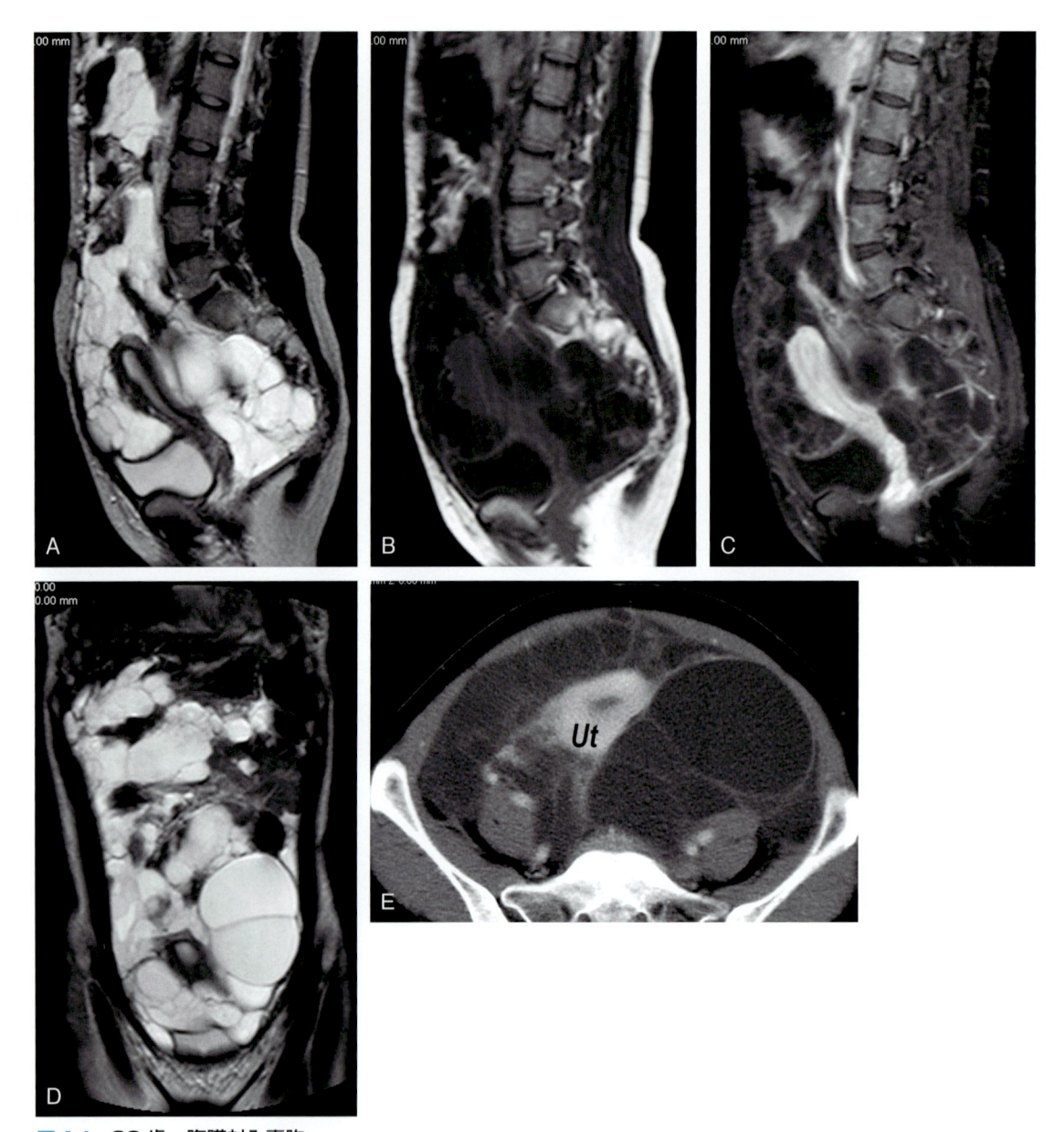

Ⅳ 腹膜腫瘍 peritoneal tumors

図14 30歳 腹膜封入囊胞
A：T2 強調矢状断像，B：T1 強調矢状断像，C：造影脂肪抑制 T1 強調矢状断像，D：T2 強調冠状断像，E：造影 CT
T2 強調像で壁の薄い多房性囊胞が子宮の周囲を取り巻くように認められる（A，D）。囊胞内容物は T1 強調像で低信号を示し（B），造影後，増強効果をもつ囊胞壁・隔壁は薄い（C）。造影 CT でも骨盤腔内はほとんどがこれらの囊胞で占められている（E）。本例はこの画像以前に 3 回の手術が行われており，開腹のたびに囊胞性腫瘤の mass reduction を行うが，数年経つと再増大するというエピソードを繰り返している。以前は（良性）多囊胞性中皮腫とよばれた病変である。

5. 転移性腫瘍 metastatic tumors

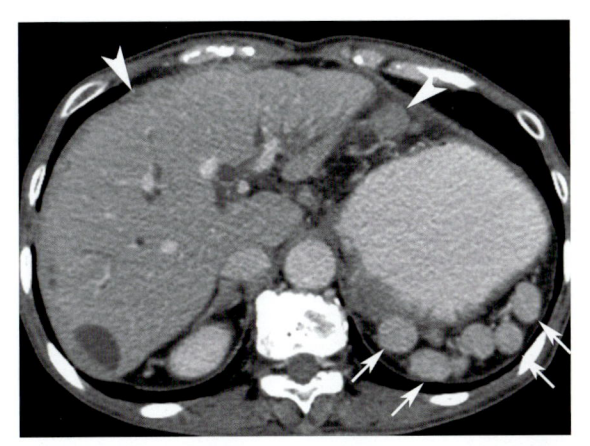

図15 63歳 卵巣癌（未分化腺癌）ⅢC期再発，脾症
卵巣癌に対し化学療法・根治術により完全寛解後。CA125上昇のため撮影した造影CTで肝表や肝胃間膜に増強効果の不良な大小の結節として播種が認められる（▲）。これに対し境界明瞭，辺縁平滑な球形の結節が左上腹部に多発している（→）。これらの結節は造影CTで播種よりもよく増強され，化学療法の前後で大きさに変化がないことから脾症と考えている。

偽粘液腫（pseudomyxoma peritonei：PMP）という（図16）。以前は卵巣原発の粘液性腫瘍がその原発巣と考えられていたが，多くは低異型度虫垂粘液性腫瘍（LAMN）の腹膜播種である（p460；p462図32参照）[50-52]。まれに卵巣奇形腫から発生する粘液性腫瘍に起因する[53)54)]（p541；p549～550図11～12参照）。虫垂腫瘍を原発とする場合にも，診断時には虫垂粘液瘤はすでに破裂して虫垂には腫瘍を形成しておらず，転移により生じた卵巣腫瘍のほうが巨大化していることも多く，術中の虫垂の十分な観察はもちろん，病理組織学的にも十分に検討する必要がある。筆者の経験では腹膜偽粘液腫を合併した粘液性腫瘍は卵巣原発の粘液性腫瘍のようにステンドグラス様を呈することは少なく，より均一な多房性囊胞性腫瘍であることが多い（図16A, D）。また原発巣は虫垂であるので，卵巣腫瘍も右側に多いとされる。腹腔内に撒布された偽粘液腫は，囊胞内容物の濃度も，壁の厚さも様々な囊胞性腫瘍とされ[55)56)]，しばしば石灰化を伴う[56)57)]とされる。しかし合併する腹水との境界を同定することが困難なほど壁が薄く，CTでは一見すると単純に腹水が貯留しているだけのようにみえることも多い。このような場合でも内容物は硬いゼリー状の物質であるので，腹水に圧排された肝や脾が陥凹して scalloping といわれる特徴的な像を呈する[56)57)]（図16H）。MRIではT1強調像で低信号，T2強調像では高信号を呈し，これも腹水と区別しがたいことも多いが，CT同様，実質臓器の圧排変形が診断の鍵になる[58)]。また筆者の経験ではプロトン密度強調像や拡散強調像[59)]では滲出性腹水とのタンパク濃度の差違をより鋭敏に検出できる。定義的には腹膜偽粘液腫は境界悪性腫瘍の腹腔内撒布に限定され，粘液を産生する浸潤癌の腹腔内播種とは区別される。両者の混同を避けるため，前者を disseminated peritoneal adenomucinosis（DPAM），後者を peritoneal mucinous carcinoma（PMCA）とよぶ[1)50)60)]。PMCAの原発巣には虫垂ばかりでなく小腸や結腸も含まれ，その組織学的異型度を反映して

第7章 婦人科腫瘍（卵巣・卵管・腹膜）

651

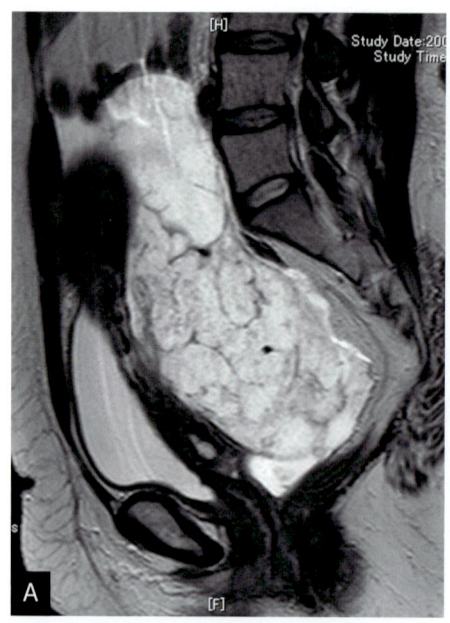

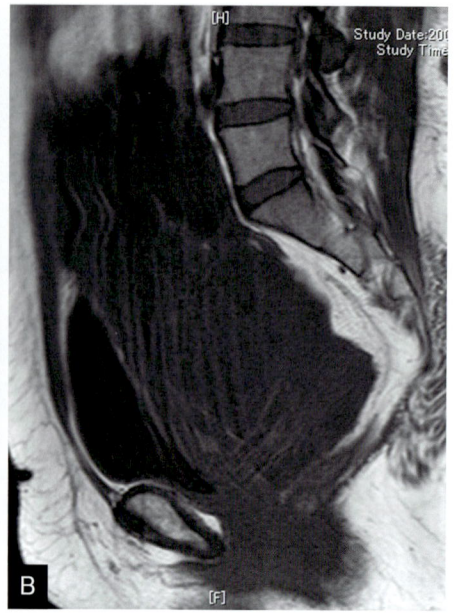

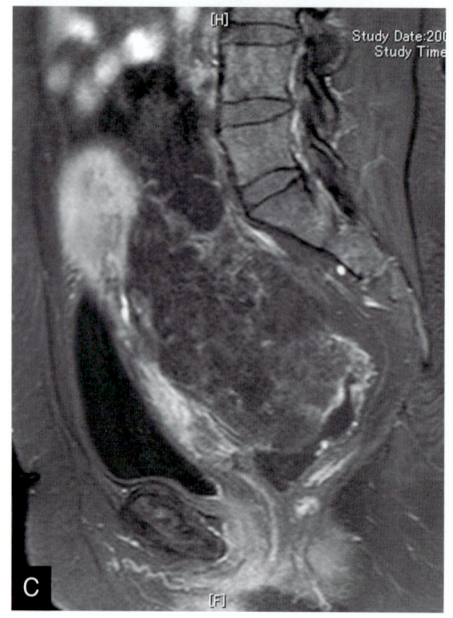

Ⅳ 腹膜腫瘍 peritoneal tumors

図16 49歳 低異型度虫垂粘液性腫瘍を原発とする腹膜偽粘液腫
A：T2強調矢状断像，B：T1強調矢状断像，C：造影脂肪抑制T1強調矢状断像
子宮の左後方に多房性囊胞性腫瘍があり，内容物はT2強調像で高信号（A, D），T1強調像で低信号（B, C）を示すが，卵巣原発の粘液性腫瘍に比べ，内部の信号強度は均一である。また拡散強調像（E）では正常内膜（E▲）よりは弱いが異常信号を呈し，粘稠度が高いことをうかがわせる。CTでは主腫瘍の右上方に石灰化を伴う小さな囊胞性腫瘤があり（F, G→），虫垂にも腫瘤形成があることがわかる。これに起因する播種巣は粘液からなるので濃度のみでは腹水と区別がつかないが，肝表にscallopingをきたしていることでそれとわかる（H▲）。

PMCAはDPAMに比べはるかに予後不良である。

3）膠腫症 gliomatosis

　成熟した神経膠組織で構成される小結節が腹膜に多発する状態で，多くは未熟奇形腫に合併する（p541〜543；p549〜550 図11〜12参照）が，卵巣腫瘍非合併例もみられ，その成因として，奇形腫の播種ばかりでなく，間葉性細胞の膠細胞化生などの可能性も指摘されている[2]。

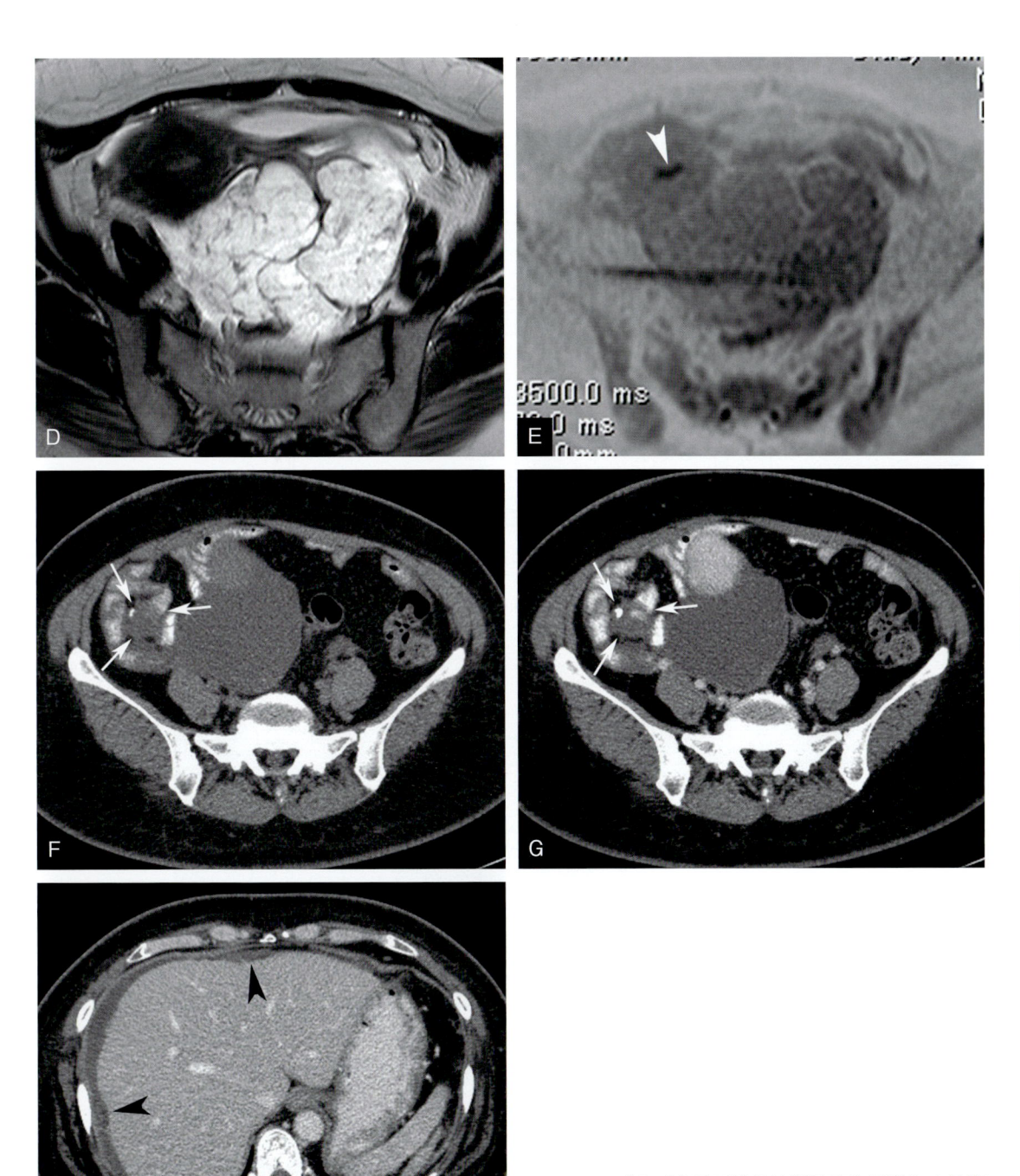

5. 転移性腫瘍 metastatic tumors

図16 つづき(虫垂原発粘液性腺癌を原発とする腹膜偽粘液腫)
D:T2強調横断像,E:拡散強調横断像,F:単純CT,G,H:造影CT

653

4) その他 others

　WHO 分類に掲載された転移性腫瘍は前述の 3 つだが，鑑別診断上，重要と思われる 2 つの疾患群を挙げたい．

　造血器悪性腫瘍（リンパ腫，白血病，形質細胞腫など）は WHO 分類では別章にまとめられているので，腹膜腫瘍の項に言及はないが，時に腹膜にびまん性に浸潤する．悪性リンパ腫のうち腹膜・腸間膜病変を生じやすい組織型として，びまん性 B 細胞大細胞型，Burkitt リンパ腫といった高悪性度のリンパ腫が挙げられている[61-63]．このうち Burkitt リンパ腫（Burkitt lymphoma）は endemic（African）form と non-endemic form に大別され，そのいずれもが腹腔内に発症しうる．Endemic（African）form は小児に好発（平均 8 歳）し，顎骨に初発して腸間膜，生殖器，腎，乳腺，骨髄，硬膜など節外臓器へ蔓延するのが典型的である．Non-endemic form はより広い年齢層で発症し，胃，回盲部，腸間膜に腹水を伴って巨大腫瘤を形成し（図 17），二次的に生殖器，乳腺，骨髄，中枢神経系へと広がる[64)65)]．腹膜リンパ腫症（peritoneal lymphomatosis）の形で発症すると，画像的には癌性腹膜炎との区別が難しい[61-63]．

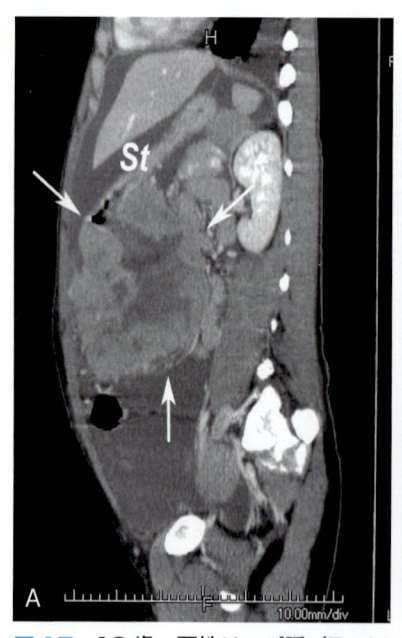

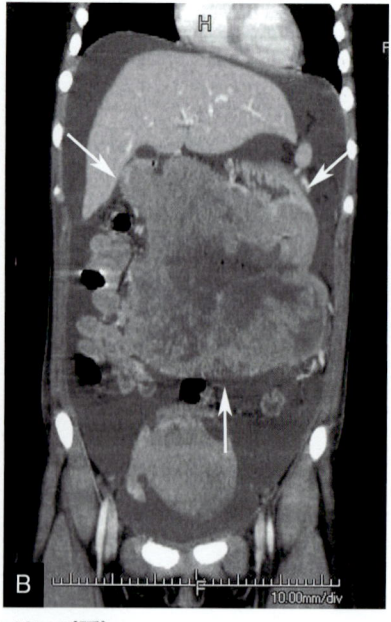

図 17　13 歳　悪性リンパ腫（Burkitt リンパ腫）
A：造影 CT 矢状断 MPR 像，B：造影 CT 冠状断 MPR 像
腹痛を主訴に受診し，腹部腫瘤を認めたために紹介された．胃大弯と連続して大網を広く占拠する，造影 CT で辺縁部の増強される巨大な腫瘤を認める（A，B →，St：胃）．

6. 腹膜腫瘍と鑑別すべき病変

　WHOが原発性腹膜腫瘍として記載している疾患は上記のみだが，腹腔内に発生する間葉性腫瘍としては良性では脂肪腫，リンパ管腫，血管腫，神経鞘腫，GIST，悪性では脂肪肉腫，悪性線維性組織球腫，滑膜肉腫などが挙がる[29]。またリンパ系の腫瘍もしばしば腹腔内のびまん性腫瘍として発生する。さらに前述の漿液性癌・境界悪性漿液性腫瘍のほかに二次性ミュラー管組織（secondary Müllerian system）に由来する腫瘍ないし類腫瘍病変は数多い。そのほかに結核性腹膜炎をはじめとする炎症性疾患も原発性腹膜癌としばしば鑑別を要する（表2）。これらの画像所見・鑑別診断についてはほかの総説[3)4)29)66-69)]に譲るが，いくつか代表的な例を提示する。

　子宮内膜症も腹膜が二次性ミュラー管組織であるがゆえに子宮内膜への分化能を獲得したとの見方をすれば，腹膜由来の類腫瘍疾患ということになる。

　虫垂炎や消化性潰瘍の穿孔を例に挙げるまでもなく，腹腔は消化管や子宮付属器の炎症が広がる場でもある。総論で述べたように結核性腹膜炎（tuberculous peritonitis）は肉芽腫性腹膜炎（granulomatous peritonitis）の代表格で，画像的には癌性腹膜炎との鑑別がしばしば困難となる（p419；p420図27参照）。ほかに肉芽腫性腹膜炎の原因となる感染症としては，非定型抗酸菌の*Mycobacterium avium* complex，クリプトコッカスや本邦ではまれだがヒストプラズマに代表される真菌，エキノコッカスや住血吸虫症などの寄生虫疾患などが挙げられる。肉芽腫性腹膜炎は感染症ばかりでなく異物に対する反応としても起こりうる[5)]。

　硬化性被囊性腹膜炎（sclerosing encapsulating peritonitis）は腸間膜や腸管壁のびまん性の肥厚をきたす病態で，腹膜透析中の合併症として知られる。発症頻度は全透析患者の0.9〜7.3％，透析期間の長期化に連れて増加する[70)]。透析液中の酢酸塩やバッグ交換時に投与される抗菌薬，透析チューブによる直接的な刺激が原因と考えられており，まれに脳室–腹腔シャント後の患者にも生じる[71)]。病理組織学的には腹膜表面の線維性の肥厚である。臨床的には腹部の違和感や体重減少として発症することが多いが，重症化するとこれによる腸管閉塞を起こし，時に腸管壊死に陥る[71)]。腹水内での隔壁状構造の出現がUSでの早期徴候とされ[70)]，CTでは造影剤による増強効果を伴う腹膜や腸間膜の肥厚，腸管壁の鋸歯状変化，癒着による被包化腹水として認められ，石灰化も高率（70％）に観察される[71)72)]（図18）。

　生殖可能年齢の女性の卵巣周囲にはしばしば偽囊胞が形成される。発生機序としては腹膜の腹水吸収障害が挙げられる。すなわち機能性の卵巣では排卵周期毎に卵胞水が腹腔内に撒布されるものの，腹膜の吸収能が正常であればこれらは速やかに吸収され消失するが，これが障害されている場合は吸収されない。子宮内膜症や骨盤内感染症のほか，重要なのは開腹（特に骨盤内）手術の既往である[73)74)]。術後の癒着により機能性卵巣の周囲に閉鎖腔が形成されると，腹腔内に放出された卵胞水は閉鎖腔の外に拡散することなく留まり，ついにはmass effectをもつ囊胞性腫瘤を形成することとなる。したがって，本囊胞の壁は過形成となった腹膜上皮や炎症性に増生した線維性組織からなる[73-75)]。臨床的には腹部腫瘤や腹痛で発症するが，無症状で術後の検診で偶然発見されることも多い。画像所見はこれを反映して，機能のある（すなわち小囊胞の集簇として卵胞の同定できる）卵巣に接して，正常構造（骨盤壁や卵巣自体，子宮，膀胱，消化管など）

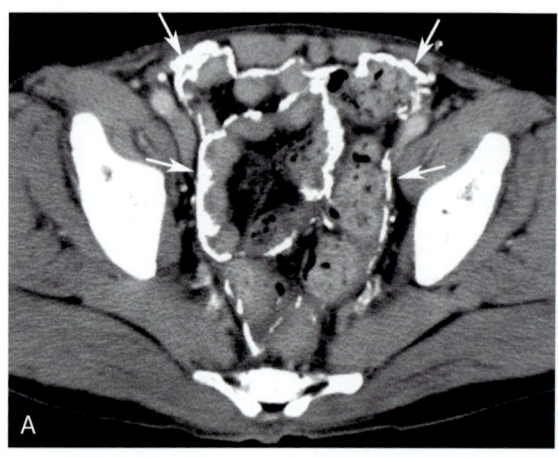

Ⅳ 腹膜腫瘍 peritoneal tumors

図18 54歳（男性例）　硬化性被嚢性腹膜炎
A：造影 CT，B：造影 CT 冠状断 MPR 像
慢性腎不全に対し，15年前から腹膜透析。肉眼的血尿のため腎細胞癌を疑われ，造影 CT を施行した。横断像（A）でも冠状断像（B）でも，腸管の表面や壁側腹膜に高濃度の石灰化が骨盤腔内を中心に認められる（→）。本例では被包化腹水や石灰化を伴わない腸管壁肥厚はみられないが，病歴と合わせ典型的な硬化性被嚢性腹膜炎である。

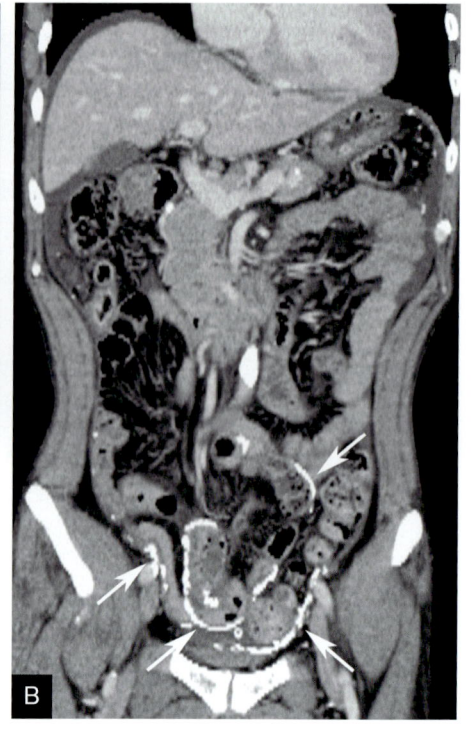

で境された壁の薄い囊胞として認められる[74)75)]。内容物は漿液性か淡血性であることが多い（図19）。正常卵巣が近接して存在するので，これが含む卵胞や黄体と一塊となって多房性となり，US では web of spider appearance を呈することもある。また典型的には壁は薄く平滑だが，炎症の合併により不規則な肥厚を認めることもある[76)77)]。排卵を抑制すれば卵胞水の供給を停止できるとの観点から，GnRHa の投与が有効とされる[78)] が，ドレナージ後のエタノールやポビドンヨードを用いた硬化療法の報告もある[79)80)]。

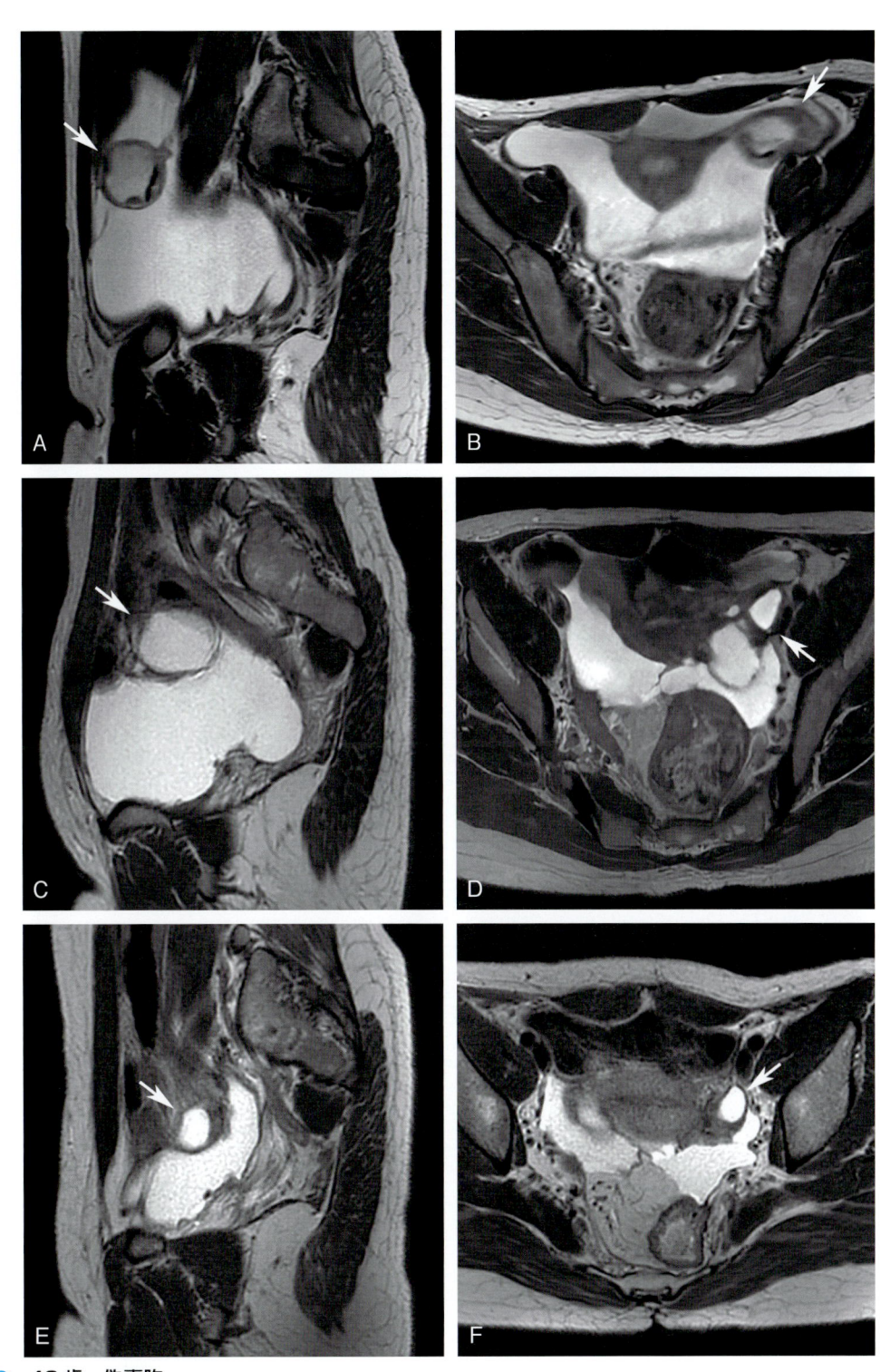

図19 43歳 偽嚢胞

A, C, E：T2強調矢状断像, B, D, F：T2強調横断像

大腸亜全摘後，健診で卵巣腫瘍を疑われた。T2強調像で子宮と骨盤壁に囲まれた多房性嚢胞性腫瘤を認め，その左上縁に正常卵巣（A, B→）が位置することから，偽嚢胞が疑われた。ジエノゲストが投与され，半年後にはすでに縮小傾向を示し（C, D, →は左卵巣），2年後には初発時と比べかなり縮小している（E, F, →は左卵巣）。

IV 腹膜腫瘍 peritoneal tumors

文献

1) WHO Classification of Tumors Editorial Board：Female Genital Tumours, 5th ed. International Agency for Research on Cancer, Lyon, 2020
2) 日本産科婦人科学会，日本病理学会 編：卵巣腫瘍・卵管癌・腹膜癌取扱い規約 病理編 第2版．金原出版，東京，2022
3) Hamrick-Turner JE et al：Neoplastic and inflammatory processes of the peritoneum, omentum, and mesentery：diagnosis with CT. Radiographics 12：1051-1068, 1992
4) Stoupis C et al：Bubbles in the belly：imaging of cystic mesenteric or omental masses. Radiographics 14：729-737, 1994
5) Irving JA et al：Diseases of the Peritoneum, Kurman RJ et al eds；Blaustein's Pathology of the Female Genital Tract, 7th ed. p771-840, Springer International Publishing, Cham, 2019
6) Hoekstra AV et al：Well-differentiated papillary mesothelioma of the peritoneum：a pathological analysis and review of the literature. Gynecol Oncol 98：161-167, 2005
7) Park JY et al：Peritoneal mesotheliomas：clinicopathologic features, CT findings, and differential diagnosis. AJR Am J Roentgenol 191：814-825, 2008
8) Bonde A et al：Mesotheliomas and benign mesothelial tumors：update on pathologic and imaging findings. Radiographics 43：e220128, 2023
9) Markaki S et al：Primary malignant mesothelioma of the peritoneum：a clinical and immunohistochemical study. Gynecol Oncol 96：860-864, 2005
10) Ros PR et al：Peritoneal mesothelioma：radiologic appearances correlated with histology. Acta Radiol 32：355-358, 1991
11) Sugarbaker PH et al：Diagnosis and treatment of peritoneal mesothelioma：the Washington Cancer Institute experience. Semin Oncol 29：51-61, 2002
12) Busch JM et al：Best cases from the AFIP：malignant peritoneal mesothelioma. Radiographics 22：1511-1515, 2002
13) Willson JR, Peale AR：Multiple peritoneal leiomyomas associated with a granulosa-cell tumor of the ovary. Am J Obstet Gynecol 64：204-208, 1952
14) Taubert HD et al：Leiomyomatosis peritonealis disseminata：an unusual complication of genital leiomyomata. Obstet Gynecol 25：561-574, 1965
15) Tanaka YO et al：MR and CT findings of leiomyomatosis peritonealis disseminata with emphasis on assisted reproductive technology as a risk factor. Br J Radiol 82：e44-47, 2009
16) Fulcher AS, Szucs RA：Leiomyomatosis peritonealis disseminata complicated by sarcomatous transformation and ovarian torsion：presentation of two cases and review of the literature. Abdom Imaging 23：640-644, 1998
17) Kawashima A et al：CT of intraabdominal desmoid tumors：is the tumor different in patients with Gardner's disease? AJR Am J Roentgenol 162：339-342, 1994
18) Ganeshan D et al：Current update on desmoid fibromatosis. J Comput Assist Tomogr 43：29-38, 2019
19) Suh J et al：Differentiation of intra-abdominal desmoid tumor from peritoneal seeding based on CT and/or 18F-FDG PET-CT in patients with history of cancer surgery. Abdom Radiol 45：2647-2655, 2020
20) Zhu J et al：Extragastrointestinal stromal tumors：computed tomography and magnetic resonance imaging findings. Oncol Lett 9：201-208, 2015
21) Inoue A et al：Comparison of characteristic computed tomographic findings of gastrointestinal and non-gastrointestinal stromal tumors in the small intestine. Abdom Radiol 44：1237-1245, 2019
22) Diaz-Delgado M et al：Multiple non-metastatic gastrointestinal stromal tumors：differential features. Rev Esp Enferm Dig 102：489-497, 2010
23) Li XM et al：Solitary fibrous tumors in abdomen and pelvis：imaging characteristics and radiologic-pathologic correlation. World J Gastroenterol 20：5066-5073, 2014
24) Tian TT et al：Imaging findings of solitary fibrous tumor in the abdomen and pelvis. Abdom Imaging 39：1323-1329, 2014
25) Gerald WL et al：Intra-abdominal desmoplastic small round-cell tumor：report of 19 cases of a distinctive type of high-grade polyphenotypic malignancy affecting young individuals. Am J Surg Pathol 15：499-513, 1991
26) Fizazi K et al：Ca125 and neuron-specific enolase (NSE) as tumour markers for intra-abdominal desmoplastic small round-cell tumours. Br J Cancer 75：76-78, 1997
27) Pickhardt PJ et al：Desmoplastic small round cell tumor of the abdomen：radiologic-histopathologic correlation. Radiology 210：633-638, 1999
28) Bellah R et al：Desmoplastic small round cell tumor in the abdomen and pelvis：report of CT findings in 11 affected children and young adults. AJR Am J Roentgenol 184：1910-1914, 2005
29) Pickhardt PJ, Bhalla S：Primary neoplasms of peritoneal and sub-peritoneal origin：CT findings. Radiographics 25：983-995, 2005
30) Stern RC et al：Malignancy in endometriosis：frequency and comparison of ovarian and extraovarian types. Int J Gynecol Pathol 20：133-139, 2001
31) Huang GS et al：Extragenital adenosarcoma：a case report, review of the literature, and management discussion. Gynecol Oncol 115：472-475, 2009
32) Oh DK et al：MR findings of extrauterine Müllerian adenosarcoma associated with deep pelvic endometriosis. J Korean Radiol Soc 58：163-167, 2008
33) Stafford-Johnson DB et al：CT appearance of primary papillary serous carcinoma of the peritoneum. AJR Am J Roentgenol 171：687-689, 1998
34) Kim HJ et al：CT features of serous surface papillary carcinoma of the ovary. AJR Am J Roentgenol 183：1721-1724, 2004
35) Morita H et al：Serous surface papillary carcinoma of the peritoneum：clinical, radiologic, and pathologic findings in 11 patients. AJR Am J Roentgenol 183：923-928, 2004
36) Chopra S et al：Primary papillary serous carcinoma of the peritoneum：CT-pathologic correlation. J Comput Assist Tomogr 24：395-399, 2000
37) Chiou SY et al：Peritoneal serous papillary carcinoma：a reappraisal of CT imaging features and literature review. Abdom Imaging 28：815-819, 2003
38) Choi CH et al：Papillary serous carcinoma in ovaries of normal size：a clinicopathologic study of 20 cases and comparison with extraovarian peritoneal papillary serous carcinoma. Gynecol Oncol 105：762-768, 2007
39) Bell DA, Scully RE：Serous borderline tumors of the peritoneum. Am J Surg Pathol 14：230-239, 1990

40) Go HS et al：CT appearance of primary peritoneal serous borderline tumour：a rare epithelial tumour of the peritoneum. Br J Radiol 85：e22-25, 2012
41) Mennemeyer R, Smith M：Multicystic, peritoneal mesothelioma：a report with electron microscopy of a case mimicking intra-abdominal cystic hygroma (lymphangioma). Cancer 44：692-698, 1979
42) Safioleas MC et al：Benign multicystic peritoneal mesothelioma：a case report and review of the literature. World J Gastroenterol 12：5739-5742, 2006
43) O'Neil JD et al：Cystic mesothelioma of the peritoneum. Radiology 170：333-337, 1989
44) Wong WL et al：Best cases from the AFIP：multicystic mesothelioma. Radiographics 24：247-250, 2004
45) Gruen DR, Gollub MJ：Intrahepatic splenosis mimicking hepatic adenoma. AJR Am J Roentgenol 168：725-726, 1997
46) Gentry LR et al：Splenosis：CT demonstration of heterotopic autotransplantation of splenic tissue. J Comput Assist Tomogr 6：1184-1187, 1982
47) Mendelson DS et al：CT appearance of splenosis. J Comput Assist Tomogr 6：1188-1190, 1982
48) Moinuddin M：Splenosis：first scintigraphic demonstration of extensive splenic implants. Clin Nucl Med 7：67-68, 1982
49) Storm BL et al：Splenosis：superparamagnetic iron oxide-enhanced MR imaging. AJR Am J Roentgenol 159：333-335, 1992
50) Ronnett BM et al：Disseminated peritoneal adenomucinosis and peritoneal mucinous carcinomatosis：a clinicopathologic analysis of 109 cases with emphasis on distinguishing pathologic features, site of origin, prognosis, and relationship to "pseudomyxoma peritonei". Am J Surg Pathol 19：1390-1408, 1995
51) Mukherjee A et al：Pseudomyxoma peritonei usually originates from the appendix：a review of the evidence. Eur J Gynaecol Oncol 25：411-414, 2004
52) Carr NJ et al：A consensus for classification and pathologic reporting of pseudomyxoma peritonei and associated appendiceal neoplasia：the results of the Peritoneal Surface Oncology Group International (PSOGI) modified Delphi process. Am J Surg Pathol 40：14-26, 2016
53) Ronnett BM, Seidman JD：Mucinous tumors arising in ovarian mature cystic teratomas：relationship to the clinical syndrome of pseudomyxoma peritonei. Am J Surg Pathol 27：650-657, 2003
54) Stewart CJ et al：Ovarian mucinous tumour arising in mature cystic teratoma and associated with pseudomyxoma peritonei：report of two cases and comparison with ovarian involvement by low-grade appendiceal mucinous tumour. Pathology 38：534-538, 2006
55) Mayes GB et al：CT of pseudomyxoma peritonei. AJR Am J Roentgenol 136：807-808U, 1981
56) Sulkin TV et al：CT in pseudomyxoma peritonei：a review of 17 cases. Clin Radiol 57：608-613, 2002
57) Matsuoka Y et al：Pseudomyxoma peritonei with progressive calcifications：CT findings. Gastrointest Radiol 17：16-18, 1992
58) Buy JN et al：Magnetic resonance imaging of pseudomyxoma peritonei. Eur J Radiol 9：115-118, 1989
59) Himoto Y et al：A case of pseudomyxoma peritonei：visualization of septa using diffusion-weighted images with low b values. Abdom Radiol 41：1713-1717, 2016
60) Ronnett BM et al：Patients with pseudomyxoma peritonei associated with disseminated peritoneal adenomucinosis have a significantly more favorable prognosis than patients with peritoneal mucinous carcinomatosis. Cancer 92：85-91, 2001
61) Kim Y et al：Peritoneal lymphomatosis：CT findings. Abdom Imaging 23：87-90, 1998
62) Lynch MA et al：CT of peritoneal lymphomatosis. AJR Am J Roentgenol 151：713-715, 1988
63) Horger M et al：Extensive peritoneal and omental lymphomatosis with raised CA 125 mimicking carcinomatosis：CT and intraoperative findings. Br J Radiol 77：71-73, 2004
64) Kamona AA et al：Pediatric Burkitt's lymphoma：CT findings. Abdom Imaging 32：381-386, 2007
65) Blum KA et al：Adult Burkitt leukemia and lymphoma. Blood 104：3009-3020, 2004
66) Sheth S et al：Mesenteric neoplasms：CT appearances of primary and secondary tumors and differential diagnosis. Radiographics 23：457-473；quiz 535-536, 2003
67) Levy AD et al：From the archives of the AFIP：benign fibrous tumors and tumorlike lesions of the mesentery：radiologic-pathologic correlation. Radiographics 26：245-264, 2006
68) Jeong YJ et al：Neoplastic and nonneoplastic conditions of serosal membrane origin：CT findings. Radiographics 28：801-817；discussion 817-818；quiz 912, 2008
69) Levy AD et al：From the archives of the AFIP：primary peritoneal tumors：imaging features with pathologic correlation. Radiographics 28：583-607；quiz 621-622, 2008
70) Stuart S et al：Complications of continuous ambulatory peritoneal dialysis. Radiographics 29：441-460, 2009
71) Choi JH et al：Large bowel obstruction caused by sclerosing peritonitis：contrast-enhanced CT findings. Br J Radiol 77：344-346, 2004
72) Stafford-Johnson DB et al：CT appearance of sclerosing peritonitis in patients on chronic ambulatory peritoneal dialysis. J Comput Assist Tomogr 22：295-299, 1998
73) McFadden DE, Clement PB：Peritoneal inclusion cysts with mural mesothelial proliferation：a clinicopathological analysis of six cases. Am J Surg Pathol 10：844-854, 1986
74) Kim JS et al：Peritoneal inclusion cysts and their relationship to the ovaries：evaluation with sonography. Radiology 204：481-484, 1997
75) Hoffer FA et al：Peritoneal inclusion cysts：ovarian fluid in peritoneal adhesions. Radiology 169：189-191, 1988
76) Jain KA：Imaging of peritoneal inclusion cysts. AJR Am J Roentgenol 174：1559-1563, 2000
77) Kurachi H et al：Imaging of peritoneal pseudocysts：value of MR imaging compared with sonography and CT. AJR Am J Roentgenol 161：589-591, 1993
78) Nozawa S et al：Gonadotropin-releasing hormone analogue therapy for peritoneal inclusion cysts after gynecological surgery. J Obstet Gynaecol Res 26：389-393, 2000
79) Jeong JY, Kim SH：Sclerotherapy of peritoneal inclusion cysts：preliminary results in seven patients. Korean J Radiol 2：164-170, 2001
80) Lim HK et al：Sclerotherapy of peritoneal inclusion cysts：a long-term evaluation study. Abdom Imaging 35：431-436, 2010

Column

❖ Meigs 症候群と pseudo-Meigs 症候群

　Meigs 症候群は卵巣線維腫に大量の胸腹水を合併する症候群として，医師国家試験でもおなじみのよく知られた疾患概念である．1937 年に Harvard Medical School の産婦人科教授であった Joe Vincent Meigs（1892-1963）らが，卵巣腫瘍摘出後の胸腹水の急速な消退を報告した[1]ことにちなんで名付けられた．Meigs はすでに 1934 年にその著書においてこのうち 3 例を記述しており[2]，Massachusetts General Hospital（MGH）での case conference にも取り上げている[3]．ところがその後，MGH や Mayo Clinic でも同様の症例が続発したのに驚いてあらためて報告したようである．彼が最初に報告した時点で卵巣線維腫に大量の腹水を合併することはすでに一部では知られていた事実らしく，Meigs 自身も 1879 年の Cullingworth の報告[4]が最初であると記載している[5][6]．しかし，胸腹水が卵巣腫瘍摘除により消失することを初めて報告したのは Meigs で，その後 1939 年にも再度それまでに報告された 15 例をまとめて子細に考察した彼の功績はやはり大きく，この症候群の疾患概念の普及と解明に彼が費やした粘り強い努力の賜物といえよう．彼が 1939 年に報告した 15 例の病理組織診断はいずれも線維腫であった[5]が，その後 Meigs 自身が莢膜細胞腫や顆粒膜細胞腫でも同様の病態を生じることを報告している[7]．線維腫以外の卵巣腫瘍に起因する同様の病態は Meigs 症候群と区別する意味で pseudo-Meigs 症候群とよばれているが，線維腫のみを Meigs 症候群とするのか，同様に線維成分に富む莢膜細胞腫や Brenner 腫瘍も Meigs なのか[8]，はたまた良性腫瘍ならば Meigs で悪性腫瘍に起因するものは pseudo-Meigs なのか[6]，この点は文献によりまちまちのようである．さらに胸水のみで腹水を伴わないものは "incomplete form of Meigs' syndrome" とよばれていた[9]が，近年では胸水を伴わず大量腹水のみのものも "incomplete Meigs' syndrome" として報告されている．本書では Meigs の最初の報告に基づき，線維腫によるもののみを Meigs 症候群として論じることとする．不幸にして Cullingworth の第一例は線維腫が両側性であったために Krukenberg 腫瘍と誤認され付属器切除は行われず，大量腹水による悪液質と胸水による呼吸不全で死亡している[4][5]．Meigs 自身も強調している[5]ように本症は救命可能な疾患である．したがって線維腫はもちろん，他の卵巣腫瘍，時に子宮筋腫であっても，原因の明らかでない大量胸腹水の診療においては Meigs および pseudo-Meigs 症候群の可能性を考慮すべきである．しかし MRI はもちろん US もなかった 70 年以上前に，触診のみでこれを診断していた先人の診断能力の高さには舌を巻くほかはない．

【文　献】

1) Meigs JV, Cass JW：Fibroma of the ovary with ascites and hydrothorax：with a report of seven cases. Am J Obstet Gynecol 33：249-267, 1937
2) Meigs JV：Tumors of the Female Pelvic Organs. The Macmillan Co, New York, 1934
3) Miller RH et al：Case 21411. N Engl J Med 213：723-725, 1935
4) Cullingworth CJ：Fibroma of both ovaries. Trans Obstet Soc Lond 21：276-288, 1879
5) Meigs JV：Fibroma of the ovary with ascites and hydrothorax：a further report. Ann Surg 110：731-754, 1939
6) Lurie S：Meigs' syndrome：the history of the eponym. Eur J Obstet Gynecol Reprod Biol 92：199-204, 2000
7) Meigs JV：Pelvic tumors other than fibromas of the ovary with ascites and hydrothorax. Obstet Gynecol 3：471-486, 1954
8) Mitrou S et al：Cystic struma ovarii presenting as pseudo-Meigs' syndrome with elevated CA125 levels：a case report and review of the literature. Int J Gynecol Cancer 18：372-375, 2008
9) Blair RG：Case of Meigs' syndrome：an incomplete form with multiple pelvic pathology. J Obstet Gynaecol Br Emp 68：1046-1050, 1961

第8章

婦人科腫瘍（腟・外陰）

I 腟の腫瘍と腫瘍様病変
tumors of the vagina and tumor-like lesions

Summary

- 腟を冒す上皮性悪性腫瘍の大部分は扁平上皮癌であるが，子宮頸部，外陰にまったく病変がない場合のみ腟癌と診断されるので，頻度的には少ない。
- 腟原発の腺癌は大部分が胎児期の DES への曝露に関連した若年発生の明細胞腺癌であるが，本邦ではまれで，欧米でも近年では減少している。
- 悪性黒色腫は T1 強調像で高信号を示すのが特徴で，予後不良な腫瘍である。
- 乳幼児期に腟に発生する胎児型横紋筋肉腫はブドウ状肉腫の別名をもち，腟の内腔を充満する多房性嚢胞性腫瘤を形成する。
- 成人の腟壁に発生する肉腫では平滑筋肉腫が多く，後壁由来の壊死を伴う巨大腫瘍が形態的特徴である。
- 腟・外陰の嚢胞性腫瘤は局在に組織型ごとの特徴があり，ガートナー嚢胞は恥骨結合下縁より上方に，バルトリン腺嚢胞はその下方で腟の後壁側に，尿道憩室は尿道の後方を取り巻くのが特徴である。

1. 腟腫瘍の組織型，疫学，臨床的事項

　腟および外陰では，日本産科婦人科学会による「取扱い規約」は作成されていないが，腫瘍登録を行うために FIGO 分類[1]に準じた進行期分類（表1）が『子宮頸癌取扱い規約 病理編 第5版』に掲載され[2]，組織分類として最新の WHO 分類第5版を和訳した表2が巻末に示されている[2,3]。また，成書では腟疾患において感染症に多くの紙幅が割かれているが，画像的に問題となることは少なく，ここでは割愛する。

表1　腟癌の進行期分類（日産婦2014改，FIGO1971）[2]

Ⅰ期：癌が腟壁に限局するもの
Ⅱ期：癌が傍腟結合織まで浸潤するが，骨盤壁には達していないもの
Ⅲ期：癌が骨盤壁にまで達するもの
Ⅳ期：癌は小骨盤腔をこえて広がるか，膀胱，直腸粘膜を侵すもの
ⅣA期：膀胱および/または直腸粘膜への浸潤があるものおよび/または小骨盤腔をこえて直接進展のあるもの。但し，胞状浮腫の所見のみでⅣ期と診断してはならない
ⅣB期：遠隔転移を認めるもの

腟癌は内診，コルポスコピー，膀胱鏡，直腸鏡，X線検査等により診断され，手術摘出標本の病理学的所見により進行期を変更してはならない。

表2 腟腫瘍の組織学的分類および ICD-O コード（日産婦 2022）[2]

上皮性腫瘍　Epithelial tumors		
	尖圭コンジローマ Condyloma acuminatum	
8052/0	扁平上皮乳頭腫 Squamous cell papilloma	
	前庭部微小乳頭腫症 Vestibular micropapillomatosis	
	孤立性腟乳頭腫 Solitary vaginal papilloma	
	萎縮 Atrophy	
8560/0	管状扁平上皮ポリープ Tubulosquamous polyp	
8077/0	軽度扁平上皮内病変 Low-grade squamous intraepithelial lesion	
8077/0	腟上皮内腫瘍 Vaginal intraepithelial neoplasia, grade 1	
8077/2	高度扁平上皮内病変 High-grade squamous intraepithelial lesion	
8077/2	腟上皮内腫瘍 Vaginal intraepithelial neoplasia, grade 2	
8077/2	腟上皮内腫瘍 Vaginal intraepithelial neoplasia, grade 3	
8085/3	扁平上皮癌, HPV 関連 Squamous cell carcinoma, HPV-associated	
8086/3	扁平上皮癌, HPV 非依存性 Squamous cell carcinoma, HPV-independent	
8070/3	扁平上皮癌, 特定不能 Squamous cell carcinoma NOS	
8261/0	絨毛腺腫, 特定不能 Villous adenoma NOS	
8263/0	絨毛管状腺腫, 特定不能 Tubulovillous adenoma NOS	
	ミュラー管乳頭腫 Müllerian papilloma	
	腟腺症 Vaginal adenosis	
	頸管内膜症 Endocervicosis	
	囊胞 Cysts	
8140/3	腺癌, 特定不能 Adenocarcinoma NOS	
8483/3	腺癌, HPV 関連 Adenocarcinoma, HPV-associated	
8380/3	類内膜腺癌, 特定不能 Endometrioid adenocarcinoma NOS	
8310/3	明細胞腺癌, 特定不能 Clear cell adenocarcinoma NOS	
8482/3	粘液性癌, 胃型 Mucinous carcinoma, gastric type	
8480/3	粘液性腺癌 Mucinous adenocarcinoma	
9110/3	中腎腺癌 Mesonephric adenocarcinoma	
8980/3	癌肉腫, 特定不能 Carcinosarcoma NOS	
8940/0	混合腫瘍, 特定不能 Mixed tumor NOS	
8140/3	Skene 腺, Cowper 腺, Littré 腺の癌 Carcinoma of Skene, Cowper, and Littré glands	
8560/3	腺扁平上皮癌 Adenosquamous carcinoma	
8098/3	腺様基底細胞癌 Adenoid basal carcinoma	
上皮性・間葉性混合腫瘍 Mixed epithelial and mesenchymal tumors		
8933/3	腺肉腫 Adenosarcoma	
その他の腫瘍 Miscellaneous tumors		
9064/3	胚細胞腫瘍, 特定不能 Germ cell tumor NOS	
9071/3	卵黄嚢腫瘍, 思春期前型 Yolk sac tumor, pre-pubertal type	
9080/0	成熟奇形腫, 特定不能 Mature teratoma NOS	
9084/0	皮様嚢腫, 特定不能 Dermoid cyst NOS	

　腟に発生する悪性腫瘍は全女性性器腫瘍の1％未満[4)5)]，発症頻度は女性10万人あたり1～3人とまれで[5)]ある。これは，「腟原発」と診断されるには子宮頸部および外陰部に腫瘍があってはならないと定められており[5)]，さらに子宮頸癌の治療後5年以内に腟に扁平上皮癌を生じた場合には局所再発とみなされる傾向にあるため，その頻度は過小評価されている可能性がある。腟癌もヒトパピローマウイルス（human papillomavirus：HPV）感染症と密接な関係があり[3-5)]，若年層でのHPV感染の拡大が外陰・腟癌の増加に寄与しているとの指摘もある[6)]。頸癌同様，浸潤癌には至らない前癌状態としての腟上皮内病変[7)]（vaginal intraepithelial lesion：VaIN）が存在し，その5％が浸潤癌に進展するとの報告がある[7)]。また腟上皮内病変を有する患者の75％が子宮頸部や外陰にも扁平上皮病変を合併するといわれ，重複病変に対する注意が必要である[4)]。

腟癌においてはこの HPV 感染と免疫不全, 放射線照射がリスクファクターとされている[5]。胎内での diethylstilbestrol（DES）への曝露は若年発症の子宮頸部と腟の明細胞腺癌のリスクファクター（p261 参照）として知られ[8)9)], 2008 年までに 757 例の DES 関連明細胞腺癌が報告されている[5]が, DES が市場から淘汰されてから長年月が経過した昨今では, 明細胞腺癌症例の多くが DES 曝露歴のない高齢者である。

腟原発の扁平上皮癌は閉経後に好発し, 平均発症年齢は 60 歳である[4]。腟癌の臨床症状は不正性器出血, 帯下, 骨盤痛, 腟内の腫瘤感などである[5]。腫瘍の多くは腟の上部 1/3, とりわけ後壁に好発する[5]。ただし, 腟の下 2/3 に発生した腫瘍は, 視診時にクスコにより視界を遮られるために発見されにくいとされている。また約 20％の腟癌は子宮頸がん検診の細胞診で偶然発見される[10]。

臨床進行期分類は表 1 にすでに示した。症例分布は, Ⅰ期 26％, Ⅱ期 37％, Ⅲ期 24％, Ⅳ期 13％との報告がある[10]。腟壁のリンパ経路は複雑で, リンパ節転移は骨盤内にも鼠径部にも生じうる[4]が, 腟壁の上部 3 分の 1 に生じた腫瘍では骨盤内に, それ以下では鼠径部へのリンパ節転移が多いとされる[11]。

確立された標準的治療法はないが, 腫瘍径 2 cm 以下で上部腟壁に局在する病変では外科的切除が考慮されるが, 主体は放射線治療で小線源治療の併用が重要である。進行例では化学放射線療法が選択されることもある。手術療法の選択された早期症例で 5 年生存率は 77％, 放射線治療例の 2 年生存率はⅠ期で 96.2％, Ⅱ期 92.3％, Ⅲ期 66.6％, Ⅳ期 25％との報告がある[10]。予後因子は腫瘍径（4 cm 以上で予後不良）[10]と臨床進行期で, 再発様式としては局所再発が多い[4]。

2. 腟腫瘍・腫瘍様病変（画像所見と各論）

1）腟癌の画像所見

腟癌はほかの多くの悪性腫瘍と同様に T1 強調像では低～中間信号で正常構造と区別がつかないが, T2 強調像で高信号を示す腫瘤として描出される[12-14]。肉眼的に潰瘍形成型（50％）, 腫瘤形成型（30％）, 求心性狭窄型（20％）として発現し[15], MRI でもこれらの肉眼所見を反映する[13]。腫瘍を取り巻く腟の筋層（T2 強調像で低信号を示す）が全周にわたって保たれている場合には腫瘍は腟粘膜に限局すると考えられⅠ期である（図 1, 2）。これが断裂している場合には傍腟組織に進展しておりⅡ期となる。『子宮頸癌取扱い規約』におけるⅡB 期とⅢB 期の違いと同様「骨盤壁」の定義は難しいが, 解剖学的に肛門挙筋の 1 つである恥骨直腸筋は腟の側壁と近接しており, 腫瘍浸潤がここに到達している場合には骨盤壁に達すると考えてよいと思われる。

治療後の局所再発も T2 強調像で高信号の腫瘤として描出される。これに対して治療後の線維化は時に腫瘤様にみえるが, T2 強調像で低信号に留まる[12]。

2. 腟腫瘍・腫瘍様病変（画像所見と各論）

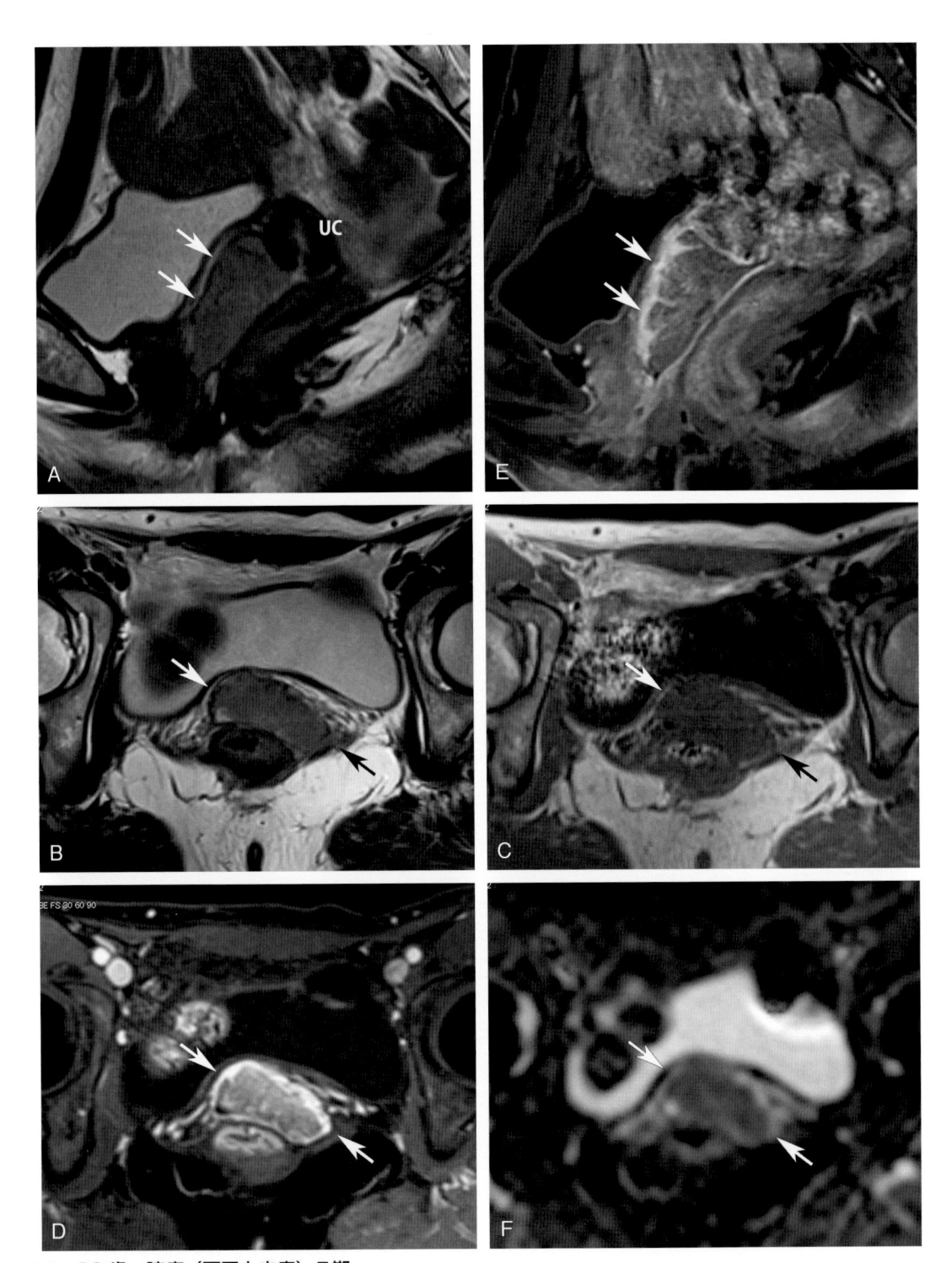

図1 39歳 腟癌（扁平上皮癌）Ⅱ期
A：T2強調矢状断像，B：T2強調横断像，C：T1強調横断像，D：造影脂肪抑制T1強調横断像，E：造影脂肪抑制T1強調矢状断像，F：ADC map
子宮頸癌疑いとして紹介されたが，子宮頸部（A，UC）に異常はなく，腟前壁から腟腔に突出する，T2強調像で高信号（A，B），腟粘膜よりも増強効果が不良（C～E →）で，中等度の拡散制限を示す（F →）腫瘤を認める。病変を取り巻く腟壁の筋層は一部断裂して傍腟結合織に浸潤するが，骨盤壁には至らない。

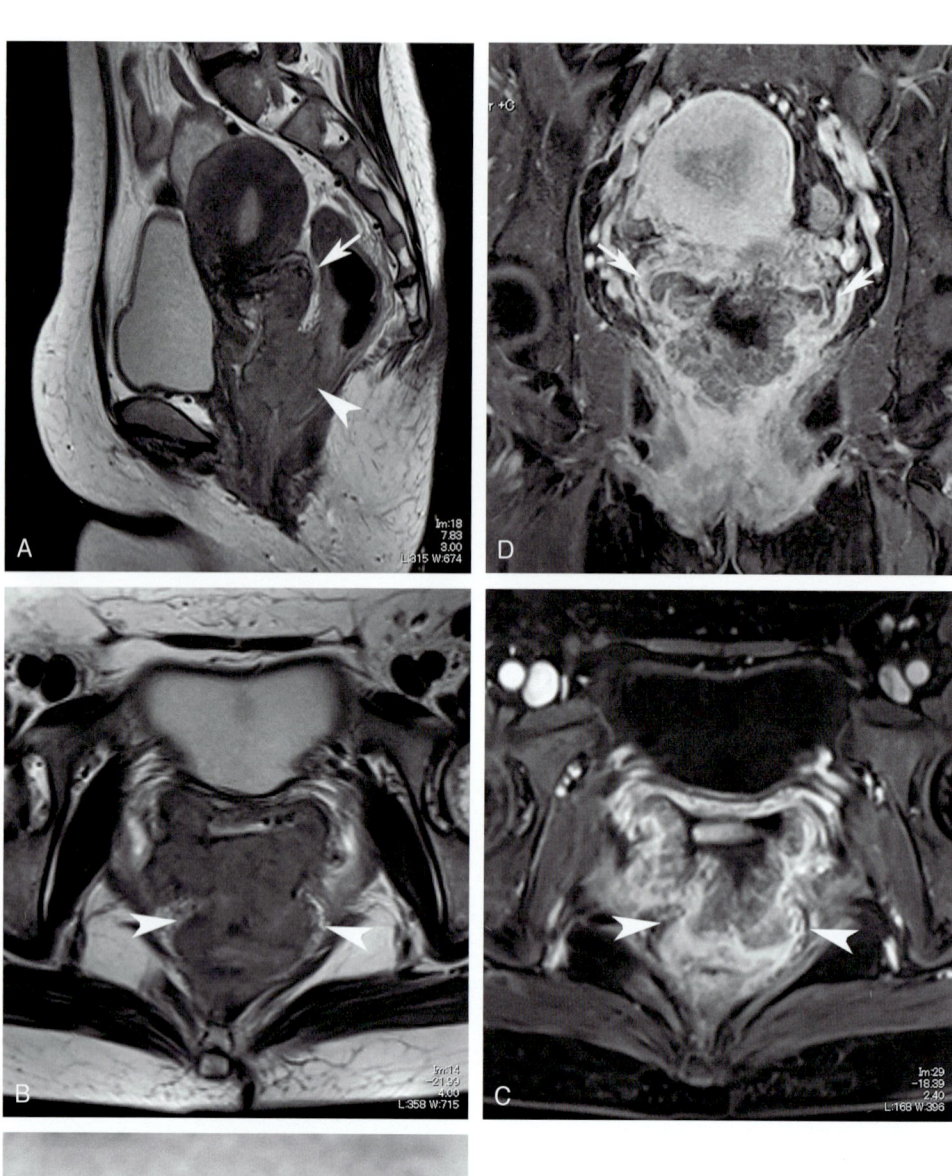

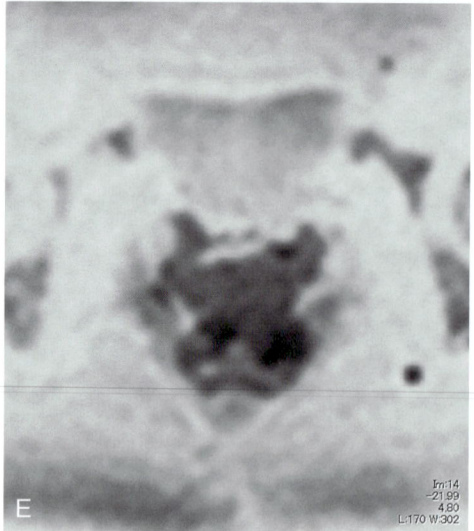

Ⅰ 腟の腫瘍と腫瘍様病変 tumors of the vagina and tumor-like lesions

図2 39歳 腟癌（扁平上皮癌）Ⅲ期
A：T2強調矢状断像，B：T2強調横断像，C：造影脂肪抑制T1強調横断像，D：造影脂肪抑制T1強調冠状断像，E：拡散強調横断像
後腟円蓋直下の後壁に付着し，内腔に向かってポリープ状に発育する比較的境界明瞭な，T2強調像で信号強度の高い腫瘤がある（A，D →）。造影後は子宮筋層や腟粘膜に比べ弱く増強され（C，D），拡散制限は強い（E）。病変は子宮頸部を圧排するが，子宮への浸潤はなく「腟癌」と診断できる。また腟後壁の筋層を越えて，直腸周囲腔に浸潤する（A〜C▲）が粘膜には達しない（A▲）。

2）扁平上皮癌以外の腟腫瘍

　前述のDESの使用により明細胞腺癌の増加した1988年には腟癌全体の25％を明細胞腺癌が占めるに至ったが，その後減少に転じ，腟原発の腺癌は全体の約5〜10％で推移している[4]。明細胞腺癌の画像所見の報告は少ないが，T2強調像でやや高信号を呈し，周囲腟壁と同程度に増強される．限局性の腟壁肥厚として描出されたとの報告がある[8)16)]（図3）。腟壁の類内膜腺癌には卵巣と同様，子宮内膜症を母地として発生するものがあるとされる[17]。しかし直腸腟中隔病変が傍腟腫瘤として認められることはあるが，腟壁そのものの内膜症はまれである[18]。ほかにも表2に示す多彩な上皮性悪性腫瘍が発生するが，組織特異的な画像所見は乏しく，ここでは割愛する。

　WHO分類では上皮性腫瘍に加え，上皮性間葉性混合腫瘍として腺肉腫，その他の腫瘍として胚細胞腫瘍，特に卵黄囊腫瘍，成熟奇形腫，皮様囊腫が挙げられている．胚細胞腫瘍は，時に子宮頸部や腟といった下部女性生殖器から発生する．これらは発生途上で生殖堤からの移動が停止してしまった胚細胞や異常に分化した体細胞を発生起源とすると考えられている．腟原発の卵黄囊腫瘍はほぼ例外なく3歳未満の幼児に生じ，1〜5cmのポリープ状の腫瘤を形成する．肺，肝への血行性転移の頻度が高く，予後不良な腫瘍で，平均生存期間は11カ月との報告もある[4)5)]。画像的には，比較的古いCTの報告では辺縁不整な不均一に増強される腫瘤で，子宮・卵管など周囲臓器への浸潤がみられる[19)20)]とされていたが，近年は腟に限局したT2強調像で不均一な高信号腫瘤であるとの報告が多い[21]。同じく不正性器出血で発症し子宮留血症を伴う乳幼児の腫瘍の鑑別疾患として，後述するブドウ状横紋筋肉腫が挙げられる[20]が，近年の報告ではむしろ横紋筋肉腫のほうが周囲臓器に対し浸潤性発育を示すことが多いとされる[21]。また，横紋筋肉腫に比べ卵黄囊腫瘍のほうがADC値が低いとの報告がある[21]。

　子宮の項でも述べた通り，WHO分類[3]では間葉性腫瘍は臓器横断的に別のchapterにまとめられたが，ここでは腟に発生する間葉性悪性腫瘍で頻度の高いものとして横紋筋肉腫と平滑筋肉腫について解説する。

　横紋筋肉腫（rhabdomyosarcoma）は，ほぼ例外なく胎児型横紋筋肉腫のbotryoid variantでブドウ状肉腫の別名がある．ブドウ状肉腫は子宮頸部（p274参照）や外陰部からも発生するが，腟原発の腫瘍は子宮頸部原発の5倍多く，乳児から幼児期に発症する[22]。その名の通り，ブドウの房状の腫瘤が腟の内腔を充満するように発育する．性器出血や腫瘤そのものが観察されて受診することが多い．MRIでは，T2強調像で多数の隔壁に境された均一な高信号を呈し，造影後はこの隔壁のみが強く増強されたとの報告があり[23]，肉眼所見をよく反映している．横紋筋肉腫は悪性度の高い腫瘍で，隣接臓器への直接浸潤はもちろん，リンパ節や肺をはじめとする遠隔臓器への転移も高頻度に生じるため，以前は骨盤内臓全摘術が推奨されていたが，近年は化学療法を組み合わせた縮小手術で良好な治療成績が報告されている[5)24)]。

　平滑筋肉腫（leiomyosarcoma）は成人の腟原発肉腫の60％を占め，25〜86歳と幅広い年齢層に発症する[5]が，平均発症年齢は47〜55歳で中年以降である．主訴としては性器出血，発生部位では後壁が多い．子宮の場合と同様，平滑筋腫との鑑別が問題となるが，中等度以上の細胞異型があり，10視野に5個以上の細胞分裂像をみるものを平滑筋肉腫とすると病理組織学的に提唱されている[5)25)]。CTでは囊胞と充実部の混在する大きな腫瘤，MRIでは内部に壊死や出血を

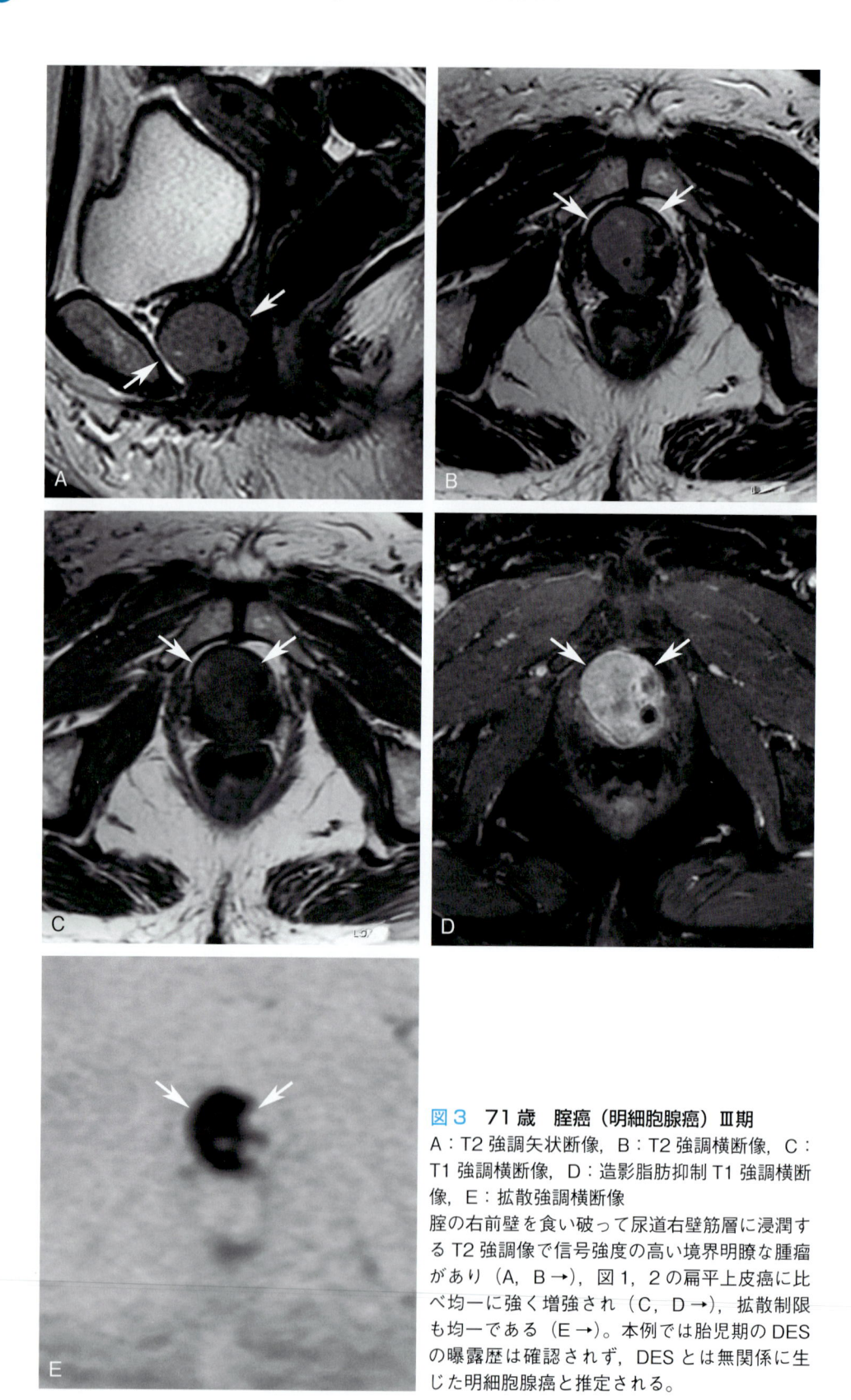

I 腟の腫瘍と腫瘍様病変 tumors of the vagina and tumor-like lesions

図3 71歳 腟癌（明細胞腺癌）Ⅲ期
A：T2強調矢状断像，B：T2強調横断像，C：T1強調横断像，D：造影脂肪抑制T1強調横断像，E：拡散強調横断像
腟の右前壁を食い破って尿道右壁筋層に浸潤するT2強調像で信号強度の高い境界明瞭な腫瘤があり（A, B→），図1, 2の扁平上皮癌に比べ均一に強く増強され（C, D→），拡散制限も均一である（E→）。本例では胎児期のDESの曝露歴は確認されず，DESとは無関係に生じた明細胞腺癌と推定される。

668

伴うのでT2強調像で不均一な高信号を示し，造影剤では巣状の不規則な増強効果を示すとされる[13]（図4）。奏効率の高い化学療法のレジメンはなく，手術療法が治療の主体となる。ほかの領域と同様，局所再発や遠隔転移のリスクが高く予後は不良で，多くの症例を含むまとまった報告はないが5年生存率は23〜36％とされる[26]。ほかにも腟には内膜間質肉腫，悪性神経鞘腫，悪性線維性組織球腫，血管肉腫などの間葉性悪性腫瘍，上皮性・間葉性混合悪性腫瘍（腺肉腫や癌肉腫）が発生するが，まれである[5]。

悪性黒色腫は腟の悪性腫瘍の5％，全悪性黒色腫の1％程度を占めるにすぎないが，腟原発例は日本人に多い[5]とされている。患者の多くは閉経後で平均発症年齢は60歳，出血や帯下，腫瘤感が主訴となる。肉眼的に灰色から黒色の結節状，ポリープ状の病変で，病理組織学的にも色素沈着から診断は容易とされる[5]。欧米では他部位からの転移の否定が必須とされる[5]が，本邦では皮膚原発例は少なく，過剰に全身検索を行う必要はないと思われる。画像的にはほかの領域と同様（p276, 690；p692〜694 図9〜10 参照），メラニンに富む腫瘍ではメラニンのT1, T2短縮効果から，T1強調像で高信号，T2強調像で低信号であることが期待されるが，実際の報告ではメラニン密度の関係からか，T1強調像では淡い高信号，T2強調像では中等度から高信号を示し[13)27-30]，拡散制限が強く，造影後は早期からよく増強される[31]との報告が多い（図5）。またメラニン色素の少ない症例では，T1短縮効果は示さず，神経内分泌癌など，他の細胞密度の高い腫瘍[3]と区別のつかないことも多い[31]。治療は外科的切除が基本であるが，リンパ行性，血行性とも転移の頻度は高く，また発見されたときにはすでに深く浸潤しているものが多い[32]ことから予後は極めて不良で，5年生存率は10〜20％である[5)32-34]。

3) 続発性悪性腟腫瘍

子宮頸癌は高頻度に腟に直接浸潤し上部2/3までに留まればⅡA期，下部1/3に到達すればⅢA期となる[35]（p221 表2 参照）。外陰癌も隣接臓器である腟へしばしば浸潤し，下部1/3に留まる場合はⅡ期，上部2/3に至る場合はⅢA期となる[36]（p683 表2 参照）。さらに子宮内膜癌も進行例では初発時にも（腟転移はⅢB期），再発例ではしばしば腟壁に腫瘤を形成する[37)38]（p314 参照）。このため，腟腫瘍の90％は続発性とする報告もある[18]。これら隣接臓器からの浸潤や転移性腟腫瘍も原発性腟腫瘍と同様にT2強調像で高信号に描出される[12)13)38]。しかし子宮頸癌・外陰癌症例で原発巣が境界明瞭な腫瘤を形成しているときにはT2強調像での信号上昇は炎症を反映しているだけのことも多い[12]。

4) 腟の良性腫瘍および腫瘍様病変

表2に示すように腟からは多彩な腫瘍および腫瘍類似病変が発生するが，良性上皮性病変が画像診断の対象となることは少ない。

間葉性の良性腫瘍として比較的頻度の高いものに線維上皮性間質ポリープ（fibroepithelial stromal polyp）がある。病理組織学的には真の腫瘍というよりは反応性の上皮下間質の増殖と考えられており，浮腫状の軟らかい腫瘤で，多くは3cm以下とされる[5)39)40]。子宮頸部，外陰に

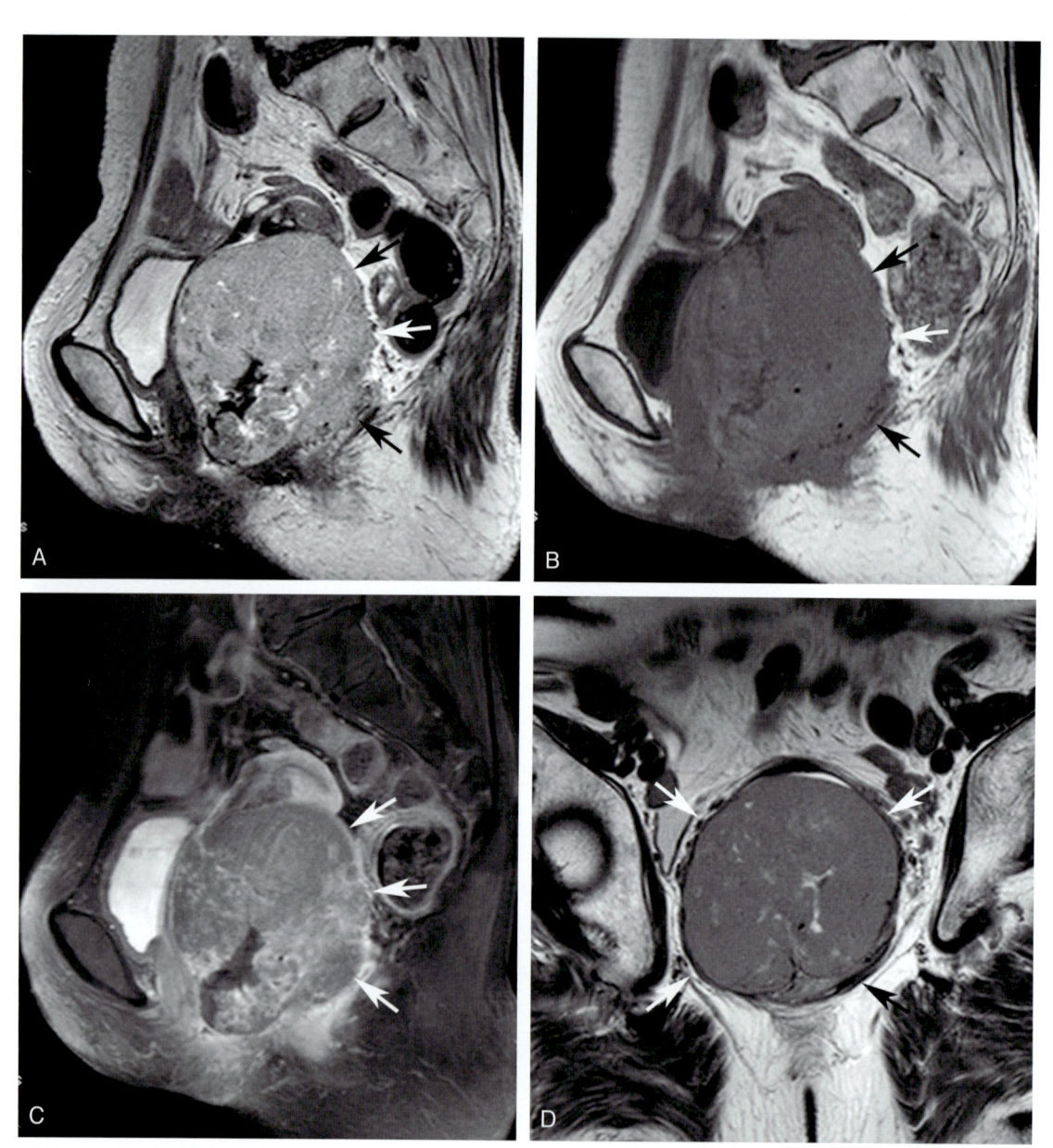

I 腟の腫瘍と腫瘍様病変 tumors of the vagina and tumor-like lesions

図4　81歳　腟平滑筋肉腫

A：T2強調矢状断像，B：T1強調矢状断像，C：造影脂肪抑制T1強調矢状断像，D：T2強調横断像
腟の後壁に広く付着し内腔を占拠するT2強調像で高信号（A, D →），T1強調像で低信号（B →），造影後は腟粘膜や子宮に比べ増強効果の不良な腫瘤を認める（C →）。上皮性腫瘍に比べbulkyな腫瘤を形成している。

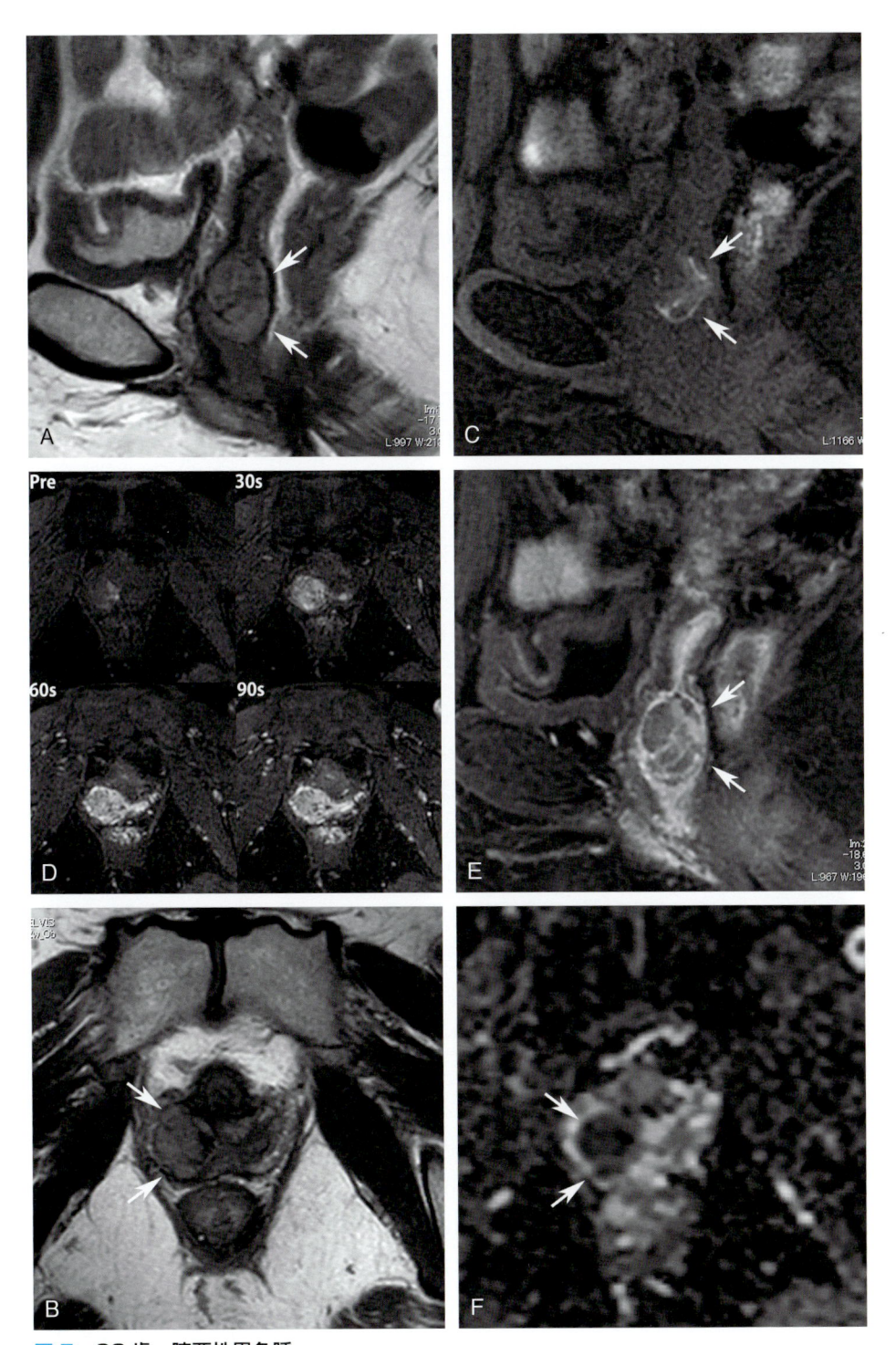

2. 腟腫瘍・腫瘍様病変（画像所見と各論）

図5　63歳　腟悪性黒色腫
A：T2強調矢状断像，B：T2強調横断像，C：脂肪抑制T1強調矢状断像，D：ダイナミックMRI横断像，E：造影脂肪抑制T1強調矢状断像，F：ADC map
下部腟壁（右壁）から内腔に突出するT2強調像（A, B）で不均一な信号を示す腫瘤を認め（→），脂肪抑制T1強調像（C）で一部が高信号を示し（→），メラニン色素の含有を反映している。造影後は早期から濃染し（D, E），不均一な拡散制限を示す（F →）。

671

I 腟の腫瘍と腫瘍様病変 tumors of the vagina and tumor-like lesions

も発生するが，腟での頻度が最も高く，性成熟期，特に妊娠中に好発する．臨床的にブドウ状肉腫との鑑別が問題となることがあるが，乳幼児期に好発する後者とは発症年齢が異なる．多くは無症状で偶然発見される．腟原発例の画像所見は報告されていないが，外陰ではT2強調像で索状の高信号域を混じた信号強度の高い腫瘍として報告されている[41]（図6）．

平滑筋腫は頻度的にはまれで，平均発症年齢は40歳程度，側壁に多いとされている[5]．横紋筋腫（rhabdomyoma）はさらにまれで，腟原発のものは20例程度が報告されているにすぎない．平均発症年齢は45歳程度である[5]．どちらも境界明瞭な大小様々な腫瘍を形成し，尿路の圧迫症状（排尿障害）で受診することが多い[5,42]．遺残のないよう，注意深く切除すれば外科的切除のみで再発は少ないとされている[42]．平滑筋腫は画像的には子宮筋腫同様，T1強調像で低信号，T2強調像でも信号強度の低い境界明瞭な腫瘍で，均一に増強されたとの報告が散見される[11,43-45]．また子宮筋腫同様，細胞密度の高い腫瘍ではT2強調像で信号強度がやや高く，ダイナミックMRIで早期から濃染したとの報告もある[44]．前述の肉腫とは壊死や出血の有無で区別される点も，子宮のカウンターパートと類似している．

海綿状血管腫（cavernous hemangioma）は乳児期に好発する腫瘍で，ほかの領域に発生した同種の腫瘍と同じく多くは2歳までは増大するが，その後は退縮に転じる．これに対し，Klippel-Trenauny-Weber症候群などでみられる血管奇形では退縮がみられることはなく，塞栓術などの治療を要する．

傍神経節腫（paraganglioma）は副腎の褐色細胞腫と同義の腫瘍で，10％が副腎外に発生することがよく知られているが，女性生殖器では極めてまれである．画像的には他領域の腫瘍と同様にT2強調像で高信号を示し，よく増強される[11]．

腟や外陰には様々な囊胞性病変が発生する（表3）．いずれも画像的には特徴のない囊胞として描出されるため，発生部位が鑑別診断に重要である（図7）．ミュラー管囊胞（Müllerian-derived cyst）はミュラー管（傍中腎管）の遺残に由来する，内頸部型の腺上皮に囲まれた囊胞で，通常正中線上に発生する[4]．多くは小さく無症状だが7 cmにも及ぶことがあり，有症状例では治療対象となる[46]．ガートナー囊胞（Gartner cyst）はウォルフ管（中腎管）の遺残に由来する囊胞で小児期に腟に発生する腫瘤としては最も多く，典型的には恥骨結合より上方の腟の前側壁に発生する[47]，T1強調像で低信号，T2強調像で高信号の内容物を含む壁の薄い囊胞[11]で隔壁を伴うこともある[48]（図8）．多くは2 cm以下であるが，尿道圧排により症状を発現する．バルトリン腺は尿生殖洞由来の粘液腺で，腟前庭の後側壁に開口する．これが外傷や結石により閉塞して生じるのがバルトリン腺囊胞（Bartholin gland cyst）である．病変の局在が恥骨結合より尾側にあることでガートナー囊胞と[47]，腟の後壁側に位置することから後述するスキーン腺囊胞と[11]区別される．病理組織学的には囊胞壁は扁平上皮化生を伴う尿路上皮からなり，一部に粘液腺の残存がみられる．内容物の信号強度はT2強調像では高信号であるが，T1強調像では，内容物のタンパク濃度に伴い種々の信号を示す[11]（図9）．通常無症状で，他疾患に対しMRIを撮像したときに偶然発見されることが多い．感染を合併して膿瘍化したものは治療を要する．スキーン腺は外尿道口直上の尿道の両側に左右一対存在する男性の前立腺と同義の組織で，この炎症性の閉塞により生じるのがスキーン腺囊胞（Skene gland cyst）である．本症とともに排尿困難や尿路感染症の原因となる尿道憩室とは，後者が中部尿道に位置することから区別される[47]．尿道憩室

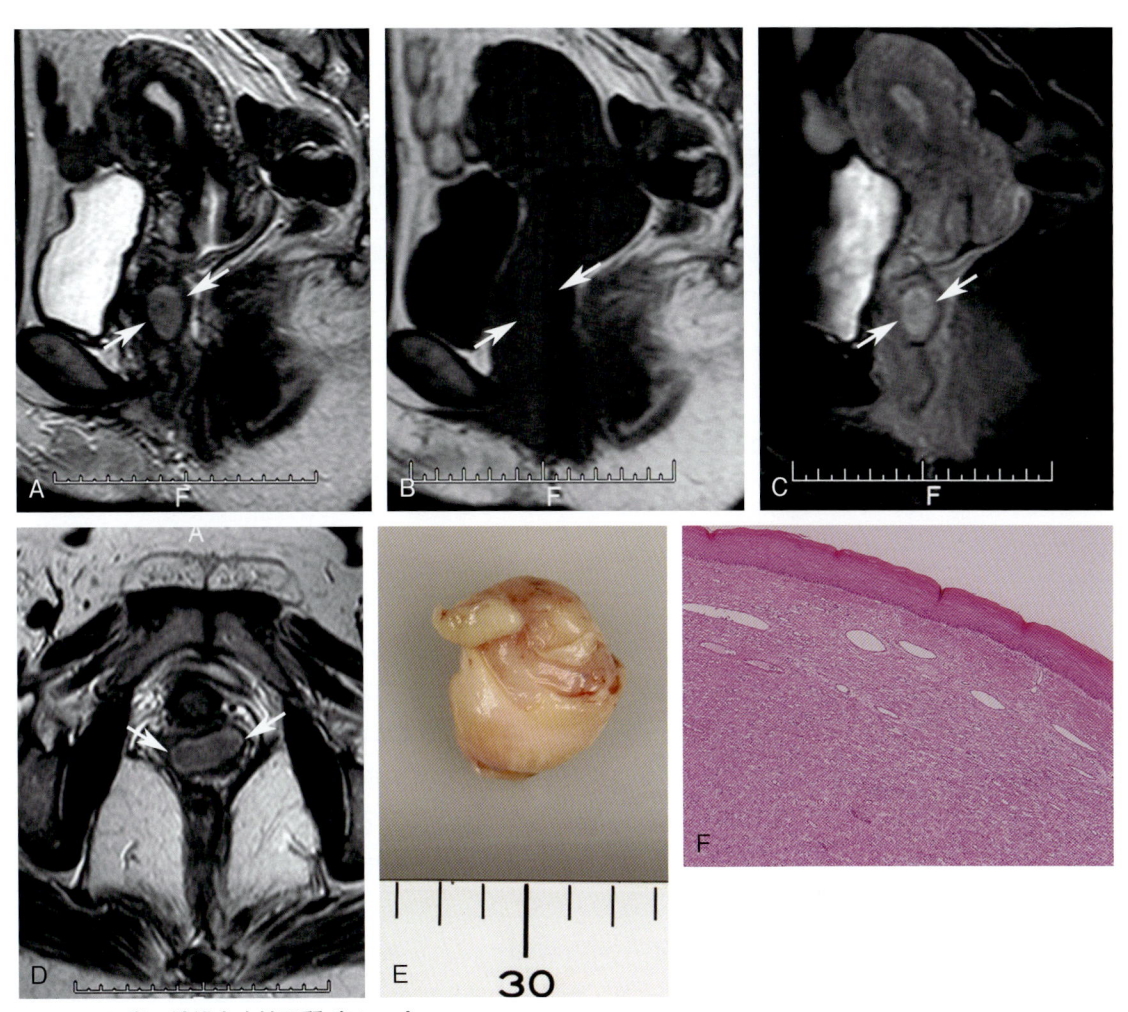

2. 腟腫瘍・腫瘍様病変（画像所見と各論）

図6　79歳　線維上皮性間質ポリープ
A：T2強調矢状断像，B：T1強調矢状断像，C：造影脂肪抑制T1強調矢状断像，D：T2強調横断像，E：摘出標本肉眼像，F：HE染色（弱拡大）
腟前壁から突出する境界明瞭，辺縁平滑な卵円型の腫瘤があり，T2強調像で均一な高信号（A，D→），T1強調像で均一な低信号（B→），造影後も均一に増強される（C→）。摘出標本（E）は白色調の結節である。病理組織学的には壁の肥厚した血管を豊富に含み膠原線維の増生した間質をもつ重層扁平上皮で覆われた腫瘤（F）で，線維上皮性間質ポリープと診断された。

表3　腟・外陰近傍に生じる主な囊胞性疾患

疾患名	由来臓器	好発部位
ミュラー管囊胞	ミュラー管（傍中腎管）の遺残	正中
ガートナー囊胞	ウォルフ管（中腎管）	上部腟の前側壁
バルトリン腺囊胞	バルトリン腺	小陰唇
スキーン腺囊胞	傍尿道腺	遠位尿道
扁平上皮封入囊胞	外傷性の扁平上皮の迷入	会陰切開部（外陰直上の後壁）
尿道憩室	尿道周囲腺の閉塞・膨張と破裂	尿道の遠位2/3，後壁

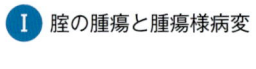

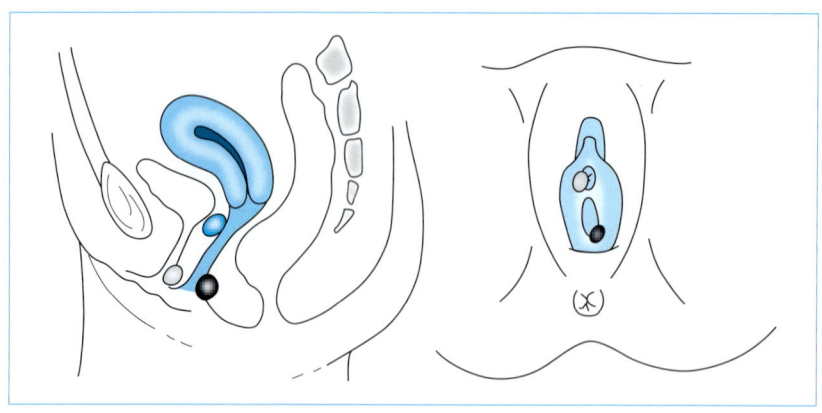

図7 腟・外陰近傍の囊胞性腫瘤[47]
ガートナー囊胞（青）は恥骨結合下縁より上部の腟前外側壁に，バルトリン腺囊胞（黒）は腟下端の後壁から外側壁に，スキーン腺囊胞（灰色）は尿道下端に接して発生する。

（urethral diverticulum）の多くは尿道周囲腺の炎症による閉塞と，その尿道への破裂により生じると考えられている。起炎菌としては大腸菌やクラミジアが多い。典型的にはちょうど恥骨結合の後方にあたる尿道の遠位 2/3 に尿道を後方から U 字状に取り囲むように生じることが多い（図10）。単房性のことも多房性のこともある。以前は排尿時膀胱造影（voiding cystography：VCG）で診断されていたが，近年はその特徴的な分布から，MRI でも診断可能と考えられている。ほかに外傷性，医原性に生じる扁平上皮封入囊胞［squamous (epithelial) inclusion cyst］，表皮囊胞（epidermal cyst），類表皮囊胞（epidermoid cyst）があり，腟壁の裂傷や分娩時の会陰切開部の修復過程で迷入した重層扁平上皮で囲まれた囊胞である[4,48]。内容物は落屑した痂皮に由来するケラチンを含むので，他領域の病変と同様，T2 強調像で高信号，拡散強調像で強い異常信号を示す（図11）。会陰切開に起因することが多いので，外陰直上の腟壁に生じることが多い。

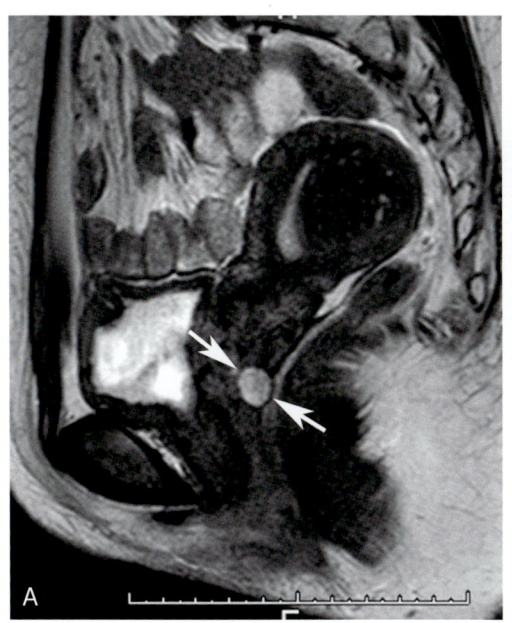

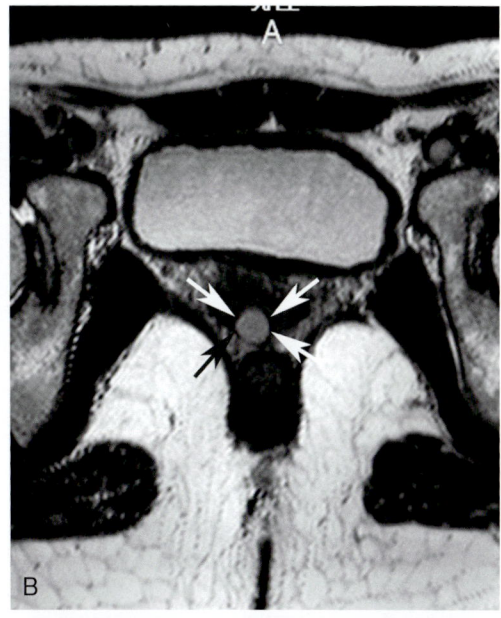

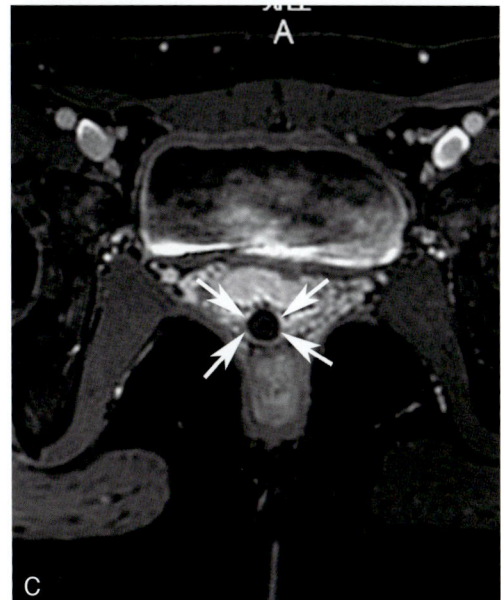

2. 腟腫瘍・腫瘍様病変（画像所見と各論）

図8 38歳 ガートナー嚢胞
A：T2強調矢状断像，B：T2強調横断像，C：造影脂肪抑制T1強調横断像
恥骨結合より上方の腟壁に接して1cmほどの単房性嚢胞があり（A〜C →），局在からガートナー嚢胞が最も疑われる。

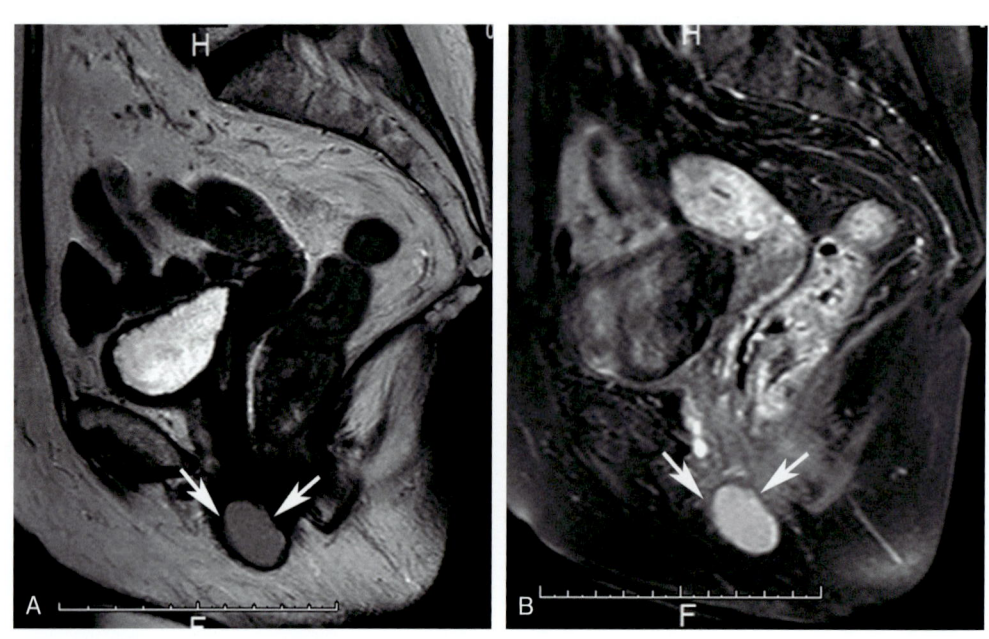

I 腟の腫瘍と腫瘍様病変 tumors of the vagina and tumor-like lesions

図9 70歳 バルトリン腺嚢胞
A：T2強調矢状断像，B：造影脂肪抑制T1強調矢状断像
腟入口部後壁側に接してT2強調像（A）では膀胱内の尿よりもやや信号が低く，T1強調像（B）では信号強度の高い内容物を含む単房性嚢胞性腫瘤があり，バルトリン腺嚢胞に典型的な局在である。

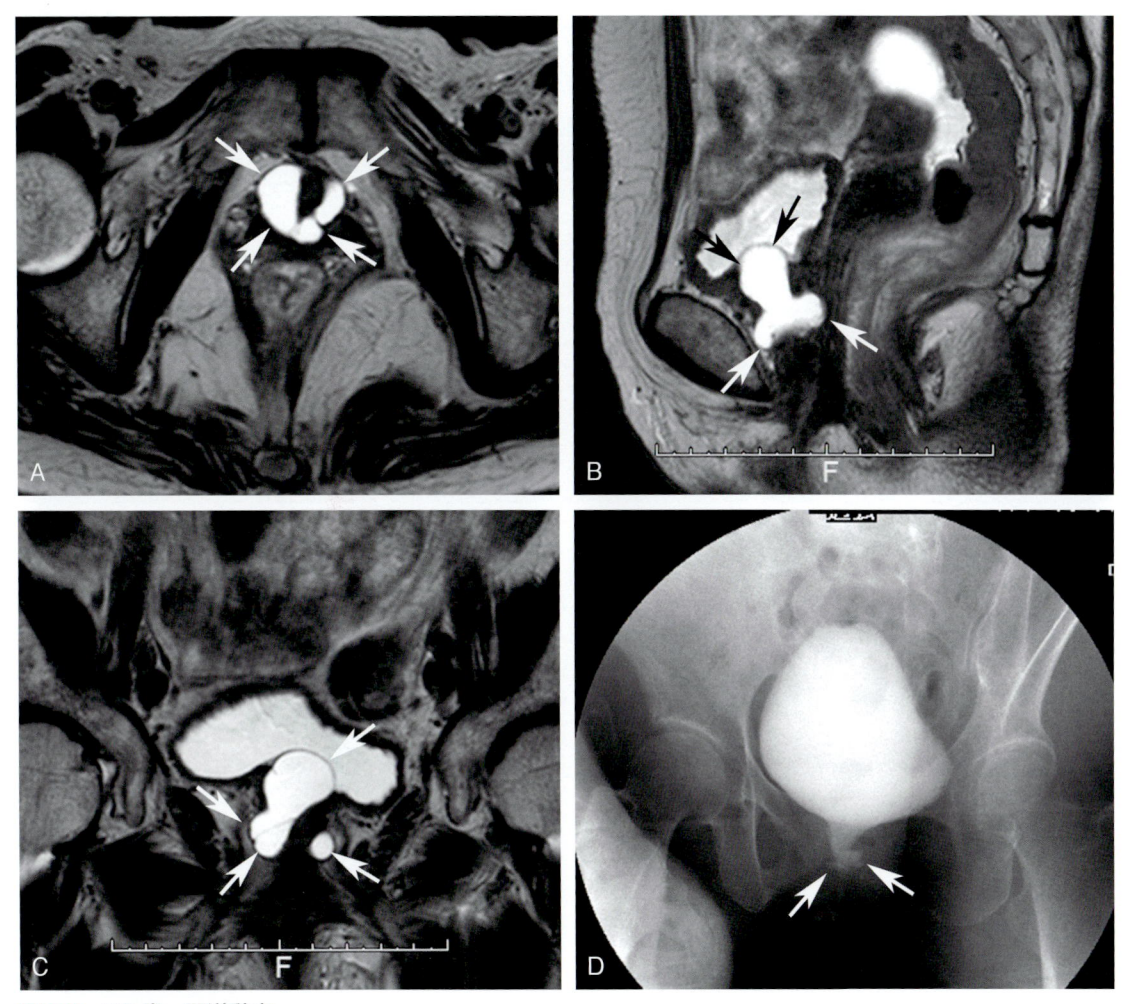

図10 73歳 尿道憩室
A：T2強調横断像，B：T2強調矢状断像，C：T2強調冠状断像，D：排尿時膀胱造影
膀胱直下の尿道周囲にT2強調像（A〜C）で尿と同様に高信号の内容物を含む多房性囊胞性腫瘤があり（→），尿道を後方から取り囲む局在は尿道憩室に特徴的である。排尿時膀胱造影（D）では，病変が尿道と交通して造影剤が流入する（→）のが明確に観察される。

Ⅰ 腟の腫瘍と腫瘍様病変 tumors of the vagina and tumor-like lesions

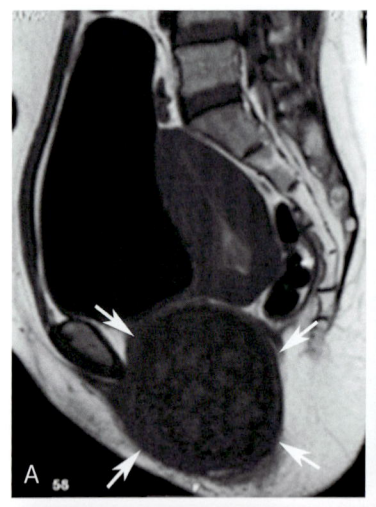

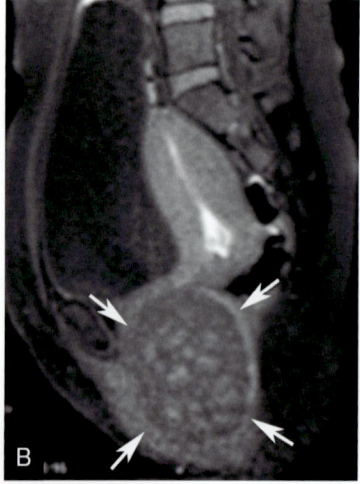

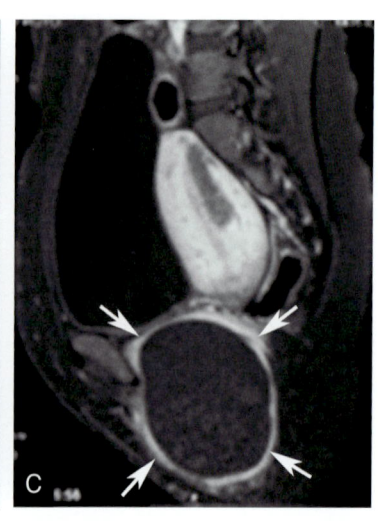

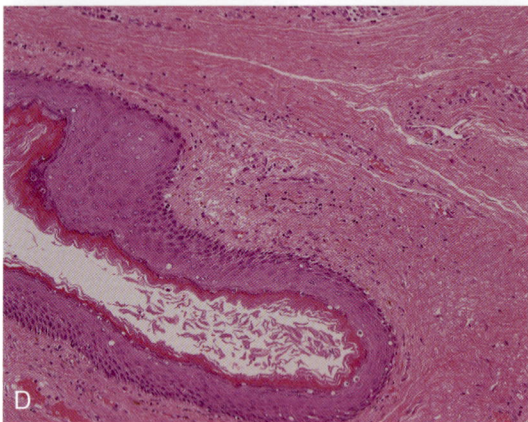

図11　29歳　類表皮嚢胞

A：T1強調矢状断像，B：脂肪抑制T1強調矢状断像，C：造影脂肪抑制T1強調矢状断像，D：HE染色（弱拡大）
妊娠中に発見された腫瘤で腟の右壁に沿って約9cmの腫瘤を形成。T1強調像（A）で低信号の内容物に信号強度の高い小結節状構造を多数内包し，脂肪抑制T1強調像（B）でこの構造はより鮮明に描出されている。壁は厚く強く増強されている（C）。卵巣成熟奇形腫（p539 図5参照）と類似した形態に注目。病理組織学的に嚢胞壁は角化扁平上皮で構成されており（D），類表皮嚢胞と診断された。

文献

1) FIGO Committee on Gynecologic Oncology：Current FIGO staging for cancer of the vagina, fallopian tube, ovary, and gestational trophoblastic neoplasia. Int J Gynaecol Obstet 105：3-4, 2009
2) 日本産科婦人科学会，日本病理学会 編：子宮頸癌取扱い規約 病理編 第5版．金原出版，東京，2022
3) WHO Classification of Tumors Editorial Board：Female Genital Tumours, 5th ed. International Agency for Research on Cancer, Lyon, France, 2020
4) Nucci MR et al：Tumors of the Cervix, Vagina, and Vulva. American Registry of Pathology, 2023
5) Nucci MR et al：Diseases of the Vagina, Kurman RJ et al eds：Blaustein's Pathology of the Female Genital Tract, 7th ed. p131-191, Springer International Publishing, Cham, 2019
6) Dittmer C et al：Epidemiology of vulvar and vaginal cancer in Germany. Arch Gynecol Obstet 284：169-174, 2011
7) Rutledge F：Cancer of the vagina. Am J Obstet Gynecol 97：635-655, 1967
8) Gilles R et al：Case report：clear cell adenocarcinoma of the vagina：MR features. Br J Radiol 66：168-170, 1993
9) Smith EK et al：Higher incidence of clear cell adenocarcinoma of the cervix and vagina among women born between 1947 and 1971 in the United States. Cancer Causes Control 23：207-211, 2012
10) Karam A et al：Vaginal cancer. UpToDate. 2024；2024
11) Elsayes KM et al：Vaginal masses：magnetic resonance imaging features with pathologic correlation. Acta Radiol 48：921-933, 2007
12) Chang YC et al：Vagina：evaluation with MR imaging. Part II. Neoplasms. Radiology 169：175-179, 1988
13) Parikh JH et al：MR imaging features of vaginal malignancies. Radiographics 28：49-63；quiz 322, 2008
14) Gardner CS et al：Primary vaginal cancer：role of MRI in diagnosis, staging and treatment. Br J Radiol 88：20150033, 2015
15) Hellman K et al：Clinical and histopathologic factors related to prognosis in primary squamous cell carcinoma of the vagina. Int J Gynecol Cancer 16：1201-1211, 2006

16) Donnelly LF et al : Case report : clear cell adenocarcinoma of the vagina in a 5-year-old girl : imaging findings. Clin Radiol 53 : 69-72, 1998
17) Haskel S et al : Vaginal endometrioid adenocarcinoma arising in vaginal endometriosis : a case report and literature review. Gynecol Oncol 34 : 232-236, 1989
18) Siegelman ES et al : High-resolution MR imaging of the vagina. Radiographics 17 : 1183-1203, 1997
19) Chen SJ et al : Endodermal sinus (yolk sac) tumor of vagina and cervix in an infant. Pediatr Radiol 23 : 57-58, 1993
20) Grygotis LA, Chew FS : Endodermal sinus tumor of the vagina. AJR Am J Roentgenol 169 : 1632, 1997
21) Sun F et al : Computed tomography and magnetic resonance imaging appearances of malignant vaginal tumors in children : endodermal sinus tumor and rhabdomyosarcoma. J Comput Assist Tomogr 44 : 193-196, 2020
22) Ghaemmaghami F et al : Lower genital tract rhabdomyosarcoma : case series and literature review. Arch Gynecol Obstet 278 : 65-69, 2008
23) Kobi M et al : Sarcoma botryoides : MRI findings in two patients. J Magn Reson Imaging 29 : 708-712, 2009
24) Hays DM et al : Clinical staging and treatment results in rhabdomyosarcoma of the female genital tract among children and adolescents. Cancer 61 : 1893-1903, 1988
25) Tavassoli FA, Norris HJ : Smooth muscle tumors of the vagina. Obstet Gynecol 53 : 689-693, 1979
26) Ciaravino G et al : Primary leiomyosarcoma of the vagina : a case report and literature review. Int J Gynecol Cancer 10 : 340-347, 2000
27) Moon WK et al : MR findings of malignant melanoma of the vagina. Clin Radiol 48 : 326-328, 1993
28) Yoshizako T et al : Malignant vaginal melanoma : usefulness of fat-saturation MRI. Clin Imaging 20 : 137-139, 1996
29) Tsuda K et al : MR imaging of non-squamous vaginal tumors. Eur Radiol 9 : 1214-1218, 1999
30) Fan SF et al : Case report : MR findings of malignant melanoma of the vagina. Br J Radiol 74 : 445-447, 2001
31) Liu QY et al : MRI findings in primary vaginal melanoma : a report of four cases. Clin Imaging 39 : 533-537, 2015
32) Gupta D et al : Vaginal melanoma : a clinicopathologic and immunohistochemical study of 26 cases. Am J Surg Pathol 26 : 1450-1457, 2002
33) Chung AF et al : Malignant melanoma of the vagina : report of 19 cases. Obstet Gynecol 55 : 720-727, 1980
34) Creasman WT et al : The National Cancer Data Base report on cancer of the vagina. Cancer 83 : 1033-1040, 1998
35) 日本産科婦人科学会ほか 編：子宮頸癌取扱い規約 臨床編 第4版. 金原出版, 東京, 2020
36) Pecorelli S : Revised FIGO staging for carcinoma of the vulva, cervix, and endometrium. Int J Gynaecol Obstet 105 : 103-104, 2009
37) 日本産科婦人科学会, 日本病理学会 編：子宮体癌取扱い規約 病理編 第5版. 金原出版, 東京, 2022
38) Sohaib SA et al : Recurrent endometrial cancer : patterns of recurrent disease and assessment of prognosis. Clin Radiol 62 : 28-34 ; discussion 35-36, 2007
39) Nucci MR et al : Cellular pseudosarcomatous fibroepithelial stromal polyps of the lower female genital tract : an underrecognized lesion often misdiagnosed as sarcoma. Am J Surg Pathol 24 : 231-240, 2000
40) Nucci MR, Fletcher CD : Vulvovaginal soft tissue tumours : update and review. Histopathology 36 : 97-108, 2000
41) Kato H et al : Magnetic resonance imaging findings of fibroepithelial polyp of the vulva : radiological-pathological correlation. Jpn J Radiol 28 : 609-612, 2010
42) Imai A et al : Leiomyoma and rhabdomyoma of the vagina : vaginal myoma. J Obstet Gynaecol 28 : 563-566, 2008
43) Ruggieri AM et al : Vaginal leiomyoma : a case report with imaging findings. J Reprod Med 41 : 875-877, 1996
44) Shimada K et al : MR imaging of an atypical vaginal leiomyoma. AJR Am J Roentgenol 178 : 752-754, 2002
45) Griffin N et al : Magnetic resonance imaging of vaginal and vulval pathology. Eur Radiol 18 : 1269-1280, 2008
46) Eilber KS, Raz S : Benign cystic lesions of the vagina : a literature review. J Urol 170 : 717-722, 2003
47) Walker DK et al : Overlooked diseases of the vagina : a directed anatomic-pathologic approach for imaging assessment. Radiographics 31 : 1583-1598, 2011
48) Chaudhari VV et al : MR imaging and US of female urethral and periurethral disease. Radiographics 30 : 1857-1874, 2010

II 外陰の腫瘍と腫瘍様病変
tumors of the vulva and tumor-like lesions

Summary

- 外陰に発生する悪性腫瘍の多くは，高齢者に好発する HPV 非依存性扁平上皮癌である．若年発症の場合は HPV 関連扁平上皮癌であることが多く，より侵襲性で予後不良である．
- 外陰部の腺癌の発生母地としては，バルトリン腺が重要である．
- 外陰癌の臨床進行期分類にはリンパ節転移の有無が重要な要素となり，表層にある鼠径リンパ節，より深部にある大腿リンパ節の双方の評価が必要である．
- 乳房外 Paget 病は骨盤内他臓器の腺癌や尿路上皮癌に続発することがあり，その深部に悪性腫瘍が潜んでいないか留意する必要がある．
- 外陰悪性腫瘍の約 10％が悪性黒色腫であり，メラニン細胞に富むものは T1 強調像で高信号を示す．
- 深在性血管粘液腫（以前は侵襲性血管粘液腫とよばれていた）は若年女性の外陰に好発する腫瘍で，豊富な粘液腫様の間質により T2 強調像で高信号を示し，浸潤性に発育し局所再発も多い．これに対し表在性血管粘液腫，細胞性血管線維腫は皮膚や皮下組織に限局し，大きさが小さく再発も少ない．
- 血管筋線維芽細胞腫は深在性血管粘液腫に比べ細胞成分に富み境界明瞭で，T2 強調像でやや信号強度が低く，よく増強される．再発は少ないが深在性血管粘液腫との合併例もある．
- 細胞性血管線維腫は内部に脂肪細胞を含むのが特徴で，chemical shift imaging で少量の脂肪の存在を同定することが鑑別のヒントになる．

1. 外陰腫瘍の組織型，疫学，臨床的事項

外陰に発生する悪性腫瘍の実に 95％が扁平上皮癌である．有病率は全年代層では女性 10 万人あたり 1.5 人だが，加齢とともに増加し，高齢者では 20 人程度となる．したがって，平均発症年齢は 60～74 歳と高齢者に好発する[1-5]．子宮頸部・腟と同様に非浸潤癌・前癌状態に相当する vulvar intraepithelial neoplasia（VIN）が存在し，腟癌同様，この非浸潤癌を含めた WHO 分類第 5 版が『子宮頸癌取扱い規約 病理編 第 5 版』に掲載されている（表 1）[6,7]．浸潤性扁平上皮癌の患者では VIN のほか，尖圭コンジローマ（condyloma acuminatum）や子宮頸癌の合併も多い．これら下部女性生殖器悪性腫瘍に共通のリスクファクターとしてヒトパピローマウイルス

表1 外陰腫瘍の組織学的分類およびICD-Oコード（日産婦2022）[7]

上皮性腫瘍 Epithelial tumors
8077/0	軽度扁平上皮内病変	Low-grade squamous intraepithelial lesion（LSIL）/VIN1
8077/2	高度扁平上皮内病変	High-grade squamous intraepithelial lesion（HSIL）/VIN2
8077/2	高度扁平上皮内病変	High-grade squamous intraepithelial lesion（HSIL）/VIN3
8071/2	分化型外陰上皮内腫瘍	Differentiated vulvar intraepithelial neoplasia（VIN）
	外向性外陰部上皮内病変	Differentiated exophytic vulvar intraepithelial lesion
	異常分化を伴う外陰部表皮腫	Vulvar acanthosis with altered differentiation
8085/3	扁平上皮癌, HPV関連	Squamous cell carcinoma, HPV-associated
8086/3	扁平上皮癌, HPV非依存性	Squamous cell carcinoma, HPV-independent
8070/3	扁平上皮癌, 特定不能	Squamous cell carcinoma NOS
8090/3	基底細胞癌, 特定不能	Basal cell carcinoma NOS
	脂漏性角化症	Seborrhoeic keratosis
	尖圭コンジローマ	Condyloma acuminatum
8405/0	乳頭状汗腺腫	Papillary hidradenoma
8940/0	軟骨様汗腺腫瘍, 特定不能	Chondroid syringoma NOS
9010/0	線維腺腫, 特定不能	Fibroadenoma NOS
9020/1	葉状腫瘍, 特定不能	Phyllodes tumor NOS
9020/0	葉状腫瘍, 良性	Phyllodes tumor, benign
9020/1	葉状腫瘍, 境界悪性	Phyllodes tumor, borderline
9020/3	葉状腫瘍, 悪性	Phyllodes tumor, malignant
8500/3	乳腺様腺癌	Adenocarcinoma of anogenital mammary-like glands

バルトリン腺病変 Bartholin gland lesions
	バルトリン腺嚢胞	Bartholin gland cyst
8140/0	バルトリン腺腫	Bartholin gland adenoma
8932/0	バルトリン腺筋腫	Bartholin gland adenomyoma
8070/3	扁平上皮癌, 特定不能	Squamous cell carcinoma NOS
8200/3	腺様嚢胞癌	Adenoid cystic carcinoma
8020/3	低分化癌, 特定不能	Carcinoma, poorly differentiated NOS
8560/3	腺扁平上皮癌	Adenosquamous carcinoma
8240/3	神経内分泌腫瘍, 特定不能	Neuroendocrine tumor NOS
8982/3	筋上皮癌	Myoepithelial carcinoma
8562/3	上皮筋上皮癌	Epithelial-myoepithelial carcinoma
8085/3	扁平上皮癌, HPV陽性	Squamous cell carcinoma, HPV-positive
8542/3	乳房外パジェット病	Paget disease, extramammary
8400/3	汗腺腺癌	Sweat gland adenocarcinoma
8401/3	アポクリン腺癌	Apocrine adenocarcinoma
8413/3	エックリン腺癌	Eccrine adenocarcinoma
8409/3	汗孔癌, 特定不能	Porocarcinoma NOS
8200/3	腺様嚢胞癌	Adenoid cystic carcinoma
8144/3	腸型腺癌	Adenocarcinoma, intestinal type

胚細胞腫瘍 Germ cell tumors
9064/3	胚細胞腫瘍, 特定不能	Germ cell tumor NOS
9071/3	卵黄嚢腫瘍, 特定不能	Yolk sac tumor NOS

（human papillomavirus：HPV）が挙げられる。ただし高齢者の外陰癌症例ではHPV陽性率は20％未満に留まり、硬化性萎縮性苔癬など慢性炎症性病変を母地として、*TP53*をはじめとする遺伝子変異が加わって発症するのに対し、若年者では80％がHPV関連でVIN合併例が多い[8]。

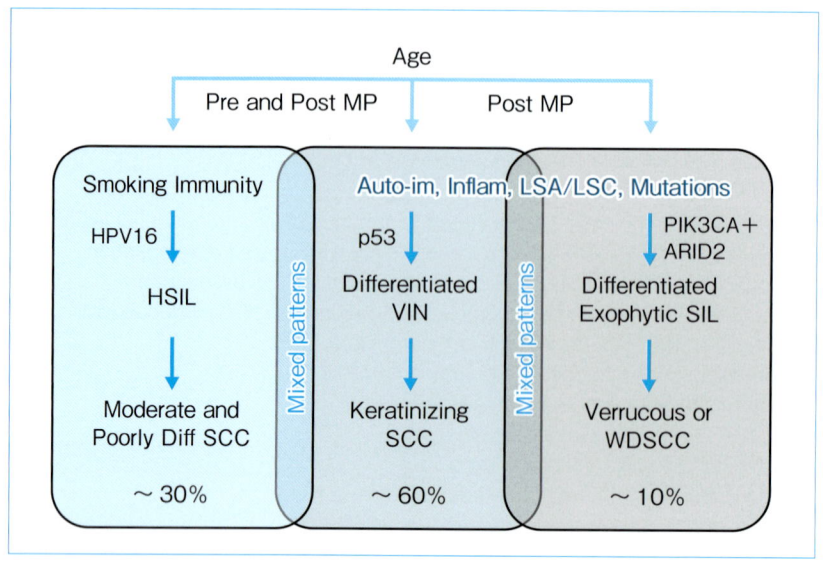

II 外陰の腫瘍と腫瘍様病変 tumors of the vulva and tumor-like lesions

図1 外陰部扁平上皮癌の生物学的亜型とその前駆病変，リスクファクター[9]
MP：menopausal, HSIL：high-grade squamous intraepithelial lesion, SCC：squamous cell carcinoma, Auto-im：autoimmunity, inflam：inflammation, LSA：lichen sclerosus et atrophicus, LSC：lichen simplex chronicus, VIN：vulvar intraepithelial neoplasia, SIL：squamous intraepithelial lesion, WDSCC：well-differentiated squamous cell carcinoma

HPV以外には，喫煙，免疫不全，硬化性苔癬，北欧出身者などがリスクファクターとされている[5]。現在では，発症年齢，HPVとの関連の有無により3種の異なる成因が考えられている（図1）[9]。60％の外陰癌は大陰唇，小陰唇から発生するが，陰核（15％）や会陰部（10％）から発生することもある[10]。

外陰癌症例の多くが無症状であるが，掻痒感，灼熱感，痛み，出血，分泌物，異臭など多彩な症状を呈する[5]。

外陰癌もまた本邦固有の取扱い規約をもたない婦人科悪性腫瘍であり，FIGO2021年版に準拠した進行期分類が『子宮頸癌取扱い規約 病理編 第5版』に掲載されている（表2）[6]。多くの外陰癌は早期で発見され，発症時外陰に留まるものが59％，隣接臓器への浸潤やリンパ節転移を伴うものが30％，遠隔転移を伴うものは6％とされる[5]。進行期を決定する因子の1つである浸潤の深さは1mmがIA期とIB期の分岐点とされるなど，画像の空間分解能を超えたレベルにあり，腫瘤を形成しない症例では画像的に原発巣を描出することは難しい。また子宮頸癌や腟癌と異なり，リンパ節転移とその節外浸潤が進行期分類を左右する。図2に示すように外陰の主たるリンパ系路は鼠径リンパ節であり[9]，画像診断に際しては骨盤から大伏在静脈合流部以下までスキャン範囲に含めるよう留意する必要がある。

外陰癌に対する治療は広汎外陰切除術と系統的リンパ節郭清の確立により予後が改善した。しかし近年は術後のQOLを重視し，縮小手術が模索されている。また周辺臓器に進展した進行外陰癌に対する他臓器合併切除も，肛門や尿路の再建に伴うQOLの低下，合併症の多さから，近年は術後照射や化学放射線療法を併用した縮小手術も考慮すべきとされている。さらにリンパ節

表2 外陰癌進行期分類（日産婦2022，FIGO2021）

Ⅰ期：外陰に限局した腫瘍
　ⅠA期：腫瘍径2cm以下の腫瘍で，間質浸潤の深さ注1が1mm以下のもの
　ⅠB期：腫瘍径2cmをこえるかまたは間質浸潤の深さ注1が1mmをこえるもの
Ⅱ期：腫瘍が隣接組織の下部（尿道下部1/3，腟下部1/3，肛門管注2下部1/3）に浸潤するもの。リンパ節転移はない。腫瘍の大きさは問わない
Ⅲ期：腫瘍が隣接組織の上部まで浸潤するか，固着や潰瘍を伴わない鼠径リンパ節に転移のあるもの。腫瘍の大きさは問わない
　ⅢA期：尿道上部2/3，腟上部2/3，肛門管注2上部2/3，膀胱粘膜，直腸粘膜に浸潤する腫瘍，または5mm以下の鼠径リンパ節転移があるもの。腫瘍の大きさは問わない
　ⅢB期：5mmをこえる鼠径リンパ節転移があるもの
　ⅢC期：被膜外浸潤を有する鼠径リンパ節転移があるもの
Ⅳ期：腫瘍が骨に固着するか，固着あるいは潰瘍化したリンパ節転移があるもの。または遠隔転移のあるもの。腫瘍の大きさは問わない
　ⅣA期：骨盤骨に固着した腫瘍か，固着あるいは潰瘍化した鼠径リンパ節注3転移があるもの
　ⅣB期：遠隔臓器に転移のあるもの

外陰癌は，手術摘出標本の病理学的所見により進行期を決定する。
注1　癌およびVINの近傍にある正常表皮突起の最深部の基底膜の深さから癌の浸潤先端の深さまでの距離を間質浸潤の深さとする。
注2　ここでの肛門管は肛門縁から肛門括約筋上縁の高さまでの部分である。
注3　鼠径リンパ節は深鼠径および浅鼠径リンパ節を指す。

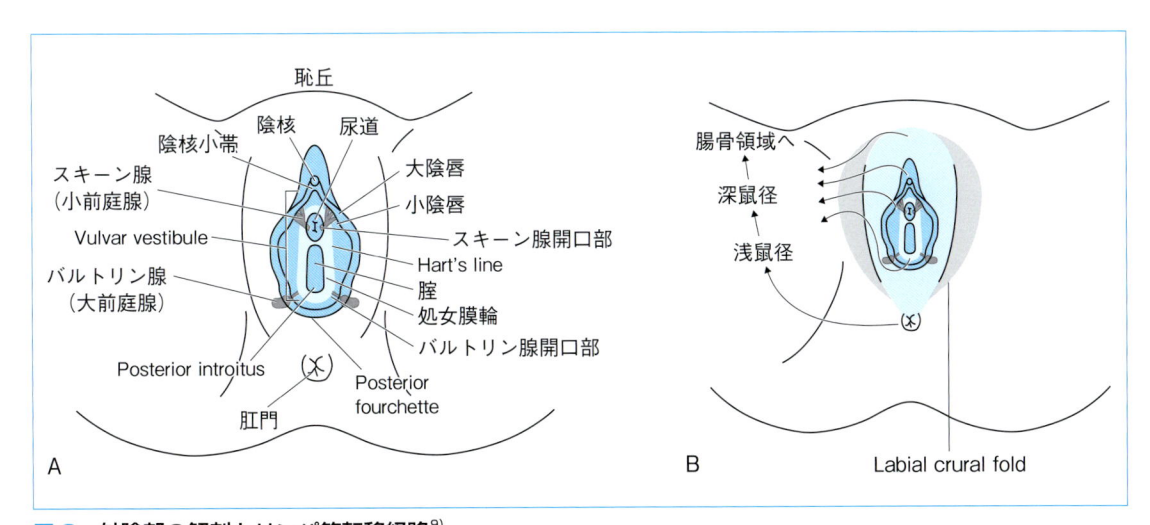

図2　外陰部の解剖とリンパ節転移経路[9]

外陰部の肉眼解剖をAに示す。外陰部のリンパ流は陰核を含む正中付近では両側へ，外側部分では同側のみに導出される。外陰腫瘍の多くで浅鼠径リンパ節が一次リンパ節である（B）。

についても，広汎外陰切除施行例においては少なくとも患側の浅鼠径・深鼠径リンパ節郭清を考慮すべきだが，ⅠA期症例では省略可能とされている[11]。

　外陰癌の予後は臨床進行期とほぼ相関し，Ⅰ期98％，Ⅱ期85％，Ⅲ期74％，Ⅳ期31％との報告がある[12]。再発は治療後2年以内に局所に生じることが多く，特に手術例で切除断端が腫瘍辺縁から0.8cm未満しか離れていない場合には50％が再発するといわれている。

2. 外陰腫瘍・腫瘍様病変（画像所見と各論）

1）外陰癌の画像所見

　外陰の腫瘍は視診である程度病期分類が可能なこともあり，画像所見の報告は極めて乏しい。限られた報告と自験例では原発性外陰癌はT1強調像で筋肉と同程度の低信号，T2強調像で中間〜高信号を示し（図3, 4），造影剤により増強される。しかし腫瘍径の小さなものや外陰表層に広がり，厚みに乏しい腫瘍は描出困難である[13]。Kataokaらは造影剤の投与により過大評価された病変もあるが，おおむね臨床進行期Ⅱ期以下では原発巣の描出，腫瘍径の評価において造影MRIを加えたほうが評価に有利であると報告している[14]。また表1に示すように，外陰に発生する上皮性腫瘍には基底細胞癌（basal cell carcinoma），葉状腫瘍（phyllodes tumor）といった非扁平上皮癌も挙げられているが，これらの組織型毎の定まった画像的特徴は報告されていない。したがって，画像診断の役割としては視診ではわかりにくい深部への進展や病期分類に関係する腟や尿道への進展[15]を診断することにある（図3, 4）。またFIGOの進行期分類にはリンパ節転移の有無が含まれるが，ほかの領域同様，size criteriaによる診断には限界がある。浅鼠径リンパ節で短径10 mm以上，大腿リンパ節で短径8 mm以上を転移陽性とした場合の感度，特異度は各々40％/97％，50％/100％であったとされている[13]。一方，大腿リンパ節で縦横比0.75以上を転移陽性とすると81％/90％と感度は上昇し，壊死の存在や信号強度の原発巣との類似性も含めた総合的な判断が求められる[14]。

2）特殊な組織型の外陰悪性腫瘍

　WHO分類ではバルトリン腺病変として同腺由来の種々の腫瘍が腟の腫瘍・腫瘍類似病変として挙げられている。バルトリン腺の開口部は図2に示すように腟入口部の外側後壁にあり，バルトリン腺嚢胞（p674図7, p676図9参照）と同じく同部の粘膜下から発生する（図5）が，発見されたときには大きな腫瘍を形成している例も多く，起源が判然としないことも多い[10]。バルトリン腺由来の悪性腫瘍は腟癌全体の1〜2％を占め，中年に好発し扁平上皮癌が最も多く，腺癌（図5），腺様嚢胞癌（図6）がこれに次ぎ，他はまれとされている[16]。

　Paget病は乳房の皮膚に発生し腺系への分化を示す上皮内癌である。乳房外Paget病（extra-mammary Paget disease）は外陰部に好発し，12％は上皮下に浸潤して浸潤性Paget病（invasive Paget disease）となる。別の皮膚悪性腫瘍に合併することもあるが，皮膚外の悪性腫瘍に合併した場合は続発性乳房外Paget病（secondary extramammary Paget disease）とよばれ，多くは直腸肛門の腺癌が原発となるが，尿路上皮やその他の腺癌からも発生する[10]。したがって乳房外Paget病の臨床診断で画像診断を依頼された場合には，直腸や肛門，膀胱はもちろん，子宮にもPaget現象の原因となる悪性腫瘍がないか，注意深く観察する必要がある。Paget病は外陰部の悪性腫瘍の2％程度を占め，高齢者に好発する。治療は広範囲切除が原則であるが，腫瘍浸潤はしばしば視診で異常のみられる範囲を越えていること，真皮以下への浸潤の深さが予後と相

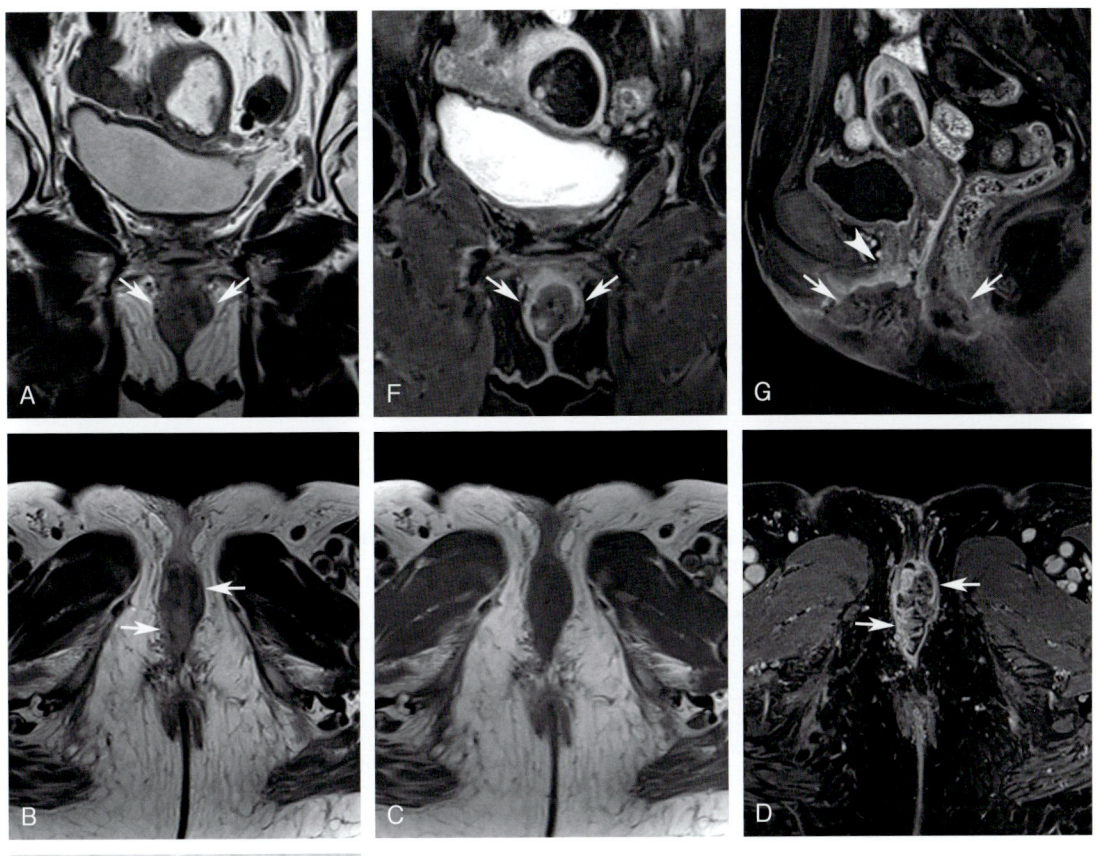

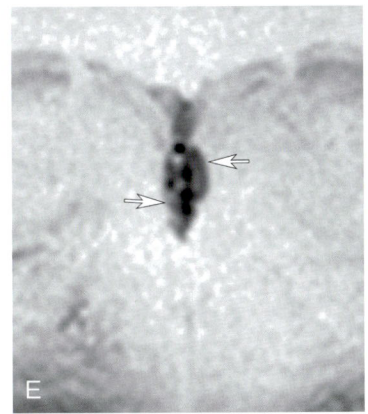

図3 79歳 外陰癌Ⅱ期（尿道浸潤），HPV 非依存性扁平上皮癌
A：T2強調冠状断像，B：T2強調横断像，C：T1強調横断像，D：造影脂肪抑制 T1 強調横断像，E：拡散強調横断像，F：造影脂肪抑制 T1 強調冠状断像，G：造影脂肪抑制 T1 強調矢状断像
左大陰唇から前下方に突出する T2 強調像でやや高信号を呈し（A, B →），造影後は辺縁部が強く増強される（C, D, F, G）境界明瞭な腫瘤がある（→）。拡散制限も辺縁部で強い（E）。矢状断では深部への浸潤が明瞭に描出されている（G）。外尿道口付近で尿道筋層との境界が不明瞭で，浸潤があり，Ⅱ期と診断できる。

関する[10]ことから，正確な広がり診断が望まれる。MRI ではよく増強され，拡散強調像で異常信号を示す領域として認められ，MRI が広がり診断[17)18)]や，続発性症例の原発巣の同定[17)]に有用であったとの報告がある（図7）。

ほかにも外陰にはエクリン腺，汗腺由来の腺癌をはじめとする種々の上皮性腫瘍，胚細胞腫瘍も発生するが，いずれもまれで画像所見の報告もほとんどみられないことからここでは割愛する。

他臓器同様，間葉性腫瘍，メラノサイト腫瘍は WHO 分類で臓器横断的に独立した chapter で

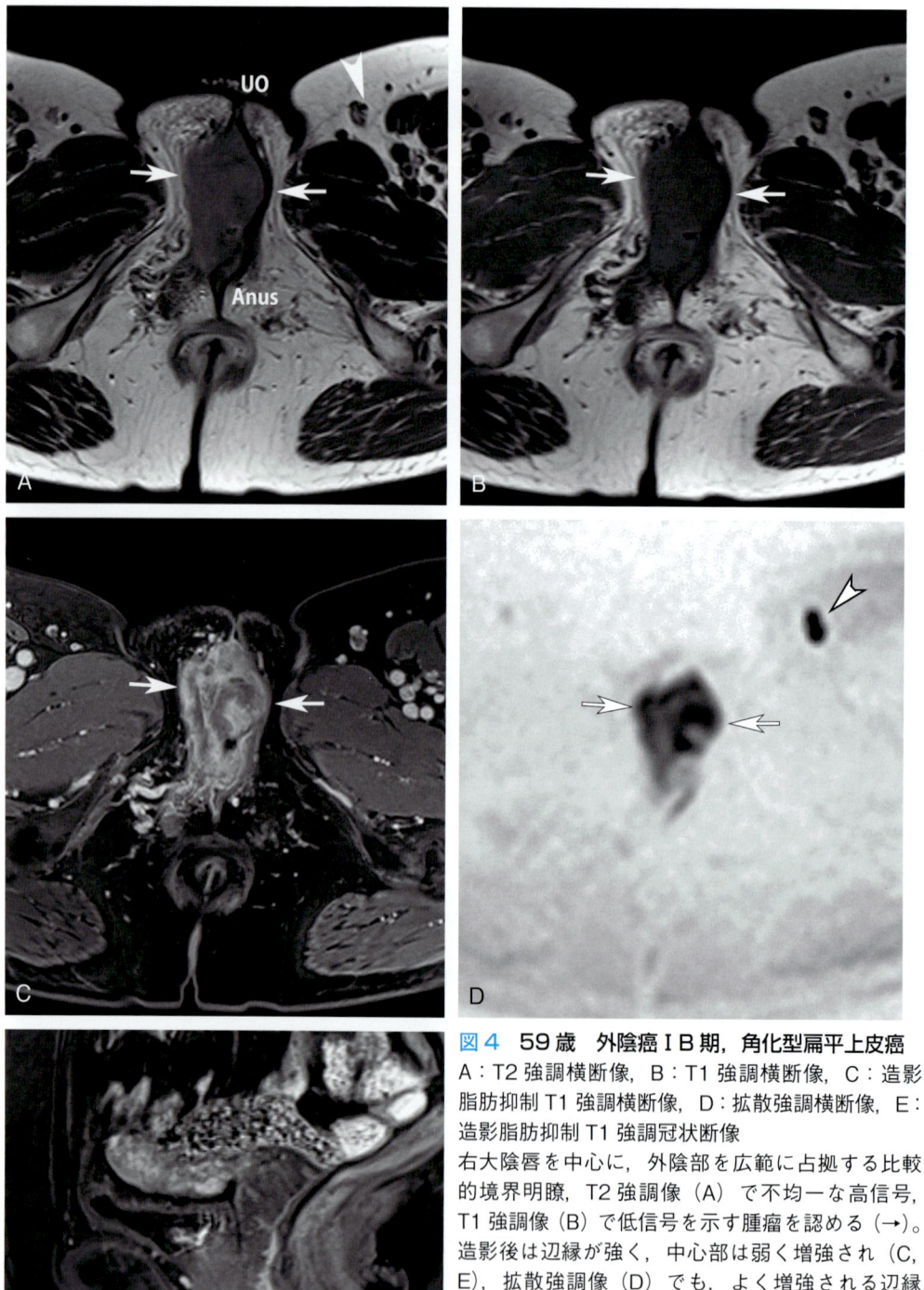

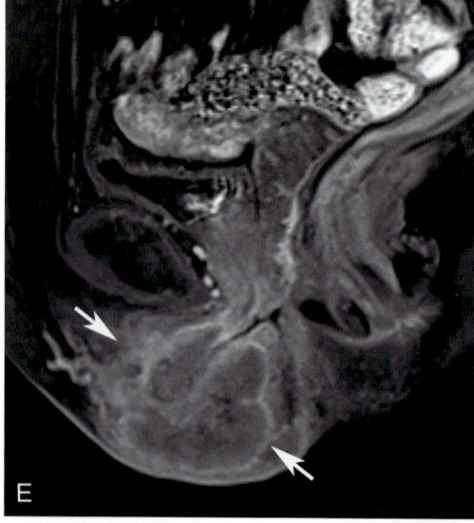

Ⅱ 外陰の腫瘍と腫瘍様病変 tumors of the vulva and tumor-like lesions

図4 59歳 外陰癌ⅠB期，角化型扁平上皮癌
A：T2強調横断像，B：T1強調横断像，C：造影脂肪抑制T1強調横断像，D：拡散強調横断像，E：造影脂肪抑制T1強調冠状断像

右大陰唇を中心に，外陰部を広範に占拠する比較的境界明瞭，T2強調像（A）で不均一な高信号，T1強調像（B）で低信号を示す腫瘤を認める（→）。造影後は辺縁が強く，中心部は弱く増強され（C，E），拡散強調像（D）でも，よく増強される辺縁部が強い拡散制限を示す。皮下脂肪織に境界不明瞭に造影増強域が広がり，肛門（A，Anus），外尿道口（A，UO）に近接し，外尿道口との境界は不明瞭で浸潤を疑ったが，病理組織学的に浸潤は否定され，狭い領域に重要臓器の集中する外陰部領域におけるMRIでの広がり診断の難しさを示している。対側鼠径節（D▲）は小さいが，拡散制限が目立つものの，これにも転移はなかった。

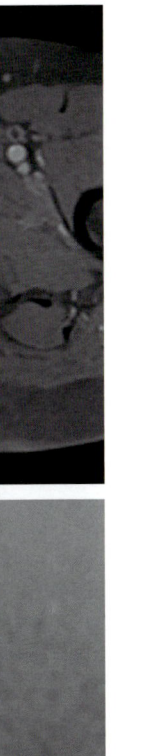

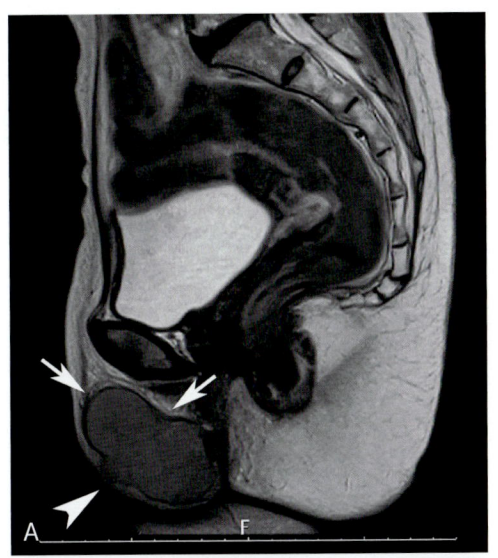

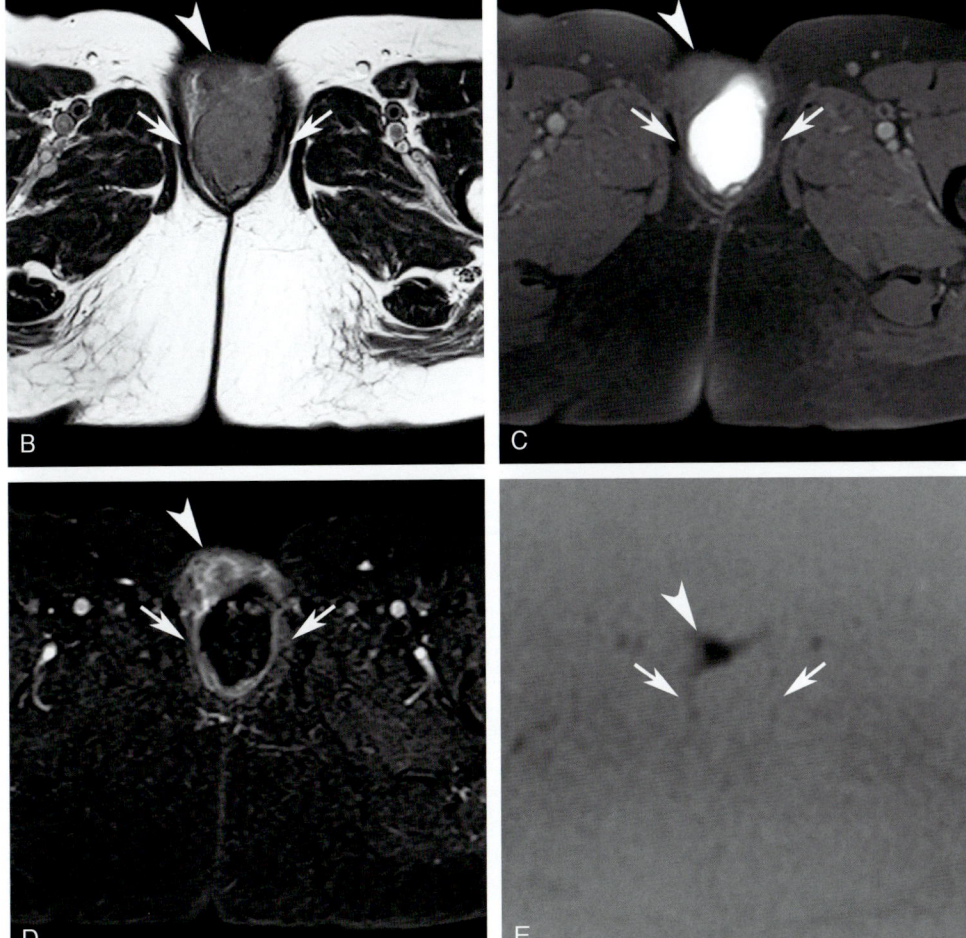

2. 外陰腫瘍・腫瘍様病変（画像所見と各論）

図5 60歳 バルトリン腺癌（腺癌）ⅠB期
A：T2強調矢状断像，B：T2強調横断像，C：脂肪抑制T1強調横断像，D：造影脂肪抑制T1強調横断像サブトラクション後，E：拡散強調横断像

恥骨結合下端より下方の外陰部に接して存在する囊胞（A～E→）は，バルトリン腺囊胞と考えられるが（p674図7参照），外側前壁から突出する充実部がある（A～E▲）。囊胞内容物は脂肪抑制T1強調像で高信号の血性で（C），充実部に不均一な増強効果（C，D）と拡散制限（E）があり，悪性腫瘍の合併が示唆される。

第8章 婦人科腫瘍（腟・外陰）

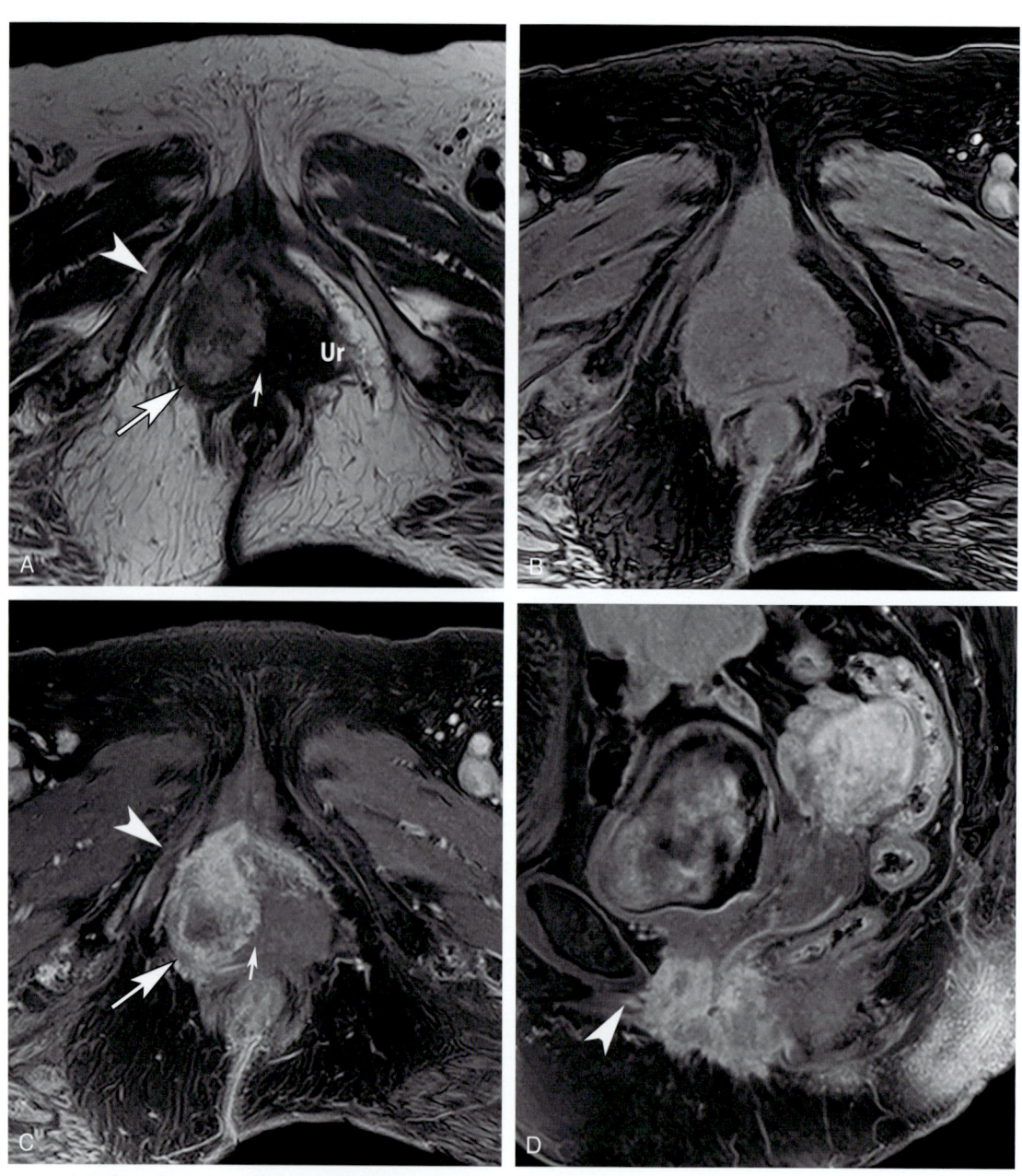

Ⅱ 外陰の腫瘍と腫瘍様病変 tumors of the vulva and tumor-like lesions

図6 58歳 バルトリン腺癌（腺様嚢胞癌）ⅣA期
A：T2強調横断像，B：脂肪抑制T1強調横断像，C：造影脂肪抑制T1強調横断像，D：造影脂肪抑制T1強調矢状断像
外陰右前壁を占め，浸潤性に発育するT2強調像で不均一な信号を示し，よく増強される腫瘤を認める（A，C→）。尿道（A，Ur）筋層と広く接し（A，C小→），恥骨骨膜（A，C，D▲）とも接し，造影後は会陰部の皮下脂肪織や陰核海綿体に広く浸潤することがわかる（C，D）。病理組織学的にも恥骨に浸潤がありⅣA期とされた。腺様嚢胞癌はバルトリン腺癌に分類されるが，図5と異なり嚢胞形成は伴っておらず，信号強度も非特異的で，組織型や起源を言い当てることは難しい。

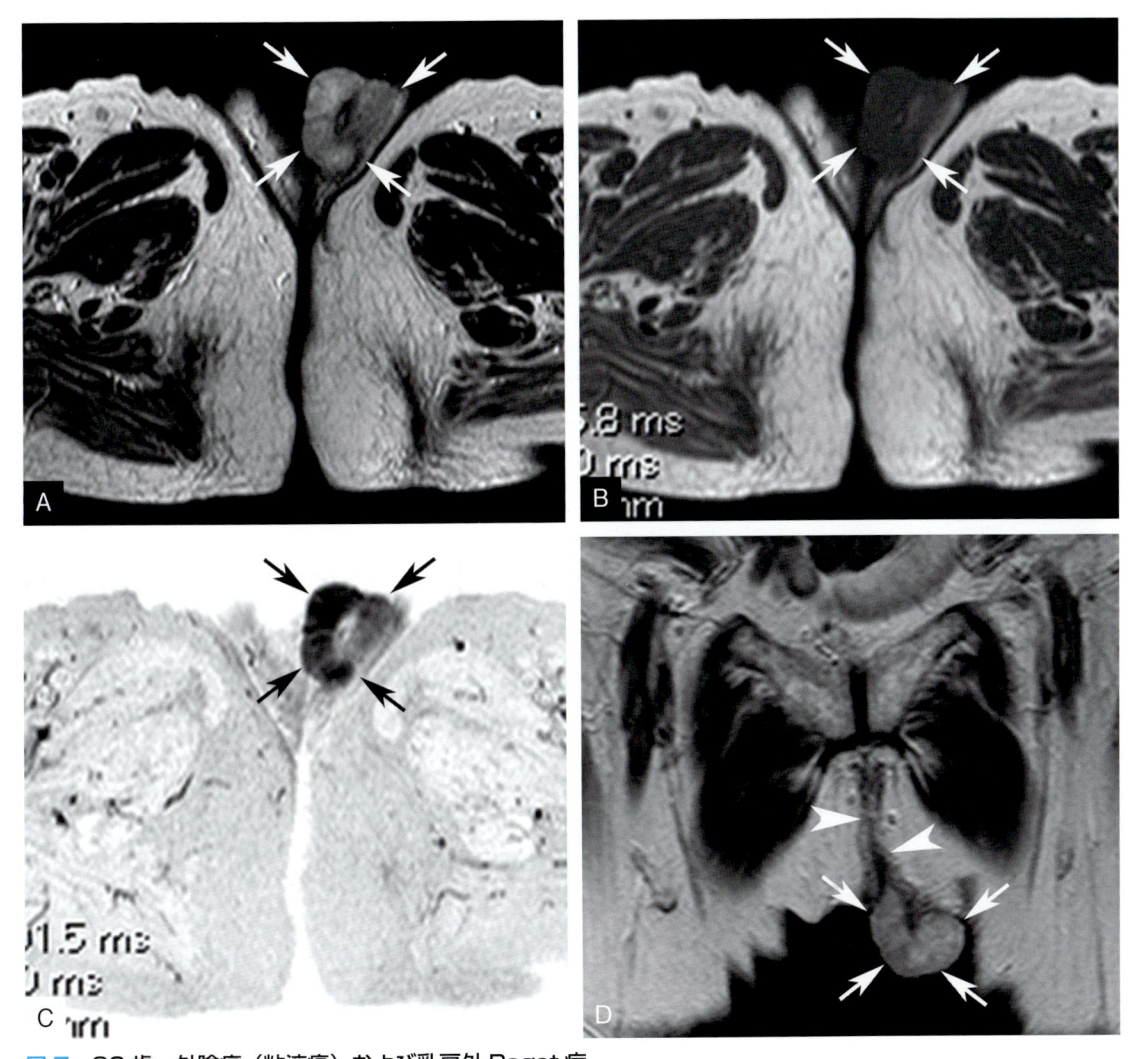

2. 外陰腫瘍・腫瘍様病変（画像所見と各論）

図7　82歳　外陰癌（粘液癌）および乳房外 Paget 病
A：T2 強調横断像，B：T1 強調横断像，C：拡散強調横断像，D：T2 強調冠状断像
左大陰唇から外向性に発育する T2 強調像（A）で高信号，T1 強調像（B）で低信号の腫瘤があり，強い拡散制限を示す（C）。粘液癌と診断されている。この腫瘤の内側上方には T2 強調像で高信号を示す局面が広範に広がり（D，E▲），Paget 病をみている。

取り扱われていることから，組織分類（表1）には含まれない。次項で述べるように，深在性血管粘液腫など外陰・会陰部特有の間葉性腫瘍をはじめ外陰にも臓器特異的組織分類には含まれない腫瘍が発生し，横紋筋肉腫をはじめとする間葉性悪性腫瘍も観察される。

ここでは間葉性悪性腫瘍の代表例として，横紋筋肉腫症例を提示する（図8）が，外陰の横紋筋肉腫の多くはブドウ状肉腫（sarcoma botryoides）で，発症年齢には2〜6歳と14〜18歳の二峰性のピークがある[19)20)]。早期のブドウ状肉腫であれば予後良好（10年生存率 92％）であるが，他の亜組織型や成人発生例では予後不良とされる[10)]。定まった画像所見の報告はないが，優れたコントラスト分解能をもつ MRI は局所の広がり診断に有用で，術前に行うべき検査とされる[20)]。

689

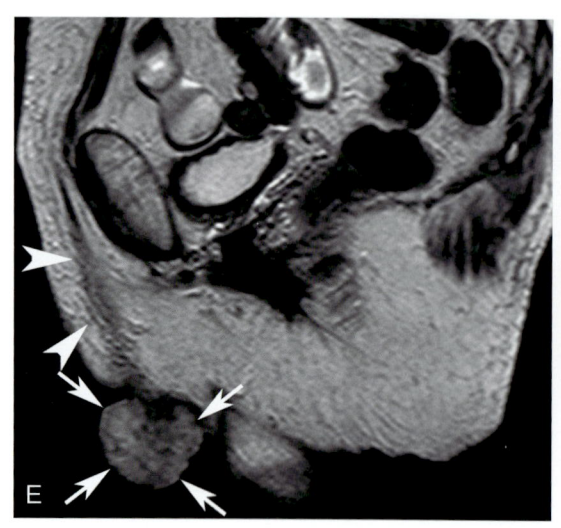

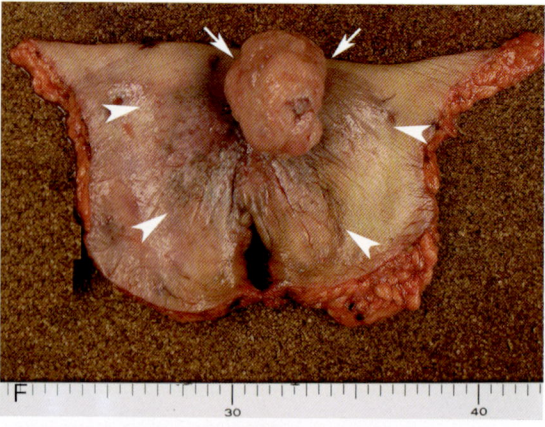

図7 つづき［外陰癌（粘液癌）および乳房外 Paget 病］
E：T2 強調矢状断像，F：摘出標本肉眼像，G：HE 染色（強拡大）

摘出標本（F）でも境界明瞭な有茎性の結節（→）の周囲に広範に皮膚の発赤（▲）が確認され，これらの領域でも明るい胞体をもつ大型の細胞が表皮内を広く進展する（G →）のが認められ，乳房外 Paget 病と考えられた。

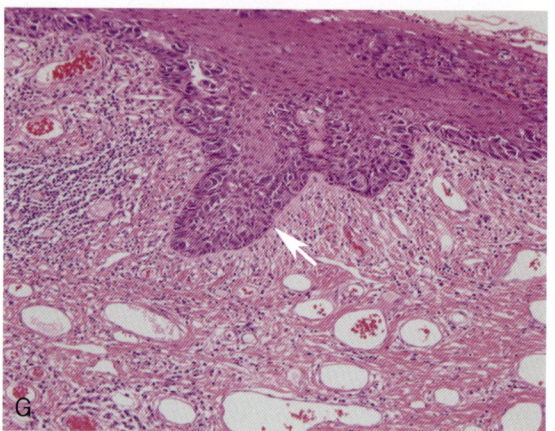

　外陰部に発生する悪性黒色腫は全体の 3％にすぎないが，外陰悪性腫瘍の 5〜10％を占め，扁平上皮癌，基底細胞癌に次ぐ。有病率は年齢とともに急激に増加し，平均発症年齢は 55 歳である[10]。予後は他領域の皮膚原発のものより不良だが，腟原発よりは良好とされる[10]。腟原発の腫瘍と同様（p669；p671 図 5 参照），メラニンの T1，T2 短縮効果によりメラニンを豊富に含む腫瘍の場合は T1 強調像で高信号，T2 強調像で低信号を示し，よく増強される[21)22)]（図 9，10）。予後因子はほかの外陰癌同様，浸潤の深さであり，画像による正確な評価は難しい。近年，四肢の悪性黒色腫に対しマイクロコイルを用いて進達度診断に良好な成績が報告されている[23]が，局在的に円板状のマイクロコイルを密着させることが難しい領域であることから，高磁場装置の使用や撮像法の工夫により精細な画像を得る必要がある。治療は広範囲切除が基本となるが，切除後の再発，遠隔転移も多く，5 年生存率は 35％との報告がある[10]。

3）外陰の良性腫瘍

　深在性血管粘液腫（deep angiomyxoma：DA）は，1983 年に Steeper and Rosai により報告された若年女性の外陰や骨盤内に好発する腫瘍である[24]。以前は侵襲性血管粘液腫［aggressive (deep) angiomyxoma：AA］とよばれており，この病名のほうが馴染みが深いかもしれない。

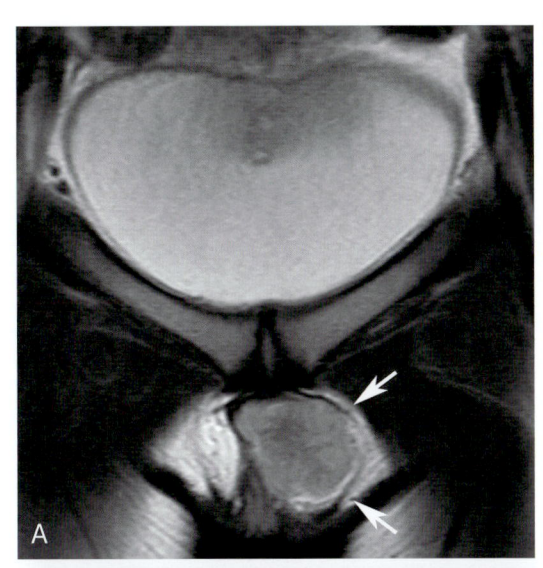

2. 外陰腫瘍・腫瘍様病変（画像所見と各論）

図8　17歳　外陰横紋筋肉腫
A：T2強調冠状断像，B：T2強調横断像，C：T1強調横断像，D：拡散強調横断像，E：PET/CT
左大陰唇から浸潤性に発育するT2強調像で高信号（A，B→），T1強調像で低信号（C→）の腫瘤があり，強い拡散制限を示し（D→），PET/CTでは強いFDGの集積を示す（E）。その後，化学療法により腫瘍はほぼ消失し，5年以上無再発を保っている。

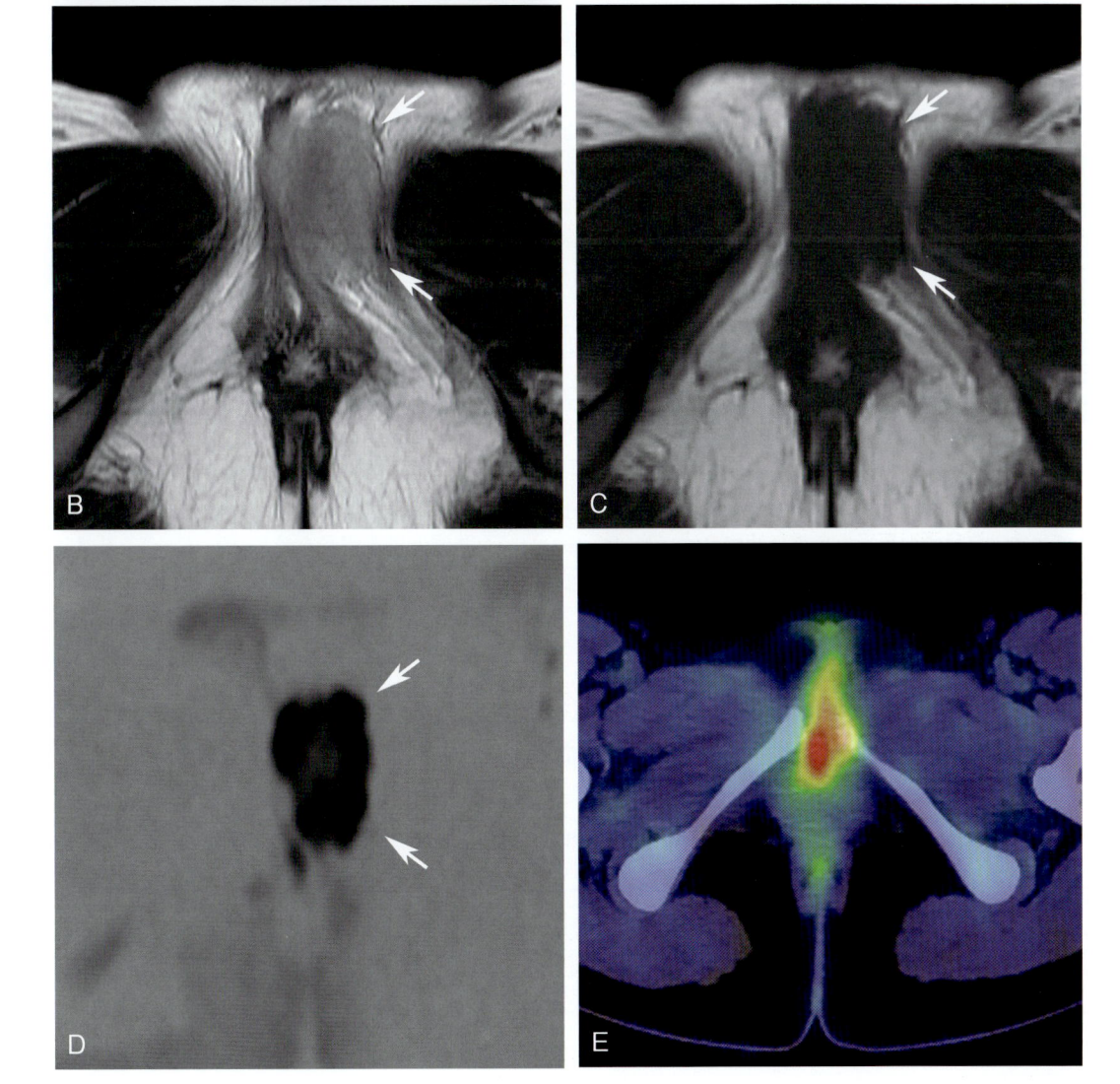

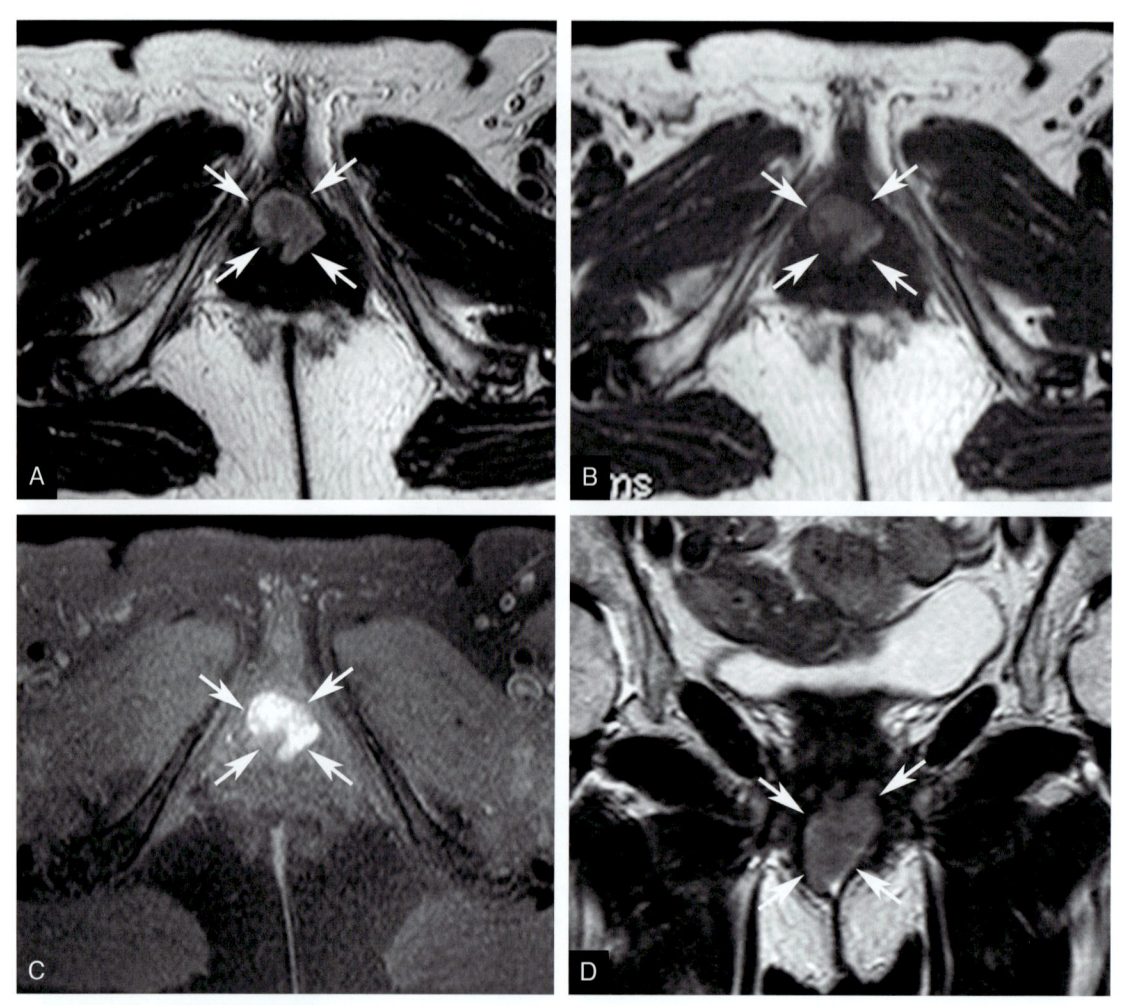

II 外陰の腫瘍と腫瘍様病変 tumors of the vulva and tumor-like lesions

図9　75歳　外陰悪性黒色腫
A：T2強調横断像，B：T1強調横断像，C：脂肪抑制T1強調横断像，D：T2強調冠状断像
腟前庭部の右後壁に付着し外向性に発育する約2 cmの境界明瞭な分葉状の腫瘤がある。この腫瘤の信号強度は T2強調像で典型的な扁平上皮癌に比べ低く（A, D, E→），T1強調像で高信号を呈し（B, C→），悪性黒色腫に特徴的である。

この腫瘍のカウンターパートである表在性血管粘液腫（superficial angiomyxoma：SA）と並んで，再発リスクのある，粘液腫様の紡錘細胞腫瘍である。どちらも生殖可能年齢に好発するがSAは10～20代，DAは30～40代に発症のピークがある。病理組織学的には，粘液を伴った浮腫状の疎な結合織内で，小型の，細胞境界は不明瞭で細胞質に乏しいが明瞭な核小体を有する腫瘍細胞が増殖する。しばしば10 cmを超え非常に大きな腫瘤を形成し，高率に（35％）局所再発する。遠隔転移は少数の報告をみるのみで，基本的には長期の経過観察を要する低悪性度の腫瘍である。その粘液に富む間質を反映してCTでは低吸収[25)26)]，T1強調像では低信号，T2強調像では渦巻き状あるいは索状の低信号域を伴う著明な高信号を示す腫瘍[26-28)]として描出され，造影剤による増強効果は不良である。浮腫性の間質に少数の腫瘍細胞が浮遊する形態をとるので，拡散は亢進

2. 外陰腫瘍・腫瘍様病変（画像所見と各論）

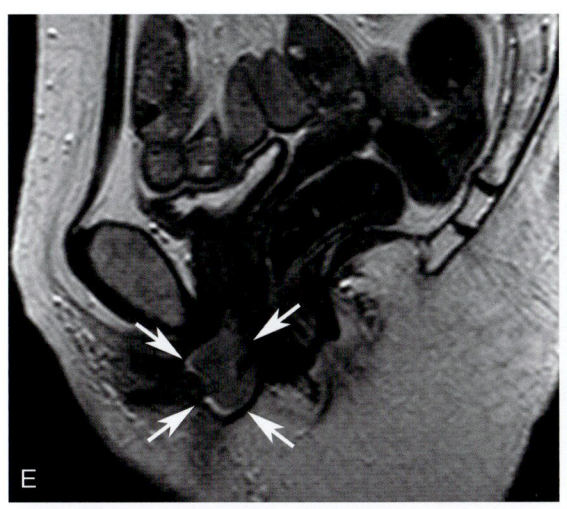

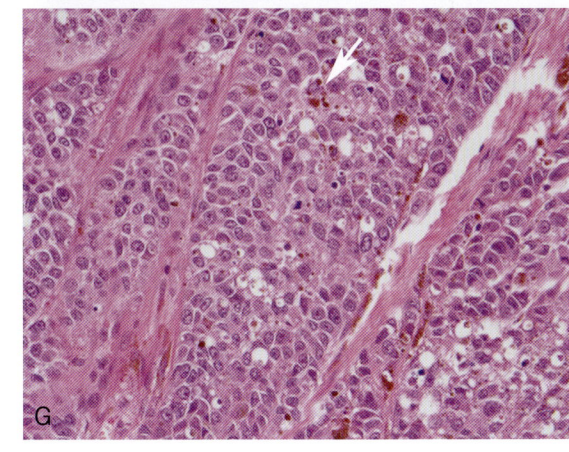

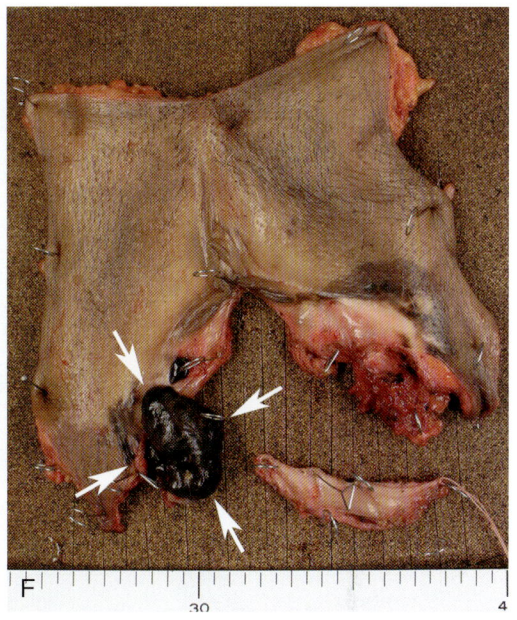

図9 つづき（外陰悪性黒色腫）
E：T2強調矢状断像，F：摘出標本肉眼像，G：HE染色（強拡大）
摘出標本でも黒色調の境界明瞭な結節が右大陰唇に認められる（F→）。病理組織学的には類円形の核を有する多角形の腫瘍細胞が充実性に増殖しており，一部にメラニン色素（G→）を含有するものもみられる。

している。しばしば骨盤隔膜を越えてその上下にまたがるが，既存の正常構造を分け入るように進展し，破壊性の増殖は示さない[26]（図11）。またほかの類似の腫瘍と異なり，有茎性発育を示すことはないとされる。前述のSAは皮膚と皮下組織のみを冒す血管粘液腫で，局在に加えDAに比べて大きさも小さいことが多く，鑑別は容易とされる[10)24]。DAと鑑別すべき腫瘍の筆頭が血管筋線維芽細胞腫（angiomyofibroblastoma：AMF）である。外陰の皮下に好発し，幅広い年齢層に発症するが，ピークは40代である。病変はDAより小さく5cm以下で，境界明瞭[24]，時に有茎性に発育する[29]。細胞密度は同一腫瘍内でも部位により異なり，DAのように浮腫性の間質に疎な細胞成分しか認められない領域もあるが，DAより細胞に富むことが多く，T2強調像でDAより低信号でよく増強される[30)31]との報告が多い（図12）。AMFの治療は単純切除のみで十分なことが多く，再発も少ない。しかしDAとAMFが混在することもあり，治療に際してはDAに準じ，十分にマージンをとることが推奨されている。さらに細胞性血管線維腫（cellular angiofibroma：CAF）はSAと同じく表在性に発育し，幅広い年齢層を侵すが40代に好発し，単純切除で再発は少ないとされている（表3）[24]。CAFにも粘液腫様の部分があり脂肪細胞を内包する[32]ことから，画像的には，他腫瘍と同じくT2強調像で高信号，よく増強される腫瘤を呈

第8章 婦人科腫瘍（腟・外陰）

693

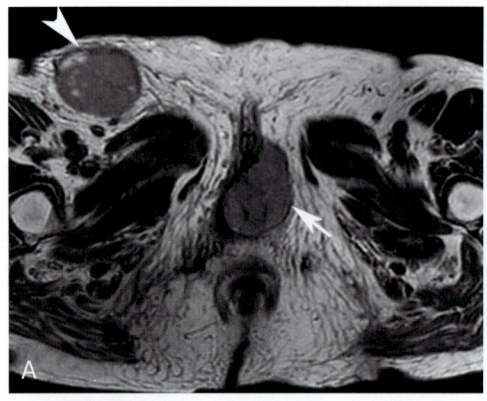

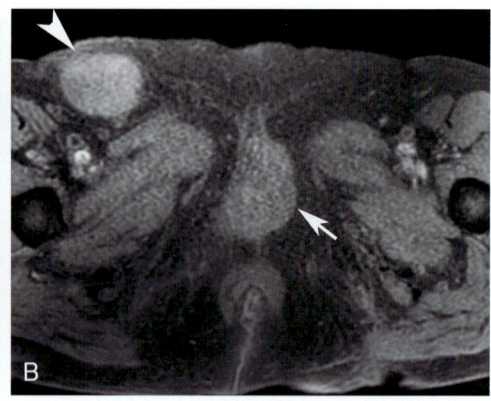

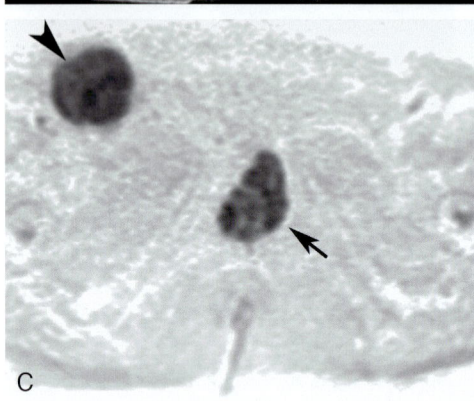

図10 86歳　外陰悪性黒色腫，鼠径リンパ節転移
A：T2強調横断像，B：脂肪抑制T1強調横断像，C：拡散強調横断像
腟前庭部から外陰左側にまたがる，T2強調像で信号強度の高い腫瘍（A→）を認め，対側の右鼠径リンパ節腫大を伴う（A〜C▲）。図9に比べ軽微だが，脂肪抑制T1強調像では高信号を示し（B），拡散制限も強い（C）。

するが，脂肪の存在[33]が特徴となる（図13）。

　平滑筋腫（leiomyoma）は下部女性生殖器原発の間葉性良性腫瘍のうち，最も頻度が高いものである。子宮のカウンターパートと同じく幅広い年齢でみられるが，30〜50代に好発し[10]，T2強調像で低信号，造影剤によりよく増強される。しかし，しばしばT2強調像で変性により高信号化するので，子宮筋腫と同様，時に平滑筋肉腫との鑑別が難しい[34]（図14）。線維腫は外陰に発生するまれな良性軟部腫瘍の1つであるが，特に巨大化したものは有茎性に発育し，皮膚科領域では懸垂性線維腫として報告されている。卵巣などの線維腫同様，膠原線維に富むので基本はT2強調像で低信号だが，囊胞あるいは粘液腫様変性や細胞密度に富み相対的に膠原線維が減少するなど，信号強度の高い症例報告が散見される[35]（図15）。

4）外陰の腫瘍様病変

　腟や外陰近傍に発生する囊胞性腫瘤の鑑別診断についてはすでに述べた（p674 図7参照）。ここでは外陰原発の類表皮囊胞を示す（図16）。充実性の腫瘍様病変としては子宮内膜症，アミロイドーシスなどが挙げられる。

2. 外陰腫瘍・腫瘍様病変（画像所見と各論）

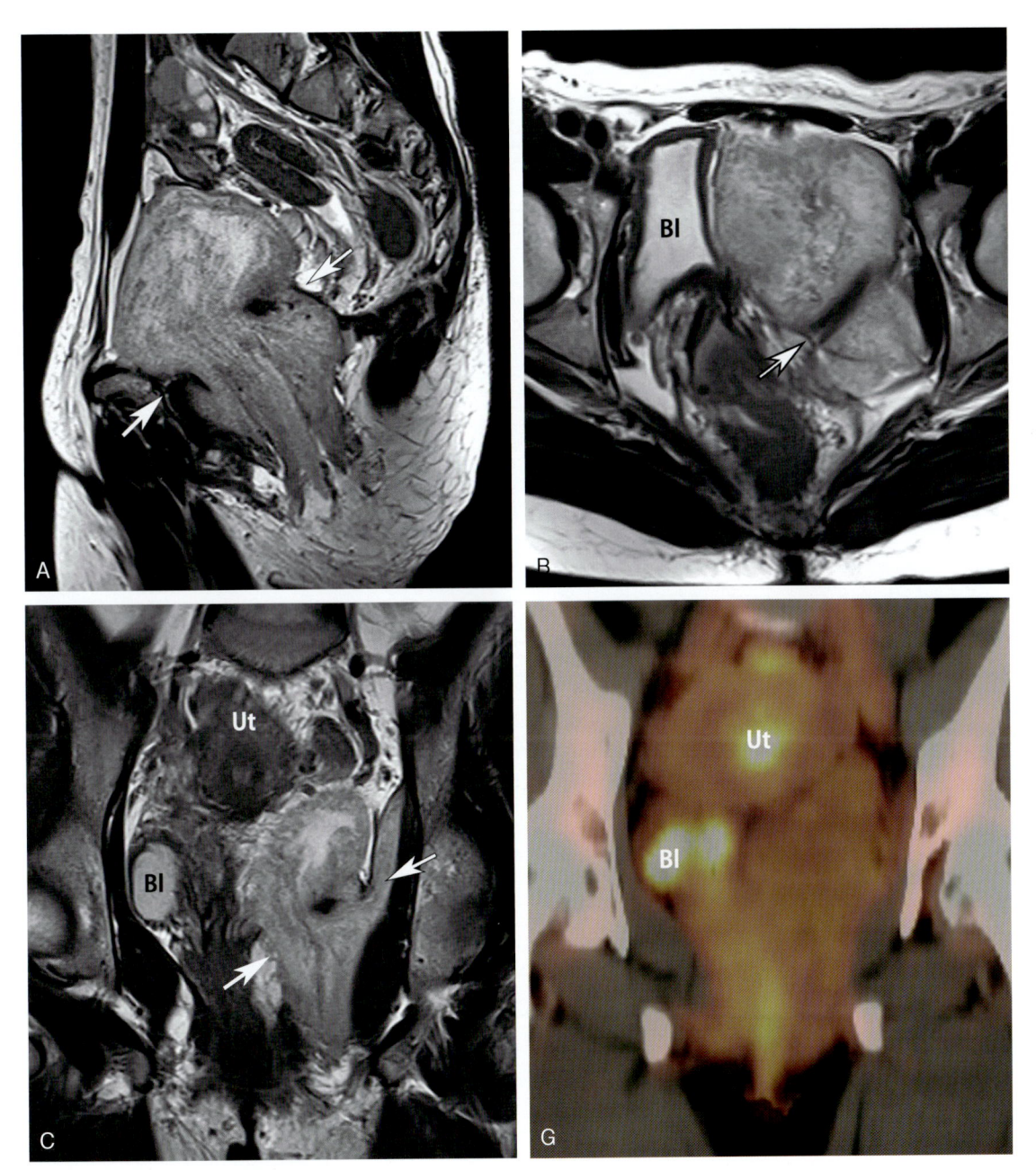

図11　42歳　深在性血管粘液腫
A：T2強調矢状断像，B：T2強調横断像，C：T2強調冠状断像，D：T1強調横断像，E：造影脂肪抑制T1強調横断像，F：拡散強調横断像，G：PET/CT冠状断像
尿生殖隔膜の上下にまたがって広がるT2強調像で信号強度の高い腫瘤を認め，一部に渦巻きの低信号域を内包する（A～C→）。膀胱（B，C：Bl）は右方，子宮（C：Ut）は上方に強く圧排されている。粘液基質を反映して，増強効果は弱く（D，E），拡散制限（F）は弱く，FDGの集積も弱い（G）。

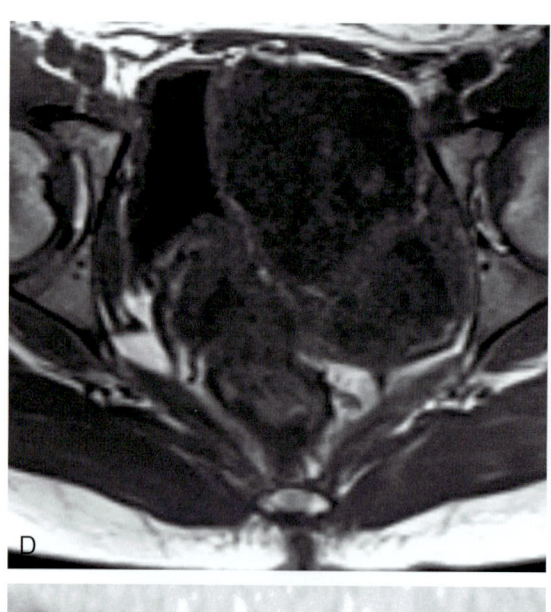

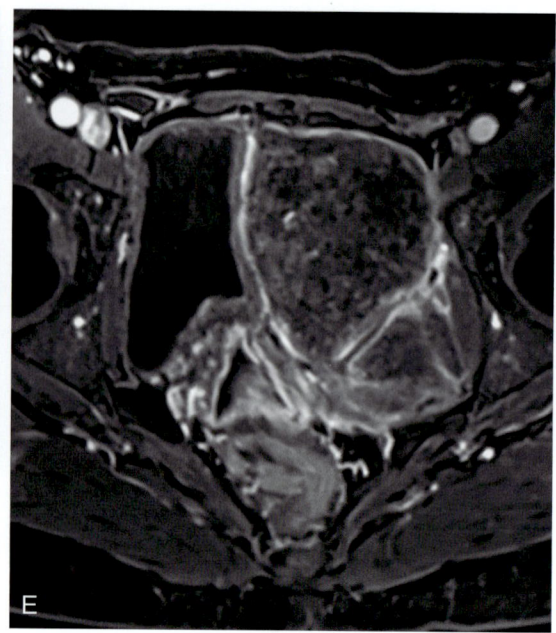

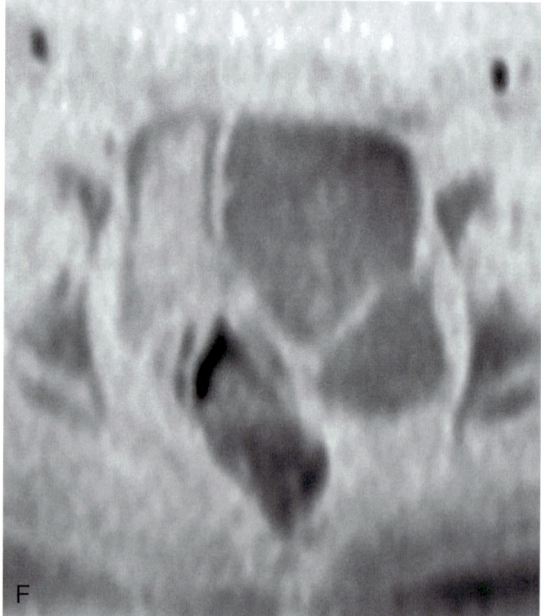

Ⅱ 外陰の腫瘍と腫瘍様病変 tumors of the vulva and tumor-like lesions

図11 つづき（深在性血管粘液腫）

2. 外陰腫瘍・腫瘍様病変（画像所見と各論）

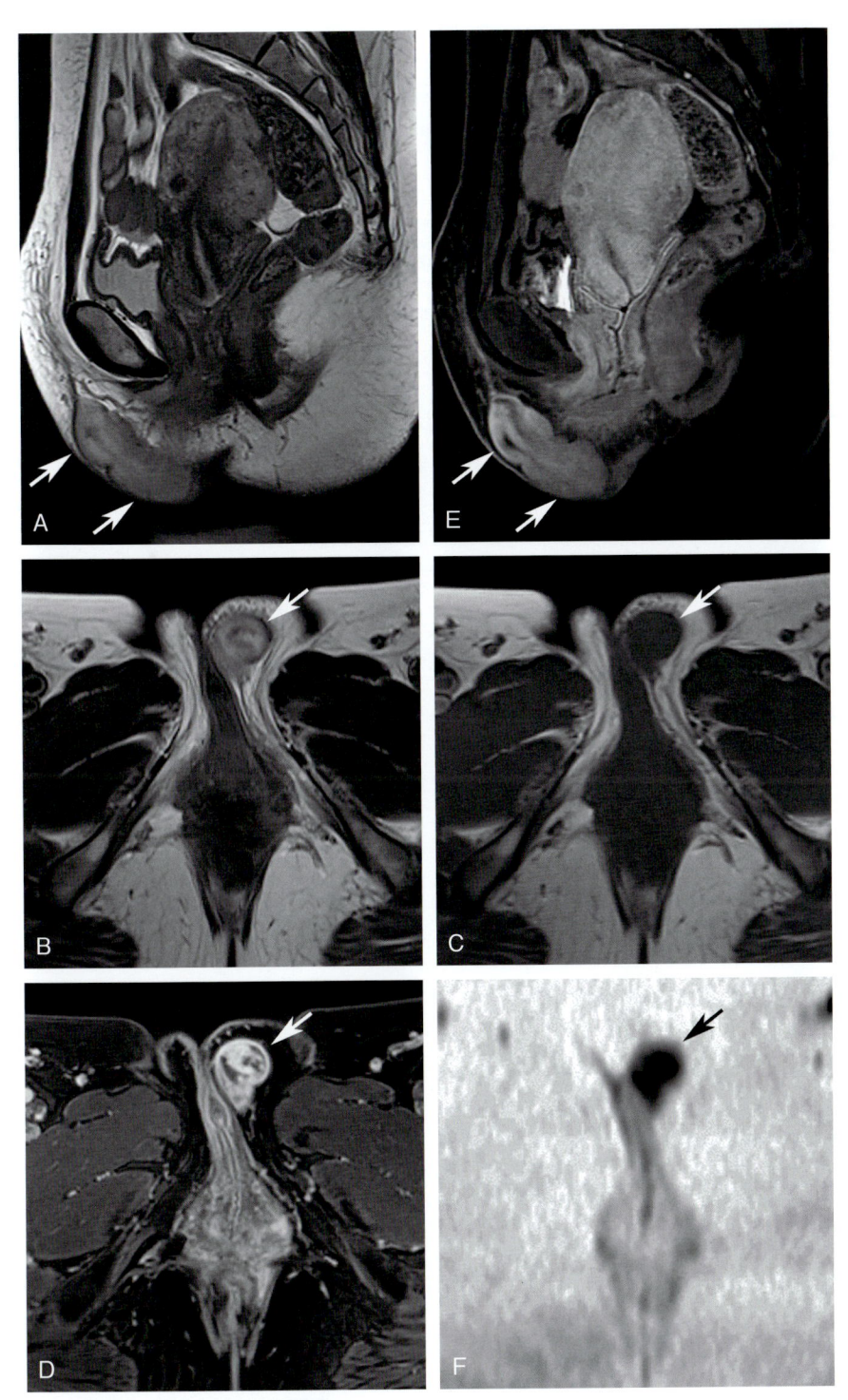

図12 38歳 血管筋線維芽細胞腫
A：T2強調矢状断像，B：T2強調横断像，C：T1強調横断像，D：造影脂肪抑制T1強調横断像，E：造影脂肪抑制T1強調矢状断像，F：拡散強調横断像
右大陰唇の皮下に限局するように，T2強調像で不均一な高信号を示す，境界明瞭な腫瘤を認める（A，B→）。図11の深在性血管粘液腫と比べると，不均一だが強い増強効果を示し（C～E→），拡散制限も強い（F→）。表層に限局することから，深在性血管粘液腫とは区別される。

II 外陰の腫瘍と腫瘍様病変 tumors of the vulva and tumor-like lesions

表3 外陰部に発生する軟部腫瘍の鑑別診断

	深在性血管粘液腫 (DA)	表在性血管粘液腫 (SA)	血管筋線維芽細胞腫 (AMF)	細胞性血管線維腫 (CAF)
発症年齢	生殖可能年齢	生殖可能年齢	生殖可能年齢	生殖可能年齢
部位・形態	深部	表在, 皮下, ポリープ状	皮下	皮下
大きさ	様々, 通常10 cm超	通常5 cm未満	様々	通常4 cm未満
境界	浸潤性, 境界不明瞭	分葉状, 境界明瞭	境界明瞭	通常境界明瞭だが一部浸潤性の場合あり
細胞密度	低細胞密度	高細胞密度	高細胞密度と低細胞密度領域が錯綜	均一かつ中等度の細胞密度
血管	中〜大型の壁の厚い血管, 血管周囲にコラーゲンと筋線維束の凝集	脆弱で壁の伸展された毛細血管	多数の毛細血管	しばしば壁の肥厚・硝子化した小〜中型血管の豊富な増生
基質	粘液様	—	—	粘液様
核分裂指数	まれ	通常低い	通常低い	様々, 時に高い
臨床経過	30%で局所再発, 時に破壊性	30%で局所再発 (非破壊性)	良性, 再発なし, まれに肉腫様転化の潜在的リスクあり	良性, 再発なし, まれに肉腫様転化の潜在的リスクあり

(文献9より改変引用)

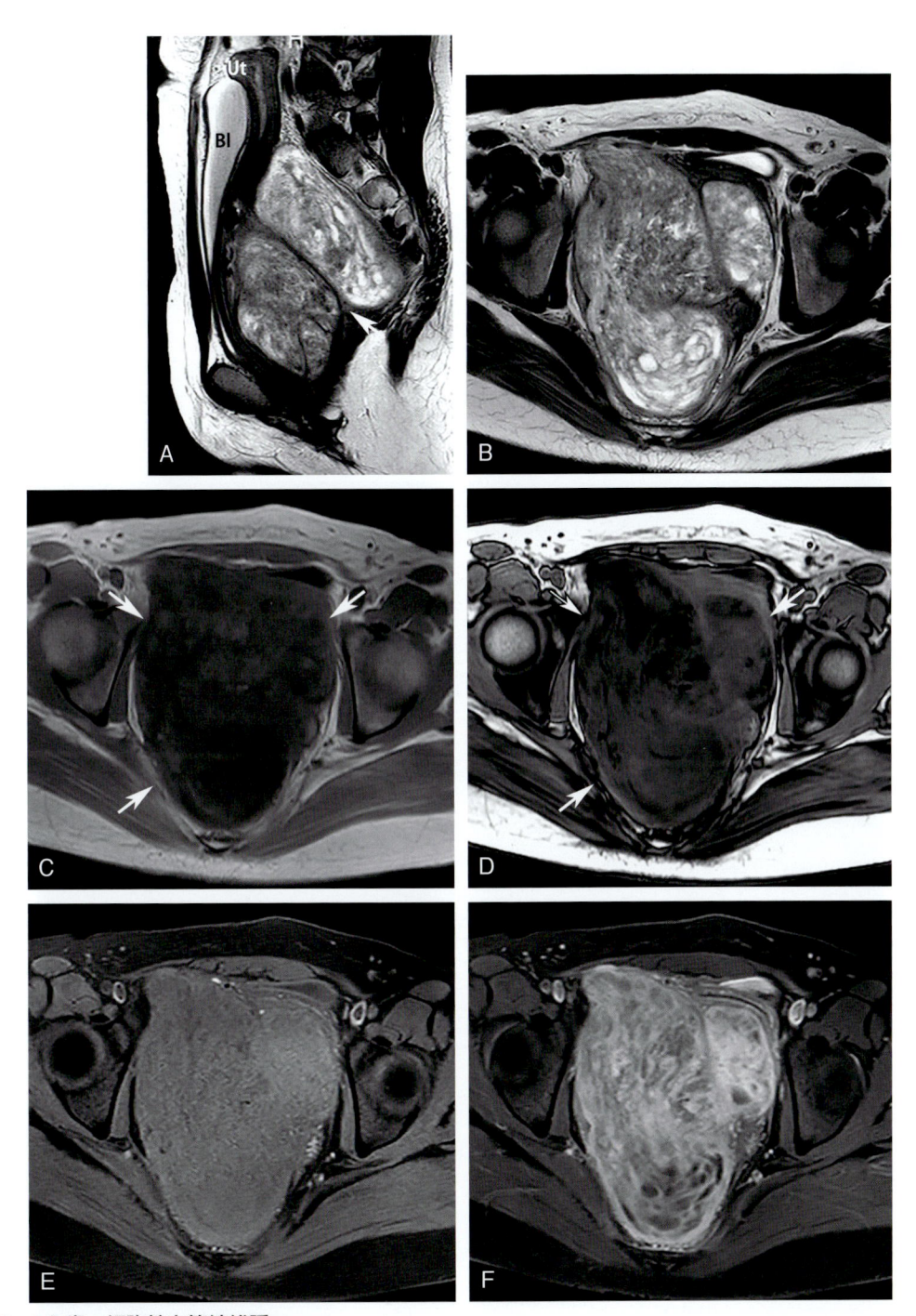

図13 19歳 細胞性血管線維腫

A：T2強調矢状断像，B：T2強調横断像，C：T1強調横断像 in phase，D：T1強調横断像 out of phase，E：脂肪抑制T1強調横断像，F：造影脂肪抑制T1強調横断像

尿生殖隔膜の上下にまたがって，T2強調像で渦巻き状の低信号を伴って信号強度の高い腫瘤が子宮（A, Ut）や膀胱（A, Bl）の背側を広汎に占拠し，深在性血管粘液腫に類似する（A, B）。しかし腫瘤内にT1強調像でわずかに信号強度が高い領域が混在し，out of phase で広範な信号低下がみられ（C, D→），脂肪を含有する腫瘤であることがわかる。脂肪抑制T1強調像では信号低下域の指摘は難しい（E）。造影後は不均一によく増強される（F）。本例は典型例に比べ局在が深部で，大きさも大きいが，病理組織学的に細胞性血管線維腫と診断された。

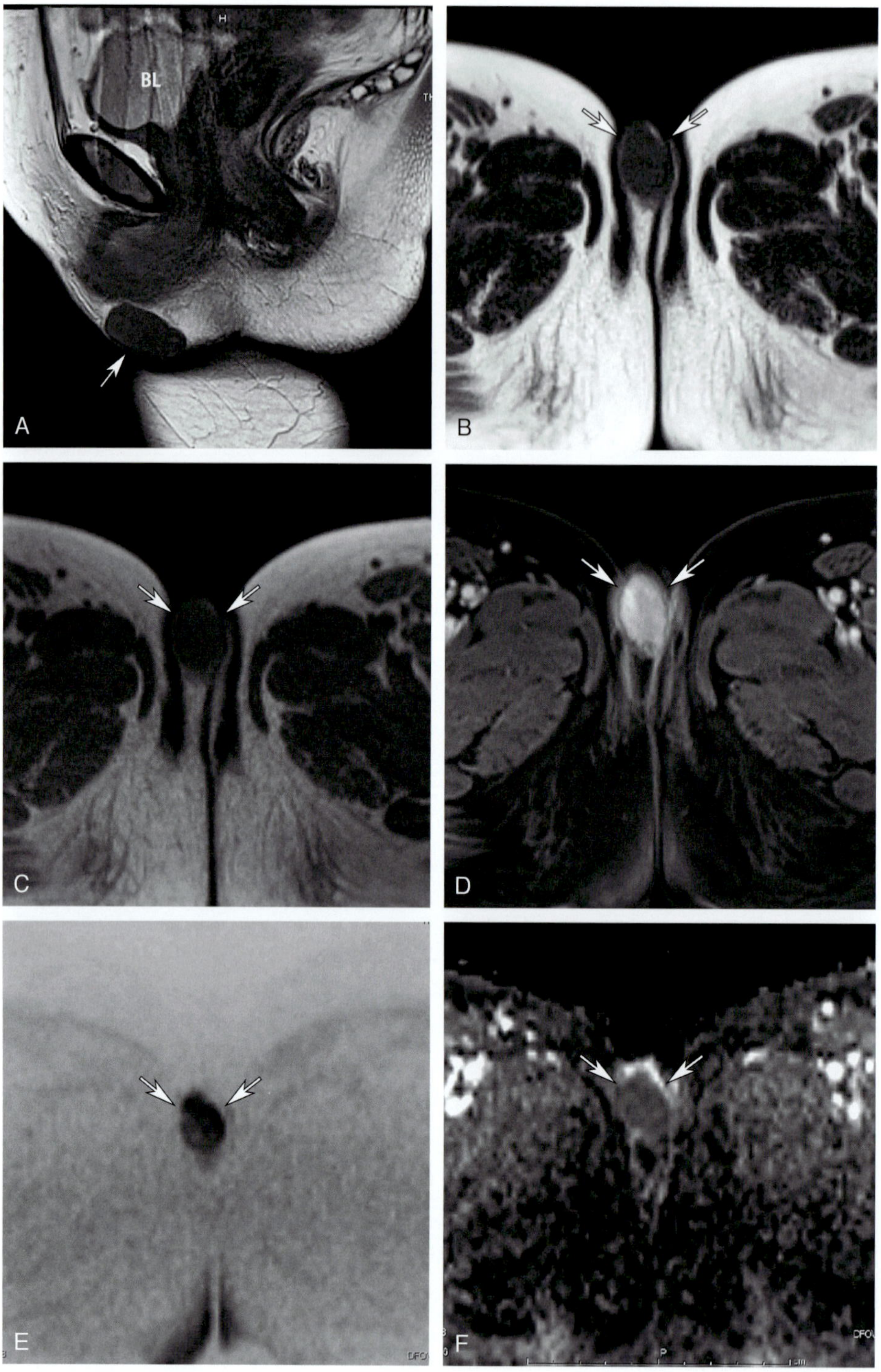

II 外陰の腫瘍と腫瘍様病変 tumors of the vulva and tumor-like lesions

図14　53歳　外陰平滑筋腫
A：T2強調矢状断像，B：T2強調横断像，C：T1強調横断像，D：造影脂肪抑制T1強調横断像，E：拡散強調横断像，F：ADC map
外陰部右側で皮下に発育するT2強調像（A, B）で低信号，よく増強される（C, D）境界明瞭な腫瘤がある（→）。拡散強調像（E）では一部強い異常信号を示すが，ADC map（F）では信号はさほど低くない。非変性子宮筋腫と同等の特徴的な信号パターンから，平滑筋腫を疑うことは可能である。

2. 外陰腫瘍・腫瘍様病変（画像所見と各論）

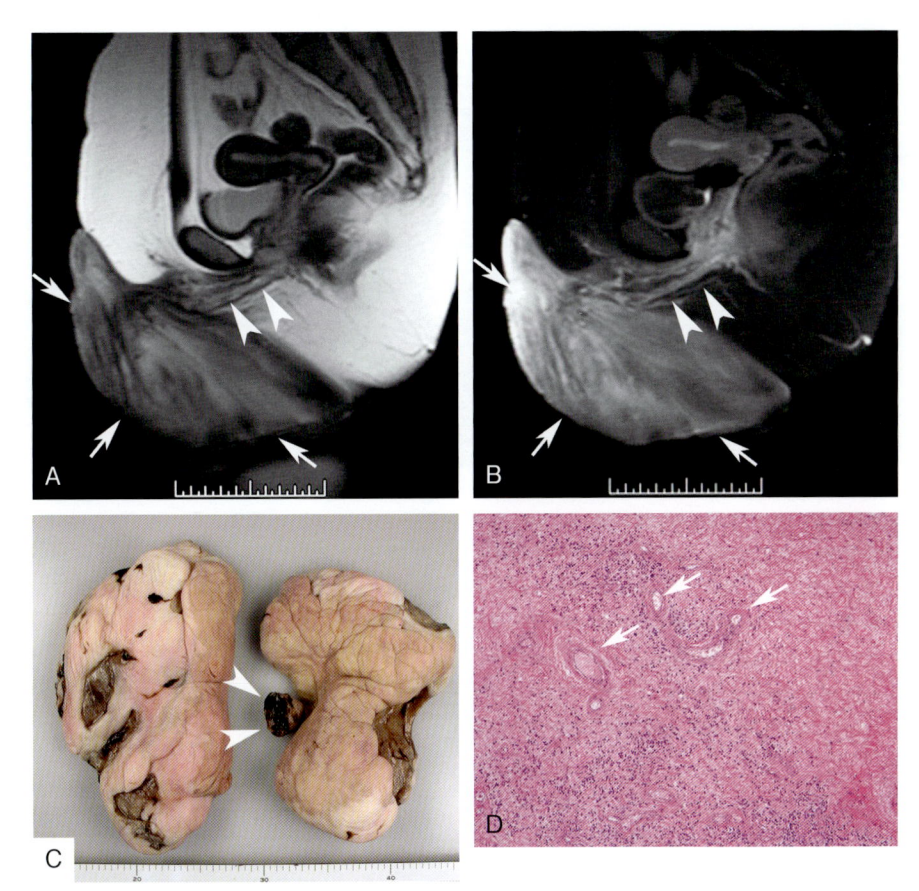

図15　20歳　外陰部懸垂性線維腫
A：T2強調矢状断像，B：造影脂肪抑制T1強調矢状断像，C：摘出標本割面，D：HE染色（強拡大）
大陰唇付近から有茎性に発育した長径20cmを超える腫瘤（→，▲は腟壁）を認め，T2強調像でかなり信号強度が高い（A）が，造影後は全体がよく増強されており（B），図11の深在性血管粘液腫に比べ細胞成分に富むと推定される．摘出標本も茎（C▲）の明瞭な白色調の均一な腫瘍で，血管筋線維芽細胞腫を疑ったが病理組織診断は線維腫（D→は腫瘍内に豊富に含まれる血管）であった．この領域の線維腫はしばしば有茎性，懸垂性に発育し，T2強調像では比較的信号の高いものもあるとされている．

文献

1) Sturgeon SR et al : In situ and invasive vulvar cancer incidence trends (1973 to 1987). Am J Obstet Gynecol 166 : 1482-1485, 1992
2) Saraiya M et al : Incidence of in situ and invasive vulvar cancer in the US, 1998-2003. Cancer 113 : 2865-2872, 2008
3) Judson PL et al : Trends in the incidence of invasive and in situ vulvar carcinoma. Obstet Gynecol 107 : 1018-1022, 2006
4) Dittmer C et al : Epidemiology of vulvar and vaginal cancer in Germany. Arch Gynecol Obstet 284 : 169-174, 2011
5) Berek JS et al : Vulvar cancer : Epidemiology, diagnosis, histopathology, and treatment. UpToDate. 2024 ; 2024
6) WHO Classification of Tumors Editorial Board : Female Genital Tumours, 5th ed. International Agency for Research on Cancer, Lyon, France, 2020
7) 日本産科婦人科学会，日本病理学会 編：子宮頸癌取扱い規約 病理編 第5版．金原出版，東京，2022
8) Toki T et al : Probable nonpapillomavirus etiology of squamous cell carcinoma of the vulva in older women : a clinicopathologic study using in situ hybridization and polymerase chain reaction. Int J Gynecol Pathol 10 : 107-125, 1991
9) Nucci MR et al : Tumors of the Cervix, Vagina, and Vulva. American Registry of Pathology, 2023
10) Holschneider CH et al : Vulvar cancer, Berek JS eds ; Berek & Novak's Gynecology, 14th ed. p1549-1580, Lippincott Williams and Wilkins, Philadelphia, 2007
11) 日本婦人科腫瘍学会 編：外陰がん・腟がん治療ガイドライン2015年版．金原出版，東京，2015
12) Homesley HD et al : Assessment of current International Federation of Gynecology and Obstetrics staging of vulvar

II 外陰の腫瘍と腫瘍様病変 tumors of the vulva and tumor-like lesions

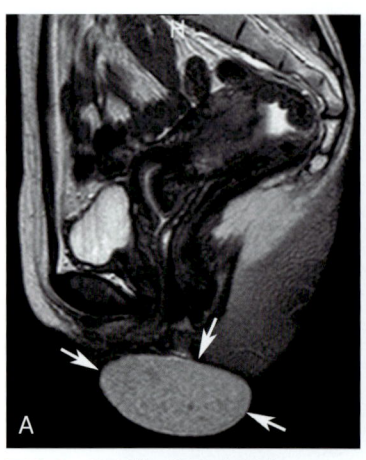

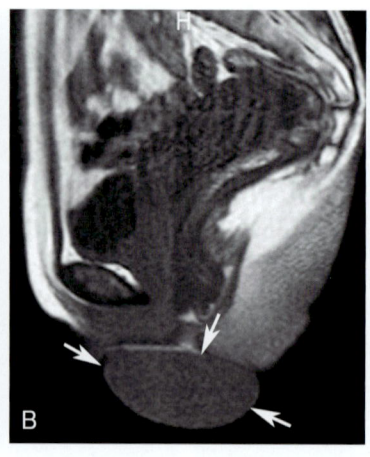

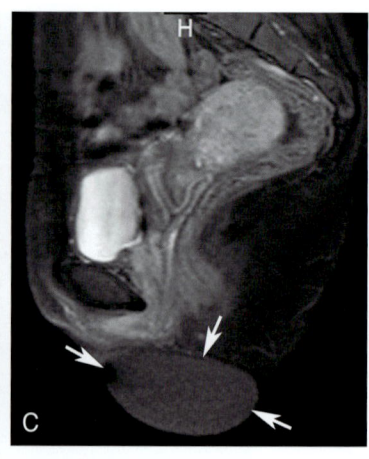

図16 27歳 類表皮嚢胞
A：T2強調矢状断像，B：T1強調矢状断像，C：造影脂肪抑制T1強調矢状断像
外陰に外向性に発育する壁の薄い嚢胞（A→）を認め，T1強調像では低信号（B），造影後は薄い壁のみが増強される（C）。あまり形態的特徴のない嚢胞であるが，病理組織学的に嚢胞壁は角化扁平上皮からなり類表皮嚢胞であった。嚢胞内容物のT2強調像での信号強度が水よりは低い点が，ケラチンを主とする内容物の性状を反映している。拡散強調像を撮像していれば異常信号を示したと推定される。

13) Sohaib SA et al：MR imaging of carcinoma of the vulva. AJR Am J Roentgenol 178：373-377, 2002
14) Kataoka MY et al：The accuracy of magnetic resonance imaging in staging of vulvar cancer：a retrospective multi-centre study. Gynecol Oncol 117：82-87, 2010
15) Pecorelli S：Revised FIGO staging for carcinoma of the vulva, cervix, and endometrium. Int J Gynaecol Obstet 105：103-104, 2009
16) Bhalwal AB et al：Carcinoma of the Bartholin Gland：A Review of 33 Cases. Int J Gynecol Cancer 26：785-789, 2016
17) Akaike G et al：Magnetic resonance imaging for extramammary Paget's disease：radiological and pathological correlations. Skeletal Radiol 42：437-442, 2013
18) Vasquez A et al：Extramammary Paget's disease. BJR Case Rep 2：20150261, 2016
19) Sobieraj P et al：Rhabdomyosarcoma of the genitourinary system in girls：the role of magnetic resonance imagining in diagnosis, treatment monitoring, and follow-up. Ginekol Pol 95：32-39, 2024
20) de Vries ISA et al：Imaging in rhabdomyosarcoma：a patient journey. Pediatr Radiol 53：788-812, 2023
21) Griffin N et al：Magnetic resonance imaging of vaginal and vulval pathology. Eur Radiol 18：1269-1280, 2008
22) Hosseinzadeh K et al：Imaging of the female perineum in adults. Radiographics 32：E129-168, 2012
23) Kang Y et al：Accuracy of preoperative MRI with microscopy coil in evaluation of primary tumor thickness of malignant melanoma of the skin with histopathologic correlation. Korean J Radiol 14：287-293, 2013
24) Fetsch JF et al：Soft Tissue Lesions Involving Female Reproductive Organs, Kurman RJ et al eds；Blaustein's Pathology of the Female Genital Tract. p1405-1467, Springer International Publishing, Cham, 2019
25) Chien AJ et al：Aggressive angiomyxoma of the female pelvis：sonographic, CT, and MR findings. AJR Am J Roentgenol 171：530-531, 1998
26) Outwater EK et al：Aggressive angiomyxoma：findings on CT and MR imaging. AJR Am J Roentgenol 172：435-438, 1999
27) Jeyadevan NN et al：Imaging features of aggressive angiomyxoma. Clin Radiol 58：157-162, 2003
28) Li X, Ye X：Aggressive angiomyxoma of the pelvis and perineum：a case report and review of the literature. Abdom Imaging 36：739-741, 2011
29) Omori M et al：Angiomyofibroblastoma of the vulva：a large pedunculated mass formation. Acta Med Okayama 60：237-242, 2006
30) Lim KJ et al：Angiomyofibroblastoma arising from the posterior perivesical space：a case report with MR findings. Korean J Radiol 9：382-385, 2008
31) Geng J et al：Large paravaginal angiomyofibroblastoma：magnetic resonance imaging findings. Jpn J Radiol 29：152-155, 2011
32) Mandato VD et al：Cellular angiofibroma in women：a review of the literature. Diagn Pathol 10：114, 2015
33) Miyajima K et al：Angiomyofibroblastoma-like tumor (cellular angiofibroma) in the male inguinal region. Radiat Med 25：173-177, 2007
34) Fasih N et al：Leiomyomas beyond the uterus：unusual locations, rare manifestations. Radiographics 28：1931-1948, 2008
35) Isoda H et al：Fibroma of the vulva. Comput Med Imaging Graph 26：139-142, 2002

Column

❖ 頸部腺癌，それとも内膜癌の頸部浸潤？

　まずは図1と図2をご覧いただき，どちらが頸部腺癌でどちらが内膜癌かおわかりであろうか？
　子宮頸部の細胞診，組織診で腺癌が疑われMRIを依頼される場面は，日常的に経験される．しかし，得られた画像で腫瘤が体部と頸部にまたがっていた場合，MRIで，その腫瘤が内膜癌の頸部浸潤であるのか，頸部腺癌であるのかを決定することはできるのだろうか？
　まずは病理医が，これをどのように決定しているのかをみていこう．
　頸部腺癌の80％はHPV関連腺癌であり，さらにそのなかで最も頻度の高い通常型内頸部腺癌と，子宮内膜癌の80％以上を占める類内膜癌とは形態的な類似性があり，時に病理組織学的にも鑑別が難しいという．第6章-Ⅰ「子宮頸部の腫瘍」で述べた通り，最新の『子宮頸癌取扱い規約』では，扁平上皮癌と同様に，頸部腺癌もHPV関連と非依存性に分けられるが，子宮内膜原発の腺癌の組織発生にはHPVは関与しておらず，HPVの代替マーカーである免疫組織化学染色 p16による鑑別がある程度可能である．すなわち，p16がびまん性に陽性（かつER陰性）であれば頸部腺癌である[1]．なお，類内膜癌は基本的には内膜癌と考えられており，内頸部発生のものは内膜症由来と考えられている[2]．病理組織診断の際には前駆病変である子宮内膜異型増殖症の合併があれば，内膜発生の可能性がより高くなる．次に漿液性癌は原則的に頸部からは発生しないとされており，形態的に漿液性癌であれば子宮内膜癌である．問題はHPV非依存性で『子宮頸癌取扱い規約』と『子宮体癌取扱い規約』の双方に掲載されている組織型，すなわち明細胞癌，中腎（様）腺癌であるが，こればかりは病理組織学的にも腫瘍の主座によって決定せざるを得ないという．
　では，MRIによる鑑別診断の現状はどうなっているのであろうか？
　最近出版されたメタアナリシスでは子宮腺癌の原発部位の同定におけるMRIの正診率は統合感度89.4％，統合特異度は39.5％と必ずしも芳しくない[3]．システマティックレビューで取り上げられた論文で鑑別診断に用いられたMRI所見としては，腫瘍の主座[4-6]が重要で，ほかには表に示すような所見がある[3-9]．しかしメタアナリシスに用いられた4論文のうち，病理組織学的にp16が陽性であったものを頸部腺癌としたものはRamirezらの報告のみ[7]で，2論文は免疫組織化学染色の結果に基づいたとのみの記載[4)5)]，残り1論文は2名の病理医によるコンセンサスに基づく組織亜型とのみの記載[6]であり，その診断根拠は少々心許ない．よって，その診断感度の低さと合わせ，MRIによる腺癌

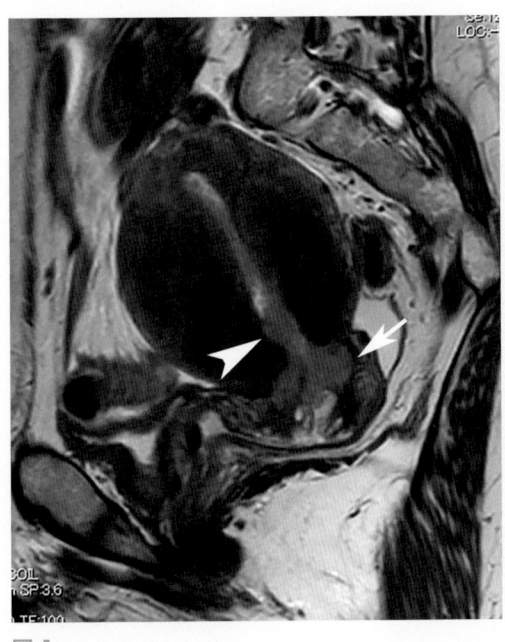

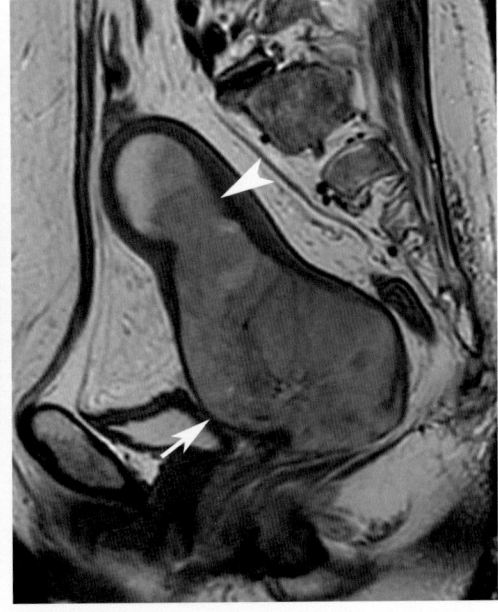

図1

図2

表 子宮腺癌の原発巣の鑑別点

	頸部原発	体部（内膜）原発
腫瘍の主座	頸部	体部
体部筋層浸潤	なし	あり
頸部間質浸潤	あり	なし
内膜腔の腫瘤	なし	あり
内膜腔の液体貯留	あり	なし
腫瘍の形態	丸い	細長い
ダイナミックMRIで早期濃染	あり	なし
造影後の辺縁濃染	あり	なし
ADC値	低い	高い

の原発巣の推定には限界があることを知っておく必要がある。

　冒頭の問題，図1（T2強調矢状断像）は主座が頸部にあり，頸部間質浸潤も深い（→）が，内膜腔にも腫瘤があり（▲），病理組織学的には扁平上皮分化を伴う類内膜癌G1であり，内膜癌と診断された。図2（T2強調矢状断像）は腫瘍が細長く，内膜腔にも腫瘤がある（▲）が，腫瘤の主座は頸部にあり（→），病理組織学的には明細胞癌であり，いずれの可能性もあるが主座が子宮頸部で間質浸潤も深く，頸部腺癌とされた。

【文　献】

1) Stewart CJR et al：Guidelines to aid in the distinction of endometrial and endocervical carcinomas, and the distinction of independent primary carcinomas of the endometrium and adnexa from metastatic spread between these and other sites. Int J Gynecol Pathol 38（suppl 1）：S75-S92, 2019
2) WHO Classification of Tumors Editorial Board：Female Genital Tumours, 5th ed. International Agency for Research on Cancer, Lyon, 2020
3) Jain P et al：Role of MRI in diagnosing the primary site of origin in indeterminate cases of uterocervical carcinomas：a systematic review and meta-analysis. Br J Radiol 95：20210428, 2022
4) He H et al：MRI is highly specific in determining primary cervical versus endometrial cancer when biopsy results are inconclusive. Clin Radiol 68：1107-1113, 2013
5) Bourgioti C et al：Endometrial vs. cervical cancer：development and pilot testing of a magnetic resonance imaging（MRI）scoring system for predicting tumor origin of uterine carcinomas of indeterminate histology. Abdom Imaging 40：2529-2540, 2015
6) Lin G et al：Developing and validating a multivariable prediction model to improve the diagnostic accuracy in determination of cervical versus endometrial origin of uterine adenocarcinomas：a prospective MR study combining diffusion-weighted imaging and spectroscopy. J Magn Reson Imaging 47：1654-1666, 2018
7) Ramirez PT et al：Limited utility of magnetic resonance imaging in determining the primary site of disease in patients with inconclusive endometrial biopsy. Int J Gynecol Cancer 20：1344-1349, 2010
8) Haider MA et al：Adenocarcinoma involving the uterine cervix：magnetic resonance imaging findings in tumours of endometrial, compared with cervical, origin. Can Assoc Radiol J 57：43-48, 2006
9) Lin YC et al：Role of magnetic resonance imaging and apparent diffusion coefficient at 3T in distinguishing between adenocarcinoma of the uterine cervix and endometrium. Chang Gung Med J 34：93-100, 2011

第9章

絨毛性疾患

Summary

- 絨毛性疾患とは胎盤トロホブラストの異常増殖をきたす疾患群であり，胞状奇胎，侵入胞状奇胎（以下，侵入奇胎），絨毛癌，胎盤部トロホブラスト腫瘍，類上皮性トロホブラスト腫瘍，存続絨毛症の6型に分類される。
- 胞状奇胎，侵入奇胎，絨毛癌は一般的に子宮内膜腔を占拠するT1強調像で低信号，T2強調像では極めて高信号の部分を含む多血性腫瘤で，腫瘤近傍に拡張した栄養動脈を示すflow voidがみられる。ダイナミックMRIでは絨毛組織が早期濃染を示す。
- 胞状奇胎，侵入奇胎，絨毛癌の付随所見として子宮全体の血流増加やT2強調像での子宮筋層全体の高信号化がみられる。また卵巣では黄体化過剰反応がみられることがある。
- 存続絨毛症として発症する絨毛癌では先行妊娠から長期を経て発症するものが少なくなく，若年女性の多血性転移性腫瘍（特に肺，脳）の原発巣として疑う必要がある。
- 中間型栄養膜細胞由来の絨毛性疾患である胎盤部トロホブラスト腫瘍や類上皮性トロホブラスト腫瘍には確立された画像所見はない。

絨毛性疾患は絨毛細胞の異常増殖によって生じる疾患の総称である。『絨毛性疾患取扱い規約 第3版』では胞状奇胎，侵入胞状奇胎（以下，侵入奇胎），絨毛癌，胎盤部トロホブラスト腫瘍，類上皮性トロホブラスト腫瘍，存続絨毛症の6型に臨床的に分類されている（表1）が，存続絨毛症は臨床的にのみ定められる疾患で，病理学的分類にはこの概念が含まれない[1]。しかしFIGOや米国国立衛生研究所（NIH），英国産婦人科医会，WHOは各々異なる分類を用いており，本邦の分類とは細部で異なる。また，絨毛性疾患では組織学的診断がなされる機会が少ないために，治療方針の決定に際しては進行期分類よりも予後診断スコアが広く用いられている。これについても国際的には2000年にFIGOから発表された診断スコアが国際標準として用いられる[2]が，本邦では古くは石塚スコアとよばれていた独自の絨毛癌診断スコア（表2）が標準的に用いられている[1]。

胞状奇胎の原因は受精した卵子核の不活化に伴う雄核発生にあり，三倍体であることの多い部分胞状奇胎における過剰なハプロイド，二倍体であることの多い全胞状奇胎のすべてのハプロイドは父方由来である。この卵子核の不活化のリスク因子として，遺伝的素因，低栄養，低用量経口避妊薬などが挙げられてきたが，母体年齢35歳以上のみが全胞状奇胎の明確なリスク因子とされている[3]。胞状奇胎は従来，日本を含むアジア地域で高頻度とされていたが，近年，急速に罹患率が減少している[4]。症状としては，無月経，性器出血，子宮の過大・軟化，妊娠悪阻，妊娠中毒症様症状，卵巣ルテイン囊胞の多発（黄体化過剰反応：hyperreactio luteinalis），甲状腺機能亢進症状が挙げられる[3][5]。また奇胎妊娠では正常妊娠に比較してhuman chorionic gonadotropin（hCG）が高値を示すことが多いとされるが，全奇胎であっても正常妊娠の範囲内，あるいはそれ以下の値を示すこともあり，hCG測定により奇胎妊娠を鑑別することは困難とされている[6]。

胞状奇胎と診断された後は胞状奇胎除去術（子宮内容除去術）を行うのが基本であるが，胎児共存奇胎の場合，挙児希望の強い場合は妊娠終了まで待機してから組織学的診断を行う。奇胎娩出後は基本的に血中hCGの推移をみながら管理し，奇胎娩出後5週で1,000 mIU/mL，8週で100 mIU/mL，24週でカットオフ値のいずれかのポイントを上回る場合は，侵入奇胎を疑って画像検査を行う[7]。侵入奇胎に進展した場合，挙児希望がなければ子宮摘出も選択肢の1つとなるが，原則的に

表1 絨毛性疾患の分類（臨床的分類，日産婦2011）[1]

1）胞状奇胎 hydatidiform mole
　　（1）全胞状奇胎（全奇胎） complete hydatidiform mole（complete mole）
　　（2）部分胞状奇胎（部分奇胎） partial hydatidiform mole（partial mole）
2）侵入胞状奇胎（侵入奇胎）invasive hydatidiform mole（invasive mole）
　　（1）侵入全胞状奇胎（侵入全奇胎） invasive complete hydatidiform mole
　　（2）侵入部分胞状奇胎（侵入部分奇胎） invasive partial hydatidiform mole
3）絨毛癌 choriocarcinoma
　　（1）妊娠性絨毛癌　gestational choriocarcinoma
　　　　　a. 子宮絨毛癌　uterine choriocarcinoma
　　　　　b. 子宮外絨毛癌　extrauterine choriocarcinoma
　　　　　c. 胎盤内絨毛癌　intraplacental choriocarcinoma
　　（2）非妊娠性絨毛癌　non-gestational choriocarcinoma
　　　　　a. 胚細胞性絨毛癌　choriocarcinoma of germ cell origin
　　　　　b. 他癌の分化異常によるもの　choriocarcinoma derived from dedifferentiation of other carcinomas
4）胎盤部トロホブラスト腫瘍　placental site trophoblastic tumor
5）類上皮性トロホブラスト腫瘍　epithelioid trophoblastic tumor
6）存続絨毛症 persistent trophoblastic disaease
　　（1）奇胎後hCG存続症　post-molar persistent hCG
　　（2）臨床的侵入奇胎　clinical invasive mole
　　（3）臨床的絨毛癌　clinical choriocarcinoma

表2 絨毛癌診断スコア[1]

スコア〔絨毛癌である可能性〕		0 (～50%)	1 (～60%)	2 (～70%)	3 (～80%)	4 (～90%)	5 (～100%)
先行妊娠[*1]		胞状奇胎	—	—	流産	—	正期産
潜伏期[*2]		～6カ月未満	—	—	—	6カ月～3年未満	3年～
原発病巣		子宮体部・子宮傍組織・腟	—	—	卵管・卵巣	子宮頸部	骨盤外
転移部位		なし・肺・骨盤内	—	—	—	—	骨盤外（肺を除く）
肺転移巣	直径	～20 mm未満	—	—	20～30 mm未満	—	30 mm～
	大小不同性[*3]	なし	—	—	—	あり	—
	個数	～20	—	—	—	—	21～
hCG値（mIU/mL）		～10^6未満	10^6～10^7未満	—	10^7～	—	—
基礎体温[*4]（月経周期）		不規則・一相性（不規則）	—	—	—	—	二相性（整調）

合計スコア　4点以下…臨床的侵入奇胎と診断する。
　　　　　　5点以上…臨床的絨毛癌と診断する。
　（注）　*1　直前の妊娠とする。
　　　　　*2　先行妊娠の終了から診断までの期間とする。
　　　　　*3　肺陰影の大小に直径1 cm以上の差がある場合に大小不同とする。
　　　　　*4　先行妊娠の終了から診断までの期間に少なくとも数カ月以上続いて基礎体温が二相性を示すか，あるいは，規則正しく月経が発来する場合に整調とする。なお，整調でなくともこの間に血中hCG値がカットオフ値以下であることが数回にわたって確認されれば5点を与える。

メトトレキサート（MTX）やアクチノマイシンD（ACT-D）による単剤化学療法を行う。化学療法後の予後は一般に良好で，セカンドラインまで含めると治癒率はほぼ100%とされるが，まれに絨毛癌として再発する。侵入奇胎の先行妊娠の多くが胞状奇胎であるのに対し，絨毛癌はあらゆる妊娠に続発しうることから，転移病巣での出血が発見契機となることが少なくなく，hCGを計測しない限り診断は難しい。絨毛癌に対してはMTXを中心とする多剤併用化学療法が基本となる。初回治療による寛解率は80%程度で，サードライン以降まで薬剤変更が必要となった症例の予後は不良である。

1. 組織分類と画像所見

　胞状奇胎（hydatidiform mole）は栄養膜細胞（trophoblast）の異常増殖と間質の浮腫を特徴とする病変をいう[1]。古典的な胞状奇胎は絨毛の水腫状腫大が2mmを超えるが，妊娠週齢の早いものでは囊胞径がそれ未満のものも認められる。近年，胞状奇胎は以前に比べ早い週数で診断されることが多くなっている。このためUS上も古典的な"snow storm pattern"（子宮腔内を充満する大小多数の囊胞を含む腫瘤）は呈さず，囊胞部がmultivesicular patternとして観察される[1,3,7]。これは奇胎を構成する栄養膜細胞が十分に水腫状を呈していないためとされる。全胞状奇胎（complete hydatidiform mole）では子宮腔内全体がこのmultivesicular patternで占められるが，妊娠早期には肥厚した絨毛が子宮内腔に向かって不規則に膨隆し，変形した胎嚢のような形態を呈する[1]。部分胞状奇胎（partial hydatidiform mole）では正常と水腫状の2種の絨毛からなり，栄養膜細胞の増殖は全奇胎に比べ軽度で局所的である[7]。侵入奇胎（invasive hydatidiform mole）では胞状奇胎絨毛が子宮筋層あるいは筋層の血管への侵入像を示すものをいうが，確定診断は組織学的検査による[1]。絨毛癌（choriocarcinoma）は異型性を示す栄養膜細胞の異常増殖からなる悪性腫瘍で，肉眼的に中心部は出血性で変性・壊死を伴う充実性腫瘤を形成する。妊娠性（gestational），非妊娠性（non-gestational）に大別され，前者は妊娠に由来するもので，腫瘍の局在により子宮，子宮外，胎盤内に大別される。非妊娠性絨毛癌は卵巣腫瘍の項で述べた胚細胞腫瘍としてのもの（p557参照）と他癌の分化異常によるものに大別される[1]。
　絨毛性疾患のMRI所見は異所性妊娠や稽留流産など正常の絨毛をもつ病態との区別が困難であり，また胞状奇胎と絨毛癌にも画像上の決定的な違いはなく鑑別診断には適さない[8,9]。絨毛性疾患全般のMRI所見としては，T1強調像では低信号，T2強調像では不均一な信号強度を伴う腫瘤で，vascularityの高さを反映して近傍に拡張した栄養動脈を示すflow voidがみられる。T1強調像では出血を反映した高信号域の混在をみることもある[9,10]。また腫瘍に伴う子宮全体の血流増加やhCG高値のために正常の子宮のzonal anatomyは失われ，筋層全体がT2強調像で高信号となることが多い[9,10]（図1）。ダイナミックMRIでは絨毛組織が早期濃染を示す[11]。また前述の黄体化過剰反応はhCG高値を間接的に示す所見であり[9,10]，卵巣所見にも注意を払って読影する必要がある（図2）。前述のごとくMRIは各絨毛性疾患間の鑑別には限界があるが，その卓越したコントラスト分解能により非侵襲的に腫瘍の存在を明らかにすることができるので，化学療法前後のモニター（図3）や子宮外骨盤内病変の検索に適する。

1. 組織分類と画像所見

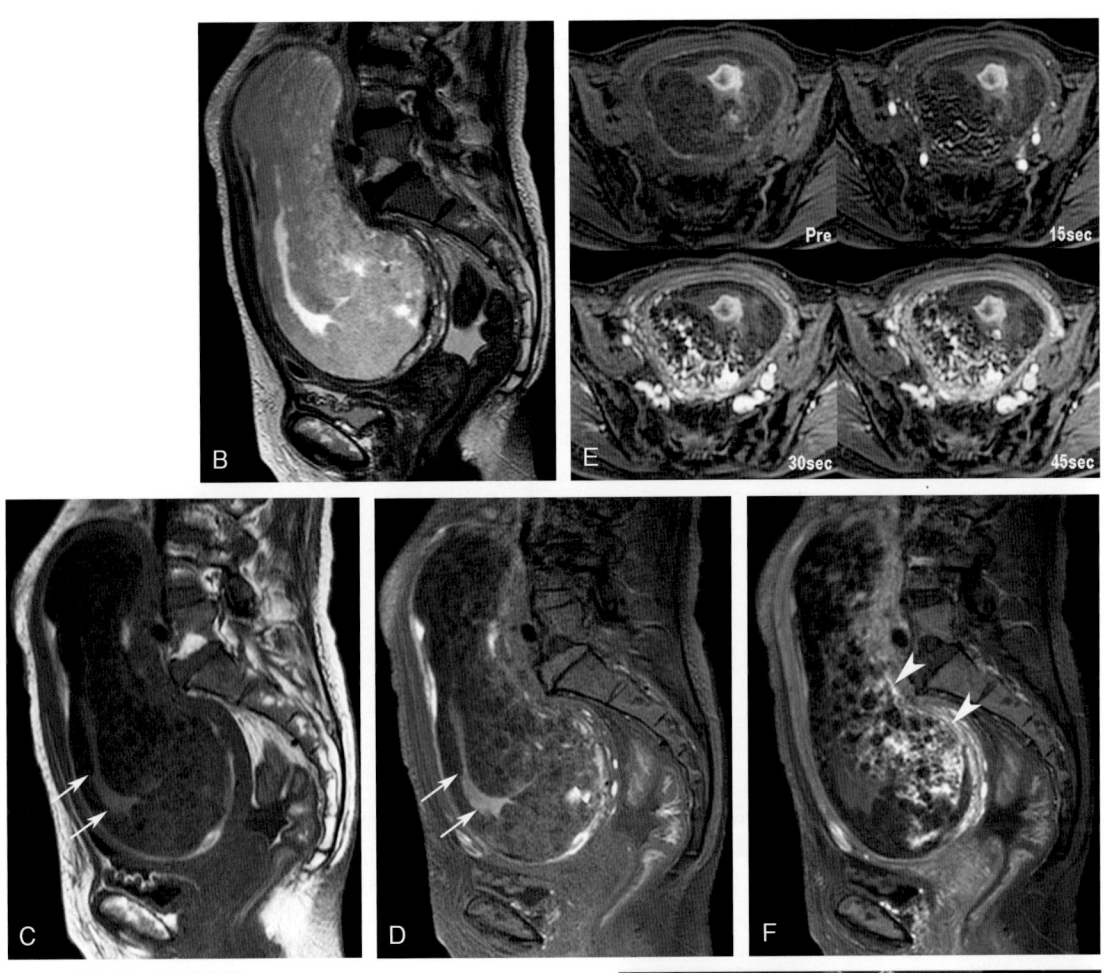

図1 52歳 胞状奇胎
A：US，B：T2強調矢状断像，C：T1強調矢状断像，D：脂肪抑制T1強調矢状断像，E：ダイナミックMRI横断像，F：造影脂肪抑制T1強調矢状断像

無月経と下腹部膨隆で受診し，子宮腔内で急速に増大する腫瘤を認めたためMRIを施行した。hCG精密定量150万mIU/mL。USでは子宮腔内が一部微小な嚢胞状構造を含む充実性腫瘤で占められている（A）。T2強調像で腫瘤は比較的均一な高信号を示し（B），T1強調像では腫瘤間に高信号を示す出血の合併がみられる（C，D→）。腫瘤は早期から強く増強され，内部を構成する小さな多房性の嚢胞状構造が明らかとなる（E，F▲）。本例は画像的には典型だが，高年発症例である。

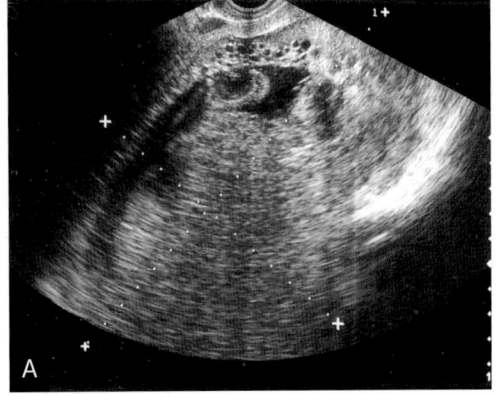

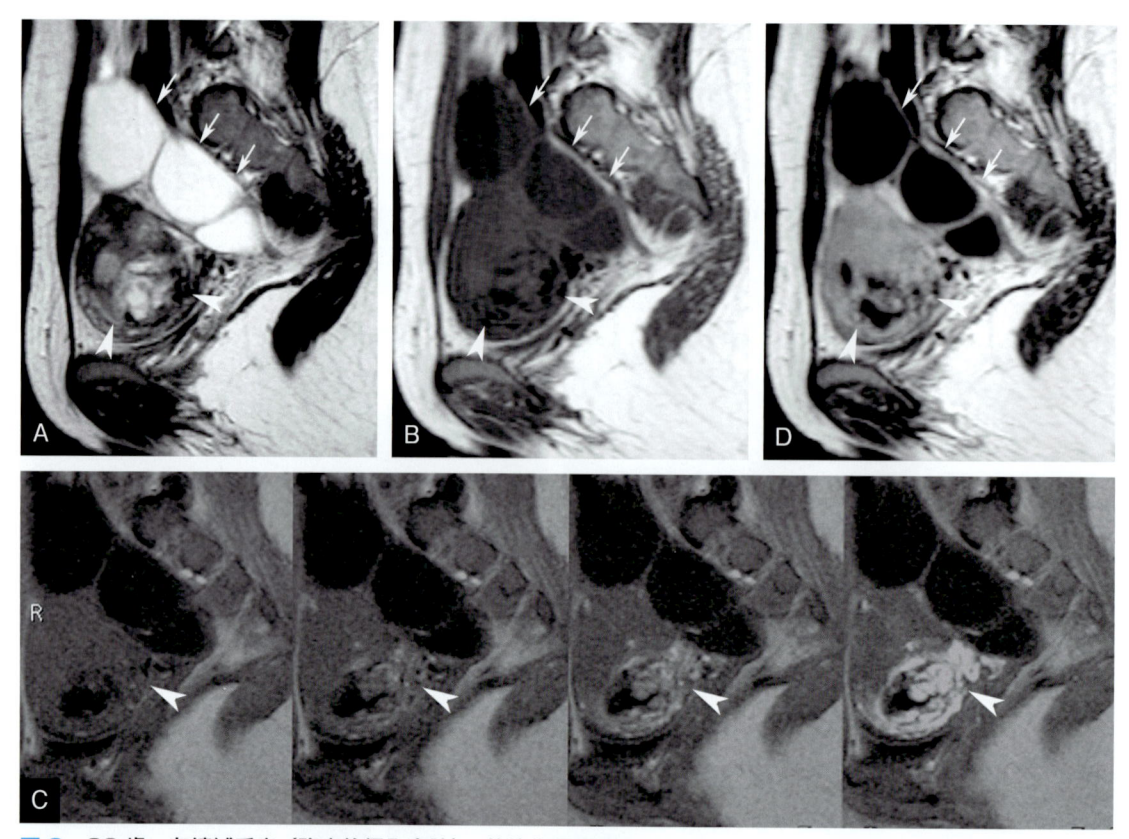

図2 30歳 存続絨毛症（臨床的侵入奇胎），黄体化過剰反応
A：T2強調矢状断像，B：T1強調矢状断像，C：ダイナミックMRI矢状断像，D：造影T1強調矢状断像
胞状奇胎にて2回子宮内容除去術後，hCGが120,000 IU/mLまで上昇したため，3回目の掻爬直前にMRIを施行。T2強調像で子宮内腔は不均一な高信号を示す腫瘤（A▲）で占められ，T1強調像（B）では低信号だが，造影後は早期から濃染し（C），晩期には内部には粗大な囊胞構造が明らかとなる（D）。子宮の後方には壁の薄い，漿液性の内容物を含む大きな囊胞がみられ，hCGに反応した黄体化莢膜囊胞の多発（A, B, D→）と考えられる。
（田中優美子：周産期の異常と絨毛性疾患．今岡いずみ，田中優美子編著；婦人科MRIアトラス．p108-121，学研メディカル秀潤社，2004より転載）

　部分胞状奇胎では胎児は三倍体であるので，多くの場合妊娠初期に子宮内胎児死亡となるが，胎児が生存したまま胎盤がmultivesicular patternを呈する場合には，胎児共存奇胎（complete hydatidiform mole coexistence with a fetus：CHMCF）と間葉性異形成胎盤（placental mesenchymal dysplasia：PMD）の双方の可能性がある[1]。PMDでは胎盤は囊胞状を呈するが組織学的な絨毛の腫瘍性増殖はなく，幹絨毛内の間質に水腫状変化や血栓を伴う血管増生を認めるとされる。両者のUSやMRIによる鑑別は難しいが，PMDでは胞状奇胎に似たvesicleに加えて怒張蛇行した幹絨毛血管を反映した大小不整な管腔様構造が認められる一方，CHMCFでは正常絨毛領域とmultivesicle領域が明瞭に区別される[12]（表3）。これに加えてHimotoらは囊胞様病変が正常胎盤と連続して胎囊内に存在すること（CHMCFでは2卵性双胎の一方が全奇胎なので胎囊が別），病変内に出血がみられないことをPMDの特徴として挙げている[13]（図4）。

　存続絨毛症（persistent trophoblastic disease）は胞状奇胎をはじめ分娩，流産，異所性妊娠

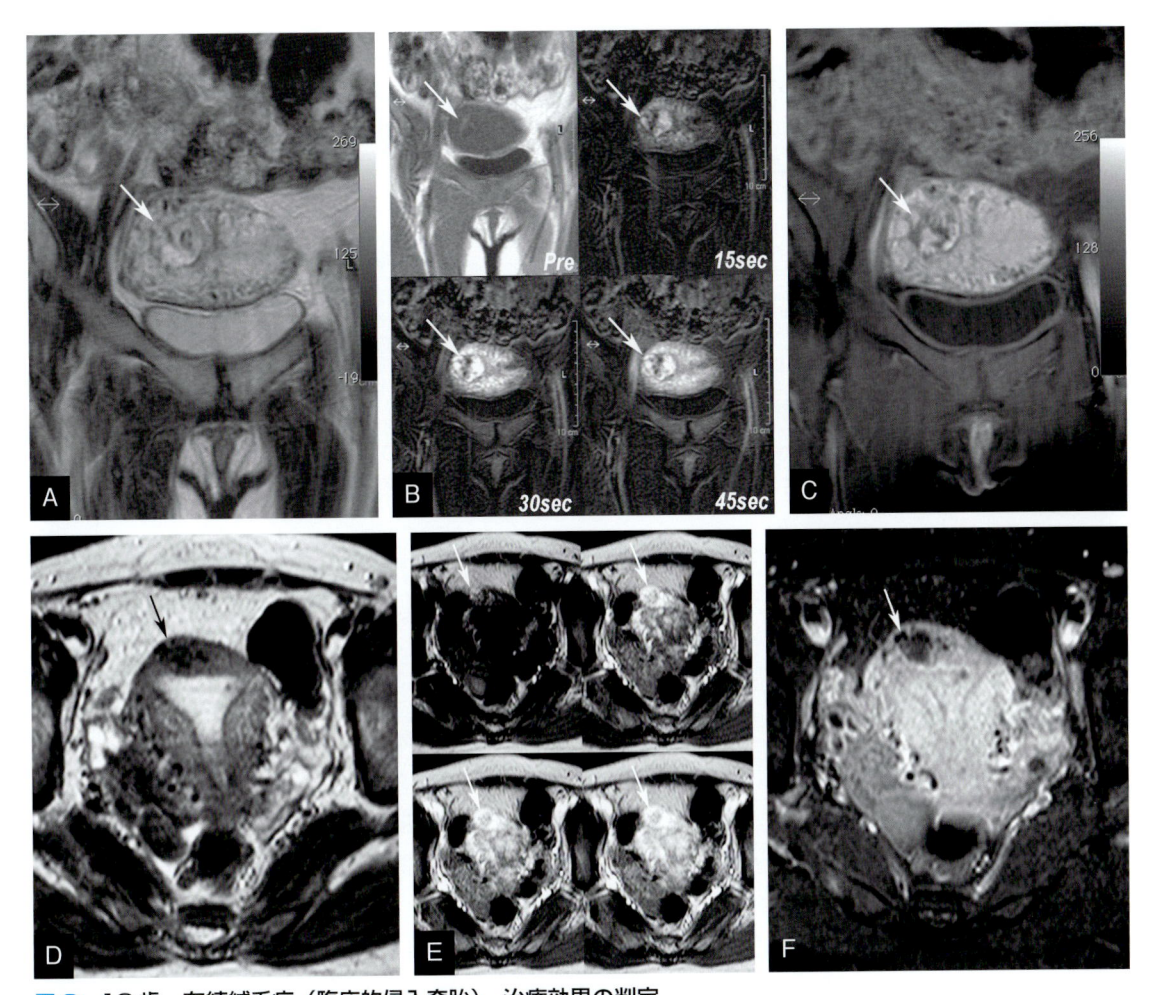

図3 18歳 存続絨毛症（臨床的侵入奇胎），治療効果の判定
A：T2強調冠状断像，B：ダイナミックMRI冠状断像，C：造影脂肪抑制T1強調冠状断像，D：T2強調横断像，
E：ダイナミックMRI横断像，F：造影脂肪抑制T1強調横断像
3カ月前に胞状奇胎で子宮内容除去術後来院せず．不正出血にて再来時のMRIではT2強調像で子宮筋層の信号がびまん性に上昇しているのに加え，底部右側の筋層内を占める高信号結節がみられ（A→），この結節は造影剤で濃染し（B，C），筋層内に侵入した奇胎の残存が疑われる．メトトレキサート投与後，尿中hCGは陰性化し，病変はT2強調像で低信号化（D→）し，増強効果も低下している（E，F）．

などあらゆる妊娠の終了後，hCG値の測定や画像検査などにより侵入奇胎または絨毛癌などの続発が臨床的に疑われるものをいう．このような臨床場面で，MRIは骨盤内病変の検索に有用で，上述のごとくT2強調像で高信号，ダイナミックMRIで早期濃染を示す組織を子宮腔内に認めた場合には臨床的侵入奇胎（clinical invasive mole）（図2, 3）もしくは臨床的絨毛癌（clinical choriocarcinoma）と診断することができる．両者の鑑別は絨毛癌診断スコアで行われる．一方，肉眼的病変を認めない場合は奇胎後hCG存続症（post-molar persistent hCG）（図5）に分類されるが，子宮外の病巣としては肺転移の頻度が高いこと，絨毛癌診断スコアでは肺転移の径，大小不同性，個数によってスコアが変化する[1]（表2）ことから，スコア本来の評価は胸部単純X

表3 胎児共存奇胎の鑑別診断

	部分胞状奇胎	胎児共存奇胎	間葉性異形成胎盤
核型	三倍体	二倍体（正常/雄核発生）	二倍体
胎児	三倍体, IUGR, IUFD	正常	BWS(20%), IUGR(20%), IUFD(30%)
母体血中 hCG	高値	高値	正常/軽度高値（40%）
母体血中 AFP	高値	高値	高値
US/MRI 所見	一様に multivesicle	正常絨毛領域と multivesicle 領域が明瞭に区別される	vesicle と大小不整な管腔の混合
病理組織学	トロホブラストの異常増殖	トロホブラストの異常増殖	幹絨毛血管の動脈瘤様拡張
母体続発症	存続絨毛症/絨毛癌	存続絨毛症/絨毛癌	なし

BWS：Beckwith-Wiedemann syndrome, IUGR：子宮内胎児発育遅延, IUFD：子宮内胎児死亡
（文献 12 より改変引用）

線写真で行うことになっているが，積極的に CT で肺を評価すべき疾患の1つである．また性成熟期女性の子宮外（特に肺）に易出血性の腫瘍を認めた場合には，妊娠性絨毛癌の可能性を考慮して，積極的に血清 hCG 値を計測すべきである（図6）．

絨毛癌は絨毛内の細胞性栄養膜細胞（cytotrophoblast）と合胞体栄養膜細胞（syncytiotrophoblast）がともに腫瘍化したものであるが，中間型栄養膜細胞（intermediate trophoblast：IT）が腫瘍化したと考えられている特殊な絨毛性疾患に胎盤部トロホブラスト腫瘍と類上皮性トロホブラスト腫瘍がある．Shih & Kurman の仮説では着床部脱落膜内に浸潤する中間型栄養膜細胞が腫瘍化したものが胎盤部トロホブラスト腫瘍，絨毛膜部の中間型栄養膜細胞由来のものが類上皮性トロホブラスト腫瘍と考えられている[1,14,15]（図7）．

胎盤部トロホブラスト腫瘍（placental site trophoblastic tumor：PSTT）は着床部の中間型栄養細胞由来の腫瘍細胞の増殖により子宮に腫瘤を形成する絨毛性疾患と定義される[1]．本腫瘍は 1976 年に Kurman らにより子宮筋層内に浸潤した絨毛癌類似の予後良好な腫瘍として trophoblastic pseudotumor の名で報告され[16]，その後死亡例も明らかとなったことから Scully らが現在の病名に改名した[17]．組織学的には着床部 IT に類似した腫瘍細胞が子宮平滑筋束を押し分けるように増殖する像が特徴的で[14]，合胞体ならびに細胞性栄養膜細胞を欠除すること，出血・壊死傾向の少ないことが絨毛癌との鑑別点であり，hCG 陽性細胞は少なく，human placental lactogen（hPL），placental alkaline phosphatase（PLAP）Mel.CAM が陽性となる[15]．臨床的にも hCG よりも hPL が高値となる．PSTT は緩徐に発育するので，先行妊娠から数カ月から数年後に無月経や不正出血として発症する．画像的には子宮内膜腔に突出する腫瘤で，T2 強調像での信号は様々であり，絨毛癌同様，多血性であるとする報告[18]（図8）と増強効果に乏しいとする報告[19]（図9）が拮抗しており[20]，確立された特徴はなく，今後の症例の蓄積がまたれる．化学療法には抵抗性で手術療法が治療の基本となるが，子宮に限局した症例の予後は良好とされる[1,21]．

類上皮性トロホブラスト腫瘍（epithelioid trophoblastic tumor：ETT）も PSTT と同じく中間型栄養膜細胞が腫瘍化した絨毛性疾患であるが，絨毛膜部の IT に由来する点が PSTT と異なる．ETT も 1993 年に Silva らにより初めて報告され[22]，1998 年に Shih らにより疾患概念の確

1．組織分類と画像所見

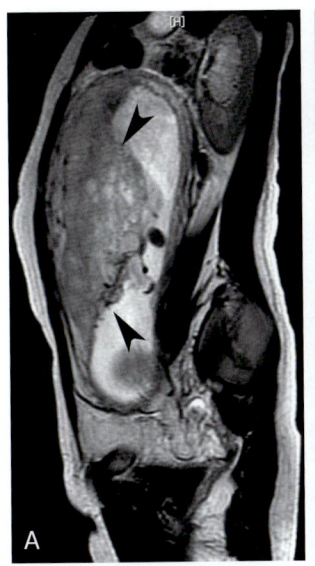

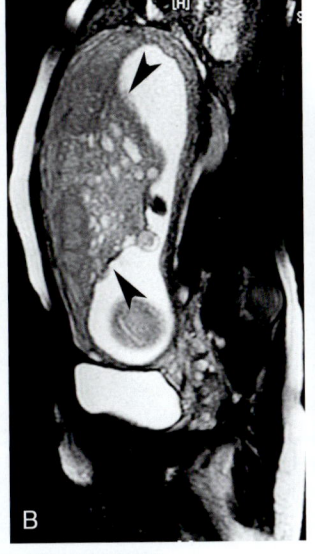

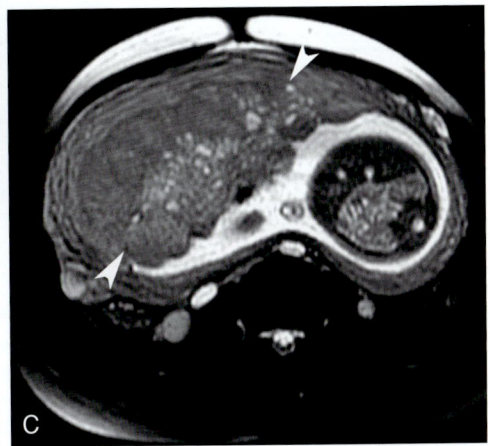

図4　23歳　妊娠25週，間葉性異形成胎盤
A：T2強調矢状断像，B：SSFP矢状断像，C：SSFP横断像
USでは胎盤の一部に囊胞様にみえるところがあるとのことで精査。T2強調像で胎盤の胎児面に隆起してやや高信号にみえる部分があり（A▲），SSFPでも胎盤の一部が肥厚し，内部に小囊胞状の構造が充満している（B，C▲）。すでに行われた染色体検査で46XXであることが確認されており，部分胞状奇胎は否定されるが，胎児共存奇胎との鑑別が問題となる。本例では囊胞性病変が同一胎囊内にあることから，間葉性異形成胎盤がより強く疑われる。

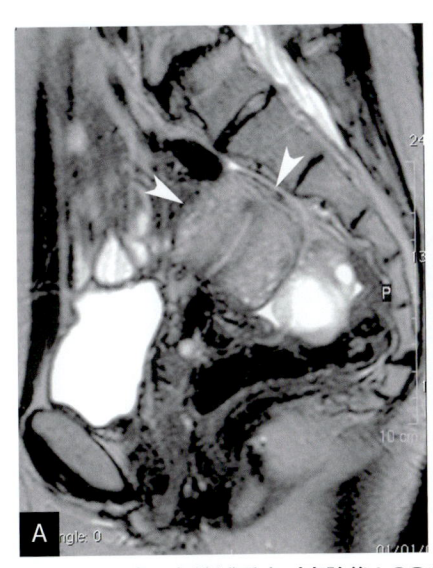

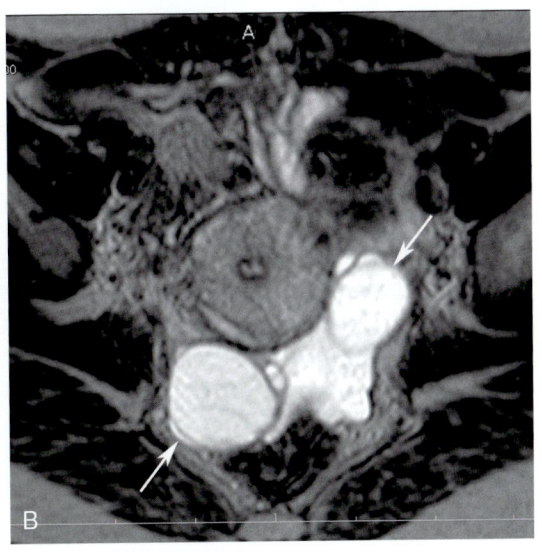

図5　34歳　存続絨毛症（奇胎後hCG存続症），黄体化過剰反応
A：T2強調矢状断像，B：T2強調横断像
子宮内容除去術後もhCGが陰性化しないため，MRIを撮像した。T2強調像で子宮筋層はjunctional zoneの幅が狭く，漿膜側筋層の信号強度が高いこと（A▲），子宮の後方に黄体化莢膜囊胞の多発する両側卵巣を認める（B→）ことから，hCGが高値であることが画像的にも確認されるが，子宮に腫瘤形成はない。

（AはTanaka YO et al：Functioning ovarian tumors：direct and indirect findings at MR imaging. Radiographics 24（suppl 1）：S147-166，2004より転載）

第9章　絨毛性疾患

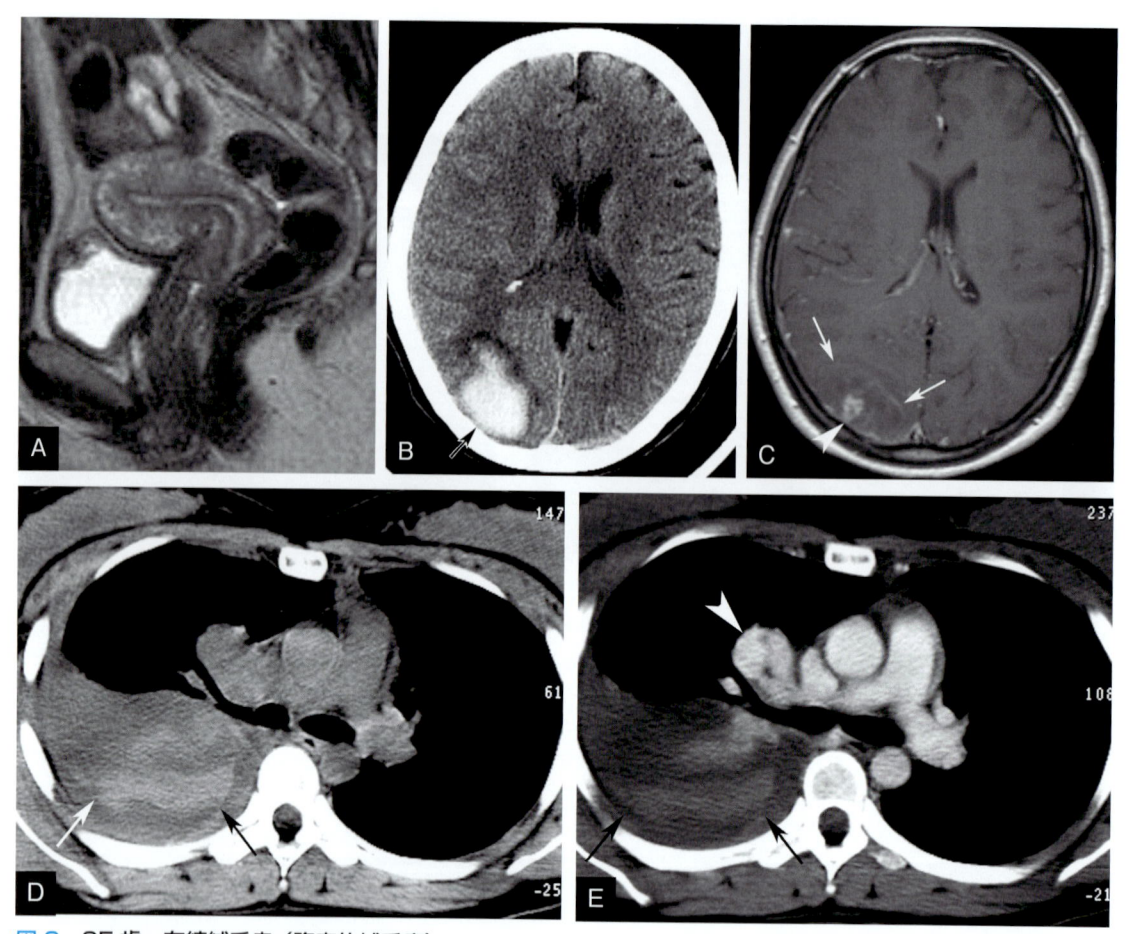

図6 25歳 存続絨毛症（臨床的絨毛癌）
A：T2強調矢状断像，B：頭部単純CT，C：頭部造影T1強調横断像，D：胸部単純CT，E：胸部造影CT
意識障害のため近位受診し，CTで脳実質内出血を認めた（B→）。5カ月前に正常分娩の既往があったため，絨毛癌を疑い骨盤のMRIを撮像したが，子宮に腫瘤は認めない（A）。T1強調像で脳実質内の血腫（C→）はまだ高信号化しておらず，mass effectを伴う脳実質と等信号の領域としてみられ，その中心部には強く増強される脳実質内腫瘤を認めた（C▲）。他にも脳転移は多発しており，胸部では単純CTで高吸収を示す右血胸（D→）の存在が明らかで，造影CTでは出血源と考えられる均一に増強される肺内腫瘤が顕在化する（E▲）。

1. 組織分類と画像所見

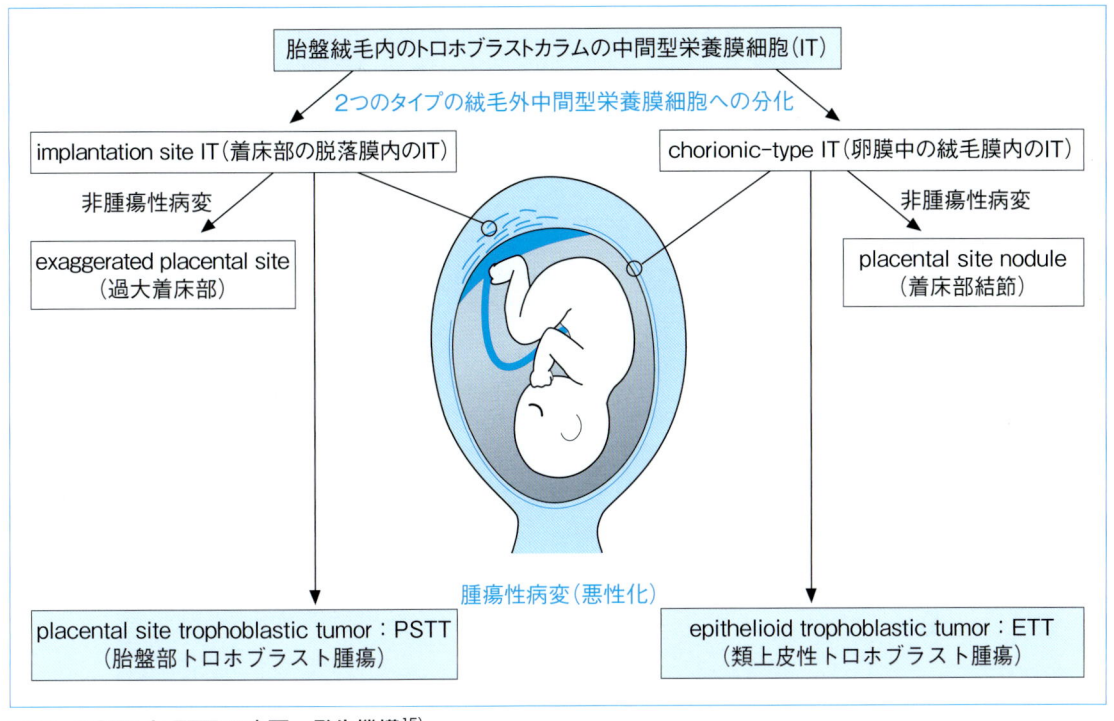

```
            胎盤絨毛内のトロホブラストカラムの中間型栄養膜細胞（IT）
                ↓                                    ↓
              2つのタイプの絨毛外中間型栄養膜細胞への分化

implantation site IT（着床部の脱落膜内のIT）        chorionic-type IT（卵膜中の絨毛膜内のIT）

    非腫瘍性病変                                         非腫瘍性病変

exaggerated placental site                       placental site nodule
    （過大着床部）                                    （着床部結節）

                    腫瘍性病変（悪性化）

placental site trophoblastic tumor：PSTT          epithelioid trophoblastic tumor：ETT
    （胎盤部トロホブラスト腫瘍）                        （類上皮性トロホブラスト腫瘍）
```

図7 PSTTとETTの病因，発生機構[15]

立された新しいまれな腫瘍である[23]。絨毛膜部中間型栄養膜細胞類似の腫瘍細胞が巣状・索状・地図状に増殖し硝子様変化や壊死を伴い，腫瘍細胞は p63 が陽性となることが特徴的で病理組織学的に扁平上皮癌との鑑別が問題となることがある[14]。先行妊娠から診断までの期間は数ヵ月〜10数年と一定しておらず，hCG の上昇は多くの症例でみられるが，絨毛癌に比べ軽度に留まる[1]。また病変の多くが子宮体部下部から頸部に好発するとされ，時に子宮頸癌（組織型として扁平上皮癌が多い）との鑑別を要する[24]。PSTT と同じく化学療法には抵抗性で，予後も良性の経過をたどるものから死亡例まで様々である。画像的にも報告例はすべて体部下部から子宮頸部に局在し[24-26]，壊死を伴い傍組織に膨張性に発育して子宮外腫瘍との鑑別が困難なことがある[25]（図10）。病理組織学的な硝子化を反映して，CTで石灰化をみることもある[26]。

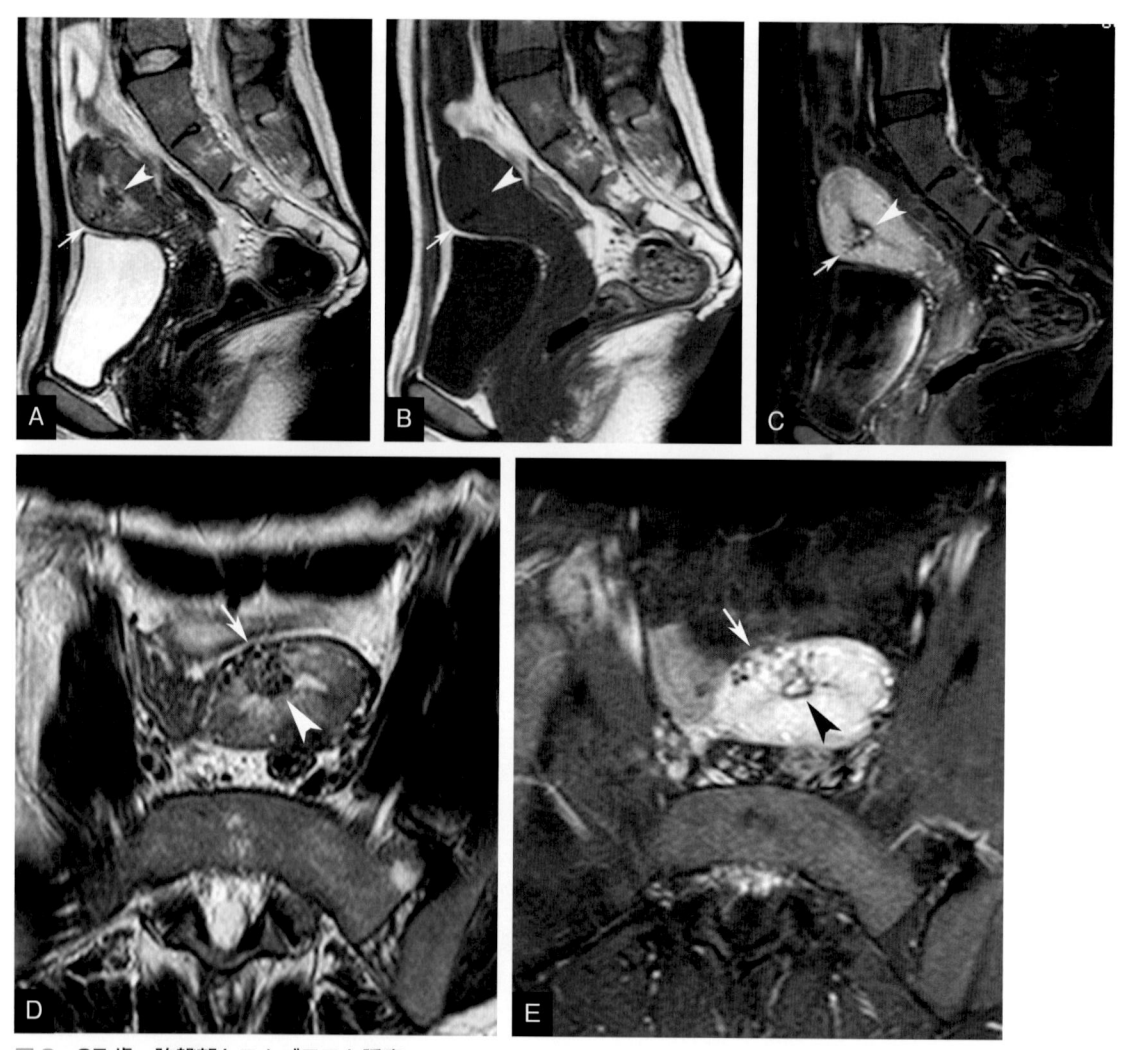

図8 25歳 胎盤部トロホブラスト腫瘍
A:T2強調矢状断像,B:T1強調矢状断像,C:造影脂肪抑制T1強調矢状断像,D:T2強調横断像,E:造影脂肪抑制T1強調横断像
3カ月前に妊娠6週で自然流産。その後不正出血が続き重症貧血をきたしたため緊急入院。T2強調像で子宮内膜腔に信号強度の低い小さな腫瘤があり(A, D▲),近接する前壁の筋層を貫くflow voidがみられる(A〜E→)。造影後は内膜腔を占める腫瘤の中心部が筋層よりも強く増強され,vascularityの高い腫瘤であることがわかる(C, E▲)。本例ではhCG, hPLとも陰性。

1. 組織分類と画像所見

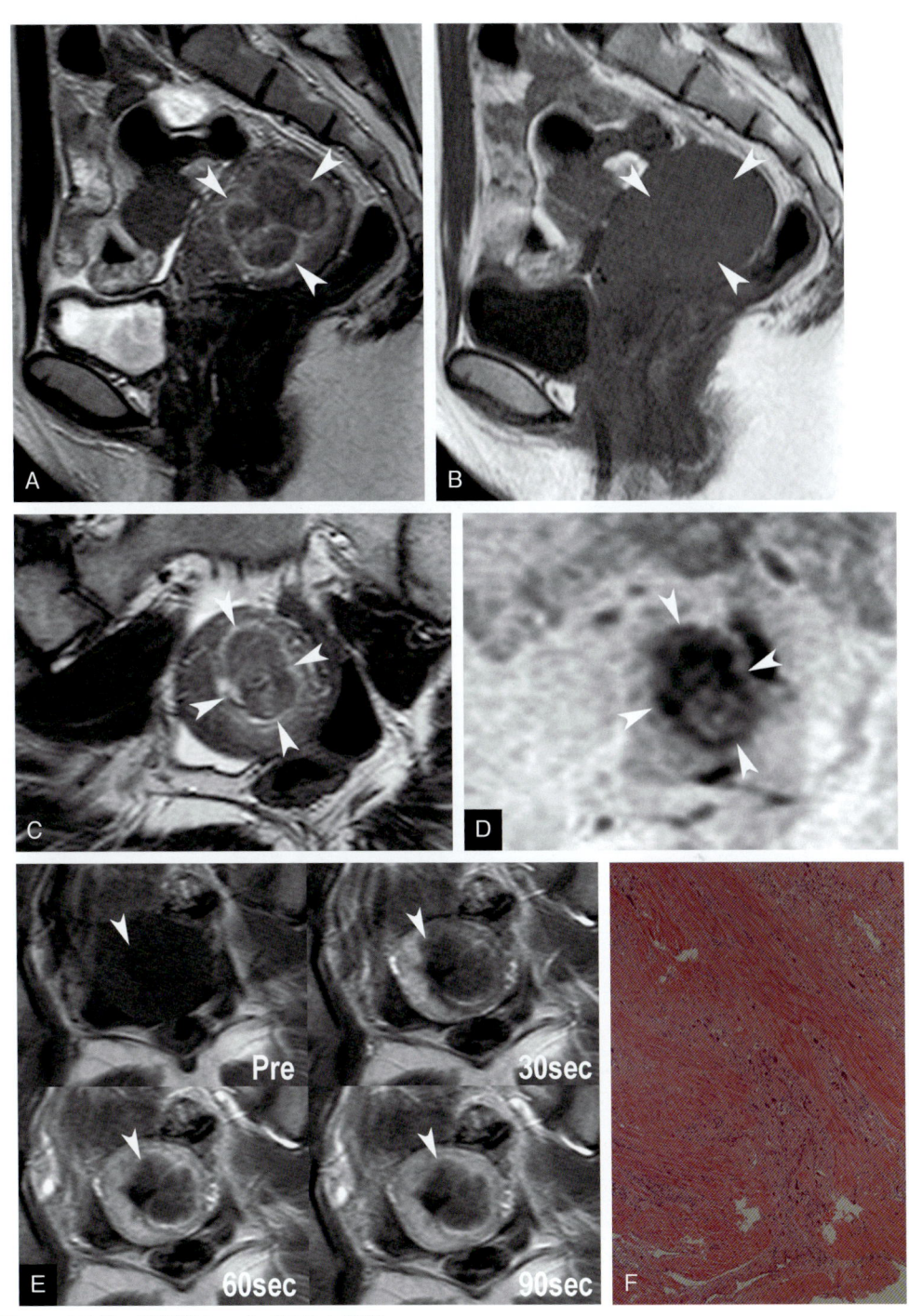

図9　17歳　胎盤部トロホブラスト腫瘍

A：T2強調矢状断像，B：T1強調矢状断像，C：T2強調冠状断像，D：拡散強調冠状断像，E：ダイナミックMRI冠状断像，F：HE染色（弱拡大）

胞状奇胎に対し子宮内容除去術後，半年後にhCGが再上昇したため，絨毛癌を疑われてMRIを施行した。T2強調像で子宮内膜腔を占める分葉状の低信号腫瘤がみられる（A，C▲）。T1強調像では筋層と同程度の低信号（B▲）で，拡散強調像では内膜よりも弱い異常信号を呈する（D▲）。ダイナミックMRIでこの腫瘤の増強効果は不良で（E），一般的な絨毛性疾患とは異なった像を呈する。病理組織学的には筋線維を分け入るようにトロホブラストが比較的monotonousに増殖している（F）。

717

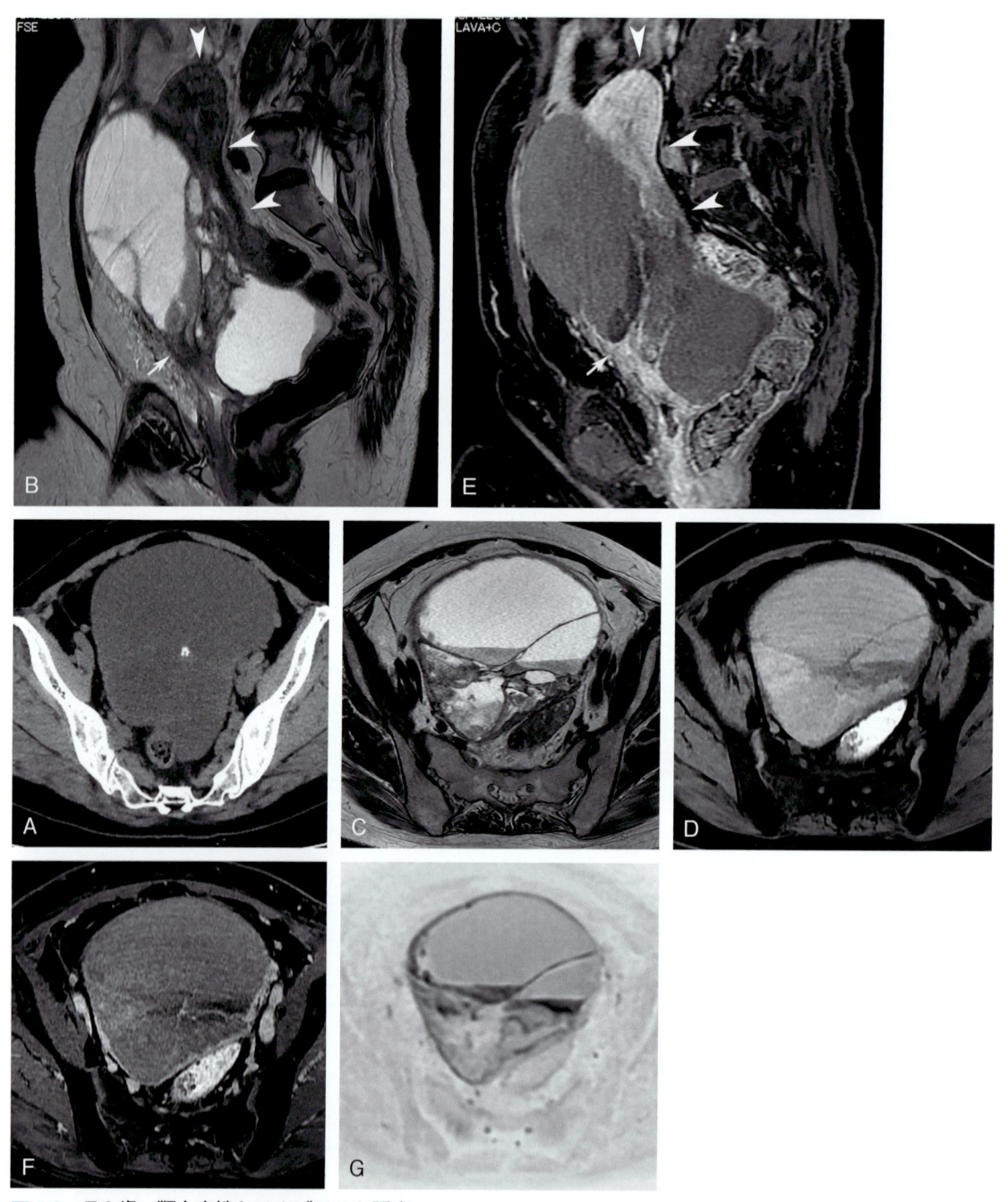

図10 54歳 類上皮性トロホブラスト腫瘍
A：単純CT，B：T2強調矢状断像，C：T2強調横断像，D：脂肪抑制T1強調横断像，E：造影脂肪抑制T1強調矢状断像，F：造影脂肪抑制T1強調横断像，G：拡散強調横断像

卵巣腫瘍疑いにて来院．単純CTで点状石灰化を伴う骨盤内腫瘍を認め（A），矢状断MRIでは子宮体部（B, E ▲）を後上方へ，子宮頸部（B, E →）を前下方（→）に圧排する囊胞成分優位な腫瘍が子宮を貫くように存在し，横断像では子宮と腫瘍の境界が不明瞭化している（C, D, F, G）．壁，隔壁は薄く（B〜G），ほとんどが淡血性の内容物を含む（C, D）囊胞成分からなる腫瘍で，隔壁部分にわずかな充実部を認め（E, F），拡散制限を伴う（G）．

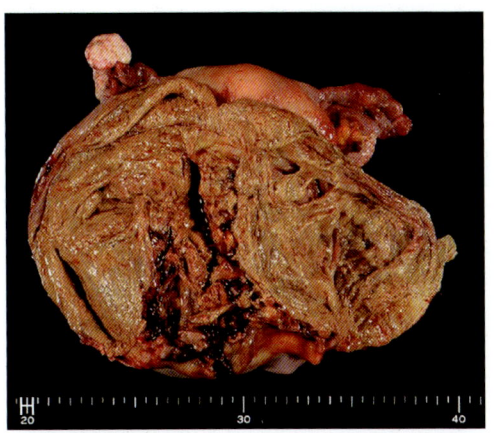

図10 つづき（類上皮性トロホブラスト腫瘍）
H：摘出標本肉眼像，I：HE 染色（強拡大），
J：HSD3B1 染色（強拡大）
子宮全摘，両側付属器切除が行われ，肉眼的には子宮体部下部を貫く壊死傾向の強い腫瘤で（H），病理組織学的には淡好酸性の胞体と腫大した大小不同な核を有する細胞境界の不明瞭な異型細胞が充実性に増殖し（I）トロホブラストに特異的な HSD3B1 が陽性（J）であることから，類上皮性トロホブラスト腫瘍と診断された。

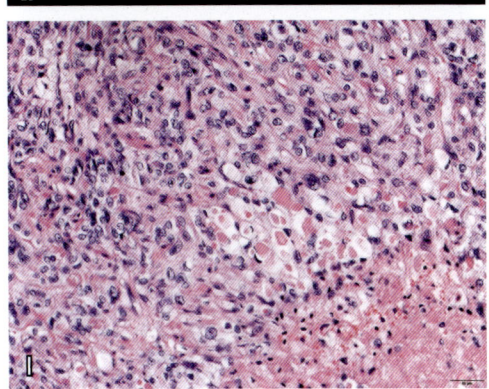

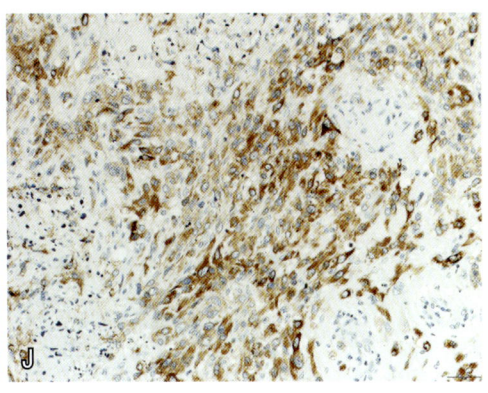

文献

1) 日本産科婦人科学会, 日本病理学会 編：絨毛性疾患取扱い規約 第3版. 金原出版, 東京, 2011
2) Ngan HY et al：Gestational trophoblastic neoplasia, FIGO 2000 staging and classification. Int J Gynaecol Obstet 83 (suppl 1)：175-177, 2003
3) Berkowitz RS et al：Gestational trophoblastic disease, Berek JS ed；Berek & Novak's Gynecology. p1581-1603, Lippincott Williams & Wilkins, Philadelphia, 2007
4) Matsui H et al：Changes in the incidence of molar pregnancies：a population-based study in Chiba Prefecture and Japan between 1974 and 2000. Hum Reprod 18：172-175, 2003
5) 西村隆一郎：絨毛性疾患の基礎知識. 日産婦会誌 56：N-660-665, 2004
6) 松井英雄：絨毛性疾患. 日産婦会誌 55：N-344-349, 2003
7) 日本産科婦人科学会 編：産婦人科専門医のための必修知識 2022年度版. 日本産科婦人科学会, 東京, 2022
8) Barton JW et al：Pelvic MR imaging findings in gestational trophoblastic disease, incomplete abortion, and ectopic pregnancy：are they specific? Radiology 186：163-168, 1993
9) Preidler KW et al：Magnetic resonance imaging in patients with gestational trophoblastic disease. Invest Radiol 31：492-496, 1996
10) Hricak H et al：Gestational trophoblastic neoplasm of the uterus：MR assessment. Radiology 161：11-16, 1986
11) Yamashita Y et al：Contrast-enhanced dynamic MR imaging of postmolar gestational trophoblastic disease. Acta Radiol 36：188-192, 1995
12) 大場 隆：婦人科腫瘍の新たな診断法：胞状奇胎診断の up-to-date. 日産婦会誌 61：N-321-324, 2009
13) Himoto Y et al：Prenatal differential diagnosis of complete hydatidiform mole with a twin live fetus and placental mesenchymal dysplasia by magnetic resonance imaging. J Obstet Gynaecol Res 40：1894-1900, 2014
14) Shih IM, Kurman RJ：The pathology of intermediate trophoblastic tumors and tumor-like lesions. Int J Gynecol Pathol 20：31-47, 2001
15) 井箆一彦：絨毛性疾患. 産と婦 90：212-216, 2023
16) Kurman RJ et al：Trophoblastic pseudotumor of the uterus：an exaggerated form of "syncytial endometritis" simulating a malignant tumor. Cancer 38：1214-1226, 1976
17) Scully RE, Young RH：Trophoblastic pseudotumor：a reappraisal. Am J Surg Pathol 5：75-76, 1981
18) Ichikawa Y et al：Ultrasound diagnosis of uterine arteriovenous fistula associated with placental site trophoblastic tumor. Ultrasound Obstet Gynecol 21：606-608, 2003
19) Brandt KR, Coakley KJ：MR appearance of placental site trophoblastic tumor：a report of three cases. AJR Am J Roentgenol 170：485-487, 1998
20) Sumi Y et al：Placental site trophoblastic tumor：imaging

findings. Radiat Med 17 : 427-430, 1999
21) Machtinger R et al : Placental site trophoblastic tumor : outcome of five cases including fertility preserving management. Gynecol Oncol 96 : 56-61, 2005
22) Silva EG et al : Multiple nodules of intermediate trophoblast following hydatidiform moles. Int J Gynecol Pathol 12 : 324-332, 1993
23) Shih IM, Kurman RJ : Epithelioid trophoblastic tumor : a neoplasm distinct from choriocarcinoma and placental site trophoblastic tumor simulating carcinoma. Am J Surg Pathol 22 : 1393-1403, 1998
24) Noh HT et al : Epithelioid trophoblastic tumor of paracervix and parametrium. Int J Gynecol Cancer 18 : 843-846, 2008
25) Kageyama S et al : MR imaging of uterine epithelioid trophoblastic tumor : a case report. Magn Reson Med Sci 15 : 411-415, 2016
26) Ohya A et al : Epithelioid trophoblastic tumor of the uterus : a case report with radiologic-pathologic correlation. J Obstet Gynaecol Res 43 : 1360-1365, 2017

第10章

婦人科腫瘍に伴う合併症

I 子宮腫瘍に伴う合併症

Summary
- 子宮捻転は子宮が長軸方向に45°以上回転した状態を指し，妊娠中に好発するが，非妊娠時には子宮筋腫や付属器腫瘤が誘因となり，閉経後に多い。
- 子宮内反は産褥期合併症として知られるが，筋腫や肉腫など内膜腔に突出する粘膜下腫瘤によっても生じることがある。
- 子宮動脈塞栓術後の子宮梗塞（壊死）はまれな合併症ではあるが，特に産褥期出血に対して施行した場合には注意が必要である。

　卵巣では腫瘍を合併したことにより，茎捻転や囊胞性腫瘤の破裂といった合併症をきたすことはよく知られている。同様に子宮にも腫瘍の存在によって起こりうる合併症があり，ここでは子宮捻転と子宮内反を取り上げる。さらに近年，子宮筋腫や腺筋症の保存的治療に加え，産褥期出血に対しても行われることの多い，子宮動脈塞栓術後の合併症として粘膜下筋腫の壊死脱落や子宮梗塞を取り上げる。

1. 子宮捻転 uterine torsion

　子宮捻転（uterine torsion）は子宮が長軸方向に45°以上回転した状態（図1）を指し，45°までの回転は生理的とみなされ整復可能だが，60°以上の回転は非可逆的な損傷をもたらすとされる[1]。小児・思春期には正常卵巣の捻転に牽引されて，妊娠中は頸部に対し体部が極端に増大することにより捻転茎となる峡部の不安定性が増加するために好発し，双胎妊娠，子宮奇形［ミュラー管奇形］，子宮筋腫，付属器腫瘤，手術既往による癒着（帝王切開を含む）がリスクファクターとなる。一方，非妊娠期には子宮筋腫，付属器腫瘤が誘因となり，支持組織の軟化により閉経後に好発する。画像所見はねじれの直接所見と子宮の阻血による二次所見に大別され，前者の所見として，子宮峡部の whirling（ribbon appearance）に加え，子宮動脈・広間膜が子宮を横切って対側から子宮体部に連続するのが観察される[2]。後者は子宮の阻血の程度によるが，出血性梗塞に陥ると子宮はびまん性に腫大し，筋層がUSでは低エコー化し，T2強調像で高信号，T1強調像で辺縁が高信号，不均一な拡散制限を呈する[3]。自験例では子宮留血症も合併していた（図2）。また，阻血は付属器で先行し，卵巣・卵管の出血壊死による auto-amputation を生じる。

2. 子宮内反 uterine inversion

　子宮内反（uterine inversion）は産褥期の致死的な合併症として知られ，最近の報告ではおお

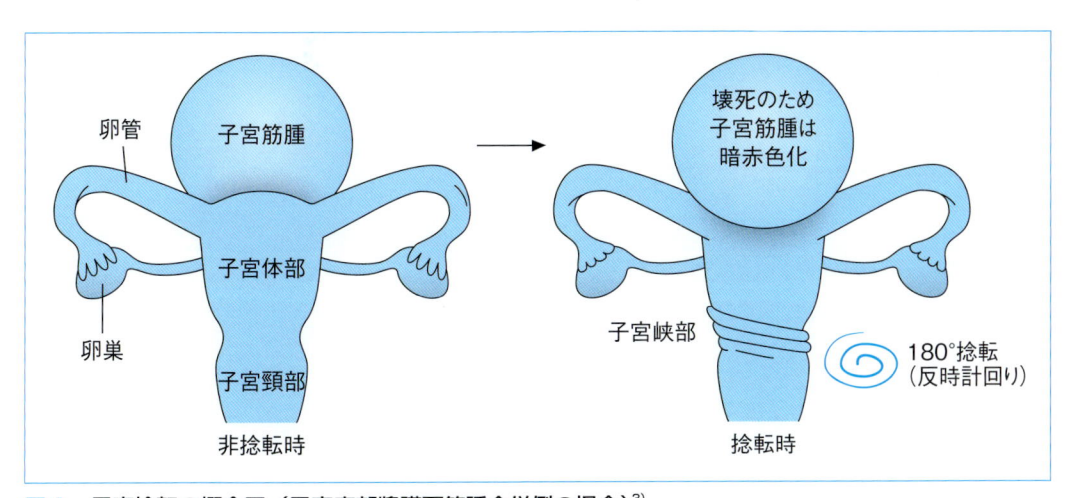

図 1　子宮捻転の概念図（子宮底部漿膜下筋腫合併例の場合）[3]
子宮捻転は子宮峡部を軸として，子宮が長軸方向に 45°以上回転した状態である。

よそ 3,500 分娩に 1 例とまれである。しかし近年は治療技術の進歩により，所得水準の高い国では死亡率は激減している。産褥期の子宮内反のリスクファクターとしては，母体因子として Ehlers-Danlos 症候群など結合組織の脆弱な先天異常，胎盤の底部への付着，短い臍帯，急速分娩，産褥期出血などが挙げられている[4]。一方，非産褥期の子宮内反はもっぱら腫瘍に関連して生じ，粘膜下筋腫が原因疾患の筆頭であるが，内膜癌や肉腫に起因することもあり，最近の報告では 1/3 は悪性腫瘍に起因するという[5]。MRI では矢状断や冠状断で子宮の輪郭を丁寧に追跡すれば，腟腔内や体外に飜転・脱失した子宮に気づくことは難しくない（図 3, 4）と考えるが，横断像では子宮の飜転により，T2 強調像で低信号を示す筋層が高信号の内膜で取り囲まれている様を "bull's eye" configuration と表現している[6]。

3. 子宮動脈塞栓術に伴う子宮梗塞

　子宮筋腫や子宮腺筋症[7]，もしくは保存的に制御困難な産褥出血に対する子宮動脈塞栓術（uterine artery embolization：UAE）の有用性は確立している。UAE 後の合併症の塞栓後 1 カ月以内の発症率は 4.8％で，その症状の多くは痛み，発熱，悪寒などである[7]。しかしまれではあるが，塞栓術により，筋腫のみならず子宮全体が梗塞に陥る症例も少数ながら報告されている[8]。予防策としては，塞栓術に際しては粒径の大きな球状塞栓物質や一時的塞栓物質（ゼラチンスポンジなど）を用いる，できる限り末梢までカテーテルを進め，不必要な塞栓物質の逆流を招かないようにすることなどが挙げられている[8]。生殖補助医療や分娩後の症例では，生理的に母体の凝固能が亢進しているために筋腫の塞栓術後よりもリスクが高いとの意見もある[9]。画像的には T1, T2 強調像における信号強度は様々であるが，筋層が肥厚し漿膜下の一部を除いて増強効果の消失を認めるとされる[10)11]。自験例でも漿膜側は spare されており，内膜や内膜下は漿膜側に比べ血流が乏しく，梗塞に陥りやすいとの既報に合致する[10]（図 5）。

I 子宮腫瘍に伴う合併症

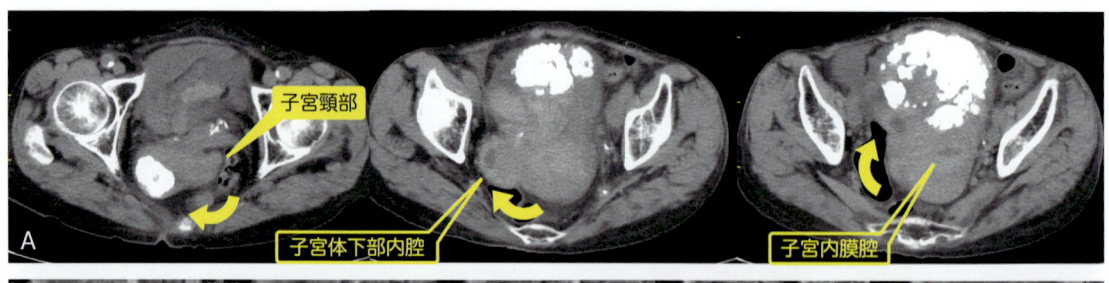

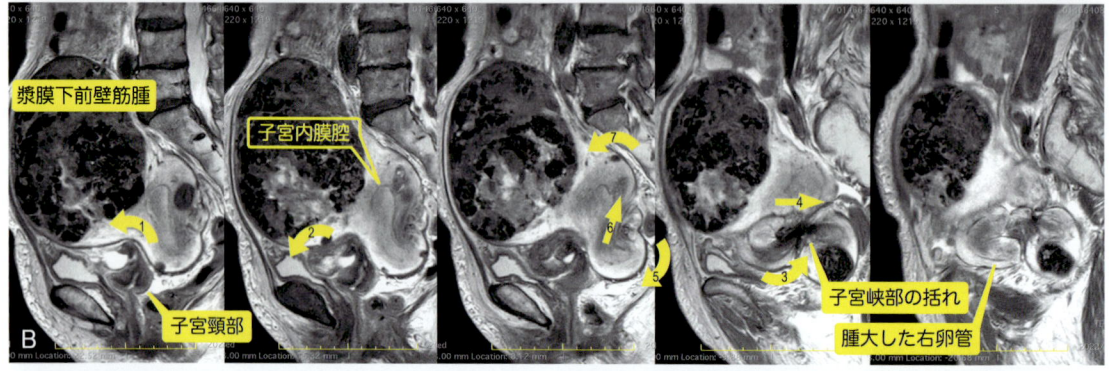

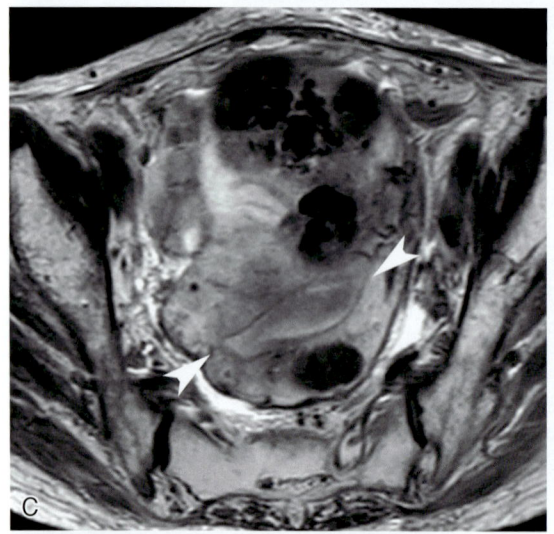

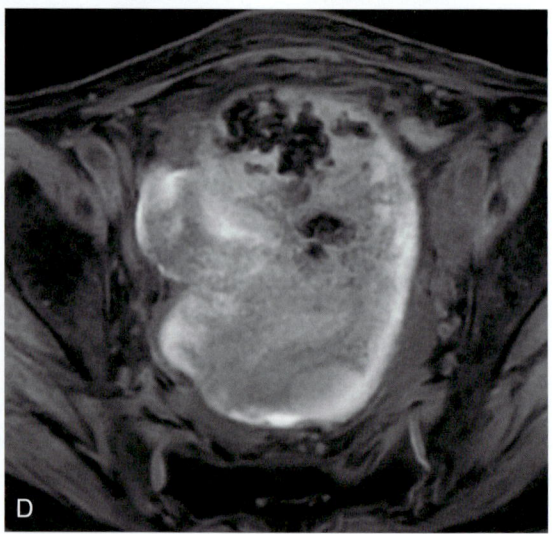

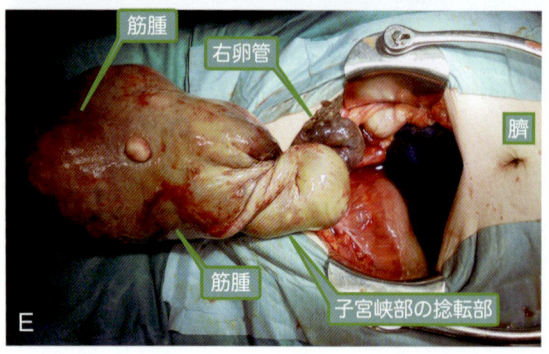

図2 79歳 巨大子宮筋腫に伴う子宮捻転
A：単純CT，B：T2強調矢状断像，C：T2強調横断像，D：脂肪抑制T1強調横断像，E：術中所見
数十年前から子宮筋腫を指摘されていた。下腹部激痛にて救急受診し，単純CTで子宮と連続した石灰化を伴う腫瘤を認めたが，子宮頸部と腫瘤の位置関係にねじれがある（A）。T2強調像では頸部の信号は正常だが，子宮底部の筋腫に連続する子宮筋層の信号がびまん性に上昇するとともに，頸部に対する体部のねじれを認めた（B）。子宮内膜腔には少量の液体貯留を認めた（C▲）が，脂肪抑制T1強調像では内腔，筋層ともに高信号を示し（D），出血壊死を疑わせる。緊急手術で子宮体部が頸部に対し反時計回りに回転しているのが確認された（E）。
（東京医科大学茨城医療センター症例）

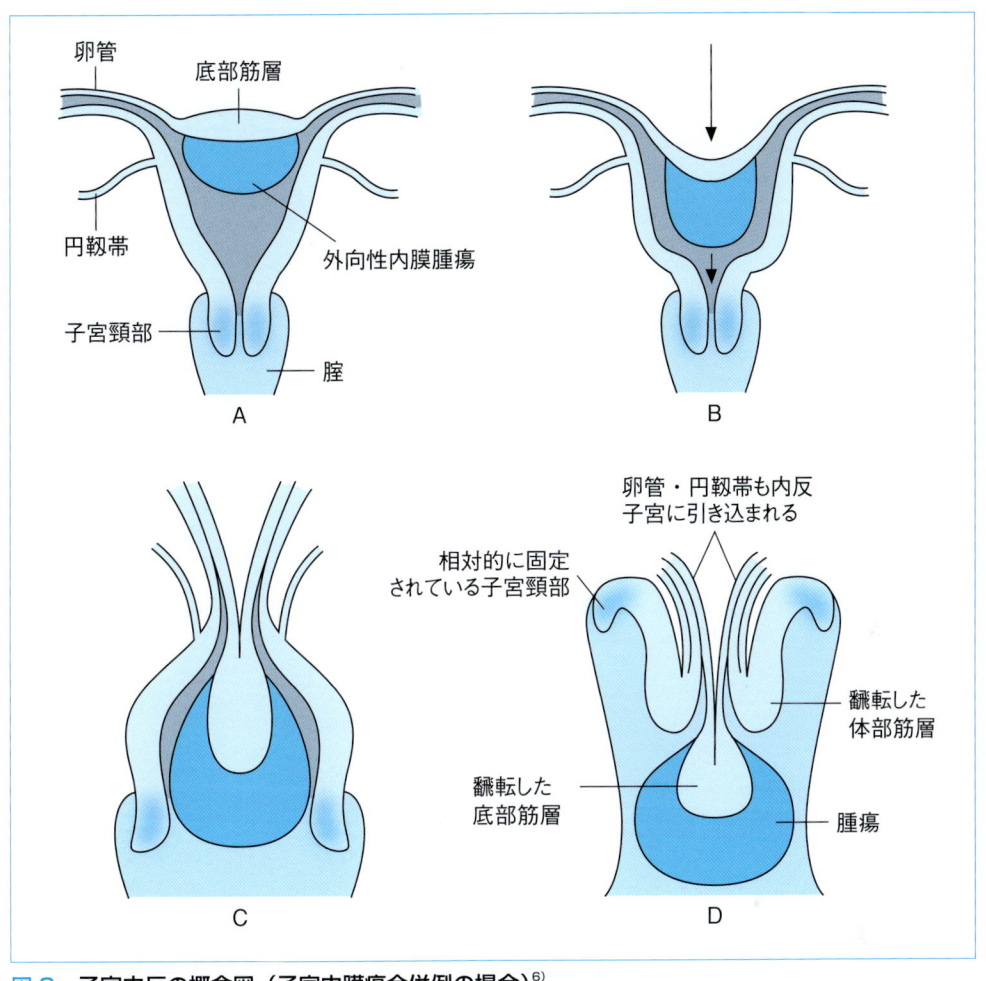

図3 子宮内反の概念図（子宮内膜癌合併例の場合）[6]

文献

1) Ramseyer AM et al：Torsion in the gravid and nongravid uterus：a review of the literature of an uncommon diagnosis. Obstet Gynecol Surv 75：243-252, 2020
2) Hashimoto A et al：A case of uterine torsion concurrent with a ruptured ovarian endometrial cyst. Abdom Radiol 41：1707-1712, 2016
3) Halassy S, Clarke D：Twisting around an axis：a case report of uterine torsion. Case Rep Womens Health 25：e00170, 2019
4) Hostetler DR, Bosworth MF：Uterine inversion：a life-threatening obstetric emergency. J Am Board Fam Pract 13：120-123, 2000
5) Herath RP et al：Nonpuerperal uterine inversion：what the gynaecologists need to know? Obstet Gynecol Int 2020：8625186, 2020
6) Moulding F, Hawnaur JM：MRI of non-puerperal uterine inversion due to endometrial carcinoma. Clin Radiol 59：534-537, 2004
7) Goodwin SC, Spies JB：Uterine fibroid embolization. N Engl J Med 361：690-697, 2009
8) Elsarrag SZ et al：Acute ovarian insufficiency and uterine infarction following uterine artery embolization for postpartum hemorrhage. Clin Med Rev Case Rep 2：040, 2015
9) Lee JY et al：Uterine infarction in a patient with uterine adenomyosis following biochemical pregnancy. Clin Exp Reprod Med 41：174-177, 2014
10) Gabriel H et al：MRI detection of uterine necrosis after uterine artery embolization for fibroids. AJR Am J Roentgenol 183：733-736, 2004
11) Torigian DA et al：MRI of uterine necrosis after uterine artery embolization for treatment of uterine leiomyomata. AJR Am J Roentgenol 184：555-559, 2005

I 子宮腫瘍に伴う合併症

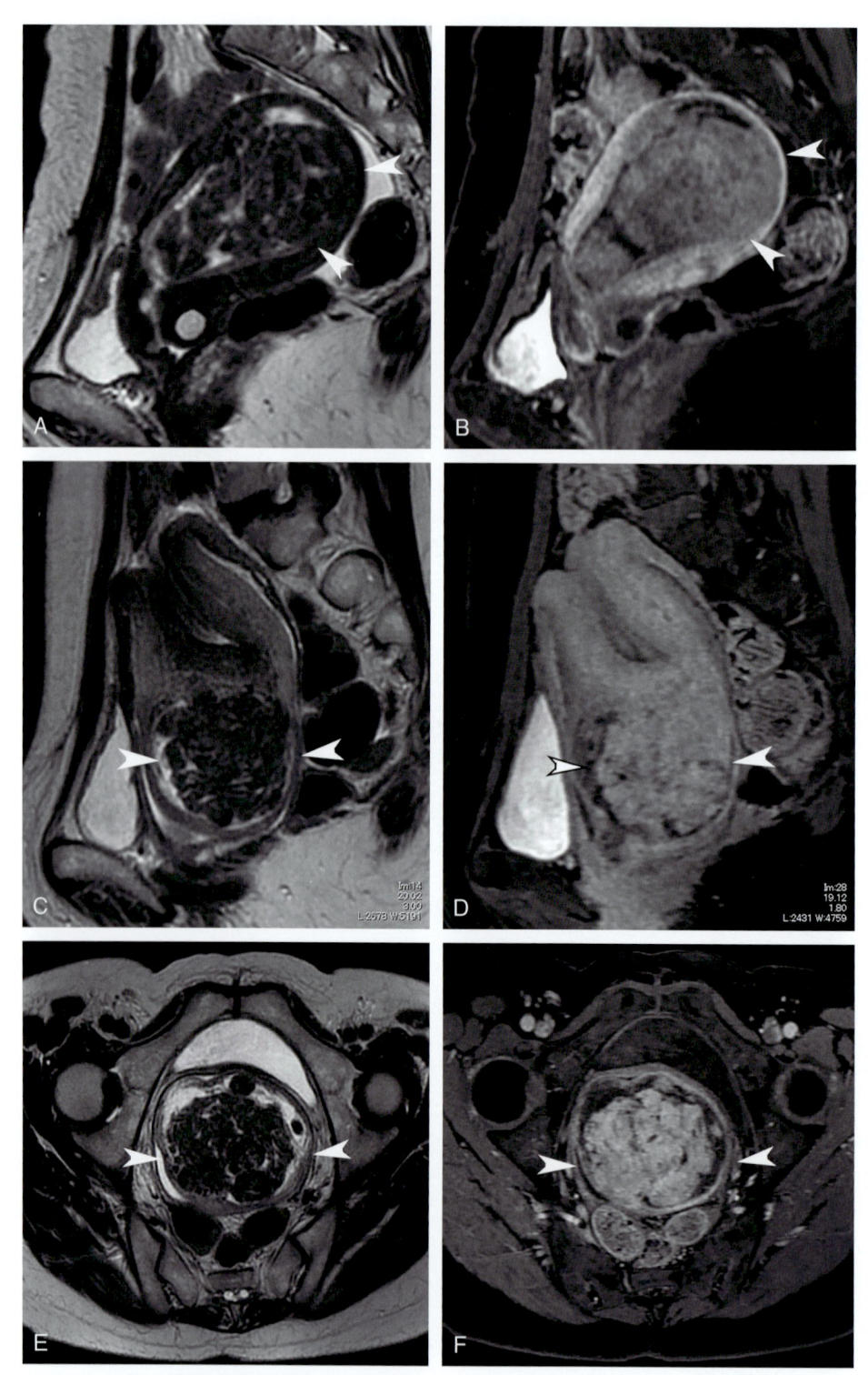

図4 50歳 粘膜下筋腫を誘因とする子宮内反（A, Bは内反前, C〜Fは内反後）
A：T2強調矢状断像, B：造影脂肪抑制T1強調矢状断像, C：T2強調矢状断像, D：造影脂肪抑制T1強調矢状断像, E：T2強調横断像, F：造影脂肪抑制T1強調横断像
2年前から粘膜下筋腫を指摘されていた（A, B▲）。経過観察目的で撮像したMRIで，筋腫は底部から体部の筋層を牽引，翻転させながら腟腔内まで下降しているのが認められた（C〜F▲）。

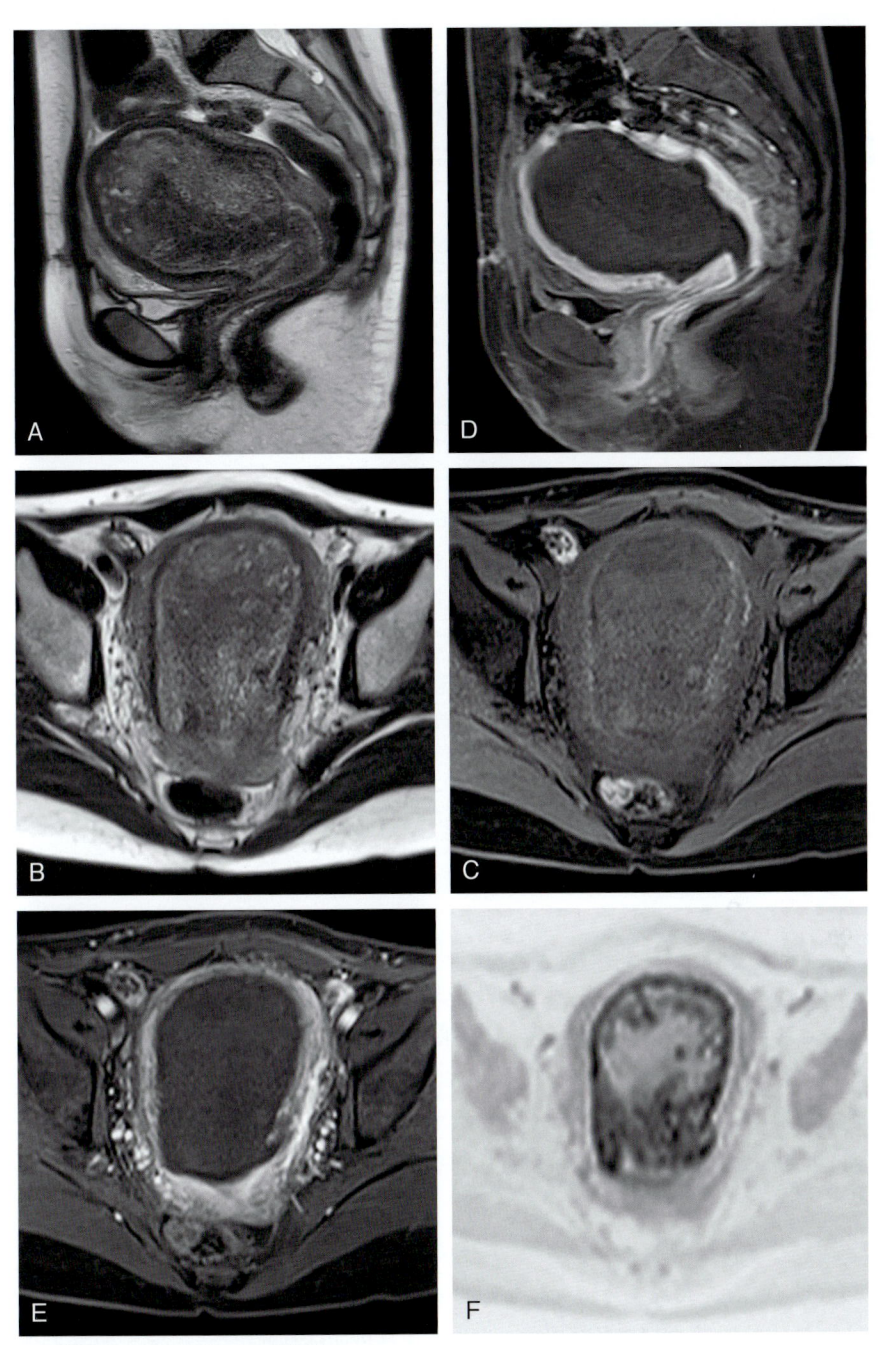

図5　45歳　子宮動脈塞栓術後の子宮梗塞
A：T2強調矢状断像，B：T2強調横断像，C：脂肪抑制T1強調横断像，D：造影脂肪抑制T1強調矢状断像，E：造影脂肪抑制T1強調横断像，F：拡散強調横断像

産褥出血に対し，セレスキュー®（ゼラチンスポンジ）による両側子宮動脈塞栓術後2カ月半，定期健診時にUSで子宮が腫大していたため，MRIを撮像した。T2強調像では子宮筋層が著しく肥厚し，内膜側が広汎に高信号を示している（A, B）。T2強調像での高信号域を取り囲むように脂肪抑制T1強調像ではrim状の高信号域を認め（C），造影後は漿膜下の一部を除き，子宮全体の増強効果が消失している（D, E）。拡散強調像ではこの領域の漿膜側を中心に不均一な拡散制限域を認める（F）。子宮梗塞を疑い，子宮全摘が行われ，病理組織学的にも梗塞が確認された。
（昭和医科大学江東豊洲病院症例）

II 卵巣腫瘍に伴う合併症

Summary
- 卵巣茎捻転（torsion）は機能性囊胞や良性腫瘍に好発する。
- 茎捻転の画像所見は卵巣支持組織のねじれによる直接所見と静脈閉塞による梗塞による間接所見に大別され，前者としては卵巣に接する螺旋状の組織，腫瘤の嘴状変形，子宮の患側偏位，後者としては囊胞壁の肥厚，壁内出血，囊胞内出血などが挙げられる。
- 囊胞性腫瘤の破裂（rupture）は画像的には囊胞壁の虚脱，内容物の漏出とこれに伴う腹膜炎所見として表現され，特に奇形腫の破裂では化学腹膜炎による大網ケーキなど癌性腹膜炎類似の所見がみられるので注意が必要である。

第7章で述べたように卵巣には極めて多彩な組織型の腫瘍が発生することに加え，これらの腫瘤に種々の合併症が加わることによりさらに画像所見が変化し，鑑別診断を困難にすることがある。

1. 茎捻転 torsion

第2章で述べたように，卵巣は内側で卵巣間膜を介して子宮卵管に，外側で卵巣提索を介して骨盤壁に固定されて支持されている（p62参照）が，腹腔内に半固定された臓器であり，解剖学的に茎捻転（torsion）を生じやすい。左卵巣は上方にS状結腸間膜が存在することからねじれにくく，茎捻転は右側に多い（55～60%）とされる[1]。また腫瘍性にせよ非腫瘍性にせよ，囊胞性腫瘤を形成することが多いことから破裂もしばしばみられる。後述するように茎捻転に伴う静脈閉塞により，囊胞壁が脆弱化して破綻・破裂することも多く，両者が合併して急性腹症の原因を構成する。

茎捻転は生殖可能年齢の女性に好発するが，15%は小児期に，15%は閉経後に生じるとされる[1]。思春期の女児では腫瘍を合併しない卵巣の茎捻転がしばしば経験される。この原因について定説はないが，思春期には月経周期も一定せず無排卵性月経が多いなど，性腺刺激ホルモン分泌のアンバランスがあり，これにより卵巣に機能性囊胞が好発し茎捻転の誘因となるといわれている[2]。腫瘍を伴わない健常卵巣の不全捻転は広汎性浮腫（p598；p600 図8参照）の成因としても知られ，本症の好発年齢も若年者である。

全茎捻転症例中，妊娠中の発症が占める割合は18～28%と頻度が高く，おおむね妊娠1,000～5,000例に1例の割合で生じるとされる[1,3,4]。頻度の高い機序として，妊娠中の機能性囊胞の茎捻転が挙げられる（図1）。排卵後に黄体に転じた卵胞は妊娠が成立すると胎盤完成までプロゲステロンをはじめとするホルモン産生に主要な役割を果たす[5]ことから，妊娠第1三半期には妊

1. 茎捻転 torsion

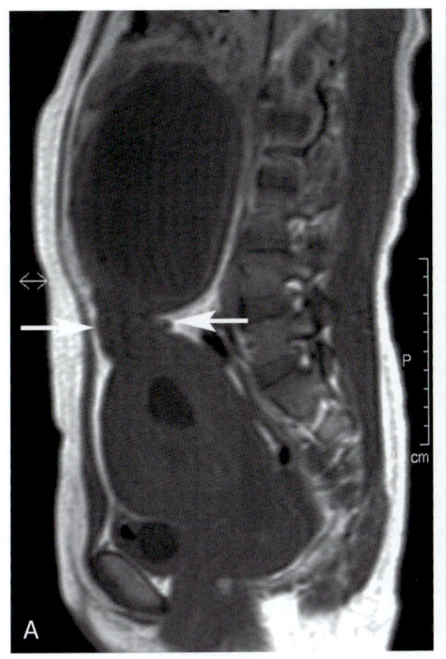

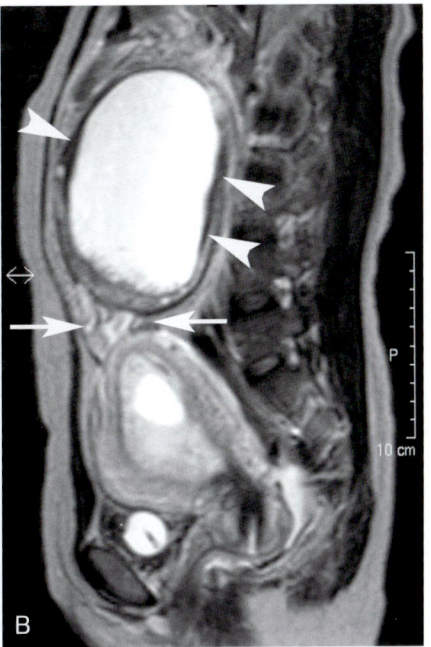

図1　34歳　妊娠7週，卵巣嚢腫茎捻転
A：T1強調矢状断像，B：T2強調矢状断像
腹痛にて来院。T1強調像にて低信号，T2強調像にて高信号の内容物を含む右卵巣嚢胞と子宮の間に，ねじれた卵巣間膜を示す軟部組織が認められる（A, B→）。嚢胞周囲には卵胞が散見される。肥厚した嚢胞壁にはT2強調像で低信号の縁取りがみられ（B▲），茎捻転の結果，卵巣は出血性梗塞に陥っていることを示す。MRI撮像の翌日開腹され，右卵巣は720°茎捻転しており付属器切除が行われた。本例では妊娠を診断された時点から右卵巣の嚢胞性腫瘤を指摘されていたことから妊娠黄体の茎捻転と考えられた。
（田中優美子：女性生殖器のMRI：日常診療に役立つ基礎知識．日本医放会誌 62：471-478, 2002より転載）

婦検診で機能性嚢胞（特に妊娠黄体）が発見される頻度が高い。これらのうち70％は妊娠第2三半期以降に自然に縮小ないし消失する[3]。一方，子宮は妊娠の進行に伴い急激に増大して卵巣間膜を牽引するので，嚢胞形成により球形となって形態的にも捻転しやすいところに外力が加わることが茎捻転好発の原因と考えられている。よって茎捻転の半数以上は妊娠第1三半期に発生し，第2三半期以降はその頻度が減少する[4]。

近年，子宮筋腫はもちろん，若年者の子宮頸癌に対する子宮全摘術時には卵巣が温存される傾向がある。子宮摘出後に温存された卵巣が茎捻転を起こすリスクは開腹手術で0.16％，腹腔鏡手術で1％と，後者で有意に高い[6]。腹腔鏡下での子宮摘出術ではまず円靱帯を切断して広間膜前葉を膀胱に向かって斜めに切り開くが，その切離線が卵巣温存例ではより子宮寄りに位置するため，術後に広間膜および卵巣の可動性が高まることが一因と考えられている[7]。また，腹腔鏡手術では開腹に比べ卵巣損傷が少なく，術後の癒着も軽微であることから，前述の手技の違いと合わせ，"Wattiez triple factor theory" とよばれている[6]。

腫瘍に合併した茎捻転では成熟奇形腫がその原因であることが多い（55〜61％）[1)8)]。成熟奇形

腫以外でも原因疾患としては良性腫瘍が多く，境界悪性や悪性腫瘍が原因となることは少ない[9]。これは良性腫瘍では基本的に周囲組織に浸潤したり，播種により漿膜側から卵巣自体が固定されることがないためとされている。

症状は突然の下腹部痛であるが，多くの患者で受診に至る症状の発現前に一過性の下腹部痛と自然寛解を反復していることが多く，これは不可逆的な捻転に至る前に可逆性の捻転と自然整復を繰り返していることに由来するとされる[10]。白血球数やCRPの上昇は腫瘍壊死が進行した時点でみられるとされ，他覚的徴候に乏しいことも少なくない。

茎捻転の画像所見は，支持組織がねじれていることを示す直接所見とこれによる血行障害により卵巣それ自体に生じる変化の2つに大別される。すなわち卵巣間膜のねじれは卵巣と子宮との間に，螺旋状の雑巾を絞ったような形態の軟部組織を形成し（図2），内部を拡張した脈管が走行する[11)12]。ねじれたことにより卵巣間膜は本来の長さよりも短縮するため，子宮は患側に偏位する[11)12]。時には卵巣腫瘍自体もねじれた間膜に向かって嘴状に突出する（図2）。一方，卵巣間膜には子宮動静脈の卵巣枝が，卵巣提索には卵巣動静脈が走行しており，これら間膜のねじれは卵巣の阻血を招来する。その際，動脈は壁が厚く弾力があるので，閉塞するのは重篤な捻転が長時間続いた場合に限られる[11]のに対し，静脈は軽度かつ短時間のねじれにより容易に還流が障害される。このため卵巣あるいは卵巣腫瘍はまず著明な浮腫により腫大してT2強調像で高信号となり，しばしば囊胞形成を伴う[13]。うっ血が高度で長時間持続すると，静脈性梗塞をきたす[11]。したがって，卵巣あるいは卵巣腫瘍には出血性梗塞の所見がみられることになる（図3）。静脈還流障害により囊胞性腫瘍の壁は偏心性に肥厚する[12]が，肥厚は浮腫に起因するので造影剤による壁の増強効果は肥厚した壁の漿膜側に限局することが多い。うっ血が遷延すると，肥厚した囊胞壁内に出血をきたし[14)15]，ついには囊胞内にも血液成分の混入がみられるようになる[16]。このため，ドプラUSでは囊胞壁の血流の消失が茎捻転の所見として報告されている[17]。囊胞壁，囊胞内への出血はT1強調像あるいは脂肪抑制T1強調像での高信号として認められ[14)16]，囊胞壁の静脈を閉塞した赤血球はT2強調像で低信号のrimとしてみられる[15]（図1，3）。出血性梗塞により囊胞壁や捻転前に存在した充実部は壊死に陥り，造影剤による増強効果が消失する（図3〜5）。壊死の結果，内容物が漏出して次項に述べる破裂の所見を合併するほか[12]，反応性の腹水の合併[11)16]もしばしばみられる。亜急性期脳梗塞における拡散強調像の有用性は確立している。前述のごとく卵巣茎捻転でも，生じている事象は出血性梗塞であり脳梗塞同様，細胞レベルでは細胞障害性浮腫による細胞の膨化をきたしている。したがって，卵巣茎捻転においても囊胞壁の細胞障害性浮腫を拡散能低下域として捉えることができる[18]（図2，6）。前述のように茎捻転を生じる卵巣の原疾患としては囊胞性腫瘍が多いので，囊胞壁や囊胞内容物の性状の変化に着目した報告が多いが，充実性腫瘍では茎捻転により腫瘍充実部が壊死に陥ることがある。線維腫も比較的頻度の高い良性腫瘍で，腹水の合併が多いこともあり捻転しやすい腫瘍の1つである。線維腫は膠原線維を豊富に含むことから，本来，T1，T2強調像ともに低信号を呈するが，茎捻転に伴う浮腫によりT2強調像で高信号，出血の合併によりT1強調像も高信号を呈するようになることが報告されている[19]（図7）。

1. 茎捻転 torsion

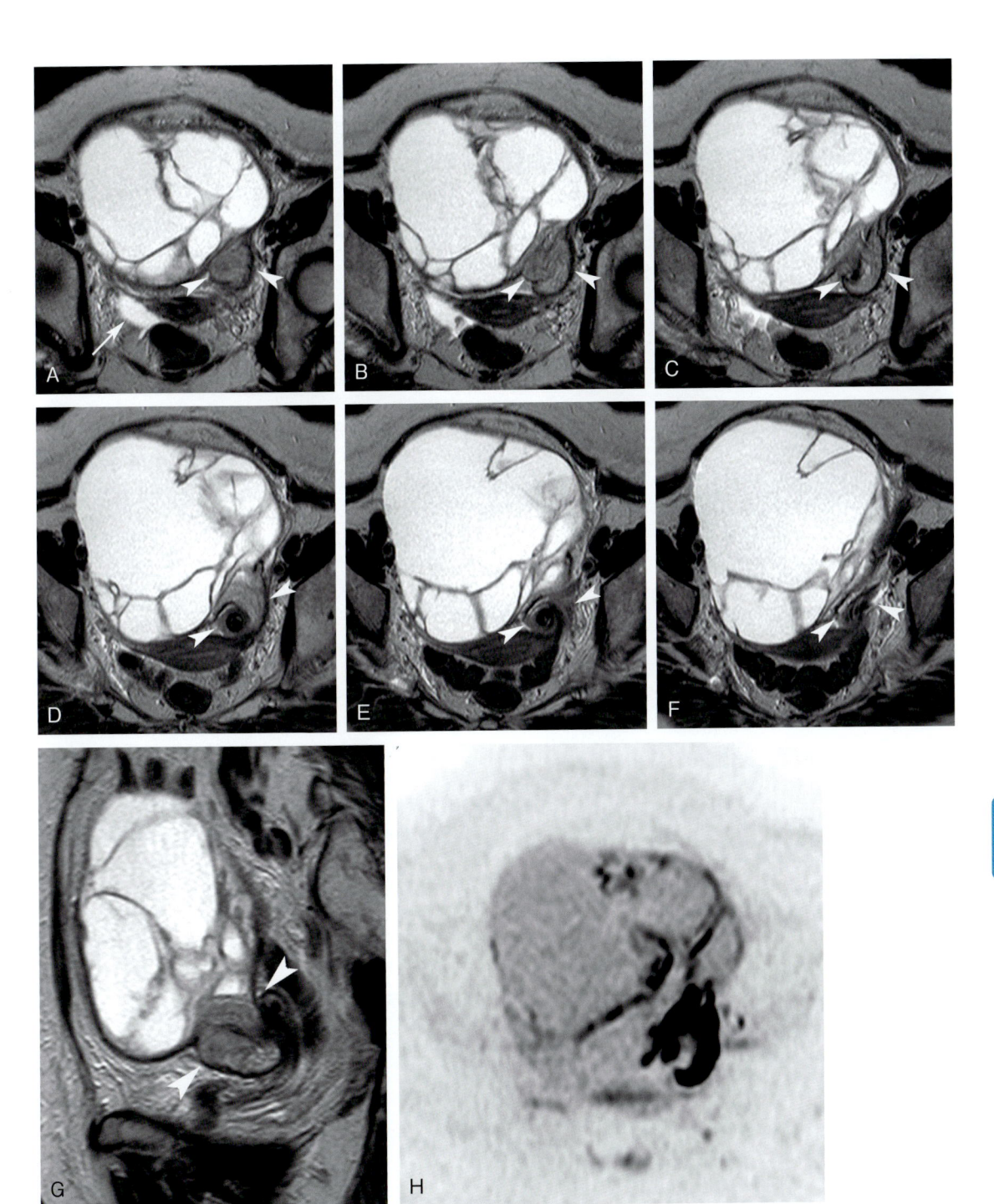

図2 67歳 卵巣腫瘍茎捻転
A〜F：T2強調横断像，G：T2強調矢状断像，H：拡散強調横断像
尾側から頭側に向かって連続的なT2強調横断像（A〜F）を示す。子宮の左前方の多房性嚢胞性腫瘍に向かって反時計回りに回転する軟部組織（A〜F▲）が描出されている。茎捻転に伴う静脈閉塞により腫瘍の被膜・隔壁は不規則に肥厚している。また少量の腹水の出現もみられる（A→）。拡散強調像では隔壁が異常信号を示す（H）が，これは出血性梗塞による細胞障害性浮腫を反映したものである。開腹時，腫瘍は540°捻転していた。手術は発症から2カ月後に行われたこともあり，すでに上皮は脱落して病理組織診断は不能であった。

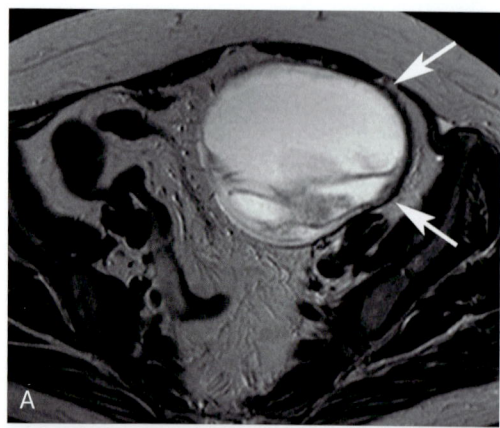

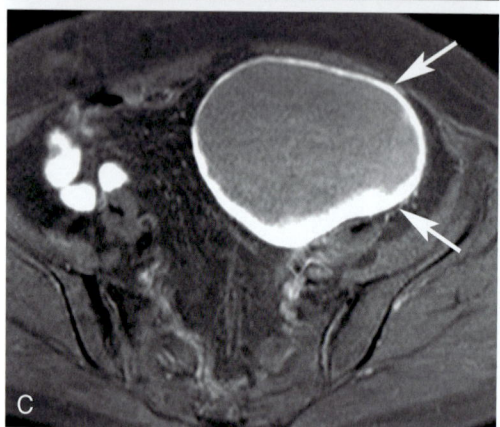

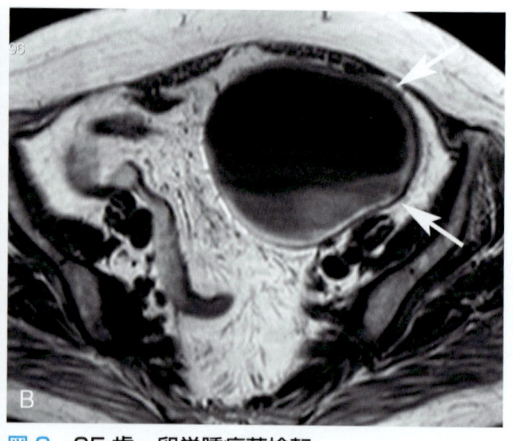

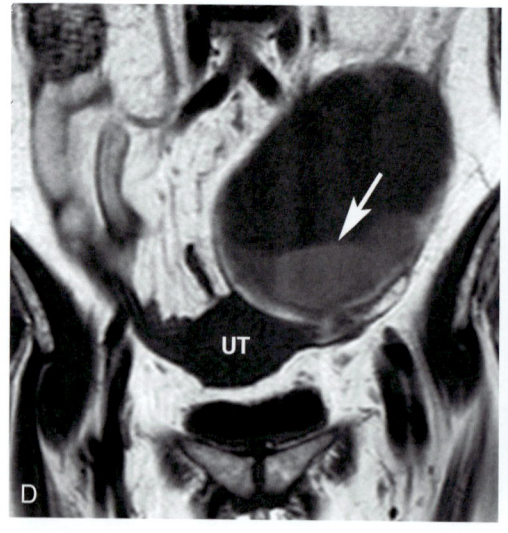

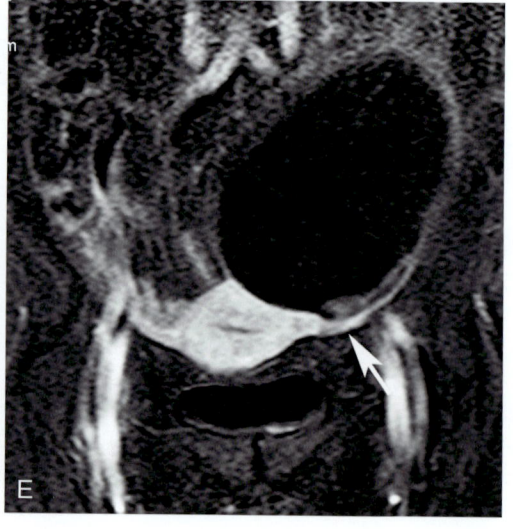

図3　65歳　卵巣腫瘍茎捻転

A：T2強調横断像，B：T1強調横断像，C：脂肪抑制T1強調横断像，D：T1強調冠状断像，E：造影T1強調冠状断像サブトラクション後

急性腹症にて他院に救急搬送されたが，その後症状は落ち着いていたため卵巣悪性腫瘍疑いとして当院に紹介された。第10病日にMRIが撮像された。T2強調像で内部に隔壁を有する嚢胞性腫瘤がみられ，その壁に沿って極めて低信号の縁取りが認められる（A→）。T1強調像では被膜直下が輪状に高信号を示し（B→），脂肪抑制T1強調像でも信号抑制されない（C→）ことから壁に沿った出血をきたしていることがわかる。横断像でも冠状断像でも腫瘤と子宮の間にねじれた組織は描出されず，子宮（D：UT）の患側偏位もないが，嚢胞内腔に尾側が高信号のfluid levelの形成があり（D→），内腔にも出血があることを示す。造影後サブトラクション像では被膜の最外層しか増強されておらず（E→），静脈うっ血の遷延によりすでに組織壊死が始まっていることを示す。この直後，症状の再増悪がみられ緊急手術となった。術中腫瘤は540°回転していた。摘出標本では出血性梗塞による壊死が進行しており，病理組織診断は不可能であった。

1. 茎捻転 torsion

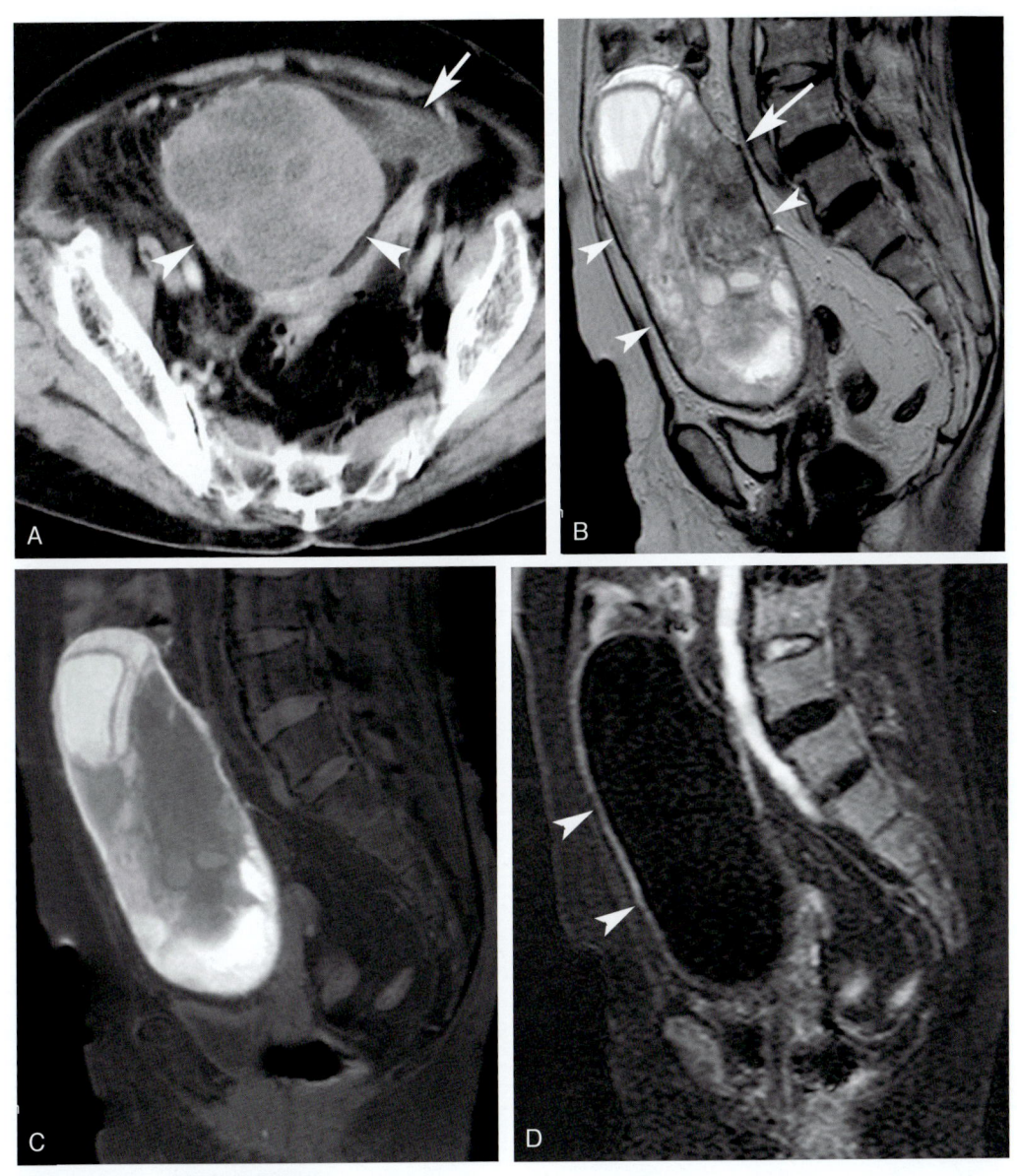

図4 80歳 卵巣腫瘍茎捻転
A：造影CT（MRIの3週間前），B：T2強調矢状断像，C：脂肪抑制T1強調矢状断像，D：造影脂肪抑制T1強調矢状断像サブトラクション後

腹痛にて他院受診。造影CTで内部の隔壁はこの時点では増強されているようにみえる（A▲）。すでに腹水（A→）の合併がありこの時点で捻転していたと考えられるものの，臨床的に落ち着いていたので保存的に観察された。3週間後に施行されたT2強調像では，病変が後方に牽引されるように突出し（B→），すでにほぼ被膜全体が低信号化（B▲）している。脂肪抑制T1強調像では内容物の大部分が高信号化（C）しており，広範な出血を示す。隔壁は壊死のため増強されず，被膜の最外層のみに血流がみられた（D▲）。手術はさらに2週間後に行われ，捻転による壊死のため内部は血性の内容物で占められ，壁に腫瘍細胞は同定不能となっていた。

II 卵巣腫瘍に伴う合併症

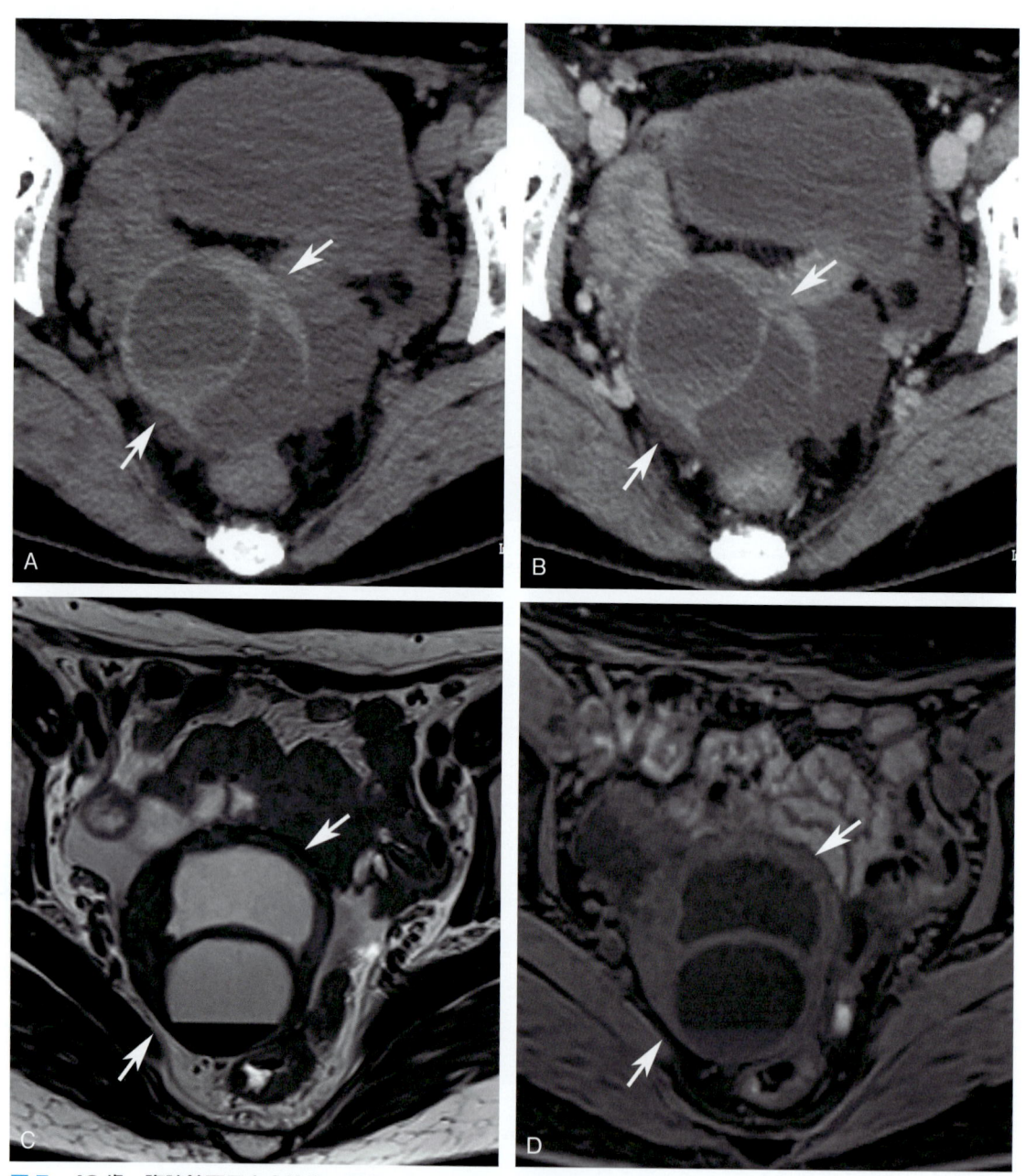

図5 48歳 腹腔鏡下子宮全摘後，温存された右卵巣の茎捻転
A：単純CT，B：造影CT，C：T2強調横断像，D：脂肪抑制T1強調横断像
子宮頸癌にて腹腔鏡下子宮全摘＋左付属器切除＋右卵管切除術後。腹痛にて来院し，温存卵巣の茎捻転を疑われた。単純CT上，腫大した右卵巣は囊胞で置換され（A →），その壁は厚く，増強効果が不良である（B）。T2強調像では背側が低信号の液面形成を示し，内容物が血性であることを示唆する（C）が，脂肪抑制T1強調像ではT1短縮効果はまだきたしていない（D）。

1. 茎捻転 torsion

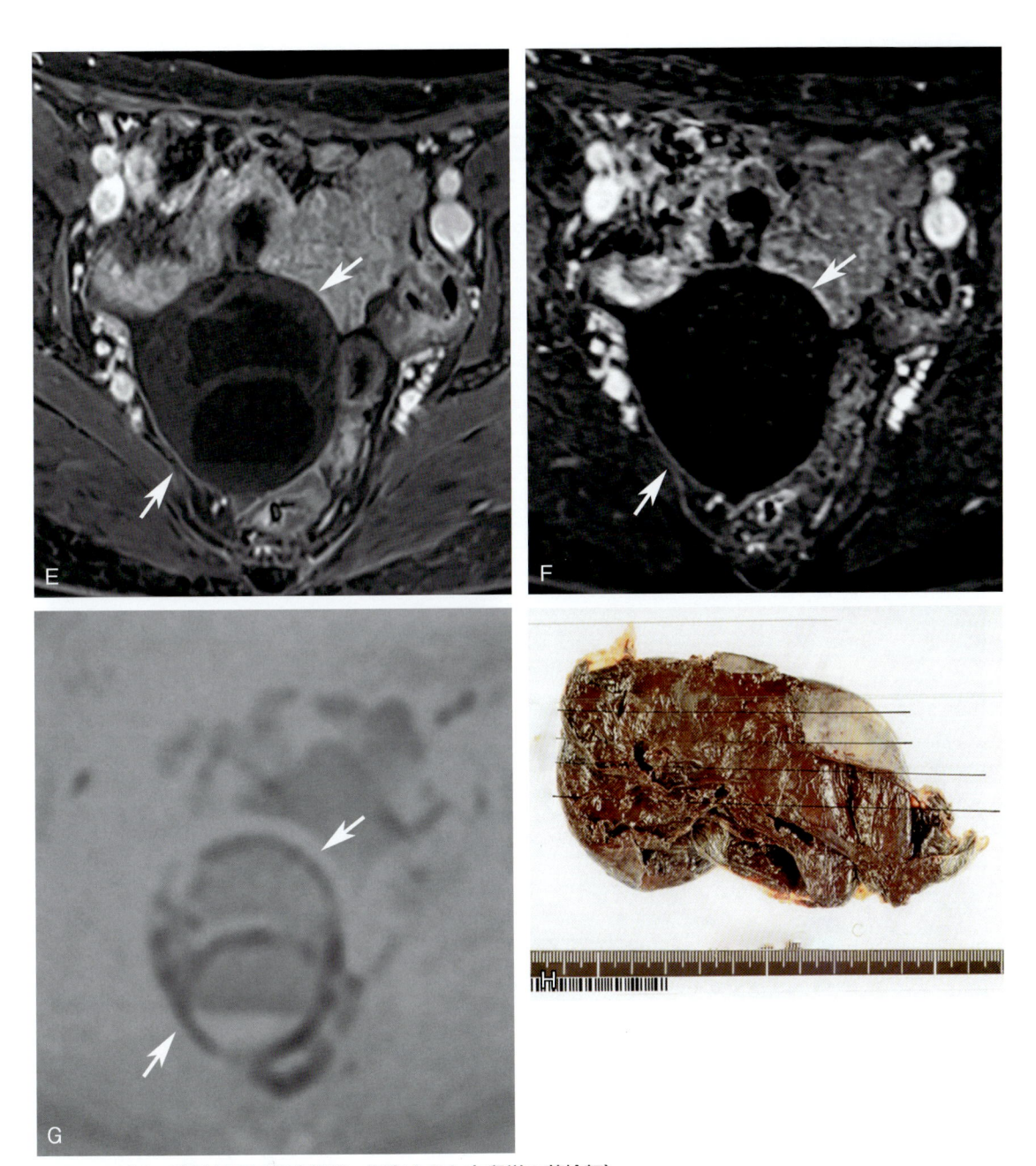

図5 つづき(腹腔鏡下子宮全摘後,温存された右卵巣の茎捻転)
E:造影脂肪抑制T1強調横断像,F:造影脂肪抑制T1強調横断像サブトラクション後,G:拡散強調横断像,H:摘出標本割面
MRIでは造影後,肥厚した被膜・隔壁にはまったく増強効果のないことがより明瞭に描出され(E, F),被膜には拡散制限が認められる(G)。摘出された標本の割面(H)は暗赤色調で,病理組織学的に完全に血腫に置換されていた。

Ⅱ 卵巣腫瘍に伴う合併症

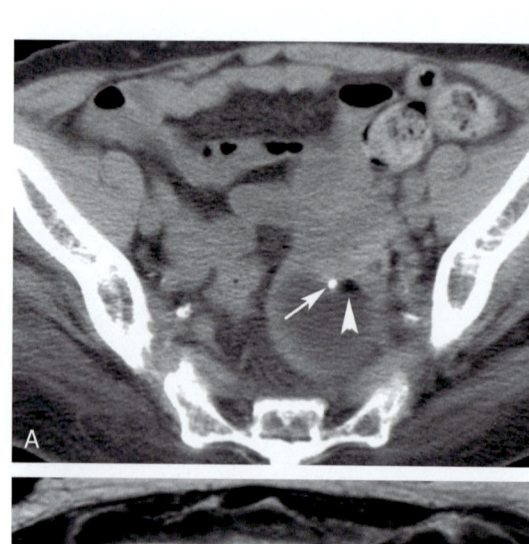

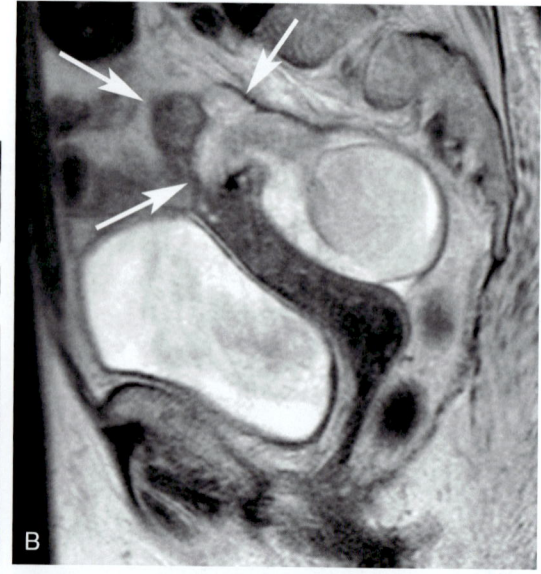

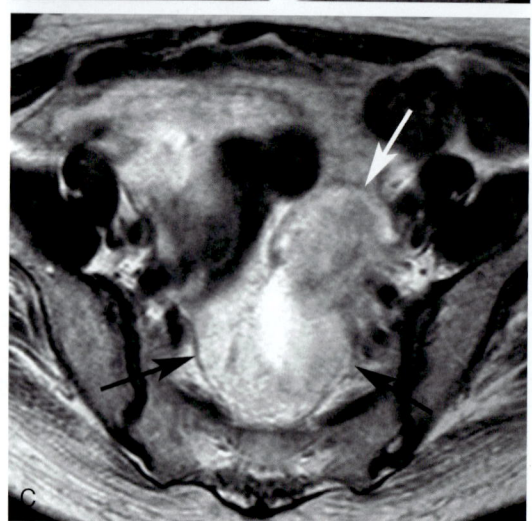

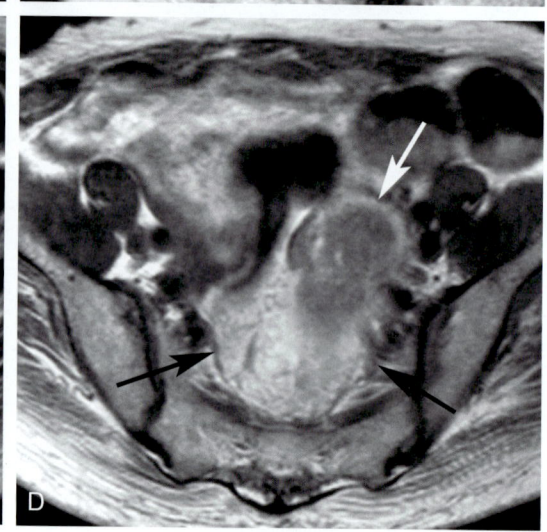

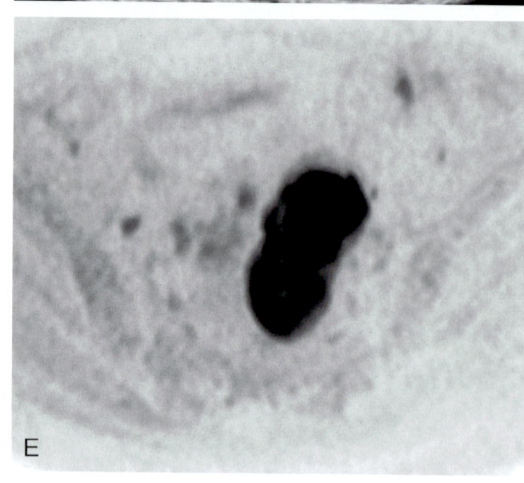

図6 84歳 卵巣成熟奇形腫茎捻転
A：単純CT，B：T2強調矢状断像，C：T1強調横断像，D：T2強調横断像，E：拡散強調横断像
左骨盤壁に接して単純CTで脂肪(A▲)と石灰化(A→)を伴う腫瘤があり，壁が肥厚している。T2強調矢状断像では子宮と腫瘤の間を介在するcap状の軟部組織がみられる(B→)。囊胞内はT1強調像で不均一ながら全体が高信号化しており(C)，CTから予測される脂肪の範囲よりも広範なことから出血による信号上昇と考えられる。MRIでもCT同様壁は厚く(C，D→)，出血性梗塞による浮腫を示唆する。本例は拡散強調像で異常信号を呈する(E)ことから「悪性転化の疑い」として紹介されたが，出血性梗塞による被膜の細胞障害性浮腫，成熟奇形腫の囊胞内容物の粘稠性の高さは悪性でなくともADC値低下の原因となるので，読影に際しては注意が必要である。

1. 茎捻転 torsion

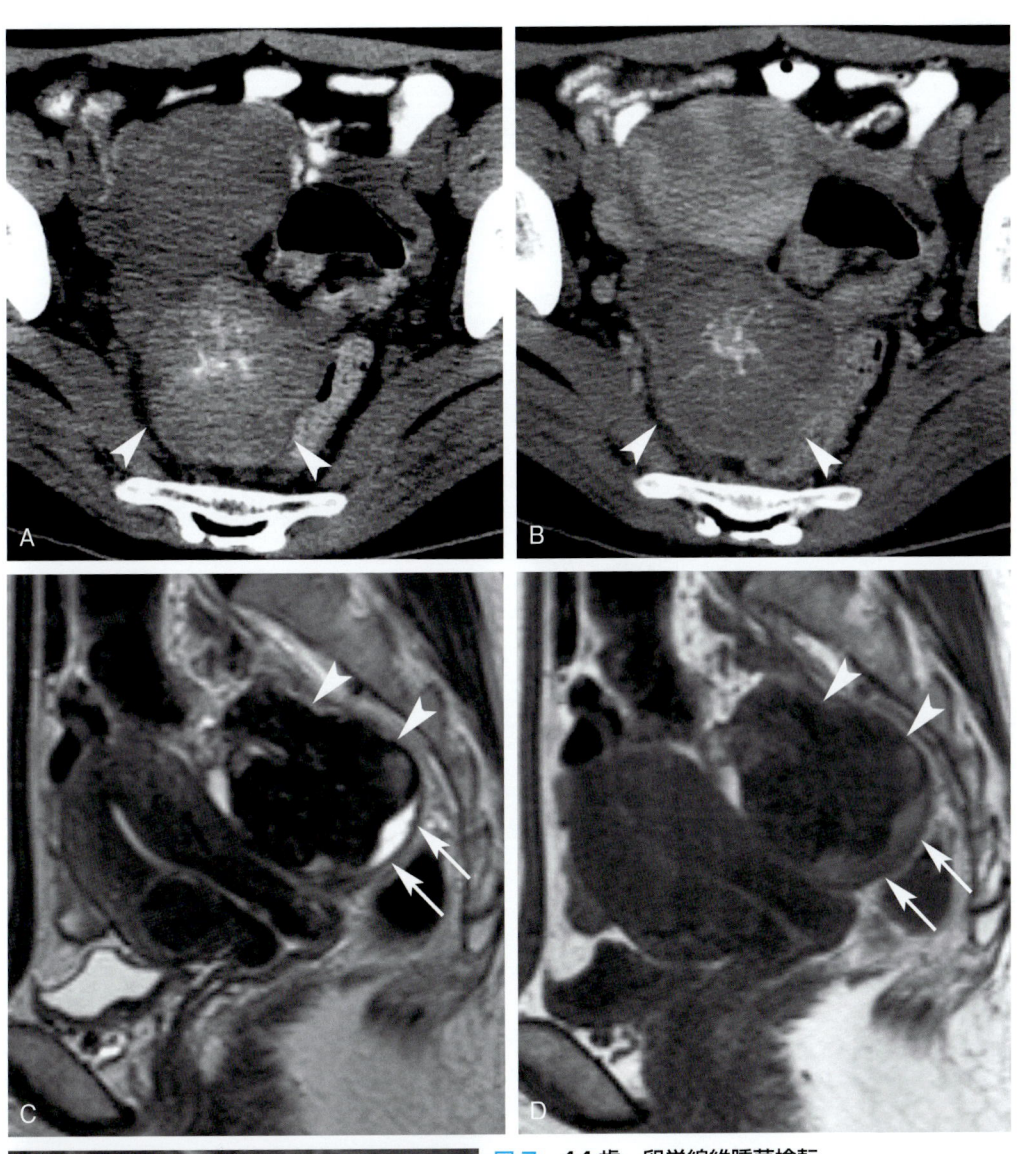

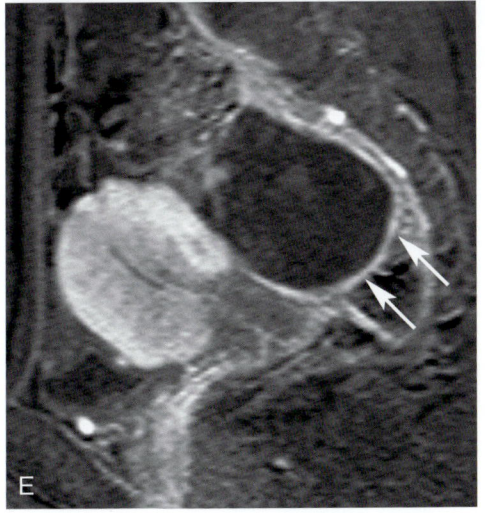

図7 44歳 卵巣線維腫茎捻転
A:単純 CT, B:造影 CT, C:T2 強調矢状断像, D:T1 強調矢状断像, E:造影 T1 強調矢状断像サブトラクション後

Douglas 窩に単純 CT で低吸収, 中心部に星芒状の石灰化を伴う腫瘤があり (A▲), 造影後, 増強効果は不良である (B▲)。T2 強調像では腫瘤 (C▲) の下縁の一部 (C→) を除き低信号で, 線維腫の特徴を残すが, T1 強調像での高信号部分 (D→) の存在は腫瘍内の出血を思わせる。造影後, 偽被膜を除き, まったく増強効果のないことが明らか (E→) で, 腫瘍壊死を反映した変化である。腹痛にて発症したが全身状態が落ち着いていたので待機手術としたところ, 摘出時にはほとんどが血腫と壊死物質に置換されており, 組織間に介在する膠原線維から, かろうじて線維腫と診断された。

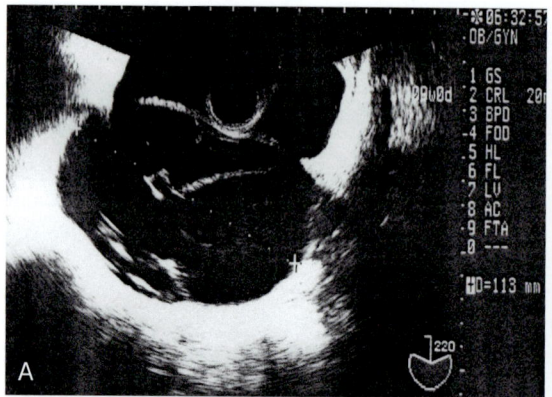

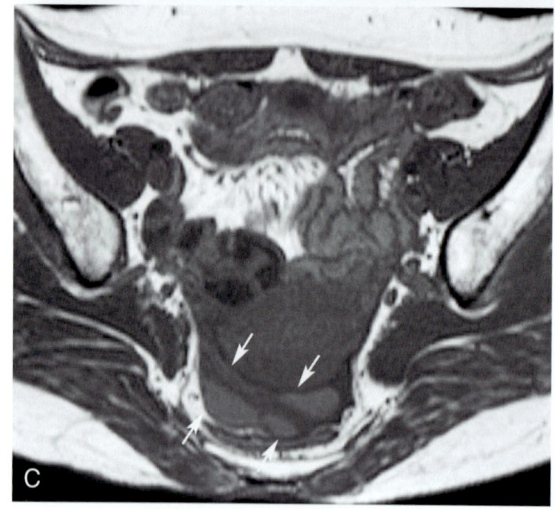

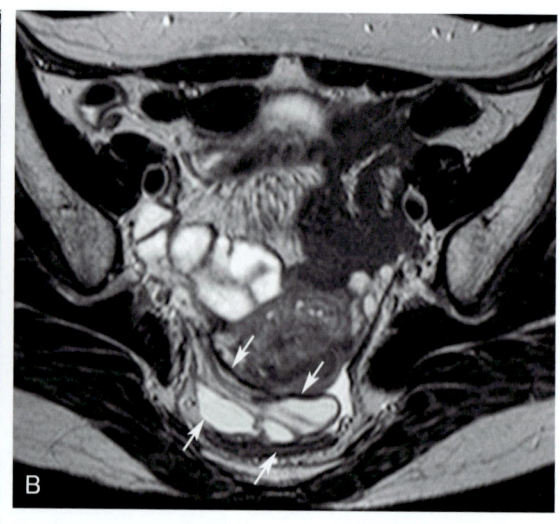

図8　34歳　卵巣粘液性嚢胞腺腫破裂
A：US，B：T2強調横断像，C：T1強調横断像
妊娠の診断時，近医で多房性嚢胞性腫瘤を指摘され，妊娠9週時は113 mmであった（A）が，妊娠の進行とともに増大し31週時には150 mmに達したことが確認されている．31週時，布団の上げ下ろし時に突然の腹痛に襲われ救急搬送された．当該嚢胞の破裂と診断されたが保存的に観察され，分娩後にあらためて行われたMRIではT2強調像で多数の隔壁をもち（B→），T1強調像でやや信号の高い内容物を含む（C→）嚢胞が虚脱して長径64 mmの大きさで確認される．

2. 破裂 rupture

　前項で述べた通り，不可逆的な茎捻転は静脈うっ滞による出血性梗塞を招くので，梗塞に陥った嚢胞壁は脆弱となり早晩破裂する．茎捻転以外の破裂（rupture）の原因としては外傷による直達外力のほか，妊娠などによる周囲臓器からの圧迫，腫瘤の急激な増大に伴う内圧の上昇などが挙げられている[20]．破裂に伴う内容物の漏出や出血は茎捻転よりも強い腹痛を起こすことが多いとされる[21]．特に奇形腫の内部には時に消化管や膵組織を含むことがあるので，消化酵素の腹腔内逸脱により化学腹膜炎（chemical peritonitis）を起こし，激烈な痛みを伴う急性腹症として発症することがある[14)22)]．内膜症性嚢胞は第5章で述べたように周囲組織に癒着しながら発育するので茎捻転をきたすことはまれである．病変の壁は厚いが，そこに存在する異所性内膜組織は月経周期毎に出血を反復するため脆弱で[21]，破裂はさほどまれではない．内膜症性嚢胞の破裂もまた腹腔内に漏出した血液による化学腹膜炎を生じ，緊急手術を要することが少なくない[14]．

　画像的には破裂による嚢胞の変形（図8）と内容物の漏出による腹腔内液体貯留につきる．腹水は生理的にも存在するので，嚢胞内容物と同等の信号を示す内容物の存在[23]や腹膜炎による腹

2. 破裂 rupture

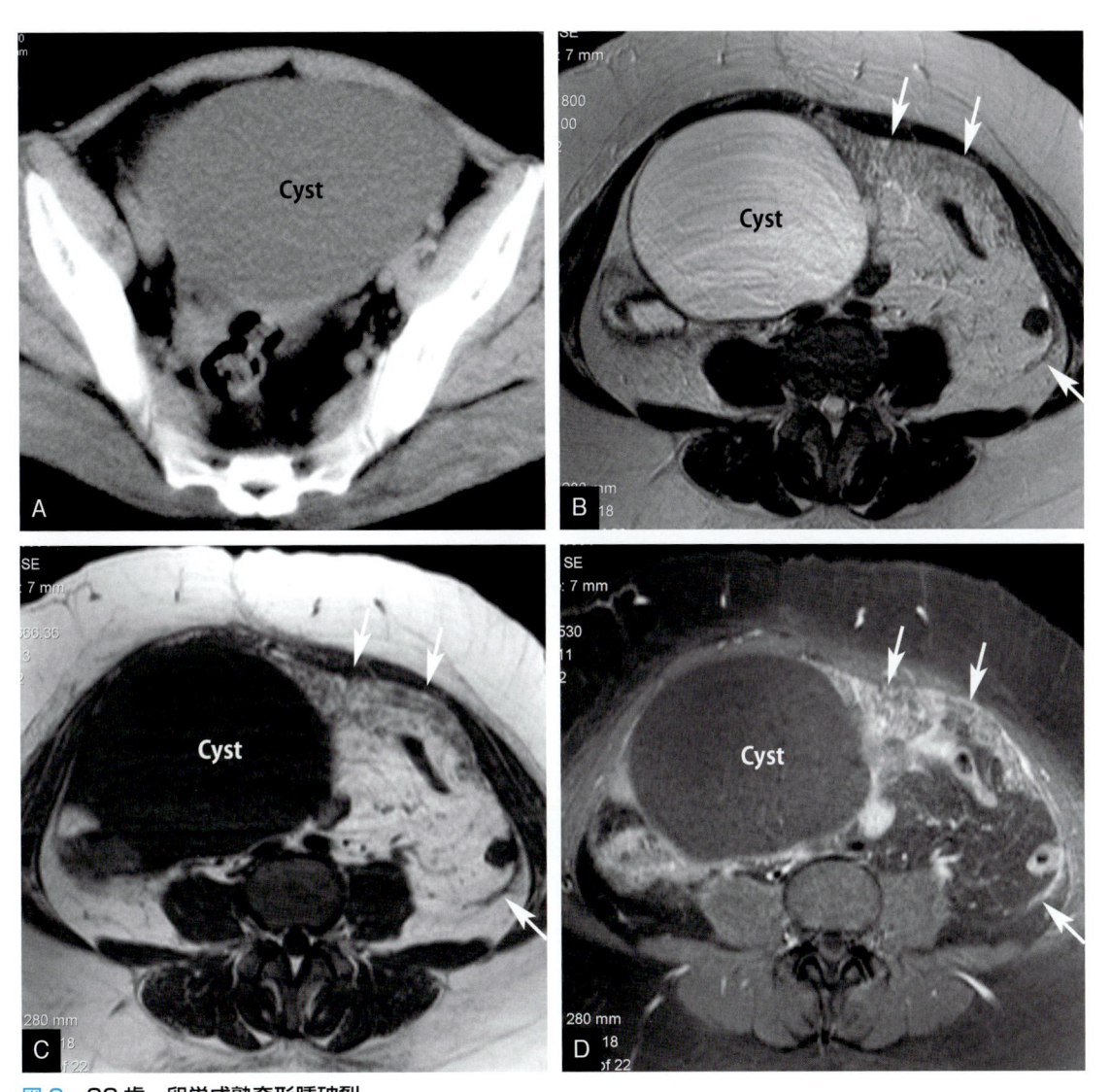

図9　22歳　卵巣成熟奇形腫破裂
A：単純 CT，B：T2 強調横断像，C：T1 強調横断像，D：造影脂肪抑制 T1 強調横断像
突然の腹痛で発症して2週間後に撮影された単純 CT では骨盤腔内を占める囊胞（A～D：Cyst）破裂の徴候を捉えがたい（A）が，4週間後に撮像された MRI では腹腔内を占める巨大な囊胞性腫瘤の左前方に腹腔内脂肪織の顆粒状変化と腹膜の肥厚（B，C →），造影剤による増強効果（D →）が明らかである。手術では大網も合併切除され，病理組織学的に多数の炎症性肉芽腫が観察された。

膜の肥厚，dirty fat sign（図9），大網ケーキが明らかとなって初めて破裂を生じたとわかることが多い[14]。これらの所見は悪性腫瘍の腹腔内播種と共通の所見であり，悪性腫瘍と誤診されることがまれではない[20)24)]。また腹膜炎の所見の描出には造影後脂肪抑制 T1 強調像が極めて有用であり，本症を疑う場合には積極的に造影剤の投与を行うべきである[14]（図9D）。

文献

1) Descargues G et al : Adnexal torsion : a report on forty-five cases. Eur J Obstet Gynecol Reprod Biol 98 : 91-96, 2001
2) Varras M et al : Asynchronous bilateral adnexal torsion in a 13-year-old adolescent : our experience of a rare case with review of the literature. J Adolesc Health 37 : 244-247, 2005
3) Condous G et al : Should we be examining the ovaries in pregnancy? : prevalence and natural history of adnexal pathology detected at first-trimester sonography. Ultrasound Obstet Gynecol 24 : 62-66, 2004
4) Smorgick N et al : The clinical characteristics and sonographic findings of maternal ovarian torsion in pregnancy. Fertil Steril 92 : 1983-1987, 2009
5) 宮美智子 訳：母体の生理．岡本愛光 監修：ウィリアムス産科学，原著25版．p57-93，南山堂，東京，2019
6) Homewood LN et al : Risk factors associated with adnexal torsion after hysterectomy. J Minim Invasive Gynecol 29 : 250-256, 2022
7) Mashiach R et al : Adnexal torsion after laparoscopic hysterectomy : description of seven cases. J Am Assoc Gynecol Laparosc 11 : 336-339, 2004
8) Chiou SY et al : Adnexal torsion : new clinical and imaging observations by sonography, computed tomography, and magnetic resonance imaging. J Ultrasound Med 26 : 1289-1301, 2007
9) Sommerville M et al : Ovarian neoplasms and the risk of adnexal torsion. Am J Obstet Gynecol 164 : 577-578, 1991
10) 塩原茂樹，小西郁生：産科救急疾患とその初期治療：卵巣腫瘍の茎捻転．産婦治療 84 : 956-959, 2002
11) Kimura I et al : Ovarian torsion : CT and MR imaging appearances. Radiology 190 : 337-341, 1994
12) Kim YH et al : CT features of torsion of benign cystic teratoma of the ovary. J Comput Assist Tomogr 23 : 923-928, 1999
13) Ghossain MA et al : Adnexal torsion : magnetic resonance findings in the viable adnexa with emphasis on stromal ovarian appearance. J Magn Reson Imaging 20 : 451-462, 2004
14) Dohke M et al : Comprehensive MR imaging of acute gynecologic diseases. Radiographics 20 : 1551-1566, 2000
15) Kawakami K et al : Hemorrhagic infarction of the diseased ovary : a common MR finding in two cases. Magn Reson Imaging 11 : 595-597, 1993
16) Rha SE et al : CT and MR imaging features of adnexal torsion. Radiographics 22 : 283-294, 2002
17) Yilmaz E et al : Sonographic and MRI findings in prepubertal adnexal hemorrhagic cyst with torsion. J Clin Ultrasound 29 : 200-202, 2001
18) Kilickesmez O et al : Diffusion-weighted imaging of adnexal torsion. Emerg Radiol 16 : 399-401, 2009
19) Minutoli F et al : Twisted ovarian fibroma with high signal intensity on T1-weighted MR image : a new sign of torsion of ovarian tumors? Eur Radiol 11 : 1151-1154, 2001
20) Phupong V et al : Ovarian teratoma with diffused peritoneal reactions mimicking advanced ovarian malignancy. Arch Gynecol Obstet 270 : 189-191, 2004
21) 酒井英明ほか：卵巣腫瘍の急性病変：茎捻転，破裂．産と婦 69 : 628-633, 2002
22) 河上 聡：骨盤腔疾患の画像診断：Female pelvis：腹痛で発症する婦人科疾患の画像診断．日本医放会誌 61 : 75-83, 2001
23) 藤井進也ほか：婦人科救急疾患の画像診断．日本医放会誌 64 : 533-543, 2004
24) Stuart GC, Smith JC : Ruptured benign cystic teratomas mimicking gynecologic malignancy. Gynecol Oncol 16 : 139-143, 1983

III 婦人科腫瘍の薬物療法に伴う合併症

Summary

- いずれの抗がん剤にも共通する有害事象として薬剤性肺障害があり，画像的には種々の間質性肺炎類似のパターンを示すが，画像のみによる特異的診断は困難である。
- 分子標的薬のうち，VEGF阻害薬の使用に際しては消化管穿孔に留意する必要がある。
- 免疫関連有害事象には極めて多彩な症候があるが，頻度が高いのは薬剤性肺障害と大腸炎であり，CT評価に際しては，肺の間質性陰影や結腸壁肥厚の出現に留意する。
- ホルモン療法中は血栓・塞栓症の出現に留意する。
- 細胞障害性化学療法の補助に用いられるG-CSFでは脾破裂や自己免疫疾患を誘発することがある。

卵巣・卵管・腹膜癌の初回治療として術前化学療法が広く普及してきたのをはじめ，今や薬物療法は婦人科悪性腫瘍治療の大きな柱になっている（表1）。また，従来の細胞障害性化学療法に加え，分子標的薬や免疫チェックポイント阻害薬も広く用いられるようになり，画像診断医もこれらの薬物の作用機序や治療に伴う有害事象についても知っておく必要がある。本項では，画像診断を求められることの多い有害事象についていくつか例を示しながら解説する。

1. 細胞障害性化学療法に伴う合併症

表1に示した通り，上皮性卵巣腫瘍ではⅠA，ⅠB期を除き，術前，もしくは術後に化学療法が行われ，その標準的なレジメンはTC療法，すなわちタキサン系微小管阻害薬であるパクリタキセルとプラチナ製剤であるカルボプラチンが用いられる。これら，細胞障害性化学療法剤の副作用は悪心・嘔吐から末梢神経障害，脱毛など多岐にわたるが，画像が最もその診断に寄与するのは，骨髄抑制に誘発される感染症である。

各種肺感染症のうち，ニューモシスチス肺炎（*Pneumocystis jirovecii* pneumonia：PJP）はHIV患者や臓器移植後など免疫抑制剤投与患者でより高率に発生するが，固形腫瘍の化学療法中の発症は非HIV患者のうち13％を占めるとされる。臨床的には発熱と乾性咳嗽を伴う呼吸不全を呈し，致命率の高い疾患である。*Pneumocystis jirovecii* は真菌であることから β-D-グルカンの上昇で疑われ，喀痰や気管支肺胞洗浄（BAL）液による病原体の検出やPCR検査で確定される[1]。画像的には両側，左右対称で広範なすりガラス状陰影（ground glass opacity：GGO）が

III 婦人科腫瘍の薬物療法に伴う合併症

表1 婦人科腫瘍の治療開発マップ（JCOG婦人科腫瘍グループ，2024）

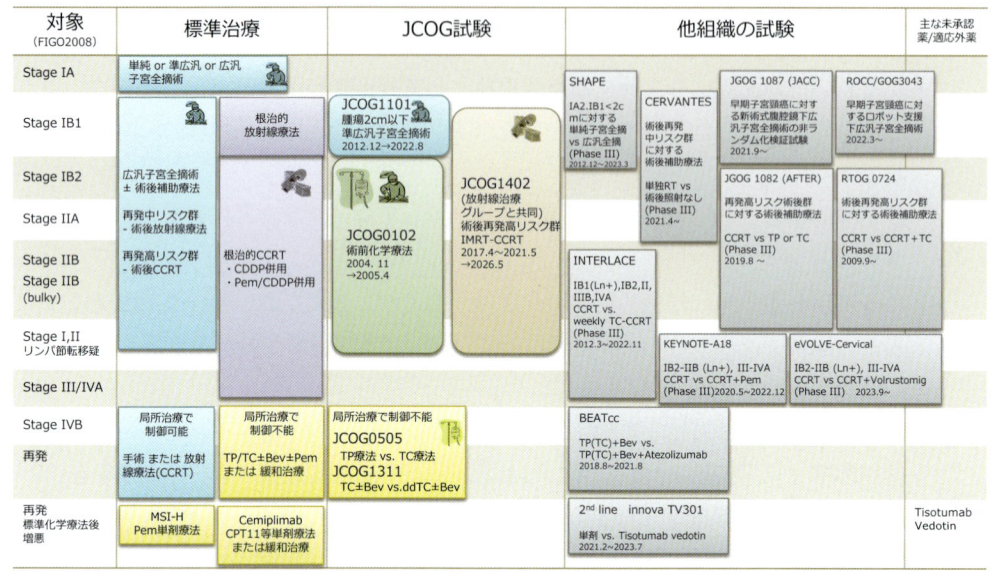

表1 つづき（婦人科腫瘍の治療開発マップ）

[日本臨床腫瘍研究グループ（JCOG）Website（https://jcog.jp/map/）より許諾を得て引用]

特徴とされる[2]（図1）。ただし，所見は同じく免疫抑制患者に後発するサイトメガロウイルス感染症と類似し，後述する薬剤性肺障害は多彩なCT像を呈することから，しばしば鑑別に苦慮する。

薬剤性肺障害（drug-induced interstitial lung disease：DIILD）は薬剤への曝露により生じた肺間質の炎症や線維化と定義され，間質性肺疾患の3～5％を占め，4.1～12.4/100万人/年の頻度で発生する。抗がん剤関連の薬剤性間質性肺炎の原因薬剤とその頻度を表2に示す[3]。このなかではブレオマイシンの頻度が他に比べて群を抜いて高く，本剤を含む化学療法が標準治療となっている，卵巣胚細胞腫瘍の治療に際しては十分な注意が必要である。症状は非特異的で発熱，咳嗽，呼吸困難感，胸痛など多彩で，診断は前述の感染症や放射線肺臓炎，膠原病など他の原因による間質性肺炎をはじめとする他疾患を否定することによりなされ，厳密には気管支鏡下肺生検を要する。診断や重症度判定には高分解能CT（high-resolution CT：HRCT）が必須で，多彩なCT所見を呈する。すなわち，急性間質性肺炎/びまん性肺胞障害（AIP/DID），器質化肺炎（OP），非特異性間質性肺炎（NSIP），過敏性肺臓炎（HP）などで，ここでは詳細は割愛するが，小葉間隔壁の肥厚やGGO，容積減少を伴う部分的なコンソリデーション，蜂窩肺などが種々の分布で出現する（図2）。治療は原因薬剤の中止とステロイド投与である[3]。

CD腸炎（*Clostoridium difficile* enterocolitis）は抗菌薬の過剰使用による菌交代現象で生じる

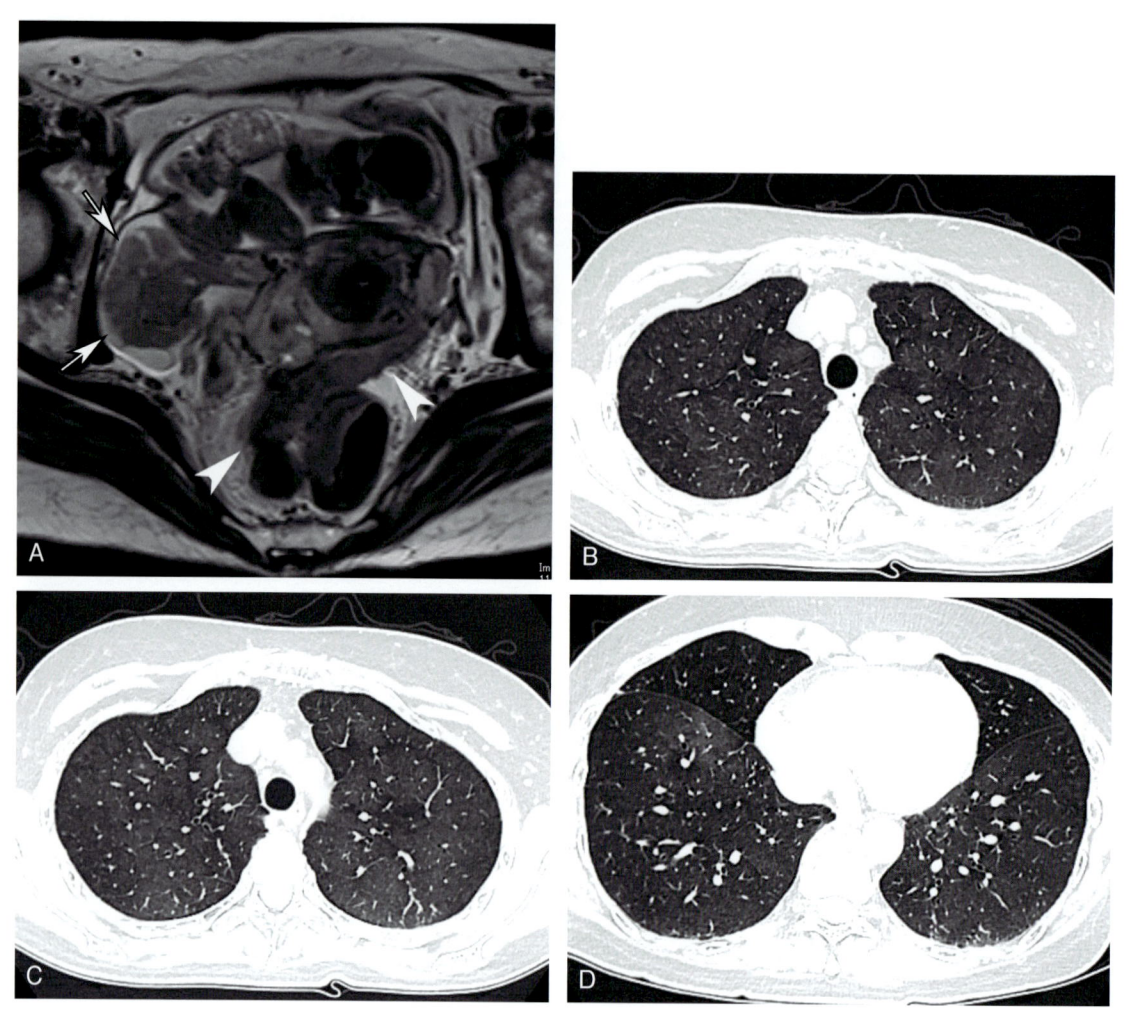

図1 53歳 卵巣癌（高異型度漿液性癌）に対する術後化学療法中のニューモシスチス肺炎
A：T2強調横断像，B〜D：HRCT
術前，右卵巣にT2強調像で信号強度の高い充実性部分の豊富な小腫瘤（A→）に著明な腹腔内播種（A▲）を伴いⅢC期と診断され，術前化学療法後，IDSにて上記と術後病理組織診断された。術後化学療法中の発熱に対して，CT（B〜D）を施行したところ，両肺に広範なすりガラス状陰影を認め，β-D-グルカン高値から，ニューモシスチス肺炎を疑われバクタ®［トリメトプリム/スルファメトキサゾール（TMP/SMX）］を含む投薬にて軽快した。

偽膜性腸炎である。化学療法による腸内細菌叢の変化や腸管粘膜損傷はCD腸炎のリスクを高めると考えられている[4]。画像的には，30〜40％の症例では壁肥厚は右半結腸に限局するが，多くは結腸全長に及ぶ著明な結腸壁肥厚で，粘膜浮腫のために造影CTでは肥厚した壁内で高吸収を示す粘膜面が波打った形態を呈する[5]（図3）。糞便中のCDトキシンの検出により診断され，治療には主としてバンコマイシンが用いられる[6]。

表2 抗がん剤による薬剤性肺障害とその頻度

薬剤名	薬剤性肺障害の発症頻度
ブレオマイシン	7～21%
EGFR 阻害薬	0.3～6%
HER2 阻害薬（ADC を含む）	2.4%（トラスツズマブ デルクステカンでは最大 15.8%）
BCR/ABL チロシンキナーゼ阻害薬	不明（イマチニブ，ダサチニブ） ≧1/1,000～<1/100（ニロチニブ）
ALK 阻害薬	2.5%（95% CI：1.7～3.6%）
BRAF 阻害薬	2.4%（トラメチニブ）*
PI3K 阻害薬	3～25%
FLT3 阻害薬	7～8.5%
TRK/ROS1 阻害薬	—*
VEGFR 阻害薬	0.37% （ベバシズマブと FOLFOX または FOLFIRI 併用）
免疫チェックポイント阻害薬	1.1～3.6%
CDK4/6 阻害薬	0.3～2.1%
mTOR 阻害薬	11%
PARP 阻害薬	0.79～2.0%

太字は婦人科領域で汎用される薬剤。
*：引用元に詳細なデータなし。
ADC：抗体薬物複合体，CI：信頼区間，FOLFIRI：フルオロウラシル・ロイコボリン・イリノテカン併用療法，FOLFOX：フルオロウラシル・ロイコボリン・オキサリプラチン併用療法
（文献 3 より改変引用）

2. 分子標的薬投与に伴う合併症

　肺癌，乳癌をはじめ分子標的薬はがん薬物療法の柱の１つとなっており，婦人科領域では表1に示すようにベバシズマブ，PARP 阻害薬が汎用されている。次項の免疫チェックポイント阻害薬と合わせ，主な薬剤の有害事象とその画像所見を表3, 4 に示す[7)8)]。

　これらのうち婦人科領域で汎用され，日常的に問題となるのは VEGF 阻害薬（ベバシズマブ）による消化管穿孔である。血管新生阻害薬であるベバシズマブは腸の血流を減少させ，組織の脆弱性を高める可能性があるとされ，放射線治療や既往の腸炎，腸切除などはリスク因子とされる。婦人科腫瘍を含まないメタアナリシスでは，ベバシズマブ投与例では，これを含まないレジメンで治療された患者に対し消化管穿孔の相対リスクが 2.14（95% CI：1.19-3.85）と報告されている[9)]。完全な消化管穿孔に至らず，腸管壁内気腫症（図4）に留まる症例も多く，発症は投与開始12週以内が多い[10)]とされる。

　マルチキナーゼ阻害薬に属するレンバチニブは 2021 年にペムブロリズマブとの併用療法が「化学療法後に増悪した手術不能な進行・再発子宮体癌」に対して保険適用され，婦人科領域で

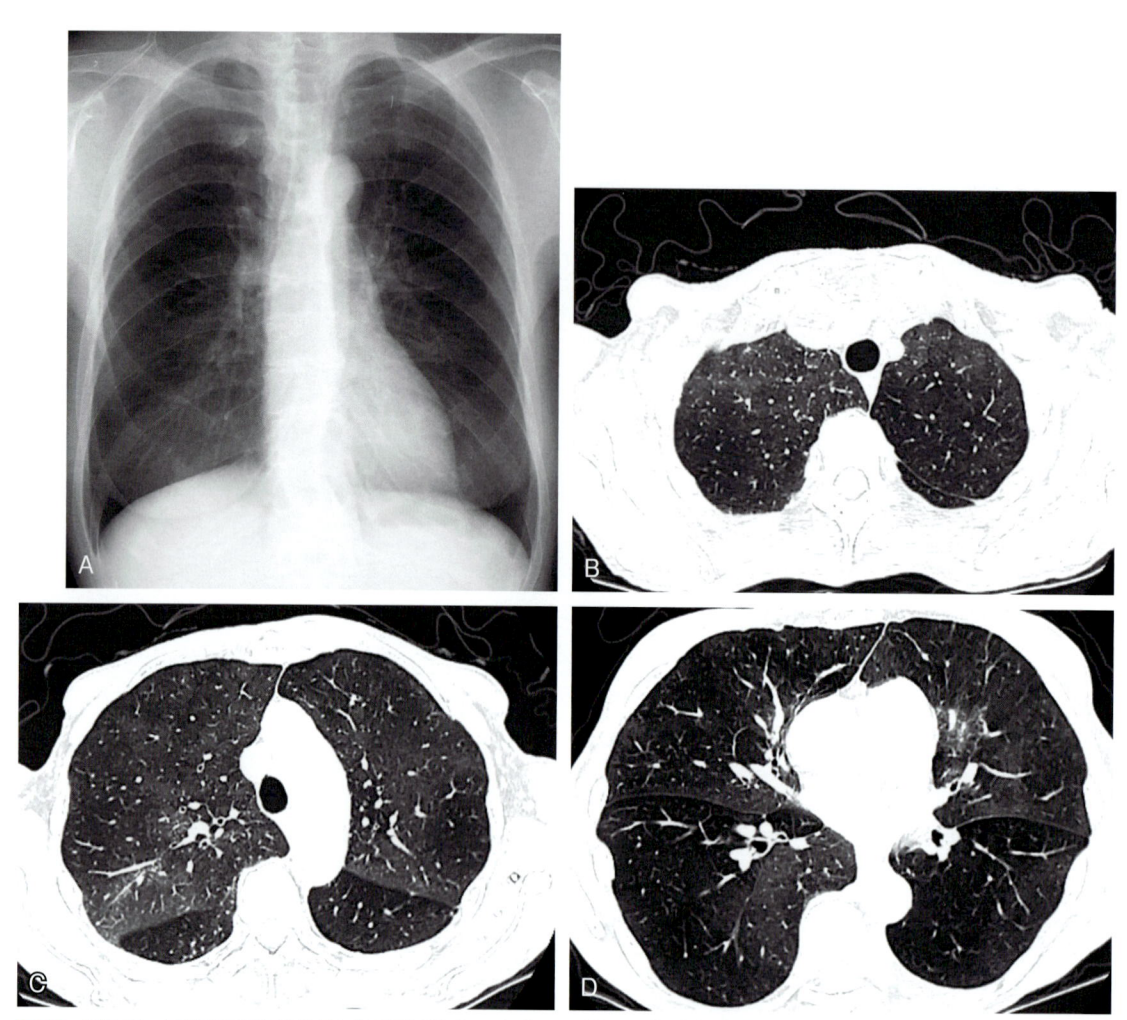

Ⅲ 婦人科腫瘍の薬物療法に伴う合併症

図2 72歳 高異型度漿液性癌(原発巣特定できず)に対する維持化学療法中,パクリタキセルによる薬剤性肺障害
A:胸部X線写真正面像,B〜D:HRCT
化学療法中の呼吸困難感のため撮影された胸部X線写真(A)で,両側下肺内側にすりガラス状陰影を認め,HRCT(B〜D)では両肺で中枢側優位に広がるGGOがみられる。種々の検査で感染症は否定され,パクリタキセルによる薬剤性肺障害としてステロイド投与が行われ,改善した。

も使用が拡大している。本剤による甲状腺機能異常症は先行して使用されていた肝細胞癌症例などで広く知られている。その本態は破壊性甲状腺炎であり,投与開始後早期の甲状腺機能亢進症(甲状腺中毒症)に引き続き,甲状腺機能低下症に移行する。甲状腺機能低下症の頻度は潜在的なものも含めると66％に及ぶ。また甲状腺機能障害の発症には治療効果と正の相関があることが知られている[11]。甲状腺機能障害の画像所見は機能亢進期のドプラUSにおける血流増加がよく知られるが,筆者ら画像診断医がしばしば目にするのは,すでに機能低下期に至った甲状腺の萎縮やCTでの吸収値の低下である(図5)。

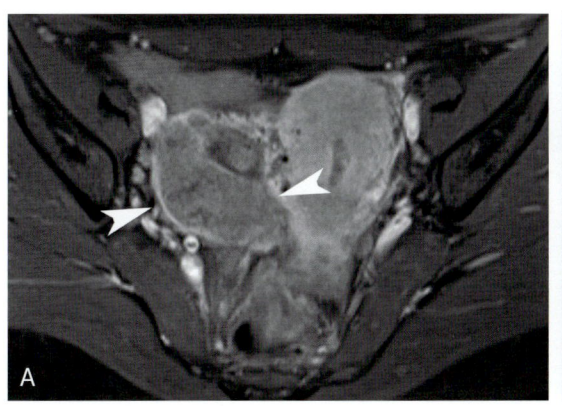

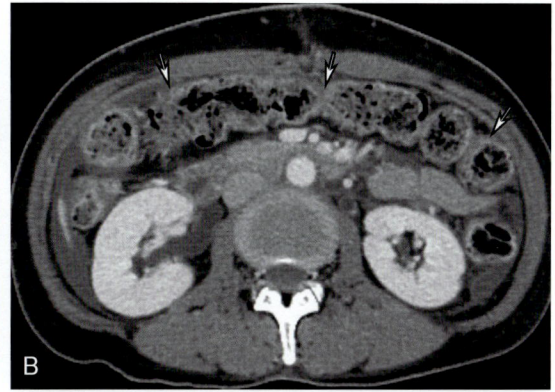

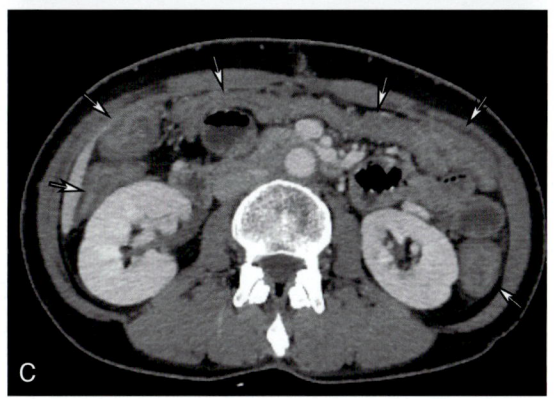

図3 43歳 右卵管癌（高異型度漿液性癌）に対する術前化学療法中に生じた CD 腸炎
A：造影脂肪抑制 T1 強調横断像，B，C：造影 CT
右卵管内で鋳型状に発育する腫瘍（A▲）に対し術前化学療法中。発症前の造影 CT で内腔に多量の便塊を含む横行結腸（B→）壁に肥厚はないが，発症時には横行結腸のみならず，結腸全長にまたがる全周性の壁肥厚を認める（C→）。

3. 免疫関連有害事象 immune-related adverse events（irAE）

　免疫チェックポイント阻害薬（immune check-point inhibitor：ICI）はがん細胞に対する免疫を再活性化させ，腫瘍に対する免疫応答を高める抗がん剤で，PD-1/PD-L1 の結合を阻害するニボルマブやペムブロリズマブなどと，細胞障害性 T リンパ球抗原-4（CTLA-4）に対する抗体であるイピリムマブなどがある。2014 年の悪性黒色腫に対するニボルマブの適応を皮切りに急速に適応が拡大し，婦人科領域では前述の子宮体癌に続き，進行子宮頸癌の一次治療にペムブロリズマブ，二次治療以降にセミプリマブ単剤療法が保険適用された。

　これらの免疫チェックポイント阻害薬の投与により引き起こされる副作用として，免疫関連有害事象（immune-related adverse events：irAE）がある。irAE の多くは正常組織に対する過剰な免疫反応に由来するとされ，多臓器にまたがって多彩な症状を呈する[12]（図6）が，使用薬剤と標的腫瘍の組み合わせで，各症状の発現率が異なるとされる。婦人科領域での十分な検討はまだなされていないが，CTLA-4 モノクローナル抗体（monoclonal antibody：mAb）では大腸炎が多いのに対し，PD-1 mAb では肺障害が多いとされる[13]。

表3 分子標的薬と免疫チェックポイント阻害薬による有害事象

器官，臓器		毒性	薬剤
頭頸部			
	脳	posterior reversible encephalopathy syndrome (PRES)	VEGF および VEGFR 阻害薬，VEGFR-TKI
		下垂体炎	ICI（CTLA-4 阻害薬）
	頭頸部	甲状腺炎	スニチニブ，ICI
		視神経炎	ICI
多臓器			
	血管系	肺塞栓症	VEGFR-TKI，タモキシフェン
		動脈硬化の促進	プラチナ製剤
		血管炎	ICI
	筋骨格系	新たな骨硬化性病変	ALK 阻害薬
		骨粗鬆症	ALK 阻害薬
		筋炎	ICI
	皮膚および皮下軟部組織	浮腫	イマチニブ，MEK 阻害薬
		結節性皮下脂肪組織炎，皮膚扁平上皮癌	BRAF 阻害薬
		女性化乳房	スニチニブ
	リンパ節	サルコイド様反応	ICI，キナーゼ阻害薬
胸部			
	縦隔および大血管	肺塞栓症	VEGFR-TKI，タモキシフェン
	心臓	心膜炎	BRAF 阻害薬，ICI
		心不全	トラスツズマブ
		心筋炎	ICI
	胸膜	胸水	ダサチニブ，イマチニブ
		気胸	VEGF および VEGFR 阻害薬
	肺	腫瘍の空洞化	VEGF および VEGFR 阻害薬
		肺炎	mTOR 阻害薬，リツキシマブ，EGFR 阻害薬，イマチニブ，ALK 阻害薬，ICI
		肺出血	抗血管新生 TKI
		肺梗塞	抗血管新生 TKI
腹部			
	腹膜または腹膜腔	腹水	イマチニブ
	肝臓	腫瘍内出血	抗血管新生 TKI
		脂肪肝	TKI，タモキシフェン
		肝炎	ICI，非抗血管新生 TKI
		門脈血栓症	VEGF および VEGFR 阻害薬，トラスツズマブ
		結節性再生性過形成（NRH）または非肝硬変性門脈線維症	トラスツズマブ
	胆道	胆嚢炎	抗血管新生 TKI
		胆石	mTOR 阻害薬
	膵臓	膵炎	抗血管新生 TKI，ICI
	脾臓	脾梗塞	抗血管新生 TKI，VEGF および VEGFR 阻害薬
	腎臓	腎嚢胞	ALK 阻害薬（クリゾチニブ）
		腎梗塞	VEGF および VEGFR 阻害薬，抗血管新生 TKI
	副腎	副腎出血	TKI
	大動脈および下大静脈	血栓症	VEGF および VEGFR 阻害薬，抗血管新生 TKI

TKI：チロシンキナーゼ阻害薬，ICI：免疫チェックポイント阻害薬
（文献 7 より改変引用）

3. 免疫関連有害事象 immune-related adverse events (irAE)

表4 主な免疫関連有害事象の頻度と画像所見

臓器, 器官	発症までの期間 (週) 単剤療法 (PD-1/PD-L1)	単剤療法 (CTLA-4)	併用療法	irAE	発生率 (%) 単剤療法	併用療法	画像所見
皮膚	6.1	3.6	2.4	掻痒, 発疹	最大12.1	最大24.0	報告なし
消化器	8.9	5.0	5.0	下痢 大腸炎	11.2 0.8	27.9 7.3	・腸壁浮腫および隣接する腸間膜の stranding ・大腸炎：びまん性（最も一般的, 最大75％), 大腸節区に合併した限局性 (25%), 憩室を伴わない直腸・S状結腸炎
肺	10.7	10.0	10.0	間質性肺炎 感染症	1.5～3.0 4.6	7.5～10.0 2.6	間質性肺炎：COP型（最も一般的), NSIP型および DAD
肝・膵胆道系	12.3	8.9	6.1	AST/ALT上昇 アミラーゼ上昇 膵炎	4.8 3.9 報告なし	13.4 10.7 報告なし	・肝炎：非特異的, 正常または肝腫大, 門脈周囲浮腫, びまん性の実質濃度低下 ・胆管炎：非閉塞性胆管拡張 ・膵腫大と膵周囲脂肪織の stranding, 膵への強い FDG集積
筋骨格系	報告なし	報告なし	報告なし	筋痛 関節痛	3.2～4.9 6.2～9.4	11.9 14.6	炎症性筋炎または関節炎：筋膜や筋肉の肥厚や強い増強効果, 筋膜, 筋肉, 関節内へのFDG集積
内分泌系	12.0	9.0	8.0	甲状腺機能低下症 甲状腺機能亢進症 副腎不全 下垂体炎	6.5 2.3 1.0 0.5	15.2 10.6 5.7 8.4	・甲状腺炎：非特異的, 甲状腺全体に均一なFDG集積 ・副腎炎：副腎の両側性腫大と軽度のFDG集積 ・下垂体炎：不均一な増強効果を伴う下垂体・下垂体柄の腫大, わずかなFDG集積
神経系	報告なし	報告なし	報告なし	中枢神経系：無菌性髄膜炎, 脳炎, 脊髄炎 末梢神経系：末梢神経障害（ギラン・バレー症候群, 重症筋無力症を含む)	3.8～6.1	12.0	画像は様々：正常である場合もあれば, MRIで軟膜増強, 基底核, 辺縁系, 脳梁膨大部の異常信号, PRES, 脱髄病変, 神経根および馬尾の肥厚と増強効果がみられることもある
心血管系	4～9	4～9	4～9	心筋炎, 心膜炎, 心室不整脈	最大0.4	最大1.1	MRIで心外膜下心筋または心膜の浮腫 (T2延長) および遅延造影, 局所的または全体的な壁運動異常

COP：特発性器質化肺炎, NSIP：非特異性間質性肺炎, DAD：びまん性肺胞障害, PRES：posterior reversible encephalopathy syndrome
(文献8より改変引用)

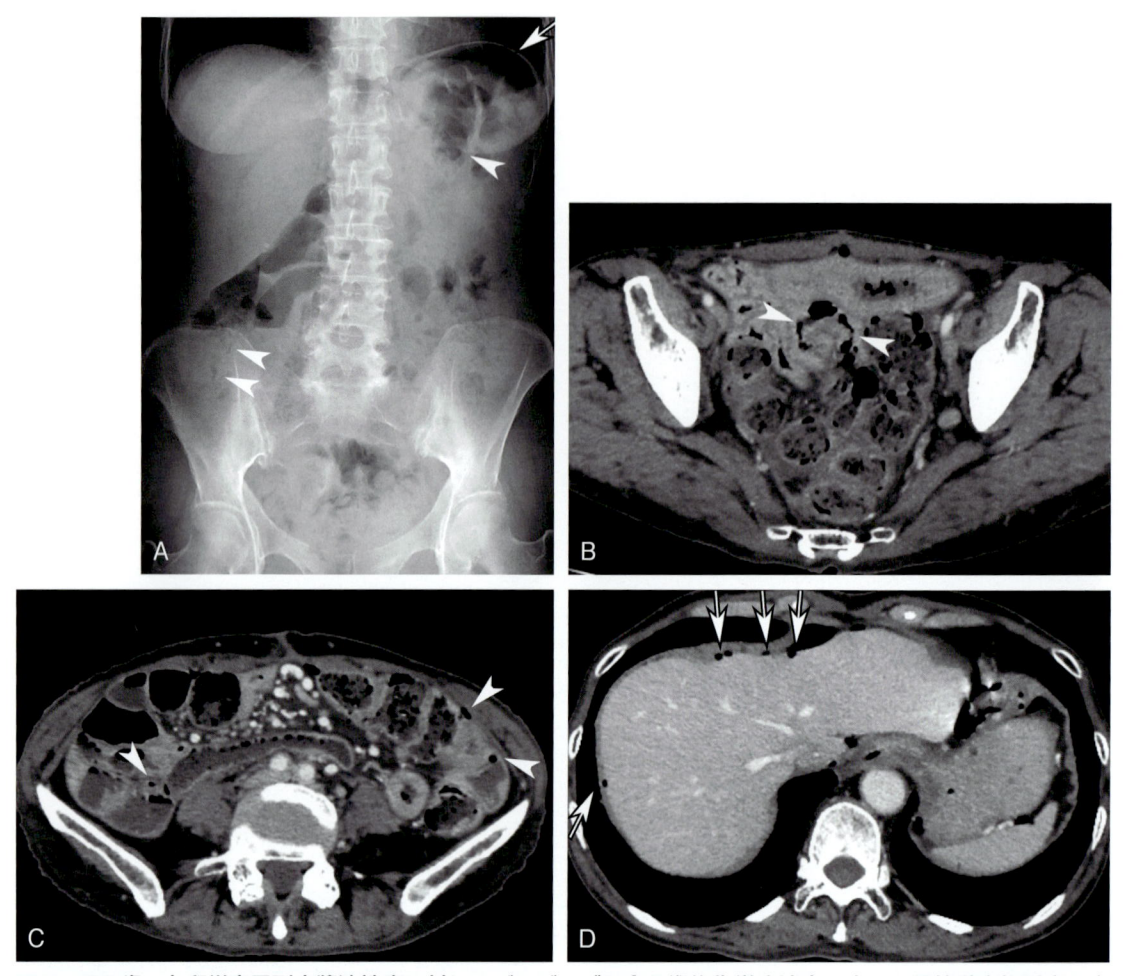

Ⅲ 婦人科腫瘍の薬物療法に伴う合併症

図4 57歳　左卵巣高異型度漿液性癌に対しベバシズマブを含む術後化学療法中に生じた腸管壁内気腫症と腹腔内遊離ガス
A：腹部X線写真立位正面像，B〜D：造影CT
上記治療の効果判定のために撮影されたPET/CTで偶然，腹腔内遊離ガスを指摘された。腹部X線写真（A）で左横隔膜下に腹腔内遊離ガス（→）を認め，横行結腸をはじめ結腸壁内にも結節状のガス（▲）があり，造影CT（B〜D）で腸管壁内気腫症（B, C▲）の穿孔による腹腔内遊離ガス（D→）であることが，より明瞭である。

　irAEとしての薬剤性肺障害は，多くは前述の細胞障害性抗がん剤でみられるのと類似の多彩な病像を示すが，特発性器質化肺炎型が多く，ニボルマブ特有の反応として，①腫瘍周辺のすりガラス状陰影（peritumoral GGO），②放射線肺臓炎周囲の浸潤影増強，③患側優位の肺障害の出現，④既存肺感染症の薬剤による増悪がみられた[12]という。

　大腸炎もirAEでは頻度の高い症候で，下痢で発症する。感染症との鑑別のため，内視鏡や便検査が重要でCTが果たすべき役割は少ないが，病変の広がりの把握や消化管穿孔の否定には有用である。3/4程度の症例ではびまん性腸炎パターン（図7）を呈するが，憩室を伴う区域性，直腸・S状結腸限局型も報告されている[8]。

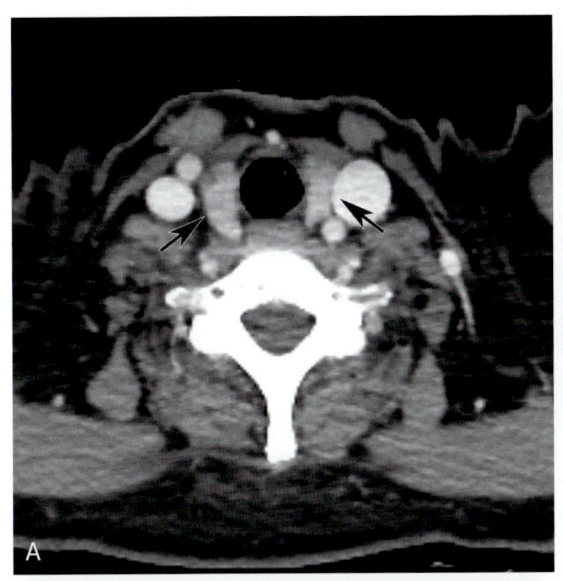

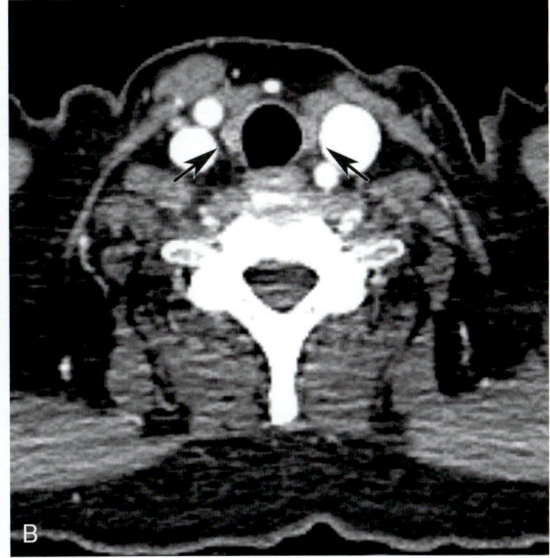

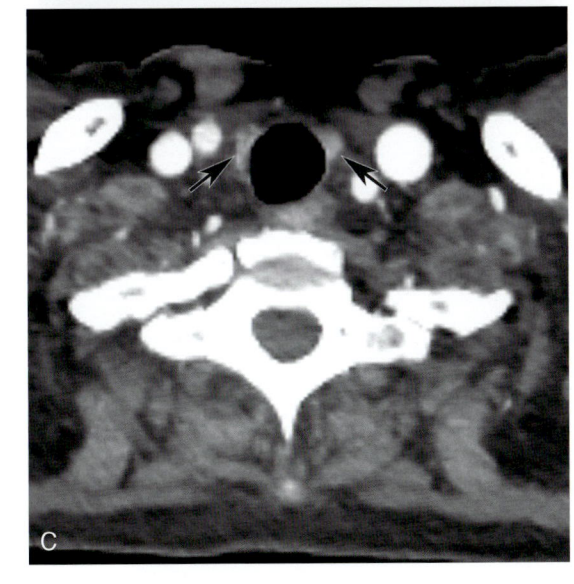

3. 免疫関連有害事象 immune-related adverse events (irAE)

図5 69歳 マルチキナーゼ阻害薬（腎細胞癌に対するスニチニブ）による甲状腺機能低下症
A〜C：造影CT
スニチニブ投与開始直後の造影CT（A）に比べ，半年後（B）に甲状腺（→）は著しく萎縮した。5年後（C）にもさらに若干萎縮は進行したものの，最初の半年ほどの萎縮の進行はみられない。

　免疫チェックポイント阻害薬による腎障害には自己免疫の活性化による過剰な免疫反応が関与しているとされ，臨床的には急性腎障害（acute kidney injury：AKI）を呈し，病理組織学的には急性尿細管間質性腎炎がよく知られているが，ほかにも多彩な病型の報告がある。単純CTでは急性期の腎腫大が観察される（図8）ことが多いが，MRIでは腎の容積だけでなく，arterial spin labeling（ASL）による血流評価，拡散強調像による炎症や線維化の評価などが試みられている[14]。

　免疫チェックポイント阻害薬による下垂体機能低下症にはACTHを含む複数の前葉ホルモンが種々の程度に障害されている複合型下垂体機能低下症と，ACTHのみの障害が認められるACTH単独欠損症がある[12]。発症時に頭痛を伴うことが多く，画像的には下垂体前葉の腫大で，T2強調像で低信号，造影後，増強効果は不良で地図状を示すとされる[15]（図9）。

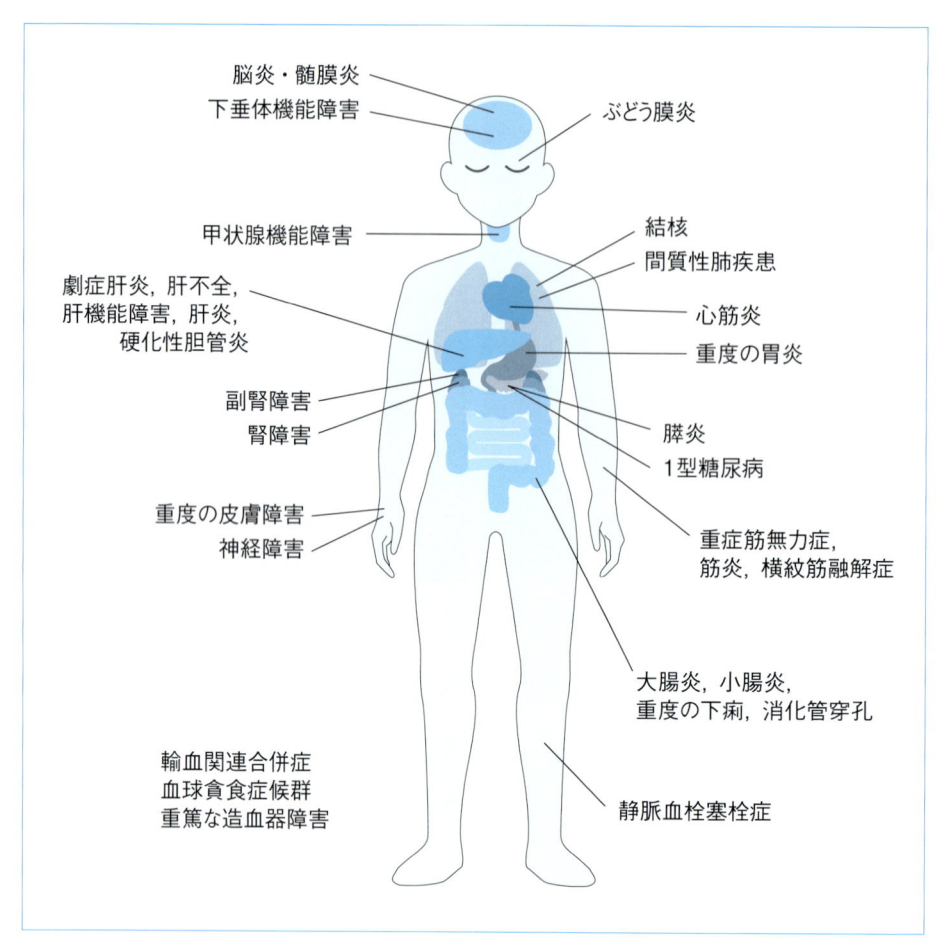

III 婦人科腫瘍の薬物療法に伴う合併症

図6 免疫関連有害事象のいろいろ
（文献12を参考に作成）

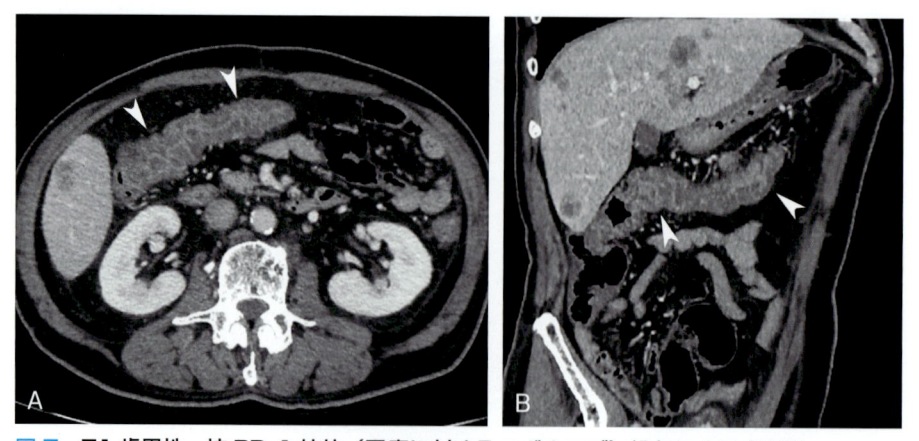

図7 71歳男性 抗PD-1抗体（胃癌に対するニボルマブ）投与による大腸炎
A：造影CT横断像，B：造影CT斜冠状断MPR像
胃癌多発肝転移に対し，ニボルマブ投与開始後3カ月の評価目的造影CT（A，B）で，横行結腸を中心に全周性の結腸壁肥厚を認め，肥厚した結腸壁では粘膜下の浮腫が顕著である（▲）。

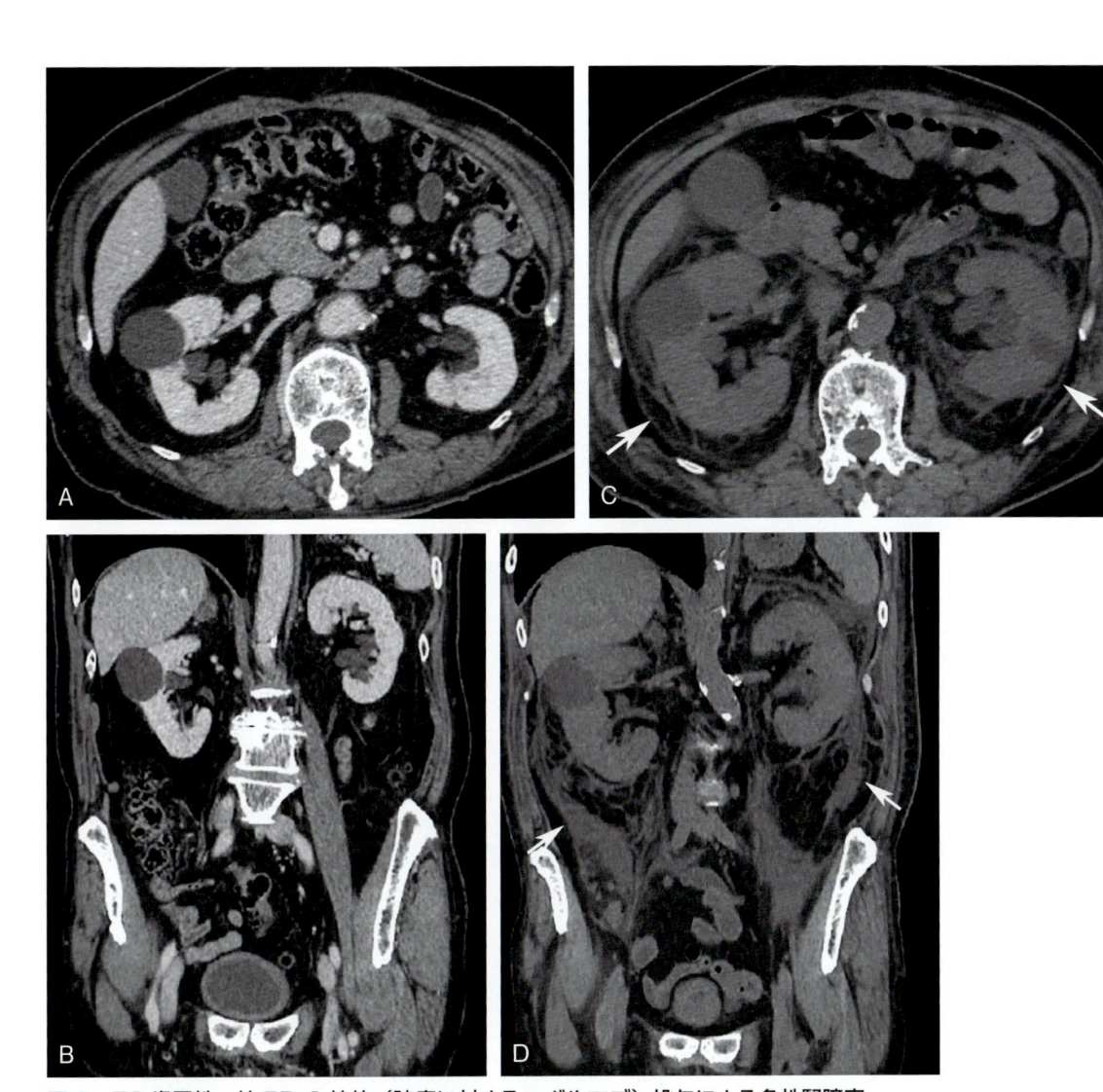

図8 72歳男性　抗PD-1抗体（肺癌に対するニボルマブ）投与による急性腎障害
A：造影CT横断像（投与前），B：造影CT冠状断MPR像（投与前），C：単純CT横断像（投与後），D：単純CT冠状断MPR像（投与後）
肺癌（扁平上皮癌）術後再発に対しニボルマブ投与開始6週後。発熱と急性腎障害のため緊急CT施行。投与前の造影CT（A，B）では右腎の単純性嚢胞以外異常を認めていないが，投与後，単純CT上，両腎実質は厚みを増し，腎周囲腔のstrandingと腎筋膜の著しい肥厚（C，D→）を伴う。irAEと診断され，ニボルマブの中止に加え，透析・血漿交換，免疫抑制剤，ステロイドで治療された。

4. ホルモン療法に伴う合併症

　婦人科悪性腫瘍に対するホルモン療法としては子宮内膜癌に対するMPA療法（p289参照）が確立された治療法として挙げられるが，子宮筋腫や子宮内膜症に対するGnRH agonist/antagonist，各種プロゲステロン療法などがより広く行われている（p153，160参照）。これら

Ⅲ 婦人科腫瘍の薬物療法に伴う合併症

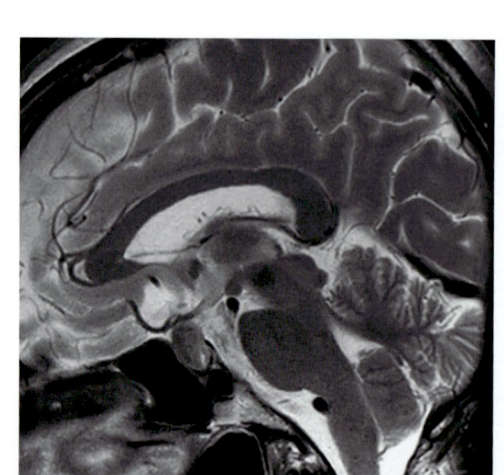

図9 48歳 PD-1抗体（ニボルマブ）とCTLA-4抗体（イピリムマブ）投与による下垂体炎
A：T2強調矢状断像（発症時），B：脂肪抑制T1強調矢状断像（発症時），C：造影脂肪抑制T1強調矢状断像（発症時），D：脂肪抑制T1強調矢状断像（治療1カ月後），E：脂肪抑制T1強調矢状断像（治療7カ月後）
横行結腸癌術後再発に対しニボルマブ＋イピリムマブ投与開始2カ月後，副腎機能低下症，頭痛，嘔気にて入院。下垂体後葉（B，D，E▲）に異常はないが，前葉が腫大し，T2強調像で不均一な低信号（A），脂肪抑制T1強調像（B）で低信号を示し，不均一で弱い増強効果を示す（C）。ステロイド投与により，1カ月後（D）には腫大は軽減し，7カ月後（E）にはほぼ正常に復している。

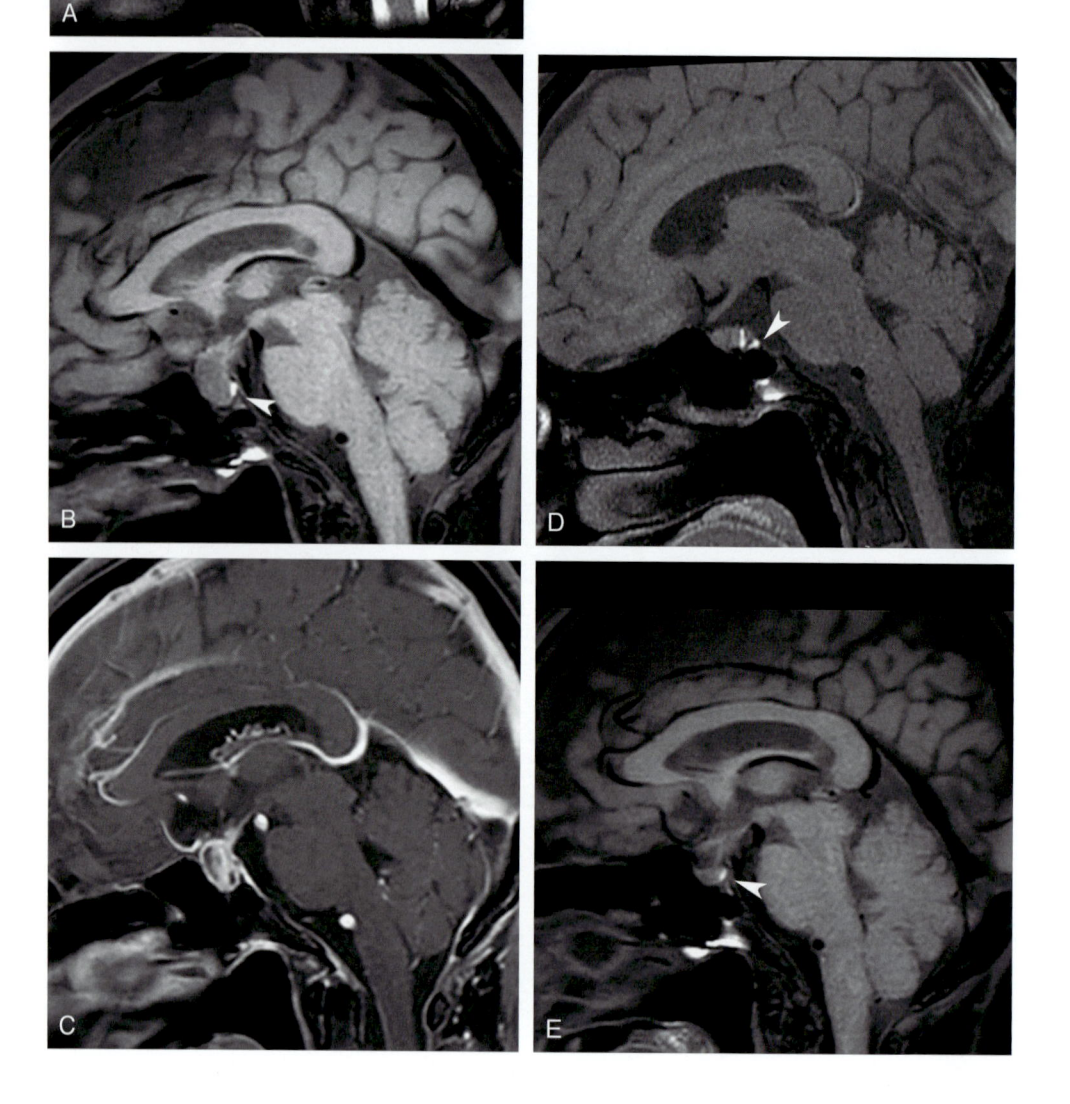

のホルモン療法を行ううえで最も注意しなければならない合併症は血栓・塞栓症であるが，これについては第11章（p786）で述べたので，そちらを参照されたい。

5. 顆粒球コロニー刺激因子 granulocyte-colony stimulating factor（G-CSF）投与に伴う合併症

　前述の通り，細胞障害性化学療法における最大の合併症は骨髄抑制であり，これを軽減するために顆粒球コロニー刺激因子（granulocyte-colony stimulating factor：G-CSF）が投与される。本剤の有害事象は骨痛や嘔気・嘔吐といった軽微なものが多いが，肺胞出血や脾破裂といった重篤なものも報告されている[16]。さらに近年，G-CSF製剤投与後に発症した大型血管炎（高安動脈炎や巨細胞性動脈炎のように大血管を冒すもの）が多数報告されている。G-CSF関連動脈炎は投与後1～15日で発症し，発熱や炎症部位に一致した疼痛を訴えるという。罹患血管は胸部大動脈が最も多く，鎖骨下動脈や腹部大動脈がこれに次ぎ，血管壁肥厚と周囲の浮腫，強い増強効果（図10）やPET/CTでのFDGの集積がみられる。発症機序としては好中球の活性化に伴う炎症性サイトカインの産生増加が疑われている。確立された治療法はないが，原因薬剤の中止で寛解するとされる[17]。

文献

1) Thomas CF Jr et al：Epidemiology, clinical manifestations, and diagnosis of Pneumocystis pneumonia in patients without HIV. UpToDate, 2024：2025
2) Kuhlman JE et al：Pneumocystis carinii pneumonia：spectrum of parenchymal CT findings. Radiology 175：711-714, 1990
3) Conte P et al：Drug-induced interstitial lung disease during cancer therapies：expert opinion on diagnosis and treatment. ESMO Open 7：100404, 2022
4) Apewokin S et al：Severe mucositis and Clostridium difficile infection in adult autologous stem cell recipients：another question of the chicken or the egg？Biol Blood Marrow Transplant 20：288, 2014
5) Guerri S et al：Clostridium difficile colitis：CT findings and differential diagnosis. Radiol Med 124：1185-1198, 2019
6) Czepiel J et al：Clostridium difficile infection：review. Eur J Clin Microbiol Infect Dis 38：1211-1221, 2019
7) Thomas R et al：A review of the mechanisms and clinical implications of precision cancer therapy-related toxicity：a primer for the radiologist. AJR Am J Roentgenol 215：770-780, 2020
8) Sheikhbahaei S et al：Imaging of cancer immunotherapy：response assessment methods, atypical response patterns, and immune-related adverse events, from the AJR Special Series on Imaging of Inflammation. AJR Am J Roentgenol 218：940-952, 2022
9) Hapani S et al：Risk of gastrointestinal perforation in patients with cancer treated with bevacizumab：a meta-analysis. Lancet Oncol 10：559-568, 2009
10) Gazzaniga G et al：Pneumatosis intestinalis induced by anticancer treatment：a systematic review. Cancers 14：1666, 2022
11) Koizumi Y et al：Lenvatinib-induced thyroid abnormalities in unresectable hepatocellular carcinoma. Endocr J 66：787-792, 2019
12) ブリストルマイヤーズスクイブ，小野薬品工業：irAEアトラス，2023
　　https://www.iraeatlas.jp（accessed 2025.01.12.）
13) Khoja L et al：Tumour- and class-specific patterns of immune-related adverse events of immune checkpoint inhibitors：a systematic review. Ann Oncol 28：2377-2385, 2017
14) Selby NM, Francis ST：Assessment of acute kidney injury using MRI. J Magn Reson Imaging 61：25-41, 2025
15) Kurokawa R et al：MRI findings of immune checkpoint inhibitor-induced hypophysitis：possible association with fibrosis. AJNR Am J Neuroradiol 41：1683-1689, 2020
16) Tigue CC et al：Granulocyte-colony stimulating factor administration to healthy individuals and persons with chronic neutropenia or cancer：an overview of safety considerations from the Research on Adverse Drug Events and Reports project. Bone Marrow Transplant 40：185-192, 2007
17) 外山芳弘ほか：動脈壁肥厚：高安動脈炎，巨細胞性動脈炎とG-CSF製剤関連動脈炎．臨放 66：1309-1315, 2021

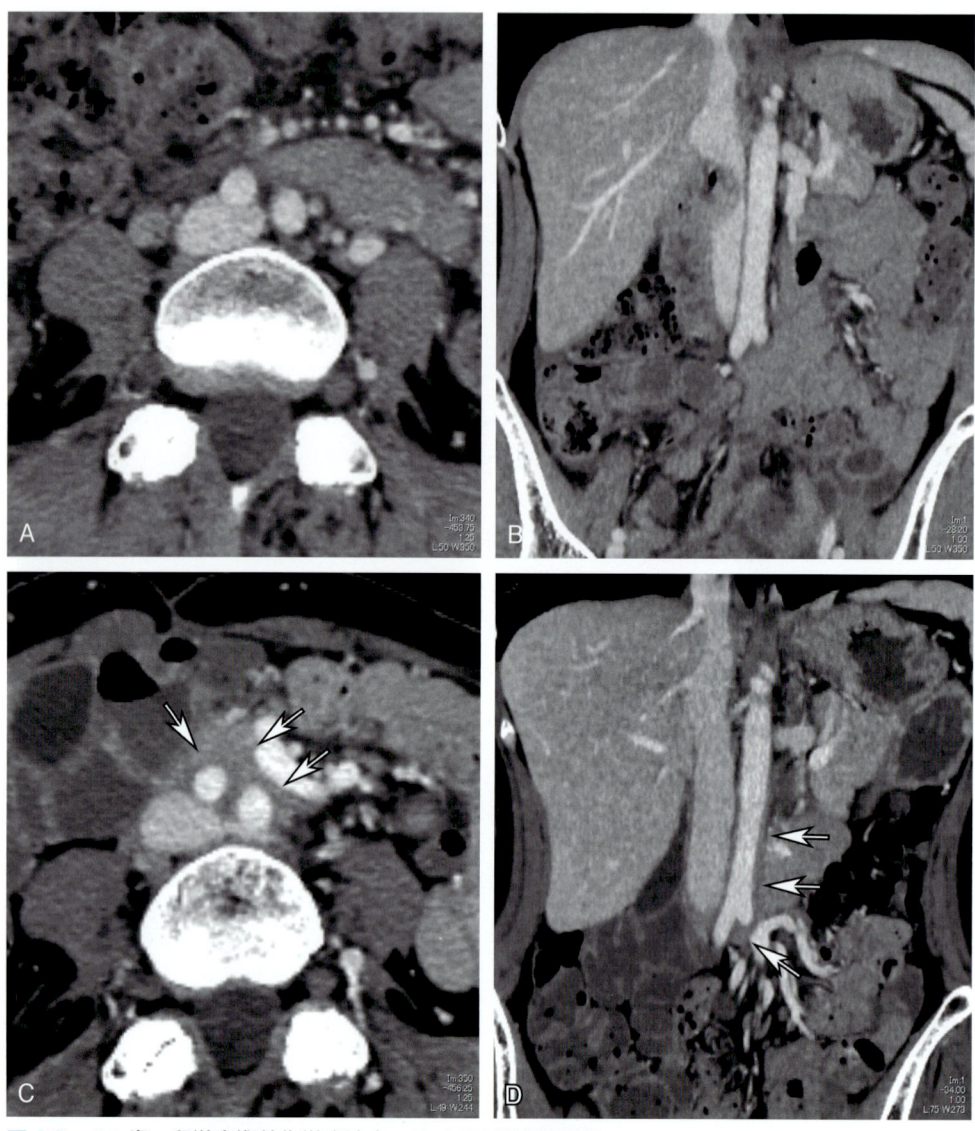

Ⅲ 婦人科腫瘍の薬物療法に伴う合併症

図10 44歳 卵巣癌術前化学療法中，G-CSF関連動脈炎
A：造影CT横断像（発症前），B：造影CT冠状断MPR像（発症前），C：造影CT横断像（発症後），
D：造影CT冠状断MPR像（発症後）
卵巣癌（高異型度漿液性癌）に対する再発治療（化学療法）中，発熱と右側腹部痛にて入院。初回化学療法前の造影CT（A，B）では大動脈，両側総腸骨動脈，下大静脈周囲は脂肪織のみで低吸収域が保たれていたが，化学療法後の造影CT（C，D）では大動脈壁が肥厚し，総腸骨動脈周囲は軟部組織の増生により，脂肪織の低吸収が消失している（→）。G-CSF関連動脈炎を疑い，保存的に対処した（病理診断は得られていない）。

第11章

炎症・血管障害・雑

I 炎症性疾患

Summary
- 骨盤内炎症性疾患（pelvic inflammatory disease：PID）の原因としてはクラミジアの頻度が高く，卵管炎，卵管留膿症，卵管卵巣膿瘍へと進展する。
- 典型的な膿瘍では厚い被膜の最内層がT1強調像で高信号を示し，内容物は漿液性の液体に比べT1強調像で少し信号が高く，T2強調像では信号がやや低い。
- 放線菌症はIUD装着例に好発し，T2強調像で信号の低い浸潤性に発育する充実性腫瘤を形成する。
- 結核性腹膜炎は癌性腹膜炎類似の所見を呈し，性器結核では壊死物質により拡張した卵管壁がT2強調像で低信号，多結節状を示す。

1. 骨盤内炎症性疾患 pelvic inflammatory disease（PID）

1）臨床的事項（起炎菌，感染経路，治療法）

　骨盤内炎症性疾患（pelvic inflammatory disease：PID）は，卵管炎，卵巣周囲炎，卵管卵巣膿瘍（tubo-ovarian abcess）を含む非特異的感染性または炎症性疾患の総称である。『産婦人科診療ガイドライン 婦人科外来編2023』では表1に示す診断基準を推奨している[1]。女性生殖器への感染症としてはほかに外陰・および腟の感染症があり，性器ヘルペス感染症や尖圭コンジローマなどの頻度が高いが，これらが画像検査の対象となることはほとんどないので，ここでは割愛する。外陰や腟を介した内性器へ至る感染症の多くは性行為感染症であり，国立感染症研究所の最近の発生動向調査によると，その原因となる病原微生物の約60％前後をクラミジア（*Chlamydia trachomatis*/眼感染症のトラコーマの起炎菌であることからその名がある）が占め，淋菌（*Neisseria gonorrhoeae*）は起炎菌として有名ではあるが性行為感染症の10％未満を占めるにすぎない[2,3]。また近年，起炎菌として大腸菌やバクテロイデスなどの一般細菌が増加している[4]。さらにまれではあるが，長期のIUD挿入の合併症として放線菌症の報告も散見される[5]。一方，女性生殖器への感染経路としては隣接臓器からの炎症の波及もしばしば認められ，虫垂炎や結腸憩室炎，結核性腹膜炎などが挙がり，上行感染によるPIDとの鑑別疾患として問題になる[6]。

表1 骨盤内炎症性疾患（PID）診断基準（産婦人科診療ガイドライン 婦人科外来編 2023）[1]

[問診]
1. 症状の程度，性状，経過
2. 性的活動性，直近の子宮内操作，妊娠の可能性
3. 子宮内膜症などの婦人科的基礎疾患や性感染症の既往歴

[必須診断基準]
1. 下腹痛，下腹部圧痛
2. 子宮と付属器の圧痛

[付加診断基準および特異的診断基準]
1. 体温≧38.0℃
2. 白血球増加
3. CRPの上昇
4. 経腟超音波検査やMRIによる膿瘍像確認
5. 原因微生物の培養もしくは抗原検査，遺伝子診断による同定

　PIDの起炎病原体として最も頻度の高いクラミジア感染症を例に臨床的事項を概説する。性器クラミジア感染症は外陰・腟から上行して子宮頸管炎を起こすが，感染しても無症状であることが多く，これを放置すると15～30％が腹腔内に進展する[7]。卵管に炎症が到達しても大腸菌などほかの起炎菌に比して激烈な症状には乏しく[2]，下腹痛は訴えるが，白血球増多や発熱などの炎症所見を欠く症例が20％程度みられるという[4,8]。クラミジアによる卵管組織障害は初感染のみでは軽微であるが，症状に乏しいことから放置され，またパートナーとの間で感染を反復し，慢性化するようになると卵管狭窄や卵管蠕動障害をきたすようになる[2]。その結果，これに罹患した女性の20％が不妊症を呈し，異所性妊娠の罹患率も正常群の6～10倍に及ぶといわれる[9]。したがって早期診断が重要だが，画像で異常を指摘できるのはかなり進行した状態になってからである。

　下腹部痛をきたす疾患は消化器疾患も含めて多岐にわたることから，画像に求められる役割は炎症性病変であること（子宮内膜症や悪性腫瘍の否定），およびその主座が女性生殖器にある（虫垂炎や結腸憩室炎の否定）ことを証明することにある。ここではCT，MRIによるPIDの診断について主に述べ，ほかの特殊な婦人科感染症や鑑別診断についても簡単に言及したい。なお，C.trachomatis感染の画像以外の診断としては子宮頸管擦過検体からの病原体の同定や抗原検査が推奨されている[1]が，コストを考慮して血清抗体検査（IgA，IgG）がスクリーニングとして行われることも多い[2]。また，クラミジア性器感染症の治療の第一選択はニューキノロン系やアジスロマイシンなど経口抗菌薬の投与であるが，治療抵抗性の場合には外科的切除が選択されることも少なくない。

2）画像所見

　前述のように，クラミジアに代表される性器感染症が外陰，腟，子宮頸部に留まっている間は画像診断の対象となることはほとんどなく，卵管に到達して初めて画像診断が行われることが多い。したがってクラミジア感染による子宮頸管炎のMRI所見のまとまった報告は見当たらないが，

鼠径部肉芽腫（ドノヴァン症）症例で，子宮頸部がT2強調像で高信号を示したとの1例報告がある[10]。非特異的な慢性頸管炎でも同様の報告があり[11]，自験例でも子宮頸部の腫大とT2強調像での高信号化が観察されている（図1）。卵管・卵巣に達した感染症に対する画像診断の第一選択はUSで，精査には被曝のないMRIが用いられるべきだが，急性腹症として受診し，後述する急性虫垂炎など，婦人科疾患以外が疑われてCTが行われることが少なくない。急性卵管炎（acute salpingitis）の最も早期に現れる画像所見は卵管壁の肥厚である。CTでは造影剤でよく増強される索状物が卵巣に向かって伸びる像とされている[8]が，骨盤腔内の小腸ループや子宮周囲の豊富な血管と区別するのはなかなか難しく，薄いスライス厚で撮影した画像を丁寧にトレースする必要がある（図2）。また副所見として骨盤底部での炎症の広がりを反映して，Douglas窩の液体貯留や直腸周囲腔脂肪織の軟部組織影，仙骨子宮靱帯の肥厚などを捉えることができる[8]。MRIはCTに比べコントラスト分解能に優るので，子宮・付属器周囲のわずかな液体貯留を特にT2強調像で鋭敏に捉えることができる。また炎症により肥厚した各種靱帯も造影脂肪抑制T1強調像で明瞭に描出される[4]（図3）。

さらに炎症が進行して，癒着により卵管采が閉鎖すると卵管留膿症（pyosalpinx）を生じる。拡張した卵管内の液体にはUS上，内部エコーがあり，漿液性の液体貯留，すなわち卵管留水症とは容易に区別可能とされている[12]が，CTでは漿液と炎症によりややタンパク濃度の上昇した液体とをX線吸収値の違いとして描出することは困難なことも少なくない。さらに拡張した卵管が互いに癒着すると特徴的な拡張蛇行した管状構造と多房性嚢胞性病変との区別が難しくなり，肥厚した卵管壁が悪性腫瘍の充実性成分と誤認されることもある。したがって，CTでは再構成画像を用いて多断面から観察することが重要である。Isotropic imagingはMRIにおいても有用で，一見多房性嚢胞性にみえる付属器腫瘤が，一本の拡張蛇行した管状構造からなることを容易に把握できる。またMRIはコントラスト分解能が良好なことから，拡張した卵管を近接する腸管とは内容物の信号強度差で区別しうる点で有利である（図4）。

さらに炎症が進行すると，卵管留膿症は卵巣を巻き込んで卵管卵巣膿瘍（tubo-ovarian abscess）を形成する。この時期になると画像的には非特異的な，壁の厚い種々のX線吸収値，信号強度を呈する混合性腫瘤となる。基本的には膿瘍であるので，厚い被膜に覆われた嚢胞性腫瘤であり，造影剤では被膜・隔壁部分のみが増強される。また炎症に伴う癒着のため周囲構造との境界は不明瞭化し，骨盤内の壁側腹膜や仙骨子宮靱帯の肥厚などもますます顕著になる。しかしこれらの所見は，生殖可能年齢の女性の腹痛の原因として頻度の高い子宮内膜症と同等の所見であり，嚢胞内に空気がみられれば膿瘍の可能性が高いが，それ以外の場合には臨床所見も加味して慎重に診断しなければならない。内膜症性嚢胞は壁の厚い多房性の嚢胞として描出されるのに加え，内容物は反復性の出血を反映してT1強調像で高信号（還元ヘモグロビン，メトヘモグロビンのT1短縮効果による），T2強調像で"shading"（本来内容物は液体なのでT2強調像で高信号を示すはずだが，陳旧化した血腫によるヘモジデリン沈着や線維化の合併により嚢胞の一部が低信号を示すこと）を示すので，CTに比べ特異的な所見が得られやすく鑑別に役立つ。しかし非常に粘稠な膿がその高いタンパク濃度からT1強調像で高信号，T2強調像で低信号を呈する場合があり，診断にはやはり臨床所見も加えた詳細な検討が必要である（図5）。Haらは膿瘍症例で被膜の最内層にT1強調像で高信号の輪状帯を高率に認め，これはほかの卵巣腫瘍では報

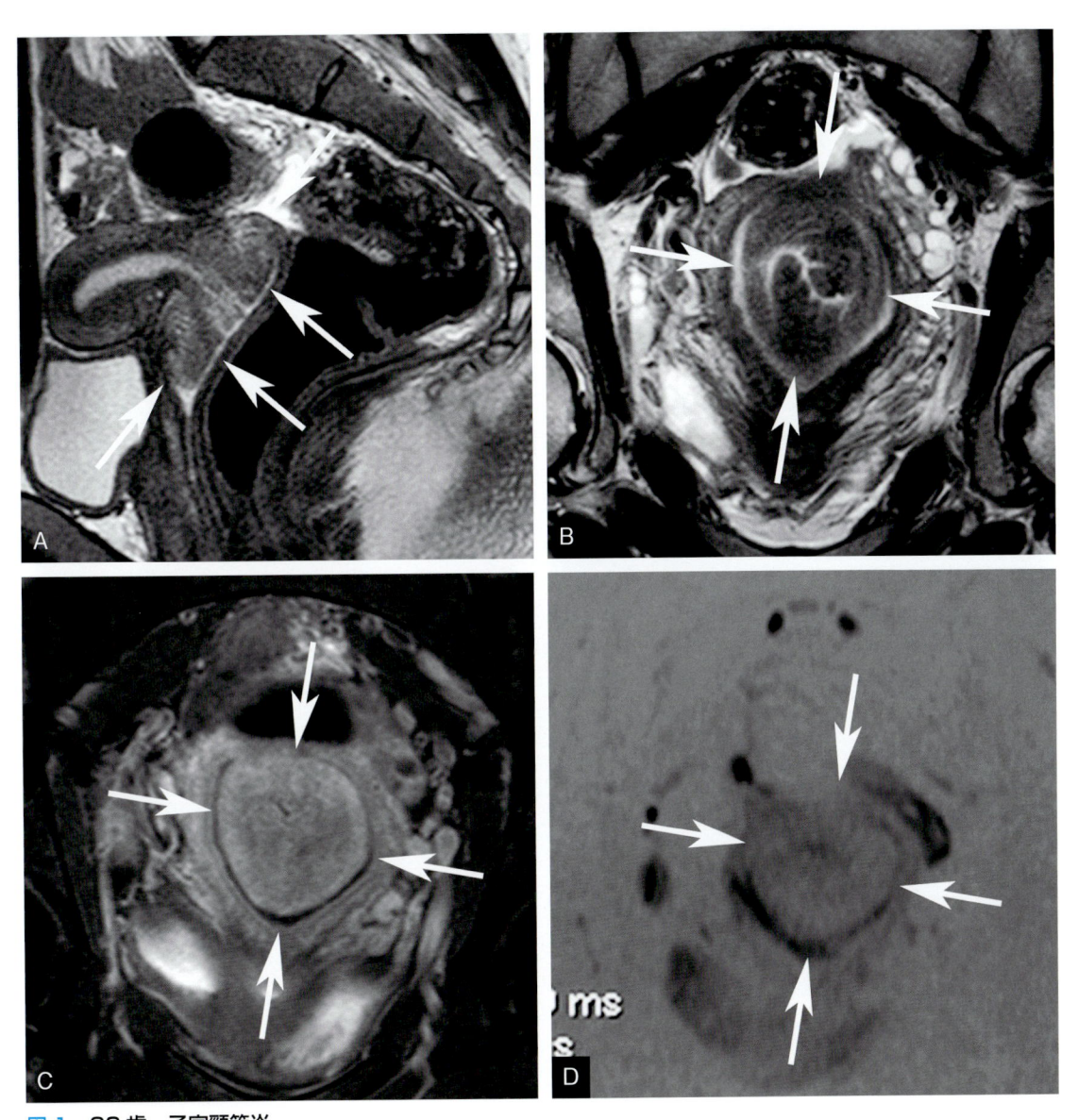

1. 骨盤内炎症性疾患 pelvic inflammatory disease（PID）

図1　23歳　子宮頸管炎
A：T2強調矢状断像，B：T2強調冠状断像，C：造影脂肪抑制T1強調冠状断像，D：拡散強調冠状断像
帯下増多にて前医受診し，US上，子宮頸部後壁に腫瘤を認めたため，精査目的でMRIを撮像した。T2強調像にて，子宮頸部は境界不明瞭な高信号を呈し（A，B →），均一に増強される（C）が，拡散強調像（D）では異常信号を呈さず，炎症性の浮腫と考えられる所見である。生検標本では表層上皮の直下にグラム陽性球菌の集簇とリンパ球を主体とする炎症細胞の浸潤が認められ，細菌性頸管炎と診断された。

告されていないことから，鑑別点になりうるとしている（図5）[4]。この輪状高信号帯は炎症に伴う出血成分を貪食したマクロファージに起因するとされる。またWilburらは卵管間膜の前方偏位を，膿瘍の起源が卵管・卵巣にあることの根拠として重視している[8]。一方，慢性に経過し，症状に乏しい症例では，炎症に伴う膿瘍内腔での肉芽組織の増生が，悪性腫瘍と紛らわしいことがあり，囊胞内容物の性状には十分に注意を払う必要がある（図6）。

I 炎症性疾患

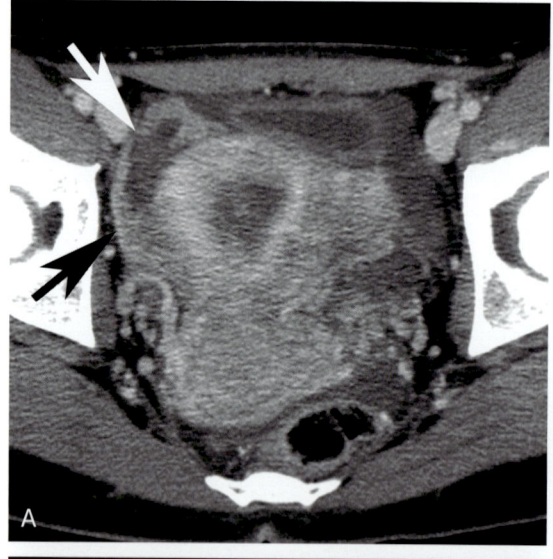

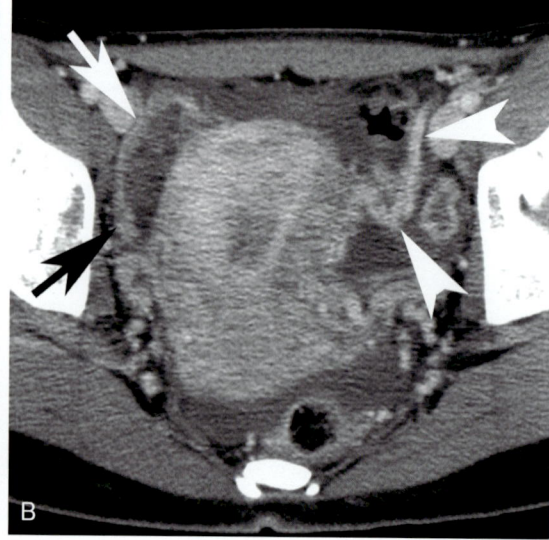

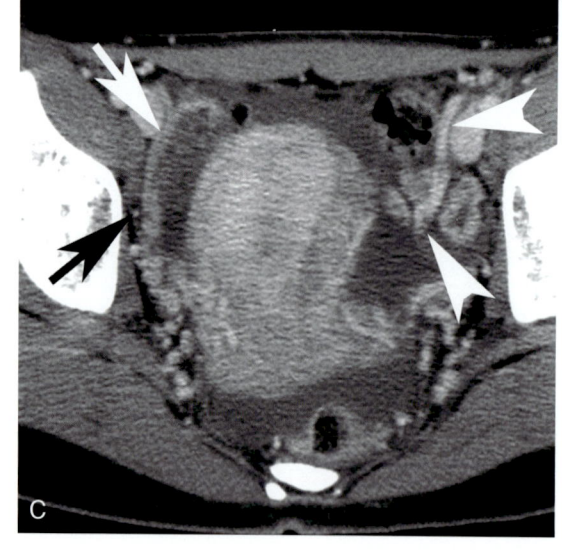

図2　19歳　急性卵管炎
A〜C：造影CT
4日前発症の急性腹症。白血球増多はみられないが，CRP 1.96 mg/dLと軽度の炎症反応がみられた。やや多めの腹水に加え，通常では描出されることのない左右の卵管が強く増強されて描出されている（→：右卵管，▲：左卵管）。抗菌薬投与のみで軽快した。

　急性に発症し卵管卵巣膿瘍を形成するような症例では腹腔内への炎症の波及がさらに顕著になり，多量の腹水やいわゆる麻痺性イレウスを合併して汎発性腹膜炎（panperitonitis）の像を呈する。CT上はDouglas窩のみならず両側傍結腸溝や横隔膜下腔にも腹水の貯留を認め，小腸係蹄は内腔に液体貯留を伴って拡張する。浮腫や循環障害の合併により小腸壁が肥厚していることも多い。また，癌性腹膜炎と同様に炎症細胞の浸潤による大網ケーキもしばしばみられる。腹膜炎を合併してくると臨床的には局所症状はむしろ減弱し，所見が一般化してくるので，付属器炎以外の原因による腹膜炎との鑑別がますます重要になってくる。汎発性腹膜炎の原因疾患として頻度が高く，右下腹部痛で発症することの多い虫垂炎は鑑別すべき疾患の筆頭に挙げられる。

　PIDの特異な合併症として肝周囲炎（perihepatitis）がある。これはFitz-Hugh-Curtis症候群ともよばれる。本症候群はPIDに合併する右上腹部痛と肝周囲炎と定義され，本来は淋菌感

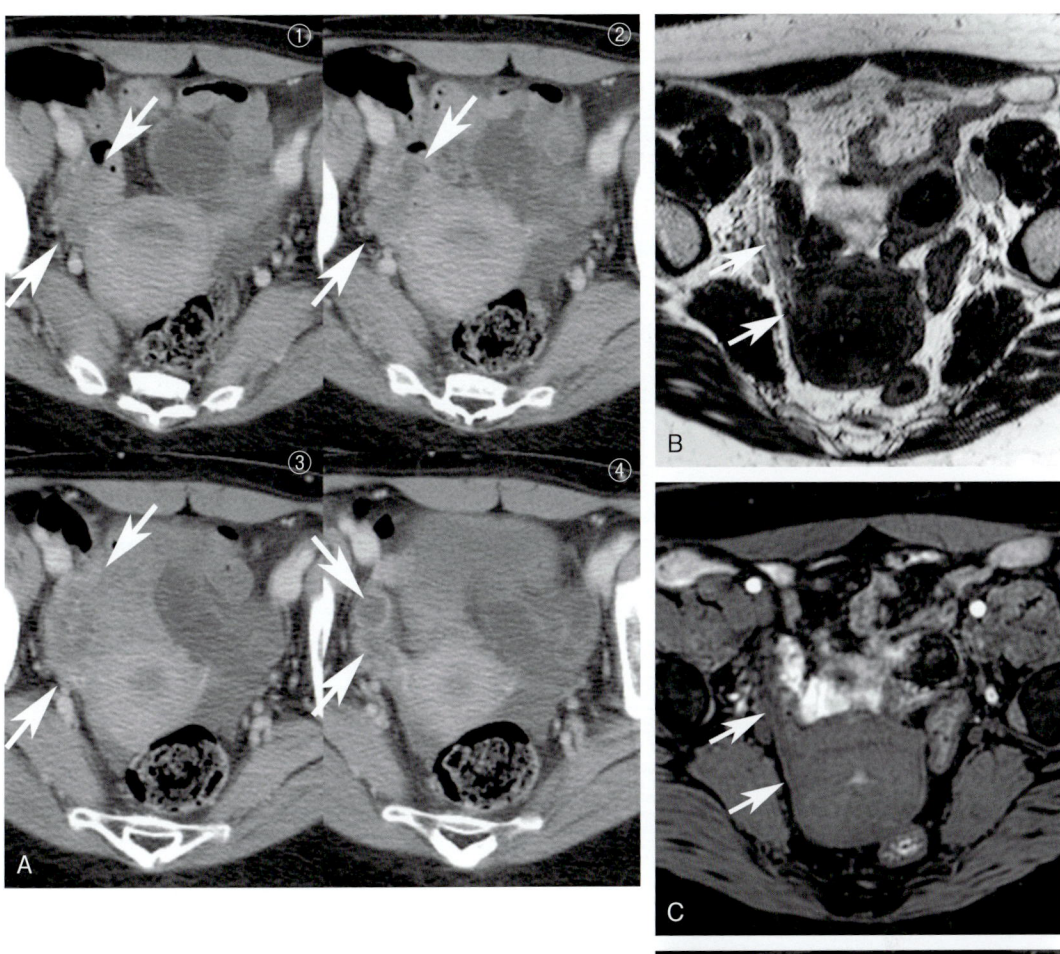

1. 骨盤内炎症性疾患 pelvic inflammatory disease（PID）

図3　38歳　急性卵管炎
A：造影CT，B：T2強調横断像，C：脂肪抑制T1強調横断像，
D：造影脂肪抑制T1強調横断像
急性腹症発症当日のCTを丹念に追跡すると右付属器領域に数珠状に拡張した卵管を確認できる（A→：右卵管）。抗菌薬投与後のMRIでは，すでに拡張の消失した右卵管がT2強調像で高信号（B），脂肪抑制T1強調像で低信号の索状物として確認され（C），卵管壁が強く増強されている（D）。コントラスト分解能の良好なMRIでは，拡張のない卵管も同定されることに注目。

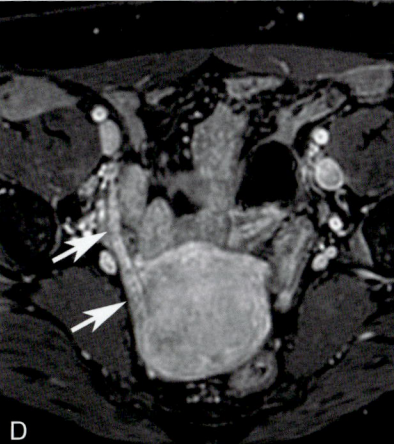

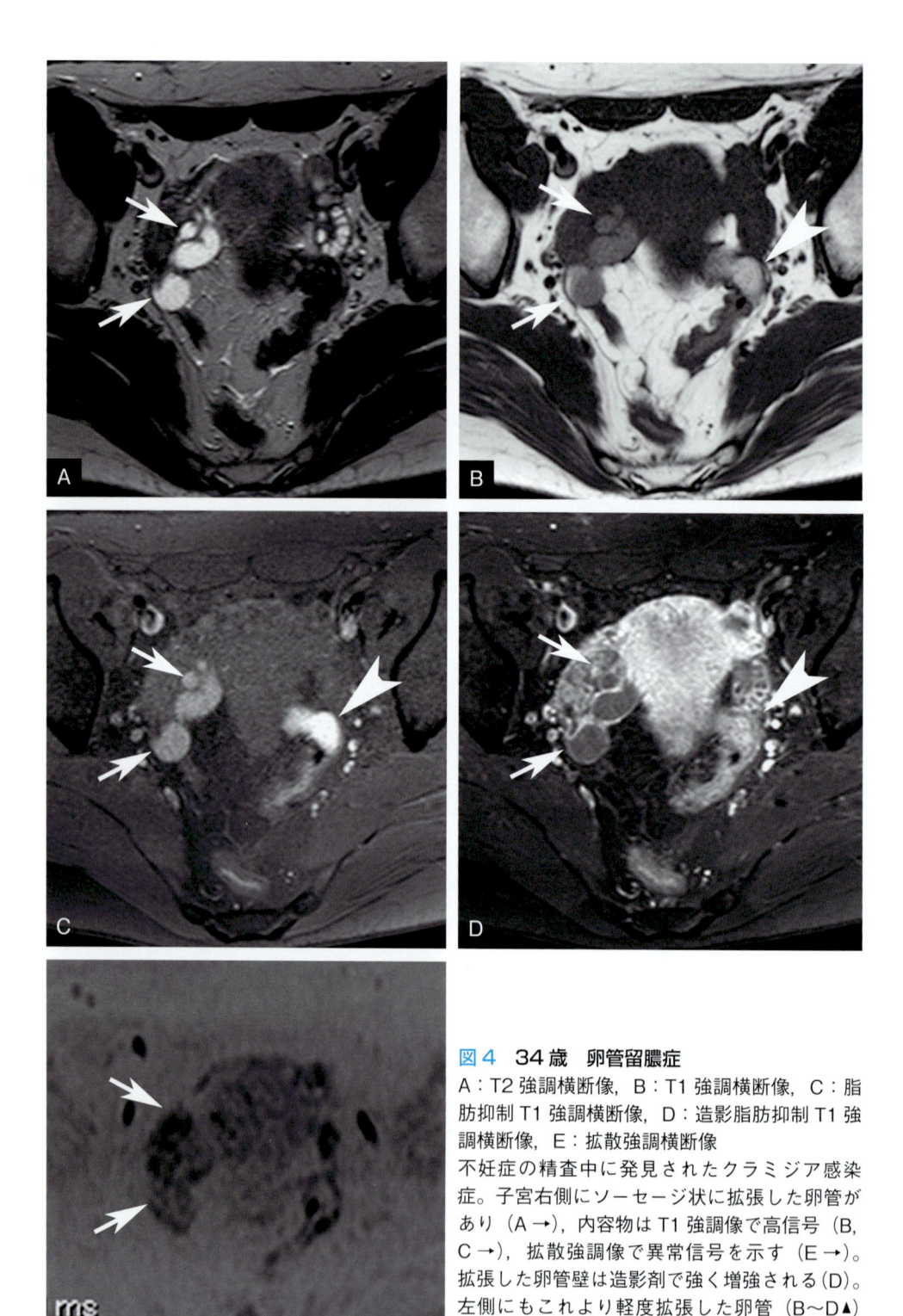

I 炎症性疾患

図4　34歳　卵管留膿症

A：T2強調横断像，B：T1強調横断像，C：脂肪抑制T1強調横断像，D：造影脂肪抑制T1強調横断像，E：拡散強調横断像

不妊症の精査中に発見されたクラミジア感染症。子宮右側にソーセージ状に拡張した卵管があり（A→），内容物はT1強調像で高信号（B，C→），拡散強調像で異常信号を示す（E→）。拡張した卵管壁は造影剤で強く増強される（D）。左側にもこれより軽度拡張した卵管（B～D▲）があり，いずれの卵管内容物も腸管内容物とは信号強度が異なっており，腸管との分離同定が容易である。

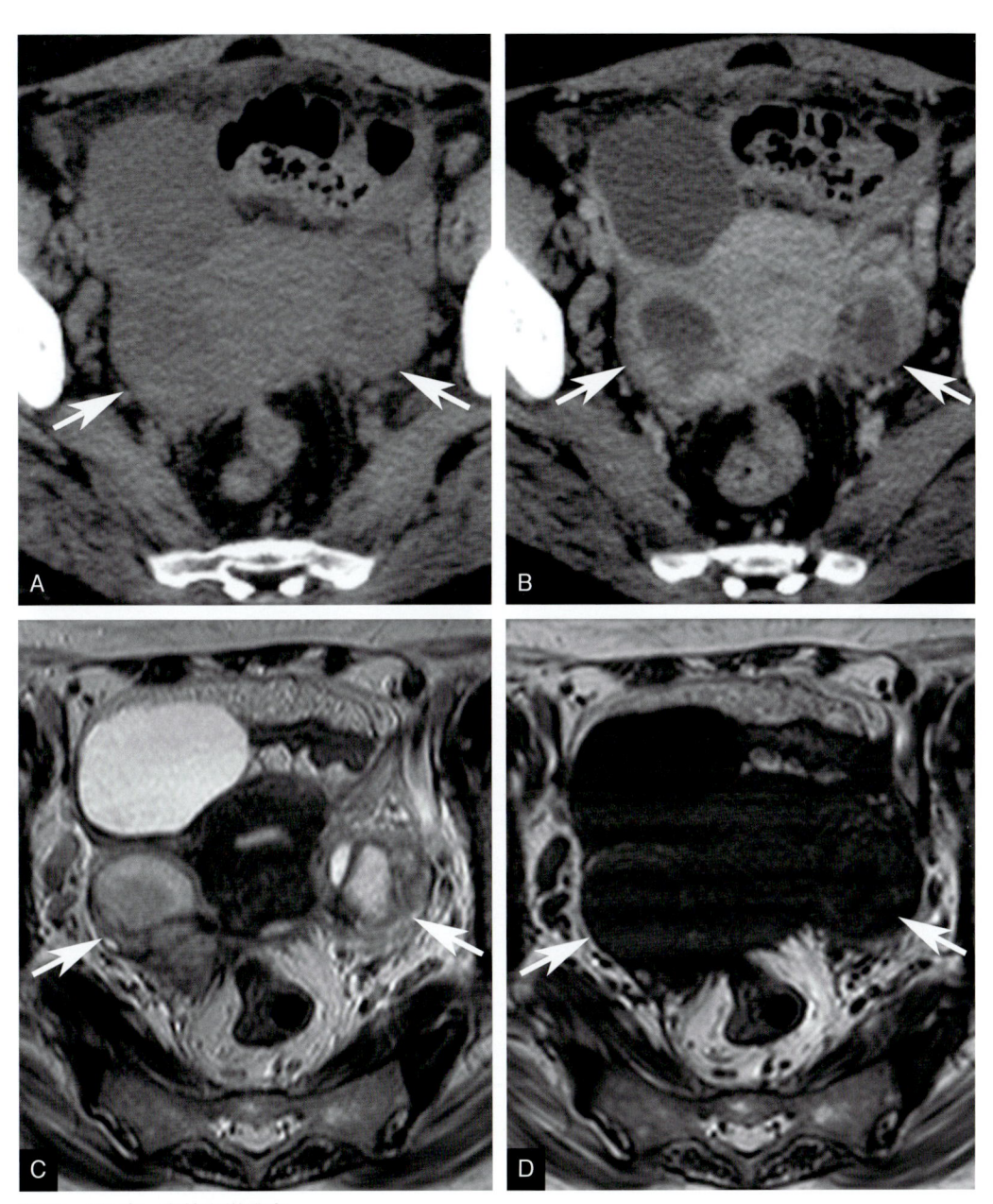

1. 骨盤内炎症性疾患 pelvic inflammatory disease（PID）

図5　45歳　卵管卵巣膿瘍
A：単純 CT，B：造影 CT，C：T2 強調横断像，D：T1 強調横断像
急性腹症で受診時の CT では両側性囊胞性の付属器腫瘤があり，壁が厚く癒着もあり本症のほかに内膜症性囊胞も考えられる所見である（A, B →）。4日後の MRI では T2 強調像で腫瘤内には "shading" があり（C →），この点でも内膜症性囊胞に類似するが，T1 強調像では内膜症性囊胞に比べ信号強度の低い内容物（D →）であることがわかる。

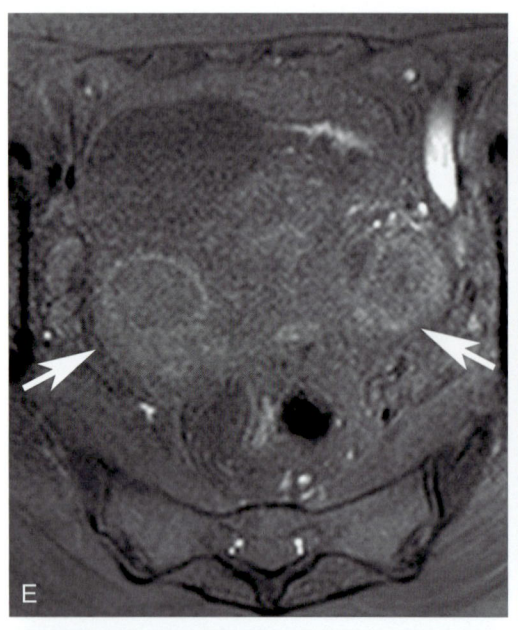

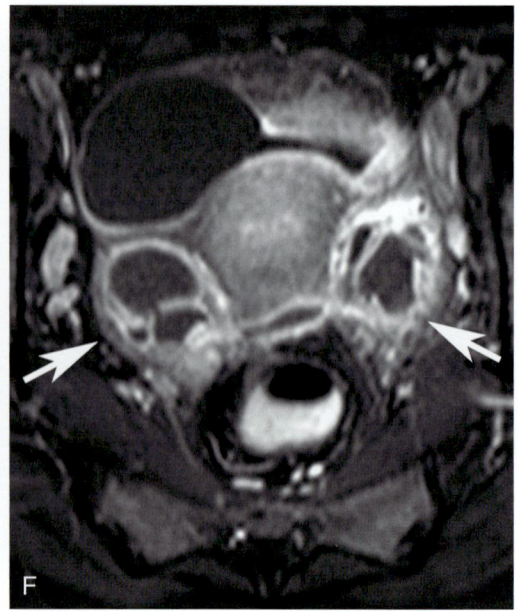

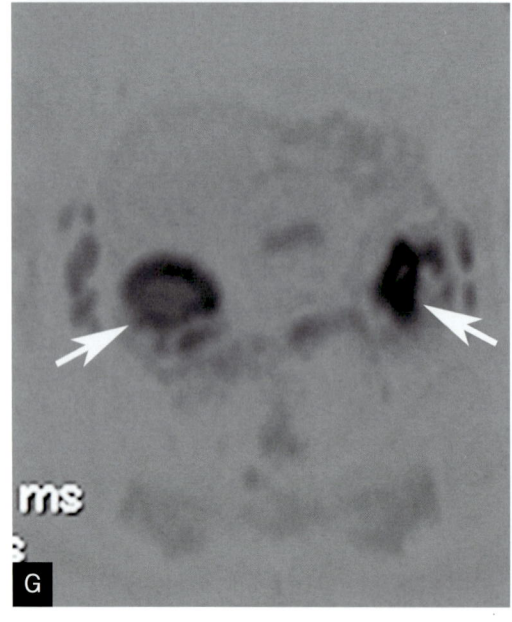

図5 つづき（卵管卵巣膿瘍）
E：脂肪抑制T1強調横断像，F：造影脂肪抑制T1強調横断像，G：拡散強調横断像
脂肪抑制T1強調像では被膜の最内層は高信号を示し（E→），造影後は壁が強く増強される（F→）。拡散強調像では内容物は強い異常信号を示し（G→），膿に合致する。

染に伴うものとされていたが，近年クラミジア感染症に対しても使用され，男性例も報告されている。画像的には肝周囲の被包化された，帯状の内部エコーを伴う腹水貯留[13]や肝被膜に沿った肝実質の増強効果[14]，胆嚢壁肥厚[15]が報告されている。Jooらは肝表の増強効果は門脈優位相よりも動脈優位相でより高頻度に観察されることから多相CT撮影を推奨している[16]が，対象が若年女性だけに適応を十分に吟味する必要がある。本症では子宮卵巣にも明確な炎症所見を伴うこともあるが，正常であることも多く，若年女性の上腹部痛では本疾患を念頭におく必要がある。

2. 特殊な病原体による女性性器感染症

　放線菌症（actinomycosis）は口腔内常在菌である *Actinomyces israelii* をはじめとするアクチノマイセス属の細菌を起炎菌とする感染症である[17]。放線菌は原核微生物のため細菌に分類されるが，形態的には菌糸状で感染様式も真菌に類似する。頸部や胸壁の穿通膿瘍の原因としてよく知られるが，女性性器感染症としての放線菌症は上行感染により生じ，IUDの長期挿入がそのリスクファクターとして知られている[5,18]。診断は病巣から黄色顆粒（硫黄顆粒，sulfur granule）やドルーゼ（菌塊）を同定することによりなされるが，培養で証明される率は低く，画像で本症の可能性を示唆することは臨床上，重要である。本症は菌の有するタンパク分解酵素により，破壊性の強い充実性腫瘤をDouglas窩や肛門周囲に形成し，CTでは造影剤による強い増強効果を示し[19]，しばしば既存の間膜を越えて隣接臓器に浸潤する（図7）。このため尿管浸潤による水腎症（図8）や，消化管に広範囲にわたる壁の肥厚と求心性狭窄を引き起こす[20-22]。MRIでは，本症に起因する肉芽腫はT2強調像で不均一だが，線維化を反映した信号強度の低い軟部組織を含む局面を形成することが多い。

　結核（tuberculosis）は，HIVの蔓延に伴う一時的な増加を除いては，先進国では減少傾向にある。しかし近年，多剤耐性結核や肺外病変の増加が英米で報告されている[23,24]。腹部病変は肺外結核としては胸膜炎や頸部リンパ節結核に次いで多く，結核性腹膜炎（tuberculous peritonitis）は肺外結核の4.9％，性器結核は6.5％を占める[23]。腹部病変は血行性・リンパ行性撒布に加え，菌の嚥下によってももたらされるとされている。Vázquez Muñozらは結核性腹膜炎を被包化もしくは遊離した大量の腹水を伴うwet type（図9），大きな大網ケーキと腸管の癒着集簇を主とするfibrotic fixed type，乾酪壊死を伴うリンパ節腫大と腸管周囲の線維化を主とするdry typeもしくはplastic typeと名付けて分類し，各々90％，60％，10％の症例でみられると報告している[25]。ほかの報告でも大量の腹水に大網ケーキを合併するとの報告が主流[26-28]であり，この所見は癌性腹膜炎とオーバーラップし，特に高異型度漿液性癌は腹膜原発の悪性腫瘍としても発生する（p417；p420図27参照）ことから鑑別に苦慮する。Haらは腹腔内に形成された播種性結節は結核で比較的大きなもの（径5mm以上）が多い反面，大網ケーキは少ないと報告している[26]。またCTでは腹水のCT値の高いこと（CT値＋25〜45HU）[28]，乾酪壊死を反映した中心部の低吸収域や石灰化も癌性腹膜炎に比べ結核で頻度の高い所見とされている[26]。性器結核（genital tuberculosis）では卵管が最も高頻度に冒され，子宮内膜がこれに次ぐ[29]。このため卵管や内膜腔の癒着による閉鎖（Ascherman症候群）を生じ，不妊の原因ともなる[30]。子宮卵管造影（hysterosalpingography：HSG）では卵管の多中心性求心性狭窄や顆粒状変化，子宮内膜腔の癒着による変形が報告されている[31]。結核菌を起炎菌とする卵管炎，卵管卵巣膿瘍はクラミジアをはじめほかの起炎菌によるものと区別しがたいとされるものの，MRIでもHSG所見を反映して肥厚した卵管壁が鋸歯状や多結節状を呈するとの報告もある。前述の放線菌とオーバーラップするが卵管壁，膿瘍壁がT2強調像で低信号を呈するのも結核の特徴とされている[22,32]（図10）。

Ⅰ 炎症性疾患

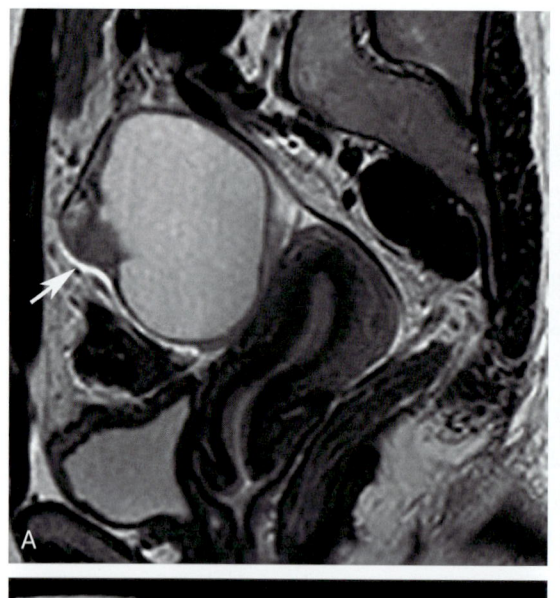

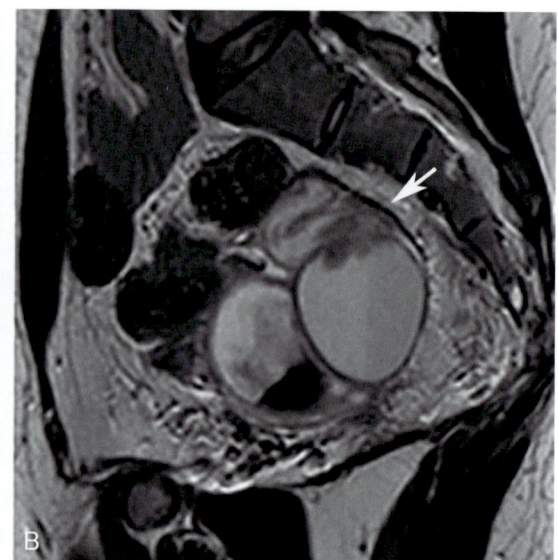

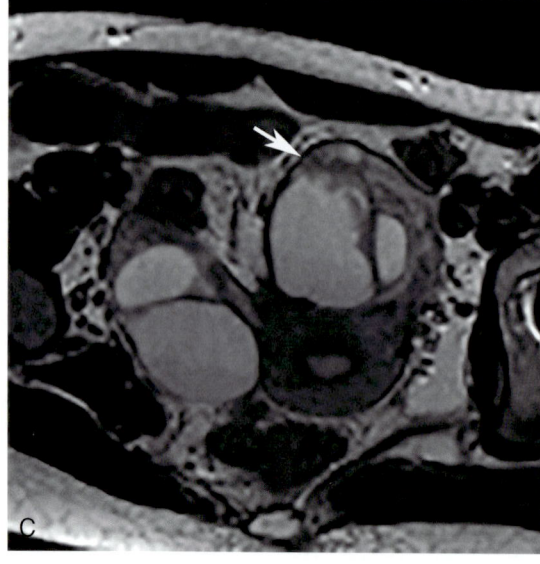

図6 21歳 骨盤内感染症
A, B：T2強調矢状断像, C：T2強調横断像
CA125の上昇を伴う両側卵巣腫瘍で, 卵巣癌疑いにて紹介受診。T2強調像(A〜C)で両側付属器に充実部(→)を伴う囊胞性腫瘤を認める。

　黄色肉芽腫性炎症（xanthogranulomatous inflammation）はリンパ球や多核巨細胞，形質細胞，好中球とともに多量の脂肪を貪食したマクロファージが病変部に出現する慢性炎症性変化で，腎や胆囊に好発する。女性生殖器では基本的に子宮内膜に限局するが，時に付属器へと進展する。病因は明らかではなく，脂質代謝異常や免疫異常，子宮内膜症の関与が示唆され，これらが複合的に作用して生じるものと考えられている。Kimらは3例の黄色肉芽腫性卵巣炎（xanthogranulomatous oophoritis）を経験し，そのいずれもが囊胞を混じた充実性腫瘤であり，時に浸潤性に発育し卵巣悪性腫瘍との鑑別が難しいと報告しており[22]，子宮に発生した自験例でも肉腫との鑑別に苦慮した（図11）。

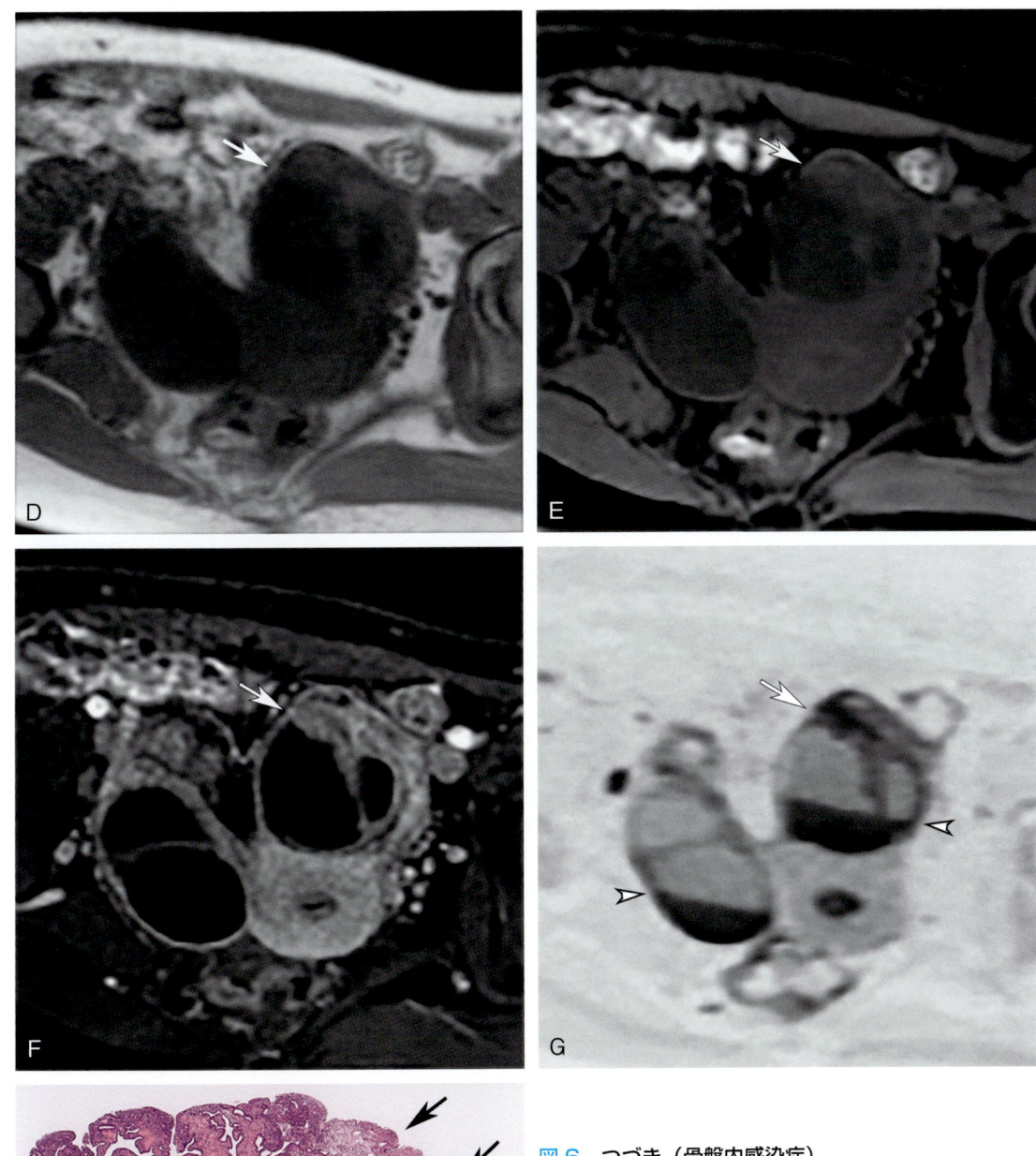

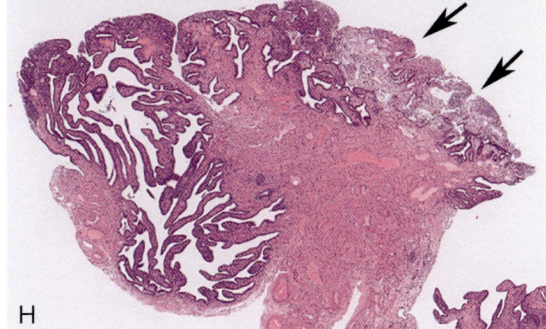

2. 特殊な病原体による女性性器感染症

図6 つづき（骨盤内感染症）
D：T1強調横断像，E：脂肪抑制T1強調横断像，F：造影脂肪抑制T1強調横断像，G：拡散強調横断像，H：HE染色（弱拡大）
充実部はよく増強され（D〜F），拡散制限（G）を伴うが，囊胞内容物の背側部分にも拡散制限があり，膿性を示唆する。手術待機中にCA125は低下，腫瘤も縮小したが，腫瘍の否定のため腹腔鏡が行われ，診断目的で切除された卵管采に炎症細胞浸潤（H→）が確認された。

I 炎症性疾患

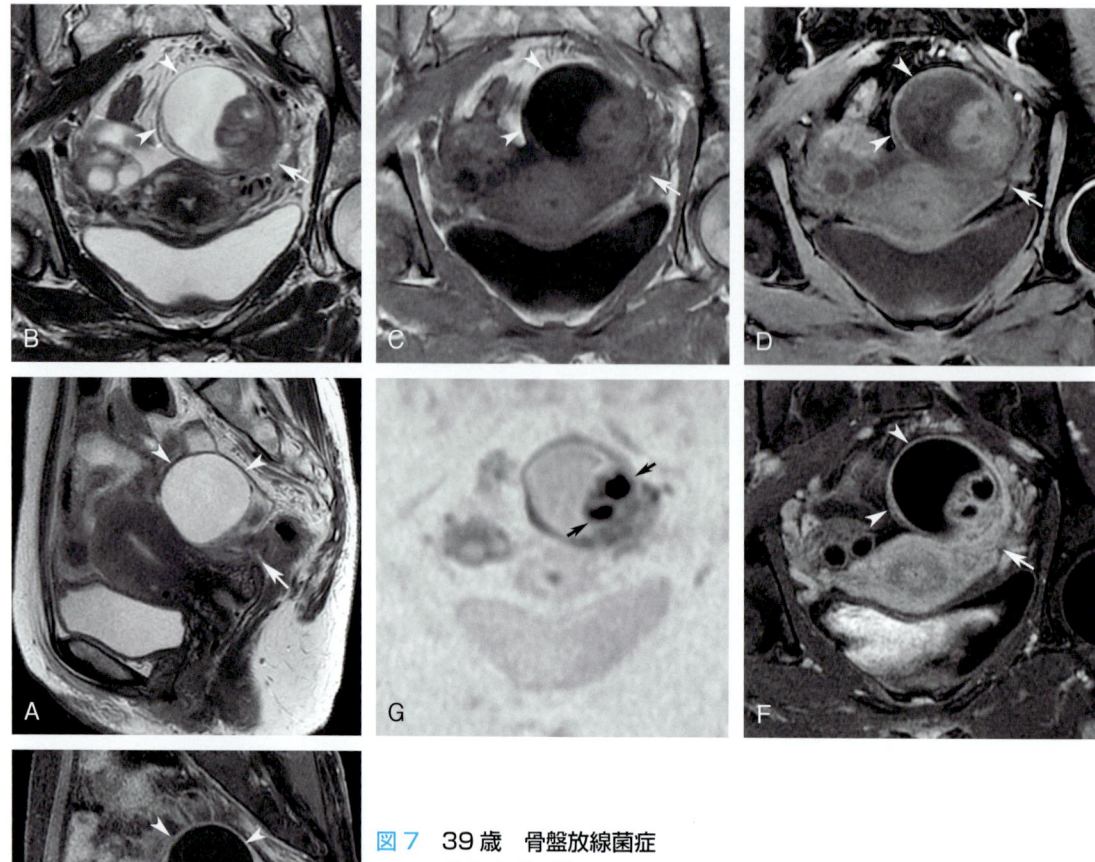

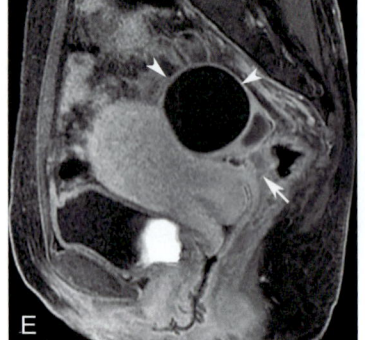

図7 39歳 骨盤放線菌症
A：T2強調矢状断像，B：T2強調冠状断像，C：T1強調冠状断像，D：脂肪抑制T1強調冠状断像，E：造影脂肪抑制T1強調矢状断像，F：造影脂肪抑制T1強調冠状断像，G：拡散強調冠状断像

不正出血と下腹部痛。子宮の左後方に壁，隔壁の厚い多房性囊胞性腫瘤を認め（A〜F▲），外側下方の肥厚した壁と連続した充実部が囊胞壁を越えて，直腸壁に浸潤している（A〜F→）。この充実部はT2強調像で低信号（A，B→）でよく増強される（E，F→）。内層の小さな囊胞は内容物が拡散強調像で強い異常信号を示し（G黒→），膿性を示唆する。

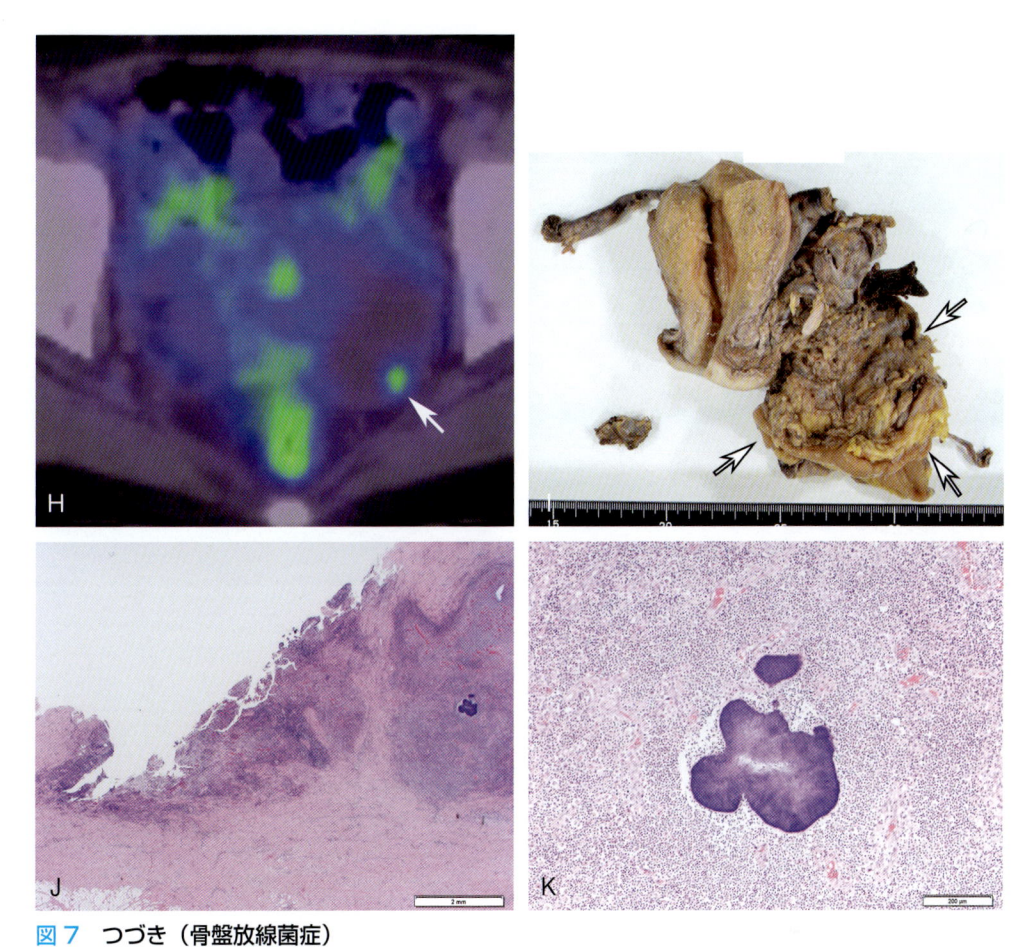

2. 特殊な病原体による女性性器感染症

図7 つづき（骨盤放線菌症）
H：PET/CT，I：摘出標本肉眼像，J：HE染色（弱拡大），K：HE染色（強拡大）
FDGの集積は弱い（H）。摘出標本（I）では内腔の汚らしい囊胞性腫瘤を認め，病理組織学的に炎症性滲出物を取り囲む好中球主体の肉芽組織（J）内に放線菌の菌体（K）を認めた。

Ⅰ 炎症性疾患

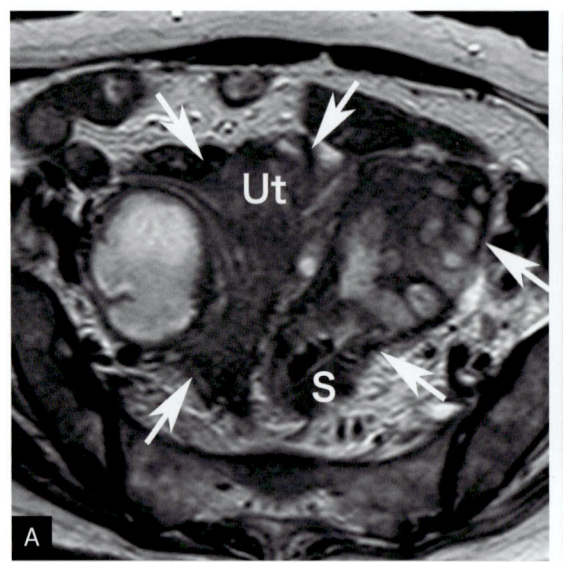

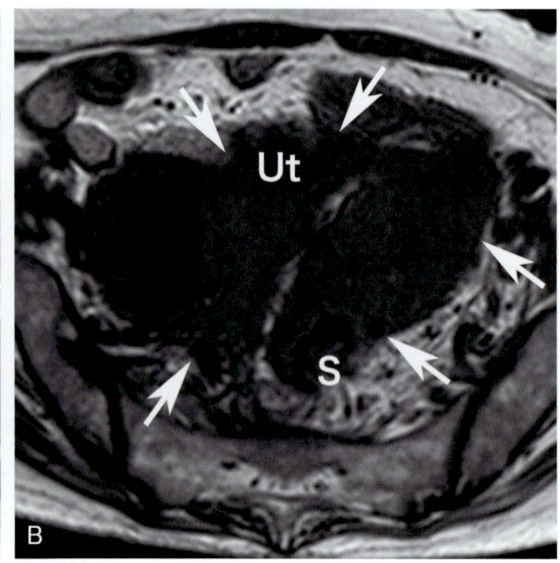

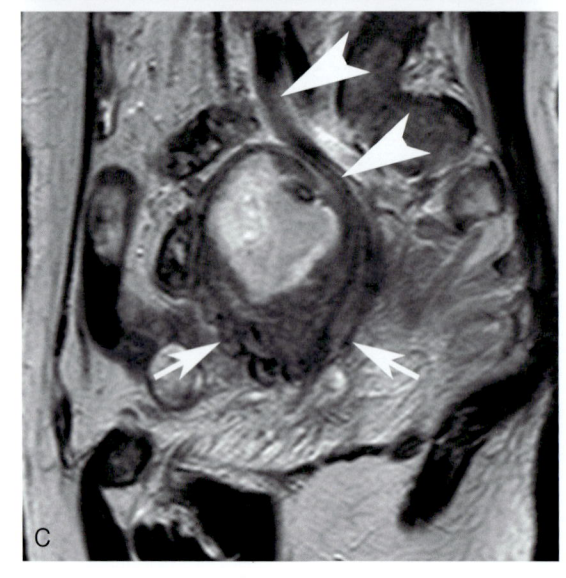

図8 52歳 骨盤内放線菌症
A：T2強調横断像，B：T1強調横断像，C：T2強調矢状断像
子宮肉腫疑いとして近医より紹介。子宮（A，B：Ut）の左右に腫瘤が形成されており，右骨盤壁に接する腫瘤には壁の厚い囊胞を含み，右付属器の膿瘍と考えられる。子宮と両側付属器の間を介在するように形成された軟部組織（A〜C →）に尿管（C▲）が巻き込まれて水腎症をきたしている。左側の腫瘤はS状結腸（A，B：S）に浸潤して，その壁肥厚を伴っている。周囲組織を破壊しながら浸潤性に発育する様はあたかも悪性腫瘍のようである。

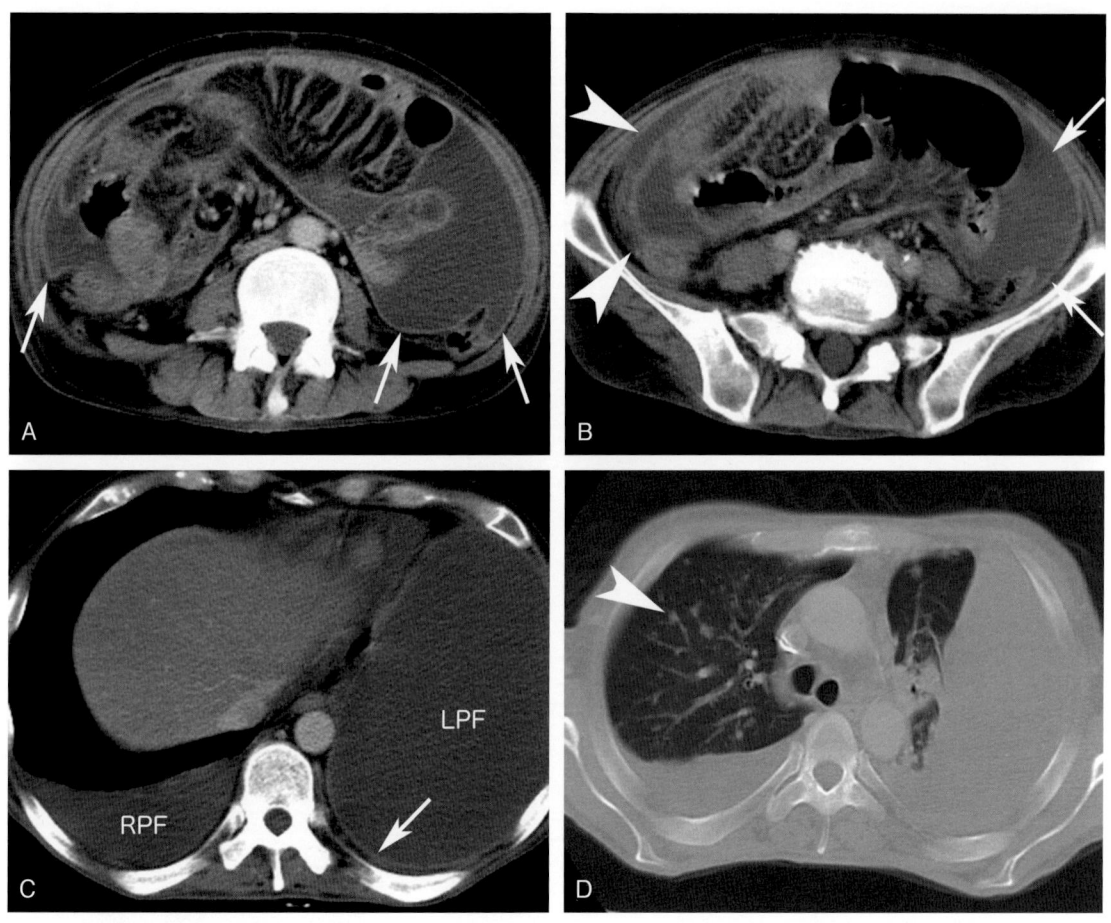

2. 特殊な病原体による女性性器感染症

図9 38歳 結核性腹膜炎（男性例）
A～C：造影 CT，D：肺 HRCT
大量に貯留した腹水を取り囲む壁側腹膜が厚く（A, B→）大網ケーキを伴っている（B▲）。両側に胸水もあり（C, RPF：右胸水, LPF：左胸水），これを取り巻く胸膜も厚い（C→）。本例には右上葉に"tree-in-bud" pattern を示す，結核に特徴的な肺病変も明らかである（D▲）。

I 炎症性疾患

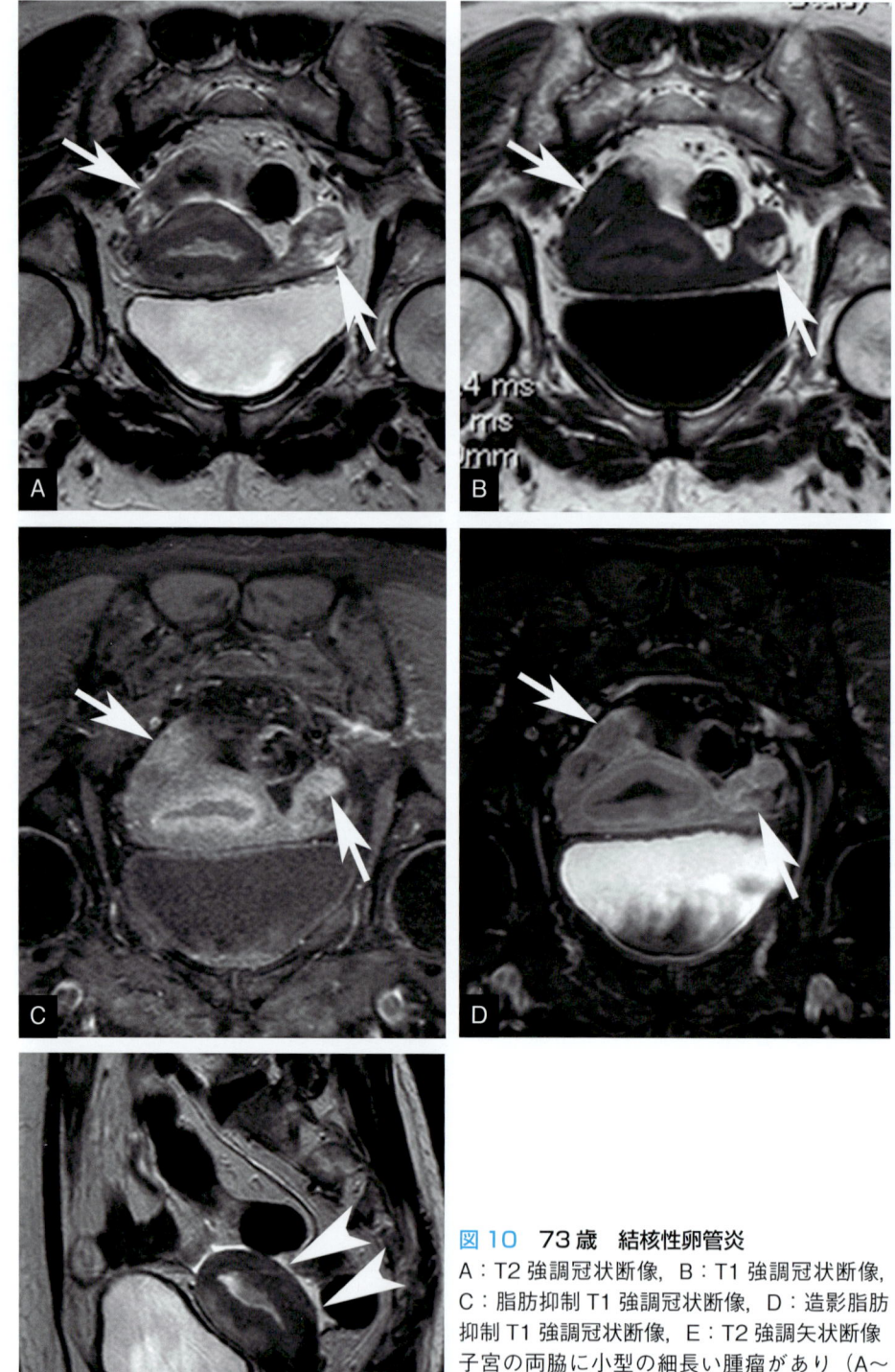

図10 73歳 結核性卵管炎
A：T2強調冠状断像，B：T1強調冠状断像，C：脂肪抑制T1強調冠状断像，D：造影脂肪抑制T1強調冠状断像，E：T2強調矢状断像
子宮の両脇に小型の細長い腫瘤があり（A～C→），造影後は卵管壁が多結節状に肥厚するのが明らかである（D→）。クラミジア感染例に比べ，卵管拡張が軽微で壁がより厚いのは結核の特徴の1つである。本例では腹水は少量のみ（E▲）で，結核性腹膜炎は伴っていない。

2. 特殊な病原体による女性性器感染症

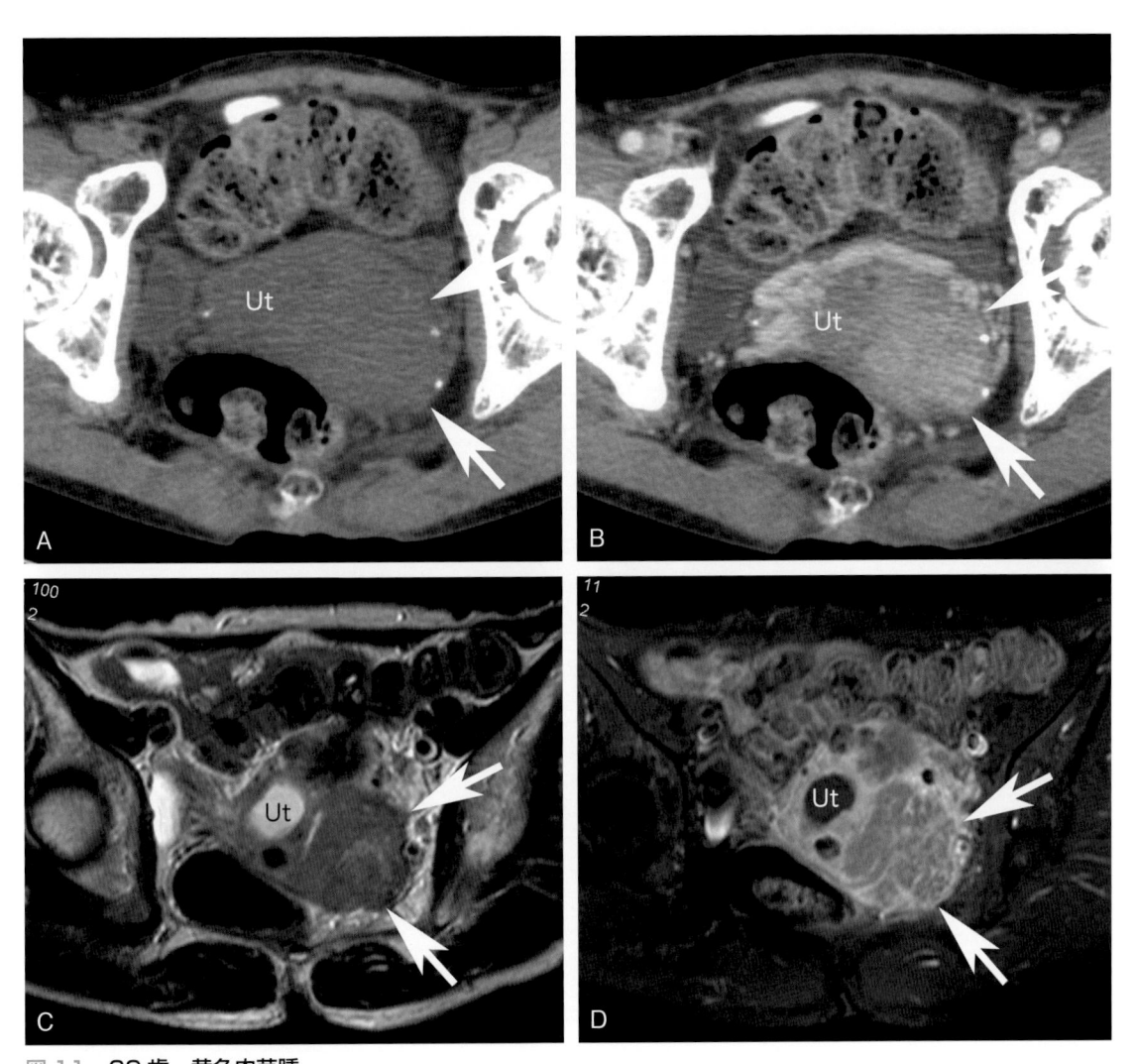

図11　69歳　黄色肉芽腫
A：単純CT，B：造影CT，C：T2強調横断像，D：造影脂肪抑制T1強調横断像
肛門痛を主訴に受診。子宮（A，B：Ut）の左後方に子宮よりやや濃度の高い充実性腫瘤があり，造影後はよく増強される。T2強調像で，萎縮した子宮には信号強度の低い筋腫（E：M）が多発するのに対し，この腫瘤のみ信号強度が高く（C，E→），よく増強される（D）ことから子宮平滑筋肉腫を疑われた。

775

I 炎症性疾患

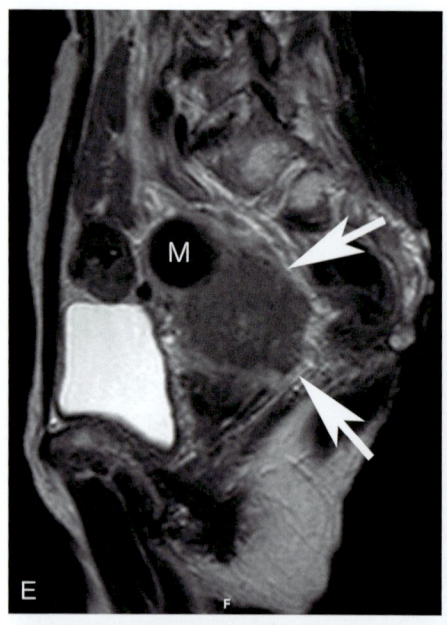

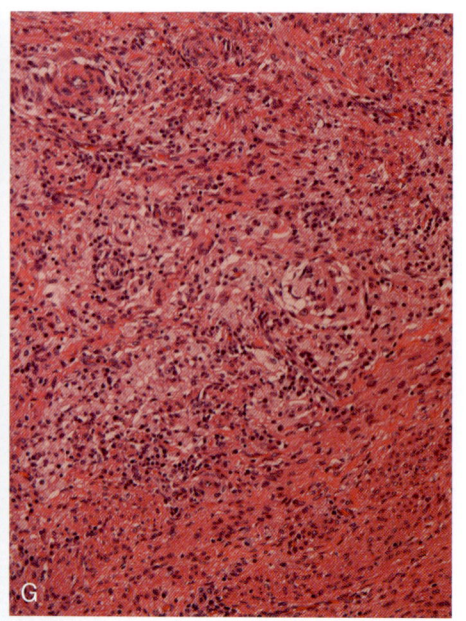

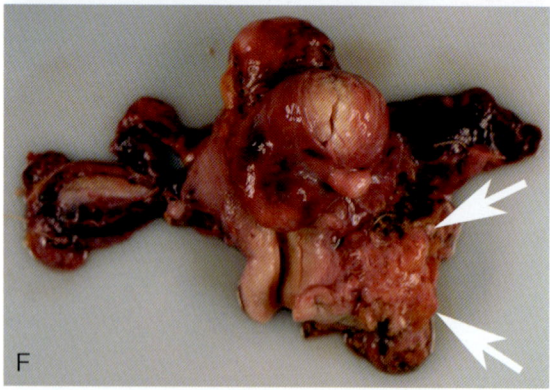

図11 つづき（黄色肉芽腫）
E：T2強調矢状断像，F：摘出標本肉眼像，
G：HE染色（強拡大）
摘出標本では基靱帯内に黄色調の充実性腫瘤を認め（F），病理組織学的には泡沫細胞を主体とする炎症細胞が背景の筋層と境界不明瞭に存在しており（G），黄色肉芽腫と診断された。標本中に真菌や細菌などの病原体は認められなかった。

3. 他疾患の合併症・医原性疾患としての女性性器感染症

　子宮頸癌は進行すると内外子宮口を閉鎖し，子宮留血症（hematometra），子宮留膿症（pyometra）といった合併症を起こすことがある。いずれもT2強調像で，本来は厚さ数mmの高信号帯として描出される内膜腔が拡大し，子宮全体が腫大する。内容物は血液ではT1強調像で高信号，T2強調像で低信号であるのに対し，留膿症ではよほどタンパク成分が豊富で粘稠にならない限り，基本的にはT1強調像で低信号，T2強調像で高信号であるので内溶液の性状把握に役立つ（図12）。留膿症も留血症も内腔が不均一な信号を呈しうることから，時に内膜腔を充満する腫瘍との鑑別が難しいことがある。これに対しては造影剤を投与すると内腔に貯留し

3. 他疾患の合併症・医原性疾患としての女性性器感染症

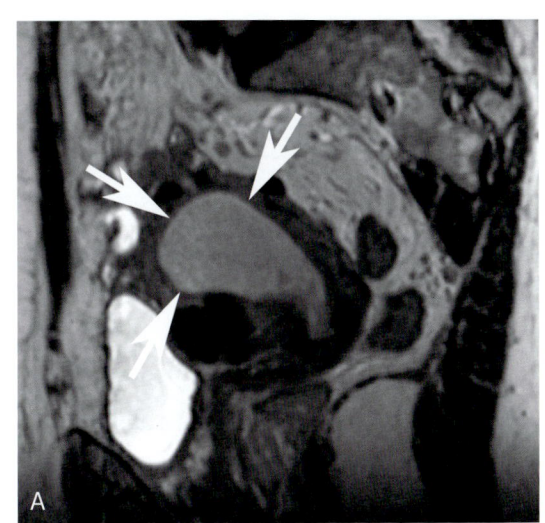

図12　61歳　子宮留膿症合併子宮頸癌
A：T2強調矢状断像，B：T2強調冠状断像，C：T1強調冠状断像，D，E：造影脂肪抑制T1強調冠状断像

腫瘍による子宮口閉鎖のために拡張した子宮の内腔（A〜E→）はT2強調像で中等度の高信号（A, B）。T1強調像で低信号（C）を示す膿状の内容物で占められ，造影後は近接して拡張した右卵管（卵管留膿症，B, D, E▲）も明らかとなる。

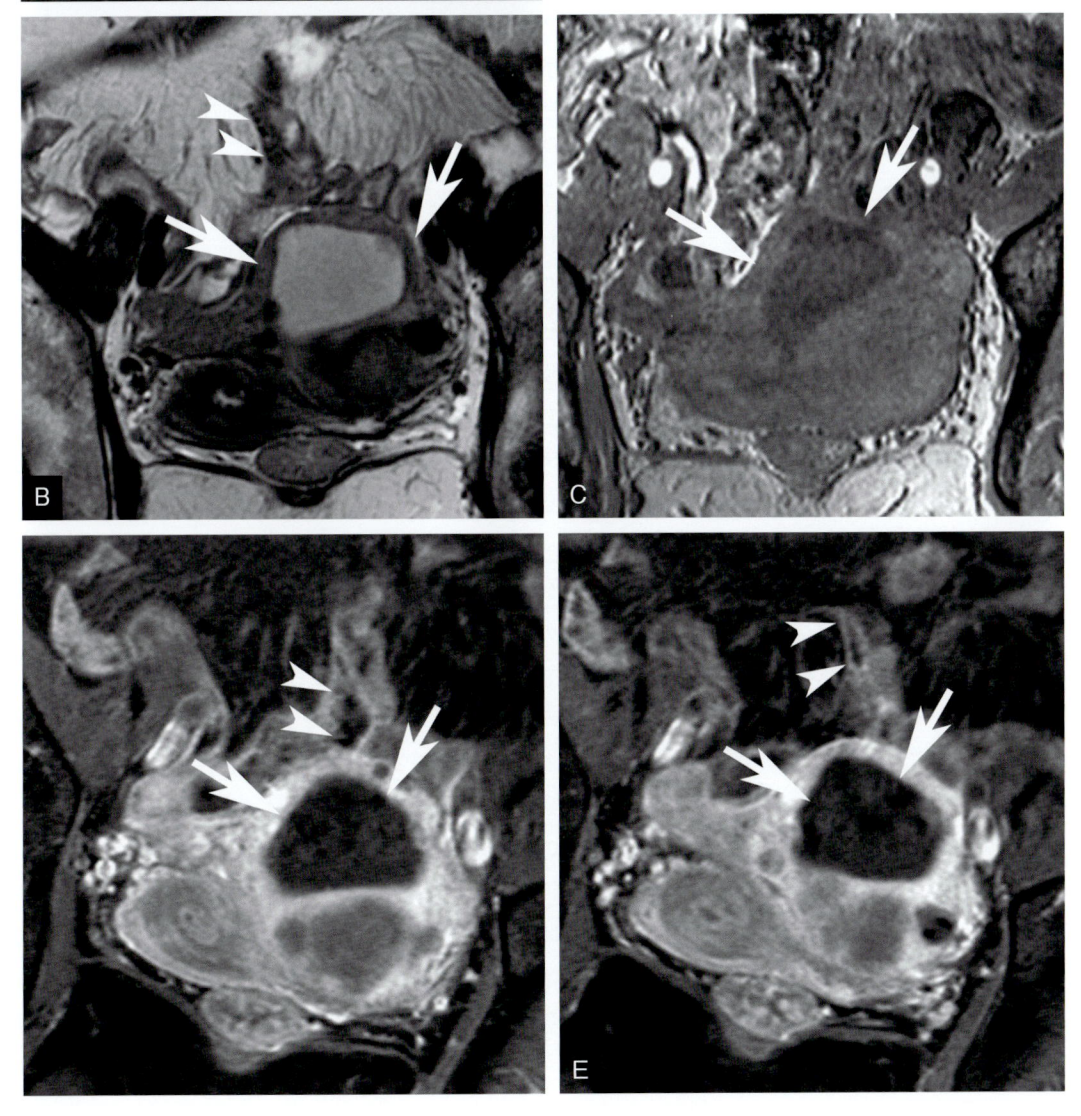

た液体成分はまったく増強されないのに対し，腫瘍はその種類により程度は異なるが増強効果を示すので容易に鑑別される．内子宮口の閉塞機転が長期化すると，卵管留膿症，卵管留血症を合併し，各々の内容物を反映した信号強度を示して卵管が拡張する（図12）．

子宮内膜症患者は一般人口に比べ卵管卵巣膿瘍の発症頻度が高く（2.3％ vs 0.2％）[33]，特に進行例に多い[34]ことが報告されている．Chenらはその理由として，内膜症病巣では免疫学的な異常を生じていること，内膜症性嚢胞の壁は病原微生物の侵入に対して脆弱であること，内容物の血液が病原微生物の培地になりやすいことを挙げている[34]．また起炎菌もクラミジアではなく，大腸菌をはじめとするグラム陰性桿菌が多いとされる[34,35]．感染合併内膜症性嚢胞の画像は単純な卵管卵巣膿瘍の特徴を示し，内膜症の所見はマスクされていることもあり，感染の合併前に内膜症の診断が確定していない症例では両者の合併を言い当てることは難しい（図13）．

前述の内膜症性嚢胞への感染は治療的処置（手術や内容液の吸引）後に多いことが報告されているが，ほかの産婦人科的処置の後にも種々の感染症が報告されている．特に分娩後には，帝王切開・会陰切開後の創部の感染から子宮留膿症や卵管卵巣膿瘍をきたした症例も少なからず報告されている．これらの画像所見については第12章-Ⅱ「産科合併症」の項に詳述した（p849参照）．いずれにせよ産褥期に発熱をきたした症例には早めに画像的検索を行って原因を突き止める必要がある[36]．

ガーゼオーマ（retained surgical sponge）は英語圏ではgossypibomaともよばれ（コラム「Gossypiboma」，p816参照），手術中に体内に置き忘れられたガーゼを核にして生じる異物反応である．術後早期に膿瘍を形成し，時には感染を合併して瘻孔を形成するタイプと，無菌性のフィブリン析出型の反応で被包化された肉芽腫を形成するタイプがある[37-39]．前者は早期合併症として周術期に発症することが多い[39]ので，腫瘍との鑑別診断が問題となるのは後者である[40]．USでは極めて強い音響陰影を伴う高輝度構造を中心部に含む低エコー腫瘤であるとされる[39,41]．強い音響陰影は，ガーゼの繊維そのものとその間に取り込まれた空気に起因する[41]．ガーゼ繊維間の空気は in vitro の実験では埋伏の6カ月後にも認められたとされ[40]，CTの報告でもしばしばair bubbleが腫瘤内に認められている[39,42,43]．CTでは厚い被膜をもつ低吸収腫瘤であり，ガーゼの繊維が腫瘤内の高吸収域としてみられたとの報告[39,44]や，遺残物がタオルの場合は特徴的な折りたたまれた構造を描出可能であった[42]との報告がある．被膜や内部の異物に生じた石灰化はCTでは高頻度に認められ[39,40,42,44-46]，単純X線写真でも渦巻き状の石灰化[44]を同定可能なこともあるという．LuらはCTでみられるガーゼの繊維に沿った特徴的な石灰化をcalcified reticulate rind sign[46]と名付けている．MRIでは厚い被膜はT1，T2強調像とも低信号を示し，内部は内容物の液体の量やタンパク濃度に応じて多彩な信号を呈する[47]．被膜はガドリニウム造影剤により強く増強され[48]，しばしば周囲組織にまで増強効果が波及する（図14）．これらの所見から肉芽組織や線維化であることは類推可能だが，ガーゼ内のX線不透過マーカー（塩化ビニール，硫酸バリウムやポリプロピレン）は金属ではないので磁場の不均一化は起こらず，MRIでの診断は難しいとされる[49]．なお，MRAの行われた症例では多血性であるとされる[50]が，これは被膜の炎症性変化による血管新生のためであろう．PETでの輪状の集積[51-54]も被膜の炎症を反映してのものと推察される．

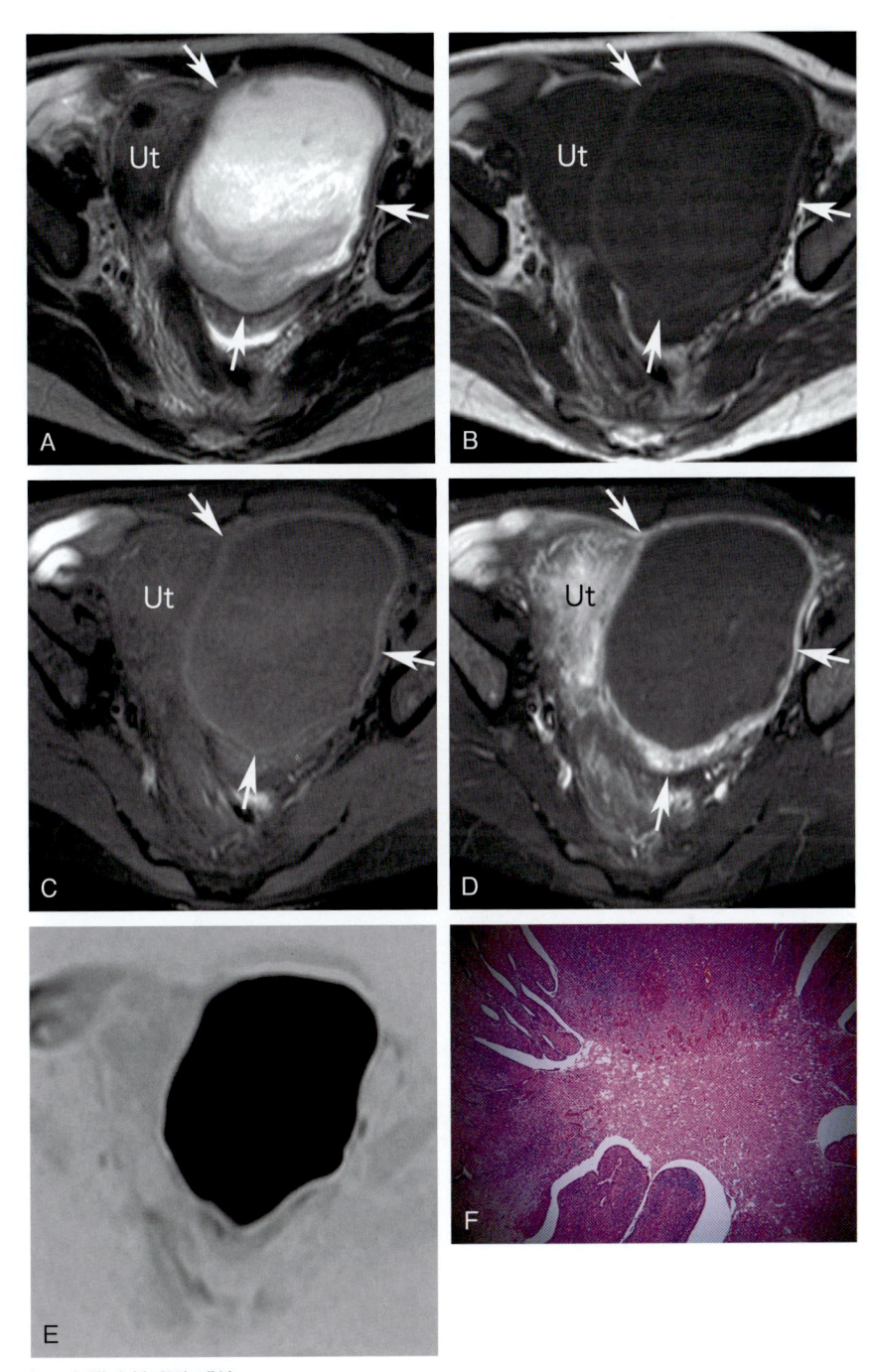

3. 他疾患の合併症・医原性疾患としての女性性器感染症

図13　47歳　内膜症性嚢胞感染
A：T2強調横断像，B：T1強調横断像，C：脂肪抑制T1強調横断像，D：造影脂肪抑制T1強調横断像，E：拡散強調横断像，F：HE染色（強拡大）
子宮（Ut）の左側に壁の厚い嚢胞性腫瘤を認め（A～D→），内容物はT1強調像では均一な低信号だが，T2強調像ではshadingを伴う（A）。また拡散強調像では強い異常信号を示す（E）。厚い嚢胞壁の最内層はT1強調像で信号強度が高く（B, C→），膿瘍に特徴的所見。抗菌薬投与に反応せず腫瘤は増大しており，外科的切除が行われ，病理組織学的に嚢胞壁には線維化や出血とともに好中球や組織球を含む高度の炎症細胞浸潤を伴っている（F）。本標本には含まれないが左卵管には内膜症の所見が認められ，内膜症性嚢胞への感染と考えられたが，所見は単純な卵管卵巣膿瘍とほぼ同等である。

I 炎症性疾患

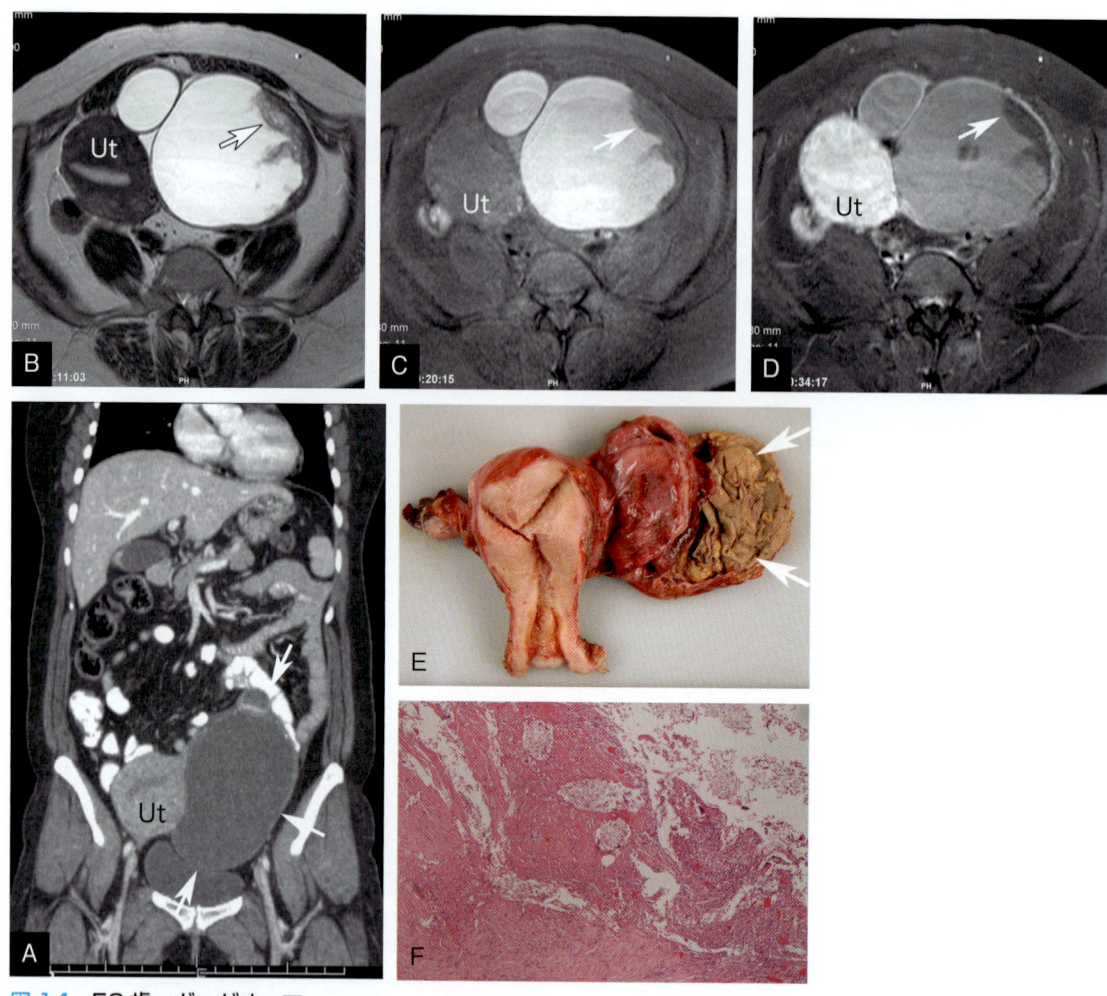

図14 50歳　ガーゼオーマ
A：造影 CT 冠状断 MPR 像，B：T2 強調横断像，C：脂肪抑制 T1 強調横断像，D：造影脂肪抑制 T1 強調横断像，E：摘出標本肉眼像，F：HE 染色（弱拡大）
下腹部腫瘤にて近医受診．子宮（Ut）の左側に2房性の腫瘤があり（A～D），左壁の被膜直下に T2 強調像で高信号，T1 強調像で低信号で，増強効果をもたない構造が付着しており（B～D →），よくみると折りたたまれた布のような形態を示している．摘出標本では囊胞内に折りたたまれたガーゼ（E →）がみられ，病理組織学的に囊胞壁には，線維増生，硝子化，炎症細胞浸潤を認め，異物巨細胞，泡沫状細胞を主体とした組織球の浸潤からなる異物反応を生じている（F）．18 年前の帝王切開時，もしくはそれ以前の虫垂炎時に忘れられたガーゼと考えられた．

4. 隣接臓器からの炎症の波及（PID の鑑別診断）

　虫垂炎や結腸憩室炎，Crohn 病や潰瘍性大腸炎といった炎症性腸疾患，成人ではまれだが Meckel 憩室炎，さらにまれな病態だが結腸腹膜垂炎，大網梗塞なども発症部位が骨盤内の場合は付属器炎との鑑別が問題となることがある．これら消化器疾患の病態・画像所見の詳細は成書に譲るが，簡単に解説する．

4. 隣接臓器からの炎症の波及（PIDの鑑別診断）

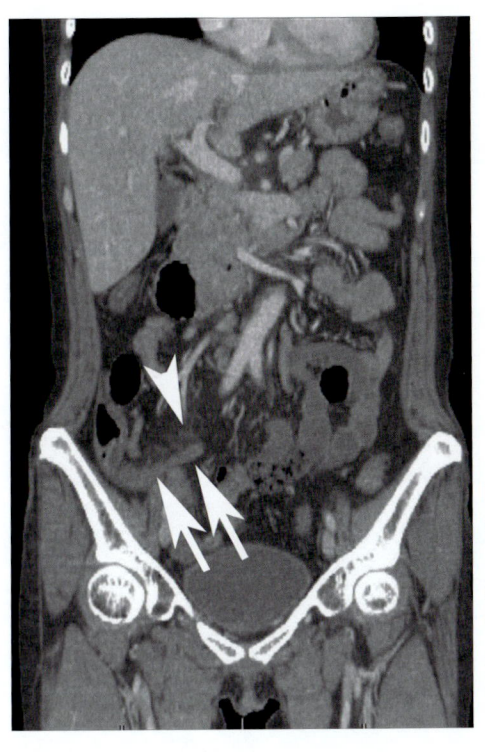

図15　45歳　急性虫垂炎
右下腹部痛にて受診。盲腸に連続する弓状の管腔構造があり，径は8mm程度で盲端に終わる（造影CT冠状断MPR像，→）ことから腫大した虫垂と診断できる。虫垂間膜の脂肪織にも炎症の波及による淡い濃度上昇（▲）を伴う。

　急性虫垂炎（acute appendicitis）は右下腹部痛で受診した患者の鑑別診断の筆頭と考えられ，付属器炎と同様，若年者に好発することから，被曝低減のため基本的にUSで診断される[55]べき病態である。虫垂は回盲部と連続する，圧迫により虚脱せず，盲端に終わる管腔構造として認められ，壁の厚さ2mm以上，もしくは径6mm以上の腫大を急性虫垂炎と診断するクライテリアが一般的である。その正診率は93〜98％に達し[56)57]，陰性反応適中率も90％に及ぶ[57]。しかし虫垂をUSで同定できない場合や，付属器に偶発的に腫瘤が存在し，婦人科疾患との鑑別が問題となる場合はCTが有用である。CT上も虫垂は盲腸の先端から連続する索状構造として同定され，炎症を伴うとその壁は肥厚し内腔は膿状の液体で占められる[58)59]（図15）。よって右下腹部を占める細長い膿瘍を認めた場合，それが盲腸に連続するか否か十分に検討する必要がある。虫垂炎は穿孔すると腫大した虫垂の同定ができなくなる。その場合には盲腸周囲脂肪織の濃度上昇が炎症の発生部位を推定するヒントになる[58)59]。糞石（虫垂結石）は出現する頻度は低いが認められれば診断的価値は高い。

　結腸憩室炎（diverticulitis）はしばしば虫垂炎との鑑別で問題となる。US上，腫大した虫垂が細長い，盲端に終わる管状構造として描出されるのに対し，炎症を起こした憩室は肥厚した結腸壁と連続する円型の腫瘤を形成する[60]。しかし欧米では右半結腸に多いのに対し，本邦では頻度の高いS状結腸の憩室炎はしばしば付属器炎との鑑別が問題となり，深部に位置することからUSでは診断困難で，多くの場合，CTで診断される。CT上も憩室は大腸壁から突出する類円型構造として描出され，炎症を合併すると結腸壁の全周性肥厚，結腸周囲脂肪織の不均一な濃度上昇などが出現する[58)61]。

Ⅰ 炎症性疾患

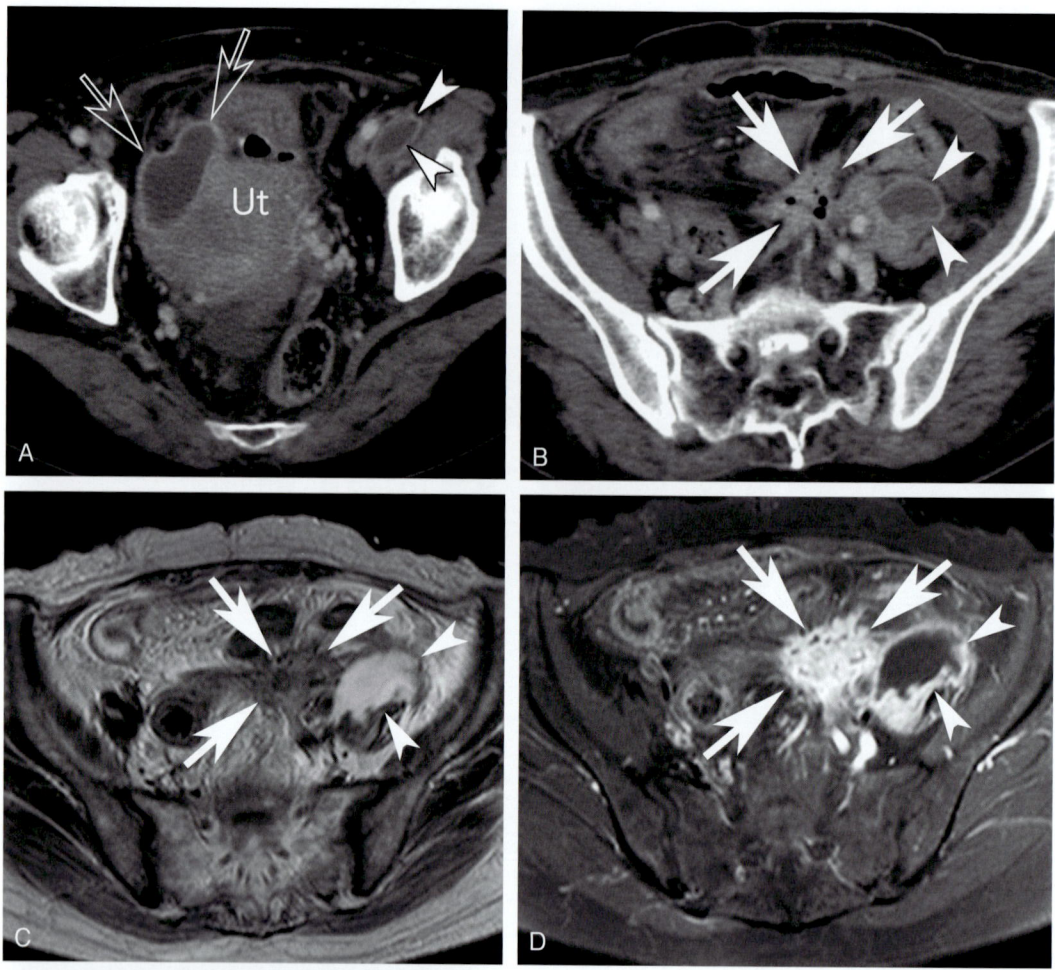

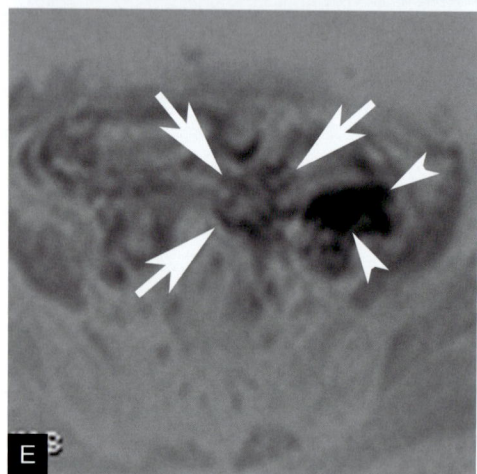

図16　66歳　Meckel憩室穿孔による腹膜炎
A, B：造影CT, C：T2強調横断像, D：造影脂肪抑制T1強調横断像, E：拡散強調横断像

下腹部痛，炎症反応高値にて転院。造影CTにて，子宮（A, Ut）の右側に壁の厚い囊胞があり，膿瘍と考えられる（A白抜き→）。前医では付属器の膿瘍を疑われたが，左腸腰筋にも膿瘍（A〜E▲）があり，頭側では複数の消化管を巻き込み，互いに穿通させる収縮を伴った軟部腫瘤がみられた（C〜E→）。深い消化管潰瘍が疑われることからCrohn病，T2強調像で比較的信号強度が低いことから消化器放線菌症などを疑ったが，手術の結果はMeckel憩室炎による回腸穿孔であった。腸腰筋膿瘍は内腔を占める粘稠な膿のために拡散強調像で異常信号を示している（E▲）。

4. 隣接臓器からの炎症の波及（PIDの鑑別診断）

　Meckel憩室（Meckel's diverticulum）は胎生期の臍腸管の退縮が不完全であったために生じる憩室で、回盲部から60cm（2 feet）以内に局在する。最も高頻度に発生する消化器系の奇形であり、一般人口の1.2～3％がMeckel憩室を有するが、合併症を起こすのはそのうち4.2～6.4％と推計されている。小児期には憩室を先進部とする重積や腸閉塞、年長児や成人では憩室内の異所性胃粘膜に起因する消化管出血が多いが、時に憩室穿孔による腹膜炎、腹腔内膿瘍で発症する[62)63)]。Meckel憩室の合併症は基本的には男性に多い[62)63)]が、骨盤内に膿瘍を形成した女性例では時に婦人科疾患との鑑別に苦慮する（図16）。Meckel憩室の存在診断には、憩室内の異所性胃粘膜への集積能を利用した^{99m}Tc-pertechnetateシンチグラムやpersistent vitello-intestinal arteryの描出を目的とした血管造影（上腸間膜動脈撮影：上腸間膜動脈末梢枝が小腸ループを乗り越えて腸間膜付着側の対側まで連続する様）が有名で、最近はカプセル内視鏡も用いられる[64)]。しかしすでに穿孔して膿瘍を形成した症例において、それがMeckel憩室に起因することを言い当てるのはかなり難しい[65)]。

　炎症性腸疾患［inflammatory bowel disease/Crohn病（Crohn's disease）、潰瘍性大腸炎（ulcerative colitis）］もその既往が明らかでない症例では、付属器炎との鑑別が問題になることがある。どちらも病変部は消化管壁の肥厚として描出され、造影CTでは内層から高・低・高吸収の三層構造（炎症性に肥厚した粘膜・浮腫性の粘膜下層・固有筋層）を示す。Crohn病のほうが深い潰瘍を形成するため、壁の肥厚が強く、炎症の波及により腸間膜や大網の濃度上昇を伴うことが多い。消化管同士あるいは消化管と膀胱や腟との穿孔や膿瘍形成もCrohn病でより高頻度に観察され、回盲部や遠位回腸の病変に起因することが多い[66)]（図17）。これら、消化管の変化が優位である場合には、付属器に炎症が波及していても炎症性腸疾患をその原因として疑うべきである。

文献

1) 日本産科婦人科学会、日本産婦人科医会：産婦人科診療ガイドライン 婦人科外来編2023. 日本産科婦人科学会、2023
2) 川名　尚、三鴨廣繁：婦人科感染症：性感染症. 日産婦会誌 61：N-127-144, N-184, 2009
3) 国立感染症研究所：IDWR 2012年第50号：発生動向総覧：2012年第50週（2012年12月10日～12月16日）. 2013
4) Ha HK et al：MR imaging of tubo-ovarian abscess. Acta Radiol 36：510-514, 1995
5) O'Connor KF et al：Pelvic actinomycosis associated with intrauterine devices. Radiology 170：559-560, 1989
6) Ross J：Pelvic inflammatry disease：Pathogenesis, microbiology, and risk factors. Up To Date. last updated 2024 (accessed 2025.06.12.)
7) Rimawi BH, Soper DE：Infectious Diseases of the Female Reproductive and Urinary Tract, Hacker NF eds；Hacker & Moore's Essentials of Obstetrics and Gynecology, 6th ed. p276-290, Elsevier, Philadelphia, 2016
8) Wilbur AC et al：CT findings in tuboovarian abscess. AJR Am J Roentgenol 158：575-579, 1992
9) Landers DV, Sweet RL：Current trends in the diagnosis and treatment of tuboovarian abscess. Am J Obstet Gynecol 151：1098-1110, 1985
10) Taneja S et al：Case report：MR appearance of cervical donovanosis mimicking carcinoma of the cervix. Br J Radiol 81：e170-172, 2008
11) De Graef M et al：High signals in the uterine cervix on T2-weighted MRI sequences. Eur Radiol 13：118-126, 2003
12) Rowling SE, Ramchandani P：Imaging of the fallopian tubes. Semin Roentgenol 31：299-311, 1996
13) Romo LV, Clarke PD：Fitz-Hugh-Curtis syndrome：pelvic inflammatory disease with an unusual CT presentation. J Comput Assist Tomogr 16：832-833, 1992
14) Tsubuku M et al：Fitz-Hugh-Curtis syndrome：linear contrast enhancement of the surface of the liver on CT. J Comput Assist Tomogr 26：456-458, 2002
15) Pickhardt PJ et al：Fitz-Hugh-Curtis syndrome：multidetector CT findings of transient hepatic attenuation difference and gallbladder wall thickening. AJR Am J Roentgenol 180：1605-1606, 2003
16) Joo SH et al：CT diagnosis of Fitz-Hugh and Curtis syndrome：value of the arterial phase scan. Korean J Radiol 8：40-47, 2007
17) Könönen E, Wade WG：Actinomyces and related organisms in human infections. Clin Microbiol Rev 28：419-442, 2015
18) Henderson SR：Pelvic actinomycosis associated with an intrauterine device. Obstet Gynecol 41：726-732, 1973

I 炎症性疾患

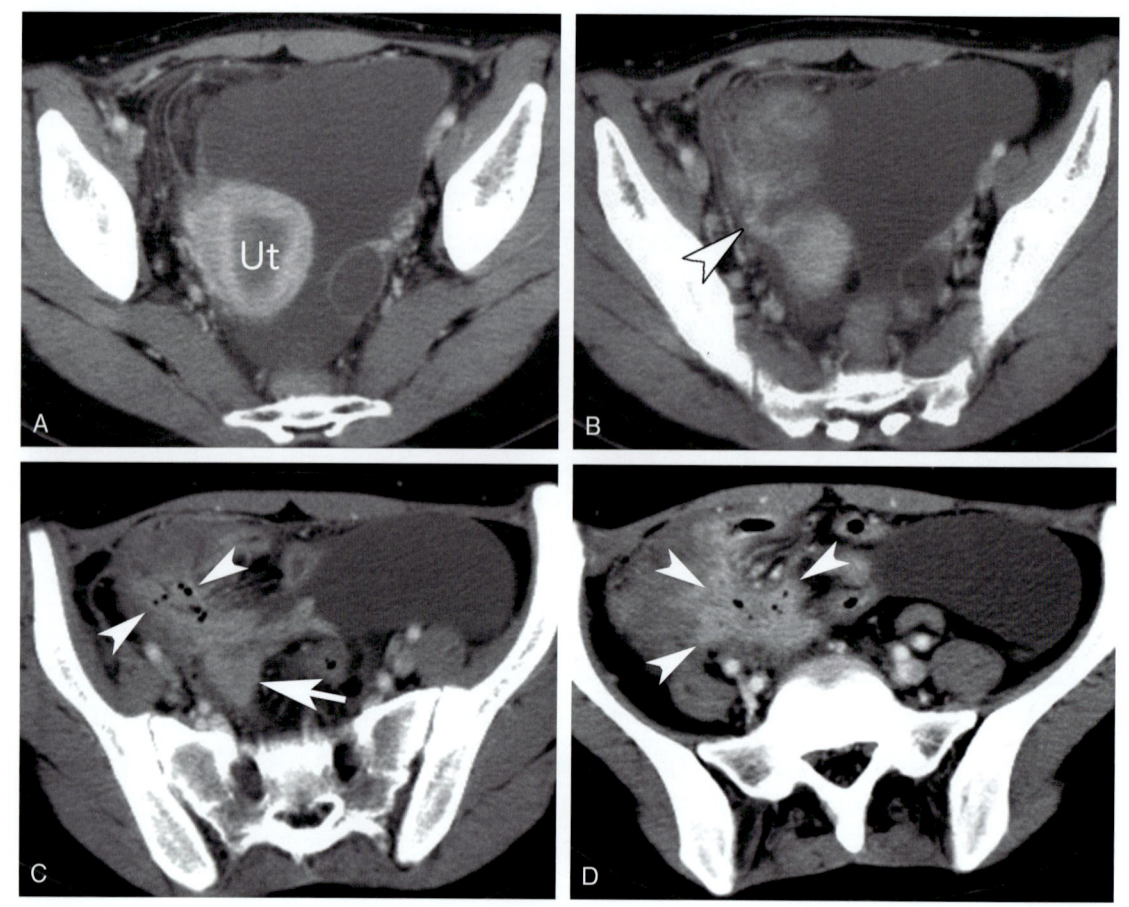

図17 21歳 Crohn病による炎症の付属器への波及
造影CT（A〜D）にて，子宮（Ut）は牽引されて右骨盤壁に接して認められ，ここから棍棒状の軟部組織が上方に連続しており（B▲），さらに上方には壁の肥厚した回腸が互いに癒着して（C, D▲）周囲脂肪織にびまん性の濃度上昇を伴っている。右卵巣（C→）はこの炎症巣に巻き込まれ，また多量の腹水がある。

19) Ha HK et al : Abdominal actinomycosis : CT findings in 10 patients. AJR Am J Roentgenol 161 : 791-794, 1993
20) Uchiyama N et al : Abdominal actinomycosis : barium enema and computed tomography findings. J Gastroenterol 32 : 89-94, 1997
21) Lee IJ et al : Abdominopelvic actinomycosis involving the gastrointestinal tract : CT features. Radiology 220 : 76-80, 2001
22) Kim SH et al : Unusual causes of tubo-ovarian abscess : CT and MR imaging findings. Radiographics 24 : 1575-1589, 2004
23) Peto HM et al : Epidemiology of extrapulmonary tuberculosis in the United States, 1993-2006. Clin Infect Dis 49 : 1350-1357, 2009
24) Garcia-Rodríguez JF et al : Extrapulmonary tuberculosis : epidemiology and risk factors. Enferm Infecc Microbiol Clin 29 : 502-509, 2011
25) Vázquez Muñoz E et al : Computed tomography findings of peritoneal tuberculosis : systematic review of seven patients diagnosed in 6 years (1996-2001). Clin Imaging 28 : 340-343, 2004
26) Ha HK et al : CT differentiation of tuberculous peritonitis and peritoneal carcinomatosis. AJR Am J Roentgenol 167 : 743-748, 1996
27) Crowley JJ et al : Genital tract tuberculosis with peritoneal involvement : MR appearance. Abdom Imaging 22 : 445-447, 1997
28) Suri S et al : Computed tomography in abdominal tuberculosis. Br J Radiol 72 : 92-98, 1999
29) Nogales-Ortiz F et al : The pathology of female genital tuberculosis : a 31-year study of 1436 cases. Obstet Gynecol 53 : 422-428, 1979
30) Ghosh K et al : Tuberculosis and female reproductive health. J Postgrad Med 57 : 307-313, 2011
31) Chavhan GB et al : Female genital tuberculosis : hysterosalpingographic appearances. Br J Radiol 77 : 164-169, 2004
32) Lalwani N et al : Miscellaneous tumour-like lesions of the

ovary: cross-sectional imaging review. Br J Radiol 85: 477-486, 2012
33) Kubota T et al: A study of tubo-ovarian and ovarian abscesses, with a focus on cases with endometrioma. J Obstet Gynaecol Res 23: 421-426, 1997
34) Chen MJ et al: Increased occurrence of tubo-ovarian abscesses in women with stage III and IV endometriosis. Fertil Steril 82: 498-499, 2004
35) Kavoussi SK et al: Endometrioma complicated by tubo-ovarian abscess in a woman with bacterial vaginosis. Infect Dis Obstet Gynecol 2006: 84140, 2006
36) Apter S et al: CT of pelvic infection after cesarean section. Clin Exp Obstet Gynecol 19: 156-160, 1992
37) Olnick HM et al: Radiological diagnosis of retained surgical sponges. J Am Med Assoc 159: 1525-1527, 1955
38) Choi CH et al: Papillary serous carcinoma in ovaries of normal size: a clinicopathologic study of 20 cases and comparison with extraovarian peritoneal papillary serous carcinoma. Gynecol Oncol 105: 762-768, 2007
39) Choi BI et al: Retained surgical sponge: diagnosis with CT and sonography. AJR Am J Roentgenol 150: 1047-1050, 1988
40) Kopka L et al: CT of retained surgical sponges (textilomas): pitfalls in detection and evaluation. J Comput Assist Tomogr 20: 919-923, 1996
41) Kokubo T et al: Retained surgical sponges: CT and US appearance. Radiology 165: 415-418, 1987
42) Buy JN et al: Computed tomography of retained abdominal sponges and towels. Gastrointest Radiol 14: 41-45, 1989
43) Suwatanapongched T et al: Intrathoracic gossypiboma: radiographic and CT findings. Br J Radiol 78: 851-853, 2005
44) Liessi G et al: Retained surgical gauzes: acute and chronic CT and US findings. Eur J Radiol 9: 182-186, 1989
45) Bellin M et al: Perirenal textiloma: MR and serial CT appearance. Eur Radiol 8: 57-59, 1998
46) Lu YY et al: Calcified reticulate rind sign: a characteristic feature of gossypiboma on computed tomography. World J Gastroenterol 11: 4927-4929, 2005
47) Kuwashima S et al: MR findings of surgically retained sponges and towels: report of two cases. Radiat Med 11: 98-101, 1993

48) Karcnik TJ et al: Foreign body granuloma simulating solid neoplasm on MR. Clin Imaging 21: 269-272, 1997
49) Kim HS et al: MR imaging findings of paravertebral gossypiboma. AJNR Am J Neuroradiol 28: 709-713, 2007
50) Kominami M et al: Retained surgical sponge in the thigh: report of the third known case in the limb. Radiat Med 21: 220-222, 2003
51) Yuh-Feng T et al: FDG PET CT features of an intra-abdominal gossypiboma. Clin Nucl Med 30: 561-563, 2005
52) Nakajo M et al: 18F-FDG PET/CT findings of a right subphrenic foreign-body granuloma. Ann Nucl Med 20: 553-556, 2006
53) Niederkohr RD et al: FDG PET/CT detection of a gossypiboma in the neck. Clin Nucl Med 32: 893-895, 2007
54) Yu JQ et al: Findings of intramediastinal gossypiboma with F-18 FDG PET in a melanoma patient. Clin Nucl Med 33: 344-345, 2008
55) Puylaert JB: Acute appendicitis: US evaluation using graded compression. Radiology 158: 355-360, 1986
56) Jeffrey RB Jr et al: Acute appendicitis: sonographic criteria based on 250 cases. Radiology 167: 327-329, 1988
57) Kessler N et al: Appendicitis: evaluation of sensitivity, specificity, and predictive values of US, Doppler US, and laboratory findings. Radiology 230: 472-478, 2004
58) Birnbaum BA, Balthazar EJ: CT of appendicitis and diverticulitis. Radiol Clin North Am 32: 885-898, 1994
59) Balthazar EJ et al: Appendicitis: prospective evaluation with high-resolution CT. Radiology 180: 21-24, 1991
60) Wada M et al: Uncomplicated acute diverticulitis of the cecum and ascending colon: sonographic findings in 18 patients. AJR Am J Roentgenol 155: 283-287, 1990
61) Balthazar EJ et al: Cecal diverticulitis: evaluation with CT. Radiology 162: 79-81, 1987
62) Sagar J et al: Meckel's diverticulum: a systematic review. J R Soc Med 99: 501-505, 2006
63) Javid P et al: Meckel's diverticulum. UpToDate 2013: 2013
64) Thurley PD et al: Radiological features of Meckel's diverticulum and its complications. Clin Radiol 64: 109-118, 2009
65) Bennett GL et al: CT of Meckel's diverticulitis in 11 patients. AJR Am J Roentgenol 182: 625-629, 2004
66) Thoeni RF, Cello JP: CT imaging of colitis. Radiology 240: 623-638, 2006

II 血管障害

Summary

- 婦人科手術は深部静脈血栓症を合併する頻度の高い手術の1つであり，その予防に努めることが重要であるが，下肢にその存在を疑われた場合，検査の第一選択はUSである。
- 肺血栓塞栓症を疑った場合はまずDダイマーを測定し，高値の場合には肺動脈CTAまたは肺血流シンチグラムを行う。
- 卵巣癌・子宮内膜癌では術前にも高率に深部静脈血栓症を合併する。
- 悪性腫瘍に合併した凝固能亢進状態はTrousseau症候群として知られ，肺循環・大循環系双方に血栓症を発症する。卵巣明細胞癌での頻度が高い。
- 骨盤内うっ血症候群では傍子宮静脈叢の拡張や静脈瘤とともに，拡張した卵巣静脈が描出されるが，画像所見陽性例のすべてが有症状例ではないので注意が必要である。

1. 血栓塞栓症とTrousseau症候群

　肺血栓塞栓症（pulmonary thromboembolism：PTE）は欧米に比べると本邦における頻度は低いといわれてきたが，近年，急速に増加している。危険因子はVirchowの三徴すなわち，凝固能亢進，血管損傷，静脈うっ滞であり，術後はこのいずれをも兼ね備えている[1]。また患者の素因として表1のようなリスクファクターが挙げられる。急性肺血栓塞栓症は，静脈，心臓内で形成された血栓が遊離して，急激に肺血管を閉塞することによって生じる疾患であり，その塞栓源の約90％以上は，下肢あるいは骨盤内静脈である[2]。婦人科手術は骨盤内に手術操作が加わることから，整形外科領域と並んで下肢深部静脈血栓症（deep venous thrombosis：DVT）のリスクの高い手技であり，これを予防することが肝要である。日本血栓止血学会や日本産科婦人科学会など関連学会が合同で作成したガイドラインでは婦人科手術を表2のように分類し，リスクに応じた予防策を提唱している[3]。すでに形成されてしまった深部静脈血栓は早期発見することが重要である。圧迫法によるUS（血栓を含まない静脈は圧迫により血管内腔が消失するが，血栓があると消失しない）は大腿静脈より遠位では高い正診率を示し，ベッドサイドで簡便に行える[4,5]。下腿ではドプラを併用して検査を行うが，大腿に比べると偽陰性が多い。しかし下腿静脈単独の深部静脈血栓症が肺血栓塞栓症の原因となる確率は高くないといわれている[5]。肺血栓塞栓症が低いあるいは中等度の確率で疑われる場合には，まず陰性反応適中率の高いDダイマー

表1　肺血栓塞栓症の危険因子

	先天性因子	後天性因子
血流うっ滞	―	長期臥床 肥満 妊娠 心肺疾患（うっ血性心不全，慢性肺性心など） 全身麻酔 下肢麻痺 下肢ギプス包帯固定 下肢静脈瘤
血管内皮障害	高ホモシステイン血症	各種手術 外傷，骨折 中心静脈カテーテル留置 カテーテル検査・治療 血管炎 抗リン脂質抗体症候群 高ホモシステイン血症
血液凝固能亢進	アンチトロンビン欠乏症 プロテインC欠乏症 プロテインS欠乏症 プラスミノゲン異常症 異常フィブリノゲン血症 組織プラスミノゲン活性化因子インヒビター増加 トロンボモジュリン異常 活性化プロテインC抵抗性（Factor V Leiden）* プロトロンビン遺伝子変異（G20210A）*	悪性腫瘍 妊娠 各種手術，外傷，骨折 熱傷 薬物（低用量経口避妊薬，エストロゲン製剤など） 感染症 ネフローゼ症候群 炎症性腸疾患 骨髄増殖性疾患，多血症 発作性夜間血色素尿症 抗リン脂質抗体症候群

*日本人には認められていない
（文献2より改変引用）

表2　婦人科手術における静脈血栓塞栓症の予防[3]

リスクレベル	産婦人科手術	予防法
低リスク	30分以内の小手術	早期離床および積極的な運動
中リスク	良性疾患手術（開腹，経腟，腹腔鏡） 悪性疾患で良性疾患に準じる手術 ホルモン療法中の患者に対する手術	弾性ストッキング 　あるいは 間欠的空気圧迫法
高リスク	骨盤内悪性腫瘍根治術 （静脈血栓症の既往または血栓性素因のある） 良性疾患手術	間欠的空気圧迫法 　あるいは 低用量未分画ヘパリン
最高リスク	（静脈血栓症の既往または血栓性素因のある） 悪性腫瘍根治術	低用量未分画ヘパリンと間欠的空気圧迫法の併用 　あるいは 低用量未分画ヘパリンと弾性ストッキングの併用

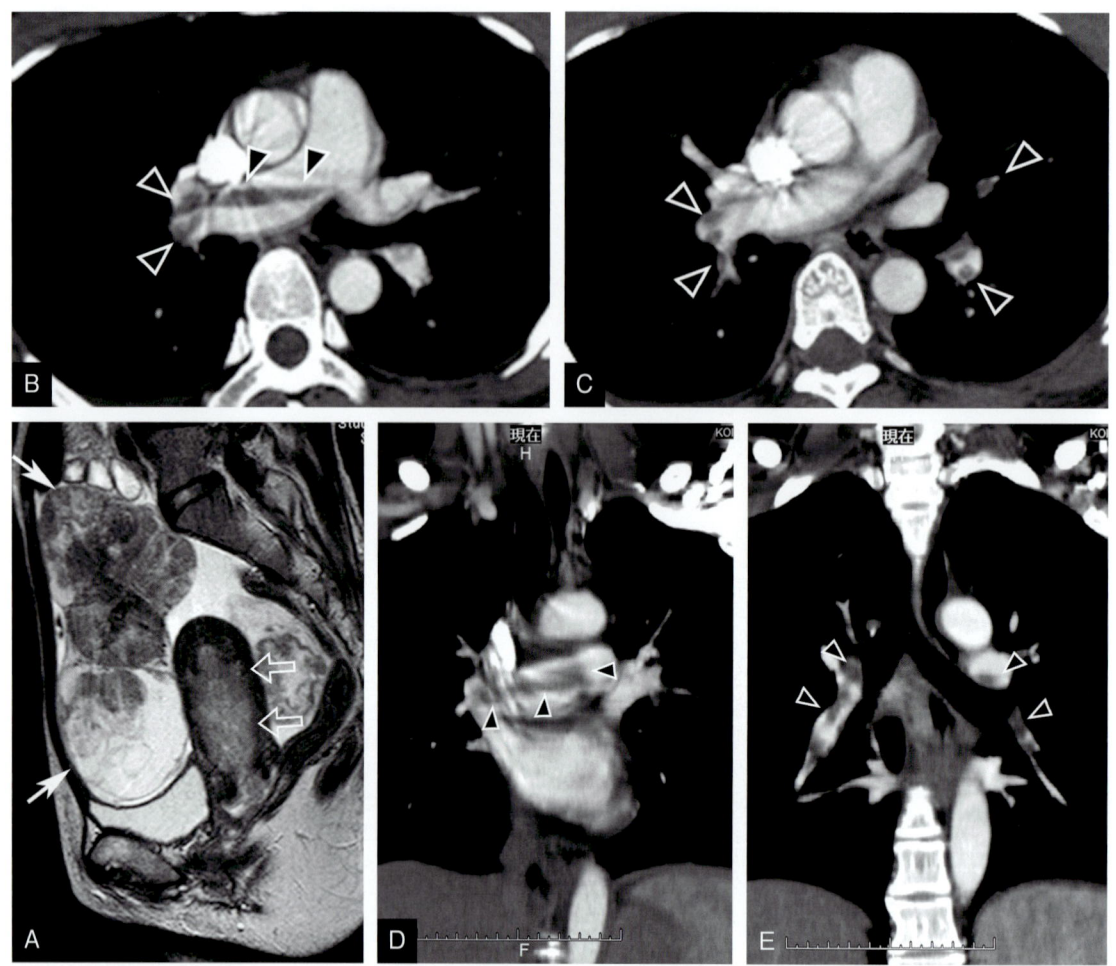

図1　41歳　子宮内膜癌ⅣB期，深部静脈血栓症，肺血栓塞栓症合併例
A：T2強調矢状断像，B，C：肺動脈CTA横断像，D，E：肺動脈CTA冠状断像
子宮内腔は筋層浸潤を伴う腫瘍で充満される（A白抜き→）とともに，両側卵巣転移（A→），腹腔内播種を伴う。肺動脈CTAでは左右主肺動脈，両側下行枝，各区域動脈に多数の陰影欠損を認め（B～E黒▲），肺血栓塞栓症の所見である。

を測定し，高値の場合のみ，肺動脈CTA（pulmonary CT angiography）もしくは肺血流シンチグラム（pulmonary perfusion scintigram）を行う[6]。肺動脈CTAでは使用CT装置により詳細は異なるが，造影剤を3mL/秒程度で静脈内に急速注入し，肺動脈の濃度が100～150HUに到達したら肺を2mm以下の薄いスライス厚でスキャンするのが一般的である。血栓は陰影欠損として描出される（図1）。肺血流シンチグラムは^{99m}Tc大凝集ヒト血清アルブミン（^{99m}Tc-macro-aggregating albumin：MAA）を用い，病変部は集積欠損として描出される（図2）。既知の深部静脈血栓症の存在や100bpm以上の頻脈，血中酸素分圧の低下など肺血栓塞栓症が強く疑われる場合には，これらのいずれかをただちに行う[6]。実際には核医学検査が緊急で行える施設は少ないことから，CTが用いられることが多い。実際の臨床現場では肺動脈CTAに引き続き，下肢静脈CT venography（CTV）も撮影されることも少なくないが，下肢静脈血栓症は

1. 血栓塞栓症と Trousseau 症候群

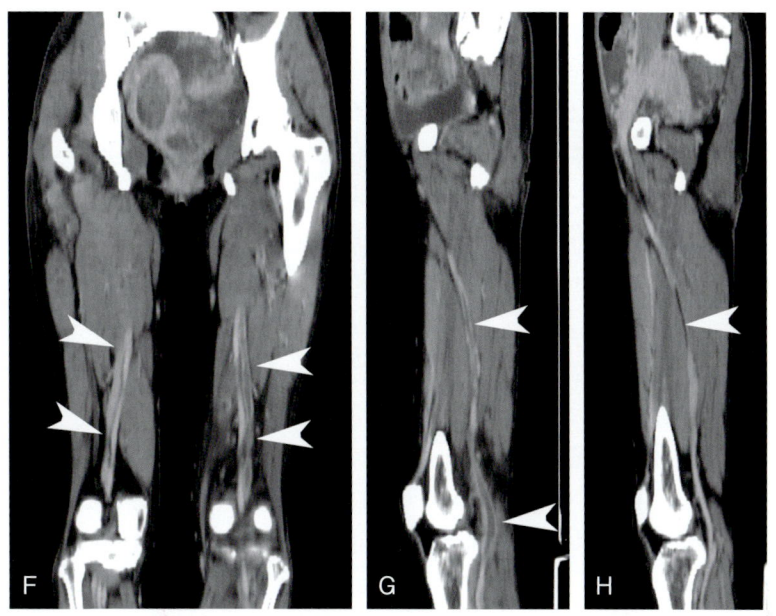

図1 つづき（子宮内膜癌ⅣB期，深部静脈血栓症，肺血栓塞栓症合併例）
F：下肢静脈 CTV 両下肢冠状断像，G：下肢静脈 CTV 左下肢矢状断像，
H：下肢静脈 CTV 右下肢矢状断像
下肢静脈 CTV では大腿・膝窩静脈に陰影欠損を認める（F〜H 白▲）が，右大腿静脈の血栓（H▲）は，他より低吸収を示し陳旧化していることがわかる。

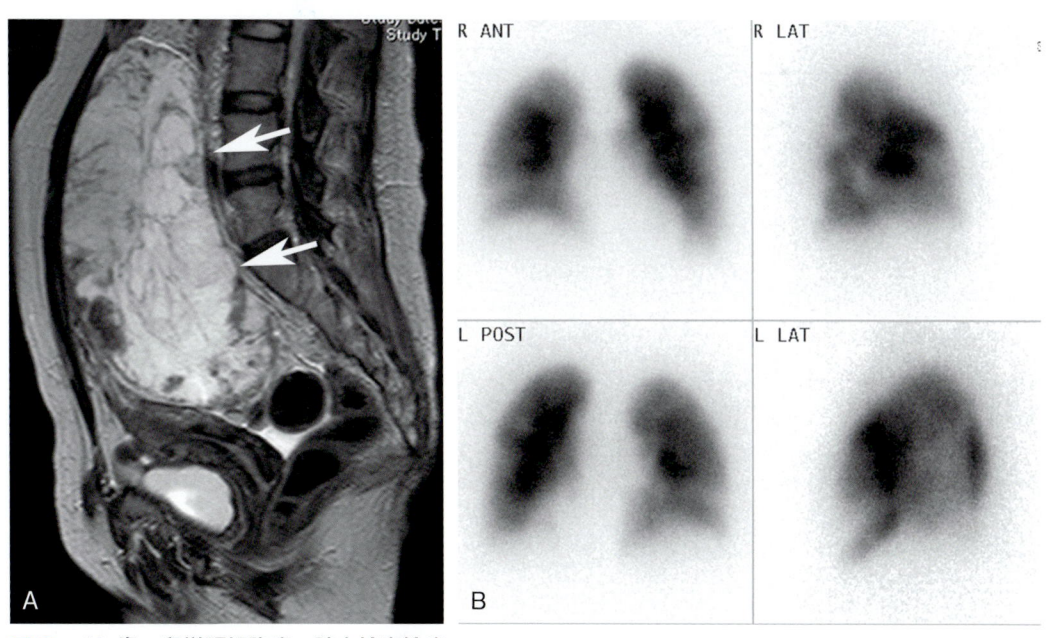

図2 41歳 卵巣明細胞癌，肺血栓塞栓症
A：T2強調矢状断像，B：99mTc-MAA 肺血流シンチグラム
卵巣腫瘍（A→）の術前 CT で下肢静脈血栓症を認めたため行った 99mTc-MAA 肺血流シンチグラム（B）で，両側肺尖，右中葉，左舌区，左 S10 などに多数の集積欠損ないし集積低下域を認め，肺血栓塞栓症が示唆される。若年性脳梗塞を契機に発見された卵巣癌で，組織型は明細胞癌であることが病理組織学的に確認された。

USでの正診率が高いことから，X線被曝，造影剤量の増加の観点から，一律に行うべきではない[7]．

近年，悪性腫瘍と血栓塞栓症の関連が注目されている．特に婦人科腫瘍では術前から深部静脈血栓症を合併している症例が多く，米国のデータでは卵巣癌では診断されてから24カ月間に5.4%で深部静脈血栓症を発症したという[8]．卵巣癌の新患をスクリーニングした前向き研究では，25%で深部静脈血栓症が発見され，明細胞腺癌症例に限ってみると50%に及ぶ[9]．子宮内膜癌でも9.9%とかなり高率に及ぶ[10]が，子宮頸癌では4.9%と若干低く，有症状の深部静脈血栓症や肺塞栓合併例は認めなかった[11]．また，悪性腫瘍に随伴する血栓塞栓症はTrousseau症候群（コラム「Trousseau先生の数奇な生涯」，p793参照）として知られている．Trousseauがまず，1865年に結核や悪性腫瘍の患者に有痛性白股腫（phlegmasia alba dolens）が多発することに着目して消耗性疾患と血栓塞栓症の関連について言及し[12]，1977年にSach Jrらが疣贅性心内膜炎（verrucous endocarditis）や動脈塞栓症を中心に，悪性腫瘍患者における慢性播種性血管内凝固症候群について報告している[13]．本症は膵や消化管，肺の粘液産生性腺癌によく合併し，血中へのムチンの放出やシステインプロテアーゼ産生によるトロンビンの活性化が原因と考えられている[14]．婦人科腫瘍では卵巣明細胞癌に多く[9,15]，画像的には肺循環系と大循環系の双方に血栓塞栓症を発症していることが診断の一助になる（図3）[16]．

2. 骨盤うっ血症候群

骨盤うっ血症候群（pelvic congestion syndrome：PCS）は，（特に左腎静脈から）卵巣静脈への逆流により骨盤内静脈（特に傍子宮静脈叢）にうっ血を生じ，慢性的な骨盤痛を引き起こす病態であり，閉経前の多産女性に好発する．病因としては静脈弁の機能不全拡張などが関与していると考えられている[17,18]．臨床的には非周期的な下背部，骨盤，上腿の痛み，性交痛を呈し，症状は長時間の立位により増強するという．診断は，TVUSやCT，MRI，静脈造影により骨盤底の静脈瘤や卵巣静脈への逆流を描出することによりなされるが，無症状例にも類似の所見がしばしば認められるので，痛みの病歴が重要である．直接静脈造影では，卵巣静脈径が5mm未満は正常，5～8mmは中等症，8mmを超えるものは重症，かつ静脈が蛇行しているものが異常との基準も提唱されている[18]．現在においても，静脈造影は画像診断のgold standardではあるが，Yangらは非侵襲的な造影MRAにて静脈造影に劣らない診断能があることを報告している[19]（図4）．治療には，medroxyprogesterone acetate（MPA）やgonadotropin-releasing hormone agonist（GnRHa）などホルモン療法も行われるが，塞栓術は症状の改善において非常に効果的であるとされている[17,18]．

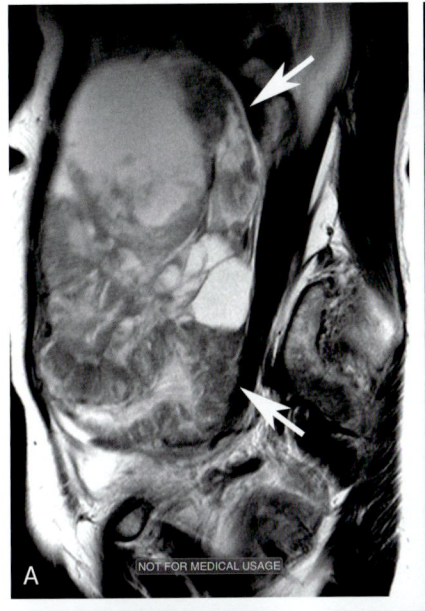

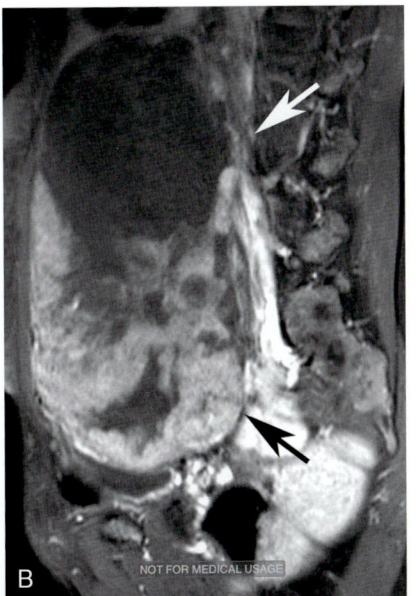

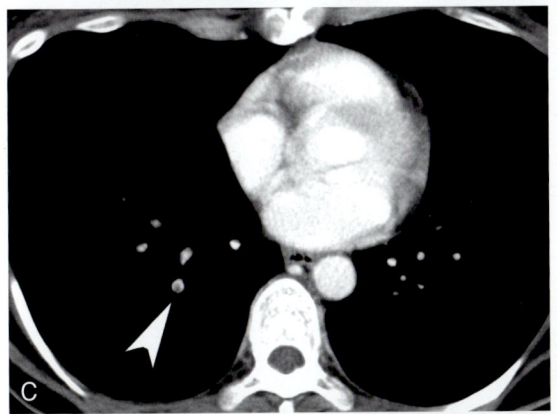

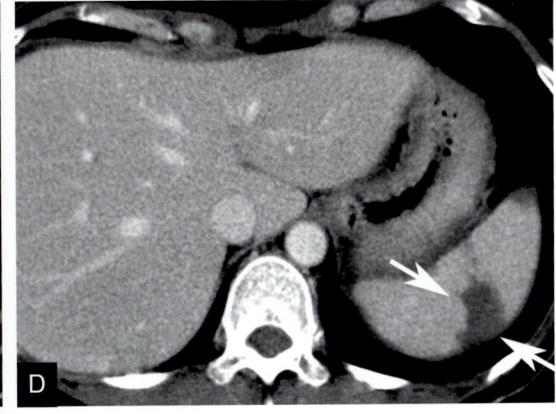

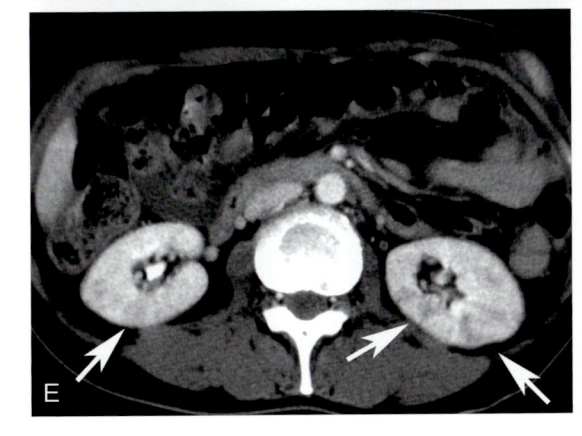

図3 48歳 卵巣明細胞癌，Trousseau症候群
A：T2強調矢状断像，B：造影脂肪抑制T1強調矢状断像，C〜E：造影CT

T2強調像で信号強度の低い（A →），豊富な充実部をもつ（B →）卵巣腫瘤の術前CTで，右肺A10に陰影欠損（C▲）を認めるほか，脾（D →），両腎にも梗塞による楔状の増強不良域を認める（E →）。肺循環系にも体循環系にも多発血栓塞栓を認めており，Trousseau症候群と考えられる。卵巣腫瘍は明細胞癌であることが病理組織学的に確認された。

II 血管障害

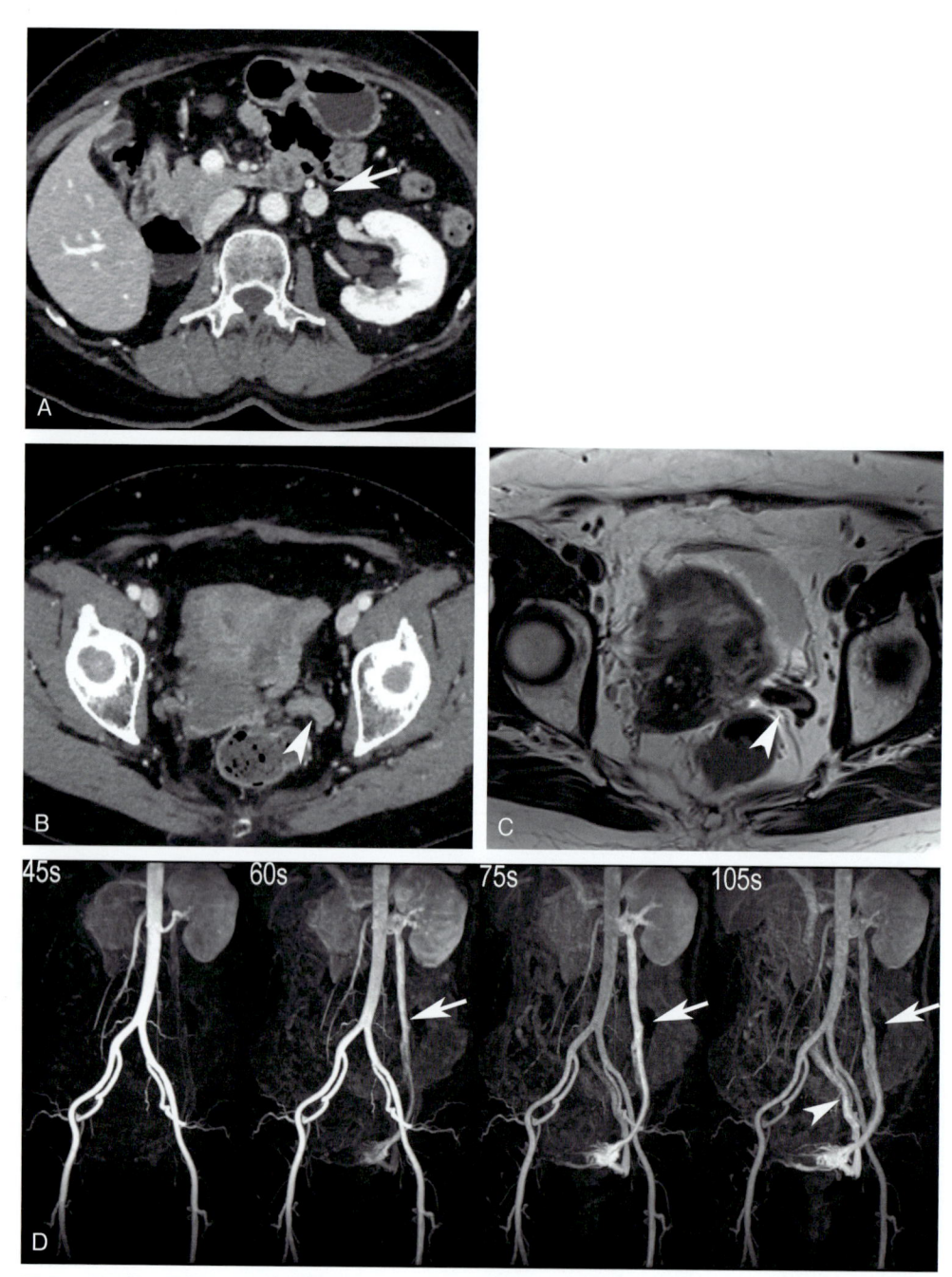

図4 67歳 骨盤うっ血症候群
A, B：造影 CT, C：T2 強調横断像, D：造影 MR angiography
膀胱癌治療後, 内診上, 腟壁の静脈拡張が顕著であるとして精査を依頼された。造影 CT では左卵巣静脈（A→）と左子宮静脈（B▲）の瘤状拡張を認め, T2 強調像でも子宮静脈の flow void（C▲）が目立つが, うっ血の原因となるような骨盤内腫瘤は認めなかった。造影 MR angiography（D：数字は造影剤投与後の経過時間）では左腎静脈から卵巣静脈（→）子宮静脈から内腸骨静脈（▲）への逆流と, 骨盤底の静脈瘤が明瞭に描出された。本例は痛みは軽症のため, 経過観察となった。

文献

1) Davis JD : Prevention, diagnosis, and treatment of venous thromboembolic complications of gynecologic surgery. Am J Obstet Gynecol 184 : 759-775, 2001
2) JCS Joint Working Group : Guidelines for the diagnosis, treatment and prevention of pulmonary thromboembolism and deep vein thrombosis (JCS 2009). Circ J 75 : 1258-1281, 2011
3) 肺血栓塞栓症/深部静脈血栓症(静脈血栓塞栓症)予防ガイドライン作成委員会:肺血栓塞栓症/深部静脈血栓症(静脈血栓塞栓症)予防ガイドライン ダイジェスト版. http://www.medicalfront.biz/html/06_books/01_guideline/ (accessed 2025.01.07.)
4) Cronan JJ et al : Deep venous thrombosis : US assessment using vein compression. Radiology 162 : 191-194, 1987
5) Cronan JJ : Venous thromboembolic disease : the role of US. Radiology 186 : 619-630, 1993
6) Stein PD et al : Multidetector computed tomography for acute pulmonary embolism. N Engl J Med 354 : 2317-2327, 2006
7) 日本医学放射線学会 編:4 心血管 CQ6 急性肺血栓塞栓症の精査に 64 列以上の MDCT を使用した場合において同時に行う CT venography は推奨されるか? 画像診断ガイドライン 2021 年版, p185-186, 金原出版, 東京, 2021
8) Rodriguez AO et al : Venous thromboembolism in ovarian cancer. Gynecol Oncol 105 : 784-790, 2007
9) Satoh T et al : High incidence of silent venous thromboembolism before treatment in ovarian cancer. Br J Cancer 97 : 1053-1057, 2007
10) Satoh T et al : Silent venous thromboembolism before treatment in endometrial cancer and the risk factors. Br J Cancer 99 : 1034-1039, 2008
11) Satoh T et al : Incidence of venous thromboembolism before treatment in cervical cancer and the impact of management on venous thromboembolism after commencement of treatment. Thromb Res 131 : e127-132, 2013
12) Samuels MA et al : Case records of the Massachusetts General Hospital. Weekly clinicopathological exercises. Case 31-2002. A 61-year-old man with headache and multiple infarcts. N Engl J Med 347 : 1187-1194, 2002
13) Sack GH Jr et al : Trousseau's syndrome and other manifestations of chronic disseminated coagulopathy in patients with neoplasms : clinical, pathophysiologic, and therapeutic features. Medicine 56 : 1-37, 1977
14) Varki A : Trousseau's syndrome : multiple definitions and multiple mechanisms. Blood 110 : 1723-1729, 2007
15) Matsuura Y et al : Thromboembolic complications in patients with clear cell carcinoma of the ovary. Gynecol Oncol 104 : 406-410, 2007
16) 後藤典子ほか:脾・腎梗塞合併により明細胞腺癌との組織型の推定が可能であった卵巣癌の 2 例. 臨放 50 : 321-324, 2005
17) Phillips D et al : Pelvic congestion syndrome : etiology of pain, diagnosis, and clinical management. J Vasc Interv Radiol 25 : 725-733, 2014
18) Balabuszek K et al : Comprehensive overview of the venous disorder known as pelvic congestion syndrome. Ann Med 54 : 22-36, 2022
19) Yang DM et al : Time-resolved MR angiography for detecting and grading ovarian venous reflux : comparison with conventional venography. Br J Radiol 85 : e117-122, 2012

Column

❖ Trousseau 先生の数奇な生涯

　　Armand Trousseau(1801-1867)はパリ第 5 大学医学部の臨床教授で,神経系を含めた内科学に精通し,大学で数々の講義を行っていた.1860 年当時,Broca の言語野で有名な Paul Broca と論争し,失語症(aphasia)という用語を提唱したのも Trousseau の功績の 1 つである.この論争のなかで呈示された 2 人の左前頭葉脳梗塞患者が最初の Trousseau 症候群の症例である.1865 年,Trousseau は講義のなかで結核や悪性腫瘍といった消耗性疾患の経過中に有痛性白股腫(phlegmasia alba dolens)を発症した患者の多くの死因が肺塞栓や広範囲脳梗塞であることを示して,一連の病態が凝固能の亢進に起因することを示唆した.このとき彼は剖検した有痛性白股腫の患者に,生前には悪性腫瘍の徴候がなかったにもかかわらず,内臓悪性腫瘍が発見された症例についても言及している.この講義の 1 年半後,今度は Trousseau 自身が左下肢の有痛性白股腫にさいなまれることになり,自身の胃癌の存在を予言してほどなく亡くなった[1)2)].

【文献】
1) Samuels MA et al:Case records of the Massachusetts General Hospital. Weekly clinicopathological exercises. Case 31-2002. A 61-year-old man with headache and multiple infarcts. N Engl J Med 347:1187-1194, 2002
2) Carrier M et al:Systematic review:the Trousseau syndrome revisited:should we screen extensively for cancer in patients with venous thromboembolism? Ann Intern Med 149:323-333, 2008

III 内分泌の異常

Summary
- 無月経をはじめとする婦人科内分泌の異常は視床下部-下垂体-卵巣系のいずれが障害されても発症しうる。
- 視床下部下垂体性無月経の原因としては下垂体腺腫をはじめとする腫瘍性疾患のほか，下垂体卒中やリンパ球性下垂体炎などの炎症性疾患でも生じうる。
- 月経異常に加え高アンドロゲン血症もしくはFSHの上昇を伴わないLH高値がみられる場合のみ，皮質領域に多数の卵胞を有する症例に対して多嚢胞性卵巣症候群と診断することができる。
- 粘液性腫瘍や類内膜癌，卵巣甲状腺腫をはじめあらゆる原発性卵巣腫瘍，転移性卵巣腫瘍が内分泌活性のある機能性間質をもちうる。

　生殖内分泌は産婦人科領域の一大トピックであるが，卵巣を含めた内分泌腺には形態的異常を伴わないことも多く，放射線科医には馴染みの薄い疾患群である。続発性無月経や早発閉経の原因検索が画像的に行われることは少ないが，視床下部-下垂体-卵巣系（図1）の上部，すなわち下垂体腺腫をはじめとするトルコ鞍近傍に発生する疾患が生殖内分泌異常の原因となることもあり，本項ではこれらについて画像を中心に概説する。また多嚢胞性卵巣症候群はその名称から卵巣形態の異常と誤解されやすい病態であるが，形態は診断基準の1つにすぎないことから，診断上の留意点について述べる。また，第7章で取り扱った性索間質性腫瘍はもちろん，上皮性腫瘍や転移性腫瘍のなかにも内分泌活性を示すものが少なくなく，本項では各種ホルモン産生腫瘍についても言及したい。これらの婦人科内分泌疾患の診断に際し，性ステロイドの生成についての理解は欠かせないが，その詳細は第3章-II「性分化疾患と原発性無月経」に示した（p105参照）。

1. 視床下部・下垂体の異常

　無月経は最も容易に認識される生殖内分泌異常の症候であり，原発性無月経の原因としては第3章-II「性分化疾患と原発性無月経」で述べたような内性器の奇形（無形成）や性分化疾患が挙げられるが，続発性無月経では妊娠によるものを除くと視床下部の異常が多くを占める（表1）。
　視床下部性無月経（hypothalamic amenorrhea）の多くは機能性無月経で，摂食障害，運動，ストレスなどによるゴナドトロピン（性腺刺激ホルモン）放出ホルモン（gonadotropin releasing hormone：GnRH）の減少に起因するとされ，画像的には異常の認められないことも多い。しかし頭蓋咽頭腫や胚細胞腫瘍など鞍上部に好発する腫瘍では，時にその圧排により視床下部性無月経に陥る。頭蓋咽頭腫（craniopharyngioma）は小児期と50代以降に二峰性の発症

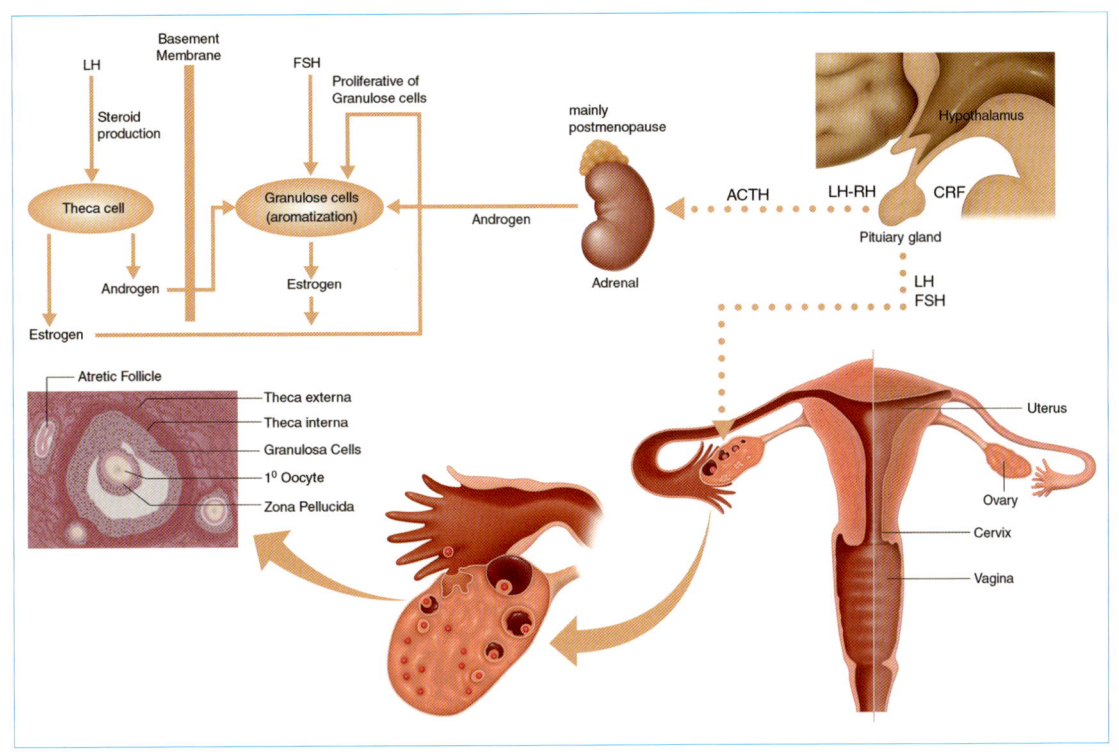

図 1 視床下部-下垂体-卵巣系と性ホルモンの合成
（文献 39 より引用）

のピークがあり，鞍上部を占める分葉状のしばしば大きな腫瘍として発症する．石灰化の頻度が高く，小児期に好発する adamantinomatous type では囊胞性成分が優位で，成人に好発する papillary type では充実性成分に富むとされる[1)2)]．頭蓋内に発生する胚細胞性腫瘍 (germ cell tumors) の好発部位としては松果体がよく知られるが，視床下部，下垂体近傍はこれに次ぎ，卵巣の未分化胚細胞腫と病理組織学的に同義の胚芽腫 (germinoma) ではその 25〜35％ が視床下部，下垂体柄近傍に発生する[3)]．組織型やその頻度，画像所見の詳細は神経放射線診断学の成書に譲るが，画像的にも卵巣発生例との類似性が認められ，胚芽腫では充実性成分優位で囊胞変性や壊死は少ないのに対し，卵黄嚢腫瘍や絨毛癌などとの混合性胚細胞腫瘍では大きな囊胞成分や出血壊死を合併することが多い[4)]．婦人科画像診断において特筆すべき点は，松果体の胚芽腫が 10：1 と圧倒的に男児に多いのに対し，鞍上部近傍の胚細胞性腫瘍の発症頻度にはさほど男女差はないことが挙げられる（図 2）．さらに頻度的にはまれだが，灰白隆起の過誤腫 (tuber cinereum hamartoma) は同部にみられる非腫瘍性の異所性灰白質であるが，視床下部の自律神経系や内分泌機能の障害を引き起こすことから，てんかんや中枢性早発思春期の原因となる病態である．画像的には第三脳室の漏斗陥凹と乳頭体の間に位置する灰白隆起と連続した増強効果をもたない腫瘤で，しばしば有茎性に発育する[5)]（図 3）．

下垂体性無月経 (pituitary amenorrhea) は表 1 に示すように多彩な疾患に起因するが，頻度の高いのは下垂体腺腫 (pituitary adenoma) によるものである．とりわけプロラクチン産生腺

表1 無月経の原因（性腺分化異常症を除く）

責任領域	原発性無月経 原因疾患	頻度	続発性無月経 原因疾患	頻度
視床下部	体質性遅延 機能性視床下部性無月経 ゴナドトロピン単独欠損症 炎症性もしくは浸潤性疾患 感染 腫瘍 放射線照射 頭部外傷	10〜21%	視床下部機能性無月経 炎症性もしくは浸潤性疾患 感染 腫瘍 放射線照射 頭部外傷	35%
下垂体前葉	高プロラクチン血症 下垂体腫瘍 炎症性もしくは浸潤性疾患 放射線照射/外科的手術 感染 ゴナドトロピン受容体遺伝子変異	1〜4%	高プロラクチン血症 下垂体腫瘍 下垂体卒中 占拠性病変 炎症性もしくは浸潤性疾患 放射線照射/外科的手術 感染	17%
卵巣	原発性卵巣機能不全 性腺異形成 性腺無形成 多囊胞性卵巣症候群 酵素欠損 FSHもしくはLH受容体遺伝子変異	24〜52%	多囊胞性卵巣症候群 原発性卵巣機能不全 卵巣腫瘍 閉経	40%
子宮と下部生殖器	ミュラー管奇形 総排泄腔の異常	15〜43%	頸管狭窄 子宮腔内癒着 　（Asherman症候群）	7%
その他	甲状腺疾患 副腎疾患 完全型アンドロゲン不応症 　（精巣性女性化症） 薬剤性	2〜8%	その他の原発性無排卵 甲状腺疾患 副腎疾患 薬剤性	1%

(Practice Committee of the American Society for Reproductive Medicine：Current evaluation of amenorrhea：a committee opinion. Fertil Steril 122：52-61, 2024 より改変引用)

腫により生じる無月経乳汁分泌症候群（amenorrhea-galactorrhea syndrome）はよく知られている。内分泌学的影響によるもののほか，非機能性腺腫や他ホルモン産生腫瘍による健常下垂体の圧排によっても下垂体機能の異常が生じる。プロラクチン産生腺腫（prolactinoma）は下垂体腺腫の30％程度を占めるとされ，多くは微小腺腫（microadenoma，直径10mm以下）として発見される。MRIで微小腺腫はT1強調像，T2強調像ともに特徴的な信号強度は示さず，健常下垂体との区別がつきにくい。造影後は健常下垂体に比べ緩徐に増強されるため，低信号結節として描出されるが，経時的に健常部との信号強度差が低下するため，10〜30％の微小腺腫はダイナミックMRIでのみ描出される[6]。したがって視床下部，下垂体の内分泌疾患を疑ってトルコ鞍のMRIを撮像する場合には，ダイナミックMRIの併用が必須であるといえる。一方，巨大腺腫（macroadenoma）はT2強調像で灰白質と等信号を呈することが多く，造影後は強く不均一に

1. 視床下部・下垂体の異常

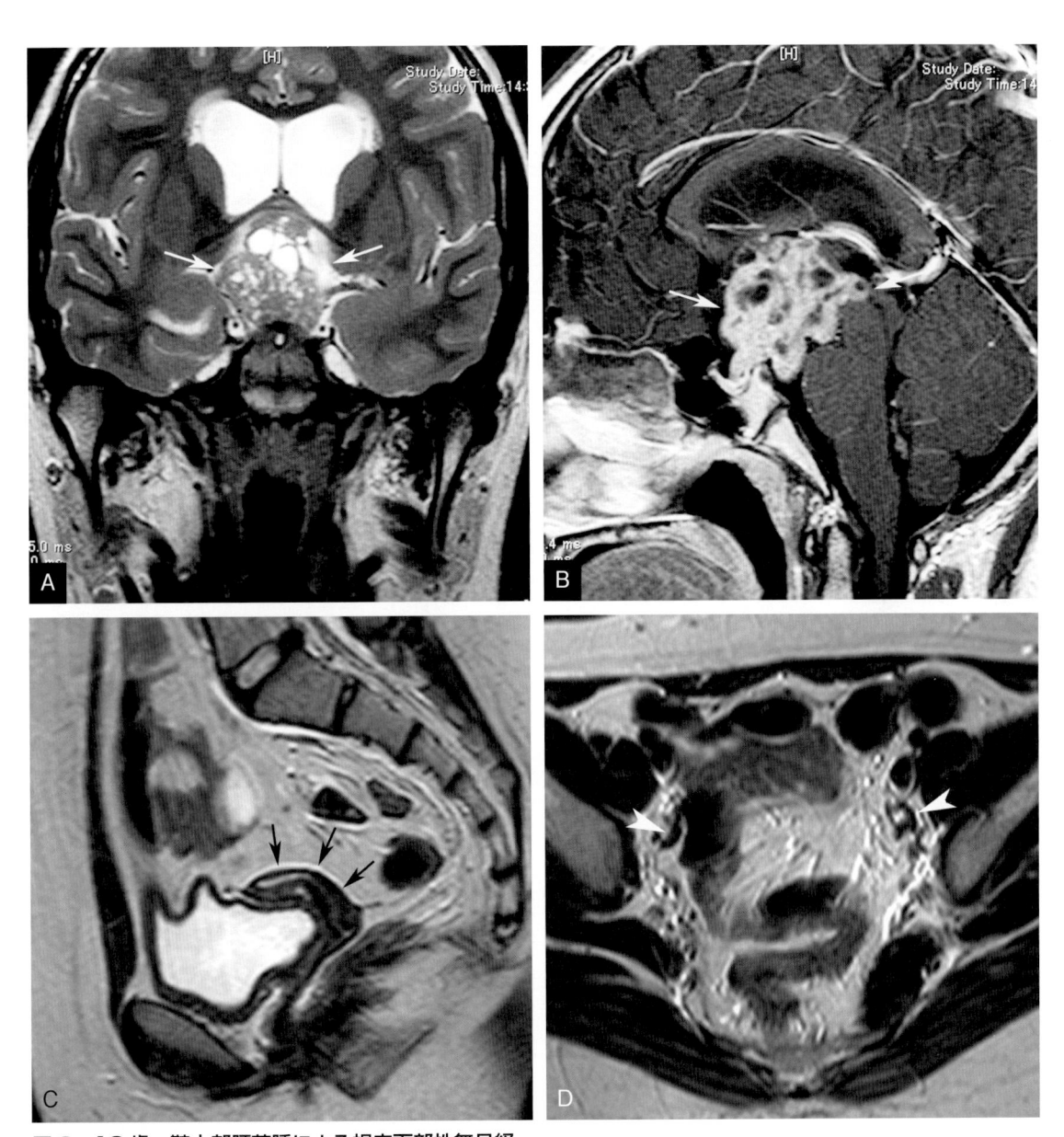

図2 18歳 鞍上部胚芽腫による視床下部性無月経
A：T2強調冠状断像，B：造影脂肪抑制T1強調矢状断像，C：T2強調矢状断像，D：T2強調横断像
3年前に胚芽腫に対する手術・放射線治療の既往がある。治療前の病変はトルコ鞍から鞍上部を占めるT2強調像で微細な囊胞を多数含む高信号腫瘤で（A→），よく増強されている（B→）。視床下部はこの腫瘤により強く圧排されている。術後も初経発来はなく，念のため内性器も精査したが，子宮は小さく（C→），卵巣にはほとんど卵胞が認められない（D▲）が，形態的異常は認めない。その後，卵巣生検も行われたが病理組織学的にも正常で，LH-RH試験から視床下部性無月経と診断された。

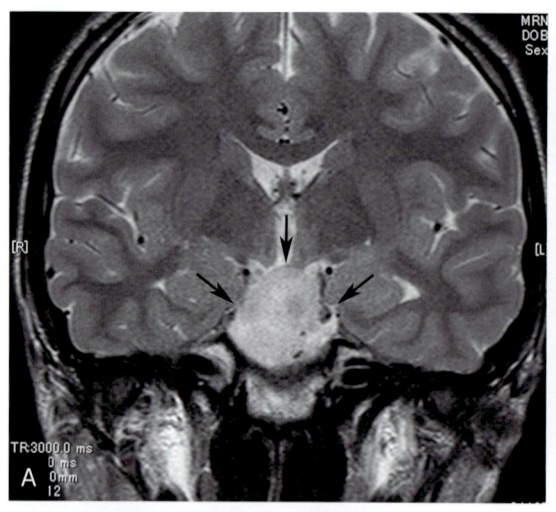

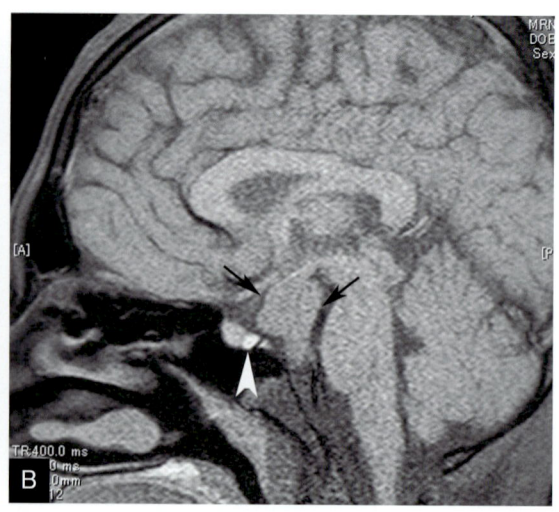

図3　8歳男児　灰白隆起の過誤腫
A：T2強調冠状断像，B：脂肪抑制T1強調矢状断像
早発思春期にて受診。鞍上部やや後方で第三脳室漏斗陥凹の下壁に接する大きな腫瘤（A，B→）を認める。下垂体後葉はT1強調像で高信号を示し正常な形態を保っている（B▲）が，思春期前期にもかかわらず前葉が上方に膨隆して，思春期並みに腫大している。

増強される[7]（図4）。傍鞍部進展や鞍上部進展により視野狭窄をはじめとする内分泌以外の症状を伴うことも多いが，臨床・画像所見の詳細は神経放射線診断学の成書に譲る。

　急性発症の汎下垂体機能低下症の原因として下垂体卒中（pituitary apoplexy）がある。下垂体出血，梗塞のいずれもが含まれ，頭痛，視力障害ととともに種々の内分泌学的異常を合併する。急性期には下垂体は腫大し，典型的には雪だるま状の腫瘤を形成する。腫瘤が出血から構成される場合には発症からの時間に応じて信号が変化する。すなわち発症早期にはT1，T2強調像ともに脳実質と等信号だが，血管外に逸脱した血液中のヘモグロビンが還元型ヘモグロビンやメトヘモグロビンに変化するにつれ，T1強調像では高信号，T2強調像では低信号化する[8]（図5）。下垂体卒中に属する女性特有の病態にSheehan症候群（Sheehan syndrome）がある。本症は妊娠出産時の大量出血に起因する下垂体梗塞による汎下垂体機能低下症と定義される。典型的には，汎下垂体機能低下症は当該妊娠・出産から15〜20年後に発症する。画像的には，急性期には下垂体内の梗塞巣が増強不良域として描出され，晩期には下垂体，特に前葉の著しい萎縮が認められる[9]（図6）。

　視床下部-下垂体系の機能異常は炎症性疾患によっても生じる。Tolosa-Hunt症候群は海綿静脈洞や上眼窩裂近傍の肉芽腫性炎症性疾患による動眼神経をはじめとする多発脳神経麻痺を指す[10]が，海綿静脈洞を越えて鞍隔膜をはじめとする下垂体周囲に細胞浸潤をきたす疾患群は肥厚性硬膜炎（hypertrophic pachymeningitis）と便宜的に総称される[11]。画像的にはT2強調像で低信号を示し，よく増強される軟部組織が下垂体周囲にまとわりつくように増生する[12]（図7）。その病因として，特定の細菌，真菌の感染症が明らかとなることもあるが，むしろその頻度は少ない。感染症では，特に結核性髄膜炎（tuberculous meningitis）は脳底槽を好んで冒すことから，

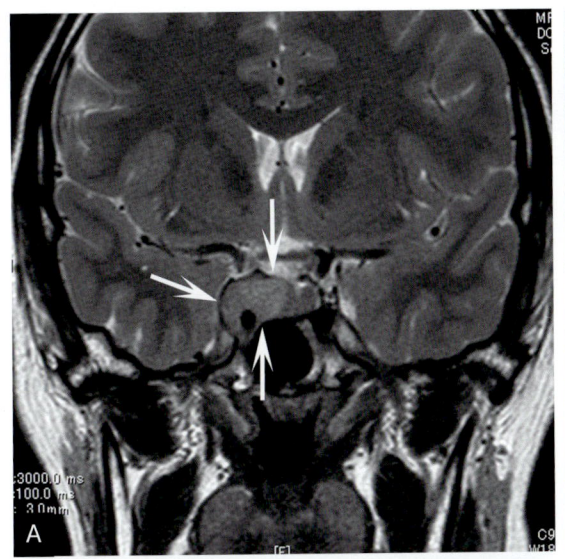

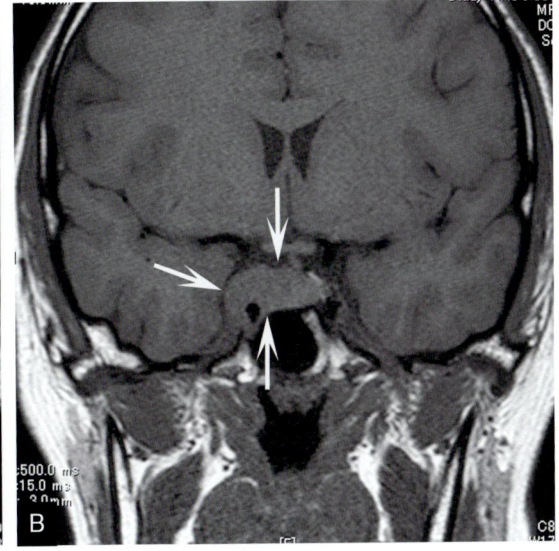

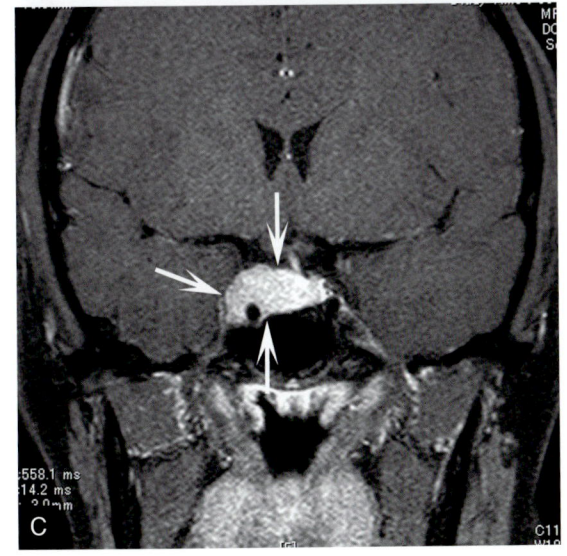

図4 20歳 プロラクチン産生下垂体腺腫
A：T2強調冠状断像，B：T1強調冠状断像，C：造影脂肪抑制T1強調冠状断像
続発性無月経にて受診。トルコ鞍の右側を占拠し，右傍鞍部に進展する腫瘤（A～C →）が認められる。病変はT1，T2強調像ともに灰白質とほぼ等信号を示し，よく増強されている。本例は巨大腺腫であるが，プロラクチン産生下垂体腺腫は微小腺腫であることが多い。

近接するトルコ鞍近傍の組織がしばしば影響を受け，治療方針決定の観点から重要な疾患である。しばしば下垂体柄を肥厚させる病態としてはサルコイドーシス，ランゲルハンス細胞組織球症が挙げられる。サルコイドーシスでは患者のおおむね5％が有症状の神経サルコイドーシス（neurosarcoidosis）を発症すると報告され[13]，神経症状が初発であることも少なくない[14]。硬膜は最も冒されやすい領域の1つで，画像的には硬膜の肥厚と増強効果として認められ，これと連続して軟膜やさらにVirchow-Robin腔に沿って脳実質に増強効果の及ぶことが少なくない[14]。脳実質内病変の結果生じる神経症状としては視床下部の機能低下が最多であるとの報告もある[15]。下垂体も病変の好発部位の1つで下垂体後葉機能が冒されることによって生じる尿崩症は頻度の高い徴候である[15]（図7）。ランゲルハンス細胞組織球症（Langerhans cell histiocytosis：LCH）は小児の骨に辺縁の硬化を伴わない溶骨性病変を形成することでよく知られるが，下垂体漏斗へ

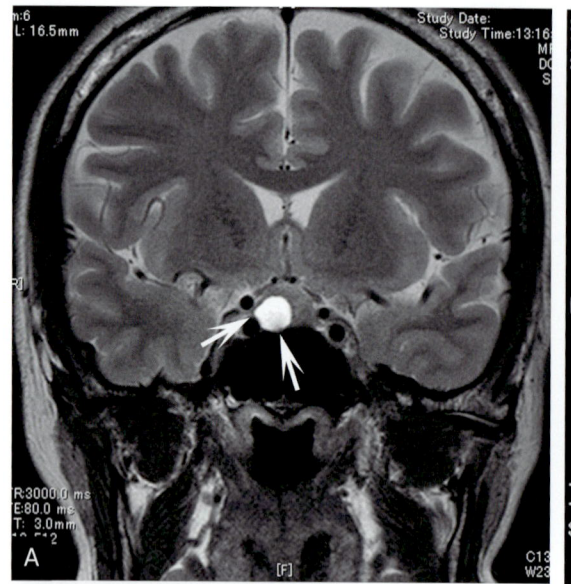

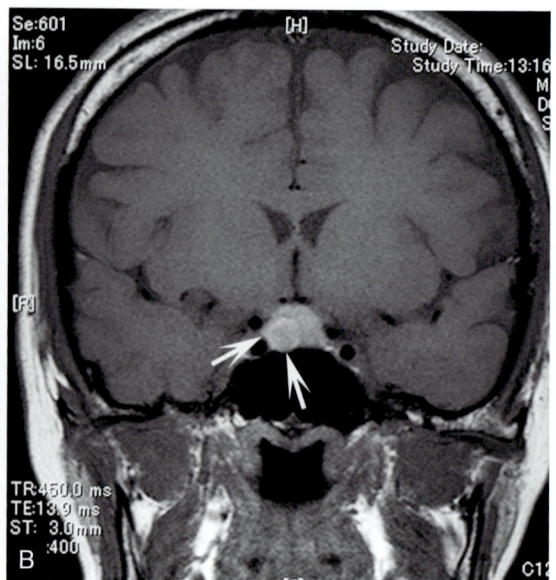

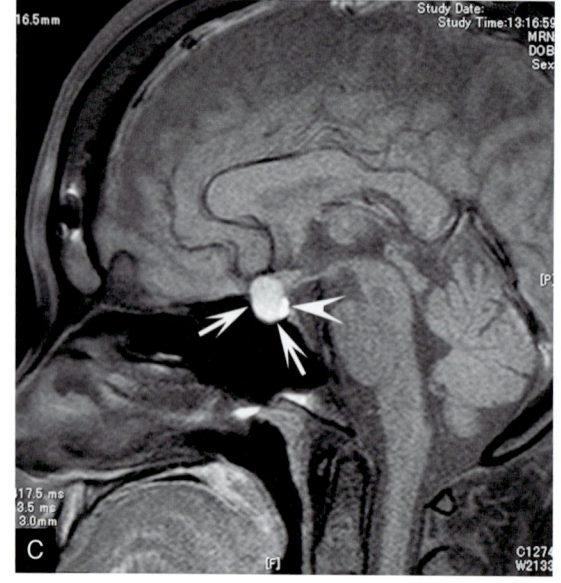

図5　32歳　下垂体卒中
A：T2強調冠状断像，B：T1強調冠状断像，C：脂肪抑制T1強調矢状断像
常位胎盤早期剥離のため緊急帝王切開後3日目に頭痛と視野狭窄を訴えたため緊急検査を施行。下垂体卒中が疑われた。図は発症6日目のfollow up studyであるが，下垂体前葉の右下縁にT2強調像で高信号（A →），T1強調像で高信号の境界明瞭な腫瘤（B，C →）がみられ，信号強度から下垂体出血と考えられる（▲は正常な下垂体後葉）。

の浸潤も有名で，これにより中枢性尿崩症，視力障害，視床下部機能低下をきたす[16]。このほかにもWegener肉芽腫症（Wegener's granulomatosis）や巨細胞動脈炎［giant cell arteritis，側頭動脈炎（temporal arteritis）］などの自己免疫疾患でも肥厚性硬膜炎をきたし，視床下部-下垂体系の機能低下に至る[17]。近年，multifocal fibrosclerosisの少なくとも一部では，血中IgG4値の上昇や病理組織学的なリンパ球・組織球の浸潤がみられ，IgG4関連疾患の一病型と考えられるようになってきた。IgG4関連疾患（IgG4 related multifocal fibrosclerosis）は自己免疫性膵炎，硬化性胆管炎，後腹膜線維症，涙腺炎・唾液腺炎，眼窩の炎症性偽腫瘍などの多彩な病像を示す[18]。下垂体機能低下症をきたすIgG4関連間脳下垂体炎（IgG4 related hypophysitis）でも下

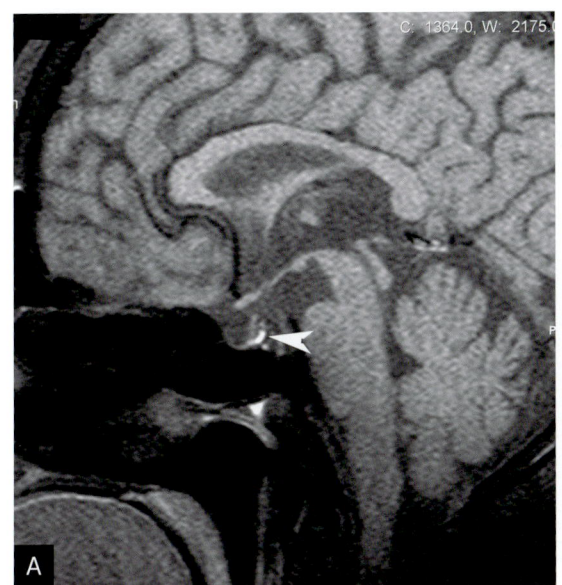

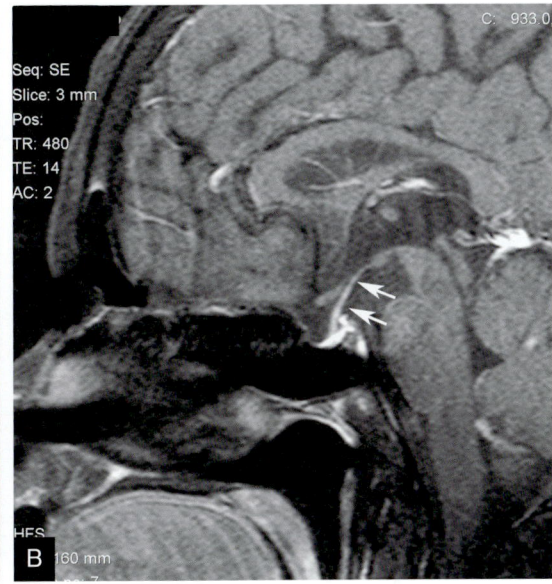

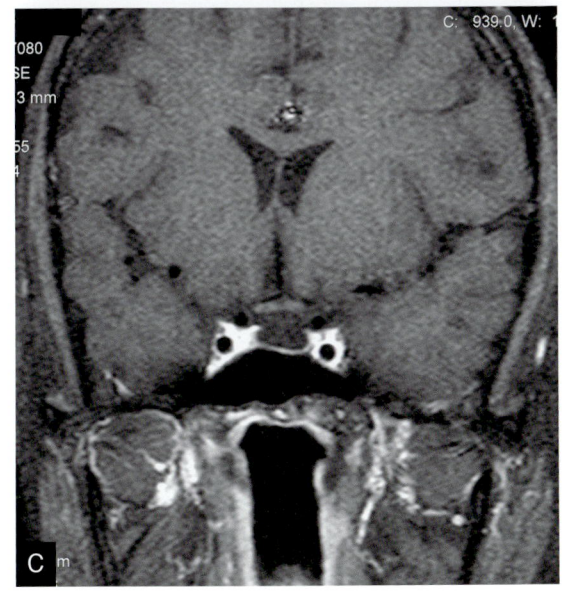

図6 50歳 Sheehan 症候群
A：脂肪抑制 T1 強調矢状断像，B：造影脂肪抑制 T1 強調矢状断像，C：造影脂肪抑制 T1 強調冠状断像
粘液水腫性昏睡，汎下垂体機能低下症にて入院。34歳時に分娩時大量出血の既往がある。下垂体前葉は著しく萎縮して，empty sella となっている（A～C，→は下垂体柄）。下垂体後葉の T1 強調像での高信号は保たれている（A▲）。萎縮が強く，すでに下垂体内の梗塞巣は造影後も同定できない（B，C）。

垂体柄と下垂体本体の腫大が認められる[19]。これらの各々の画像所見に疾患特異的なものはなく，生検以外では頭蓋外病変（サルコイドーシスにおけるぶどう膜炎や縦隔・肺門リンパ節腫大，LCHにおける溶骨性変化など）に診断を頼らざるを得ないことが多い。また癌性髄膜炎は脳軟膜が腫瘍浸潤により肥厚する病態で，中枢神経系悪性リンパ腫も脳軟膜に沿った強い増強効果を示すので，しばしば肥厚性硬膜炎との鑑別に苦慮する。

リンパ球性下垂体炎（lymphocytic hypophysitis：LH）は原因不明の非肉芽腫性炎症性疾患で，下垂体近傍にリンパ球や組織球，時に好酸球が浸潤して汎下垂体機能低下症をきたす疾患である。前葉が冒されることが多く，当初 adenohypophysitis と命名されたが，後に漏斗部や後葉を冒す infundibulo-neurohypophysitis の存在が明らかとなり，今日では lymphocytic hypophysitis の

Ⅲ 内分泌の異常

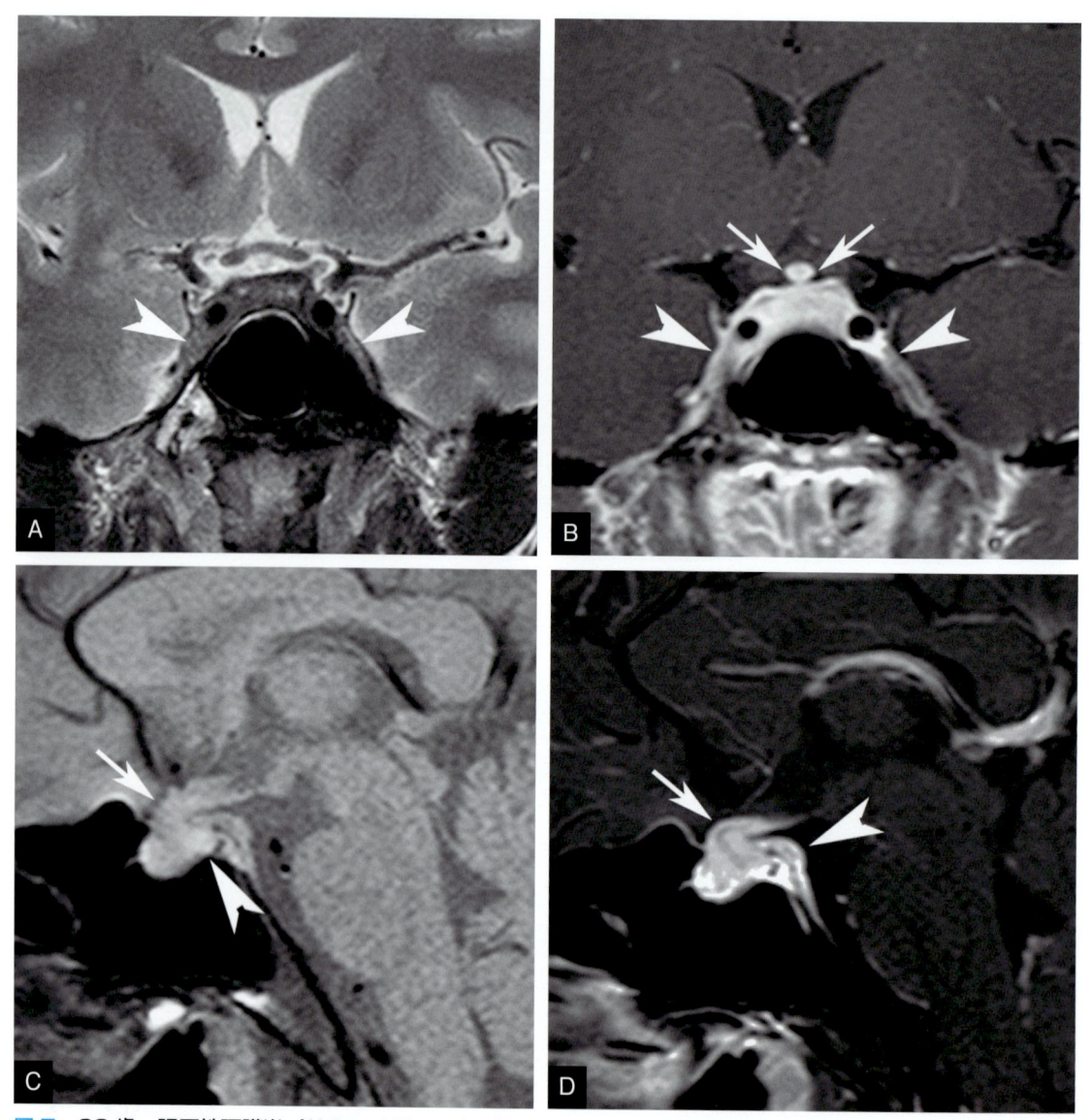

図7 33歳　肥厚性硬膜炎（サルコイドーシスの疑い）
A：T2強調冠状断像，B：造影脂肪抑制T1強調冠状断像，C：脂肪抑制T1強調矢状断像，D：造影脂肪抑制T1強調矢状断像

頭痛，複視に引き続き口渇（中枢性尿崩症）と続発性無月経が出現。トルコ鞍内は下垂体の輪郭を不明瞭化させるT2強調像で低信号（A），造影後はよく増強される軟部組織（A，B▲）で占められ，下垂体柄は肥厚し（B，C→），軟部組織は傍鞍部や鞍背の後方にまで及んでいる（D）。若年発症で感染徴候や自己抗体を欠くことからサルコイドーシスが疑われたが，頭蓋外病変は存在せず，生検も見送られたので診断は確定していないが，ステロイド投与で改善した。

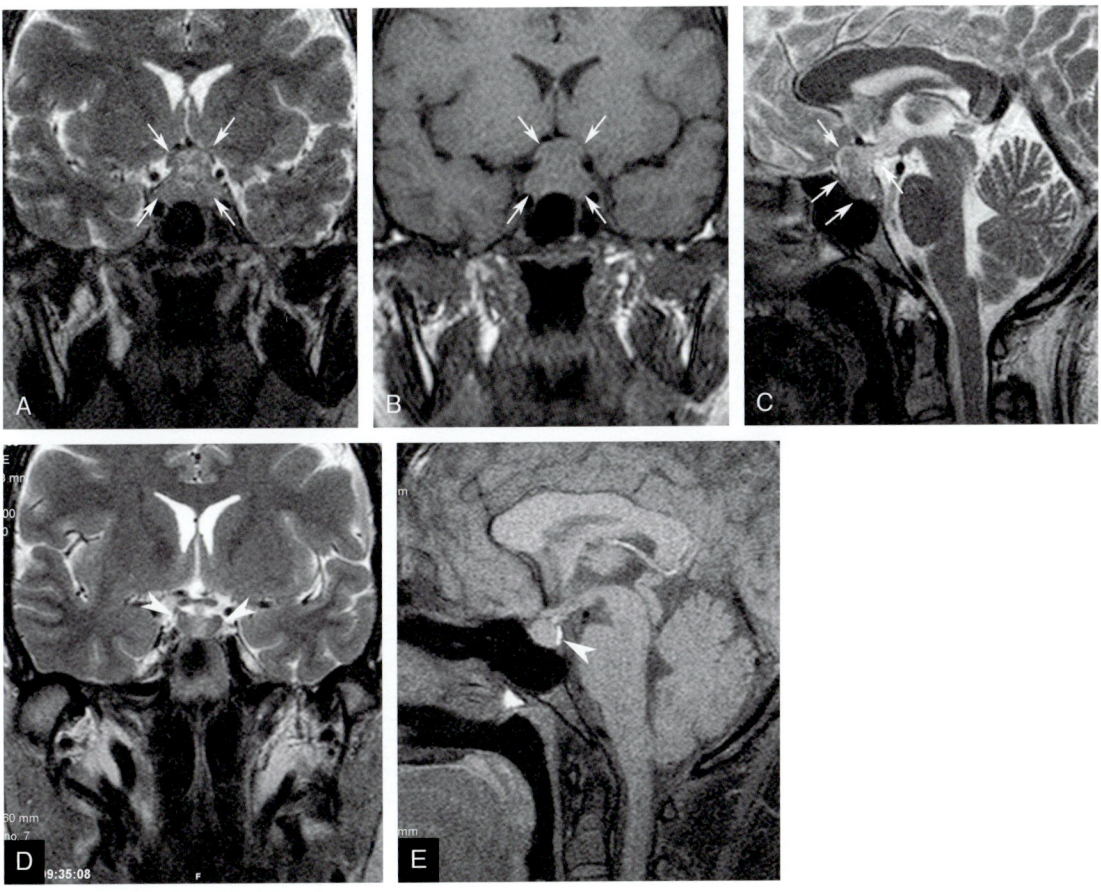

図8　27歳　リンパ球性下垂体炎

A：T2強調冠状断像，B：T1強調冠状断像，C：T2強調矢状断像，D：T2強調冠状断像（産褥期），E：脂肪抑制T1強調矢状断像（産褥期）

0妊0産。妊娠6カ月頃より頭痛・視力低下を主訴に眼科受診。視野検査上，不完全な両耳側半盲。妊娠中に施行されたMRIでは下垂体および下垂体柄を取り巻くT2強調像で不均一な高信号（A, C），T1強調像で低信号（B）の軟部組織により下垂体は前後葉・漏斗部を問わず腫大している（A～C →）。その後8カ月頃までに視力・視野の増悪がみられたが，41週にて誘発分娩後，症状増悪なく，産褥期に撮られたMRIでは腫大は無治療で軽減している（D, E）。本例ではparasellar T2 dark signは改善後にわずかに認められる（D▲）のみだが，下垂体後葉のT1強調像での高信号は保たれている（E▲）。

名称が定着している。病因は不明だが自己免疫機序の関与が示唆され，autoimmune hypophysitisと記載されている文献も散見される[20]。本症は性成熟期の女性に多く，妊娠末期に好発することから産婦人科領域では重要な病態である。予後は良好でしばしばself-limitingな経過をたどり，分娩後速やかに下垂体の腫大は軽減することが多い[20]。妊娠中に発症するので診断に造影剤が使用できず下垂体腺腫との鑑別が問題となるが，腺腫では下垂体柄の肥厚を伴わないこと，LHでは下垂体後葉のT1強調像での正常の高信号が保たれる傾向にあること，病変辺縁部にT2強調像で低信号域（parasellar T2 dark sign）を伴うことなどが挙げられている[21]（図8）。

2. 多嚢胞性卵巣症候群 polycystic ovary syndrome（PCOS）

　多嚢胞性卵巣症候群（polycystic ovary syndrome：PCOS）は卵巣の多嚢胞性腫大とアンドロゲン過剰状態により表象される症候群である．内分泌学的には黄体化ホルモン（luteinizing hormone：LH）の過剰分泌による卵胞の発育障害（図9）とアンドロゲンの産生亢進[22]，PCOSに高頻度に合併するインスリン抵抗性が肝臓における性ホルモン結合グロブリン（sex hormone-binding globulin：SHBG）合成低下をきたしてさらなるアンドロゲン過剰状態を招き，種々の症状を発現すると考えられている[23)24)]．主たる症状としては排卵障害や月経異常（希発月経，無排卵周期，不妊），肥満，男性化（多毛，にきび，声音低下，陰核肥大）が挙げられるが，臨床像は多彩である．これに加えて女性の血清アンドロゲン値の正常値に幅があることや「卵巣の多嚢胞化」を客観的に評価することの難しさもあって，紆余曲折を経て現在の日本産科婦人科学会の診断基準は表2のごとく定められている[25)]．2007年版では「客観的なPCO所見の基準として小卵胞の数」が採用されたが，2024年の改訂では血中抗ミュラー管ホルモン（anti-Müllerian hormone：AMH）濃度が胞状卵胞数（antral follicle count：AFC）のカウントよりも客観性が高いことから，卵巣所見の補助診断としてAFCの代わりにAMHを使用できるものとした．し

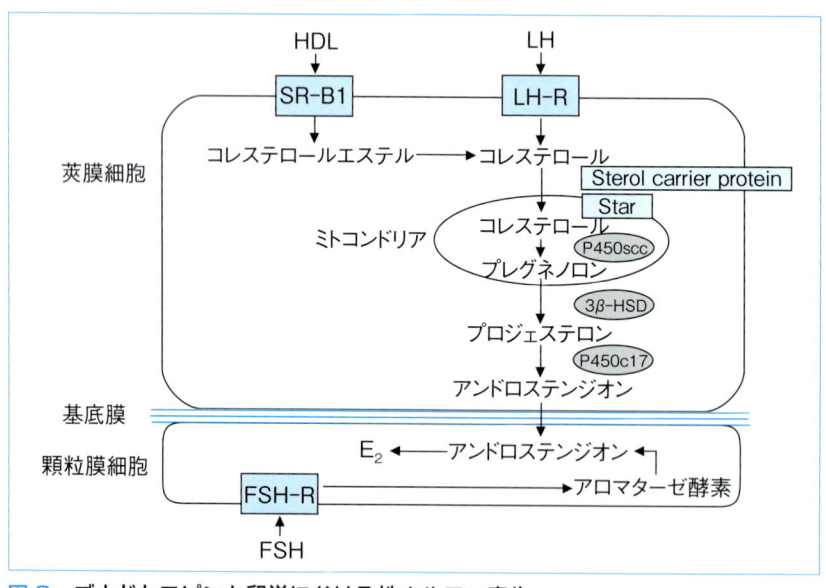

図9　ゴナドトロピンと卵巣における性ホルモン産生
黄体化ホルモン（LH）は黄体期には黄体からのプロゲステロン産生を促すが，卵胞期には莢膜細胞のアンドロゲン産生を促進する．卵胞刺激ホルモン（FSH）は顆粒膜細胞に働いて，アンドロゲンからエストロゲンへの転換を促進するとともに，卵胞の発育を促す．これは2 cell（-2 gonadotropin）theoryとよばれる．多嚢胞性卵巣症候群ではFSHに対しLHが過剰になるためアンドロゲン過剰と卵胞の発育障害が起こると考えられている．
（文献22より改変引用）

2. 多嚢胞性卵巣症候群 polycystic ovary syndrome（PCOS）

表2 多嚢胞性卵巣症候群の診断基準（日本産科婦人科学会 生殖・内分泌委員会, 2024）[25]

> 以下の1〜3のすべてを満たすものを多嚢胞性卵巣症候群とする
> 1. 月経周期異常
> 2. 多嚢胞卵巣またはAMH高値
> 3. アンドロゲン過剰症またはLH高値

注1）月経周期異常は，無月経，希発月経，無排卵周期症のいずれかとする。
注2）多嚢胞卵巣は，超音波断層検査で両側卵巣に多数の小卵胞がみられ，少なくとも一方の卵巣で直径2〜9 mmの小卵胞が10個以上存在するものとする。
注3）AMH高値を多嚢胞卵巣所見の代わりに用いることができる。AMHの測定時期は限定しない。カットオフ値として，アクセスおよびルミパルスによる測定の場合は20〜29歳では4.4 ng/mL，30〜39歳では3.1 ng/mL，エクルーシスの場合は20〜29歳では4.0 ng/mL，30〜39歳では2.8 ng/mLを用いる。また，AMH高値だけでPCOSを診断することはできない。AMHの測定は診断に必須ではない。
注4）アンドロゲン過剰症は，血中アンドロゲン高値またはアンドロゲン過剰症状で判定する。血中アンドロゲンの測定には総テストステロンを用い，測定系の基準範囲上限で判定する。アンドロゲン過剰症状は男性型多毛を用い，modified Ferriman-Gallweyスコア≧6を多毛有りとする。
注5）LH高値は，LH基礎値高値かつLH/FSH比高値で判定し（それぞれ正常女性の平均値+1×標準偏差以上），肥満例（BMI≧25）ではLH/FSH比高値のみでも可とする。アーキテクトによる測定の場合はLH≧7.1 mIU/mL，LH/FSH比≧1.21，エクルーシスの場合はLH≧9.9 mIU/mL，LH/FSH比≧1.51をカットオフ値の参考とする。
注6）内分泌検査は，排卵誘発薬や女性ホルモン薬など，ゴナドトロピン分泌に影響を与えうる薬剤を直近1カ月間以上投与していない時期に，直径1 cm以上の卵胞が存在しないことを確認の上で行う。また，月経または消退出血から10日目までの時期はLH高値の検出率が低いことに留意し，必要に応じて再検査を行う。
注7）思春期症例（初経後8年，概ね18歳未満）では卵巣所見およびAMHを用いず，1と3の2項目をともに満たす場合に「PCOS疑い」，1と3のいずれか1項目のみを満たす場合に「PCOSリスク」とする。1の項目は下記を参考に判定する。初経後1年未満は判定しない。初経後1年以上3年未満：21日未満あるいは45日を超える周期，初経後3年以上：21日未満あるいは38日を超える周期，初経後1年以上で90日以上の周期，初経遅延（15歳以降），および15歳未満でも乳房発育の開始から3年経過し初経がない場合を，それぞれ異常とする。3の項目は成人の判定基準を用いて判定する。
注8）クッシング症候群，副腎酵素異常など，本症候群と類似の病態を示すものを除外する。思春期症例では中枢性および卵巣性排卵障害の鑑別にも配慮する。

たがって現在では必須ではないものの，この診断基準はUSで卵巣形態を観察することを念頭においで作成されている。Faureらは卵巣辺縁に配列する小卵胞がT2強調像でUSより精密に観察できることをすでに1989年に報告している[26]。したがってMRI診断においてもUS所見に準じ，両側卵巣に多数の小卵胞がみられ，少なくとも一方の卵巣で2〜9 mmの小卵胞が10個以上存在するもの[25]をもってPCOS疑いとすべきと考えられる（図10）。しかしながらKimuraらはこのような所見がみられた症例の過半数では卵巣機能は正常であったことを報告しており[27]，無症状例において，画像所見のみから本症を疑って精査を勧めることは慎まねばならない。他方，ErdemらはダイナミックMRIにおいてPCOS例では正常例に比べ卵巣間質への造影剤到達時間が短い（すなわちvascularityに富む）ことを報告している[28]。このようにMRIでは形態以外の情報も客観的に評価しうることからPCOS例において画像的に捕捉可能な正常例との差違があるか否かは今後の課題である。

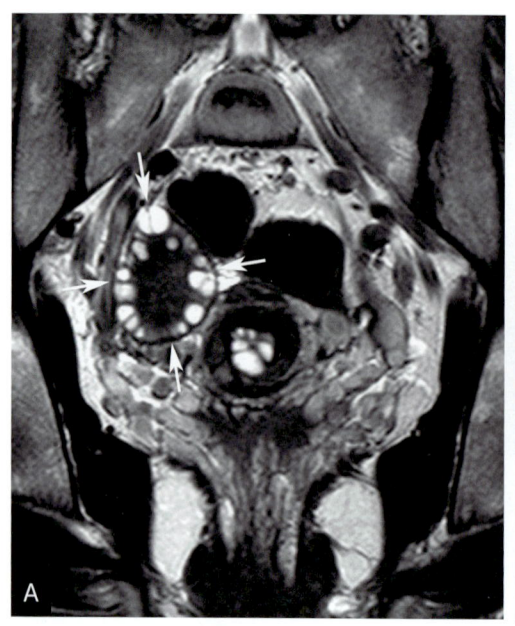

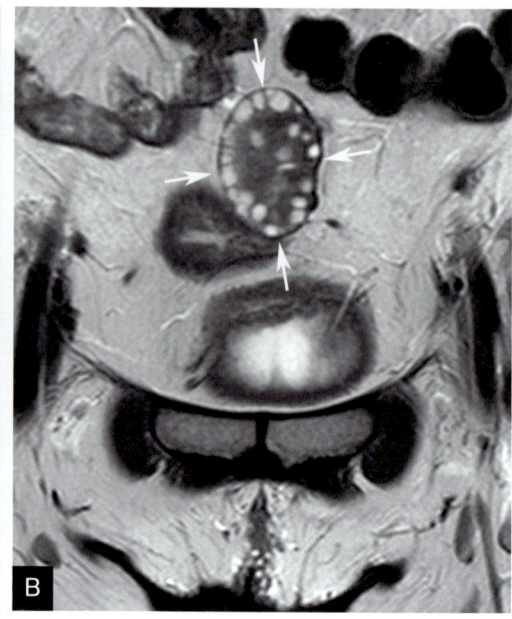

図10 37歳　多囊胞性卵巣症候群（子宮内膜癌合併例）
A, B：T2強調冠状断像
子宮内膜癌の術前検査として行ったMRI T2強調像（A, B）で，卵巣は両側とも大きめで辺縁部に10個以上の卵胞が認められ（A, B→），多囊胞性卵巣症候群を疑わせる所見である。本例では月経異常の既往は認められなかったが，子宮内膜異型増殖症を背景に発生した子宮内膜癌の誘因として本症が疑われる。病理組織学的にも卵巣間質の拡大と卵母細胞の減少が認められた。

3. ホルモン産生腫瘍

　第7章-Ⅱ-2「性索間質性腫瘍」で述べたように，莢膜細胞腫，顆粒膜細胞腫やセルトリ細胞腫をはじめとする性索間質性腫瘍がホルモン活性をもつことは広く知られている（p503参照）。しかし，性索間質性腫瘍以外の腫瘍であっても豊富な線維性間質を有する場合には，その間質において性ホルモンが産生されたり，アロマターゼをはじめとする各種酵素の働きにより副腎由来のステロイドホルモンがエストロゲンに転換されるなどして高エストロゲン血症をきたしうる[29)30)]。ほぼすべての組織型の卵巣腫瘍がこの機能性間質をもちうると考えられている[31)]が，頻度の高い腫瘍を表3に示す[32)33)]。機能性間質により産生された性ホルモンが臨床症状を引き起こすことは，さほど多くはないとされている[31)]。有症状化した場合にも男性化は画像的には捉えにくいが，エストロゲン過剰状態は閉経後の症例では年齢不相応に大きくzonal anatomyの明瞭な子宮として表現される（図11, 12）。さらにunopposed estrogen（p293参照）は子宮内膜増殖症を引き起こし，さらには子宮内膜癌へと進展することもある。これら子宮の間接所見が，卵巣腫瘍本体の診断に迷う症例では鑑別の一助となる[34-36)]反面，種々の腫瘍が機能性間質をもちうることは逆に鑑別診断の攪乱要因にもなる[37)]。したがって子宮にエストロゲン過剰状態を示唆す

3. ホルモン産生腫瘍

表3 機能性間質を有しうる卵巣腫瘍（性索間質性腫瘍を除く）および腫瘍様病変

エストロゲン産生腫瘍	アンドロゲン産生腫瘍
1. 胚細胞腫瘍 　　カルチノイド（単胚葉性奇形腫） 　　性腺芽腫 2. 上皮性腫瘍 　　粘液性腫瘍 　　類内膜癌 　　ブレンナー腫瘍 3. 転移性腫瘍 4. 腫瘍様病変 　　間質過形成および間質莢膜細胞過形成 　　黄体化過剰反応 　　妊娠黄体腫	1. 胚細胞腫瘍 　　卵巣甲状腺腫（単胚葉性奇形腫） 　　カルチノイド（単胚葉性奇形腫） 2. 上皮性腫瘍 　　漿液性腫瘍 　　粘液性腫瘍 　　類内膜癌 3. 転移性腫瘍

（文献33より改変引用）

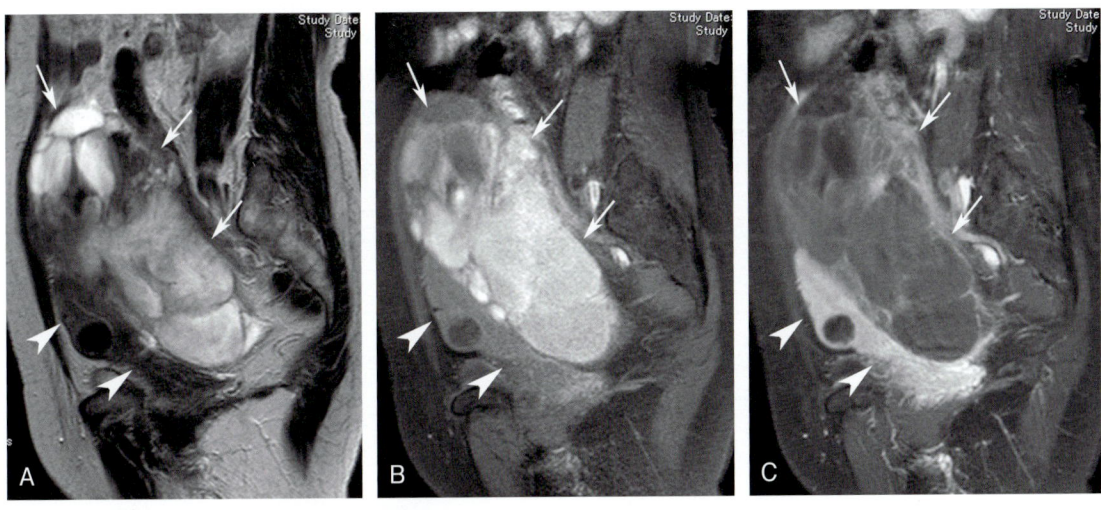

図11　68歳　エストロゲン産生粘液性癌
A：T2強調矢状断像，B：脂肪抑制T1強調矢状断像，C：造影脂肪抑制T1強調矢状断像
T2強調像にて多彩な信号，T1強調像で信号強度の高い粘稠な内容物を含む多房性嚢胞性腫瘤を認め（A, B →），造影後，壁や隔壁の肥厚として充実部が明らかとなる（C →）典型的な原発性粘液性癌である。この腫瘍に圧排された子宮（A～C▲）は閉経後にもかかわらず大きめで，T2強調像（A）で内膜，筋層ともに信号強度が高い。本例では内膜の病的肥厚は伴わない。

る所見を認めた場合にも，腫瘍の画像所見が顆粒膜細胞腫や莢膜細胞腫に典型的か否かには十分注意しなければならない[33)38)39)]。上皮性腫瘍のなかでは粘液性腫瘍[29)38)40)]（図11）や類内膜癌[30)37)]でホルモン活性をもつ頻度が比較的高いことが報告されている。卵巣甲状腺腫は単胚葉性奇形腫の代表格で，腫瘍の大部分が甲状腺組織から構成されるにもかかわらず，甲状腺ホルモン産生腫瘍はその5％にすぎない。一方で本腫瘍では性ホルモン産生も時に経験される（図12）。代表的なアンドロゲン産生性索間質性腫瘍であるセルトリ細胞腫は頻度的にまれであることから，アン

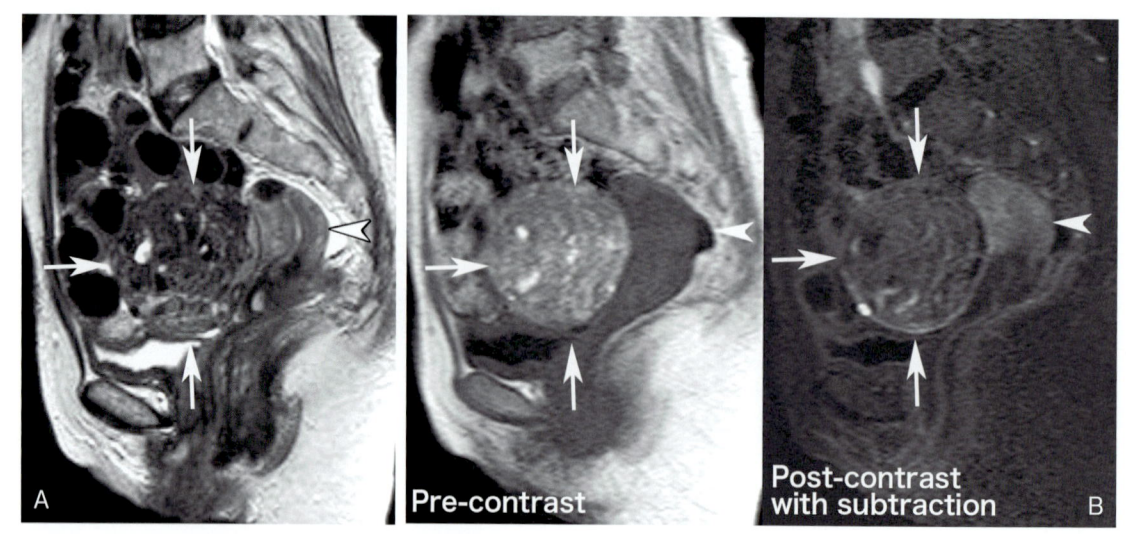

図12 81歳 エストロゲン産生卵巣甲状腺腫

A：T2強調矢状断像，B：ダイナミックMRI（左：造影前，右：造影後サブトラクション像）
80代にもかかわらず，T2強調像で子宮は大きくzonal anatomyが明瞭で，内膜の信号強度も高い（A▲）。子宮の前方にはT2強調像で低信号，T1強調像で低信号と高信号の混在する腫瘤を認め（A，B→），造影後はほとんど増強されていない（B）ことから，出血を伴う多房性囊胞性腫瘍と考え，子宮の変化と合わせ顆粒膜細胞腫を疑ったが，病理組織診断は卵巣甲状腺腫であった。卵巣甲状腺腫も機能性間質を有する原発性卵巣腫瘍の代表格であり，顆粒膜細胞腫とはMRI所見も類似することから，鑑別に苦慮する疾患の1つである。
（文献33より転載）

ドロゲン産生卵巣腫瘍の1/3は転移性腫瘍（ことに胃癌）（図13），1/5は粘液性腫瘍であるとされている[29]。したがって男化徴候を有する卵巣腫瘍の診断に際しては，転移性腫瘍の可能性を念頭において，原発巣の検索に注力すべきである。

3. ホルモン産生腫瘍

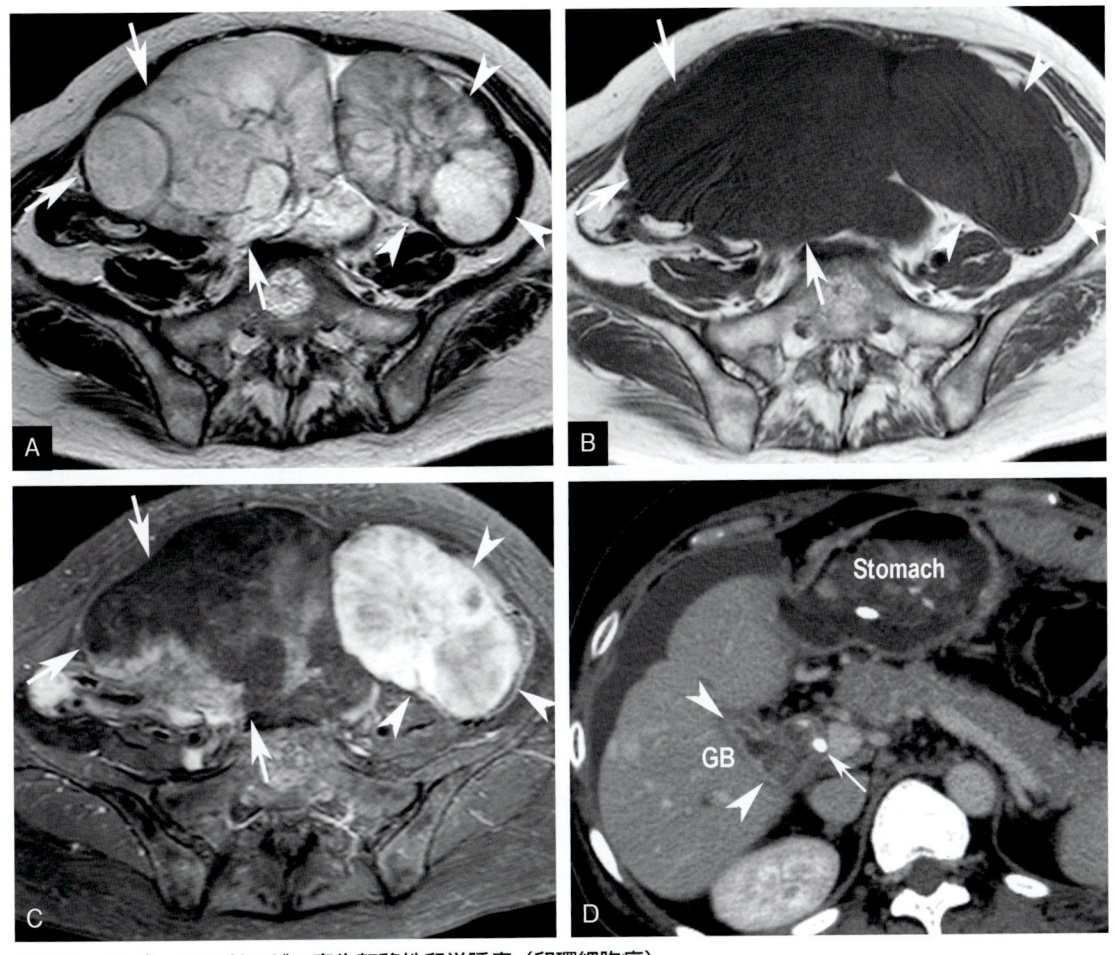

図13　66歳　アンドロゲン産生転移性卵巣腫瘍（印環細胞癌）
A：T2強調横断像，B：T1強調横断像，C：造影脂肪抑制T1強調横断像，D：造影CT（上腹部）
下腹部腫瘤と閉塞性黄疸で受診．骨盤MRIで，両側性の付属器腫瘤を認め，右は囊胞優位，左は充実部優位だが，いずれもT2強調像で低信号の充実部を伴った多房性囊胞性腫瘤（A〜C）で，典型的な転移性腫瘤の形態を呈する．上腹部造影CT（D）では胃（Stomach）前庭部から胆管，胆嚢（GB）周囲に至る広範な軟部組織（▲）を認め，胃癌もしくは胆道癌が疑われた（→は胆管内の内瘻化チューブ）．臨床的には無症状であったが，血清テストステロンが正常値を超えて上昇していた．

文献

1) WHO Classification of Tumors Editorial Board : Central Nervous System Tumours, 5th ed. International Agency for Research on Cancer, Lyon, 2021
2) Ibogami MN et al : Craniopharyngioma : a comprehensive review of the clinical presentation, radiological findings, management, and future perspective. Heliyon 10 : e32112, 2024
3) Thurnher MM : Germ cell tumors. Osborn AG ed : Diagnostic Imaging, Brain, 2nd ed, p162-173, Amirsys Publishing, Salt Lake City, 2010
4) Ueno T et al : Spectrum of germ cell tumors : from head to toe. Radiographics 24 : 387-404, 2004
5) Moore KR : Tuber cinereum hamartoma. Osborn AG ed : Diagnostic Imaging, Brain, 2nd ed, p12-15, Amirsys Publishing, Salt Lake City, 2010
6) Osborn AG : Pituitary microadenomas. Osborn AG ed : Diagnostic Imaging, Brain, 2nd ed, p20-23, Amirsys Publishing, Salt Lake City, 2010
7) Osborn AG : Pituitary macroadenomas. Osborn AG ed : Diagnostic Imaging, Brain, 2nd ed, p20-27, Amirsys Publishing, Salt Lake City, 2010
8) Osborn AG : Pituitary apoplexy. Osborn AG ed : Diagnostic Imaging, Brain, 2nd ed, p28-31, Amirsys Publishing, Salt Lake City, 2010
9) Kaplun J et al : Sequential pituitary MR imaging in Sheehan syndrome : report of 2nd cases. AJNR Am J Neuroradiol

29 : 941-943, 2008
10) Kline LB, Hoyt WF : The Tolosa-Hunt syndrome. J Neurol Neurosurg Psychiatry 71 : 577-582, 2001
11) Mamelak AN et al : Idiopathic hypertrophic cranial pachymeningitis : report of three cases. J Neurosurg 79 : 270-276, 1993
12) Lee YC et al : Idiopathic hypertrophic cranial pachymeningitis : case report with 7 years of imaging follow-up. AJNR Am J Neuroradiol 24 : 119-123, 2003
13) Zajicek JP et al : Central nervous system sarcoidosis : diagnosis and management. QJM 92 : 103-117, 1999
14) Shah R et al : Correlation of MR imaging findings and clinical manifestations in neurosarcoidosis. AJNR Am J Neuroradiol 30 : 953-961, 2009
15) Sherman JL, Stern BJ : Sarcoidosis of the CNS : comparison of unenhanced and enhanced MR images. AJR Am J Roentgenol 155 : 1293-1301, 1990
16) D'Ambrosio N et al : Craniofacial and intracranial manifestations of langerhans cell histiocytosis : report of findings in 100 patients. AJR Am J Roentgenol 191 : 589-597, 2008
17) Brass SD et al : Case records of the Massachusetts General Hospital. Case 36-2008. A 59-year-old man with chronic daily headache. N Engl J Med 359 : 2267-2278, 2008
18) Umehara H et al : A novel clinical entity, IgG4-related disease (IgG4RD) : general concept and details. Mod Rheumatol 22 : 1-14, 2012
19) Isaka Y et al : A case of IgG4-related multifocal fibrosclerosis complicated by central diabetes insipidus. Endocr J 55 : 723-728, 2008
20) Caturegli P et al : Autoimmune hypophysitis. Endocr Rev 26 : 599-614, 2005
21) Nakata Y et al : Parasellar T2 dark sign on MR imaging in patients with lymphocytic hypophysitis. AJNR Am J Neuroradiol 31 : 1944-1950, 2010
22) 峯岸 敬：婦人科疾患の診断・治療・管理：女性性機能の生理．日産婦誌 61：N-221-225, 2009
23) Franks S : Polycystic ovary syndrome. N Engl J Med 333 : 853-861, 1995
24) Barbieri RL et al : Diagnosis of polycystic ovary syndrome in adults. UpToDate. last updated 2024 (accessed 2025.06.15)
25) 日本産科婦人科学会 生殖・内分泌委員会：本邦における多嚢胞性卵巣症候群の診断基準の検証に関する小委員会：多嚢胞性卵巣症候群に関する全国症例調査の結果と本邦における新しい診断基準(2024)について．last updated 2023（accessed 2025.01.06.）
https://www.jsog.or.jp/news/pdf/PCOS1_20231204.pdf
26) Faure N et al : Assessment of ovaries by magnetic resonance imaging in patients presenting with polycystic ovarian syndrome. Hum Reprod 4 : 468-472, 1989
27) Kimura I et al : Polycystic ovaries : implications of diagnosis with MR imaging. Radiology 201 : 549-552, 1996
28) Erdem CZ et al : Polycystic ovary syndrome : dynamic contrast-enhanced ovary MR imaging. Eur J Radiol 51 : 48-53, 2004
29) Carlson JW et al : Tumors of the Ovary and Fallopian Tube. American Registry of Pathology, 2023
30) Tokunaga H et al : Ovarian epithelial carcinoma with estrogen-producing stroma. Pathol Int 57 : 285-290, 2007
31) Staats PN et al : Sex Cord-Stromal, Steroid Cell, and Other Ovarian Tumors with Endocrine, Paraendocrine, and Paraneoplastic Manifestations. Kurman RJ et al eds : Blaustein's Pathology of the Female Genital Tract, 7th ed, p967-1045, Springer International Publishing, Cham, 2019
32) 西出 健：ホルモン産生卵巣腫瘍．薬師寺道明 編：卵巣・卵管の悪性腫瘍．p153-164，中山書店，東京，1991
33) Tanaka YO et al : MR findings of ovarian tumors with hormonal activity, with emphasis on tumors other than sex cord-stromal tumors. Eur J Radiol 62 : 317-327, 2007
34) Morikawa K et al : Granulosa cell tumor of the ovary : MR findings. J Comput Assist Tomogr 21 : 1001-1004, 1997
35) Kim SH et al : Granulosa cell tumor of the ovary : common findings and unusual appearances on CT and MR. J Comput Assist Tomogr 26 : 756-761, 2002
36) Ko SF et al : Adult ovarian granulosa cell tumors : spectrum of sonographic and CT findings with pathologic correlation. AJR Am J Roentgenol 172 : 1227-1233, 1999
37) Hayasaka T et al : Endometrioid adenocarcinoma with a functioning stroma. J Obstet Gynaecol Res 33 : 381-383, 2007
38) Tanaka YO et al : Ovarian tumor with functioning stroma. Comput Med Imaging Graph 26 : 193-197, 2002
39) Tanaka YO et al : Functioning ovarian tumors : direct and indirect findings at MR imaging. Radiographics 24 (suppl 1) : S147-166, 2004
40) Kurihara Y et al : Ovarian endometrioid adenocarcinoma associated with steroidogenic foamy stromal cells. Pathol Int 47 : 883-888, 1997

Ⅳ 骨盤臓器脱 pelvic organ prolapse

Summary
- 骨盤臓器脱（pelvic organ prolapse）では腹圧をかけた動的検査が診断に有用で，T2強調矢状断像で恥骨尾骨線（pubo-coccygeal line：PCL）や恥骨中央線（midpubic line：MPL）が評価の指標になる。
- 骨盤臓器脱の指標としてはPCLが広く用いられ，PCLと内尿道口，外子宮口，肛門直腸移行部との位置関係により重症度が決定される。

　高齢化に伴い，骨盤底の支持組織が脆弱化して，骨盤臓器脱（pelvic organ prolapse）の頻度が増す。下垂・逸脱する臓器組織により，膀胱脱（cystocele），直腸脱（rectocele），子宮脱（uterine prolapse, vaginal vault prolapse）などの名称が用いられる[1]。骨盤底の支持組織はDeLanceyらにより3段階に分類されており（図1），子宮広間膜や仙骨子宮靱帯をlevel Ⅰ，腟壁や肛門挙筋に付着する骨盤筋膜腱弓（arcus tendineus fasciae pelvis）をlevel Ⅱ，陰核海綿体（bulbo spon-

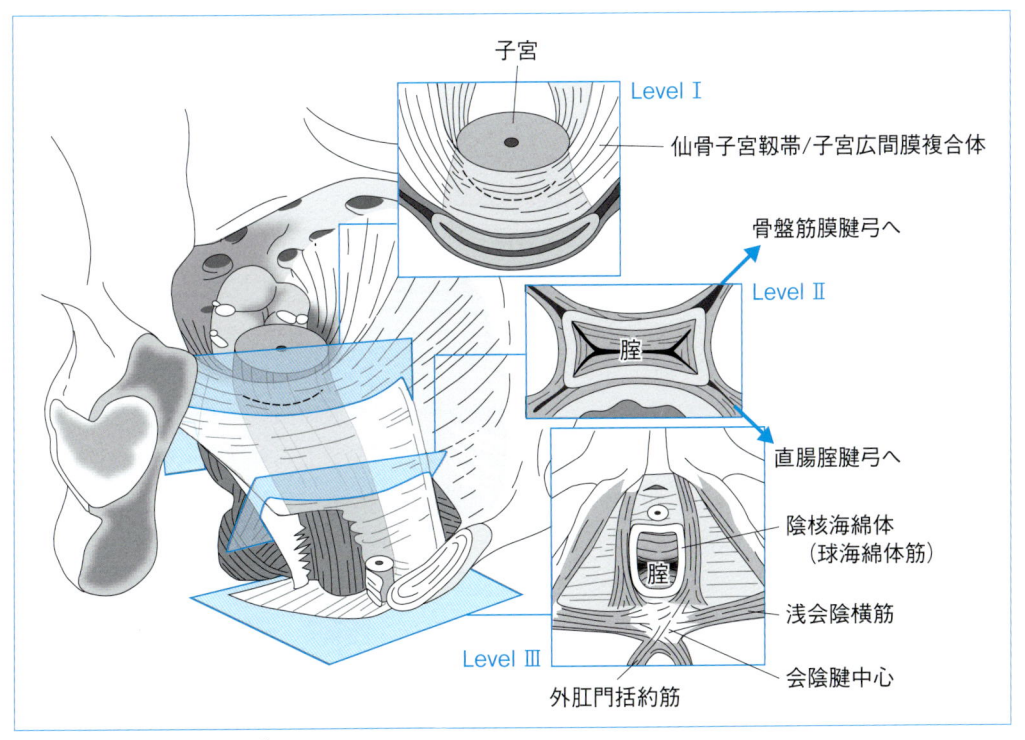

図1　骨盤底の支持組織[3]
DeLanceyらは骨盤底の支持組織を次の3層に分類している。すなわち，子宮広間膜や仙骨子宮靱帯がlevel Ⅰ，腟壁や肛門挙筋に付着する骨盤筋膜腱弓がlevel Ⅱ，陰核海綿体，会陰横筋，外肛門括約筋の間に介在してこれを束ねる会陰腱中心がlevel Ⅲである。

IV 骨盤臓器脱 pelvic organ prolapse

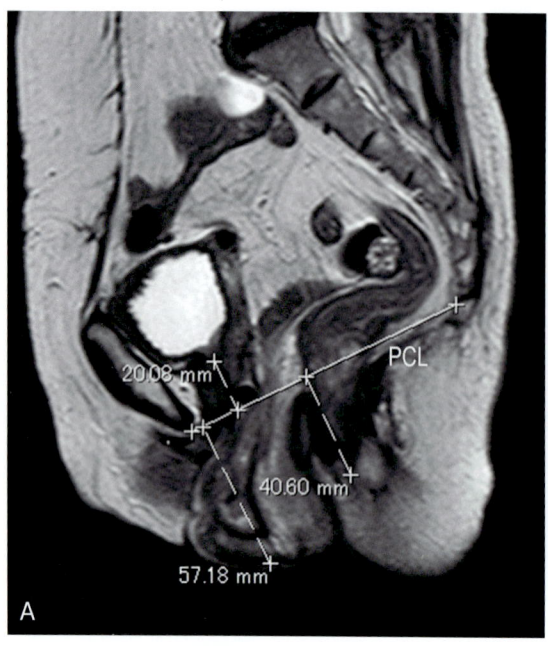

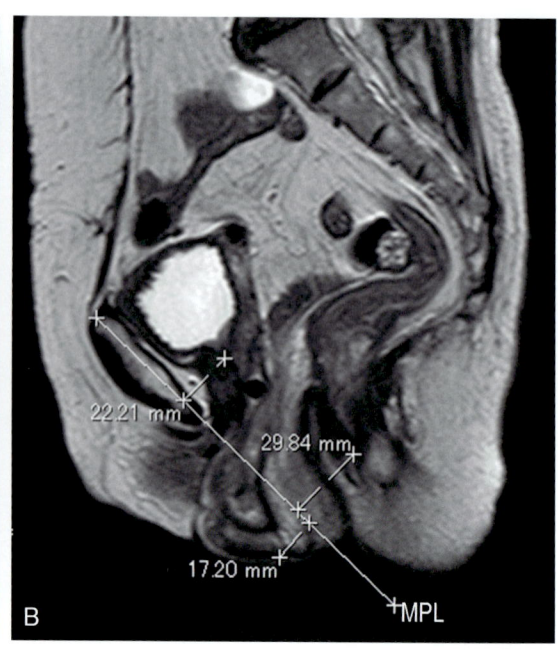

図2 69歳 骨盤臓器脱の重症度判定
A, B：T2強調矢状断像
腟内ペッサリー挿入にもかかわらず, 再発した子宮脱。膀胱底はPCLより2cm上方, 子宮頸部は5.7cm, 直腸肛門移行部は4cm下方にあり, 前方成分については軽度, 中央, 後方成分については中等度の骨盤臓器脱である（A）。MPLとの関係では膀胱底は2.2cm上方, 子宮頸部は1.7cm下方, 直腸肛門移行部は3cm上方にあり, 前方, 後方成分についてはstage 1, 中央成分（子宮）についてはstage 3の骨盤臓器脱である（B）。

giosus), 会陰横筋（transversae perineal muscles), 外肛門括約筋（external anal sphincter）の間に介在してこれを束ねる会陰腱中心（perineal body）をlevel IIIとし, これらの支持組織が有機的に結合し骨盤内臓器を支持しなくなった場合に骨盤臓器脱が起こるといわれる[2)3)]。高齢の多産婦に好発し, 肥満はリスクファクターである。脱出臓器に応じて, 尿意逼迫や便秘, 性機能障害など多彩な臨床症状を呈する。診断は視触診によってなされるが, MRIは脱出臓器の位置を客観的に捉えるのに有効で, 高速撮像法を用いた, 腹圧をかけてのkinematic MRIも試みられている[4)5)]。T2強調矢状断像で恥骨結合下縁と尾骨の最下の関節面を結んだ恥骨尾骨線（pubococcygeal line：PCL）や恥骨結合の上下縁を結んで下方に延長した恥骨中央線（midpubic line：MPL）がランドマークとして用いられる。最大限腹圧をかけて撮像したT2強調矢状断像でanterior compartmentの指標として膀胱底, middle compartmentの指標として子宮頸部, posterior compartmentの指標として肛門直腸移行部（anorectal junction：ARJ）を用いる（図2）[4)6)]。重症度の指標を表1, 2に示す。膀胱瘤を伴う例では, 尿管膀胱開口部が骨盤底の支持組織に挟み込まれ, 水腎症を伴うこともあるので注意が必要である（図3, 4）。骨盤臓器脱は一度発症すると進行性と考えられていたが, 近年, 閉経までは進行するが, その後は寛解と増悪を繰り返すか少し改善するとされる。治療は症状の重篤さや患者の希望に応じて行われ, 保存的治療としては腟内ペッサリー挿入による子宮脱の防止や骨盤底の筋肉トレーニングがある[1)]。手術療法としては仙骨腟固定術（sacrocolpopexy）や仙棘靱帯腟固定術（sacrospinous colpopexy),

表1 恥骨尾骨線（pubo-coccygeal line：PCL）との位置関係による骨盤臓器脱の重症度判定

重症度	計測値
小臓器脱	<3 cm caudal to PCL
中臓器脱	3〜6 cm caudal to PCL
大臓器脱	>6 cm caudal to PCL

（文献4より改変引用）

表2 恥骨中央線（midpubic line：MPL）との位置関係による骨盤臓器脱の重症度判定

重症度	計測値
Stage 0	>3 cm cranial to MPL
Stage 1	1〜3 cm cranial to MPL
Stage 2	<1 cm cranial or caudal to MPL
Stage 3	>1 cm caudal to MPL
Stage 4	complete organ eversion

（文献4より改変引用）

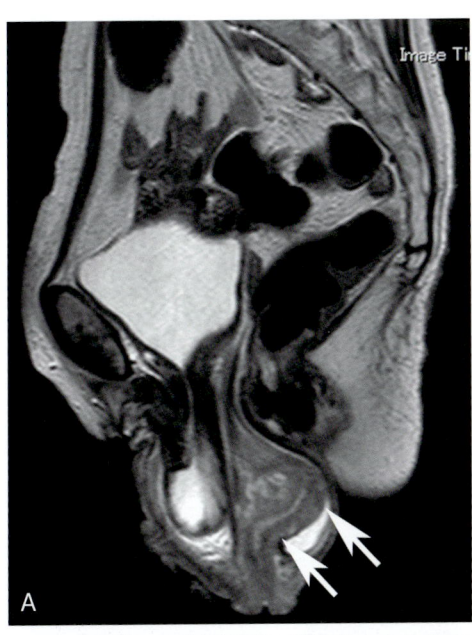

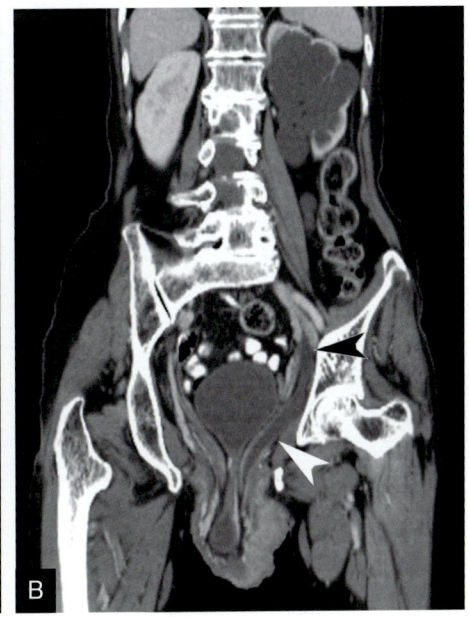

図3 76歳　完全子宮脱＋膀胱瘤＋左水腎症
A：T2強調矢状断像，B：造影CT冠状断MPR像
子宮はその姿勢を保ったまま腟壁の翻転を伴って外陰部に露出している（A→）。骨盤臓器脱は前方成分でも重症で，膀胱脱に伴い膀胱尿管移行部が骨盤底の支持組織に挟まれ，左は重篤な水腎症に陥っている（B▲：拡張した左尿管）。

IV 骨盤臓器脱 pelvic organ prolapse

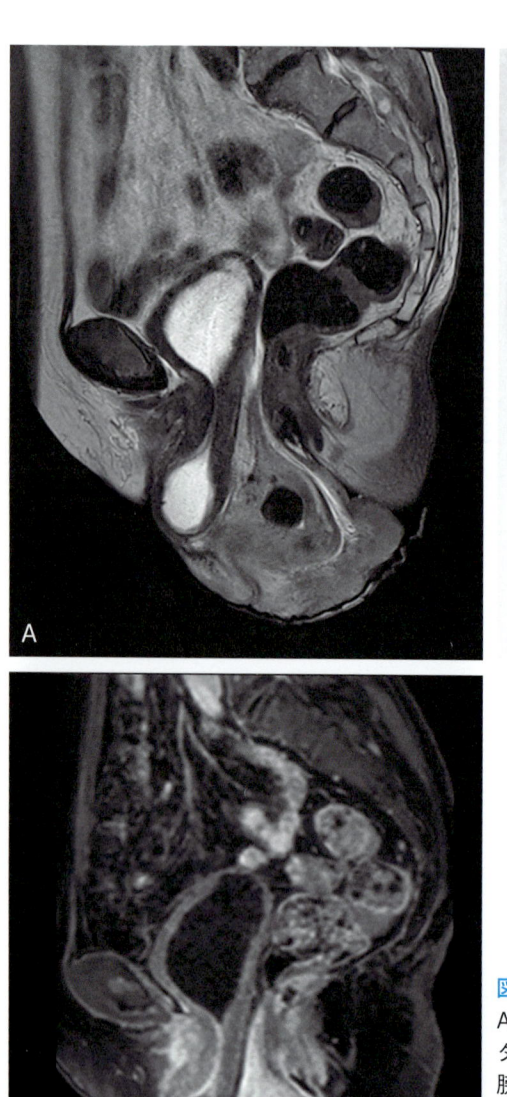

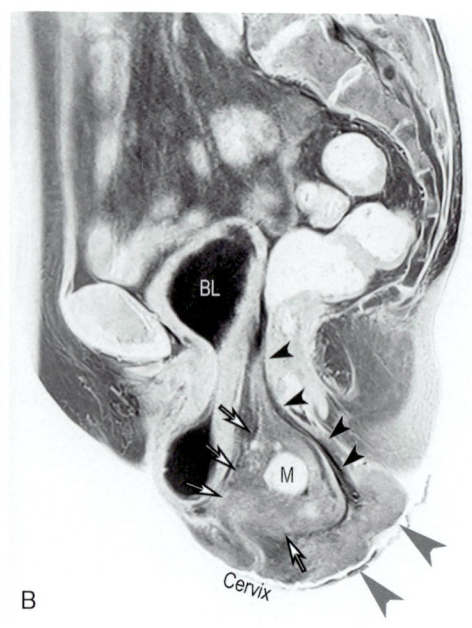

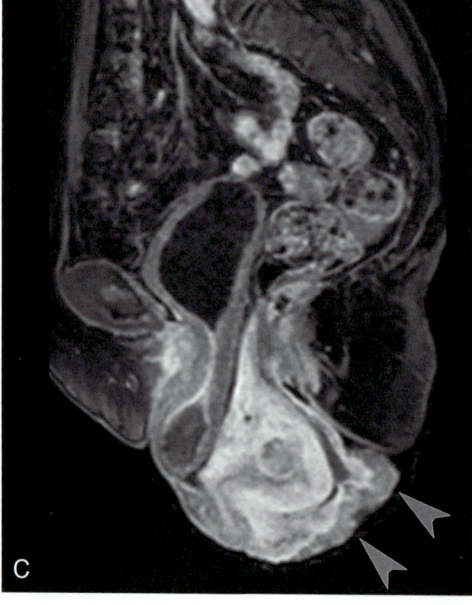

図4　72歳　完全子宮脱＋膀胱瘤，腟癌合併
A：T2強調矢状断像，B：Aのイラスト化，C：ダイナミックMRI早期相
膀胱瘤（BL：膀胱）の後方で，筋腫（M）を伴った子宮（→）はその向きを保ったまま腟壁（小▲：腟の後壁）を飜転させながら下垂して外陰部に露出している（A，B）．造影後，線状によく増強される腟粘膜が裏返って外陰部背側部分に連続し，その表面にはカリフラワー状に隆起する腟癌病巣（大▲）を伴っている（C）．

経腟的子宮全摘術などがあるが，骨盤底の固定術に関しては手術成績はあまり芳しくなく，再発も多い[7)8)]．

近年，ポリプロピレンのメッシュで弱くなった支持組織を置き換える tension-free vaginal mesh（TVM）手術が広まりつつある．従来の手術より手技が簡便で短期成績も良好であるが，合併症の頻度は術者の技量に左右されるとの報告もある[9)]．一方，入院期間の短さやコスト面から，高齢者には TVM がより推奨されるとの報告もある[10)]．

文献

1) Rogers RG et al. An overview of the epidemiology, risk factors, clinical manifestations, and management of pelvic organ prolapse in women. UpToDate. 2013 ; 2013
2) Barber MD : Contemporary views on female pelvic anatomy. Cleve Clin J Med 72 (suppl 4) : S3-11, 2005
3) Stepp KJ et al : Anatomy of the lower urinary tract, rectum, and pelvic floor. Walters MD, Karram MM eds ; Urogynecology and Reconstructive Pelvic Surgery, 3rd ed, p27, Mosby Elsevier, Philadelphia, 2007
4) Reiner CS et al : Dynamic pelvic floor imaging : MRI techniques and imaging parameters. Abdom Imaging 38 : 903-911, 2013
5) Farouk El Sayed R : The urogynecological side of pelvic floor MRI : the clinician's needs and the radiologist's role. Abdom Imaging 38 : 912-929, 2013
6) Singh K et al : Assessment and grading of pelvic organ prolapse by use of dynamic magnetic resonance imaging. Am J Obstet Gynecol 185 : 71-77, 2001
7) Olsen AL et al : Epidemiology of surgically managed pelvic organ prolapse and urinary incontinence. Obstet Gynecol 89 : 501-506, 1997
8) Maher C et al : Surgical management of pelvic organ prolapse in women : a short version Cochrane review. Neurourol Urodyn 27 : 3-12, 2008
9) Lucente V et al : Vaginal prolapse repair : suture repair versus mesh augmentation : a urogynecology perspective. Urol Clin North Am 39 : 325-333, 2012
10) Obinata D et al : Tension-free vaginal mesh surgery versus laparoscopic sacrocolpopexy for pelvic organ prolapse : analysis of perioperative outcomes using a Japanese national inpatient database. Int J Urol 25 : 655-659, 2018

Column

❖ Gossypiboma

　ガーゼオーマ（gauzeoma）は英文論文では gossypiboma（語彙はゴシップ記事の gossip ではなく，ラテン語で綿を意味する *gossyp* に由来する），textiloma（textile は日本でファッション用語として使われるごとく繊維を意味する）といったユニークな同義語に加え，retained surgical sponge, foreign body granuloma といった様々な表現で古くから多くの報告がある。原因は，むろん，手術材料の体内への置き忘れである。手術材料の体内遺残の頻度は 0.01〜0.001％，その 80％がガーゼで，75％が腹部・骨盤の手術によるとの報告がある[1-3]。術中使用されるガーゼには古くから X 線不透過マーカー（塩化ビニル，硫酸バリウムやポリプロピレン）を混入させ，手術直後の単純 X 線撮影で容易に発見できる[4]よう工夫されてきたが，手術 3 週間後に発覚したガーゼオーマの X 線不透過マーカーが単純 X 線写真上は 9 例全例ですでに指摘不能であったとの報告もある[2]。手術室で X 線不透過マーカーを含まないガーゼが使われている場合もあり[5]，特に手術から長期を経ての発見は必ずしも容易ではない。筆者の母校・筑波大学においてもリスクマネジメントの観点から閉腹・閉胸直後の単純 X 線撮影が義務化されたのは 2003 年のことである。

　ちなみに冒頭に述べた gossypiboma であるが，最近のガーゼは必ずしも綿（*gossyp*）100％ではなく，合成繊維も使われるので textiloma が正しい用語法であるとの意見もある[3]。また，比較的記憶に新しい戦争であるクロアチア紛争においては野戦病院での gossypiboma の頻度が増加したという当地の放射線科医からの報告[6]もある。腰を落ち着けて読影できる環境にある我々においては gossypiboma ならぬ gossipiboma にならぬよう，単純 X 線写真 1 枚といえども心して日々の読影にあたりたいものである。

【文　献】

1) Yamato M et al：CT and ultrasound findings of surgically retained sponges and towels. J Comput Assist Tomogr 11：1003-1006, 1987
2) Kopka L et al：CT of retained surgical sponges (textilomas)：pitfalls in detection and evaluation. J Comput Assist Tomogr 20：919-923, 1996
3) Kim HS et al：MR imaging findings of paravertebral gossypiboma. AJNR Am J Neuroradiol 28：709-713, 2007
4) Williams RG et al：Gossypiboma：the problem of the retained surgical sponge. Radiology 129：323-326, 1978
5) Choi BI et al：Retained surgical sponge：diagnosis with CT and sonography. AJR Am J Roentgenol 150：1047-1050, 1988
6) Klarić Ćustović R et al：Retained surgical textilomas occur more often during war. Croat Med J 45：422-426, 2004

第12章

妊娠に関連した母体の異常

I 異所性妊娠 ectopic pregnancy

Summary
- 妊娠反応陽性で子宮内に胎嚢を認めない場合に疑う．
- 頻度的には卵管が最多であるが，腹腔や子宮頸部にも生じうる．
- US で診断可能な症例が多いが，特に未破裂の非典型例，卵管間質部や帝王切開瘢痕部妊娠などが MRI の適応となる．
- MRI では腹腔内出血の検出とともに，T2 強調像で液体に近い高信号を示し，造影後は早期濃染を示す絨毛組織を描出することが診断の鍵となる．
- 腹膜妊娠や副角妊娠は週数が進行してから発見され，子宮破裂や癒着胎盤により大出血をきたすので，疑われる場合は積極的に MRI で胎児と子宮の位置関係を精査すべきである．

1. 臨床的事項

　異所性妊娠（ectopic pregnancy）は以前は「子宮外妊娠」とよばれていたが，子宮頸管や帝王切開瘢痕部への妊娠も子宮内ではあるが着床部位としては妊娠の継続が困難な部位であり，「子宮外妊娠」の一型に含まれることから，近年は ectopic pregnancy の直訳である異所性妊娠という用語を用いることが推奨されている[1]．異所性妊娠は自然妊娠では全妊娠の 1～2% を占めるが，生殖補助医療（assisted reproductive technology：ART）下の妊娠では 4% 程度で自然妊娠の 2～3 倍とされている[2,3]．ART 以外のリスクファクターとしては以前は喫煙や加齢（高齢妊娠）が挙げられていたが，最も重要なのは骨盤内感染症の既往で，急性卵管炎既往では異所性妊娠の頻度は 7 倍にも増加するとされる[3]．典型的な発症形式は無月経に続く下腹痛と性器出血である．妊娠反応は，絨毛細胞より産生される hCG を測定するものであり，尿中 hCG が 25 IU/L 前後，妊娠 4 週早期に陽性となる．一方，US では遅くとも妊娠 6 週までには胎嚢をほぼ 100% 検出可能となる[4]．そこで日本産科婦人科学会のガイドラインでは妊娠反応陽性でかつ表1の条件を 1 つでも満たす場合に異所性妊娠を疑うとしている．
　異所性妊娠は着床部位により図1のように分類され，卵管妊娠（tubal pregnancy），とりわけ膨大部妊娠が多い[3]．治療の原則は手術療法であるが，薬物療法も選択可能である．薬物療法としてはメトトレキサート（methotrexate：MTX）の全身投与が行われる．MTX 療法を第一選択とする条件としては，卵管妊娠の場合，全身状態が良好，胎児心拍を確認できない未破裂腫瘤で腫瘤径が 35 mm 以下，血清 hCG が 1,500～5,000 IU/L などが挙げられている．また逆に，頸管妊娠

表1　異所性妊娠を疑う臨床所見

妊娠反応陽性＋以下の6つのうちいずれか
1. 子宮腔内に胎嚢構造を確認できない
2. 子宮腔外に胎嚢様構造物を認める
3. Douglas窩に貯留液を認める
4. 循環血液量減少（貧血，頻脈，低血圧）が疑われる
5. 流産手術後，摘出物に絨毛が確認されない
6. 急性腹症を呈する

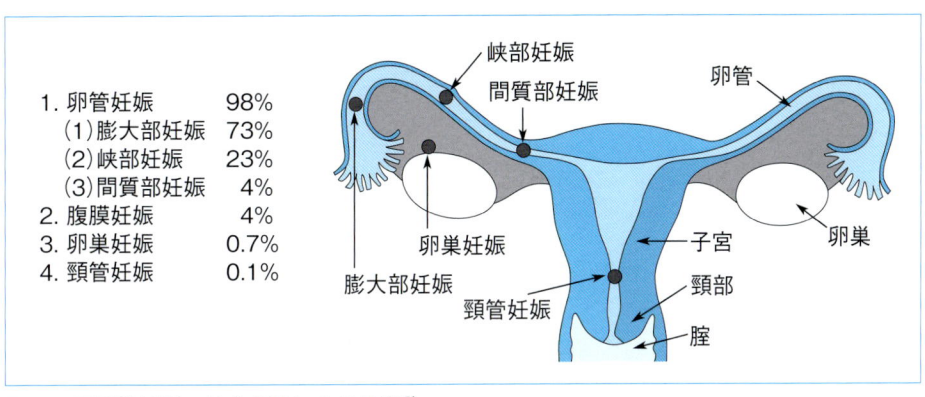

1. 卵管妊娠　　　　98%
   (1) 膨大部妊娠　 73%
   (2) 峡部妊娠　　 23%
   (3) 間質部妊娠　 4%
2. 腹膜妊娠　　　　 4%
3. 卵巣妊娠　　　　 0.7%
4. 頸管妊娠　　　　 0.1%

図1　異所性妊娠の着床部位による分類[3]

や帝王切開瘢痕部妊娠では手術による大量出血を回避するために薬物療法が先行されることもある。手術は卵管妊娠の場合，卵管摘出術（salpingectomy）または卵管切開術（salpingotomy，salpingostomy）が行われるが，開腹よりも腹腔鏡下のほうが低侵襲に行える[2]。

2. 画像所見

　異所性妊娠では，流産や破裂による腹腔内出血がまず認識される画像所見となる。しかし性成熟期の女性が腹腔内出血をきたす疾患は異所性妊娠だけではなく，卵巣出血（ovarian hemorrhage）との鑑別が常に問題となる。卵巣出血と本症との違いは胎嚢（図2）の有無であり，着床部位の新鮮な出血[5]と胎嚢を同定することが画像診断の基本となる。骨盤底の腹腔内出血（peritoneal hemorrhage）はUSではエコーレベルの高い液体[6]，CTでは急性期には高吸収を示すが，MRI所見は出血後の時間（血管外に漏出した赤血球内のヘモグロビンの状態）と出血量（嚢胞内のヘモグロビン濃度）によって複雑な信号変化を示す。すなわち赤血球内のヘモグロビンがまだ酸素結合型である場合にはT1強調像で低信号に留まるが，還元型ヘモグロビンからメトヘモグロビンへと変化するとともに三価の鉄の著明なT1短縮効果を反映して高信号となる[7,8]。またこれらの常磁性鉄イオンによる局所磁場の不均一さはT2強調像での嚢胞の低信号化（T2*効果）として表現される[8]（図3，表2）。胎嚢（gestational sac）は胎児由来の絨毛膜（chorionic membrane）［栄養膜合

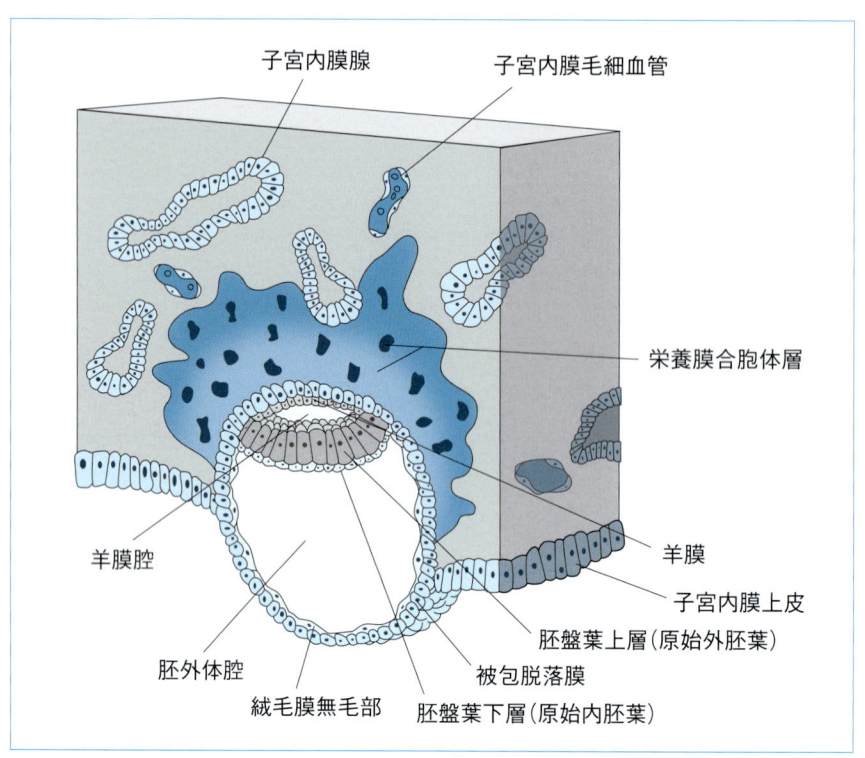

I 異所性妊娠 ectopic pregnancy

図2 胎嚢の構造

（子宮内膜腺／子宮内膜毛細血管／栄養膜合胞体層／羊膜／子宮内膜上皮／胚盤葉上層（原始外胚葉）／被包脱落膜／胚盤葉下層（原始内胚葉）／絨毛膜無毛部／胚外体腔／羊膜腔）

胞体（syncytiotrophoblast）層と，栄養膜細胞（cytotrophoblast）層］と母体の子宮内膜が肥厚して形成される脱落膜からなる，細胞質に富んだ細胞の高密度に存在する組織に囲まれた嚢胞状構造である[9]．このため，US では white ring もしくは bagel sign と称される高エコーを呈する厚い壁をもった嚢胞状構造として描出される[10-12]．MRI では絨毛膜は T2 強調像で液体に近い高信号を示し[5)13-15]，血流の豊富さを反映して造影後は早期濃染を示す[14]．よって臨床的に子宮内妊娠（図4）が完全に否定できるならば胎嚢の同定のため造影剤の使用を躊躇すべきでない[5]．また造影後の平衡相のみ撮像すると，絨毛膜組織が子宮筋層と等信号となってしまい，診断困難となることがあるので，造影は十分な時間分解能を確保したダイナミック MRI で行われるべきである（図5）．

異所性妊娠の98%は卵管に生じ，全体の73%は卵管膨大部妊娠である[3]．異所性妊娠の疾患特異的な US 所見は子宮外の胎児心拍の同定であるが，検出される頻度が高いのは卵巣外の付属器腫瘤であり，絨毛膜に囲まれた胎嚢に相当する "tubal ring sign" を確認できればより精度の高い所見といえる[16)17]．ドプラ US では，この胎嚢が形成する ring に一致して豊富な血流が観察され，"ring of fire sign" とよばれる[18]．これらの所見により US で卵管妊娠は比較的容易に描出され，その感度は古くは67%であったが[11]，装置の向上とともに上昇し近年は93%にも達する[12]．しかし未破裂で胎芽の見えない症例では US 診断に苦慮することがあり[12]，このような場合に MRI の適応がある．MRI でも腹腔内出血の存在に加え，子宮外に胎嚢が描出される[5]．また卵管妊娠の場合は胎嚢の存在する卵管壁でも血流が増加しており，強く増強される卵管壁が tram line 状の構造として描出される場合もある（図6）[5]．

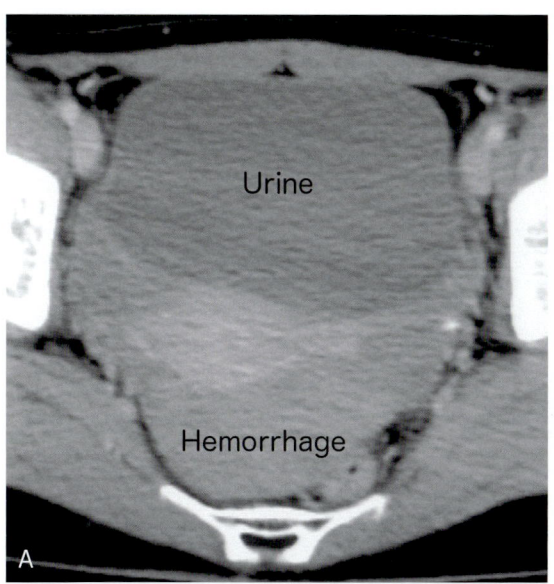

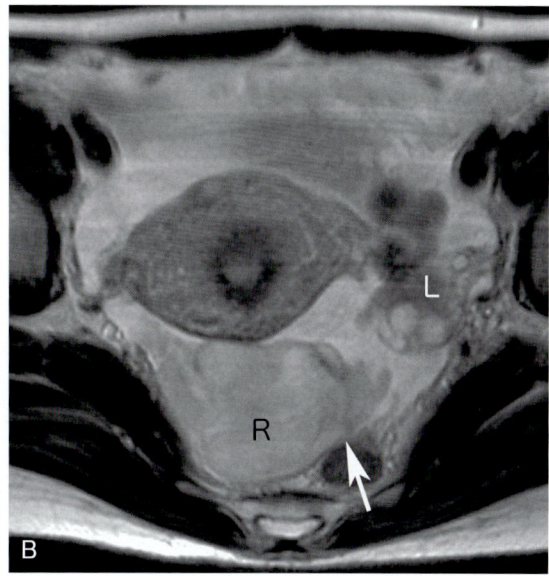

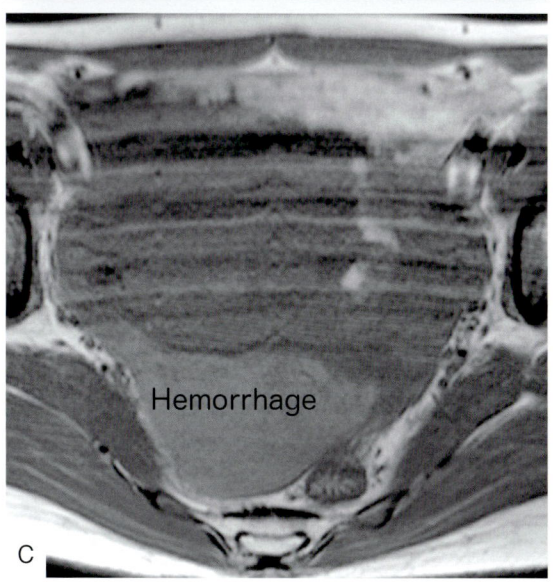

図3 27歳 卵巣出血（黄体出血）

A：単純 CT，B：T2 強調横断像，C：T1 強調横断像

腹痛を主訴に受診した症例。Douglas 窩に貯留した腹水（Hemorrhage）は膀胱内の尿（Urine）に比べ単純 CT で高吸収を示し（A, hemorrhage），出血を示唆する。T2 強調像（B）では右卵巣（R）の嚢胞内容物が壁の破綻部（→）から腹腔内に漏出している様子が明瞭に描出される（L：左卵巣）。卵巣内外の液体ともに T1 強調像では高信号を示し，出血であることを示唆する（C）。

表2　CT/MRI での血腫の経時変化[8]

病　期	hemoglobin の状態	鉄イオンの価数	ヘム鉄の局在	MRI の信号強度 T1 強調像	MRI の信号強度 T2 強調像	CT の吸収値
超急性期（1日以内）	oxy-hemoglobin	Fe^{2+}	赤血球内	やや低	やや高	高
急性期	deoxy-hemoglobin	Fe^{2+}	赤血球内	やや低	低	高
亜急性期	met-hemoglobin	Fe^{3+}	赤血球内	高	低	高
			赤血球外	高	高	辺縁より低吸収化
慢性期（1カ月以上）	hemosiderin	Fe^{3+}		低	低	低

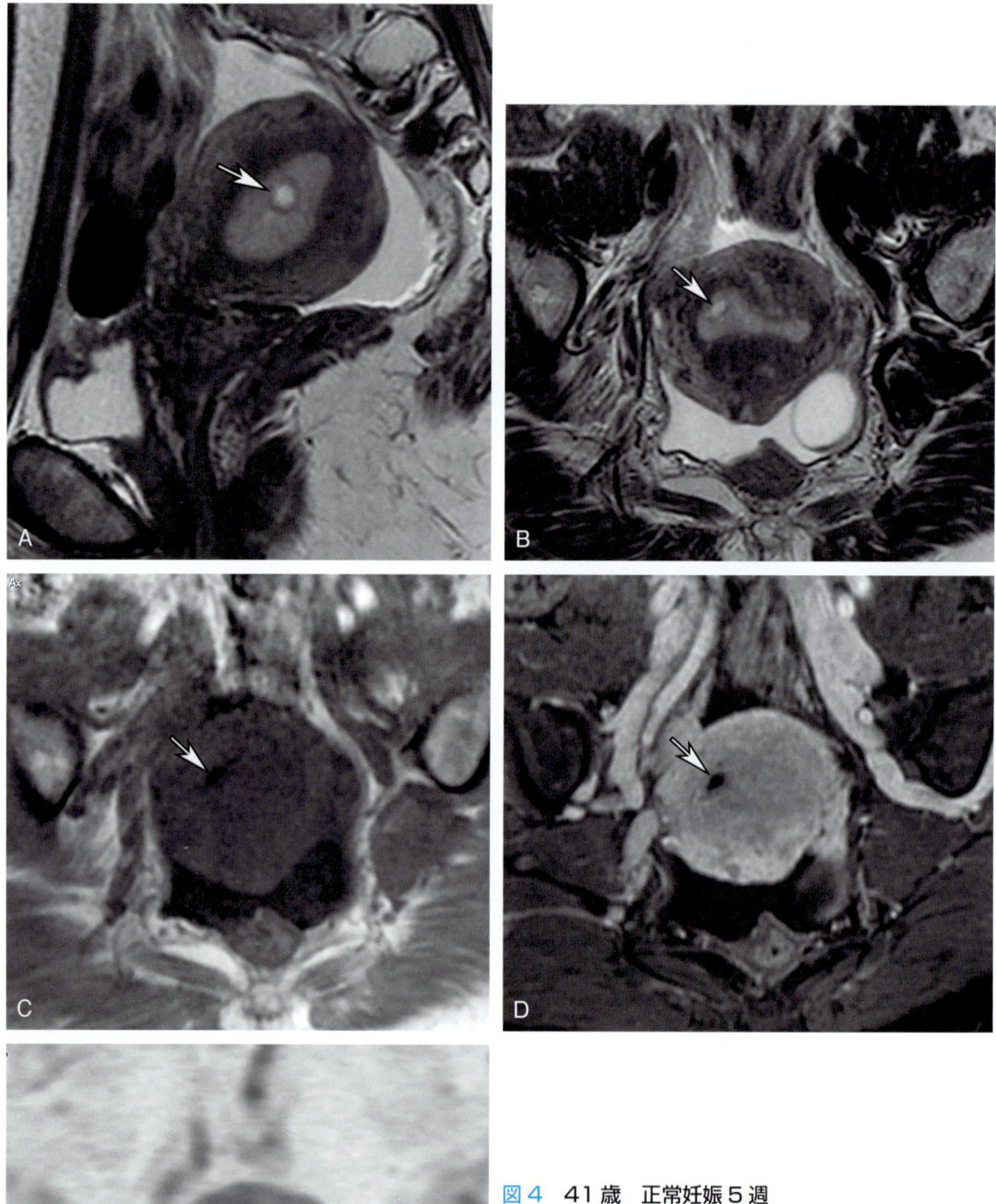

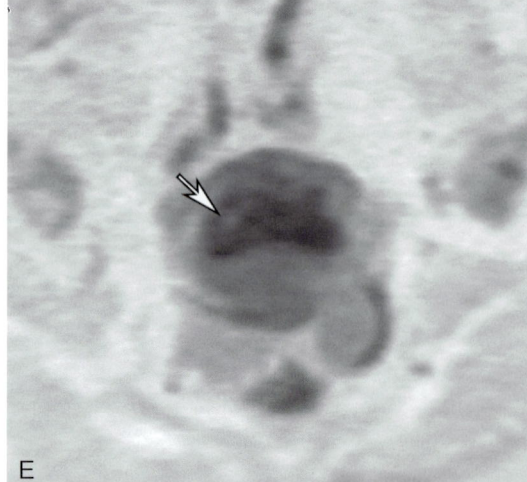

I 異所性妊娠 ectopic pregnancy

図4 41歳 正常妊娠5週
A：T2強調矢状断像，B：T2強調横断像，C：T1強調横断像，D：造影脂肪抑制T1強調横断像，E：拡散強調横断像

遺伝性乳癌卵巣癌症候群のサーベイランス目的でMRIを撮像したところ内膜腔にT2強調像で高信号（A，B→），T1強調像で低信号（C→），造影されない（D→）小囊胞を認め，T2強調像で内容物よりもやや信号強度の低い厚い壁で囲まれており（A，B），胎囊と考えられる。胎芽はMRIでは同定困難。子宮内膜は脱落膜化して肥厚している（A，B，E）。

2. 画像所見

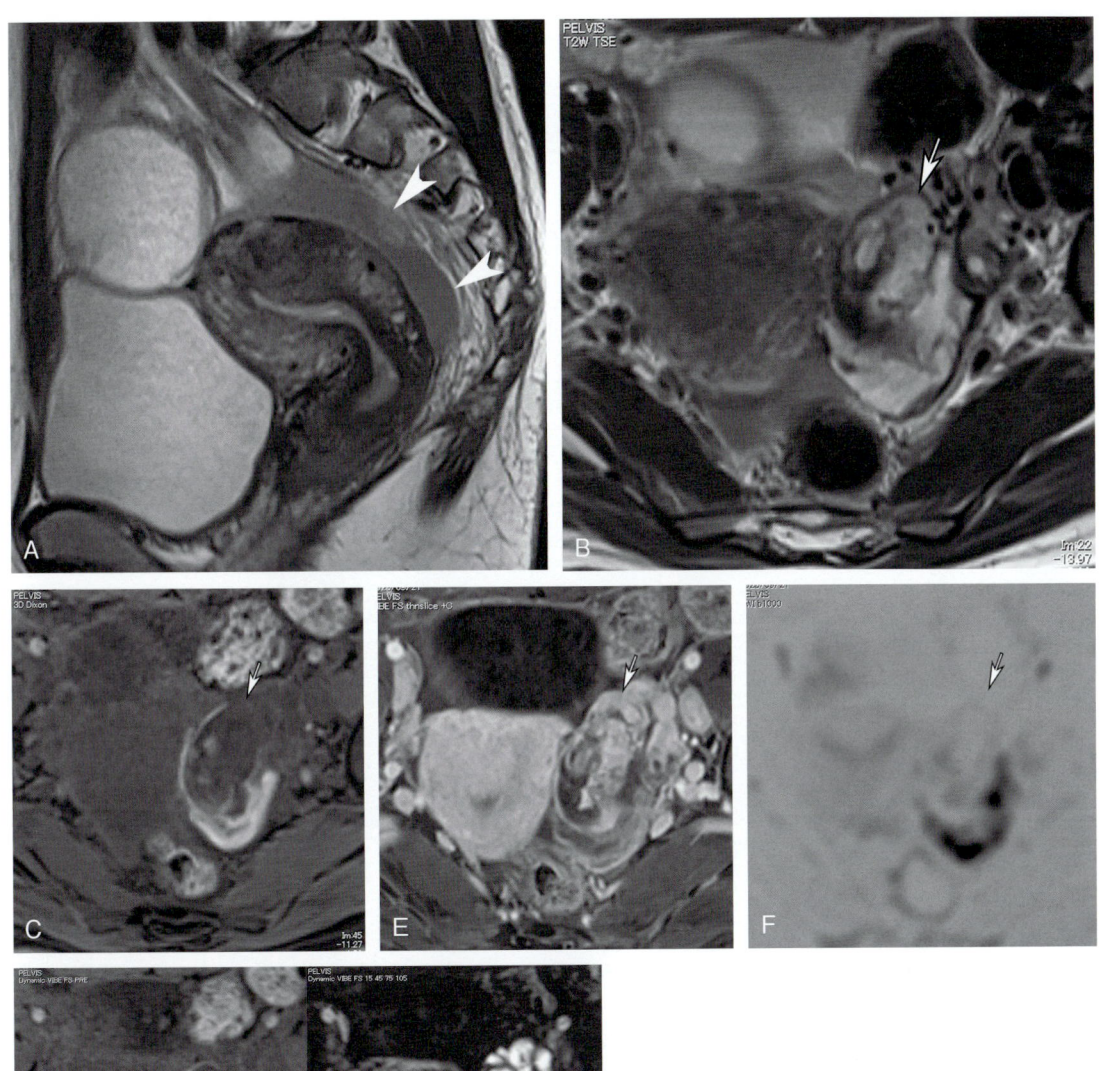

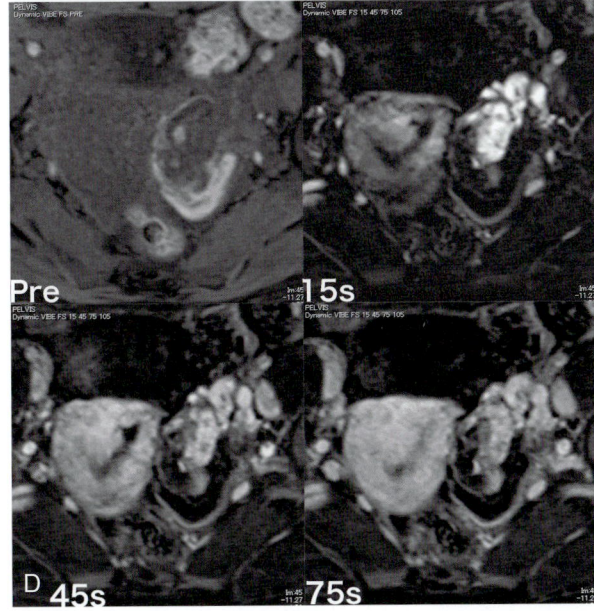

図5　24歳　左卵管妊娠流産

A：T2強調矢状断像，B：T2強調横断像，C：脂肪抑制T1強調横断像，D：ダイナミックMRI横断像，E：造影脂肪抑制T1強調横断像，F：拡散強調横断像

左卵巣腫瘍疑いにて来院。Douglas窩にT2強調像にて信号強度の低い（A），脂肪抑制T1強調像（C）で高信号の血性の液体貯留を認め，左付属器にT2強調像で極めて信号強度の高い，一部蛇行した管状に見える腫瘤を伴う（B→）。この腫瘤はダイナミックMRI（D）で極めて早期から強く増強され，絨毛と考えられるが，平衡相では子宮筋層と同程度の信号となり（E→），絨毛組織であることの指摘が難しい。絨毛組織には拡散制限はなく（F→），むしろ血性腹水のほうが強い拡散制限を示す。

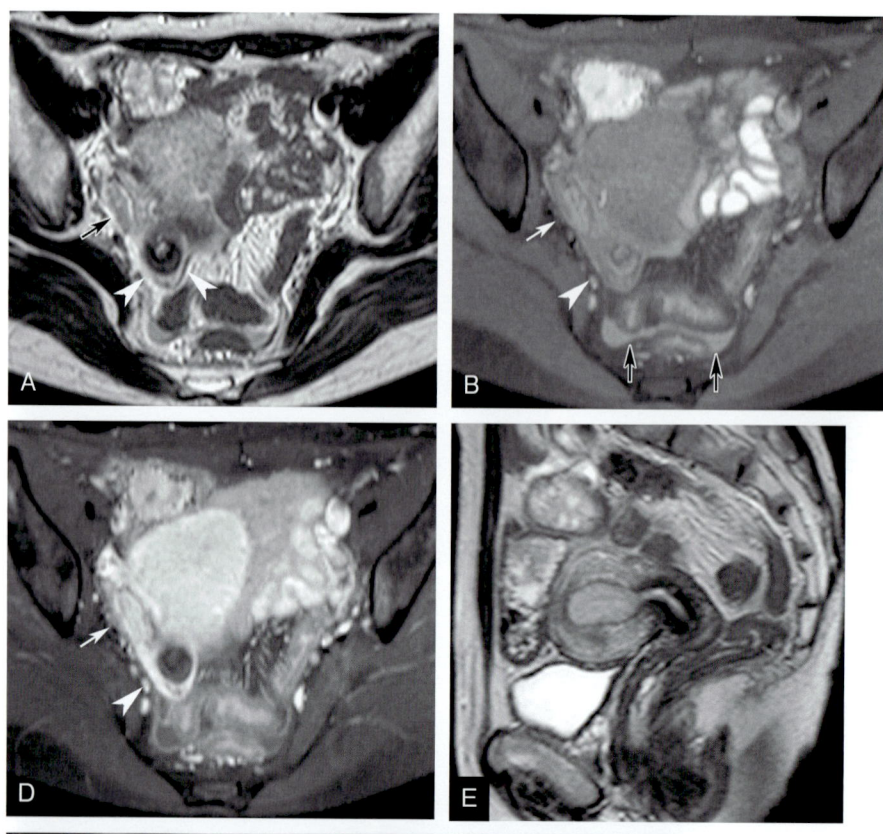

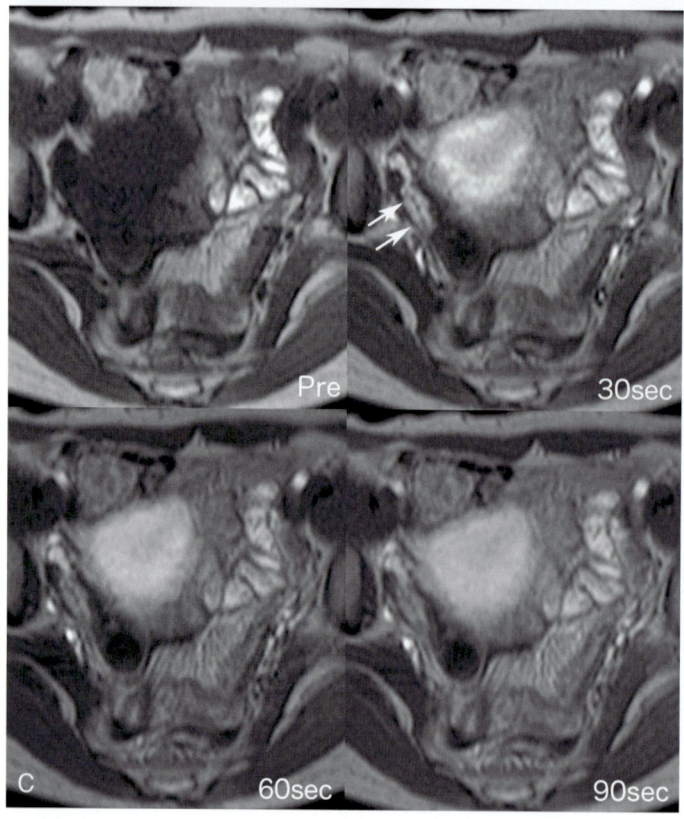

I 異所性妊娠 ectopic pregnancy

図6 39歳 右卵管膨大部妊娠流産
A：T2強調横断像，B：脂肪抑制T1強調横断像，C：ダイナミックMRI横断像，D：造影脂肪抑制T1強調横断像，E：T2強調矢状断像

性器出血にて来院し，尿中hCG 25 IU/L以上でありUSでDouglas窩に腫瘤を認めたため，異所性妊娠を疑ってMRIを施行した。T2強調像にて子宮の右側に壁の厚い管状構造（A→）を認め，その先端には低信号の小結節が連なる（▲）。脂肪抑制T1強調像では少量の腹腔内出血が高信号の液体貯留として描出されている（B黒→）。ダイナミックMRIでは管状構造の内部に早期に濃染する線路状の領域が出現する（C→）。造影脂肪抑制T1強調像では先端部の小結節の厚い壁（D▲）もよく増強されており，前者が血流の増加した卵管壁，後者が卵管膨大部の胎嚢である。なお，異所性妊娠であっても内分泌環境の変化により子宮内膜は脱落膜化して肥厚する（E）ので，これも間接所見として有用である。

2. 画像所見

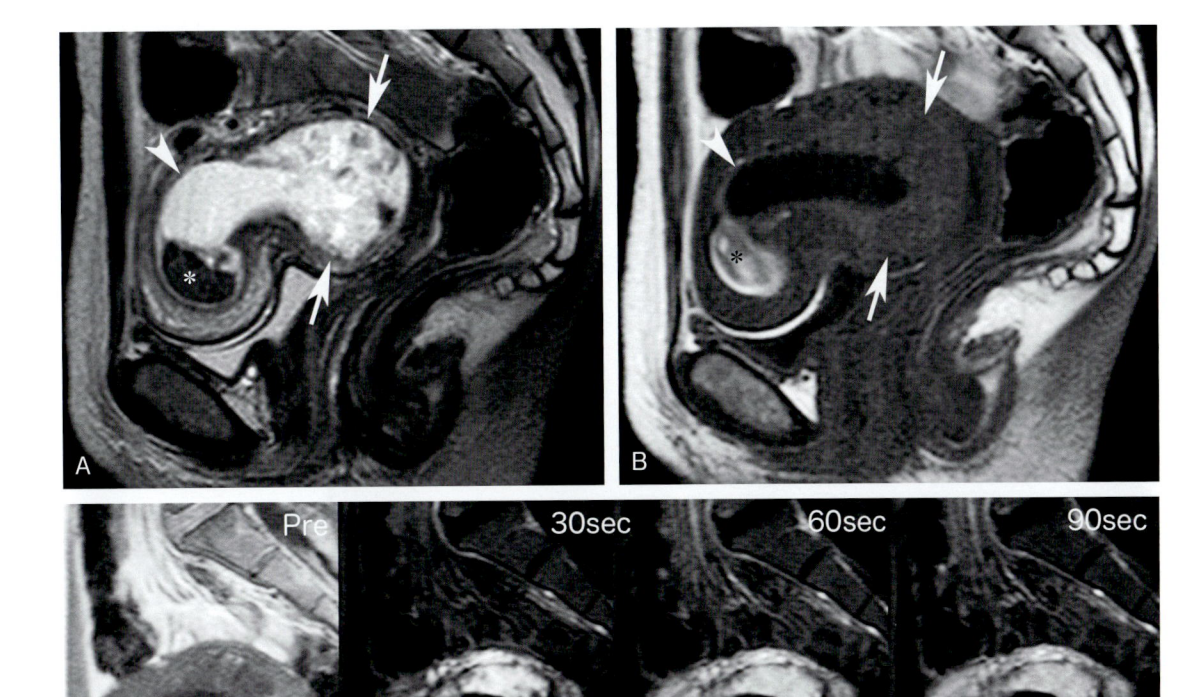

図7　31歳　頸管妊娠流産
A：T2強調矢状断像，B：T1強調矢状断像，C：ダイナミックMRI矢状断像
臨床的に妊娠6～7週相当であるが，USで子宮内に胎児心拍を認めず，頸部にvascularityの高い組織を認めたためMRIを施行した．T2強調像で極めて信号強度の高い軟部組織（A→）が子宮頸部を占拠し，ここから体部に向かって囊胞状構造（A▲）が連続している．頸部の軟部組織（B→）は造影早期から極めて強く増強されており（C），絨毛の性質をよく表している．体部側の壁の薄い囊胞（A，B▲）は卵膜に囲まれた羊水と推定され，その底部側の子宮内膜腔にはT1強調像で高信号を示す血腫と考えられる内容物が貯留している（A，B＊）．

　さらに頻度は少ないが卵管間質部，頸管，帝王切開瘢痕部などに生じた異所性妊娠は，時にUSのみでは鑑別困難で，コントラスト分解能に優るMRIで解剖学的位置関係の把握が容易に行える．卵管間質部妊娠（interstitial pregnancy）では触診やUSで付属器腫瘤を触れず，子宮の辺縁部に胎囊が位置し12～16週まで破裂せずに育ちうる[19]．このため膨大部妊娠に比べ発見が遅れることが多く，破裂により生命を脅かす大量出血を起こしうるので，USに比べ着床位置をより客観的に評価しうるMRIの果たす役割は大きい[14]．子宮頸管内も妊卵の着床位置としては不適で，頸管妊娠（cervical pregnancy）も異所性妊娠に分類される．頻度は0.1％とまれである．画像的には子宮頸管内にT1，T2強調像とも不均一な信号強度を示す腫瘤を認め，造影後はその辺縁が強く増強される[20]（図7）．
　帝王切開瘢痕部妊娠（Cesarean section scar pregnancy）は過去の帝王切開瘢痕部に着床した

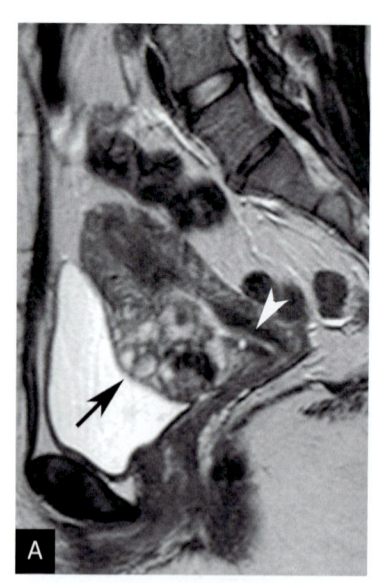

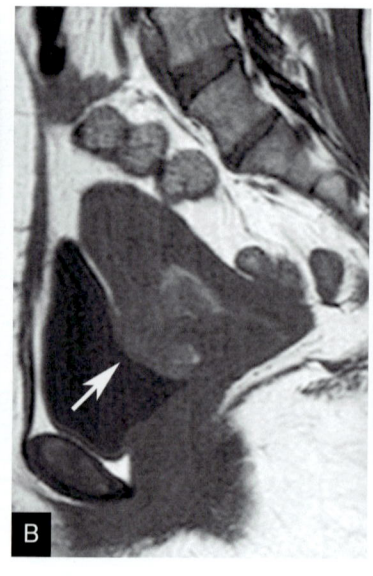

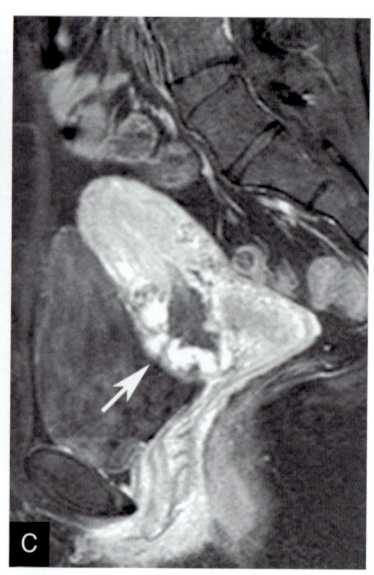

I 異所性妊娠 ectopic pregnancy

図8　33歳　帝王切開瘢痕部妊娠
A：T2強調矢状断像，B：T1強調矢状断像，C：造影脂肪抑制T1強調矢状断像
妊娠5週で不全流産後もhCGが低下しないためMRIを行った。子宮峡部前壁筋層内にT2強調像，T1強調像で不均一な軟部組織を認め（A, B→），造影後は極めて強く増強される（C→）。病変は子宮筋層に主座を置き，これを貫いて漿膜面から露出しているのに対し，頸管内腔（A▲）は保たれており図7の頸管妊娠とは区別される。病変の局在，帝王切開の既往から帝王切開瘢痕部妊娠後の絨毛の遺残と考えているが，画像所見のみでは絨毛性疾患との鑑別は難しい。

もので，異所性妊娠中，最もまれとされる。瘢痕は子宮峡部前壁に存在することから，その局在と既往から診断される。胎嚢は瘢痕に沿って筋層を貫くように存在する点で頸管妊娠とは区別可能である[21]（図8）。これらの画像診断法は絨毛組織の画像的特徴を捉える手法であることから，同様に絨毛組織が増殖する病態である絨毛性疾患や流産後の遺残絨毛組織との鑑別は不可能である[22]。よってこれらとの鑑別はhCG値やほかの臨床情報，腫瘤の存在部位を加味して総合的に行われるべきである。

一方，妊娠中期以降まで気づかれないことの多い異所性妊娠として，腹膜妊娠，副角妊娠が挙げられる。腹膜妊娠（abdominal pregnancy）は卵管妊娠が破裂し再度腹腔内に着床して，もしくは直接妊卵が腹腔内に着床することにより生じる。頻度は3,300〜25,000分娩に1例とまれであるが，胎盤剥離による大量出血により，いまだに母体死亡率の高い（5％以上）病態である[23]。これは腹膜妊娠では妊卵はその成長とともに周囲の漿膜やフィブリン，小腸や大網といった正常構造に囲まれ，USではあたかも子宮内に妊娠しているようにみえるために診断が遅れることに起因する[24]。USでは胎児が子宮と分離して同定される場合や胎児周囲に子宮筋層を確認できない場合，また子宮外に胎盤が認められる場合に疑うべきとされるが，前述の通り診断が難しいとされる。MRIは胎児と子宮との関係を明瞭に描出できることから，疑い例では積極的に利用すべき検査法である（図9）[24)25]。なお，腹膜妊娠では胎児奇形を伴う頻度が高く，妊娠28週以降に診断された場合には生児を得られる可能性もあるので，これに関してもUSで十分に評価して

2. 画像所見

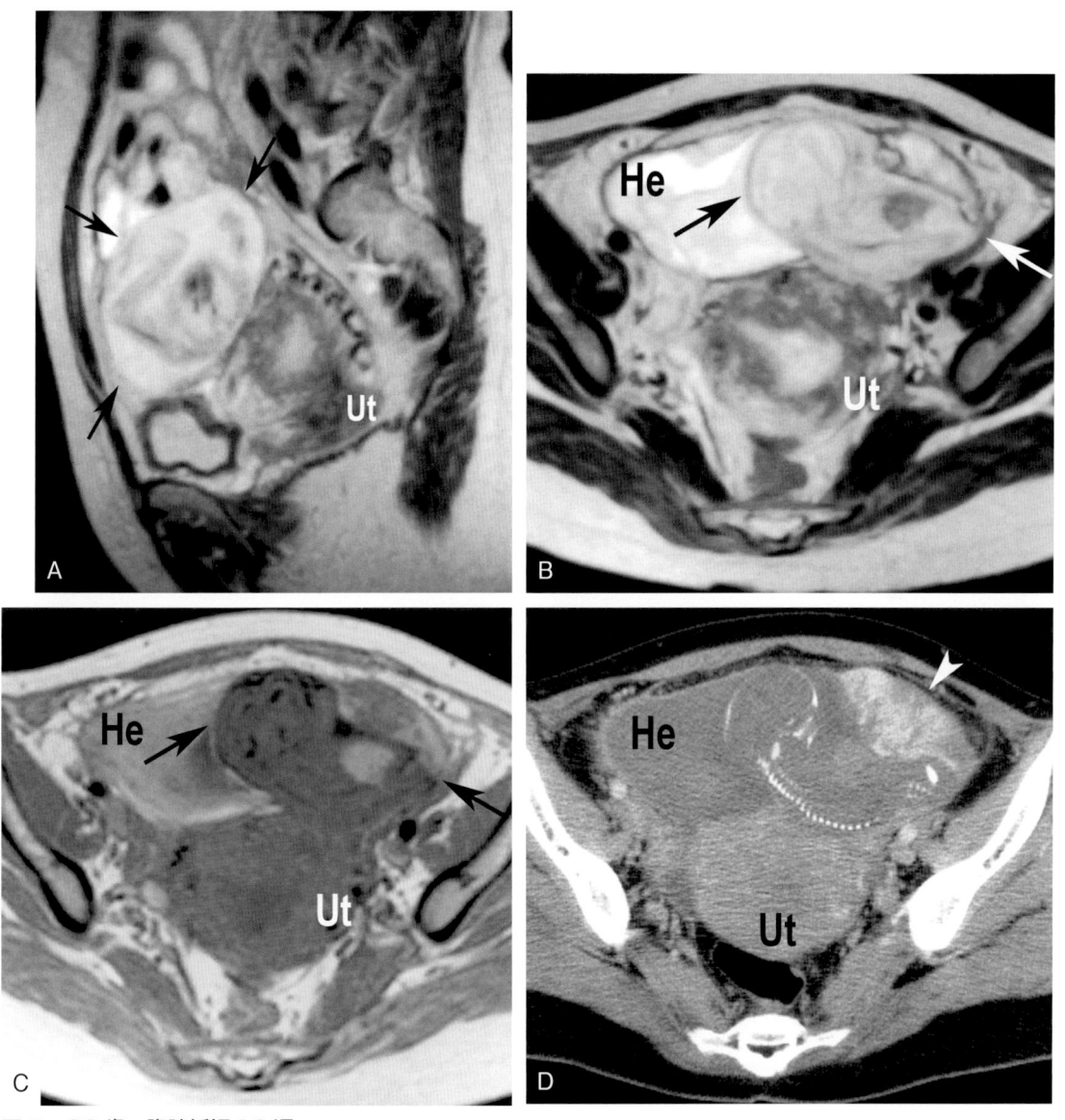

図9 38歳 腹腔妊娠18週
A：T2強調矢状断像，B：T2強調横断像，C：T1強調横断像，D：造影CT
妊娠6週より貧血にて入院。Douglas窩に液体貯留がみられ，腹痛が出現したためMRIを施行した。T2強調像では子宮（A，B，Ut）の左上方に胎嚢を認め（A，B→），その右側はT1強調像で高信号を示す腹腔内出血（C，He）で占められる。造影CT（D）では胎児の骨格がみられ，これを被包する胎嚢の左前方にはよく増強される胎盤組織（▲）も明らかとなる。

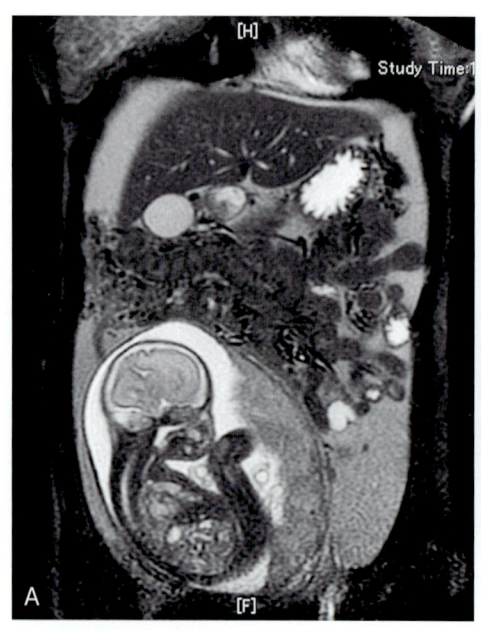

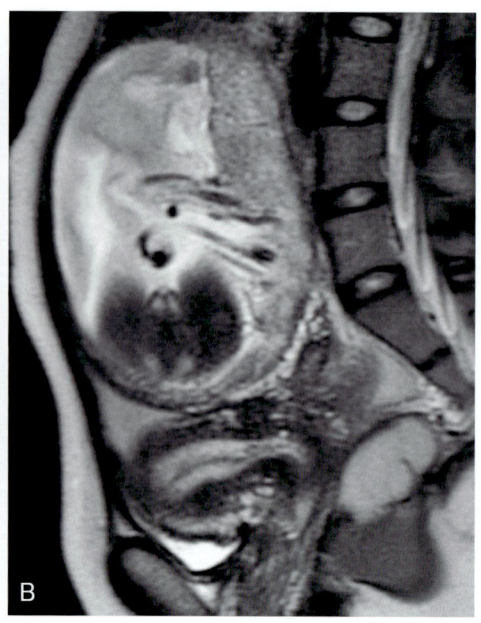

図10 23歳 副角妊娠27週
A：SSFP 冠状断像，B：SSFP 矢状断像
重複子宮合併妊娠として管理中，27週時に急性腹症にて来院。腹部全体の冠状断では腹腔内に多量の腹水を認め，羊水よりも信号強度が低いことから血性と考えられる（A，B）。矢状断では非妊娠側の子宮筋層と胎嚢との連続性がはっきりせず（B），腹膜妊娠を疑って手術したところ副角妊娠の切迫子宮破裂であった。

おく必要がある。また腹膜妊娠では一期的な胎盤の剝離は大出血の原因となるので行わず，児の娩出後，USやhCG-β値にてモニターしながら自然退縮またはMTX投与による退縮を期待することになる[23]。しかしながら腹腔内に残存する胎盤はしばしば感染や出血といった合併症を起こすので，造影CTやMRIによるモニタリングも有用である[23)26]。

　副角妊娠（rudimentary horn pregnancy）は子宮奇形（p81 表1，p82 表2参照）により生じた子宮副角に妊卵が着床したものである。副角を伴う単角子宮はミュラー管奇形のなかで最も頻度の高い型の1つで，多くの場合は不妊症の原因検索の過程で診断される[27]。しかし少数例では副角に妊娠が成立し，副角は小さく機能のある内膜もほとんど認めないことから，妊娠の進行とともに子宮筋層がますます菲薄化して子宮破裂や穿通胎盤のリスクが増す（図10）[28]。本症でもMRIは子宮と胎嚢の位置関係だけでなく，豊富な血流を有する胎盤の同定と癒着の有無，子宮に対する供血路の評価にも有用である[27)29]。

文献

1) 日本産科婦人科学会 編：産科婦人科用語集・用語解説集 改訂第5版. 日本産科婦人科学会，東京，2025
2) 日本産科婦人科学会，日本産婦人科医会 編：産婦人科診療ガイドライン 産科編2023. 日本産科婦人科学会，2023
3) Tay JI et al：Ectopic pregnancy. BMJ 320：916-919, 2000
4) 井坂 恵一：異常妊娠：子宮外妊娠・頸管妊娠. 日産婦会誌 59：N-672-681, 2007
5) Kataoka ML et al：Evaluation of ectopic pregnancy by magnetic resonance imaging. Hum Reprod 14：2644-2650, 1999
6) Nyberg DA et al：Extrauterine findings of ectopic pregnancy of transvaginal US：importance of echogenic fluid. Radiology 178：823-826, 1991
7) Gomori JM et al：Intracranial hematomas：imaging by high-field MR. Radiology 157：87-93, 1985
8) Nyberg DA et al：MR imaging of hemorrhagic adnexal masses. J Comput Assist Tomogr 11：664-669, 1987
9) Torchia MG, Persaud TVN：The developing human：clinically oriented embryology. Elsevier, 2025
10) Nyberg DA et al：Ultrasonographic differentiation of the gestational sac of early intrauterine pregnancy from the pseudogestational sac of ectopic pregnancy. Radiology 146：755-759, 1983
11) Cacciatore B et al：Diagnosis of ectopic pregnancy by vaginal ultrasonography in combination with a discriminatory serum hCG level of 1000 IU/l (IRP). Br J Obstet Gynaecol 97：904-908, 1990
12) Condous G et al：The accuracy of transvaginal ultrasonography for the diagnosis of ectopic pregnancy prior to surgery. Hum Reprod 20：1404-1409, 2005
13) Ha HK et al：MR imaging in the diagnosis of rare forms of ectopic pregnancy. AJR Am J Roentgenol 160：1229-1232, 1993
14) Yamashita Y et al：Unruptured interstitial pregnancy：a pitfall of MR imaging. Comput Med Imaging Graph 19：241-246, 1995
15) Hamada S et al：Ultrasonography and magnetic resonance imaging findings in a patient with an unruptured interstitial pregnancy. Eur J Obstet Gynecol Reprod Biol 73：197-201, 1997
16) Nyberg DA et al：Endovaginal sonographic evaluation of ectopic pregnancy：a prospective study. AJR Am J Roentgenol 149：1181-1186, 1987
17) Atri M et al：Role of endovaginal sonography in the diagnosis and management of ectopic pregnancy. Radiographics 16：755-774；discussion 775, 1996
18) Pellerito JS et al：Ectopic pregnancy：evaluation with endovaginal color flow imaging. Radiology 183：407-411, 1992
19) Malinowski, Bates SK：Semantics and pitfalls in the diagnosis of cornual/interstitial pregnancy. Fertil Steril 86：1764 e11-14, 2006
20) Jung SE et al：Characteristic MR findings of cervical pregnancy. J Magn Reson Imaging 13：918-922, 2001
21) Maymon R et al：Ectopic pregnancies in Caesarean section scars：the 8 year experience of one medical centre. Hum Reprod 19：278-284, 2004
22) Barton JW et al：Pelvic MR imaging findings in gestational trophoblastic disease, incomplete abortion, and ectopic pregnancy：are they specific? Radiology 186：163-168, 1993
23) 泉 明延 訳：異所性妊娠，岡本愛光 監修；ウィリアムス産科学，原著25版. p456-476, 南山堂，東京，2019
24) Lockhat F et al：The value of magnetic resonance imaging in the diagnosis and management of extra-uterine abdominal pregnancy. Clin Radiol 61：264-269, 2006
25) Cohen JM et al：MR imaging of a viable full-term abdominal pregnancy. AJR Am J Roentgenol 145：407-408, 1985
26) Malian V, Lee JH：MR imaging and MR angiography of an abdominal pregnancy with placental infarction. AJR Am J Roentgenol 177：1305-1306, 2001
27) Smolders D et al：Ectopic pregnancy within a rudimentary horn in a case of unicornuate uterus. Eur Radiol 12：121-124, 2002
28) Heinonen PK：Unicornuate uterus and rudimentary horn. Fertil Steril 68：224-230, 1997
29) Ozeren S et al：Magnetic resonance imaging and angiography for the prerupture diagnosis of rudimentary uterine horn pregnancy. Acta Radiol 45：878-881, 2004

II 産科合併症

Summary
- 妊娠中の胎盤の異常の検出にはMRIが有用で、前置胎盤・癒着胎盤の診断のほか、慢性に経過する常位胎盤早期剥離も胎盤周囲の血腫の同定により診断できる。
- 正常の胎盤はT2強調像やSSFPで高信号、拡散強調像でも高信号を示し、これが低信号の筋層に食い込む直接所見のほか、胎盤の限局性膨隆や胎盤内、胎盤周囲の異常なflow voidの存在が癒着胎盤を疑わせる所見である。
- 遺残胎盤は造影剤による強い増強効果の存在により弛緩出血に伴う子宮留血症と区別される。
- 会陰裂傷や帝王切開瘢痕部に生じた血腫はしばしば産褥熱の感染源となり、重篤な産後感染症は卵巣静脈血栓症を引き起こす。

1. 妊娠中・周産期の産科合併症

妊娠中に発生するトラブルの多くが不正出血として発症する。これら産科的出血の原因としては表1のような疾患が挙げられる[1]。しかしこれらの大部分が臨床的に、あるいはUSのみで診断可能で、MRIの適応となることは少ない。また妊娠中、ガドリニウム造影剤の投与は極力控えるべきであることから、単純MRIで診断可能な切迫流早産の原因疾患は極めて限局している。

流産（abortion）とは妊娠22週未満の妊娠中絶、早産（premature labor）とは妊娠22週以降から37週未満の分娩をいう。胎児または母体の病的原因により中絶される場合を自然流産、人工的に中絶される場合を人工流産という。自然流産は全妊娠の8〜15%とされ、妊卵に起因す

表1 主な産科的出血（分娩前）の原因[1]

1. 子宮外妊娠
2. 切迫流産，流産
3. 切迫早産，早産
4. 絨毛膜羊膜炎
5. 絨毛膜下血腫
6. 絨毛膜外性胎盤
7. 前置胎盤
8. 常位胎盤早期剥離

るものと母体に起因するものとがある。前者としては染色体異常，重篤な遺伝性疾患が挙げられ，子宮の異常や黄体機能不全など内分泌環境の異常，感染症などがある[2]。流産の診断は子宮内胎嚢や胎児心拍の有無などによりUSを用いてなされ，MRIが用いられることは皆無といってよい。しかし子宮奇形や子宮筋腫といった流早産の原因検索にMRIは有用である。本項では，MRIでも診断可能な，あるいはUSで疑われた異常を確定するのにMRIが有用な疾患についていくつか代表例を述べる。

1) 子宮の異常

絨毛膜下血腫（subchorionic hematoma）は第1三半期においては胎嚢と子宮筋層の間，第2三半期以降では脱落膜と絨毛膜の間に血腫を生じた病態をいう。頻度は0.5～22％と報告によりばらつきがある。本症と産科的予後の相関については長らく論争があったが，近年では自然流早産や常位胎盤早期剥離，早期破水のリスクが上昇すると考えられている[3]。特に第2三半期以降も血腫が持続的にみられる場合には絨毛膜羊膜炎を併発するリスクもある。半数以上は安静により軽快し，流早産に発展することは少ないが，妊娠8週未満でみられた場合，子宮の全周の2/3以上に及ぶ場合，母体年齢が35歳以上の場合はハイリスクとされる[4]。血腫により胎盤の血流が障害されると子癇や妊娠高血圧，胎盤の異常，胎児合併症などのリスクファクターとなる[5]。USでは卵膜と子宮壁の間の三日月状の領域として容易に同定される[3]が，MRIは出血に対して鋭敏（還元型ヘモグロビンやメトヘモグロビンのT1短縮効果や磁化率アーチファクトによる）であることからより軽症の子宮内出血を診断できる可能性がある（図1）。

妊娠子宮嵌頓症（incarceration of the pregnant uterus）は，妊娠中に後屈した子宮が岬角と恥骨結合の間に嵌頓した状態を指す。第1三半期に妊娠子宮の6～19％は後屈しているが，多くは妊娠の進行とともに是正される。14週以降も子宮が後屈したままだと，子宮の一部が骨盤底に嵌入したまま妊娠が進行することになり[6]，分娩時に帝王切開を要するだけでなく，帝王切開時に膀胱や子宮頸管，子宮筋層後壁，基靱帯血管を損傷するリスクが高まる。誘因としては子宮内膜症や術後の癒着，筋腫の存在などが報告されている[7]。臨床症状は多彩かつ軽微で，USでも診断可能であるが，子宮の全体像を容易に把握可能なMRIは，より確実に本症を描出することができる[7)8]。すなわち，後屈した子宮の前方に子宮頸部が描出される[7)8]（図2）。

妊娠中の子宮破裂（uterine rupture）は子宮筋層の全層が離開する病態と定義され，全妊娠の0.5％とまれな病態である。子宮破裂の60％は過去の帝王切開などの瘢痕のない症例に生じるとされるが，帝王切開瘢痕に生じる場合には横切開（1％以下）より縦切開（4～7％）のほうがリスクが高いとされている。常位胎盤早期剥離と同様に産科救急疾患の1つであり，MRIの適応となることは少ないと考えられるが，診断に迷った場合にはUSよりも広範囲を高いコントラスト分解能で描出しうるMRIが診断に有用である[9]。

2) 胎盤の異常

MRIで胎盤（placenta）（図3, 4）は妊娠19～23週までにT1強調像で子宮筋層と同程度，T2

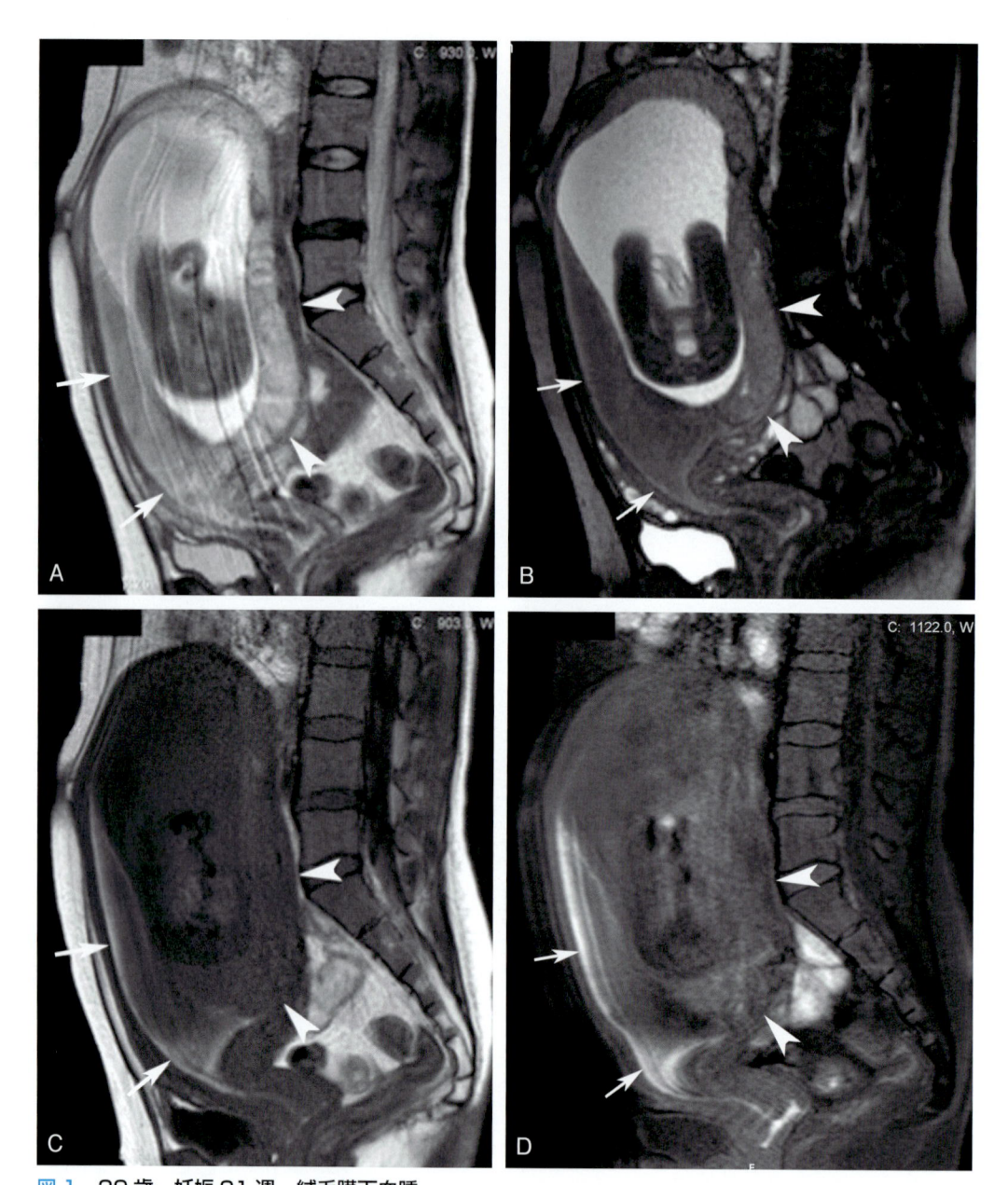

図1 29歳 妊娠21週,絨毛膜下血腫

A:T2強調矢状断像,B:SSFP矢状断像,C:T1強調矢状断像,D:脂肪抑制T1強調矢状断像

妊娠21週切迫流産,US上,絨毛膜下血腫が拡大傾向にあり,原因検索のためMRIを施行した。T2強調像(A),SSFP(B)では胎盤(▲)とのコントラストがつかないが,T1強調像(C),脂肪抑制T1強調像(D)で胎盤の前方で,子宮筋層と羊膜の間に辺縁が高信号を示す三日月状の組織を認め(→),血腫である。本例では血腫の原因となる筋腫などは同定されない。結局26週6日で早産となり,娩出された胎盤には病理組織学的に絨毛膜羊膜炎を認めた。

(B〜Dは,田中優美子ほか:異常妊娠と妊娠に伴う母体の異常:胎盤の異常を含めて.画像診断 27:802-810, 2007 より転載)

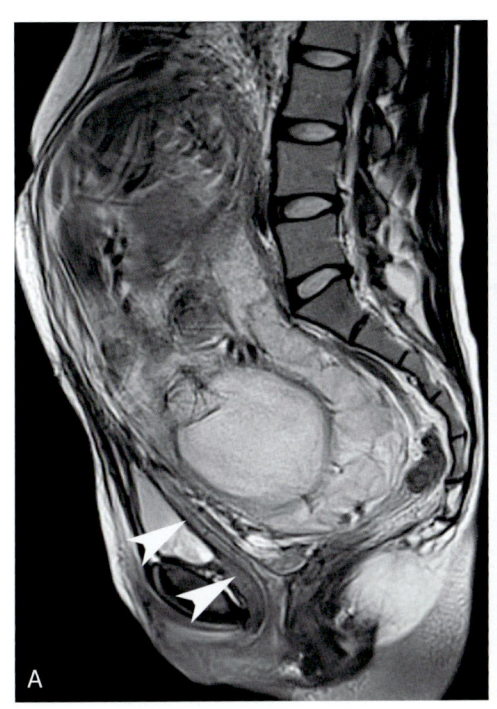

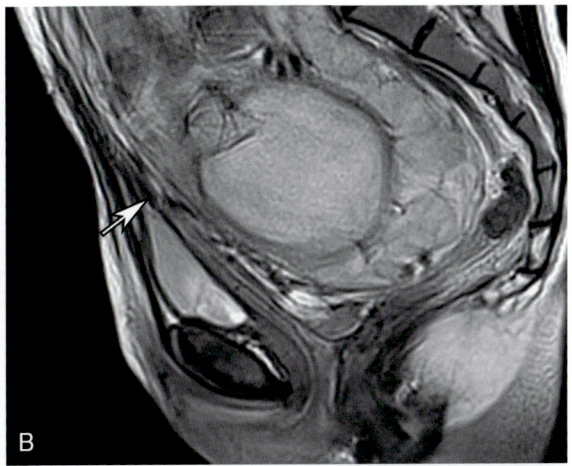

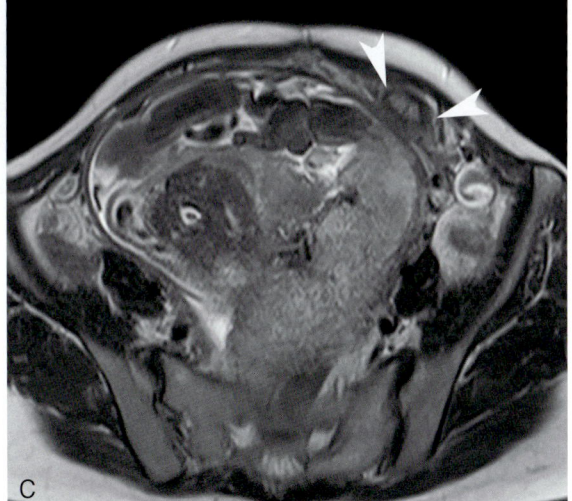

図2　35歳　妊娠23週，妊娠子宮嵌頓症
A：T2強調矢状断像，B：Aの部分拡大，C：T2強調横断像
T2強調矢状断像で児頭を含む子宮体部がDouglas窩にみられる（A, B）が，子宮頸部（A, C▲）はその前方に位置し，内子宮口が高位に位置することがわかる。
（昭和医科大学江東豊洲病院症例）

強調像で極めて高信号を示す半球状の組織として認められるようになり（図3），胎盤の成熟とともにT2強調像での信号は低下する[10]。その後36週までにT2強調像で高信号を呈する背景の内部に分葉状の低信号の結節状構造が明らかとなる症例もあり，筆者は胎盤分葉（cotyledon）に相当すると考えているが，胎盤梗塞（placental infarction）の徴候であるとの報告もある[10]。妊娠中は胎動によるアーチファクトを避けるためにしばしば高速撮像法（HASTEやSSFP，p20〜21；p26 図27参照）が用いられるが，胎盤はこれらのシーケンスでも高信号を示す。胎盤は血流に富む組織であるので造影剤によりよく増強され，胎盤を通過した造影剤は胎児に移行する[11]。時間分解能の高いダイナミックMRIを行うと，より早期に一過性に濃染する絨毛膜と緩徐に造影される脱落膜の分離が可能となり，後述する癒着胎盤の診断に有用である[12]。

前置胎盤（placenta previa）は胎盤の一部または大部分が子宮下部（子宮峡部）に付着し，内子宮口に及ぶものと定義されている。子宮口を覆う胎盤の程度により胎盤が内子宮口を覆う全前置胎盤（complete placenta previa）（図5）と胎盤の一部あるいは辺縁が内子宮口に位置する部

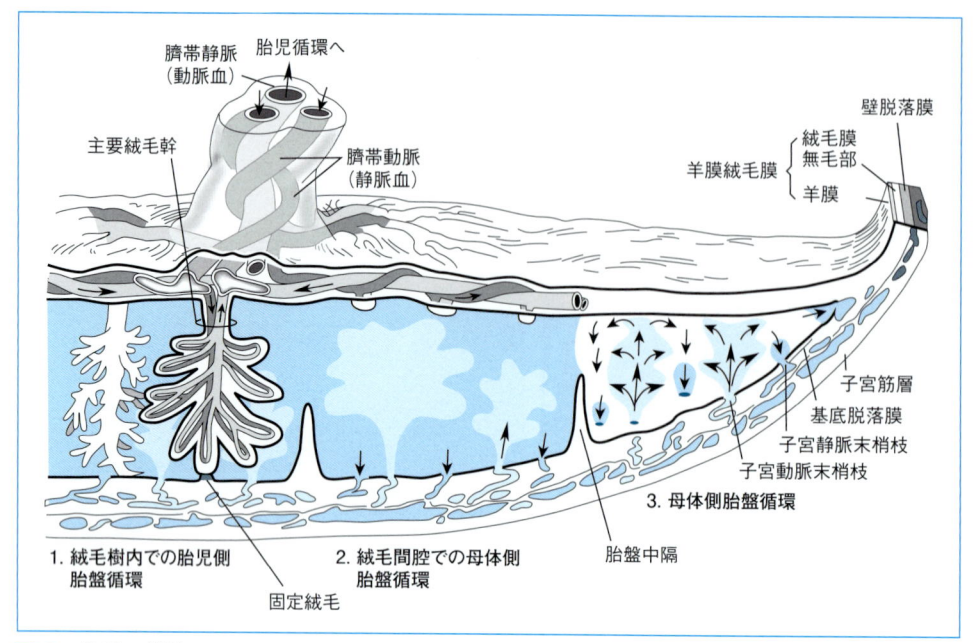

図3 胎盤の構造
(Torchia MG, Persaud TVN：The Developing Human：Clinically Oriented Embryology, 12th ed. Elsevier, 2025より改変引用)

分前置胎盤（partial placenta previa），辺縁前置胎盤（marginal placenta previa）（図6）に分類される。妊娠初期には前置胎盤であっても妊娠経過とともに移動する症例も多く，満期時には全妊娠の0.5～1.0％とされる。疫学的には高年齢妊婦，多胎妊娠，帝王切開術既往妊娠，喫煙妊婦に前置胎盤の頻度が高いことが報告されている[13)14)]。妊娠中期以降に疼痛を伴わない出血で発症することが多く，診断はUSで胎盤と内子宮口を同定することで行われるが，MRIによって診断精度を上げることができる[15)]。胎嚢により拡大した内膜腔と開大していない頸管との接合部が内子宮口であり，MRIでは両者の位置関係をより客観的に評価可能である（図5，6）。

辺縁静脈洞（marginal sinus）は，胎盤の辺縁に位置する，絨毛間腔から子宮筋層内への静脈流出路で，ドプラUSでは緩やかな血流を有する低エコー域として，MRI T2強調像では胎盤類似の高信号域として描出される。前置胎盤の診断の際に，この辺縁静脈洞のみが内子宮口を覆う症例がしばしば観察される。病理組織学的には辺縁静脈洞は絨毛や脱落膜を含まないので，「胎盤」とはいえないが，辺縁静脈洞のみの前置胎盤であっても産科的予後に変わりはないので，臨床的には前置胎盤として扱う必要がある[16)]。画像診断的問題点としては，この辺縁静脈洞にはしばしばflow voidがみられ，後述する癒着胎盤の副所見との区別が難しいことが挙げられる。筆者の経験では辺縁静脈洞はSSFSEやSSFPよりもHASTEでより高信号になるので，撮像可能であれば鑑別に有用である（図7）。

常位胎盤早期剥離（placental abruption）は正常位置に付着していた胎盤が，妊娠中または分娩中の胎児娩出前に子宮壁より剥離する現象をいい，周産期母体死亡の10％を占める重篤な病態である。全分娩の0.5～1.3％に認められ，重症例は全分娩の0.1％である。妊娠32週以降での

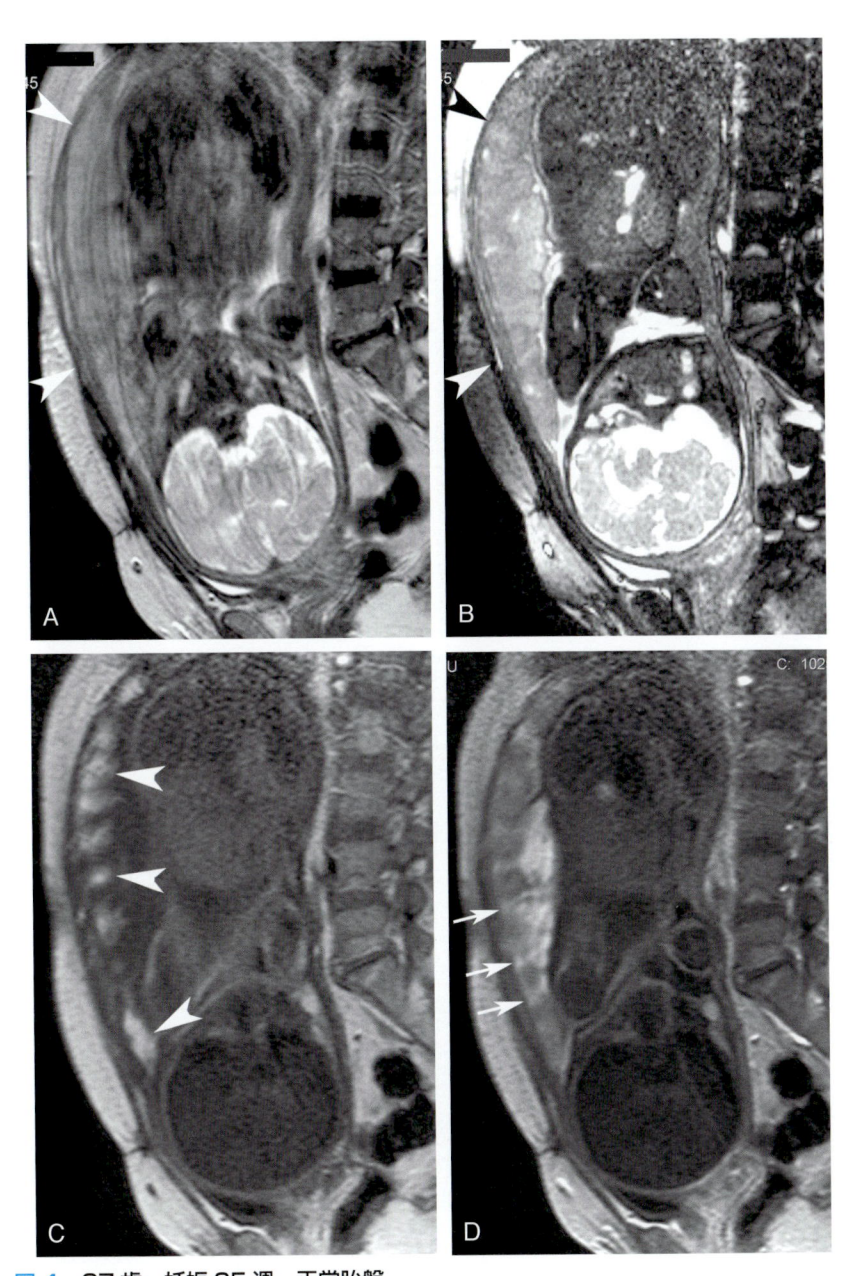

図4　37歳　妊娠35週，正常胎盤
A：T2強調矢状断像（TSE），B：SSFP矢状断像，C：ダイナミックMRI超早期相，D：ダイナミックMRI後期相

前3回帝王切開，胎盤前壁付着のため癒着胎盤を疑ってMRIを施行した。胎動を抑制していないので，TSEによる通常のT2強調像ではmotion artifactが著しく胎盤（A▲）の輪郭は不明瞭である。SSFPでは撮像時間が短いのでmotion artifactを回避することができ，胎盤（B▲）は羊水よりもやや低信号のお盆のような形の構造物として描出される。ダイナミックMRIの超早期相では固定絨毛を介しての絨毛樹（C▲）が先に濃染する構造として描出され，後期相では床脱落膜（D→）や胎盤隔壁が濃染している。本例では早期濃染する絨毛組織が広範囲にわたって基底脱落膜を介さずに子宮筋層に接する像はなく，癒着胎盤はないと診断される。

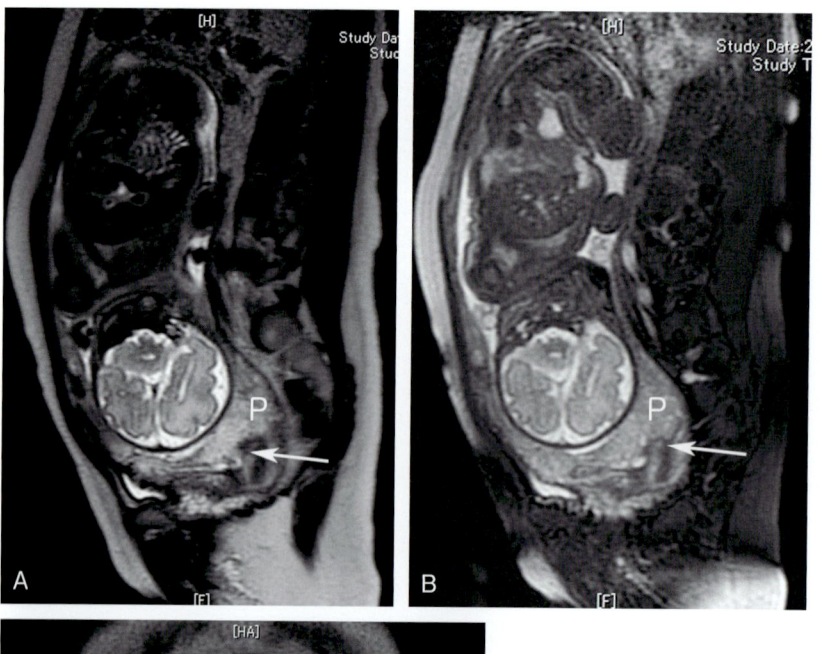

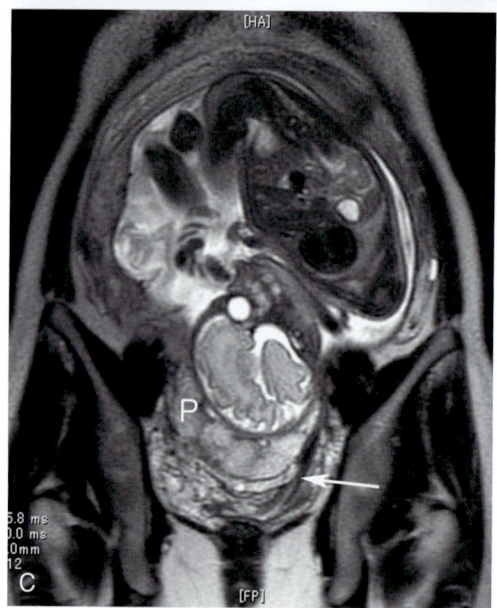

図5 31歳 妊娠32週，全前置胎盤
A：T2強調矢状断像（SSFSE），B：SSFP矢状断像，C：T2強調冠状断像（SSFSE）
前2回帝王切開の既往があり，癒着胎盤を疑ってMRIを施行した。SSFSE法によるT2強調像（A, C）では子宮頸部のzonal anatomyが明瞭で，内子宮口（→）の位置がわかりやすく，筋層より信号強度の高い胎盤（P）とのコントラストも良好で，胎盤が内子宮口を塞ぐのが明瞭に描出されている。これに対し，SSFP（B）ではmotion artifactは少ないが，胎盤と子宮頸部との信号強度差が少なく，外子宮口と胎盤の位置関係がわかりにくい。

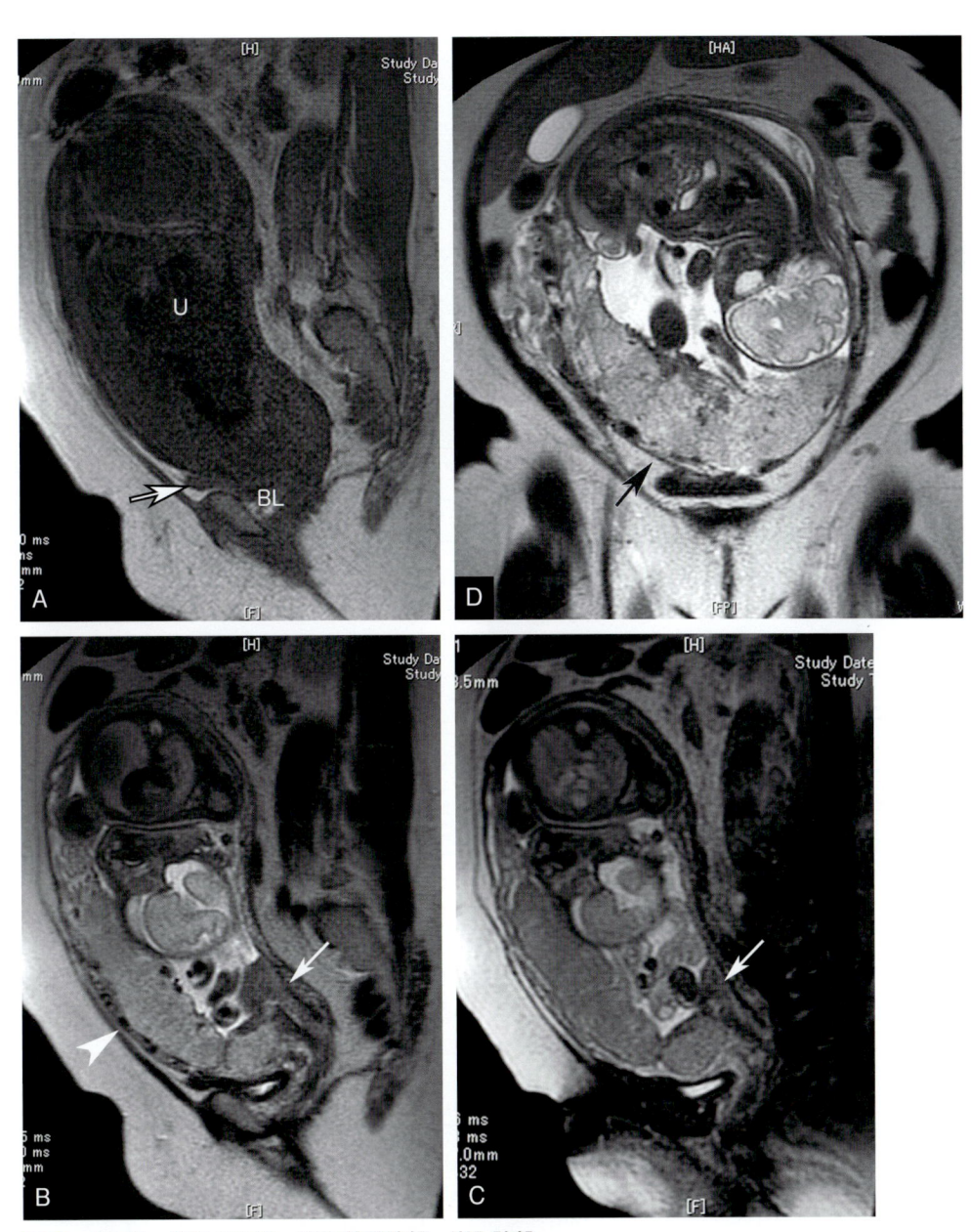

図 6 40 歳　妊娠 30 週，辺縁前置胎盤，嵌入胎盤
A：T1 強調矢状断像，B：T2 強調矢状断像（SSFSE），C：SSFP 矢状断像，D：T2 強調冠状断像（SSFSE）
帝王切開の既往があり，US 上前置胎盤が疑われたので MRI を施行した．T1 強調像で子宮（U）と膀胱（BL）の間の脂肪織が消失しており（A →），前回帝王切開後の癒着を示唆する．T2 強調像で内子宮口（B →）は胎盤下縁のすぐ後方に位置し，辺縁前置胎盤である．内子宮口直上から頸管内にかけては T2 強調像（B），SSFP（C）で低信号を示す構造がみられ（B，C →），すでに出血していることがわかる．これらの信号強度差は SSFP でやや乏しく，特に正常の頸部筋層と胎盤のコントラストが不良である（C）．T2 強調像では低信号を示す健常の子宮筋層内や胎盤組織の内部に flow void が目立ち（B▲），癒着胎盤を疑わせる間接所見である．また，下方に膨隆した信号強度の高い胎盤が信号強度の低い筋層内に食い込む嵌入胎盤の直接所見（D →）も明らかである．

Ⅱ 産科合併症

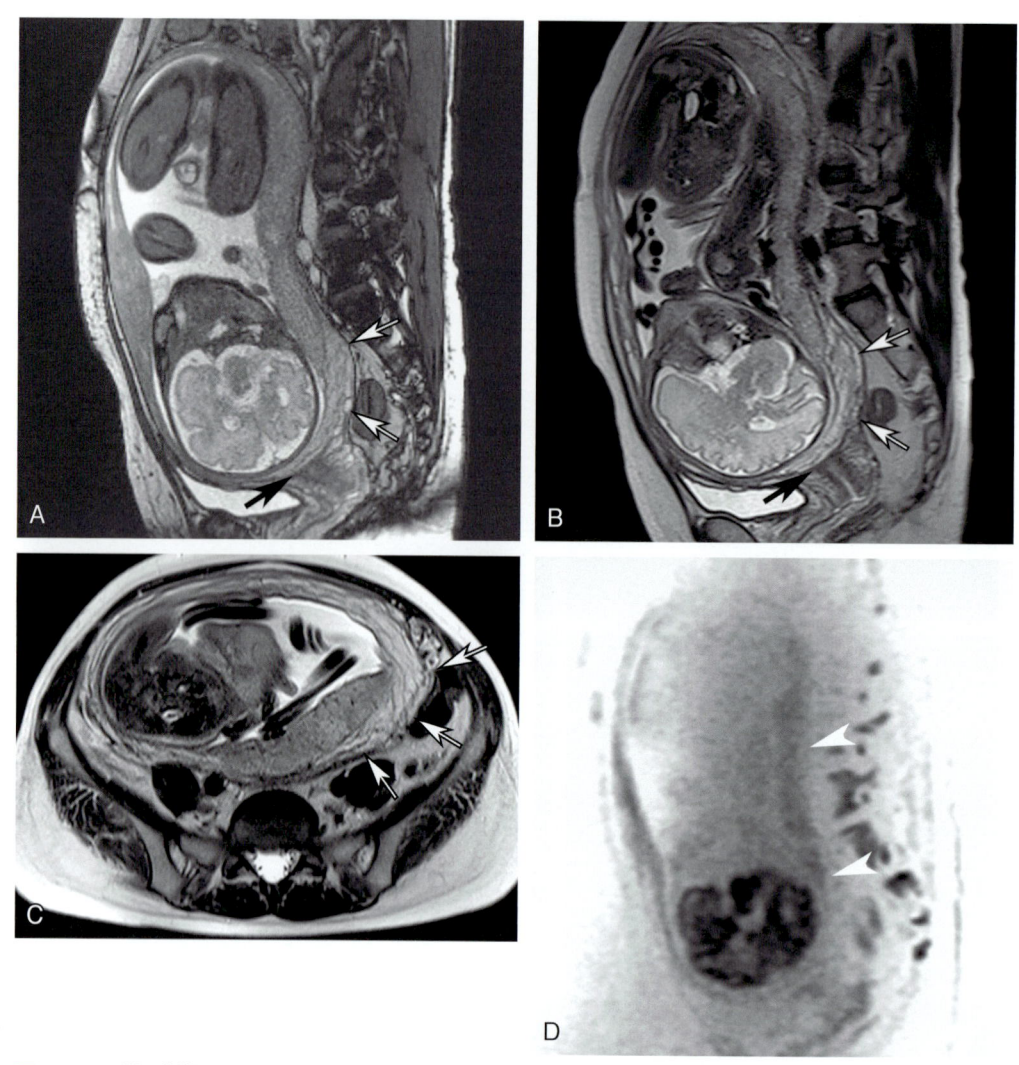

図7　44歳　妊娠32週，辺縁静脈洞前置胎盤
A：T2強調矢状断像（SSFSE），B：HASTE矢状断像，C：HASTE横断像，D：拡散強調矢状断像
胎盤の下端が内子宮口を覆うが，内子宮口（黒→）近傍の胎盤組織（白→）は，これより頭側の胎盤組織に比べ信号強度が高く，その差はT2強調像（A）よりもHASTE（B，C）でより明瞭に描出される．拡散強調像では拡散制限を示す絨毛組織（D▲）が同部にはなく，辺縁静脈洞であることがわかる．本例ではあまり目立たないが，辺縁静脈洞内のflow voidが顕著な症例では，癒着胎盤の副所見との鑑別に苦慮することがある．
（昭和医科大学江東豊洲病院症例）

発症頻度が高い[14]．胎盤の辺縁に好発し，画像的には胎盤後方または胎盤内の血腫として描出される．妊娠後期の突然の大出血がMRIの適応となることはほとんどないが，緩徐に進行した例ではMRIは有用である．MRIでは胎盤周囲に生じた血腫を検出することが本症診断の決め手となるが，超急性期の血腫ではまだT1短縮効果が十分ではなく，Masselliらは出血により生じた胎盤周囲の拡散制限域を拡散強調像により検出することが最も有用でUS（52％）を凌駕する感度（100％）を示したと報告している[17]．

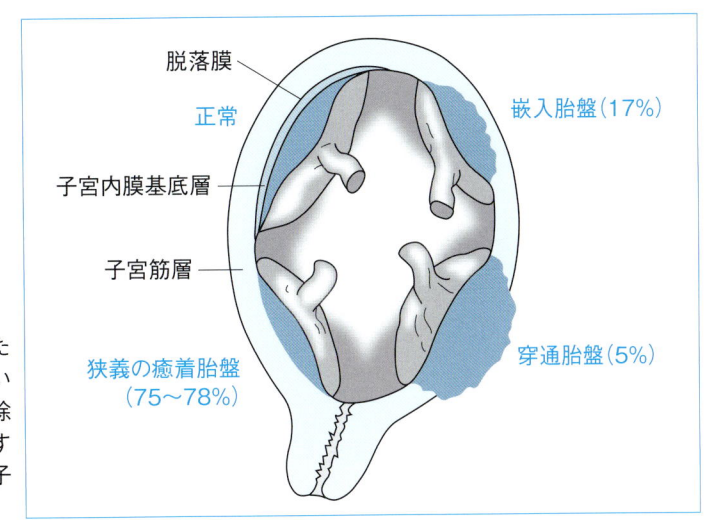

図8 癒着胎盤の分類
正常では胎盤は子宮内膜が脱落膜化した基底脱落膜を介して子宮壁に付着しているが，狭義の癒着胎盤では脱落膜を欠除する．嵌入胎盤はさらに筋層内に浸潤するものをいい，穿通胎盤はこれを貫き子宮外にまで進展するものをいう．

　癒着胎盤（placenta accreta）は絨毛が床脱落膜を介さずに筋層に付着して胎盤を形成した病態で，重症度に応じて脱落膜を欠くが絨毛は筋層に癒着するだけの狭義の癒着胎盤（placenta accreta vera），筋層に食い込む嵌入胎盤（placenta increta），筋層を貫いて周囲組織にまで及ぶ穿通胎盤（placenta percreta）の3種に分類され（図8）[18]，最近は placenta accreta spectrum（PAS）と総称される．この病態の背景には妊娠以前の内膜の損傷があることから，前置胎盤，帝王切開既往，筋腫核出術など子宮への直達手術の既往はハイリスクであり，こうした症例の分娩前診断を求められる機会が着実に増えている．USによる本症の分娩前診断には胎盤と筋層の間の低エコー帯（床脱落膜に相当すると考えられる）の断裂とドプラによる胎盤内の怒張した血管（placental lacunae）の検出によりなされ，直接所見である前者よりも後者のほうが信頼性が高い[19-21]．MRIはUSよりコントラスト分解能が優ることから，古くはT2強調像を用いて[15)20)22)23]，最近ではHASTEやSSFPといった高速撮像法を用いて解剖学的構造に基づいた種々の診断基準が提唱されている[24]．T2強調像でも極めて高い正診率を誇る文献もある[15]が，筆者の経験では撮像時間の相対的に長い従来法では，motion artifactのため筋層と胎盤のコントラストは必ずしも明瞭でなく，胎盤の筋層側への膨隆を直接同定するのは困難なことも多い（図4A）．そこで近年では呼吸同期下の通常のスピンエコー法によるT2強調像ではなく，呼吸停止下に撮像するSSFSEによるT2強調像が用いられることが多い（図5A, 5C, 6B, 6D）．T2強調像では低信号を示す筋層と極めて高信号を示す胎盤とのコントラストが良好なため，穿通胎盤・嵌入胎盤の診断は容易だが，基底脱落膜の欠損そのものは描出できないので，狭義の癒着胎盤は診断不可能である．これに対し，HASTEやSSFPでは子宮筋層近傍の構造が3層（高信号の脱落膜，中間信号の筋層内血管，低信号の漿膜側筋層）に分離同定できるので，診断が容易であるとする報告がある[24]．しかし，筆者の経験ではSSFPは撮像時間の短さから空間分解能は極めて良好だが，コントラスト分解能がT2強調像に比べて不良で，正常例ですら胎盤と子宮筋層の境界面を同定できないことがあり，直接所見の同定は本法でも困難なことが多い（図6C）．これに対してT2強調像を用いた近年の報告では，胎盤の膨隆に加えて胎盤内の不均一な信号強

II 産科合併症

表2 癒着胎盤を疑うべきMRI所見（米国腹部放射線学会・欧州泌尿器放射線学会，2020）

MRI所見	定義	陽性所見としての推奨率*（95%CI）
T2-dark bands	通常は胎盤母体面に接する，線状の低信号帯（1カ所のことも複数のこともある）。	90%（65〜93%）
Placental bulge	子宮漿膜面の偏位を伴う胎盤組織の隣接臓器（膀胱や子宮傍組織）に向かう異常な膨隆。子宮漿膜は断裂していない場合もあるが，外形に歪みがみられる。	100%（92〜100%）
Loss of T2 hypointense interface	胎盤後面（付着面）にみられる薄い低信号帯の消失。	90%（84〜96%）
Myometrial thinning	胎盤を覆う子宮筋層の厚みが1mm未満に菲薄化もしくは断裂。	90%（87〜95%）
Bladder wall interruption	膀胱筋層の不整な菲薄化もしくは断裂。膀胱腔内に血液産物を伴うこともある。	100%（97〜100%）
Focal exophytic mass	子宮壁を貫通して壁外に突出する胎盤組織。膀胱壁内や子宮傍組織で認められることが多い。	95%（95〜100%）
Abnormal vascularization of the placental bed	胎盤付着部の子宮壁断裂を伴う胎盤床の異常な血管新生。異常血管は子宮漿膜面のみならず，膀胱や腟周囲にまで及ぶことがある。	100%（96〜100%）
Placental heterogeneity	胎盤組織内の信号の不均一性（T1，T2強調像のいずれでもみられる）。	70%（58〜81%）
Asymmetric thickening/shape of the placenta	癒着胎盤の病変部や前置胎盤合併では内子宮口を覆う胎盤組織が，他領域に比べ非対称性に肥厚している様子。	50%（39〜61%）
Placental ischemic infarction	胎盤梗塞。急性期には病変部がT2強調像で高信号，T1強調像で低信号を呈し，慢性期には病変部の胎盤が菲薄化する。	60%（49〜70%）
Abnormal intraplacental vascularity	胎盤深部にみられる蛇行・拡張したflow void。	70%（65〜79%）

＊筆者注：文献検索の結果を踏まえてはいるが両学会のパネルメンバーによる投票結果であり，科学的根拠に基づく数値ではないことに注意が必要。
（文献25より改変引用）

度や胎盤内の低信号帯の存在といった間接所見が重視されている[23]。またUSで信頼性のある所見とされているplacental lacunaeはMRIでも異常なflow voidとして指摘可能である（図6B，D）。米国腹部放射線学会と欧州泌尿器放射線学会は合同で，これらの直接・間接所見のまとめを発表し[25]，MRIの評価に際しては，これらの項目を1つひとつ丁寧に評価すべきであるとしている（表2）。これらT2強調像やSSFPで癒着胎盤が疑わしいが確定的でない場合，患者の同意を得て分娩（帝王切開）直前にダイナミックMRIを行うことは有用である。時間分解能を重視（10〜15秒毎に撮像）したダイナミックMRIでは胎盤内の絨毛膜成分が一過性の早期濃染を示し，胎盤隔壁を含む絨毛間腔は漸増型の増強効果を示す[12]。癒着胎盤では早期濃染する絨毛

1．妊娠中・周産期の産科合併症

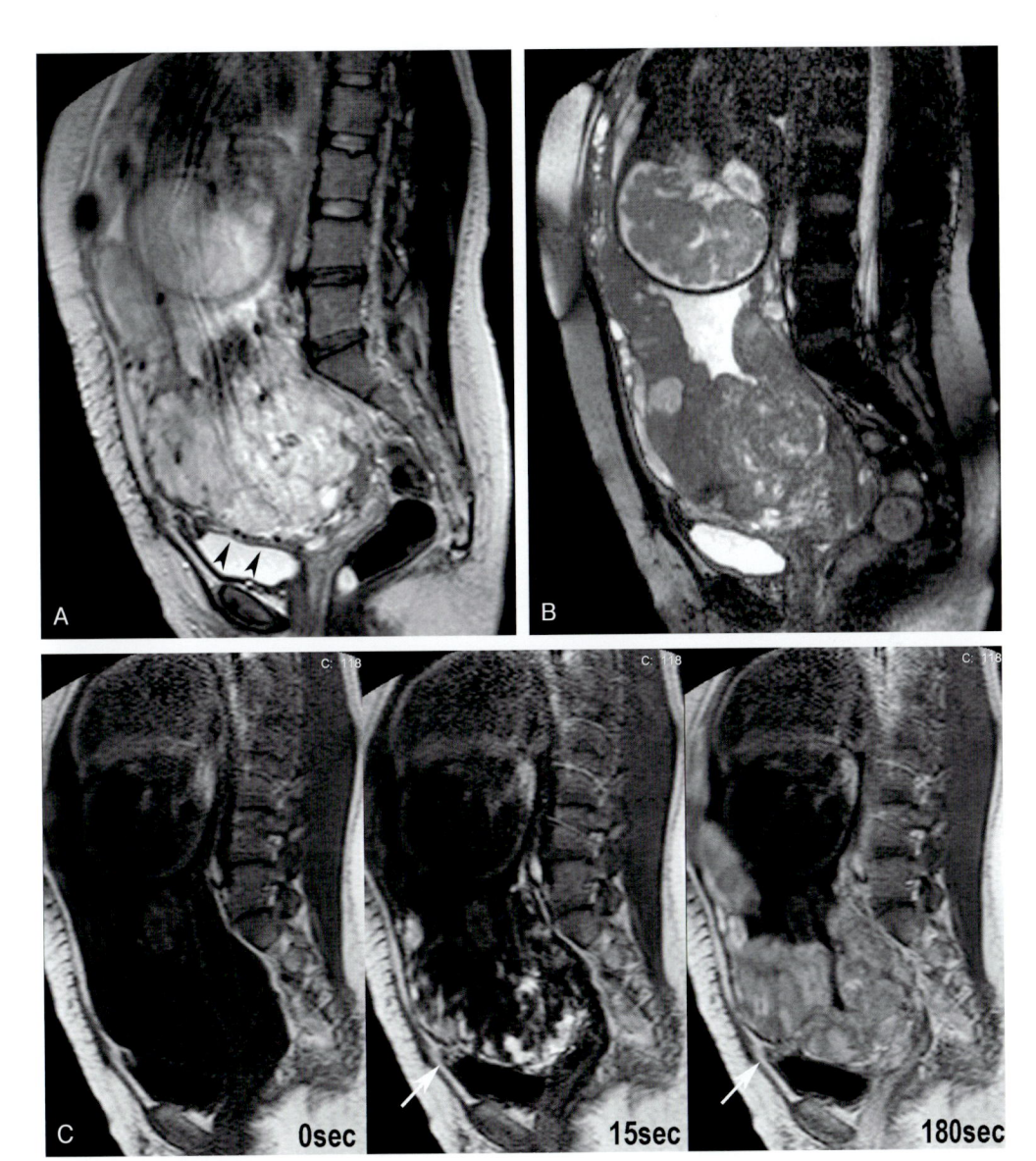

図9　28歳　36週，穿通胎盤
A：T2強調矢状断像，B：SSFP矢状断像，C：ダイナミックMRI矢状断像
前回帝王切開，前置胎盤にて妊娠管理中。癒着胎盤を疑ってMRIを施行した。T2強調像（A）では子宮筋層と膀胱筋層の境界が極めてわかりにくく，両者が癒着しているだけか子宮筋層が菲薄化しているのか区別が難しいが，膀胱筋層に近接して多数のflow voidがみられ，癒着胎盤を疑わせる所見である（A▲）。SSFPでは胎盤と子宮・膀胱筋層のコントラストが極めて悪く，診断が難しい（B）。ダイナミックMRIでは早期濃染する絨毛組織が子宮筋層を貫いて膀胱内腔に露出する（C→）のが明確に描出されている。

樹が緩徐に濃染する脱落膜を介することなく筋層に接しているのを観察可能である（図9）。また胎盤は子宮筋層に比べ高い細胞密度を有することから，拡散強調像において両者のコントラストが良好であり，近年，癒着胎盤の診断にも有用であるとの報告がみられる[26]（図10）。

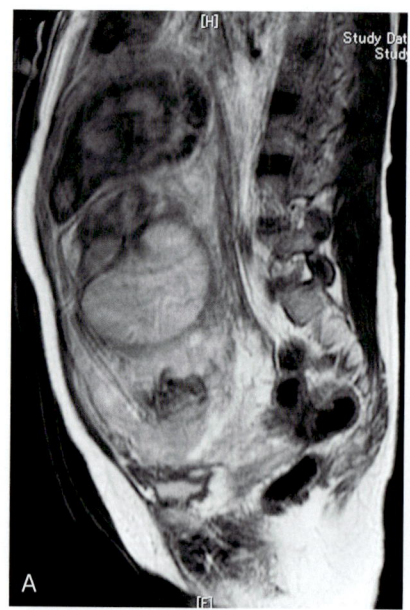

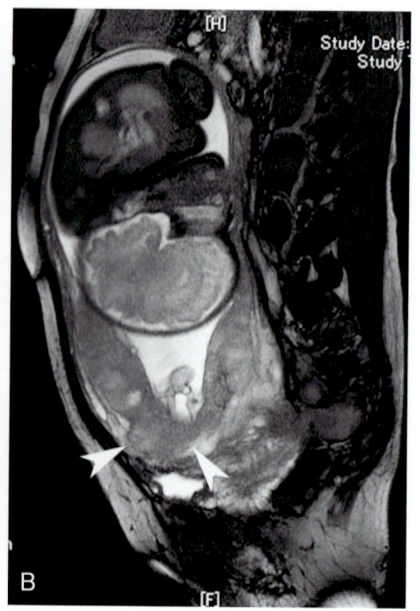

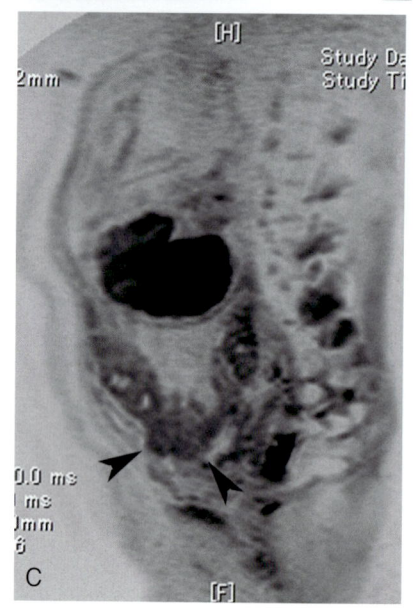

図10 42歳 妊娠34週，穿通胎盤
A：T2強調矢状断像，B：SSFP矢状断像，C：拡散強調矢状断像

前回帝王切開で癒着胎盤の疑いとして紹介された。本例ではT2強調像で胎動によるmotion artifactが極めて強く（A），SSFPのほうが胎盤の輪郭は明瞭である（B）。この胎盤は膀胱の上前方で限局性に膨隆しており，広義の癒着胎盤を疑わせる所見である。拡散強調像ではこの膨隆部に強い異常信号が認められ，膨隆した組織が胎盤であることが容易に確認される（C▲）。帝王切開分娩後，子宮全摘が行われ，病理組織学的に絨毛組織が子宮漿膜を越えて浸潤していた。

1. 妊娠中・周産期の産科合併症

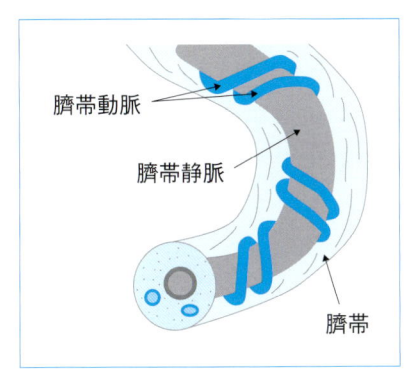

図11　臍帯の構造
(https://www.invitra.com/en/placenta-umbilical-cord/anatomy-umbilical-cord/ より改変引用)

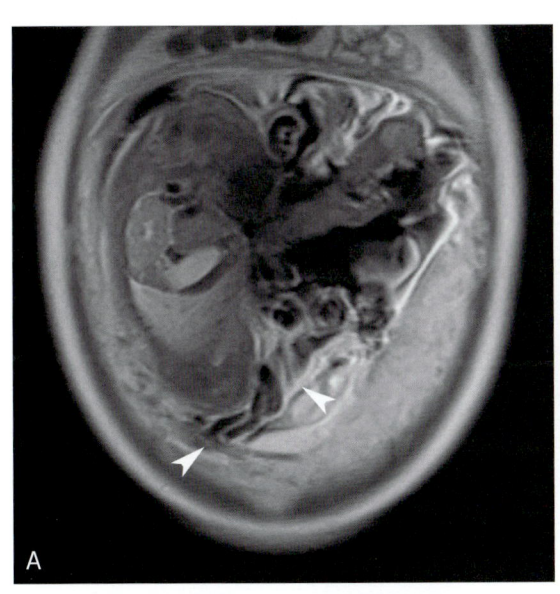

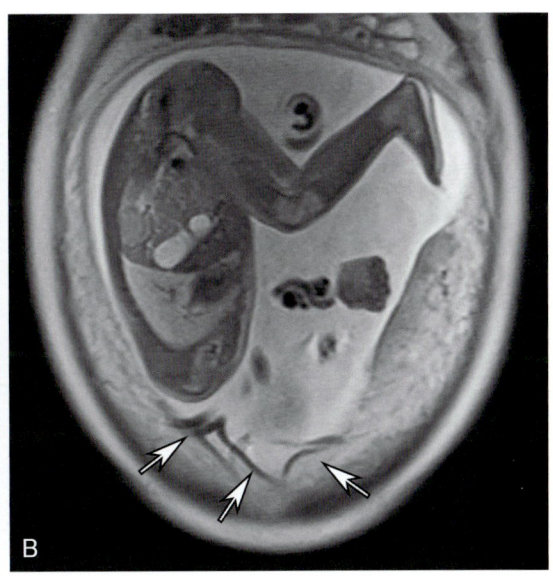

図12　35歳　妊娠32週，臍帯卵膜付着
A，B：SSFSE 冠状断像
切迫早産で入院中。羊水内に浮遊する臍帯は3本の血管がWharton膠質に囲まれてねじれた構造をしているが（A▲），胎盤外でばらけた状態で胎盤に向かう（B→）。
(昭和医科大学江東豊洲病院症例)

3) 臍帯の異常

　臍帯（umbilical cord）は基本的に，動脈2本，静脈1本からなり，主要血管の周りをWharton膠質が覆う構造をもつ（図11）。臍帯の多くは胎盤実質部上で胎盤胎児面に分岐していくが，約7％の頻度で胎盤辺縁に，約1％で卵膜上で分岐し，臍帯の卵膜付着（velamentous insertion）という（図12）。卵膜付着ではWharton膠質の欠損した遊走血管（卵膜血管）を認める。

Wharton 膠質の欠損を認めず，胎盤辺縁に臍帯が付着する場合を辺縁付着という。前置血管は，卵膜血管が内子宮口付近を走行する場合をいう（図 13）。卵膜付着では，動静脈が Wharton 膠質に覆われないことから脆弱であり，子宮収縮や胎動に伴って圧迫されやすく，断裂により急激な胎児死亡を引き起こすことがある。前置血管では卵膜血管が内子宮口近くに存在するため，そのリスクが高い[27]。これらの病態は基本的に US で診断される[28]が，胎児により臍帯付着部の観察が困難な場合など，MRI による観察が有用である。

2. 産褥期の産科合併症

会陰裂傷など視診で容易に診断のつく原因を除くと，この時期の出血は子宮収縮不全による弛緩出血（uterine atony, atonic bleeding）と遺残胎盤（retained placenta）からの出血に大別される[18]。分娩後長時日を経て発見される胎盤組織を含んだ腫瘤は胎盤ポリープ（placental polyp）とよばれることもあるが，分娩後発症までの期間や組織学的な構成成分に明確な定義はなく，本項では用語を遺残胎盤に統一して述べる。遺残胎盤の成因には2つの説があり，1つは部分的に前述の狭義の癒着胎盤が存在するために胎盤の娩出が抑制されるとするもの，もう1つは遺残胎盤の好発部位である子宮底部側では頸部側に比べ子宮収縮能の低下が著しく，胎盤の分娩に機能的な障害を生じているとするものである[29]。分娩後時間の経過した症例では絨毛性疾患との鑑別が問題となるが，遺残胎盤では hCG-β の持続的な上昇はみられないとされている[30]。

造影 MRI は子宮腔内に存在するのが血腫およびすでに硝子化した胎盤のみか，まだ血流のある胎盤が残存するのかの区別を可能にし，治療方針の決定に寄与する[30-32]（表3）。分娩第3期が遷延して胎盤がまったく娩出されない場合，子宮内容物は胎盤であることに疑いがなく，この場合には癒着胎盤の合併の有無が診断の主眼となる。遺残胎盤が T2 強調像で極めて高信号を呈する場合はダイナミック MRI でも濃染し，viable な胎盤組織である[31]。児の分娩後は胎盤を取り巻く子宮筋層の厚みは分娩前よりも増しているので，癒着胎盤の診断は容易なはずであるが，胎盤付着部の子宮収縮が抑制されるためか，癒着がなくとも胎盤付着側の筋層は菲薄化していることが多く[32]，狭義の癒着胎盤は分娩後の MRI でも非癒着例との鑑別が難しい（図 14）。

周産期にすべての胎盤が分娩されたと考えられている場合には，子宮内容物が胎盤を含むのか，血腫のみからなるのかも鑑別が必要であるが，両者は造影 MRI で容易に区別される。すなわち，viable な胎盤組織は血流を有するので強い増強効果を示すが，血腫や完全に硝子化した胎盤組織は増強効果をもたない[31]（表3, 図 15, 16）。また遺残胎盤を栄養するために子宮動脈はしばしば筋層内を貫く flow void を形成するほどに発達し，時に動静脈瘻との鑑別が問題となる[33]。遺残胎盤の多くが，無治療で，あるいは用手剥離により娩出可能であることからも，そのすべてが癒着胎盤を合併しているわけではないと考えられるが，ダイナミック MRI で豊富な血流を有するもの（図 15）[31]や子宮筋層との設置面積の大きいもの[32]はメトトレキサートの投与など，何らかの intervention を要する例が多い。

産褥熱（puerperal sepsis）は分娩終了24時間以降，産褥10日以内に2日以上，38℃以上の発熱が続く場合と定義されている。臨床的には子宮を中心とした骨盤内感染症とほぼ同義語で，

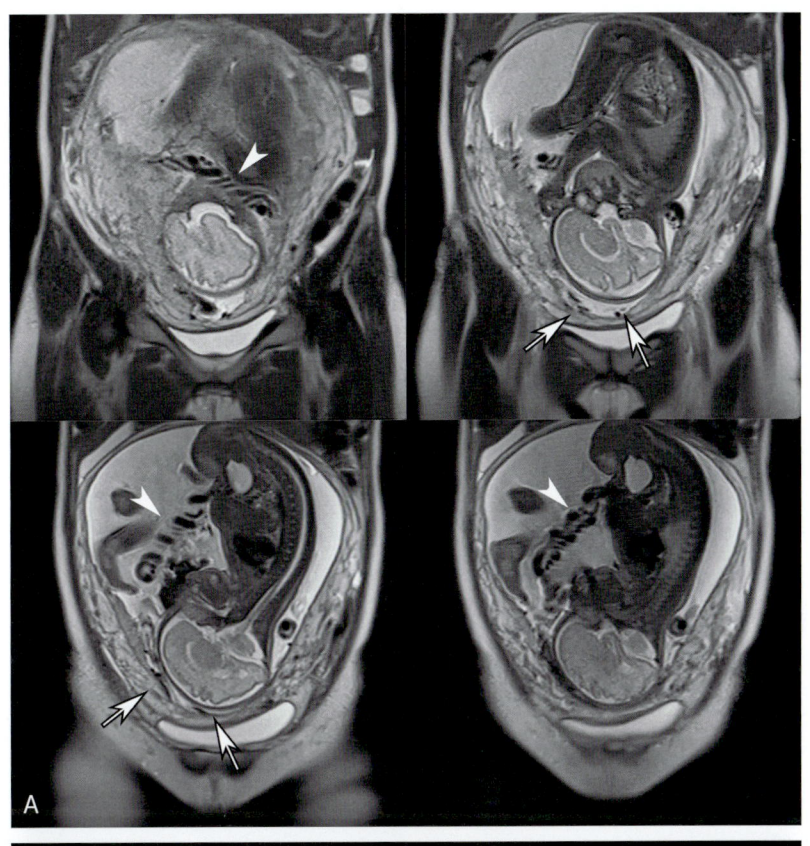

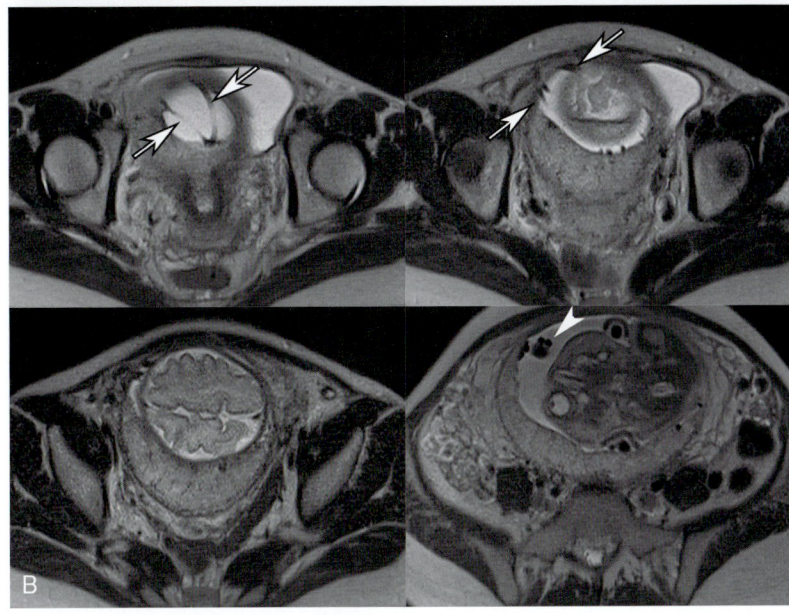

図13 41歳 妊娠32週,前置血管
A:SSFSE冠状断像,B:SSFSE横断像
羊水内に浮遊する臍帯は3本の血管がWharton膠質に囲まれてねじれた構造をしているが(A, B▲),胎盤外でばらけた走行(A, B→)を示し,児頭の下方(内子宮口直上)では遊離した臍帯血管が浮遊した状態になっている(B左上→)。
(昭和医科大学江東豊洲病院症例)

表3 遺残癒着胎盤と血腫の鑑別

	T1強調像	T2強調像	ダイナミックMRI
Viableな胎盤	低信号	高信号	早期濃染
硝子化しつつある胎盤	低信号	低信号	栄養血管+α
血腫	高信号を含み不均一	低信号を含み不均一	増強されない

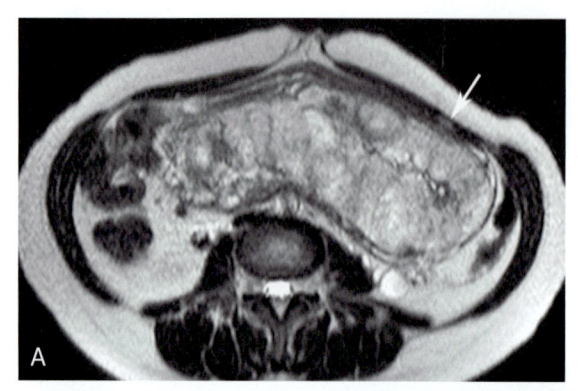

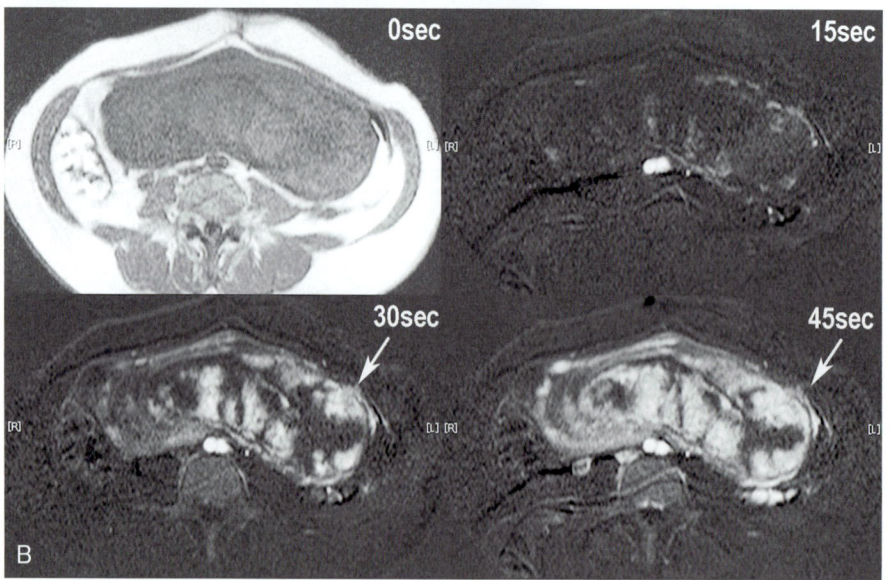

図14 31歳 遺残胎盤
A：T2強調横断像，B：ダイナミックMRI横断像
1回経産だが帝王切開の既往なし。児娩出後，胎盤が娩出されないとのことで搬送。T2強調像で信号強度の高い胎盤が左前壁の子宮筋層を菲薄化させており（A→），ダイナミックMRIでは筋層を貫くようにみえる（B→）ことから嵌入ないし穿通胎盤を疑ったが，胎盤は用手剥離が可能であった。

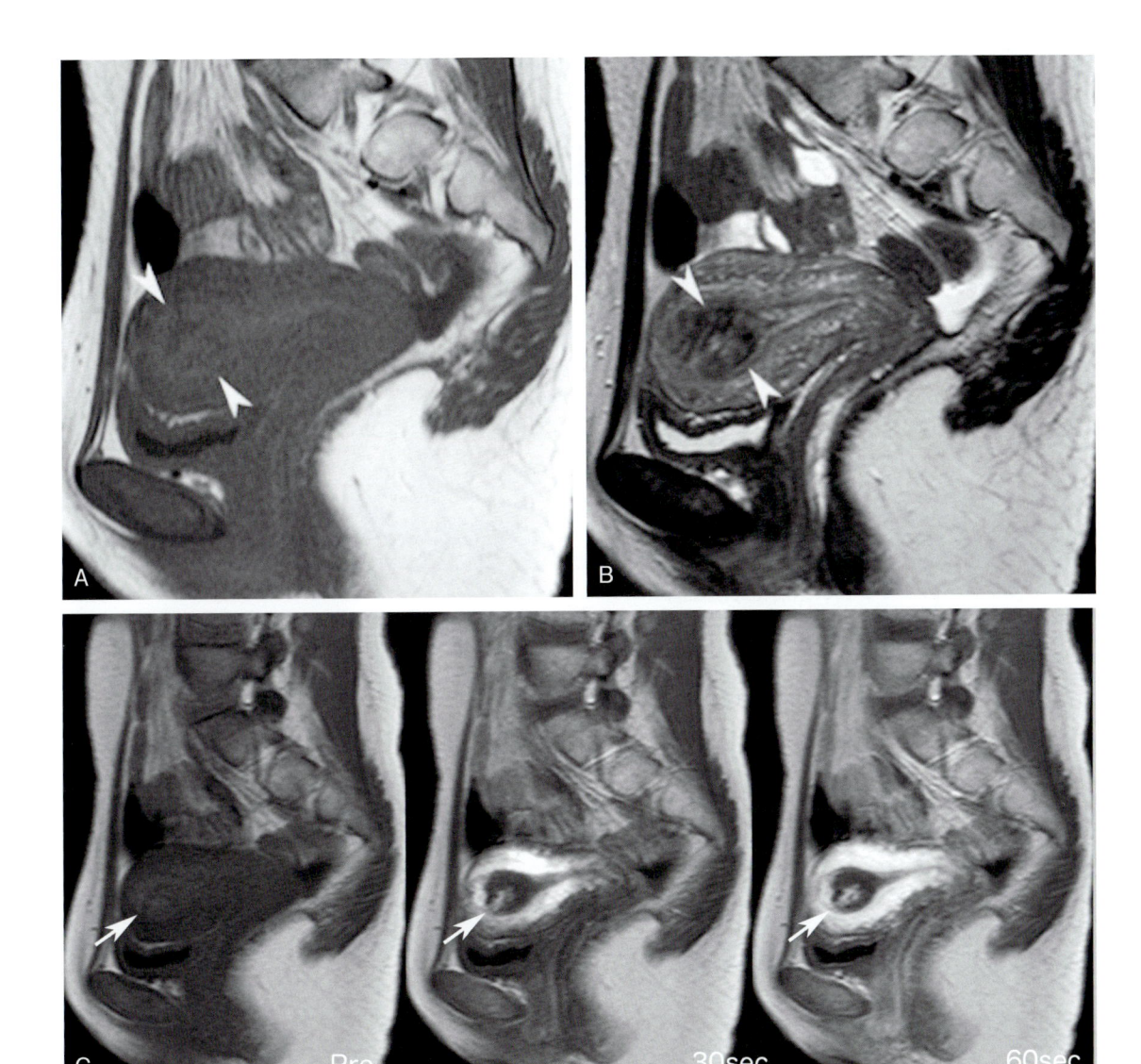

図15 23歳 遺残胎盤

A：T1強調矢状断像，B：T2強調矢状断像，C：ダイナミックMRI矢状断像

産後2カ月。子宮腔内に腫瘤を認めるとして紹介された。底部に残存する腫瘤（A，B▲）の信号強度はT1強調像（A），T2強調像（B）とも低いが，ダイナミックMRI（C）では中心部に一部血流が観察される（C→）。前医でのMRIに比べ縮小傾向であったため保存的に経過観察したところ，無治療で自然排泄され，病理組織学的に高度に変性した胎盤であることが確認された。

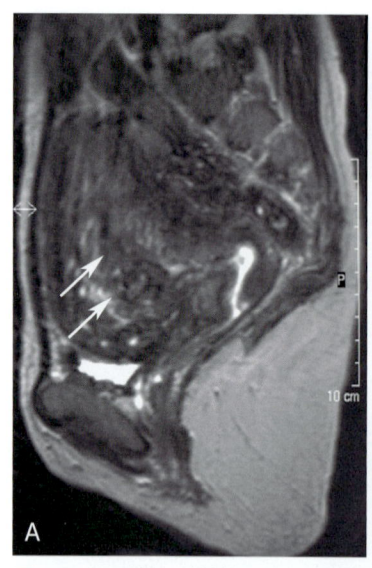

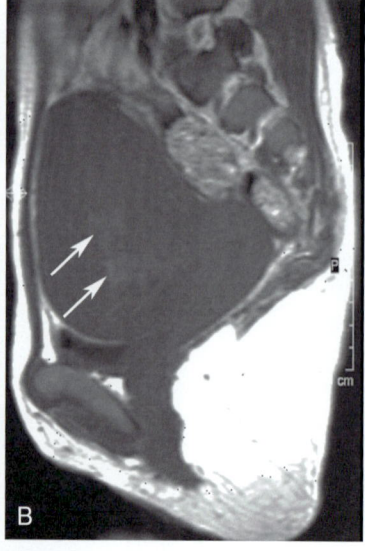

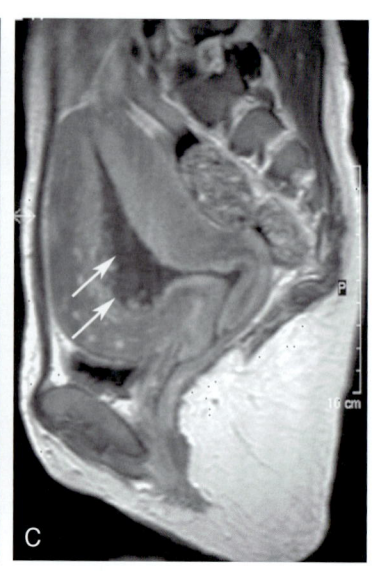

図16　35歳　分娩後5日，遺残胎盤陰性例
A：T2強調矢状断像，B：T1強調矢状断像，C：造影T1強調矢状断像
37週で双胎分娩後，出血が遷延。このMRIの直前に経腟的に排泄された組織は遺残胎盤であり，さらなる遺残の有無を検索するためMRIを施行。子宮内膜腔は拡大しているが，内容物はT2強調像で低信号（A→），T1強調像で高信号（B→）を示し，造影後は増強効果をもたない（C→）ことから血腫のみと考えられる。その後，産褥20日目にUSで消失を確認した。

表4　産褥熱のリスクファクター[34]

分娩前	前期破水（24時間以上経過） 産道に対する機械的操作，頻回の内診 細菌性腟症，絨毛膜羊膜炎 切迫早産 抗菌薬の長期投与
分娩中	産科手術（帝王切開，胎盤用手剥離） 遷延分娩 早産，死産 大量出血
産褥期	産道に対する機械的操作，頻回の内診 子宮内遺残（胎盤，卵膜，ガーゼ）
母体合併症	低栄養状態 貧血 糖尿病，自己免疫疾患 免疫力低下（副腎皮質ホルモン服用，HIV感染症） 妊娠高血圧症候群 子宮筋腫（悪露滞留）

炎症巣が子宮内膜に留まる産褥子宮内膜炎から広範な骨盤内感染症，さらには敗血症に至るものまで重症度は様々である．誘因としては糖尿病，ステロイド投与などの免疫能の低下，悪露の流出を妨げる筋腫の存在などがあるが，会陰切開や帝王切開など産科的処置も少なくない（表4）[34]．画像の役割は炎症の広がり，重症度（膿瘍形成・腹腔内への波及の有無など）の判定，静脈血栓症をはじめとする合併症を診断することにある．よって画像所見としては帝王切開瘢痕に生じた血腫などを除くと産褥期特有の変化は少なく，ここでは多くの紙幅は割かないこととする．

　会陰裂傷（genital tract laceration）や頸管裂傷（cervical laceration）は経腟分娩の合併症として頻度の高いものであり，時に骨盤内血腫（intrapelvic hematoma）を形成する原因となる（図17）[35]．また帝王切開分娩（Cesarian section delivery）では切開部哆開が時に経験される．MRIは高いコントラストで血腫の分布を描出可能である（図18）．動脈性の重篤な出血であれば造影CT動脈優位相が造影剤の血管外漏出部として出血点を描出し，その後の塞栓術や動脈結紮術などに有用な情報をもたらす．骨盤内血腫が感染源となって産褥熱を発症することもあり，CTやMRIはこれに伴う炎症の広がりの把握にも有用である（図17, 19）．産褥期の骨盤内感染症は重症化すると敗血症を引き起こし，時に敗血症性骨盤静脈血栓症（septic pelvic thrombophlebitis）を合併する．米国での発生頻度は経腟分娩9,000例に1例，帝王切開800例に1例と報告されている．胎盤剝離面の細菌感染が子宮筋層内から卵巣静脈へ進展し，下大静脈や左腎静脈に至る広範な血栓性静脈炎へと進展する[34]．妊娠中の子宮は右方回旋することから，尿路と同じく静脈うっ滞も右側に好発し，右卵巣静脈血栓症は左の5倍多く発症する[36]．卵巣静脈血栓症はUSでは内腔の拡張を伴う内部エコーの存在もしくはドプラにおける血流信号の欠除として[37,38]，造影CTでは静脈内の陰影欠損として[36-38]（図20），T2強調像やSSFP，MR angiographyでは血管内の信号低下域として描出される．USでの検出率はドプラを併用しても特に左側で不良だが，非造影MRIと造影CTの診断能はほぼ同等とされている[37,38]．

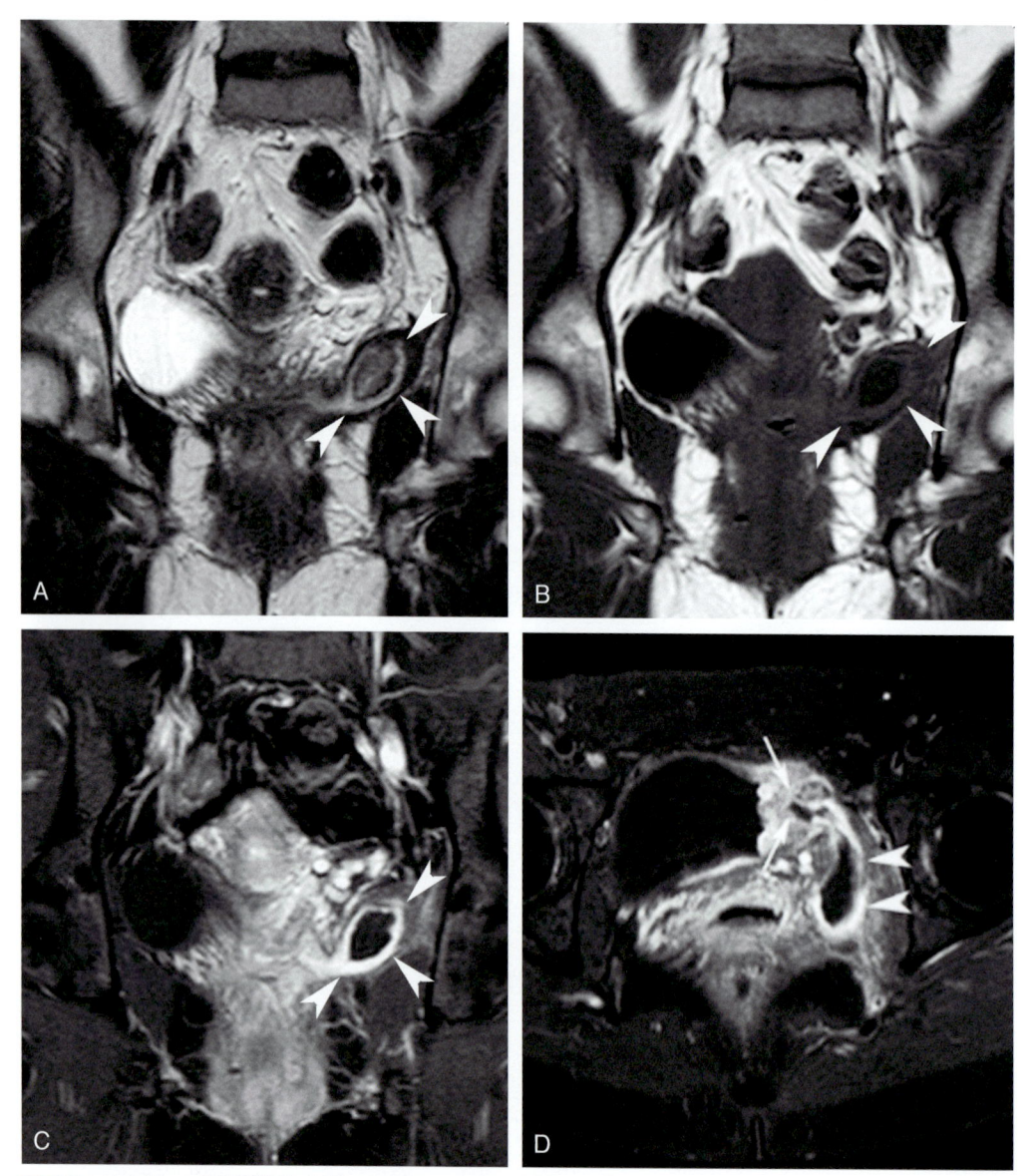

図17 38歳 会陰裂傷後血腫に起因する骨盤内膿瘍
A：T2強調冠状断像，B：T1強調冠状断像，C：造影脂肪抑制T1強調冠状断像，D：造影脂肪抑制T1強調横断像

骨盤底に壁の厚い嚢胞性腫瘤を認め，T2強調像で壁の最内層にヘモジデリン沈着と考えられる無信号域がある（A▲）。T1強調像では内容液は低信号（B▲）であるが，造影後は強く壁が増強されている（C, D▲）。これに先立つ出産時に会陰裂傷から切開ドレナージを要するほどの血腫を生じたとの既往があり，血腫に感染して膀胱との間に瘻孔を形成した（D→）と考えられる。

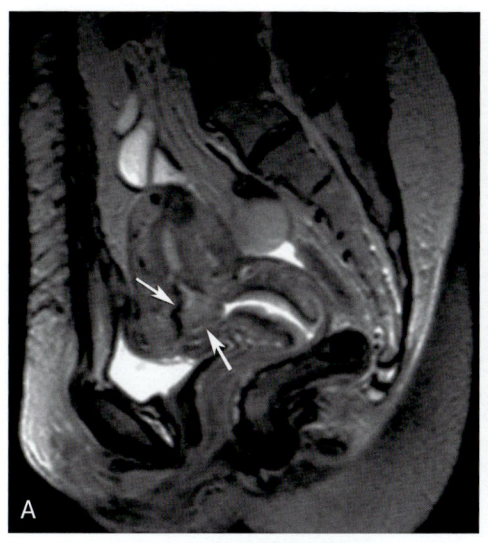

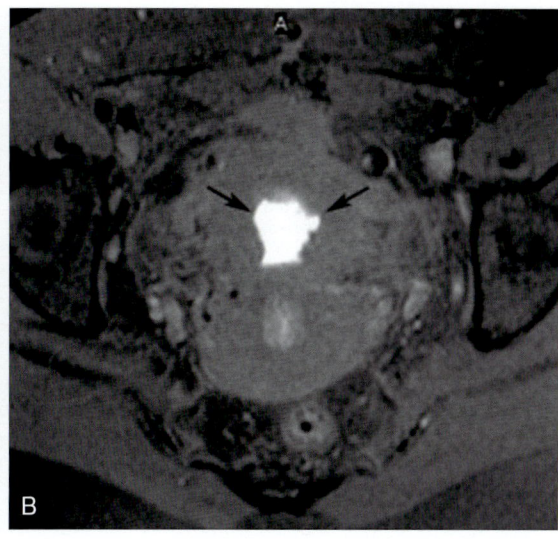

図18 40歳 帝王切開瘢痕部血腫
A：T2強調矢状断像，B：脂肪抑制T1強調横断像
帝王切開後，創部の痛みを主訴に受診．T2強調像で子宮峡部前壁筋層内に不均一な信号強度の腫瘤を認め（A→），脂肪抑制T1強調像で高信号を示した（B→）ことから亜急性期の血腫と考えられる．
（田中優美子ほか：術後合併症の画像診断：泌尿生殖器．臨放 48：377-384, 2003 より転載）

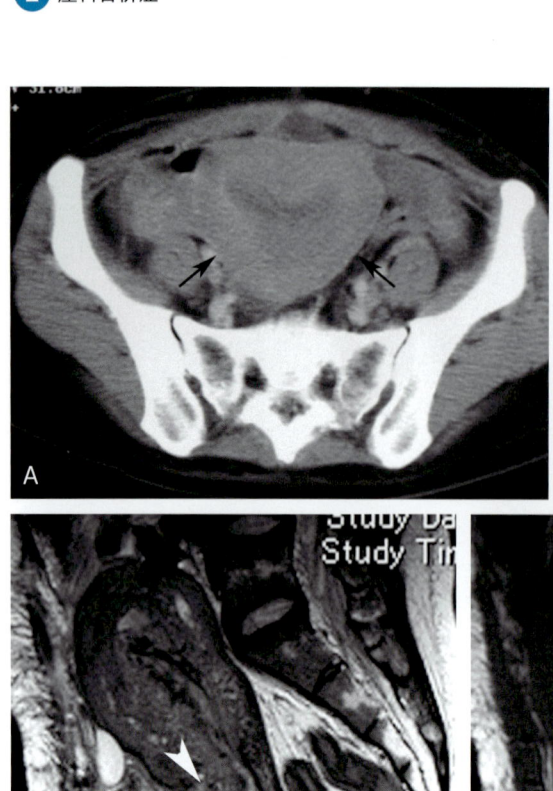

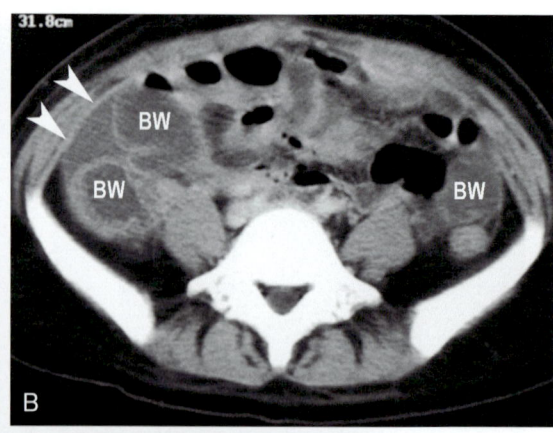

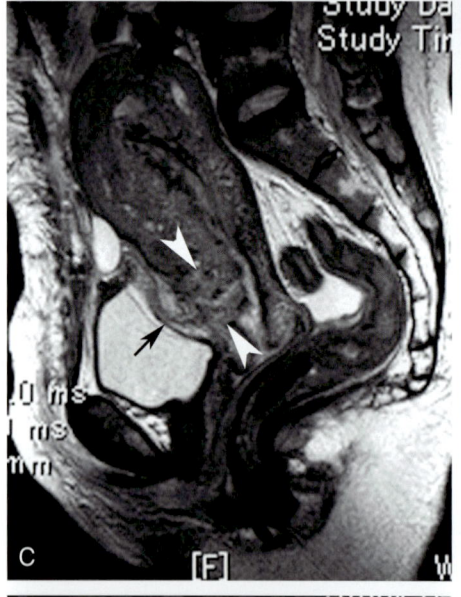

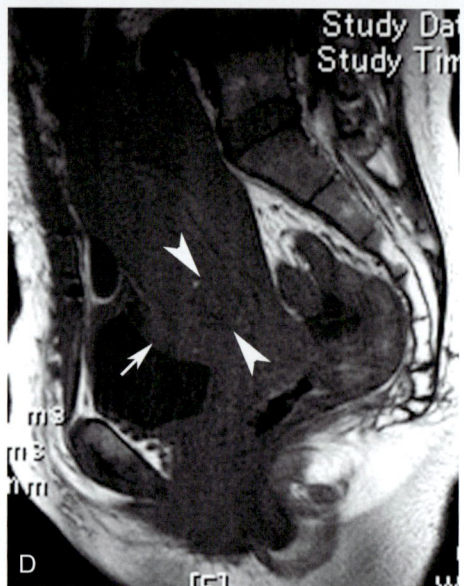

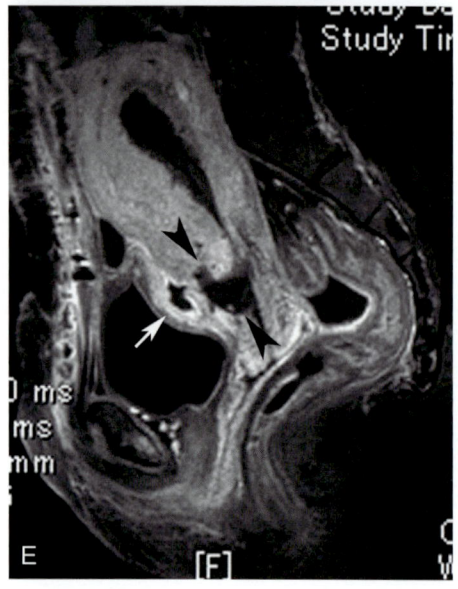

図19 38歳 帝王切開創部哆開，膿瘍形成

A，B：造影CT，C：T2強調矢状断像，D：T1強調矢状断像，E：造影脂肪抑制T1強調矢状断像

帝王切開分娩後，4日目から発熱。抗菌薬投与にて解熱しないため造影CTを施行したところ，子宮（A →）前壁と連続する腹膜外腔に炎症性の軟部組織の増生があり，腹水の貯留（B▲）と麻痺性イレウス（B，BW：拡張した腸管）を伴っていた。MRIでは帝王切開部の創が哆開（C～E▲）し，同部はT2強調像で不均一な高信号を示し（C →），造影剤により辺縁が増強される腫瘤により占められており（D，E →），創部に膿瘍を形成して周囲に炎症が波及したものと考えられた。

2. 産褥期の産科合併症

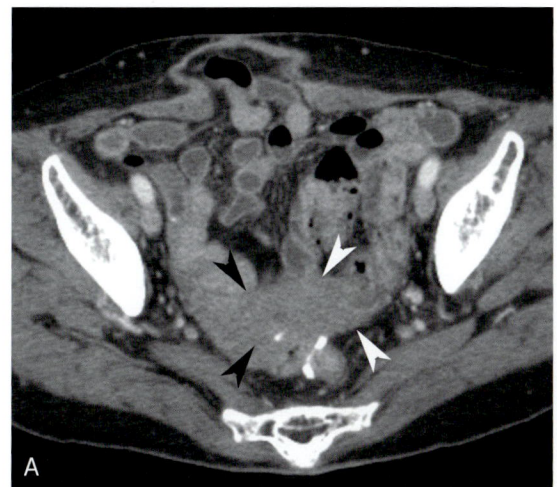

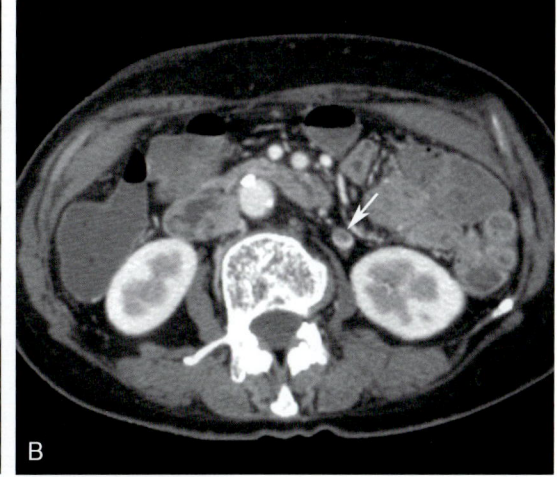

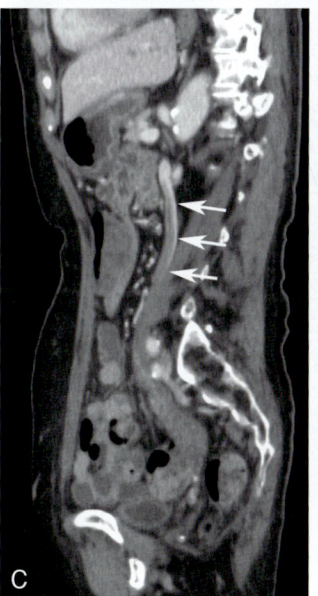

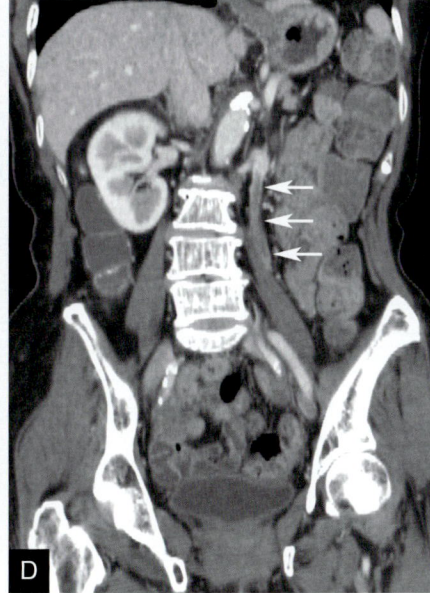

図20 79歳 敗血症性骨盤静脈血栓症（左卵巣静脈，非産褥期症例）
A, B：造影 CT, C：造影 CT 矢状断 MPR 像，D：造影 CT 冠状断 MPR 像
S 状結腸癌術後。造影 CT で結腸吻合部前方に位置する子宮は年齢不相応に腫大し，増強効果が低下している（A▲）。これと連続する左卵巣静脈に陰影欠損を認め（B→），左腎静脈流入部まで連続する（C, D→）。術後感染症に起因する敗血症性血栓症と考えられる。

文献

1) 高桑好一：妊娠初期出血・中期出血. 日産婦会誌 56：N-376-381, 2004
2) 山本樹生：異常妊娠：切迫流産, 流産. 日産婦会誌 59：N-664-666, 2007
3) Tuuli MG et al：Perinatal outcomes in women with subchorionic hematoma：a systematic review and meta-analysis. Obstet Gynecol 117：1205-1212, 2011
4) Maso G et al：First-trimester intrauterine hematoma and outcome of pregnancy. Obstet Gynecol 105：339-344, 2005
5) Nagy S et al：Clinical significance of subchorionic and retroplacental hematomas detected in the first trimester of pregnancy. Obstet Gynecol 102：94-100, 2003
6) Lettieri L et al：Incarceration of the Gravid Uterus. Obstet Gynecol Surv 49：640-646, 1994
7) Ntafam CN et al：Incarcerated gravid uterus：a rare but potentially devastating obstetric complication. Radiol Case Rep 17：1583-1586, 2022
8) Gardner CS et al：The incarcerated uterus：a review of MRI and ultrasound imaging appearances. AJR Am J Roentgenol 201：223-229, 2013
9) Hamrick-Turner JE et al：Gravid uterine dehiscence：MR findings. Abdom Imaging 20：486-488, 1995
10) Blaicher W et al：Magnetic resonance imaging of the normal placenta. Eur J Radiol 57：256-260, 2006
11) Palacios Jaraquemada JM, Bruno C：Gadolinium-enhanced MR imaging in the differential diagnosis of placenta accreta and placenta percreta. Radiology 216：610-611, 2000

12) Tanaka YO et al : High temporal resolution dynamic contrast MRI in a high risk group for placenta accreta. Magn Reson Imaging 19 : 635-642, 2001
13) Oyelese Y, Smulian JC : Placenta previa, placenta accreta, and vasa previa. Obstet Gynecol 107 : 927-941, 2006
14) 杉本充弘：異常妊娠；前置胎盤. 日産婦会雑 59：N-712-715, 2007
15) Palacios Jaraquemada, Bruno CH : Magnetic resonance imaging in 300 cases of placenta accreta : surgical correlation of new findings. Acta Obstet Gynecol Scand 84 : 716-724, 2005
16) Ishibashi H et al : Marginal sinus placenta previa is a different entity in placenta previa : a retrospective study using magnetic resonance imaging. Taiwan J Obstet Gynecol 57 : 532-535, 2018
17) Masselli G et al : MR imaging in the evaluation of placental abruption : correlation with sonographic findings. Radiology 259 : 222-230, 2011
18) Pritchard JA et al : Williams Obstetrics. Appleton-Century-Crofts, Norwalk, 1985
19) Fejgin MD et al : Ultrasonic and magnetic resonance imaging diagnosis of placenta accreta managed conservatively. J Perinat Med 21 : 165-168, 1993
20) Levine D et al : Placenta accreta : evaluation with color Doppler US, power Doppler US, and MR imaging. Radiology 205 : 773-776, 1997
21) Kirkinen P et al : Placenta accreta : imaging by gray-scale and contrast-enhanced color Doppler sonography and magnetic resonance imaging. J Clin Ultrasound 26 : 90-94, 1998
22) Maldjian C et al : MRI appearance of placenta percreta and placenta accreta. Magn Reson Imaging 17 : 965-971, 1999
23) Lax A et al : The value of specific MRI features in the evaluation of suspected placental invasion. Magn Reson Imaging 25 : 87-93, 2007
24) Ha TP, Li KC : Placenta accreta : MRI antenatal diagnosis and surgical correlation. J Magn Reson Imaging 8 : 748-750, 1998
25) Jha P et al : Society of Abdominal Radiology (SAR) and European Society of Urogenital Radiology (ESUR) joint consensus statement for MR imaging of placenta accreta spectrum disorders. Eur Radiol 30 : 2604-2615, 2020
26) Morita S et al : Feasibility of diffusion-weighted MRI for defining placental invasion. J Magn Reson Imaging 30 : 666-671, 2009
27) Baergen RN : Pathology of the Umbilical Cord. Manual of Pathology of the Human Placenta, 2nd ed, p247-277, Springer, 2011
28) Fadl S et al : Placental imaging : normal appearance with review of pathologic findings. Radiographics 37 : 979-998, 2017
29) Swan RW, Woodruff JD : Retained products of conception : histologic viability of placental polyps. Obstet Gynecol 34 : 506-514, 1969
30) Noonan JB et al : MR imaging of retained products of conception. AJR Am J Roentgenol 181 : 435-439, 2003
31) Tanaka YO et al : Postpartum MR diagnosis of retained placenta accreta. Eur Radiol 14 : 945-952, 2004
32) Takahama J et al : Retained placental tissue : role of MRI findings in diagnosis and clinical assessment. Abdom Imaging 36 : 110-114, 2011
33) Kido A et al : Retained products of conception masquerading as acquired arteriovenous malformation. J Comput Assist Tomogr 27 : 88-92, 2003
34) 武内享介，丸尾 猛：産科感染症の管理と治療. 日産婦会誌 60：N-117-123, 2008
35) Hobel CJ, Lamb AR : Obstetric Hemorrhage : Antepartum, Intrapartum, and Postpartum, Hacker NF et al eds ; Hacker & Moore's Essentials of Obstetrics and Gynecology, 6th ed. p136-146, Elsevier, Philadelphia, 2016
36) Savader SJ et al : Puerperal ovarian vein thrombosis : evaluation with CT, US, and MR imaging. Radiology 167 : 637-639, 1988
37) Twickler DM et al : Imaging of puerperal septic thrombophlebitis : prospective comparison of MR imaging, CT, and sonography. AJR Am J Roentgenol 169 : 1039-1043, 1997
38) Kubik-Huch RA et al : Role of duplex color Doppler ultrasound, computed tomography, and MR angiography in the diagnosis of septic puerperal ovarian vein thrombosis. Abdom Imaging 24 : 85-91, 1999

III 妊娠中の母体合併症

Summary

- 子宮の急激な増大に伴い筋腫は赤色変性をきたし，急性腹症の原因となる。MRIでは閉塞した子宮静脈内の血栓がT1強調像で高信号，T2強調像で低信号の輪状域としてみられる。
- 胎盤腫瘍では胎盤血管腫の頻度が高く，胎児面に境界明瞭な円型の腫瘤を形成する。
- 妊娠中は急激なhCGの増加をはじめとする内分泌環境の変化に伴い，卵巣に妊娠黄体の持続など非腫瘍性の変化を生じることがある。
- 虫垂炎は子宮の増大に伴う上方偏位，生理的白血球増多のために，尿管結石は生理的水腎症のため診断が困難となる。
- 子癇は画像的にはPRESとして表現され，典型的には後方循環領域，基底核領域に好発する可逆性の脳浮腫である。
- 急激な循環血液量の増加に妊娠高血圧症が加わると，妊娠後期から産褥期に子癇のみならず脳血管障害のリスクが増し，子癇との鑑別を要する。妊娠中の脳梗塞は凝固能の亢進に伴う硬膜静脈洞血栓症をはじめとする静脈閉塞によることが多く，動脈支配に一致しない領域の出血性梗塞として表現される。

妊娠中の母体には単に子宮の増大（図1）のみならず，様々な生理的変化を生じる[1-3]。このために非妊娠時にも起こりうる疾患に罹患頻度の増加や妊娠中特有の変化を生じたり，非妊娠時に比べ診断が困難になる場合がある。本項では，代表的な疾患について妊娠が与える影響について画像を中心に論じていきたい。

1. 子宮付属器疾患

妊娠の進行とともに子宮は徐々に増大し，子宮底の位置は図1のように変化する。このため子宮筋層は伸展されて菲薄化し，筋層内の静脈では血流がうっ滞して閉塞のリスクが高くなる。子宮筋腫は血流に富む腫瘍であり，導出静脈の閉塞による血流のうっ滞は静脈性梗塞を招来する。これは肉眼的には筋腫核が赤色調を呈することから以前は赤色変性（red degeneration）とよばれていたが，現WHO分類第5版では卒中性平滑筋腫とされている[4]（p143；p145図14参照），妊娠中の急性腹症として頻度の高い病態である[5]。妊娠中，筋腫の約10％が静脈性梗塞をきたすとされる[6]。MRIでは筋腫の辺縁部で血栓閉塞した末梢子宮静脈がT1強調像で高信号，T2強調像で低信号の輪状構造として描出され[7]，時間経過とともに筋腫核そのものも出血壊死により，

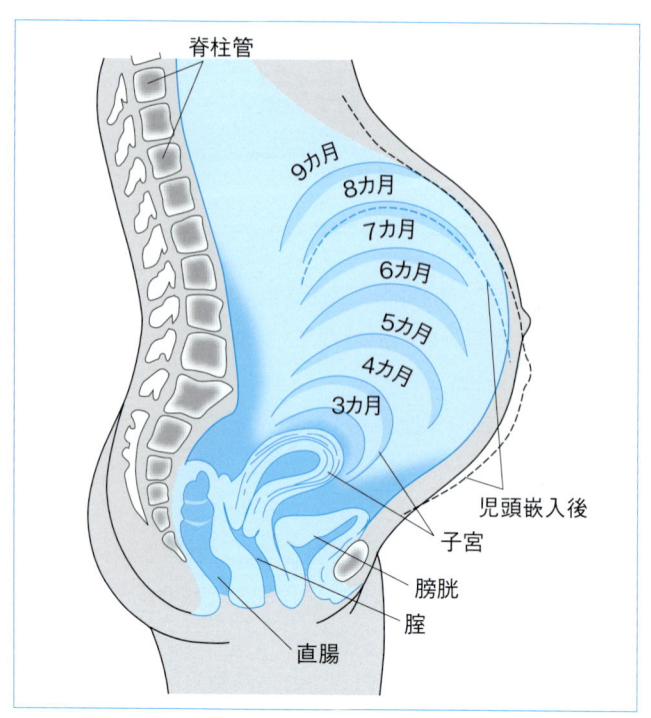

図1　妊娠の進行に伴う子宮の大きさと子宮底の位置の変化

T1強調像で高信号，T2強調像で低信号を示すようになる．妊娠中の造影剤の投与は極力避けなければならないが，分娩後に確認すると筋腫核全体がグローバルな壊死に陥るので，筋腫核はまったく増強されない（図2）．

妊娠中に形成される胎盤には腫瘍が発生しうる．胎盤の非絨毛性腫瘍のうち原発性胎盤腫瘍としては血管腫（placental chorioangioma）が圧倒的多数を占め，生児分娩500〜16,000例に1例の頻度とされる[8]．病理組織学的にはほとんどが毛細血管腫である[9]．正常胎盤の血流をstealするために母児に種々の合併症を生じ，胎児側では羊水過多，胎児水腫，胎児心拡大，子宮内発育遅延，母体側では早産，血小板減少，子癇，血清AFPの上昇などが報告されている[9)10]．典型的にはUS上，臍帯付着部に近い胎児面に生じ，境界明瞭な円型の腫瘤として観察される（図3, 4）．MRIではT1強調像で胎盤と等信号だが辺縁に出血を反映した高信号域を伴うことが多く，T2強調像では胎盤と同程度に高信号を示す[11]（図3）．T2強調像でも辺縁に低信号域として出血が観察されることもある[12]．分娩後も胎盤が娩出されなかった自験例では，ほかの領域の血管腫と同様，漸増性に増強されている（図4）．血管腫以外に胎盤に発生する腫瘍としては奇形腫（placental teratoma）[13]，転移性腫瘍（metastatic placental tumor）が知られ，転移の原発巣としては母体由来では悪性黒色腫，乳癌，胎児由来では神経芽腫，白血病の頻度が高い[8)9]．

妊娠中に発見される付属器腫瘤の頻度は報告により異なるが全妊娠の1%程度，その多くは後述する非腫瘍性病変で，腫瘍では成熟奇形腫の頻度が高く，悪性腫瘍は5,000〜18,000分娩に1例とまれである[14]．これらの腫瘍の大部分は妊娠初期に発見され，半数以上は5cm以下と小さいものだが，時に10cmを超えるものもみられる．小さな腫瘤では妊娠・分娩の進行に悪影響を

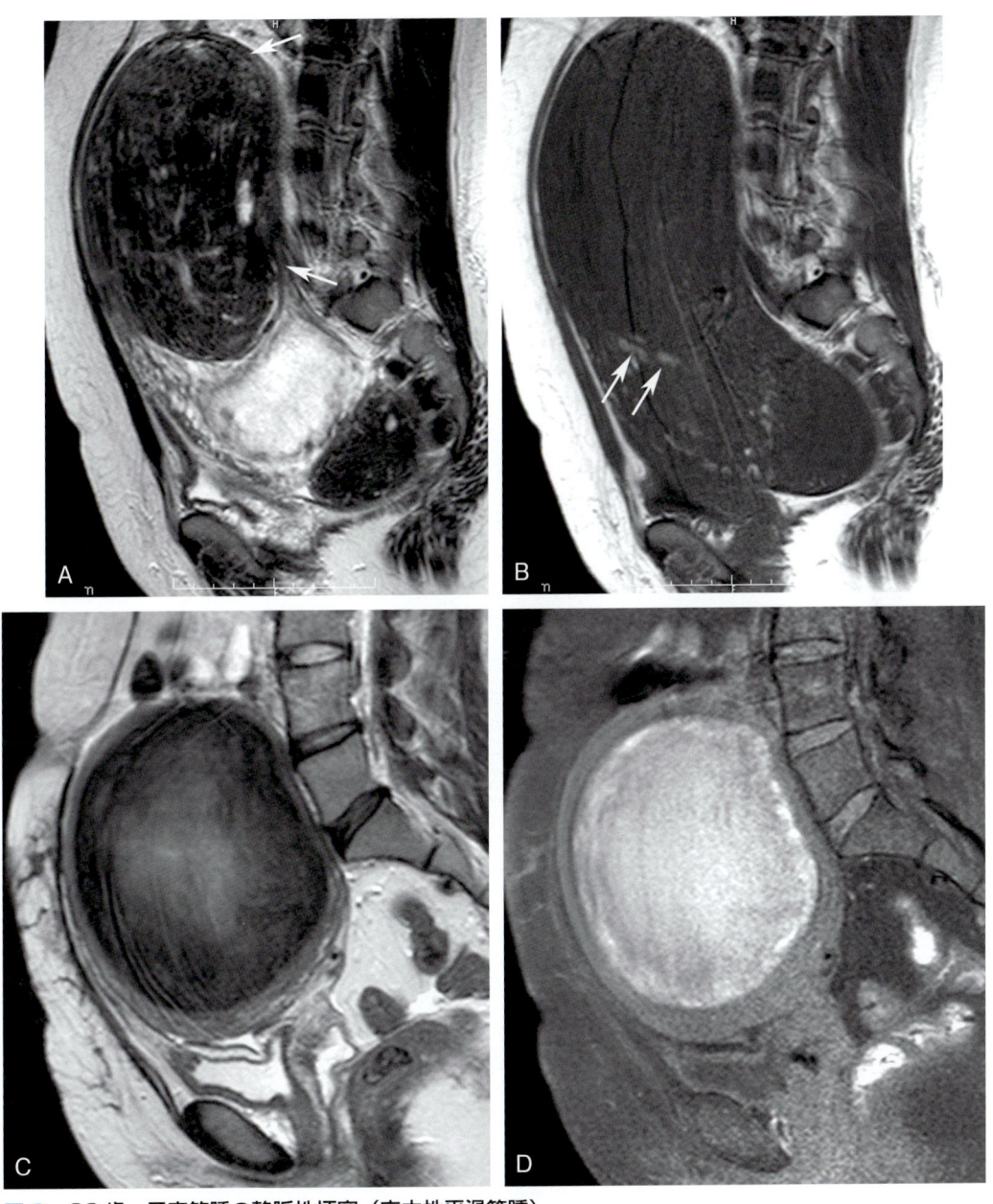

図2 32歳 子宮筋腫の静脈性梗塞（卒中性平滑筋腫）
A：妊娠中T2強調矢状断像，B：妊娠中T1強調矢状断像，C：分娩後T2強調矢状断像，D：分娩後脂肪抑制T1強調矢状断像
妊娠13週時，腹痛の原因検索のために施行したT2強調像で子宮前壁に筋腫（A→）を認め，T1強調像ではこれに近接する筋層内の脈管に血栓を示唆する高信号を認めた（B→）。分娩後の再検査で筋腫はT2強調像で低信号（C），脂肪抑制T1強調像で高信号（D）となり，増強効果はまったくみられない（E）。核出された筋腫の割面（F）は出血壊死を反映して赤色調を呈している。
（A〜Eは，田中優美子ほか：異常妊娠と妊娠に伴う母体の異常：胎盤の異常を含めて．画像診断 27：802-810，2007より転載）

Ⅲ 妊娠中の母体合併症

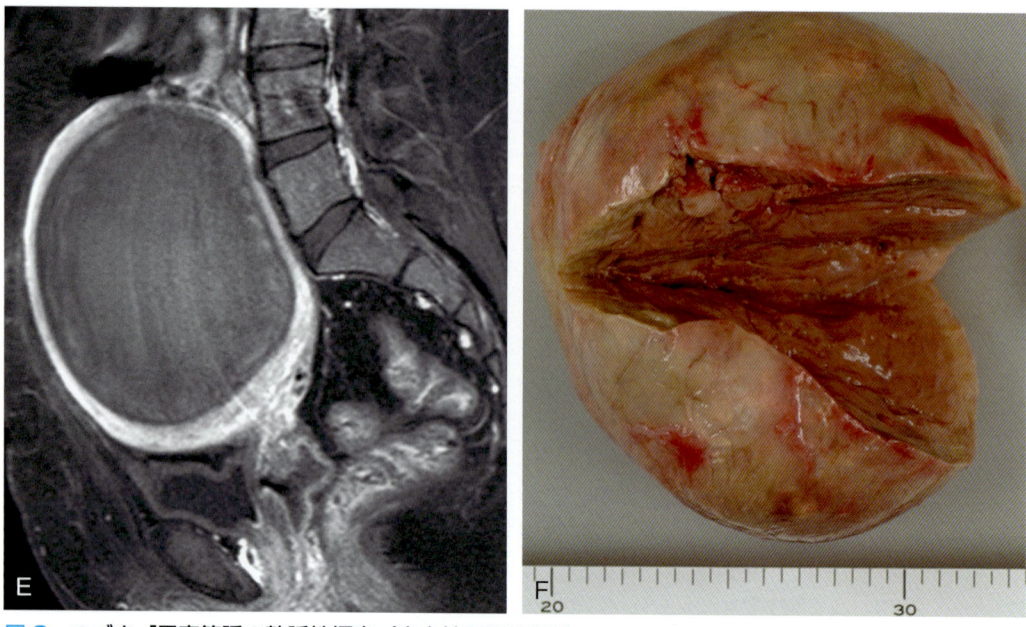

図2 つづき［子宮筋腫の静脈性梗塞（卒中性平滑筋腫）］
E：分娩後造影脂肪抑制T1強調矢状断像，F：摘出標本肉眼像

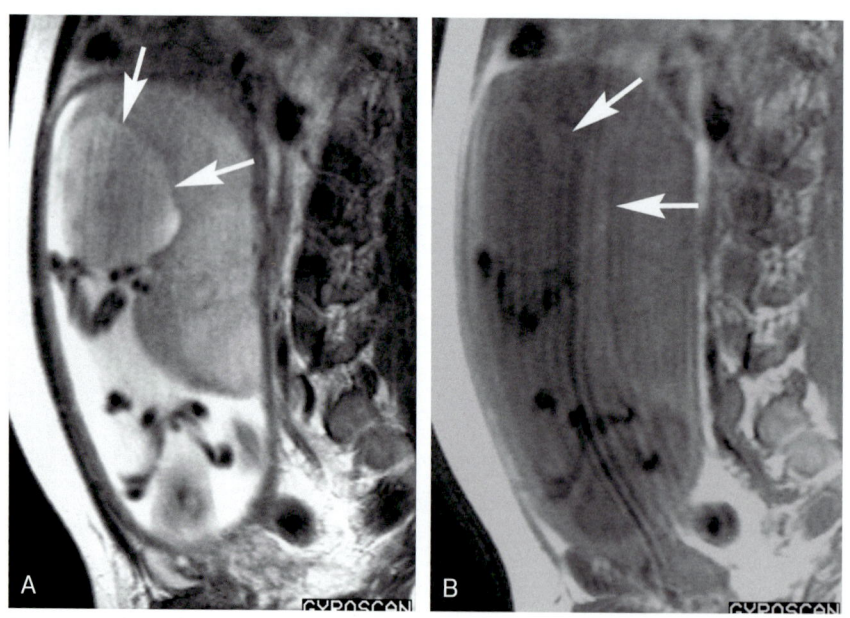

図3 36歳 妊娠22週，胎盤血管腫
A：T2強調矢状断像，B：T1強調矢状断像
胎盤の胎児面に接してT2強調像で胎盤よりも高信号（A），T1強調像で胎盤とほぼ等信号（B）の境界明瞭な球形の腫瘤（→）を認める。胎児水腫のため死産となり，分娩後に血管腫と確認された。
（今岡いずみ，坪山尚寛，田中優美子 編著：婦人科MRIアトラス 改訂第2版．p154, 学研メディカル秀潤社，2019より転載）

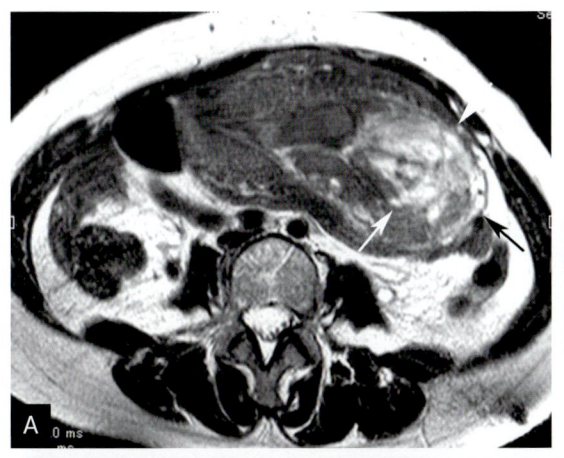

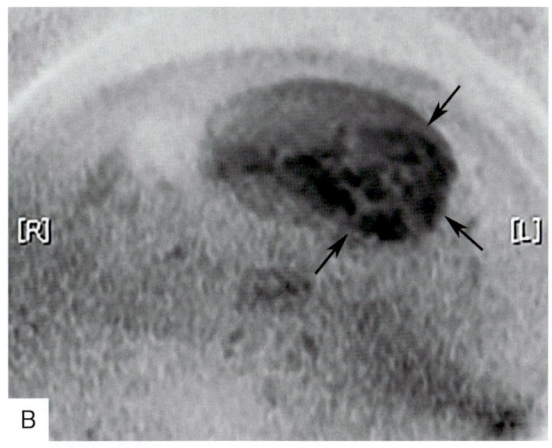

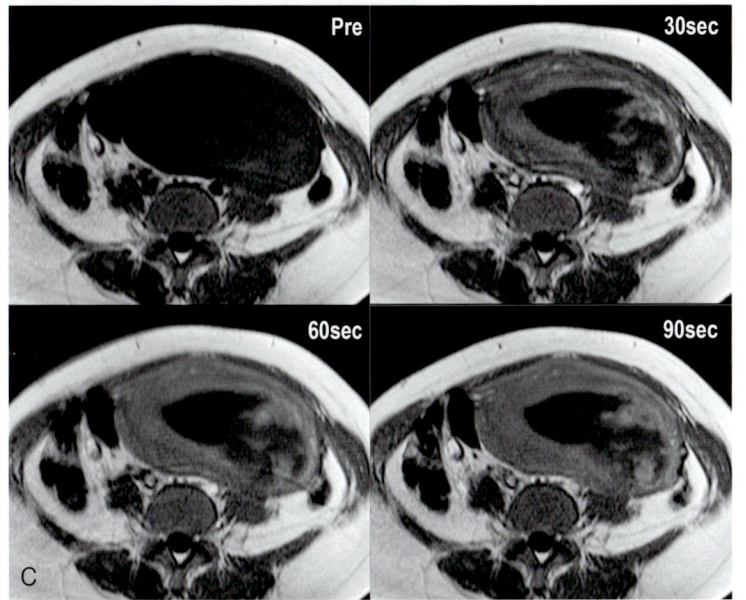

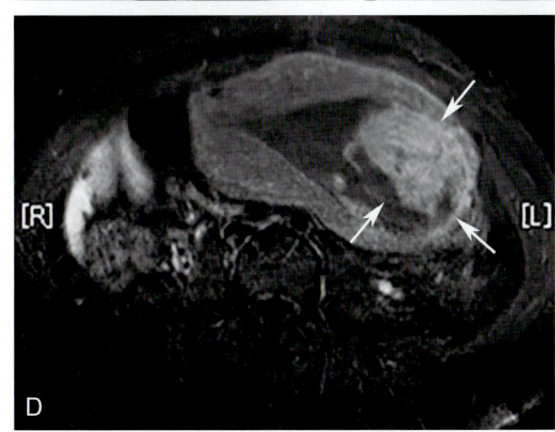

図4 37歳　胎盤血管腫

A：T2強調横断像，B：拡散強調横断像，C：ダイナミックMRI横断像，D：造影脂肪抑制T1強調横断像

妊娠39週で正常分娩後，胎盤が娩出されないため，児の娩出後約10時間で検査を行った。T2強調像で周囲に遺残する胎盤や血腫より高信号のやや境界不明瞭な腫瘤（A→）が子宮体部左前壁に付着しており，拡散強調像では軽い異常信号を示す（B→）。造影後は緩徐に増強され（C），平衡相では子宮筋層より強く均一に増強されている（D→）。性状としては遺残胎盤と類似しており，妊娠中からUSで腫瘤を認めていたとの病歴がなければ鑑別は難しい。

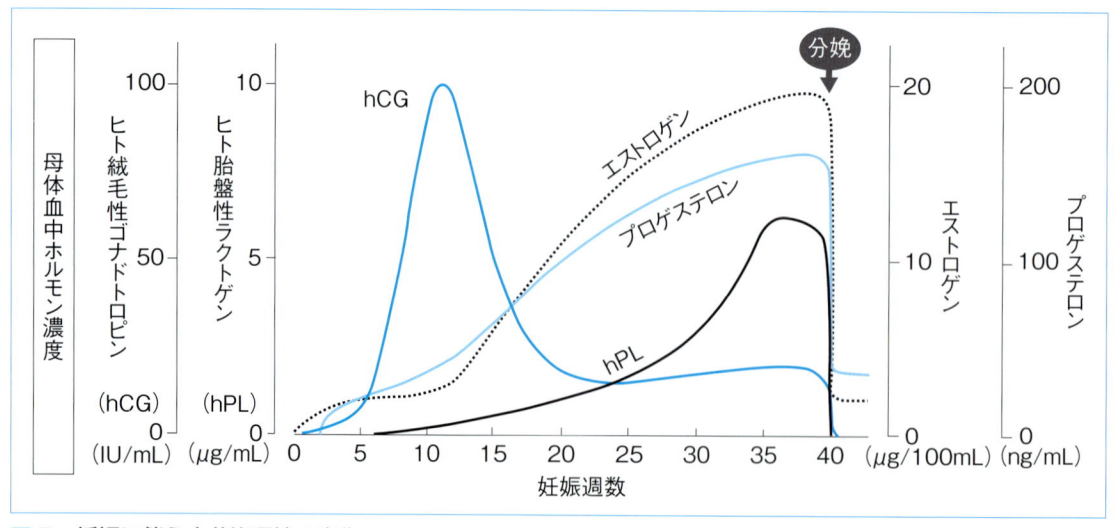

図5 妊娠に伴う内分泌環境の変化

妊娠中，妊娠の維持に寄与するエストロゲンとプロゲステロンは週数の進行とともに増加するのに対し，胎盤で産生されるhCGは，妊娠初期には妊娠黄体を刺激してエストロゲン，プロゲステロンの産生を促すために増加する．しかし胎盤の成熟とともにこれらのホルモンの産生部位は胎盤へと移行するので，妊娠中期以降はhCG値も急激に低下する．

(医療情報科学研究所 編：病気がみえる vol.10 産科，第4版，p34，メディックメディア，東京，2018より改変引用)

及ぼす頻度は低く，妊娠初期に発見される腫大した妊娠黄体の70％は妊娠中期に縮小する[15]こともあり，経過観察が基本となる[16]が，後述する茎捻転などの合併症を併発した場合には，あえて妊娠中に手術が行われる．

妊娠中，妊娠の維持に寄与するエストロゲンとプロゲステロンは週数とともに増加するのに対し，胎盤で産生されるhCGは，妊娠初期には妊娠黄体を刺激してエストロゲン，プロゲステロンの産生を促すために増加するが，胎盤の成熟とともにこれらのホルモンの産生部位は胎盤へと移行するので，hCG値も急激に低下する（図5）[2]．胎盤での女性ホルモン産生が開始されるまでの間，高濃度のhCGに曝露され続けた卵巣は，非妊娠時であれば黄体化莢膜細胞の過形成により非腫瘍性に増殖して腫瘤を形成しうる．これを医原性に起こしたものが卵巣過剰刺激症候群（ovarian hyper stimulation syndrome：OHSS）であり，病理組織学的には黄体化莢膜細胞が形成する多房性囊胞で，黄体化過剰反応として知られる（p595；p596〜597 図4〜6参照）．これに対し正常妊娠中の黄体は通常巨大化することはないが，これが極端に大きくなってしまったものが妊娠性大型孤在性黄体化卵胞囊胞（large solitary luteinized follicle cyst of pregnancy）であり，『卵巣腫瘍・卵管癌・腹膜癌取扱い規約 病理編 第2版』では「腫瘍様病変」に分類される[17]（p595 図3参照）．病理組織学的には黄体化莢膜細胞の過形成からなる妊娠黄体腫（pregnancy luteoma）も同様の病理組織からなるが，こちらは全体が充実性で，時に機能性で母児に男化徴候をきたすことがある[17]．Kaoらは両側卵巣の皮質領域に多発するT1強調像でやや高信号，T2強調像で低信号の結節であると報告している[18]．前述の黄体化過剰反応（hyperreactio luteinalis）も時に妊娠中にも発症することがある[17)19-21]．原因は明らかでないが，多胎妊娠，凍結胚移植，胎児水腫，母体腎不全[22]などとの合併も報告されている．画像的には壁の薄い多数

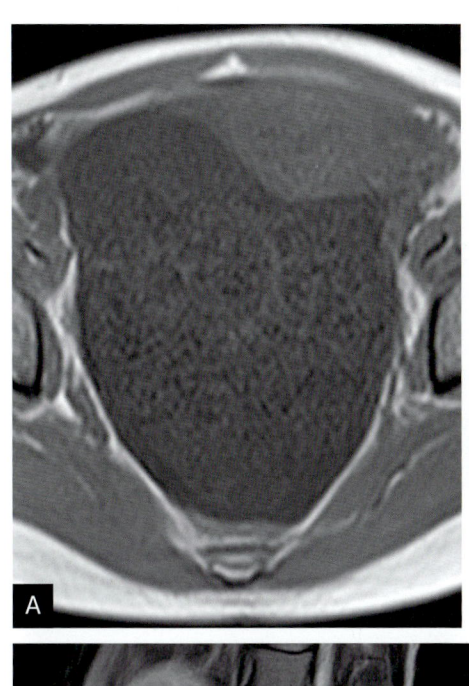

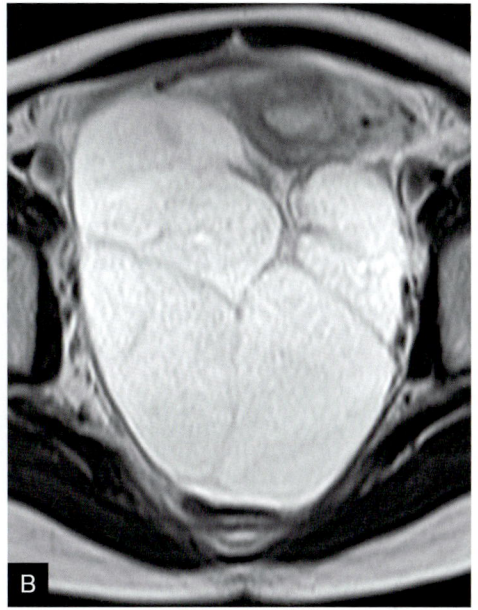

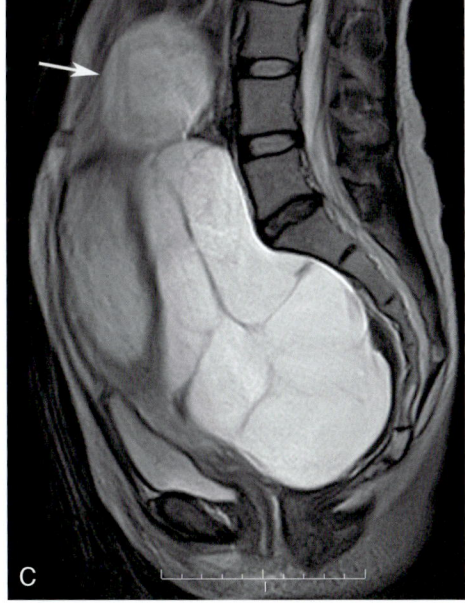

図6 32歳 妊娠14週，黄体化過剰反応
A：T1強調横断像，B：T2強調横断像，C：T2強調矢状断像
卵巣腫瘍疑いにて紹介された。子宮の背側（A, B）とその頭側（C→）に各々多房性嚢胞性腫瘤を認め，各loculusは比較的均一な信号強度を呈し，嚢胞間を境する隔壁はT2強調像で信号が低く車輻状を呈する。不妊治療の既往はなく，診断時の血中hCG値も週数相当であり，過剰反応の原因は明らかでない。

の嚢胞が集簇して車輻状（spoke wheel appearance）を呈する[19-21]（図6）。

　図1に示した子宮の増大とともに卵巣も上方に偏位するが，急激な局在の変化は卵巣茎捻転のリスクを増加させる。ことに妊娠初期には黄体が生理的に増大し，捻転しやすい大きさ（径10 cm前後）にまで発育するので，非腫瘍性に腫大した卵巣が茎捻転を起こすことがある。妊娠中の茎捻転の頻度は卵巣腫瘤合併妊娠中の10〜15％とされ[14]，非妊娠時と同じく，S状結腸間膜による支持のない右側で多い[15]。USによる診断は非妊娠時でも難しく，カラードプラでの卵巣実質内の血流の途絶は診断的価値の高い所見であるが感度が低く，しばしばMRIに診断が

委ねられることになる[15]。卵巣茎捻転の MRI 所見は第 10 章で述べた通り，捻転により短縮した卵巣間膜や卵巣提索により形成されたねじれた軟部組織や子宮の患側偏位といった直接所見を描出することに加え，捻転による阻血で生じた梗塞の所見を捉えることに尽きる。すなわち，出血性梗塞による壁の偏心性肥厚や壁内・囊胞内への出血，拡散制限などである（p728；p729～735 図 1～5 参照）。

妊娠が成立すると hCG の作用により子宮内膜腺細胞は細胞質が淡明で豊富となり，ホブネイル（鋲釘）細胞（hobnail cell）も認めるようになる。これがアリアス・ステラ反応（Arias-Stella reaction）で，間質には脱落膜化（deciduosis）を生じる。画像的には子宮内膜が T2 強調像でさらに高信号化して肥厚する（p819～820；p822 図 4 参照）。子宮内膜症合併妊娠ではこの現象は異所性内膜でも認められ，子宮内膜症に合併した卵巣癌の所見と鑑別を要することはすでに第 5 章で述べた（p177；p183～184 図 24～25 参照）。

2. 妊婦の急性腹症

妊娠中に急激な腹痛を生じうる疾患は枚挙に暇がないが，主な原因として**表 1**のような疾患が挙げられる[23]。本項ではこのなかから画像診断が特に有用なものを抜粋して解説する。

急性虫垂炎（acute appendicitis）は妊婦の急性腹症のうち最も重要な疾患の 1 つで，罹患頻度は 15,000 分娩に 1 例とされる。発症時期は妊娠第 2 三半期が最も多い[24]。症状は非妊娠時と同様，嘔気・嘔吐を伴う心窩部痛に始まり，徐々に右下腹部に痛みが限局していくとされる。しかし子宮の増大とともに虫垂も上方へ偏位する（図 7）ため，非妊娠時に診断の指標となる McBurney の圧痛点は役に立たず，腹膜刺激症状にも乏しいことが多く，理学的所見による診断が難しい。また妊娠中は生理的白血球増多がみられるので，炎症反応からも診断が困難となる[25]。TAUS は非妊娠時には有用な診断ツールであり，US における虫垂炎の診断は径 6 mm 以上の，圧迫により虚脱しない虫垂の描出をもってなされる[26]。非妊娠時の虫垂炎の診断能は US で感度 83～88％，特異度 78～84％ であるのに対し，CT では感度 91～95％，特異度 93～96％ で CT が優るとされている[27]。ことに妊娠中は術者の技量に左右されることがより多くなり，虫垂の描出率も低く[28]，診断に役立たないことも多い[29]。しかし胎児に対する放射線被曝は避けるに越したことはないため，近年は MRI での検索が推奨されている[28-30]。CT や MRI での虫垂炎の診断基準は 6～7 mm 以上の虫垂の腫大，2 mm 以上の虫垂壁の肥厚，虫垂周囲の腹腔内脂肪織の濃度上昇とした報告が多い[27][28][31]（図 8）。MRI ではやはり高速撮像法が診断に有用で，初期の報告では SSFSE[28][30] による T2 強調像が用いられていたが，近年はより高速にコントラストの良好な画像を得られる SSFP が多用されている[32]。

妊娠中の腸閉塞（bowel obstruction）の頻度は非妊娠時と差はないと考えられている。妊娠中も閉塞の原因としては帝王切開を含む，以前の手術による癒着（図 9）が最も多く，盲腸の軸捻がこれに次ぐ。ただし妊娠中には癒着に起因しない腸閉塞も起こりうるので注意が必要である[33]。

子宮の増大に伴う胆汁うっ滞により妊娠中は胆石（gall stones）の頻度が増大し，妊婦の 2.5

表1 妊娠産褥期の腹痛の原因疾患[23]

妊娠に関連した病態	子宮・付属器に起因するもの	異所性妊娠 切迫流早産 切迫子宮破裂 常位胎盤早期剝離 絨毛膜羊膜炎
	その他	HELLP症候群 急性脂肪肝
妊娠に関連しない病態	消化器疾患	急性虫垂炎 胆石・胆嚢炎 急性膵炎 消化管閉塞 炎症性腸疾患 憩室炎（特にMeckel憩室炎） 消化性潰瘍穿孔 C. difficile 感染症（結腸炎）*
	腎泌尿器疾患	尿路感染症 尿路結石
婦人科疾患		子宮筋腫の静脈性梗塞（卒中性平滑筋腫） 卵巣茎捻転 卵巣囊腫破裂 骨盤内感染症 敗血症性骨盤静脈血栓症* 子宮内膜炎*

＊は妊娠中よりも産褥期に多いものを示す。

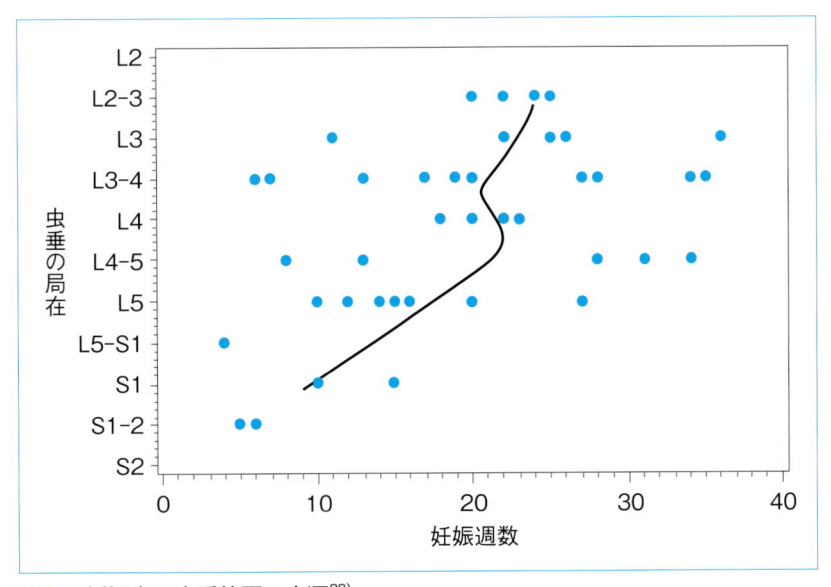

図7 妊娠中の虫垂位置の変遷[28]
MRIで実際に計測された虫垂の位置は週数に従って急激に挙上する。
L：腰椎，S：仙骨

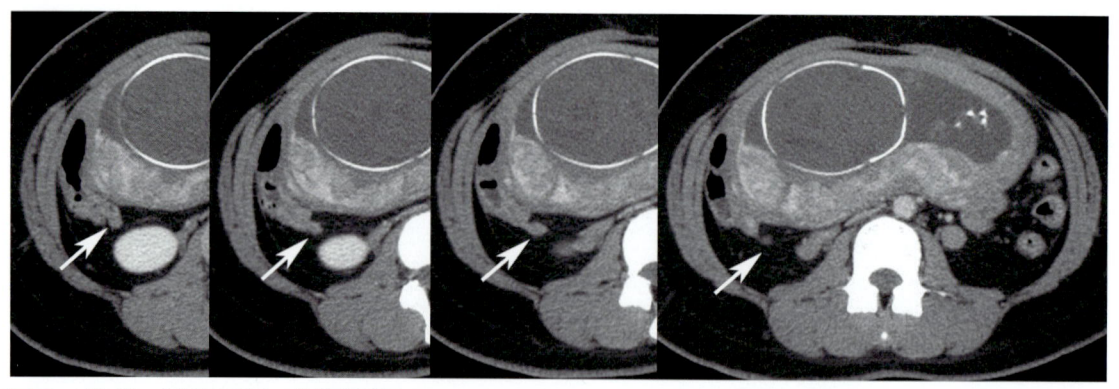

図8 31歳 妊娠26週，急性虫垂炎
心窩部に間欠的な疼痛があり，白血球21,500/μLと上昇し，虫垂炎が疑われた。造影CT（4mm間隔で提示）上，虫垂（→）は盲腸の内側縁から下行するが，径7.5mmと正常上限を超えて腫大している。虫垂結石はなく，周囲脂肪織の濃度上昇も軽度で，比較的軽症の虫垂炎である。

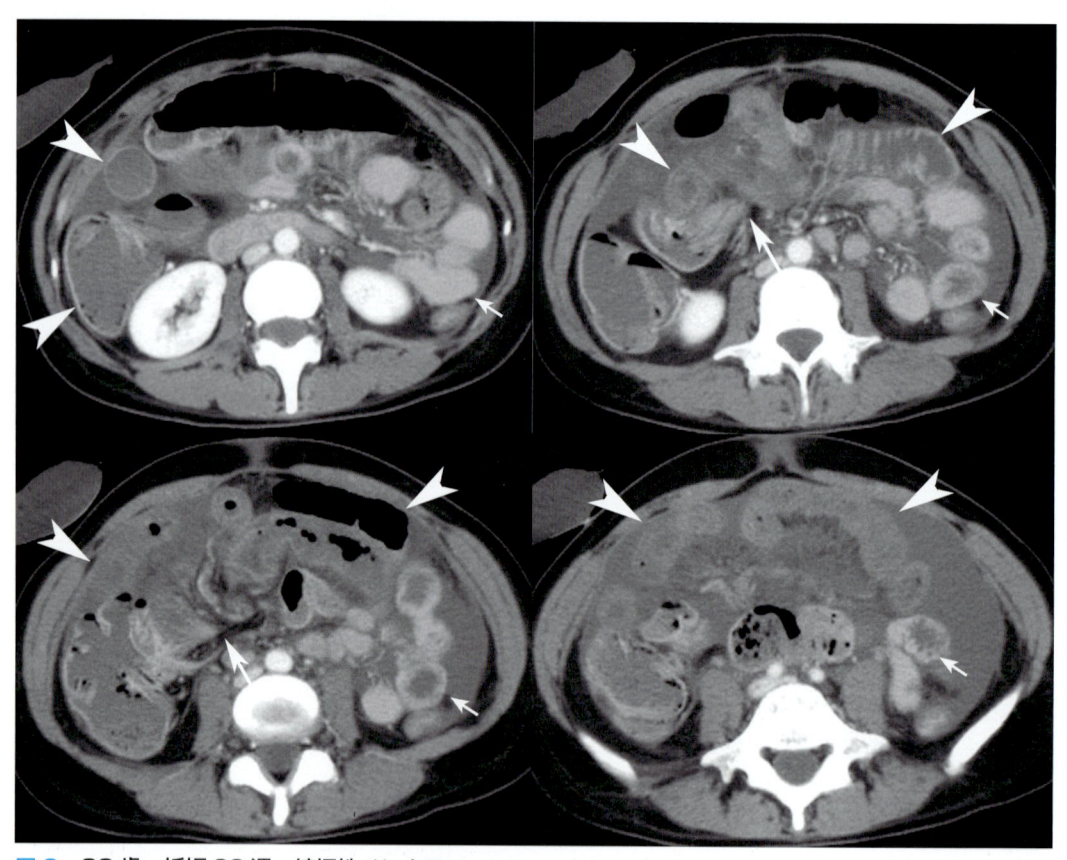

図9 33歳 妊娠26週，絞扼性イレウス
急性腹症で前医にて保存的に治療中，子宮内胎児死亡となったため搬送。前医の単純CTでclosed loop obstructionが疑われたため，分娩後に造影CTを施行した。十二指腸や左側腹部の近位空腸は壁がよく増強されている（小→）が，回腸から右半結腸は内腔が拡張し，壁の増強効果は不良で，一部壁の肥厚もみられる（▲）。遠位回腸に嘴状の内腔の狭窄部（→）があり，これを閉塞点としてclosed loopを形成し，腸管が虚血に陥っている。開腹時，虫垂と回腸が癒着し，これを閉塞点として絞扼性イレウスを起こしていた。

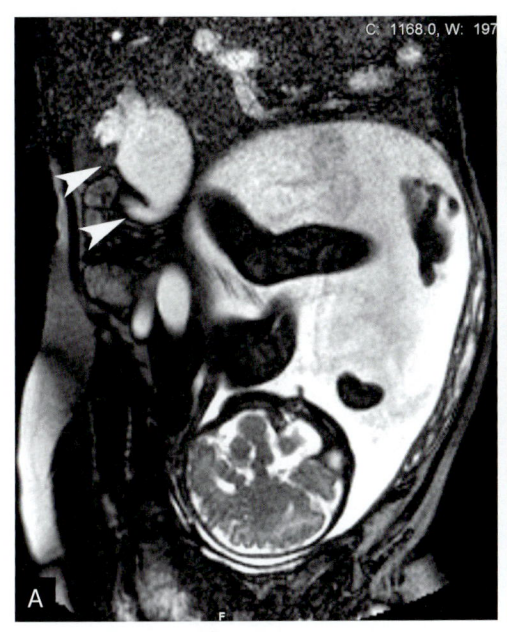

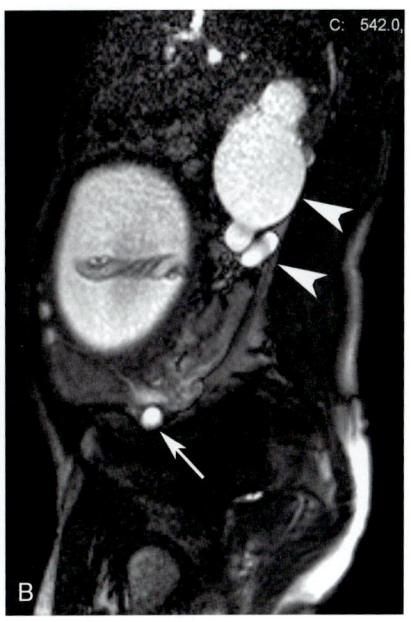

図 10　33 歳　妊娠 35 週，右水腎症
A：SSFP 冠状断像，B：SSFP 矢状断像
右腎盂腎杯および上部尿管は著しく拡張して蛇行している（▲）。1 スライスでは連続性が不明瞭だが，拡張した骨盤入口部で子宮と骨盤壁の間に挟まれて途絶し（B →），同部に閉塞点がありそうだが，結石を示唆する信号欠損は明らかとならない。

～10％に発見される。無症候性胆石に治療適応はないが，妊娠中の急性胆嚢炎（cholecystitis）の頻度も増加し約 1,000 分娩に 1 例と報告されている。胆石の 96％ は US で診断可能であり，CT や MRI の適応は原則的にない。急性膵炎（acute pancreatitis）も非妊娠時に比べ妊娠中の発症頻度は変わらず，1,500～3,300 分娩に 1 例とされている[33]。非妊娠時と異なり，アルコールに起因するものは少ない。

　子宮の尿管圧迫による上部尿路の拡張は，妊娠中生理的に生じる変化であり，妊娠中に増加する性腺刺激ホルモンやプロゲステロンの尿路平滑筋の弛緩作用により増強される。尿路狭窄は S 状結腸間膜により保護される左に比べ，右でより高度になる傾向がある。狭窄点は骨盤入口部で，これによる尿流うっ滞は尿路感染症（urinary tract infections）や尿路結石（urolithiasis）のリスクを増す[34]。尿路感染症の診断は尿所見によりなされるが，結石の検索には US や MRI が有用である。しかし US で結石を直接描出することはかなり難しく，上部尿路の拡張の程度から器質的閉塞の有無を類推する以外にないことも多い[35]。非妊娠時の MRI による尿路の検索では 2D もしくは 3D MR urography（MRU）が行われる[36]が，妊娠中は大量の羊水が存在するために，2D MRU では羊水と拡張した尿路の重なりのために良好な画像を得られないことも多い。これに対し 3D MRU では尿路の拡張は US より鋭敏に描出することができるが，閉塞原因の同定に関してはあまり芳しくなく，特に峡角レベルの小結石の描出には限界がある[37)38]。筆者は MRU に比べ背景信号の抑制に乏しい SSFP を尿路閉塞の検出にも好んで用いているが，MRU と同様に閉塞原因の特定は難しいとの印象をもっている（図 10）。

III 妊娠中の母体合併症

3. 妊娠中の循環動態の変化に起因する疾患

1）妊娠高血圧症候群 hypertensive disorders of pregnancy（HDP）

　妊娠中の血液凝固系および循環動態は表2のようにドラスティックに変化する．大幅な循環血漿量の増加は心拡大や肺血管拡大を招来する（図11）が，通常，妊婦はこの状態を生理的なものとして適応する．しかし妊娠負荷に対する恒常性の維持機構が破綻すると妊娠高血圧症候群（hypertensive disorders of pregnancy：HDP）を発症する．妊娠高血圧症候群は以前は妊娠中毒症と呼称されていたもので，日本産科婦人科学会により2005年より名称変更された．定義を

表2　妊娠に伴う循環・免疫・凝固系の変化[3]

臓器組織	項目	変化
循環系	血圧 　収縮期 　拡張期 　平均	↓ 4〜6 mmHg ↓ 8〜15 mmHg ↓ 6〜10 mmHg
	循環血液量 赤血球数 心拍数 1回拍出量 心拍出量	↑約40% ↑約20% ↑ 12〜18 bpm ↑ 10〜30% ↑ 33〜45%
免疫・凝固系	白血球数 凝固系 線溶系	↑（9,000〜12,000/μL） ↑ ↓

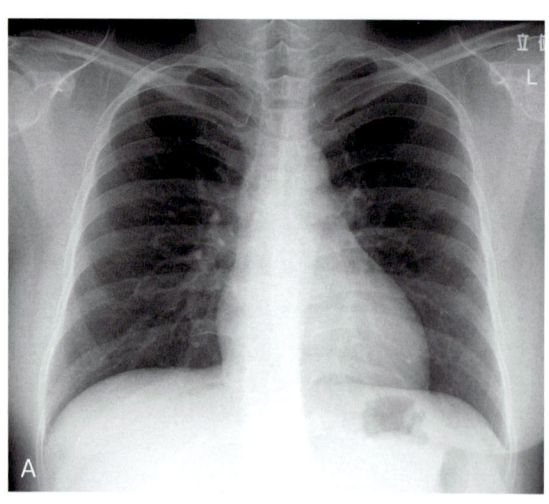

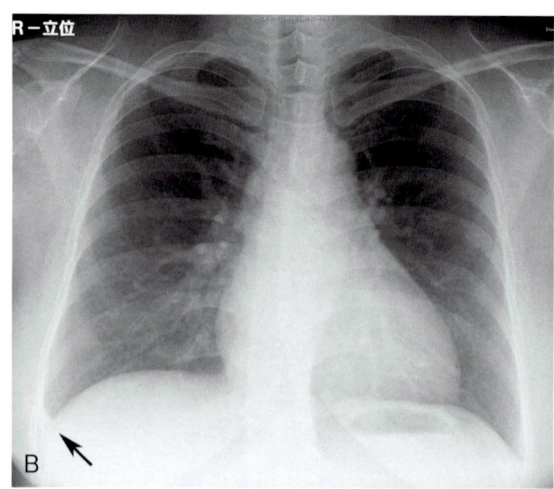

図11　38歳　妊娠前後の胸部単純X線写真
A：妊娠前，B：妊娠38週
SLEにて管理中，妊娠成立．妊娠前から心横径は少し大きめ（A）だが，妊娠38週時，軽度の全般性心拡大に加え，肺血管拡大，右胸水（B→）もみられるものの，ほぼ生理的変化の範疇である．

表3　妊娠高血圧症候群の名称・定義・分類（日本妊娠高血圧学会，2018）

1. 名　称
和文名称 "妊娠高血圧症候群"
英文名称 "hypertensive disorders of pregnancy（HDP）" とする

2. 定　義
妊娠時に高血圧を認めた場合，妊娠高血圧症候群とする。妊娠高血圧症候群は妊娠高血圧腎症，妊娠高血圧，加重型妊娠高血圧腎症，高血圧合併妊娠に分類される。

3. 病型分類

①妊娠高血圧腎症：preeclampsia（PE）
　1) 妊娠20週以降に初めて高血圧を発症し，かつ，蛋白尿を伴うもので，分娩12週までに正常に復する場合。
　2) 妊娠20週以降に初めて発症した高血圧に，蛋白尿を認めなくても以下のいずれかを認める場合で，分娩12週までに正常に復する場合。
　　ⅰ) 基礎疾患のない肝機能障害 [肝酵素上昇（ALTもしくはAST＞40 IU/L），治療に反応せず他の診断がつかない重度の持続する右季肋部もしくは心窩部痛]
　　ⅱ) 進行性の腎障害（Cr＞1.0 mg/dL，他の腎疾患は否定）
　　ⅲ) 脳卒中，神経障害（間代性痙攣，子癇，視野障害，一次性頭痛を除く頭痛など）
　　ⅳ) 血液凝固障害 [HDPに伴う血小板減少（＜15万/μL），DIC，溶血]
　3) 妊娠20週以降に初めて発症した高血圧に，蛋白尿を認めなくても子宮胎盤機能不全 [胎児発育不全（FGR），臍帯動脈血流波形異常，死産] を伴う場合。

②妊娠高血圧：gestational hypertension（GH）
　妊娠20週以降に初めて高血圧を発症し，分娩12週までに正常に復する場合で，かつ妊娠高血圧腎症の定義に当てはまらないもの。

③加重型妊娠高血圧腎症：superimposed preeclampsia（SPE）
　1) 高血圧が妊娠前あるいは妊娠20週までに存在し，妊娠20週以降に蛋白尿，もしくは基礎疾患のない肝腎機能障害，脳卒中，神経障害，血液凝固障害のいずれかを伴う場合。
　2) 高血圧と蛋白尿が妊娠前あるいは妊娠20週までに存在し，妊娠20週以降にいずれかまたは両症状が増悪する場合。
　3) 蛋白尿のみを呈する腎疾患が妊娠前あるいは妊娠20週までに存在し，妊娠20週以降に高血圧が発症する場合。
　4) 高血圧が妊娠前あるいは妊娠20週までに存在し，妊娠20週以降に子宮胎盤機能不全を伴う場合。

④高血圧合併妊娠：chronic hypertension（CH）
　高血圧が妊娠前あるいは妊娠20週までに存在し，加重型妊娠高血圧腎症を発症していない場合。

（文献39より抜粋）

　表3に示す[39]。本症は高血圧を主徴にタンパク尿を合併する病態で，全妊婦の3〜4％が罹患するといわれる[40]。妊娠高血圧症候群の成因については古くから諸説が検討されてきたが，近年では血管内皮障害，凝固異常などの複合的原因が互いに影響しながら血管収縮と血管拡張の不均衡を生じ，病態を形成していると考えられている[39-41]。

　妊娠高血圧症候群の主たる症候は高血圧とタンパク尿であり，画像の関与する余地はほとんどないが，重篤化して子癇やHELLP症候群を発症すると画像的に異常を指摘しうる。子癇（eclampsia）は妊娠高血圧症候群の結果生じた脳浮腫，脳血管障害，代謝性脳障害であり，一種の高血圧性脳症である[42]。妊娠高血圧症候群により生じた全身の血管内皮障害は，血圧上昇に対する血管の反応（収縮と拡張）を加速させ，末梢毛細血管の血管透過性を亢進させ，さらに凝固

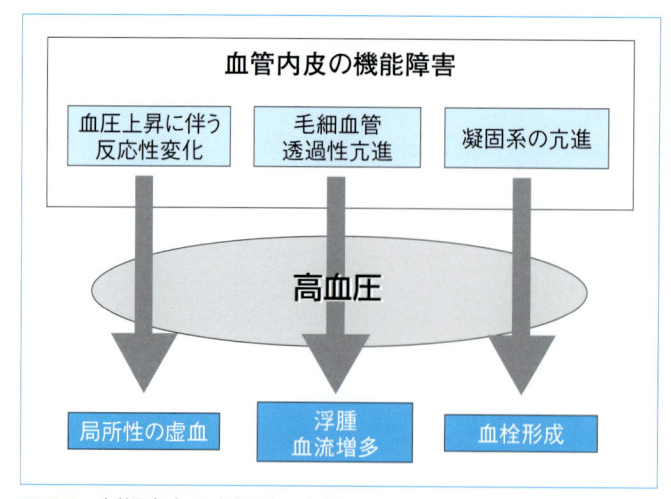

図12　妊娠高血圧症候群の病態

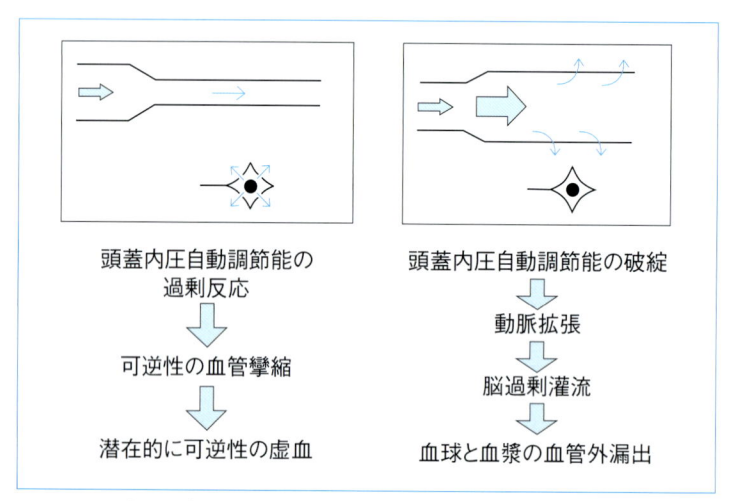

図13　子癇：頭蓋内血管の変化
（文献44より改変引用）

系を賦活化する（図12）。通常，頭蓋内血管は全身血圧の上昇と下降に応じて収縮・拡張することにより頭蓋内圧を一定に保つよう調節している。この自動調節能が破綻すると全身血圧の上昇に応じて頭蓋内血管が拡張し，毛細血管の透過性が亢進して血管透過性浮腫（vasogenic edema）を生じる。しかし一方では全身血圧の上昇に応じて過度の血管攣縮も同時に生じており，結果として頭蓋内で脳浮腫や局所的な虚血と出血の混在する複雑な病態を形成する（図13）[43)44)]。頭蓋内血管は自律神経端末の豊富な組織で，この自動能の多くを交感神経系に依存している。後方循環（椎骨脳底動脈系）では前方循環（内頸動脈系）に比して交感神経端末が疎であるとされており，自動能破綻による脳浮腫は後方循環領域に好発することとなる。このためこの病態はposterior reversible encephalopathy syndrome（PRES）とよばれ，子癇以外の高血圧脳症のほか，腎障害，感染症，移植や免疫抑制剤投与，悪性腫瘍や抗がん剤投与，自己免疫疾患といった高血

圧を伴わない病態でも各種サイトカインの作用により発現することが知られている[43-47]。後方循環領域，特に後頭葉に好発することから，頭痛や意識障害，痙攣のほか視力障害が症状としては多い[43]。画像的にはCT，MRIともに異常を検出しうるとされるがMRIのほうがはるかに感度が高く，特にFLAIRの有用性が報告されている[48]。典型的には後頭葉皮質下白質の左右対称な脳浮腫であり，CTでは低吸収，T1強調像では低信号，T2強調像やFLAIRでは高信号域として描出される（図14）。後頭葉のほかには同じく後方循環領域である橋や小脳（図15），後方循環ではないが穿通枝により栄養される基底核領域も好発部位である（図14）。これは穿通枝が細く脆弱な血管であるため自動能の破綻による影響を受けやすいためとされている[44)46]。基底核病変は大脳白質病変に比べ限局した巣状・斑状の病変であることが多い[46]。こうした脳浮腫は典型的には後遺症を残さず消失する（図15）が，11～26％の症例では拡散強調像で異常信号を示し予後不良の徴候とされる[46]。また15％の症例では出血（脳実質内の小さな血腫や限局性のくも膜下出血）を伴う[46]。MRAや血管撮影では前述の血管の拡張と攣縮を反映して動脈の広狭不整が観察される（図14）[46]。

HELLP症候群［hemolysis, elevated liver enzymes, and low platelets (HELLP) syndrome］は妊婦・褥婦が溶血（hemolysis），肝酵素上昇（elevated liver enzymes）および血小板減少（low platelets）をきたす疾患で，妊娠高血圧症候群の一病型と考えられている。子癇ないし加重型妊娠高血圧症候群のおおむね10～20％にみられ，28～36週に好発する[49-51]。確立された診断基準はないが，Sibaiらは溶血性貧血，血小板10万/μL以下，LDH 600 IU/L以上または総ビリルビン1.2 mg/dL以上，AST 70 IU/L以上といった診断基準を提唱している[51)52]。画像診断の役割は肝被膜下血腫，肝実質内血腫，肝梗塞，肝破裂といったHELLP症候群に伴う合併症を診断することにある。肝梗塞はCT上，肝被膜直下の楔状ないし地図状の低吸収域として描出され，MRIではT2強調像で高信号を呈する。肝破裂は肝表のわずかな輪郭の不整とこれに近接する小出血斑として観察される。鑑別すべき疾患としてはほかの原因による肝破裂，すなわち血管腫や肝腺腫など易出血性の既存の腫瘍からの出血が挙げられる[53]。HELLP症候群と臨床的に鑑別を要する疾患として急性妊娠脂肪肝（acute fatty liver of pregnancy）がある。どちらも劇症な肝機能障害をきたす疾患で，臨床的に鑑別が難しいが，アンチトロンビンⅢ活性低値，AST/LDH高値，かつ尿酸高値の場合，急性妊娠脂肪肝の可能性が高いとされる。確定診断には肝生検を要するがHELLP症候群も急性妊娠脂肪肝も急速遂娩以外に根本的治療法がなく，易出血環境下での肝生検の実施には議論がある[49]。画像的には非妊娠時の脂肪肝と同様，USでは肝実質のエコー輝度の上昇，深部減衰や肝腎コントラストの増強，CTでは肝実質のCT値の低下（＋40 HU以下）[53)54]といった所見により診断が期待されるが，US，CTでは必ずしも良好な結果を得ていない[55)56]。近年，CTでは同定不可能な程度の微量の脂肪の検出にMRIのchemical shift imaging（p14；p20図19参照）の有用性が多数報告されており，急性妊娠脂肪肝の診断にも応用が期待される[57]。

2）妊娠中の血管障害

妊娠高血圧症候群の最重症型である子癇ではPRESにより頭蓋内に異常をきたすことはすでに述べたが，子癇以外の妊娠産褥期の脳血管障害も妊産婦死亡の4～12％を占める重要な疾患で

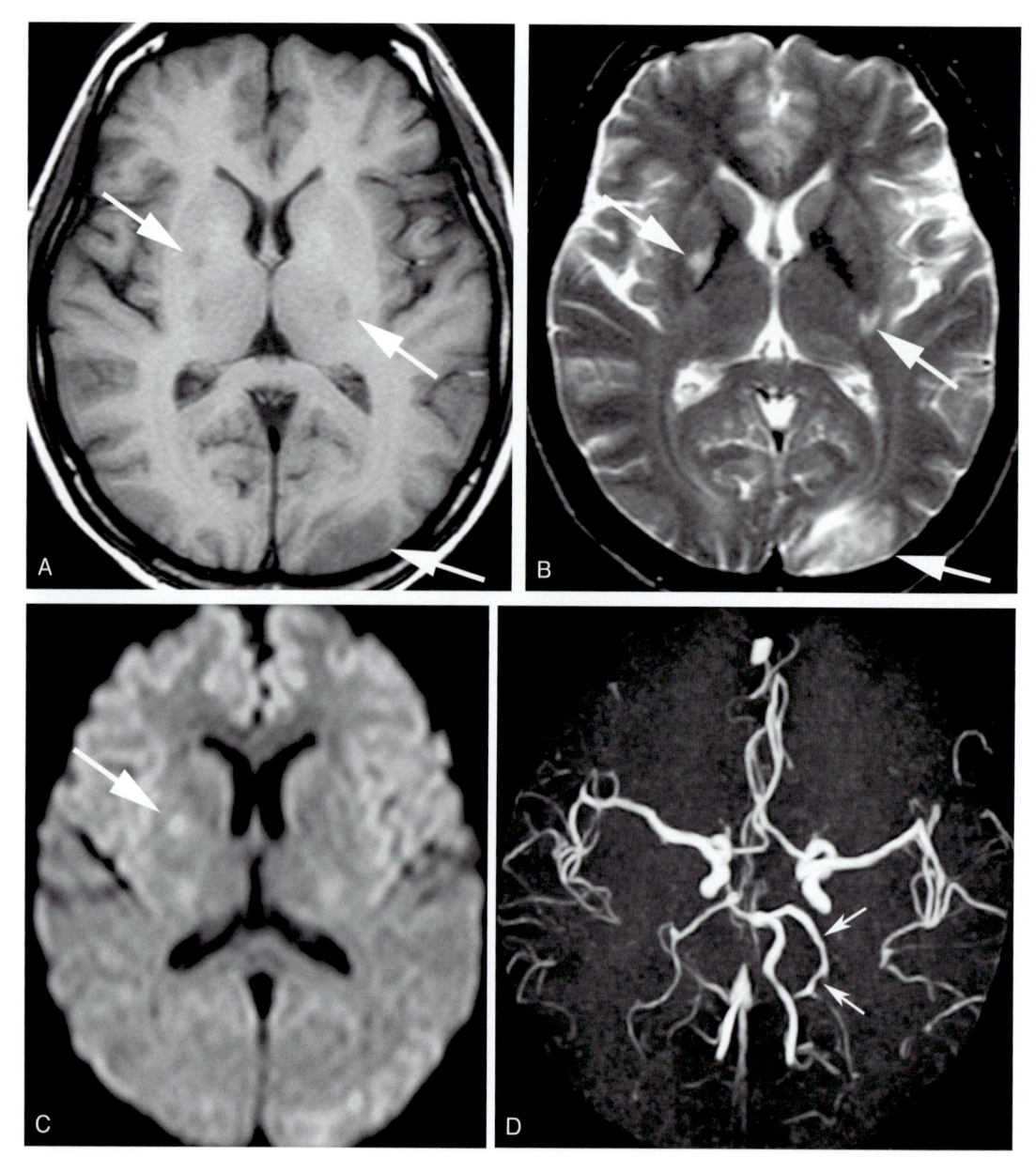

図14 36歳 子癇
A：T1強調横断像，B：T2強調横断像，C：拡散強調横断像，D：MRA
重症妊娠高血圧症候群管理目的に入院中。血圧171/98 mmHgと高血圧を認め，前日より記銘力低下，右側視野障害，右上肢筋力低下，浮腫あり。T1強調像で左後頭葉皮質下白質，両側基底核に低信号域を認め（A→），T2強調像では高信号を示す（B→）。拡散強調像では右基底核病変のみが異常信号域として描出される（C→）。MRAでは左後大脳動脈に狭窄と拡張を交互に認める（D→）。典型的な病変分布よりPRESと診断した。

図15 36歳 分娩子癇

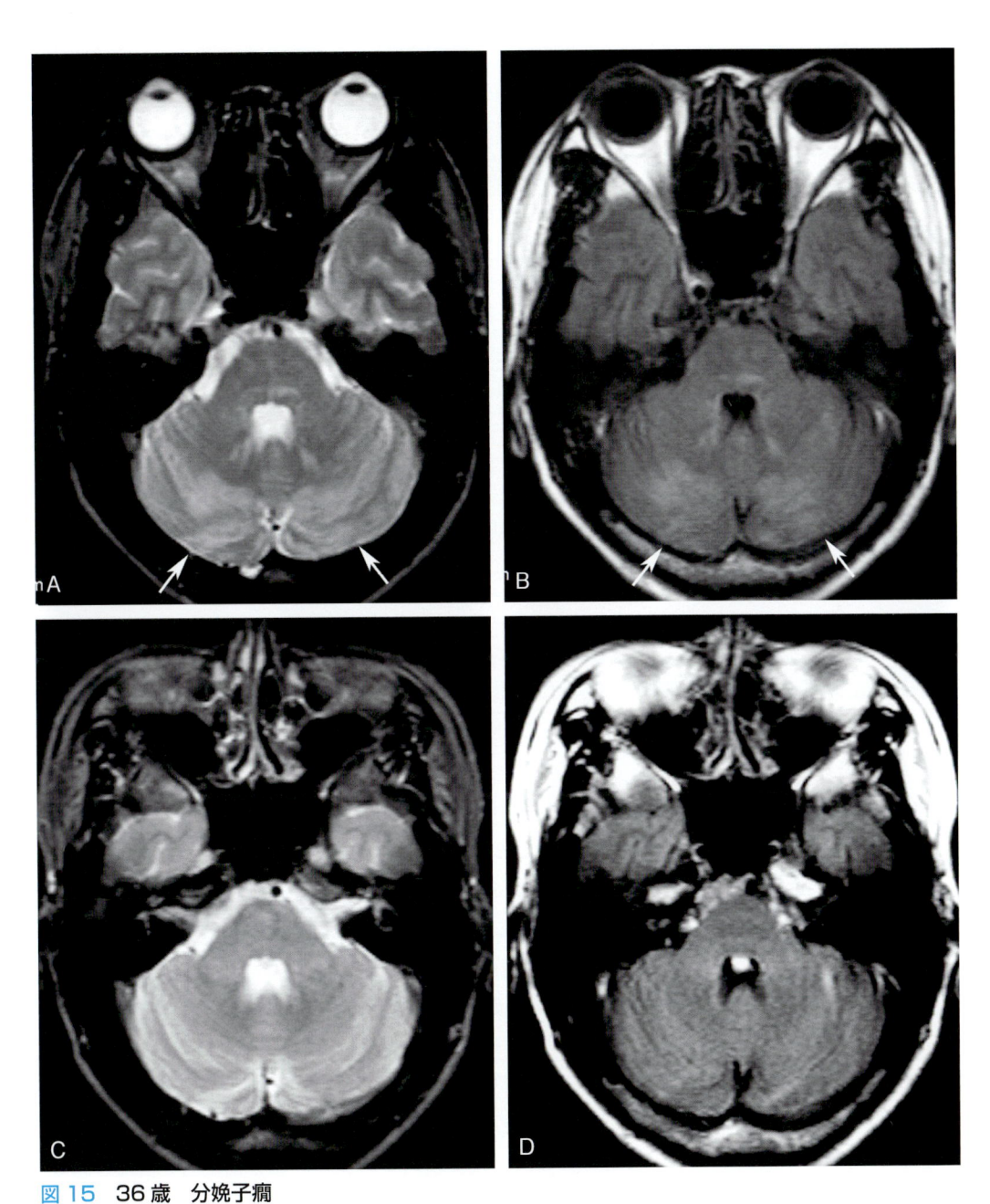

A：児娩出直前 T2 強調横断像，B：児娩出直前 FLAIR，C：4 週間後 T2 強調横断像，D：4 週間後 FLAIR
妊娠39週6日，児娩出直前に全身性強直性痙攣発作をきたした。血圧は150/100 mmHgと上昇。T2強調像で両側小脳半球に高信号域を認めるが（A→），FLAIRのほうがはるかに明瞭に認められる（B→）。4週間後の検査では所見はほぼ痕跡を残すことなく消失している（C, D）。

ある。分娩10万件あたりの脳血管障害の頻度はこの30年間に増加している（図16）[58-61]。おそらくこれはCT/MRIの普及によるところも大きいと考えられるが，妊娠・産褥期の脳血管障害の頻度は非妊娠時の2.4倍とされる。特に頭蓋内出血は妊娠中の頻度が非妊娠時の2.5倍，産褥期には28.3倍とされる。一方，虚血性脳血管障害の頻度は妊娠中は非妊娠時よりもむしろ低い（0.7

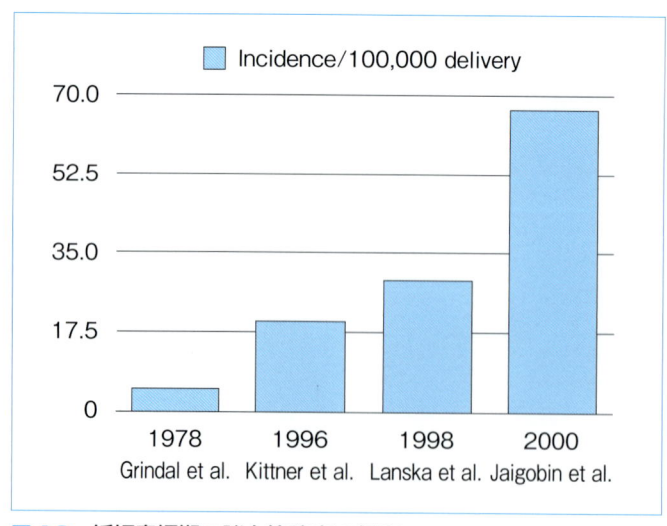

図16 妊娠産褥期の脳血管障害の頻度
（文献58～61より作成）

倍）ものの，産褥期には8.7倍に急増する[59]。

妊娠産褥期の主な脳血管障害を表4に示す[62]。

妊娠産褥期の出血性脳血管障害の頻度は0.01～0.05％とまれである[63]。脳実質内出血とくも膜下出血がほとんどであるが，くも膜下出血はまれである。妊産婦という若い年齢層ではあるが，原因としては脳動脈瘤のほうが脳静脈奇形に比べ多い（77％ vs 23％）。脳動脈瘤（intracranial arterial aneurysm）破裂は92％が分娩前に起こり，妊娠30～34週に好発する[63]。これに対し脳動静脈奇形（cerebral arteriovenous malformation）の妊娠中の破裂頻度は3.5％と低く，妊娠による破裂頻度の上昇はみられない[64]とされる（図17）。妊娠産褥期においても動脈瘤の局在は一般的な頻度と変わらず，内頸動脈-後交通動脈分岐部，前交通動脈，中大脳動脈3分岐部に多い（図18）[64]。未破裂動脈瘤を有する妊婦の妊娠中の破裂確率は3.5％とされ，リスクファクターは非妊娠時と同様に高血圧である[64]。このため分娩前後の血圧管理が重要であり，動脈瘤合併妊娠には帝王切開分娩が選択されることが多い[63]。

妊娠産褥期の虚血性脳血管障害は非妊娠時の8～13倍の頻度で起こるとされる[61]が，全妊娠に占める割合は0.005％とまれである[65]。動脈硬化に起因することの多い高齢者と異なり静脈閉塞によるものが多く，多くは分娩前後から産褥期に発症する。これは妊娠による凝固系の亢進に関連するが，硬膜静脈洞血栓症（dural sinus thrombosis）は近接する頭蓋外の感染症（滲出性中耳炎や副鼻腔炎）の波及に起因することも多いことから，先進国よりも発展途上国での頻度が高い。出血性脳血管障害に比べ，硬膜静脈洞血栓症による死亡率は低い[61]。一般的に静脈血栓症のハイリスク症例には妊娠早期からのヘパリン投与が推奨されている。硬膜静脈洞血栓症をはじめとする静脈閉塞に起因する脳梗塞では，梗塞の分布が動脈支配域に一致せず，灰白質よりも白質側に斑状の病巣（CTでは低吸収，T2強調像やFLAIRでは高信号域）を形成する傾向にある。また，出血性梗塞化することもしばしばで，梗塞巣内の出血がCTでは高吸収域，MRIでは出血後の時間経過に応じて種々の信号を呈する（図19）。

表4 妊娠産褥期の脳血管障害の主な原因[62]

動脈性の虚血	静脈血栓症
1. 心原性塞栓 　弁膜症 　弁置換術後 　心房細動 　感染性・非感染性心内膜炎 　僧帽弁逸脱 　奇異性塞栓症 2. 脳動脈病変 　動脈硬化症 　動脈解離 　線維筋性異形成 　脳血管炎 　SLE 　結節性動脈炎 　高安動脈炎 　isolated angiitis of CNS 3. 造血器疾患 　鎌状赤血球貧血症 　Sneddon 症候群 　抗リン脂質抗体症候群 　血栓性紫斑病 　ホモシスチン尿症 　antithrombin Ⅲ欠損症 　protein C 欠損症 　protein S 欠損症 　DIC 4. その他 　子癇 　絨毛癌 　羊水・脂肪・空気塞栓 　薬物中毒 　Sheehan 症候群	antithrombin Ⅲ欠損症 protein C 欠損症 protein S 欠損症 鎌状赤血球貧血症 発作性夜間血色素尿症 ホモシスチン尿症 子癇
	頭蓋内出血
	脳動脈瘤 脳動静脈奇形 子癇 脳静脈塞栓症 絨毛癌 感染性心内膜炎 薬物中毒 DIC もやもや病 造血器疾患 腫瘍 脊髄動静脈奇形破裂 高血圧性

　もやもや病（moyamoya disease, idiopathic progressive arteriopathy of childhood）（ウィリス動脈輪閉塞症）は内頸動脈末梢ないしその分枝が進行性に狭窄，閉塞する病態である。主要動脈の閉塞の結果，本来は狭細なはずの穿通枝や外頸動脈系の分枝が硬膜を貫いて発達して側副血行路を形成し，血管撮影ではもやもやした血管として描出される[66]ことからその名がある。原因として放射線照射など誘因が明らかなものもあるが，多くは原因不明で，小児期には大血管閉塞による虚血症状で，成人期には細く脆弱な側副血行路の破綻による出血で発症するのが典型的である。妊娠中はそのどちらもが生じうる（表4, 図20）。典型例では，MRI上本来存在するはずの内頸動脈末梢枝や前・中大脳動脈の flow void の欠除と穿通枝の拡張による flow void の多発として表現される[67]。

　血管障害は頭蓋内にのみ起こりうるのではなく，妊娠中の循環血漿量の増加を背景として四肢・軀幹部でも既存の血管病変は破綻のリスクを増す。先天性の腎動静脈奇形（renal AVM）

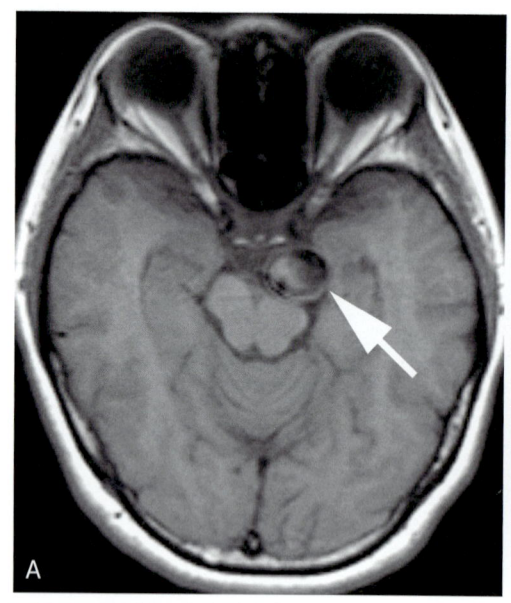

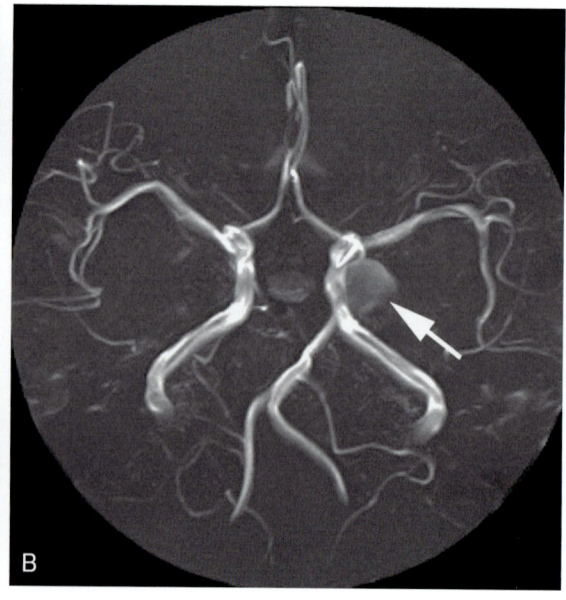

図17 28歳 未破裂脳動脈瘤
A：T1強調横断像，B：MRA
1年半前に拍動性頭痛のために撮像したMRIで左内頸動脈-後交通動脈瘤を指摘された。妊娠中のT1強調像で大脳脚を圧排する，内部に不均一に信号の残存するflow void（A→）を認める。MRAでは，瘤内の乱流のために周囲の血管に比べtime of flight効果に乏しいので信号が弱いが，円型の動脈瘤が明瞭に描出されている（B→）。妊娠中は厳重な血圧管理を行い，破裂することなく帝王切開分娩が可能であった。

や後天性の腎動静脈瘻（renal AVF）（外傷のほか腎生検をはじめとする医原性も多い）では妊娠中の腎血流量や糸球体濾過率の増加がトリガーとなって，潜在的であった動静脈の交通を顕在化させ，動静脈シャントの末梢腎実質での相対的虚血がレニン－アンジオテンシン－アルドステロン系を賦活化してさらに血圧上昇を招くという悪循環に陥る。腎動静脈奇形・腎動静脈瘻の診断にはドプラUSが用いられる[68)69)]が，すでに破綻出血をきたした症例では血腫内のヘモグロビンの検出に鋭敏なMRIが有用である（図21）。またひとたび出血を生じた症例に対しては経動脈塞栓術が妊娠中であっても有用である[69)]。

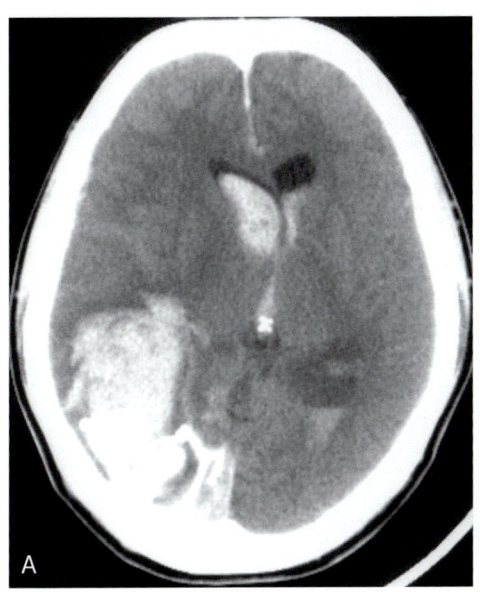

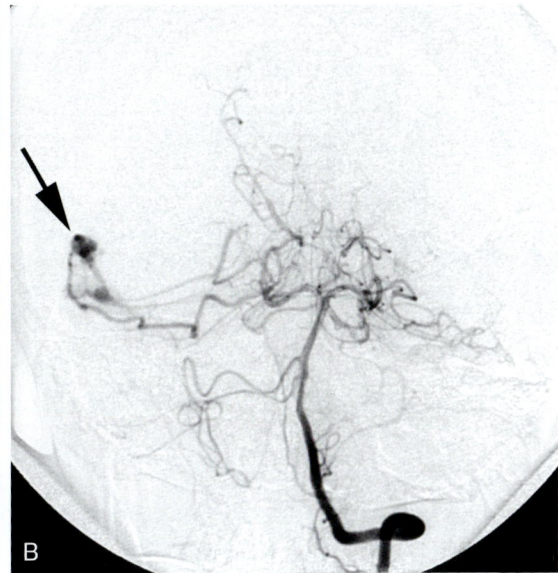

3. 妊娠中の循環動態の変化に起因する疾患

図18　34歳　脳動静脈奇形破裂, 脳実質内出血

A：単純CT, B：左椎骨動脈撮影正面像, C：左椎骨動脈撮影側面像

生来健康であったが, 妊娠38週時, 急激な頭痛にて救急車を自ら要請したものの, 救急車到着時にはすでに意識消失していた. 単純CTにて右側頭葉から後頭葉に広範囲な血腫を認め（A）, 右側脳室に穿破している. 左椎骨動脈撮影にて後大脳動脈に供血されS状静脈洞に導出される脳動静脈奇形（B, C →）が認められた. 帝王切開後に塞栓術に続いて血腫およびAVM除去術を施行し, 母児ともに経過良好である.

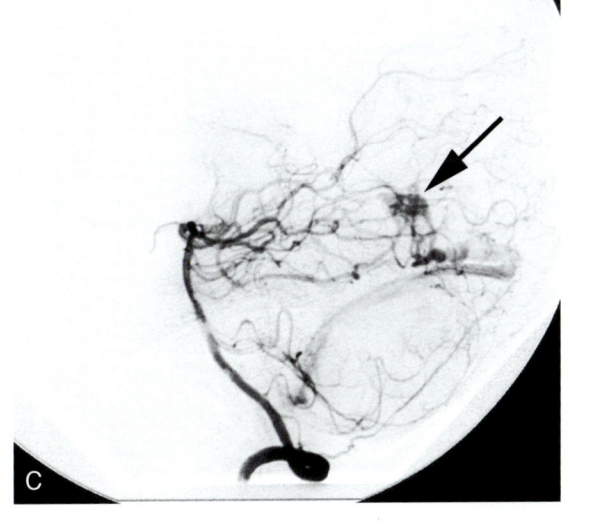

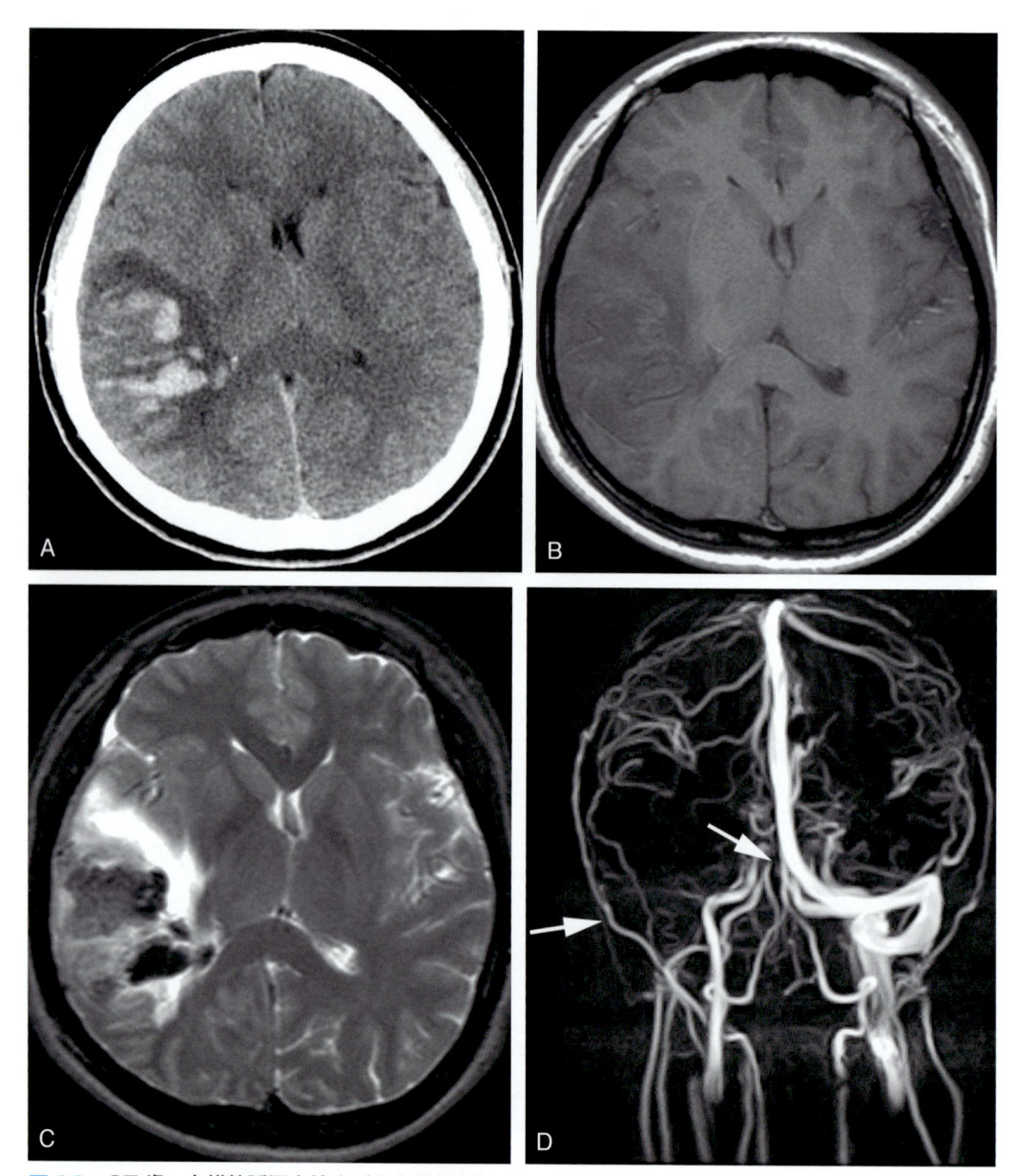

図19 27歳 右横静脈洞血栓症（出血性梗塞）
A：単純CT，B：T1強調横断像，C：T2強調横断像，D：MR venography
深部静脈血栓症を契機に1年前にantithrombin Ⅲ欠損症と診断されている。右側頭部痛で発症し，同時に妊娠6週であることが判明した。単純CTにて右側頭葉皮質下に高吸収の出血を伴う低吸収域を認め（A），T1強調像で同部は低信号（B），T2強調像で高信号（C）を示す。T2強調像では病変内に低信号の腫瘤様構造を認め，CTでの血腫の分布に一致する。MR venographyでは右横静脈洞から内頸静脈が描出されておらず（D→），硬膜静脈洞血栓症であることがわかる。このときの妊娠継続は断念したが，翌年無事に生児を得ている。

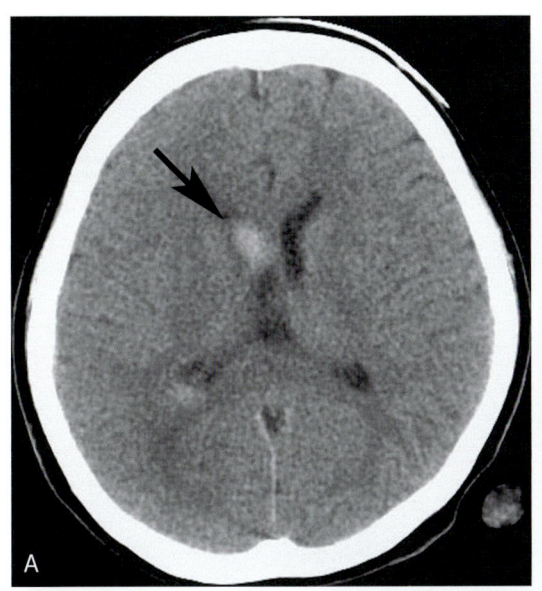

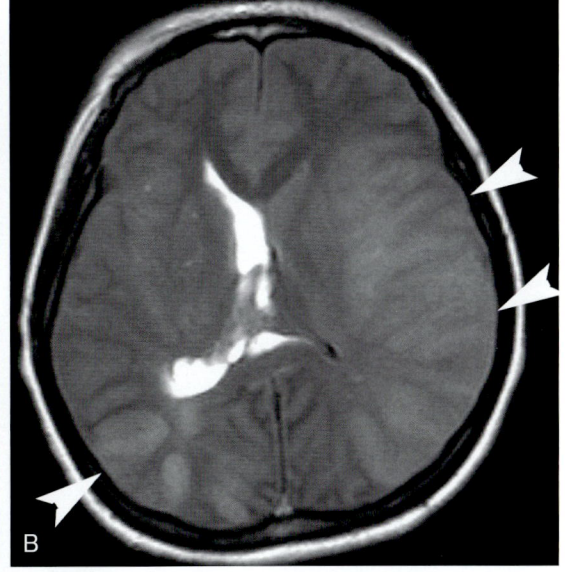

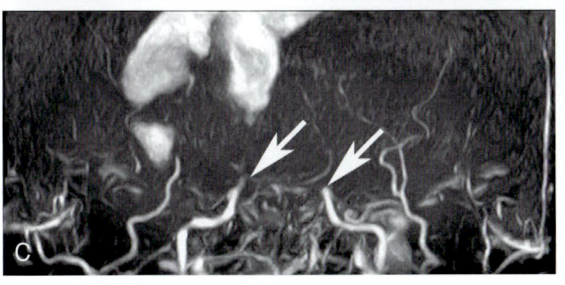

3. 妊娠中の循環動態の変化に起因する疾患

図20 29歳 もやもや病
A：単純CT，B：T2強調横断像，C：MRA，D：右内頸動脈撮影正面像

妊娠12週。頭痛と痙攣発作で救急搬送。単純CTで脳室内出血を認めた（A→）ため保存的に管理していたが，第11病日に意識レベルが低下したためMRIを撮像したところ，T2強調像にて右後頭葉と左前頭頭頂葉にmass effectを伴う高信号域（B▲），MRAにて両側内頸動脈閉塞（C→）を認め，もやもや病による出血および梗塞と判明した。右内頸動脈撮影では右内頸動脈の高度狭窄（D→）と多数の"もやもやした"異常血管を認め，診断が確定した。保存的に対処したが第16病日に死亡した。

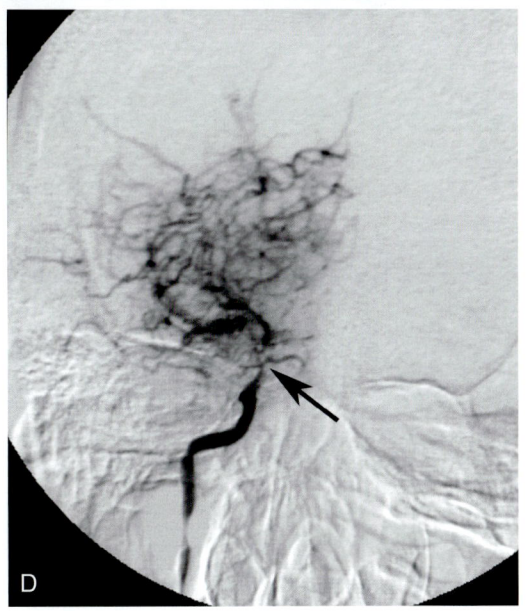

877

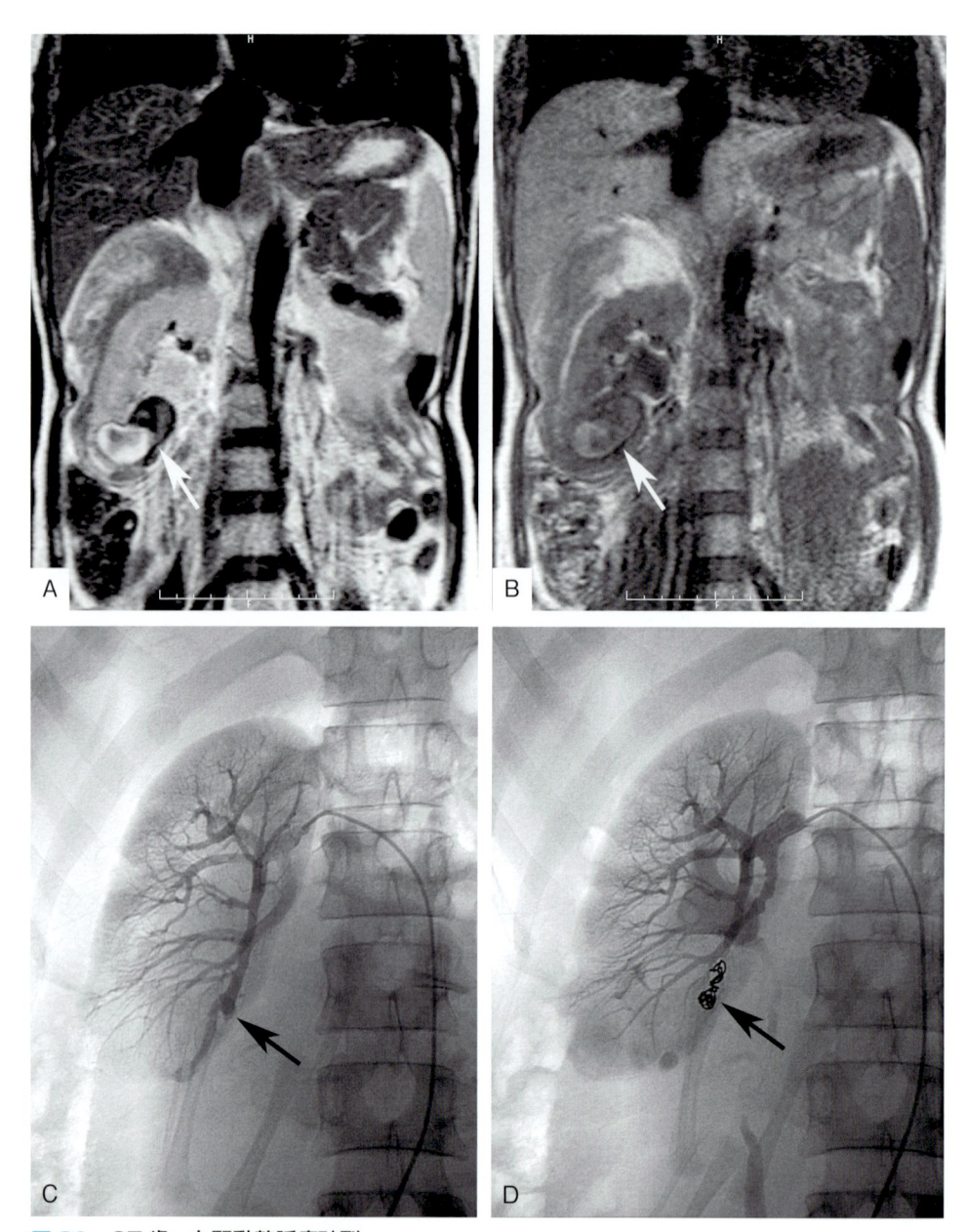

図21 27歳 右腎動静脈瘻破裂
A：T2強調冠状断像，B：T1強調冠状断像，C：右腎動脈撮影（塞栓前），D：右腎動脈撮影（塞栓後）

IgA腎症にて右腎生検の既往がある．妊娠32週に背部痛と血尿で救急搬送．T2強調像で右腎下極に内側が低信号，外側が高信号（A →），T1強調像で不均一な高信号を示す腫瘤（B →）を認め，血腫と考えられた．出血源検索のため行った右腎動脈撮影（C）で血腫に一致して動静脈瘻（C →）を認め，金属コイル（D →）による塞栓術にて止血後，無事帝王切開にて分娩できた．

文献

1) 楠原淳子 訳：胎盤の異常，岡本愛光 監修；ウィリアムス産科学，原著25版．p136-150，南山堂，東京，2019
2) Gambone JC, Hobel CJ : Endocrinology of pregnancy and parturition, Hacker NF et al eds ; Hacker & Moore's Essentials of Obstetrics and Gynecology, 6th ed. p52-60, Elsevier, 2016
3) Koos BJ, Hobel CJ : Maternal physiologic and immunologic adaptation to pregnancy, Hacker NF et al eds ; Hacker & Moore's Essentials of Obstetrics and Gynecology, 6th ed. Elsevier, p61-75, 2016
4) WHO classification of Tumors Editorial Board : Female Genital Tumours, 5th ed. International Agency for Research on Cancer, Lyon, 2020
5) Myles JL, Hart WR : Apoplectic leiomyomas of the uterus : a clinicopathologic study of five distinctive hemorrhagic leiomyomas associated with oral contraceptive usage. Am J Surg Pathol 9 : 798-805, 1985
6) Hasan F et al : Uterine leiomyomata in pregnancy. Int J Gynaecol Obstet 34 : 45-48, 1991
7) Kawakami S et al : Red degeneration of uterine leiomyoma : MR appearance. J Comput Assist Tomogr 18 : 925-928, 1994
8) 宮美智子 訳：母体の生理，岡本愛光 監修；ウィリアムス産科学，原著25版．p57-93，南山堂，東京，2019
9) 中山雅弘：胎盤の腫瘍．目でみる胎盤病理，p75-80，医学書院，東京，2002
10) Hadi HA et al : Placental chorioangioma : prenatal diagnosis and clinical significance. Am J Perinatol 10 : 146-149, 1993
11) Mochizuki T et al : Antenatal diagnosis of chorioangioma of the placenta : MR features. J Comput Assist Tomogr 20 : 413-416, 1996
12) Kawamotoa S et al : Chorioangioma : antenatal diagnosis with fast MR imaging. Magn Reson Imaging 18 : 911-914, 2000
13) Williams VL, Williams RA : Placental teratoma : prenatal ultrasonographic diagnosis. J Ultrasound Med 13 : 587-589, 1994
14) Balci O et al : Management and outcomes of adnexal masses during pregnancy : a 6-year experience. J Obstet Gynaecol Res 34 : 524-528, 2008
15) Hasiakos D et al : Adnexal torsion during pregnancy : report of four cases and review of the literature. J Obstet Gynaecol Res 34 : 683-687, 2008
16) Usui R et al : A retrospective survey of clinical, pathologic, and prognostic features of adnexal masses operated on during pregnancy. J Obstet Gynaecol Res 26 : 89-93, 2000
17) 日本産科婦人科学会，日本病理学会 編：卵巣腫瘍・卵管癌・腹膜癌取扱い規約 病理編 第2版．金原出版，東京，2022
18) Kao HW et al : MR imaging of pregnancy luteoma : a case report and correlation with the clinical features. Korean J Radiol 6 : 44-46, 2005
19) Ghossain MA et al : Hyperreactio luteinalis in a normal pregnancy : sonographic and MRI findings. J Magn Reson Imaging 8 : 1203-1206, 1998
20) Van Holsbeke C et al : Hyperreactio luteinalis in a spontaneously conceived singleton pregnancy. Ultrasound Obstet Gynecol 33 : 371-373, 2009
21) Amoah C et al : Hyperreactio luteinalis in pregnancy. Fertil Steril 95 : 2429.e1-3, 2011
22) Chen EM et al : Pregnancy in chronic renal failure : a novel cause of theca lutein cysts at MRI. J Magn Reson Imaging 26 : 1663-1665, 2007
23) Kilpatrick CC, Orejuela FJ : Approach to abdominal pain and the acute abdomen in pregnant and postpartum women. UpToDate., Wolters Kluwer, Alphen aan den Rijn. 2011, 2011
24) Barth WH Jr GJ : Acute appendicitis in pregnancy. UpToDate., Wolters Kluwer, Alphen aan den Rijn. 2011 ; 2011
25) Mahmoodian S : Appendicitis complicating pregnancy. South Med J 85 : 19-24, 1992
26) Lim HK et al : Diagnosis of acute appendicitis in pregnant women : value of sonography. AJR Am J Roentgenol 159 : 539-542, 1992
27) Terasawa T et al : Systematic review : computed tomography and ultrasonography to detect acute appendicitis in adults and adolescents. Ann Intern Med 141 : 537-546, 2004
28) Pedrosa I et al : MR imaging evaluation of acute appendicitis in pregnancy. Radiology 238 : 891-899, 2006
29) Long SS et al : Imaging strategies for right lower quadrant pain in pregnancy. AJR Am J Roentgenol 196 : 4-12, 2011
30) Pedrosa I et al : Pregnant patients suspected of having acute appendicitis : effect of MR imaging on negative laparotomy rate and appendiceal perforation rate. Radiology 250 : 749-757, 2009
31) Cobben LP et al : MRI for clinically suspected appendicitis during pregnancy. AJR Am J Roentgenol 183 : 671-675, 2004
32) Masselli G et al : Acute abdominal and pelvic pain in pregnancy : MR imaging as a valuable adjunct to ultrasound? Abdom Imaging 36 : 596-603, 2011
33) 大西純貴，長谷川瑛洋 訳：消化管疾患，岡本愛光 監修；ウィリアムス産科学 原著25版．p1305-1325，南山堂，東京，2019
34) 佐藤泰輔 訳：腎泌尿器疾患，岡本愛光 監修；ウィリアムス産科学 原著25版．p1281-1304，南山堂，東京，2019
35) Grenier N et al : Dilatation of the collecting system during pregnancy : physiologic vs obstructive dilatation. Eur Radiol 10 : 271-279, 2000
36) Jara H et al : MR hydrography : theory and practice of static fluid imaging. AJR Am J Roentgenol 170 : 873-882, 1998
37) Roy C et al : Fast imaging MR assessment of ureterohydronephrosis during pregnancy. Magn Reson Imaging 13 : 767-772, 1995
38) Roy C et al : Assessment of painful ureterohydronephrosis during pregnancy by MR urography. Eur Radiol 6 : 334-338, 1996
39) 日本妊娠高血圧学会 編：妊娠高血圧症候群の診療指針 2021 Best Practice Guide．メジカルビュー社，東京，2021
40) 伊藤昌春，草薙康城：異常妊娠：妊娠高血圧症候群．日産婦会誌 59 : N-697-706, 2007
41) 福島蒼太，伊藤由紀 訳：高血圧症，岡本愛光 監修；ウィリアムス産科学，原著25版．p1219-1233，南山堂，東京，2019
42) Sibai BM : Diagnosis, prevention, and management of eclampsia. Obstet Gynecol 105 : 402-410, 2005
43) Hinchey J et al : A reversible posterior leukoencephalopathy syndrome. N Engl J Med 334 : 494-500, 1996
44) Port JD, Beauchamp NJ Jr : Reversible intracerebral pathologic entities mediated by vascular autoregulatory

45) Kaplan PW : The neurologic consequences of eclampsia. Neurologist 7 : 357-363, 2001
46) Bartynski WS : Posterior reversible encephalopathy syndrome, part 1 : fundamental imaging and clinical features. AJNR Am J Neuroradiol 29 : 1036-1042, 2008
47) Bartynski WS : Posterior reversible encephalopathy syndrome, part 2 : controversies surrounding pathophysiology of vasogenic edema. AJNR Am J Neuroradiol 29 : 1043-1049, 2008
48) Casey SO et al : Posterior reversible encephalopathy syndrome : utility of fluid-attenuated inversion recovery MR imaging in the detection of cortical and subcortical lesions. AJNR Am J Neuroradiol 21 : 1199-1206, 2000
49) 水上尚典：異常分娩の管理と処置：HELLP症候群，急性妊娠脂肪肝．日産婦会誌 60 : N-85-91, 2007
50) 山崎峰夫：妊娠中毒症（妊娠高血圧症候群）：HELLP症候群．日産婦会誌 57 : N-257-260, 2005
51) Sibai BM : HELLP syndrome (hemolysis, elevated liver enzymes, and low platelets), Lockwood CJ, Lindor KD eds ; UpToDate : UpToDate Inc, 2025
52) Sibai BM : The HELLP syndrome (hemolysis, elevated liver enzymes, and low platelets) : much ado about nothing? Am J Obstet Gynecol 162 : 311-316, 1990
53) Heller MT et al : Imaging of hepatobiliary disorders complicating pregnancy. AJR Am J Roentgenol 197 : W528-536, 2011
54) Kodama Y et al : Comparison of CT methods for determining the fat content of the liver. AJR Am J Roentgenol 188 : 1307-1312, 2007
55) Van Le L, Podrasky A : Computed tomographic and ultrasonographic findings in women with acute fatty liver of pregnancy. J Reprod Med 35 Podrasky A : 815-817, 1990
56) Castro MA et al : Radiologic studies in acute fatty liver of pregnancy : a review of the literature and 19 new cases. J Reprod Med 41 : 839-843, 1996
57) Levenson H et al : Fatty infiltration of the liver : quantification with phase-contrast MR imaging at 1.5 T vs biopsy. AJR Am J Roentgenol 156 : 307-312, 1991
58) Grindal AB et al : Cerebral infarction in young adults. Stroke 9 : 39-42, 1978
59) Kittner SJ et al : Pregnancy and the risk of stroke. N Engl J Med 335 : 768-774, 1996
60) Lanska DJ, Kryscio RJ : Stroke and intracranial venous thrombosis during pregnancy and puerperium. Neurology 51 : 1622-1628, 1998
61) Jaigobin C, Silver FL : Stroke and pregnancy. Stroke 31 : 2948-2951, 2000
62) Mas JL, Lamy C : Stroke in pregnancy and the puerperium. J Neurol 245 : 305-313, 1998
63) Dias MS, Sekhar LN : Intracranial hemorrhage from aneurysms and arteriovenous malformations during pregnancy and the puerperium. Neurosurgery 27 : 855-865 ; discussion 865-856, 1990
64) Horton JC et al : Pregnancy and the risk of hemorrhage from cerebral arteriovenous malformations. Neurosurgery 27 : 867-871 ; discussion 871-862, 1990
65) Sharshar T et al ; Stroke in Pregnancy Study Group : Incidence and causes of strokes associated with pregnancy and puerperium : a study in public hospitals of Ile de France. Stroke 26 : 930-936, 1995
66) Hasuo K et al : Moya moya disease : use of digital subtraction angiography in its diagnosis. Radiology 157 : 107-111, 1985
67) Fujisawa I et al : Moyamoya disease : MR imaging. Radiology 164 : 103-105, 1987
68) Korn TS et al : High-output heart failure due to a renal arteriovenous fistula in a pregnant woman with suspected preeclampsia. Mayo Clin Proc 73 : 888-892, 1998
69) Allione A et al : Worsening of hypertension in a pregnant woman with renal arteriovenous malformation : a successful superselective embolization after delivery. Clin Nephrol 60 : 211-213, 2003

索引

（**太字**は主要記載ページ）

【和　文】

あ

悪性黒色腫
　—外陰　690, 692, 694
　—子宮頸部　276
　—腟　669, 671
悪性腺腫　254
悪性度不明な平滑筋腫瘍　123, 349, 351
悪性リンパ腫
　— Burkitt, 卵巣　580
　—子宮頸部　276
　—子宮体部　368, 375
　—中枢神経系　801
　—びまん性大細胞型, 卵巣　580
　—腹膜　654
　—腹膜リンパ腫症　654
　—卵巣　580, 583
アスベスト　633
アデノマトイド腫瘍　366, 374
　—腹膜　631
アンドロゲン不応症候群　98, 103

い

胃型腺癌　120, 254
遺残胎盤　844, 846
異所性妊娠　759, 818
　—頸管　818
　—帝王切開瘢痕部　819, 825
　—副角　828
　—腹膜　826
　—卵管　818, 823
　—卵管間質部　825
　—卵管膨大部　824
遺伝性腫瘍　111
遺伝性乳癌卵巣癌症候群　111, 438
遺伝性平滑筋腫症・腎細胞癌症候群　123, 138
印環細胞間質性腫瘍　516

う・え

ウィリス動脈輪閉塞症　873
ウォルフ管　268, 574
ウォルフ管腫瘍　574, 576, 578
エストロゲン　128

炎

炎症性筋線維芽細胞腫瘍
　—子宮体部　362
炎症性腸疾患　783
円靱帯　57

お

黄色肉芽腫　768, 775
黄体　60, 62, 63
黄体化過剰反応　**595**, 706, 708, 710, 713, 860, 861
黄体出血　170
黄体嚢胞　593
黄体ホルモン製剤　160
黄体ホルモン療法　289
横紋筋肉腫
　—外陰　689, 691
　—腟　667
大型孤在性黄体化卵胞嚢胞　595

か

ガーゼオーマ　778, 780
ガートナー嚢胞　672, 675
外陰癌　682, 684
外陰平滑筋腫　700
灰白隆起の過誤腫　795, 798
潰瘍性大腸炎　783
化学腹膜炎　738
拡散強調画像　10, **21**, 27, 307, 308, 311
確定的影響　45
確率的影響　45
下垂体機能低下症　751
下垂体性無月経　795
下垂体腺腫　795
下垂体卒中　798, 800
仮性性早熟　519
仮性半陰陽　109
　—女性　101, 109
　—男性　104, 109
活動性核分裂型線維腫　511
ガドリニウム造影剤　5, 7, 47
顆粒球コロニー刺激因子　755
顆粒膜細胞腫
　—若年型　519, 525
　—成人型　519, 520, 523
カルチノイド
　—卵巣　562, 580
肝細胞特異性造影剤　7, 32

間質過形成　598
間質莢膜細胞過形成　598
肝周囲炎　762
癌性髄膜炎　801
癌性リンパ管症　235, 240
癌肉腫
　—子宮頸部　268
　—子宮体部　332
　—子宮内膜　320, 328
　—腹膜　645
　—卵管　623
　—卵巣　491, 495
嵌入胎盤　837
間葉性異形成胎盤　710, 713

き

奇形　78
奇形腫　533
基靱帯　57
基底細胞母斑症候群　121
ギナンドブラストーマ　530
機能性間質　452, 806
機能性嚢胞　393, 728
偽嚢胞　649, 655, 657
弓状子宮　87, 89
急性腎障害　751
急性虫垂炎　862, 864
急性妊娠脂肪肝　869
急性腹症　760, 862
急性卵管炎　760, 762, 763
境界悪性腫瘍　427
莢膜細胞腫　504, 507
　　—僅少な性索成分を伴う　511
局所再発
　—子宮頸癌　249
筋腫核出術　152
筋層浸潤　307, 311

く

くも膜下出血　872
クラミジア　758

け

頸管妊娠　825
経口造影剤　35, 40
経口避妊薬　**67**, 70, 153, 160

881

● 索 引

茎捻転
　―成熟奇形腫　736
　―線維腫　737
　―卵巣　728, 730, 731
頸部間質浸潤　**308**, 312, 313, 314
頸部腺癌
　―胃型　463
結核　767
結核性髄膜炎　798
結核性腹膜炎　**419**, 655, 767, 773
血管筋線維芽細胞腫　693, 697
血管腫
　―胎盤　856, 858
　―卵巣　586
血管周囲類上皮細胞腫瘍　144
　―子宮体部　362
月経周期　63
月経随伴性気胸　189
月経モリミナ　78
結節性峡部卵管炎　624, 627
血栓・塞栓症　755
結腸憩室炎　781
結腸粘膜浸潤
　―子宮内膜癌　321
原始神経外胚葉性腫瘍　367
懸垂性線維腫　694, 701
原発性無月経　95

こ

抗 NMDA 受容体脳炎　533
高異型度漿液性癌　427, 437, 446
硬化性間質性腫瘍　513
硬化性被囊性腹膜炎　655
硬化性腹膜炎を伴う黄体化莢膜細胞腫
　　511
高カルシウム血症　272
高カルシウム血症型小細胞癌　575
高強度集束超音波　199
膠腫症　652
甲状腺機能低下症　751
高速スピンエコー法　18, 25, 26
広汎子宮頸部摘出術　222, 225, 228
広汎子宮全摘術　221
広汎性浮腫　**598**, 600, 601, 611, 728
硬膜静脈洞血栓症　872, 876
抗ミュラー管ホルモン　804
絞扼性イレウス　864
コスモスサイン　257, 263
骨シンチグラム　27, 240
骨転移　240
骨盤うっ血症候群　790, 792
骨盤臓器脱　811

骨盤内炎症性疾患　758
骨盤内感染症　186, 768, 818
孤立性線維性腫瘍　642
混合型神経内分泌癌
　―子宮内膜　330
混合型胚細胞腫瘍　557, 560
混合癌　497
　―子宮内膜　320
　―卵巣　492

さ

臍帯　843
臍帯卵膜付着　843
サイトメガロウイルス感染症　743
細胞性血管線維腫　693, 699
砂粒体　431, 437, 438
産褥熱　844, 848
産褥復古　74

し

ジエノゲスト　202, 206
子癇　867, 869
弛緩出血　844
子宮奇形　79
子宮筋腫　123, 128
　―筋腫分娩　130, 136
　―漿膜下　129
　―赤色変性　143, 855
　―粘膜下　130, 136
　―囊胞変性　137
　―ヒアリン変性　137, 139
子宮頸癌　216
子宮頸部円錐切除術　221
子宮頸部腺癌
　― HPV 関連　259
　― HPV 非依存性　259
　―胃型　254, 260, 264
　―中腎型　261
　―通常型内頸部　261
　―粘液型　267
　―明細胞型　261
　―類内膜癌　264
子宮広間膜　57, 62
子宮収縮　69, 70
子宮腺筋症　158, **198**, 306
　―若年性囊性　210
　―囊性　208
子宮蠕動　69
子宮体癌　282
子宮体部　56
子宮体部腫瘍　282
子宮脱　813, 814

子宮腟上部　56
子宮腟部　56
子宮底部　56
子宮動脈塞栓術　153, 723
子宮内反　722
子宮内膜異型増殖症　289, 293, 297
子宮内膜癌　**284**, 292, 294, 299, 308
　―外向型　302
　―内向型　304
子宮内膜間質結節　356
子宮内膜間質腫瘍　350
子宮内膜間質肉腫
　―子宮体部　360
子宮内膜症　**158**, 469, 760, 778
　―稀少部位　189
　―深部　160, **186**, 188, 189, 205
　―鼠径部　195
　―脱落膜化　177
　―腸管　190
　―腹壁　191, 193
　―膀胱　192
　―ポリープ状　181
子宮内膜症性囊胞　163, 592
子宮内膜増殖症　287, 293, 296
子宮内膜ポリープ　296, 298, 300
子宮肉腫　346, 347
子宮捻転　722
子宮卵管造影　80
子宮留膿症　295, 776
視床下部性無月経　794
脂肪抑制　14
脂肪抑制 T1 強調像　164
充実性偽乳頭状腫瘍　516, 576
絨毛癌　708
絨毛癌診断スコア　706, 711
絨毛性疾患　706, 708
絨毛膜　819, 820
絨毛膜下血腫　831, 832
絨毛膜羊膜炎　831
出血黄体　167
出血性梗塞　730
純型扁平上皮癌　493, 498
常位胎盤早期剝離　831, 834
漿液性癌
　―子宮内膜　284, 315
　―腹膜　644
　―卵巣　430
漿液性境界悪性腫瘍　431
　―卵管　621
　―卵巣　434, 437
漿液性腺線維腫　431
漿液性囊胞腺腫　431

漿液性囊胞腺線維腫　433
漿液性表在性乳頭腫　431
漿液性卵管上皮内癌　427, 616, 644
漿液粘液性境界悪性腫瘍　177, 178, 477, 484
漿液粘液性腺線維腫　477
漿液粘液性囊胞腺腫　477
消化管外間質腫瘍　637, 640
消化管間質腫瘍　129
消化管穿孔　745
小細胞神経内分泌癌
　　―子宮頸部　272
　　―子宮内膜　330
　　―卵巣　580
小腸間膜　413, 415
上皮性腫瘍　252, 427
漿膜浸潤
　　―子宮内膜癌　316
静脈内平滑筋腫症　149
処女膜閉鎖　78
心横隔膜角リンパ節　419
新カルチノイド症候群　562
神経サルコイドーシス　799
神経内分泌癌
　　―子宮体部　336
　　―卵巣　581
神経内分泌腫瘍
　　―子宮頸部　273
深在性血管粘液腫　690, 695
侵襲性血管粘液腫　690
腎性全身性線維症　7
真性半陰陽　109
腎動静脈奇形　873
腎動静脈瘻　874, 878
侵入奇胎　706, 708
深部静脈血栓症　786

す

水腎症　865
水疱性浮腫　235
頭蓋咽頭腫　794
スキーン腺嚢胞　672
ステロイド細胞腫瘍　517
ステンドグラス様　**452**, 461, 464, 488
スピンエコー法　25
すりガラス細胞癌　269
すりガラス状陰影　741

せ

性器結核　767
性行為感染症　758
性索間質性腫瘍　67, 503, 806

成熟奇形腫　**533**, 535, 542, 546, 729
正常妊娠　822
生殖補助医療　818
成人型顆粒膜細胞腫　521
性腺芽腫　95, 98
性腺形成不全　97
　　―純型　95
精巣性女性化症　98
性分化疾患　95, 109
セルトリ・ライディッヒ細胞腫　121, 525, 528
セルトリ細胞腫　522, 526
線維莢膜細胞腫　504
線維形成性小型円形細胞腫瘍　642
線維血管性隔壁　543, 551, 552
線維腫　122, 129, **503**, 505, 605, 730
　　―活動性核分裂型　509
　　―富細胞性　509
線維上皮性間質ポリープ　669, 673
線維肉腫　518
腺筋腫
　　―子宮頸部　269
　　―子宮体部　331, 339
仙骨子宮靱帯　**57**, 62, 186, 189
染色体　95
腺線維腫様癌　457
前置血管　844, 845
前置胎盤　833, 836
穿通胎盤　839
先天異常　78
先天性副腎過形成　101
腺肉腫
　　―子宮体部　331, 344, 346
　　―腹膜　644, 646
　　―卵巣　495, 499
腺扁平上皮癌
　　―子宮頸部　269
全胞状奇胎　708
腺様基底細胞癌
　　―子宮頸部　269

そ

造影剤腎症　34
双角子宮　83, 86, 87
早産　830
増殖期　63
存続絨毛症　710, 711

た

体外磁性体　3
胎芽性癌　557, 558

大細胞神経内分泌癌
　　―子宮内膜　330
　　―卵巣　580
胎児型横紋筋肉腫
　　―子宮頸部　274
胎児共存奇胎　706, 710
ダイナミック MRI　**10**, 71, 304, 307, 311, 820, 840
胎嚢　818, 819, 824
胎盤　69, 71, 831
胎盤部トロホブラスト腫瘍　712, 716
大網　416, 417
大網ケーキ　416, 762, 767
多段階発癌　441
脱分化癌
　　―子宮内膜　327
　　―卵巣　491, 494
脱落膜化　822, 824
　　―子宮腺筋症　202
　　―子宮内膜症　183
　　―正常妊娠　862
多嚢胞性卵巣症候群　287, 293, 601, **804**, 805
タモキシフェン　67, 287, **299**, 300
単角子宮　87
単純子宮全摘術　152
単純性嚢胞　64, 65, 393
胆石　862
単胚葉性奇形腫　557

ち

恥骨尾骨線　812
腟　60
腟癌　**662**, 664, 665, 666
腟中隔　78
腟転移
　　―子宮内膜癌　314, 320
腟壁浸潤
　　―子宮頸癌　226
腟扁平上皮癌　664
中隔子宮　86, 87, 89
中間型栄養膜細胞　712
中腎管　268, 574
中腎腺癌　327
中腎様腺癌
　　―子宮体部　334
　　―子宮内膜　327
　　―卵巣　489, 493
虫垂炎　781
虫垂低異型度粘液性腫瘍　460, 651
中皮腫瘍　631
腸管蠕動　8

● 索　引

腸管壁内気腫症　745, 750
重複癌　314, 319
重複子宮　86, 87
腸閉塞　862
直腸腟中隔　186

て

低異型度漿液性癌　427, **436**, 438, 442
低異型度虫垂粘液性腫瘍　460, 651
低異型度内膜間質肉腫　356
低管電圧撮影　34
定数外卵巣　93
低用量経口避妊薬　**67**, 70, 153, 160
停留精巣　98, 104
テストステロン　95, 98, 105
デスモイド腫瘍　637, 639
転移性子宮腫瘍　376
転移性腫瘍　604, 649
転移性胎盤腫瘍　856
転移性脳腫瘍　26
転移性卵巣腫瘍　115, 604, 809
　―原発巣　605

と

同時化学放射線療法　221
トンネル・クラスター　255

な

内膜間質肉腫　149
　―高異型度，子宮体部　369
　―子宮体部　362
　―低異型度，子宮体部　364, 370
内膜症性囊胞　159, **163**, 184, 430
　―感染　187, 779
　―破裂　185
内膜症性プラーク　186
内膜ポリープ　334
ナボット囊胞　255, 262

に

ニューモシスチス肺炎　741, 744
尿管損傷　245
尿道憩室　672, 677
妊娠　818, 830
妊娠黄体　729, 860
妊娠黄体腫　596
妊娠高血圧症候群　866
妊娠子宮嵌頓症　831, 833
妊娠性大型孤在性黄体化卵胞囊胞　860
妊孕性温存　152, 406

ね

粘液性癌
　―子宮内膜　330, 335
　―卵巣　452, 456
粘液性境界悪性腫瘍　**451**, 454, 458, 460, 464
粘液性腫瘍
　―内頸部様　476
粘液性腺線維腫　452, 459
粘液性囊胞腺腫　452, 488
粘表皮癌
　―子宮頸部　269

の

脳実質内出血　872
脳動静脈奇形　875
脳動脈瘤　872, 874

は

胚芽腫　795
敗血症性骨盤静脈血栓症　849, 853
肺血栓塞栓症　786
肺血流シンチグラム　788
胚細胞腫瘍　533
排泄性尿路造影　234
肺動脈CTA　788
破壊性甲状腺炎　746
播種性腹膜平滑筋腫症　633, 638
バルトリン腺　684
バルトリン腺囊胞　672, 676
破裂
　―子宮　831
　―成熟奇形腫　739
　―内膜症性囊胞　738
　―卵巣　738
半陰陽　97
汎下垂体機能低下症　798
汎発性腹膜炎　762

ひ

ビグアナイド系糖尿病薬　35
肥厚性硬膜炎　798, 802
脾症　651
微小乳頭状/篩状漿液性境界悪性腫瘍　434, 439
微小囊胞間質性腫瘍　516
ヒトパピローマウイルス　216, 219
非妊娠性絨毛癌　557, 559
表在性血管粘液腫　692
皮様囊腫　533

ふ

腹腔内出血　819
腹腔内播種　408
　―子宮内膜癌　323
副腎静止（遺残）腫瘍　104
腹膜インプラント　435
腹膜癌　631
腹膜偽粘液腫　**460**, 462, 463, 564, 649, 652
腹膜腫瘍　388, 631
腹膜神経膠腫症　541, 549
腹膜中皮腫　633, 634
腹膜封入囊胞　648, 650
副卵巣　93
付属器浸潤　312
ブチルスコポラミン臭化物　8
ブドウ状肉腫
　―外陰　689
　―腟　667
不妊症　759
部分胞状奇胎　708, 710
フマル酸ヒドラターゼ　123
ブレンナー腫瘍　481, 489
　―悪性　488
　―境界悪性　488, 491
プロラクチン産生腺腫　796
分子標的薬　745, 748
分泌期　63
分葉状頸管腺過形成　120, **252**, 263, 463
分葉状卵巣　93

へ

平滑筋腫
　―外陰　694
　―奇怪核を伴う　137
　―解離性　147
　―脂肪　144, 146
　―水腫状　143
　―卒中性　**143**, 153, 346, 855, 857
　―腟　672
　―転移性　149, 151
　―富細胞性　137, 142
　―卵巣　586
　―類上皮　144
　―類粘液　144

884

平滑筋肉腫　352
　―子宮体部　346, **350**, 361, 362
　―腟　667, 670
　―卵巣　586
　―類上皮　350, 357
　―類粘液　350
壁在結節を伴う粘液性腫瘍　458
ペッサリー　5
ベバシズマブ　745
辺縁静脈洞　834, 838
扁平上皮癌　252
　―外陰　680
　―子宮内膜　315, 330
　―卵巣　567, 570

ほ

傍結腸溝　413, 415
膀胱子宮窩　186
膀胱粘膜浸潤
　―子宮内膜癌　322
膀胱癌　812
放射線治療　243
傍腫瘍症候群　320, 330
胞状奇胎　706, 708, 709
放線菌症　758, 767, 770
傍組織浸潤
　―子宮頸癌　223, 226
　―子宮内膜癌　314
傍卵管囊胞　624, 625
ホブネイル細胞　470
ポリープ状異型腺筋腫　331, 342
ポリープ状子宮内膜症　177
ホルモン療法　753

ま・み

マイクロサテライト不安定性　119
見かけの拡散係数　293
未熟奇形腫　**538**, 544, 549
ミスマッチ修復遺伝子　115
未分化癌
　―子宮頸部　269
　―子宮内膜　320
　―卵巣　491
未分化子宮肉腫　360, 371
未分化胚細胞腫　98, **543**, 551
ミュラー管型混合上皮性境界悪性腫瘍　476
ミュラー管型上皮性腫瘍　647
ミュラー管奇形　828
ミュラー管囊胞　672
ミュラー管抑制因子　95
ミルフィーユサイン　607

む

無月経
　―下垂体性　795
　―原発性　95, 107
　―視床下部性　794, 797
無月経乳汁分泌症候群　796

め・も

明細胞癌　171
　―子宮内膜　284, 315, 325
　―腺線維腫様, 卵巣　470, 478
　―囊胞性, 卵巣　470
　―卵巣　469, 473
明細胞腺癌
　―腟　664, 667, 668
免疫関連有害事象　747, 752
免疫チェックポイント阻害薬　747, 748
網内系造影剤　7
網囊　416, 419
もやもや病　873, 877

や・ゆ・よ

薬剤性肺障害　**743**, 745, 746, 750
薬物療法　741
雄核発生　706
癒着胎盤　71, 839
　―嵌入胎盤　837, 839
　―穿通胎盤　839, 842
ヨード造影剤　7, 34, 45

ら

ライディッヒ細胞腫　516
卵黄囊腫瘍　548, 554, 555
　―子宮頸部　272
　―腟　667
卵黄囊への分化を伴う腺癌　556
卵管癌　617, 620, 622
卵管腫瘍　388, 616
卵管進展
　―子宮内膜癌　317
卵管卵巣膿瘍　186, 760, 765
卵管留膿症　760, 764
ランゲルハンス細胞組織球症　799
卵巣　60
卵巣温存　729
卵巣下降不全　93
卵巣過剰刺激症候群　595, 597
卵巣癌　427
卵巣間膜　730
卵巣奇形　93
卵巣甲状腺腫　559, 563

卵巣出血　819, 821
卵巣腫瘍　388, 427
卵巣髄質　60
卵巣性索腫瘍に類似した子宮腫瘍　360, 373
卵巣線維腫症　599, 610
卵巣転移
　―子宮内膜癌　318
卵巣内膜症性囊胞　163, 430
卵巣皮質　60
卵巣無形成　93
卵胞　60, 64
卵胞期　63
卵胞囊胞　592

り

リスク低減卵巣卵管切除術　112
流産　830
淋菌　758
輪状細管を伴う性索腫瘍　119, 522, 527
臨床的絨毛癌　711, 714
臨床的侵入奇胎　711
リンチ症候群　115
リンパ球性下垂体炎　801, 803
リンパ囊腫　246

る・れ

類上皮性トロホブラスト腫瘍　712, 718
類内膜腫　171
　―子宮内膜　284, 315
　―卵巣　467, 469
類内膜癌（高分化型）
　―子宮内膜　287, 289
類内膜腺癌
　―腟　667
類内膜腺線維腫　466, 468
類粘液平滑筋肉腫　359
類表皮囊胞　537, 540
　―外陰　702
　―腟　678
　―卵巣　533
レンバチニブ　745

【欧　文】

数字

17α-水酸化酵素欠損症　104
21-水酸化酵素欠損症　98, 104
3D 撮像法　13

●索引

3 T MRI　13

A

ACR 白書　393
ACUM　211
ADC　**21**, 27, 293, 307
AFP　534, 538, 548
aggressive angiomyxoma　690
AMH　95, 804
angiomyofibroblastoma　693
APAM　331
ART　818

B

bare area　416
BEP 療法　406, 538
black garland sign　598, 610
Bokhman 分類　287
BRCA　111
bridging vascular sign　130, 134
broccoli sign　130

C

CA125　**404**, 421, 438, 452
CA15-5　119
CA19-9　452
caudal regression syndrome　90
CCRT　221
CD 腸炎　743, 747
CEA　452
cellular angiofibroma　693
chemical shift artifact　536
CHESS 法　14, 19, 22
CK20　607
CK7　452, 607
cotyledonoid dissecting leiomyoma　147
Cowden 症候群　115
Crohn 病　783
CT　34
Currarino 症候群　90
cystic hydatid of Morgagni　624

D

Denonvillier's fascia　57, 235
DES　664
DICER1 症候群　121
Dixon 法　15, 21
dMMR　115
DSD　95
DSRCT　642
DVT　786

DWI　21

E・F

EGIST　637, 640
ETT　712, 715
FAOM　188, 206
FATWO　574
FDG　41, 42
FH 欠損腎細胞癌　123
FH 腫瘍易罹患性症候群　123
Fitz-Hugh-Curtis 症候群　762
floating fat ball　537, 539
follicle preserving sign　580, 585
FSE　18, 25, 26

G

Gardner 症候群　637
G-CSF　755
G-CSF 関連動脈炎　756
GGO　741, 743, 746
GIST　130, 135
gliomatosis　652
GnRH agonist（GnRHa）　67, 153, 160, 202, 753
GnRH antagonist　67, 153, 202, 204, 753
Gorlin-Goltz 症候群　121
growing teratoma syndrome　541, 550

H

HASTE　20, 25, 26, 47, 71, 839
HBOC　111
hCG-β　534, 543, 557, **706**, 844
HDP　866
HE4　405
HELLP 症候群　867, 869
hematocrit effect　167
Herlyn-Werner-Wunderlich 症候群　90
HGSC　437
HLRCC　123
HNPCC　115
HPV　216, 663, 681
HPV 関連腺癌　259
HPV 非依存性腺癌　259
HSG　80, 83

I

ICI　747
IDS　406
IgG4 関連疾患　800

IMT
　—子宮体部　362
in phase　15, 22
inframesocolic space　413
insufficiency fracture　247
IOTA simple rule　397, 399
irAE　747, 750
　—下垂体炎　754
　—急性腎障害　753
　—大腸炎　747, 750, 752
isotropic imaging　35
IUD　5
IVU　234

J・K

JCA　210
junctional zone（JZ）　**56**, 63, 69, 199, 202, 299, 305
Krukenberg 腫瘍　516, 607

L

LAMN　460, 651
LEGH　120, **252**, 263, 463
lesser sac　416
LGSC　436
LNG-IUS　202
Lynch 症候群　115

M

Mayer-Rokitansky-Küster-Hauser syndrome　85
MDA　80
MEBT　177, 477
Meckel 憩室　783
Meigs 症候群　503, 508, 512
MELF pattern　313, 315
mille-feuille sign　607
MMBT　177, 477
MMR　115
MMR deficient　288
mobile spherules　537
Morison 窩　416, 418
MPA　289
MPA 療法　331, 753
MPR　35
MR urography　232, 233, 865
MRI　3
MRKH　85
MRU　233, 865
MSI　119
multicystic mesothelioma　648
multivesicular pattern　708

886

mushroom sign 189
myoma sloughing 153

N・O

NAC 403, 405, 422
NSF 7
NSMP 288
OHSS 595
OHVIRA 症候群 90
omental cake 416
opposed phase 15
O-RADS 11, 397
O-RADS MRI 397, 401
O-RADS US 397, 400
out of phase 15, 22, 537

P

p53 mutant 288
PA&IB pattern **431**, 442, 449, 472, 480, 483, 487
Paget 病 684
palm tree appearance 537, 538
papillary architecture and internal branching pattern 431
paracolic gutter 413
PAS 839
PCL 812
PCOS 601, 804
PDS 410, 422
PEComa 144
　―子宮体部 362
peptide YY 562
peritoneal inclusion cyst 648, 649
peritumoral enhancement 308

PET/CT 41
Peutz-Jeghers 症候群 **119**, 255, 259, 522
PID 758
placenta accreta spectrum 839
POLE ultramutated 288
porous diaphragm syndrome 185
posterior reversible encephalopathy syndrome 868
PRES 868, 869
psammocarcinoma 437
pseudolobular pattern 513
pseudo-Meigs 症候群 509, 559
pseudomyxoma ovarii 564
pseudowidening 202, 204
PSTT 712, 715
PTE 786
PTEN 過誤腫症候群 115
puffer ball 614

R

Rokitansky protuberance 534, 537
RRSO 112

S

salpingitis isthmica nodosa 624
SAR 13, 47
sarcomatous overgrowth 343, 345
scalloping **461**, 463, 651, 652
SCC 567
Schiller-Duval body 548, 555
SCTAT 119
secondary Müllerian system 644
SEE-FIM 法 441, 445

SFT 642
shading 166, 173
Sheehan 症候群 798, 801
SMBT 477
SMMN-FGT 463, 465
squamocolumnar junction 216, 219
SRY 95
SSFP 47, 71, 839
SSFSE **20**, 25, 47, 839
stained-glass appearance 452
STIC 115, **427**, 428, 438, 441, 616
STUMP 123, 349, 351
subendometrial enhancement 307
supramesocolic space 413
SUV 41
Swyer 症候群 95, 98

T

T2-dark spot 164
TC 療法 406
TDF 96
Tofts model 21, 28
torus uterinus 186, 189
Trousseau 症候群 790
Turner 症候群 98, 102

U・W

UAE 153, 723
unopposed estrogen 299
UTROSCT 360, 373
Walthard nest 487
web of spider appearance 656
Wharton 膠質 843

■著者紹介

田中優美子 Yumiko Oishi TANAKA, M.D.

がん研究会有明病院画像診断部。専門分野：産婦人科領域のMRI，画像診断一般。主な著書：『産婦人科の画像診断』（金原出版），『婦人科MRIアトラス』（共著，学研メディカル秀潤社）。

略歴

1988年3月	筑波大学医学専門学群卒業
1988年6月	筑波大学附属病院　医員（研修医）
1994年4月	筑波メディカルセンター病院　放射線科医師
1997年3月	筑波大学臨床医学系　講師
2011年10月	（組織改組）筑波大学医学医療系　講師
2016年4月	がん研究会有明病院画像診断部
併任 2016年11月	昭和医科大学江東豊洲病院放射線診断科　客員教授
併任 2022年5月	東京医科大学茨城医療センター放射線科　客員教授

現在に至る

所属学会

（国内）

日本医学放射線学会　会員
日本腹部放射線学会　代議員
日本磁気共鳴医学会　会員（2008-2021 代議員）
日本産科婦人科学会　会員
日本婦人科腫瘍学会　会員

（海外）

Radiological Society of North America, Member
　　2014-2019　"Radiographics" Women's Imaging Panel
European Society of Radiology, Member
　　2006-2010　"European Radiology" Editorial Board Member
　　2011-　　　Annual meeting abstract reviewer
American Roentgen Ray Society, Member
International Society for Magnetic Resonance in Medicine, Member
European Society of Urogenital Radiology, Member

専門医等

日本専門医機構/日本医学放射線学会　放射線科専門医
日本医学放射線学会　研修指導者
日本核医学会　核医学専門医
日本核医学会　PET核医学認定医

産婦人科の画像診断 第2版

2014 年 4 月 10 日　第 1 版発行
2025 年 10 月 15 日　第 2 版第 1 刷発行

著　者　田中優美子
　　　　（たなかゆみこ）

発行者　福村　直樹

発行所　金原出版株式会社
　　　　〒113-0034　東京都文京区湯島 2-31-14
　　　　電話　編集 (03)3811-7162
　　　　　　　営業 (03)3811-7184
　　　　FAX　 (03)3813-0288　　　©田中優美子, 2014, 2025
　　　　振替口座　00120-4-151494　　　検印省略
　　　　http://www.kanehara-shuppan.co.jp/　　Printed in Japan

ISBN 978-4-307-07135-2　　印刷・製本／教文堂・井上製本所
　　　　　　　　　　　　　　カバーデザイン／麒麟三隻館

JCOPY ＜出版者著作権管理機構　委託出版物＞
本書の無断複製は著作権法上での例外を除き禁じられています。複製される場合は，そのつど事前に，出版者著作権管理機構（電話 03-5244-5088，FAX 03-5244-5089，e-mail：info@jcopy.or.jp）の許諾を得てください。

小社は捺印または貼付紙をもって定価を変更致しません。
乱丁，落丁のものはお買上げ書店または小社にてお取り替え致します。

WEB アンケートにご協力ください
読者アンケート（所要時間約 3 分）にご協力いただいた方の中から抽選で毎月 10 名の方に図書カード 1,000 円分を贈呈いたします。
アンケート回答はこちらから ➡
https://forms.gle/U6Pa7JzJGfrvaDof8